Blanco e Hernández

DICCIONARIO ENCICLOPÉDICO DE TÉRMINOS TÉCNICOS

Inglés-Español
Español-Inglés

Volumen

2

Inglés-Español
O-Z

English-Spanish
Spanish-English
ENCYCLOPEDIC
DICTIONARY
OF
TECHNICAL
TERMS

Volume
2

English-Spanish
O-Z

Javier L. Collazo

DICCIONARIO ENCICLOPÉDICO DE TÉRMINOS TÉCNICOS

Inglés-Español Español-Inglés

en tres volúmenes
Volumen 2

McGraw-HILL

MÉXICO • BUENOS AIRES • CARACAS • GUATEMALA • LISBOA • MADRID • NUEVA YORK
PANAMÁ • SAN JUAN • SANTAFÉ DE BOGOTÁ • SANTIAGO • SÃO PAULO
AUCKLAND • HAMBURGO • LONDRES • MILÁN • MONTREAL • NUEVA DELHI • PARÍS
SAN FRANCISCO • SINGAPUR • ST. LOUIS • SIDNEY • TOKIO • TORONTO

Javier L. Collazo

English-Spanish
Spanish-English
ENCYCLOPEDIC
DICTIONARY
OF
TECHNICAL
TERMS

in three volumes
Volume 2

McGRAW-HILL

MÉXICO • BUENOS AIRES • CARACAS • GUATEMALA • LISBOA • MADRID • NUEVA YORK
PANAMÁ • SAN JUAN • SANTAFÉ DE BOGOTÁ • SANTIAGO • SÃO PAULO
AUCKLAND • HAMBURGO • LONDRES • MILÁN • MONTREAL • NUEVA DELHI • PARÍS
SAN FRANCISCO • SINGAPUR • ST. LOUIS • SIDNEY • TOKIO • TORONTO

Library of Congress Cataloging in Publication Data

Collazo, Javier L., date.
 Enciclopedic dictionary of technical terms,
English-Spanish, Spanish-English.

 Added t.p.: Diccionario enciclopédico de términos técnicos,
inglés-español, español-inglés
 1. Technology—Dictionaries. 2. English languaje—
Dictionaries—Spanish. 3. Technology—Dictionaries-Spanish.
4. Spanish languaje—Dictionaries—English. I. Title. II. Title.
Diccionario enciclopédico de términos técnicos, inglés-español,
español-inglés.
T.10.C593   603   79-1607-A
ISBN 0-07-079172-4 English binding
ISBN 0-07-079162-7 Spanish binding

Reprinted with permission by
McGraw-Hill/Interamericana
de México, S.A. de C.V.

 Second printing, 1981
 Third printing, 1985
 Fourth printing, 1986
 Fifth printing, 1986
 Sixth printing, 1987
 Seventh printing, 1988
 Eighth printing, 1991
 Tenth printing, 1992
 Eleventh printing, 1992
 Twelfth printing, 1993
 Thirteenth printing, 1993

The editors for this books were Leonard Josephson, Robert A.
Rosenbaum, and Tobia L. Worth; the designer was Edward J. Fox;
the proofreaders were Catherine Engel, Luisa S. Flintoff, and
Ileana L. Shofel; and the production supervisor was Teresa F. Leaden.
It was set in Baskerville by Keter Press.

Authors's mailing address: Javier L. Collazo /
P.O. Box 752 Clark / New Jersey 07066 (USA)

1302456789   9087654123

Impreso en México   Printed in México

Esta obra se terminó de
imprimir en diciembre de 1993
en Programas Educativos, S.A.
Calz. Chabacano 65-A
Col. Asturias
Delegación Cuauhtémoc
06850 México, D.F.

Se tiraron 5000 ejemplares

Abreviaturas y Rótulos Usados en la Parte I

Abbreviations and Labels Used in Part I

A VECES:	= A veces:	= Sometimes:
a.c. (used in English context)	= también llamado; también conocido por	= also called; also known as
Abrev.	= Abreviatura	= Abbreviation
Acum	= Acumuladores	= Accumulators; storage batteries
Acús	= Acústica	= Acoustics
acús	= acústico	= acoustic(al)
adj:	= adjetivo:	= adjective:
adv:	= adverbio:	= adverb:
Aerocartog	= Aerocartografía	= Aerocartography
Aerofotog	= Aerofotografía	= Aerophotography, aerial photography
Aeron	= Aeronáutica; ingeniería aeronáutica	= Aeronautics; aeronautical engineering
aeron	= aeronáutico	= aeronautic(al)
Aeronaveg	= Aeronavegación	= Air navigation
AF	= Audiofrecuencia; sistemas de audiofrecuencia	= Audio frequency; audio-frequency systems
AFINES:	= Ideas y vocablos afines (incluso semisinónimos):	= Related ideas and terms (including semisynonyms):
Agric	= Agricultura	= Agriculture
Alg	= Algebra	= Algebra
also (used in English context)	= también; también llamado; también conocido por; también deletreado	= also; also called; also known as; also spelled
Ampl	= Amplificadores	= Amplifiers
Anat	= Anatomía	= Anatomy
Ant	= Antenas; sistemas de antena	= Antennas; antenna systems
ant	= antena(s)	= antenna(s)
Arit	= Aritmética	= Arithmetic
Arq	= Arquitectura	= Architecture
art.	= artículo	= article; entry
Astr	= Astronomía	= Astronomy
Astrofís	= Astrofísica	= Astrophysics
Audio	= Técnicas de audiofrecuencia	= Audio-frequency techniques
Audioampl	= Audioamplificadores	= Audio amplifiers
Automática	= Automática: ciencia y tecnología del control automático; automatización; sistemas de control automático	= Automatics: automatic-control science and technology; automation; automatic control systems
Autos	= Automóviles; mecánica automotriz	= Automobiles; automotive mechanics
Avia	= Aviación	= Aviation
Bat	= Baterías	= Batteries
Biol	= Biología	= Biology
Bioquím	= Bioquímica	= Biochemistry
Bot	= Botánica	= Botany
Calc	= Calculadoras	= Calculators; computers
Cám	= Cámaras	= Cameras
cám	= cámara(s)	= camera(s)
Carp	= Carpintería	= Carpentry
Cartog	= Cartografía	= Cartography
CASO PART.	= Caso particular:	= Special case:
CASOS PART.	= Casos particulares:	= Special cases:
CEI	= Comisión Electrotécnica Internacional	= International Electrotechnical Commission
CF.	= Confróntese, contrástese con; consúltese también	= Confer, contrast with; consult also
Cine	= Cine; cinematografía	= Cinema; cinematography
cine	= cinematográfico	= cinematographic
Circ	= Circuito(s)	= Circuit(s)
Climatiz	= Climatización, acondicionamiento de aire	= Air conditioning
Com	= Comercio	= Commerce, trade

Abreviaturas y Rótulos Usados en la Parte I
Abbreviations and Labels Used in Part I

Comput	= Computadoras, computadores	= Computers
Cond	= Condensadores	= Condensers
Cong	= Congeladores	= Freezers
conj:	= conjunción:	= conjunction:
Conmut	= Conmutación; conmutador(es)	= Switching; switch(es)
Constr	= Construcción	= Construction
Contab	= Contabilidad	= Accounting
CONTRA:	= Contrario, antónimo, opuesto a:	= Contrary, antonym, (as) opposed to:
Cristalog	= Cristalografía	= Crystallography
def.	= definición	= definition
Det	= Detección; detector(es)	= Detection; detector(s)
Dib	= Dibujo; dibujos	= Drafting, drawing; drawings
dinamoeléc	= dinamoeléctrico	= dynamoelectric
e.g.	= *exempli gratia* (por ejemplo)	= *exempli gratia* (for example)
Edif	= Edificación; edificios	= Building; buildings
EE.UU.	= Estados Unidos de América	= United States of America
Ej.	= Ejemplo(s)	= Example(s)
Elec	= Electricidad; electrotecnia	= Electricity; electrotechnology
eléc	= eléctrico	= electric(al)
Elecn	= Electrónica	= Electronics
elecn	= electrónico	= electronic
Electroacús	= Electroacústica	= Electroacoustics
electroacús	= electroacústico	= electroacoustic(al)
Electrobiol	= Electrobiología	= Electrobiology
Electromag	= Electromagnetismo	= Electromagnetism
electromag	= electromagnético	= electromagnetic
Electromec	= Electromecánica; aplicaciones electromecánicas	= Electromechanics; electromechanical applications
electromec	= electromecánico	= electromechanic(al)
Electromet	= Electrometalurgia	= Electrometallurgy
Electroquím	= Electroquímica	= Electrochemistry
esp.	= especialmente	= specially
Esp	= España	= Spain
Estr	= Estructura(s)	= Structure(s)
ETIM.	= Etimología:	= Etymology:
EU	= Estados Unidos de América (para indicar el uso principalmente americano)	= United States of America (to indicate mainly American usage)
Explot	= Explotación	= Exploitation; operation(s)
Fab	= Fabricación	= Manufacture; manufacturing; fabrication
Fáb	= Fábricas	= Factories, manufacturing plants
fam.	= familiar	= colloquial
fem.	= género femenino	= feminine gender
Ferroc	= Ferrocarriles	= Railroads
ferromag	= ferromagnético	= ferromagnetic
ferrov	= ferroviario	= railroad (as adjective)
Fís	= Física	= Physics
fís	= físico	= physical
Fís at	= Física atómica	= Atomic physics
Fisicoquím	= Fisicoquímica	= Physical chemistry
Fisiol	= Fisiología	= Physiology
Fonog	= Fonografía; fonógrafos; registro y reproducción del sonido	= Phonography; phonographs; sound recording and reproduction
fonog	= fonográfico	= phonographic, phonograph (as adjective)
fotoeléc	= fotoeléctrico	= photoelectric
Fotog	= Fotografía; fotogrametría	= Photography; photogrammetry
fotog	= fotográfico	= photographic
Fototeleg	= Fototelegrafía	= Phototelegraphy
frec	= frecuencia(s)	= frequency, frequencies
Fuentes de alim	= Fuentes de alimentación	= Power supplies
GB	= Gran Bretaña (para indicar el uso principalmente británico)	= Great Britain (to indicate mainly British usage)

Abbreviations and Labels Used in Part I

Gen	= Generador(es)	= Generator(s)
Geofís	= Geofísica	= Geophysics
Geog	= Geografía	= Geography
Geol	= Geología	= Geology
Geom	= Geometría	= Geometry
gralm.	= generalmente	= generally; usually
Gram	= Gramática	= Grammar
Herr	= Herramientas	= Tools
Hidr	= Hidráulica; ingeniería hidráulica; hidromecánica	= Hydraulics; hydraulic engineering; hydromechanics
Hidrol	= Hidrología	= Hydrology
hidroeléc	= hidroeléctrico	= hydroelectric
Hiperfrec	= Hiperfrecuencias, microondas	= Hyperfrequencies, microwaves
i.e.	= *id est* (o sea, esto es)	= *id est* (that is)
Ilum	= Iluminación; luminotecnia	= Illumination; illuminating engineering
Impr	= Imprenta	= Printing
INCORRECTO:	= Incorrecto; incorrectamente:	= Incorrect; incorrectly:
Informática	= Informática, ciencia de la información; tratamiento de la información; sistemas de información; sistematización o reducción de datos	= Informatics, information science; information processing; information systems; data processing
Ing	= Ingeniería	= Engineering
Instr	= Instrumentos; instrumental; instrumentación	= Instruments; instrumentation
instr	= instrumento(s)	= instrument(s)
Lab	= Laboratorios	= Laboratories
Líneas de tr	= Líneas de transmisión	= Transmission lines
MA	= Modulación de amplitud; sistemas de modulación de amplitud	= Amplitude modulation; amplitude-modulation systems
Mag	= Magnetismo	= Magnetism
mag	= magnético	= magnetic
Maq	= Maquinaria	= Machinery
Máq	= Máquinas	= Machines
Máq herr	= Máquinas herramienta	= Machine tools
Mat	= Matemáticas	= Mathematics
mat	= matemático	= mathematic(al)
Mec	= Mecánica; ingeniería mecánica	= Mechanics; mechanical engineering
mec	= mecánico	= mechanic(al)
MENOS FREC.	= Menos frecuente(mente):	= Less frequent(ly):
Met	= Metales; metalurgia; metalografía	= Metals; metallurgy; metallography
met	= metal; metálico; metalúrgico; metalográfico	= metal; metallic; metallurgic; metallographic
Meteor	= Meteorología	= Meteorology
MF	= Modulación de frecuencia; sistemas de modulación de frecuencia	= Frequency modulation; frequency-modulation systems
Microfís	= Microfísica	= Microphysics
Mil	= Milicia; ciencia militar	= Military; military science
Min	= Minería; ingeniería de minas	= Mining; mining engineering
Miner	= Mineralogía	= Mineralogy
Mod	= Modulación; modulador(es)	= Modulation; modulator(s)
Mot	= Motores	= Motors
Mús	= Música	= Music
mus	= musical	= musical
Nucl	= Nucleónica	= Nucleonics
nucl	= nucleónico; nuclear	= nucleonic; nuclear
Oceanog	= Oceanografía	= Oceanography
Opt	= Optica	= Optics
Osc	= Oscilaciones; oscilador(es)	= Oscillations; oscillator(s)
p.ej.	= por ejemplo	= for example
PERT	= PERT [Véase este art. en el léxico (Parte I)]	= PERT [See this entry in lexicon (Part I)]
Petr	= Petróleo; industria del petróleo; ingeniería petrolera	= Petroleum; petroleum industry; petroleum engineering
piezoeléc	= piezoeléctrico	= piezoelectric
prep:	= preposición:	= preposition
propag	= propagación	= propagation

Proy	= Proyectores	= Projectors
Quím	= Química; ingeniería química; productos químicos	= Chemistry; chemical engineering; chemical products
quím	= químico	= chemical
®	= Marca registrada	= Registered trademark
Radioafic	= Radioaficionados	= Radio amateurs
Radioastr	= Radioastronomía	= Radioastronomy
Radiobiol	= Radiobiología	= Radiobiology
Radiocom	= Radiocomunicaciones	= Radiocommunications
Radiodif	= Radiodifusión	= Radio broadcasting
Radioelec	= Radioelectricidad	= Radioelectricity, radio technology
radioeléc	= radioeléctrico	= radioelectric, radio (as adjective)
Radiol	= Radiología; física radiológica	= Radiology; radiological physics
Radionaveg	= Radionavegación	= Radionavigation
Radiotelef	= Radiotelefonía	= Radiotelephony
radiotelef	= radiotelefónico	= radiotelephonic
Radioteleg	= Radiotelegrafía	= Radiotelegraphy
radioteleg	= radiotelegráfico	= radiotelegraphic
Rec	= Recepción; receptor(es)	= Reception; receiver(s)
rec	= receptor, de recepción	= receiver, receiving (as adjective)
Rect	= Rectificación; rectificadores	= Rectification; rectifiers
Refrig	= Refrigeración; refrigeradores	= Refrigeration; refrigerators
RR	= Reglamento de Radiocomunicaciones	= Radio Regulations
Semicond	= Semiconductores; dispositivos semiconductores	= Semiconductors; semiconductor devices
SIN.	= Sinónimos:	= Synonyms:
Sist	= Sistema(s)	= System(s)
slang	= slang, vulgarismo inglés	= slang
superhet	= superheterodino	= superheterodyne
sust	= sustantivo o nombre	= substantive or noun
TB.	= También:	= Also:
Tecn	= Tecnología	= Technology
Telecom	= Telecomunicaciones	= Telecommunications
telecom	= telecomunicación, telecomunicaciones	= telecommunication(s)
Telef	= Telefonía; explotación telefónica	= Telephony; telephone operations
telef	= telefónico	= telephonic
Teleg	= Telegrafía; explotación telegráfica	= Telegraphy; telegraph operations
teleg	= telegráfico	= telegraphic
Teleimpr	= Teleimpresores	= Teleprinters, teletypewriters
Tipog	= Tipografía	= Typography
TMV	= Tubos de modulación de velocidad	= Velocity-modulation tubes
TOP	= Tubos de ondas progresivas	= Traveling-wave tubes
Topog	= Topografía	= Topography
topog	= topográfico	= topographic(al)
Tr	= Transmisión; transmisor(es)	= Transmission; transmitter(s)
Tr de datos	= Transmisión de datos; transferencia de datos; teleinformática	= Data transmission; data transfer; teleinformatics
Transf	= Transformador(es)	= Transformer(s)
Transform	= Transformador(es)	= Transformer(s)
TRC	= Tubos de rayos catódicos	= Cathode-ray tubes
Tv	= Televisión	= Television
Tvc	= Televisión en colores	= Color television
V.	= Véase	= See
v.	= véase	= see; which see
V.TB.	= Véase también	= See also
Vál	= Válvulas; válvulas electrónicas	= Valves; electron tubes
vál	= válvula(s)	= valve(s); tube(s)
VAR.	= Variantes, variaciones:	= Variants, variations:
VEI	= Vocabulario Electrotécnico Internacional	= International Electrotechnical Vocabulary
Videoampl	= Videoamplificadores	= Videoamplifiers
Zool	= Zoología	= Zoology

Abbreviations and Labels Used in Part I

&	= etcétera	= et cetera
=	= lo mismo que	= same as
///	= Signo de separación primario. (Se usa para la segregación por función gramatical)	= Primary separation sign. [Used for breakdown by grammatical function (part of speech)]
‖	= Signo de separación secundario. (Se usa para la segregación por campo)	= Secondary separation sign. (Used for breakdown by field)
		= Signo de separación terciario. (Se usa para la segregación por significado; también para separar subartículos, locuciones, etc.)	= Tertiary separation sign. (Used for breakdown by meaning; also to set off subentries, locutions, etc.)

Abbreviations and Labels Used in Part II
Abreviaturas y Rótulos Usados en la Parte II

Abbrev.	= Abbreviation	= Abreviatura
Acous	= Acoustics/Acoustic(al)	= Acústica/acústico
adj:	= adjective:	= adjetivo:
ADP	= Automatic data processing	= Elaboración automática de datos
adv:	= adverb:	= adverbio:
Aeron	= Aeronautics; aeronautical engineering/ aeronautic(al)	= Aeronáutica; ingeniería aeronáutica/ aeronáutico
Air cond	= Air conditioning	= Acondicionamiento de aire, climatización
AM	= Amplitude modulation; amplitude-modulation systems	= Modulación de amplitud; sistemas de modulación de amplitud
Ampl	= Amplifiers	= Amplificadores
Anat	= Anatomy	= Anatomía
Ant	= Antennas; antenna systems	= Antenas; sistemas de antena
Archit	= Architecture/Architectural	= Arquitectura/arquitectónico
Arith	= Arithmetic/Arithmetic(al)	= Aritmética/aritmético
Astr	= Astronomy/Astronomic(al)	= Astronomía/astronómico
Automatics	= Automatics, automation, automatic controls	= Automática, automatización, controles automáticos
Autos	= Automobiles; automotive mechanics	= Automóviles; mecánica automotriz
Avia	= Aviation	= Aviación
Bat	= Batteries	= Baterías
Biochem	= Biochemistry	= Bioquímica
Biol	= Biology	= Biología
Bldg	= Building	= Construcción; edificación
Bot	= Botany	= Botánica
Broadcasting	= Radio broadcasting (sound and/or television)	= Radiodifusión (sonora y/o televisiva)
Bus	= Business	= Negocios, comercio
Carp	= Carpentry	= Carpintería
Cartog	= Cartography	= Cartografía
Chem	= Chemistry/Chemical	= Química/químico
Cine	= Cinema; cinematography/Cinematographic	= Cinema; cinematografía/cinematográfico
Com	= Commerce, trade	= Comercio
Comput	= Computers	= Computadoras
Constr	= Construction	= Construcción
CRT	= Cathode-ray tubes	= Tubos de rayos catódicos
Crystallog	= Crystallography/Crystallographic	= Cristalografía/cristalográfico
Data tr	= Data transmission	= Transmisión de datos, teleinformática
Det	= Detectors; detection	= Detectores; detección
Elec	= Electricity; electrotechnology/Electric(al)	= Electricidad; electrotecnología/eléctrico
Elecn	= Electronics/electron(ic)	= Electrónica/electrónico
Electroacous	= Electroacoustics/Electroacoustic(al)	= Electroacústica/electroacústico
Electrobiol	= Electrobiology	= Electrobiología
Electrochem	= Electrochemistry/Electrochemical	= Electroquímica/electroquímico
Electromag	= Electromagnetism/Electromagnetic	= Electromagnetismo/electromagnético
Electromech	= Electromechanics; electromechanical applications/Electromechanic(al)	= Electromecánica; aplicaciones electromecánicas/ electromecánico
Electromet	= Electrometallurgy	= Electrometalurgia
Eng	= Engineering	= Ingeniería
Fac	= Facsimile	= Facsímile
Fin	= Finance	= Finanzas
FM	= Frequency modulation; frequency-modulation systems	= Modulación de frecuencia; sistemas de modulación de frecuencia
GB	= Great Britain (to indicate mainly British usage)	= Gran Bretaña (para indicar el uso mayormente británico)
Gen	= Generator(s)	= Generador(es)
Geog	= Geography	= Geografía

Abbreviations and Labels Used in Part II
Abreviaturas y Rótulos Usados en la Parte II

Geol	= Geology	= Geología
Geom	= Geometry	= Geometría
Geophys	= Geophysics	= Geofísica
Gram	= Grammar	= Gramática
Hydr	= Hydraulics; hydraulic engineering; hydro-mechanics/hydraulic	= Hidráulica; ingeniería hidráulica; hidromecánica/hidráulico
Illum	= Illumination; illuminating engineering	= Iluminación; luminotecnia
Informatics	= Informatics, information science; information processing; information systems	= Informática, ciencia de la información; elaboración de (la) información; sistemas informáticos
Instr	= Instruments; instrumentation	= Instrumentos; instrumental; instrumentación
Lab	= Laboratories	= Laboratorios
Mag	= Magnetism/magnetic	= Magnetismo/magnético
Math	= Mathematics/mathematic(al)	= Matemáticas/matemático
Mech	= Mechanics; mechanical engineering/mechanical	= Mecánica; ingeniería mecánica/mecánico
Met	= Metals; metallurgy; metallography	= Metales; metalurgia; metalografía
Meteor	= Meteorology/meteorological	= Meteorología/meteorológico
Mfg	= Manufacturing	= Fabricación; elaboración
Microbiol	= Microbiology	= Microbiología
Microphys	= Microphysics	= Microfísica
Miner	= Mineralogy	= Mineralogía
Mus	= Music/Musical	= Música/músico
Navig	= Navigation/navigational	= Navegación/navegacional
Nucl	= Nucleonics/Nuclear	= Nucleónica/nuclear
Oceanog	= Oceanography/Oceanographic(al)	= Oceanografía/oceanográfico
Opt	= Optics/Optic(al)	= Optica/óptico
Osc	= Oscillator(s); oscillations	= Oscilador(es); oscilaciones
PERT	(See this entry in Part I lexicon)	(Véase este artículo en el léxico de la Parte I)
Petr	= Petroleum; petroleum industry; petroleum engineering	= Petróleo; industria del petróleo; ingeniería petrolera
Phonog	= Phonography; phonographs; sound recording and reproduction/Phonographic	= Fonografía; fonógrafos; registro y reproducción del sonido/fonográfico
Photoelec	= Photoelectricity/Photoelectric	= Fotoelectricidad/fotoeléctrico
Photog	= Photography; photogrammetry/Photographic; photogrammetric	= Fotografía; fotogrametría/fotográfico; fotogramétrico
Phys	= Physics	= Física
Physiol	= Physiology	= Fisiología
Piezoelec	= Piezoelectricity/Piezoelectric	= Piezoelectricidad/piezoeléctrico
prep:	= preposition:	= preposición:
propag	= propagation	= propagación
Radiobiol	= Radiobiology	= Radiobiología
Radiochem	= Radiochemistry/Radiochemical	= Radioquímica/radioquímico
Radiocom	= Radiocommunications	= Radiocomunicaciones
Radiol	= Radiology; radiological physics/Radiological	= Radiología; física radiológica/radiológico
Radionavig	= Radionavigation	= Radionavegación
Radiotelef	= Radiotelephony/radiotelephone, radiotelephonic	= Radiotelefonía/radiotelefónico
Radioteleg	= Radiotelegraphy/radiotelegraph(ic)	= Radiotelegrafía/radiotelegráfico
RDF	= Radio direction finding; radio direction finders	= Radiogoniometría; radiogoniómetros/radiogoniométrico
Rec	= Reception; receivers	= Recepción; receptores
Rect	= Rectification; rectifiers	= Rectificación; rectificadores
Refrig	= Refrigeration; refrigerators	= Refrigeración: refrigeradores
RR	= Railroads	= Ferrocarriles
Semicond	= Semiconductors; semiconductor devices	= Semiconductores; dispositivos semiconductores
Str	= Structures	= Estructuras
Superhet	= Superheterodyne	= Superheterodino
Telecom	= Telecommunications	= Telecomunicaciones
Telef	= Telephony; telephone operations/telephone, telephonic	= Telefonía, explotación telefónica/telefónico
Teleg	= Telegraphy; telegraph operations/telegraph(ic)	= Telegrafía; explotación telegráfica/telegráfico
Topog	= Topography	= Topografía

Abreviaturas y Rótulos Usados en la Parte II

Transf	= Transformers	= Transformadores
Tv	= Television	= Televisión
TWT	= Traveling-wave tubes	= Tubos de ondas progresivas
Typog	= Typography	= Tipografía
VMT	= Velocity-modulation tubes	= Tubos de modulación de velocidad
Zool	= Zoology	= Zoología

LÉXICO

Inglés-Español

con definiciones en español

Volumen

2

Inglés-Español

O-Z

English-Spanish

LEXICON

with definitions in Spanish

Volume

2

English-Spanish
O-Z

O

O   Símbolo químico del oxígeno [oxygen] ‖ *(Teleg)* Abrev. de our. En los telegramas de servicio esta abreviatura se liga casi siempre con la palabra o abreviatura siguiente. EJEMPLO: OMGE=our message [nuestro mensaje].

O/D   *(Teleg)* Abrev. de office of destination [oficina de destino].

0-dB attenuator   v. **zero-dB attenuator**.

O electron   electrón O. Electrón con órbita en la capa O. v. **O shell**.

O guide   guía O. Línea de transmisión de ondas superficiales consistente en una estructura cilíndrica hueca hecha de una hoja delgada de material dieléctrico.

O/H system   Abrev. de over-the-horizon system.

O network   red en O. Red eléctrica constituida por cuatro ramas de impedancia (p.ej. cuatro resistores) conectadas en serie; dos de los puntos de unión adyacentes van a los bornes de entrada, y los otros dos a los de salida. CF. **pi network**.

O/O   *(Teleg)* Abrev. de office of origin [oficina de origen].

O/O keying   Abrev. de on/off keying.

O ring   aro tórico | v. **O-ring seal**.

O-ring seal   empaquetadura en O; junta tórica.

O shell   capa O, piso O. La quinta capa de electrones en órbita alrededor del núcleo atómico; sus electrones se caracterizan por el número cuántico principal 5.

0-TLP   v. **0TLP**.

O-type backward-wave oscillator   oscilador de ondas retrógradas tipo "O". Oscilador de hiperfrecuencias (microondas) de banda ancha, sintonizable por tensión.

O-type tube   tubo tipo "O". Tipo particular de tubo electrónico de microondas.

O wave   Abrev. de ordinary wave.

O-wave component   v. **ordinary-wave component**.

O-X exit   *(Sistematización de datos)* emisoras O-X.

OACI   Abrev. de Organización de la Aviación Civil Internacional [International Civil Aviation Organization (ICAO)].

oak   roble, encina, encino, carrasco, carrasca; coscoja, carrasca.

oakum   estopa, empaque; estopa alquitranada; estopa de calafatear.

OAO   Abrev. de orbiting astronomical observatory.

OASI tax   Abrev. de Old Age and Survivors Insurance tax [impuesto de pensión a la vejez].

OB   Abrev. de official broadcast ‖ *(Radioafic)* Abrev. de old boy ["viejo"] ‖ *(Radio/Tv)* Abrev. de outside broadcast (véase).

OB van   v. **outside-broadcast van**.

OBI   Abrev. de omnibearing indicator.

object   objeto, cosa material; objeto, propósito; blanco ‖ *(Gram: Análisis de oraciones)* complemento.

object glass   *(Opt)* v. **objective lens**.

object language   *(Comput)* lenguaje de salida. Lenguaje resultante de una traducción. CF. **source language**.

object lens   v. **objective lens**.

object point   *(Opt)* punto incidente | punto objeto. Punto real o virtual de intersección de un pincel ocular [pencil of rays] que incide sobre un sistema óptico.

object program   *(Sistematización de datos)* programa absoluto | programa de salida. (1) Programa expresado en un lenguaje de salida [object language]; ejemplo: programa en lenguaje de máquina [machine-language program] ejecutable directamente por una computadora particular. (2) Salida de un ordenador [processor] que ha traducido el programa original [source program] a un lenguaje de máquina o a un lenguaje sintético de segundo nivel.

objectionable fading   *(Radiocom)* desvanecimiento perjudicial.

objectionable interference   *(Radiocom)* perturbación [interferencia] perjudicial.

objectionable noise   ruido molesto, ruido perjudicial.

objective   objetivo; objeto, fin, propósito; destino ‖ *(Gram)* acusativo, caso acusativo ‖ *(Opt)* (a.c. objective lens) objetivo ⫽ *adj:* objetivo ‖ *(Gram)* objetivo; complementario.

objective aperture   *(Microscopios)* diafragma del objetivo.

objective lens   (a.c. objective, object lens, object glass) objetivo. (1) Lente (o sistema de lentes) dispuesto del lado en que se sitúa el objeto respecto a un instrumento de óptica. (2) El primer lente atravesado por los rayos en un sistema óptico o de lentes electrónicas.

objective-lens cap   tapaobjetivo.

objective measurement   medida objetiva.

objective noise meter   *(Acús)* medidor objetivo de ruido, psofómetro objetivo; acútmetro objetivo. SIN. **noise meter**.

objective photometer   (a.c. physical photometer) fotómetro objetivo [físico]. v. **physical photometer**.

oblate   *adj:* achatado; aplastado en los polos ‖ *(Mat)* achatado.

oblate distortion   distorsión de achatamiento.

oblateness   *(Cuerpos celestes)* achatamiento. Aplastamiento en los polos; acortamiento del diámetro polar respecto al ecuatorial.

oblique   Cosa oblicua: (línea) oblicua; dirección oblicua; figura oblicua: (músculo) oblicuo; aerofotografía oblicua ‖ *(Impr)* (letra) bastardilla ‖ *(Mil)* movimiento oblicuo ‖ *(Náutica)* cambio de rumbo de menos de 90 grados ⫽ *adj:* oblicuo; diagonal; inclinado, sesgado; en esviaje; indirecto ‖ *(Mat)* oblicuo. Dícese de las rectas y de los planos que no son paralelos ni perpendiculares ‖ *(Genealogías)* colateral; de descendencia no directa ⫽ *verbo:* oblicuar; torcerse ⫽ *adv: (Mil)* en ángulo de 45 grados.

oblique aerial photograph   aerofotografía [fotografía aérea] oblicua.

oblique angle   ángulo no recto; ángulo agudo u obtuso.

oblique-angled   *adj: (Mat)* oblicuángulo.

oblique approach   *(Telecom)* v. **oblique exposure**.

oblique conical conformal projection   *(Cartog)* proyección cónica oblicua conforme.

oblique cut   corte oblicuo.

oblique cutting pliers   pinzas de corte diagonal.

oblique cylindrical conformal projection   *(Cartog)* proyección cilíndrica oblicua conforme.

oblique cylindrical projection   *(Cartog)* proyección cilíndrica oblicua.

oblique exposure   *(Telecom)* acercamiento oblicuo. Dícese cuando, en una sección de acercamiento [exposure section], la separación entre las líneas varía regularmente (en sentido creciente o decreciente) entre los puntos extremos de la sección.

oblique fault   *(Geol)* falla oblicua, falla diagonal.

oblique incidence   incidencia oblicua. CF. **vertical incidence**.

oblique-incidence ionospheric recorder   *(Radiocom)* sonda (ionosférica) oblicua. Sonda ionosférica utilizada para efectuar sondeos ionosféricos de incidencia oblicua (CEI/70 60–24–305).

oblique-incidence ionospheric sounding   *(Radiocom)* sondeo ionosférico de incidencia oblicua. Sondeo ionosférico con la ayuda de señales que inciden oblicuamente sobre las capas ionosféricas [ionospheric layers] (CEI/70 60–24–285).

oblique-incidence probing   sondeo de incidencia oblicua.

oblique-incidence transmission   *(Radiocom)* transmisión con incidencia oblicua. Transmisión de una onda radioeléctrica de un emisor a un receptor por reflexión ionosférica con incidencia oblicua (CEI/70 60–24–150).

oblique-incidence wave   onda de incidencia oblicua.

oblique motion   movimiento oblicuo.

oblique perspective   perspectiva oblicua [de tres puntos].

oblique photogram   fotograma oblicuo.

oblique projection   *(Radiol)* (a.c. oblique view) proyección [vista] oblicua. Radiograma [radiograph] en el cual los rayos X atraviesan el cuerpo oblicuamente (CEI/64 65–25–120).

oblique refraction   refracción oblicua.

oblique triangle   *(Mat)* triángulo oblicuángulo.

oblique view   *(Radiología)* vista [proyección] oblicua. v. **oblique projection.**

oblique wind   *(Aeron)* viento oblicuo.

oblique winding   devanado [arrollamiento] oblicuo.

obliquity   oblicuidad; inclinación, sesgo; esviaje; desviación; aberración, extravío.

oblong   objeto alargado; figura alargada; cuadrilongo; rectángulo /// *adj:* alargado; oblongo.

oboe   *(Mús)* oboe, obué || *(Radionaveg)* v. **oboe system.**

oboe system   sistema oboe. Sistema de radionavegación con respondedores radáricos en el avión y dos interrogadores en tierra; sistema de radionavegación con dos estaciones terrestres que miden la distancia a un faro respondedor a bordo de una aeronave y transmiten la información a ésta. ETIM. *observer bomber over enemy.*

obs.   Abrev. de observation; obsolete.

OBS   Abrev. de omnibearing selector || *(Teleg)* Prefijo internacional de los telegramas meteorológicos [meteorological telegrams].

obscure   *adj:* obscuro, oscuro; oculto; confuso; incierto; invisible /// *verbo:* obscurecer, oscurecer; ocultar; confundir; disfrazar /// *adv:* obscuramente, oscuramente.

obscure zone   zona obscura.

observable   *adj:* observable; discernible; perceptible; visible, conspicuo, eminente.

observable error   error observable.

observation   observación; advertencia, reparo; examen, escrutinio || *(Topog)* nivelada.

observation airplane   avión de reconocimiento.

observation aperture   abertura de observación; mirilla.

observation balloon   globo de observación.

observation car   *(Ferroc)* coche de observación; coche con plataforma posterior; coche trasero con mirador.

observation circuit   *(Telef)* circuito de escucha.

observation desk   *(Telef)* mesa de observación, mesa de control. SIN. **service observing desk.**

observation device   *(Telef)* dispositivo de escucha.

observation distance   (a.c. viewing distance) distancia de observación.

observation error   error de observación.

observation flight   *(Avia)* vuelo de reconocimiento.

observation hole   ventanilla de observación; mirilla.

observation kite balloon   globo cautivo de observación.

observation machine   v. **observation airplane.**

observation mirror   espejo de observación.

observation platform   plataforma de observación.

observation port   ventanilla de observación; mirilla.

observation report   *(Telef)* libro registro de la mesa de control.

observation satellite   satélite de observación.

observation-scouting airplane   avión de reconocimiento.

observation slit   rendija de observación; mirilla.

observation station   observatorio || *(Meteor)* estación de observación.

observation window   ventanilla de observación; mirilla. SIN. observation hole [port].

observational   *adj:* observacional, de observación.

observational astronomy   astronomía a base de observaciones.

observational data   datos observacionales.

observed bearing   *(Agrimensura)* rumbo observado || *(Naveg)* marcación aparente || *(Radiogoniometría)* acimut [azimut] observado. Angulo leído en la escala de medida de un radiogoniómetro (CEI/70 60–71–040).

observer   observador; atisbador || *(Avia)* observador.

observer-navigator   *(Avia)* observador-navegante.

observer-pilot   *(Avia)* observador-piloto.

observer's compass   *(Avia)* brújula del observador.

observer's gun   *(Avia)* ametralladora del observador.

observing   *adj:* observador; observante; atento, cuidadoso.

observing angle   ángulo de observación.

observing station   v. **observation station.**

observing tower   torre de observación.

obsolescence   desuso; antiguamiento. POCO USADO: obsolescencia. Acción de antiguar; acción de antiguarse o anticuarse o de hacerse antiguo. Condición de lo que se ha hecho antiguo o anticuado, de lo que ha quedado rezagado en el desarrollo de la técnica o en la evolución de las necesidades.

obsolescence-free   *adj:* a prueba de antiguamiento; proyectado de modo que no exista el riesgo de que quede anticuado como resultado del avance de la técnica.

obsolescenceproof   *adj:* a prueba de antiguamiento; garantizado contra el antiguamiento.

obsolete   *adj:* anticuado; desusado, fuera de uso, en desuso, caído en desuso; pasado de moda. POCO USADO: obsoleto. Dícese de lo que ha sido superado por su equivalente más moderno y queda en desventaja respecto a éste, o bien ha sido reemplazado por éste. AFINES: abandonar, arrinconar, abolir, quedar relegado, ser superado (por un modelo o tipo más moderno), ser desplazado (por un método o un procedimiento más avanzado) || *(Biol)* rudimentario; atrofiado; imperfecto. Dícese de los órganos o las características de plantas o animales que tienden a desaparecer en generaciones sucesivas.

obsoleteness   desuso; antiguamiento. v. **obsolescence.**

obstacle   obstáculo; dificultad, impedimento; contrariedad, tropiezo, contratiempo; traba; óbice, valla; estorbo, inconveniente || *(Avia)* obstáculo || *(Radar)* v. **target.**

obstacle clearance   *(Avia)* franqueamiento de obstáculos; margen vertical sobre obstáculos.

obstacle clearance limit [OCL]   *(Avia)* límite de franqueamiento de obstáculos.

obstacle clearance surface [OCS]   *(Avia)* superficie de franqueamiento de obstáculos.

obstacle course   carrera de obstáculos.

obstacle gain   *(Radiocom)* ganancia debida a los obstáculos. Ganancia que se produce en un trayecto de propagación largo cuando a mediados del mismo se encuentra una montaña o una cordillera, ganancia que compensa en parte la pérdida o atenuación normal del trayecto.

obstacle-gain theory   teoría de la ganancia debida a los obstáculos.

obstacle warning radar   radar detector de obstáculos.

obstruct   *verbo:* obstruir; obstaculizar; estorbar, entorpecer, dificultar; impedir, detener; atajar; tapar; barrear, cerrar; oponerse a.

obstructed path   *(Radiocom)* trayectoria obstaculizada.

obstruction   obstrucción; obstáculo; estorbo, entorpecimiento, dificultad; impedimento; barrera; atascamiento || *(Avia)* obstáculo.

obstruction clearance   despeje de obstáculos.

obstruction clearance line   línea delimitadora de obstáculos.

obstruction clearing   eliminación de obstáculos.

obstruction gage limit   *(Tracción eléc)* gálibo de obstáculos. Contorno más allá del cual deben encontrarse los obstáculos aislados y los depósitos de material que pudieran hacerse a lo largo de la vía (CEI/57 30–05–550).

obstruction light   *(Avia)* luz de obstáculo. TB. señal (luminosa) de obstáculo, luz indicadora de obstáculo, farol indicador de obstáculo | luz de obstáculo. Luz aeronáutica de superficie destinada a indicar los obstáculos (CEI/58 45–60–055) || *(Mástiles de ant)* baliza luminosa, luz de balizamiento, luz de balizaje.

obstruction markings   *(Mástiles de ant)* balizamiento, balizaje.

obstruction warning   advertencia de obstáculos.

obstruction wrench   *(Herr)* llave angular, llave de ángulo, llave para rincones.

obtuse   *adj:* obtuso, romo, sin punta, sin filo, embotado; apagado,

sordo, no agudo, no intenso; indistinto, que se percibe indistintamente || *(Angulos)* obtuso.

obtuse angle   ángulo obtuso. Angulo mayor que el recto.

obtuse-angled   *adj:* obtusángulo.

OC   *(Comercio)* Abrev. de open charter || *(Teleg)* Abrev. de our copy [nuestra copia] || *(Radioafic)* Abrev. de old chap ["viejo"].

ocarina   *(Mús)* ocarina.

OCC   *(Teleg)* Abrev. internacional de "Ocupado" [Busy]. Señal de ocupación de la línea llamada. v. **DER.**

occasional fixed-time call *(GB)*   *(Telef)* conferencia fortuita a hora fija. Conversación cuya demanda [booking] incluye la indicación de una hora de establecimiento determinada. Se usa en el servicio internacional.

occlude   *verbo:* ocluir. Se conjuga como *huir.* ETIM. del latín *occludere,* cerrar | cerrar, tapar; impedir; detener; excluir || *(Quím)* ocluir, absorber.

occluded front   *(Meteor)* frente ocluido; frente de oclusión.

occluded gas   gas ocluido, gas encerrado. EJEMPLOS: Gas ocluido en las piezas metálicas o de vidrio de un tubo electrónico, y que debe ser desalojado antes de efectuar el cierre hermético de la ampolla. Gas ocluido en la pasta durante el moldeo de un disco fonográfico y que puede dar origen a burbujas o ampollas.

occlusion   oclusión; obstrucción; obscurecimiento || *(Quím)* oclusión, absorción | **(of gases)** oclusión [absorción] (de gases) || *(Fonética, Dentistería, Medicina, Meteor)* oclusión.

occlusive   *(Fonética)* oclusiva /// *adj:* oclusivo.

occultation   ocultación; desaparición.

occulting beacon   baliza de ocultaciones.

occulting light   farol de ocultación | luz de ocultaciones. Luz rítmica [rhythmic light] cuyos períodos de luz son marcadamente más largos que los períodos de obscuridad (CEI/58 45-60-040).

occupancy   ocupación || *(Telef)* ocupancia.

occupancy load   *(Climatiz)* carga de ocupación, demanda por ocupación.

occupancy time   tiempo de ocupación.

occupation   ocupación; tenencia; toma de posesión; ocupación, oficio, profesión, empleo || *(Telecom)* ocupación, utilización.

occupation efficiency   *(Telecom)* coeficiente de ocupación [de utilización].

occupation number   número de ocupación. Dado un sistema de partículas idénticas, puede describirse un conjunto de estados del mismo enumerando la serie completa de estados de una sola partícula y dando luego los *números de ocupación,* o sea, los números que especifican cuántas partículas ocupan cada uno de esos estados de una sola partícula.

occupational   *adj:* relativo a la ocupación, oficio o profesión; profesional; industrial; laboral.

occupational accident   accidente laboral; accidente profesional.

occupational dermatitis   dermatitis industrial [laboral].

occupational disease   enfermedad profesional.

occupational exposure   *(Nucl)* (a.c. occupational radiation exposure, occupational irradiation) exposición (a las radiaciones) por causas profesionales, irradiación profesional, exposición profesional a las irradiaciones.

occupational irradiation   v. **occupational exposure.**

occupational name   nombre del oficio.

occupational radiation exposure   v. **occupational exposure.**

occupational skin disease   enfermedad cutánea laboral [industrial].

occupational therapist   terapeuta laboral, ergoterapeuta.

occupied area   *(Protección contra las radiaciones)* (a.c. occupied space) zona ocupada, espacio ocupado. Lugar que puede ser ocupado por el personal y donde puede existir riesgo de irradiación [radiation hazard] (CEI/64 65-35-050).

occupied band   *(Radiocom)* banda ocupada.

occupied bandwidth   *(Radiocom)* ancho de banda ocupado. Ancho (anchura) de banda tal que, por debajo de su límite inferior

o por encima de su límite superior, la potencia media radiada es igual a una fracción especificada (por ejemplo, 0,5 por 100) de la potencia media total de la emisión.

occupied position   *(Telef)* posición ocupada. SIN. **staffed position.**

occupied space   *(Protección contra las radiaciones)* espacio ocupado, zona ocupada. v. **occupied area.**

occupied spectrum   *(Radiocom)* espectro ocupado.

occupied territory   territorio ocupado.

occurrence   ocurrencia; acontecimiento; acaecimiento, suceso, hecho; caso, incidente, lance || *(Geol)* aparición, presencia; formación, manto, tramo || *(Minerales)* yacimiento || *(Meteor)* ocurrencia (de un fenómeno atmosférico o meteoro).

OCDM   Abrev. de Office of Civil Defense Mobilization.

ocean   océano, mar. LENGUAJE POETICO: piélago /// *adj:* oceánico, marítimo; submarino; transatlántico; transoceánico.

ocean cable   *(Telecom)* cable oceánico.

ocean duct   *(Propag radioeléc)* conducto atmosférico oceánico.

ocean space   hidroespacio.

ocean station [OS]   estación oceánica.

ocean-station call sign   señal distintiva [indicativo de llamada] de estación oceánica.

ocean-station vessel [OSV]   barco de estación oceánica. MENOS USADO: buque-estación oceánico.

ocean weather station [OWS]   estación meteorológica oceánica.

OCM   Abrev. de open-circuit monitor.

OCR   Abrev. de optical character reader; optical character recognition.

octagon   octágono, octógono. Polígono de ocho lados /// *adj:* octágono, octógono. Aplícase al polígono de ocho lados.

octagonal   *adj:* octágono, octógono, octagonal, ochavado.

octagonal type stick   *(Sistematización de datos)* barra de tipos octogonal.

octahedral   *adj:* octahédrico.

octahedral shear stress   *(Mec)* esfuerzo cortante octahédrico.

octahedral stress   *(Mec)* esfuerzo octahédrico, tensión octahédrica.

octahedron   *(Mat)* octahedro. Poliedro de ocho caras triangulares.

octal   *adj:* octal. Perteneciente o relativo a la numeración de base 8, o a una característica o propiedad que involucra una selección o un estado entre ocho posibles. CF. **positional notation** || *(Elecn)* octal. v. **octal base.**

octal base   *(Elecn)* base octal. Base o culote de tubo electrónico con ocho espigas de contacto (espigas o alfileres terminales) uniformemente espaciadas en círculo, y con una guía central que determina una posición única del tubo en el zócalo. Si no se necesitan las ocho espigas para las conexiones a los elementos internos, las sobrantes pueden omitirse todas, pero a veces se retienen algunas (aunque eléctricamente aisladas) para mejorar la estabilidad mecánica del tubo. Cualquiera que sea el número de las espigas, es necesario utilizar con el tubo (válvula) un zócalo octal [octal socket].

octal-base capacitor   capacitor [condensador] de culote octal.

octal-base connection   conexión de casquillo octal.

octal-base relay   relé de base octal.

octal-base tube   tubo (electrónico) de base octal, válvula (electrónica) de base octal.

octal digit   dígito octal. Dígito de numeración octal o numeración de base 8.

octal notation   notación octal.

octal number system   (sistema de) numeración octal, numeración de base 8.

octal plug   conector [enchufe] octal.

octal plug-in mounting   *(Relés)* montura de enchufe octal.

octal socket   *(i.e. socket for octal tube)* zócalo octal, zócalo para tubo octal, portaválvula [portatubo] octal. Zócalo para tubo electrónico con base octal (v. **octal base**).

octal tube   tubo (electrónico) octal, tubo [válvula] de base octal. v. **octal base.**

octane   octano.

octane index   (a.c. octane number, octane rating) índice octánico, índice [número] de octano.

octane number   número de octano.

octane rating   número [índice] de octano. TB. octanaje, graduación octánica.

octant   (*Astr, Geom, Naveg*) octante. Forma de sextante [sextant] cuyo borde graduado es de aproximadamente un octavo de círculo.

octantal   *adj:* octantal.

octantal component of error   (*Naveg, Radar*) componente octantal de error.

octantal error   (*Naveg, Radar*) error octantal, error en el cual predomina la componente octantal.

octave   (*Fís, Acús, Mús*) octava. Intervalo entre dos frecuencias en la relación 2:1.

octave band   banda de (una) octava. Banda de frecuencias cuyos límites están en la relación 2:1.

octave-band amplifier   amplificador de (una) octava.

octave-band analysis   análisis de octava, análisis espectral por octavas, análisis por bandas de una octava.

octave-band analyzer   analizador (espectral) de octava. Aparato destinado a estudiar la composición espectral de los sonidos entre los límites de una octava.

octave-band filter set   dispositivo de filtro de (una) octava.

octave-band noise analyzer   analizador de ruido de octava, analizador de ruido por bandas de una octava. Analizador provisto de filtros que permiten efectuar medidas de nivel sonoro en cierto número de bandas de una octava con centros a determinadas frecuencias normalizadas.

octave-band oscillator   oscilador de octava. Oscilador cuya frecuencia puede variarse dentro de una banda de una octava, es decir, que su frecuencia más alta es el duplo de la más baja.

octave-band pressure level   nivel de presión sonora de una octava. Nivel de presión de banda (v. **band pressure level**) correspondiente a una octava especificada. Valor de presión acústica en banda de una octava.

octave-bandwidth amplifier   (*i.e.* amplifier with octave bandwidth) amplificador con pasabanda de una octava.

octave filter   filtro de octava. Filtro pasabanda cuya frecuencia de corte superior es el duplo de la frecuencia de corte inferior.

octave pressure level   v. **octave-band pressure level.**

octave range   margen de una octava.

OCTC   Abrev. de operator's control transfer channel.

octet, octette   grupo de ocho; octava (verso) ‖ (*Mús*) octeto ‖ (*Quím*) octeto. Capa superior de electrones de un átomo cuando está completa y contiene ocho electrones.

October Draconids   Dracónicas de octubre. Lluvia espectacular de meteoros ocurrida en 1926, 1933 y 1946.

octode   (*Elecn*) octodo. Tubo electrónico de ocho electrodos que comprende un cátodo, un ánodo y uno o varios electrodos de mando. Los electrodos aparte del cátodo y el ánodo tienen generalmente la forma de rejillas (CEI/56 07–25–040).

octode tube   (*Elecn*) octodo.

octonary   *adj:* ochavo ‖ (*Comput*) octonario. Perteneciente a la numeración de base 8. CF. **positional notation.**

ocular   (*Opt*) ocular. En un instrumento de óptica, lente (o sistema de lentes) colocado del lado por donde se mira. SIN. eyepiece. CF. **objective lens** ‖ *adj:* ocular; visual ‖ (*Biol*) ocular. Relativo o perteneciente al ojo.

ocular micrometer   micrómetro ocular.

ocular muscle balance   equilibrio oculomotor.

ocular prism   (*Telémetros*) prisma ocular.

OD   Abrev. de outside diameter ‖ (*Telef*) Abrev. de out of order.

odd   *adj:* impar, non. PLURAL: impares, nones | sin pareja, que sobra de un número par; dispar, que no hace juego; suelto, sobrante; libre, ocioso; anormal, extraño, raro, singular.

odd channel   (*Tv*) canal impar.

odd-even check   v. **parity check.**

odd-even nucleus   núcleo par-impar. Núcleo atómico con número impar de protones y par de neutrones.

odd-even rule of nuclear stability   ley de paridad de la estabilidad nuclear. Ley basada en el hecho de que los núclidos tienen tres grados de estabilidad, según las paridades de los protones y los neutrones, como sigue: máxima estabilidad cuando son pares los números de protones y de neutrones; estabilidad algo menor cuando uno de los dos números es impar; mínima estabilidad cuando ambos son impares.

odd function   (*Mat*) función impar. Función que cambia de signo cuando cambia de signo la variable independiente; es decir, que si $y = f(-x)$, $-y = f(x)$.

odd harmonic   armónica impar [de orden impar]. Múltiplo impar de la frecuencia fundamental.

odd-harmonic distortion   distorsión por armónicas impares.

odd-line interlace   (*Tv*) (a.c. odd-line interlacing) entrelazamiento que empieza con las líneas impares. Entrelazamiento de líneas de exploración que empieza por las impares o nones, y en el cual cada campo de exploración contiene media línea adicional. En las normas americanas (NTSC) cada campo contiene $262\frac{1}{2}$ líneas, de manera que la imagen completa contiene 525 líneas de exploración.

odd-line interlacing   v. **odd-line interlace.**

odd multiple   múltiplo impar.

odd number   número impar, número non.

odd-numbered line   (*Tv*) línea impar, línea (de exploración) de orden impar.

odd-odd nucleus   núcleo impar-impar. Núcleo atómico con número impar de protones y de neutrones. CF. **odd-even rule of nuclear stability.**

odd repeater   (*Telef*) repetidor anormal.

odd scanning field   (*Tv*) campo de líneas (de exploración) impares; campo impar. Los dos equivalentes son sinónimos si el entrelazamiento empieza con las líneas impares (v. **odd-line interlace**).

odd term   (*Mat*) término impar ‖ (*Fís at*) (**of an atom**) término impar (de un átomo), término atómico impar.

ODF   (*Tuberías*) Abrev. de outside diameter female [diámetro exterior de la pieza hembra].

ODM   (*Tuberías*) Abrev. de outside diameter male [diámetro exterior de la pieza macho].

odograph   odógrafo, hodógrafo. Aparato que instalado en un vehículo hace un trazado gráfico de la ruta seguida por el mismo ‖‖‖ *adj:* odográfico, hodográfico.

odometer   odómetro, hodómetro. Aparato que indica la distancia recorrida por un vehículo ‖‖‖ *adj:* odométrico, hodométrico.

odometer frequency readout   indicación frecuencimétrica tipo odómetro.

odometry   odometría, hodometría ‖‖‖ *adj:* odométrico, hodométrico.

odoriferous   *adj:* odorífero.

odoriferous homing   seguimiento por detección del aire ionizado. Seguimiento de un submarino con el esnórquel [snorkel] en funcionamiento, por detección del aire ionizado por los gases de los motores.

odorless   *adj:* inodoro, sin olor.

OEEC   Abrev. de Organization of European Economic Cooperation [Organización de Cooperación Económica Europea].

OEM   (*Elecn*) Abrev. de original equipment manufacturer.

oersted   oerstedio, erstedio, oersted. Unidad de intensidad magnética o fuerza magnetizante en el sistema electromagnético cegesimal. Símbolo: Oe. Equivalencia: 1 Oe = 1 gilbertio/cm = 1 dina por polo magnético unitario. v. **magnetic intensity, magnetizing force, unit magnetic pole.**

off   *adj:* derecho, de la derecha; libre, de asueto; equivocado, incorrecto ||| *adv:* lejos, a distancia; fuera; quitado, no puesto; enteramente, del todo; cancelado, anulado, abandonado (un plan); frustrado, deshecho (un proyecto); de rebaja | Se une a muchos verbos para denotar ausencia, privación, disminución, o distancia || *(Elec)* desconectado, apagado ||| *prep:* de; desde; fuera de; lejos de; frente a, cerca de, a corta distancia de.

OFF   *(Posición de un conmutador)* Desconexión, Desconectado.

off-air monitor   monitor de señal en el aire. Receptor situado en una estación emisora y destinado a controlar la señal radiada.

off-air monitoring   comprobación directa de las señales radiadas, control de la señal puesta en el aire.

off and on signal proving   *(Señalización ferrov)* *(i.e.* checking whether the signal is "off" [open] or "on" [closed]) comprobación de señal a la apertura y al cierre. Comprobación que indica si la señal está abierta o cerrada (CEI/59 31–05–195). v. **signal proving.**

off-axis   *adj:* fuera del eje, descentrado del eje.

OFF button   botón de desconexión; botón de parada.

off camera   *(Tv)* cámara que no está alimentando su señal a la línea del transmisor, cámara que no está "en el aire" ||| *(Cine/Tv)* fuera del campo de la cámara.

off-center   *adj:* descentrado, fuera de centro, excéntrico.

off-center dipole   *(Radar)* dipolo excéntrico. Dipolo giratorio montado en un reflector parabólico en ángulo respecto al eje de rotación, de modo que el haz radiado efectúe una exploración cónica.

off-center-fed antenna   antena alimentada [excitada] fuera de centro.

off-center label   *(Discos fonog)* etiqueta excéntrica [descentrada]. Etiqueta cuyo agujero central no coincide exactamente con el del disco. CF. **bad label.**

off-center plan display   *(Radar)* presentación panorámica descentrada; indicador panorámico descentrado | presentación panorámica excéntrica. Indicador panorámico [plan-position indicator] en el cual la posición del radar está representada por un punto que no es el centro de la pantalla (CEI/70 60–72–315).

off-center PPI display   v. **off-center plan display.**

off-course correction   *(Naveg)* corrección de rumbo.

off-course error   *(Naveg)* error de rumbo.

off-course signal   *(Radiofaros)* señal de "fuera de ruta".

off-delay   *(Temporizadores)* retardo de desconexión | *(i.e.* off-delay circuit) circuito con retardo de desconexión. Circuito que retiene la señal de salida durante un intervalo definido después de desconectada la señal de entrada. CF. **on-delay.**

off-duty   libre (de servicio), franco (de servicio); de asueto.

off-frequency   *adj:* fuera de frecuencia.

off-frequency detector   detector de corrimientos de frecuencia.

off-frequency distress signal   *(Radiocom)* señal de peligro emitida a frecuencia próxima a la asignada.

off-frequency interlock circuit   circuito de enclavamiento contra corrimiento de frecuencia [contra funcionamiento fuera de frecuencia]. Circuito que impide el funcionamiento de un transmisor si su frecuencia de trabajo se ha desviado de su valor normal. Puede actuar p.ej. cortando la tensión anódica al presentarse dicha anormalidad.

off-frequency signal   señal fuera de frecuencia; señal a frecuencia ajena a las de interés.

off-ground voltage   tensión respecto a masa.

off hook   *(Telef)* descolgado; condición de ocupado. Condición existente en el circuito cuando se ha retirado el microteléfono o el auricular (según el tipo de aparato de que se trate) de la horquilla o gancho conmutador. En esas condiciones el auricular y el micrófono se hallan ambos en el circuito, listos para funcionar, y si se hace entonces una llamada a ese teléfono, el que llama recibe la · señal de "ocupado". CF. **on hook.**

off-hook condition   condición de descolgado, condición activa; condición de ocupado. CF. **on-hook condition.**

off-hook signal   *(Telef)* *(i.e.* supervisory signal sent back to the outgoing international terminal) señal de contestación. Señal de supervisión transmitida hacia la terminal internacional de salida. SIN. **answer signal** *(GB)* | *(i.e.* signal sent back to the calling exchange when the called party answers) señal de contestación. Señal transmitida hacia la central que llama cuando el abonado llamado contesta. Esta señal puede tener el efecto de hacer funcionar la supervisión, de provocar el comienzo de la tasación, etc. SIN. **answer signal** *(GB)*.

off isolation   *(Conmut de estado sólido)* aislación en estado de corte. CF. **on insertion loss.**

off limit   fuera de límite; fuera de tolerancia.

off-line   *adj:* fuera de línea; independiente de la línea; no acoplado al sistema. En los sistemas de computador, relativo a equipos o dispositivos que no están en comunicación directa con el ordenador central [central processor].

off-line device   *(Comput)* dispositivo fuera de línea, dispositivo independiente del ordenador central. Dispositivo que no está en comunicación directa con el ordenador central y que, por tanto, no puede ser controlado por el computador sin intervención humana.

off-line function   *(Comput)* función fuera de línea || *(Teleimpr)* función independiente de la línea (de señal).

off-line preparation of perforated tape   *(Teleimpr)* perforación de cinta sin conexión (eléctrica) con la línea de transmisión, perforación de cinta para transmisión posterior.

off-line storage   almacenador fuera de línea. Dispositivo de almacenamiento de información que no es controlado por la unidad central de sistematización [central processing unit].

off-line system   sistema de entrada indirecta. Sistema de control automático por computador en el cual la función de este último es la de recibir los datos suministrados por un operador (el que a su vez los obtiene por la observación de instrumentos) y determinar los ajustes que deben efectuarse en los dispositivos reguladores para conseguir los resultados perseguidos. CF. **on-line system.**

off-line working   *(Sistematización de datos)* funcionamiento fuera de línea; funcionamiento por línea independiente.

off-load voltage *(GB)*   v. **open-circuit voltage.**

off-net station   *(Telecom)* estación fuera de red. Estación que no pertenece a la red de transmisión, pero que tiene acceso a ella por otros medios de telecomunicación.

off-net to on-net transfer   *(Telecom)* paso de una estación fuera de red a una estación de la red.

off-normal springs (of a dial)   *(Telef)* resortes de cortocircuito del disco. SIN. **shunting springs.**

off-peak period   *(Elec)* período fuera de puntas; período de marcha a potencia reducida | período de carga reducida. Período durante el cual puede considerarse que no existe probabilidad de que aparezca una punta anual [absolute peak] (CEI/65 25–60–035) || *(Telecom)* período fuera de puntas; período de poco tráfico.

off period   *(Elecn)* período de bloqueo | período de bloqueo de corriente. Tiempo de un período durante el cual un tubo electrónico se opone al paso de la corriente (CEI/56 07–27–090). CF. **on period.**

off position   *(Conmut)* posición de desconexión, posición de cortar, posición de abierto [de desconectado], posición de parada, posición "No" || *(Relés)* posición de reposo. Posición de un relé cuando no está alimentado (CEI/56 16–10–010). CF. **on position** || *(Grifos, Llaves)* posición de cierre || *(Palancas)* posición de reposo.

off-punch, off-punching   perforación fuera de registro. Perforación (en una tarjeta) fuera de su lugar exacto.

off-scale   fuera de escala. Fuera del margen de las indicaciones normales; dícese p.ej. cuando la aguja de un aparato de medida se desvía más allá del límite superior de la escala calibrada.

off-scale damage   *(Aparatos de medida)* daño por desviación fuera de escala, daño por sobrecarga.

off-season fare   *(Avia)* tarifa fuera de temporada. Tarifa reducida en la época de poco tráfico.

off-set   v. **offset.**

off setting   v. **off position.**

off state   estado inactivo, estado de desactivado ‖ *(Tiristores)* estado de no conducción.

off station   fuera de estación. Situación del barco de una estación oceánica que se halla fuera de los límites de la estación que tiene asignada. CF. **on station.**

off-target jamming   *(Guerra elecn)* perturbación a distancia.

off the air   *(Emisoras)* fuera del aire, que no transmite.

off-the-air   *adj:* (tomado) del aire.

off-the-air pickup   toma (de una programa) directamente del aire.

off-the-air signal   señal tomada del aire.

off-the-shelf   *adj:* de fabricación normalizada; de existencias; en existencia para entrega inmediata; apropiado para el servicio sin modificaciones.

off-the-shelf shipment   entrega de almacén.

off-the-shelf stock   existencias de almacén.

off time   tiempo de descanso [de reposo]; tiempo de inactividad ‖ *(Interruptores)* intervalo de ruptura. SIN. **duration of the off time.** CF. **on-time** ‖ *(Impulsos)* intervalo de reposo ‖ *(Soldadura eléc)* período de separación de los electrodos; período de separación del electrodo de la pieza.

off tune   desintonizado, fuera de sintonía.

off-tune receiver   receptor desintonizado [no sintonizado].

offensive armament   armamento ofensivo.

offensive formation   formación de ofensiva [de ataque].

offensive weapon   arma ofensiva, arma para ataque.

offering signal   *(Telef)* señal de aviso; señal de llamada.

office   oficina, despacho, buró; agencia, departamento, negociado; cargo, colocación, empleo, destino; cartera, ministerio; servicio; deberes, funciones; 'puesto de mando ‖ *(Telecom)* oficina, estación central, centro. V. **office with extended service** ‖ V. **office of . . .**

office alarm   *(Telecom)* alarma de central.

office battery   *(Telecom)* batería local.

office battery supply   *(Telecom)* batería local ‖ *(Teleg)* batería local; batería central de manipulación.

office busy hour   *(Telef)* hora de mayor tráfico de una estación, hora cargada de un centro (telefónico).

office cable   *(Telecom)* (a.c. internal cable) cable interior.

office code   *(Telecom)* indicativo. SIN. **code.**

office copier   polígrafo.

office copy   copia de oficina ‖ *(Lenguaje forense)* copia certificada; copia autorizada (de un juicio, de un proceso).

office copying machine   polígrafo, máquina de copiar de oficina.

office noise   ruido (ambiente) de oficina.

Office of Civil Defense Mobilization [OCDM]   Oficina de Movilización de Defensa Civil.

office of delivery   *(Teleg)* oficina de llegada, oficina que efectúa la entrega.

office of destination   *(Telecom)* oficina [estación] de destino | (of a telegram) oficina de destino (de un telegrama). Oficina normalmente encargada de remitir un telegrama a su destinatario [addressee].

office of dispatch   *(Correos)* oficina de origen.

office of origin   *(Telecom)* oficina [estación] de origen | *(i.e. office indicated in the preamble as origin of a telegram in the international service)* oficina de origen. Oficina indicada como origen en el preámbulo de un telegrama en el servicio internacional.

office-of-origin time   *(Teleg)* hora de la oficina de origen, hora de depósito (en el origen). SIN. **filing time.**

Office of Scientific Research and Development [OSRD]   Buró de Investigaciones Científicas y Perfeccionamientos Tecnológicos (EE.UU.).

office permanently open   *(Telecom)* oficina de servicio permanente (día y noche). Estas oficinas llevan la notación "N" en el nomenclátor oficial de oficinas telegráficas.

office selector   *(Telecom)* selector de estación.

office set   *(Tv)* (a.c. panel set) escenario de oficina. Ofina o local con muebles y otros elementos apropiados para efectuar entrevistas o dar noticias.

office supplies   artículos de oficina, efectos de escritorio.

office technician   *(Telecom)* técnico de aparatos terminales, técnico de la sala de aparatos.

office trunk   *(Telef)* línea de comunicación interior.

office with extended service   *(Telecom)* oficina de servicio prolongado (de la mañana a medianoche). Estas oficinas llevan la notación "N/2" en el nomenclátor oficial de oficinas telegráficas. CF. **office permanently open.**

officer in charge   agente responsable; oficial encargado; comandante militar.

offices in correspondence   *(Telecom)* oficinas corresponsales. SIN. **connecting offices.**

official   oficial [empleado] público, funcionario; funcionario autorizado; funcionario ejecutivo ⫽ *adj:* oficial; de oficio; oficioso; autorizado; reglamentario; titular ‖ *(Medicina)* oficinal. Dícese de los medicamentos preparados según la Farmacopea oficial. SIN. **oficinal.**

official broadcast   transmisión oficial.

official call sign   *(Telecom)* indicativo de llamada oficial.

official gazette   gaceta oficial. LOCALISMO: diario oficial.

official message   *(Telef)* conversación de servicio.

official observer [OO]   *(Radioafic)* observador oficial.

official PBX   *(Telef)* (a.c. company PBX) centralita oficial [de la compañía].

official telegram   telegrama oficial.

official telegraph dictionary of the Chinese Administration   diccionario telegráfico oficial de la Administración china. Diccionario utilizado para substituir los ideogramas de un telegrama redactado en chino, por grupos de cuatro cifras susceptibles de transmisión telegráfica; a la llegada estos grupos se traducen a los ideogramas originales.

official telephone   teléfono oficial; aparato de servicio.

official traffic   *(Telecom)* tráfico oficial | (a.c. service traffic) tráfico de servicio.

official wavelength station   *(Radiocom)* estación oficial de contrastación de longitud de onda.

offline   V. **off-line.**

offset   balance, compensación; neutralización; equivalencia, equivalente; terraplén; margen; cambio; decalaje; desnivel; desviación; descentramiento; deformación permanente; dispersión; resalto, saliente; rebaje, parte rebajada ‖ *(Ampl diferenciales)* desnivel, desviación, desequilibrio global; corriente parásita inicial. Medida del desequilibrio total del amplificador, resultante de la acumulación de diversos desequilibrios existentes en los circuitos y entre elementos de éstos que se suponen tener parámetros idénticos en cualesquiera condiciones de trabajo ‖ *(Elec)* línea secundaria ‖ *(Sist de control y regulación automática)* desviación. Diferencia entre el valor o condición deseado y el valor o condición alcanzado | deriva, error total permanente. Diferencia entre el valor regulado asintótico [steady-state value of the controlled variable] y el valor de consigna [set value] (CEI/66 37–10–110) ‖ *(Transistores)* (i.e. offset voltage) tensión mínima de activación ‖ *(Artes gráficas)* repinte, repintado (efecto de repintarse el pliego) | (a.c. photo-offset, offset lithography, photo-offset lithography) "offset", calco, impresión indirecta (procedimiento de transporte litográfico) ‖ *(Constr, Albañilería)* rebajo, rebajada, retallo; retranqueado (borde formado donde la pared se retira de la cara general del muro) ‖ *(Geol, Petrología)* desplazamiento horizontal ‖ *(Geog)* estribo, estribación ‖ *(Herr)* descentrado, rebajo ‖ *(Minería)* labor atravesada ‖ *(Topog)* ordenada, perpendicular, desplazamiento, desecho, resalto, saledizo, desviación ortogonal; levantamiento planimétrico de una superficie irregular tomando como base una alineación ‖ *(Tuberías)* pieza en S, cañería en S, codo doble (en S), pieza de inflexión ⫽ *adj:* desviado; desalineado; descentrado, desplazado; fuera de su lugar; no paralelo; no convergente; con saliente; en voladizo /// *verbo:* balancear, compensar, equilibrar, contrapesar, contrarrestar, equiparar; neutralizar; transferir; terraplenar; decalar; apartar (del punto de coincidencia o correspondencia exacta); descentrar (p.ej. una rueda); rebajar, hacer rebajos || *(Artes gráficas)* repintar, retintar; macularse. Señalarse en un pliego la tinta fresca de otro || *(Constr, Albañilería)* rebajar, retallar || *(Herr)* dar una curvatura || *(Topog)* medir por ordenadas, medir (tierra) por el procedimiento de ordenadas; acodar, escalonar || *(Tuberías)* hacer un doble codo.

offset angle   ángulo de descentramiento || *(Fonog)* ángulo del fonocaptor. Angulo agudo entre el eje de vibración de la aguja y la recta que une la punta de la aguja y el eje vertical de giro del brazo fonocaptor; el ángulo se mide en el plano del disco fonográfico, el cual se supone horizontal y ser de modulación lateral.

offset behavior   *(Sist de control y regulación automática)* abatimiento. Propiedad de un sistema de autorregulación o de control por realimentación, cuya característica de regulación [working characteristic curve] no se mantiene paralela al eje que representa la variable activa. El abatimiento puede ser natural o artificial, permanente o transitorio (CEI/66 37–10–075).

offset bombing   bombardeo por visada indirecta, bombardeo con puntería indirecta [con blanco auxiliar].

offset cards   *verbo: (Sistematización de datos)* desplazar tarjetas (en un dispositivo receptor).

offset carrier   *(Radiocom)* portadora desplazada. GALICISMO: portadora decalada.

offset-carrier system   sistema de portadora desplazada.

offset-center PPI   *(Radar)* v. **off-center plan display.**

offset channel   *(Telecom)* canal desplazado | **offset channels:** canales desplazados. Grupo de canales de onda portadora que se desplaza en el espectro de frecuencias, manteniendo entre los canales la misma separación y posición relativa, para disminuir la posibilidad de interferencia entre esos canales y los de otro grupo nominalmente idéntico transmitido por una línea paralela, o en sentido contrario por la misma línea.

offset coefficient   *(Sist de control y regulación automática)* (*i.e.* slope of the working characteristic curve at a given point) coeficiente de abatimiento. Pendiente de la tangente a la característica de regulación en un punto determinado (CEI/66 37–10–080).

offset colocation VOR/DME   *(Radionaveg)* emplazamiento común descentrado VOR/DME.

offset-course computer   *(Radionaveg)* computador de desviación del curso [del rumbo]; indicador automático de rumbo, computador de la línea de rumbo. SIN. **course-line computer.**

offset current   *(Ampl diferenciales)* corriente de desnivel [de error]. v. **offset voltage.**

offset diode   *(Elecn)* diodo de compensación.

offset direction-finding station   estación radiogoniométrica de flanco.

offset electron gun   cañón electrónico excéntrico.

offset feed   *(Ant para microondas)* alimentador primario desplazado. Alimentador primario [aerial feed] colocado de manera que no intercepte más que una parte despreciable de la radiación reflejada por el espejo [mirror] (CEI/70 60–36–030).

offset frequency   *(Radiocom)* frecuencia desplazada. GALICISMO: frecuencia decalada.

offset-frequency simplex   *(Radiocom)* símplex de frecuencia aproximada, símplex por frecuencias desplazadas. Variante del símplex de canal único [single-channel simplex] en el cual las comunicaciones entre dos estaciones se efectúan usando, en cada uno de los sentidos de transmisión, frecuencias que intencionalmente difieren ligeramente entre sí, pero que están comprendidas dentro de la banda del espectro asignada a ese servicio. CF. **adjacent-channel simplex.**

offset gang punching   *(Sistematización de datos)* multiperforación en columnas no coincidentes.

offset head   *(Fonog)* portacápsula [fonocaptor] en ángulo. Porta-

cápsula en ángulo respecto al eje del brazo, de modo que el propio fonocaptor queda también en ángulo. Tiene por objeto reducir el error de tangencialidad [tracking error]. CF. **offset angle** || *(Magnetófonos)* offset **heads:** cabezas escalonadas. v. **staggered heads.**

offset oscillator   oscilador desplazado en frecuencia. Oscilador que trabaja a una frecuencia distinta, aunque próxima, a la de otro oscilador o a la de una señal de referencia.

offset PPI   v. **off-center plan display.**

offset printing   impresión indirecta, impresión rotocalcográfica, impresión por "offset".

offset screwdriver   destornillador acodado [angular].

offset stacker   *(Sistematización de datos)* dispositivo para desplazamiento de tarjetas en descarga; apilador de tarjetas con desplazamiento selectivo. Dispositivo que bajo el control de la máquina desplaza selectivamente determinadas tarjetas de modo que se proyecten respecto a las restantes y queden así identificadas. CF. **offset cards.**

offset-stacking device   dispositivo desplazador de tarjetas.

offset stereophonic tape   cinta estereofónica de registros desplazados. v. **staggered stereophonic tape.**

offset total printing   *(Sistematización de datos)* impresión lateral de totales.

offset voltage   contratensión, tensión contrapuesta || *(Transistores)* tensión mínima de activación. SIN. **saturation voltage** | tensión de barrera. SIN. **cut-in voltage** || *(Ampl diferenciales)* tensión de desnivel, tensión (continua) de error. Desviación del nivel de continua respecto al nivel arbitrario de entrada y salida, usualmente tomado como referencia de masa, cuando las entradas se conectan entre sí. La corriente de desnivel o de error [offset current] es la desviación o error que ocurre cuando las entradas son excitadas por dos fuentes idénticas de corriente continua de polarización de entrada del tipo de corriente constante. v.TB. **set.**

offset wrench   llave acodada. CF. **offset screwdriver.**

offset zero   cero desplazado; desplazamiento [desviación] del cero.

offset zeroing control   compensación de desplazamiento [desviación] del cero.

offshore bar   *(Geol)* cordón litoral. SIN. **longshore bar.**

offshore drilling   perforación (petrolífera) submarina.

offshore oil drilling   perforación petrolífera submarina.

offshore pipeline   oleoducto submarino.

offshore procurement   compras en el extranjero.

offshore salvage   salvamento en alta mar.

offshore wind   viento terral, viento terrestre. Viento que viene de tierra; viento que sopla hacia el mar.

OFHC   Abrev. de oxygen-free high-conductivity copper.

OFHC copper   v. **oxygen-free high-conductivity copper.**

OFS   *(Teleg)* Abrev. de office.

OG   *(Teleg)* Abrev. de one group [un grupo]. Usase en relación con el cómputo de palabras de un telegrama.

ogival   *adj:* ojival.

ogival blade   *(Hélices)* pala ojival.

ogive   ojiva; arco apuntado; arista de arco carpanel /// *adj:* ojival.

OGNL   *(Teleg)* Abrev. de original.

OGO   Abrev. de orbiting geophysical observatory.

OGP   *(Teleg)* Abrev. de one group [un grupo]. v. **OG.**

OGT   *(Telef)* Abrev. de outgoing trunk.

ohm   ohmio, ohm. (**1**) Unidad práctica de resistencia eléctrica, equivalente a la resistencia en la cual un potencial de un voltio mantiene una corriente de un amperio. (**2**) Resistencia de una columna uniforme de mercurio de 106,300 cm de largo y de 14,4521 gramos a la temperatura de 0° C. Símbolo Ω.

Ohm   Georg Simon Ohm: físico alemán (1787–1854) que realizó importantes investigaciones sobre la corriente eléctrica y que formuló la ley que lleva su nombre (v. **Ohm's law**).

ohm-centimeter   ohmio-centímetro, ohm-centímetro. Unidad de resistividad. La resistividad de un cuerpo en ohmio-centímetros es igual al producto de su resistencia en ohmios y su sección transversal en centímetros cuadrados, dividido por su largo en centímetros. cf. **ohms per square.**

ohmage   *(Elec)* ohmiaje, resistencia, valor de resistencia en ohmios.

ohmic   *adj: (Elec)* óhmico.

ohmic contact   contacto óhmico. Contacto entre dos materiales que obedece a la ley de Ohm, o sea, que la diferencia de potencial a su través es proporcional a la corriente que lo atraviesa. v. **Ohm's law.**

ohmic drop   caída óhmica. Caída de tensión [voltage drop] debida a la resistencia óhmica [ohmic resistance].

ohmic heating   calentamiento óhmico. (**1**) Calentamiento producido por la circulación de corriente por una resistencia (efecto Joule). (**2**) Calentamiento de un plasma por la aplicación de una tensión pulsante que acelera los electrones del plasma y aumenta el número de choques termógenos con los iones del propio plasma. (**3**) Energía comunicada a partículas electrizadas que chocan entre sí bajo la acción de un campo eléctrico.

ohmic insulation resistance   resistencia óhmica de aislamiento.

ohmic load   carga óhmica.

ohmic loss   pérdida óhmica, pérdida por efecto Joule. sin. **copper loss, I²R loss.**

ohmic overvoltage   *(Electroquím/Electromet)* sobretensión óhmica. Parte de la sobretensión que tiene la característica de una caída óhmica [ohmic drop] en la superficie de contacto [interface] entre el electrodo y el electrólito (CEI/60 50–05–210).

ohmic region   región óhmica. Región en la cual un dispositivo (p.ej. un diodo Esaki) obedece a la ley de Ohm (v. **Ohm's law**); dícese p.ej. en oposición a una región de resistencia negativa.

ohmic resistance   resistencia óhmica, resistencia real, resistencia a la continua. Dícese a distinción de la impedancia o la reactancia, o en contraposición a la resistencia que varía con la tensión aplicada. sin. **direct-current [DC] resistance.**

ohmic value   valor óhmico, resistencia en ohmios.

ohmic voltage component   componente óhmica de la tensión.

ohmic voltage loss   pérdida óhmica de tensión.

ohmmeter   ohmímetro, ohmetro. Aparato que indica la resistencia eléctrica entre dos puntos de un circuito o entre los bornes (terminales) de un elemento cualquiera: resistor, bobina, etc. sin. **conductómetro —— conductance meter** | ohmímetro. Aparato que sirve para medir directa o indirectamente una resistencia eléctrica en ohms (ohmios). cf. **megohmmeter** (CEI/38 20–15–105, CEI/58 20–15–160).

ohmmeter range   *(Multímetros)* escala de resistencia, escala para la medida de resistencias.

ohmmeter zero adjustment   v. **zero adjustment.**

Ohm's law   ley de Ohm. (**1**) Ley según la cual la relación por cociente entre la diferencia de potencial aplicada a los extremos de un conductor y la intensidad de la corriente que circula por él, es una constante; esta constante es la resistencia eléctrica del conductor. (**2**) Ley que, en el caso de la corriente continua, expresa la proporcionalidad entre la fuerza electromotriz, o diferencia de potencial, y la intensidad de corriente en un circuito o en un conductor (CEI/38 05–20–190). Si llamamos E a la diferencia de potencial o fuerza electromotriz en volts, I a la corriente en amperes, y R a la resistencia en ohms, se tiene que $R = E/I$; por lo tanto, $I = E/R$ y $E = IR$. Como la potencia es igual al producto de la corriente por la diferencia de potencial (corrientes continuas), pueden deducirse fácilmente las siguientes fórmulas, en las cuales W representa la potencia en wats: $W = E^2/R = I^2R$; $R = E^2/W = W/I^2$; $I = W/E = \sqrt{W/R}$; $E = W/I = \sqrt{W/R}$.

Ohm's law for magnetic circuits   ley de Ohm para los circuitos magnéticos. Ley aplicable a los circuitos magnéticos excitados por corrientes continuas y que es análoga a la aplicable a los circuitos eléctricos recorridos por corrientes continuas. Las magnitudes

análogas son las siguientes:
- flujo magnético [magnetic flux]
  → circulación de corriente [flow of current];
- fuerza magnetomotriz [magnetomotive force]
  → fuerza electromotriz [electromotive force];
- reluctancia [reluctance]
  → resistencia [resistance];
- permeabilidad [permeability]
  → conductividad [conductivity].

Las reluctancias en serie y en paralelo se evalúan de igual modo que las resistencias en serie y en paralelo; la reluctancia de un elemento puede calcularse en función de la longitud, el área de sección y la permeabilidad, de modo semejante a como se calcula la resistencia utilizando los datos de longitud, área de sección y conductividad (inversa de la resistividad).

ohms per square   ohmios [ohms] por cuadrado. Resistencia de una capa o película de material resistivo de superficie cuadrada, medida entre dos lados paralelos (lados opuestos). El valor medido es independiente del tamaño del cuadrado. cf. **ohm-centimeter, resistivity.**

ohms per volt   ohmios por voltio, ohms por volt. Indice de la sensibilidad de un instrumento de medida, igual al cociente de la resistencia del instrumento en ohmios por la tensión en voltios que causa la desviación de la aguja hasta el límite (fondo) de la escala; cuanto mayor es ese cociente, mayor la sensibilidad del instrumento.

oil   aceite, óleo; petróleo; lubricante; combustible líquido /// *adj:* oleaginoso; petrolero, petrolífero; lubricante /// *verbo:* aceitar; ponerse aceitoso; ungir; fundir (la manteca) || *(Mec)* aceitar, lubricar, engrasar || *(Buques)* petrolear || *(Caminos, Charcas)* petrolizar. localismo: aceitar.

oil bath   baño de aceite, baño en aceite.

oil can   aceitera, alcuza. sin. **oiler.**

oil capacitor   capacitor de aceite. Capacitor (condensador) cuyo dieléctrico está formado por hojas de papel impregnado en aceite. sin. **oiled-paper capacitor.**

oil check valve   válvula de retención del aceite.

oil circuit breaker   *(Elec)* disyuntor [interruptor] en aceite. sin. **oil switch, oil-break switch** | disyuntor en aceite. Disyuntor en el cual el cierre y la apertura se producen en aceite (CEI/57 15–30–040).

oil cock   grifo [llave] del aceite.

oil condenser   condensador [capacitor] de aceite. v. **oil capacitor.**

oil conservator   *(Transf)* conservador de aceite. (**1**) Dispositivo que, aun permitiendo la libre dilatación del líquido, evita el contacto del aire exterior con el aceite caliente, en forma de retardar la alteración de este último y reducir al mínimo los efectos perjudiciales de la condensación (CEI/38 10–25–060). (**2**) Dispositivo que, aun permitiendo la libre dilatación del aceite de un transformador, evita el contacto del aire exterior con el aceite caliente de la cuba, en forma de retardar la alteración de este último y reducir al mínimo los efectos perjudiciales de la condensación (CEI/56 10–25–140).

oil consumption   consumo de aceite.

oil control ring   segmento [aro] de lubricación, anillo de regulación del aceite, aro regulador de aceite, arco rascador del aceite.

oil-cooled   *adj:* enfriado [refrigerado] por aceite.

oil-cooled tube   tubo enfriado [refrigerado] por aceite. Tubo electrónico (como caso particular, tubo de rayos X) en el cual el calor generado se disipa directa o indirectamente por medio de aceite.

oil cooler   refrigerador [enfriador] del aceite, radiador del aceite.

oil cup   copilla de aceite [de lubricación], copa aceitera [de engrase], engrasador de copa, aceitera, aceitador, lubricadora, lubricadora. localismo: taza lubricadora.

oil-diffusion pump   bomba de difusión de aceite. Bomba de difusión semejante a la de vacío de mercurio [mercury-vapor vacuum pump], con la diferencia de que se usa aceite en lugar de vapor de mercurio.

oil dilution   *(Mot)* dilución del aceite. Dilución del aceite lubricante, con gasolina, para el arranque en tiempo frío.

oil-dilution valve   válvula de dilución del aceite.

oil drain   drenaje [vaciado] del aceite; orificio de drenaje [vaciado] del aceite.

oil-drain cock   llave de vaciado [drenaje] del aceite, grifo de purga del aceite.

oil-drain plug   tapón de vaciado [drenaje] del aceite, tapón (roscado) de purga del aceite.

oil engine   motor de petróleo, motor diesel.

oil feeder   lubricador; aceitera; alimentador de aceite.

oil feeder line   tubería de alimentación de aceite.

oil-filled   *adj:* lleno de aceite, de aceite, en aceite. SIN. **oil-immersed.** CF. **oil impregnated.**

oil-filled aluminum-sheathed cable   cable forrado de aluminio con circulación de aceite, cable con forro de aluminio y aceite circulante.

oil-filled cable   *(Elec)* cable de aceite, cable de aceite fluido | cable con aceite circulante. Cable bajo presión [pressure cable] en el cual el fluido utilizado para la puesta bajo presión es aceite mineral. El cable está ideado de manera que el aceite pueda circular libremente por su interior (CEI/65 25–30–150).

oil-filled capacitor   capacitor de aceite.

oil-filled hermetically sealed transformer   *(Elec)* transformador en aceite herméticamente cerrado.

oil-filled self-cooled transformer   transformador autoenfriado relleno de aceite, transformador en aceite de enfriamiento natural.

oil-filled transformer   transformador en (baño de) aceite, transformador lleno de aceite. SIN. **oil-immersed transformer.** CF. **dry-type transformer.**

oil filler   orificio de llenado de aceite; orificio de lubricación; tubo engrasador.

oil filling hole   orificio de llenado de aceite.

oil filling plug   tapón para llenado de aceite; tapón (roscado) para relleno de lubricante.

oil film   película [capa] de aceite.

oil filter   filtro de aceite.

oil fuse cutout   cortacircuito [interruptor de fusible] en baño de aceite.

oil grade   calidad [clase] de aceite.

oil heater   calentador del aceite; calentador quemador de aceite; radiador (eléctrico) relleno de aceite.

oil-hole   v. oilhole.

oil hot-water heater   calentador de agua alimentado por aceite.

oil-immersed   *adj:* en aceite, de aceite, en baño de aceite, metido en aceite. SIN. **oil-filled.** CF. **oil-impregnated.**

oil-immersed apparatus   *(Elec)* aparato en baño de aceite. Aparato en el cual los elementos esenciales o una parte de esos elementos están sumergidos en aceite (CEI/57 15–10–005).

oil-immersed forced-air-cooled transformer   transformador en baño de aceite con enfriamiento forzado por aire.

oil-immersed forced-oil-cooled transformer   transformador en baño de aceite con enfriamiento forzado por (circulación de) aceite. Transformador que tiene su núcleo y sus devanados en baño de aceite y que es enfriado por la circulación forzada del aceite por un permutador térmico [heat exchanger] exterior.

oil-immersed natural-cooling transformer   v. **oil-immersed self–cooled transformer.**

oil-immersed self-cooled transformer   (a.c. oil-immersed natural-cooling transformer) transformador en baño de aceite con enfriamiento natural (por aire).

oil-immersed transformer   *(Elec)* transformador en baño de aceite. Transformador cuyo núcleo y cuyos devanados están sumergidos en aceite. SIN. **oil-filled transformer.**

oil-immersed tube   tubo de inmersión en aceite. Tubo electrónico (caso particular, tubo de rayos X) ideado para funcionar en

baño de aceite.

oil-immersed water-cooled transformer   transformador en baño de aceite con enfriamiento por (circulación de) agua. Transformador cuyo núcleo y cuyos devanados están sumergidos en aceite, estando también sumergidos en el aceite unos serpentines de cobre por los cuales circula agua de enfriamiento.

oil-impregnated   *adj:* impregnado en aceite, impregnado de aceite.

oil-impregnated paper capacitor   capacitor [condensador] de papel impregnado en aceite.

oil-insulated   *adj: (Elec)* con aislación [aislamiento] de aceite.

oil-insulated self-cooled transformer   transformador aislado en aceite con enfriamiento natural [con autoenfriamiento].

oil-insulated transformer   transformador con aislamiento de aceite. CF. **oil-filled [oil-immersed] transformer.**

oil insulator   aislador de aceite.

oil intake   toma de aceite; toma de petróleo.

oil leak   escape [fuga] de aceite.

oil-leak detector   indicador de escape [fuga] de aceite.

oil level   nivel del aceite; nivel del petróleo.

oil-level gage   indicador de nivel del aceite.

oil-level indicator   indicador de nivel del aceite.

oil-level dip-stick   varilla para comprobar el nivel del aceite, varilla de inspeccionar el nivel del lubricante (en el cárter).

,oil line   tubería del aceite; canalización de aceite; tubería para petróleo.

oil mill   fábrica de aceite; almazara, trujal, molino de aceite.

oil outlet   salida de aceite.

oil pan   cucharilla [paleta] de engrase || *(Mot de combustión interna)* colector [depósito, recogedor] de aceite, batea, sumidero, cárter del aceite, cárter inferior, fondo del cárter, cárter (del motor). Parte inferior del cárter del cigüeñal, empleada como depósito de aceite de lubricación. SIN. **oil sump, lower crankcase.**

oil passage   conducto del aceite; canalización para aceite; agujero de lubricación.

oil pipe   tubería para petróleo; tubo de lubricación.

oil pipeline   oleoducto, tubería para petróleo.

oil-pipeline communications system   sistema de telecomunicación para oleoducto.

oil piping   tubería de petróleo; tubería de aceite.

oil plug   tapón del agujero [orificio] de lubricación.

oil port   (a.c. oilhole) agujero de lubricación.

oil pressure   presión del aceite.

oil-pressure alarm   alarma [avisador] de la presión del aceite.

oil-pressure gage   manómetro del aceite. TB. indicador [medidor] de presión del aceite. Manómetro que indica la presión del aceite de lubricación de un motor.

oil-pressure governor   regulador por presión de aceite; regulador del aceite.

oil-pressure sight glass   vidrio de inspección de la presión del aceite.

oil pump   bomba del aceite; bomba de lubricación.

oil-quenched   *adj:* enfriado en aceite; apagado por aceite; templado en aceite.

oil-quenched fuse   *(Elec)* fusible apagado por aceite.

oil radiator   radiador del aceite.

oil refining   refinado del aceite; refinado del petróleo.

oil reservoir   depósito de aceite. Depósito que llevan ciertos mecanismos y que contiene el aceite de lubricación de reserva | depósito de petróleo.

oil-return baffle   arandela cortaaceite.

oil-return check valve   válvula de retención de aceite.

oil ring   anillo aceitador [de lubricación, de engrase], aro [segmento] de lubricación.

oil saver   economizador de aceite; economizador de petróleo.

oil scavenger pump   bomba de recuperación del aceite.

oil scraper ring   aro [segmento] rascador de aceite.

oil screen   filtro de aceite.

oil seal   sello de aceite [de lubricación]. LOCALISMO: retén de lubricación | cierre de aceite; obturador de aceite.

oil-seal ring   aro de retención de aceite.

oil-sealed   *adj:* estanco al aceite; con cierre de aceite.

oil separator   separador de aceite | desaceitador. Dispositivo que separa el aceite del vapor en las tuberías que conducen este último. En los sistemas de refrigeración, dispositivo que separa el aceite del gas circulante, generalmente devolviéndolo al compresor.

oil slick   estela de aceite; mancha de aceite flotante (en el agua).

oil slinger   salpicador de aceite; deflector de aceite; arandela que impide el paso del lubricante (a lo largo de un eje).

oil strainer   colador [filtro] de aceite.

oil sump   *(Mot)* cárter [colector] de aceite, cárter del lubricante, sumidero. SIN. **oil pan.**

oil switch   interruptor en aceite, disyuntor de aceite [en baño de aceite], conmutador en baño de aceite. Interruptor, disyuntor o conmutador en el cual la interrupción del circuito se efectúa en aceite, para impedir la formación de arcos.

oil system   instalación de aceite [de lubricación].

oil tank   depósito de aceite; depósito [cisterna, tanque] de petróleo.

oil-tank vent (pipe)   tubería de ventilación del depósito de aceite; respiradero del tanque de petróleo.

oil tanker   buque petrolero, petrolero, barco tanque [buque cisterna] para petróleo.

oil temperature   temperatura del aceite.

oil-temperature gage   termómetro del aceite.

oil-temperature regulator   regulador de temperatura del aceite.

oil thermometer   termómetro del aceite.

oil throw ring   anillo de lubricación.

oil thrower   deflector de aceite; anillo lubricador.

oil-tight   v. oiltight.

oiled   *adj:* aceitado, engrasado, lubricado; petrolado || *(Acabado de muebles)* aceitado.

oiled cotton tape   cinta de algodón aceitada.

oiled earth road   camino de tierra petrolada [petroleada].

oiled finish   *(Muebles)* acabado aceitado.

oiled paper   papel manchado de aceite; papel aceitado; papel transparente; papel saturado con aceite mineral; papel tratado con aceite || *(Elec)* papel tratado con aceite (o barniz) para mejorar sus propiedades de aislación.

oiler   (a.c. oil cup) aceitera, copa de lubricación | (a.c. oil can) aceitera, alcuza | (a.c. oil tanker) buque petrolero | *(Persona)* aceitador, aceitero, engrasador || *(Caminos)* petrolizador.

oilhole   agujero de lubricación, oído de aceite, boquilla de engrase.

oiling   aceitado, aceitaje, lubricación, engrase; unción; embadurnamiento con aceite; engrasamiento; toma de petróleo || *(Caminos, Charcas)* petrolización.

oiling system   sistema de lubricación.

oiling washer   arandela lubricadora.

oiling wick   mecha aceitadora [lubricante, de engrase].

oilless   *adj:* sin aceite; sin engrase.

oilless bearing   cojinete sin aceite [sin lubricación], cojinete autolubricador [autolubricante]; cojinete grafitado; cojinete con lubricante sólido.

oilskin   encerado; hule; tela aceitada; impermeable, chubasquero, encerado, traje de tela barnizada.

oiltight   *adj:* estanco [hermético, impermeable] al aceite; estanco al petróleo.

oily   *adj:* aceitoso, oleoso, oleaginoso; grasiento, graso; untuoso; aceitado, impregnado de aceite.

oily rag   trapo aceitado. Se usa p.ej. para limpiar las herramientas y evitar así su oxidación.

oily surface   superficie grasienta.

oily vapor   vapor impregnado de aceite.

oily wood   madera aceitosa.

OIR   Abrev. de Organización Internacional de Radiodifusión [International Broadcasting Organization].

OISC   *(Transf)* Abrev. de oil-immersed self-cooled.

OK   OK, está bien, conforme, de acuerdo; en regla; visto bueno; estamos de acuerdo.

OLA   Abrev. de open-line alarm.

old man   viejo || *(Herr)* viejo, abrazadera de taladrar. LOCALISMO: hombre viejo || *(Radioafic)* viejo (en sentido afectuoso). En radiotelegrafía se abrevia OM.

old-timer   veterano. Es expresión común entre los operadores radiotelegrafistas y los radioaficionados.

oleaginous   *adj:* oleaginoso, aceitoso.

oleate   *(Quím)* oleato.

olefin   *(Quím)* olefina.

olein   *(Quím)* oleína.

oleo   oleomargarina || *(Cine/Tv)* (*i.e.* painted backdrop) cortina de fondo pintada || *(Avia)* patas de tren de aterrizaje ||| *adj:* (*i.e.* oleopneumatic) oleoneumático.

oleo gear   amortiguador oleoneumático.

oleo strut   pata oleoneumática; montante amortiguador oleoneumático.

olive   aceituna, oliva; olivo.

olive drab   verde aceituna, verde olivo; gris aceituna; tela de ese color | **olive drabs:** uniforme militar de esa tela.

OLR   *(Telecom)* Abrev. de open line receive.

OLS   *(Telecom)* Abrev. de open line send.

OM   *(Entre operadores telegrafistas)* Abrev. de old man ["viejo", en sentido afectuoso] || *(Radionaveg)* Abrev. de outer marker.

omega   omega. Letra griega usada como símbolo de diversas magnitudes en matemáticas, electricidad y otras ciencias. La minúscula (ω) se usa como símbolo de $2\pi f$. La mayúscula (Ω) se usa como símbolo de *ohmio* u *ohm* (la unidad de resistencia eléctrica).

omegatron   omegatrón. Espectrógrafo de masas miniatura; ciclotrón miniatura (tamaño comparable al de una válvula del tipo de recepción).

OMGE   *(Teleg)* Abrev. de our message [nuestro mensaje].

omni   *(Radionaveg)* Abrev. de omnirange ||| Prefijo que significa *todo* (del latín *omnis*) y que entra en la formación de numerosas voces técnicas.

omniaerial   v. omnidirectional antenna.

omniazimuthal   *adj:* omniacimutal.

omnibearing   *(Radionaveg)* rumbo dado por un radiofaro omnidireccional. Rumbo indicado por un receptor de radionavegación utilizando las emisiones de un radiofaro omnidireccional.

omnibearing-distance facility   *(Radionaveg)* radiofaro omnidireccional telemétrico. Instalación radioeléctrica en la cual se combinan un radiofaro omnidireccional [omnidirectional radio beacon] y un equipo telemétrico [distance measuring equipment].

omnibearing-distance navigation   *(Radionaveg)* (a.c. rho-theta navigation) radionavegación con coordenadas polares y telémetro, navegación R-θ. Radionavegación en la cual se utiliza un sistema de coordenadas polares para fines de referencia en combinación con un radiofaro omnidireccional telemétrico [omnibearing-distance facility].

omnibearing indicator   *(Radionaveg)* indicador acimutal automático.

omnibearing line   recta radial de rumbo (de un radiofaro omnidireccional).

omnibearing selector   *(Radionaveg)* selector de rumbo.

omnibus   ómnibus.

omnibus bar   v. busbar.

omnibus channel   *(Telecom)* canal ómnibus.

omnibus telegraph circuit   circuito telegráfico ómnibus.

omnibus telegraph system   sistema telegráfico ómnibus.

omnidirectional   *adj:* omnidirectional. Que tiene iguales propiedades en todas las direcciones. CF. isotropic.

omnidirectional aerial   v. omnidirectional antenna.

omnidirectional antenna   (a.c. omnidirectional aerial — *GB*) antena omnidireccional [omnidirectiva], antena no directiva [no dirigida]. Antena cuya irradiación o cuya captación de energía es uniforme en todas las direcciones del plano horizontal. SIN. **nondirectional antenna** | **omnidirectional aerial**: antena omnidireccional. Antena cuya fuerza cimomotriz [cymomotive force] es, en cada instante, sensiblemente igual en todas las direcciones del plano horizontal (CEI/70 60–34–040).

omnidirectional antenna array   alineación [red] de antenas omnidireccionales.

omnidirectional beacon   v. **omnidirectional radio beacon.**

omnidirectional gain   (*Ant*) ganancia omnidireccional.

omnidirectional hydrophone   hidrófono omnidireccional.

omnidirectional microphone   micrófono omnidireccional [no direccional]. SIN. **micrófono astático** —— **astatic microphone** | micrófono omnidireccional. Micrófono cuya respuesta es prácticamente independiente de la dirección de la onda acústica incidente (CEI/60 08–15–020).

omnidirectional radio beacon   (*Radionaveg*) (a.c. omnidirectional beacon, omnidirectional radio range, omnidirectional range, omnirange, omni, VHF omnirange, VOR) radiofaro omnidireccional. POCO USADO: radiofaro de alineación omnidireccional. (**1**) Radiofaro que emite sus señales con igual intensidad en todas las direcciones del plano horizontal. (**2**) Radiofaro que provee un número infinito de trayectorias radiales o rumbos en un arco de 360 grados acimutales. CF. **omnibearing line** | radiofaro omnidireccional. Radiofaro de antena directiva [directional aerial] que asegura un servicio en todos los acimuts (CEI/70 60–74–060).

omnidirectional radio range   v. **omnidirectional radio beacon.**

omnidirectional range   v. **omnidirectional radio beacon.**

omnidirectional range station   estación de radiofaro omnidireccional. v. **omnidirectional radio beacon.**

omnidirectional transmitter   emisor omnidireccional ‖ (*Electroacús*) v. **omnidirectional microphone.**

omnidirective   *adj:* omnidirectivo.

omnidirective antenna   v. **omnidirectional antenna.**

omnidistance   distancia (de un vehículo) a un radiofaro omnidireccional telemétrico. v. **omnibearing-distance facility.**

omnigraph   omnígrafo. Aparato para la enseñanza del código Morse. El aparato manipula un tono de audiofrecuencia, producido por un oscilador o por una chicharra o zumbador [buzzer], mediante una cinta perforada o una rueda de material aislante con contactos en la periferia. Las señales Morse audibles así obtenidas se utilizan para prácticas de recepción.

omnirange   v. **omnidirectional radio beacon.**

OMTD   (*Teleg*) Abrev. de omitted [omitido].

on   *adj/adv:* puesto; en funcionamiento; conectado, encendido; en contacto. CF. **off.**

ON   (*Teleg*) Abrev. de old number [número viejo].

on air   (*Radio*) en el aire, transmitiendo, radiando (la señal, el programa).

on-air monitor   (*Radio*) monitor de señal en el aire. Aparato destinado a vigilar la señal que se está radiando.

on-air playback   (*Radio/Tv*) reproducción y transmisión simultánea, reproducción (de un programa grabado) para transmisión simultánea.

"On Air" sign   letrero (luminoso) de "En el aire". Letrero lumínico utilizado en un estudio de radio o televisión para pedir silencio cuando comienza la emisión.

on and off intervals   intervalos activo e inactivo; intervalos de conexión y desconexión.

on board   a bordo.

on-board power supply   fuente de energía a bordo.

on-board station   estación de a bordo.

on-call channel   (*Telecom*) canal asignado sin exclusividad.

on-circuit operation   (*Telecom*) funcionamiento por circuito individual. Dícese en oposición al método de transmisión con escala. v. **intercircuit operation.**

on-course curvature   (*Naveg*) pendiente del rumbo. Rapidez de variación del rumbo indicado en función de la distancia recorrida.

on-course line   (*Naveg*) línea de rumbo.

on-course signal   (*Radionaveg*) haz de zumbido, señal de "En ruta". Señal que al ser recibida en una aeronave, indica que ésta se encuentra en la ruta deseada establecida por un radiofaro.

on-delay   retardo de conexión | (*i.e.* on-delay circuit) circuito con retardo de conexión. Circuito que produce una señal de salida después de un intervalo definido de haber recibido la señal de entrada. CF. **off-delay.**

on demand   sobre demanda, a solicitud ‖ (*Comercio*) a la vista, a la presentación.

on hand   existencia del momento, stock actual ⫽ (*Tráfico de telecom*) de turno, pendiente ‖ (*Telef*) **to be on hand**: esperar turno, estar de turno (*refiriéndose a solicitudes de comunicación*). CF. **call on hand** ‖ (*Teleg*) **traffic on hand**: tráfico pendiente (de transmisión) | **still on hand**: todavía pendiente (de transmisión, de entrega) ⫽ a mano, a la mano.

on hook   (*Telef*) colgado, en reposo; condición de "desocupado". Condición del circuito cuando el microteléfono o el auricular (según el tipo de aparato) descansa en la horquilla o gancho conmutador [switch, hook]. En esas condiciones el auricular y el micrófono están ambos fuera del circuito, y pueden recibirse llamadas. CF. **off hook.**

on-hook condition   (*Telef*) condición de reposo [de "colgado"]. CF. **off-hook condition.**

on-hook signal   (*Telef*) (*i.e.* supervisory signal sent back to the outgoing international terminal) señal de desconexión recibida. Señal de supervisión transmitida hacia la terminal internacional de salida. SIN. **backward clear** (*GB*) | (*i.e.* signal sent back to the calling exchange to indicate that the called party has cleared) señal de desconexión recibida. Señal transmitida hacia la central que llama indicando que el abonado llamado ha desconectado. La señal puede tener el efecto de hacer funcionar la supervisión, de provocar el cese de la tasación, etc., y sirve para indicar a la operadora la acción que corresponde ejecutar. SIN. **clear-back signal** (*GB*). CF. **off-hook signal.**

on insertion loss   (*Conmut de estado sólido*) pérdida de inserción en estado de conducción. CF. **off isolation.**

on instruments   (*Avia*) por instrumentos.

on-line   *adj:* (*Comput*) en línea; de entrada [comunicación] directa; acoplado al sistema. Relativo a equipos o dispositivos que están en comunicación directa con el ordenador central [central processor] de un sistema computador, y que por lo general están bajo el control directo de éste. CF. **off-line.**

on-line closed-loop system   sistema de entrada directa y bucle cerrado. Sistema de control automático por computador en el cual este último recibe directamente de los instrumentos los datos, y, después de efectuados los cálculos necesarios, envía, también directamente, las señales de mando de los dispositivos reguladores; todo sin intervención humana. CF. **on-line open-loop system**, **off-line system.**

on-line computer   computador de comunicación [conexión] directa.

on-line data reduction   reducción de datos por sistema computador en línea.

on-line monitoring facility   equipo de monitoreo sobre la línea.

on-line open-loop system   sistema de entrada directa y bucle abierto. Sistema de control automático por computador en el cual este último recibe directamente de los instrumentos las señales que le sirven de datos para hacer los cálculos necesarios para determinar los ajustes que deben hacerse en los dispositivos reguladores. Se necesita entonces la intervención de un operador que efectúe las correspondientes maniobras de ajuste. CF. **on-line closed-loop system**, **off-line system.**

on-line operation   (*Comput*) funcionamiento en línea, funcionamiento con datos ingresados directamente por el operador ‖ (*Teleimpr*) transmisión directa por teclado, comunicación directa entre teleimpresores, transmisión sin cinta perforada. Método en el cual se prescinde del uso de la cinta perforada, y en el cual cada carácter se transmite en el momento de accionar la tecla correspondiente. SIN. **direct keyboard transmission.** CF. **tape operation, off-line preparation of perforated tape.**

on-line system   sistema en línea, sistema de entrada directa. v. **on-line closed-loop system, on-line open-loop system.**

on-line testing   pruebas en serie.

on-line working   *(Reducción de datos)* funcionamiento en (la) línea.

on-load switch   *(Tracción eléc)* v. **on-load tap changer.**

on-load tap changer   *(Tracción eléc)* (a.c. on-load switch) combinador de toma, combinador [graduador] de regulación en carga. Combinador [switchgroup, switching device] construido especialmente para que permita cambiar la toma de regulación [tapping point] sin interrumpir los circuitos de tracción [traction circuits] (CEI/57 30–15–790).

on-load voltage (GB)   *(Electroquím/Electromet)* v. **working voltage.**

on location   *(Cine)* fuera de los estudios, "in situ". Dícese en relación con las tomas exteriores.

on-net station   *(Telecom)* estación de la red, estación perteneciente a la red. CF. **off-net station.**

on-off   *adj:* de conexión y desconexión; de marcha y parada; de todo o nada; de encendido y apagado.

ON-OFF   *(Identificando dos posiciones de un conmut)* Conectado-Desconectado; Arranque-Parada; Sí-No.

on-off action   acción todo o nada. En los sistemas de control y regulación automática: Acción a dos niveles [two-level action] de los cuales uno corresponde a un valor predeterminado de la señal de salida y el otro a un valor nulo (CEI/66 37–20–055).

on-off circuit   circuito de conexión y desconexión.

on-off control   control de cierre o apertura [de cierre-apertura, de todo o nada, de todo-nada], control intermitente, regulación discontinua [por todo o nada]; control de encendido [de conexión y desconexión].

on-off control circuit   circuito de mando por todo o nada.

on-off control system   sistema de control intermitente.

on-off cycle   ciclo de conexión y desconexión.

on-off cycling   ciclo de conexión y desconexión.

on-off device   dispositivo de conexión y desconexión.

on-off digital circuit   circuito (del tipo) de todo-nada, circuito digital de presencia-ausencia.

on-off keying   manipulación todo-nada, manipulación por todo o nada [por cierre-apertura, por corte (de frecuencia), por corte de portadora, por interrupción de la portadora, por conexión y desconexión de la (onda) portadora], manipulación de cierre-apertura. Modulación de amplitud para transmisión telegráfica o de impulsos, en la cual la onda o frecuencia portadora se transmite a pleno para producir los elementos de trabajo o señales de "marca" y se interrumpe para producir los de reposo o señales de "espacio", o viceversa | manipulación todo o nada. Manipulación telegráfica de amplitud en la cual la magnitud modulada adquiere alternativamente dos valores definidos, de los cuales uno es cero (CEI/70 60–42–165).

on-off Morse   Morse por todo o nada, telegrafía Morse de manipulación todo o nada.

on-off Morse code   código Morse por interrupción de la portadora, código Morse por manipulación todo o nada.

on-off operation   funcionamiento intermitente | manipulación por interrupción de la portadora, manipulación todo o nada. SIN. **on-off keying.**

on-off pilot light   luz piloto de encendido.

on-off pulse sequence   serie de impulsos todo o nada.

on/off ratio   *(Conmut)* razón del período de cierre al de apertura, razón de cierre a corte. CF. **duty cycle.**

on-off servo   servo de funcionamiento intermitente, servomecanismo que funciona por intervalos de marcha y parada.

on-off switch   *(Elec)* interruptor; conmutador conectador-desco-

nectador; interruptor de encendido [de alimentación, de encender y apagar], interruptor de corriente, interruptor para conectar y desconectar la alimentación; interruptor general [de entrada, de red]; interruptor de marcha y parada ‖ *(Telecom)* llave de apertura y cierre.

on-off switching   conmutación abierto-cerrado [conectado-desconectado, encendido-apagado, marcha-parada], conmutación sí-no.

on-off telegraphy   telegrafía por todo o nada, telegrafía de manipulación todo o nada.

on-off tone signals   señales de tono manipulado por intermitencia, señales de tono de manipulación todo o nada.

on-or-off condition   *(Tubos y transistores)* estado de conducción o corte.

on order   *(Comercio)* pedido (y aún no recibido).

on period   *(Tubos elecn)* período de conducción | tiempo de apertura. Tiempo de un período durante el cual un tubo electrónico conduce (CEI/56 07–27–085). CF. **off period.**

on position   posición de trabajo. Posición o posiciones finales de un relé cuando el mismo está suficientemente alimentado (CEI/56 16–10–015). CF. **off position.**

on-season fare   *(Avia)* tarifa de temporada. CF. **off-season fare.**

on-shore wind   viento marítimo. CF. **off-shore wind.**

on signal proving   *(Señalización ferrov)* (*i.e.* checking which gives indications only when the signal is "on" [closed]) comprobación de señal al cierre. Comprobación que no da indicación más que en la posición de cierre de la señal (CEI/59 31–05–190). v. **signal proving.**

on state   estado activo ‖ *(Elecn)* estado de conducción.

on station   en estación. Situación del barco de una estación oceánica cuando el mismo se halla dentro de los límites de la estación que tiene asignada. CF. **off station.**

on the air   *(Radio/Tv)* en el aire, radiando (la señal), transmitiendo (el programa).

on-the-air monitor   *(Radio/Tv)* monitor de emisión, monitor principal. Monitor que sirve para controlar la señal del programa que se está radiando.

on the beam   *(Radionaveg)* siguiendo un haz radioeléctrico [una trayectoria radioeléctrica] para llegar al destino.

on-the-fly printer   *(Comput)* impresor ultrarrápido. Impresor tan rápido que los caracteres de cada renglón parecen imprimirse de un solo golpe; es decir, el aparato parece imprimir por renglones enteros.

on the head   *(Radio/Tv)* puntual, al segundo. Frase con la cual se indica que el programa empezó a radiarse a la hora exacta. CF. **on the nose.**

on the job   en la tarea, en el yunque, dándole al yunque, en el tajo; en el asunto; en el lugar, "in situ"; en el curso del trabajo, sobre la marcha.

on-the-job testing   ensayos de aplicación.

on-the-job training   instrucción [adiestramiento] sobre la marcha, aprendizaje en el curso del trabajo, instrucción en el tajo. Instrucción que se recibe en el curso del propio trabajo, bajo la guía o tutela de un instructor o de un trabajador experimentado.

on the nose   *(Radio/Tv)* al segundo. Frase con la cual se indica que el programa ha terminado a la hora exacta, al segundo. CF. **on the head.**

on the spot   en el lugar, "in situ"; en plaza; al momento, al punto, en el acto, ahí mismo, inmediatamente.

on-the-spot assembly   montaje en el sitio.

on-the-spot coverage   *(Radio/Tv)* reportaje desde el lugar de los acontecimientos.

on-the-spot repair   reparación en el sitio [en el mismo lugar].

on the verge of oscillation   a punto de oscilar, a punto de romper a oscilar, a punto de entrar en oscilación, en el límite de autooscilación. Estado de un amplificador cuando una reacción parásita [stray feedback] tiene un valor muy próximo a aquel al cual ocurre autooscilación [self-oscillation]. CF. **singing.**

medios para comparar la salida con la entrada para fines de autocorrección. v.tb. **open-loop control.**

open-loop voltage gain *(Ampl operacionales)* ganancia de tensión en bucle abierto, ganancia en tensión sin reacción.

open loudspeaker circuit *(Telecom)* circuito de altavoz en permanencia.

open magnetic circuit circuito magnético abierto.

open map *(Mat)* aplicación abierta.

open mapping *(Mat)* transformación abierta.

open motor v. **open-type motor.**

open order file *(Sistematización de datos)* fichero de pedidos en trámite.

open phase *(Elec)* fase abierta.

open-phase protection *(Elec)* dispositivo de protección contra los cortes de fase. Dispositivo de protección que funciona en caso de interrupción de uno o varios conductores del circuito (CEI/56 16–65–025).

open-phase relay relé de fase abierta, relé de fase. Relé (relevador) que funciona cuando una o más fases de un circuito polifásico quedan interrumpidas y circula suficiente corriente por la fase o las fases no interrumpidas.

open phrase *(Mat)* frase abierta.

open plug clavija de apertura, clavija para mantener un jack en la posición de abierto. Clavija utilizada para abrir los contactos de un jack que normalmente están cerrados.

open quadrature formula *(Mat)* fórmula abierta de la cuadratura.

open relay v. **open-type relay.**

open resistor *(Elec)* resistor cortado, resistencia cortada.

open routine *(Comput)* rutina abierta. La que puede intercalarse directamente en otra rutina mayor sin secuencia de encadenamiento [linkage sequence]. cf. **open subroutine.**

open sentence *(Mat)* enunciado abierto.

open set *(Mat)* conjunto abierto.

open shop establecimiento en el cual pueden emplearse obreros no sindicados; centro de computación donde puede trabajar cualquier empleado competente de la empresa.

open space espacio abierto, terreno al aire libre.

open-space deposit depósito al aire libre.

open-spaced grid *(Tubos elecn)* rejilla de vueltas abiertas [separadas], rejilla de espiras de gran paso.

open string *(Acús)* cuerda al aire.

open subroutine *(Comput)* subrutina abierta. Subrutina que se intercala directamente en una serie mayor de instrucciones. sin. **direct-insert subroutine.** cf. **open routine.**

open system *(Fís)* (a.c. control volume) sistema abierto. Sistema termodinámico cuyas paredes pueden ser atravesadas por la materia y la energía. Se distingue del sistema cerrado [closed system], que puede cambiar energía pero no materia con el mundo externo, y del sistema aislado [isolated system], que no puede cambiar ni energía ni materia con el medio circundante.

open temperature pickup transductor de temperatura abierto. Transductor de temperatura con elemento sensible en contacto directo con el medio cuya temperatura se mide.

open transmission line línea de transmisión abierta. cf. **shorted-end transmission line.**

open-type apparatus *(Elec)* aparato abierto. Aparato construido sin protección especial de las partes bajo tensión (CEI/38 10–35–050) | aparato abierto, aparato no protegido contra los contactos accidentales. Aparato en el cual las piezas bajo tensión son accesibles al contacto (CEI/57 15–10–030).

open-type machine *(Elec)* máquina abierta. Máquina construida sin protección especial de las partes bajo tensión o en movimiento (CEI/38 10–35–050, CEI/56 10–05–155).

open-type motor *(Elec)* motor abierto. v. **open-type machine.**

open-type relay relé abierto, relé sin cubierta.

open winding devanado abierto.

open window ventana abierta; ventanilla abierta.

open-window unit *(Acús)* unidad de ventana abierta. Unidad de absorción acústica equivalente a la absorción que produce una ventana abierta de un pie cuadrado (0,092 9 m²). sin. **sabin.**

open wire *(Telecom)* hilo desnudo, hilo (desnudo) aéreo. Conductor suspendido sobre el nivel del terreno | hilo desnudo aéreo. Conductor soportado individualmente por encima de la superficie del suelo mediante aisladores (CEI/70 55–30–005) | (a.c. overhead line) línea aérea en hilo desnudo.

open-wire carrier *(Telecom)* portadora sobre línea aérea [sobre hilos desnudos].

open-wire carrier system sistema de corrientes portadoras sobre hilos desnudos aéreos.

open-wire circuit *(Telecom)* circuito de hilo desnudo, circuito en hilos desnudos aéreos | (a.c. open-wire line) línea aérea, línea desnuda.

open-wire communication system sistema de comunicación por hilos desnudos aéreos.

open-wire conductor hilo desnudo.

open-wire feeder alimentador de hilos desnudos. sin. **open-wire transmission line.**

open-wire fuse *(Elec)* cortacircuito de fusión libre. Cortacircuito sin dispositivo que limite el desarrollo del arco, la liberación de gas y la proyección de llamas o de partículas metálicas provocados por la fusión (CEI/57 15–40–050).

open-wire line conductor aéreo | línea aérea; línea de hilos desnudos. tb. línea desnuda, línea abierta. Línea aérea (telefónica o telegráfica) cuyos conductores se apoyan separadamente sobre aisladores; dícese generalmente en oposición a los cables de múltiples conductores. Las líneas de hilos desnudos son siempre aéreas (puesto que evidentemente no podrían ser ni soterradas ni subacuáticas); en cambio, podrían utilizarse hilos forrados en una línea aérea, es decir, en una línea suspendida sobre postes. sin. **overhead line.**

open-wire loop *(i.e. branch line on a main open-wire line)* ramal de línea aérea.

open-wire pair par de hilos desnudos aéreos.

open-wire pole line línea aérea sobre postes, línea de hilos desnudos aéreos.

open-wire route *(Telecom)* ruta de línea aérea, ruta de hilos desnudos.

open-wire stub *(Líneas de tr)* impedancia de equilibrio con los terminales libres.

open-wire telecommunication line línea de telecomunicación en hilos desnudos aéreos.

open-wire transmission line línea de transmisión de hilos desnudos aéreos, línea de transmisión de hilos paralelos sobre aisladores. sin. **open-wire feeder.**

opening abertura, orificio, agujero; brecha; vano (de puerta, de ventana); boca (p.ej. de un saco); campo abierto, raso, claro (en un bosque); abrimiento; luz; salida; vacante, puesto [empleo, plaza] vacante; apertura, acción de abrir; apertura, inauguración; principio; sesión inaugural; oportunidad, coyuntura; excavación; trinchera ‖ *(Geog)* abra, bahía ‖ *(Minería)* galería, socavón; vía; trabajo preparatorio ‖ *(Fonética)* abertura ‖ *(Juego de ajedrez)* apertura ⫻ *adj:* inaugural; aperitivo.

opening action apertura; desobturación.

opening balance *(Contabilidad)* saldo inicial.

opening night *(Teatro)* noche de estreno.

opening of telephone communication apertura de la comunicación telefónica.

opening of telephone service inauguración del servicio telefónico; apertura de la comunicación telefónica.

opening performance *(Teatro)* estreno.

opening time *(Elec)* tiempo de apertura. cf. **operating time** | duración de apertura (hasta que hay separación de los contactos de ruptura). (a) Para un disyuntor de desenganche mediante una fuente cualquiera de energía auxiliar, la duración de apertura se mide a partir del instante de aplicación de la fuente de energía auxiliar al dispositivo de escape [tripping mechanism], estando el disyuntor en su posición de cerrado, hasta el instante de la separación de los contactos de ruptura [arcing contacts]. (b) Para un disyuntor de desenganche por la corriente de cortocircuito, sin la ayuda de una fuente de energía auxiliar, la duración de apertura se mide entre el momento en que, estando el disyuntor en su posición de cerrado, se establece la corriente de cortocircuito, y el instante de la separación de los contactos de ruptura (CEI/57 15-25-065).

opera *(Mús)* ópera.

operable *adj:* operable; manejable; capaz de funcionar.

operable condition condición de funcionamiento.

operand operando. (**1**) Cantidad que se somete a una operación matemática. (**2**) En un computador, cantidad o unidad de información que interviene en una operación o que resulta de ella. cf. **operator.**

operate *verbo:* operar; hacer operaciones; accionar, operar; activar; hacer funcionar, poner en funcionamiento; actuar, accionar, impulsar; mover, poner en movimiento; obrar, trabajar; funcionar, marchar; manejar, maniobrar, manipular; mandar; utilizar; producir [tener] efecto; efectuar, llevar a cabo; dirigir, gobernar, manejar; moverse; explotar (un servicio, una instalación); administrar, dirigir (un negocio, un establecimiento) ‖ *(Mat)* operar ‖ *(Relés)* funcionar. Un relé funciona cuando comienza y termina el trabajo previsto (CEI/56 16-10-035).

operate current corriente de excitación; corriente de mando. En el caso de un relé o de un dispositivo análogo, corriente que atraviesa el dispositivo cuando el circuito del cual éste forma parte está en sus condiciones normales, y cuya intensidad tiene un valor superior al de la corriente mínima de funcionamiento o corriente mínima de mando [minimum operate current] (CEI/70 55-25-190).

operate lag tiempo de funcionamiento.

operate level nivel de funcionamiento ‖ *(Telecom)* (**of an echo suppressor**) nivel de funcionamiento (de un supresor de eco). Nivel de una señal de frecuencia igual a la frecuencia de funcionamiento [operating frequency] del supresor, que, aplicada a la entrada, lo hace funcionar (nota 1) o apenas lo hace funcionar (nota 2). Esta magnitud puede expresarse como un nivel absoluto de potencia [absolute power level] *(nivel local de funcionamiento —* local operate level) o como un nivel de potencia referido al punto de nivel relativo cero [point of zero relative level] del circuito al cual está conectado el supresor de eco *(nivel de funcionamiento referido al nivel relativo cero —* operate level referred to zero relative level). nota 1: Se dice que *funciona* un supresor de eco de acción discontinua [relay-type echo suppressor] cuando se introduce en la vía que debe ser bloqueada [controlled path] una atenuación determinada, igual o superior a la atenuación de bloqueo [blocking attenuation, suppression loss] especificada. nota 2: Se dice que *apenas funciona* un supresor de eco de acción continua [valve- or rectifier-type echo suppressor] cuando se introduce en la vía que debe ser bloqueada una atenuación de 7 dNp (o 6 dB); y se dice que *funciona efectivamente* cuando la atenuación introducida es igual a la atenuación de bloqueo o no se diferencia de ésta en más de 7 dNp (6 dB). [Las correspondientes expresiones en inglés se forman con "operated", "just operated" y "effectively operated"] (CEI/70 66-05-470).

operate on direct current funcionar con corriente continua.

operate on party-line basis *(Circ de telecom)* funcionar en forma compartida; utilizar [explotar] compartidamente.

operate position *(Relés)* posición de funcionamiento. cf. **non-operate position.**

operate power potencia de trabajo. En el caso de un relé, potencia mínima necesaria para que la armadura pase de la posición de reposo a la de trabajo. v.tb. **operate voltage.**

operate time tiempo de funcionamiento ‖ *(Relés)* tiempo de maniobra. v. **operating time** ‖ *(Telecom)* **operate time of a relay-type echo suppressor:** tiempo de funcionamiento de un supresor de eco de acción discontinua. Intervalo de tiempo entre el momento en que se aplica la señal de prueba (véase la nota al final de esta definición) a la entrada del supresor de eco y el momento en que se introduce una atenuación determinada en la vía que debe ser bloqueada [controlled path]. nota: Para definir los tiempos característicos [characteristic times] de un supresor de eco, se emplea una señal de prueba de frecuencia igual a su frecuencia de funcionamiento y de nivel superior en 7 dNp (o 6 dB) a su nivel de funcionamiento [operate level] (CEI/70 55-05-480) ‖ **operate time of a valve- or rectifier-type echo suppressor:** tiempo de funcionamiento de un supresor de eco de acción continua. Intervalo de tiempo entre el momento en que se aplica la señal de prueba [test signal] (véase la nota al final de la definición anterior) a la entrada del supresor de eco y el momento en que la atenuación introducida en la vía que debe ser bloqueada alcanza un valor igual a la atenuación de bloqueo [blocking attenuation] o que no difiere de ésta en más de 7 dNp (o 6 dB) (CEI/70 55-05-485) ‖ v. **operating time.**

operate voltage tensión de trabajo, tensión actuadora. En el caso de los relés, tensión excitadora mínima a la cual la armadura pasa siempre de la posición de reposo a la de trabajo; por debajo de dicha tensión la armadura no cambia de posición, o lo hace erráticamente. Cuando falta la tensión excitadora se dice que el relé está *desexcitado;* la posición de trabajo corresponde al *estado de excitación.* cf. **operate power** ‖ v. **operating voltage.**

operating *adj:* operante; operativo, operatorio; operacional; funcional; actuante; impulsor, impulsante; excitador, excitatriz; de trabajo; de servicio; de régimen; de manejo; de explotación.

operating administration *(Telecom)* administración explotadora.

operating agency *(Telecom)* administración explotadora; empresa de explotación.

operating altitude *(Avia)* altitud operacional.

operating angle ángulo de flujo (de corriente), ángulo de funcionamiento. Angulo eléctrico, o sea, parte del ciclo de una señal sinusoidal, durante el cual circula corriente de placa (ánodo) en un tubo electrónico amplificador, y que depende de la polarización de rejilla. Si el ángulo es de 360°, el amplificador se denomina clase A; si vale entre 180 y 360°, se llama clase B; si es de menos de 180°, se dice que el amplificador es clase C.

operating at critical *(Nucl)* funcionando en el punto crítico.

operating band *(Telecom)* banda de trabajo.

operating base base de operaciones.

operating bias polarización de servicio. En los sistemas de registro magnético directo, valor de la polarización alterna [AC bias level] recomendado para la utilización de determinado aparato o determinada cinta magnética.

operating blade *(Teleimpr)* cuchilla accionadora.

operating channel *(Radiocom)* canal de trabajo [de comunicación, de tráfico].

operating characteristic característica de trabajo; característica funcional [de funcionamiento] ‖ *(Control de la calidad)* característica de trabajo. Gráfico de la probabilidad de que sea aceptado un lote (ordenada) en función de la magnitud observada durante la inspección (abscisa).

operating circuit circuito de trabajo.

operating coil *(Relés)* (a.c. operating winding) bobina actuadora [de trabajo], bobina excitadora [excitatriz].

operating conditions condiciones de funcionamiento [de trabajo, de utilización], régimen (de funcionamiento) ‖ **under stable operating conditions:** en régimen estable ‖ **under linear operating conditions:** en régimen lineal ‖ *(Elec)* régimen. Conjunto de las magnitudes eléctricas y mecánicas que caracterizan el funcionamiento de una máquina, de un aparato o de una red en un instante dado (CEI/56 10-05-325).

operating contact *(Elec)* (a.c. normally open interlock) contacto de trabajo. Contacto auxiliar de un aparato que no tiene más que una posición de reposo [rest position]. Ese contacto está abierto cuando el aparato está en su posición de reposo (CEI/57

15–15–060).

operating control   mando, control para el manejo [uso] del aparato. CF. **nonoperating control.**

operating convenience   comodidad de manejo, comodidad en el uso (del aparato), facilidad de maniobra.

operating coordinates   coordenadas funcionales, coordenadas del punto de trabajo.

operating costs   gastos de explotación.

operating current   (*Elec*) corriente de funcionamiento [de trabajo, de servicio] ‖ (*Relés*) corriente de trabajo, corriente para atraer. Corriente de valor suficiente para atraer la armadura y llevarla a su posición de trabajo. V.TB. **operating voltage.**

operating cycle   ciclo operativo, ciclo de trabajo; periodicidad de operación | ciclo de maniobras. Serie completa de maniobras que exige el manejo de un aparato.

operating data   datos de funcionamiento, datos relativos al régimen de trabajo.

operating duty   trabajo de operación; ciclo de trabajo; especificación de trabajo; carga normal, carga de régimen.

operating duty test   prueba con carga normal, ensayo en condiciones de servicio reales.

operating engineer   ingeniero encargado de la atención de un equipo, técnico encargado del manejo de un aparato.

operating facilities   medios de maniobra, elementos de mando; recursos de explotación.

operating features   características de funcionamiento; partes funcionales.

operating force   (*Telecom*) (a.c. operating staff) personal de explotación.

operating frequency   frecuencia de utilización [de empleo] | frecuencia de trabajo [de funcionamiento]. Frecuencia a la cual está destinado a funcionar un aparato o dispositivo ‖ (*Telecom*) frecuencia de funcionamiento. Frecuencia a la cual un supresor de eco [echo suppressor] es más sensible ‖ (*Radiocom*) frecuencia de trabajo [de servicio]; frecuencia de emisión; frecuencia de recepción.

operating income   ingresos operativos, entrada neta de operación, beneficios [rentas, utilidades] de explotación.

operating instructions   instrucciones de empleo [de utilización, de manejo] ‖ (*Telecom*) instrucciones, reglamento; normas de explotación.

operating key   tecla funcional.

operating lever   palanca de maniobra [de mando].

operating life   duración en funcionamiento, vida de servicio.

operating life test   prueba de duración en funcionamiento. CF. **operating rack, power aging.**

operating limitations   limitaciones de utilización.

operating loop   (*Nucl*) circuito de funcionamiento [de explotación].

operating mechanism   mecanismo activo; mecanismo de maniobra | enlace. Dispositivo de unión mecánico o electromagnético que sujeta las posiciones del aparato accionado por él, a las del órgano que lo gobierna: palanca, volante, manivela, etc. (CEI/38 35–05–030).

operating mode   modo operacional; modalidad de funcionamiento.

operating-mode factor   factor de condiciones funcionales. Factor que toma en cuenta las condiciones de funcionamiento de un aparato en lo que respecta a su confiabilidad.

operating nut   tuerca de maniobra. LOCALISMO: dado de operación.

operating overload   sobrecarga en funcionamiento normal. Sobrecarga a la cual puede estar sometido un aparato en condiciones normales de utilización.

operating panel   panel de maniobra.

operating period   período de funcionamiento.

operating personnel   (*Telecom*) (a.c. operating force, operating staff) personal de explotación, personal operador.

operating point   (*Tubos elecn*) punto de trabajo [de funcionamiento]. (**1**) Punto de la curva característica que liga la tensión de rejilla con la corriente de ánodo, que corresponde a los valores de tensión y de corriente continuas utilizados para dichos electrodos; esta definición corresponde al *punto de trabajo estático* [static operating point, quiescent point]. (**2**) Punto de la mencionada curva que corresponde a los valores medios de tensión y de corriente alternas; este es el *punto de trabajo dinámico* [dynamic operating point] ‖ (*Transistores*) **operating points:** condiciones de funcionamiento.

operating pointer   indicación útil para el operador.

operating pole   (*Elec*) pértiga aislante. v. **hook stick.**

operating position   puesto de maniobra; puesto de trabajo ‖ (*Telef/Teleg*) puesto de operador; puesto de operadora. Parte de un tablero o conmutador atendida por un operador o una operadora (CEI/38 55–10–020).

operating potential   potencial de trabajo; voltaje de régimen [de servicio].

operating power   potencia de servicio, potencia útil; potencia de funcionamiento; energía de funcionamiento ‖ (*Radio*) potencia suministrada a la antena.

operating practices   (*Telecom*) normas de explotación.

operating pressure   presión de trabajo, presión de funcionamiento ‖ (*Elec*) voltaje de trabajo [de servicio].

operating principles   principios [normas] de operación; principios de funcionamiento; nociones teóricas ‖ (*Elecn*) teoría de los circuitos.

operating rack   cremallera motriz ‖ (*Sistematización de datos*) cremallera de alimentación ‖ (*Fáb de tubos o de transistores*) bastidor de pruebas en condiciones de funcionamiento. CF. **power aging.**

operating range   margen de funcionamiento; límites de utilización; régimen de funcionamiento; alcance eficaz ‖ (*Avia*) radio de acción; alcance ‖ (*Radar*) alcance ‖ (*Radio*) **operating range of a station:** radio de acción [de alcance] de una estación ‖ (*Electrogeneradores eólicos*) **operating range of wind speed:** gama de velocidades ‖ (*Nucl*) margen de funcionamiento. Margen de niveles de potencia dentro del cual está destinado a funcionar un reactor en condiciones correspondientes a un estado estable [steady-state condition] (CEI/68 26–15–265).

operating ratio   disponibilidad, factor de buen funcionamiento, relación de operación. (**1**) Tanto por ciento del tiempo durante el cual un aparato funciona satisfactoriamente. (**2**) Relación (cociente) entre el tiempo de operación (v. **operational time**) y el período total preestablecido para la utilización de una computadora. SIN. **availability** ‖ (*Ferroc*) coeficiente de explotación [de operación] ‖ (*Elec*) v. **operating time ratio.**

operating requirements   necesidades operativas.

operating resistance   resistencia de trabajo [de régimen].

operating rod   (*Avia*) varilla de mando [de transmisión] ‖ (*Ferroc*) biela de mando.

operating room   sala de manipulación ‖ (*Cine*) cabina de proyección ‖ (*Fotog*) cuarto obscuro ‖ (*Hospitales*) sala de operaciones, quirófano ‖ (*Dentistería*) gabinete ‖ (*Telecom*) sala de servicio. CF. **terminal equipment room** ‖ (*Telef*) sala de operadoras, sala de las telefonistas; sala del cuadro. CF. **terminal room** ‖ (*Radiotelef*) sala de aparatos terminales ‖ (*Teleg*) sala de aparatos, sala de trabajo. SIN. **instrument room** ‖ (*Radioteleg*) sala de operadores, sala de tráfico.

operating rules   (*Telecom*) normas de explotación.

operating school   escuela de telegrafistas; escuela de radiotelegrafistas ‖ (*Telef*) escuela de operadoras; curso de instrucción para telefonistas, curso de instrucción profesional de las operadoras.

operating sensitivity   sensibilidad de funcionamiento.

operating side   lado de maniobra. Lado de un proyector cinematográfico en el cual interviene el operador durante el funcionamiento del aparato. CF. **drive side.**

operating slide   (*Ametralladoras de avión*) corredera de maniobra.

operating speed   velocidad de funcionamiento; velocidad de régimen || *(Avia)* velocidad de crucero.

operating staff *(Ferroc)* personal de explotación || *(Hospitales)* cuadro de cirujanos || *(Telecom)* *(also* operating force) personal de explotación.

operating stand   pedestal de maniobra.

operating stem   *(Vál)* vástago de accionamiento.

operating suggestion   sugerencia para operación.

operating supervisory table   *(Telecom)* mesa de supervisión de tráfico.

operating supplies   materiales de consumo; material gastable.

operating system   sistema funcional || *(Comput)* sistema operacional. Conjunto organizado de rutinas y procedimientos para la utilización de la máquina.

operating table   mesa de manipulación; mesa de control || *(Hospitales)* mesa de operaciones || *(Telecom)* mesa de trabajo, mesa de operador(es).

operating technician   *(Telecom)* técnico de explotación; técnico de aparatos terminales, técnico de la sala de aparatos.

operating technique   *(Cirugía)* técnica operatoria || *(Telecom)* técnica operatoria, técnica de explotación.

operating temperature   temperatura de funcionamiento [de trabajo]; temperatura de utilización.

operating temperature range   intervalo [margen] de temperaturas de funcionamiento.

operating time   tiempo de funcionamiento; tiempo de operación || *(Elec)* duración de servicio. Duración total de funcionamiento efectivo de una máquina o de una instalación durante un intervalo de tiempo determinado (CEI/65 25–60–065) || *(Relés)* tiempo de maniobra. Tiempo transcurrido entre el instante en que la magnitud de influencia [actuating quantity] alcanza un valor comprendido en la región de funcionamiento [region of operation] y el instante en que se efectúa el desplazamiento completo de los contactos del relé (CEI/56 16–20–085). CF. **resetting time, transit time** || *(Dispositivos de protección)* tiempo de funcionamiento. Tiempo transcurrido entre la aparición de las condiciones anormales que causan el funcionamiento del dispositivo de protección, y el inicio del disparo [tripping] o de la alarma (CEI/56 16–45–020). CF. **time lag** || *(Telecom)* tiempo de operación || *(Supresores de eco)* tiempo. de funcionamiento; período de atenuación del eco. v. **operate time** || *(Telef)* (a.c. setting-up time) duración de las operaciones. Diferencia entre la *duración de ocupación* [holding time] y la *duración de conversación* [conversation time] relativas a una comunicación (CEI/70 55–110–115).

operating-time hour counter   contador de horas de funcionamiento.

operating time ratio   *(Elec)* factor de servicio. Razón entre la duración de servicio [operating time] y la duración total del intervalo de tiempo considerado (CEI/65 25–60–070) || v. **operating ratio.**

operating torque   par motor.

operating trouble   *(Telecom)* perturbación de la explotación, irregularidad del servicio.

operating unit   unidad funcional.

operating value   valor de funcionamiento; valor de servicio || *(Relés)* valor de regulación. Valor de la magnitud de influencia [actuating quantity] que separa la región de funcionamiento [region of operation] de la región de no funcionamiento [region of nonoperation] (CEI/56 16–20–040). CF. **setting range, pickup value, resetting value.**

operating voltage   tensión de servicio [de trabajo], voltaje de servicio [de trabajo, de funcionamiento, de régimen] || Tensión o voltaje que necesita un aparato o dispositivo para su funcionamiento || *(Tubos elecn)* tensión de trabajo [de servicio, de polarización]. Tensión continua aplicada a un electrodo en condiciones de funcionamiento || *(Alumbrado)* (a.c. running voltage — *GB*) tensión de servicio. Tensión eléctrica entre los electrodos de una lámpara de descarga [discharge lamp] después del encendido (valor eficaz de esta tensión si la corriente es alterna) (CEI/58 45–35–070).

operating winding   *(Telecom)* (a.c. operating coil) bobina excitadora || *(Teleimpr)* arrollamiento de marcha normal.

operation   operación, funcionamiento; accionamiento; maniobra; funcionamiento, trabajo; servicio; explotación; uso, manejo, mando, manipulación; explotación, aplicación práctica; procedimiento; tratamiento; acción, efecto; actividad; transacción || *(Relés)* funcionamiento, maniobra; atracción || *(Mat)* operación. Acción y efecto de operar || *(Comput)* operación. Acción especificada por una instrucción individual /// *adj:* operacional, operativo, operatorio, operante; funcional.

operation characteristics   *(Tubos elecn)* características de trabajo.

operation code   código de operaciones. (**1**) Código usado para representar las operaciones específicas de una computadora. (**2**) Lista de las partes de operación [operation parts] que ocurren en un código de instrucciones [instruction code], junto con las designaciones de las correspondientes operaciones | v. **operation part.**

operation decoder   *(Comput)* descodificador de operación. Conjunto de circuitos que interpreta la parte de código de operaciones de la instrucción de máquina [machine instruction] por ejecutar y dispone otros circuitos para la ejecución de la misma.

operation number   *(Comput)* número de operación. Número que indica la posición de una operación o su subrutina equivalente en la secuencia que forma una rutina de problema.

operation part   *(Comput)* (a.c. operation code) parte de operación. (**1**) Parte de la instrucción que indica la operación. (**2**) Parte de la instrucción que normalmente especifica la clase de operación que ha de ser ejecutada, pero no la localización de los operandos (v. **operand**).

operation procedure   *(Telecom)* procedimiento de trabajo [de explotación].

operation register   *(Comput)* registro de operaciones. Registro que almacena la parte de código de operaciones de una instrucción (v. **operation code**).

operation test   ensayo de funcionamiento [utilización].

operation time   *(Comput)* tiempo útil || *(Elec)* tiempo de establecimiento (de la corriente). Tiempo transcurrido hasta que una corriente alcanza una fracción especificada de su valor final, a partir del instante en que se aplican al dispositivo considerado, simultáneamente, todas sus tensiones de electrodo. CF. **rise time, buildup time.**

operational   *adj:* operacional, de operación; relacionado con las operaciones (p.ej. militares); funcional; de explotación (en oposición a *experimental, de investigación,* etc.); utilizable inmediatamente, para servicio inmediato || *(Mat)* operacional.

operational amplifier [op amp, opamp]   amplificador operacional. TB. amplificador de operación. (**1**) En las computadoras analógicas, amplificador utilizado para la ejecución de operaciones de suma y multiplicación por constante e integración. (**2**) Amplificador de acoplamiento directo, de muy elevada ganancia, que tiene numerosas y variadas aplicaciones en electrónica. (**3**) Amplificador de muy elevada ganancia, del tipo de acoplamiento directo (v. **direct-coupled amplifier**), en el cual se utiliza reacción o realimentación [feedback] para modificar a voluntad las características de respuesta del dispositivo. El amplificador operacional sirve para sintetizar una gran variedad de complicadas funciones de transferencia [transfer functions], lo cual lo hace apto para muchas y muy distintas aplicaciones. Utilízase principalmente para ejecutar diferentes operaciones matemáticas (diferenciación, integración, suma, comparación analógica), pero puede emplearse asimismo para numerosas otras aplicaciones en las cuales se necesiten muy variadas características de transferencia de respuesta. Por ejemplo, el mismo amplificador puede adaptarse para que funcione con la respuesta plana (ganancia uniforme en función de la frecuencia) y la banda ancha de un videoamplificador, o con la respuesta de pico [peaked response] de un amplificador conformador [shaping amplifier]. Los amplificadores operacionales se dividen en dos clases: (a) los de entrada sencilla, cuya polaridad de salida es opuesta a la de entrada; y (b) los de entrada diferencial (v. **differential amplifier**), que pueden funcionar con inversión o sin inversión de polaridad, y que, en general, poseen una adaptabilidad de aplicación mucho mayor.

operational block diagram   esquema funcional sinóptico, diagrama funcional en bloques.

operational control   control operacional [de explotación] ‖ *(Avia)* control operacional [de operaciones] ‖ *(Aparatos)* mando, elemento de maniobra. SIN. **operating control.**

operational differential amplifier   amplificador operacional diferencial. v. **operational amplifier.**

operational experience   experiencia de explotación; experiencia práctica.

operational feature   característica de funcionamiento.

operational flexibility   flexibilidad funcional.

operational flight   *(Avia)* vuelo en misión de combate.

operational flight plan   *(Avia)* plan operacional de vuelo.

operational flow diagram   diagrama del proceso operativo.

operational message   *(Avia)* mensaje relativo a las operaciones.

operational meteorological information   *(Avia)* información meteorológica relativa a las operaciones.

operational method   método operativo ‖ *(Mat)* método operacional. Tratamiento de operadores como si se tratara de símbolos algebraicos, con el fin de establecer identidades formales.

operational monitoring of takeoff performance   *(Avia)* control operacional de la actuación [performance] de despegue.

operational objective   *(Avia)* objetivo operacional.

operational performance   *(Avia)* actuación operacional.

operational plan   plan operativo | (a.c. plan of operation) plan de trabajo ‖ *(Avia)* plan operacional.

operational planning   planeamiento operativo.

operational procedure   procedimiento operativo ‖ *(Telecom)* método de explotación.

operational program   programa operativo; programa de trabajo.

operational readiness   disponibilidad para el servicio, disponibilidad funcional. Probabilidad de que un sistema se encuentre en funcionamiento satisfactorio o en condiciones de ser puesto en servicio.

operational reliability   confiabilidad funcional, fiabilidad operacional, seguridad efectiva de funcionamiento.

operational stand   *(Avia)* (a.c. loading stand) puesto de estacionamiento.

operational technique   técnica operativa ‖ *(Telecom)* técnica de explotación.

operational test   prueba de funcionamiento.

operational theory   teoría de funcionamiento.

operational time   *(Comput)* (a.c. operation time) tiempo útil, tiempo de operación. Tiempo durante el cual la máquina o la instalación está en servicio activo.

operational traffic   *(Avia)* tráfico relativo a las operaciones, tráfico (de telecomunicación) relativo a los vuelos. Dícese en oposición al tráfico sobre asuntos administrativos, de separación de asientos, etc.

operational training   *(Telecom)* entrenamiento operativo.

operational trigger   gatillador operacional. Circuito electrónico de acción gatilladora o de disparo en respuesta a variaciones muy pequeñas en la entrada; en él se combinan ciertas características del gatillador Schmitt [Schmitt trigger] con las de un amplificador operacional con realimentación positiva (v. **operational amplifier**).

operational tubes   tubos [válvulas] de régimen. Tubos electrónicos (válvulas electrónicas) que necesita un aparato para su funcionamiento, a distinción de los tubos o válvulas de repuesto [spare tubes].

operational wavelength   *(Radiocom)* longitud de onda de servicio.

operational weather   *(Avia)* tiempo apropiado para volar, tiempo que permite los vuelos.

operations floor   *(Telecom)* sala de aparatos [de operadores], sala de tráfico [de servicio, de explotación]. SIN. **operating room.**

operations manual   *(Avia)* manual de operaciones.

operations per minute [OPM]   operaciones por minuto. En el caso de los teleimpresores se cuentan como operaciones la impresión de un carácter, el avance de un renglón, el retorno del carro, el cambio de letras a cifras, o viceversa, etc.

operations research   investigación operacional [operativa]. (**1**) Estudio matemático de problemas de decisión que se presentan en relación con sistemas complejos de hombres, máquinas, etc. (empresas, administración, ejércitos). (**2**) Metodología científica para el estudio, mediante modelos matemáticos, de problemas complejos en los que intervienen hombres y máquinas.

operations room   v. **operations floor, operating room.**

operations sheet   *(Avia)* hoja de operaciones.

operative   operario, artesano, obrero, trabajador; detective; agente de espionaje /// *adj:* operativo, operante, operatorio; ejecutorio; funcional, de funcionamiento, de trabajo; activo; eficaz, efectivo. v.TB. **operating, operational** ‖ *(Cirugía)* operatorio, relativo a las operaciones quirúrgicas.

operative association   correlación funcional.

operative temperature range   margen de temperaturas de trabajo, intervalo de temperaturas de funcionamiento. SIN. **operating temperature range.**

operator   operador, operario, operante; utilizador; técnico encargado. Persona que maneja un aparato o una máquina cualquiera | mecanógrafo, el que escribe a máquina, el que usa una máquina de escribir; ascensorista; maquinista; conductor (de un vehículo); explotador, empresario, empresa explotadora (de un servicio, de una instalación, de minas); parte activa, elemento activo (de un sistema) ‖ *(Cine)* operador, proyeccionista ‖ *(Cirugía)* operador, cirujano ‖ *(Comercio)* agente, corredor (de bolsa) ‖ *(Controles automáticos)* accionador, dispositivo de accionamiento (p.ej. de una válvula). CF. **motor operator** ‖ *(Mat)* operador. Símbolo que representa una operación matemática por ejecutar ‖ *(Telecom)* operador; (*i.e.* radio operator) radiooperador, operador de radio; (*i.e.* radiotelephone operator) radiotelefonista; (*i.e.* radiotelegraph operator) radiotelegrafista; (*i.e.* telegraph operator) telegrafista; (*i.e.* telephone operator) telefonista, operadora; (*i.e.* teletype operator) teletipista, operador de teletipo.

operator dialing working   *(Telef)* servicio con selección automática por la operadora.

operator error   *(Telecom)* error del operador, error humano, falsa maniobra ‖ *(Medidas)* error humano; error de lectura.

operator long-distance dialing facilities   *(Telef)* medios de discado [selección automática] de larga distancia por la operadora.

operator recall   *(Teleg)* intervención de un operador.

operator-to-subscriber dialing   *(Telef)* discado [discadura] de operadora a abonado.

operator trunk semiautomatic dialing   *(Telef)* selección semiautomática.

operator's certificate   certificado de operador.

operator's chair   *(Telef)* silla [silleta] de operadora.

operator's chief   *(Telecom)* jefe de operadores ‖ *(Teleg)* jefe de telegrafistas ‖ *(Telef)* jefe de telefonistas, jefe de operadoras.

operator's console transfer channel [OCTC]   *(Teleg)* canal de transferencia de consola de operador.

operator's headset   *(Telef)* aparato de operadora.

operator's load   *(Telef)* carga de una operadora.

operator's position   *(Telecom)* puesto de operador, puesto de trabajo (para operador) ‖ *(Telef)* posición de operadora [de telefonista] | **operator's position working** *n* **circuits:** posición de operadora con *n* circuitos.

operator's restroom   *(Telef)* sala de descanso de operadoras.

operator's set   *(Telef)* v. **operator's telephone set.**

operator's team   *(Telef)* brigada.

operator's telephone jack   jack del teléfono de operadora.

operator's telephone set   *(Telef)* equipo de operadora, aparato (microtelefónico) de operadora. Equipo que se compone de un micrófono telefónico [telephone transmitter], un receptor, y un cordón con su clavija, dispuestos para ser portados por la operadora de manera que sus manos queden libres.

operator's telephone set induction coil   bobina de inducción del equipo de operadora.

operator's telephone set jack   jack [conjuntor] de operadora.

operator's time to answer   *(Telef)* (on an international circuit— a.c. answering time of operators, speed of answer) demora de las operadoras en contestar. (1) En el centro internacional de partida [outgoing international exchange], intervalo de tiempo transcurrido entre el momento en que la operadora de ese centro ha terminado de efectuar la maniobra que provoca la emisión de la llamada con destino en otro centro internacional, y el momento en que la llamada es contestada por una operadora del segundo centro. (2) En el centro internacional de llegada [incoming international exchange], intervalo de tiempo transcurrido entre el momento en que aparece una llamada en una posición o un grupo de posiciones de ese centro, y el momento en que la llamada es contestada por una operadora.

operator's tour   *(Telef)* brigada. SIN. **operator's team**.

operator's working position   posición de trabajo de operador.

operetta   *(Mús)* opereta. Obra teatral de carácter frívolo y alegre, con escenas cantadas y declamadas; ópera ligera de estilo brillante. Del italiano *operetta*, pequeña ópera; en francés, *opérette*. SIN. **comedia musical** —— **musical comedy**.

ophicleide   oficleido, figle. Antiguo instrumento musical de sonido grave, de metal y con llaves.

ophitron   *(Elecn)* ofitrón. Tubo oscilador del tipo de ondas retrógradas [backward-wave oscillator tube], de enfoque electrostático, así llamado por la trayectoria ondulante de la corriente de electrones que actúa en el interior del mismo. Del griego *ophis*, serpiente + *tron* (terminación genérica usada en nombres de dispositivos electrónicos).

ophthalmic   *adj:* oftálmico. Referente al ojo.

ophthalmic lens   lente oftálmica.

ophthalmic research   investigación oftalmológica.

ophthalmologic, ophthalmological   *adj:* oftalmológico. Relativo a la oftalmología.

ophthalmology   oftalmología. Rama de la medicina que trata del ojo y de sus enfermedades.

ophthalmoscope   oftalmoscopio. Instrumento que sirve para examinar la parte interior del ojo.

opm, OPM   Abrev. de operations per minute.

OPN   *(Teleg)* Abrev. de operation.

OPNS   *(Teleg)* Abrev. de operations.

opposed   *adj:* opuesto, contrario; encontrado; contrapuesto; antagonista; adverso; inverso; enemigo; en contra (de una idea o una proposición). CF. **opposite**.

opposed engine   motor (alternativo) de cilindros opuestos.

opposed forces   fuerzas opuestas [de sentido contrario].

opposed-phase   *adj:* de fases opuestas, en oposición de fase.

opposed pistons   pistones contrapuestos.

opposed-voltage coupling   *(Transf)* acoplamiento en oposición.

opposed windings   *(Elec)* devanados [arrollamientos] en oposición.

opposing couple   *(Mec)* par antagonista.

opposing electromotive force   fuerza contraelectromotriz.

opposing spring   resorte antagonista.

opposing torque   par antagonista | **opposing torques:** pares opuestos, pares torsores [de torsión] opuestos.

opposing voltage   contratensión, tensión opuesta.

opposing winding   devanado [arrollamiento] en sentido opuesto.

opposite   adversario, antagonista, contrario | **the opposite:** lo opuesto, lo contrario /// *adj:* opuesto, contrario, encontrado; adverso; de cara, cara a cara, enfrentado, de frente, de enfrente, frontero, fronterizo; del otro lado; de [en] sentido opuesto. CF.

opposed || *(Mat)* opuesto /// *prep:* frente a, al frente de, enfrente

de, al otro lado de, del otro lado de.

opposite angles   *(Geom)* ángulos opuestos.

opposite phase   fase opuesta, fase contraria.

opposite-phase   *adj:* de fases opuestas, en oposición de fase.

opposite pole   polo opuesto, polo contrario | **opposite poles:** polos opuestos [contrarios], polos de nombre [signo] contrario.

oppositely   *adv:* opuestamente, enfrente.

oppositely directed   en sentido contrario.

oppositely electrified   de electrificación contraria.

oppositely polarized   de polarización contraria.

opposition   oposición; contraste; contraposición; aversión; contrariedad; impedimento || *(Astr)* oposición || *(Elec)* oposición (de fase), desfasamiento de 180° (entre dos magnitudes periódicas de la misma frecuencia) | **in opposition:** en oposición. Se dice de dos magnitudes sinusoidales de la misma frecuencia cuando existe entre ellas una diferencia de fase de medio período (CEI/38 05–05–235).

opposition duplex   *(Teleg)* dúplex por oposición. Montaje de un dúplex diferencial [differential duplex] o de un dúplex en puente [bridge duplex], en el cual, cuando las dos estaciones transmiten simultáneamente un elemento de trabajo [marking element] o un elemento de reposo [spacing element], las fuerzas electromotrices aplicadas a la línea están en oposición.

opposition method   *(Elec)* método de oposición. Método de medida en el cual se opone una fuerza electromotriz o una diferencia de potencial a la que existe entre los bornes de una resistencia variable [variable resistor] recorrida por una corriente (CEI/58 20–40–325). CF. **potentiometer method**.

OPR   *(Teleg)* Abrev. de opposition.

OPS   *(Telecom)* Abrev. de operators | Abrev. de official phone station [estación telefónica oficial].

OPSN   *(Teleg)* Abrev. de opposition.

optar   optar, radar óptico para ciegos. El término en inglés viene de *optical* automatic ranging.

optic   *(En lenguaje no técnico)* ojo || *(En lenguaje técnico)* lente (p.ej. de un faro); cualquiera de los componentes de un sistema óptico o de un instrumento de óptica. CF. **optics** /// *adj:* óptico. Relativo o perteneciente al ojo o a la visión; relativo o perteneciente a la óptica (la ciencia).

optic angle   (a.c. optical angle) ángulo óptico; ángulo de visión.

optic axis   (a.c. optical axis) eje óptico. (1) Recta que pasa por los centros de curvatura de las superficies de una lente; los rayos que siguen esa dirección no son reflejados ni refractados. (2) Dirección que puede seguir un rayo de luz a través de un cristal sin sufrir doble refracción, por corresponder a esa dirección una sola velocidad de propagación. Si el cristal tiene un solo eje óptico se denomina *uniáxico;* si tiene dos, se llama *biáxico*. En el caso particular de los cristales de cuarzo el eje óptico es el *eje Z*, que en el cristal madre tiene dirección longitudinal y pasa por los dos vértices.

optic axis angle   *(Cristales biáxicos)* ángulo de los ejes ópticos.

optic nerve   nervio óptico. Cualquiera de los dos nervios que comunican la retina con el cerebro.

optical [opt.]   *adj:* óptico. Relativo o perteneciente a la visión. Que ayuda a la visión. Relativo o perteneciente a la óptica (la ciencia).

optical activity   actividad óptica. Propiedad de una substancia que hace girar el plano de polarización de la luz.

optical altimeter   *(Avia)* altímetro óptico.

optical ammeter   amperímetro óptico. Aparato que permite medir la corriente que recorre el filamento de una lámpara incandescente, mediante una celda fotoeléctrica y un indicador de medida, comparando la iluminación del filamento con la de otro igual recorrido por una corriente de intensidad conocida.

optical amplification   amplificación óptica.

optical amplifier   amplificador óptico || *(Cine)* amplificador fotoacústico.

optical angle   v. optic angle.

optical astronomy   astronomía óptica. CF. **radio astronomy**.

optical automatic ranging   v. **optar**.

optical axis   v. **optic axis**.

optical bedplate   *(Cám de tv)* placa de asiento del sistema óptico.

optical bench   banco de óptica. Dispositivo con una escala horizontal graduada sobre la cual pueden moverse, y medir sus distancias respectivas, lentes, espejos, diafragmas, lámparas y otros elementos. Se utiliza para efectuar medidas y experimentos de óptica.

optical center   centro óptico. En un sistema óptico, punto tal que todos los camino ópticos [optical paths] que pasen por él emergen del sistema en dirección paralela a la de incidencia.

optical centerline   eje óptico.

optical character reader [OCR]   lector óptico de caracteres.

optical character recognition [OCR]   reconocimiento óptico de caracteres, lectura óptica automática de caracteres. Lectura automática de caracteres gráficos mediante dispositivos fotosensibles.

optical communication [opcom]   comunicación óptica. Comunicación por medio de haces luminosos o de una radiación invisible (luz infrarroja o ultravioleta); comunicación mediante un haz laserico [laser beam].

optical comparator   comparador óptico. SIN. **shadowgraph**.

optical contact bond   unión por contacto entre superficies perfectamente pulidas. Unión por fuerte adherencia entre dos superficies metálicas planas perfectamente pulidas (acabado óptico) sometidas a presión.

optical coupling   acoplamiento óptico. Acoplamiento entre dos circuitos por intermedio de un haz luminoso o mediante un tubo de luz [light pipe] con un transductor en cada extremidad, uno electroóptico y el otro optoeléctrico.

optical current meter   reómetro óptico. CF. **optical ammeter**.

optical density   *(i.e.* logarithm to base ten of opacity — a.c. photographic transmission density) densidad óptica. Logaritmo decimal de la opacidad | *(i.e.* logarithm to base ten of the reciprocal of the transmission factor) densidad óptica. Logaritmo decimal de la inversa del factor de transmisión (CEI/58 45–20–085). Símbolo: D.

optical depth   (a.c. optical thickness) profundidad óptica.

optical differential invariant   invariante diferencial óptico.

optical diffraction   difracción óptica.

optical-diffraction velocimeter   velocímetro de difracción óptica. v. **diffraction velocimeter**.

optical direction cosines   cosenos directores ópticos.

optical dissolve   *(Cine/Tv)* desvanecimiento óptico, disolvencia óptica.

optical distance   *(Teoría del transporte de neutrones)* distancia óptica.

optical fiber   fibra óptica, tubo de luz, fibra conductora de luz. Fibra flexible ópticamente transparente, de vidrio o de plástico, a lo largo de la cual puede transmitirse la luz por reflexiones internas sucesivas. Se utiliza en fibraóptica (v. **fiber optics**).

optical filter   filtro óptico. Placa u hoja de vidrio u otro material parecido que transmite solamente ciertas bandas de longitudes de onda del espectro de la luz visible, la luz infrarroja, o la luz ultravioleta.

optical flat   plano óptico. Pieza plana de vidrio óptico, generalmente en forma de disco, con superficies paralelas y pulidas hasta conseguir que el error de planaridad sea inferior a una fracción de la longitud de onda de la luz. Se utiliza para medidas de óptica de precisión.

optical frequency range   gama de frecuencias ópticas.

optical grating   rejilla de difracción óptica.

optical heterodyning   heterodinaje óptico, heterodinación optica. Combinación de dos haces lasericos de frecuencias diferentes, para obtener una corriente alterna de frecuencia igual a la diferencia entre aquéllas. Los dos haces se cruzan en ángulo recto, pero interponiendo en el punto de cruce un espejo semitransparente conveniente inclinado, se consigue que ambos haces incidan

sobre la superficie sensible de un detector de radiación. Este último suministra, por un proceso alineal de fotodetección, la frecuencia diferencia, la cual es entonces amplificada por medios conocidos.

optical horizon   horizonte óptico. Lugar geométrico de los puntos donde las rectas que parten del punto en que se encuentra el observador son tangentes a la superficie de la Tierra. CF. **radio horizon**.

optical illusion   ilusión óptica.

optical image   imagen óptica. En las cámaras de televisión: Imagen producida por un dispositivo óptico sobre el electrodo fotosensible del tubo analizador (CEI/70 60–64–075).

optical indicator   indicador óptico.

optical isomerism   isomería óptica. MENOS USADO: isomerismo óptico. Isomería propia de los cuerpos de idéntica fórmula bruta o condensada y que, no obstante, desvían el plano de polarización de la luz en direcciones diferentes.

optical lens   lente óptica. En las cámaras de televisión, lente que enfoca la escena televisada sobre la placa o electrodo fotosensible del tubo analizador.

optical lever   amplificador óptico. Sistema para la medida de pequeños movimientos por la posición angular de un pequeño espejo fijo a la pieza móvil. Un haz luminoso incide sobre el espejo y se refleja en una escala distante. Al girar el espejo, el movimiento del punto luminoso sobre la escala resulta multiplicado en proporción a la distancia entre el espejo y la escala.

optical maser   maser óptico, laser. v. **laser**.

optical-mechanical scanning   exploración optomecánica.

optical mirror   espejo óptico.

optical mode   modo óptico. En una red cristalina, modo de vibración que produce un dipolo oscilante.

optical model of the nucleus   *(Nucl)* modelo óptico del núcleo.

optical multiplexer   multiplexor óptico. TB. mezclador óptico. Sistema de lentes y espejos usado en televisión para utilizar dos proyectores cinematográficos con una misma cámara de telecine. A veces el aparato tiene tres entradas, utilizándose la tercera para recibir la imagen proyectada por un episcopio [opaque pickup unit]. El multiplexor evita la necesidad de desplazar físicamente los proyectores o el episcopio al conmutar la transmisión de uno a otro.

optical multiplexing   *(Telecine)* multiplexión óptica.

optical multiplexing system   sistema de multiplexión óptica, sistema multiplexor óptico.

optical oscillograph   oscilógrafo de espejo. Aparato registrador consistente en un galvanómetro de espejo (v. **mirror galvanometer**) y un sistema óptico que enfoca el haz luminoso oscilante sobre un papel fotográfico [photographic paper] que se desliza a velocidad uniforme arrastrado por un pequeño motor. La onda eléctrica aplicada al cuadro (bobina móvil) del galvanómetro queda así inscrita fotográficamente en función del tiempo. SIN. **mirror-galvanometer oscillograph** | oscilógrafo de espejo [de bucle], oscilógrafo Blondel. Aparato registrador semejante al de la definición anterior, salvo que el espejito, en vez de ir fijo al cuadro de un galvanómetro, es solidario de una delgada y estrecha cinta de hierro dulce que es recorrida por la corriente de la onda que se quiere estudiar y que se encuentra en el seno del campo magnético de un imán, de manera que las variaciones de la corriente se traducen en oscilaciones del espejo.

optical paper inspection equipment   equipo para la inspección óptica de papel. Dispositivo electrónico que sirve para detectar la existencia de defectos en el papel durante su fabricación, y que funciona a base de células fotoeléctricas.

optical path   *(Opt)* camino óptico, rayo ‖ *(Radiocom)* trayectoria óptica.

optical pattern   imagen óptica; diagrama óptico | patrón óptico. Imagen reflejada por la superficie de un disco fonográfico de grabación lateral [lateral recording] al ser iluminada por un haz de luz esencialmente paralelo a ella. Esta imagen da una indicación aproximada de la respuesta de frecuencia del disco. En efecto, cuando se graban bandas de frecuencias constantes diferentes, la anchura de la imagen observada conserva una relación aproximadamente proporcional a la respuesta de frecuencia del registro. SIN. **Christmas-tree pattern.**

optical photon   fotón óptico. Fotón con energía correspondiente a longitudes de onda del espectro visible o próximas a éste, o sea, entre los límites aproximados de 2 000 y 15 000 unidades angstrom [angstrom units].

optical plumb   plomada óptica.

optical plummet   plomada óptica.

optical power   poder óptico.

optical printing   *(Cine)* copia óptica.

optical pumping   *(Laseres)* bombeo óptico. Proceso por el cual se modifica el número de átomos o de sistemas atómicos en un conjunto de niveles energéticos por absorción de luz incidente, elevando así los niveles de energía [energy levels].

optical pyrometer   pirómetro óptico. Pirómetro que funciona por medida de la intensidad de la luz emitida por el cuerpo observado en una gama determinada de longitudes de onda, generalmente con el auxilio de células fotoeléctricas.

optical range   *(Radiocom)* alcance óptico SIN. **visual range, line-of-sight range.**

optical rangefinder   telémetro óptico.

optical recording   registro óptico, registro fotográfico (de sonido).

optical reduction   *(Cine)* reducción óptica.

optical-reduction printing equipment   *(Cine)* copiadora de reducción óptica.

optical reflection   reflexión óptica.

optical reflection factor   factor de reflexión óptica.

optical relay   relé óptico, relevador óptico.

optical reproducer system   sistema reproductor fotoacústico, sistema reproductor de registro fotográfico [óptico] (de sonido).

optical resolution   resolución óptica.

optical resonance   resonancia óptica. Luminiscencia (v. **luminescence**) de los vapores metálicos y de los gases, caracterizada por el hecho de que la frecuencia de las radiaciones emitidas es igual a las de las radiaciones absorbidas (salvo una pequeña diferencia debida al efecto Doppler) (CEI/56 07–10–105).

optical scanner   explorador óptico. En los sistemas de reducción de datos, dispositivo que traduce caracteres visibles (letras, números y otros símbolos impresos) en otra forma de registro (p.ej. perforaciones en tarjetas o en cinta).

optical scanning   exploración óptica.

optical servomechanism   servomecanismo óptico.

optical sight   mira [alza] óptica, anteojo de puntería.

optical sound pickup   *(Cine)* lector óptico de sonido.

optical sound projector   *(Cine)* proyector sonoro óptico.

optical sound recorder   registrador fotográfico [óptico] de sonido. v. **photographic sound recorder.**

optical sound reproducer   reproductor óptico [optoeléctrico] de sonido, reproductor fotoacústico. v. **photographic sound reproducer.**

optical sound takeoff   v. **optical sound reproducer.**

optical sound track   banda [pista] sonora óptica, banda sonora [de sonido] de registro fotográfico. Banda paralela y próxima a uno de los bordes de la cinta cinematográfica que lleva la impresión fotográfica del sonido. Actualmente se emplean dos sistemas fundamentales de registro fotográfico: los de *área variable* (densidad constante), y los de *densidad variable* (área constante). AFINES: inscripción sonora, oscilógrafo de espejo, corriente microfónica, trazo luminoso, trazo lector, fotocélula, lámpara moduladora, galvanómetro de cuerda, célula Kerr, inscripción en contrafase, registro multitransversal, registro bilateral, registro unilateral, registro de desarrollo simétrico, registro estereofónico. v.TB. **mirror galvanometer.**

optical sound-track recording   registro en banda sonora óptica; registro sonoro fotoeléctrico.

optical spectrometer   espectrómetro óptico.

optical spectrum   espectro óptico.

optical speed   rapidez óptica. v. **speed** *(Fotog/Opt).*

optical storage   almacenamiento de información en registro fotográfico.

optical system   sistema óptico. SIN. **óptica, tren óptico** —— **optics, optical train.**

optical telecommunication   (a.c. optical communication) telecomunicación óptica.

optical telegraphy   telegrafía óptica.

optical telescope   telescopio óptico. CF. **radio telescope.**

optical theorem   *(Mec cuántica)* teorema óptico.

optical tonewheel   *(Grabadoras de tv)* rueda fónica óptica.

optical track   *(Cine)* pista óptica, pista fotoacústica. v.TB. **optical sound track.**

optical-track command guidance   teleguiaje de seguimiento óptico.

optical tracker   trazador óptico de trayectoria.

optical tracking   localización óptica; seguimiento óptico.

optical train   tren óptico. SIN. **sistema óptico, óptica** —— **optical system, optics.**

optical transmission   transmisión óptica.

optical twinning   hemitropía óptica. Anomalía que se presenta en los cristales de cuarzo natural, y que da por resultado pequeñas regiones inutilizables para aplicaciones piezoeléctricas; dichas regiones se eliminan al cortar el cristal.

optical viewfinder   visor óptico. En televisión, dispositivo óptico que permite al camarógrafo encuadrar y enfocar exactamente la parte deseada de la escena. CF. **electronic viewfinder.**

optical wedge   cuña óptica, prisma sensitométrico. Filtro de vidrio gris en forma de cuña, o diedro formado por dos cristales entre los cuales se encuentra una masa de gelatina del mismo color, que se utiliza para reducir la intensidad de un haz luminoso en grado variable, según sea mayor o menor el espesor del vidrio o la gelatina atravesado por él. CF. **neutral-density filter.**

optically   adv: ópticamente.

optically flat   ópticamente plano. Dícese cuando las distancias de error de planaridad son pequeñas comparadas con las longitudes de onda de la luz. CF. **optical flat.**

optics   *(Lenguaje no técnico)* ojos ‖ *(Lenguaje técnico)* Optica. Estudio de la luz; rama de la ciencia que trata de los fenómenos luminosos y la visión. Divídese en *Optica Geométrica,* que estudia aquellos fenómenos en los cuales la longitud de las ondas luminosas es muy pequeña comparada con las dimensiones de los objetos que encuentra a su paso; y *Optica Física,* que comprende los fenómenos en los cuales dicha longitud de onda es comparable a las dimensiones de los objetos interpuestos ‖ óptica. Conjunto de los componentes de un instrumento de óptica; sistema óptico. SIN. **optical system, optical train.**

optimal   adj: óptimo. v. **optimum.**

optimalization   optimización. v. **optimization.**

optimalize   verbo: optimizar. v. **optimize.**

optimization   optimización. Acción y efecto de buscar el rendimiento máximo en una operación industrial o de otra clase. Ajuste de un proceso buscando la combinación de condiciones más favorable.

optimize   verbo: optimizar. (**1**) Obtener o determinar los valores o las condiciones óptimas. (**2**) Obtener el rendimiento máximo en una operación o proceso. (**3**) En las computadoras, disponer las instrucciones y los datos en la memoria de modo de hacer mínimo el tiempo de acceso a los mismos.

optimized   adj: optimizado, óptimo; de cálculo óptimo, calculado para rendimiento óptimo.

optimum   punto óptimo; grado óptimo; cantidad óptima; etc. El punto, el grado, la cantidad, la condición, etc. más favorable o más propicio al fin perseguido ‖‖ adj: óptimo. SIN. **optimal.**

optimum angle   *(Avia)* ángulo óptimo.

optimum angle of attack   *(Avia)* ángulo óptimo de ataque.

optimum angle of incidence   *(Avia)* ángulo óptimo de incidencia.

optimum bias   polarización óptima. Valor de la polarización alterna que en un aparato de registro magnético produce la máxima salida de señal a determinada longitud de onda y para determinado valor de distorsión.

optimum bunching   *(TMV)* agrupamiento óptimo. Agrupamiento que proporciona el rendimiento máximo a la frecuencia de interés. CF. **overbunching, underbunching.**

optimum climbing angle   *(Avia)* ángulo óptimo de toma de altura.

optimum coupling   *(Elec, Radio)* acoplamiento óptimo [crítico]. v. **critical coupling.**

optimum damping   amortiguamiento óptimo, amortiguación óptima. En el caso de un aparato de medida de aguja y cuadrante, amortiguamiento tal que la sobredesviación inicial o exceso balístico [overshoot] es menor que la incertidumbre especificada de lectura del aparato.

optimum estimate   estimado óptimo, estimación óptima.

optimum-interval interpolation   *(Mat)* interpolación de intervalo óptimo.

optimum load   carga óptima. En electricidad, carga cuyo valor de impedancia permite la máxima absorción de energía de la fuente ‖ v. **optimum load impedance.**

optimum load impedance   impedancia óptima de carga. Carga de un emisor radioeléctrico de características tales que el funcionamiento del emisor sea óptimo en las condiciones especificadas (CEI/70 60–42–255).

optimum performance   rendimiento óptimo; actuación óptima, comportamiento óptimo.

optimum plate load   *(Tubos elecn)* carga óptima de ánodo [de placa]. Impedancia ideal de ánodo (placa) para el tubo considerado en las condiciones de funcionamiento especificadas.

optimum program   *(Comput)* programa óptimo, programa optimizado. Programa en el cual las instrucciones y los datos se han almacenado de modo de hacer mínimo el tiempo de acceso [access time].

optimum programing   *(Comput)* v. **optimum program.**

optimum reliability   confiabilidad óptima. Valor de confiabilidad que asegura el éxito del proyecto al costo mínimo.

optimum routine   *(Comput)* rutina optimizada. Rutina de tiempo de acceso mínimo. SIN. **minimum-access [minimum-latency] routine.** CF. **optimum program.**

optimum traffic frequency   *(Radiocom)* frecuencia óptima de tráfico, frecuencia óptima de trabajo [FOT]. SIN. **optimum working frequency** (véase).

optimum working frequency [OWF]   *(Radiocom)* frecuencia óptima de trabajo [de tráfico, de utilización] ‖ (*also* optimum traffic frequency) frecuencia óptima de tráfico. Símbolo internacional: FOT. Frecuencia inferior a la máxima frecuencia utilizable [maximum usable frequency], calculada mediante datos estadísticos para tomar en cuenta las variaciones probables de la máxima frecuencia utilizable, con el fin de asegurar la mejor explotación de la vía de transmisión (CEI/70 60–24–250).

option   opción, elección; alternativa, oportunidad de elegir, facultad de escoger ‖ *(Comercio)* opción, plazo para determinar (p.ej. una compra); (derecho de) preferencia ‖ *(Bolsa)* prima ‖ *(Elecn, Telecom)* opción, variante (del equipo básico).

optional   *adj:* optativo, opcional, facultativo, discrecional, de carácter optativo; voluntario.

optional item   *(Comercio)* partida optativa [discrecional, facultativa].

optional voltage   voltaje optativo.

optoelectronic   *adj:* optoelectrónico. v. **optoelectronics.**

optoelectronic integrated circuit   circuito integrado con elementos optoelectrónicos. Circuito integrado en cuyo funcionamiento intervienen fenómenos de electroluminiscencia y/o fotoconducción.

optoelectronic transistor   transistor optoelectrónico. Transistor en el cual el emisor es electroluminiscente, la base es transparente, y el colector es fotoeléctrico.

optoelectronics   optoelectrónica, óptica electrónica. Tecnología que trata del acoplamiento de bloques funcionales electrónicos mediante haces de luz ⫽ *adj:* optoelectrónico.

optometry   optometría. Parte de la oftalmología [ophthalmology] que estudia las propiedades ópticas del ojo, y por la cual se determinan y miden los defectos de refracción para corregirlos ⫽ *adj:* optométrico.

optophone   optófono. Dispositivo fotoeléctrico que permite a los ciegos leer caracteres impresos ordinarios, convirtiendo su imagen en sonidos de diferentes alturas identificables después de un período de práctica.

optotype   optotipo.

OR   *verbo:* combinar en compuerta O. v. **OR gate.**

OR circuit   circuito O, circuito de alternativa [de disyuntiva]. SIN. **OR gate.**

OR gate   compuerta O, circuito O, puerta lógica O, compuerta por disyunción. (1) Circuito o dispositivo que presenta señal de salida cuando una o más de sus entradas están excitadas de modo predeterminado. (2) Circuito que ejecuta la operación booleana "o". De dos o más variables, es suficiente que una sea cierta para que la salida sea cierta. CF. **AND gate.**

OR-ing   acción de compuerta O; combinación en compuerta O.

OR logic   lógica O. Circuito lógico en el cual una entrada cualquiera produce salida.

orange   *(Bot)* naranja ‖ *(Color)* naranja, color (de) naranja, naranjado, anaranjado.

orange peel   cáscara de naranja ‖ *(Electroacús)* superficie de naranja. Aspecto característico de un defecto de los discos de grabación directa [recording blank, recording disk], que es causa de mucho ruido de fondo ‖ *(Plásticos)* superficie rugosa.

orangite   *(Miner)* orangita.

oratorio   *(Mús)* oratorio.

orbimeter   orbitómetro.

orbit   *(Anat)* órbita (del ojo). SIN. **eye socket** ‖ *(Astr, Fís)* órbita. (1) Trayectoria de un cuerpo celeste o de un satélite artificial que gira alrededor de otro cuerpo. (2) Trayectoria de un cuerpo en el campo de fuerza que rodea a otro cuerpo; por ejemplo, trayectoria de un electrón atómico en relación con un núcleo ⫽ *adj:* orbital ⫽ *verbo:* orbitar, girar alrededor de otro cuerpo; satelizar, poner en órbita; volar en círculo.

orbit-shift coil   bobina de desplazamiento orbital. En los betatrones y sincrotrones, bobina de varias que se usan para modificar la órbita de las partículas.

orbital   orbital. En mecánica ondulatoria, estado energético [energy state] o función de onda [wave function] a partir de los cuales puede calcularse la probabilidad de que un electrón se encuentre en un punto particular ⫽ *adj:* orbital. (1) Relativo a la órbita (v. **orbit**). (2) Dícese de los electrones externos al núcleo del átomo.

orbital angular momentum   cantidad de movimiento (angular) orbital; impulso angular orbital.

orbital base   *(Tecn espacial)* base orbital.

orbital-beam tube   *(Elecn)* tubo de haz orbital. CF. **orbital multiplier.**

orbital capture   v. **orbital electron capture.**

orbital electron   (a.c. planetary electron) electrón orbital [planetario]. Electrón en órbita alrededor del núcleo de un átomo.

orbital-electron capture   captura de electrón orbital.

orbital element   *(Tecn espacial)* elemento orbital, componente de la órbita.

orbital energy   energía orbital.

orbital moment   impulso orbital.

orbital motion   movimiento orbital.

orbital multiplier   *(Elecn)* multiplicador electrónico de trayectorias semicirculares. Tubo termoiónico multiplicador de electrones por emisión secundaria. Los electrones emitidos por las dos caras de un cátodo discoidal son acelerados y obligados a moverse a lo largo de dos trayectorias semicirculares entre dos electrodos anulares concéntricos, formando así dos corrientes de electrones que convergen sobre un dinodo (v. **dynode**). Los electrones secundarios [secondary electrons] liberados por éste son recogidos por una placa (ánodo). CF. **orbital-beam tube**.

orbital period   período orbital.

orbital plane   plano orbital.

orbital quantum number   *(Elecn)* (a.c. second quantum number) número cuántico secundario. Número que caracteriza el momento cinético [angular momentum] del electrón en su movimiento orbital. Este número l puede tener todos los valores enteros de cero a $(n-1)$, donde n designa el número cuántico principal [main quantum number] (CEI/56 07–15–085).

orbital refueling   *(Tecn espacial)* reabastecimiento orbital (de combustible).

orbital rendezvous   *(Tecn espacial)* encuentro [reunión] orbital (de vehículos).

orbital scatter communication   radiocomunicación por dispersión en cinturones orbitales. Radiocomunicación mediante reflexión y dispersión de energía en nubes de millones de reflectores aciculares (v. **needle**) puestos en órbita alrededor de la Tierra y que la rodean en forma de cinturones. Dichos reflectores sólo reflejan energía a su frecuencia de resonancia.

orbital vehicle   vehículo orbital; vehículo tripulado capaz de describir una órbita.

orbital velocity   velocidad orbital. Velocidad de un cuerpo en órbita.

orbiter   *(Tecn espacial)* vehículo en órbita; satélite artificial ‖ *(Tv)* "orbitador", dispositivo de rotación de la imagen. Dispositivo que imprime a la imagen formada en el fotocátodo del superorticón [image orthicon] un movimiento elíptico o circular, con período de menos de un minuto, con el fin de evitar la retención de la imagen [burn-in, sticking]. Este efecto tiende a acentuarse con el envejecimiento del tubo; con el "orbitador" se previene dicho inconveniente y se prolonga enormemente la duración útil del tubo.

orbiting   orbitación; círculos de espera ‖ *(Tv)* "orbitación", rotación de la imagen. v. **orbiter** ‖‖ *adj:* orbitante, (puesto) en órbita; satelizado.

orbiting astronomical observatory   observatorio astronómico orbitante. Satélite artificial de la Tierra utilizado para observaciones astronómicas.

orbiting astrophysical laboratory   laboratorio astrofísico satelizado.

orbiting generator   *(Tv)* generador de onda de desviación "orbital", generador de onda de rotación de la imagen. v. **orbiter**.

orbiting geophysical observatory [OGO]   observatorio geofísico en órbita. Satélite artificial utilizado para obtener datos relativos a la física del globo terrestre.

orbiting solar observatory   observatorio solar satelizado. Satélite artificial destinado a recoger y transmitir a la Tierra datos sobre los fenómenos solares.

orbiting synchronous satellite   satélite síncrono en órbita circumterrestre.

orbiting wedge   *(Tvc)* cuña "orbitadora". v. **orbiter**.

orchestra   *(Mús)* orquesta ‖ *(Teatro)* platea, patio.

orchestra box   v. **orchestra pit**.

orchestra circle   *(Teatro)* parte de la platea detrás de las lunetas. SIN. **parterre**.

orchestra pit   *(Teatro)* (a.c. orchestra box) orquesta. Espacio (entre el escenario y los espectadores) donde se colocan los músicos.

orchestra seat   luneta, butaca de platea.

orchestral   *adj:* orquestal, instrumental, de orquesta.

orchestral effects   efectos orquestales.

orchestral performance   ejecución orquestal.

orchestrate   *verbo: (Mús)* orquestar, instrumentar.

orchestration   orquestación, instrumentación. Arte de escribir para una orquesta o una banda de música, o el de transcribir para ese medio una obra originalmente escrita para otro medio. Se llama *orquestador* al que practica ese arte.

order   orden, disposición, arreglo; orden, categoría, clase, tipo; clase, rango, serie; orden, mandato, mandamiento; orden, consigna; decreto, precepto; libramiento, libranza; regla, método; sucesión de elementos; sucesión de eventos ‖ *(Comercio)* pedido, orden (de compra); pedido, comisión, encargo ‖ *(Comput)* (a.c. instruction) instrucción; (a.c. sequence) sucesión; (a.c. command) orden; (operation part) parte de operación ‖ *(Mat)* orden, ordenación; grado ‖ *(Quím)* ordenamiento ‖ *(Arq, Historia natural)* orden ‖ *(Guías de ondas)* orden. En una guía de sección circular, número de vibraciones o de variaciones de semiperíodo a lo largo de uno de los diámetros; en una guía de sección rectangular, número de dichas vibraciones o variaciones a lo largo del eje transversal mayor ‖ v. **order of . . .** ‖‖ *adj:* ordinal ‖‖ *verbo:* ordenar, disponer, arreglar; ordenar, mandar; mandar a hacer; pedir, ordenar (mercancías, artículos); encargar, pedir, solicitar; dar orden de; pedir, hacer un pedido (de mercaderías).

order card   *(Sistematización de datos)* tarjeta de pedido.

order-disorder transformation   *(Aleaciones)* transformación orden-desorden, transformación de orden a desorden.

order-disorder transition   transición orden-desorden.

order for morning call   *(Telef)* solicitud de llamada despertadora.

order link   *(Telecom)* enlace de órdenes.

order log   *(Comercio)* borrador de pedidos.

order of a radical   *(Mat)* índice [orden] de un radical.

order of a wave   orden de una onda. v. **order** *(Guías de ondas)*.

order of an equation   *(Mat)* orden de una ecuación.

order of calls   *(Telecom)* orden de las peticiones de comunicaciones.

order of chemical reactions   orden de reacciones químicas.

order of completion   orden de ejecución; orden de montaje.

order of magnitude   orden de magnitud. (**1**) Estimado del tamaño o grandor expresado por una potencia de 10 seguida del nombre de la unidad usada. (**2**) Gama de valores entre dos dados, de los cuales uno es diez veces tan grande como el otro. Son de especial interés las siguientes potencias de diez y los prefijos que las representan en la formación de los nombres de los múltiplos y submúltiplos de las unidades de medida.

Potencia de diez	Prefijo	Símbolo
10^{12}	tera	T
10^{9}	giga	G
10^{6}	mega	M
10^{3}	kilo	k
10^{2}	hecto	h
10^{1}	deca	da
10^{-1}	deci	d
10^{-2}	centi	c
10^{-3}	mili	m
10^{-6}	micro	μ
10^{-9}	nano	n
10^{-12}	pico	p
10^{-15}	femto	f
10^{-18}	atto	a

Uno de estos símbolos, combinado con el de una unidad, forma el símbolo del correspondiente múltiplo o submúltiplo. EJEMPLO: pF = picofaradio = 10^{-12} faradio. La información de este cuadro está acorde con las normas de la Organización Internacional de Normalización (ISO), la Comisión Electrotécnica Internacional

(CEI), y, en los Estados Unidos, el Instituto de Ingenieros Electricistas y de Electrónica (IEEE).

order of precedence   orden de precedencia.

order of priority   orden de prioridad.

order of reflection   orden de reflexión. Número de veces que una onda radioeléctrica se refleja en la ionósfera entre el punto de emisión y el de recepción; número de saltos [hops] por reflexiones sucesivas en la ionósfera y la tierra.

order point   momento de compra, momento en el cual debe formularse un pedido.

order relation   *(Mat)* relación de ordenación.

order signal   señal de mando. Señal convencional enviada a un estudio de radiodifusión o a cualquier otra fuente de programa para provocar una intervención en el desarrollo del programa (CEI/70 60–60–200).

order ticket   *(Comercio)* nota de pedido.

order wire   *(Telecom)* circuito [línea] de transferencia; circuito de intercomunicación (entre operadores) ‖ *(Sist multicanal)* canal de órdenes, canal de servicio. SIN. **service channel** ‖ *(Telef)* línea de órdenes, línea de servicio.

order-wire button   *(Telef)* botón de línea de servicio. SIN. **order-wire key.**

order-wire channel   *(Sist multicanal)* canal del circuito de órdenes.

order-wire circuit   *(Telef)* línea de servicio, circuito de enlace entre operadoras. Circuito utilizado entre centrales para pedir las comunicaciones. SIN. **call-wire circuit** ‖ *(Radiocom)* (*i.e.* radio control circuit) circuito de control radioeléctrico ‖ *(Radiodif)* v. **cue circuit, cue channel.**

order-wire distributor   *(Telef)* distribuidor (automático) de líneas de servicio.

order-wire key   *(Telef)* botón de línea de servicio. SIN. **order-wire button.**

order-wire speaking key   *(Telef)* llave de conversación, llave de servicio.

order-wire switch   *(Telecom)* conmutador del circuito de órdenes.

order-wire working   *(Telef)* servicio con líneas de órdenes | método de líneas de órdenes. SIN. **call-circuit method.**

orderable   *adj:* ordenable.

ordered   *adj:* ordenado.

ordered field   *(Mat)* cuerpo ordenado.

ordered motion   movimiento ordenado; movimiento regular.

ordered pair   *(Mat)* par ordenado.

ordering   *(Comput)* ordenación. Proceso de clasificación y ordenamiento de secuencias.

ordering information   información para el pedido; datos para (formular) los pedidos.

orders book   libro de pedidos.

ordinal   *adj:* ordinal.

ordinal number   *(Mat)* número ordinal.

ordinary   *adj:* ordinario; común, corriente, común y corriente; normal, habitual; mediano ‖ *(Mat)* ordinario ‖ *(Teleg)* ordinario. Clasificación de los telegramas de tasa entera (servicio internacional).

Ordinary Administrative Radio Conference   Conferencia Administrativa Ordinaria de Radiocomunicaciones.

ordinary agricultural meteorological station   estación ordinaria de meteorología agrícola.

ordinary call   *(Telef)* conversación privada ordinaria.

ordinary component   *(Opt)* v. **ordinary ray.**

ordinary differential equation   *(Mat)* ecuación diferencial ordinaria.

ordinary point   *(Mat)* punto ordinario. Punto en el cual es analítica una función de variable compleja [complex variable]. CF. **singular point.**

ordinary private call   *(Telef)* (*i.e.* paid call which does not receive any special treatment) conferencia [conversación, comunicación] privada ordinaria. En el servicio internacional, conversación o conferencia tasada que no recibe ningún tratamiento especial.

ordinary ray   *(Opt)* rayo ordinario. Cuando un rayo de luz natural incide en un cristal birrefringente, se separa en el interior del cristal en dos rayos, el *ordinario* y el *extraordinario,* polarizados perpendicularmente (polarizados en planos perpendiculares). Si se elimina uno de los rayos, la luz que transmite el cristal está completamente polarizada, y esto es lo que se hace en el *prisma de Nicol* [Nicol prism]. Para construir éste se toma un cristal de calcita cuatro veces más largo que ancho, se rebajan dos de sus caras opuestas hasta que sean perpendiculares al plano diagonal y se corta el prisma a lo largo de dicho plano, uniendo de nuevo ambas mitades con *bálsamo del Canadá.* En esa forma el rayo incidente de luz natural se separa en el interior del cristal en los rayos ordinario y extraordinario, polarizados perpendicularmente; el primero incide con un ángulo muy grande sobre la capa de bálsamo y se refleja totalmente emergiendo por una cara lateral del prisma, mientras que el segundo atraviesa el bálsamo y continúa su marcha. El prisma de Nicol es un método sumamente eficiente de producir luz polarizada.

ordinary wave   *(Nucl)* onda ordinaria; onda fundamental ‖ *(Propag radioeléc)* onda ordinaria. Una de las dos componentes en que se separa una onda radioeléctrica en la ionósfera por influencia del campo magnético de la Tierra. A veces se le llama también, en inglés, "O wave". La otra componente se llama *onda extraordinaria* [extraordinary wave, X wave] ‖ onda ordinaria. En la propagación de las ondas radioeléctricas entre la superficie de la tierra y la ionósfera: (a) En el caso en que el campo magnético terrestre es normal a la dirección de propagación, componente magnetoiónica [magnetoionic component] polarizada rectilíneamente cuyo vector eléctrico es paralelo a la dirección del campo magnético terrestre. (b) En los otros casos, componente magnetoiónica cuyo vector eléctrico, visto por un observador que mira en la dirección de propagación, gira en el sentido de las agujas del reloj o en sentido contrario, según que el campo magnético terrestre [earth's magnetic field] forme un ángulo obtuso o agudo con la dirección de propagación, respectivamente (CEI/70 60–24–100).

ordinary-wave component   v. **ordinary wave.**

ordinate   *(Mat)* ordenada. En un sistema de coordenadas cartesianas (ejes rectangulares), distancia del punto considerado al eje horizontal. La distancia al eje vertical se llama *abscisa* [abscissa].

ordir   ordir. Sistema de radar para la detección de cohetes balísticos; funciona en frecuencias alrededor de 3 GHz y tiene un alcance de unos 4 000 km. El nombre viene de *o*mnirange *di*gital *r*adar.

ore   mineral, mena, mineral metálico /// *adj:* menero.

ore-bearing   *adj:* mineralizante; metalífero.

ore-bearing solution   solución mineralizante.

ore body   cuerpo mineral, masa [macizo, criadero] de mineral, criadero [yacimiento] en masa ‖ *(Met)* cuerpo de beneficio.

ore concentrate   concentrado de mineral.

ore concentration   concentración [enriquecimiento] de minerales; enriquecimiento del mineral.

ore deposit   yacimiento de mineral; criadero, depósito menero, yacimiento metalífero.

ore dressing   beneficio (de minerales, de metales), preparación mecánica (de minerales); preparación de menas.

ore extraction   extracción de minerales.

ore-forming   *adj:* mineralizador.

ore-forming fluid   líquido [fluido] mineralizador.

ore refining   refinación de minerales.

organ   *(Mús)* órgano ‖ *(Anat)* órgano. Parte del cuerpo que tiene función definida /// *adj:* orgánico.

organ chimes   (juego de) campanas de órgano.

organ console   consola de órgano.

organ recital   recital de órgano.

organ register   registro. Conjunto de los tubos de un órgano gobernado por un mecanismo determinado.

organ stop   registro. Serie de tubos de un órgano que se ponen en acción o se desconectan por medio de una palanca; la propia palanca.

organic   *adj: (Biol)* orgánico. Relativo a un órgano; originado en un órgano; de estructura organizada ‖ *(Quím)* orgánico. Que contiene carbono.

organic material   substancia orgánica.

organic-moderated reactor   *(Nucl)* reactor con moderador orgánico. Reactor nuclear en el cual se utilizan compuestos orgánicos en función de moderador y fluido refrigerante.

organic-quenched counter tube   *(Det y medida de radiaciones)* tubo contador con vapor orgánico. Tubo contador autoextintor [self-quenched counter tube] en el cual la extinción se obtiene por la adición de una pequeña cantidad de un vapor orgánico [organic vapor] (metanol, por ejemplo) a los gases raros de relleno (CEI/68 66–15–135).

organic quenching gas   *(Nucl)* gas orgánico de extinción.

organic semiconductor   semiconductor orgánico. Substancia orgánica (p.ej. antraceno [anthracene]) de extraordinariamente elevada conductividad y poseedor de otras propiedades características de los semiconductores.

organic solvent   *(Quím)* disolvente orgánico.

organization   organización; organismo; estructura organizacional; entidad, empresa, compañía, sociedad, corporación.

organization chart   organigrama, cuadro [esquema] de organización, esquema orgánico.

organizational   *adj:* organizacional, de (la) organización.

organizational interface   coordinación organizacional.

organizational setup   estructura organizacional; planeamiento organizacional.

organosol   *(Quím)* organosol.

orient   oriente, levante, este, naciente; perla de mucho brillo; brillo característico de las perlas ‖‖‖ *adj:* oriental, ortivo; naciente; brillante, resplandeciente ‖‖‖ *verbo:* orientar; hacer girar respecto a una dirección de referencia ‖ *(Ant)* orientar. Hacer girar (la antena) para apuntarla en la dirección más favorable para la comunicación; si la antena es receptora la orientación puede tener por fin obtener la máxima intensidad de la señal deseada, o la intensidad mínima de una señal perturbadora ‖ *(Mat)* orientar.

orientation   orientación. (1) En la fabricación de cintas magnéticas, proceso de alinear las partículas magnéticas del enduido [coating] mediante la aplicación de un campo magnético antes de que el ligante [binder] se endurezca. (2) En un sistema telegráfico síncrono (v. **synchronous system**), diferencia de fase sistemática en la rotación de un órgano del aparato receptor respecto a la rotación del órgano correspondiente del aparato emisor, para tomar en cuenta el tiempo de propagación de las señales o los retardos de respuesta de los órganos receptores. (3) En un sistema telegráfico, rotación de cierto ángulo de la posición de reposo [rest position] del árbol de levas [camsleeve] de un aparato receptor con el fin de mejorar su margen de recepción [receiving margin].

orientation angle   ángulo de orientación. En las cintas magnéticas, ángulo de orientación de las partículas respecto al eje longitudinal de la cinta.

orientation control   control de la orientación.

orientation direction   orientación ‖ *(Cintas mag)* v. **orientation angle.**

orientation indicator   indicador de orientación ‖ *(Transistores)* (a.c. index tab) indicador de orientación.

orientation flight   *(Avia)* vuelo de orientación; vuelo de familiarización.

orientation range   *(Teleg)* (i.e. limits of the orientation compatible with the correct translation of signals) intervalo de orientación. Límites en uno y otro sentido de la orientación compatibles con una recepción correcta de las señales.

orientation ratio   *(Cintas mag)* v. **squareness ratio.**

orientational   *adj:* orientacional, de orientación.

orientational axis   eje orientacional.

orientational correction   corrección orientacional.

orientational oscillation   *(Nucl)* oscilación de orientación.

oriented   *adj:* orientado ‖ *(Mat)* orientado ‖ *(Met)* de grano orientado; de grano orientable; de cristales orientables.

oriented-cut set   *(Mat)* conjunto de corte orientado.

oriented element   *(Mat)* elemento orientado. En un grafo, elemento cuyos vértices han sido ordenados.

oriented ferrite   ferrita orientada. Ferrita cuya estructura cristalina está alineada de suerte que los campos magnéticos causados por la rotación de los electrones del material se suman, causando entonces que la pieza de ferrita constituya un imán permanente.

oriented graph   *(Mat)* grafo orientado. Grafo de elementos orientados [oriented elements].

orifice   orificio, abertura, agujero; boca; diafragma; ventanilla | orificio, boca. Abertura que da salida a un fluido ‖ *(Microondas)* orificio, ventanilla. En una guía de ondas o un resonador de cavidad, abertura por la cual se transmite energía.

origin   origen, principio, procedencia; origen, punto de partida ‖ *(Telecom)* origen. Punto de partida de una comunicación. Oficina de imposición de un telegrama. CF. **country of origin, office of origin, place of origin, originating office, originating point, originating station** ‖ *(Mat)* origen. Punto inicial de referencia | origen (de coordenadas). Punto de intersección de los ejes coordenados ‖ *(Comput)* origen. En la codificación relativa, dirección absoluta de la memoria a la cual se refieren las direcciones relativas de una rutina o una subrutina ‖‖‖ *adj:* original, originario, de origen.

origin distortion   *(TRC)* distorsión de origen. En los tubos de enfoque por gas y desviación electrostática, pérdida aparente de sensibilidad de desviación en la región del punto de reposo de la mancha luminosa (punto que ocupa ésta en ausencia de toda desviación) y que se debe a un efecto de espacio de carga.

origin of the solar system   origen del sistema solar.

original   original (en oposición a una copia, un facsímile, una imitación, una reproducción); modelo, prototipo ‖ *(Teleg)* (a.c. copy, subject, subject copy) original. Material escrito o gráfico que se transmite ‖‖‖ *adj:* original, originario; primero, primitivo.

original fission   *(Nucl)* fisión original.

original lacquer   *(Electroacús)* original en laca. Grabación original en la superficie de laca de un disco que se utiliza luego para obtener un negativo o galvano [master].

original master   *(Electroacús)* negativo original. Negativo o galvano [master] obtenido a partir de una grabación en cera o en laca.

original particle   *(Nucl)* (a.c. initial particle) partícula original.

original picture negative   *(Cine)* negativo imagen.

original sound negative   *(Cine)* negativo de sonido original.

originate   *verbo:* originar, crear, idear, inventar; ocasionar, producir; provocar, suscitar; originarse, dimanar, emanar, nacer; provenir de, tener su origen en; promover, ser el promotor de, ser el creador de; expedir (un mensaje).

originate a message   *(Telecom)* expedir un mensaje.

originate at X   *(Telecom)* proceder de X.

originating   *adj:* originante, de origen.

originating circuit   *(Telecom)* circuito de origen.

originating exchange   *(Telecom)* estación de origen ‖ *(Telef)* central de origen.

originating message   *(Teleg)* mensaje con origen en la misma localidad de la estación transmisora. CF. **relay message, terminating message.**

originating office   *(Telecom)* estación de origen.

originating operator   *(Telecom)* operador de origen [de la oficina de origen].

originating point   *(Telecom)* punto de origen.

originating station   *(Telecom)* estación de origen [de procedencia].

originating telegram   telegrama de partida; telegrama con origen en la localidad de la estación transmisora.

originating toll center [OTC]   *(Telef)* estación de origen; central interurbana extrema.

originating traffic　　*(Telef)* tráfico nacido.

originating unit　　*(Telef)* unidad de comienzo.

originator　　originador, iniciador; creador, inventor; autor; promotor ‖ *(Teleg)* expedidor, remitente, impositor.

originator indicator　　*(Teleg)* indicador de remitente.

Orion　　*(Astr)* Orión.

Orion Nebula　　*(Astr)* Nebulosa de Orión.

orioscope　　aparato para localizar los ejes eléctricos de un cristal de cuarzo y determinar el sentido de los mismos.

ork　　*(slang)* orquesta.

ornament　　ornamento, adorno, ornato, decoración ‖ *(Mús)* nota de adorno. Nota que se considera como agregado de una melodía; embellecimiento, "extra". SIN. **grace (note)** /// *adj:* ornamental, de adorno, decorativo /// *verbo:* adornar, ornamentar, decorar, ornar, exornar.

ornamental　　*adj:* ornamental, decorativo, de adorno.

ornamental cloth　　*(Altavoces)* tela [tejido] ornamental, tela decorativa. V.TB. **grille cloth**.

ornithopter　　*(Aeron)* ornitóptero. Aerodino (aparato más pesado que el aire) que se mantiene en vuelo principalmente en virtud de las reacciones del aire sobre planos animados de un movimiento de batimiento [flapping motion].

orographic　　*adj:* orográfico. Relativo o perteneciente a la orografía (v. **orography**).

orographic fog　　*(Meteor)* niebla orográfica.

orographic nebulosity　　*(Meteor)* nebulosidad orográfica.

orographic rain　　*(Meteor)* lluvia orográfica.

orographic soaring　　*(Planeadores)* vuelo orográfico.

orography　　orografía. (1) Descripción de las montañas. (2) Estudio de la geografía física de las montañas y las cordilleras (cadenas de montañas). Del griego *oros,* montaña, y *graphein,* describir.

ORS　　*(ARRL)* Abrev. de Official Relay Station [Estación Oficial de Relevo, Estación Oficial de Escala] ‖ *(Radioteleg)* Abrev. de our receiving slip [nuestra cinta de recepción]. Se usa en los mensajes de servicio sobre errores de transmisión, aludiendo a la cinta del ondulador.

orthicon　　*(Tv)* orticón, orticonoscopio. v. **orthiconoscope**.

orthicon camera　　*(Tv)* cámara de orticón, cámara orticonoscópica.

orthicon tube　　orticón, orticonoscopio. v. **orthiconoscope**.

orthiconoscope　　*(Tv)* (a.c. orthicon) orticonoscopio, orticón. Primitivo tubo analizador o tomavistas [camera tube] que representó una mejora del iconoscopio [iconoscope] por poseer un rendimiento intrínseco de acumulación del 100 por 100. En el orticonoscopio la imagen se proyecta mediante un sistema de lentes sobre un mosaico transparente en el cual se forma una imagen de cargas [charge image] que es una réplica de la imagen óptica. Este mosaico es explorado por un haz de electrones de baja velocidad que incide perpendicularmente sobre aquél. El paso del haz sobre el mosaico libera las cargas acumuladas en los glóbulos del segundo, proporcionales a los valores de luz de los correspondientes elementos de imagen, obteniéndose así la señal eléctrica (videoseñal) de salida. V.TB. **iconoscope, mosaic**. CF. **image orthicon**.

ortho　　*adj:* orto. (1) En química, indicativo de la forma más completamente hidratada de un ácido o de sus sales. (2) En química, relativo o perteneciente a las posiciones contiguas del carbono en el anillo (cadena cerrada) del benceno. (3) En física, indicativo de las moléculas diatómicas [diatomic molecules] en las cuales los núcleos tienen espines de igual dirección /// orto. Prefijo indicativo de: (1) Recto, derecho. (2) Correcto, normal. (3) En matemática, perpendicular; normal, en ángulos rectos. (4) En medicina, corrección de deformidades o desajustes físicos /// Forma abreviada de algunas voces que comienzan con el prefijo *ortho,* como p.ej. *orthochromatic.*

orthocenter　　*(Mat)* ortocentro. Punto de intersección de las alturas de un triángulo.

orthochromatic　　*adj:* ortocromático. (1) En sentido literal, del color correcto. (2) En fotografía, de igual sensibilidad para todos los colores. En el sentido práctico, sensible al azul y al verde, pero no al rojo; sensible al verde y a los colores correspondientes a menores longitudes de onda. (3) En biología, que se tiñe normalmente; dícese de una célula o un tejido.

orthochromatic emulsion　　*(Fotog)* emulsión ortocromática.

orthochromatic plate　　*(Fotog)* placa ortocromática.

orthochronous　　*adj:* ortócrono.

orthochronous homogeneous Lorentz transformation　　*(Mat)* transformación ortócrona homogénea de Lorentz. Transformación homogénea de Lorentz en la cual todo vector tipo tiempo [time-like vector] positivo queda transformado en un vector tipo tiempo positivo.

orthocode　　ortocódigo. Código impreso de barras verticales que puede ser leído por un dispositivo explorador fotoeléctrico.

orthocore　　ortonúcleo. Elemento de memoria de flujo en circuito completamente cerrado que duplica con gran aproximación la memoria de núcleos de ferrita.

orthodiagram　　ortodiagrama. Registro obtenido con ayuda del ortodiágrafo (v. **orthodiagraph**).

orthodiagraph　　ortodiágrafo. Aparato radiográfico que permite registrar la forma y el tamaño de los órganos internos.

orthodiagraphy　　(a.c. orthoradioscopy) ortorradioscopia.

orthodiascope　　ortodiascopio. Aparato de ortodiascopia (v. **orthodiascopy**).

orthodiascopy　　ortodiascopia. Fluoroscopía sin distorsión, en particular del corazón.

orthodontia　　ortodoncia. Corrección de las irregularidades dentales.

orthodontic　　*adj:* ortodóntico. Relativo a la ortodoncia (v. **orthodontia**).

orthogonal　　*adj:* ortogonal, perpendicular.

orthogonal axes　　*(Mat)* ejes ortogonales, ejes perpendiculares. Ejes que se cortan en ángulo recto.

orthogonal function　　*(Mat)* función ortogonal.

orthogonal matrix　　*(Mat)* matriz ortogonal.

orthogonal mechanical cursor　　cursor mecánico ortogonal.

orthogonal mode　　modo ortogonal. En ciertos dispositivos magnéticos, modo de funcionamiento caracterizado por dos direcciones de excitación perpendiculares.

orthogonal polynomials　　*(Mat)* polinomios ortogonales. Conjunto de polinomios mutuamente ortogonales respecto a una operación de producto escalar [inner product].

orthogonal projection　　proyección ortogonal. Proyección cuyos rayos proyectantes son perpendiculares al plano de proyección [projection plane].

orthogonal vectors　　*(Mat)* vectores ortogonales. Dos vectores cuyo producto escalar [scalar product] es cero.

orthogonality　　ortogonalidad, perpendicularidad.

orthogonalization　　*(Mat)* ortogonalización.

orthographic, orthographical　　*adj: (Gram)* ortográfico. Relativo a la ortografía; bien escrito ‖ *(Mat)* ortogonal, de líneas perpendiculares, de ángulos rectos.

orthographic projection　　proyección ortogonal. v. **orthogonal projection**.

orthohydrogen　　ortohidrógeno. Hidrógeno en cuya molécula, formada por dos átomos, los dos protones giran en la misma dirección, es decir, que tienen idéntico espín.

orthomorphic projection　　proyección conforme. SIN. **conformal projection**.

orthonormal　　*adj: (Mat)* ortonormal.

orthonormal function　　*(Mat)* función ortonormal.

orthonormal system　　*(Mat)* sistema ortonormal.

orthophonic　　*adj:* ortofónico. Referente a la ortofonía (v. **orthophony**).

orthophony　　ortofonía. Arte de corregir los vicios de pronunciación.

orthoradioscopy   *(Radiol)* ortorradioscopia. Método radioscópico que permite obtener el contorno de un objeto en tamaño natural (CEI/38 65–20–015) | (a.c. orthodiagraphy) ortorradioscopia. Técnica consistente en trazar punto por punto la imagen radioscópica [fluoroscopic image], generalmente del corazón, sin ampliación. El resultado se llama *ortorradiograma* [orthodiagram] (CEI/64 65–05–065).

orthorhombic   *adj:* ortorrómbico.

orthorhombic system   sistema ortorrómbico. Sistema cristalino de ejes desiguales que se cortan en ángulos rectos.

orthoscope   ortoscopio. Instrumento empleado en el examen del ojo.

orthoscopic   *adj:* ortoscópico. Referente a la ortoscopia; que corrige los defectos de la vista; de vista normal.

orthoscopic system   *(Opt)* sistema ortoscópico. Sistema corregido respecto a la distorsión y a la aberración de esfericidad [spherical aberration]. SIN. **rectilinear system.**

orthoscopy   ortoscopia. Examen del ojo con el ortoscopio [orthoscope].

orthotomic   *adj:* ortotómico.

orthotomic system   *(Opt)* sistema ortotómico. El que sólo admite una congruencia normal de rayos.

orthotropic   *adj:* ortotrópico. Que se extiende en dirección vertical.

orthotropic plate   placa ortotrópica.

orthotropically   *adv:* ortotrópicamente.

Os   Símbolo químico del osmio [osmium].

OS   *(Teleg)* Abrev. de our service [nuestro servicio]; out of sequence [fuera de orden].

osc.   Abrev. de oscillator.

osciducer   v. **oscillating transducer.**

oscilight   *(Tv)* tubo tomavistas de Farnsworth. SIN. **Farnsworth picture tube.**

oscillate   *verbo:* oscilar; vibrar; fluctuar; hacer oscilar; balancear(se) ‖ *(Mat)* oscilar.

oscillating   oscilación; vibración; fluctuación; balanceo ⫼ *adj:* oscilante, oscilatorio; fluctuante; vibrante ‖ *(Mat)* oscilante.

oscillating absorber   *(Nucl)* absorbedor oscilante.

oscillating arc   *(Elec, Radio)* arco oscilante; arco fluctuante.

oscillating axle   eje oscilante.

oscillating bail   *(Teleimpr)* fiador oscilante (de posicionamiento axil).

oscillating circuit   *(Elec, Radio)* circuito oscilante.

oscillating-circuit inductance   inductancia de circuito oscilante.

oscillating coil   (a.c. oscillator coil) bobina oscilladora.

oscillating color scheme   *(Tv)* v. **color phase alternation.**

oscillating crystal   cristal oscilante. Aparato de análisis espectral de los rayos X que utiliza el movimiento de oscilación de un cristal. CF. **rotating crystal** (CEI/38 65–15–040).

oscillating-crystal method   método del cristal oscilante. Análisis por difracción de rayos X con un cristal oscilante entre los límites de un ángulo de unos pocos grados, para simplificar la correlación entre los haces difractados y los planos del cristal.

oscillating current   corriente oscilante. Corriente cuyo valor varía en función del tiempo de acuerdo con determinada ley. CASOS PART. corriente periódica [periodic current]; corriente alterna [alternating current] | corriente de oscilación.

oscillating detector   detector oscilante. v. **autodyne detector.**

oscillating discharge   *(Elec, Radio)* descarga oscilante [oscilatoria].

oscillating drive bail   *(Teleimpr)* fiador de mando oscilante.

oscillating drive link   *(Teleimpr)* eslabón de mando oscilante.

oscillating klystron   klistrón [clistrón] oscilador. SIN. **oscillator klystron.**

oscillating meter   *(Elec)* contador oscilante. (**1**) Contador en el cual las oscilaciones de un solenoide móvil, sometido a la acción de una bobina fija, son registradas por medio de un sistema integrador (CEI/38 20–25–060). (**2**) Contador que registra las oscilaciones de una bobina móvil sometida a la acción de una bobina fija (CEI/ 58 20–25–070).

oscillating quantity   magnitud oscilante. Magnitud que varía periódicamente con cambio de signo (CEI/38 05–05–140). CF. **periodic quantity, pseudoperiodic quantity, sinusoidal quantity, symmetrical alternating quantity, undulating quantity.**

oscillating series   *(Mat)* serie oscilante.

oscillating shock wave   onda de choque oscilante.

oscillating shutter   *(Cine)* obturador oscilante.

oscillating transducer   (a.c. osciducer) transductor oscilante. Transductor en el cual la frecuencia central de un oscilador varía en respuesta al estímulo o excitación.

oscillating transformer   *(Elec, Radio)* transformador de oscilación.

oscillating tube   *(Elecn)* tubo oscilador.

oscillating voltage   tensión oscilante.

oscillation   oscilación; vibración. (**1**) Variación periódica con cambio de signo. (**2**) Estado de una magnitud física en el cual, durante el intervalo de tiempo considerado, el valor de la magnitud varía continuamente pasando por máximos y mínimos. EJEMPLOS: una corriente alterna; un péndulo en movimiento (en este caso la magnitud variable es el ángulo en que el péndulo se aparta de la vertical que pasa por su centro cuando está en reposo). El término *vibración* se aplica con mayor propiedad cuando se trata de un sistema mecánico en el cual el movimiento está determinado en parte por propiedades elásticas | **on the verge of oscillation:** a punto de (romper a) oscilar, en el límite de autooscilación | **to break into oscillation:** romper a oscilar | fluctuación ‖ *(Mat)* oscilación ⫼ *adj:* oscilante, oscilatorio; vibrante; fluctuante ‖ *(Mat)* oscilante.

oscillation absorber   amortiguador de oscilaciones.

oscillation amplitude   amplitud de (la) oscilación.

oscillation damping   amortiguación de oscilaciones.

oscillation detector   detector de oscilaciones.

oscillation frequency   frecuencia de oscilación.

oscillation generator   generador de oscilaciones. SIN. **oscillator.**

oscillation loop   vientre [antinodo] de oscilaciones.

oscillation mode   modo de oscilación. CF. **vibration mode.**

oscillation time   período de oscilación. SIN. **period of oscillation.**

oscillation train   tren [serie] de oscilaciones.

oscillation transformer   *(Elec, Radio)* transformador de oscilación.

oscillator   oscilador. (**1**) Dispositivo no rotativo destinado a producir una onda eléctrica de frecuencia determinada. (**2**) Aparato destinado a producir oscilaciones eléctricas o mecánicas, o capaz de mantenerlas (CEI/38 05–45–050). SIN. fuente [generador] de oscilaciones —— oscillation generator. CF. autodyne oscillator, heterodyne oscillator, local oscillator, master oscillator, pilot oscillator, LC oscillator, RC oscillator, tuning-fork oscillator, electromechanical oscillator, crystal oscillator, test oscillator, all-wave oscillator, audio-frequency oscillator, code practice oscillator, generator, signal generator, all-wave signal generator.

oscillator beat note   *(Radio)* nota de batido de oscilador local vecino. Silbido molesto que se escucha junto con la señal deseada, causado por heterodinaje de la señal recibida con la señal radiada por el oscilador local de un receptor vecino.

oscillator buildup time   período de establecimiento del oscilador.

oscillator capacitor   condensador del oscilador.

oscillator cavity   *(Hiperfrec)* cavidad oscilante.

oscillator circuit   circuito oscilante [oscilador]. CF. **oscillatory circuit** | circuito de oscilador.

oscillator coil   bobina oscilladora; bobina del oscilador. (**1**) Tranformador de radiofrecuencia que forma parte del circuito oscilador de un receptor superheterodino. (**2**) Bobina que forma parte de un circuito oscilante cualquiera.

oscillator-converter   oscilador-convertidor.

oscillator-detector   oscilador-detector.

oscillator drift   corrimiento [deslizamiento, variación lenta] de la frecuencia (del oscilador). v.TB. **frequency drift, frequency deviation, frequency shift.**

oscillator feedthrough   *(Circ mezcladores)* fuga de oscilaciones locales.

oscillator frequency   frecuencia de oscilación; frecuencia del oscilador.

oscillator grid   *(Elecn)* rejilla osciladora.

oscillator harmonic interference   interferencia por armónicas del oscilador. En un receptor superheterodino, interferencia debida a frecuencias intermedias producidas por armónicas del oscilador local que baten con la señal entrante.

oscillator injection signal   *(Rec superhet)* oscilación local.

oscillator klystron   klistrón [clistrón] oscilador. SIN. **oscillating klystron.**

oscillator-mixer-first detector   *(Rec superhet)* convertidor, cambiador (de frecuencia). Etapa en la cual se combinan las funciones de oscilador local, mezclador y primer detector. v.TB. **converter.**

oscillator mode   modo de oscilación, modo del oscilador.

oscillator padder   *(Rec superhet)* v. **padder.**

oscillator radiation   radiación del oscilador. Campo producido a distancia por el oscilador local de un receptor superheterodino (de radio o de televisión).

oscillator radiation interference   interferencia [perturbación] producida por radiación del oscilador local. CF. **oscillator beat note.**

oscillator section   sección osciladora.

oscillator-section coil   bobina de la sección osciladora.

oscillator slug adjustment   ajuste del núcleo móvil del oscilador.

oscillator stage   etapa osciladora.

oscillator strength   *(Fís)* (a.c. f-value, number of dispersion electrons) intensidad del oscilador.

oscillator tank circuit   circuito tanque del oscilador. v. **tank circuit.**

oscillator transistor   transistor oscilador.

oscillator trimmer   corrector ["trimer"] del oscilador.

oscillator triode   triodo oscilador.

oscillator tube   tubo oscilador, válvula osciladora.

oscillator unit   unidad osciladora.

oscillator valve *(GB)*   v. **oscillator tube.**

oscillatory   *adj:* oscilatorio, oscilante; vibratorio, vibrante.

oscillatory circuit   circuito oscilante [oscilatorio]. Circuito en el cual pueden producirse o entretenerse oscilaciones | circuito oscilante. (1) Circuito en el cual pueden producirse oscilaciones libres (CEI/38 60–05–145). (2) Red que comprende inductancia, capacitancia y resistencia y en la cual el efecto de los elementos reactivos [reactive elements] predomina sobre el de la resistencia; el circuito oscilante es un *circuito oscilante serie* o un *circuito oscilante paralelo* según que la capacitancia y la inductancia estén conectadas en serie o en paralelo (CEI/70 60–04–005).

oscillatory current   corriente oscilatoria [oscilante]. Corriente que invierte su sentido periódicamente.

oscillatory discharge   descarga oscilante. Corriente oscilante resultante de la descarga de un condensador que forma parte de una red que comprende también inductancia y resistencia; la amplitud de las oscilaciones disminuye en el tiempo con rapidez que es función del valor de la resistencia.

oscillatory electromotive force   fuerza electromotriz oscilante.

oscillatory motion   movimiento oscilatorio; movimiento pendular.

oscillatory surge   impulso oscilante, variación transitoria oscilante. Variación transitoria de una tensión o una corriente eléctrica que comprende valores de una y otra polaridad.

oscillight   v. **oscilight.**

oscillistor   oscilistor. Barra de material semiconductor que oscila al ser recorrida por una corriente continua paralela a un campo magnético exterior.

oscillogram   oscilograma. Registro obtenido con un oscilógrafo

(v. **oscillograph**); fotografía del trazo visible en un osciloscopio (v. **oscilloscope**). SIN. **oscilloscope pattern.**

oscillograph   oscilógrafo. Dispositivo utilizado para registrar los valores instantáneos de una magnitud eléctrica variable. Se utiliza como aparato de prueba para la observación de formas de onda de tensión o de corriente. SIN. **registrador** —— **recorder** | (*i.e.* cathode-ray oscillograph) oscilógrafo de rayos catódicos | oscilógrafo. (1) Aparato destinado a indicar o registrar los valores instantáneos de una magnitud: corriente, tensión, etc. (CEI/38 20–20–010). (2) Aparato destinado a indicar o a inscribir, en función de otra magnitud, generalmente el tiempo, los valores instantáneos de una magnitud: corriente, tensión . . . (CEI/58 20–20–010). v. **oscillograph with bifilar suspension** /// *adj:* oscilográfico.

oscillograph camera   cámara de oscilógrafo; registrador de oscilogramas.

oscillograph curve   oscilograma.

oscillograph galvanometer   galvanómetro oscilográfico.

oscillograph record camera   registrador de oscilogramas.

oscillograph recorder   (a.c. oscillographic recorder) registrador oscilográfico.

oscillograph recording apparatus   registrador [equipo] oscilográfico.

oscillograph tube   (a.c. oscilloscope tube) oscilógrafo catódico. Tubo catódico [cathode-ray tube] en el cual se registra la imagen electrónica, que es una representación gráfica de una magnitud variable en el tiempo (CEI/56 07–30–100) | v. **oscilloscope tube.**

oscillograph with bifilar suspension   oscilógrafo bifilar [de bucle]. Oscilógrafo con un sistema móvil [moving element] constituido según el principio de los galvanómetros de cuadro móvil [moving-coil galvanometers] y formado por dos hilos tirantes muy próximos (CEI/58 20–20–015).

oscillographic   *adj:* oscilográfico.

oscillographic display   presentación oscilográfica, oscilograma.

oscillographic pattern   oscilograma.

oscillographic record   registro oscilográfico, oscilograma.

oscillographic recorder   registrador oscilográfico. Oscilógrafo en el cual la onda estudiada es trazada por una pluma sobre una banda de papel móvil. SIN. **recorder.**

oscillometer   oscilómetro.

oscilloscope   osciloscopio. Aparato que comprende como elemento principal un tubo de rayos catódicos [cathode-ray tube] y que sirve para obtener instantáneamente una curva visible representativa de los valores instantáneos de una magnitud eléctrica; úsase para observar formas de onda de tensión o de corriente. SIN. osciloscopio [oscilógrafo] de rayos catódicos —— cathode-ray oscilloscope [oscillograph], oscillograph | (a.c. ondoscope) osciloscopio, ondoscopio. Tubo de gas rarificado que sirve para reconocer, por aparición de una luminosidad negativa, la presencia y el sentido de una gran diferencia de potencial (CEI/38 65–10–060) | osciloscopio. Aparato destinado a representar en forma de curva fugaz [transient curve] los valores instantáneos de una magnitud (corriente, tensión, etc.) (CEI/58 20–10–070) /// *adj:* osciloscópico; oscilográfico.

oscilloscope camera   cámara osciloscópica. A VECES: cámara fotooscilográfica. Cámara fotográfica para obtener oscilogramas.

oscilloscope differential amplifier   amplificador diferencial de osciloscopio.

oscilloscope display   presentación osciloscópica, oscilograma.

oscilloscope recording   registro oscilográfico, oscilograma.

oscilloscope screen   pantalla de osciloscopio, pantalla osciloscópica.

oscilloscope trace   trazo osciloscópico. Trazo luminoso que se produce en la pantalla del osciloscopio de rayos catódicos | oscilograma.

oscilloscope tracing   trazo osciloscópico; oscilograma.

oscilloscope tube   (a.c. oscillograph tube) osciloscopio catódico. Tubo catódico [cathode-ray tube] que da una imagen visible, observable directamente, que es una representación gráfica de una magnitud variable en el tiempo (CEI/56 07–30–095) | v. **oscillograph tube.**

oscilloscope waveform   osciolograma; presentación osciloscópica, indicación oscilográfica (de la forma de onda).

oscilloscopic   *adj:* osciloscópico.

oscilloscopic display   presentación osciloscópica; osciolograma.

oscillosynchroscope   osilosincroscopio.

Oscillotron   Oscilotrón. Marca registrada (Beattie-Coleman, Inc.) de un sistema de cámara fotográfica para registro de oscilogramas.

osculate   *verbo:* besar ‖ *(Anat, Zool)* tener caracteres comunes; tener caracteres intermedios ‖ *(Biol, Geom)* oscular.

osculating   osculación ⫽ *adj:* osculante, osculador, osculatriz.

osculating circle   *(Mat)* círculo osculador.

osculating orbit   órbita osculatriz.

osculating plane   *(Mat)* plano osculador.

osculation   ósculo, beso; acto de besar ‖ *(Mat)* osculación. Punto en el cual dos ramas de una curva tienen una tangente común y se extienden en ambas direcciones de ésta ⫽ *adj:* osculante, osculador, osculatriz.

Oseen's method   *(Fís)* método de Oseen. Método para resolver las ecuaciones del movimiento de un fluido viscoso que pasa cerca de un cuerpo sólido con número de Reynolds [Reynolds number] pequeño.

osmium   osmio. Elemento metálico duro del grupo del platino, de número atómico 76. Símbolo: Os. El osmiuro de iridio se usa para fabricar agujas de reproducción fonográfica, estiletes de grabación, puntos de estilográfica, contactos eléctricos, pivotes, y otros elementos duros y resistentes al desgaste ⫽ *adj:* osmioso; osmiurado.

osmo   osmo. Prefijo derivado de las voces griegas *osmé*, olor; *osmos*, empuje, impulsión.

osmoregulator   osmorregulador. Regulador de presión imaginado por Paul Villard y basado en la ósmosis (absorción) del hidrógeno por el platino incandescente o el paladio (CEI/38 65–30–025).

osmosis   ósmosis. Paso del disolvente a través de una membrana semipermeable que separa dos soluciones de concentración diferente (CEI/38 50–05–155) ⫽ *adj:* osmótico.

osmotic   *adj:* osmótico.

osmotic coefficient   *(Soluciones)* coeficiente osmótico.

osmotic pressure   *(Fís)* presión osmótica. (**1**) La que ejerce una disolución sobre una membrana semipermeable que puede ser atravesada por el disolvente, pero no por los cuerpos disueltos. (**2**) Presión a la cual debe someterse una solución, separada del solvente por una pared semipermeable, para impedir la entrada en dicha solución de una nueva cantidad de disolvente no sometido a la presión de que se trata (CEI/38 50–05–160).

OSO   Abrev. de orbiting solar observatory.

osophone   osófono. Receptor de conducción ósea para uso de los sordos.

OSRD   Abrev. de Office of Scientific Research and Development.

OSS   *(Teleg)* Abrev. de our sending slip [nuestra cinta de transmisión]. Expresión usada en los telegramas de servicio de aclaración o investigación de errores de transmisión; se refiere a la cinta perforada del transmisor automático.

ossicle   *(Anat)* huesecillo. Hueso pequeño; en particular, uno de los tres huesecillos de la cadena ósea del oído medio e interno: martillo [malleus], yunque [incus], y estribo [stapes].

osteogenic   *adj:* osteogénico.

osteophone   osteófono. Aparato auxiliar del oído para sordos que funciona por conducción ósea. CF. **osophone.**

osteosarcoma   osteosarcoma. Sarcoma del hueso; sarcoma con tejido óseo.

Ostwald   Friederich Wilhelm Ostwald: fisicoquímico alemán de origen ruso (1853–1932).

Ostwald electrode   v. **normal calomel electrode.**

Ostwald's dilution law   ley de la dilución de Ostwald.

OT   *(Telecom)* Abrev. de office technician; operating technician ‖ *(Radioafic)* Abrev. de old timer ["veterano"] ‖ *(Esquemas)* Abrev. de oscillation transformer.

OTC   *(Telef)* Abrev. de originating toll center.

OTI   Abrev. de Organización de Televisoras Iberoamericanas (fundada en Méjico, en marzo de 1971).

OTLP   *(Telecom)* Abrev. de zero-transmission-level point [punto de nivel de transmisión cero]; zero-test-level point [punto en el cual el nivel de la señal de prueba es 0 dBm].

OTR   *(Teleg)* Abrev. de other [otro(s), otra(s)].

OTS   *(Teleg)* Abrev. de our transmitting slip [nuestra cinta de transmisión]. Expresión usada en la redacción de mensajes de servicio relativos a la investigación de errores de transmisión. CF. **ORS.**

Otto   Nikolaus August Otto: fabricante e inventor en el campo de la mecánica automotriz, de nacionalidad alemana (1832–1891).

Otto cycle   *(Mot)* ciclo de Otto.

Oudin current   *(Electrobiol)* (a.c. desiccating current, resonator current) corriente de Oudin, corriente de desecación, corriente de resonador. Descarga en penacho [brush discharge], que presenta una caída de 2 a 10 kV en el aire, emanada de un electrodo unipolar [monopolar electrode], producida por una disposición especial de transformadores, explosores [spark-gaps] y condensadores, y suficientemente densa para evaporar el agua de los tejidos sin carbonizarlos. OBSERVACION: Estos tres términos son desacertados por estar mal definidos en lo que concierne a la forma de onda, la frecuencia, la tensión y la intensidad en el tejido. No son exactamente sinónimos, puesto que cada uno da énfasis a un aspecto diferente de la corriente (CEI/59 70–20–050).

Oudin resonator   *(Electrobiol)* resonator de Oudin. (**1**) Aparato destinado a la producción de efluvios y constituido por un solenoide excitado en resonancia por un circuito oscilante de alta frecuencia, unido al solenoide por tomas variables (autotransformador de alta frecuencia) (CEI/38 70–20–005). (**2**) Bobina de hilo, a menudo con número variable de espiras, ideada para ser conectada a una fuente de corriente de alta frecuencia, tal como un explosor con bobina de inducción [spark-gap and induction coil], para aplicar un efluvio [effluve] a un paciente (CEI/59 70–25–005).

Oudin-type tuning system   sistema de sintonía tipo Oudin. Sistema de sintonía en el cual la antena ataca al circuito oscilante por una toma intermedia de la bobina.

Oudin's resonator   v. **Oudin resonator.**

ounce   onza. Unidad de masa o peso igual a 28,350 gramos.

OUT   *(Esquemas y paneles de control)* salida; desconectado, fuera de circuito; fuera de servicio ‖ *(Radiotelef)* "Fin de transmisión". Expresión con la cual el operador indica a su corresponsal que da fin a la transmisión sin esperar ninguna otra comunicación o respuesta. CF. **OVER.**

out-band dialing   *(Telecom)* discaje con frecuencia fuera de la banda vocal, selección por frecuencia fuera de banda.

out-band signaling   *(Telecom)* (a.c. out-of-band signaling, out-of-voice-band signaling) señalización fuera de banda [fuera de la banda vocal]. Transmisión de señales por frecuencias ajenas a la banda de voz | señalización fuera de banda. Señalización en la cual las señales son transmitidas dentro de la banda correspondiente a la vía de transmisión utilizada, pero fuera de la banda de frecuencias telefónicas utilizada. Las señales pueden ser de frecuencia infratelefónica [subtelephone frequency] o supratelefónica [supertelephone frequency] (CEI/70 55–115–010). CF. **in-band signaling.**

out-bound   v. **outbound.**

out of action   fuera de servicio; fuera de combate; averiado, inutilizado.

out of adjustment   desajustado, fuera de ajuste.

out of balance   desequilibrado, fuera de equilibrio.

out of band   fuera de (la) banda.

out-of-band assignment   asignación (de frecuencia) fuera de banda.

out-of-band broadcast station   estación de radiodifusión fuera de banda.

out-of-band radiation   *(Radio)* radiación fuera de banda.

out-of-band signaling   *(Telecom)* señalización fuera de banda. v. **out-band signaling**.

out of commission   descompuesto, averiado, estropeado, inservible, inutilizado; roto, estropeado; fuera de servicio; en reserva, retirado del servicio; desarmado; en reparaciones.

out of control   fuera de control, ingobernable; indirigible.

out of focus   desenfocado, fuera de foco.

out-of-focus image   imagen desenfocada, imagen borrosa.

out-of-focus picture   imagen desenfocada, imagen borrosa.

out of frame   *(Cine/Tv)* fuera de cuadro; desencuadrado.

out-of-frame condition   *(Cine/Tv)* desencuadre; desplazamiento del cuadro.

out of mesh   *(Engranajes)* desengranado, fuera de toma ‖ *(Capacitores)* con las placas móviles fuera de las fijas.

out of order [OOO]   desordenado, en desorden; improcedente; incorrecto; descompuesto, averiado, inservible, inutilizado, estropeado, en mal estado; interrumpido, fuera de servicio.

out-of-order circuit   *(Telecom)* circuito averiado.

"out of order" tone   *(Telef)* señal de avería. SIN. **trouble tone**.

out of parallel   no paralelos ‖ *(Máq eléc acopladas en paralelo)* (a.c. out of step) fuera de sincronismo; desfasados, fuera de fase.

out of phase   desfasado, fuera de fase. Dícese cuando coexisten ondas de igual frecuencia pero que no pasan por valores correspondientes en los mismos instantes. La diferencia de fase entre dos ondas se llama *desfasaje, desfasamiento*, o *discrepancia de fase*. Cuando la diferencia de fase es de 180°, se dice que las ondas están *en oposición de fase, en fase opuesta,* o *en contrafase*. Cuando es de 90° se dice que están *en cuadratura*.

out-of-phase amplifier   amplificador desfasado.

out-of-phase component   componente desfasada.

out-of-phase condition   desfasaje, desfasamiento.

out-of-phase current   corriente desfasada.

out-of-phase drive   excitación desfasada.

out-of-phase recording   grabación desfasada, registro desfasado. En estereofonía, registro o grabación en el cual no coinciden las fases de los dos canales. CF. **in-phase recording**.

out-of-phase signal   señal desfasada.

out of range   fuera de alcance, fuera de tiro.

out of round   deformación circunferencial ‖ *(Agujeros)* ovalado.

out-of-round cylinder   *(Mot)* cilindro ovalizado.

out-of-round ratio   razón de ovalamiento; error de redondez.

out of service   fuera de servicio; inutilizado. SIN. **out of commission, out of order**.

out-of-service record   *(Telef)* estadística de inutilización.

out-of-service time   tiempo de inutilización.

out of sight   invisible; fuera del alcance de la vista, más allá del horizonte; más allá del alcance óptico.

out-of-sight control instrumentation   instrumentación [aparatos] de telemando.

out of squareness   descuadre; error de rectangularidad. Dícese cuando dos rectas o dos superficies no están a escuadra, o sea, en ángulo recto entre sí.

out of step   fuera de sincronismo, en asincronismo; fuera de fase, en discordancia de fase. SIN. **out of parallel** ‖ desacompasado.

out-of-step protection   *(Elec)* protección contra pérdida del sincronismo ‖ dispositivo de protección contra las rupturas de sincronismo. Dispositivo de protección que provoca la separación entre partes apropiadas de redes en caso de ruptura del sincronismo (CEI/56 16–65–035).

out of stock   existencia agotada; agotado.

out of synchronism   desincronizado, fuera de sincronismo; desacompasado. SIN. **out of step**.

out of tolerance   fuera de tolerancia(s).

out-of-tolerance value   valor fuera de tolerancia.

out of track   error de paso; mal alineado.

out-of-track blade   *(Hélices)* pala mal alineada, pala fuera del plano de giro común.

out-of-voice-band signaling   *(Telecom)* señalización fuera de la banda vocal. v. **out-band signaling**.

out-port   *(Redes eléc)* salida.

out-station signaling   *(Telecom)* señalización externa de la estación. CF. **in-station signaling**.

out take   *(Cine)* toma defectuosa; desecho.

out-take   salida ‖ *(Minas)* pozo de salida de ventilación.

outage   interrupción (del servicio); corte, parada, perturbación ‖ *(Elec)* corte, falta de corriente, interrupción del servicio [del suministro].

outage time   tiempo de interrupción.

outage-time recording equipment   aparato registrador de (los) períodos de interrupción.

outboard   *adj:* hacia el exterior; que (se) va hacia el exterior ‖ *(Aeron)* fuera del fuselaje, fuera del casco ‖ *(Marina)* exterior; fuera de borda ‖ *(Elecn)* exterior. Dícese de un aditamento o dispositivo que no forma parte del chasis principal.

outboard stabilizing float   *(Hidroaviones)* flotador externo de estabilización; flotador estabilizador cerca de la punta del ala.

outbound   *adj:* saliente, de salida; de travesía.

outbound bearing   *(Naveg)* marcación de salida.

outbound flight   *(Avia)* vuelo de salida, vuelo de partida. CF. **in-bound flight**.

outbound track   *(Avia)* (a.c. hop) trayectoria de alejamiento ‖ *(Ferroc)* vía de la derecha, vía descendente.

outbreak   erupción; brote; comienzo, principio ‖ *(Filones)* afloramiento ‖‖ *verbo:* brotar; comenzar; estallar (una guerra).

outbreak of polar air   *(Meteor)* invasión de aire polar. SIN. **barber, blizzard, norther**.

outbreeding   exogamia. SIN. **exogamy**.

outbuilding   edificio exterior; anexo, dependencia (de un edificio), construcción anexa. CF. **outhouse**.

outburst   erupción, explosión; ráfaga; escape; salida ‖ *(Geol)* afloramiento ‖ *(Minas)* desprendimiento instantáneo.

outdoor   *adj:* exterior, de exterior, externo, al aire libre; fuera de la casa. CF. **indoor**.

outdoor antenna   antena exterior. Antena colocada fuera del edificio.

outdoor apparatus   *(Elec)* (*i.e.* apparatus designed for use out of doors) aparato de exterior. Aparato destinado a ser empleado en el exterior de los edificios (CEI/38 15–25–035, CEI/57 15–10–025).

outdoor disconnecting switch   *(Elec)* seccionador de exterior; seccionador instalado al aire libre.

outdoor electrical equipment   (*i.e.* electrical equipment not housed in a building to protect it against the weather) instalación eléctrica a la intemperie. Instalación eléctrica expuesta a la intemperie (CEI/65 25–05–055).

outdoor movie   cine al aire libre.

outdoor photography   fotografía al aire libre.

outdoor pickup   v. **field pickup**.

outdoor program   *(Tv)* programa exterior. SIN. **outside broadcast**.

outdoor public-address installation   instalación exterior de difusión por altavoces, instalación exterior de audiodifusión ["public address"]. CF. **mobile public-address equipment**.

outdoor scenes   *(Cine/Tv)* exteriores.

outdoor shot   *(Cine/Tv)* exteriores; toma de vistas en el exterior.

outdoor substation   *(Elec)* subestación [puesto] de exterior. Subestación o puesto en el cual la mayor parte del equipo está instalado al aire libre (CEI/38 25–10–050).

outdoor switching station   *(Elec)* subestación al aire libre.

outdoor theater   teatro al aire libre.

outdoor transformer   *(Elec)* transformador de exterior; transformador a prueba de intemperie. v. **outdoor apparatus**.

outdoors   (el) campo raso, (el) exterior ‖‖ *adv:* fuera de (la) casa, al aire libre, al raso, puertas afuera, a la intemperie. CF. **indoors.**

outer   (*Elec*) conductor exterior, conductor que no es el neutro (en un sistema trifásico). CF. **inner conductor** || (*Tiro al blanco*) impacto fuera de zona /// *adj:* exterior, externo; extremo; circunferencial; periférico || (*Mat*) exterior.

outer atmosphere   alta atmósfera, parte superior de la atmósfera.

outer bearing   cojinete [chumacera] exterior.

outer boundary   (*Nucl*) **(of the reflector)** superficie exterior (del reflector).

outer brush   (*Informática*) escobilla exterior.

outer channel (of an emission)   vía exterior (de una emisión).

outer coating   revestimiento exterior.

outer common brush   (*Informática*) escobilla común exterior.

outer conductor   (*Cables coaxiles*) conductor exterior. CF. **inner conductor.**

outer connection   (*Carreteras*) ramal exterior de intercalación. Ramal exterior de un trébol cuya función es vincular las carreteras que se cruzan a desnivel.

outer contact   (*Telecom*) contacto exterior.

outer ear   oído externo. CF. **middle ear, inner ear.**

outer edge   borde exterior || (*Conos de altavoz*) periferia.

outer electrode   (*Tubos elecn*) electrodo exterior. El más próximo a la ampolla.

outer electron   (a.c. outer-shell electron) electrón externo [periférico].

outer firebox   (*Locomotoras*) caja de fuegos.

outer grid   (*Tubos elecn*) rejilla exterior. La más próxima a la ampolla.

outer-grid injection   inyección por la rejilla exterior || (*Tubos mezcladores pentarrejilla*) inyección por la tercera rejilla. Inyección de la señal del oscilador local [local oscillator] por la tercera rejilla (contando a partir de la más interna); la señal entrante (RF) se aplica a la primera rejilla (la más interna).

outer horizontal surface   (*Aeródromos*) superficie horizontal exterior.

outer lead   (*Elec*) línea exterior de entrada (de corriente).

outer main   (*Elec*) conductor exterior.

outer marker   (*Radionaveg*) señal de radiobaliza exterior. Señal que se recibe a bordo de un avión cuando se aproxima a una distancia de aproximadamente 3 km del aeródromo de destino | radiobaliza exterior [de aproximación]. v. **outer marker beacon.**

outer marker beacon   (*Radionaveg*) radiobaliza exterior [externa, de aproximación] | radiofaro marcador exterior. Radiofaro marcador en abanico [fan marker beacon] asociado al sistema de aterrizaje instrumental [instrument landing system — ILS], y que define el primer punto del curso de aproximación final (CEI/70 60–74–405).

outer modulation   (*Telecom*) modulación exterior.

outer orbit   (*Nucl*) órbita exterior [externa].

outer planet   planeta más alejado del Sol que la Tierra.

outer product   (*Mat*) producto exterior [vectorial]. CF. **inner product.**

outer race   (*Cojinetes*) anillo exterior, aro de rodamiento [rodadura] exterior.

outer radiation belt   (*Geofís*) cinturón de radiación externo.

outer radio marker   (*Radionaveg*) radiobaliza exterior, radiobaliza de posición externa. v. **outer marker beacon.**

outer radius   (*Vías férreas*) radio mayor (de una curva).

outer rail   (*Vías férreas*) carril exterior [de fuera] (de una curva).

outer separation   (*Carreteras*) zona de separación exterior. Parte de una carretera principal comprendida entre las calzadas de la plataforma del camino y la calle o camino auxiliar lateral.

outer shell   cubierta [revestimiento] exterior || (*Fís atómica*) capa exterior, piso exterior (de electrones).

outer-shell electron   electrón periférico. v. **peripheral electron.**

outer side lobe   (*Diagramas de radiación*) lóbulo lateral exterior, lóbulo [pétalo] secundario externo.

outer space   espacio exterior; espacio extraatmosférico; espacio ultraterrestre. Espacio más allá de la atmósfera terrestre; espacio más allá del sistema solar.

outer-space communication   comunicación en el espacio ultraterrestre.

outer-space law   derecho del espacio extraatmosférico.

outer-space trip   excursión extraatmosférica; viaje ultraterrestre.

outer spindle   (*Tránsitos*) eje exterior.

outer strut   (*Aeron*) montante exterior.

outer tube   (*Telescopios*) tubo portaobjetivo.

outer valve spring   resorte exterior de la válvula.

outer winding   arrollamiento exterior.

outer wing panel   (*Aeron*) sección exterior del ala.

outer work function   (*Elecn*) trabajo externo. Separación energética [energy gap] entre la cresta de la barrera de potencial en la superficie y la meseta de potencial [potential plateau] (CEI/56 07–16–030).

outermost electronic shell   (*Nucl*) capa electrónica periférica.

outfit   equipo, equipamiento; equipaje; equipo (de herramientas), herramental; habilitación; traje; trusó; efectos de vestir, vestuario; empresa, compañía; equipo de obreros || (*Mil*) equipo; batallón, compañía /// *verbo:* equipar; habilitar.

outflow   derrame, flujo; salida; efusión; efluente; descarga; desbordamiento, derramamiento; caudal, gasto /// *verbo:* fluir; desbordarse, derramarse.

outfold guide bar   (*Sistematización de datos*) barra plegadora exterior.

outgassing   desgaseamiento. (**1**) Desprendimiento espontáneo de gas de un material en el vacío. (**2**) Acción y efecto de calentar un tubo electrónico en la fábrica, durante la evacuación de la ampolla, con el fin de desalojar los gases ocluidos en los elementos del tubo. CF. **gettering.**

outgoing   ida, partida, salida || (*Contabilidad*) partida de gastos; egreso /// *adj:* de ida, de partida, de salida, saliente, que sale; divergente || (*Empleados*) saliente; cesante (si ha sido cesanteado); dimisionario (si ha renunciado) || (*Telecom*) de salida. Término que sirve para indicar el sentido del tráfico sobre un circuito. Así, una *línea auxiliar de salida* [outgoing junction] es, en una central, una línea que da salida al tráfico de esa central hacia otra (CEI/70 55–105–215).

outgoing call   (*Telef*) comunicación de salida, llamada saliente.

outgoing channel   (*Telecom*) canal de salida, vía saliente.

outgoing circuit   circuito exterior || (*Telecom*) circuito de salida.

outgoing circuit breaker   (*Elec*) disyuntor de salida.

outgoing country   (*Telecom*) país de origen.

outgoing current   corriente de salida; corriente emitida.

outgoing delay position   (*Telef*) posición de salida para tráfico diferido.

outgoing end   (*Telecom*) extremidad de salida.

outgoing exchange   (*Telef*) central de salida.

outgoing international telegram   telegrama internacional de salida.

outgoing international terminal exchange   (*Telecom*) centro internacional de salida.

outgoing junction   (*Telef*) enlace de salida; línea auxiliar de salida.

outgoing junction circuit   (*Telef*) (línea de) enlace de salida. SIN. outgoing trunk circuit.

outgoing-junction test desk   (*Telef*) mesa de pruebas de enlaces de salida. SIN. **outgoing-trunk test desk.**

outgoing line   (*Telecom*) línea de salida.

outgoing message   mensaje de salida, telegrama [despacho] de salida.

outgoing one-way circuit   (*Telecom*) circuito para tráfico de salida solamente.

outgoing operator   (*Telef*) operadora (de la central) de salida.

outgoing position   (*Telef*) posición de salida, posición A. SIN. **A position** | **outgoing positions:** posiciones de salida, posiciones A, cuadro de posiciones A. SIN. **A positions, A switchboard.**

outgoing register *(Telecom)* registrador de salida.

outgoing selector *(Telecom)* selector de salida.

outgoing semanteme *(Telef)* semantema de salida.

outgoing service servicio de salida.

outgoing signal *(Telecom)* señal saliente, señal de emisión.

outgoing tide *(Oceanog)* reflujo; bajamar.

outgoing to distant exchange *(Telef)* salida a central distante.

outgoing track vía de salida.

outgoing traffic *(Telecom)* tráfico de salida.

outgoing trunk *(Telef)* enlace de salida.

outgoing trunk circuit *(Telef)* (línea de) enlace de salida. SIN. outgoing junction circuit.

outgoing trunk multiple [OGT] *(Telef)* grupo de enlace general.

outgoing-trunk test desk *(Telef)* mesa de pruebas de enlaces de salida. SIN. **junction test desk.**

outgoing wave onda emitida.

outhouse accesoria, dependencia (accesoria); edificio exterior; cobertizo; letrina fuera de la casa. CF. **outbuilding.**

outlet salida; orificio de salida [de emisión, de descarga], boca de salida; salida, paso; desagüe; descarga || *(Hidr)* boca de salida, vano de descarga, evacuador, descargador, emisario, escape, escurridero, embocadero, boquera || *(Tuberías)* salida || *(Comercio)* mercado, venta; establecimiento, comercio || *(Elec)* conectador, salida, toma (de corriente), tomacorriente. En una instalación eléctrica, punto provisto de conectador para lámparas y aparatos diversos. En una fuente de alimentación o un transformador de fuerza utilizado independientemente, conectador del cual se toma la corriente. SIN. **power outlet, power receptacle.** CF. **convenience receptacle** || *(Telef)* salida || *(Sistematización de datos)* salida, boca (de tablero).

outlet box *(Elec)* caja de salida; caja de distribución; caja de embutir.

outlet filter filtro de salida.

outlet pipe tubo de salida.

outlet valve válvula de salida; válvula de escape.

outlet works *(Hidr)* desagües | dispositivos de salida. LOCALISMOS: estructuras de descarga; obras de aprovechamiento.

outline contorno, perfil; silueta; recorte; forma, configuración; reseña, traza, trazado; dibujo a trazos, croquis; esquema, diagrama; bosquejo, esbozo; idea; plan general; reseña general; esquema general; exposición a grandes rasgos /// *verbo:* siluetar; reseñar, trazar; dibujar a trazos, croquizar; bosquejar, esbozar; exponer a grandes rasgos.

outline chart *(Cartog)* carta esquemática.

outline circuit esquema de principio (de un circuito). CF. **equivalent circuit.**

outline dimensions dimensiones exteriores. CF. **overall dimensions.**

outline drawing croquis, dibujo de contorno aproximado y sin detalles; dibujo acotado, croquis a mano alzada pero con indicación de cotas.

outlying *adj:* distante, remoto; alejado, separado; lejos del centro; extrínseco; exterior; extranjero.

outlying location punto distante.

outlying station *(Telecom)* estación distante || *(Marina de guerra)* base, punto de apoyo.

outlying switch *(Vías férreas)* aguja independiente.

outpayment *(Comercio, Negocios)* pago de salida, desembolso || *(Telecom — Liquidación de cuentas internacionales)* pago a terceros. Parte de las tasas pagada a una empresa, distinta de las empresas del circuito internacional, que interviene en la prestación del servicio. Por ejemplo, si un telegrama se transmite de Londres a Nueva York, pero su destino es una ciudad del interior de los EE.UU. servida por la Western Union, se llamaría *pago a terceros* a la parte de las tasas pagada a esta última.

outperform *verbo:* superar (en características, en funcionamiento, en rendimiento); sobrepasar el rendimiento.

outphasing *(Elecn)* desfasaje, desfasamiento || *(Organos elecn)* modificación del timbre por adición y substracción de armónicos y subarmónicos.

outphasing modulation modulación por diferencia de fases, modulación por desfasamiento.

output salida; fabricación; producción; rendimiento; capacidad; *(i.e.* output power) potencia [energía] de salida; *(i.e.* output voltage) tensión de salida; *(i.e.* output current) corriente de salida; *(i.e.* power output) salida de potencia, potencia útil, rendimiento (energético), energía suministrada | *(i.e.* output signal) señal de salida. Señal que se toma o puede tomarse de un circuito o un dispositivo | *(i.e.* output terminals) terminales [bornes] de salida. Terminales o bornes de los cuales se toma o puede tomarse la señal de salida | *(i.e.* output stage) (etapa de) salida, paso final | **output balanced to ground:** salida equilibrada respecto a masa [tierra] || *(Almacenes)* extracción, salida || *(Bombas)* caudal || *(Extracción de fluido de un depósito)* gasto || *(Audioampl)* potencia de salida, potencia modulada || *(Comput)* información de salida. Información transferida de un almacén interno a uno externo || *(Elec)* potencia generada [de salida] | potencia suministrada. Potencia eléctrica entregada en el instante considerado por una central eléctrica o por un generador (CEI/65 25–60–005)* || *(Tracción)* **output (of a motor vehicle):** potencia (de un vehículo motor). Potencia desarrollada por los motores de tracción sobre sus árboles. Es, en unidades coherentes, el producto del par motor por la velocidad angular de rotación de los motores (CEI/57 30–05–190) | **output (of a thermoelectric vehicle):** potencia (de un vehículo de tracción termoeléctrica). Suma de las potencias efectivas de los motores térmicos, incluso los auxiliares (CEI/57 30–05–215) | **output at the draw-bar:** potencia en el gancho. Potencia medida en el gancho de tracción de un vehículo (CEI/57 30–05–210) | **output at the wheel rim:** potencia en la llanta. Potencia desarrollada sobre los ejes motores por los motores de tracción, tomando en cuenta el rendimiento global de la transmisión. Es, en unidades coherentes, el producto del esfuerzo en la llanta por la velocidad de traslación del vehículo (CEI/57 30–05–205).

output admittance admitancia de salida. Inversa de la impedancia de salida (v. **output impedance**).

output amplifier amplificador de salida.

output antenna *(Klistrones)* antena de salida.

output attenuator atenuador de salida. Atenuador utilizado a la salida de p.ej. un generador de señales de prueba para regular la amplitud de la señal | atenuador de la potencia (de salida).

output axis *(Giroscopios)* eje de salida.

output block bloque de salida. En las computadoras, segmento de memoria reservado para información que debe ser transferida a unidades de salida.

output blocking capacitor capacitor de bloqueo de salida.

output capacitance *(Tubos elecn)* capacitancia de salida. Capacitancia de transferencia de cortocircuito [short-circuit transfer capacitance] entre el terminal de salida y todos los otros terminales, salvo el de salida, conectados juntos | capacidad de salida. Suma de las capacidades interelectródicas entre el electrodo de salida (generalmente el ánodo) de una parte, y el cátodo y todos los otros electrodos reunidos, de la otra parte (CEI/56 07–28–095) || *(Transistores)* capacitancia de salida. Capacitancia medida en los terminales de salida estando la entrada en circuito abierto respecto a las corrientes alternas.

output capacitive loading carga capacitiva de salida | máxima carga capacitiva de salida. Valor máximo de la capacitancia que puede conectarse a la salida de un amplificador sin que la rotación de fase aumente al punto de provocar autooscilaciones.

output capacity capacidad de salida || *(Elecn)* egresancia. Número máximo de las cargas que pueden ser alimentadas por la salida de un circuito. SIN. **fan-out.**

output cavity *(Hiperfrec)* cavidad [resonador] de salida.

output choke *(Elecn)* reactor de salida.

output circuit   circuito de salida ‖ *(Elecn)* **(of an electron tube or electronic valve)** circuito de salida [de carga] (de un tubo electrónico). Circuito exterior conectado al electrodo de salida [output electrode] y en el cual se encuentra la impedancia de utilización [load impedance] (CEI/56 07-28-045) ‖ (a.c. internal output circuit; *i.e.* circuit connecting the output electrode of the final stage and the load circuit) circuito interior de salida. Circuito interior de un amplificador u otro dispositivo que conecta el electrodo de salida del tubo de la etapa final del dispositivo con el circuito de carga.

output coefficient   coeficiente de potencia.

output contact   contacto de salida.

output coupling loop   bucle de acoplamiento de salida.

output coupling tube   tubo de acoplamiento de salida.

output curve   curva de rendimiento; curva de respuesta.

output device   dispositivo [órgano] de salida. En los sistemas de calculadora electrónica, dispositivo o aparato que traduce la información suministrada por la máquina en forma de impulsos eléctricos, a información en forma de tarjetas perforadas, páginas impresas, cintas con registro magnético, etc.

output electrode   *(Tubos elecn)* electrodo de salida. Electrodo por el cual se recibe la tensión amplificada, modulada, detectada, etc. (CEI/56 07-26-060). **cf. input electrode.**

output energy   energía de salida.

output equipment   equipo de salida. En los sistemas de calculadora electrónica, equipo que traduce en forma visible, audible o impresa la información procedente de la máquina.

output error voltage   tensión de error de salida.

output factor   factor de producción; factor de utilización.

output feeder   alimentador de salida.

output filter   filtro de salida.

output frequency   frecuencia de salida; frecuencia de transmisión.

output gap   *(Tubos de microondas)* espacio de interacción de salida. Espacio de interacción [interaction gap] mediante el cual se extrae la energía útil.

output governor   regulador de potencia.

output impedance   impedancia de salida. Impedancia que una fuente presenta a la carga.

output indicator   indicador de salida. Dispositivo que indica las variaciones de amplitud de la señal suministrada por un circuito amplificador o de otra clase.

output jack   jack de salida. Jack de donde se toma la señal de salida de un amplificador, un receptor, u otro dispositivo.

output level   nivel de salida; nivel de potencia.

ouput limit   límite de salida. Máximo valor de la señal que puede suministrar un amplificador funcionando en la región de saturación.

output limiter   limitador de salida; limitador de potencia.

output load   carga de salida ‖ (a.c. load) carga de salida; carga. Dispositivo que recibe la potencia de salida de un emisor radioeléctrico [radio transmitter], tal como la antena y su línea de alimentación o una antena ficticia [artificial load] (CEI/70 60-42-250).

output load current   corriente de carga.

output load reflection   reflexión procedente de la carga exterior.

output matching network   red adaptadora de salida. Dícese p.ej. refiriéndose a la red que adapta el circuito de salida de un transmisor a la línea de carga (alimentación) de antena.

output meter   medidor de salida; indicador de nivel de salida. Voltímetro conectado a la salida de un receptor, un amplificador u otro dispositivo para medir la amplitud de la señal de salida; puede estar calibrado en voltios, en decibelios, o en unidades de volumen. **cf. volume-unit [VU] meter.**

output-meter adapter   adaptador de medidor de salida.

output monitor   monitor de salida.

output network   red de salida.

output pentode   pentodo de salida.

output port   puerta de salida.

output power   potencia de salida, potencia útil. Potencia suministrada por un dispositivo o un sistema a su carga. **SIN. power output** ‖ *(Audioampl)* potencia de salida, potencia modulada ‖ *(Tubos elecn)* (*i.e.* power supplied to the load by the output electrode) potencia de salida. Potencia útil suministrada al circuito de utilización (CEI/56 07-27-100).

output power/frequency characteristic   característica potencia de salida/frecuencia.

output power/frequency characteristic within the passband   característica potencia de salida/frecuencia dentro de la banda de paso. Ley de variación de la potencia de salida de un emisor radioeléctrico [radio transmitter] en función de la frecuencia portadora, estando las últimas etapas del emisor ajustadas a una frecuencia fija comprendida en el intervalo de medida, y siendo este intervalo, en general, pequeño en relación con la frecuencia portadora (CEI/70 60-42-280).

output power/frequency characteristic within the RF range   característica potencia de salida/frecuencia en todo el margen de RF. Ley de variación de la potencia de salida de un emisor radioeléctrico en función de la frecuencia portadora, estando el emisor reajustado para cada frecuencia (CEI/70 60-42-275).

output power meter   medidor de potencia de salida; vatímetro de salida.

ouput power rating   potencia nominal de salida, potencia útil nominal.

output pulse   impulso de salida.

output pulse amplitude   amplitud del impulso de salida.

output pulse rating   potencia del impulso de salida.

output rack   *(Teleimpr)* cremallera de salida.

output rate   productividad, rendimiento.

output reactance   reactancia de salida.

output recording jack   jack de salida para registro magnetofónico. En los amplificadores audiomusicales, jack en el cual se toma, a nivel fijo y sin corrección de tonalidad, la señal de la música que se está escuchando (procedente de un disco fonográfico, una emisión radiofónica, etc); esa señal se utiliza para hacer registros magnetofónicos.

output resonator   *(Tubos de microondas)* (a.c. catcher) resonador de salida. Cavidad resonante [resonant cavity], excitada por la modulación de densidad [density modulation], que suministra la energía de utilización a un circuito exterior (CEI/56 07-30-360).

output response   respuesta; amplificación, ganancia.

output ripple   *(Fuentes de alim)* rizado [componente alterna] a la salida.

output shaft   eje motor ‖ *(Engranajes de reducción)* eje secundario.

output side   lado de salida.

output signal   señal de salida ‖ *(Sist de control y regulación automática)* (*i.e.* signal representing an output variable) señal de salida. Señal que representa una variable de salida (CEI/66 37-15-065).

output stage   *(Elecn)* (a.c. final stage) etapa de salida, etapa final. Ultima etapa de amplificación de un amplificador o de un transmisor.

output terminal   terminal de salida; borne [borna] de salida.

output test   prueba de salida; prueba de rendimiento; prueba de potencia.

output test set   aparato de prueba de salida.

output time constant   (*i.e.* output-circuit time constant) constante de tiempo del circuito de salida.

output torque   par motor.

output transformer   transformador de salida. Transformador que sirve para adaptar la etapa final de un amplificador u otro dispositivo a su carga. EJEMPLO TIPICO: transformador que adapta la etapa final de un audioamplificador a su altavoz. Puede tener varias tomas con distintos valores de impedancia: 4, 8, 16, 200 y 600 ohmios; los tres primeros se usan para altavoces (o combinaciones de altavoces) de impedancias correspondientes; la toma de 200 Ω se emplea para alimentar líneas de distribución de señales a tensión constante; la de 600 Ω se utiliza para la transmisión de señales a distancia en instalaciones profesionales.

output-transformerless amplifier   amplificador sin transformador de salida.

output triode   triodo de salida.

output tube   *(Elecn)* tubo [válvula] de salida. Tubo o válvula de la etapa de salida [output stage].

output tuned circuit   circuito sintonizado de salida.

output unit   unidad de salida. Unidad (dispositivo) que permite extraer información de una calculadora. v.TB. **output device.**

output variable   variable de salida. Para cada elemento de un conjunto de regulación [control system], magnitud física cuyas modificaciones son gobernadas finalmente por el funcionamiento del elemento considerado (CEI/66 37–10–015). CF. **input variable.**

output video signal   videoseñal de salida; señal de salida de imagen.

output voltage   tensión de salida | tensión de salida máxima. Valor máximo de la tensión de salida que puede desarrollar un amplificador en su región de funcionamiento lineal; es decir, antes de empezar a saturarse ‖ *(Transductores mag)* (a.c. load voltage) tensión de salida. Tensión aplicada a un circuito de utilización en un conjunto que comprende un transductor (CEI/55 12–10–005) ‖ *(Electrogeneradores)* tensión en bornes, voltaje en las bornas.

output voltmeter   voltímetro de salida. CF. **output meter.**

output-vs-frequency characteristic   (a.c. output/frequency characteristic) característica de salida en función de la frecuencia. CF. **output power/frequency characteristic.**

output wave   onda de salida, onda saliente.

output waveform   forma de onda de salida, forma de onda a la salida.

output winding   devanado de salida. En los reactores saturables, devanado (distinto del de realimentación) por el cual se suministra energía a la carga.

output window   *(Tubos de microondas)* ventana de salida.

outrigger   almojaya, arbotante, voladizo, volador; viga voladiza; viga para colgar andamios; saliente; consola, soporte; botalón, tangón; travesero superior, viga con encofrado suspendido; separador ‖ *(Aeron)* flecha; viga de unión, larguero de soporte de plano fijo ‖ *(Artillería)* gualdera ‖ *(Elec)* oreja de anclaje, cuerno de amarre.

outscriber   aparato escritor [inscriptor]; descodificador de salida.

outside   exterior, parte de fuera; superficie; extremo, extremidad; sobrefaz; apariencia /// *adj:* exterior, externo; superficial; extremo; ajeno /// *adv:* fuera, afuera ‖ *(Teatro)* al paño /// *prep:* fuera de, más allá de.

outside air temperature   temperatura del aire ambiente.

outside air temperature gage   termómetro del aire ambiente.

outside antenna   (a.c. outdoor antenna) antena exterior.

outside bell   campanilla de exterior; campanilla para intemperie.

outside broadcast [OB]   retransmisión (de exteriores), transmisión de exteriores, transmisión desde fuera del estudio, emisión originada fuera del estudio. SIN. **field pickup, remote, nemo** | reportaje. (a) Programa de radiodifusión producido fuera de un estudio. (b) Programa de radiodifusión constituido por el relato de un acontecimiento y eventualmente los comentarios que acompañan su presentación (CEI/70 60–60–005).

outside-broadcast point   punto exterior de emisión, punto de reportaje.

outside-broadcast unit   equipo de reportaje | v. **outside-broadcast van.**

outside-broadcast van   camión de tomas exteriores, vehículo de reportaje, unidad rodante. SIN. **outside-broadcast vehicle [unit], mobile unit.**

outside-broadcast vehicle   v. **outside-broadcast van.**

outside cable   *(Telecom)* (a.c. external cable) cable exterior.

outside calipers   compás de espesor, compás de espesores [de gruesos, de exteriores].

outside conductor   *(Cables coaxiles)* conductor exterior.

outside diameter [OD]   diámetro exterior.

outside foil   *(Capacitores)* hoja [armadura] exterior.

outside loop   *(Acrobacias aéreas)* rizo ruedas adentro.

outside micrometer   micrómetro exterior.

outside plant   *(Telecom)* instalaciones exteriores; instalaciones al aire libre; planta externa; red (exterior), red de líneas, líneas y cables. Instalaciones fuera de la central y que forman parte de las vías de telecomunicación: líneas aéreas, cables soterrados o sobre postes, radioenlaces. En una estación de transmisores o de receptores, instalaciones fuera del edificio: antenas, líneas de transmisión, sistemas de tierra. SIN. **external plant** *(GB).*

outside-plant equipment   instalaciones exteriores; material para instalaciones exteriores.

outside-plant facilities   (elementos de las) instalaciones exteriores.

outside program   *(Radio/Tv)* programa exterior, programa captado fuera del estudio, reportaje; vistas [escenas] tomadas en el exterior. SIN. **outdoor [remote] program, outside broadcast** (véase).

outside RF transmission line   línea exterior de transmisión de RF.

outside telephone wire   alambre para instalaciones telefónicas exteriores [a la intemperie].

outside television program   v. **outside program.**

outstanding   *adj:* saliente, sobresaliente, destacado, prominente, eminente, principal ‖ *(Comercio)* vigente; en consignación; pendiente (de pago), no pagado, por pagar, impagado, a percibir; atrasado; vencido; en descubierto (una cuenta); en suspenso (un asunto).

outstanding account   cuenta pendiente, cuenta por pagar, cuenta no pagada; cuenta en descubierto ‖ *(Telecom)* **outstanding accounts:** tasas no pagadas.

outstanding amount   saldo.

outstanding balance   balance pendiente (de pago).

outstanding coupon   cupón no pagado, cupón pendiente de pago.

outstanding feature   característica saliente, particularidad sobresaliente; rasgo saliente, rasgo dominante; nota saliente.

outstation   estación lejana [distante]; puesto lejano [remoto].

outstepping   *(Telef)* (a.c. reverse impulses, reverting impulses) impulsos inversos, impulsos de salida.

outstepping relay   *(Telef)* relé [relais] de impulsos inversos. CF. **instepping relay.**

outward board   *(Telef)* cuadro de salida. SIN. **A board.**

outward exchange   *(Telef)* central de salida. SIN. **outgoing exchange.**

outward-facing side   *(e.g. of a printed circuit board)* cara exterior.

outward office   *(Telecom)* oficina de salida.

outward operator   *(Telef)* operadora de salida, operadora A. SIN. **A operator.**

outward pulse   impulso saliente [de salida].

outward telegram   telegrama de salida. SIN. **outgoing message.**

outward traffic   tráfico de salida. SIN. **outgoing traffic.**

outward trunk   *(Telecom)* enlace de salida; troncal de salida. SIN. **outgoing trunk.** CF. **inward trunk.**

oval   óvalo /// *adj:* ovalado, oval.

oval cathode   *(Tubos elecn)* cátodo ovalado [de sección ovalada].

oval grid   *(Tubos elecn)* rejilla ovalada. Rejilla cilíndrica de sección ovalada.

oval loudspeaker   altavoz ovalado. Altavoz cuyo cono es ovalado, o sea, aproximadamente elíptico.

oval-section fuselage   *(Aeron)* fuselaje de sección ovalada.

oval-section volute spring   muelle cónico de sección ovalada.

oven   horno; hornillo; estufa ‖ *(Cristales piezoeléc)* hornillo, horno, cámara termostática [de temperatura regulada], recinto termostático, cámara térmica.

oven heater   calefactor de la cámara termostática. Elemento calefactor que lleva la cámara termostática de un cristal piezoeléctrico estabilizador de frecuencia.

oven-holder   horno portacristal, portacristal en cámara térmica. Dispositivo que combina las funciones del portacristal [crystal holder] y la cámara termostática del cristal [crystal oven].

ovening   horneado, horneamiento, acción de hornear o de meter en el horno.

ovenized crystal   cristal (piezoeléctrico) en cámara termostática.

OVER   (*Fraseología radiotelef*) "Fin de mensaje"; "Cambio". Expresión usada para anunciar que se pasa de emisión a recepción, y que equivale a: "Mi transmisión ha terminado y paso a escucharle; sírvase contestar". CF. **OUT**.

over-all   v. overall.

over-and-undercurrent relay   relé de máximo y mínimo de corriente, relé de máxima y mínima.

over-and-underpower relay   relé de máximo y mínimo de potencia, relé de máxima y mínima.

over-and-undershoot of the control point   (*Sist de control y regulación automática*) oscilación del punto de control.

over-and-undervoltage relay   relé de máximo y mínimo de tensión, relé de máxima y mínima.

over-car aerial   v. roof-top antenna.

over-car antenna   v. roof-top antena.

over-ocean link   (*Telecom*) enlace transoceánico.

over-range detection   detección de sobrepaso de capacidad.

over-road stay   (*Telecom*) riostra anclada al lado opuesto del camino.

over-the-counter sale   venta en el mostrador.

over-the-horizon communications   comunicaciones transhorizonte, comunicaciones entre puntos no visibles. SIN. **beyond-the-horizon [extended-range] communications, scatter [forward-scatter] communications.**

over-the-horizon communications system   sistema de radiocomunicación transhorizonte, sistema de comunicaciones más allá del alcance óptico. Sistema de radiocomunicaciones con puntos situados por detrás del horizonte, sin el empleo de estaciones relé.

over-the-horizon equipment   equipos de trayectoria sobre el horizonte, equipos para radioenlace transhorizonte.

over-the-horizon jumping-off point   punto de emisión de enlace transhorizonte.

over-the-horizon link   enlace transhorizonte.

over-the-horizon microwave link   enlace transhorizonte por microondas, circuito de enlace superóptico por microondas, cable hertziano superóptico, radioenlace de microondas de transmisión más allá del horizonte. Circuito de enlace por microondas cuya trayectoria excede de la distancia limitada por el horizonte óptico desde el punto de emisión. En estos enlaces se emplean grandes potencias de emisión, así como antenas de transmisión y de recepción con reflectores de grandes dimensiones, y se aprovecha la pequeña fracción de la energía radiada que se propaga más allá del punto donde la curvatura de la tierra pone un límite a la propagación rectilínea, gracias a fenómenos de dispersión [scattering]. V.TB. scatter, ultrahorizon propagation.

over-the-horizon microwave radiotelephone system   sistema radiotelefónico transhorizonte por microondas.

over-the-horizon radio equipment   equipos de radio para enlace transhorizonte.

over-the-horizon radio-relay route   ruta de enlaces [relés] hertzianos transhorizonte.

over-the-horizon radio scatter link   enlace radioeléctrico transhorizonte, enlace radioeléctrico por dispersión más allá del horizonte.

over-the-horizon signal   señal de propagación transhorizonte, señal propagada más allá del horizonte.

over-the-horizon transmission   transmisión transhorizonte [más allá del horizonte], transmisión por trayectoria superóptica, transmisión por sobre la línea del horizonte.

over-the-top flying   (*Avia*) vuelo sobre las nubes.

overall   *adj*: global, total; general, de conjunto; neto; medio; exterior; de extremo a extremo, de un cabo a otro; que abarca todo, que incluye todo. NOTA: A veces este adjetivo se usa superfluamente en expresiones en inglés; otras veces se usa con el sentido de *total, complete, overriding, average*, etc.

overall amplification   amplificación total ‖ (*Telecom*) ganancia total.

overall attenuation   (*Telecom*) atenuación total, equivalente. SIN. **equivalent, net loss, net transmission equivalent.**

overall attenuation curve   (*Telecom*) curva de atenuación total, curva del equivalente.

overall attenuation measurements   (*Telecom*) medida de equivalentes entre extremos.

overall block diagram   esquema sinóptico general, diagrama general por etapas [bloques].

overall circuit routine tests   (*Telecom*) (*i.e.* qualitative tests of circuits carried out systematically to find faulty circuits) ensayos sistemáticos [rápidos] de circuitos. Ensayos cualitativos que tienen por finalidad buscar sistemáticamente los circuitos averiados.

overall coefficient of heat transfer   coeficiente total de traspaso del calor.

overall dimensions   dimensiones totales [extremas], dimensiones exteriores máximas.

overall duration of a call   (*Telef*) duración total de la conversación.

overall efficiency   rendimiento global. Cociente de la potencia media suministrada por un emisor radioeléctrico dividida por la potencia media consumida en las condiciones especificadas (CEI/70 60–42–245).

overall electric efficiency   (*Aparatos de calentamiento dieléctrico o por inducción*) rendimiento eléctrico global. Cociente de dividir la potencia absorbida por el material, por la potencia total absorbida por el aparato de la línea de alimentación eléctrica.

overall enrichment per stage   (*Nucl*) enriquecimiento global por etapa.

overall gain   ganancia [amplificación] total ‖ (*Telecom*) ganancia total ‖ (a.c. equivalent) equivalente (de un circuito).

overall group plan   (*Telecom*) plan general de los grupos.

overall height   altura total.

overall lasting of a call   (*Telef*) duración total de la comunicación [de la conversación].

overall length   largo [longitud] total.

overall loss   (*Telecom*) pérdida total ‖ (a.c. equivalent) equivalente (de un circuito).

overall noise factor   factor total de ruido.

overall noise level   nivel general de ruido.

overall plan   plan general ‖ (*Telecom*) esquema general.

overall power gain   ganancia total de potencia.

overall response curve   curva de respuesta global.

overall selectivity   selectividad global.

overall sheath   (*Cables*) revestimiento exterior.

overall sound level   nivel general de sonido.

overall speed-of-service interval   (*Telef*) (of an international call) tiempo total de espera (para una comunicación internacional).

overall system layout   (*Telecom*) disposición general del sistema; esquema general de la red.

overall thermal efficiency   rendimiento térmico total.

overall time of propagation   (*Telecom*) tiempo efectivo de propagación.

overall transmission time   (*Telecom*) tiempo efectivo de propagación.

overall travel speed   velocidad media de viaje. Para una sección dada de camino, resultado de dividir la distancia por el tiempo de viaje. El promedio para todo el tránsito, o para determinada parte de los vehículos que lo constituyen, está dado por la suma de las distancias dividida por la suma de los tiempos de viaje. CF.

running speed.

overall travel time   tiempo de viaje. Tiempo empleado en el recorrido, incluyendo paradas y demoras, excepto las ajenas al camino mismo. CF. **running time.**

overall volume   *(Electroacús)* volumen total [global]. Volumen sonoro producido por varios canales de reproducción.

overbank   *verbo: (Avia)* virar demasiado inclinado, hacer un viraje con demasiada inclinación.

overbias   sobrepolarización. Polarización de valor superior al óptimo.

overboosting   *(Avia)* sobrealimentación [sobrepresión] excesiva.

overbunching   *(TMV)* sobreagrupamiento, agrupación excesiva, mala agrupación; funcionamiento con sobretensión de agrupamiento. Agrupamiento que sobrepasa el punto óptimo. CF. **underbunching.**

overburden   *(Constr, Excavaciones)* tierra de descombro; sobrecapa, sobrecarga, terreno de recubrimiento, material encima de la roca. LOCALISMOS: cubierta, capa de desperdicio ‖ *(Geol, Minería)* montera, material [terreno] de recubrimiento, capas encima del criadero. Material o suelo superficial que recubre un yacimiento; material inútil que cubre vetas de minerales valiosos.

overcast   cielo cubierto ‖ *(Avia)* capa de nubes por encima de un avión en vuelo ‖‖ *adj:* cubierto, cerrado, encapotado, nublado, nuboso; sombrío, obscuro ‖‖‖ *verbo:* encapotarse, cubrirse (el cielo); anublar, obscurecer.

overcast bombing   bombardeo a través de las nubes, bombardeo de un blanco cubierto de nubes.

overcast day   día cubierto.

overcast sky   cielo cubierto, cielo nublado.

overcharge   sobrecarga, carga excesiva ‖ *(Acum)* sobrecarga ‖ *(Comercio)* precio excesivo; recargo (de precio) ‖‖‖ *verbo:* sobrecargar ‖ *(Comercio)* cobrar de más, cobrar en exceso; recargar (el precio).

overcome   *verbo:* vencer, superar.

overcompound excitation   *(Máq eléc)* excitación hipercompuesta. Excitación compuesta cuyo elemento en serie está dispuesto en forma tal que la tensión de la máquina aumente con la carga (CEI/38 10–35–040) ‖ **(of a generator)** excitación "hipercompound" (de una generatriz). Excitación compuesta aditiva [cumulative compound excitation] en la cual el arrollamiento en serie está ajustado de manera que la diferencia de potencial en los bornes de la máquina aumente con la carga (CEI/56 10–05–140). CF. **undercompound excitation.**

overcompounded generator   *(Elec)* generatriz con excitación hipercompuesta ["hipercompound"].

overcompounding   v. **overcompound excitation.**

overcoupled   *adj:* sobreacoplado.

overcoupled IF system   sistema de FI con sobreacoplamiento. Sistema de frecuencia intermedia con transformadores cuyos devanados primario y secundario se sobreacoplan (sintonizados ambos a la misma frecuencia) para obtener una curva de respuesta de cima plana [flat-top response curve] y el pasabanda [bandpass] deseado. CF. **stagger-tuned IF system.**

overcoupled IF transformer   transformador de FI sobreacoplado [de circuitos sobreacoplados]. Transformador de frecuencia intermedia que da el efecto de un filtro de banda, con una curva de transmisión (curva de respuesta) llamada a veces *de lomo de camello;* se utilizan estos transformadores especialmente en aparatos de televisión. V.TB. **overcoupled IF system.**

overcoupling   sobreacoplamiento. Acoplamiento de dos circuitos resonantes sintonizados a la misma frecuencia, siendo el acoplamiento tan fuerte que se obtienen dos picos de respuesta. Se emplea el sobreacoplamiento para obtener un pasabanda ancho con impedancia sensiblemente uniforme. V.TB. **overcoupled IF system.**

overcrank   manivela en voladizo ‖ *(Mot)* falla de arranque.

overcrank light   *(Mot)* luz avisadora de falla de arranque.

overcurrent   *(Elec)* sobrecorriente, sobreintensidad; sobreampe-

raje; sobrecarga de corriente.

overcurrent circuit breaker   *(Elec)* disyuntor de sobrecorriente [de sobreintensidad], interruptor de máxima.

overcurrent class of a current transformer   *(Transf de medida)* clase de sobreintensidad de un transformador de intensidad. Conjunto de los transformadores de corriente en los cuales la razón entre la corriente de cortocircuito nominal [rated short-circuit current] y la corriente nominal primaria [rated primary current] tiene el mismo valor (CEI/58 20–45–165).

overcurrent device   dispositivo de sobrecorriente.

overcurrent factor   *(Relés)* índice de sobrecarga. Razón de la corriente que el arrollamiento del relé puede soportar sin deterioración durante un tiempo especificado, a la corriente nominal [rated current] (CEI/56 16–20–060).

overcurrent protection   protección contra sobrecorriente ‖ dispositivo de protección de máximo de corriente. Dispositivo de protección amperimétrico [current protection] que funciona cuando la corriente sobrepasa un valor predeterminado (CEI/56 16–60–010). CF. **undercurrent protection.**

overcurrent protective device   dispositivo de protección contra sobrecorriente; dispositivo de protección de máximo de corriente.

overcurrent relay   relé de sobrecorriente, relé de máxima. A VECES: relevador [relai] de sobrecorriente. SIN. **relé de sobrecarga — overload relay, maximum-current relay.** CF. **current relay** ‖ relé de máximo de corriente, relé de máxima. Relé de medida [measuring relay] que funciona cuando el valor de la corriente de influencia (v. **actuating quantity**) sobrepasa el valor de regulación [operating value]. SIN. **maximum-current relay.** (CEI/56 16–15–010). CF. **overpower relay, overvoltage relay.**

overcurrent release   *(Elec)* aparato de máximo de corriente. Aparato que funciona automáticamente cuando la corriente que lo recorre sobrepasa un valor predeterminado (CEI/57 15–20–090). CF. **overvoltage release.**

overcut   *(Limas)* primera talla, primera picadura ‖ *(Electroacús)* v. **overcutting** ‖‖‖ *verbo: (Explot forestal)* aclarar demasiado, cortar [talar] en exceso.

overcutting   corte muy profundo ‖ *(Electroacús)* sobremodulación (del surco), sobrecorte, grabación con amplitud excesiva; descarrilamiento. Dícese cuando la señal aplicada al grabador [cutter] es demasiado fuerte y el surco es sobremodulado (exceso de amplitud en los movimientos del estilete); la sobremodulación hace que las vueltas contiguas del surco se toquen y, en casos extremos, que se interpenetren y confundan. CF. **overmodulation.**

overdamped   *adj:* sobreamortiguado.

overdamping   sobreamortiguamiento, hiperamortiguamiento, amortiguación excesiva. Amortiguamiento mayor que el crítico (v. **critical damping**). CF. **aperiodic damping, periodic damping, underdamping.**

overdesign   *verbo:* sobrediseñar, proyectar [calcular] con sobreabundancia de reserva en las características.

overdeveloped   *adj: (Cine/Fotog)* con revelado excesivo.

overdevelopment   desarrollo excesivo ‖ *(Cine/Fotog)* exceso de revelado, revelado excesivo.

overdischarge   *(Acum)* descarga excesiva ‖‖‖ *verbo: (Acum)* descargar con exceso, agotar.

overdrive   *(Elecn)* sobreexcitación; saturación ‖ *(Autos)* sobremarcha, supermarcha, sobremultiplicación; velocidad sobremultiplicada; multiplicador de velocidad ‖‖‖ *verbo:* hacer funcionar a más de la capacidad normal ‖ *(Elecn)* sobreexcitar; saturar.

overdriven amplifier   amplificador sobreexcitado. (1) Amplificador en el cual la onda de entrada se deforma intencionalmente excitando la rejilla más allá del punto de corte [anode-current saturation]. (2) Amplificador en el cual se utilizan las características alineales de los tubos electrónicos para transformar una señal sinusoidal en una señal sensiblemente rectangular.

overexcitation   sobreexcitación.

overexcite   *verbo:* sobreexcitar.

overexpose   *verbo: (Cine/Fotog)* sobreexponer, dar exceso de exposición.

overexposed   *adj: (Cine/Fotog)* sobreexpuesto, con exceso de exposición.

overexposed film   película sobreexpuesta.

overexposed negative   negativo sobreexpuesto.

overexposure   *(Cine/Fotog)* sobreexposición, exposición excesiva, exceso de exposición. Resulta en pérdida de la escala de valores tonales de la imagen.

overflight   *(Avia)* sobrevuelo. Dícese cuando una aeronave vuela por encima de un aeródromo o cruza su área sin aterrizar.

overflow   derrame, rebose, rebosadura, desbordamiento; avenida, inundación; sobrante; exceso, superabundancia; desagüe; tubo del sobrante ‖ *(Fontanería)* vertedero ‖ *(Hidr, Presas)* corriente de (la) superficie; rebosadero; compuerta, vertedero de superficie ‖ *(Sistematización de datos)* capacidad excedida (de una hoja o un formulario, de una cantidad o un producto) ‖ *(Comput)* exceso, rebasamiento (de capacidad); dígito [impulso] excedente. (**1**) Estado resultante de la aparición, en un registro, de una cantidad que sobrepasa la capacidad de éste. (**2**) En una operación aritmética, generación de una cantidad que rebasa la capacidad del registro o del local de almacenamiento que debe recibirla; estado en que se rebasa la capacidad de representación de números. (**3**) Dígito de pase [carry digit] resultante del rebasamiento de capacidad explicado en las definiciones precedentes ‖ *(Telecom)* sobrecarga ‖ *(Telef)* congestión, sobrecarga de tráfico, exceso de servicio ⫫ *verbo:* derramar, rebosar, rebasar. LOCALISMO: rebalsar ‖ derramarse, desbordarse, sobreverterse ‖ *(Ríos)* aplayar, salir (el río) de su cauce.

overflow channel   canal de desagüe ‖ *(Telecom)* vía de desbordamiento, vía de desvío.

overflow digit   *(Comput)* dígito [impulso] excedente. v. **overflow** *(Comput)*, def. 3.

overflow meter   *(Telecom)* contador [indicador] de sobrecarga. En telefonía, aparato que registra las llamadas infructuosas por sobrecarga de tráfico. SIN. **overflow register, overload indicator** ‖ contador de desbordamientos. Contador de tráfico [traffic meter] que registra el número de veces en que una o más llamadas no encuentran salida libre en un grupo de líneas de salida (CEI/70 55–95–330).

overflow position   *(Comput)* (*i.e.* extra position in which the overflow digit is developed) posición de dígito excedente [de impulso excedente].

overflow program start   *(Sistematización de datos)* arranque [comienzo] de programa de excedente.

overflow register   *(Telef)* contador de sobrecarga.

overflow skip   *(Sistematización de datos)* salto por formulario excedido.

overflow store   *(Centros de conmut teleg elecn)* almacenamiento de rebose.

overflow track   *(Sistematización de datos)* pista de excedente.

overflow traffic   *(Telecom)* tráfico de desbordamiento [de sobrecarga], desbordamiento. Tráfico de exceso después de colmada la capacidad de las vías normales. Tráfico que no puede ser cursado por las vías de utilización precedente y es ofrecido a una vía de desvío.

overflow transfer   *(Sistematización de datos)* transferencia de excedente.

overflow valve   válvula de rebose [de derrame]; válvula del sobrante; válvula de escape.

overflux   sobreflujo.

overflux circuit   *(Nucl)* circuito de sobreflujo.

overfrequency   sobrefrecuencia, hiperfrecuencia.

overfrequency protection   *(Elec)* dispositivo de protección de máximo de frecuencia. Dispositivo de protección frecuencimétrico [frequency protection] que funciona cuando la frecuencia sobrepasa un valor predeterminado (CEI/56 16–60–050).

overfrequency relay   relé de sobrefrecuencia.

overgrowth   crecimiento excesivo; exuberancia; crecimiento cris-

talino ‖ vegetación exuberante. LOCALISMO: manigua ‖ *(Medicina)* hipertrofia, hiperplasia.

overhang   alero; saliente; proyección, vuelo ‖ *(Aeron)* proyección de ala. (**1**) En los biplanos, saliente de un ala sobre otra. (**2**) En los monoplanos de ala alta, parte del ala que se extiende más allá de un montante exterior [outer strut] ‖ *(Buques)* bovedilla (de popa) ‖ *(Fonog)* proyección. (**1**) Distancia entre el eje del plato y la aguja del fonocaptor cuando la misma está en su posición central respecto al plato. Esa distancia ha de ajustarse cuidadosamente para reducir al mínimo el error de tangencialidad [tracking error]. (**2**) Distancia entre el eje vertical de giro del brazo fonocaptor [pickup arm] y el extremo de éste opuesto al del fonocaptor.

overhanging   *adj:* saliente, sobresaliente, saledizo, voladizo; pendiente; en saliente, en ménsula; inminente ‖ *(Muros)* inclinado.

overhanging beam   viga saliente.

overhaul   repaso, revisión ‖ **overhaul of the equipment**: repaso del equipo, revisión del material ‖ *(Excavaciones)* sobreacarreo, acarreo extra, transporte adicional ⫫ *verbo:* repasar, revisar; hacer una revisión general; acondicionar, componer, rehabilitar, reparar ‖ *(Aparejos)* aclarar, separar los motones [los cuadernales], tiramollar ‖ *(Máq)* examinar, verificar, visitar; afinar, reglar.

overhead   (a.c. overhead expenses) gastos generales ‖ *(Comput)* factores que rebajan el rendimiento (de un dispositivo, de un programa). Nombre común que designa los diversos factores que impiden obtener el rendimiento ideal u óptimo de un dispositivo o de un programa; por ejemplo, los tiempos de arranque y de parada de la máquina de cinta magnética, que hacen su velocidad efectiva mucho menor que la nominal ⫫ *adj:* superior, de arriba; elevado, de techo ‖ *(Cables, Troles, &)* aéreo ⫫ *adv:* arriba, en lo alto; más arriba, hasta más arriba de la cabeza.

overhead cable   cable aéreo.

overhead carrier   transportador aéreo.

overhead carrier system   sistema transportador aéreo ‖ *(Telecom)* sistema de corrientes portadoras sobre líneas aéreas.

overhead conductor   conductor aéreo.

overhead conductor rail   *(Tracción eléc)* (*i.e.* rigid rolled section forming an overhead contact system) carril aéreo de contacto. Perfil rígido que constituye la línea aérea de contacto (CEI/57 30–10–165).

overhead conductor tap   toma de conductor aéreo.

overhead conduit   conducto elevado. En una sala de equipos de radio o electrónicos, conducto portacables que corre cerca del techo y que por lo general tiene acceso por la parte superior de los bastidores.

overhead contact system   *(Tracción eléc)* sistema de línea aérea de contacto. Sistema de distribución de energía eléctrica a un vehículo por medio de uno o varios conductores aéreos [overhead conductors], estando el contacto asegurado por captadores de corriente [current collectors] (polea de trole, frotador, o arco) fijos al techo de los vehículos (CEI/57 30–10–045).

overhead contact system dropper   *(Tracción eléc)* péndola de línea catenaria. Organo que asegura la suspensión de un transversal de equilibrio [registering cross-span], de un portador auxiliar [auxiliary cable] o de un cable portador longitudinal [longitudinal supporting cable] (CEI/57 30–10–180).

overhead crossing   *(Carreteras, Vías férreas)* (*i.e.* road crossing above another) paso superior. TB. cruce [crucero] superior, paso por encima ‖ *(Tracción eléc)* cruce aéreo. Artificio que se utiliza en el cruce de dos hilos de contacto y que permite el paso de los captadores de corriente por cualquiera de los hilos (CEI/38 30–40–080) ‖ cruzamiento aéreo. Dispositivo utilizado en el cruzamiento de los hilos de contacto [contact wires] y que permite el paso del órgano de toma de corriente [current collector] a lo largo de cada uno de los hilos (CEI/57 30–10–220).

overhead expenses   (a.c. overhead) gastos generales.

overhead frog   *(Tracción eléc)* aguja aérea, cruzamiento [cambio] aéreo.

overhead ground wire   *(Elec)* cable de pararrayos, alambre de protección.

overhead installation   instalación cerca del techo.

overhead junction (crossing)   *(Tracción eléc)* aguja cruzada. Aguja aérea [overhead switching] en la cual los hilos de contacto [contact wires] de la vía desviada [branch line] cruzan los de la vía directa [main line] (CEI/57 30–10–230).

overhead junction (knuckle)   *(Tracción eléc)* aguja tangencial. Aguja aérea en la cual los hilos de contacto de la vía desviada vienen a colocarse al lado de los de la vía directa después de haber sido llamados [located by means of pulloffs] (CEI/57 30–10–235).

overhead line   *(Elec)* línea aérea. (1) Línea eléctrica colocada sobre soportes adecuados a cierta altura del suelo (CEI/38 25–20–015). (2) Línea cuyos conductores se mantienen a cierta altura del suelo, generalmente por medio de aisladores y de soportes adecuados (CEI/65 25–20–085) ‖ *(Telecom)* línea aérea. Línea telefónica o telegráfica cuyos conductores son soportados mediante aisladores y postes | (a.c. open wire) línea aérea en hilo desnudo. SIN. **pole line.**

overhead line construction   construcción de líneas aéreas.

overhead mounting   montaje en alto, montaje cerca del techo.

overhead open-wire circuit   *(Telecom)* circuito en hilos desnudos aéreos.

overhead projector   proyector de trayectoria de proyección alta, proyector con espejo. Proyector de diapositivas y/o material opaco en el cual la toma de vista es vertical y la proyección es horizontal (o aproximadamente horizontal), efectuándose el cambio de dirección por medio de un espejo.

overhead route   *(Telecom)* ruta de líneas aéreas.

overhead switching   *(Tracción eléc)* aguja aérea. Dispositivo utilizado en la bifurcación [forking] de dos líneas de contacto [contact lines] para permitir el paso del órgano de toma de corriente [current collector] (CEI/57 30–10–225).

overhead telephone line   línea telefónica aérea.

overhead-underground system   *(Telecom)* red mixta, red aérea y subterránea.

overhead wire   *(Telecom)* hilo aéreo.

overhead-wire carrier circuit   circuito de corrientes portadoras sobre hilos aéreos.

overhead-wire line   línea aérea; arteria de líneas aéreas.

overhead-wire mileage   millas de línea aérea, longitud en millas de líneas aéreas.

overhead-wire pair   par de hilos aéreos.

overheads   (a.c. overhead expenses) gastos generales.

overheat   recalentamiento, recalentón; calor excesivo. SIN. **overheating** ‖‖ *verbo:* recalentar(se).

overheating   recalentamiento. Calentamiento de un aparato o una máquina a temperatura mayor que la de servicio normal | **overheating of the engine:** recalentamiento del motor ‖‖ *adj:* recalentador.

overhung   *adj:* colgado, de suspensión superior, suspendido por arriba; volado, en voladizo, en saliente; protuberante; con uniones por encima.

overhung exciter   *(Máq eléc)* excitatriz en voladizo.

overhung moment   *(Aeron)* momento flector del encastre.

overhung pilot exciter   *(Máq eléc)* excitatriz auxiliar en voladizo.

overland   *adj/adv:* terrestre; por tierra, por vía terrestre; que va por tierra.

overland cable   *(Telecom)* cable terrestre. Dícese en oposición a los cables submarinos.

overland circuit   *(Telecom)* circuito terrestre.

overland conveyor   transportador terrestre; transportador terrestre de correa.

overland flying   *(Avia)* vuelo sobre tierra.

overland route   ruta terrestre ‖ *(Telecom)* ruta [recorrido] terrestre, vía terrestre.

overlap   solapo (parte de una cosa que queda cubierta por otra), traslapo (parte traslapada de una cosa), solape, solapadura, recubrimiento, superposición parcial, encaballadura. SIN. **overlapping** ‖ *(Aerofotog)* solapa, solapadura, traslapo, superposición

(parcial) ‖ *(Geol)* solapadura, recubrimiento; estratificación transgresiva ‖ *(Laminación de chapas— defecto)* hoja ‖ *(Soldadura— defecto)* solape, traslapo, sobremonta; metal de aporte derramado ‖ *(Convertidores estáticos)* ángulo de recubrimiento. Intervalo, expresado en unidades de ángulo eléctrico, durante el cual dos trayectos de arco consecutivos son recorridos simultáneamente por la corriente (CEI/56 11–20–090) ‖ *(Sist de control y regulación automática)* solapamiento. Diferencia entre los valores de conmutación [level-change values] superior e inferior de un cambio de nivel (CEI/66 37–20–045) ‖ *(Ferroc)* traslapo (de tramos) | solapamiento. Disposición tal que la ocupación de una zona situada inmediatamente más allá de la señal de entrada [entry signal] de una sección (zona de solapamiento) mantiene en "Parada" la señal de entrada de la sección precedente (CEI/59 31–15–005) ‖ *(Facsímile)* recubrimiento, solapamiento. Valor en el que la altura efectiva del punto explorador [scanning spot] sobrepasa el ancho de la línea de exploración [scanning line width] | recubrimiento. Defecto de reproducción que se produce cuando el ancho de la línea de exploración [width of the scanning line] es superior al paso de exploración [scanning pitch] (CEI/70 55–80–200) ‖‖ *verbo:* solapar(se), traslapar(se), recubrir(se); sobreponer; sobrepasar; desbordar; extenderse (sobre).

overlap angle   *(Convertidores estáticos, Tubos de gas)* (a.c. overlap) ángulo de superposición [de recubrimiento] | ángulo de superposición. Intervalo, expresado en unidades de ángulo eléctrico, durante el cual dos trayectos de arco [arc paths] consecutivos son recorridos simultáneamente por la corriente (CEI/56 07–40–240).

overlap fault   *(Geol)* falla inversa [invertida, anormal, sobrepuesta].

overlap integral   *(Mat)* integral rampante.

overlap period   tiempo de superposición.

overlap radar   radar traslapador. Radar de largo alcance que, además de cubrir su propio sector, cubre parte de otro.

overlap region   región de recubrimiento.

overlap seam   costura superpuesta [a solapa].

overlap splicing   *(Cintas mag)* empalme solapado.

overlap switching   conmutación con recubrimiento [sin interrupción]. Transferencia de un circuito eléctrico en la cual la primera conexión no se rompe hasta que la segunda ha quedado establecida. CF. **overlapping contacts.**

overlap time   tiempo de superposición.

overlapped-glass-plate-type collector   *(Fuentes de energía)* colector del tipo de placas de vidrio superpuestas.

overlapping   solapo, solape, solapamiento, recubrimiento, superposición; doble empleo; doble cobertura. SIN. **overlap** ‖‖ *adj:* solapado, traslapado, solapante, a solapa, de solapa, imbricado, sobrepuesto (como p.ej. las tejas y las escamas); desbordante.

overlapping aerial photograph   aerofotografía superpuesta.

overlapping channel interference   *(Telecom)* perturbación por superposición de canales.

overlapping contacts   contactos con recubrimiento. Conjunto de dos juegos de contactos, cada uno de ellos con una posición de cierre y otra de apertura, que son accionados por un dispositivo en común y que están dispuestos de tal manera que un juego no se abre sino después de cerrado el otro; por lo tanto, hay un intervalo durante el cual ambos juegos de contactos están cerrados (recubrimiento). CF. **overlap switching.**

overlapping multiple   *(Telecom)* multiplicación parcial [escalonada].

overlapping phases   fases superpuestas.

overlapping photograph   par estereoscópico.

overlapping plane   *(Aeron)* plano desbordante.

overlapping ranges   *(Aparatos de medida, Gen de señales)* márgenes traslapados; escalas traslapadas; gamas parcialmente sobrepuestas; bandas parcialmente superpuestas [sobrepuestas].

overlapping reception area   *(Radio)* zona de servicio recubierta.

overlay   capa (superpuesta), revestimiento; colchón; colcha ‖ *(Dib y afines)* calco; hoja sobrepuesta; dibujo superpuesto; hoja transparente (sobre un mapa), superpuesto transparente (sobre un plano o un diagrama) ‖ *(Impr)* calzo; pieza de papel puesta sobre el tímpano para reforzar la impresión (de una línea o de un grabado) ‖ *(Piezas desgastadas)* recargo ‖ *(Osciloscopios)* cuadrícula superpuesta ‖ *(Tv)* superposición, sobretoma, efecto de sobreimpresión. Imagen compuesta obtenida superponiendo las tomas de dos cámaras: una que toma una escena y la otra que capta una fotografía o una película | superposición electrónica. Procedimiento utilizado para combinar en una sola imagen el primer plano de una escena y el fondo [background] de otra, suprimiéndose por enmascaramiento [masking] las partes no deseadas (CEI/70 60–64–050) ‖ *(Comput)* superposición, sobreposición. (1) Técnica de utilizar repetidamente los mismos bloques de memoria durante diferentes etapas de un problema. (2) Transferencia de segmentos de un programa de un almacenador auxiliar [auxiliary storage] a un almacenador interno [internal storage] para su ejecución, de tal manera que dos o más segmentos ocupen los mismos locales de almacenamiento [storage locations] en tiempos diferentes. Esta técnica permite ejecutar programas demasiado grandes para tener cabida de una sola vez en el almacenador interno de la computadora; también es de importante aplicación en la programación múltiple [multiprograming, multiple programing] y en las operaciones con compartimiento de tiempo [time-sharing operations] ⫽ *verbo:* recubrir, revestir; sobreponer; echar un puente sobre; anublar, obscurecer ‖ *(Impr)* calzar ‖ *(Piezas desgastadas)* recargar ‖ *(Muros)* cubrir [enchapar] con piedra ‖ *(Comput)* superponer (segmentos de programa).

overlay map   mapa de hojas transparentes superpuestas.

overlay transistor   transistor de sobrecapa [de capa superpuesta], transistor de emisor múltiple. Se ha descubierto que cuando los transistores trabajan a gran intensidad, la corriente del emisor se concentra en los bordes o periferia de contacto con la base, y que para lograr gran potencia a altas frecuencias, ha de ser elevada la razón de periferia a área de emisor. Buscando este resultado se han utilizado emisores de geometrías especiales en substitución del clásico emisor circular: emisores lineales [line-type emitters], emisores interdigitales o en peine [interdigitated emitters, comb-type emitters], etc. En el transistor tema de este artículo se obtienen altos valores de la mencionada razón (14:1 y mayores), reduciendo notablemente el área del emisor, y se consigue la necesaria capacidad de corriente conectando muchos emisores en paralelo (número del orden de los 200 y hasta 400). Estos emisores son tan pequeños que es imposible fijar sobre uno de ellos el hilo de conexión. En lugar de éste se utiliza una capa de aluminio que une todos los emisores entre sí, y a la cual se une, a su vez, el hilo de conexión. Esta capa colocada sobre el "campo" de emisores y sobre la región de base del dispositivo, es precisamente la que le dio a este transistor la designación de "overlay". SIN. **multiple-emitter transistor.**

overlaying   revestimiento; recubrimiento; capa (de metal), plateado, dorado, azogamiento; acerado (del acero) ‖ *(Muros)* enchapado ‖ *(Impr)* arreglo; colocación de alzas [de calzos] ⫽ *adj:* superpuesto; superyacente.

overlie   *verbo:* descansar sobre, estar sobre, yacer sobre [encima de]; tenderse encima; cubrir, recubrir.

overlighting   exceso de luz [de alumbrado], iluminación excesiva ‖ *(Fotog)* exceso de luz ‖ *(Cine)* iluminación (de la escena) con luces altas.

overlining   *(Teleimpr)* montaje de renglón. Impresión de un renglón encima de otro, por falla del mecanismo de avance de renglón, o por falta o falseamiento de la señal correspondiente. SIN. **overprint.**

overload   *(En sentido general)* sobrecarga. Carga excesiva; carga de valor superior a aquel para el cual se ha proyectado un aparato, un sistema o una máquina, y que puede tener efectos perjudiciales: sobrecalentamiento, destrucción de piezas, debilitamiento de materiales, etc. | exceso de carga ‖ *(Avia)* sobrecarga, carga excesiva ‖ *(Elec)* sobrecarga. (1) Exceso de la carga real sobre la carga normal (CEI/38 05–40–220). (2) Potencia suministrada o carga

superior a aquella para la cual se ha previsto una instalación o un elemento especificado de una instalación (CEI/65 25–60–055) ‖ *(Elecn, Telecom)* sobrecarga. Amplitud o cantidad de energía que al ser aplicada a un circuito, dispositivo o sistema, o ser puesta en juego en él, es capaz de producir deformación o distorsión de la onda amplificada o transmitida. SIN. **saturación, sobremodulación, sobreexcursión, sobreexcitación, sobreimpulsión, sobretensión, sobreamperaje —— saturation, overmodulation, overswing, overexcitation, overvoltage, overcurrent.** CF. **overheating, overtemperature** ‖ *(Micrófonos)* (a.c. blasting) sobrecarga ⫽ *verbo:* sobrecargar. SIN. **saturar, sobremodular, sobreexcitar, sobreimpulsar** ‖ *(Marina)* empachar.

overload capacity   capacidad de sobrecarga, aptitud para soportar sobrecargas. Valor de la sobrecarga que soporta un dispositivo o aparato sin sufrir daño permanente. EJEMPLO: un transformador que soporta corrientes sostenidas iguales al 150 por ciento del valor correspondiente a la capacidad nominal sin que se funda el alambre o se deteriore el aislamiento | **overload capacity of a circuit:** capacidad de sobrecarga de un circuito. Razón entre la corriente máxima que un circuito puede soportar de forma continua sin ser dañado, y su corriente nominal (CEI/58 20–40–310).

overload circuit   circuito de protección contra sobrecarga. CF. **trip circuit.**

overload circuit breaker   *(Elec)* disyuntor de máxima, (interruptor) automático de sobreintensidad. A VECES: disyuntor de sobrecarga.

overload current   corriente de sobrecarga.

overload cutout   interruptor de máxima, (interruptor) automático de sobreamperaje.

overload distortion   distorsión de sobrecarga.

overload indicator   indicador de sobrecarga ‖ *(Telecom)* (a.c. overflow meter) indicador de sobrecarga.

overload indicator lamp   lámpara indicadora de sobrecarga.

overload level   *(Elecn, Telecom)* potencia límite admisible; carga máxima sin distorsión, nivel de sobrecarga | (a.c. operating limit—GB) potencia límite admisible. De un sistema de transmisión, o de una de sus partes constitutivas, nivel de potencia para el cual el funcionamiento cesa de ser satisfactorio en razón de distorsiones sufridas por la señal, calentamiento excesivo, daño sufrido por los aparatos, etc.

overload margin   margen de sobrecarga.

overload operating time   tiempo límite de funcionamiento con sobrecarga. Máximo período de tiempo que un aparato o un sistema puede hacerse funcionar en condiciones de sobrecarga especificadas.

overload power level   potencia límite admisible. V. **overload level.**

overload protection   *(Elec)* protección contra (las) sobrecargas | (*i.e.* protection which operates when the protected zone is overloaded) dispositivo de protección contra las sobrecargas. Dispositivo de protección que funciona cuando el circuito protegido está sobrecargado (CEI/56 16–65–005).

overload protective device   dispositivo protector [de protección] contra sobrecargas.

overload protector   dispositivo protector [de protección] contra sobrecargas ‖ *(Mec)* mecanismo protector contra sobrecarga.

overload recovery   restablecimiento postsobrecarga.

overload relay   relé de sobrecarga, relé de máxima. Relé (relevador) de protección que funciona cuando la corriente circulante por el circuito protegido excede del valor normal o de un valor establecido de antemano; su reposición puede ser eléctrica o manual. SIN. **overcurrent relay.** CF. **current relay** | **overload relay for motor protection:** relé [relevador] de sobrecarga para la protección de motores.

overload release   *(Elec)* desconexión por sobrecarga; disyuntor de máxima [de sobreintensidad] ‖ *(Mec)* desenganche [escape] de sobrecarga; desembrague por sobrecarga.

overload release coil   *(Disyuntores)* bobina de máxima.

overload trip circuit circuito desconectador de sobrecarga.

overloaded circuit *(Elec)* circuito sobrecargado ‖ *(Telef)* circuito saturado. Circuito para el cual la cantidad de tráfico cursado no está limitada por el deseo de los abonados de comunicarse, sino por la capacidad de las instalaciones existentes.

overloaded recording registro saturado.

overloaded tape cinta (magnética) saturada, cinta sobremodulada.

overloading sobrecarga; saturación, sobremodulación, sobreexcursión; sobreexcitación, sobreimpulsión; sobretensión; sobreamperaje, sobreintensidad. SIN. **overload** ‖ *(Radiodif)* sobremodulación. (a) Ajuste del nivel de la señal moduladora tal que durante las crestas de la misma se sobrepasan los límites funcionales de los aparatos. (b) Distorsión resultante de ese ajuste (CEI/70 60–62–095). CF. **overmodulation** ‖ V. **overload**.

overlong *adj:* sobrelargo.

overlong message mensaje [telegrama] sobrelargo. Mensaje o telegrama cuya longitud (número de palabras o de renglones) excede del límite establecido, y que se divide para su transmisión en dos o más segmentos o páginas.

overmoderated lattice *(Nucl)* celosía supermoderada, reticulado sobremoderado.

overmodulate *verbo:* sobremodular. SIN. **saturar, sobreexcitar, sobreimpulsar.**

overmodulation *(Radio)* sobremodulación. Defecto en el funcionamiento de un emisor modulado en amplitud [amplitude-modulated transmitter] cuando la corriente moduladora [modulating current] es superior a aquella que produce una modulación de 100 %. CF. **overswing** ‖ sobremodulación. De un emisor radioeléctrico modulado en amplitud: (a) Ajuste del nivel medio de la señal moduladora a un valor superior a aquel que hace alcanzar el factor de modulación [modulation factor] de 100 % durante las crestas de la señal moduladora. (b) Distorsión resultante de ese ajuste (CEI/70 60–42–140). CF. **overloading, overcutting.**

overpack *verbo:* sobreempacar, sobreembalar. Poner embalaje adicional, usualmente para exportación. Se dice que un aparato va sobreembalado o sobreempacado cuando p.ej. el embalaje o envase de cartón que lo contiene va protegido por una caja de madera.

overpacking empaque [embalaje] adicional, envase adicional (para la exportación).

overpass paso superior. POCO USADO: paso de alto. Paso de una carretera por arriba de otra carretera o ferrocarril; puente o vía por encima de un ferrocarril o una carretera. CF. **underpass** ‖ *verbo:* salvar, pasar por encima de; atravesar, pasar al otro lado; rebasar; exceder; omitir, pasar por alto; repasar, reconsiderar.

overpeak *verbo: (Tv)* sobrecompensar. V. **peak.**

overpeaked picture *(Tv)* imagen sobrecompensada (en altas frecuencias).

overplugging *(Telef) (i.e.* plugging into a multiple jack, ignoring the busy condition) conexión en línea ocupada. Acción de enchufar una clavija en un jack múltiple sin tener en cuenta la ocupación (CEI/70 55–105–280).

overpotential sobrepotencial, sobretensión. Potencial o tensión superior al de funcionamiento normal de un aparato o circuito. SIN. **overvoltage.** CF. **voltage surge.**

overpotential testing ensayo (en régimen) de sobretensión. SIN. **high-potting, high-voltage test** (véase).

overpower sobrepotencia; sobrecarga.

overpower protection *(Elec)* protección contra (las) sobrecargas | dispositivo de protección de máximo de potencia. Dispositivo de protección de potencia [power protection] que funciona cuando la potencia transmitida en un cierto sentido es superior a un valor predeterminado (CEI/56 16–60–065). CF. **underpower protection.**

overpower relay relé de máximo de potencia, relé de máxima. Relé de medida [measuring relay] que funciona cuando el valor de la potencia de influencia (v. **actuating quantity**) sobrepasa el valor de regulación [operating value]. SIN. **maximum power relay** (CEI/16–15–010). CF. **overcurrent relay, overvoltage relay.**

overpower scram *(Reactores nucl)* parada de urgencia por sobrepotencia [por exceso de potencia].

overpressure sobrepresión ‖ *(Elec)* sobrepotencial, sobretensión, sobrevoltaje. SIN. **overpotential, overvoltage.**

overpressure test prueba de sobrepresión ‖ *(Elec)* V. **overpotential testing.**

overprint *(Cartog)* sobreimpresión. Nueva impresión sobre un mapa ya existente ‖ *(Correos)* matado, obliteración (de sellos postales) ‖ *(Sistematización de datos)* sobreimpresión ‖ *(Teleimpr)* (a.c. overlining) montaje de renglón, superposición de renglones. Se produce cuando la máquina no recibe la señal de avance de renglón [line-feed signal] y no está provista de medios para efectuar dicho avance automáticamente. CF. **end-of-line pileup.**

overpunch *(Sistematización de datos)* (a.c. overpunching) sobreperforación. (**1**) Una perforación encima de otra. (**2**) Perforación en una de las tres filas de una tarjeta (v. **punch card**), que, en combinación con una segunda perforación en la correspondiente posición de una de las nueve filas inferiores, sirve para identificar un carácter alfabético o de otra clase. SIN. **zone punch.**

overradiation counter contador de alarma contra alto nivel de radiactividad. Contador de radiaciones [radiation counter] que activa un dispositivo de alarma cuando la radiactividad alcanza un nivel predeterminado.

overranging *(Aparatos de medida)* superposición de gamas.

overreach interference *(Radioenlaces por microondas)* interferencia de sobrealcance.

overrelaxation *(Mat)* sobrerrelajación.

override sobrecontrol; sobreposición de control; dispositivo de transferencia de mando /// *verbo:* anular, contrarrestar; suplantar; poner a un lado; sobreponerse; tomar precedencia (sobre), supeditar; pasar por encima; montarse (una extremidad sobre otra) ‖ *(Elecn)* sobreponerse (a un mando automático). Anular la acción de un control automático mediante uno manual; sobreponerse intencionalmente a un circuito o un sistema de mando automático, anulando así su efecto.

override circuit circuito de transferencia [paso] de mando.

overriding mechanism mecanismo de transferencia [traspaso] de mando; mecanismo limitador.

overrun rebase, exceso ‖ *(Grabación en cinta mag) (i.e.* when the recorded program exceeds the nominal length alloted to it) rebase.

overrun lamp *(Elec)* lámpara a sobrevoltaje.

overrunning brake freno de sobrevelocidad.

overrunning clutch *(Autos)* embrague de rueda libre [de sobremarcha].

overrunning third rail *(Tracción eléc)* riel de contacto superior.

overscan *(Tv)* sobredesviación, sobrebarrido.

overscanning *(Tv)* (a.c. overscan) sobredesviación, sobrebarrido. Desviación del haz explorador con mayor amplitud que la necesaria para alcanzar el tamaño normal de imagen.

overseas, oversea *adj:* ultramarino, de ultramar; transmarino; transoceánico; extranjero, exterior /// *adv:* ultramar, allende los mares.

overseas call *(Telef)* llamada al extranjero; conversación transoceánica.

overseas telegram telegrama del servicio internacional; telegrama transoceánico.

overseeding *(Meteor)* sobresiembra.

overshoot *(Avia)* entrada larga, aterrizaje largo ‖ *(Radio, Elecn)* sobreelongación. Diferencia entre el valor de cresta alcanzado por la respuesta a un escalón [steep-sided signal] y el valor en régimen estable (CEI/70 60–04–040) ‖ *(Elecn)* sobretensión; respuesta excesiva (a un cambio) ‖ *(Ampl, Técnica de impulsos)* sobreimpulso, sobrecresta, sobrevibración, sobreimpulsión inicial, sobreamplitud parásita [transitoria], sobreexcursión de amplitud, deformación de amplitud por exceso, extralimitación transitoria de amplitud, cresta parásita. (**1**) Incremento de amplitud de una parte de una onda no sinusoidal, debido a las constantes particulares del circuito; es a veces ventajoso a los efectos de aumentar la rapidez de respuesta a las señales aplicadas, pero a costa de una correspondiente distorsión de éstas. (**2**) Continuación de la subida de amplitud de la señal de salida, hasta sobrepasar su valor final, cuando se aplica al circuito una onda impulsiva o de frente escarpado (subida rápida). (**3**) Medida en la cual la primera excursión de un impulso excede la amplitud que se toma como 100 %. CF. **undershoot** ‖ *(Controles automáticos)* sobrecorrección, corrección excesiva. Lo que ocurre cuando, al cambiar las condiciones de funcionamiento, la variable controlada sobrepasa el valor de consigna ‖ *(Filtros eléc)* punta ‖ *(Instr indicadores)* sobredesviación inicial, exceso balístico ‖ *(Mod)* sobremodulación, sobreoscilación. SIN. **overswing** ‖ *(Posicionamiento rotativo)* sobregiro ‖ *(Registradores gráficos)* sobredesviación parásita ‖ *(Radioenlaces)* sobrealcance, sobrepaso del haz. (**1**) Alcance anormalmente largo del haz hertziano, de modo que llega más allá de la estación a la cual se le ha dirigido. (**2**) Desviación de la trayectoria de propagación de las ondas dirigidas, como resultado de un fenómeno anómalo que altera temporalmente el índice de refracción de la atmósfera ‖‖ *verbo:* exceder(se); ir más allá ‖ *(Avia)* sobrepasar el punto de aterrizaje; rebasar la pista; sobrepasar el campo de aterrizaje ‖ *(Bombardeo aéreo)* volar más allá del blanco ‖ *(Artillería)* disparar largo, tirar más allá del objetivo; pasarse de la posición de puntería.

overshoot distortion   distorsión de sobremodulación; distorsión de sobreelongación ‖ *(Facsímile)* v. **overthrow distortion.**

overshoot interference   *(Radioenlaces por microondas)* (a.c. overreach interference) interferencia por sobrealcance.

overshoot path   *(Radioenlaces por microondas)* trayectoria de sobrealcance.

overshoot profile   *(i.e. profile of the overshoot path)* perfil de la trayectoria de sobrealcance.

overshoot ratio   relación de sobremodulación; relación de sobreelongación.

oversimplification   simplificación excesiva. Falseamiento de un problema al plantearlo en forma demasiado simple. Por ejemplo, al representar un circuito mediante un circuito equivalente hay que cuidarse de no caer en *simplificación excesiva* despreciando factores o efectos de magnitud significativa.

oversimplify   *verbo:* simplificar en exceso.

oversize   sobretamaño, sobremedida, supermedida; tamaño mayor (que el corriente, que el ordinario); dimensiones superiores (a la media, a las acotadas); sobreespesor ‖‖ *adj:* extragrande, de sobretamaño, de sobremedida. LOCALISMO: sobredimensionado. CF. **undersize.**

oversized   *adj:* extragrande, de sobretamaño, de sobremedida; de sobreespesor. LOCALISMO: sobredimensionado | agrandado.

overspecify   *verbo:* sobreespecificar. Hacer una especificación más rigurosa de lo necesario. Especificar sobreabundancia de características o exceso de reserva en los parámetros funcionales.

overspeed   sobrevelocidad; exceso de velocidad, velocidad excesiva; embalamiento ‖ **(of an internal-combustion engine)** velocidad de punta. Velocidad a la cual está sometido un motor térmico durante un ensayo de plataforma [test bed] llamado "de punta", en condiciones especificadas en la orden (CEI/57 30–05–105).

overspeed gear   moderador de sobrevelocidad; limitador de embalamiento.

overspeed governor   regulador por velocidad excesiva.

overspeed limiter   limitador de embalamiento. Aparato de seguridad destinado a impedir que la velocidad de una máquina alcance un valor peligroso (CEI/58 35–15–035).

overspeed protective device   dispositivo protector contra sobrevelocidad.

overspeed shutdown relay   relé de desconexión por sobrevelocidad.

overspeed switch   interruptor (automático) contra exceso de velocidad.

overspeed test   *(Mot)* prueba de sobrevelocidad.

overspeed trip mechanism   mecanismo de desconexión por sobrevelocidad.

overspread   *verbo:* extenderse sobre; tender; esparcir, regar, desparramar.

overswing   sobreoscilación; sobreelongación ‖ *(Indicadores de medida)* (a.c. overshoot) sobredesviación (inicial), exceso balístico ‖ *(Mod de frec)* sobremodulación, exceso de excursión [desviación] (de frecuencia). SIN. **overshoot.**

overtake   *verbo:* alcanzar, dar alcance (a); atajar.

overtaken vessel   buque alcanzado (por otro).

overtaking   alcance ‖ *(Carreteras)* adelanto. Maniobra mediante la cual el conductor de un vehículo pasa de una posición posterior a otra anterior con respecto a otro vehículo que marcha en el mismo sentido ‖‖ *adj:* alcanzante, alcanzador.

overtaking aircraft   avión alcanzador, aeronave que alcanza a otra.

overtaking vehicle   vehículo alcanzador, vehículo que alcanza a otro ‖ *(Carreteras)* vehículo que se adelanta (a otro).

overtaking vessel   buque alcanzador, buque alcanzante, buque que alcanza a otro.

overtemperature   sobretemperatura. CF. **overheating.**

overtemperature alarm circuit   circuito de alarma por sobretemperatura.

overtemperature exposure   exposición a sobretemperaturas [a temperaturas mayores que las de servicio normal].

overtemperature indicator   indicador de sobretemperatura.

overtemperature protection   protección contra sobretemperatura | protector contra sobretemperatura. Dispositivo que automáticamente desconecta la alimentación eléctrica de un aparato si la temperatura del mismo alcanza cierto valor predeterminado.

overthrow   sobrerrecorrido; caída, derribo; vuelco; trastorno; destrucción, ruina | (a.c. overswing, overshoot) sobremodulación; sobreelongación.

overthrow distortion   *(Facsímile)* (a.c. overshoot distortion) distorsión de sobreelongación. La que ocurre cuando la amplitud máxima del frente de onda de la señal es mayor que la amplitud de la señal en régimen estable.

overtight   *adj:* sobreapretado, muy apretado; ceñido.

overtightening   sobreapriete, exceso de apriete.

overtime   horas (de trabajo) extraordinarias; tiempo suplementario; pago por horas (de trabajo) extraordinarias, pago por trabajo hecho después de las horas regulares ‖‖ *adj:* en exceso de las horas regulares (de trabajo) ‖‖ *adv:* fuera del tiempo acordado o estipulado.

overtime period   tiempo en exceso de las horas regulares ‖ *(Telef)* (on private-line telephone service) conversación suplementaria. SIN. **extended subscription call.**

overtone   sobretono, hipertono. (**1**) Tono secundario superior. (**2**) Cualquier componente de frecuencia superior a la fundamental. (**3**) Frecuencia armónica a la cual puede vibrar libremente un cuerpo; la primera armónica es la frecuencia fundamental; la segunda armónica es el primer sobretono. SIN. **armónico (del sonido fundamental), armónica (superior), nota armónica, sonido parcial superior** — **harmonic, upper partial.** CF. **partial** ‖‖ *verbo:* *(Fotog)* virar con exceso.

overtone crystal   v. **overtone crystal unit.**

overtone crystal unit   (a.c. harmonic-mode crystal unit) cristal (de cuarzo) de armónico, cristal (piezoeléctrico) para trabajar en armónico. Cristal de cuarzo destinado a funcionar en un armónico de su frecuencia de resonancia (orden de vibración superior al fundamental).

overtone oscillator   oscilador de armónicas.

overtone quartz-crystal unit   cristal de cuarzo (piezoeléctrico) para la producción de armónicas | v. **overtone crystal unit.**

overtone structure   distribución espectral de los sobretonos.

overtone-type piezoelectric crystal unit   v. **overtone crystal unit.**

overtravel   sobrecarrera, sobrerrecorrido, exceso de carrera [de recorrido] ‖ *(Máq herr)* sobrecarrera, recorrido muerto

‖ *(Potenciómetros y reóstatos)* sobrecarrera, recorrido muerto. v. **electrical overtravel, mechanical overtravel** ⫽ *verbo:* rebasar el fin de (la) carrera.

overtravel limit   límite de sobrecarrera; tope final de carrera.

overtravel limit switch   interruptor de sobrecarrera.

overtravel switch   interruptor de sobrecarrera, contactor [ruptor] de sobrecarrera. Interruptor de posición [position switch] que entra en acción cuando un móvil ha pasado de su posición de fin de carrera normal (CEI/57 15-30-160).

overture   *(Mús)* obertura.

overturn   vuelco, volteo; inversión; trastorno ⫽ *verbo:* volcar, voltear; invertir(se); verter; tumbar, echar abajo; forzar (p.ej. un tornillo).

overturn structure   *(Avia)* estructura de capotaje.

overturning   v. **overturn** ⫽ *adj:* volcador, de vuelco, de volcamiento, de inversión.

overturning force   fuerza volcadora [de volcamiento].

overturning moment   momento volcador [de vuelco, de volteo, de inversión]. CF. **resisting moment.**

overvibration   sobrevibración, hipervibración, vibración excesiva.

overview   inspección, reconocimiento; vista panorámica; resumen.

overvoltage   sobretensión, sobrevoltaje, tensión excesiva, voltaje excesivo | sobretensión. (**1**) En ciertos autotransformadores, tensión de salida superior a la de entrada. (**2**) Tensión anormal, superior a la de servicio (CEI/38 05-40-160). (**3**) Tensión anormal entre dos puntos de una instalación eléctrica, superior al valor más elevado que puede existir entre ellos en servicio normal (CEI/65 25-45-005). (**4**) Diferencia entre la tensión dinámica de un electrodo [dynamic electrode potential] y su tensión reversible [reversible potential] para una reacción electroquímica dada (CEI/60 50-05-200) | **(of a Geiger-Mueller counter tube)** sobretensión (de un tubo contador Geiger-Mueller). Diferencia entre la tensión de funcionamiento [operating voltage] y el umbral de Geiger-Mueller [Geiger-Mueller threshold] (CEI/68 66-10-230) | v. **overvoltage due to resonance.**

overvoltage circuit   v. **overvoltage connection.**

overvoltage connection   (a.c. overvoltage circuit) conexión de sobretensión, conexión para salida de sobretensión. CF. **line connection, overvoltage operation.**

overvoltage crowbar   *(Fuentes de alim)* corcircuito total automático de protección contra sobretensiones.

overvoltage cutout   disyuntor de sobretensión; cortacircuito de sobretensión.

overvoltage due to resonance   sobretensión de resonancia. Sobretensión a la frecuencia fundamental de la instalación o a una frecuencia armónica resultante de la resonancia eléctrica de los circuitos (CEI/65 25-45-030).

overvoltage operation   funcionamiento a sobretensión [a sobrevoltaje], funcionamiento sobrevoltado. v. **lamp operated at overvoltage** ‖ *(Autotransformadores)* funcionamiento con salida de sobretensión. Funcionamiento con salida ajustable entre un límite inferior (que puede ser cero) y otro superior a la tensión de línea primaria (p.ej. 117 % de ésta).

overvoltage output   *(Autotransformadores)* salida de sobretensión. Salida ajustable hasta un valor de tensión superior al de la línea primaria. V.TB. **overvoltage operation.**

overvoltage protection   protección contra (las) sobretensiones | dispositivo de protección de máximo de tensión. Dispositivo de protección voltimétrica [voltage protection] que funciona cuando la tensión pasa de cierto valor predeterminado (CEI/56 16-60-035).

overvoltage protection level   nivel de protección contra las sobretensiones.

overvoltage protection relay   relé de protección contra (las) sobretensiones, relé de protección de sobrevoltaje.

overvoltage relay   relé de sobretensión | relé de máximo de tensión, relé de máxima. Relé de medida [measuring relay] que funciona cuando el valor de la tensión de influencia (v. **actuating**

quantity) sobrepasa el valor de regulación [operating value]. SIN. **maximum voltage relay** (CEI/56 16-15-010). CF. **overcurrent relay, overpower relay.**

overvoltage release   *(Elec)* aparato de máximo de tensión. Aparato que funciona automáticamente cuando la tensión a él aplicada sobrepasa un valor predeterminado (CEI/57 15-20-090). CF. **overcurrent release.**

overvoltage spike   punta de sobretensión.

overvoltage test   prueba de sobretensión. Prueba a que se somete un aparato (p.ej. un televisor o un radiorreceptor) aplicándole una tensión de alimentación superior a la nominal. Se usa para hacer franca una avería incipiente o intermitente; o para comprobar que el aparato es capaz de mantener su buen funcionamiento cuando, estando en servicio normal, reciba un voltaje de alimentación mayor que el nominal. CF. **high-voltage test.**

overwind   *verbo:* *(Relojes)* dar demasiada cuerda, pasar [saltar] la cuerda.

overwriting   *(Tubos de memoria por carga)* sobreinscripción, sobreescritura. Inscripción o escritura más allá del punto de saturación del tubo.

OVIA   *(Teleg)* Abrev. de our via [nuestra vía].

OW   Abrev. de open window ‖ *(Radioafic)* Abrev. de "old woman" ["vieja"]. Es expresión de afecto.

OW unit   v. **open-window unit.**

Owen bridge   puente Owen, circuito de puente Owen. Puente de alterna de cuatro ramas o brazos utilizado para medidas de autoinducción en función de la capacitancia y la resistencia; su condición de equilibrio es independiente de la frecuencia.

OWF   Abrev. de optimum working frequency.

OWS   Abrev. de official wavelength station.

oxacid   *(Quím)* oxácido.

oxalate   *(Quím)* oxalato.

oxalic   *adj:* *(Quím)* oxálico.

oxalic acid   ácido oxálico. Substancia cristalina incolora y transparente; muy acídula; venenosa; soluble en agua, alcohol y éter. Se emplea como reactivo químico y como desinfectante.

oxalic acid anodizing   anodizado con ácido oxálico.

oxalic acid etched   atacado con ácido oxálico.

oxalism   oxalismo. Envenenamiento por ácido oxálico [oxalic acid] o por un oxalato [oxalate].

oxalizing   (a.c. insulizing) aislación superficial. Capa aislante aplicada a las chapas utilizadas en la construcción de núcleos ferromagnéticos. SIN. **surface insulation.**

oxidable   *adj:* oxidable.

oxidant   oxidante.

oxidate   *verbo:* oxidar.

oxidation   *(Quím)* oxidación.

oxidation potential   *(Quím)* potencial de oxidación.

oxidation-reduction   (a.c. "redox") oxidación-reducción. Reacción química en la cual un átomo o una molécula pierde electrones que son absorbidos por otro átomo u otra molécula. En efecto, la oxidación implica una pérdida de electrones por una substancia, y la reducción implica una absorción de electrones por otra substancia. Ambas ocurren simultáneamente y en cantidades equivalentes durante cualquier reacción que comprenda alguno de esos procesos. La escala de números de oxidación se determina asignando al átomo de oxígeno, en su estado actual de combinación con otros átomos, el valor -2.

oxidation-reduction cycle   ciclo de oxidación-reducción.

oxidation state   estado de oxidación.

oxidation test   prueba de oxidación.

oxide   óxido. (**1**) En química, cuerpo resultante de la combinación del oxígeno con un radical; elemento combinado con oxígeno. La herrumbre [rust] es un óxido de hierro. (**2**) Partículas microscópicas de óxido férrico [ferric oxide] dispersas en un ligador líquido [liquid binder] y enduidas así sobre un soporte de registro magnético (cinta, disco, tambor).

oxide buildup   acumulación de óxido. Acumulación de desprendimientos de los constituyentes de la capa magnética (enduido) de la cinta en partes del mecanismo de un aparato de reproducción y/o grabación magnética, generalmente las cabezas. Cuando es excesiva, la acumulación de óxido puede reducir la amplitud de la señal de salida y acelerar el desgaste de la cinta. De efecto parecido es la acumulación sobre las cabezas de desprendimientos de material ligante [binder material], que recibe en el argot inglés el nombre de *gunk*.

oxide cathode   *(Elecn)* v. **oxide-coated cathode**.

oxide-cathode tube   *(Elecn)* tubo [válvula] con cátodo de óxido.

oxide-cathode valve *(GB)*   v. **oxide-cathode tube**.

oxide-coated   *adj*: revestido de óxido; bañado en óxido.

oxide-coated cathode   (a.c. oxide cathode) cátodo con depósito de óxidos, cátodo recubierto [revestido] de óxidos, cátodo de óxido(s) | (a.c. oxide cathode) cátodo (termoelectrónico) con depósito de óxidos. Cátodo cuya superficie activa está constituida por un depósito de óxidos alcalinotérreos [oxides of alkaline earths] sobre un metal (CEI/56 07–21–010).

oxide-coated filament   filamento cubierto de óxido (metálico), filamento con recubrimiento de óxido, filamento revestido de óxido (de un metal). Se emplea como cátodo termoelectrónico de calentamiento directo [directly heated thermionic cathode]. v.TB. **oxide-coated cathode**.

oxide-coated tape   cinta con depósito de óxido(s).

oxide coating   revestimiento [capa] de óxido.

oxide dispersion   dispersión de óxido. En las cintas de registro magnético, dispersión de las pequeñísimas partículas de óxido sobre el material base. Dichas partículas forman la película activa en la cual se efectúa el registro magnético. La dispersión (distribución) de las partículas de óxido debe ser lo más uniforme posible, para evitar distorsiones en el registro.

oxide emitter   *(Elecn)* emisor de óxido.

oxide-of-mercury cell   pila de óxido de mercurio-zinc. Pila que contiene óxido de mercurio como despolarizante, un electrólito constituido por una solución de hidróxido sódico [sodium hydroxide], y un electrodo de zinc (CEI/60 50–15–055).

oxide ratio   proporción de óxido, carga de óxido. En las cintas magnéticas, proporción de óxido a ligante en la capa activa. Un valor típico es 70 % de óxido por peso.

oxide rectifier   rectificador de óxido, rectificador oximetal. Puede ser de cobre-óxido de cobre, o bien de selenio-hierro.

oxide shed   desprendimiento de (partículas de) óxido. Desprendimiento de partículas de óxido de una cinta magnética durante su uso. v. **oxide buildup**.

oxide skin   película de óxido.

oxidize   *verbo*: oxidar, cubrir con óxido | (*i.e.* to become oxidized) oxidarse | oxidar. (**1**) Convertir en óxido; combinar con oxígeno. (**2**) Quitar electrones a un átomo o un ion; aumentar la carga positiva o valencia (de un elemento) retirando electrones || *(Met)* calcinar.

oxidizer   oxidante.

oxidizing   oxidación /// *adj*: oxidante.

oxidizing atmosphere   atmósfera oxidante.

oxidizing calcination   calcinación oxidante.

oxidizing fire   v. **oxidizing flame**.

oxidizing flame   (a.c. oxidizing fire) llama [fuego] oxidante; llama azul.

oxidizing flux   fundente oxidante.

oxidizing reaction   reacción oxidante. v. **oxidation-reduction**.

oxidoreduction   oxidorreducción. v. **oxidation-reduction**.

oximeter   oxímetro. Aparato electromédico que sirve para medir en forma continua la saturación de oxígeno en la sangre arterial. Funciona por medida fotoeléctrica de la intensidad de un rayo de luz que atraviesa parte de la oreja de la persona objeto de la observación.

oxy-arc cutting   oxicorte por arco. Procedimiento de corte del metal que combina los efectos del calor del arco y las acciones mecánicas y químicas de un chorro de oxígeno dirigido hacia la pieza por un electrodo metálico provisto de un canal central (CEI/60 40–15–235).

oxy-arc cutting electrode   electrodo para oxicorte. Electrodo metálico provisto de un canal central que da paso al oxígeno para la operación de corte por arco [arc cutting] (CEI/60 40–15–240).

oxyacetylene   *adj*: oxiacetilénico.

oxyacetylene blower   operario de soplete oxiacetilénico, sopletista.

oxyacetylene blowpipe   soplete oxiacetilénico. SIN. **oxyacetylene torch**.

oxyacetylene flame   llama oxiacetilénica.

oxyacetylene torch   soplete oxiacetilénico. LOCALISMOS: antorcha oxiacetilénica, pico de acetileno, mecha. SIN. **oxyacetylene blowpipe**.

oxyacetylene welding   soldadura oxiacetilénica, soldeo oxiacetilénico.

oxygen   oxígeno. Elemento gaseoso de número atómico 8. Símbolo: O.

oxygen analyzer   analizador de oxígeno. Aparato destinado a medir la concentración de oxígeno en el aire ambiente o en una mezcla gaseosa cualquiera. Al nivel del mar el aire atmosférico contiene oxígeno en proporción del 20,9 por ciento.

oxygen cylinder   botella [botellón] de oxígeno. Recipiente metálico cilíndrico utilizado para contener y transportar oxígeno.

oxygen equipment   *(Avia)* equipo de oxígeno.

oxygen flowmeter   indicador de paso de oxígeno.

oxygen-free   *adj*: desoxidado; desoxigenado.

oxygen-free high-conductivity copper [OFHC (copper)]   cobre desoxidado de alta conductividad. Cobre puro de conductividad del 100 por 100. Se emplea p.ej. en la construcción de tubos electrónicos de alta potencia por tener la propiedad de no liberar gas en cantidad apreciable al ser calentado.

oxygen ion   ion de oxígeno.

oxygen lack   falta de oxígeno.

oxygen mask   máscara [careta] de oxígeno, mascarilla para inhalar oxígeno.

oxygen pressure   presión del oxígeno.

oxygen pressure gage   manómetro del oxígeno.

oxygen regulator   regulador del oxígeno.

oxygen set   *(Avia)* inhalador de oxígeno. SIN. **oxygen mask**. CF. **oxygen equipment**.

oxygen system   sistema de abastecimiento de oxígeno.

oxygen tank   depósito de oxígeno. CF. **oxygen cylinder**.

oxygenate   *verbo*: oxigenar, oxidar.

oxygenated water   agua oxigenada.

oxygenation   *(Quím)* oxigenación, oxidación.

oxygenic   *adj*: oxigenado (que contiene oxígeno).

oxygenous   *adj*: oxigenado (que contiene oxígeno).

oxyhydrogen   oxihidrógeno, gas oxhídrico /// *adj*: oxhídrico.

oxyhydrogen blowpipe   soplete oxhídrico.

oxyhydrogen cutting   corte con soplete oxhídrico.

oxyhydrogen welding   soldadura oxhídrica, soldeo oxhídrico.

oz   Abrev. de ounce.

ozone   ozono. Forma sumamente reactiva del oxígeno que ocurre alrededor de las descargas eléctricas y que normalmente se encuentra en la atmósfera en pequeñas cantidades. Es una forma alotrópica gaseosa del oxígeno cuya fórmula molecular es O_3. Posee un intenso olor característico (parecido al del cloro débil), que se nota en el aire después de una tormenta eléctrica. En cantidad apreciable es venenoso. En concentraciones suficientes puede causar la falla de ciertos aislamientos de caucho bajo tensión, como en el caso de un cable doblado. Temperaturas de ebullición y de fusión: $-112°$ y $-193°$ C, respectivamente /// *adj*: ozónico.

ozone layer   *(Meteor)* capa de ozono.

ozone station   estación de observación del ozono.

ozonizer   ozonizador. Aparato que produce ozono mediante una descarga eléctrica silenciosa entre dos electrodos.

ozonometer   ozonómetro.

ozonoscope   ozonoscopio.

ozonosphere   *(Meteor)* ozonosfera.

P

p Símbolo del prefijo *pico* | Abrev. de page.

P Abrev. o símbolo de power; permeance; plate; primary winding ‖ *(Teleg)* Abrev. de please. Se combina con la palabra siguiente, como en este ejemplo: PADV = please advise [sírvase avisar, sírvase notificar] | *(Símbolo de clave horaria)* 3 pm ‖ *(Radiocom)* Símbolo de las emisiones de modulación por impulsos en la clasificación internacional de las emisiones radioeléctricas. A la letra P se le añaden números y letras minúsculas que indican el tipo de transmisión y las características suplementarias de la emisión. v. **P0 emission, P1 emission, P2 emission ... P0 wave, P1 wave ...** NOTA: Las emisiones de modulación de amplitud se simbolizan con la letra A; las de modulación de frecuencia (o de fase) con la letra F; las de ondas amortiguadas se designan por B.

P³ v. **PPP.**

P⁴ v. **PPPP.**

P$_N$ approximation *(Teoría del transporte de neutrones)* aproximación P$_N$.

P/C Abrev. de price current; petty cash; per cent.

P-channel depletion FET transistor de efecto de campo de agotamiento de canal P. CF. **P-channel enhancement FET.**

P-channel enhancement FET transistor de efecto de campo de activación de canal P.

P-diffused layer *(Semicond)* capa difusa P.

p.f. Abrev. de power factor.

P-germanium transistor transistor de germanio P.

P-K screw (a.c. Parker-Kalon screw, Parker-Kaylon screw) tornillo autorroscante. SIN. **self-tapping screw, sheetmetal screw.**

π mode *(Magnetrones)* modo π. Modo de oscilación en el cual la fase varía en π radianes de una cavidad a la cavidad siguiente (CEI/56 07–29–050).

π network *(Elec)* red en π, circuito en π.

P.O. Abrev. de Post Office.

p-p Abrev. de peak-to-peak.

P region *(Semicond)* región P.

P resistor *(Circ integrados)* resistor de difusión P.

P scan *(Radar)* (a.c. P scanner) explorador tipo P.

P scanner v. **P scan.**

P shell *(Nucl)* capa P.

p-to-p Abrev. de peak-to-peak.

P-type area *(Semicond)* región tipo P.

P-type base point-contact transistor transistor de punta [de de contacto puntual] con base tipo P.

P-type collector *(Transistores)* colector tipo P.

P-type conductivity *(Semicond)* conductividad tipo P.

P-type emitter *(Transistores)* emisor tipo P.

P-type germanium junction unión de germanio tipo P.

P-type semiconductor semiconductor tipo P, semiconductor por defecto. Material semiconductor que contiene un excedente de impurezas aceptoras [acceptor impurities], las cuales dan origen a agujeros libres [free holes]. La conducción se debe al movimiento de esos agujeros libres. CF. **N-type semiconductor** | semiconductor tipo P, semiconductor (electrónico) por defecto (de electrones). Semiconductor extrínseco [extrinsic semiconductor] en el cual los portadores preponderantes [majority carriers] son lagunas [holes]. NOTA: Las lagunas, relativamente poco numerosas, se comportan como un gas no degenerado, y obedecen a la ley de Maxwell-Boltzmann [Maxwell-Boltzmann law]. La resistividad varía en el sentido inverso de la temperatura (CEI/56 07–15–235).

P-type silicon silicio tipo P.

P wave *(Electrobiol)* onda P. En los electrocardiogramas obtenidos con la ayuda de electrodos colocados sobre el brazo derecho y la pierna izquierda, el trazo característico [characteristic tracing]

consiste en cinco ondas consecutivas:

P = onda prolongada, positiva, de pequeña amplitud [prolonged, low, positive wave];

Q = onda breve, negativa, de pequeña amplitud [brief, low, negative wave];

R = onda breve, positiva, de gran amplitud [brief, high, positive wave];

S = onda breve, negativa, de pequeña amplitud [brief, low, negative wave];

T = onda prolongada, positiva, de pequeña amplitud [prolonged, low, positive wave] (CEI/59 70–10–135) ‖ *(Radiocom)* onda P. Onda modulada por impulsos. v. **P0 wave, P1 wave, etc.**

P wiper *(Telef)* Abrev. de private wiper.

P wire *(Telef)* Abrev. de private wire.

P0 emission *(Radiocom)* emisión P0. Emisión en ausencia de toda modulación destinada a transmitir información.

P0 wave *(Radiocom)* onda P0.

P1 emission *(Radiocom)* emisión P1. En las emisiones de modulación por impulsos, telegrafía sin modulación por una audiofrecuencia.

P1 wave *(Radiocom)* onda P1.

P2 emission *(Radiocom)* emisión P2. En las emisiones de modulación por impulsos, telegrafía por manipulación de una audiofrecuencia de modulación (o de audiofrecuencias de modulación), o por la manipulación del impulso modulado (caso particular: impulso modulado no manipulado).

P2 wave *(Radiocom)* onda P2.

P2d emission *(Radiocom)* emisión P2d. Emisión P2 con la amplitud del impulso modulada en audiofrecuencia o audiofrecuencias.

P2d wave *(Radiocom)* onda P2d.

P2e emission *(Radiocom)* emisión P2e. Emisión P2 con audiofrecuencia o audiofrecuencias que modulan la anchura del impulso.

P2e wave *(Radiocom)* onda P2e.

P2f emission *(Radiocom)* emisión P2f. Emisión P2 con audiofrecuencia o audiofrecuencias que modulan la fase (o la posición) del impulso.

P2f wave *(Radiocom)* onda P2f.

P3d emission *(Radiocom)* emisión P3d. Telefonía de modulación por impulsos; modulación en amplitud.

P3d wave *(Radiocom)* onda P3d.

P3e emission *(Radiocom)* emisión P3e. Telefonía de modulación por impulsos; modulación en anchura.

P3e wave *(Radiocom)* onda P3e.

P3f emission *(Radiocom)* emisión P3f. Telefonía de modulación por impulsos; modulación de fase (o en posición).

P3f wave *(Radiocom)* onda P3f.

P9 emission *(Radiocom)* emisión P9. En la clasificación de las emisiones de modulación por impulsos, transmisiones complejas y casos no previstos en las demás definiciones.

P9 wave *(Radiocom)* onda P9.

pA Abrev. de picoampere.

Pa Símbolo del elemento protactinio [protactinium].

Pa. Abrev. de Pennsylvania.

PA Abrev. de public address; public-address system; power amplifier ‖ *(Teleg)* Abrev. de Pennsylvania | Abrev. de Paris ‖ *(Radiol)* Abrev. de posterior-anterior.

PA neutralization *(Radio)* neutralización del amplificador de potencia.

PA projection *(Radiol)* proyección PA. v. **posterior-anterior view.**

PA speaker v. **public-address loudspeaker.**

PA system v. **public-address system.**

PA view *(Radiol)* vista PA. v. **posterior-anterior view.**

PABX *(Telef)* (a.c. dial PBX) centralita particular automática, instalación privada automática (PABX). Sistema telefónico de conmutación manual que tiene las mismas aplicaciones que el

PBX (véase), pero en el cual las llamadas internas se efectúan en forma completamente automática. Necesita de una operadora en el conmutador para encaminar las llamadas procedentes de la central telefónica [central office]. Las llamadas de salida de las estaciones del sistema pueden marcarse directamente, o bien han de pasar por la telefonista, según la norma adoptada por el usuario del sistema. PABX es abreviatura de Private Automatic Branch Exchange. CF. **PAX**.

pac, PAC   circuito prearmado [premontado]. Conjunto de varios elementos (transistores, diodos, etc.) interconectados y alojados en una pequeña envoltura o bloque protegido provisto de hilos para las conexiones externas. El término en inglés es abreviatura de *preassembled circuit*.

pace   paso; marcha; paso (medida de longitud) || *(Arq)* estrado, tablado /// *verbo:* recorrer a pasos; medir a pasos; marcar el paso, dirigir; andar, marchar.

pace voltage   *(Instalaciones de puesta a tierra)* tensión en un paso. Tensión engendrada por una corriente entre dos puntos del suelo separados por una distancia convencional correspondiente al largo de un paso medio (CEI/65 25-35-070).

pacemaker   el que marca el paso; el que dirige; el que da la pauta o el ejemplo || *(Medicina)* marcapaso, regulador del ritmo cardiaco. Dispositivo electrónico miniatura que mediante una operación quirúrgica se coloca en el interior del cuerpo para regular o contribuir a regular el ritmo de los latidos del corazón. SIN. **cardiac pacemaker, pacer**.

pacer   el que mide a pasos; el que marca el paso || *(Medicina)* v. **pacemaker**.

pack   paquete; fardo, lío; cajetilla (de cigarrillos); mochila; material de envolver; material de embalar; material de relleno; extensión grande de témpanos flotantes; flotilla de submarinos operando conjuntamente; envoltura (de un enfermo) en sábanas o frazadas (secas o húmedas, según el tratamiento) | *(i.e.* tape pack, roll of tape) rollo de cinta /// *verbo:* empaquetar, empacar, embalar; enfardar, enfardelar; envasar; embaular, encajonar; hacer (una maleta, un baúl); preparar el equipaje; colmar, llenar; apretar, atestar; despachar, enviar; cargar (una bestia); cargar a la espalda, llevar sobre el lomo; envolver (a un enfermo) en sábanas o frazadas; conglomerarse, consolidarse, apelotonarse, formar masa compacta; hacerse denso || *(Comput)* adensar, condensar. Combinar varios campos breves de información en una sola palabra de máquina [machine word]. Almacenar varias unidades cortas de datos en una sola célula de almacenamiento, de manera que aquéllas puedan luego ser recuperadas individualmente || *(Ferroc)* to **pack the track:** calzar la vía. Apisonar adecuadamente el balasto [ballast] debajo de los durmientes [sleepers, ties] || *(Mec)* empaquetar (una junta).

PACK   *(Teleg)* Abrev. de please acknowledge [sírvase acusar recibo] | *(i.e.* CODE ADDRESS) dirección en clave, dirección telegráfica.

pack-board   v. **packboard**.

pack frame   soporte para transporte a hombro. CF. **manpack transceiver**.

pack rolling   laminación en paquete(s); laminación de varias chapas finas al mismo tiempo.

pack-type   *adj:* transportable a hombro; portátil.

pack unit   *(Radiocom)* equipo de mochila, emisor-receptor portátil. Aparato emisor y receptor (transceptor) que puede cargarse a la espalda. SIN. **packset, manpack**. CF. **walkie-talkie**.

package   paquete; fardo, bulto; embalaje, envase; conjunto, bloque; conjunto integral; cosa transportable || *(Elecn)* estilo constructivo, realización mecánica, realización física general || *(Diodos, &)* cubierta; conjunto de elemento y su cubierta || *(Comercio)* conjunto ofrecido a precio global || *(Sistematización de datos)* lote (de tarjetas) /// *adj:* compacto, transportable; integral; global /// *verbo:* empacar, empaquetar, embalar, envasar.

package power reactor   reactor de potencia compacto y móvil, reactor de potencia transportable. Pequeño reactor nuclear de

---

potencia que puede ser desmontado y transportado en partes para ser rearmado y utilizado en lugares aislados.

package unit   conjunto completo. Dícese p.ej. de un equipo de refuerzo acústico todos cuyos elementos (amplificador, micrófono, altavoces, fonógrafo y magnetófono) se adquieren en forma de conjunto coordinado que a menudo se acarrea en uno o más estuches portátiles. CF. **packaged unit**.

packaged   *adj:* empaquetado, embalado, envasado; equipado; integrado; monobloque; autónomo, completo e independiente || *(Máq)* montado sobre bastidor de perfiles.

packaged circuit   *(Elecn)* circuito monobloque [encapsulado]. Conjunto de elementos circuitales (típicamente un capacitor y un resistor) fabricado en forma de bloque encapsulado. CF. **rescap**.

packaged goods   *(Comercio)* paquetería.

packaged goods amplifier   amplificador portátil.

packaged magnetron   magnetrón equipado. Magnetrón en cuya estructura se hallan integrados el circuito magnético y el elemento adaptador de salida.

packaged system   sistema integrado.

packaged unit   conjunto, bloque, unidad integral.

packaging   empaquetado; presentación; construcción y presentación; diseño constructivo, realización física; montaje (de los elementos, de los órganos) (de un dispositivo o aparato) | integración. Armado, conexionado y protección de un dispositivo o elemento electrónico || *(Máq)* empaquetadura.

packaging concept   principio constructivo.

packaging density   densidad de montaje de componentes [elementos], concentración de elementos componentes. Número de componentes por unidad de volumen en un aparato o en un sistema o subsistema funcional. La densidad aumenta a medida que se reduce el tamaño de los componentes y el espacio vacío entre ellos.

packboard   tablero de transporte a hombro. CF. **manpack transceiver**.

packed column   *(Nucl)* (a.c. packed tower) columna de empaquetado.

packed tower   v. **packed column**.

packet   paquete, fardo pequeño; valija (de correos), correo, mala | **packet of letters:** paquete de cartas | **packet of telegrams:** envío de telegramas | paquebote, paque, correo marítimo, buque correo. SIN. **packet boat [ship, vessel]**.

packet boat   (a.c. packet ship, packet vessel) paquebote, paque, correo marítimo, buque correo.

packet ship   v. **packet boat**.

packet vessel   v. **packet boat**.

packing   empaque, empaquetamiento; embalaje; enfarde, enfardeladura; envase, envasado; apelmazamiento, amazacotamiento; aglomeración, apelotonamiento; apisonado; adensamiento, condensación || *(Comercio)* (i.e. packing expense) gastos [costos] de embalaje || *(Constr, Mec)* calzo; suplemento; acondicionamiento; guarnición estanca; obturación; empaquetadura, guarnición, estopada, relleno || *(Albañilería)* relleno, enripiado, macizado || *(Fís)* empaquetamiento. Concentración de material o de partículas materiales en un espacio pequeño || *(Comput)* adensamiento, condensación. Acción o efecto de adensar o condensar información. v. **pack** || *(Tv)* compresión de la imagen. SIN. **picture compression** (véase) || *(Micrófonos)* (i.e. packing of the carbon granules) pegado [apelmazamiento, amazacotamiento] (de los gránulos de carbón). Defecto que se produce por compresión excesiva de los gránulos o partículas de carbón, o por fusión de éstos debido a excesiva corriente; el resultado es disminución de la resistencia eléctrica y de la sensibilidad del dispositivo.

packing density   *(Nucl)* densidad de relleno || *(Informática)* densidad de información. Número de unidades de información digital por unidad de longitud o por unidad de área en un medio de registro o de almacenamiento; por ejemplo, número de unidades de información por centímetro de cinta magnética || *(Elecn)* (i.e. of components) v. **packaging density**.

packing effect   *(Nucl)* efecto de empaquetamiento.

packing factor   *(Informática)* v. **packing density.**

packing fraction   *(i.e.* mass defect of an atom divided by its mass number) fracción de empaquetamiento. Defecto de masa de un átomo dividido por su número de masa.

packing-fraction curve   curva de la fracción de empaquetamiento.

packing gland   prensaestopa(s); corona [casquillo] de prensaestopa(s), corona de empaquetadura, portaempaquetadura.

packing-gland nut   tuerca de prensaestopas.

packing loss   *(Nucl)* defecto de masa.

packing ring   anillo prensaestopas [empaquetador, de estopas, de guarnición], aro de guarnición; anillo de émbolo.

packset   equipo de mochila. v.TB. **manpack.**

pacor   pacor. Sistema de detección pasiva y correlación (v. **correlator**) con el cual se obtiene información útil de distancia a partir de señales radioeléctricas reflejadas muy débilmente. El nombre viene de *passive correlation ranging.*

pad   almohadilla, cojincillo, cojinete, colchoncillo; almohadilla (de entintar); huella, rastro | bloc. Taco de papel para notas o apuntes. Taco de calendario | **pad of steel wool:** almohadilla de virutas de acero. Usase p.ej. para limpiar la punta del soldador || *(Avia)* (a.c. helipad, heliport deck) plataforma de helipuerto || *(Cohetes)* *(i.e.* launching pad) emplazamiento de disparo || *(Cine)* *(i.e.* pressure pad) patín presor || *(Ebanistería)* muñeca || *(Elecn, Telecom)* atenuador fijo; red resistiva fija; atenuador adaptador; adaptador; elemento pasivo de adaptación; red de adaptación a base de elementos pasivos. Célula, red o dispositivo formado por resistencias u otros elementos disipativos fijos, utilizado para fines de atenuación, de adaptación de impedancias, o de adaptación de niveles de potencia. CF. **resistance pad** | atenuador fijo. Atenuador (v. **attenuator**) que produce un valor fijo de pérdida de energía. Atenuador no ajustable que reduce la amplitud de una onda o señal sin deformarla en grado apreciable. Usualmente está formado por una red de resistores que presenta los valores convenientes de impedancia a los circuitos entre los cuales se encuentra conectado. Los atenuadores fijos reciben nombres particulares según la configuración de la red que los forma (v. **H pad, O pad, π pad, T pad, L pad**) o según la función a que se les destine (v. p.ej. **span pad**). SIN. **fixed attenuator** || *(Potenciómetros alineales)* derivación (resistiva). Resistor en derivación con un segmento del elemento de resistencia || *(Circ impresos e integrados)* zona terminal. Zona metalizada de la superficie de un tablero o de la plaquita o lasquita [wafer, die] de un dispositivo semiconductor a la cual pueden efectuarse conexiones eléctricas o a la cual puede aplicarse una sonda [probe]. SIN. **bonding pad, terminal [pad] area, land** || *(Telecom)* línea artificial (complementaria), complemento (de línea); atenuador; complemento de línea destinado a introducir una atenuación fija. Red destinada a introducir una atenuación fija; red que se emplea entre dos líneas de la misma impedancia o de impedancias diferentes | adaptador. Complemento de línea destinado a introducir una atenuación fija o a adaptar impedancias (CEI/70 55-20-290) || *(Guías de ondas)* atenuador fijo. Elemento de guía de ondas que introduce un valor fijo de atenuación | **(in a waveguide)** atenuador fijo (de una guía de ondas). Atenuador de valor fijo intercalado entre dos aparatos para reducir sus reacciones mutuas (CEI/61 62-20-140). NOTA: Esta definición es igualmente aplicable en el caso de una línea de transmisión [transmission line] /// *verbo:* forrar; rellenar, emborrar; formar blocs.

pad area   *(Circ impresos e integrados)* zona terminal. v. **pad, terminal area.**

pad capacitor   v. **padder.**

pad electrode   electrodo de punta ancha || *(Calentamiento dieléctrico)* electrodo de placa. Electrodo en forma de placa de un par entre los cuales se coloca la carga.

padar   padar. Sistema de detección pasiva y seguimiento de móviles que utilicen radar. Funciona por captación de las señales procedentes del móvil, sea directamente, sea después de reflejadas por una instalación situada en un punto distinto del emplazamiento de la estación seguidora. El nombre viene de *passive detection and ranging.*

padder   compensador, "padder", capacitor de compensación [de corrección en serie], compensador serie, condensador modificador [de compensación, de ajuste], corrector de rastreo. (**1**) En los receptores superheterodinos, capacitor ajustable intercalado en serie con el circuito resonante del oscilador local para corregir la calibración en el extremo inferior de la banda de sintonización. (**2**) Cualquier capacitor ajustable de pequeño valor intercalado en serie con un condensador variable principal al objeto de ajustar la capacitancia a determinado valor. SIN. **padding capacitor [condenser], padder capacitor [condenser], pad capacitor.** CF. **trimmer.**

padder capacitor   v. **padder.**

padder condenser   v. **padder.**

padding   acolchado; almohadillado; relleno; enguatado; almohadilla; guata || *(Costura)* almohadilla, relleno; entretela, forro || *(Escritos y discursos)* ripio, palabras inútiles || *(Soldadura)* almohadillo || *(Radio)* compensación. v. **padder** || *(Telecom)* relleno, palabras ajenas al texto del mensaje || *(Ebanistería)* lustrado a muñeca. SIN. **French polishing** || *(Informática)* relleno. Acción de rellenar; técnica de completar un bloque de información con seudorregistros. Caracteres, ítems o registros ficticios usados para completar un bloque de información de longitud fija.

padding capacitor   v. **padder.**

padding character   *(Informática)* carácter de relleno.

padding condenser   v. **padder.**

padding device   dispositivo de compensación [de adaptación].

padding inductance   inductancia de compensación.

paddle   paleta || *(Albañilería)* paleta (de yesero) || *(Barcos de río)* rueda de paletas, rueda hidráulica || *(Canoas)* remo corto. MAS PARTICULARMENTE: canalete (remo corto de pala ancha ovalada); pagaya (remo corto parecido al zagual); zagual (remo corto de pala ancha que no se apoya en la canoa) || *(Mec)* paleta || *(Satélites artificiales)* *(i.e.* paddle-shaped support for solar cells) paleta portadora de células solares, paleta colectora de energía solar /// *verbo:* bogar [remar, impeler] con canalete; propulsar con rueda de paletas [con rueda hidráulica]; chapotear, guachapear.

padlock   candado /// *verbo:* poner candado, cerrar con candado, echar el candado.

padlock eye   cerradero, ojal de candado.

padlocked   *adj:* con candado.

padlocked metal cabinet   caja metálica con candado.

PADV   *(Teleg)* Abrev. de please advise [sírvase avisar, sírvase informar; sírvase notificar].

page   página; hoja; botones, cadete de hotel; paje, criado, escudero || *(Impr)* página, plana, carilla, llana || *(Informática)* página. Segmento de programa o de información, generalmente de largo fijo, que tiene una dirección virtual [virtual address] fija, pero que puede hallarse en cualquier región del almacenador interno [internal storage] del computador. La división de los programas y sus correspondientes datos en páginas tiene la ventaja de facilitar el control de las operaciones de compartimiento del tiempo [time-sharing operations], pues permite la permutación de segmentos de información pertenecientes a distintos programas entre el almacenador interno y el almacenador secundario /// *verbo:* paginar, foliar; hacer de paje, servir como paje || *(Hoteles, Terminales de transporte, &)* vocear, buscar llamando. Gritar (el botones) el nombre de una persona buscada en el vestíbulo de un hotel u otro lugar público. Llamar a una persona por un sistema de altavoces que cubre el vestíbulo y otros lugares de un hotel: ascensores, restaurante, solario, piscina || *(Impr)* poner en páginas.

page copy   *(Teleg)* copia en página, copia de página.

page facsimile   facsímile en página.

page-facsimile receiver   receptor de facsímile en página.

page-facsimile transmitter   transmisor de facsímile en página.

page feed   *(Teleg)* alimentación de página.

page-feed sequence   orden de alimentación de página.

page layout   *(Telegramas)* presentación en página.

page printer   *(Teleg)* impresor en página, impresor de página | traductor impresor en página. Traductor telegráfico que imprime los caracteres sucesivos sobre una banda continua de papel o sobre hojas separadas y las dispone en forma de página (CEI/70 55–75–040). CF. **tape printer.**

page-printer monitor   *(Teleg)* monitor de impresión en página. Impresor en página utilizado para vigilar u observar el tráfico cursado por determinado circuito o grupo de circuitos.

page-printer set   *(Teleg)* equipo impresor en página.

page-printing apparatus   *(Teleg)* aparato impresor en página. SIN. **page printer.** CF. **tape-printing apparatus.**

page-printing teleprinter   teleimpresor de impresión en página.

page-printing teletype   teletipo impresor en página.

page teletypewriter   teleimpresor en página.

page total control   *(Informática)* control de total de página.

paging   paginación, foliación; división en páginas; busca [búsqueda] de personas. v. **page.**

paging-announcing system   sistema de aviso y llamada.

paging decoder   descodificador para llamadas selectivas (de localización de personas).

paging equipment   equipo (amplificador) de busca de personas, equipo de llamada por altavoces.

paging horn   bocina para llamadas y avisos.

paging system   sistema de llamadas [de telellamadas, de aviso y llamada, de llamada de personas], instalación de busca de personas.

paid call   *(Telef)* llamada [conversación] tasada.

paid card   *(Informática)* tarjeta de "pagado".

paid minute   *(Telecom)* minuto tasado.

paid service   servicio pagado ‖ *(Teleg)* (telegrama de) servicio tasado. Telegrama de servicio pagado por el expedidor o el destinatario de un telegrama, para hacer una indagación de su interés en relación con este último.

paid service advise [ST]   *(Teleg)* aviso de servicio tasado [ST].

paid service indication   *(Teleg)* indicación de servicio tasada.

paid service telegram   telegrama de servicio tasada.

paid time   tiempo pagado ‖ *(Telecom)* tiempo tasado.

paid-time ratio   *(Telef)* rendimiento horario (de un circuito). Valor en por ciento del cociente cuyo numerador es el número de minutos tasados de conversación en el curso de una hora y cuyo denominador es igual a 60 minutos. Salvo indicación en contrario, el rendimiento horario de un circuito se calcula en base a la hora más cargada [busy hour] del grupo de circuitos al cual pertenece el circuito considerado. SIN. **hourly percentage paid time** *(GB).*

paid traffic   *(Telecom)* tráfico tasado.

paid word   *(Teleg)* palabra tasada.

paint   pintura; color ‖ *(Maquillaje)* colorete, arrebol, afeite ‖ *(Radar) (slang for "target image on radarscope")* imagen (del blanco en la pantalla) | trazo remanente. Eco persistente en una pantalla de gran remanencia después de la recepción de la señal correspondiente (CEI/70 60–72–665) ⫴ *verbo:* pintar; colorar; dar un baño, dar un capa; untar; dedicarse (alguien) a la pintura; pintarse (la cara, el rostro), ponerse colorete, arrebolarse, afeitarse; retratar en colores; copiar con colores.

painted printed circuit   *(Elecn)* circuito pintado. Conexionado o red conductiva obtenido por aplicación de un material conductor en forma líquida o en forma de partículas suspendidas en un vehículo líquido, mediante técnicas de rociado, de estarcido de seda [silk screen], o de impresión indirecta ("offset"). Según el procedimiento utilizado, puede usarse uno de los siguientes sinónimos: circuito formado por rociadura, circuito estarcido, circuito calcado [impreso].

pair   par; pareja; mancuerna; yunta ‖ *(Mat)* par ‖ *(Aparatos de medida)* v. **astatic pair** ‖ *(Telecom)* par, línea bifilar, línea de dos conductores | par. Conjunto de dos conductores aislados el uno del otro y asociados para entrar en la constitución de una o más vías de transmisión [communication channels] (CEI/70 55–30–015) ‖ *(Radionaveg)* par. Par de emisores radioeléctricos asociados a una cadena de radionavegación [radionavigation chain], que en general comprende una estación patrón [master station] y una estación controlada [slave station] (CEI/70 60–74–185) ⫴ *verbo:* parear(se), aparear(se), casar(se), hermanar(se), igualar(se) | **to pair with:** hacer pareja con | **to pair off:** aparear(se), separar(se) en [por] pares.

pair annihilation   *(Nucl)* aniquilación de un par. CF. **pair production.**

pair attenuation coefficient   *(Radiol)* coeficiente de atenuación (de formación de pares). Parte del coeficiente de atenuación total [total attenuation coefficient — término 65–15–070] atribuible a la formación de pares [pair production — término 65–10–495]; no existe por tanto más que para los fotones de energía superior a 1,022 MeV. Símbolo: (π). Unidad: cm^{-1} (CEI/64 65–15–085).

pair cable   *(Telecom)* v. **paired cable.**

pair conversion   *(Nucl)* conversión de un par.

pair emission   *(Nucl)* emisión de un par.

pair formation   *(Fís)* v. **pair production.**

pair of aerials   v. **pair of antennas.**

pair of antennas   par de antenas, antenas gemelas. SIN. **pair of aerials** *(GB).*

pair of coaxial tube   *(Telecom)* par coaxil, par coaxial.

pair of dividers   *(Dib)* compás de puntas secas, compás de dividir. v.TB. **divider.**

pair of headphones   (par de) auriculares, (par de) audífonos, casco telefónico. v. **headphones.**

pair of pulses   par de impulsos. SIN. **pulse pair.**

pair production   (a.c. pair formation) producción [formación] de pares | producción de pares. Reacción, en presencia de materia, de fotones de energía superior a 1,02 MeV, que resulta en la producción de pares de positones y de electrones (v. **pair attenuation coefficient**) (CEI/64 65–10–495).

pair-production absorption   absorción (de fotones) en el proceso de producción de pares.

paired cable   *(Telecom)* cable de pares, cable en pares. Cable en el cual todos los conductores están distribuidos en pares torcidos, sin formar cuadretes [quads].

paired frequencies   frecuencias asociadas por pares.

paired lattices   *(Nucl)* celosías emparejadas.

paired running   *(Tracción eléc)* (of thermoelectric vehicles) acoplamiento (de vehículos termoeléctricos). Marcha en la cual dos o más vehículos termoeléctricos acoplados son conducidos cada uno por un conductor [driver] (CEI/57 30–05–415).

pairing   formación de pares, acción de formar pares; pareado, emparejado, apareamiento, acción de casar [agrupar] por pares ‖ *(Telecom)* cableado por pares. v. **paired cable** ‖ *(Tv)* solapado de líneas, emparejado (de líneas) | (a.c. twinning) apareamiento. Defecto de una imagen visible debido a la mala posición relativa de los diferentes campos en el caso de una exploración línea por línea entrelazada (CEI/70 60–64–500).

pairs cabled in quad-pair formation   *(Telecom)* pares cableados en estrella.

pairwise   adv: *(Mat)* dos a dos.

PAL   *(Tv)* Abrev. de phase alternation by line.

PAL system   v. **phase-alternation-by-line system.**

PALEGRE   *(Teleg)* Abrev. de Puerto Alegre (Brasil).

palladium   paladio. Elemento metálico de número atómico 46. Símbolo: Pd ⫴ adj: paladioso, de paladio.

pallanesthesia   *(Medicina)* palanestesia. Insensibilidad a las vibraciones, en particular las del diapasón. CF. **pallesthesia.**

Pallas   *(Astr)* Palas. El segundo en tamaño de los planetas menores [minor planets] o asteroides [asteroids]. Fue descubierto en 1802 por Heinrich Wilhelm Matthaus Olbers, físico y astrónomo alemán (1758–1840), que descubrió muchos otros asteroides y cometas [comets].

pallesthesia   *(Medicina)* palestesia. Sensibilidad a las vibraciones. CF. **pallanesthesia**.

pallesthesiometer   *(Medicina)* palestesiómetro. Aparato para medir la sensibilidad a las vibraciones; aparato para medir la transmisión de las vibraciones por los tejidos.

pallet   paleta (de pintor, de dorador, de alfarero) | paleta, paleta-caja, plataforma, tarima, bandeja de carga, plataforma para manejo de mercancías. Plataforma para el almacenamiento o el manejo de mercancías; tarima pequeña sobre la cual se apila la carga que ha de ser transportada con la carretilla elevadora o de alza || *(Mec)* paleta; pieza que transforma un movimiento de vaivén en movimiento circular, o viceversa, como p.ej. el *trinquete* [click, pawl] que gobierna el movimiento de la rueda de trinquete [ratchet wheel] en un escape de reloj [watch escapement]; trinquete, linguete, uña, retén, crique, seguro, fiador (de rueda dentada) || *(Relojes)* paleta, áncora || *(Teleimpr)* tipo || *(Organos)* válvula (de cañón); ventilla. Chapa de madera, forrada de cuero o de fieltro, que al levantarse permite el paso del aire a una caja de viento u otra parte del mecanismo; válvula que admite el aire a los canales [grooves] /// *verbo:* paletizar, embandejar (mercancías).

palm   palma, palmera; palma (de la mano); palmo (unidad de longitud igual al ancho o al largo de la mano; unidad de longitud igual a 3 pulgadas = 76,2 mm); parte de un guante que cubre la palma de la mano; palma (ensanche al final de una pieza) || *(Constr)* cara plana (para conexión), palma || *(Marina)* paleta (de remo); oreja (de ancla); rempuje (pieza metálica que aplican los veleros a la palma de la mano para empujar la aguja al coser las velas).

palm oil   aceite de palma.

palm-type microphone   micrófono del tipo que se sostiene en la palma de la mano. CF. **hand-held microphone**.

Palmer scan   *(Radar)* exploración Palmer. Exploración del haz en la cual se combinan dos movimientos: uno de ellos describe un círculo sobre un plano vertical lejano, con lo cual se traza un cono en el espacio (v. **conical scanning**); el otro consiste en el giro de la antena en círculo horizontal.

palnut   contratuerca, tuerca de fijación. SIN. **locknut, locking nut**.

PAM   Abrev. de pulse-amplitude modulation.

PAM/FM system   sistema PAM/FM. Sistema múltiplex en el cual una portadora es modulada en frecuencia por varias subportadoras de impulsos modulados en amplitud.

PAM/FM/FM system   sistema PAM/FM/FM.

pampero   pampero (habitante de las pampas) || *(Meteor)* (viento) pampero. Viento fuerte y frío que viene de las pampas en el Río de la Plata; llámase *pampero sucio* al que arrastra nubes de polvo y va acompañado de chubascos o aguaceros.

pan   vasija, recipiente, depósito; cuba; bandeja; artesa; batea; cacerola, cazuela; caldero; paila; lebrillo, librillo, terrizo (vasija más ancha por el borde que por el fondo, usada para lavar); cuenco (vaso hondo y ancho, sin borde o labio); perol (vasija de metal, de figura como de media esfera); gamella, camella (artesa para dar de comer a los animales); cuba de amalgamación; cilindro para vulcanizar con aire caliente a presión; plato (para colocar piezas); pan (hoja finísima de oro, plata u otro metal); cárter (inferior); frotador, patín; quicio; capa de arcilla; cuenca; hondonada; depresión || *(Altos hornos)* batea de carga || *(Armas de fuego)* cazoleta || *(Autos)* cárter || *(Balanzas)* platillo || *(Bot)* pan; betel para masticar || *(Cine/Tv)* panorámica; efecto panorámico. SIN. **panning** || *(Excavaciones y otras obras de tierra)* traílla || *(Geol)* cubeta || *(Ingenios azucareros)* tacho || *(Mares)* pan de hielo, pedazos sueltos de hielo || *(Met)* caldera || *(Minería)* gamella || *(Radiocom)* pan, urgente; llamada de urgencia /// *verbo:* cocer (en cazuela) || *(Cine/Tv)* panoramizar. Mover la cámara tomavistas inclinándola o haciéndola girar en el plano horizontal, para mantenerla enfocada sobre un objeto o una persona en movimiento o para obtener un efecto panorámico || *(Minería)* lavar (en la batea),

separar el oro (en una gamella), lavar para la separación del oro (contenido en tierras auríferas).

pan and tilt   *(Cine/Tv)* giro e inclinación (de la cámara).

pan-and-tilt friction head   *(Cám tomavistas)* panoramizador [dispositivo de giro e inclinación] del tipo de fricción.

pan-and-tilt handle   *(Cám tomavistas)* palanca panoramizadora, palanca de maniobra.

pan-and-tilt head   *(Cine/Tv)* panoramizador, cabeza de giro e inclinación (de la cámara).

pan down   *(Cine/Tv)* inclinación (de la cámara) hacia abajo. SIN. tilt down /// *verbo:* inclinar (la cámara) hacia abajo.

pan film   v. **panchromatic film**.

pan left   *(Cine/Tv)* giro (de la cámara) hacia la izquierda /// *verbo:* hacer girar (la cámara) hacia la izquierda, seguir la acción hacia la izquierda.

pan-pipe   *(Mús)* v. **panpipe**.

pan-pipes   *(Mús)* v. **panpipe**.

pan pot, pan potentiometer   *(Estereofonía)* (*i.e.* panoramic potentiometer) potenciómetro de control panorámico.

pan right   *(Cine/Tv)* giro (de la cámara) hacia la derecha /// *verbo:* hacer girar (la cámara) hacia la derecha, seguir la acción hacia la derecha.

pan shot   *(Cine/Tv)* toma [vista] panorámica. Toma con la cámara girando en arco de círculo; procedimiento consistente en hacer girar la cámara sobre un eje vertical u horizontal durante la toma de vista. V.TB. **panning**.

pan up   *(Cine/Tv)* inclinación (de la cámara) hacia arriba /// *verbo:* inclinar (la cámara) hacia arriba.

pancake   *(Cocina)* panqué, panqueque, hojuela, tortilla, torta delgada cocida en sartén o plancha || *(Avia)* desplome, aterrizaje de plano, aterrizaje brusco con bajada casi vertical; pérdida de velocidad al aterrizar /// *adj:* plano, chato /// *verbo:* *(Avia)* desplomar(se) (un avión), aterrizar de plano; aumentar el ángulo de bajada al aterrizar.

pancake coil   bobina plana [chata]. Bobina de inductancia de diámetro mucho mayor que el largo; bobina chata (en forma de disco), usualmente con las vueltas en espiral plana. SIN. **slab coil**.

pancake formation   *(Avia)* escalonamiento de aterrizaje.

pancake landing   aterrizaje con desplome. A VECES: aterrizaje aplastado. V.TB. **pancake**.

pancake loudspeaker   altavoz [altoparlante] extraplano. Altavoz o altoparlante cuya dimensión de fondo es pequeña en relación con su diámetro (cono circular) o sus diámetros (cono ovalado).

pancake motor   motor plano. Servomotor plano y de gran diámetro. El diámetro grande permite la utilización de un número elevado de polos (del orden de las decenas) y obtener así la baja velocidad necesaria para la transmisión directa del movimiento; empléase en aplicaciones en las cuales hay que efectuar movimientos angulares pequeños con par motor bien regulado.

pancake turner   *(Radio/Tv)* *(slang)* operador de tornamesa. CF. disk jockey.

pancaking   *(Avia)* v. **pancake**.

panchro   Forma abreviada de *panchromatic*.

panchromatic   *adj:* *(Fotog)* pancromático. Sensible a todas las longitudes de onda del espectro visible.

panchromatic film   película pancromática.

panchromatic plate   placa pancromática.

panclimatic   *adj:* panclimático.

panclimatic properties   propiedades panclimáticas.

Pandean pipe(s)   v. **panpipe**.

panel   comisión; jurado; panel, tablero | (*i.e.* control panel) panel (de control) || *(Lenguaje militar)* painel || *(Aviones, Autos)* (*i.e.* instrument panel) tablero (de instrumentos) || *(Aeron)* (*i.e.* part of wing) sección || *(Elec)* panel. Parte de un tablero en forma de panel (CEI/38 15–05–015) || *(Fab de cinescopios)* placa frontal. Pieza que unida al embudo [funnel] forma el bulbo o ampolla del cinescopio. SIN. **faceplate** || *(Telecom/Radio/Elecn)* panel, cuadro, tablero | (*i.e.* panel of equipment mounted on a rack) panel, bloque [unid ¹¹ de montaje en bastidor, (sección de) equipo de montaje en bastidor. Aparato o unidad de equipo que tiene como soporte un panel, o un panel y un chasis unidos entre sí, y que se monta en un bastidor | frente, lado de los mandos, lado de los controles | panel. Plancha de metal u otro material en la cual van montados los mandos u órganos de maniobra (así como otros elementos) de un aparato o un equipo. Los paneles de los bastidores normalizados [relay racks] son de 483 mm (19 pulgadas) de ancho, y generalmente de 3,2 mm (1/8 pulgada) de espesor; la altura o dimensión vertical varía entre amplios límites, según el tamaño del equipo del cual forma parte. v. **rack panel** | panel. (a) Subdivisión de una sección de jacks [jack field] de un conmutador manual [switchboard section]. (b) Placa o platina [plate, slab] sobre la cual se montan los aparatos de control o de medida. (c) Grupo de aparatos combinados y cableados sobre una placa de montaje [mounting plate] (CEI/70 55-95-065) || *(Ant)* (*i.e.* panel of radiating elements) bastidor (de elementos radiantes). Conjunto rígido constituido por una red de antenas cuyos elementos radiantes son soportados por un plano reflector [reflecting plane] (CEI/70 60-34-315) | bastidor de dobletes. Bastidor (def. 60-34-315) cuyos elementos radiantes son dobletes, generalmente de onda entera (CEI/70 60-34-320). NOTA: Esta definición no tiene término inglés en el VEI (Vocabulario Electrotécnico Internacional) | bastidor de mariposas. Bastidor (def. 60-34-315) cuyos elementos radiantes son antenas en mariposa [batwing aerials] (CEI/70 60-34-325). NOTA: Esta definición no tiene término inglés en el VEI | bastidor de ranuras. Bastidor (def. 60-34-315) cuyos elementos radiantes [radiating elements] son ranuras [slots] (CEI/70 60-34-330). NOTA: Esta definición no tiene término inglés en el VEI || *(Tv)* jurado, tribunal. Grupo de peritos o de personas seleccionadas al efecto, que hacen de jueces o árbitros en distintas clases de concursos, adivinanzas y juegos de competencia en el estudio.

panel call-indicator operation   *(Telecom)* servicio con indicadores de llamadas accionados indirectamente por combinaciones de corrientes. SIN. **coded call-indicator working.**

panel code   *(Lenguaje militar)* código de paineles.

panel control   mando; control montado en el panel de mandos.

panel extension   extensión de panel. Se usa para montar en bastidor aparatos cuyo ancho es inferior al de aquél.

panel feedthrough connector   conector pasante para panel.

panel illumination   *(Aviones, Autos)* iluminación del tablero.

panel lamp   foquito piloto; lámpara de cuadrante.

panel layout   distribución de los elementos del panel. Distribución física general de los elementos de un panel de mando o regulación.

panel light   luz indicadora, luz piloto, lámpara [lamparita] montada en el panel.

panel meter   medidor [instrumento] de panel, instrumento de medida de montaje en tablero.

panel mounting   montaje de panel, montaje en panel.

panel of radiating elements   *(Ant)* bastidor de elementos radiantes. v. **panel.**

panel of solar converters   panel [batería] de dispositivos transformadores de energía solar.

panel program   *(Tv)* programa de "jurado" que decide en juegos de competencia o que discute diversos temas en mesa redonda v.TB. **panel.**

panel selector   *(Telecom)* panel de selectores.

panel set   *(Tv)* v. **office set.**

panel switch   conmutador montado en el panel [en el frente (del aparato)].

panel system   *(Telef)* sistema (automático) "panel". Sistema de conmutación automática cuyas características generales son las siguientes: (a) Los contactos de los bancos múltiples [contacts of the multiple banks] sobre los cuales se efectúa la selección, están montados verticalmente en paneles rectangulares planos; (b) las escobillas del mecanismo de selección [brushes of the selecting

mechanism] son movidas por un motor que es común a cierto número de dichos mecanismos; y (c) los impulsos de selección [switching pulses] son recibidos y registrados por mecanismos de mando [controlling mechanisms] que dirigen las operaciones subsiguientes necesarias para el establecimiento de una comunicación.

panel television reproducer   panel reproductor de televisión, reproductor mural de imágenes de televisión, cinescopio mural.

panel wiring   *(Informática)* conexionado [armado] del panel de control.

panemone type   *(Fuentes de energía)* tipo panemónico.

panmixia   *(Biol)* panmixia; unión al azar.

panning   *(Cine/Tv)* toma panorámica. (**1**) Acción de mover la cámara sobre un campo visual. (**2**) Toma en la cual se mueve la cámara haciéndola girar para mantenerla enfocada sobre una persona o un objeto en movimiento o para obtener una vista panorámica. El término en inglés viene de *pan*, contracción de *panorama* o *panoramic*. SIN. **panoraming.**

panorama   panorama, vista panorámica.

panorama radar   v. **panoramic radar.**

panoramic   *adj:* panorámico.

panoramic adapter   adaptador panorámico. Aparato que, utilizado con un receptor de exploración [search receiver], permite obtener en una pantalla osciloscópica una representación visual de las señales existentes en una banda de frecuencias radioeléctricas con centro en la frecuencia de sintonía del receptor.

panoramic analyzer   analizador panorámico. Aparato que comprende un osciloscopio con el cual se analiza cada vez determinada banda o gama de frecuencias. CF. **spectrum analyzer, panoramic receiver.**

panoramic attenuator   desdoblador panorámico. Dispositivo que permite reproducir un registro sonoro monocanal (una pista magnetofónica) y hacer un nuevo registro multicanal (p.ej. de tres pistas). Se utiliza en las salas cinematográficas de pantalla ancha para obtener un efecto estereofónico al reproducir el registro multicanal mediante distintos amplificadores y sistemas de altoparlantes.

panoramic camera   cámara panorámica, máquina fotográfica panorámica.

panoramic control   dispositivo de control panorámico. En un sistema de registro estereofónico, dispositivo consistente en dos o tres potenciómetros en tándem y destinado a dar el efecto de que el solista cambia de posición física durante la grabación o registro. SIN. **panoramic potentiometer, pan pot.**

panoramic display   presentación panorámica. La que permite observar simultáneamente las amplitudes relativas de todas las señales recibidas a diferentes frecuencias dentro de cierta banda. SIN. **panoramic presentation.**

panoramic display device   dispositivo de presentación panorámica.

panoramic display unit   indicador panorámico, unidad de presentación panorámica. Dispositivo que permite la visualización sobre un tubo de rayos catódicos de las emisiones presentes en determinado intervalo seleccionado del espectro radioeléctrico; utilízase en combinación con un receptor para p.ej. analizar el espectro a ambos lados de la frecuencia de recepción. SIN. **panoramic indicator.** CF. **display unit.**

panoramic indicator   indicador panorámico. Aparato que, conectado a un radiorreceptor, permite observar visualmente las señales recibidas dentro de cierta banda de frecuencias con centro en la de sintonía del receptor. SIN. **panoramic display unit.**

panoramic ionospheric recorder   registrador ionosférico panorámico.

panoramic monitor   monitor panorámico, espectrógrafo (de frecuencia). SIN. **panoramic indicator, frequency spectrograph.**

panoramic potentiometer   (a.c. pan pot) potenciómetro de control panorámico. Dispositivo de control que sirve para cambiar la posición aparente de las fuentes de sonido, hacia la izquierda o hacia la derecha, sin modificar el nivel de conjunto. v.TB. panoramic control.

panoramic presentation   presentación panorámica. v. panoramic display.

panoramic radar   radar panorámico. Radar no explorador que radía un haz ancho en la dirección de interés.

panoramic receiver   receptor panorámico. TB. receptor explorador [de exploración] de banda, receptor analizador de banda. Receptor que permite la observación osciloscópica continua de las señales presentes en una ancha banda de frecuencias radioeléctricas, sobre la cual se sintoniza el receptor en barrido periódico.

panoramic reception   recepción panorámica, espectrografía radioeléctrica. Sistema de radiorrecepción que permite apreciar en la pantalla de un oscilógrafo u osciloscopio todas las señales existentes dentro de determinada gama de frecuencias, y aun observar o deducir ciertas características relativas a la naturaleza de las mismas. SIN. search reception.

panoramic sonic analyzer   analizador panorámico de sonidos.

panoramic sound   sonido panorámico.

panoramic sound effect   efecto de sonido panorámico.

panoraming   panoramización || (*Tv*) toma panorámica. v. panning.

panpipe   (a.c. pan pipe, pan-pipes, panpipes, Pan's pipes, Pandean pipe, Pandean pipes) flauta de pan [del dios Pan]. SIN. siringa, zampoña — syrinx.

panpipes   v. panpipe.

PANS   (*Teleg*) Abrev. de please advise name of sender [sírvase informar el nombre del expedidor].

Pan's pipes   v. panpipe.

pantograph   (*Dib, Mat*) pantógrafo. Aparato (ideado por Scheiner en 1631 y generalizado por Sylvester en 1875) que sirve para dibujar figuras semejantes a una dada, y que se compone esencialmente de un paralelogramo articulado con un lápiz en un extremo que traza la nueva figura mientras una punta fija a uno de los vértices sigue el contorno de la figura dada || (*Tracción eléc*) colector pantógrafo | pantógrafo. (**1**) Aparato para captar la corriente de una línea aérea, por medio de un dispositivo articulado que transmite un esfuerzo vertical a las piezas frotantes (CEI/38 30–25–065). (**2**) Aparato de toma de corriente del hilo o los hilos de contacto, constituido por un sistema articulado previsto para permitir una traslación vertical de la pieza de contacto (CEI/57 30–15–885). v.TB. **pantograph pan, wearing strips, shoegear, shoe** /// *adj:* pantográfico.

pantograph hanger   (*Cine/Tv*) pantógrafo portalámpara, soporte de suspensión extensible, extensor de sustentación de iluminación. Dispositivo utilizado en los estudios para la fijación de lámparas de iluminación pendientes de miembros fijos al techo, y que permite ajustar las mismas en altura.

pantograph motion   movimiento pantográfico.

pantograph pan   (*Tracción eléc*) patín del colector pantógrafo | mesilla. En un pantógrafo, conjunto constituido por las piezas frotantes y su montura (CEI/57 30–15–895).

pantograph trolley   (*Tracción eléc*) colector pantógrafo.

pantographic   *adj:* pantográfico.

papagayo   (*Meteor*) viento papagayo.

paper   papel; documento | (*i.e.* newspaper) periódico, diario | comunicación, ponencia, memoria, disertación; artículo; monografía. Trabajo, generalmente de índole técnica o científica, leído en una conferencia o publicado en forma impresa (folleto o artículo).

paper bail   (*Informática*) (varilla) sujetapapel.

paper capacitor   capacitor [condensador] de papel, condensador con dieléctrico de papel. Condensador (capacitor) fijo consistente en dos tiras de papel metálico separadas por papel aceitado o encerado (u otro material aislante parecido) y arrolladas en conjunto cilíndrico apretado; las tiras metálicas están desplazadas una respecto a la otra, de manera que sus extremos se proyectan por una y otra extremidad del conjunto y sirven para unir a ellos

los hilos de conexión.

paper channel   (*Informática*) canal del papel.

paper chute   (*Informática*) vía del papel.

paper clamp   (*Informática*) sujetapapel. Parte de un carro automático o de un dispositivo alimentador. SIN. **paper bail.**

paper-clamp band   (*Informática*) banda de pieza sujetapapel.

paper condenser   condensador de papel. v. **paper capacitor.**

paper-core cable   cable con aislamiento de papel. SIN. **paper-insulated cable.**

paper-covered electrolytic capacitor   capacitor electrolítico con cubierta de papel.

paper-covered wire   hilo aislado con papel, alambre con forro de papel.

paper entrance bar   (*Informática*) barra de admisión para papeles.

paper exit   (*Informática*) salida del papel.

paper feed   (*Informática*) alimentación de papel.

paper-feed forked-level assembly   (*Informática*) conjunto de la palanca ahorquillada de alimentación.

paper-feed link turnbuckle   (*Informática*) varilla regulable del vástago de unión de alimentación.

paper-feed mechanism   (*Informática, Teleimpr*) mecanismo de avance del papel.

paper guide   (*Informática*) guíapapel, guía para papel.

paper-guide-and-band assembly   (*Informática*) conjunto de guíapapel y banda.

paper holder   (*Informática, Teleimpr*) portapapel.

paper-insulated cable   cable con aislamiento de papel.

paper-insulated enameled wire   hilo esmaltado bajo papel, alambre esmaltado con forro de papel.

paper-insulated lead-sheathed cable   cable con aislamiento de papel bajo plomo, cable aislado con papel bajo cubierta de plomo.

paper-insulated wire   hilo aislado con papel, alambre con forro de papel.

paper-lapping machine   (a.c. paper-wrapping machine) máquina enrolladora del vendaje de un cable, enrolladora de papel para aislar cable.

paper-lined construction   (*Pilas eléc*) construcción con separador de papel | montaje recubierto de papel. Montaje en el cual la separación entre el electrodo negativo [negative electrode] y la mezcla despolarizadora [depolarizing mix] está constituida esencialmente por un revestimiento de papel impregnado de electrólito [paper liner wet with electrolyte] (CEI/60 50–15–185).

paper release lever   (*Informática*) palanca aflojapapel, palanca liberadora de papel.

paper roll   (*Informática, Teleimpr*) rollo de papel.

paper-roll holder   portador de rollo de papel.

paper-roll signal device   dispositivo de señal del rollo de papel.

paper sleeve   (*Telecom*) manguito de papel.

paper speed   (*Aparatos registradores*) velocidad del papel. Velocidad de arrastre del papel en el cual se efectúa el registro. SIN. **chart speed.**

paper spindle   (*Teleimpr*) husillo del papel.

paper stock   papel; papel en existencias; papel para ser impreso; pasta de papel; pasta de madera lista para fabricar papel; pasta húmeda en cualquier fase de elaboración (del papel).

paper straightener   (*Teleimpr*) estirador del papel.

paper survey   (as opposed to field survey) estudios en el papel.

paper table   (*Informática*) portapapel.

paper tape   (*Informática, Teleimpr*) cinta de papel. Cinta de papel en la cual se registra información en forma de perforaciones codificadas. Puede tener diferentes anchos, según el número máximo de posibles perforaciones en hilera normal a los bordes. Dicho número es de 5, 6, 7, u 8. Las anchuras respectivas de la cinta son: 17,46 mm (11/16 pulg.); 22,22 mm (7/8 pulg.); 22,22 mm; 25,40 mm (1 pulg.). Las mencionadas son las perforaciones significativas, además de las cuales se tienen siempre los agujeros de progresión (avance de la cinta).

paper-tape input   (*Informática*) entrada de datos mediante cinta perforada [cinta de papel].

paper-tape memory   *(Informática)* memoria de cinta de papel, acumulador de información en cinta perforada.

paper-tape punch   perforadora de cinta (de papel).

paper-tape reader   *(Informática, Teleimpr)* (a.c. tape reader) lector [lectora] de cinta perforada, lector [lectora] de cinta de papel. Aparato que detecta la información registrada en forma de series de perforaciones en una cinta de papel sin. **transmitter-distributor.**

paper to paper   *(Cine)* papel a papel.

paper tractor   *(Informática)* oruga, alimentador de papel.

paper trip   *(Informática)* sistema automático de marcación. Es accionado por inserción del papel o cartulina.

paper tubular capacitor   condensador tubular de papel. v. **paper capacitor.**

paper wheel   rueda envolvente; rueda de papel prensado || *(Teleg)* rueda para cinta.

paper winder   *(Teleimpr)* arrollador de papel.

paper wrapping   *(Cables)* envoltura [revestimiento] de papel.

paper-wrapping machine   v. **paper-lapping machine.**

paperwork   papeleo.

PAR   Abrev. de precision approach radar.

para-ortho conversion   *(Nucl)* conversión para-orto.

parabiosis   *(Biol)* parabiosis.

parabola   *(Geom)* parábola. Intersección de un cono con un plano paralelo a su generatriz; es el lugar geométrico de los puntos de un plano equidistantes de un punto fijo (llamado *foco*) y de una recta fija (llamada *directriz*) || *(Electroacús, Radio)* paraboloide, reflector parabólico. sin. **paraboloid, parabolic reflector** (véase) || *(Radio/Tv)* paraboloide. Montura de micrófono con reflector que aumenta su directividad; se usa para captar el ruido de gentío, la música de banda, etc. /// *adj:* parabólico.

parabola method   *(Nucl)* método de las parábolas.

parabolic   *adj:* parabólico. Perteneciente o relativo a la parábola; semejante a la parábola.

parabolic aerial *(GB)*   antena parabólica. Antena constituida por un espejo en forma de paraboloide de revolución [paraboloid of revolution] o de cilindro parabólico [parabolic cylinder] y una o más fuentes primarias [feeds] colocadas en el foco (primer caso) o sobre la línea focal (segundo caso) o en su proximidad (CEI/70 60-36-020). sin. **parabolic antenna.**

parabolic antenna   antena parabólica. Antena de microondas provista de un reflector parabólico [parabolic reflector] con el fin de obtener una característica unidireccional de emisión o de recepción, según el caso. v.tb. **parabolic aerial.** cf. **unidirectional antenna.**

parabolic coordinates   *(Mat)* coordenadas parabólicas.

parabolic-cylinder mirror   espejo cilindroparabólico.

parabolic cylindrical coordinates   *(Mat)* coordenadas cilindroparabólicas.

parabolic detection   detección parabólica; detección cuadrática.

parabolic equation   *(Mat)* ecuación parabólica.

parabolic microphone   micrófono con reflector parabólico. v. **parabolic-reflector microphone.**

parabolic mirror   espejo parabólico. Espejo con la forma de un reflector parabólico (v. **parabolic reflector**) y que produce un haz concentrado de rayos paralelos cuando se coloca en su foco una fuente luminosa. v.tb. **paraboloid of revolution.**

parabolic point (on a surface)   *(Mat)* punto parabólico (sobre una superficie). Punto en el cual es cero una de las curvaturas principales de la superficie.

parabolic pulse   impulso paraboloidal, impulso en forma de parábola.

parabolic radio telescope   radiotelescopio parabólico.

parabolic reflector   reflector parabólico. Reflector cuya superficie activa (superficie cóncava) es la de un paraboloide, o sea, la superficie que se obtiene al hacer girar una parábola alrededor de su eje. Se utiliza en radio para la emisión o la recepción de

microondas, y en electroacústica para la captación directiva de ondas sonoras. En el caso de las microondas (hiperfrecuencias) se coloca en el foco del paraboloide la antena de transmisión o de recepción (dipolo, bocina, etc.), con lo cual se consigue que la emisión o la captación de energía radioeléctrica ocurra en forma de haz de rayos paralelos convergentes en el foco. No es necesario que el reflector presente una superficie activa continua; puede consistir en una rejilla metálica cuyas aberturas sean de dimensiones menores que media longitud de onda. En electroacústica se utilizan estos reflectores con un micrófono colocado en el foco para incrementar el alcance de captación de sonidos originados al aire libre (p.ej. el ruido de una muchedumbre o la música de una banda). sin. **parabola, paraboloid, dish** *(slang)*.

parabolic-reflector microphone   (a.c. parabolic microphone) micrófono con reflector parabólico. Micrófono colocado en el foco de un reflector parabólico del sonido, con el fin de mejorar su sensibilidad y directividad.

parabolic-shaped   *adj:* de forma parabólica.

parabolic spiral   *(Mat)* espiral parabólica. Curva cuya ecuación polar es $\rho^2 = \omega$.

parabolic surface   superficie parabólica.

parabolic velocity   velocidad parabólica. La que debe poseer una partícula para describir una órbita parabólica en el campo gravitacional de otro cuerpo; es la velocidad de escape mínima.

parabolic waveform   onda de forma parabólica.

paraboloid   *(Geom)* paraboloide. (**1**) Superficie que puede dar una sección parabólica en cualquiera de sus puntos. (**2**) Sólido limitado por un paraboloide elíptico y un plano perpendicular a su eje || *(Electroacús, Radio)* paraboloide, reflector parabólico. tb. *(con poca precisión)* reflector cóncavo. Reflector radioeléctrico o acústico en forma de paraboloide. sin. **parabola, parabolic reflector** (véase) || v. **paraboloid of revolution.**

paraboloid of revolution   paraboloide de revolución. Paraboloide resultante del giro de una parábola (v. **parabola**) alrededor de su eje. Se adopta esta superficie para construir espejos que reflejen paralelamente los rayos emitidos por una fuente luminosa colocada en el foco del paraboloide, o para concentrar en un punto (el foco del paraboloide) un haz de rayos luminosos paralelos al eje del paraboloide. También se emplea esa superficie para la construcción de reflectores para microondas y para ondas acústicas. v. **parabolic mirror, parabolic reflector.**

paraboloid reflector   reflector paraboloide.

paraboloidal   *adj:* paraboloidal, paraboloide.

paraboloidal aerial *(GB)*   v. **paraboloidal antenna.**

paraboloidal antenna   antena paraboloidal [parabólica], antena con [de] reflector paraboloidal. sin. **paraboloidal aerial** *(GB)*.

paraboloidal coordinates   *(Mat)* coordenadas paraboloidales.

paraboloidal reflector   reflector paraboloidal.

paraboloidal-reflector aerial *(GB)*   v. **paraboloidal-reflector antenna.**

paraboloidal-reflector antenna   antena de [con] reflector paraboloidal.

parabrake   *(Avia)* paracaídas de frenado.

parachor   *(Fís)* paracoro. Para una substancia dada, relación constante entre la tensión superficial [surface tension] y la densidad.

parachute   *(Avia)* paracaídas /// *verbo:* saltar [descender, tirarse] con paracaídas; paracaidizar, echar con paracaídas.

parachute bomb   bomba con paracaídas.

parachute canopy   cúpula del paracaídas; velamen del paracaídas.

parachute descent   descenso con paracaídas.

parachute drop   echazón en paracaídas.

parachute drop test   prueba de paracaídas.

parachute dummy   maniquí para prueba de paracaídas.

parachute fabric   tela de paracaídas.

parachute flare   bengala con paracaídas; paracaídas luminoso.

parachute gore   segmento |huso| de paracaídas.

parachute harness   arnés [correaje] del paracaídas.

parachute landing   llegada a tierra con paracaídas.

parachute log   libro del paracaídas.

parachute main panel   segmento |huso| de paracaídas.

parachute pack   paquete del paracaídas; saco para el paracaídas.

parachute packing   plegado de paracaídas.

parachute pull ring   anilla del paracaídas.

parachute rigger   aparejador de paracaídas. El encargado de preparar, doblar y dejar los paracaídas listos para su uso.

parachute rigging   preparación y plegado de paracaídas.

parachute ripcord   cable de apertura del paracaídas; cordón del cual se tira para abrir el saco del paracaídas.

parachute shroud lines   cuerdas de suspensión del paracaídas.

parachute sideslipping   resbalamiento del paracaídas.

parachute straps   correas del paracaídas.

parachute tower   torre de entrenamiento de paracaidistas.

parachute troops   tropas paracaidistas.

parachute vent   agujero central del paracaídas, abertura en la parte alta del velamen del paracaídas.

parachuting   lanzamiento con paracaídas, paracaidización; paracaidismo.

parachutist   paracaidista, "parachutista".

paracompact   *adj:* (*Mat*) paracompacto.

paracompact space   (*Mat*) espacio paracompacto.

paracompactness   (*Mat*) paracompacidad.

paracurve cone   (*Altavoces*) v. **curvilinear cone.**

paradox   paradoja ‖ (*Mat*) paradoja, antinomia. Reunión de dos consecuencias contradictorias de la misma premisa.

paradoxical   *adj:* paradójico. POCO USADO: paradojo.

paradoxically   *adv:* paradójicamente.

paraffin   parafina; petróleo lampante. Cera vegetal con propiedades aislantes ⫽ *adj:* parafínico ⫽ *verbo:* parafinar; petrolizar (charcas).

paraffin oil   aceite de parafina; kerosina; aceite parafinado; petróleo (lampante).

paraffin wax   cera de parafina, parafina sólida.

paraffined cotton tape   cinta de algodón parafinada.

paraffinic   *adj:* parafínico.

parageometrical   *adj:* parageométrico.

parageometrical optics   óptica parageométrica. Optica válida para longitudes de onda pequeñas pero no nulas.

paragutta   paraguta. Substancia compuesta principalmente de goma o caucho desproteinizado y cera; se emplea para el aislamiento de cables submarinos.

paragutta-insulated cable   cable aislado con paraguta.

paragutta insulation   aislamiento de paraguta.

parahydrogen   parahidrógeno. Hidrógeno compuesto de moléculas en las cuales los dos espines nucleares |nuclear spins| son antiparalelos, formando un estado singulete [singlet state].

parallactic   *adj:* paraláctico.

parallactic angle   (*Astr*) ángulo paraláctico; paralaje angular.

parallactic error   error paraláctico.

parallax   paralaje. Cambio aparente en la posición de un objeto debido a variación en el ángulo de observación. Es causa de error en la lectura de instrumentos indicadores de aguja y cuadrante, en los cuales la aguja aparece en diferentes posiciones respecto a la escala, según el ángulo de la visual. Para evitar el error de paralaje la visual debe formar ángulo recto con el plano de la escala ⫽ *adj:* paraláctico.

parallax compensation   compensación |corrección| de paralaje.

parallax correction   corrección de paralaje ‖ (*Artillería*) **parallax correction in train:** corrección de convergencia (en la puntería en dirección).

parallax error   error de paralaje. v. **parallax.**

parallax difference   diferencia paraláctica.

parallax-free   *adj:* sin paralaje.

parallax-free viewing   observación sin paralaje.

parallel   paralelo, comparación, cotejo; conformidad, semejanza; contraparte, igual ‖ (*Geog*) paralelo (de latitud) ‖ (*Impr*) signo formado por dos rayas verticales paralelas (‖) ‖ (*Geom*) (línea) paralela ‖ (*Fortificaciones*) paralela ⫽ *adj:* paralelo; análogo, semejante; parecido; igual ‖ (*Geom*) paralelo ‖ (*Informática*) paralelo, simultáneo. (1) Ejecutado al mismo tiempo, en dispositivos semejantes. (2) Que maneja todos los elementos de una palabra o de un mensaje (bitios, caracteres) simultáneamente. CF. serial ‖ (*Elec*) **in parallel:** en paralelo, en derivación | **connection of circuits in parallel:** acoplamiento de circuitos en paralelo. Asociación de elementos conectados en forma tal que tengan la misma tensión entre sus extremos (CEI/38 05–40–050) ⫽ *verbo:* paralelar, poner en dirección paralela; paralelizar; ir paralelamente (a); ser paralelo (a); correr parejas (con); ser igual (a); comparar, cotejar, parangonar ‖ (*Elec*) poner |acoplar, conectar| en paralelo, acoplar en derivación.

parallel arithmetic unit   (*Informática*) unidad aritmética paralela.

parallel arrangement   (*Telecom*) montaje en paralelo; acoplamiento en paralelo.

parallel balance   (*Informática*) balance paralelo.

parallel bandspread   (*Radiorreceptores*) ensanche de banda paralelo.

parallel battery   batería de elementos [de pilas] en derivación.

parallel battery float scheme   carga y descarga de batería en flotación |en tampón|.

parallel beam   haz paralelo, haz de rayos paralelos | **parallel beam of incident particles:** haz paralelo de partículas incidentes.

parallel binary-coded lines   (*Informática*) líneas de código binario en paralelo.

parallel binary logic   (*Informática*) operaciones lógicas binarias en paralelo.

parallel binary mode   (*Informática*) modo binario paralelo.

parallel-blade plug   (*Elec*) clavija de cuchillas paralelas. LOCALISMO: ficha de cuchillas paralelas.

parallel by bit   (*Informática*) paralelo por bitio. Que afecta simultáneamente todos los bitios de un carácter.

parallel by character   (*Informática*) paralelo por carácter. Que afecta simultáneamente todos los caracteres de una palabra de máquina |machine word|.

parallel by word   paralelo por palabra. Que afecta simultáneamente dos o más palabras.

parallel capacitance   capacitancia |capacidad| en paralelo.

parallel capacitor   capacitor en paralelo, condensador paralelo.

parallel character transmission   (*Informática*) transmisión paralela de caracteres. Se efectúa mediante un cable especial de acoplamiento entre máquinas.

parallel circuit   (*Elec*) circuito en paralelo |en derivación|. Circuito en el cual todos los elementos tienen la misma tensión entre sus extremos; la corriente se reparte entre ellos en proporción a sus respectivas conductancias o admitancias | **parallel circuits:** circuitos (en) paralelo.

parallel components   (*Medidas de impedancia*) componentes (de impedancia) en paralelo.

parallel-conductor cable   cable de conductores paralelos.

parallel-connected   *adj:* (*Elec*) conectado en paralelo, acoplado en derivación |en cantidad|.

parallel-connected armature circuits   (*Máq eléc*) circuitos del inducido conectados en derivación.

parallel-connected capacitors   capacitores en paralelo, condensadores en derivación.

parallel-connected generators   generadores conectados en paralelo (sobre la red).

parallel connection   (*Elec*) conexión en paralelo |en derivación, en cantidad, en shunt|, acoplamiento en paralelo. SIN. **shunt circuit, shunt connection** ‖ (*Pilas*) montaje en paralelo. Montaje obtenido conectando todos los bornes positivos entre sí y todos los bornes negativos entre sí (CEI/60 50–15–140) ‖ (*Telecom*) montaje en paralelo; conexión en múltiple. SIN. **multiple.**

parallel connector   *(Elec)* conector [conectador] paralelo.
parallel cord   *(Elec)* cordón de dos conductores (paralelos).
parallel cut   *(Cristales de cuarzo)* corte paralelo, corte Y. v. **Y cut.**
parallel-delta-connected stator windings   *(Máq eléc)* devanados estatóricos (conectados) en derivación-delta [en derivación-triángulo].
parallel digital computer   computador digital paralelo, calculador aritmético paralelo, calculadora numérica paralela. Computador digital cuya unidad aritmética opera en paralelo, por carácter o por palabra.
parallel displacement   *(Vectores)* desplazamiento paralelo.
parallel distribution   *(Elec)* distribución en paralelo [en derivación, en cantidad].
parallel drum winding   *(Elec)* devanado de tambor en derivación.
parallel entry   *(Informática)* acceso [admisión] en paralelo.
parallel-entry storage register   registro acumulador de entradas en paralelo.
parallel equalizer   *(Telecom)* igualador en derivación.
parallel equivalent circuit   *(Elec/Elecn)* circuito equivalente paralelo.
parallel exposure   *(Telecom)* paralelismo. Sección de acercamiento [exposure section] a lo largo de la cual la variación de la separación entre las líneas no sobrepasa el 5 % de la media de los valores extremos de dicha separación. SIN. **parallelism.** CF. **oblique exposure.**
parallel feed   *(Tubos elecn)* (a.c. shunt feed) alimentación en paralelo [en shunt].
parallel-feed system   sistema de alimentación en paralelo.
parallel feeders   alimentadores en paralelo ‖ *(Ant)* bajada doble.
parallel feeding   alimentación en paralelo [en shunt].
parallel file   *(Herr)* lima de bordes paralelos.
parallel flow   flujo paralelo; corriente paralela.
parallel-flow electron gun   cañón electrónico de flujo paralelo.
parallel-impedance calculation   cálculo de impedancias en paralelo. CF. **parallel-resistance formula.**
parallel impedance components   componentes de impedancia en paralelo.
parallel-lead component   *(Elecn)* componente de conductores [hilos de conexión] paralelos. CF. **axial-lead component.**
parallel-line oscillator   v. **parallel-rod oscillator.**
parallel magnetic pulse amplifier [PMA]   amplificador magnético de impulsos con carga en paralelo. Amplificador magnético de impulsos en el cual la carga está esencialmente en paralelo con el núcleo de transmisión [transmitting core].
parallel-network oscillator   oscilador de red en derivación.
parallel operation   *(Elec)* marcha en paralelo ‖ *(Informática)* operación paralela [en paralelo]. En las calculadoras electrónicas, transmisión de datos en forma simultánea por líneas independientes, con el fin de efectuar cómputos simultáneos. CF. **serial operation.**
parallel-plane waveguide   guía de ondas de planos paralelos. Está formada por una banda de material dieléctrico limitada por dos placas conductoras.
parallel-plate capacitor   capacitor de placas paralelas.
parallel-plate counter   *(Nucl)* contador de placas paralelas.
parallel-plate counter chamber   cámara de contador de placas paralelas. Cámara de contador de radiaciones [radiation counter] con electrodos constituidos por placas paralelas.
parallel-plate lens   *(Ant para hiperfrec)* (*i.e.* lens constructed of thin parallel conducting plates) lente de láminas paralelas. Lente radioeléctrica constituida por láminas metálicas paralelas (CEI/70 60–36–105).
parallel-plate oscillator   oscilador de placas paralelas. Oscilador de radiofrecuencia en el cual se utilizan, como principales elementos determinantes de la frecuencia, dos placas conductoras paralelas entre sí. El circuito es del tipo en contrafase [push-pull circuit] y se utiliza para la generación de frecuencias ultraaltas [ultrahigh frequencies].

parallel-plate transmission system   *(Hiperfrec)* sistema [línea] de transmisión de placas paralelas.
parallel-plate waveguide   guíaondas de placas paralelas, guía (de ondas) de planos paralelos. Guía de ondas constituida por dos láminas metálicas dispuestas paralelamente y cuyo ancho es grande en relación con la distancia que las separa.
parallel rectifier circuit   circuito rectificador de elementos en paralelo, montaje de rectificadores en paralelo. Circuito que comprende dos o más elementos rectificadores de conmutaciones coincidentes y conectados de manera que sus corrientes rectificadas (CC) se suman.
parallel-resistance bridge   puente de resistencia en derivación.
parallel-resistance formula   fórmula de las resistencias en paralelo. Fórmula que da la resistencia resultante (R_t) de n resistencias en paralelo ($R_1, R_2, R_3 \ldots R_n$):

$$R_t = \frac{1}{1/R_1 + 1/R_2 + 1/R_3 + \ldots + 1/R_n} \tag{1}$$

CASOS PARTICULARES: Si las resistencias en paralelo son solamente dos, la fórmula se transforma en la siguiente:

$$R_t = \frac{R_1 R_2}{R_1 + R_2} \tag{2}$$

Si todas las resistencias son del mismo valor (R), se tiene que

$$R_t = R/n \tag{3}$$

Los tres casos pueden expresarse en forma de reglas:
(1) La resultante de un número cualquiera de resistencias acopladas en paralelo es igual a la inversa de la suma de las inversas de las resistencias individuales.
(2) La resultante de dos resistencias en paralelo es igual al producto de sus valores dividido por la suma de sus valores.
(3) La resultante de un número cualquiera de resistencias iguales en paralelo es igual al valor de una ellas dividido por el número de ellas.
parallel resonance   resonancia paralela, resonancia en paralelo, antirresonancia, asonancia. Resonancia existente en un circuito en el cual la capacitancia y la inductancia están en paralelo. Para toda combinación de valores de inductancia e inductancia existe una frecuencia a la cual son iguales en magnitud la reactancia inductiva y la capacitiva, y la corriente que entra al circuito está en fase con la tensión entre los extremos de éste. La corriente que circula por el bucle capacitancia-inductancia es de gran intensidad, pero el circuito presenta elevada impedancia a las señales externas de frecuencia igual a la de resonancia. SIN. **antiresonance.**
parallel-resonance circuit   v. **parallel-resonant circuit.**
parallel-resonant circuit   circuito antirresonante, circuito resonante paralelo. Circuito constituido por una capacitancia (capacitor) y una inductancia (inductor) conectados en paralelo, y que tiene la propiedad de presentar elevada impedancia a la frecuencia de resonancia de la combinación de ambos elementos. V.TB. **parallel resonance.** SIN. **antiresonant circuit, tank circuit.**
parallel ring winding   devanado de anillo en derivación.
parallel-rod oscillator   oscilador de hilos paralelos [de líneas paralelas]. Oscilador para frecuencias ultraaltas cuyos circuitos tanque [tank circuits] están constituidos por dos hilos paralelos llamados *hilos de Lecher* [Lecher wires].
parallel-rod tank circuit   circuito tanque de hilos paralelos. Circuito tanque constituido por dos hilos rectos paralelos entre sí y con un puente (conexión) entre sus extremos. La pequeña inductancia de los hilos y la pequeña capacitancia entre ellos es suficiente para la resonancia paralela [parallel resonance] a frecuencias ultraaltas.
parallel-rod tuning   sintonización por circuito de hilos paralelos. Sintonización a frecuencias ultraaltas mediante el deslizamiento de un puente cortocircuitador sobre dos hilos paralelos. CF.

Lecher wires.

parallel ruler   reglas paralelas; regla de paralelas, regla para trazar paralelas.

parallel running   *(Elec)* funcionamiento [marcha] en paralelo, CF. **paralleling** || *(Informática)* funcionamiento paralelo. Prueba de sistemas recién elaborados poniéndolos a funcionar conjuntamente con sistemas anteriores o actuales.

parallel search memory   *(Informática)* memoria de investigación paralela. Permite investigaciones [searches] rápidas basadas en el contenido o el tema, en vez de estar aquéllas limitadas a la localización de datos mediante direcciones especificadas. SIN. **associative memory.**

parallel search storage   almacenador de investigación paralela. Dispositivo o sistema de almacenamiento de información en el cual los locales de almacenamiento son identificados por su contenido. SIN. **associative [content-addressed] storage.**

parallel-series circuit   *(i.e.* several parallel circuits connected together in series; a.c. shunt-series circuit) circuito en paralelo-serie, circuito de agrupamientos en paralelo conectados en serie.

parallel-series connection   *(i.e.* connection of several branches in parallel each containing a number of elements in series; a.c. multiple series connection) acoplamiento de series paralelas, conexión de series en paralelo.

parallel-slot rotor   *(Elec)* rotor de ranuras paralelas.

parallel slots   *(Elec)* ranuras paralelas. En un núcleo de inducido [armature core], ranuras de caras paralelas. CF. **radial slots, taper slots.**

parallel-star-connected stator windings   *(Elec)* devanados estatóricos (conectados) en derivación-estrella.

parallel storage   *(Informática)* almacenador paralelo, memoria de registro paralelo. Dispositivo de almacenamiento de información en el cual los caracteres, las palabras o los dígitos son manipulados simultáneamente | almacenamiento paralelo. Almacenamiento de información en el cual todos los bitios, caracteres y palabras (en particular éstas) son igualmente accesibles en el espacio, sin que el tiempo intervenga como coordenada.

parallel surfaces   superficies paralelas. Son paralelas dos superficies si la distancia entre ellas, medida a lo largo de la normal a una de ellas por un punto cualquiera, es independiente de la posición del punto sobre esa superficie.

parallel sweep search   *(Operaciones de búsqueda y salvamento)* búsqueda de barrido paralelo.

parallel system of distribution   (a.c. shunt system of distribution) sistema de distribución en derivación [en paralelo] | (a.c. shunt system of distribution) red de tensión constante. Red de distribución en la cual todos los aparatos receptores [consuming devices], conectados en paralelo, son alimentados a la misma tensión nominal (CEI/65 25–15–010). CF. **series system of distribution.**

parallel-T network   (a.c. twin-T network) red de circuitos T en paralelo; red de doble T. Red constituida por circuitos en T (usualmente dos de ellos) acoplados en paralelo.

parallel-T oscillator   oscilador de circuitos T en paralelo.

parallel-T resistance-capacitance network   red en T con capacitancia y resistencia en paralelo, red en T con capacidad y resistencia en derivación. Red constituida por dos circuitos T en paralelo entre sí; uno de ellos formado por dos condensadores en serie y una resistencia en derivación con el punto de unión de éstos; el otro, por dos resistencias en serie y un condensador derivante conectado al punto de unión de éstas.

parallel-T tuned circuit   circuito sintonizado de redes T en paralelo.

parallel-to-serial converter   *(Informática)* convertidor paralelo-serie. Convertidor de información en paralelo a información en serie. SIN. **interface, intercoupler.**

parallel transducer   *(Transductores mag)* transductor de acoplamiento en paralelo. Transductor en el cual los arrollamientos de potencia [power windings] que se corresponden en los diferentes

elementos, y que pertenecen a una misma fase, están conectados en paralelo (CEI/55 12–20–010). CF. **series transductor.**

parallel transfer   *(Informática)* transferencia en paralelo. (**1**) Transferencia de datos en la cual los caracteres de un elemento de información son transferidos simultáneamente por un haz de vías o caminos. (**2**) Transferencia simultánea de todos los bitios de un local de almacenamiento [storage location] que constituyen un carácter o una palabra.

parallel transmission   *(Telecom)* transmisión en paralelo. Transmisión simultánea de ciertos números de elementos de señal [signal elements] que componen una misma señal telegráfica o de datos; por ejemplo, empleo de un código según el cual cada señal está caracterizada por una combinación de tres frecuencias elegidas entre doce que se transmiten simultáneamente por el canal.

parallel transmitter   transmisor paralelo. Transmisor de radio que consiste realmente en dos transmisores, modulados por la misma señal, que alimentan en paralelo una antena común. Se emplea este sistema para asegurar la continuidad del servicio, pues en el caso eventual de que falle uno de los transmisores, el otro continúa radiando la señal, aunque a potencia reducida.

parallel-triggered blocking oscillator   oscilador de bloqueo gatillado en paralelo. Oscilador de bloqueo gatillado en el cual el impulso gatillador se aplica al ánodo del tubo, en vez de a la rejilla (gatillado en serie).

parallel-tube amplifier   amplificador de tubos en paralelo.

parallel-tuned   *adj:* sintonizado en paralelo.

parallel two-terminal-pair networks   redes de dos pares de terminales conectadas en paralelo. Redes de dos pares de terminales (bornes) que tienen conectados en paralelo los de entrada o los de salida.

parallel winding   *(Elec)* devanado en paralelo [en derivación], arrollado [arrollamiento] en paralelo. CF. **lap winding.**

parallel-winding slotted armature   inducido ranurado con devanado en derivación.

parallel-wire antenna   antena de hilos paralelos.

parallel-wire line   *(i.e.* transmission line consisting of two parallel wires) línea de hilos [conductores] paralelos.

parallel-wire resonator   resonador de hilos paralelos. Resonador constituido por un trozo de línea de hilos paralelos cortocircuitado en uno de sus extremos. CF. **parallel-rod tank circuit, parallel-rod tuning.**

parallel wiring   *(Telecom)* armado en paralelogramo.

parallelepiped   *(Mat)* paralelepípedo. Prisma cuadrangular cuyas bases son paralelogramos [parallelograms].

paralleling   *(Elec)* puesta en paralelo, acción de poner en paralelo; montaje en paralelo; conexión en paralelo, acoplamiento en derivación | (**of alternators**) entrada en sincronismo (de una máquina sincrónica). Fenómeno por el cual la máquina entra en sincronismo con otra máquina sincrónica a la cual no está unida mecánicamente (CEI/38 10–45–050)|(**of synchronous machines**) acoplamiento en paralelo (de máquinas sincrónicas). Operación por la cual dos máquinas sincrónicas no unidas mecánicamente son unidas eléctricamente después de haber sido puestas en sincronismo (CEI/56 10–40–115) || *(Radio)* (**of transmitters**) acoplamiento en paralelo (de transmisores). CF. **parallel transmitter.**

paralleling device   *(Elec)* dispositivo de conexión en derivación || *(Transm)* dispositivo de acoplamiento [combinación] en paralelo.

paralleling equipment   *(Transm)* equipo para conexión en paralelo. V. **combining network.**

paralleling reactor   *(Elec)* reactor en paralelo [en derivación]; arrollamiento de equilibrio.

paralleling switch   conmutador para poner en paralelo. Conmutador utilizado para poner dos máquinas sincrónicas en paralelo después de haberlas puesto en sincronismo.

paralleling voltmeter   voltímetro de equilibrio.

parallelism   paralelismo || *(Telecom)* *(i.e.* between a power line and a telephone or telegraph line; a.c. parallel exposure) paralelismo.

parallelogram *(Mat)* paralelograma. Cuadrilátero cuyos lados opuestos son iguales y paralelos entre sí. Cuadrilátero definido por la parte común a dos fajas coplanarias que se cruzan.

parallelogram of forces *(Fís)* paralelograma de fuerzas. Si dos fuerzas están aplicadas al mismo punto (fuerzas concurrentes), su resultante está representada en magnitud y dirección por la diagonal del paralelograma construido sobre los vectores o segmentos que representan las fuerzas componentes. Esta regla se conoce con el nombre de *principio del paralelograma de las fuerzas,* el cual puede aceptarse como postulado o ser demostrado a partir del principio de composición de las aceleraciones.

paralysis *(Medicina)* parálisis. Pérdida del movimiento y de la sensibilidad de una parte del cuerpo ‖ *(Elecn)* (a.c. blocking) bloqueo. Sobrecarga de un tubo amplificador por una señal muy fuerte, con el resultado de que el tubo carga las capacitancias del circuito hasta un punto tal que la descarga necesita un tiempo muy largo, y queda así imposibilitado de amplificar parte de la señal siguiente ‖ *(Contadores de radiaciones)* paralización.

paralysis circuit *(Contadores de radiaciones)* circuito de bloqueo.

paralysis time *(Contadores de radiaciones)* tiempo de paralización; tiempo muerto. Valor constante y bien conocido impuesto por un circuito de bloqueo [paralysis circuit] al tiempo de resolución [resolving time], generalmente con el fin de hacer más precisa la corrección de tiempo de resolución (CEI/68 66–10–450).

paramagnetic *adj:* paramagnético. De permeabilidad superior a la del vacío y sensiblemente independiente de la intensidad de imanación.

paramagnetic absorption absorción paramagnética.

paramagnetic amplifier amplificador paramagnético. CF. maser.

paramagnetic crystal cristal paramagnético.

paramagnetic material material paramagnético. Aquel cuya permeabilidad es mayor que la del vacío y sensiblemente independiente de la fuerza magnetizante (intensidad de imanación). SIN. paramagnetic substance.

paramagnetic resonance resonancia paramagnética. La que se manifiesta en una substancia paramagnética [paramagnetic substance] en forma de un pico en el espectro de absorción energética a una frecuencia ligada a la intensidad del campo magnético aplicado y a la relación giromagnética [gyromagnetic ratio].

paramagnetic scattering difusión paramagnética.

paramagnetic substance substancia paramagnética. Substancia cuya permeabilidad es superior a la del vacío y sensiblemente independiente de la intensidad de imanación (CEI/38 05–25–085). CF. diamagnetic substance, ferromagnetic substance.

paramagnetism paramagnetismo. Magnetismo en el cual intervienen valores de permeabilidad ligeramente mayores que el valor unitario.

parameter parámetro. (**1**) Cantidad a la cual pueden asignársele valores arbitrarios. (**2**) Número que varía de un problema a otro del mismo tipo. (**3**) En estadística, constante característica de una población. (**4**) En electrónica, constante que caracteriza el comportamiento de variables asociadas a un sistema dado; valor medido indicativo del rendimiento funcional de un aparato o un sistema; valor de una característica o de un elemento circuital. SIN. coeficiente, constante —— coefficient, constant ‖‖ *adj:* paramétrico.

parameter meter medidor de parámetros.

parameter space espacio entre parámetros.

parametric *adj: (Elecn, Mat)* paramétrico.

parametric amplification amplificación paramétrica.

parametric amplifier amplificador paramétrico. Dispositivo capaz de amplificar la energía asociada con una señal de radiofrecuencia y cuyo funcionamiento se basa en la existencia de una reactancia alineal cuyo valor varía periódicamente. SIN. variable-parameter amplifier, (variable-) reactance amplifier, mavar. CF. idler circuit, idler frequency, pumping frequency, signal circuit, signal frequency.

parametric-amplifier pump bomba de amplificador paramétrico.

parametric conversion conversión paramétrica (de frecuencia).

parametric converter convertidor paramétrico (de frecuencia).

parametric curve *(Mat)* curva paramétrica.

parametric device dispositivo paramétrico. (**1**) En general, dispositivo cuyo funcionamiento depende esencialmente de la variación en el tiempo de un parámetro característico que de ordinario se entiende que es una reactancia. (**2**) Dispositivo cuyo funcionamiento se funda en la variación del parámetro de reactancia de un elemento almacenador de energía.

parametric down-converter convertidor paramétrico descendente. Convertidor de frecuencia paramétrico [parametric frequency converter] cuya frecuencia de salida es más baja que la de entrada. CF. parametric up-converter.

parametric equation *(Mat)* ecuación paramétrica. Ecuación cuyas incógnitas están expresadas en función de un parámetro.

parametric excitation excitación paramétrica.

parametric frequency converter convertidor de frecuencia paramétrico. v. parametric device.

parametric modulator modulador paramétrico. v. parametric device.

parametric multiplier modulator modulador-multiplicador paramétrico. Circuito (de aplicación en hiperfrecuencias o microondas) en el cual se combinan las funciones de modulador de fase y de multiplicador de frecuencia, y cuyo funcionamiento se basa en el empleo de un varactor multiplicador de frecuencia modulado en fase por variación de la tensión polarizadora.

parametric oscillator oscilador paramétrico. v. parametric device.

parametric phase-locked oscillator oscilador paramétrico de fase sincronizada. v. parametron.

parametric receiver receptor paramétrico.

parametric subharmonic oscillator oscilador paramétrico de subarmónica. v. parametron.

parametric up-converter convertidor paramétrico ascendente. Convertidor de frecuencia paramétrico cuya frecuencia de salida es más alta que la de entrada. CF. parametric down-converter.

parametron parametrón. Circuito resonante en el cual un elemento de reactancia (inductivo o capacitivo) se hace variar periódicamente a ritmo igual a la mitad de la frecuencia de excitación. SIN. (parametric) phase-locked oscillator, phase-locked subharmonic oscillator. CF. parametric amplifier.

paramistor paramistor. Módulo de circuitos lógicos que comprende varios parametrones (v. parametron).

paramorph paramorfo. Una de varias formas de una substancia poseedora de la misma composición química, pero diferentes en lo que respecta a ciertas propiedades.

paramp Forma abreviada de *parametric amplifier.*

paranthelia Plural de *paranthelion.*

paranthelion *(Meteor)* parantelio, falso sol, antisol. Fenómeno parecido al parhelio [parhelion], pero que ocurre a una distancia de 120° (en ciertas ocasiones 90 ó 140°) del sol.

paraphase amplifier amplificador parafásico. TB. montaje en parafase, amplificador desfasador. Amplificador de entrada sencilla y salida en contrafase; es decir, que transforma una señal de entrada única en dos señales de salida con diferencia de fase de 180°. Se utiliza en este amplificador la circunstancia de que las tensiones de señal de un tubo amplificador son de fases opuestas en el ánodo y el cátodo. Se usa p.ej. para obtener la señal necesaria para excitar una etapa en contrafase [push-pull stage]. SIN. phase splitter.

paraselene *(Meteor)* paraselene, antiselene, falsa luna. Forma de halo consistente en una imagen de la luna a la misma altitud que la luna y a cierta distancia de ella. SIN. mock moon, moon dog ‖‖ *adj:* paraselénico.

paraselenic *adj:* paraselénico.

paraselenic circle círculo paraselénico. Halo consistente en un círculo blanco débil que pasa por la luna y es paralelo al horizonte; se produce por reflexión de luz de la luna en las caras verticales de cristales de hielo. CF. **parhelic circle.**

parasite   *(Biol)* parásito. Organismo que vive a expensas de otro ‖ *(Radio/Elecn)* parásito; corriente parásita. V.TB. **parasitic** ⫽⫽⫽ *adj:* parásito. V.TB. **parasitic.**

parasite drag   *(Aeron)* resistencia parásita (al avance), resistencia nociva; resistencia pasiva.

parasite-drag coefficient   coeficiente de resistencia parásita (al avance).

parasitic   *(Radio/Elecn/Elec)* parásito; corriente parásita; señal parásita; oscilación parásita. **(1)** Corriente, señal u oscilación inútil y generalmente perjudicial. **(2)** Corriente de señal indeseada y que representa un desperdicio de energía. CF. **eddy current, stray currents, parasitic oscillation** ⫽⫽⫽ *adj:* parásito, parasitario; indeseado, inútil, perturbador, perjudicial.

parasitic aerial   antena parásita [pasiva], antena excitada [alimentada] indirectamente; reflector; elemento parásito (de antena). **(1)** Antena o parte de una antena que no recibe directamente la energía del emisor. **(2)** Antena o parte de una antena que no suministra directamente energía al receptor ‖ (a.c. passive aerial, parasitic [secondary] radiator) elemento secundario [pasivo]. Elemento de antena [aerial element] no conectado a un emisor radioeléctrico por una línea [feeder] (CEI/70 60–30–020).

parasitic array   *(i.e.* antenna array containing one or several parasitic elements) sistema de antena con elementos parásitos [secundarios, pasivos]. Sistema de antena con elementos (p.ej. reflectores o directores) no conectados a la línea de transmisión que va al emisor o al receptor, según el caso.

parasitic capacitance   capacitancia [capacidad] parásita.

parasitic capacity   capacidad [capacitancia] parásita.

parasitic capture   *(Nucl)* captura parásita. Absorción neutrónica que no produce fisión o que no produce el elemento buscado. SIN. **nonfission capture [absorption].**

parasitic component   componente parásito. En la fabricación de circuitos integrados monolíticos, elemento circuital (capacitor, diodo) que se forma inintencionalmente entre los elementos planeados y el substrato, y cuyos efectos funcionales han de ser tomados en cuenta en el diseño del circuito.

parasitic coupling   *(Radio, Elecn)* acoplamiento parásito.

parasitic cross-section   *(Nucl)* sección eficaz parásita.

parasitic current   corriente parásita. CF. **eddy current.**

parasitic disturbance   *(Radiocom)* parásitos, perturbaciones parásitas ‖ parásitos. Perturbaciones electromagnéticas debidas a causas ajenas a la radiocomunicación (CEI/38 60–35–065).

parasitic drag   *(Aeron)* V. **parasite drag.**

parasitic echo   *(Radar)* (i.e. unwanted echo caused by fault in apparatus) eco interno. Eco parásito debido únicamente a un defecto de los aparatos (CEI/70 60–72–490).

parasitic effect   efecto parásito.

parasitic element   elemento parásito. Elemento de antena sin conexión directa al emisor o al receptor, según el caso. SIN. **passive element, parasitic [passive] aerial, parasitic [secondary] radiator.**

parasitic emission   emisión parásita. CF. **spurious emission.**

parasitic frequency   frecuencia parásita.

parasitic induction   inducción parásita.

parasitic neutron capture   captura parásita de neutrones. SIN. **parasitic capture (of neutrons).**

parasitic noise   *(Telecom)* (ruido) parásito; perturbación; interferencia.

parasitic oscillation   oscilación parásita. Oscilación indeseable producida accidentalmente a frecuencias que son independientes de la frecuencia de trabajo [operating frequency] de un oscilador, de un amplificador o de un emisor, o de las frecuencias que aparecen en el curso de la producción de las frecuencias de trabajo (CEI/70 60–10–060).

parasitic radiation   *(Nucl)* (a.c. stray radiation) radiación parási-

ta.

parasitic radiator   *(Ant)* (i.e. aerial element not connected to the transmitter by a feeder; a.c. secondary radiator, parasitic [passive] aerial) elemento secundario [pasivo]. Elemento de antena no conectado a un emisor radioeléctrico por una línea (CEI/70 60–30–020) ‖ (a.c. secondary radiator) elemento secundario [pasivo]. Elemento de antena no conectado al emisor por una línea de alimentación (CEI/61 62–25–020). CF. **primary radiator.**

parasitic signal   señal parásita.

parasitic stopper   supresor [eliminador] de oscilaciones parásitas ‖ *(i.e.* device included in a valve network to prevent parasitic oscillations) supresor antiparasitario. Dispositivo incorporado en un montaje de tubo electrónico con el fin de impedir la producción de oscilaciones parásitas (CEI/70 60–29–010).

parasitic suppressor   supresor [eliminador] de parásitos, dispositivo antiparásitos, supresor de oscilaciones parásitas. Combinación de inductancia y resistencia (por lo general en paralelo), aunque en casos particulares puede consistir en una simple resistencia, que tiene por fin suprimir las oscilaciones parásitas (o parasíticas) de alta frecuencia. En su aplicación típica la combinación va intercalada en el circuito de rejilla de una etapa amplificadora de radiofrecuencia. SIN. **red supresora de parásitos [de oscilaciones parásitas]** —— **parasitic stopper.**

parasitically excited antenna   antena excitada [alimentada] indirectamente. V.TB. **parasitic aerial.**

parasitically excited section   *(Ant)* sección excitada [alimentada] indirectamente, sección pasiva [secundaria]. V.TB. **parasitic aerial.**

parasitology   parasitología. Estudio científico de los parásitos o del parasitismo.

parasol   sombrilla, parasol, quitasol.

parasol monoplane   *(Aeron)* monoplano parasol.

parasol-wing monoplane   *(Aeron)* monoplano de ala en parasol.

paratroops   tropas paracaidistas.

paraxial   *adj: (Opt, &)* paraxial. Situado cerca del eje.

paraxial focus   *(Opt)* foco paraxial.

paraxial ray   *(Opt)* rayo paraxial. Rayo que sólo forma un ángulo muy pequeño con el eje óptico de un sistema óptico, y se mantiene próximo al eje a todo lo largo del mismo.

paraxial-ray tracing equation   *(Opt)* ecuación de delineamiento de rayos paraxiales.

parcel   lote, partida; bulto, fardo, paquete; encomienda; cantidad, parcela, porción; grupo; cantidad de alambre (en bobinas o en mazos) ⫽ *verbo:* parcelar; partir, repartir; dividir, fraccionar; empaquetar, enfardelar, hacer fardos, hacer fardeles.

parcel office   *(Ferroc)* encomiendas. Oficina destinada a la recepción, despacho y entrega de encomiendas.

parcel plating   depósito limitado (en superficie), galvanoplastia de parcheo, electroplastia sobre partes delimitadas. Electroplastia o galvanoplastia limitada a las partes del objeto no cubiertas por un barniz aislante. SIN. **partial plating.**

parchment paper   papel pergamino; papel vitela.

PARD   *(Dispositivos transformadores de energía)* Abrev. de *periodic and random deviation (of the direct-current output)* ‖ *(Teleg)* Abrev. de *please advise reason for delay* [sírvase informar cuál es la causa de la demora].

PARENAS   *(Teleg)* Abrev. de Punta Arenas (Costa Rica).

parent   uno de los padres (padre o madre) ‖ **parents:** padres ‖ autor; causa, origen; generador, generatriz ‖ *(Nucl)* padre, madre, ascendiente, núcleo precursor, precursor radiactivo. Radionúclido que al desintegrarse produce un núclido determinado (llamado *hija* [daughter]), ya directamente, ya como miembro ulterior de una serie radiactiva. SIN. **parent isotope** ⫽⫽⫽ *adj:* padre, paterno; madre, materno, matriz; generador, generatriz; principal.

parent atom   *(Nucl)* (i.e. atom containing the original nucleus) átomo padre.

parent element   *(Nucl)* elemento ascendiente [precursor, original]; substancia madre.

parent exchange *(Telef)* **(of an automatic exchange)** central magistral (de una central automática). Central automática-manual [auto-manual exchange] o central manual [manual exchange] que atiende las llamadas informativas [assistance traffic]. Una misma central automática-manual o manual puede desempeñar esta función en relación con cierto número de centrales automáticas (CEI/70 55–90–050).

parent frequency   frecuencia madre.

parent isotope   v. parent.

parent mass peak   v. parent peak.

parent material   *(Soldadura)* material base.

parent metal   metal de origen || *(Soldadura)* metal base. Metal de las partes que se sueldan.

parent nucleus   *(Nucl)* núcleo madre.

parent nuclide   *(Nucl)* núclido padre.

parent peak   *(Fís)* (a.c. parent mass peak) cresta principal. Componente de un espectro de masa [mass spectrum] que resulta de la molécula no disociada [undissociated molecule].

parent population   *(Estadística)* población original. Grupo tipo o inicial de los elementos considerados.

parental   *adj:* paterno o materno. Perteneciente o relativo a, o característico de, uno de los padres (padre o madre) || *(Genética)* (*i.e.* designating the generation from which an experiment begins) inicial, original.

parental age   edad (media) de procreación.

parentheses   Plural de *parenthesis*.

parenthesis   paréntesis.

parfocal   *adj:* *(Opt)* (*i.e.* having the lower focal points all in the same plane) parfocal. Dícese de los juegos de oculares [sets of eyepieces] montados de tal manera que puedan ser intercambiados sin variar el foco del instrumento en el cual se los utilice.

parfocal eyepiece   ocular parfocal.

parfocal objective   objetivo parfocal.

parhelic   *adj:* *(Meteor)* parhélico.

parhelic circle   *(Meteor)* círculo parhélico. Halo consistente en un círculo blanco débil que pasa por el sol y es paralelo al horizonte. Tiene el mismo origen que el círculo paraselénico (v. **paraselenic circle**). SIN. mock sun ring.

parhelion   *(Meteor)* parhelio, falso sol, sol doble. PLURAL INGLES: *parhelia*. Forma de halo consistente en una imagen del Sol a la misma altitud que el Sol y a cierta distancia de él. SIN. sun dog, mock sun.

Paris Telegraph and Telephone Regulations (1949)   Reglamento Telegráfico y Telefónico de París (1949).

Paris Telegraph Regulations (1949; revised 1958)   Reglamento Telegráfico de París (1949; revisado en 1958).

Paris Telephone Regulations (1949; revised 1958)   Reglamento Telefónico de París (1949; revisado en 1958).

parity   *(Biol, Fís, Mat, Informática)* paridad. (1) En Física, propiedad de una función de onda [wave function]; se dice que la paridad es 1 si la función de onda no se modifica por una inversión del sistema de coordenadas, y que es 0 si dicha función solamente cambia de signo. (2) Propiedad de simetría intrínseca de partículas subatómicas caracterizada por el comportamiento de la función de onda de las mismas en condiciones de reflexión por el origen de coordenadas espaciales. (3) En Matemáticas, relación par-impar entre dos enteros; si ambos son pares o ambos son impares, se dice que son de igual paridad; si uno es par y el otro impar, se dice que son de diferente paridad. Símbolo: P. (4) En Informática, condición de ser par o impar la suma de una sucesión definida de bitios.

parity bit   *(Informática)* bitio [bit] de paridad. Bitio que se agrega a una sucesión de bitios para que su suma sea siempre par o siempre impar.

parity check   *(Informática)* prueba [comprobación] de paridad. (1) Prueba consistente en contar el número de bitios (dígitos binarios) en cada carácter o palabra, para comprobar si dicho número es

par o impar, decidiéndose así si la combinación es correcta o prohibida, conforme a la convención adoptada. (2) Método para la detección de errores consistente en sumar los "unos" en una longitud determinada de datos y anotar si la suma es par o impar; la presencia de un error es revelada por un cambio de paridad. SIN. odd-even check. V.TB. longitudinal parity, row parity check.

parity effect   *(Nucl)* efecto de la paridad.

parity error   *(Informática)* error de paridad. Condición en la cual no se satisface el criterio de paridad establecido.

parity error detection   detección de errores por paridad.

parity operator   *(Mec cuántica)* operador de paridad.

park   parque; parque (de artillería) || *(Avia, Autos)* parque (de estacionamiento) /// *verbo:* *(Avia)* estacionar || *(Autos)* estacionar(se). LOCALISMOS: aparcar, parquear || *(Cotos)* cercar, cerrar.

parked aircraft   avión estacionado; aviones estacionados.

parked vehicle   vehículo estacionado. Vehículo detenido temporalmente en un lugar autorizado para tal fin.

Parker-Kalon screw   v. P-K screw.

Parker-Kaylon screw   v. P-K screw.

parking   estacionamiento. LOCALISMOS: aparcamiento, parqueamiento.

parking apron   *(Aeropuertos)* faja de estacionamiento.

parking area   zona de estacionamiento.

parking brake   *(Avia)* freno de estacionamiento || *(Puentes grúa)* freno de parada.

parking-brake lever   *(Avia)* palanca del freno de estacionamiento.

parking charge   *(Avia)* derecho de estacionamiento.

parking fees   *(Avia)* derechos de estacionamiento.

parking lane   *(Aeropuertos)* faja de estacionamiento || *(Carreteras)* carril de estacionamiento. Carril auxiliar utilizado principalmente para el estacionamiento de vehículos.

parking light   (*i.e.* light placed on a vehicle to indicate its presence when parked) luz de estacionamiento. Luz emitida por un dispositivo luminoso colocado en un vehículo para señalar su presencia durante el estacionamiento (CEI/58 45–60–110). CF. side light.

parking lot   zona [parque] de estacionamiento. SIN. parking area, park.

parking meter   contador (de tiempo) de estacionamiento. LOCALISMOS: parquímetro, contador de aparcamiento.

parking orbit   *(Vehículos espaciales)* órbita temporal.

parkway   *(Carreteras)* bulevar; faja central; carretera [camino] de acceso limitado | avenida parque. Carretera principal para tránsito no comercial con control total o parcial de accesos y comúnmente ubicada en un parque o provista de zonas adyacentes tipo parque.

parsec   *(Astr)* parsec. Unidad de distancia correspondiente a la distancia de una estrella cuyo paralaje fuera de un segundo (1″), y equivalente a 3,26 años-luz $= 20,6 \times 10^4$ unidades astronómicas $= 19,15 \times 10^{12}$ millas $= 30,8 \times 10^{12}$ km. La palabra *parsec* es contracción de *parallax second*. CF. light year, astronomical unit.

parsonsite   *(Miner)* parsonsita.

part   parte, porción; proporción; parte, región, lugar; pieza (suelta); pieza de repuesto; pieza, órgano, miembro || *(Elecn)* pieza, elemento (circuital). Elemento como p.ej. un capacitor, un resistor, una bobina, que no es fácilmente subdivisible mecánicamente. CF. component, assembly, subassembly, unit || *(Cine/ Tv)* papel || *(Mús)* parte /// *adj:* parcial.

part engineering   tecnología de las piezas sueltas.

part failure   falla de pieza, avería de pieza. Se entiende generalmente que se trata de falla irreparable, o sea, de una avería que exige el reemplazo de la pieza.

part-failure rate   frecuencia de fallas (irreparables) de piezas.

part number   número de (la) pieza.

part programmer   programador (de computadora) para el maquinado (automático) de piezas.

part-time employee   empleado que trabaja jornada parcial [variable]; empleado ocasional.

part-time leased circuit *(Telef)* (*i.e.* circuit placed at the exclusive disposal of a renter for prearranged regular periods; a.c. part-time private-wire circuit, part-time private-wire telephone circuit) circuito telefónico alquilado temporalmente. Circuito telefónico puesto por contrato a la disposición exclusiva de un usuario por períodos de tiempo preestablecidos (CEI/70 55-85-125).

part-time private-wire circuit *(Telecom)* (*i.e.* circuit placed at the exclusive disposal of a renter for prearranged periods; a.c. leased circuit) circuito arrendado temporalmente. Circuito puesto por contrato a la disposición exclusiva de un usuario durante períodos de tiempo preestablecidos (CEI/70 55-05-025) || *(Telef)* circuito telefónico alquilado temporalmente. v. **part-time leased circuit.**

part-time private-wire telephone circuit circuito telefónico alquilado temporalmente. v. **part-time leased circuit.**

partial *(Acús/Mús)* parcial. (**1**) Componente (tono puro) de un sonido. (**2**) Uno cualquiera de los sonidos de la serie armónica [harmonic series]; el más grave, o *fundamental* [fundamental, fundamental note], es el *primer parcial;* los otros, numerados consecutivamente hacia el agudo, se denominan *parciales superiores* | tono secundario. Componente (físico o subjetivo) de un tono complejo. Esquema de clasificación:

$$
\text{Tonos secundarios [partials]}
\begin{cases}
\bullet\,\textit{Tonos secundarios superiores} \\
= \textit{sobretonos o hipertonos [overtones]} \\
\text{CASO PARTICULAR: los } \textit{armónicos} \text{ [harmonics]} \\
\\
\bullet\,\textit{Tonos secundarios inferiores} \\
\text{CASO PARTICULAR: los } \textit{subarmónicos} \\
\text{[subharmonics]}
\end{cases}
$$

||| *adj:* parcial.

partial carry *(Informática)* transporte parcial. Transporte resultante de una adición de excesos, y que no puede propagarse a lo largo de la línea de registros.

partial coherence *(Opt)* coherencia parcial.

partial common trunk *(Telecom)* (*i.e.* trunk common to more than one but not to all groups of a grading) línea parcialmente común; enlace parcialmente común. En una interconexión progresiva [progressive interconnection, grading], enlace [trunk] accesible a varios grupos de selectores, pero no a todos ellos (CEI/70 55-110-230).

partial derivative *(Mat)* derivada parcial. Dada una función de varias variables, derivada de la función respecto a una variable considerando como constantes las demás variables.

partial differential *(Mat)* diferencial parcial.

partial differential equation *(Mat)* ecuación diferencial parcial; ecuación en derivadas parciales.

partial differentiation *(Mat)* diferenciación parcial.

partial dispersion *(Opt)* dispersión parcial.

partial eclipse *(Astr)* eclipse parcial.

partial fraction *(Mat)* fracción parcial. Son fracciones parciales aquellas en que puede descomponerse una fracción algebraica.

partial fraction expansion *(Mat)* desarrollo en fracciones parciales. Método de transformación de Laplace inversa.

partial hangover time *(Telecom)* (**of a valve- or rectifier-type echo suppressor**) tiempo de cierre parcial (de un supresor de eco de acción continua).

partial molar quantity *(Quím)* cantidad molar parcial.

partial multiple *(Telecom)* multiplicación parcial; multiplicación escalonada | (*i.e.* multiple appearing on selected positions only of a manual switchboard) seccionamiento particular. Conjunto de líneas multiplicadas sobre una parte solamente de posiciones de la misma naturaleza de una central manual.

partial node nodo parcial. En un sistema de ondas estacionarias [standing-wave system], punto, línea o superficie donde determinada característica del campo ondulatorio [wave field] tiene un valor mínimo diferente de cero.

partial pitch *(Elec)* (**of a winding**) paso parcial (de un devanado). Número de intervalos, en el esquema de un devanado en tambor, comprendidos entre los dos costados de una misma sección o entre los costados no correspondientes de dos secciones unidas a una misma delga del colector (CEI/38 10-05-085).

partial plating *(Galvanoplastia)* (*i.e.* electroplating upon only a part of the surface of a cathode) depósito limitado. Depósito sobre una parte solamente de la superficie del cátodo (CEI/60 50-30-340). SIN. **parcel plating.**

partial pressure *(Fís)* presión parcial. Presión que ejerce uno de los gases de una mezcla gaseosa. Si en un mismo espacio están contenidos varios gases inertes, cada uno de ellos se dilata hasta ocupar todo el espacio, como si los demás no existieran. *La presión total de la mezcla es igual a la suma de las presiones parciales de los gases individuales, y la presión parcial de uno de ellos es la que existiría si solamente ese gas ocupara todo el espacio* (ley de Dalton o de Gibbs-Dalton).

partial-read pulse impulso de lectura parcial. En las memorias magnéticas, impulso de corriente aplicado para seleccionar una célula magnética [magnetic cell] particular para su lectura.

partial restoring time *(Telecom)* (**of an echo suppressor**) tiempo de bloqueo (de un supresor de eco); tiempo de cierre parcial (de un supresor de eco) | (**of an echo suppressor**) tiempo de recuperación parcial (de un supresor de eco). Intervalo de tiempo comprendido entre el momento en que la señal que provoca el funcionamiento cesa de estar aplicada a los bornes de entrada del supresor de eco y el momento en que la atenuación obtenida se reduce a 20 dB. NOTA: El tiempo de recuperación parcial puede variar con el valor de la señal que provoca el funcionamiento [operating signal] (CEI/70 55-05-500).

partial secondary selection *(Telecom)* segunda preselección parcial.

partial secondary working *(Telecom)* selección secundaria parcial. Interconexión entre dos líneas de selectores [ranks of selectors] según la cual las salidas escogidas en primer lugar en la primera línea son directamente conectadas a la línea siguiente de selectores, en tanto que las salidas de escogencia ulterior de la primera línea tienen igualmente acceso a la segunda línea por selectores intermedios de la primera línea (CEI/70 55-110-250).

partial-select output *(Células mag)* salida de selección parcial. Respuesta de tensión a la aplicación de impulsos de lectura parcial [partial-read pulses] o de inscripción parcial [partial-write pulses] a una célula no seleccionada.

partial stall *(Avia)* entrada en pérdida parcial, pérdida de velocidad parcial.

partial tone reversal *(Facsímile)* inversión parcial de matices. Defecto tal que una reproducción de matices, en vez de progresar regularmente del blanco al negro, puede progresar del blanco al negro y retornar luego hacia el blanco, o viceversa. NOTA: Este defecto puede deberse, por ejemplo, a una fijación incorrecta de los límites para el blanco y el negro en una modulación de frecuencia (CEI/70 55-80-210).

partial vacuum vacío previo; vacío imperfecto.

partial wave *(Nucl)* onda parcial. SIN. **subwave.**

partial-write pulse impulso de escritura parcial. En las memorias magnéticas, impulso de corriente aplicado para seleccionar una célula magnética [magnetic cell] particular para inscribir en ella. CF. **partial-read pulse.**

partially *adv:* parcialmente, en parte; (as opposed to impartially) parcialmente, con parcialidad.

partially enclosed apparatus *(Elec)* (a.c. screened apparatus) aparato protegido contra los contactos accidentales. Aparato en el cual las piezas bajo tensión [live parts] están substraídas del contacto involuntario de personas (CEI/57 15-10-035).

partially energized relay relé parcialmente excitado.

partially occupied band *(Elecn)* banda parcialmente ocupada, banda parcialmente vacía | banda parcialmente ocupada. Banda energética [energy band] en la cual no todos los niveles están ocupados por dos electrones en una substancia dada en un estado dado (CEI/56 07–15–135).

partially restricted extension   *(Telef)* supletorio con toma controlada de la red. Puesto de una instalación automática privada [PABX station] con supletorios, en el cual pueden recibirse, además de las llamadas telefónicas interiores procedentes de la central de la instalación, las llamadas que son encaminadas por la línea principal por la operadora, pero que para emitir llamadas por dicha línea, necesita la intervención de la operadora (CEI/70 55–85–040).

partially suppressed sideband   *(Radiocom)* banda lateral parcialmente suprimida. CF. **vestigial sideband.**

particle   partícula; corpúsculo; pizca; gotita; pajuela (de oro). CF. **particulate** ‖ *(Gram)* partícula ‖ *(Mec)* punto material ‖ *(Fís/Nucl)* partícula. (**1**) Porción muy pequeña de materia, como p.ej. una molécula, un átomo, un electrón. (**2**) Constituyente muy pequeño de la materia con masa susceptible de medida, como p.ej. un protón, un neutrón, un mesón ‖ *(Electroacús)* partícula. Porción de un medio comprendida en un volumen cuyas dimensiones son pequeñas con relación a la longitud de onda del sonido, pero grandes en relación con las dimensiones moleculares [molecular dimensions] (CEI/60 08–05–105) ‖‖ *adj:* v. **particulate.**

particle accelerator   (a.c. accelerator) acelerador (de partículas). (**1**) Máquina con la cual se aceleran a alta velocidad partículas atómicas eléctricamente cargadas (electrones, protones, deuterones, partículas alfa). (**2**) Máquina con la cual se imprime gran velocidad o se aumenta la energía cinética de corpúsculos cargados eléctricamente. Ejemplos de *aceleradores de partículas atómicas* (término general): betatrón, ciclotrón, sincrotrón, sincrociclotrón, acelerador lineal. (**3**) Término genérico para todo aparato en el cual son aceleradas partículas cargadas (CEI/64 65–30–125) ‖ *(Elecn)* acelerador de portadores electrizados. Dispositivo electrónico que sirve para comunicar muy grandes velocidades a portadores electrizados [charged particles] (CEI/56 07–55–015).

particle Coulomb interaction   *(Fís)* interacción de partículas debida a las fuerzas de Coulomb.

particle current density   densidad de corriente de partículas. v. **neutron current density.**

particle density   *(Plasmas)* densidad de (las) partículas.

particle detector   detector de partículas.

particle diffusion   difusión de (las) partículas.

particle displacement   desplazamiento de una partícula. En un medio elástico [elastic medium], vector que tiene por extremidad la posición de la partícula en un instante dado y por origen la posición que tendría la partícula en el mismo instante en ausencia de toda vibración acústica [acoustic oscillation] (CEI/60 08–05–110).

particle drift   deriva de una partícula.

particle emission   *(Radiol)* (a.c. corpuscular emission) emisión de partículas, emisión corpuscular. Emisión de partículas por una substancia radiactiva [radioactive substance] o emisión de tales partículas como emisión secundaria [secondary emission]. La emisión corpuscular se llama a menudo *radiación corpuscular* [corpuscular radiation] (v. **radiation**) (CEI/64 65–10–155).

particle emitter   emisor de partículas.

particle energy   energía de una partícula.

particle fluence   *(Nucl)* (a.c. fluence) fluencia de partículas; fluencia. En un punto dado del espacio, número de partículas incidentes en un tiempo dado sobre una pequeña esfera centrada en ese punto, dividido por el área del círculo máximo de esa esfera (CEI/68 26–10–100).

particle flux   flujo de partículas.

particle-flux density   *(Nucl, Radiaciones)* densidad de flujo de partículas. (**1**) En un punto dado del espacio, número de partículas incidentes por unidad de tiempo sobre una pequeña esfera, centrada en ese punto, dividido por el área del círculo máximo de esa esfera. Es igual al producto de la densidad de partículas [particle density] por su velocidad media [average speed]. Este término se llama comúnmente "flujo" ["flux"] (CEI/68 26–10–105). (**2**) Cociente (φ) de ΔN por el producto de Δa y Δt, donde ΔN es el número de partículas que penetran en una esfera durante el tiempo Δt y Δa el área de un círculo máximo de esa esfera. Fórmula: $\varphi = \Delta N/(\Delta a \times \Delta t)$ (CEI/68 66–05–025).

particle mass   masa de una partícula.

particle orientation   *(Fab de cintas mag)* orientación de las partículas. v. **orientation.**

particle pressure   *(Gases)* presión cinética. SIN. **kinetic pressure.**

particle rest energy   *(Fís)* energía en reposo de una partícula.

particle shape   *(Cintas mag)* forma de las partículas (de óxido).

particle size   *(Cintas mag)* tamaño de las partículas (de óxido). Las partículas de óxido usadas en las películas magnéticas varían en longitud entre 0,2 y 1,0 μm, y su "formato" (razón de largo a ancho) es de alrededor de 6:1.

particle track   *(Cám de niebla)* traza de partícula.

particle trajectory   trayectoria de una partícula.

particle velocity   velocidad de (una) partícula; velocidad de las partículas ‖ *(Acús)* velocidad de una partícula. Velocidad de una parte infinitesimal dada de una onda acústica. Con mayor precisión, velocidad instantánea de una porción infinitesimal del medio, en relación con la totalidad del medio, debida al paso de una onda acústica. Se mide normalmente en centímetros por segundo.

particle wave   onda de partícula(s).

particles comprising the earth's great radiation belt   partículas del gran cinturón de radiación de la Tierra.

particles producing auroras   partículas que originan auroras boreales.

particular   particular, particularidad; circunstancia; detalle, pormenor; caso individual | **particulars:** detalles, pormenores; indicaciones; informaciones, datos ‖ *(Telef)* **particulars of a call:** datos relativos a una petición [solicitud] de llamada ‖‖ *adj:* particular; peculiar; individual, privativo; singular; distinguido, notable; predilecto; exacto, preciso; minucioso, detallado; exigente; puntual; puntilloso, quisquilloso; meticuloso; delicado, escrupuloso.

particular average   *(Transportes)* avería simple, avería particular.

particulate   partícula; macropartícula; material constituido por partículas ‖‖ *adj:* particulado; corpuscular. Relativo o perteneciente a las partículas; formado de partículas.

particulate cloud   nube de partículas.

particulate size   tamaño de una partícula; tamaño de las partículas.

particulate size distribution   granulometría.

particulate spectrum   espectro de partículas.

particulate structure   estructura corpuscular.

particulate system   sistema de partículas.

partition   partición, repartición, reparto, repartimiento; distribución; división, separación; demarcación, linde, deslinde, deslindamiento; desmembración; desmembramiento; compartimiento; diafragma ‖ *(Carp/Constr)* tabique, mamparo, pared divisoria; mampara; medianería, acitara; cerramiento ‖ *(Mat)* partición ‖‖ *verbo:* partir, repartir; dividir, separar; distribuir; tabicar, entabicar, separar con tabique.

partition analysis   análisis de partición.

partition coefficient   *(Quím, Nucl)* coeficiente de partición [división].

partition function   *(Fís)* función de partición.

partition noise   *(Elecn)* (a.c. distribution noise) ruido de reparto. Ruido que se origina en un tubo termoelectrónico cuando el haz electrónico se divide entre dos o más electrodos colectores, como p.ej. la rejilla auxiliar y el ánodo. Este ruido puede presentarse en los tetrodos y los pentodos, pero no en los triodos.

partition of energy   *(Nucl)* distribución de la energía.

partitioned   *adj:* dividido; separado; tabicado, entabicado; con compartimientos.

partitioning   partición, repartición, reparto, repartimiento; etc.

(v. **partition**) | tabiquería || (*Informática*) (a.c. segmenting) partición, segmentación. Subdivisión de un bloque de información en partes menores, para que puedan ser procesadas más convenientemente.

partly double preselection   (*Telecom*) preselección parcial doble.

partly hydrogenated   parcialmente hidrogenado.

partly overcast sky   cielo parcialmente cubierto.

parts   partes; piezas; repuestos.

parts and supply requisition   requisición de piezas y materiales; pedido de repuestos y accesorios.

parts catalog   catálogo de piezas; catálogo de repuestos.

parts composing a train   equipo; partes que constituyen un tren.

parts density   densidad de piezas, número de piezas por unidad de volumen.

parts list   lista de piezas.

parts of a telegram   partes de un telegrama. Las partes de un telegrama son: preámbulo; indicaciones de servicio tasadas; dirección; texto; y firma. El preámbulo contiene datos tales como número del telegrama, cómputo de palabras, origen, fecha y hora de imposición, e indicaciones de servicio no tasadas; la dirección contiene el nombre del destinario, la dirección y el punto de destino, pero también puede ser abreviada o en clave registrada; el texto debe contener una palabra como mínimo; la firma puede omitirse si así lo desea el expedidor o remitente.

party calling   (*Telef*) usuario [abonado] que llama; solicitante de una comunicación.

party line   (*Telef*) línea compartida. TB. línea colectiva [común, repartida], línea en participación, línea común a varios abonados, línea en común para varios abonados. (**1**) Línea de abonado [subscriber's line] que sirve a varias estaciones telefónicas a la vez, con utilización eventual de dispositivos de llamada selectiva [selective calling]. (**2**) Línea telefónica que sirve a dos o más abonados o usuarios; generalmente se dispone de medios de llamada selectiva, para que cada aparato (de los conectados a la línea) responda solamente a las llamadas dirigidas al mismo. SIN. **shared line** (*GB*, cuando son sólo dos los abonados que comparten la línea) | línea compartida. Línea de abonado que sirve no simultáneamente a dos o más estaciones telefónicas de abonado [subscriber stations], teniendo cada una su propio número de llamada. SIN. **rural party line** (CEI/70 55-85-085). CF. **shared-service line**.

party-line circuit   (*Telecom*) circuito compartido [de "línea compartida"], circuito colectivo [de uso común, de uso compartido].

party-line operation   (*Telecom*) funcionamiento compartido.

party-line ringing   (*Telecom*) repique simultáneo (en todas las estaciones de un circuito compartido).

party-line service channel   (*Telecom*) canal de servicio [de órdenes] compartido.

party-line station selector   selector de estaciones en circuito compartido.

party-line telephones   teléfonos en línea compartida, teléfonos de línea colectiva.

party-line voice circuit   circuito telefónico compartido, vía telefónica compartida.

party-line voice communication   comunicación telefónica por circuito compartido.

party unknown   (*Telecom*) el interesado es desconocido. NOTA: Es frase de servicio.

parylene   parileno. Nombre abreviado del *diparaxilileno* [diparaxylylene], substancia cristalina de excelentes propiedades dieléctricas depositable en fase vapor sobre casi cualquier substrato para formar películas aislantes sumamente delgadas y extraordinariamente estables.

parylene capacitor   capacitor de parileno. Capacitor (condensador) fijo cuyo dieléctrico está constituido por una película de parileno. Se caracteriza por su elevada estabilidad y por su aptitud de funcionar entre amplísimos límites de temperatura, desde las criogénicas hasta las del orden de los 170° C.

PASBGHR   (*Teleg*) Prefijo formado por la unión de las siglas PASB (Pan-American Sanitary Bureau) y la abreviatura GHR (Government Half-Rate), y que significa: Telegrama oficial de la Oficina de Salubridad de la Unión Panamericana con concesión gubernamental de media tasa.

Pascal   Blas Pascal: físico, matemático, filósofo y escritor francés (1623-1662), a quien se deben las leyes de la presión atmosférica y del equilibrio de los líquidos, el triángulo aritmético, el cálculo de probabilidades, y la prensa hidráulica. A los 16 años escribió un "Ensayo sobre las secciones cónicas", y a los 18 inventó una máquina de calcular.

Pascal distribution   (*Cálculo de probabilidades*) distribución de Pascal. SIN. **distribución binomial negativa** —— **negative binomial distribution**.

Pascal triangle   (*Mat*) triángulo de Pascal. Triángulo aritmético que permite determinar fácilmente los coeficientes sucesivos de $(x+y)^m$ en la serie binómica [binomial series] cuando se utiliza un número de aquéllos (coeficientes binómicos) para formar el esquema.

Pascal's triangle   v. **Pascal triangle**.

Paschen-Back effect   (*Fís*) efecto Paschen-Back.

Paschen series   (*Fís*) serie de Paschen. Serie de rayas en la región infrarroja del espectro del hidrógeno.

Paschen's law   (*Descargas eléc en los gases*) ley de Paschen. Ley según la cual la tensión disruptiva [breakdown voltage] a temperatura constante es función solamente del producto de la presión del gas por la distancia entre electrodos planos paralelos (CEI/56 07-13-090).

pASCII   Abrev. de proposed American Standard Code for Information Interchange.

pass   paso; pasada; paso, pasaje; paso, pasillo; pase, permiso (escrito); pase, billete de favor [de cortesía, de cumplimiento]; permiso de circulación; pasaporte; salvoconducto || (*Aviones en vuelo*) pasada, acción de pasar || (*Mil*) licencia; permiso || (*Ferroc*) pase || (*Calderas*) paso, pasada || (*Exámenes*) aprobado; aprobación || (*Geol, Topog*) boquerón, collado, desfiladero, puerto, abra, boca, hoz, portezuelo. LOCALISMO: atraviesa || (*Marina*) pasaje, rebasadero || (*Laminadores, Met*) paso, pasada, acción de pasar; (*i.e.* the operation of rolling) pase; canal || (*Máq herr*) pasada, acción de pasar || (*Minería*) chimenea, paso (entre niveles) || (*Poleas*) garganta || (*Soldadura*) paso, pasada; cordón (de soldadura) || (*Cintas de registro mag*) pasada || (*Informática*) pase. (**1**) Ciclo completo de lectura, procesamiento o elaboración, y escritura. (**2**) Ciclo completo de las operaciones que intervienen en la ejecución de un programa de computadora: entrada, procesamiento, salida /// *verbo:* pasar; aprobar; ser aprobado; ser admitido; promulgar (una ley); aventajar, exceder; pasar, transcurrir, andar, correr, rodar (el tiempo); pasar, acontecer, ocurrir, suceder; pasar, trasladar, transferir; transmitir(se); pasar por alto || (*Mat*) pasar, trazar.

pass a booking   *verbo:* (*Telef*) transmitir una petición [solicitud] de comunicación.

pass a call   *verbo:* (*Telef*) transmitir una petición [solicitud] de comunicación.

pass a call again   *verbo:* (*Telef*) retransmitir una petición [solicitud] de comunicación.

pass-band   v. **passband**.

pass direction   sentido de conducción. SIN. **forward direction**.

pass element   (*Fuentes de alim regulada*) elemento de paso. Elemento de resistencia variable en función de una señal de error, intercalado en serie con la salida de corriente continua. El elemento de paso aumenta su resistencia cuando se necesita reducir la salida, y viceversa, bajo el control de la señal de error suministrada por un amplificador. V.TB. **series regulator**.

pass range   (*Filtros de banda*) banda [margen] de paso. SIN. **passband** (véase).

passacaglia   (*Mús*) pasacalle, passacaglia.

passage   pasaje; paso, pasada, tránsito; paso, trayecto; travesía;

pasadizo, pasillo; corredor; callejón; canal, conducto; navegación, viaje (por mar), travesía; pasaje (de un libro, de una composición musical); paso, pasaje (p.ej. de un material por la máquina que lo elabora).

passage of a line through a town   *(Telecom)* travesía de una ciudad, recorrido (de una línea) en un poblado.

passage of neutrons through matter   paso de (los) neutrones a través de la materia.

passageway   pasadizo, pasaje; pasillo; callejón; galería ‖ *(Buques)* callejón.

passband   banda pasante, banda de paso. TB. banda transmisible [de transmisión libre], margen de paso. (**1**) En general, banda o margen de frecuencias dentro del cual la atenuación se mantiene inferior a un valor dado. (**2**) En los filtros de banda, gama o banda de frecuencias dentro de la cual la atenuación es prácticamente nula. CF. **bandpass, bandwidth**.

passband filter   filtro pasabanda, filtro de banda pasante [de banda de paso]. SIN. **bandpass filter**.

passband response   respuesta de banda pasante [de banda de paso, de paso de banda].

passband ripple   *(Filtros)* ondulación de banda pasante. Diferencia (en decibelios) entre los puntos de máxima y de mínima pérdida comprendidos en una banda especificada de frecuencias.

passband width   ancho de (la) banda pasante.

passenger   pasajero; viajero, viandante; transeúnte.

passenger address system   sistema de comunicación con los pasajeros.

passenger airplane   avión de pasajeros.

passenger building   *(Ferroc)* edificio de pasajeros. Conjunto de locales destinados al servicio público y al servicio interno de la empresa.

passenger car   *(Carreteras)* coche de viajeros ‖ vehículo automotor de pasajeros. Vehículo autopropulsado destinado al transporte de no más de 10 personas. El término incluye automóviles, taxímetros y camionetas rurales ‖ *(Ferroc)* coche (de viajeros), vagón de viajeros. LOCALISMO: vagón de pasajeros.

passenger-kilometer   *(Avia, Ferroc)* pasajero-kilómetro.

passenger locomotive   *(Ferroc)* locomotora de pasajeros. La destinada al remolque de trenes de pasajeros.

passenger manifest   *(Avia)* manifiesto de pasajeros.

passenger-mile   *(Avia, Ferroc)* pasajero-milla.

passenger platform   *(Ferroc)* andén, plataforma. Plataforma paralela a la vía y destinada a facilitar la subida de los viajeros a los coches y su salida de los mismos.

passenger service charge   *(Avia)* derecho por servicios a los pasajeros.

passenger-ship band   *(Radiocom)* banda de estaciones de buques de pasajeros.

passenger-ship radiotelegraph band   banda de estaciones radiotelegráficas de buques de pasajeros.

passenger station   *(Ferroc)* estación de pasajeros. Lugar destinado al servicio de pasajeros, equipajes, artículos de primera necesidad, correo, etc.

passing bell   *(Mús)* campana fúnebre.

passing contact   *(Ferroc)* contacto de paso (de un conmutador). Contacto establecido o cortado durante un corto instante solamente, cuando el conmutador [controller] es accionado en una dirección bien determinada, por ejemplo, de "normal" [normal] a "inverso" [reverse] (CEI/59 31–05–205).

passing forward of numbers   *(Telef)* enunciación de los números.

passing frequency   frecuencia pasante. En un radiorreceptor, frecuencia para la cual la ganancia relativa global es igual o mayor que 0,707; entendiéndose por *ganancia relativa* la ganancia a la frecuencia considerada tomando como unidad la ganancia a la frecuencia central del canal (frecuencia portadora).

passing light   luz de cruce. Luz de vehículo que no ilumina más que una parte prescrita de la ruta a fin de reducir el deslumbramiento [glare] de un observador que venga al encuentro del

vehículo (CEI/58 45–60–075).

passing note   *(Mús)* nota de paso.

passing siding   *(Ferroc)* desvío de paso. Vía de empalme con una vía general y destinada a dar prelación o paso a determinados trenes ‖ apartadero, vía de paso.

passivate   *verbo:* pasivar; hacer neutro; hacer inerte. V. **passivation**.

passivated   *adj:* pasivado; neutro; inerte. V. **passivation**.

passivated iron   hierro inerte.

passivated oil   aceite pasivado. Se usa p.ej. en transformadores eléctricos.

passivated surface   *(Met)* superficie pasivada.

passivated transistor   transistor pasivado, transistor protegido por pasivación (contra falla prematura).

passivating   pasivación. V. **passivation** ‖‖ *adj:* pasivante.

passivation   pasivación. (**1**) Tratamiento de la superficie del acero con soluciones ácidas para quitar las partículas de hierro y obtener una película pasiva sobre la superficie. (**2**) Estabilización y protección de un elemento (transistor, circuito integrado monolítico) contra agentes ambientales que pudieran alterar sus características. En el caso de los circuitos integrados monolíticos, la pasivación se obtiene por la formación de óxido de silicio [silicon dioxide] sobre la superficie del silicio o por la deposición de una película de vidrio. V.TB. **passivity** ‖ *(Electroquím/Electromet)* pasivación. Acción de causar o conferir pasividad (v. **passivity**). Las definiciones que siguen corresponden a casos particulares ‖ **chemical passivation:** pasivación química. Acción química que confiere a un metal una pasividad [passivity] más o menos perfecta (CEI/60 50–05–440) ‖ **electrochemical passivation:** pasivación electroquímica. Acción electroquímica que confiere a un metal una pasividad más o menos perfecta (CEI/60 50–05–430) ‖ **anodic passivation:** pasivación anódica. Pasivación electroquímica producida por polarización anódica [anodic polarization] del metal (CEI/60 50–05–435).

passive   *(Gram)* voz pasiva ‖‖ *adj:* pasivo; inerte; neutro; indiferente; inactivo; estático ‖ inactivo *(Aeron)* sin motor ‖ *(Elecn, Telecom)* pasivo. (**1**) Que no aporta energía de señal. (**2**) Que sólo pone en juego energía radiada o reflejada naturalmente por un cuerpo u objeto. (**3**) Que carece de fuente propia de energía.

passive aerial   *(i.e.* aerial element not connected to the transmitter by a feeder; a.c. parasitic aerial, parasitic [secondary] radiator) elemento pasivo [secundario]. Elemento de antena no conectado a un emisor radioeléctrico por una línea (CEI/70 60–30–020). SIN. **passive antenna**.

passive antenna   antena pasiva. Elemento de antena no unido directamente al emisor o al receptor, según el caso ‖ v. **passive aerial**.

passive balance return loss *(GB)*   *(Telecom)* atenuación pasiva de equilibrio. SIN. **passive return loss**.

passive base   *(Cátodos)* base pasiva.

passive chromium oxide   óxido de cromo pasivo.

passive communications satellite   satélite de telecomunicación pasivo. Satélite artificial de la Tierra destinado a la reemisión de las señales transmitidas por una estación terrena, efectuándose dicha reemisión por reflexión únicamente, es decir, sin amplificación de la señal.

passive component   componente [elemento] pasivo. Componente o elemento (capacitor, inductor, resistor, transformador) que no proporciona amplificación o ganancia ni puede controlar una corriente o una tensión para efectuar conmutaciones. SIN. **passive device, passive element**.

passive comsat   Abrev. de passive communications satellite.

passive contact   contacto pasivo.

passive corner reflector   reflector triédrico pasivo. Dícese principalmente de los reflectores triédricos utilizados para incrementar la reflexión radárica de objetos poco reflectantes.

passive decoder   descodificador pasivo.

passive defense   defensa pasiva.

passive detection   detección pasiva. Detección de blancos u objetos sin emisión de energía por parte del aparato detector; por extensión, detección que no revela la presencia del aparato detector.

passive device   dispositivo pasivo. Dispositivo que carece de transistancia (v. **transistance**). SIN. **passive component, passive element.**

passive dipole   dipolo pasivo.

passive electric network   red eléctrica pasiva, red eléctrica que no comprende fuentes de energía.

passive electrode   electrodo pasivo [indiferente, inerte].

passive element   elemento pasivo. v. **passive component, passive device** || (*Ant*) elemento pasivo. Elemento sin conexión directa al emisor o al receptor, y cuyo acoplamiento con el resto del sistema de antena es únicamente por inducción electromagnética; el elemento pasivo refleja energía o rerradia la energía que recibe en relación de fase tal que se obtiene la característica de directividad deseada. SIN. **elemento parásito — parasitic element.**

passive entry   (*Vehículos espaciales*) reentrada pasiva.

passive equivalent circuit   circuito equivalente pasivo.

passive film   película pasiva [inerte]. v. **passivation.**

passive film circuit   (*Elecn*) circuito de elementos peliculares pasivos.

passive four-terminal network   cuadripolo pasivo.

passive homing guidance   guía pasiva a la base de origen.

passive homing system   sistema de guía pasivo. Sistema de guía cuyo funcionamiento se basa en la detección de energía radiada por el objetivo.

passive iron   (a.c. passivated iron) hierro inerte.

passive linear quadripole   (*Elec*) cuadripolo linear pasivo.

passive mixer   (*Radio/Elecn*) mezclador pasivo. SIN. **dry mixer.**

passive network   (*i.e.* network which does not include a power source) red pasiva. Red que no contiene ninguna fuente de energía eléctrica (CEI/70 60-10-220). CF. **active network.**

passive nonlinear element   elemento alineal pasivo.

passive radiator   radiador pasivo. Altavoz (altoparlante) desprovisto de bobina móvil y de circuito magnético, y cuyo cono o diafragma va neumáticamente acoplado al de un altavoz normal montado en la misma caja acústica. El radiador pasivo (que no aporta energía acústica, puesto que se mueve impulsado por el altoparlante) tiene el efecto de aumentar la superficie de radiación sonora del sistema en el registro bajo (notas graves). Su funcionamiento es semejante al de una puerta o ventanilla de salida [port] en una caja acústica tipo reflex [reflex baffle, reflex enclosure] || (*Ant*) radiador pasivo. v. **passive element.**

passive radio beacon   radiobaliza pasiva.

passive reflector   (*Radiocom*) reflector pasivo. En un sistema de microondas, reflector que, a modo de espejo, rerradia parte de la energía recibida de otro punto | (*i.e.* reflector used to modify the direction of propagation) reflector pasivo. Reflector utilizado para modificar la dirección de la propagación (CEI/70 60-30-030) || (*Radionaveg*) baliza pasiva.

passive relay   relé [relevo] pasivo.

passive repeater   repetidor pasivo. Repetidor de microondas que carece de receptor y de transmisor, y que consiste fundamentalmente en un reflector pasivo (v. **passive reflector**) o en dos reflectores, uno de recepción y otro de emisión, unidos por una línea de transmisión. CF. **repeater, radio repeater.**

passive resistance   resistencia pasiva.

passive return loss   (*Telecom*) (*i.e.* balance return loss of a portion of a circuit not fitted with repeaters and terminated in a specified manner) atenuación pasiva de equilibrio. Atenuación de equilibrio de una parte de circuito que no comprende repetidores y terminada en condiciones especificadas. SIN. **passive balance return loss** (*GB*).

passive screen   (*Ant*) pantalla pasiva. v. **passive element.**

passive secondary reflector   v. **passive reflector.**

passive selecting operation   operación pasiva de selección.

passive singing point   (*Telecom*) (*i.e.* singing point of a part of a circuit not including any amplifiers and terminated in specified conditions) punto pasivo de canto, punto pasivo de cebado (de oscilaciones). Punto de canto de una parte de circuito que no comprende repetidores y terminada en condiciones especificadas.

passive sonar   sonar pasivo, sonar de escucha. Sonar receptor solamente, es decir, que no radía energía acústica. SIN. **listening sonar.**

passive stainless steel   acero inoxidable pasivo. v. **passivation.**

passive substrate   (*Circ integrados*) substrato pasivo. (**1**) Base o soporte de material aislante para la deposición de componentes peliculares [film components]. (**2**) Substrato aislante de vidrio, de cerámica, o de otro material, cuya única función es la de proveer soporte físico y disipación térmica.

passive system   sistema pasivo || (*Vehículos espaciales*) sistema (navegacional) inercial. SIN. **inertial navigation system.**

passive T network   (*Elec*) red pasiva en T.

passive tracking system   sistema de seguimiento pasivo. v. **passive detection.**

passive transducer   transductor pasivo. (**1**) Transductor sin fuente propia de energía. (**2**) Transductor tal que las ondas salientes no dependen del funcionamiento de fuentes de energía, siendo su potencia regulada por la acción de las ondas entrantes. (**3**) Transductor tal que la energía por él entregada procede exclusivamente de la energía que el mismo recibe a la entrada (CEI/60 08-10-015). (**4**) Transductor tal que la energía por él transmitida a un segundo sistema proviene únicamente de las ondas que el mismo recibe de un primer sistema, con exclusión de toda otra fuente de energía (CEI/70 55-25-115).

passive write   (*Informática*) escritura pasiva. v. **write.**

passivity   pasividad; calma, paciencia; indiferencia; inercia || (*Quím, Electroquím/Electromet*) (*i.e.* chemical or electrolytic passivity) neutralización | pasividad. (**1**) Propiedad del hierro, el cromo y metales afines, de perder su actividad química normal como resultado de un tratamiento con agentes oxidantes fuertes, o de la formación de oxígeno sobre los mismos durante la electrólisis. (**2**) Condición de un metal en la cual su corrosión electroquímica [electrochemical corrosion] es impedida por ciertos estados particulares de la superficie (CEI/60 50-05-420). v.TB. **passivation.**

password   santo y seña, contraseña || (*Mil*) palabra (de pase) || (*Teleg*) palabra de orden convenida.

past definite tense   (*Gram*) pretérito indefinido.

past progressive tense   (*Gram*) pretérito progresivo.

past tense   (*Gram*) pretérito.

past weather   (*Meteor*) condiciones meteorológicas pasadas.

paste   pasta; engrudo, goma (de pegar) || (*Cocina*) pasta || (*Cemento*) pasta || (*Joyería*) piedras de imitación; imitación de piedras preciosas; vidrio para imitar gemas || (*Pilas y acum*) pasta; electrólito pastoso; materia activa || (*Pilas*) pasta. Capa gelatinosa [gelatinized layer] que contiene electrólito y se encuentra colocada en contacto con el electrodo negativo (CEI/60 50-15-180) ||| *verbo:* empastar; engrudar, engomar; pegar (con goma); adosar, unir.

paste cathode   (*Elecn*) cátodo empastado.

paste solder   soldante en pasta, pasta soldante. Metal de soldadura pulverizado finamente y combinado con un fundente de modo de formar una pasta.

pasted plate   (*Acum*) placa empastada; placa (de) (tipo) Faure | (a.c. Faure plate) placa de óxido empastado, placa Faure. Placa constituida por un soporte conductor o rejilla, generalmente de aleación de plomo y antimonio [lead-antimony alloy], cubierta de óxido o de sales de plomo que una formación ulterior transforma en materia activa [active material] (CEI/60 50-20-115).

pasted square   (*Electroquím*) (a.c. pastille) pastilla. Parte de la materia activa encerrada en un alveolo (CEI/38 50-25-030).

pastil   v. **pastille.**

pastille, pastil pastilla, tableta ‖ *(Bellas artes)* pastel ‖ *(Electroquím)* pastilla. v. **pasted square.**

PAT *(Teleg)* Abrev. de Please advise (sender or addressee) that . . . |Sírvase avisar (al expedidor o al destinatario) que . . . |. Se usa en los mensajes de servicio.

patch parche, remiendo; parcheo; parcela de terreno; mancha; sembrado, plantío ‖ *(Chapistería, Calderas)* emplasto, parche (de refuerzo); planchuela de compostura ‖ *(Radio/Elecn/Telecom)* conexión provisional [temporal]. Conexión temporal entre jacks u otras terminaciones en un tablero de conmutaciones |patchboard| |clavijero. Tablero de jacks entre los cuales se efectúan conexiones temporales mediante cordones provistos de clavijas en ambos extremos ‖ *(Informática)* remiendo. Segmento de codificación intercalado en una rutina de computadora con el fin de corregir un error o de alterar aquélla /// *verbo:* emparchar, remendar, poner parches, echar remiendos; parchar, parchear; componer ‖ *(Albañilería)* resanar (p.ej. un muro) ‖ *(Carreteras)* bachear ‖ *(Chapistería)* parchar ‖ *(Radio/Elecn/Telecom)* hacer una conexión provisional [temporal], conectar provisionalmente [temporalmente]; conectar por cordón ‖ *(Informática)* remendar. (**1**) Corregir o modificar un programa de manera rápida o preliminar añadiéndole nuevos segmentos de codificación. (**2**) Adicionar instrucciones de transferencia o de salto, al final de un bloque de instrucciones, en vez de intercalarlas en sus respectivas posiciones en el programa; es técnica usada generalmente en la fase de depuración.

patch bay *(Elecn/Telecom)* bastidor de interconexión por cordones; armario [gabinete] de conmutación por cordones.

patch-board, patchboard *(Elecn/Telecom)* tablero de conexiones, tablero [panel] de conmutaciones, panel de conmutación por cordones, panel de interconexiones conmutables; clavijero. Tablero o panel provisto de hileras de jacks en los cuales terminan diversos circuitos y entre los cuales se establecen conexiones mediante cordones con clavijas en ambos extremos (v. **patch-cord**). SIN. **patch panel, jack field** ‖ *(Telecom)* repartidor ‖ *(Informática)* tablero de conexiones, panel de conexiones (por hilos). Tablero o panel semejante al definido arriba, pero en el cual los jacks son pequeños y, en vez de cordones, se utilizan conductores relativamente finos. Además, los tableros o paneles son generalmente desmontables, de modo que pueden reemplazarse unos por otros sin deshacer las interconexiones establecidas en ellos; así puede enchufarse un tablero ya preparado para el próximo problema a ser resuelto mediante la computadora. SIN. **plugboard.**

patch cable cable de conexiones [empalmes] temporales.

patch circuit circuito de interconexión.

patch-cord, patchcord *(Elecn/Telecom)* cordón de conmutación [de transferencia, de interconexión, de conexión provisional, de extensión y empalme], cordón para conmutaciones, cordón para conexiones [empalmes] temporales, cordón conector, cordón repartidor. Cordón provisto de clavijas de enchufe |plugs| por ambos extremos y que se utiliza para hacer conmutaciones y pruebas de circuitos, para conectar instrumentos de medida temporalmente, para empalmar líneas o circuitos, y otros fines (en salas de aparatos de telecomunicación, estudios radiofónicos o de grabación, etc.), con la ayuda de tableros de conmutaciones, clavijeros, o repartidores (v. **patch-board**). SIN. **patching cord.**

patch facility equipo de conmutación por cordones. v. **patch bay, patch-board.**

patch-in conexión.

patch-out desconexión.

patch panel panel de conmutaciones [de combinaciones], panel de conmutación (por cordones), panel de interconexiones conmutables, panel conmutador, clavijero. SIN. **patching panel, patchboard, jack field.**

patch plug *(i.e. patch-cord plug)* clavija de cordón de conmutación.

patch rack bastidor de interconexión por cordones |de interconexiones conmutables|. SIN. **patch bay.**

patchable *adj:* emparchable, remendable ‖ *(Elecn/Telecom)* con-

mutable por cordón.

patchboard v. **patch-board.**

patchcord v. **patch-cord.**

patching parche, remiendo; parcheo ‖ *(Albañilería)* resanado ‖ *(Carreteras)* bacheo ‖ *(Elecn/Telecom)* conexión provisional [temporal], conexión por cordón. Conexión temporal o provisional entre jacks u otras terminaciones, generalmente por medio de cordones terminados en clavijas de enchufe |plugs|.

patching cord v. **patch-cord.**

patching facilities equipo de interconexión [conmutación] por cordones, medios de interconexión conmutable. v. **patch bay, patch-board, jack field.**

patching jack jack de clavijero; jack de interconexión (de circuitos).

patching link puente de conmutación. CF. **U link.**

patching panel v. **patch panel.**

patching resistor resistor [resistencia] de conexión temporal.

patent patente (de invención), privilegio de invención; diploma, título; licencia, despacho (título para ejercer un empleo) | **patent applied for:** patente en trámite, se ha solicitado patente | **patent for invention:** patente de invención /// *adj:* patente, evidente, manifiesto; público; patentado /// *verbo:* patentar.

patent agent agente de patentes.

patent application solicitud [petición] de patente.

patent attorney abogado de patentes.

patent department departamento de patentes; servicio de patentes.

patent drawing dibujo para solicitud de patente.

patent engineer ingeniero de patentes, ingeniero asesor en asuntos de patentes o de propiedad industrial.

patent fee derechos de patente.

patent infringement violación de patente.

patent office oficina de patentes; registro de la propiedad industrial; agencia de patentes; consejo de patentes.

patent royalty derechos de patente. LOCALISMO: derechos de fabricación.

patent specification especificación de patente.

patentability patentabilidad.

patentable *adj:* patentable.

patented article artículo de patente, artículo propietario.

patented process procedimiento patentado.

patentee poseedor de patente (el que obtiene una patente), concesionario de (la) patente, privilegiado ‖ *(Telecom)* titular de una licencia.

patentor dueño de patente; el que otorga cédula de patente.

path trayectoria; trayecto; curso; camino, recorrido, itinerario; trazado; línea; camino, vía; senda, sendero, brecha, vereda (camino muy angosto) | v. **path of . . .** ‖ *(Elec)* circuito ‖ *(Telecom)* vía (de transmisión) ‖ *(Radioenlaces)* vano, trayecto; trayectoria (radioeléctrica, de propagación, de la onda) ‖ *(Mat)* trayectoria, camino ‖ *(Naveg)* trayectoria. Línea imaginaria que une una serie de puntos en el espacio y que constituye la ruta de navegación seguida o por seguir ‖ v. **path of . . .**

path antenna gain ganancia de las antenas (para el trayecto).

path attenuation *(Radiocom)* atenuación de propagación, atenuación de (la) trayectoria, atenuación a lo largo de la trayectoria, atenuación del vano. (**1**) Debilitamiento o pérdida de potencia que sufre la onda entre las antenas emisora y receptora. (**2**) Pérdida de potencia entre el emisor y el receptor debida a todas las causas; es igual a $10 \log_{10} P_t/P_r$, donde P_t es la potencia radiada por la antena emisora y P_r la potencia en los terminales de salida de la antena receptora, y se expresa en decibelios | atenuación de propagación. Para una frecuencia dada y antenas de referencia dadas, sin pérdidas, idénticas en el punto de emisión y en el de recepción, en un instante dado, razón, generalmente expresada en decibelios, de la potencia radiada por la antena de emisión a la potencia disponible en bornes de la antena de recepción. NOTA: Las antenas de referencia son a menudo de los tipos siguientes: dipolo de media onda horizontal [horizontal broadside half-wave dipole], monopolo de cuarto de onda vertical sobre el suelo [vertical quarter-wave monopole], radiador isotrópico [hypothetical isotropic element] (CEI/70 60-20-085). Las definiciones que siguen se relacionan con la precedente | **basic path attenuation**: atenuación ideal de propagación. Atenuación de propagación en el caso de que las antenas de referencia sean radiadores isotrópicos (CEI/70 60-20-090) | **free-space attenuation**: atenuación ideal en el espacio libre. Atenuación ideal de propagación [basic path attenuation] en un espacio en el cual no existieran más que la antena de emisión y la de recepción (CEI/70 60-20-095) | CF. **transmission loss.**

path clearance   altura libre, margen de altura, franqueo vertical, libramiento. En los radioenlaces de microondas, distancia vertical entre la visual de propagación y el obstáculo más elevado de la trayectoria entre dos estaciones.

path distortion noise   *(Radiocom)* ruido de propagación. Ruido de intermodulación que tiene su origen en la propagación por trayectorias múltiples y/o en un valor excesivo de relación de ondas estacionarias [standing-wave ratio].

path length   longitud de (la) trayectoria || *(Circ mag)* longitud de línea (magnética). Longitud de una línea de flujo magnético en un núcleo || *(Nucl)* longitud de la trayectoria; recorrido del trazo || *(Radiocom)* longitud de trayectoria, longitud de la trayectoria radioeléctrica, longitud del trayecto de la onda, longitud del vano. Distancia entre dos estaciones consecutivas de un radioenlace de trayectorias ópticas.

path loss   *(Radiocom)* pérdida de propagación [de trayectoria], atenuación a lo largo del trayecto. SIN. **atenuación de transmisión de referencia —— basic transmission loss.**

path of a charged particle   trayectoria de un portador electrizado.

path of a circuit   trazado de un circuito.

path (of an armature winding)   *(Elec)* circuito de devanado, derivación. Conjunto de secciones de un inducido de colector que, en un instante dado, se encuentran en serie entre dos escobillas consecutivas de signos contrarios (CEI/56 10-35-145). SIN. **path of winding.**

path of integration   trayecto de integración.

path of tape   *(Aparatos de cinta mag, Teleimpr)* recorrido de la cinta.

path of winding   *(Elec)* circuito de devanado. Conjunto de las secciones de un inducido de colector que, en un instante dado, se encuentran en .rie entre dos escobillas consecutivas de signos contrarios (CE₁/38 10-05-060). SIN. **path of an armature winding.**

path phase stability   estabilidad de fase a lo largo de la trayectoria.

path profile   *(Radiocom)* perfil de enlace, perfil del trayecto, perfil (longitudinal) de la trayectoria, diagrama de perfil (altimétrico) de la trayectoria. Dibujo del perfil topográfico, con indicación de alturas, a lo largo de la trayectoria entre dos estaciones de un radioenlace de microondas.

path shielding factor   *(Radiocom)* factor de blindaje de trayectoria. V. **shielding factor.**

path tracking   *(Tecn espacial)* localización de (la) trayectoria.

pathometer   *(Electrobiol)* patómetro. SIN. **psychogalvanometer.**

pathway   senda, vereda; vía, camino, pista; vía de acceso.

patrol   patrulla, ronda; observación, vigilancia || *(Carreteras)* patrullera, patrulladora (de entretenimiento), (máquina) conservadora /// *verbo:* patrullar, rondar; observar, vigilar.

patrol aircraft   avión de patrulla, avión de vigilancia.

patrol airplane   avión de patrulla.

patrol bomber   avión de bombardeo y patrulla; bombardeo de patrulla.

pattern   norma, pauta, tipo, prototipo, patrón, dechado, modelo, ejemplo, muestra; ejemplar; diseño, dibujo, configuración, forma, imagen, patrón, esquema, bosquejo; representación (gráfica); osciclograma; forma de onda, forma de señal; curva; molde, plantilla, escantillón, patrón; maqueta; espectro; motivo; estructura; circuito; red; sistema; panorama; fisonomía; superficie; estructura, textura; disposición, colocación; estructura, configuración; evolución, desarrollo, tendencia evolutiva, proceso evolutivo; trayectoria | *(i.e.* pattern displayed on an oscilloscope) osciclograma | *(i.e.* pattern of radiation) diagrama (de radiación) || *(Ant)* diagrama, diagrama polar, diagrama de irradiación. Diagrama en coordenadas polares que representa la característica direccional de la antena. V.TB. **radiation pattern** || *(Artes gráficas)* muaré. Efecto de la superposición de dos o más tramas de diferente tonalidad o inclinación || *(Balística y afines)* dispersión, cuadro de dispersión, rosa de impactos, rosa de dispersión de impactos; plomeo, agrupación de los perdigones sobre el blanco, agrupamiento de los disparos en el blanco; rosario de cargas de profundidad || *(Circ impresos)* red. v. **conductive pattern, conductor pattern** || *(Comput)* configuración || *(Costura)* figurín, modelo, patrón || *(Cristalog)* malla || *(Erizos)* salva || *(Funderías)* modelo || *(Guías de ondas)* diagrama de orden y modo (de una onda) || *(Mat)* patrón, modelo || *(Medicina)* cuadro clínico || *(Osciloscopios)* osciclograma, imagen || *(Radiodif)* diagrama de alcance (de la estación). Diagrama dibujado sobre un mapa para indicar gráficamente la zona de servicio de la estación; generalmente incluye curvas que pasan por los puntos de igual intensidad de señal || *(Radionaveg)* diagrama (de líneas isocronas). Familia de líneas isocronas [system of hyperbolic position lines] asociada a un par de emisores de radionavegación hiperbólica. EJEMPLOS: En el sistema Decca: red roja, red verde, red violeta (CEI/70 60-74-190) || *(Tv)* (*i.e.* test pattern) mira, imagen piloto, imagen de prueba, imagen patrón. POCO USADO: muestra. || *(Telas)* dibujo, motivo, diseño /// *verbo:* copiar, imitar, seguir un modelo, hacer (algo) según modelo; modelar; idear; servir de ejemplo; ornar con motivo.

pattern bombing   bombardeo sistemático; bombardeo en formación.

pattern design   *(Tv)* diseño de la mira [de la imagen piloto].

pattern distortion   *(Tv)* distorsión de la mira [de la imagen de prueba].

pattern generator   *(Tv)* generador de mira [de imagen patrón]. Generador de señales que se reproducen en un televisor en forma de una imagen de rayas o franjas horizontales y/o verticales, en forma de una red de puntos, u otros diseños geométricos, y que sirve para fines de ajuste y de diagnóstico de averías. V.TB. **test pattern** | mira electrónica. Aparato que suministra, sin intermedio de un dispositivo de análisis, señales electrónicas que pueden ser consideradas como las señales que traducen una imagen sencilla y bien definida que sirve de mira de televisión [television test card] (CEI/70 60-64-735).

pattern imaging system   sistema formador de imágenes, sistema imaginador.

pattern multiplication   multiplicación de diagramas.

pattern recognition   reconocimiento de configuraciones, identificación de figuras. Análisis e identificación de configuraciones de tipo visual (gráficas, fotográficas, tipográficas) por técnicas de exploración, seguimiento de contornos, u otras || *(Informática)* reconocimiento de configuraciones. Reconocimiento de ciertas combinaciones de código en la estructura de un conjunto de caracteres.

pattern tracer   curvígrafo, trazador de curvas. SIN. **curve tracer.**

Patterson map   *(Determinación de estructuras cristalinas)* mapa de Patterson.

PAUGHR   *(Teleg)* Prefijo formado por la unión de las siglas PAU (Pan-American Union) y la abreviatura GHR (Government Half-Rate), y que significa: Telegrama oficial de la Unión Panamericana con concesión gubernamental de media tasa. CF. **PASBGHR.**

Pauli   Wolfgang Pauli: físico americano de nacimiento austriaco (1900-1958), descubridor del *principio de exclusión.*

Pauli exclusion principle   (a.c. Pauli principle, exclusion principle) principio de exclusión de Pauli, principio de Pauli, principio de exclusión. Principio según el cual toda función de onda [wave function] que involucre varias partículas idénticas, cambia necesariamente de signo cuando se permutan (intercambian) las coordenadas, incluso las de espín, de cualquier par idéntico. Sólo una partícula de una clase dada puede ocupar un estado cuántico particular.

Pauli-Fermi exclusion principle   principio de exclusión de Pauli-Fermi. Principio según el cual cada nivel de un sistema cuantificado [quantized system] no puede contener más que cero, uno, o dos electrones. En este último caso, los dos electrones tienen espines de signos contrarios [spins of opposite directions] (CEI/56 07–15–105).

Pauli principle   principio de Pauli. v. **Pauli exclusion principle.**

Pauli term   término de Pauli. Término añadido a la función lagrangiana que describe la interacción entre un fermión y un campo electromagnético, para tomar en cuenta el momento magnético anómalo de la partícula.

Pauli-Weisskopf equation   ecuación de Pauli-Weisskopf. Ecuación relativista que describe el movimiento de una partícula sin espín.

pause   pausa; irresolución, vacilación || (*Mús*) pausa; espera, fermata || (*Prosodia*) cesura, hiato /// *verbo:* pausar, hacer (una) pausa; parar, detenerse; cesar; vacilar.

pause control   control de pausa. En ciertos magnetófonos, mando o control que permite detener temporalmente el movimiento de la cinta, sin necesidad de cambiar la modalidad de funcionamiento del aparato, es decir, sin pasar de grabación a reproducción, o viceversa.

PAV   (*Teleg*) Indicación de servicio tasada de uso oficial (UIT), que significa: El telegrama ha de ser expedido por correo aéreo [Telegram to be forwarded by airmail]. El expedidor que desee hacer llegar por correo aéreo su telegrama destinado a una localidad a la cual no lleguen vías internacionales de telecomunicación, debe escribir esta indicación de servicio, antes de la dirección, en la siguiente forma: = PAV =.

pave   *verbo:* pavimentar, afirmar, solar; empedrar; embaldosar; enlosar; adoquinar; enladrillar; entarugar; enguijarrar; enchinar; asfaltar || (*Hidr*) zampear, encachar.

paved ford   (*Caminos*) vado pavimentado. LOCALISMOS: badén, batea.

paved roadway   calzada, camino afirmado.

paved runway   (*Aeropuertos*) pista pavimentada.

pavement   pavimento; adoquinado; enladrillado; entarugado; enchinado || (*Aeropuertos*) pavimento || (*Carreteras*) pavimento. Estructura construida sobre la base y destinada a resistir y distribuir los esfuerzos originados por los vehículos, y a mejorar las condiciones de seguridad y de comodidad para el tránsito | andén; afirmado, empedrado || (*Edif*) solado, solería, piso, embaldosado.

pavement strength   resistencia del pavimento.

pawl   linguete, trinquete; retén, fiador, uña, seguro, contragatillo, crique; fiador de rueda, fiador giratorio; diente de encaje; dedo de enganche; paleta de reloj.

pawl-and-ratchet arrangement   dispositivo de rueda dentada y trinquete.

pawl-and-ratchet movement   movimiento de rueda dentada y trinquete.

pawl assembly   (*Teleimpr*) conjunto de trinquetes.

Pawsey stub   (*Ant*) (*i.e.* form of balun used for coupling a coaxial feeder to a balanced aerial) balún de línea simétrica. Balún constituido por una línea simétrica tubular conectada por una extremidad al elemento simétrico, en general una antena simétrica, y puesta en cortocircuito en la otra extremidad, que constituye un punto de potencial nulo por donde la línea coaxial de alimentación entra al balún (CEI/70 60–30–080).

PAX   (*Telef*) centralita automática privada, central automática privada, instalación (telefónica) privada automática (PAX). v. **private automatic exchange.** CF. **PBX.**

pay   paga; salario; sueldo; recompensa, galardón; provecho; pago (de sueldo, de jornal) /// *adj:* remunerador, remunerativo; que

compensa /// *verbo:* pagar, abonar; compensar, ser de provecho, ser provechoso; producir (ganancias), dar beneficios; valer la pena | **to pay for itself, to pay its way:** amortizarse, ser rentable.

pay-as-you-see television   v. **pay television.**

pay out   *verbo:* pagar, desembolsar || (*Cables, Cintas*) desarrollar, desenrollar || (*Cuerdas, Marina*) arriar, lascar; arriar, filar, largar /// v. **payout.**

pay station   (*Telef*) teléfono público. Puesto telefónico [telephone station] puesto a la disposición del público mediante el pago de una tasa entregada a un empleado o depositada en una caja colectora [coin box]. SIN. **public call-office** (*GB*) (CEI/70 55–85–030).

pay-station telephone   teléfono público; teléfono de pago previo.

pay television, pay TV   televisión por abono, televisión con "taquilla", televisión de pago previo [de pago adelantado]; televisión por subscripción [por abonos]; televisión de "pague por lo que quiera ver". Sistema de televisión en el cual el sonido y/o las imágenes se transmiten en forma codificada y sólo se descodifican (y son aprovechables) mediante el pago de un derecho, la inserción de monedas en una caja colectora, la inserción de un boleto especial en un dispositivo apropiado, u otro procedimiento equivalente. SIN. **toll [fee] television, subscription television, pay-as-you-see [coin-feed] television, subscriber-vision, telemeter.**

paycheck   cheque de sueldo; cheque de pago de haberes.

paying-out drum   (*Cables*) tambor desenrollador.

paying-out machine   (*Telecom*) devanadera.

paying-out reel   (*Telecom*) devanadera.

payload   (*Transportes*) carga paga, carga de pago; carga comercial || (*Avia*) carga de pago || (*Tecn espacial*) carga útil || (*Tracción eléc*) (*i.e.* total weight of the loads in the vehicles hauled; a.c. net weight hauled) carga útil (remolcada). Peso total de las cargas de los vehículos remolcados (CEI/57 30–05–305).

payment   pago, pagamento; recompensa, galardón, premio; remuneración, compensación; entrega; cancelación, paga, consignación, entero.

payment of accounts   (*Telecom*) pago [liquidación] de cuentas.

payola   (*slang*) soborno. Refiérese en particular al que recibe un director o encargado de un programa de transcripciones fonográficas (v. **disk jockey**) con la promesa de favorecer la popularización de determinado disco o determinada canción. CF. **freebie.**

payout   (*Com, Contab*) pago, desembolso; liquidación || (*Carretes de cinta, alambre, etc.*) desarrollo, suministro /// v. **pay out.**

payout reel   (*Magnetófonos, Proy cine*) carrete desarrollador [de desarrollo, de suministro], bobina de desarrollo. SIN. **feed reel.** CF. **takeup reel** || (*Telecom*) tambor, desenrollador.

payroll   nómina (de pago), nómina de sueldos y jornales, planilla de pago [de sueldos, de haberes, de sueldos y jornales], liquidación de sueldos y jornales. LOCALISMOS: cuadrante de jornales, rol de pago, lista de raya.

Pb   Símbolo químico del plomo [lead].

PB   Abrev. de pushbutton.

PB SW   Abrev. de pushbutton switch.

PBL   (*Teleg*) Abrev. de preamble.

PbS   Fórmula química del sulfuro de plomo [lead sulfide].

PbS transistor   transistor de sulfuro de plomo.

PbTe   Fórmula química del telururo de plomo [lead telluride].

PBX   (*Telef*) centralita privada, centralita (telefónica) particular, instalación de abonado con extensiones (PBX). v. **private branch exchange.** CF. **PAX.**

PBX arc   (*Telef*) contactos auxiliares para abonados a varias líneas.

PBX final selector   (*Telef*) selector final de centralitas privadas | (a.c. rotary hunting connector) selector rotatorio para abonados a varias líneas agrupadas | (a.c. hunting switch) conmutador auxiliar de abonado a varias líneas | conectador de acceso a una instalación privada de líneas agrupadas. Conectador [selector] que, además de las funciones normales de un conectador ordinario, efectúa la busca de una línea disponible entre las que sirven a una instalación privada (CEI/70 55–95–105).

PBX installation   *(Telef)* central privada.

PBX installation for private lines and exchange extensions   *(Telef)* central privada con conexión a la red urbana.

PBX line   *(Telef)* línea local, línea PBX.

PBX power lead   *(Telef)* (*i.e.* line used only for supplying direct current from a public exchange to a PBX) conductor de alimentación. Línea utilizada únicamente para la alimentación de corriente continua de una instalación de abonado con extensiones desde una central telefónica pública (CEI/70 55–85–110).

PBX ringing lead   *(Telef)* (*i.e.* line used only for supplying ringing current from a public exchange to a PBX) conductor de llamada. Línea utilizada únicamente para la alimentación de corriente de llamada de una instalación de abonado con extensiones desde una central telefónica pública (CEI/70 55–85–115).

PBX switchboard   *(Telef)* cuadro de centralita privada, conmutador de centralita particular, conmutador de abonado, conmutador subsidiario particular; centralita privada.

pc   Abrev. de per cent.

pC   Abrev. de picocoulomb | Abrev. no normalizada de *picocurie* (la abreviatura normalizada es pCi).

PC   Abrev. de printed circuit; petty cash; postcard || *(Teleg)* Indicación de servicio tasada de uso oficial (UIT) y que significa: Notificación de entrega [Notification of delivery]. Antepuesta por el expedidor de un telegrama a la dirección del despacho (en la forma siguiente: =PC=) le da derecho a que se le notifique, inmediatamente después de la entrega, la fecha y la hora en que el telegrama llegó a manos de su corresponsal.

PC board   tablero de circuitos impresos.

PC grid spacing   *(Elecn)* espaciamiento según cuadrícula patrón de circuitos impresos. Dícese p.ej. en relación con los alfileres de contacto de un relé.

pCi   Abrev. de picocurie.

PCM   Abrev. de pulse-code modulation.

PCM/FM   modulación en frecuencia por una señal de modulación por codificación de impulsos.

PCM/FM/FM   modulación en frecuencia por subportadoras moduladas en frecuencia por señales de modulación por codificación de impulsos.

PCM/PM   modulación de fase por impulsos modulados en código.

pct   Abrev. de per cent.

PD   Abrev. de potential difference; peripheral device.

PDF   *(Teleg)* Abrev. de please deliver by telephone [sírvase expedir (el telegrama) por teléfono]. Se usa para pedir a la oficina de destino que el despacho sea leído por teléfono al destinatario, sea para ganar tiempo, sea por alguna otra razón.

PDM   Abrev. de pulse-duration modulation.

PDN   *(Teleg)* Abrev. de please do needful [sírvase hacer lo necesario].

PDST   Abrev. de Pacific Daylight Saving Time [Hora de verano de la zona del Pacífico].

PE   Abrev. de permanent echo; phase encoding.

pea   guisante, chícharo.

pea lamp   lamparita tamaño guisante. Lamparita incandescente con filamento para baja tensión y ampolla del tamaño aproximado de un guisante.

peak   *(Elec/Elecn/Telecom)* pico, cresta, máximo (absoluto, instantáneo); valor de cresta, valor máximo (absoluto). Valor instantáneo máximo de una magnitud alterna | punto de máxima | pico, máximo momentáneo. Valor alto alcanzado momentáneamente por una señal de audiofrecuencia y que hace "saltar" [swing upward] la aguja del indicador de volumen [volume indicator] || *(Telecom)* (valor de) cresta; punta, cresta || *(Edif)* (*i.e.* peak of the roof) cumbrera, hilera, caballete (de tejado) || *(Topog)* pico, cúspide, cima, cumbre, picota; altiplanicie || vértice; punto culminante ⫴ *adj:* máximo || *(Tracción eléc)* v. **notching ratio** ⫴ *verbo:* *(Aparatos)* afinar, reglar, ajustar al punto de máximo rendimiento || *(Filtros, Circ resonantes)* ajustar (al punto óptimo)· ajustar a máxima

respuesta | to **peak the resonance curve:** agudizar la curva de resonancia | v.TB. **peaking** || *(Aguilones, Brazos de grúa, Vergas de buque)* amantillar (el pico), embicar.

peak AF grid-to-grid voltage   tensión de cresta de AF entre rejilla y rejilla. En una etapa en contrafase, valor de cresta de la tensión de audiofrecuencia entre rejilla y rejilla.

peak alternating gap voltage   *(Tubos de microondas)* tensión alterna de cresta en el espacio de interacción. Negativo de la integral de línea [negative of the line integral] del campo eléctrico alterno de cresta, a lo largo de un camino especificado a través del espacio de interacción.

peak amplifier   amplificador de cresta.

peak amplitude   amplitud de cresta. Amplitud máxima de una magnitud alterna. Valor de tensión o de corriente correspondiente a la amplitud máxima de una onda.

peak anode current   corriente máxima de ánodo. Valor instantáneo máximo de la corriente de ánodo de un tubo electrónico.

peak anode inverse voltage   v. **peak inverse anode voltage.**

peak black   *(Tv)* (a.c. black peak) cresta del negro.

peak blocked voltage   *(Convertidores estáticos)* (*i.e.* maximum instantaneous value of anode-to-cathode voltage during blocking period) cresta de tensión bloqueada. Valor instantáneo máximo de la tensión entre ánodo y cátodo durante el tiempo de bloqueo (CEI/56 11–20–170).

peak carrier amplitude   amplitud de cresta de la portadora.

peak cathode current   *(Elecn)* corriente catódica de cresta, corriente de cresta catódica, cresta de amplitud de corriente catódica. TB. corriente catódica máxima. SIN. **corriente espacial máxima, emisión termoiónica máxima.**

peak cathode current (fault)   v. **peak cathode fault current.**

peak cathode current (steady state)   (*i.e.* maximum instantaneous value of the periodically recurring cathode current) corriente de cresta catódica en régimen periódico. Valor instantáneo máximo de una corriente catódica periódica (CEI/56 07–40–210).

peak cathode current (surge)   (*i.e.* maximum instantaneous value of a randomly recurring pulse of cathode current) cresta de amplitud de corriente catódica. Valor instantáneo máximo de una corriente catódica pulsatoria y aleatoria (CEI/56 07–40–215).

peak cathode fault current   corriente de cresta catódica anormal. Valor instantáneo máximo de un impulso no periódico que se produce durante un funcionamiento defectuoso (CEI/56 07–40–205).

peak-charge characteristic   *(Capacitores alineales)* característica de carga de cresta.

peak chopper   *(Elecn)* descrestador.

peak-clipped   *adj:* *(Elecn)* descrestado.

peak clipper   *(Elecn)* descrestador, limitador. SIN. **limiter.**

peak clipping   *(Elecn)* descrestado (de ondas), recorte de crestas.

peak current   corriente de cresta [de pico, de punta]; corriente máxima (instantánea), intensidad máxima de corriente, valor máximo instantáneo de la corriente. Máximo valor de corriente que fluye durante un ciclo completo.

peak current surge   *(Lámparas incandescentes)* pico de sobrecorriente inicial.

peak deflection   desviación de cresta.

peak detection circuit   circuito detector de cresta.

peak detector   detector de cresta.

peak direction   *(Ant)* dirección de máxima radiación.

peak distortion   distorsión máxima. Valor máximo de la distorsión total sufrida por una señal durante determinado período de observación.

peak drive power   potencia de excitación de cresta.

peak effective noise voltage   pico de la tensión efectiva de ruido.

peak effort   esfuerzo máximo || *(Tracción eléc)* esfuerzo de entrada. v. **notching ratio.**

peak electrode current   *(Elecn)* corriente electródica de cresta. Corriente instantánea máxima que circula por un electrodo.

peak emission capability   *(Elecn)* capacidad de emisión de pico.

peak energy density   pico de densidad de energía. Valor máximo absoluto de la densidad de energía instantánea en un intervalo de tiempo especificado.

peak envelope power [PEP]   (*Radioemisores*) potencia de cresta (de la envolvente), potencia máxima instantánea (de la envolvente) | potencia de pico |de cresta|. Media de la potencia suministrada a la línea de alimentación de la antena, o a una carga ficticia especificada, por un emisor en funcionamiento normal, durante un ciclo de alta frecuencia (radiofrecuencia) correspondiente a la amplitud máxima de la envolvente de modulación |modulation envelope| (CEI/70 60–42–260).

peak field strength   intensidad de campo máxima, fuerza magnetizante máxima. SIN. **peak magnetizing force.**

peak flux density   densidad de flujo máxima. Máxima densidad de flujo en una substancia magnética en régimen especificado de magnetización periódica.

peak forward anode voltage   (*Elecn*) tensión anódica directa de cresta | (*i.e.* maximum instantaneous anode voltage in the forward direction of current flow) tensión de cresta anódica directa. Valor instantáneo máximo de la tensión anódica en el sentido de paso normal de la corriente (CEI/56 07–40–175). CF. **peak inverse anode voltage.**

peak forward blocking voltage   (*Rect controlados*) tensión directa de bloqueo de pico, tensión de bloqueo directa de pico.

peak forward drop   (*Diodos*) caída directa de pico. Valor instantáneo máximo de la caída de tensión medida cuando el diodo conduce corriente en sentido directo, sea continuamente o en régimen transitorio.

peak frequency deviation   desviación de frecuencia de cresta.

peak half-sine-wave forward current   (*Diodos*) corriente de pico de media onda sinusoidal.

peak-holding amplifier   amplificador retentor de picos. Amplificador de subida rápida y caída lenta. Esta combinación de características de respuesta proporciona a la salida del amplificador una tensión que varía en función de los valores de pico de la tensión variable de entrada.

peak hour   (*Telecom*) hora de tráfico máximo, hora de punta (de tráfico) | (*Tránsito*) hora de máxima circulación.

peak-hour traffic   tráfico máximo horario.

peak indicator   indicador de cresta; indicador de picos |de impulsiones máximas|; voltímetro de cresta.

peak intensity   intensidad de cresta, intensidad máxima.

peak inverse anode voltage   (*Elecn*) tensión de ánodo inversa de pico | (*i.e.* maximum instantaneous anode voltage in the reverse direction of normal current flow) tensión de cresta anódica (de un tubo rectificador). Valor instantáneo máximo de la tensión anódica en sentido inverso al paso normal de la corriente (CEI/56 07–40–180). CF. **peak forward anode voltage.**

peak inverse voltage   (*Convertidores estáticos*) tensión máxima inversa, tensión inversa de cresta, voltaje inverso máximo. SIN. **peak reverse voltage** | (*i.e.* maximum instantaneous value of anode-to-cathode voltage during inverse period) cresta de tensión inversa. Valor instantáneo máximo de la tensión entre ánodo y cátodo durante el tiempo de tensión negativa (CEI/56 11–20–160).

peak kilovoltmeter   kilovoltímetro de cresta. v. **peak voltmeter.**

peak level   nivel de cresta. Nivel instantáneo máximo de una magnitud durante determinado intervalo de tiempo.

peak light   (*Destellos luminosos*) intensidad luminosa instantánea máxima.

peak limiter   (*Elecn/Telecom*) limitador de picos |de crestas|, limitador de cresta, limitador. SIN. **limiter.**

peak-limiting device   dispositivo limitador de cresta.

peak load   volumen máximo de trabajo || (*Elec*) carga máxima, carga de punta, pico (de carga). Máxima potencia generada o consumida durante un período determinado de tiempo | (*i.e.* highest value of demand over a stated period of time; a.c. maximum demand) carga máxima, punta de carga. Valor más

elevado de la carga en el curso de un intervalo de tiempo determinado (por ejemplo, un día, un mes, un año) (CEI/65 25–60–025).

peak-load period   (*Telecom*) período más cargado (de tráfico). CF. **busy hour.**

peak-load plant   central con carga máxima.

peak magnetizing force   fuerza magnetizante máxima. Valor límite, superior o inferior, de la fuerza magnetizante en régimen de magnetización periódica. SIN. **peak field strength.**

peak making current   (*Elec*) (of a pole of a switching device) corriente establecida (por un polo de aparato). Amplitud máxima de la onda de corriente en los primeros instantes siguientes al cierre sobre un cortocircuito. En el caso de corriente alterna, valor de cresta más elevado, incluyendo la componente aperiódica, en el primer período de la corriente que sigue al cierre del circuito por el aparato (CEI/57 15–25–020).

peak modulating voltage   tensión de modulación de cresta.

peak of traffic   (*Telecom*) cresta |punta| de tráfico, cresta de la curva de tráfico.

peak output   potencia de cresta, pico de potencia.

peak particle velocity   velocidad máxima de partícula. Valor absoluto máximo de la velocidad instantánea de una partícula en un intervalo de tiempo determinado.

peak period   período de punta || (*Telecom*) período de tráfico fuerte; período de tráfico máximo. CF. **busy hour.**

peak-picker   (*slang*) v. **peak-picking recorder, peak-holding amplifier.**

peak-picking recorder   registrador de picos. Aparato o instrumento que sólo registra los valores de pico de la magnitud observada. CF. **peak voltmeter, peak indicator.**

peak plate current   (*Elecn*) corriente anódica de cresta |de punta|, corriente máxima de placa. Corriente instantánea máxima que circula por el ánodo o placa de un tubo electrónico.

peak power   (*Elec*) potencia en las horas de mayor consumo || (*Transm radioeléc*) potencia de cresta |de pico|, potencia máxima. La media, en condiciones normales de funcionamiento, de la potencia suministrada a la antena durante un ciclo de alta frecuencia, en la cresta más elevada de la envolvente de modulación. En general, se toma un tiempo de 0,1 segundo, aproximadamente, durante el cual la potencia media |mean power| se halla en su máximo. SIN. **peak envelope power, peak power output.**

peak power drain   (*Elec*) consumo máximo de potencia.

peak-power-handling capacity   capacidad de potencia de cresta.

peak power output   potencia de cresta, pico de potencia. v. **peak power.**

peak program meter   (*Radiodif*) voltímetro de cresta. Aparato de medida que indica el nivel de la señal de modulación de un programa sonoro, caracterizado por la media de los valores alcanzados durante un período de tiempo especificado relativamente pequeño (CEI/70 60–62–100). CF. **peak voltmeter, volume indicator.**

peak pulse   impulso de pico.

peak pulse amplitude   amplitud máxima de impulso. Valor absoluto máximo de un impulso, excluyendo los picos transitorios parásitos |spikes| y otras partes indeseadas.

peak pulse power   potencia máxima de impulso. Potencia de un impulso correspondiente a la amplitud máxima de éste (v. **peak pulse amplitude**).

peak radiated power   potencia de cresta radiada.

peak radiation rate   potencia máxima de radiación.

peak-reading meter   instrumento indicador de (valores de) cresta. CF. **peak voltmeter.**

peak-reading voltmeter   v. **peak voltmeter.**

peak recurrent forward current   (*Diodos*) corriente de pico recurrente en sentido directo, corriente directa de pico recurrente.

peak resistance   v. **peaking resistor.**

peak resistor   v. **peaking resistor.**

peak-responding detector   detector de cresta, detector sensible a los valores de cresta. SIN. **peak detector.**

peak-responding voltmeter   v. **peak voltmeter.**

peak response   respuesta máxima. SIN. **maximum response.**

peak reverse voltage   v. **peak inverse voltage.**

peak reverse volts   v. **peak inverse voltage.**

peak RF grid voltage   (*Elecn*) tensión de cresta de RF en la rejilla, valor de cresta de la tensión de RF de rejilla.

peak/RMS ratio   cociente del valor de cresta por el valor eficaz.

peak separation   separación entre picos.

peak signal level   nivel máximo de la señal; nivel de cresta [pico] de la señal; potencia máxima instantánea.

peak sound pressure   presión acústica máxima. TB. presión sonora máxima, nivel sonoro máximo. Valor absoluto máximo de la presión acústica en un intervalo de tiempo determinado. Se mide generalmente en microbaras [microbars].

peak speech power   (*i.e.* maximum instantaneous value of the speech power during the time interval considered) cresta de potencia vocal. Valor máximo de la potencia vocal en el intervalo de tiempo considerado.

peak station   (*Elec*) central con carga máxima; central de emergencia para la hora de máximo consumo, central para la hora de punta.

peak surge   (*Elec*) cresta de sobrecorriente.

peak-to-peak [pp, p-p]   *adj:* pico a pico, cresta a cresta. Dícese de las medidas de una magnitud alterna tomadas entre un pico positivo (cresta positiva) y un pico negativo (cresta negativa).

peak-to-peak AC voltmeter   voltímetro de cresta a cresta, voltímetro para medir tensiones alternas de cresta a cresta [de pico a pico].

peak-to-peak amplitude   amplitud de pico a pico [de cresta a cresta]. TB. amplitud entre crestas, doble amplitud, amplitud total de oscilación. Suma de los valores absolutos de las alternancias positiva y negativa de una magnitud alterna, o de las variaciones de sentido positivo y negativo respecto de un valor medio (componente continua) || (*Técnica de impulsos*) amplitud de cresta a cresta. Diferencia entre los valores máximo y mínimo de una magnitud oscilante durante su período total de oscilación. Abreviatura: p.p. SIN. **peak-to-peak value, double-amplitude peak (d.a.p.)** (*se desaconseja el uso de este último sinónimo*) (CEI/70 55-35-165).

peak-to-peak excursion   excursión entre pico y pico, amplitud total de oscilación.

peak-to-peak frequency excursion   excursión de frecuencia entre pico y pico. En modulación de frecuencia, excursión de la frecuencia entre los límites de variación en uno y otro sentido.

peak-to-peak meter   instrumento de pico a pico [de cresta a cresta].

peak-to-peak rectifier   rectificador de cresta a cresta. Rectificador cuya tensión continua de salida es igual a la diferencia entre la cresta positiva y la cresta negativa de la tensión alterna; se utiliza p.ej. en ciertos voltímetros de alterna.

peak-to-peak residual ripple   fluctuación [rizado] remanente de cresta a cresta.

peak-to-peak swing   variación total de cresta a cresta.

peak-to-peak value   valor de cresta a cresta, valor entre crestas. Diferencia entre los valores máximo y mínimo de una magnitud oscilante | v. **peak-to-peak amplitude.**

peak-to-peak voltage   tensión de cresta a cresta, tensión [voltaje] entre crestas, tensión [voltaje] entre cresta y cresta, tensión de doble amplitud. TB. tensión de punta a punta [de extremo a extremo]. Diferencia absoluta entre los valores máximo y mínimo de una tensión continua variable o entre la cresta positiva y la cresta negativa de una tensión alterna.

peak-to-peak voltmeter   voltímetro de cresta a cresta [de pico a pico]. Aparato que mide las tensiones de cresta a cresta (v. **peak-to-peak voltage**). Dos voltímetros de cresta (v. **peak voltmeter**) conectados en serie y en oposición funcionan como un

voltímetro de cresta a cresta.

peak-to-valley current ratio   (*Diodos Esaki*) razón [relación] de corriente de pico a corriente de valle.

peak-to-valley ratio   (*Redes de filtro*) relación cresta a valle, relación de máximo a mínimo (de amplitud).

peak traffic   (*Telecom*) cresta de tráfico.

peak transformer   v. **peaking transformer.**

peak value   valor máximo, valor de cresta. Valor instantáneo máximo que alcanza una magnitud variable. En el caso particular de las magnitudes sinusoidales, dicho valor es igual a 1,414 el valor eficaz o efectivo [effective value, root-mean-square value]. SIN. **crest value** | valor de cresta. Valor instantáneo máximo durante un cierto intervalo de tiempo (CEI/38 05-05-205).

peak voltage   tensión máxima [de cresta], voltaje máximo [de cresta]. v. **peak value** || (*Condensadores electrolíticos*) tensión límite. Máxima tensión aplicable al condensador por un período no mayor de aproximadamente 30 segundos. SIN. **surge voltage.**

peak voltmeter   voltímetro de cresta, voltímetro indicador del valor de cresta. SIN. **indicador de cresta [de picos, de impulsiones máximas]** — **peak-responding [peak-reading] voltmeter, peak indicator** | (*i.e.* voltmeter which measures the maximum value of an alternating voltage) voltímetro de cresta. Voltímetro que mide el valor de cresta de una tensión alterna (CEI/58 20-15-100). v. **peak value.**

peak volts   v. **peak voltage.**

peak volume velocity   (*Acús*) flujo máximo de velocidad. Valor absoluto máximo del flujo instantáneo de velocidad en un intervalo de tiempo especificado. v. **volume velocity.** CF. **peak particle velocity.**

peak white   (*Tv*) cresta del blanco. POCO USADO: blanco perfecto. SIN. **white peak** | (*i.e.* level in the vision signal corresponding to white level) cresta de blanco. Amplitud de la señal de imagen en radiofrecuencia correspondiente al nivel del blanco (CEI/70 60-64-260).

peaked   *adj:* agudo, aguzado; apuntado, puntiagudo || (*Aparatos*) afinado, reglado, ajustado al punto óptimo.

peaked bent   (*Edif*) pórtico de dos aguas.

peaked curve   curva apuntada, curva puntiaguda.

peaked roof   techo de dos aguas [de dos vertientes], cubierta de dos aguas.

peaked waveform   onda apuntada, onda con cresta [punta].

peaker   corrector. Pequeña inductancia (fija o variable) que se pone en resonancia con las capacitancias parásitas y distribuidas de un amplificador de banda ancha, con el fin de acentuar la respuesta a las frecuencias altas | (*i.e.* peaker circuit) circuito diferenciador.

peaker circuit   circuito diferenciador. SIN. **differentiating circuit.**

peaker strip   (*Nucl*) banda de cresta.

peakiness   agudeza || (*Circ resonantes*) agudeza de resonancia; pico de resonancia.

peaking   agudización, corrección, compensación (de la respuesta, de la característica de frecuencia). Acción de incrementar o de corregir la respuesta de un circuito a determinada frecuencia o banda de frecuencias || (*Ampl*) aumento de la reacción || (*Impulsos de barrido*) corrección de la forma de onda || (*Circ resonantes*) agudización de la curva de resonancia || (*Elec*) (período de) máxima demanda, (período de) máximo consumo /// *adj:* agudizador, corrector, compensador || (*Circ resonantes*) agudizador de (la) respuesta.

peaking circuit   circuito agudizador, circuito corrector (de la curva de respuesta, de la respuesta de alta frecuencia), circuito de corrección [compensación] de frecuencia. (**1**) Circuito o red que transforma la tensión de entrada en una onda con pico. (**2**) Circuito o red que acentúa las componentes de alta frecuencia de una señal, para compensar la atenuación (o insuficiencia de amplificación) sufrida por las mismas en etapas anteriores de un amplificador.

peaking coil   bobina agudizadora, bobina correctora |de corrección, de compensación| (de respuesta de frecuencia). Bobina empleada para incrementar la respuesta (ganancia) de las altas frecuencias en una etapa videoamplificadora, para asegurar buena definición de imagen; es decir, que la bobina *agudiza* o acentúa la respuesta a las componentes de la señal que se traducen en los detalles finos de la imagen reproducida | bobina de compensación. Bobina (inductancia) que sirve para corregir la ganancia de un amplificador (por ejemplo, un amplificador de videofrecuencia) para las frecuencias más elevadas (CEI/70 60–12–060).

peaking control   (*Tv*) control de corrección (de la forma de onda). Circuito (fijo o variable) de elementos resistivos y capacitivos, que sirve para corregir la forma de onda de los impulsos originados en el oscilador de barrido horizontal, para asegurar la linealidad del barrido.

peaking network   (*Tv*) red agudizadora, red correctora, red de corrección |compensación| (de la respuesta de frecuencia). v. **peaking circuit**.

peaking resistance   v. **peaking resistor**.

peaking resistor   (a.c. peaking resistance) resistencia agudizadora, resistor de corrección (de respuesta) ‖ (*Osc de barrido*) resistencia |resistor| de corrección (de la forma de onda).

peaking transformer   transformador de núcleo saturable. Transformador calculado de modo que su núcleo se sature con valores relativamente pequeños de corriente primaria | transformador generador de picos de tensión, transformador (de núcleo saturable) para la generación de impulsos. Transformador cuyo número de amperio-vueltas en el primario es suficiente para producir en el núcleo una densidad de flujo muchas veces la normal. Al invertirse rápidamente, dos veces por período, el sentido del flujo de saturación, se inducen impulsos de tensión muy agudos en el secundario; éstos se utilizan para cebar un ignitrón o un tiratrón.

peal   estrépito, estruendo; repique de campanas; juego de campanas /// *verbo:* repicar, repiquetear; retronar.

peal ringing   (*Campanas*) repiqueteo.

peanut   maní, cacahuete, cacahué.

peanut clamp   v. **cable clamp**.

pearlite   (*Met*) perlita.

Pearson distribution   (*Estadística*) distribución de Pearson.

peat   turba. (**1**) Combustible fósil procedente de residuos vegetales acumulados en lugares pantanosos. (**2**) Suelo sin consolidación compuesto principalmente de materia orgánica parcialmente descompuesta que se ha acumulado en condiciones de excesiva humedad.

pebble   guijarro, canto rodado, guija, china, piedrecica; grano (de pólvora); pólvora gruesa; (lente de) cristal de roca; marroquinaje (del cuero); cuero abollonado ‖ (*Joyería*) (piedras) silícicas, piedras semipreciosas (principalmente ágatas y cuarzo) /// *verbo:* granular; abollonar, marroquinar (cuero); enguijarrar, enchinar, enchinarrar; enguijarrar (un pavimento); arrojar guijas, arrojar chinas; presentar aspecto áspero; presentar superficie irregular.

pebble bed   capa de guijarros ‖ (*Reactores nucl*) cama granular.

pebble-bed reactor   (*Nucl*) reactor de cama granular. Reactor nuclear en el cual el combustible fisionable (y eventualmente también el moderador) está colocado en forma de gránulos o píldoras en distribución desordenada, o empaquetados, y es enfriado por un gas o un líquido.

PEC   Abrev. de printed electronic circuit.

pecked line   (*Dib, Mapas*) línea de trazos cortos.

pedal   pedal ‖ (*Mat*) pedal | (*i.e.* pedal curve) curva pedal | (*i.e.* pedal surface) superficie pedal ‖ (*Mús*) pedal; contra, bajo (de órgano) /// *adj:* (*Mat, Mús*) pedal /// *verbo:* pedalear.

pedal board   (*Mús*) pedalera. Teclado de órgano u otro instrumento, que se acciona con los pies. SIN. **clavier** ‖ (*Organos*) pedalera, teclado de pedales |de contras|.

pedal circuit   (*Tracción eléc*) circuito de pedal. Circuito que incluye un contacto seccionado mecánicamente o por medio de un circuito de vía local y relés, cuando no es posible obtener un circuito de vía

|track circuit| completo (CEI/38 30–30–135).

pedal clarinet   (*Mús*) clarinete contrabajo. TB. clarinete pedal.

pedal coupler   (*Mús*) (mecanismo de) acoplamiento de pedales; mecanismo de acoplamiento de los registros (a un teclado adicional o a la pedalera).

pedal curve   (*Mat*) (a.c. pedal) curva pedal. Lugar geométrico del pie de una perpendicular que se deja caer de un punto fijo en la tangente a una curva dada, de la cual es un pedal. CF. **pedal surface**.

pedal harp   (*Mús*) arpa de pedales.

pedal-operated   *adj:* de pedal, accionado por pedal.

pedal pipe   (*Organos*) cañón correspondiente a los pedales.

pedal point   (*Mús*) punto de órgano | (a.c. pedal) pedal.

pedal surface   (*Mat*) (a.c. pedal) superficie pedal. Lugar geométrico del pie de una perpendicular que se deja caer de un punto fijo en el plano tangente a una superficie dada, de la cual es un pedal. CF. **pedal curve**.

pedal triangle   (*Mat*) triángulo pedal.

pedestal   pedestal; pedestal, caballete; pedestal, basa, basamento; soporte; repisa; mesilla de noche | peana. Pie o sostén sobre el cual se coloca un objeto tal como una imagen, un busto, una estatua, un reloj, un vaso ‖ (*Arq*) zócalo; pedestal pequeño de busto, vaso, etc. ‖ (*Constr*) pedestal; base; soporte ‖ (*Cine/Tv*) pedestal rodante (de cámara), plataforma |trípode| rodante (de cámara tomavistas) ‖ (*Cine: Iluminación*) trípode ‖ (*Radar*) pedestal (de antena), estructura portaantena ‖ (*Tv*) pedestal, base. Valor constante de tensión presente inmediatamente antes y después de la transmisión de los impulsos de sincronismo |synchronizing pulses| | impulso de extinción |de supresión| (del haz). v. **blanking pulse** | nivel de extinción |de supresión| (del haz). v. **blanking level** | pedestal. Diferencia entre el nivel de supresión |blanking level| y el nivel del negro |black level| (CEI/70 60–64–280).

pedestal box   (*Locomotoras*) caja de grasa, caja de engrase.

pedestal frame   (*Telecom*) armazón de pedestal.

pedestal lamp   lámpara de pie.

pedestal level   (*Tv*) nivel de pedestal, nivel base. Valor de tensión continua de referencia añadido a la señal de videofrecuencia procedente de la cámara tomavistas. SIN. **nivel de referencia, nivel normal del negro, nivel de extinción |de supresión, de borrado, de cancelación|** —— black level, blanking level.

pedestal light   luz de pedestal, luz de pie.

pedestal peak   (a.c. trapezoidal peak) pico trapezoidal.

pedestal pulse   (*Tv*) v. **blanking pulse**.

pedestrian   peatón; caminante.

pedestrian crossing   paso |cruce| para peatones. Faja transversal sobre un camino, destinada al cruce de peatones, y en la cual está regulada la prioridad de paso de los peatones y los vehículos.

pediatric   *adj:* pediátrico. Referente a la pediatría.

pediatrician   pediatra. SIN. **pediatrist**.

pedriatics   pediatría. Estudio y tratamiento de las enfermedades de los niños. SIN. **pediatry**.

pediatrist   pediatra. Especialista en pediatría. SIN. **pediatrician**.

pediatry   pediatría. SIN. **pedriatics**.

peekaboo   escondite (juego de niños o juego de un mayor para entretener a un niño) ‖ (*Informática*) comprobación de perforaciones por superposición de tarjetas. Procedimiento para comprobar la existencia o la ausencia de perforaciones en puntos correspondientes de tarjetas perforadas colocando una encima de otra /// *adj:* (inglés familiar) transparente (una prenda de vestir).

peel   cáscara, corteza; pellejo, hollejo; binza (p.ej. tela o telilla de la cebolla); pala (de horno, de remo) ‖ (*Impr*) colgador, espito /// *verbo:* descascarar(se), pelar(se); deshollejar, mondar; descortezar; desconcharse; descamarse /// (*Pilotos*) descortezar.

peel adhesion test   (*Electroplastia*) prueba de adherencia (de la película).

peel off   descortezar, deshollejar, pelar, mondar; descortezarse; descascarillarse; exfoliarse; excoriarse, pelarse (la piel) ‖ (*Avia*) salir [separarse] de la formación, romper la formación.

peel-strength adhesion   fuerza de adherencia. Medida del esfuerzo necesario para separar una capa de material de un cuerpo al cual se halla adherida.

peel test   prueba de adherencia, ensayo de desprendimiento [pelado], ensayo para medir la adherencia de capas sobre superficies; prueba de cohesión.

peeling   peladura, descascaramiento, deshollejamiento, mondadura; descortezamiento; desconchadura; descamación; escamado; descascarillado; exfoliación || *(Electroplastia, Galvanoplastia)* descascarillado, exfoliación; defecto de adherencia, peladura del revestimiento | *(i.e.* unwanted detachment of a plated metal coating from the base metal) escamado. Desprendimiento indeseable, en forma de escamas, de un revestimiento electrolítico (CEI/60 50-30-290).

peen   *(Martillos)* peña, boca /// *verbo:* martillar con la peña; repujar con martillo; granallar, someter al chorro de granalla || *(Soldadura eléc)* martillar.

peening   martillado; chorreo con granalla || *(Met)* forjado en frío || *(Chapas, Piezas fundidas o forjadas)* acción de quitar los bordes vivos.

peephole   mirilla, atisbadero, ventanillo, abertura de observación.

peg   espiga, clavija, espárrago, turrión, pernete, estaquilla. LOCALISMO: alfiler | chaveta, pasador; escarpia; colgadero; clavo (para sujetar huesos); estaca; mojón; pata, pierna || *(Levantamientos)* piquete, estaca, jalón. LOCALISMO: trompo || *(Mús: Instr de cuerda)* clavija || *(Telecom)* *(i.e.* device designed for inserting in a jack to prevent entry of a plug) tapón. Organo destinado a ser insertado en un jack a fin de impedir la inserción de una clavija. Puede o no doblar los resortes (CEI/70 55-25-390) /// *verbo:* enclavijar; estaquillar, encabillar; amojonar; jalonar; sujetar (huesos) con clavos.

peg count   *(Telef)* medida por pruebas.

peg-count meter   *(Telef)* contador de estadística, contador estadístico.

peg-count register   *(Telef)* contador de tráfico.

peg-count summary   *(Telef)* cuenta de tráfico.

pegmatite   *(Petrología)* pegmatita.

pellet   bolita, pelotilla; pella; bodoque; pastilla, pastillita; píldora pequeña; masa de material comprimido de forma y tamaño determinados; galleta de explosivo || *(Armas de fuego)* bala; perdigón; bloque de la carga iniciadora (de un proyectil) || *(Elecn)* pastilla, pastillita, plaquita. Pieza pequeña (a menudo rectangular) de material semiconductor, utilizada en la fabricación de dispositivos semiconductores (diodos de cristal, transistores, circuitos integrados). SIN. **chip, die** || *(Pesca)* boya pequeña de lona embreada (para marcar el sitio del calamento) || *(Plásticos)* pastilla de moldeo /// *verbo:* aglomerar; nodulizar.

pellet film resistor   resistor de pastillita aislante. Elemento de resistencia constituido por una película resistiva depositada sobre una minúscula pastilla de material aislante (p.ej. alúmina) con caras extremas metalizadas (plateadas) que sirven de terminaciones. La película resistiva puede ser continua o (para aumentar la resistencia) en forma de cinta en espiral. Estos elementos se usan en circuitos de microondas (hiperfrecuencias) en los cuales se buscan valores mínimos de inductancia residual [residual inductance] y del efecto pelicular [skin effect].

pellet holder   *(Transistores)* portapastilla. SIN. **base tab.**

pellet resistor   resistor de pastillita. Elemento de resistencia constituido por una mezcla apretada de polvos de metales nobles y óxidos con un líquido orgánico como ligante. Las terminaciones se obtienen metalizando (con oro o platino) las extremidades del elemento.

pelletizing   formación de bolitas; nodulización; granulación; aglomeración de mineral o de metal en polvo.

Pell's equation   *(Mat)* ecuación de Pell. La ecuación diofántica [diophantine equation] $t^2 - nu^2 = 1$, en la que n es un entero positivo que no es cuadrado perfecto. Es de capital importancia en la teoría numérica de las formas cuadráticas de dos variables.

pelorus   círculo de marcar; grafómetro, alidada de reflexión || *(Levantamientos)* peloro || *(Marina)* peloro. Rosa de brújula, fija, sobre la cual se toman marcaciones [bearings] referidas al rumbo del buque [ship's heading].

Peltier   Jean C. A. Peltier: físico francés (1785-1845).

Peltier coefficient   coeficiente de Peltier. Cociente del calor desarrollado o absorbido por efecto Peltier (v. **Peltier effect**) por unidad de tiempo, dividido por la corriente que atraviesa la juntura de los metales (o aleaciones) diferentes.

Peltier effect   efecto Peltier. Al poner en contacto dos metales diferentes, se establece en la unión un *potencial* o *fuerza electromotriz de contacto* [contact potential, contact electromotive force]. Si a través de la unión se hace circular una corriente eléctrica de igual sentido que dicho potencial, se produce transformación de energía térmica en energía eléctrica, con enfriamiento de la unión; si se invierte el sentido de la corriente, se desarrolla calor y la unión se calienta. Este efecto, que también se observa en el caso de dos semiconductores diferentes, puede acentuarse por la aplicación de un campo magnético. CF. **Ettingshausen effect** | efecto Peltier. Desarrollo o absorción de calor producido por el pasaje de corriente a través de la juntura de dos metales o aleaciones diferentes (CEI/38 05-20-170).

Peltier electromotive force   fuerza electromotriz de Peltier. En un termopar [thermocouple], componente de la tensión debida al calor producido por efecto Peltier en la unión de los diferentes metales; la otra componente se debe a la fuerza electromotriz de Thomson [Thomson electromotive force].

Peltier heat   calor de Peltier. Energía térmica absorbida o desarrollada por efecto Peltier.

Peltier junction   unión Peltier. Unión de metales, aleaciones o semiconductores diferentes, en la cual se produce el efecto Peltier (v. **Peltier effect**).

pen   pluma (de escribir); escritura, caligrafía; escritor; depósito; jaula; pocilga; abrigo cubierto para submarinos, muelle o espacio entre espigones para el reacondicionamiento de submarinos | *(i.e.* penitentiary) penitenciaría, cárcel [presidio] modelo || *(Aparatos registradores, Fototeleg)* estilete (inscriptor), pluma.

pen centering   *(Oscilógrafos)* centrado de la pluma.

pen-drive circuit   *(Aparatos registradores)* circuito de impulsión del estilete.

pen-drive system   *(Aparatos registradores)* sistema de impulsión del estilete, sistema accionador de la pluma.

pen position   *(Oscilógrafos)* posición de la pluma. Posición de la pluma que representa la amplitud de señal cero.

pen recorder   (aparato) registrador gráfico [estilográfico], (aparato) registrador de estilete. SIN. **plotter.**

penalty   pena, penalidad, castigo, multa; sanción penal; desventaja || *(Deportes)* penalidad.

penalty test   ensayo adicional; prueba de penalización.

pencil   lápiz; pincel fino; haz (de luz, de rayos), pincel (luminoso, electrónico) || *(Mat)* haz || v. **pencil of . . .** /// *verbo:* escribir con lápiz; marcar [dibujar] con lápiz.

pencil beam   *(Ant)* haz en pincel. Haz fino de sección esencialmente circular | *(i.e.* narrow beam with approximately circular cross-section) haz pincel. Haz electromagnético en forma de cono de revolución de ángulo muy pequeño en el vértice (CEI/70 60-32-200) || v. **pencil beam of light.**

pencil-beam aerial   v. **pencil-beam antenna.**

pencil-beam antenna   antena de haz en pincel. TB. antena de haz filiforme [de haz circular fino]. Antena unidireccional [unidirectional antenna] con características de radiación tales que las secciones de su lóbulo principal [major lobe] son aproximadamente circulares. SIN. **pencil-beam aerial** *(GB).*

pencil beam of light   pincel luminoso.

pencil marking   marca con lápiz.

pencil of electrons   pincel electrónico [de electrones].

pencil of light   pincel luminoso, haz [cono] de rayos luminosos, haz de luz.

pencil of light rays   pincel luminoso, haz de rayos luminosos, haz de luz.

pencil tube   *(Elecn)* tubo (electrónico) tipo lápiz, válvula (electrónica) tipo lápiz. Tubo electrónico largo y de poco diámetro, de cierre discoidal |disk seal|, especial para trabajar a frecuencias ultraaltas (ondas decimétricas), generalmente como amplificador u oscilador de radiofrecuencia.

pendant   cosa que cuelga; colgadero, suspensor; broche, dije, pendentif; brazalete; joya, pendiente, zarcillo, pinjante, adorno colgante || *(Arcos)* pinjante, clave pendiente || *(Arq/Constr)* ornamento colgante; alero || *(Elec)* colgante, dispositivo suspendido || *(Ilum)* aparato de techo; aparato de suspensión || *(variante de "pennant")* gallardete /// *adj:* v. **pendent.**

pendant lampholder   portalámpara colgante.

pendant station   *(Elec)* puesto colgante. Aparato de mando o conmutación, del tipo de accionamiento por botones, que cuelga del techo u otro punto alto mediante un cable, y cuya conexión eléctrica se establece mediante un cordón o cable flexible.

pendant switch   interruptor colgante |suspendido, pendiente|, llave colgante [suspendida].

pendant telephone   teléfono colgante.

pendent   Variante de *pendant* (véase) /// *adj:* (*also* pendant) colgante, suspendido, pendiente; saliente, que sobresale, que se proyecta; pendiente, en espera de solución o ejecución; indeciso.

pendular   *adj:* pendular, con movimiento de péndulo.

pendulous   *adj:* péndulo, pendiente, colgante; pendular, oscilante.

pendulous accelerometer   acelerómetro pendular. Aparato que mide aceleraciones lineales mediante una masa en desequilibrio restringida.

pendulous motion   movimiento pendular [oscilante].

pendulum   péndulo. (1) Dispositivo constituido por una masa suspendida de un soporte fijo de poco rozamiento mediante un hilo ligero y flexible, de manera que pueda oscilar libremente en un plano vertical bajo la influencia única de la fuerza de gravitación. También se le llama *péndulo simple* [simple pendulum]. (2) Uno de varios dispositivos análogos, libremente oscilantes, de diversas configuraciones, distribuciones de masa, medios de suspensión, y modos posibles de movimiento. (3) Dispositivo parecido a los definidos, utilizado para regular el movimiento de un mecanismo, en particular un mecanismo de relojería | balancín || *(Relojes)* péndulo, péndola || *(Topog)* (a.c. plummet) péndulo, perpendículo, pesa de plomada || *(Ventanas de contrapeso o de guillotina)* listón separador de los contrapesos /// *adj:* pendular, de péndulo.

pendulum ball   *(Relojes)* (a.c. pendulum bob) lenteja de péndulo.

pendulum bob   v. **pendulum ball.**

pendulum clock   reloj de péndulo.

pendulum gravimeter   gravímetro de péndulo.

pendulum lead   *(Pilotaje)* guía colgante.

pendulum level   nivel de plomada.

pendulum meter   *(Elec)* (i.e. oscillating meter in which a coil or a moving magnet is attached to a pendulum) contador pendular [de balancín]. Contador oscilante en el cual hay bobinas o imanes móviles suspendidos de balancines (CEI/58 20–25–075).

pendulum-operated   *adj:* accionado por péndulo.

pendulum stability   estabilidad pendular.

penetrability   penetrabilidad || *(Radiol)* (i.e. susceptibility of a material or object to be traversed by radiation) penetrabilidad. Aptitud de una substancia o de un objeto de ser atravesada por una radiación. OBSERVACION: Evítese usar este término como sinónimo de *dureza* (v. **hard**, def. 65–10–115) (CEI/64 65–10–130). CF. **penetrating power of radiation.**

penetrameter   v. **penetrometer.**

penetrance   *(Nucl)* penetrancia.

penetrant   substancia penetrante /// *adj:* penetrante.

penetrating   *adj:* penetrante.

penetrating component   *(Nucl)* componente penetrante.

penetrating oil   aceite penetrante.

penetrating power   poder de penetración. POCO USADO: poder penetrante.

penetrating power of radiation   *(Radiol)* poder de penetración. Propiedad de las radiaciones de atravesar los medios materiales (CEI/38 65–05–045) | (i.e. property of radiation of traversing material media; a.c. radiation hardness) poder de penetración de la radiación, dureza de la radiación. Propiedad de las radiaciones de atravesar los medios materiales. v. **hard** (def. 65–10–115), **quality** (def. 65–10–020) (CEI/64 65–10–120). CF. **penetrability, soft radiation.**

penetrating radiation   radiación penetrante.

penetrating shower   chaparrón penetrante. Chaparrón de rayos cósmicos cuyas partículas, o algunas de ellas, son capaces de atravesar 20 cm de plomo.

penetration   penetración; perspicacia, agudeza (de entendimiento).

penetration ability   poder de penetración.

penetration depth   profundidad de penetración. (1) Profundidad a la cual penetra un campo magnético exterior en un superconductor. (2) Espesor de una capa superficial ficticia de la misma materia que el conductor, tal que, recorrida en todo punto del contorno por una corriente continua de valor igual al valor eficaz de la corriente real (de mediana o de alta frecuencia), la potencia transformada en calor por efecto Joule sea la misma por unidad de superficie exterior (CEI/60 40–10–240).

penetration frequency   *(Radio)* frecuencia de penetración, frecuencia crítica. SIN. **maximum-depth frequency, critical frequency** (véase).

penetration potential   *(Nucl)* potencial de penetración.

penetration probability   probabilidad de penetración. Probabilidad de que una partícula atraviese una barrera de potencial. SIN. **transmission coefficient** | penetrabilidad. SIN. **penetrability.**

penetration rate   velocidad de penetración.

penetration resistance   resistencia a la penetración.

penetration seal   *(Caminos)* sellado de penetración.

penetration treatment   *(Caminos)* tratamiento por penetración. Tratamiento consistente en extender un ligante en estado líquido [liquid binder] sobre una capa de material granular con huecos relativamente grandes en los cuales el ligante penetra principalmente por gravedad.

penetration-type thickness gage   galga de espesores del tipo de penetración. Galga radiactiva para determinar espesores, en la cual la fuente de rayos (beta o gamma) y el medidor o contador de radiaciones se encuentran en los lados opuestos de la hoja o lámina objeto de la medida.

penetration voltage   *(Transistores)* tensión de penetración. SIN. **punch-through [reach-through] voltage.**

penetrometer   (a.c. penetrameter) penetrómetro. Aparato destinado a medir la penetrabilidad [penetrability] de los semisólidos || *(Radiol)* penetrómetro. Aparato destinado a medir la dureza [hardness] o poder de penetración [penetrating power, penetration ability] de los rayos X u otras radiaciones penetrantes [penetrating radiations]. SIN. **qualimeter** | cualímetro, cualitómetro. Instrumento destinado a determinar la calidad media de un haz complejo (longitud de onda) (CEI/38 65–25–055) | penetrómetro. Dispositivo destinado a evaluar el poder de penetración de un haz de rayos X o de otras radiaciones penetrantes (CEI/64 65–30–445).

penetron   penetrón. Partícula con carga negativa unitaria, como el electrón, pero con masa de valor intermedio entre la del electrón y la del protón. Puede formar parte de los rayos cósmicos o ser originado por éstos al incidir sobre moléculas gaseosas. SIN. **barytron, dynatron, mesotron, heavy electron, X particle.**

penlight   pluma-linterna, linterna de bolsillo en forma de pluma.

penlight cell   pila de linterna miniatura.

Penning discharge   descarga de Penning. Descarga eléctrica en la cual los electrones son obligados a oscilar entre dos cátodos opuestos y están impedidos de dirigirse al ánodo circundante por la presencia de un campo magnético. A veces recibe en inglés el nombre de *PIG discharge* porque el dispositivo que la produce se utilizó originalmente como medidor de ionización con la denominación de *Penning ionization gage (PIG)*.

Penning ionization gage [PIG]   medidor de ionización Penning. v. **Penning discharge.**

Penning vacuum gage   vacuómetro de Penning.

pent.   Abrev. de pentode.

pentacle   v. **pentagram.**

Pentaconta crossbar system   (*Telef*) sistema de barras cruzadas Pentaconta.

Pentaconta exchange   (*Telef*) central del tipo de coordenadas, sistema de barras cruzadas Pentaconta.

pentad   el número cinco; pentada, grupo de cinco miembros; lustro, quinquenio, espacio de cinco años; elemento pentavalente [quinquivalente] ||| *adj:* quinquenal; quinario; pentavalente, quinquivalente; quíntuple.

pentadal mean   (*Meteor*) media pentadal.

pentadecagon   (*Mat*) pentedecágono. Polígono de quince lados y quince ángulos.

pentagon   (*Mat*) pentágono. Polígono convexo de cinco lados y cinco ángulos ||| *adj:* pentagonal.

pentagonal   *adj:* pentagonal.

pentagram   (*i.e.* five-pointed star; a.c. pentacle, pentalpha) estrella de cinco puntas || (*Mat*) pentagrama. Figura determinada por cinco segmentos de recta que unen cinco puntos.

pentagram of Pythagoras   (*Mat*) pentagrama de Pitágoras.

pentagrid   *adj:* (*Elecn*) pentarrejilla, de cinco rejillas. LOCALISMO: pentagrilla. v. **pentagrid tube.**

pentagrid converter   (*Elecn*) convertidor pentarrejilla, heptodo conversor, heptodo cambiador de frecuencia. Tubo pentarrejilla (heptodo) utilizado como convertidor (oscilador-mezclador) en un receptor superheterodino. SIN. **pentagrid converter tube.**

pentagrid converter tube   v. **pentagrid converter.**

pentagrid detector   detector pentarrejilla.

pentagrid mixer   mezclador pentarrejilla, mezclador heptodo. Tubo pentarrejilla (heptodo) utilizado como mezclador de señales.

pentagrid tube   (*Elecn*) tubo [válvula] pentarrejilla, heptodo. Tubo o válvula con cinco rejillas, las que con el ánodo y el cátodo constituyen un sistema de siete electrodos. Recibe también otros nombres que dependen de la función que desempeñe el tubo en aplicaciones particulares. v. **pentagrid converter, pentagrid detector, pentagrid mixer.**

pentalpha   v. **pentagram.**

pentamirror   espejo pentagonal.

pentane   (*Quím*) pentano. Hidrocarburo saturado. Hidrocarburo líquido de fórmula C_5H_{12}.

pentane lamp   (a.c. Vernon Harcourt lamp) lámpara de pentano [de Vernon Harcourt]. Lámpara sin mecha que utiliza como carburante vapor de pentano [pentane vapor] y que era otrora usada, en condiciones definidas, como patrón de intensidad luminosa [standard of luminous intensity] en Inglaterra (CEI/38 45–10–095).

pentane vapor   vapor de pentano.

pentaploidy   (*Biol*) pentaploide, pentaploidia.

pentaprism   prisma pentagonal.

pentareflector   reflector pentagonal || (*Telémetros*) conjunto de dos espejos planos con inclinación de 45°.

pentastyle   (*Arq*) pentastilo.

pentatonic   *adj:* (*Mús*) pentatónico.

pentatonic scale   (*Mús*) escala pentatónica.

pentatron   (*Elecn*) pentatrón. Tubo termoiónico constituido por un doble triodo con cátodo común.

pentavalent   *adj:* (*Quím*) pentavalente.

pentode   pentodo. (**1**) Tubo o válvula electrónica de cinco electrodos: cátodo (emisor de electrones), ánodo (colector de electrones), y tres elementos que regulan o gobiernan el flujo de electrones; en el caso típico estos últimos son la rejilla de control [control grid], la rejilla pantalla [screen grid], y la rejilla supresora [suppressor grid]. (**2**) Tubo termoiónico provisto de cinco electrodos, de los cuales uno es el ánodo, otro el cátodo, y los demás son rejillas (CEI/38 60–25–015). (**3**) Tubo electrónico de cinco electrodos, de los cuales uno es el cátodo, otro es el ánodo, y uno o más son electrodos de mando. Los electrodos distintos del cátodo y el ánodo son generalmente en forma de rejillas (CEI/56 07–25–025) ||| *adj:* pentodo, pentódico. Que tiene cinco electrodos.

pentode amplifier   amplificador pentódico, amplificador de válvula(s) pentodo.

pentode field-effect transistor   transistor pentodo de efecto de campo. Transistor de tres compuertas [gates] y cinco conexiones, utilizable como pentodo siempre que se cuente con fuentes de polarización independientes para las distintas compuertas.

pentode gun   (*Elecn*) cañón pentodo. Cañón electrónico [electron gun] con cinco electrodos, por ejemplo: cátodo, electrodo de mando [control electrode], electrodo acelerador [accelerating electrode], y dos electrodos de focalización o concentración [focusing electrodes].

pentode modulator   pentodo modulador.

pentode modulator tube   pentodo modulador.

pentode section   (*Tubos elecn múltiples*) sección pentodo.

pentode tube   pentodo.

penumbra   (*Pintura*) penumbra || (*Astr, Fís*) penumbra. Región de semiobscuridad, entre la de iluminación y la de sombra, donde la iluminación varía gradualmente.

penwiper   limpiaplumas.

PEP   Abrev. de peak envelope power.

peptization   (*Quím*) peptización. v. **peptize.**

peptize   *verbo:* peptizar. (**1**) En la tecnología de las substancias coloidales, dispersar los coloides; lo contrario de coagular. (**2**) Aumentar la dispersión (de una solución coloidal). (**3**) Licuar (un gel coloidal) para formar un sol.

peptized   *adj:* peptizado.

peptized clay   arcilla peptizada. Arcilla que, por la naturaleza de los iones absorbidos, al ser dispersada con agua destilada, da una suspensión estable, sedimentándose conforme a la ley de Stokes (dentro de sus límites de validez).

peptizer   peptizador.

peptizing   *adj:* peptizador.

peptizing agent   peptizador.

per cent   v. **percent.**

per centum   v. **percent.**

per diem   por día ||| dieta, viático, subvención diaria, suma que se da cada día.

per unit   por unidad.

per-unit   *adj:* unitario.

per-unit cost   costo unitario.

per-unit energy cost   costo unitario de la energía, costo de la unidad de energía.

percent, per cent, per centum   por ciento | a few percent: unas pocas unidades por ciento, algunos tantos por ciento ||| *adj:* porcentual.

percent beam modulation   porcentaje de modulación del haz. En relación con un superorticón [image orthicon], la cantidad 100 (I_m/I_o), donde I_m es la corriente de señal de salida correspondiente a la iluminación máxima [highlight illumination] e I_o es la correspondiente a la ausencia de iluminación [dark current].

percent break   (*Selección por disco marcador*) porcentaje de apertura.

percent break range   (*Selección por disco marcador*) margen de porcentajes de apertura, límites de apertura en tanto por ciento.

percent completion   (*Telef*) porcentaje de comunicaciones servidas [de llamadas completadas, de solicitudes satisfechas]. En relación con las peticiones de comunicación [bookings] formuladas en un tiempo determinado, expresión en tanto por ciento de la razón n/N, donde N es el número total de dichas peticiones y n es el número de las mismas seguidas de conversación, o sea, el número

---

de las llamadas eficaces [effective calls]. SIN. **percentage of effective (to booked) calls.**

percent consonant articulation   v. **consonant articulation.**

percent deafness   v. **percent hearing loss.**

percent depth dose   v. **percentage depth dose.**

percent difference   diferencia porcentual.

percent excess charge   (*Acum*) coeficiente de carga. Coeficiente por el cual se multiplica la cantidad de electricidad suministrada durante la descarga para determinar la cantidad de electricidad necesaria para la carga (CEI/60 50–20–280).

percent harmonic distortion   (a.c. percent of harmonic distortion) porcentaje de distorsión por armónicas. Medida de la distorsión por armónicas en un elemento o un sistema, dada por la siguiente fórmula:

$$P = 100 \frac{\sqrt{H_1^2 + H_2^2 + H_3^2 + \dots}}{F} \, (\%)$$

donde H_1, H_2, H_3 . . . son los valores eficaces [root-mean-square values] de las armónicas parásitas, y F es el valor eficaz de la fundamental. Los valores eficaces usados en la fórmula pueden ser de tensión o de corriente.

percent hearing   (a.c. percent of hearing) porcentaje de audición. A una frecuencia dada, cantidad igual a 100 menos el porcentaje de pérdida de audibilidad [percent hearing loss] a esa frecuencia.

percent hearing loss   (a.c. percent deafness, percent of deafness, percent of hearing loss) porcentaje de pérdida de audibilidad. A una frecuencia dada, la cantidad 100 (p/n), donde p es la pérdida de audibilidad [hearing loss] en decibelios y n es el número de decibelios entre los niveles correspondientes al umbral normal de audibilidad [normal threshold of audibility] y el umbral normal de sensación dolorosa [normal threshold of feeling].

percent modulation   v. **percentage modulation.**

percent of deafness   v. **percent hearing loss.**

percent of harmonic distortion   v. **percent harmonic distortion.**

percent of hearing   v. **percent hearing.**

percent of hearing loss   v. **percent hearing loss.**

percent of modulation   v. **percentage modulation.**

percent of ripple voltage   v. **percent ripple.**

percent of syllabic articulation   v. **syllabic articulation.**

percent ripple   (a.c. percent ripple voltage, percent of ripple voltage) porcentaje de ondulación (residual). Razón, expresada en tanto por ciento, de la tensión de ondulación [ripple voltage] por el valor medio de la tensión total. CF. **ripple ratio.**

percent ripple voltage   v. **percent ripple.**

percent vowel articulation   v. **vowel articulation.**

percentage   porcentaje, tanto por ciento. POCO USADO: porcentaje | valor en tanto por ciento /// *adj*: porcentual.

percentage accuracy   exactitud porcentual.

percentage bias differential protection   (*Elec*) v. **percentage differential protection.**

percentage bridge   (*Elec*) puente comparador del tipo de hilo. v. **comparison bridge, slide-wire bridge.**

percentage circuit occupation   (*Telef*) coeficiente de ocupación de un circuito.

percentage coupling   porcentaje de acoplamiento.

percentage depth dose   (*Radiol*) (a.c. percent depth dose) porcentaje de la dosis profunda | porcentaje de dosis en profundidad, rendimiento en profundidad. Dosis medida o calculada a una profundidad determinada en un tejido o en un material equivalente al tejido, expresada en tanto por ciento de: (a) la dosis en la piel [skin dose] o en la superficie [surface dose]; (b) la dosis máxima [maximum dose], que a menudo ocurre bajo la superficie; o (c) la dosis al aire libre [dose in free air] en un punto correspondiente a la superficie (CEI/64 65–10–665).

percentage differential protection   (*Elec*) (a.c. percentage bias differential protection) protección diferencial de tanto por ciento.

Protección diferencial [differential protection] que funciona cuando la corriente diferencial [differential current] sobrepasa un porcentaje determinado de una media de las corrientes componentes (CEI/56 16–55–020). CF. **longitudinal differential protection, transverse differential protection.**

percentage loss   porcentaje de pérdidas.

percentage modulation   (a.c. percent modulation, percent of modulation, percentage of modulation) porcentaje [tanto por ciento] de modulación. Factor de modulación (v. **modulation factor**) expresado en tanto por ciento. SIN. **amount of modulation.**

percentage modulation meter   medidor de porcentaje de modulación, modulómetro. Modulómetro (v. **modulation meter**) calibrado en tanto por ciento.

percentage normal to maximum capacity   (*Ferroc*) coeficiente de utilización de la estación de clasificación. Relación entre la capacidad normal y la capacidad máxima de clasificación.

percentage occupied time   (*Telecom*) coeficiente de ocupación.

percentage of delayed calls   (*Telef*) probabilidad de retraso.

percentage of effective calls   (*Telef*) porcentaje de comunicaciones servidas, porcentaje de llamada eficaces. SIN. **percent completion** (véase).

percentage of effective to booked calls   (*Telef*) porcentaje de comunicaciones servidas, porcentaje de llamadas eficaces. SIN. **percent completion** (véase).

percentage of grade of service   (*Telef*) probabilidad de pérdida.

percentage of lost calls   (*Telef*) probabilidad de pérdidas.

percentage of modulation   v. **percentage modulation.**

percentage synchronization   (*Tv*) porcentaje [relación útil] de sincronización. Es igual a:

P = 100 (S − B) ÷ (S − R), donde:
P = porcentaje de sincronización;
S = amplitud de los picos de sincronización;
B = nivel de supresión [blanking level];
R = nivel del blanco de referencia [reference white level].

percentile   (*Estadística*) percentila, centila. Número correspondiente a una de 100 divisiones iguales del campo de valores [range] de una estadística en una muestra dada y que caracteriza un valor contenido de la estadística que no es sobrepasado por un porcentaje indicado de todos los valores de la muestra. Por ejemplo, una puntuación superior al 96 por ciento de todas las alcanzadas en un examen pertenecería a la percentila 96 (percentila nonagésimosexta) /// *adj*: percentílico, percentil.

percentile range   recorrido percentílico.

percentile rank   rango percentil.

perception   percepción || (*Bot, Psicología*) percepción || (*Acús*) percepción; sensación || (*Lenguaje forense*) percibo /// *adj*: perceptivo.

perception of direction   sensación direccional.

perception speed   rapidez de percepción.

perception threshold   umbral de percepción.

perceptive   *adj*: perceptivo.

perceptron   perceptrón. (1) Computadora capaz de "aprender". (2) Sistema teórica o prácticamente capaz de funciones "cognoscitivas": identificación, clasificación, aprendizaje. (3) Red de neuronas artificiales (v. **neuron**) que posee la aptitud de identificar figuras o configuraciones visuales.

perch   percha, palo || (*Medidas*) (a.c. pole, rod) pértiga. Medida de longitud igual a 16,5 pies = 5,5 yardas = 5,029 metros.

percolate   filtrado, percolado /// *verbo*: filtrar, infiltrar, percolar, filtrarse, colarse, percolarse, rezumarse.

percolation   filtración, infiltración, percolación || (*Meteor*) filtración.

percolation coefficient   coeficiente de permeabilidad.

percolation leaching   lixiviación por filtraje.

percolation rate   velocidad de filtración.

percolation water   agua de infiltración.

percussion   percusión, choque; golpe || (*Fís, Medicina*) percusión /// *adj*: percusivo, percutiente, de percusión.

percussion bullet   bala explosiva.

percussion cap   fulminante, cebo percusor [fulminante], cápsula, pistón.

percussion drill   v. percussive drill.

percussion fuse, percussion fuze   espoleta de percusión; fulminante de percusión, pebete de choque; estopín de percusión.

percussion hammer   percutor, percusor.

percussion instrument   (*Mús*) instrumento de percusión. Instrumento que es golpeado o sacudido por el ejecutante, sea directamente con la mano, con un palillo o bastón, o por medio de un mecanismo. Los que se usan en las orquestas sinfónicas y las bandas de baile se dividen en dos grupos, los afinados, con una altura de sonido definida, y los que no tienen altura definida. Son instrumentos de percusión los siguientes: castañuelas, tímpano, batintín, xilófono, xilórgano, címbalo, sistro, triángulo, platillos, piano, tambor, gong, fusta, sonaja, yunque, bombo, bongó, tamboril, pandereta, tom-tom, crótalo (o platillo antiguo).

percussion riveter   martillo remachador percusivo.

percussion riveting machine   remachadora de percusión.

percussion welding   (a.c. percussive welding) soldadura por percusión. TB. soldadura de impacto. Soldadura por resistencia [resistance welding] utilizando energía acumulada y luego descargada repentinamente. Se divide en *electrostática* [electrostatic percussion welding] y *electromagnética* [electromagnetic percussion welding], según que la energía se acumule en forma de campo electrostático (condensador) o de campo magnético [soldadura por percusión. Soldadura por acumulación de energía [stored-energy welding], generalmente reservada para piezas en forma de hilos, con aplicación de presión dinámica inmediatamente después del paso de la corriente (CEI/60 40–15–210).

percussion wrench   llave neumática, aprietatuercas neumático.

percussive   *adj:* percusivo, percutiente, de percusión.

percussive attack   (*Electroacús*) ataque de los sonidos de percusión.

percussive drill   (a.c. percussion drill) perforadora [sonda] de percusión, martillo perforador (de percusión); pistolete, barra de mina.

percussive pneumatic tool   herramienta neumática percusiva.

percussive welding   v. percussion welding.

perf.   Abrev. de perforator.

perfect   *adj:* perfecto; completo, entero; ideal.

perfect bell   (*Mús*) campana perfecta.

perfect conductor   (*Elec*) conductor perfecto [ideal].

perfect dielectric   dieléctrico perfecto [ideal]. Dieléctrico en el cual toda la energía necesaria para establecer el campo eléctrico es devuelta al sistema eléctrico cuando desaparece dicho campo. Substancia dieléctrica hipotética sin pérdidas, cualquiera que sea la frecuencia o el valor del potencial eléctrico. El único dieléctrico perfecto conocido es el vacío. CF. perfect polarization.

perfect diffuser   (*Propiedades fotométricas de la materia*) (*i.e.* ideal uniform diffuser with zero absorption factor) difusor perfecto. Difusor uniforme ideal cuyo factor de absorción es nulo. NOTA: Los difusores uniformes prácticos tienen siempre un factor de absorción no nulo (CEI/58 45–20–135).

perfect diffusion   difusión perfecta.

perfect emission   emisión perfecta.

perfect gas   (*Fís*) (a.c. ideal gas) gas perfecto, gas ideal. Gas que cumple rigurosamente con la ley de Boyle-Mariotte y la ley de Joule. La primera expresa que *el volumen de un gas es inversamente proporcional a su presión cuando su temperatura permanece constante* (o sea, $pV =$ constante). La segunda expresa que *la energía por mol depende únicamente de la temperatura.* v. perfect-gas law.

perfect-gas law   (*Fís*) ley de los gases perfectos, ley de los gases ideales. Ecuación de estado [equation of state] $pV = nRT$, donde R es la constante de los gases [gas constant] y T es la temperatura absoluta, y en la cual se combinan las dos leyes que definen el gas perfecto o ideal (v. perfect gas).

perfect-gas mixture   mezcla de gases perfectos.

perfect interval   (*Acús/Mús*) intervalo perfecto.

perfect modulation   (*Teleg*) modulación perfecta. Modulación tal que todos los intervalos significativos [significant intervals] son asociados a estados significativos correctos [correct significant conditions] y tienen sus duraciones teóricas exactas. CF. perfect restitution.

perfect number   (*Mat*) número perfecto. Número igual a la suma de todos sus divisores menores que él. Todos los números perfectos conocidos terminan en 6 o en 8.

perfect optical system   sistema óptico perfecto.

perfect polarization   (*Elec*) polarización perfecta. Polarización por la cual el medio es capaz de restituir completamente la energía gastada para su polarización (CEI/38 05–05–330).

perfect restitution   (*Teleg*) restitución perfecta. Restitución tal que todos los intervalos significativos son asociados a estados significativos correctos y tienen sus duraciones teóricas exactas. CF. perfect modulation.

perfect set   (*Mat*) conjunto perfecto.

perfect shot   (*Cine*) toma perfecta, toma fotográfica de inmejorable calidad.

perfect solution   (*Quím*) solución perfecta. Solución (disolución) líquida o gaseosa que se mantiene ideal cualquiera que sea la concentración.

perfect square   (*Mat*) cuadrado perfecto [exacto]. EJEMPLO: $25 = 5^2$.

perfectly   *adv:* perfectamente; completamente, enteramente.

perfectly plastic   perfectamente plástico.

perfectly plastic material   material perfectamente plástico.

perfectly readable   perfectamente legible || (*Telecom*) perfectamente inteligible; perfectamente legible.

perforate   *adj:* perforado /// *verbo:* perforar, horadar, agujerear; traspasar; penetrar; taladrar.

perforated roll   (*Mús*) rollo perforado. Se usa en las pianolas y otros instrumentos musicales automáticos.

perforated screen   (*Cine*) pantalla perforada. Pantalla de proyección con un gran número de pequeñas aberturas para permitir el paso fácil del sonido procedente de los altoparlantes montados detrás de aquélla (lado opuesto al del auditorio).

perforated tape   (*Informática, Teleg*) cinta perforada. SIN. punched tape.

perforated-tape reader   lector de cinta perforada.

perforated-tape reception   (*Teleg*) recepción en (forma de) cinta perforada.

perforated-tape relay system   (*Teleg*) sistema relevador por cinta perforada, sistema de escala [de retransmisión] por cinta perforada. v. tape relay.

perforated-tape retransmitter   (*Teleg*) (*i.e.* combination comprising a reperforator feeding a tape directly into an automatic transmitter) retransmisor de cinta perforada, reperforador-transmisor. Retransmisor constituido por un receptor perforador que alimenta directamente un transmisor automático.

perforated-tape teletypewriter   teleimpresor de cinta perforada.

perforated-tape transmission   transmisión con cinta perforada.

perforated-tape transmitting device   dispositivo de transmisión con cinta perforada.

perforated wing flap   (*Aeron*) flap perforado.

perforating   perforación /// *adj:* perforador, perforante, horadador, horadante; taladrador.

perforating machine   perforadora; taladradora || (*Cine*) perforadora. Máquina para hacer el perforado de la película.

perforating mechanism   (*Informática, Teleg*) mecanismo perforador.

perforation   perforación, agujero, orificio; orificio pequeño; picadura || (*Informática, Teleg*) perforación || (*Cine*) perforación, orificio, taladro. SIN. sprocket hole | (*Refiriéndose al conjunto de los orificios*) perforado, perforación (de la película) || perforación (acción de perforar o condición de perforado).

perforation device   (*Informática, Teleg*) dispositivo de perforación.

perforation number   *(Teleg)* número de perforación.

perforator   perforador; perforadora; taladro, barrena, barreno ‖ *(Cirugía)* trépano. En la craniotomía, instrumento para la perforación de la cabeza ‖ *(Informática)* v. **punch** ‖ *(Teleg)* perforador, (máquina) perforadora | perforador. (**1**) Aparato que sirve para perforar la tira de papel utilizada para el gobierno de un emisor automático (CEI/38 55–15–090). (**2**) Aparato para la preparación manual de una cinta perforada |perforated tape| en la cual las señales telegráficas son representadas por agujeros perforados según un código preestablecido (CEI/70 55–75–070).

perforator drive link   *(Teleimpr)* eslabón de mando del perforador.

perforator feed pawl   *(Teleimpr)* trinquete de avance del perforador.

perforator operator   *(Teleg)* operador de perforación |de máquina perforadora|.

perforator reset bail   *(Teleimpr)* fiador de reposición del perforador.

perforator transmitter   *(Teleg)* transmisor perforador. Aparato que provee los medios para la transmisión de impulsos eléctricos codificados por la línea de señal [signal line] y/o el gobierno de la perforación de una cinta utilizable para el gobierno de un transmisor de cinta perforada [tape transmitter].

perform   *verbo:* efectuar, ejecutar, realizar, llevar a cabo; desarrollar; cumplir, desempeñar; ejercer.

performance   comportamiento, desempeño, actuación; ejecución; funcionamiento, comportamiento funcional |durante el funcionamiento|, modo de trabajar; calidad funcional; ventajas de funcionamiento; rendimiento funcional; perfección de funcionamiento; característica; propiedades, características (de funcionamiento, de trabajo); cualidades técnicas; perfección técnica; aptitud, cualidad, eficacia; capacidad, potencia; rendimiento, producción; resultados obtenidos. EXTRANJERISMOS: performance, performancia | **high performance characteristics:** elevadas características de funcionamiento ‖ *(Avia)* performance; cualidades de vuelo ‖ *(Cine/Teatro/Tv)* función, representación; ejecución ‖ *(Telecom)* comportamiento. Calidad de servicio | (*i.e.* transmission performance) calidad de transmisión. CF. **noise performance.**

performance calculations   cálculos de comportamiento.

performance capability   aptitud |eficacia| de funcionamiento; modalidades de funcionamiento, adaptabilidad de aplicación.

performance characteristics   características funcionales, características de funcionamiento |de comportamiento|; rendimiento; características de cumplimiento.

performance chart   gráfica |diagrama| de funcionamiento; diagrama de explotación.

performance curve   curva funcional, curva característica. Curva ilustrativa de una magnitud funcional; por ejemplo, el porcentaje de distorsión de audiofrecuencia en función de la frecuencia y para determinado nivel de modulación de un transmisor de radiodifusión | curva de comportamiento [de actuación]; curva de performancia; curva de respuesta; diagrama de marcha.

performance dependability   seguridad funcional.

performance factor   factor de rendimiento ‖ *(Dispositivos de protección)* calidad de funcionamiento. Razón del número de funcionamientos correctos [correct operations] a ese número aumentado en el de funcionamientos incorrectos [incorrect operations] (CEI/56 16–70–035).

performance features   particularidades de comportamiento.

performance impairment   *(Telecom)* reducción de calidad de transmisión.

performance measurement   evaluación de cumplimiento.

performance monitor   monitor de funcionamiento, aparato [monitor] de control.

performance objective   *(Telecom)* objetivo de desempeño, norma de rendimiento.

performance of transmission   *(Telecom)* calidad de transmisión.

performance specifications   especificaciones de funcionamiento; características funcionales.

performance test   prueba de funcionamiento; prueba de rendimiento ‖ *(Avia)* vuelo de prueba.

performance testing   *(Avia)* vuelo de prueba.

performance time   tiempo de realización; tiempo de ejecución.

performances in flight   *(Avia)* performances de vuelo; características de vuelo.

performer   ejecutor, ejecutante; acróbata ‖ *(Cine/Teatro/Tv)* actor, artista, intérprete ‖ *(Mús)* músico, ejecutante, intérprete.

performer reinforcement   *(Electroacús)* refuerzo del sonido del ejecutante. Sistema en el cual la señal captada por el micrófono de un ejecutante se retroalimenta al estudio, con el fin de reforzar el sonido del ejecutante en relación con el nivel sonoro general del programa.

performing right   derecho de ejecución.

perhapsatron   aparato para investigar la fusión controlada de átomos de hidrógeno.

peridynamic loudspeaker baffle   Pantalla o caja acústica proyectada de modo de obtener buena reproducción de bajos reduciendo al mínimo las ondas acústicas estacionarias. SIN. **peridynamic loudspeaker cabinet.**

peridynamic loudspeaker cabinet   v. **peridynamic loudspeaker baffle.**

peridyne reception   *(Radio)* Primitivo sistema de recepción en el cual se utilizaba un inductor bajo una cubierta metálica con una pantalla movible que permitía efectuar ajustes finos de inductancia.

perigee   perigeo. (**1**) Punto de la órbita de un satélite (la Luna o un satélite artificial) en que éste se encuentra más cerca de la Tierra. (**2**) Punto de la órbita de la Luna en que ésta se halla más cerca de la Tierra, en un extremo de la línea de los ápsides |apse line|. (**3**) Punto de la órbita aparente de un astro en que éste se aproxima lo más posible a la Tierra. CF. **apogee.**

perihelion   perihelio. Punto de la órbita de un planeta o de un cometa en que los mismos se encuentran más cerca del Sol.

perikon detector   detector perikón. Detector del tipo rectificador en el cual se emplean dos cristales minerales en contacto.

perimeter   perímetro. En matemática, curva cerrada que limita una superficie plana; longitud de esa curva. En el caso particular del círculo se llama *circunferencia* ⫻ *adj:* perimétrico, perimetral.

perimeter fence   cerca perimetral.

perimeter lighting   *(Aeropuertos)* luces delimitadoras, luces [alumbrado] de demarcación.

perimeter sound   sonorización perimétrica. En las salas cinematográficas, sonido emanado de altoparlantes colocados de modo de evitar *puntos muertos* en la difusión sonora.

period   período; ciclo; intervalo; duración; tiempo, término, plazo; época, edad, era, período, tiempo; fin, conclusión, término ‖ *(Mús)* período ‖ *(Impr)* punto ‖ *(Gram)* período, cláusula; punto (signo de puntuación) ‖ *(Cantidades y fenómenos periódicos)* período. (**1**) Tiempo necesario para que se complete un ciclo de una cantidad periódica u oscilante, o una serie recurrente de fenómenos o eventos. (**2**) Cantidad igual a la recíproca de la frecuencia, representada usualmente por $T = 1/f$. (**3**) Intervalo mínimo de la variable independiente después del cual se reproducen las mismas características de un fenómeno periódico. En el caso de una radiación la variable independiente [independent variable] es el tiempo (CEI/58 45–05–085) ‖ *(Mat)* período. v. **periodic decimal** ‖ *(Nucl)* período. Tiempo necesario para que un flujo neutrónico de variación exponencial cambie en la medida del factor $e = 2,71828$ | (**of a radioactive element**) período (de semidesintegración). SIN. **half-life** ‖ v. **period allowed for . . . , period during which . . . , period of . . .** ⫻ *adj:* periódico; cíclico.

period allowed for presentation of international accounts   *(Telecom)* retraso de envío de las cuentas internacionales; tiempo concedido para la presentación de las cuentas internacionales.

period channel   *(Control de reactores nucl)* canal del período. SIN. log n channel.

period counter   *(Telef)* contador de períodos, cuentaperíodos. Dispositivo utilizado para registrar la duración de la comunicación.

period during which a call is active   *(Telef)* tiempo de validez de una petición de comunicación | (a.c. period of validity of a préavis call) tiempo de validez de un previo aviso.

period measurement   medición de períodos.

period meter   (a.c. period counter) contador de períodos, cuentaperíodos || *(Nucl)* medidor de período. Aparato que indica el período (en segundos) de un reactor; también puede accionar enclavamientos [interlocks] y parar bruscamente el reactor (v. scram) si el período se hace peligrosamente corto.

period (of a radioactive element)   (a.c. half-life) período (de semidesintegración).

period (of an underdamped instrument)   (a.c. periodic time) período (de un instrumento subamortiguado). Tiempo necesario para que, a continuación de un cambio brusco en el mensurando (magnitud que se mide), la aguja (u otro elemento indicador) pase dos veces, moviéndose en el mismo sentido, por el punto de reposo.

period of collective oscillation   *(Nucl)* período de oscilación colectiva.

period of decay   *(Nucl)* período de desintegración.

period of deformation   *(Fís)* período de deformación. En un choque entre dos cuerpos, tiempo a partir del impacto inicial hasta que los cuerpos cesan de aproximarse. CF. period of restitution.

period of duty   período de servicio || *(Telecom)* horas de trabajo [de servicio].

period of excitation   período [intervalo] de excitación; duración de la excitación.

period of instruction   período de instrucción; período de aprendizaje.

period of notice of termination   plazo de terminación.

period of oscillation   período de oscilación.

period of rest   intervalo de reposo.

period of restitution   *(Fís)* período de restitución. En un choque entre dos cuerpos, tiempo desde el instante de máxima compresión hasta que los cuerpos se separan finalmente y se encuentran en movimiento con velocidades finales. CF. period of deformation.

period of retention (of radiotelegrams)   período de retención (de radiotelegramas).

period of validity   período de validez.

period of validity of a call   *(Telef)* tiempo de validez de una petición de comunicación.

period of validity of a forecast   *(Meteor)* período de validez de un pronóstico.

period of validity of a préavis call   *(Telef)* tiempo de validez de un previo aviso.

period of vibration   período de vibración.

period range   *(Reactores nucl)* régimen de medida con medidores de período, margen de los medidores de período. v. period meter, instrument range.

periodic   *adj:* periódico; cíclico; intermitente || *(Mat)* periódico || *(Fís)* periódico. (1) Que recurre a intervalos iguales. (2) Dícese del fenómeno que se repite de igual manera, por recuperar su estado inicial el cuerpo o los cuerpos en que aquél se manifiesta || *(Quím)* peryódico | periódico. v. periodic law, periodic table.

periodic aerial *(GB)*   v. periodic antenna.

periodic antenna   antena periódica. Antena en la cual la impedancia varía con la frecuencia, debido a la presencia de reflexiones o de ondas estacionarias en el sistema; son de esta clase p.ej. las antenas resonantes o sintonizadas [resonant antennas, tuned antennas]. SIN. periodic aerial *(GB)*.

periodic axial field focusing system   *(TOP)* sistema de enfoque de campo axil periódico.

periodic beam   *(Tubos de microondas)* haz (electrónico) periódico.

periodic checkup visits   visitas de inspección periódicas.

periodic circuit   *(Elec)* circuito periódico.

periodic current   corriente periódica. Corriente oscilante cuyos valores se repiten a intervalos regulares.

periodic damping   amortiguamiento periódico. Amortiguamiento en el cual la aguja (u otro elemento móvil) de un aparato o instrumento oscila alrededor de una nueva posición antes de quedar en reposo. CF. aperiodic damping, critical damping, overdamping, underdamping.

periodic decimal   decimal periódico, fracción decimal periódica. POCO USADO: decimal periódica [repetidora]. Fracción decimal [decimal fraction] que consta de un grupo de cifras, llamado *período,* que se repite indefinida y periódicamente.

periodic disturbance   perturbación periódica.

periodic duty   servicio [funcionamiento, trabajo] periódico. Servicio, funcionamiento o trabajo intermitente [intermittent duty] en el cual las condiciones activas o de carga recurren regularmente || *(Elec)* (*i.e.* duty at variable load changing periodically) servicio periódico. Servicio de régimen variable que se reproduce periódicamente (CEI/56 10–05–380). SIN. periodic service.

periodic electromagnetic wave   onda electromagnética periódica. Onda electromagnética tal que el vector que representa el campo eléctrico se repite en detalle en un punto fijo después de transcurrido un tiempo llamado *período.*

periodic filter   filtro periódico. Filtro de característica periódica de frecuencia. SIN. comb filter (véase).

periodic focusing   *(TOP)* focalización periódica, enfoque periódico.

periodic function   *(Mat)* función periódica. Función tal que al incrementar la variable en un número llamado *período,* reproduce sus valores. Para dibujar la gráfica de una función periódica basta construirla para los valores de la variable contenidos en un período, y reproducir indefinidamente hacia la derecha y la izquierda el arco obtenido, llamado *onda.*

periodic inspection   inspección periódica.

periodic intermittent service   servicio intermitente periódico. CF. periodic service.

periodic interrupter   *(Telecom)* interruptor periódico.

periodic law   ley de periodicidad. Ley que expresa que ciertas propiedades de los elementos químicos son funciones periódicas [periodic functions] de sus números atómicos. Si los elementos se ordenan según sus números atómicos, esas propiedades recurren en ciclos regulares. v.TB. periodic table.

periodic line   línea periódica; línea resonante. Línea de transmisión constituida por secciones eléctricas idénticas o equivalentes e igualmente orientadas. EJEMPLO: línea con bobinas de carga [loading coils] uniformemente espaciadas.

periodic magnetic structure   estructura magnética periódica. v. periodic permanent magnet.

Periodic Maintenance Program for European Telephone Circuits   Programa de Mantenimiento Periódico de Circuitos Telefónicos en Europa.

periodic noise   ruido periódico. CF. periodic disturbance.

periodic oscillation   oscilación periódica.

periodic permanent magnet   imán (permanente) periódico. Conjunto de imanes permanentes anulares de magnetización axil cuyas caras contiguas tienen polaridades del mismo nombre, y que se usa para obtener un campo magnético periódico (por ejemplo, sinusoidal). SIN. estructura magnética periódica —— periodic magnetic structure.

periodic-permanent-magnet focusing   *(TOP)* enfoque por imán (permanente) periódico.

periodic pulsation   pulsación periódica.

periodic pulse metering   *(Telef)* cómputo por impulso periódico.

periodic pulse train   tren periódico de impulsos. Tren de impulsos que consta de un grupo de impulsos que se repite periódicamente, es decir, a intervalos regulares.

periodic quantity   magnitud periódica. Magnitud variable cuyas características se reproducen a intervalos iguales de tiempo, de espacio, o de otra variable independiente (CEI/38 05–05–130).

periodic rating   clasificación de servicio periódico; capacidad de carga en régimen periódico. Clasificación que define la carga admisible en servicio periódico (v. **periodic duty, periodic service**).

periodic resonance   resonancia natural [propia, periódica]. v. **natural resonance.**

periodic routine-maintenance visits   visitas periódicas de conservación rutinaria.

periodic service   *(Elec)* servicio periódico. Servicio de régimen variable que se reproduce periódicamente (CEI/38 35–30–025). SIN. **periodic duty.**

periodic signal   señal periódica.

periodic starting electrode   cebador periódico.

periodic strains   deformaciones periódicas.

periodic table   *(Quím)* tabla periódica. Ordenación de los elementos químicos según sus números atómicos crecientes y las correspondientes propiedades químicas. SIN. **tabla de Mendeleiev, sistema periódico de los elementos, clasificación (periódica) de los elementos (químicos).** V.TB. **periodic law.**

periodic time   período || *(Instr subamortiguados)* v. **period (of an underdamped instrument).**

periodic undulation   *(Fís)* ondulación periódica. Ondulación producida por perturbaciones que se suceden con intervalos regulares.

periodic vibration   vibración periódica. Vibración cuya correspondiente forma de onda [waveform] es periódica. v. **periodic wave.**

periodic wave   onda periódica. Onda que se repite a intervalos regulares, como p.ej. la onda sinusoidal [sine wave]. V.TB. **periodic electromagnetic wave.**

periodic waveguide   guíaondas de estructura periódica.

periodic wind   viento periódico.

periodically   *adj:* periódicamente.

periodically loaded circuit   circuito de carga periódica.

periodicity   periodicidad; número de períodos; frecuencia; pulsación | periodicidad. (1) Cualidad de lo que es periódico (v. **periodic**); recurrencia a intervalos regulares. (2) En un cable de transmisión, variaciones en el diámetro del aislamiento que tienen por resultado reflexiones de la señal transmitida cuando la longitud de onda de ésta o un múltiplo de ella coincide con la distancia entre dos variaciones de dicho diámetro.

periodogram   *(Mat)* periodograma. Diagrama usado en el análisis de series cronológicas oscilantes [oscillatory time-series] /// *adj:* periodográmico, periodogramático.

periods per second [pps, p/s]   períodos por segundo.

periosteum   periostio. Membrana fibrosa que envuelve el hueso.

peripheral   *adj:* (also peripheric, peripherical) periférico, de la periferia. v. **periphery** || *(Informática)* periférico. v. **peripheral equipment.**

peripheral control unit   dispositivo de control intermedio. Dispositivo de control intermedio entre un dispositivo periférico [peripheral unit] y el ordenador central [central processor], o entre dos dispositivos periféricos.

peripheral device   *(Informática)* (a.c. peripheral unit) dispositivo periférico. v. **peripheral equipment.**

peripheral electron   electrón periférico. Electrón normalmente perteneciente a la capa electrónica externa [outer shell] del átomo, y que interviene en los fenómenos luminosos y de conducción eléctrica, así como en las propiedades químicas del átomo. Según el fenómeno o la propiedad considerada, recibe también los nombres de *electrón óptico, electrón de conducción* [conduction electron], *electrón de valencia* [valence electron]. SIN. **outer-shell electron.**

peripheral equipment   *(Informática)* equipo periférico. (1) Dispositivo utilizado como complemento de un sistema de computadora, sin formar parte integrante de ésta, con la finalidad de auxiliar la codificación y efectuar la traducción, la transferencia, la reducción, el procesamiento u ordenamiento, y/o el almacenamiento secundario de datos. (2) Dispositivos de entrada y salida y dispositivos de almacenamiento secundario [secondary storage units] de un sistema de computadora; todos los dispositivos del sistema, con excepción del ordenador o procesador central [central processor] y sus correspondientes unidades de almacenamiento y control.

peripheral region   *(Nucl)* zona periférica.

peripheral unit   *(Informática)* (a.c. peripheral device) dispositivo periférico. v. **peripheral equipment.**

peripheral velocity   velocidad periférica [circunferencial].

peripherally   *adv:* periferalmente.

peripheric   *adj:* (also peripheral, peripherical) periférico.

peripheric speed   velocidad periférica.

peripherical   *adj:* (also peripheral, peripheric) periférico.

periphery   periferia. (1) Parte más exterior de un objeto, en torno a su núcleo. (2) Contorno de una figura curvilínea; circunferencia /// *adj:* periférico.

periscope   periscopio || *(Fotog)* objetivo periscópico /// *adj:* periscópico.

periscopic antenna   antena periscópica.

peristaltic   *adj:* peristáltico. En electricidad, relativo o perteneciente a la inducción electrostática entre conductores en un cable o un aislador comunes.

peristaltic induction   inducción peristáltica.

peristasis   peristasis. SIN. **environment.**

peritectic   *(Fisicoquím)* punto peritéctico. Temperatura a la cual ocurre la fusión incongruente [incongruent melting] /// *adj:* peritéctico.

peritectic alloy   aleación peritéctica.

permafrost   *(i.e.* permanently frozen subsoil) permafrost, permagel, gelisuelo, subsuelo permanentemente congelado. Subsuelo permanentemente congelado que ocurre en forma continua en las regiones polares y localmente en regiones heladas todo el año. El inglés viene de *permanent frost.*

permalloy   permalloy. POCO USADO: aleación Ni-Fe, permaleación. Aleación magnética especial caracterizada por su elevada permeabilidad (valor inicial del orden de 10 000 y valor máximo del orden de 100 000 con una densidad de flujo de 5 000 líneas/cm). Se compone principalmente de níquel (hasta el 78,5 %) e hierro (hasta el 21,5 %). Se emplea para blindar elementos y dispositivos electrónicos contra los campos magnéticos parásitos [stray magnetic fields], y otras aplicaciones.

permalloy core   núcleo de permalloy.

permanence   *(also* permanency) permanencia; durabilidad; persistencia; estabilidad || *(Mat)* permanencia. Forman permanencia dos términos de una sucesión cuando ambos son del mismo signo. En las permutaciones la forman dos elementos si están colocados en el mismo orden que en la permutación principal.

permanency   v. **permanence.**

permanency of vision   v. **persistence of vision.**

permanent   *adj:* permanente; duradero; estable; fijo; definitivo; persistente; indeleble.

permanent action   *(Automática)* (i.e. type of action in which the output variable exists permanently) acción permanente. Modo de acción en el cual la señal de salida existe continuamente (CEI/66 37–20–010). CF. **intermittent action.**

permanent deformation   deformación permanente. v. **permanent set.**

permanent disposal   *(Nucl)* eliminación permanente.

permanent echo   *(Radar)* (i.e. stationary echo due to a permanent obstacle) eco permanente. Eco fijo debido a un obstáculo permanente (CEI/70 60–72–465). CF. **stationary echo.**

permanent-echo cancellation circuit   *(Radar)* circuito de supresión de ecos permanentes.

permanent elongation   alargamiento permanente. Alargamiento que persiste después de haber cesado todos los esfuerzos [stresses];

por ejemplo, incremento permanente en el largo de una cinta magnética debido a haber sido la misma sometida a un esfuerzo superior al del límite de elasticidad (v. **elastic limit**). SIN. **permanent extension, permanent stretch.**

permanent-elongation load   carga de alargamiento permanente.

permanent extension   alargamiento permanente. v. **permanent elongation.**

permanent fault   (*Elec*) (*i.e.* fault which can only be cleared by action taken at the point of fault) falla de carácter permanente. Falla cuya supresión necesita una intervención en el sitio de falla (CEI/65 25-40-055). CF. **intermittent fault, transient fault.**

permanent-field synchronous motor   motor sincrónico de campo permanente. Motor sincrónico en el cual el órgano portador de las láminas y devanados secundarios, es portador también de polos inductores de imán permanente |permanent-magnet field poles| blindados respecto al flujo magnético alterno por las láminas o chapas |laminations|.

permanent fixed circuit   (*Telecom*) circuito fijo permanente.

permanent glow   (*Telef*) encendido permanente; descolgado.

permanent hold   retención permanente.

permanent-hold exit   (*Informática*) boca de salida para retención permanente.

permanent lamp   (*Telef*) lámpara permanente. SIN. **permanent signal.**

permanent loop [PL]   (*Telef*) llamada equivocada, falsa llamada.

permanent magnet [PM]   imán permanente, imán. Cuerpo imanado que retiene su magnetismo indefinidamente. Se distingue del *imán temporal* o *temporario* |temporary magnet| y del *electroimán* |electromagnet|, que sólo retienen su magnetismo mientras dure el campo magnético exterior o la corriente excitadora | imán permanente. Cuerpo ferromagnético que conserva una parte importante de su polarización después de suprimirse el campo magnético exterior (CEI/38 05-25-100).

permanent-magnet centering   (*Cinescopios*) centrado (de la imagen) mediante imanes permanentes. Centrado de la imagen sobre la pantalla mediante campos magnéticos producidos por imanes permanentes convenientemente dispuestos alrededor del cuello del tubo.

permanent-magnet chuck   (*Máq herr*) plato magnético de imán permanente.

permanent-magnet dynamic loudspeaker   altavoz |altoparlante| dinámico de imán permanente, altavoz autodinámico. v. **permanent-magnet loudspeaker.**

permanent-magnet erase head   v. **permanent-magnet erasing head.**

permanent-magnet erasing head   cabeza de borrado de imán permanente. (**1**) Cabeza de borrado que utiliza los campos magnéticos de uno o varios imanes permanentes. (**2**) En los magnetófonos, cabeza de borrado formada por un imán permanente con entrehierro en diagonal y de forma irregular, que da origen a un campo de intensidad variable y polaridad cambiante respecto a la cinta que pasa frente a él.

permanent-magnet focusing   enfoque |concentración| por imanes permanentes. En un tubo de rayos catódicos o, como caso particular, un cinescopio, enfoque o concentración del haz electrónico mediante el campo magnético producido por uno o varios imanes permanentes montados alrededor del cuello del tubo.

permanent-magnet galvanometer   galvanómetro de imán permanente.

permanent-magnet generator   generador de imanes permanentes, magnetogenerador.

permanent-magnet loudspeaker   altavoz |altoparlante| de imán permanente. Altavoz o altoparlante de conductor móvil (v. **moving-conductor loudspeaker**) en el cual el campo constante es producido por un imán permanente. SIN. **permanent-magnet dynamic loudspeaker.**

permanent-magnet machine   (*Elec*) (*i.e.* machine in which the field magnet is a permanent magnet) máquina magnetoeléctrica. Máquina cuyo inductor está formado por un imán permanente (CEI/56 10-05-045). NOMBRE ABREVIADO: magneto.

permanent-magnet material   material para imanes permanentes. Material ferromagnético utilizado para la fabricación de imanes permanentes. CF. **permanent-magnet steel.**

permanent-magnet motor   (*Elec*) (*i.e.* motor in which excitation is provided by a permanent magnet) magnetomotor. Motor de corriente continua o motor sincrónico cuyo flujo inductor es suministrado por un imán permanente (CEI/66 37-35-100).

permanent-magnet moving-coil instrument   (*Aparatos de medida*) aparato magnetoeléctrico, aparato de cuadro móvil e imán fijo. Aparato en el cual un imán fijo |fixed permanent magnet| actúa sobre uno o más cuadros móviles |movable coils| recorridos por corrientes. En inglés se usa a veces el sinónimo *magnetoelectric instrument* (CEI/58 20-05-035).

permanent-magnet moving-iron instrument   (*Aparatos de medida*) aparato de hierro móvil e imán. Aparato que comprende una pieza de hierro móvil sometida a la acción de un imán fijo |fixed magnet| y de una bobina fija |fixed coil| recorrida por una corriente (CEI/58 20-05-045).

permanent-magnet pulley   polea magnética |de imán permanente|.

permanent-magnet second-harmonic self-synchronous system   sistema autosincrónico de corrientes de segunda armónica y rotores de imán permanente. Sistema teleindicador cuyos dispositivos (transmisor y receptores) tienen todos rotores de imán permanente y estatores toroidales con núcleos ferromagnéticos saturables, y son excitados por corrientes alternas de una fuente común externa. Los devanados tienen varias derivaciones igualmente espaciadas, estando las derivaciones correspondientes conectadas entre sí de modo que se transmiten tensiones consistentes principalmente en la segunda armónica de la tensión excitadora. Los rotores de los dispositivos receptores adoptan en todo momento la misma posición angular del rotor del dispositivo transmisor.

permanent-magnet speaker   v. **permanent-magnet loudspeaker.**

permanent-magnet steel   acero para imanes permanentes. CF. **permanent-magnet material.**

permanent-magnet stepper motor   magnetomotor paso a paso. Motor paso a paso |stepper motor, stepping motor| cuyo rotor está constituido por un potente imán permanente y cuyas bobinas estatóricas |stator coils| son alimentadas independientemente y en sucesión. El rotor gira cada vez hasta quedar alineado con la bobina excitada, con una rotación igual a $(360/n)°$, siendo n el número de bobina estatóricas; así, cuando el número de éstas es ocho, los pasos de rotación son de $360/8 = 45°$. Si los pasos han de ser muy pequeños, pueden emplearse engranajes reductores.

permanent-magnet traveling-wave tube   tubo de ondas progresivas de imán permanente. Tubo de ondas progresivas con sistema enfocador de imán permanente.

Permanent Maintenance Subcommittee   Subcomisión Permanente de Mantenimiento.

permanent memory   (*Informática*) memoria permanente. Memoria que retiene la información en ella almacenada aunque se corte la alimentación de energía eléctrica a la computadora.

permanent-memory computer   computadora de memoria permanente.

permanent record   registro permanente.

permanent-record console typewriter   (*Informática*) máquina de escribir tipo consola para registros permanentes.

permanent set   deformación permanente |remanente|. Deformación que persiste cuando se sobrepasa el límite elástico |elastic limit|. SIN. **permanent deformation, set.** CF. **permanent elongation.**

permanent signal *(Telef)* lámpara permanente. SIN. **permanent lamp** | llamada equivocada, falsa llamada.

permanent storage almacenamiento permanente || *(Informática)* almacenador permanente. Dispositivo de almacenamiento que retiene indefinidamente la información en él almacenada. CF. **permanent memory.**

permanent stretch alargamiento permanente. v. **permanent elongation.**

permanent structure estructura permanente || *(Ferroc)* obra de arte.

permanent supervision *(Telecom)* vigilancia permanente.

permanent through-strapping *(Telecom)* conexión en puente de tránsito de tipo permanente.

permanent way *(Carreteras)* infraestructura || *(Ferroc)* infraestructura; vías y obras; vía; vía permanente, disposición general de la vía.

permanent-way hut *(Ferroc)* casilla de camineros. Edificio destinado al personal ocupado en la conservación de la vía permanente.

permanent wiring *(Elec)* instalación definitiva.

permanently *adv:* permanentemente.

permanently connected *(Elec)* permanentemente conectado.

permanently earthed *(Elec)* permanentemente puesto a tierra.

permanently frozen ground terreno permanentemente congelado.

permanently frozen subsoil subsuelo permanentemente congelado. v. **permafrost.**

permanently open office *(Telecom)* oficina de servicio permanente.

permanganate *(Quím)* permanganato.

permanganate number *(Fab de papel)* índice de permanganato.

permatron permatrón. Diodo de atmósfera gaseosa y cátodo termoiónico [thermionic-cathode gas diode] en el cual la conducción es iniciada por la acción de un campo magnético externo, siendo el funcionamiento del diodo semejante al de un tiratrón [thyratron]; úsase principalmente como rectificador controlado [controlled rectifier].

permeability permeabilidad. (1) Propiedad de ser permeable; condición de permeable. (2) Velocidad de difusión de un gas presionizado a través de un material poroso | *(i.e.* magnetic permeability) permeabilidad (magnética). (1) Aptitud de una substancia, en relación con la del aire, de dar paso a las líneas de fuerza magnética; la permeabilidad del aire se toma igual a la unidad. (2) Magnitud escalar (μ) igual al cociente de la inducción magnética [magnetic induction] (B) por la fuerza magnetizante [magnetizing force] (H); o sea, $\mu = B/H$. SIN. **specific permeance.** v. **differential permeability, differential susceptibility and permeability, initial permeability, initial susceptibility and permeability, normal permeability, relative permeability, permeability of space.**

permeability of free space v. **permeability of space.**

permeability of space (a.c. permeability of free space) permeabilidad del vacío. Magnitud escalar (μ_0) que liga el campo total (H_T) en unidades de tensión (inducción magnética, B) con el campo total en unidades de corriente. Su valor está dado por

$$\mu_0 = 4\pi \times 10^{-7} \text{ W/at-m}$$
$$= 4\pi \times 10^{-4} \text{ W/at-mm}$$

permeability slug-tune coil bobina de sintonización por núcleo deslizante, bobina de sintonía por variación de permeabilidad (magnética) mediante núcleo deslizante.

permeability tuner sintonizador de permeabilidad variable. Sintonizador de aparato receptor (radio o televisión) que se ajusta por deslizamiento de los núcleos de polvo de hierro conglomerado [powdered iron cores] de bobinas que forman parte de los circuitos resonantes. v.TB. **permeability tuning.**

permeability tuning sintonía [sintonización] por permeabilidad, sintonización por variación de permeabilidad. Ajuste de un circuito resonante por variación de la permeabilidad de la bobina, generalmente por deslizamiento de un núcleo ferromagnético (de

ferrita o de polvo de hierro conglomerado) y la consecuente variación de inductancia del circuito | (a.c. reluctance tuning) sintonía por reluctancia. Sintonía por inductancia [inductive tuning] obtenida haciendo variar la reluctancia del circuito magnético de la bobina (CEI/70 60–12–015).

permeable *adj:* permeable, penetrable, pasable.

permeameter permeámetro. Aparato destinado a determinar las características magnéticas de las substancias ferromagnéticas [ferromagnetic substances] (CEI/38 20–15–130, CEI/58 20–15–190).

permeance permeación, penetración, infiltración || *(Mag)* (*i.e.* reciprocal of reluctance) permeancia. Inversa o recíproca de la reluctancia (CEI/38 05–30–025).

permeate *verbo:* penetrar, atravesar, pasar a través de; impregnar; estar difundido en; infiltrar.

perminvar perminvar, aleación Fe-Ni-Co. Aleación de hierro (30 %), níquel (45 %) y cobalto (25 %) caracterizada por retener un valor constante de permeabilidad [permeability] dentro de amplios límites de intensidad magnética [magnetic intensity], siendo, por tanto, su inducción magnética [magnetic induction] proporcional a la fuerza magnetizante [magnetizing force].

permissible *adj:* admisible, permisible; permitido; autorizado; tolerable.

permissible dose *(Radiol)* dosis permisible. Es término desaconsejado. v. **maximum permissible dose.**

permissible exposure *(Nucl)* exposición permisible.

permissible interference *(Radiocom)* interferencia [perturbación] admisible.

permissible interfering signal señal interferente [perturbadora] admisible.

permissible peak inverse voltage *(Rect)* tensión inversa de cresta máxima admisible.

permissible signal distortion distorsión [deformación] de señal admisible.

permissible wattage consumo admisible (en vatios).

permissible weekly dose *(Radiol)* dosis semanal admisible [permisible] | dosis semanal admisible. Dosis de radiación ionizante acumulada en una semana, de magnitud tal que, a la luz de los conocimientos actuales, la exposición a esa razón semanal [weekly rate] por un período de tiempo indefinido no se considera susceptible de producir lesiones corporales apreciables en un individuo en ningún momento de su vida (CEI/64 65–35–030).

permissive *adj:* permisivo; permisible; permitido, tolerado; facultativo.

permissive block *(Ferroc)* bloqueo condicional [facultativo], enclavamiento condicional, block permisible. Sistema que permite la entrada de un segundo tren a una sección, indicando al conductor que la vía se halla ocupada | bloqueo condicional. Bloqueo en el cual una señal en posición de "PELIGRO" puede ser franqueada en ciertas condiciones (CEI/38 30–30–020). CF. **absolute block.**

permissive blocking v. **permissive block.**

permissive control device dispositivo de control permisivo. Se trata por lo general de un conmutador de dos posiciones, de accionamiento manual, que en una de las posiciones permite el cierre de un disyuntor o la puesta en funcionamiento de un aparato, y en la otra impide la maniobra del disyuntor o el funcionamiento del aparato, según el caso. CF. **permissive relay.**

permissive relay relé permisivo. Relé cuya función es la de permitir cierta operación o maniobra, sin iniciar de por sí ninguna acción. CF. **permissive control device.**

permissive signal señal de paso | (a.c. stop-and-proceed signal) señal de precaución, luz de señal rebasable | (a.c. slowing-down signal) señal de precaución. Señal de ferrocarril que puede ser franqueada en ciertas condiciones, aunque esté en la posición de parada (CEI/38 30–30–090).

permittance permitancia. Término ya desusado, equivalente a *capacitancia* [capacitance].

permitted payload (of a motor vehicle or motor unit)

carga útil reglamentaria (de un vehículo automotor o una unidad automotriz). Peso total de pasajeros y equipajes correspondiente a la ocupación reglamentaria del vehículo o la unidad (CEI/57 30–05–255).

permittivity constante dieléctrica, permitividad, poder inductor específico, inductividad [capacitancia inductiva] específica. SIN. **specific inductive capacitance [capacity], dielectric constant** (véase).

permittivity measurement medida (de constante) dieléctrica.

permutation permuta; trueque ∥ *(Mat)* permutación, ordenación, disposición, arreglo | permutación. Disposición de un cierto número de objetos o elementos tal que difiera de otra de los mismos objetos o elementos en el orden de colocación de éstos.

permutation code *(Telecom)* código de permutaciones.

permutation-code switching system *(Telecom)* selección por señales de código ∥ *(Teleg)* numeración por teclado. En el caso de conmutación automática, procedimiento por el cual las señales necesarias para la selección son señales de telegrafía alfabética [alphabetic telegraph signals] emitidas por medio del teclado [keyboard] de un teleimpresor (CEI/70 55–55–090).

permutation-coded printing telegraphy telegrafía impresora con código de permutaciones. EJEMPLO: teleimpresores con código de cinco elementos.

permutation group *(Mat)* grupo de permutaciones. Conjunto cuyos elementos ($n!$ en número) son las permutaciones o reordenamientos de una ordenación normal de n objetos o símbolos.

permutation matrix *(Mat)* matriz permutación. Matriz en la cual cada fila y cada columna no tiene más que un elemento distinto de cero, y el mismo es la unidad; o sea, que en cada fila y en cada columna uno de los elementos es la unidad y los demás son nulos.

permutation symbol *(Mat)* símbolo de permutación.

peroxidation *(Quím)* peroxidación ∥ *(Acum)* peroxidación. Formación de la placa positiva por peroxidación (CEI/38 50–15–055).

peroxide *(Quím)* peróxido. Oxido que contiene la mayor cantidad de oxígeno.

peroxide bath baño de peróxido.

peroxide of lead peróxido de plomo. Compuesto de plomo que forma la mayor parte de la placa positiva de un elemento de plomo y ácido [lead-acid cell] en estado de carga.

perpendicular plomada, perpendículo; nivel de plomada; cualquier dispositivo utilizado para marcar la vertical desde un punto determinado | perpendicular, recta vertical o aproximadamente vertical ∥ *(Mat)* perpendicular. Elemento geométrico (recta o plano) que forma ángulo recto con otro. CF. **normal, vertical** ⫼ *adj:* perpendicular, normal, que forma ángulos rectos; vertical, que forma ángulos rectos con la horizontal.

perpendicular-axis theorem *(Fís)* teorema de los ejes perpendiculares. El momento de inercia de una figura plana alrededor de un eje polar (perpendicular) es igual a la suma de los momentos de inercia alrededor de dos ejes en ángulos rectos en el plano que pasa por el eje polar.

perpendicular bisector *(Mat)* mediatriz. Perpendicular en el punto medio de un segmento rectilíneo.

perpendicular magnetization magnetización perpendicular ∥ *(Registro mag)* registro magnético perpendicular. Procedimiento en el cual la dirección principal del campo magnético utilizado para el registro es perpendicular al plano del medio de registro [plane of the recording medium] (CEI/60 08–25–200). CF. **longitudinal magnetization, transverse magnetization.**

perpendicular recording registro perpendicular. v. **perpendicular magnetization.**

perpetual *adj:* perpetuo, eterno; continuo, incesante; sin fin; persistente; inagotable.

perpetual motion *(Fís)* movimiento perpetuo; movimiento continuo.

Perseids *(Astr)* Perseidas. Lluvia de meteoros con un máximo

muy regular el doce de agosto.

persistence persistencia; continuidad ∥ *(Meteor)* persistencia ∥ *(TRC)* [a.c. afterglow (of a luminescent screen)] persistencia de pantalla. Persistencia de la luminancia del punto luminoso sobre una pantalla luminiscente, que decrece más o menos lentamente después de haber cesado la excitación (CEI/56 07–30–250) | luminiscencia residual, fosforescencia ∥ v. **persistence of…**

persistence characteristic característica de persistencia ∥ *(TRC)* [a.c. decay characteristic (of a luminescent screen)] característica de persistencia de pantalla. Curva, generalmente obtenida por vía experimental, que expresa la relación entre la potencia radiada y el tiempo después de haber cesado la excitación (CEI/56 07–30–255).

persistence of phosphor *(TRC)* persistencia del fósforo; persistencia de la substancia luminiscente.

persistence of picture on the retina v. **persistence of vision.**

persistence of vision persistencia visual [retiniana], persistencia de la visión, persistencia de las imágenes (en la retina), persistencia de las impresiones luminosas en la retina, inercia visual. (**1**) Fenómeno de la visión por el cual aparece como continua la luz con variaciones rápidas de intensidad, y como movimiento continuo lo que no es sino una sucesión rápida de vistas fijas. (**2**) Perduración de la imagen en la retina durante aproximadamente 1/20 de segundo después de haber cesado la excitación luminosa, fenómeno que se aprovecha en el cinematógrafo para crear la ilusión de movimiento continuo mediante la proyección de una sucesión de fotografías o vistas fijas. SIN. **persistence of picture on the retina, retention of image, permanency of vision.**

persistence phenomenon fenómeno de la persistencia visual [retiniana]. v. **persistence of vision** ∥ *(Luminiscencia)* fenómeno de la fosforescencia.

persistence screen *(TRC)* pantalla de larga persistencia [de gran persistencia].

persistent *adj:* persistente; continuo.

persistent current corriente persistente. Corriente engendrada por inducción magnética y que circula sin disminución de intensidad en un cuerpo o un circuito superconductor. v. **persistent magnetic field.**

persistent magnetic field campo magnético persistente. Campo magnético debido a una corriente persistente (v. **persistent current**).

persistent spectrum *(Fís)* espectro persistente. Espectro de una substancia resultante de la excitación más moderada; las más persistentes de las rayas se llaman *rayas últimas* [raies ultimes, ultimate lines].

persistor persistor. Circuito bimetálico de muy pequeñas dimensiones físicas que se hace funcionar a temperaturas próximas al cero absoluto, y que comprende un bucle o lazo metálico que al recibir una corriente eléctrica de determinado valor crítico, pasa del estado de superconducción al de conducción normal; se emplea este dispositivo como elemento biestable en calculadoras electrónicas.

persistron persistrón. Panel de presentación visual de estado sólido, electroluminiscente y fotoconductor, que proporciona amplificación de luz. CF. **light amplifier.**

person persona; personaje; individuo, particular.

person-to-person call *(Telef)* comunicación [llamada] de persona a persona, comunicación personal. SIN. **personal call.**

persona *(Psicología)* (a.c. mask) persona, máscara.

personal *adj:* personal; individual, particular, privado; en persona.

personal call *(Telef)* comunicación [llamada] de persona a persona, comunicación personal. SIN. **person-to-person call.**

personal-call booking *(Telef)* petición de comunicación de persona a persona.

personal-call service *(Telef)* servicio de comunicación de persona a persona.

personal delivery *(Teleg)* (entrega) en propia mano. El indicativo correspondiente es "MP".

personal dose   *(Radiol)* v. personnel dose.

personal equation   ecuación personal. Pequeña corrección que se aplica a una medida observacional para tomar en cuenta los errores sistemáticos originados en la idiosincracia del individuo que intervino en la medida; puede ser determinada por métodos estadísticos y varía para cada tipo de observación.

personnel   personal, dotación, (conjunto de) empleados; dependencia, (conjunto de) dependientes. BARBARISMOS LOCALES O REGIONALES: empleomanía; elenco | tripulación, dotación.

personnel decontamination   *(Radiol)* descontaminación individual; descontaminación de personal. Eliminación de materias radiactivas de la piel de una persona o un grupo de personas.

personnel dose   *(Radiol)* *(i.e.* dose received by a person) dosis individual. Dosis recibida por una persona (CEI/64 65–35–040). SIN. **individual dose.**

personnel licensing   otorgamiento de licencias al personal.

personnel monitoring   *(Radiol)* monitoraje [reconocimiento] del personal | prospección individual. Determinación de la dosis individual [personnel dose] por medio de medidas hechas sobre el cuerpo o una de sus partes, o sobre el aire espirado, los excrementos, o la vestimenta (CEI/64 65–35–025).

personnel requirements   necesidades de personal.

personnel roster   nómina del personal.

personnel substitution   reemplazo del personal.

personnel utilization   utilización del personal; aprovechamiento del personal.

persorption   *(Fís)* persorción. Adsorción [adsorption] en la cual las moléculas adsorbidas ocupan espacios vacantes en la red cristalina [lattice] del cuerpo adsorbente.

perspective   perspectiva; lejos (aspecto que desde lejos tiene una persona o un objeto) || *(Mat)* perspectiva. (**1**) Parte de la geometría descriptiva que estudia la representación sobre un plano de los objetos tal como los ve un observador. (**2**) Proyección central cuyo centro es el ojo del observador, y cuyas visuales extremas dirigidas al objeto abarcan un ángulo máximo de 60° ||| *adj: (Mat)* proyecto, representado en perspectiva || *(Pintura, Dib)* en perspectiva.

perspective center   centro de perspectiva; centro perspectivo [de perspectividad].

perspective drafting machine   máquina para dibujar en perspectiva.

perspective drawing   dibujo en perspectiva.

perspective grid   cuadrícula de perspectiva.

perspective plane   plano de perspectiva, cuadro.

perspective representation   representación en perspectiva.

perspective view   vista en perspectiva.

perspectivity   *(Mat)* perspectividad. Estudio de las figuras perspectivas (dos figuras tales que cada una es proyección central de la otra).

PERT   Siglas de Program Evaluation and Review Technique [Técnica de análisis y evaluación de programas]. Técnica para proyectar la realización y controlar el desarrollo de obras o trabajos importantes, valiéndose de modelos gráficos y de computadoras que evalúan el progreso de las diversas actividades en relación con sucesos y objetivos preestablecidos. MICROGLOSARIO: **activity:** actividad | **event:** suceso | **project:** proyecto | **critical path:** camino crítico | **float, slack:** holgura (de un suceso) | **slack path:** camino de holgura | **planning:** planeamiento | **scheduling:** formulación del calendario de trabajo | **control:** control | **scheduled date, scheduled event time:** fecha impuesta | **final event:** suceso final.

perturbation   agitación, inquietud, perturbación || *(Astr)* perturbación, desviación || *(Fís)* perturbación, cambio en un sistema conocido.

perturbation theory   *(Fís)* teoría de las perturbaciones. Estudio del efecto de cambios pequeños en el comportamiento de un sistema.

perturbograph   perturbógrafo.

perturbometer   perturbómetro.

perveance   *(Elecn)* perveancia. Magnitud que determina la corriente de saturación [saturation current] que puede fluir en un tubo al vacío de geometría dada. Cualquiera que sea la forma del tubo, la corriente de saturación (I) es proporcional a la potencia $3/2$ del potencial aplicado (V); o sea, que

$$I = GV^{3/2}$$

expresión en la cual G es la constante de proporcionalidad y recibe el nombre de *perveancia*. Despejando G se tiene que la perveancia es igual a $I/V^{3/2} = I/\sqrt{V^3}$ | (**of a diode**) perveancia. Cociente del valor de corriente catódica limitada por la carga de espacio [space-charge-limited cathode current], por la potencia tres medios [three-halves power] de la tensión anódica de un diodo, conforme a la ley de Child-Langmuir [Child-Langmuir equation]. Es la constante G que figura en la expresión de esta ley (CEI/56 07–21–045) | **perveance of a multielectrode valve or tube:** perveancia de un triodo o de un poliodo. Perveancia del diodo equivalente [equivalent diode] (CEI/56 07–28–130).

PETCO   *(Teleg)* Abrev. de Peterson Code [Clave Peterson]. La abreviatura se incluye en el preámbulo de un telegrama para indicar que se utiliza esa clave en el texto del mismo.

petcock   llave de desagüe; grifo, llave de escape; llave [grifo, robinete] de purga || *(Cilindros de vapor)* grifo de purga || *(Mot)* grifo de descompresión.

Peterson Code [PETCO]   Clave Peterson. Clave usada para el cifrado de telegramas comerciales, en parte con el fin de hacer el contenido menos inteligible en casos de intercepción no autorizada, y en parte con fines de economía, pues una palabra clave puede tener el significado de varias palabras o de toda una frase en lenguaje claro.

petoscope   petoscopio. Aparato fotoeléctrico que revela los movimientos de personas u objetos.

petrolatum   petrolato, vaselina. TB. gelatina [bálsamo] de petróleo, gelatina [grasa] mineral, cosmolina, saxolina. SIN. **petroleum jelly.**

petroleum   petróleo; crudos, petróleo bruto; petróleo lampante ||| *adj:* petrolífero; petrolero.

petroleum acid   ácido naftenio [nafténico].

petroleum asphalt   asfalto de petróleo.

petroleum jelly   vaselina, petrolato. TB. gelatina de petróleo. v. petrolatum.

petticoat   *(Lenguaje corriente)* enagua(s), falda(s), saya, refajo || *(Elec)* campana (de aislador) | v. petticoat insulator || *(Dirigibles)* apéndice || *(Locomotoras)* v. petticoat pipe.

petticoat insulator   *(Elec)* (a.c. petticoat) aislador de campana. Aislador cuya parte inferior, hueca, tiene forma de campana, con el fin de incrementar el largo del camino de las fugas superficiales [surface leakage path] y mantener siempre seca una parte de ese camino.

petticoat pipe   *(Locomotoras)* (a.c. petticoat) tubo compensador de tiro; tubo de escape de la caja de humos; eyector (troncocónico) para activar el tiro.

Petzval condition   *(Opt)* condición de Petzval.

Petzval sum   *(Opt)* suma de Petzval.

Petzval surface   *(Opt)* superficie de Petzval.

pf   Abrev. de power factor | Abrev. no normalizada de picofarad. La abreviatura normalizada es pF.

pF   Abrev. de picofarad.

PF   Abrev. de power factor; pulse frequency.

Pfaff problem   *(Mat)* problema de Pfaff.

PFB   *(Radiocom)* Abrev. de Provisional Frequency Board [Comité Provisional de Frecuencias].

PFM   Abrev. de pulse-frequency modulation.

Pfund series   *(Fís)* serie de Pfund. Serie de rayas en el espectro del hidrógeno, en la región del infrarrojo.

PFWD   *(Teleg)* Abrev. de please forward [sírvase reexpedir(lo), sírvase reexpedir el mensaje].

PFX   *(Teleg)* Abrev. de prefix |prefijo|.

PFXNBR   *(Teleg)* Abrev. de prefix number |número de prefijo|.

PG   *(Teleg)* Abrev. de page |página|.

PGE   *(Teleg)* Abrev. de page |página|.

PGH   *(Teleg)* Abrev. de paragraph |párrafo|.

PGRR   *(Teleg)* Abrev. de please get rush reply |sírvase obtener respuesta urgente (del destinatario)|. Se usa en mensajes de servicio.

ph   Símbolo del *fot* (v. **phot**) ‖ *(Elec)* Abrev. no normalizada de picohenry; la abreviatura normalizada es pH.

pH   *(Elec)* Abrev. de picohenry ‖ *(Quím)* pH. POCO USADO: Ph. Símbolo del potencial de hidrógeno: número logarítmico que expresa la concentración de hidrogeniones |hydrogen ion concentration| en una solución electrolítica. La escala pH va de 0 a 14, y en ella el 7 identifica una solución neutra; los números menores de 7 indican acidez, los mayores denotan basicidad. SIN. **índice de Sörensen**. V.TB. **pH value**.

pH control apparatus   aparato de control del pH.

pH indicator   indicador de pH.

pH measuring equipment   equipo de medida del pH.

pH meter   medidor de pH.

pH recorder   (aparato) registrador de pH.

pH value   valor de pH | pH. El pH de una solución (A) se deduce de las medidas de las fuerzas electromotrices (E) de una celda electrolítica |galvanic cell| de la forma:

$$\left\{ \begin{array}{l} \text{electrodo de hidrógeno—solución A—solución saturada de} \\ \text{cloruro de potasio [saturated solution of potassium chlo-} \\ \text{ride]—electrodo de referencia} \end{array} \right\}$$

por la fórmula:

$$pH = \frac{E - E_o}{2,303\ RT/F}$$

en la cual:

    E_o es una constante dependiente de la naturaleza del electrodo de referencia |reference electrode|;

    R es la constante de los gases perfectos |gas constant| en julios por molécula por grado;

    T es la temperatura absoluta en grados Kelvin;

    F es la constante de Faraday |Faraday constant| en **culombios** por equivalente gramo [gram equivalent].

En su origen, el pH se definió por:

$$pH = \log \frac{1}{(H+)}$$

donde $(H+)$ es la concentración en iones de hidrógeno. Según los conocimientos actuales, no existe una relación simple entre la concentración en iones de hidrógeno |hydrogen ion concentration| o la actividad y el pH. V.TB. **ion activity** (CEI/60 50-05-290).

phanotron   *(Elecn)* fanotrón. Diodo gaseoso de cátodo caliente en el cual el flujo unidireccional de la corriente no está sujeto a control o regulación. EJEMPLO: el rectificador corriente de vapor de mercurio | *(i.e.* hot-cathode gas diode) fanotrón. Diodo de gas de cátodo caliente (CEI/56 07-40-010).

phanotron rectifier   fanotrón rectificador; rectificador de fanotrones.

phanotron tube   fanotrón.

phantastron   fantastrón. Oscilador de relajación |relaxation oscillator| con un solo tubo electrónico, en el cual se utiliza la realimentación de Miller para obtener una onda cronizadora lineal [linear timing waveform]. CF. **Miller time-base** | fantastrón; transitor integrador. Báscula monoestable |monostable device| en la cual la duración del estado cuasiestable [quasi-stable state] es una función lineal [linear function] de la tensión de mando, obteniéndose la linealidad por efecto Miller (CEI/70 60-18-170).

phantastron sweep circuit   circuito de barrido fantastrón.

phantasy   *(also* fantasy) fantasía; dibujo fantástico ‖ *(Mús)* (a.c. fantasia, fantasy) fantasía.

phantom   *(also* fantom) fantasma, espectro ‖ *(Radiol)* fantasma, simulador. TB. fantoma | maniquí | fantasma. Volumen de un material que se comporta esencialmente de la misma manera que el tejido considerado, en lo que concierne a la absorción y la difusión de la radiación utilizada (CEI/64 65-30-205) ‖ *(Telecom)* *(i.e.* phantom circuit) circuito fantasma (simple), circuito combinado ⫴ *adj:* *(also* fantom) fantasma; fantasmal; imaginario; artificial, ficticio.

phantom aerial *(GB)*   v. **phantom antenna**.

phantom antenna   antena ficticia |artificial|. TB. antena fantasma. v. **artificial antenna**.

phantom channel   canal fantasma. En estereofonía, canal sonoro no existente en la transmisión o el registro de que se trate, pero que se obtiene sintéticamente en el momento de la audición o la reproducción, mediante el empleo de técnicas especiales; en particular, combinación eléctrica de los canales de la izquierda y de la derecha, que se utiliza para alimentar un tercer altavoz colocado entre los dos normales o en otro lugar. V.TB. **A-plus-B output**.

phantom circuit   *(Telecom)* circuito fantasma |combinado|. **(1)** Circuito derivado de dos circuitos físicos, de suerte que los tres pueden funcionar simultáneamente en la misma gama de frecuencias sin perturbaciones mutuas. **(2)** Circuito suplementario constituido por medio de dos circuitos que tienen el mismo recorrido y que están asociados en forma que los conductores de uno, tomados en paralelo, sirven de conductor de ida, y los conductores del segundo, tomados en paralelo, sirven de conductor de retorno del circuito fantasma (CEI/38 55-25-020) | circuito fantasma sencillo. Circuito superpuesto formado a partir de dos pares de conductores convenientemente dispuestos, estando los dos conductores de cada par agrupados en paralelo (CEI/70 55-30-145). CF. **double-phantom circuit, quadruple-phantom circuit**.

phantom-circuit loading coil   *(Telecom)* bobina de carga para circuitos fantasmas |combinados|. Bobina de carga que introduce el valor apropiado de inductancia en un circuito fantasma y un valor mínimo en los circuitos reales o combinantes [side circuits].

phantom-circuit repeating coil   bobina repetidora de circuito fantasma. Bobina repetidora utilizada en el punto terminal de un circuito fantasma, en el circuito local que parte de los puntos medios de las bobinas repetidoras de los circuitos combinantes [side circuits].

phantom coil   *(Telecom)* bobina (de circuito) fantasma. **(1)** Originalmente, bobina utilizada en un circuito fantasma |phantom circuit| para la adaptación de impedancias. **(2)** Actualmente, en sentido general, cualquier bobina utilizada en un circuito fantasma.

phantom group   *(Telecom)* grupo combinable. **(1)** Circuitos físicos de los cuales se deriva un circuito fantasma o combinado |phantom circuit|. **(2)** Grupo de cuatro hilos desnudos aéreos [open-wire conductors] sobre el cual es posible establecer un circuito fantasma. **(3)** Conjunto de conductores dispuestos por construcción de manera tal que permitan la formación de dos circuitos combinantes y la combinación de éstos para constituir un circuito fantasma (CEI/38 55-25-030).

phantom line   *(Telecom)* línea fantasma.

phantom loading   *(Telecom)* carga de circuito fantasma.

phantom OR   *(Circ lógicos)* O fantasma.

phantom output   salida fantasma. En un sistema estereofónico, salida resultante de combinar los canales de la izquierda y de la derecha para excitar un tercer canal amplificador o de altavoz. V.TB. **phantom channel**.

phantom repeating coil   *(Telecom)* bobina repetidora (de circuito) fantasma. Bobina repetidora de circuito fantasma o de circuito combinante [side circuit].

phantom signal   señal fantasma. En los indicadores de tubo catódico, señal espuria que puede tener diversos orígenes (interferencia o perturbación, anomalía de propagación, irregularidad circuital, etc.).

phantom signal aspect   *(Ferroc)* luz fantasma. Indicación aparente de una luz causada por una luz exterior, reflejada las más de las veces por el sistema óptico de la señal, y diferente de la deseada (CEI/59 31–05–020).

phantom target   *(Radar)* blanco fantasma. v. **echo box.**

phantom telegraph circuit   *(i.e.* telegraph circuit superimposed on two physical circuits reserved for telephony) circuito telegráfico fantasma. Circuito telegráfico sin retorno por tierra, superpuesto a dos circuitos combinantes reservados para telefonía.

phantom transposition   *(Telecom)* transposición de circuitos combinados; transposición para fantomización.

phantom view   *(Dib)* vista transparente, vista detallada de las piezas internas. Dibujo del contorno exterior en el cual puede verse el aspecto y disposición de los elementos interiores de un dispositivo.

phantoming   *(Telecom)* fantomización, combinación de circuitos.

phantoming of circuits   fantomización [combinación] de circuitos.

phantophone   *(Telecom)* fantófono.

PHARE   *(Radiocom)* PHARE. Indicativo que se pone después del nombre de las estaciones de radiofaro marítimo.

pharmacology   farmacología.

pharynx   *(Anat)* faringe.

phase   fase, aspecto; fase, etapa ‖ *(Aleaciones, Mat)* fase ‖ *(Astr)* fase, aspecto visible (de un cuerpo) ‖ *(Fís, Magnitudes periódicas)* fase. **(1)** En un sistema material, cualquier parte del mismo físicamente homogénea. **(2)** En un fenómeno o proceso periódico, fracción del período comprendida entre el origen de los tiempos y el instante considerado. **(3)** Relación angular relativa (relación de los tiempos de cruce del eje de cero) de dos magnitudes periódicas de la misma frecuencia. **(4)** Posición de un punto de la onda correspondiente a una magnitud periódica, respecto al comienzo del ciclo o período. **(5)** Posición de una onda respecto al comienzo de otra onda. La fase se expresa en grados sexagesimales (ciclo dividido en 360°) o en radianes (ciclo dividido en 2π radianes) ‖ *(Topog)* error aparente de dirección ⫽ *adj:* fásico, fasal ⫽ *verbo:* enfasar, fasar, poner en fase; sincronizar.

phase adjustment   ajuste de fase.

phase advance   avance de fase.

phase-advance circuit   *(Elec)* circuito en avance de fase.

phase advancer   *(Elec)* adelantador [modificador] de fase. **(1)** Aparato que suministra voltioamperios reactivos en avance de fase. **(2)** Aparato empleado para mejorar el factor de potencia [power factor] de una carga inductiva.

phase alternation   *(Elec)* alternación de fase.

phase-alternation-by-line [PAL] system   sistema PAL, sistema de alternación de fase por línea. Sistema de televisión en colores ideado en Alemania Occidental, en el cual la información de matiz o tono [hue] y la de saturación [saturation] son transmitidas por modulación en cuadratura [quadrature modulation], conmutándose una de las modulaciones 180° de línea a línea de exploración en el transmisor; en el receptor se utiliza una línea de retardo para restaurar la correcta relación de fases de las dos modulaciones retardando una de éstas en un tiempo igual al de la duración de una línea de exploración. El sistema PAL tiene la ventaja de que la información cromática no es afectada por distorsiones debidas a imperfecciones del medio de transmisión.

phase-alternation line system   v. **phase-alternation-by-line system.**

phase ammeter   amperímetro de fase.

phase amplifier   amplificador de fase. Amplificador que amplifica una tensión o una corriente proporcional a un error o diferencia de fase, con el fin de aplicar la salida a un dispositivo corrector o a un instrumento de medida. CF. **meter amplifier.**

phase/amplitude distortion   distorsión fase-amplitud. En un sistema no lineal, distorsión caracterizada por el hecho de que el desfasaje entre la entrada y la salida del sistema no es el mismo para diferentes amplitudes de la señal aplicada. Se mide aplicando una señal sinusoidal [signal of sinusoidal waveform] al sistema funcionando en régimen permanente [steady-state conditions] (CEI/70 55–10–035).

phase-amplitude modulation multiplier   multiplicador (aritmético) de modulación de fase y amplitud. Multiplicador en el cual una de las variables modula la fase y la otra la amplitud de una misma portadora, la cual se aplica entonces a un detector (del tipo equilibrado o del tipo sincrónico). A la entrada, el detector recibe la portadora con fase proporcional a una de las variables y amplitud proporcional a la otra, y a la salida suministra una señal cuya amplitud media es proporcional al producto de las dos variables.

phase angle   ángulo de fase, ángulo de desfasamiento [de desfasaje, de diferencia de fases], distancia angular de fase, desfasaje; ángulo de retraso (de fase); ángulo de adelanto (de fase). GALICISMO: decalaje de fase. **(1)** Diferencia de fase entre dos fenómenos periódicos o dos ondas sinusoidales, expresada en grados o en radianes. **(2)** Diferencia en grados entre los instantes en que dos ondas sinusoidales cruzan el eje cero. **(3)** Diferencia de fase entre puntos correspondientes en el desarrollo de dos fenómenos cíclicos, expresada como un ángulo. Por ejemplo, diferencia angular entre la tensión alterna aplicada a un circuito inductivo y la corriente resultante. Los términos *ángulo de retraso* y *ángulo de adelanto* se usan para especificar cuál de los dos fenómenos o magnitudes precede al otro en el tiempo. V.TB. **lag, lead.** NOTA: El ángulo se mide en grados (1 ciclo=360°) o en radianes (1 ciclo=2π radianes) ‖ *(Impedancias)* argumento, ángulo de fase. SIN. **argument** ‖ v. **phase angle of a current transformer, phase angle of a voltage transformer.**

phase angle error *(GB)*   *(Transf de medida)* error de desfase. v. **phase displacement error.**

phase-angle measurement   medida de desfasaje.

phase-angle meter   fasímetro. A VECES: fasómetro. v. **phase-meter.**

phase angle of a current transformer   desfase de un transformador de intensidad. Diferencia de fase entre las corrientes primaria y secundaria, estando el sentido de los vectores establecido de manera que el ángulo sea nulo en el caso de un transformador perfecto (CEI/58 20–45–120).

phase angle of a voltage transformer   desfase de un transformador de tensión. Diferencia de fase entre las tensiones primaria y secundaria, estando el sentido de los vectores establecido de manera que el ángulo sea nulo en el caso de un transformador perfecto (CEI/58 20–45–120).

phase-angle voltmeter   voltímetro indicador de desfasajes. Voltímetro de alterna que indica, además de la magnitud, el ángulo de fase de la tensión medida.

phase balance   equilibrio de fases. En el caso de un interruptor periódico [chopper], diferencia de ángulo de fase entre las mitades positiva y negativa de la onda rectangular.

phase-balance current relay   relé de equilibrio de fases. Relé que funciona cuando las corrientes de un sistema polifásico [polyphase system] están en desequilibrio. SIN. **relé interruptor de fase.** CF. **reverse-phase current relay.**

phase-balance relay   relé de equilibrio de fases. Relé que funciona por influencia de la diferencia entre dos magnitudes asociadas con diferentes fases de un circuito polifásico.

phase-balancing coil   bobina equilibradora de fases; bobina de acoplamiento entre fases.

phase bandwidth   *(i.e.* of an amplifier or a network) ancho de banda (de fase). Medida del intervalo de frecuencias dentro del cual el cociente, por la frecuencia, del desfasaje de las oscilaciones sinusoidales de entrada y de salida permanece constante dentro de los límites especificados (CEI/70 60–12–030).

phase bit   bitio de puesta en fase. En el método de registro magnético de codificación por fase [phase encoding], transición de flujo magnético entre bitios de datos [data bits] que establece la relación de fase apropiada para el próximo bitio de datos.

phase-black   *(Telecom)* puesta en fase para negro. v. **phase-white**.

phase break   *(Tracción eléc)* (a.c. gap section) sección de separación (entre líneas aéreas de contacto alimentadas a tensiones diferentes). Parte de línea de contacto provista de un seccionamiento de lámina de aire [air-gap overlap span] en cada extremidad, de modo de evitar la interconexión, por los órganos de toma de corriente [current collectors], de dos catenarias sucesivas alimentadas cada una por fuentes distintas que pudieran presentar diferencias de tensión o de fase (CEI/57 30-10-320).

phase bridge   puente desfasador.

phase bunching   agrupamiento en fase.

phase center   *(Ant)* centro de fase [de radiación]. SIN. **center of radiation**.

phase center of an array   *(Ant)* centro de fase de un sistema.

phase change   desfasaje, desfasamiento; variación de fase.

phase-change coefficient   *(i.e.* imaginary part of the propagation coefficient) desfase lineal; coeficiente de variación de fase. Parte imaginaria del exponente lineico de propagación. NOTA: Este coeficiente indica la variación de fase de las tensiones o de las corrientes. Se desaconseja el uso de los sinónimos *phase constant* y *wavelength constant* (CEI/70 55-05-260) | desfasaje | desfasaje lineico. En el caso de una línea homogénea [homogeneous line] o de una línea constituida por una cadena de elementos idénticos, el desfasaje lineico es el cociente, por la longitud de la línea, del valor común de su *desfasaje de imágenes* [image phase-change coefficient] y su *desfasaje iterativo* [iterative phase-change coefficient]. Parte imaginaria del exponente lineico de propagación [imaginary part of the propagation coefficient]. SINONIMOS DESACONSEJADOS: *phase [wavelength] constant*.

phase changer   *(Guías de ondas)* (a.c. phase shifter) desfasador. Dispositivo que modifica la longitud eléctrica de una guía de ondas (CEI/61 62-20-070) CF. **line stretcher**.

phase characteristic   característica de fase. Gráfica del desfasamiento en función de la frecuencia, suponiendo sinusoidales tanto la entrada como la salida del dispositivo de que se trate.

phase coherence   coherencia de fase; concordancia de fase.

phase-coherent signals   señales en concordancia de fase.

phase coincidence   coincidencia [concordancia] de fases.

phase comparison   comparación de fase; comparación de fases.

phase-comparison localizer   *(Radionaveg)* localizador de comparación de fase, radiofaro de alineamiento de pista por comparación de fases.

phase-comparison protection   *(Elec)* protección por comparación de fase. Protección por piloto [pilot protection] en la cual las magnitudes comparadas son las fases de las corrientes o de las tensiones en las extremidades del circuito protegido (CEI/56 16-55-050).

phase-comparison tracking system   sistema de seguimiento por comparación de fase.

phase-compensating component   elemento compensador de fase.

phase-compensating network   red compensador de fase, circuito de compensación de fase.

phase-compensating transformer   *(Elec)* transformador de medida compensado. Transformador en el cual, mediante artificios apropiados, se reduce la diferencia de fase entre las magnitudes primarias y secundarias (CEI/38 20-30-075). CF. **phase angle of a current transformer, phase angle of a voltage transformer**.

phase compensation   compensación [corrección] de fase. SIN. **phase correction**.

phase-compensation network   red compensadora de fase, circuito de compensación de fase. En los amplificadores operacionales, red o circuito que permite obtener estabilidad en bucle cerrado.

phase compensator   compensador [corrector] de fase. SIN. **phase equalizer** | filtro compensador de fase.

phase condition (of the feedback)   condición de fase (de la reacción).

phase conductor   *(Elec)* conductor [hilo] de fase. Cualquiera de los conductores, con excepción del neutro.

phase constant   constante de fase; constante de desfasaje, desfasaje lineico [lineal], constante de longitud de onda; desfasaje característico; desfasaje iterativo. (1) Parte imaginaria de la constante de propagación (v. **propagation constant**). (2) En el caso de una onda plana progresiva [traveling plane wave] de determinada frecuencia, velocidad del aumento lineal del retraso de fase [phase lag] de una componente del campo (o de la tensión o de la corriente) en la dirección de propagación, en radianes por unidad de longitud. SIN. **wavelength constant** | *(i.e.* imaginary part of the propagation coefficient) desfase lineal; coeficiente de variación de fase. v. **phase-change coefficient** | **phase constant per section**: desfasaje elemental.

phase contrast   contraste de fase.

phase-contrast apparatus   aparato de contraste de fase.

phase-contrast refractometer   refractómetro de contraste de fase.

phase control   control por fase. Técnica de control proporcional [proportional control] de una señal de salida por conducción solamente durante ciertas fases de la tensión de una línea de corriente alterna ‖ *(Convertidores estáticos)* regulación de fase. Procedimiento para hacer variar el instante del período a partir del cual se permite el encendido de un ánodo (CEI/56 11-20-095) ‖ *(Tv)* control de fase. (1) Control utilizado para sincronizar la subportadora local del receptor con la señal de ráfaga [color burst signal]. (2) Resistor variable mediante el cual se ajusta la fase de la señal de subportadora cromática del correspondiente oscilador de cristal, en relación con el amplificador de fase [phase amplifier]. SIN. **hue control**. (3) Uno cualquiera de los tres controles utilizados en un televisor a colores de convergencia magnética para ajustar la fase de una tensión o de una corriente; cada uno de ellos hace variar las fases de las tensiones sinusoidales aplicadas (a la frecuencia de exploración horizontal) a las bobinas del bloque de convergencia magnética [magnetic-convergence assembly]. SIN. **horizontal-parabola control**. (4) En los televisores con control automático de sincronismo, mando que permite ajustar el retorno del haz desviado de tal manera que sólo ocurra durante el intervalo de supresión del mismo, y no durante los intervalos en que se recibe información de imagen (señales de video) ‖ **phase control by flywheel circuit**: dispositivo de ajuste de fase con circuito volante [circuito de efecto de volante].

phase-control factor   *(Convertidores estáticos)* factor de regulación. Razón de la tensión continua, para un ángulo de retardo [delay angle] dado, a la tensión continua para un ángulo de retardo nulo, suponiendo nulas todas la caídas de tensión [voltage drops] (CEI/56 11-20-115).

phase-controlled rectifier   rectificador controlado por fase. Circuito rectificador a base de un tiratrón polarizado mediante una onda sinusoidal de fase variable.

phase converter, phase convertor   *(Elec)* convertidor de fase. (1) Máquina que transfiere la energía de un sistema de corrientes alternas a otro sistema de diferente número de fases y de la misma frecuencia (CEI/38 10-20-040). (2) Convertidor destinado a transformar un sistema de corrientes alternas en un sistema de la misma frecuencia con un número de fases diferente (CEI/56 10-20-045).

phase-corrected horn   *(Ant)* bocina con corrección de fase. Bocina corregida, por ejemplo mediante una lente, de manera de radiar ondas electromagnéticas planas paralelas al plano de la embocadura [mouth] (CEI/61 62-25-140).

phase-corrected reflector   reflector con corrección de fase.

phase-correcting network   red correctora de fase, circuito de corrección de fase.

phase correction　corrección de fase; compensación de fases ‖ *(Teleg)* corrección de sincronismo. Procedimiento para mantener los aparatos en la correcta relación de fase.

phase-correction equalizer　compensador de corrección de fase.

phase-correction network　red correctora de fase, circuito de corrección de fase.

phase corrector　corrector de fase. Red correctora de la distorsión de fase [phase distortion] | corrector de fases ‖ *(Telecom)* compensador de fase; igualador de retardo.

phase current　*(Elec)* corriente de fase.

phase delay　retraso [retardo] de fase. En la propagación de una onda de frecuencia única de un punto a otro de un sistema, tiempo de propagación [time of delay] de una cresta u otra parte identificable de la onda. SIN. **phase lag** ‖ *(Telecom)* tiempo [retraso] de propagación de fase. En un elemento de un circuito, desfasaje entre sus dos extremidades (expresado en radianes) dividido por la pulsación (expresada en radianes por segundo) | tiempo de propagación de fase; retardo de fase. Cociente del desfase [phase shift] (expresado en radianes) entre dos puntos entre los cuales existe una propagación, por la pulsación [angular frequency] (expresada en radianes por segundo) (CEI/70 55–05–230).

phase-delay distortion　distorsión de retardo de fase. Diferencia entre el retardo de fase a la frecuencia considerada y el retardo de fase a una frecuencia de referencia.

phase-delay error　error de tiempo de retardo.

phase-delay time　tiempo de retardo de fase.

phase-delay time characteristic　característica de retardo de fase.

phase detector　detector de fase. Circuito que responde a las diferencias o las variaciones de fase entre una señal dada y una señal de referencia, traduciéndolas casi siempre en una tensión continua. En la mayoría de las aplicaciones esta tensión se utiliza, mediante un circuito de control, para corregir la fase del oscilador que genera la señal dada, de tal manera que dicha fase se mantenga en coincidencia, o en relación definida, con la de la señal de referencia. Como caso particular de aplicación, en los televisores a colores se utiliza un detector de fase para obtener una tensión de corrección que mantiene el oscilador de la subportadora de crominancia [chrominance subcarrier oscillator] en fase correcta y en sincronismo con la señal de ráfaga [color burst signal]; el circuito regula la frecuencia, además de la fase. También se usa un detector de fase para mantener en frecuencia el oscilador de barrido horizontal. SIN. **comparador de fase** ‖ *(Rec)* discriminador (de frecuencia), detector de fase. Dispositivo que efectúa la discriminación [discrimination]. SIN. **(frequency) discriminator** (CEI/70 60–44–250).

phase deviation　desviación de fase. (**1**) Diferencia máxima entre el ángulo instantáneo de la onda modulada y el ángulo de la portadora. (**2**) En modulación de fase, valor máximo, en el intervalo de duración de una señal moduladora especificada, de la diferencia entre la fase instantánea de la onda modulada y la fase de la onda portadora sinusoidal (CEI/70 55–05–385). CF. **frequency deviation**.

phase diagram　diagrama de fases. TB. diagrama de constitución [de composición, de equilibrio]. Representación de los sistemas en equilibrio, que permite reconocer los cambios que se producen en metales y aleaciones por cualquier variación en la composición química o cualquier tratamiento mecánico o térmico. Tiene gran aplicación en el estudio de refractarios. tierras, etc.

phase difference　diferencia de fase, desfase, desfasado, desfasamiento, desfasaje, desplazamiento de fase. GALICISMO: decalaje. En relación con dos fenómenos o procesos periódicos, diferencia entre los valores que en un instante dado tienen las respectivas fracciones de período. SIN. **ángulo de desplazamiento** —— **phase displacement** | diferencia de fase. Intervalo entre los valores

correspondientes de dos funciones periódicas de la misma forma y de igual frecuencia fundamental. Este intervalo puede expresarse en unidades de la variable independiente (tiempo, espacio, etc.) o medirse por el desplazamiento angular de los vectores que representan las magnitudes consideradas. Cuando las funciones están compuestas de una onda fundamental y de armónicas superiores, se atribuye una fase a cada una de ellas, en relación a una función sinusoidal ficticia, de la misma frecuencia, y que se anula en el instante $t = 0$ (CEI/38 05–05–225).

phase-difference indicator　indicador de desfase; comparador de fases. SIN. **phasemeter**.

phase-discriminating rectifier　rectificador discriminador de fase. CF. **phase-controlled rectifier**.

phase discriminator　discriminador de fase. (**1**) Dispositivo que presenta variaciones de amplitud en respuesta a variaciones correspondientes de fase. (**2**) Circuito que compara las fases de dos señales y genera una tensión de CC proporcional a la diferencia de aquéllas. La tensión de CC se emplea para corregir la fase (y frecuencia) de una de las señales (como en el caso de los reguladores automáticos de frecuencia de algunos receptores) o para conseguir algún otro efecto deseado. SIN. **detector [comparador] de fase** —— **phase detector**.

phase displacement　desplazamiento de fase, desfase, desfasaje, desfasamiento, desfasado. SIN. **phase difference** (véase).

phase displacement error　*(Transf de medida)* (a.c. phase angle error—*GB*) error de desfase. Error en tanto por ciento que el transformador introduce en la medida y que proviene del hecho de que el desfase del transformador no es nulo (CEI/58 20–45–125).

phase distortion　distorsión de fase. POCO USADO: deformación de fase. Distorsión que sufre una señal al pasar por un dispositivo o un sistema de transmisión, debido a que la rotación de fase [phase shift] no es igual para todas las frecuencias de la banda transmitida. SIN. **distorsión de retardo** —— **delay distortion**, **phase/frequency distortion** (véase).

phase-distortion coefficient　coeficiente de distorsión de fase. En un sistema de transmisión, diferencia entre los tiempos de tránsito máximo y mínimo para frecuencias comprendidas en una banda determinada.

phase-distortion measurement　medida de distorsión de fase.

phase distribution　distribución de fase.

phase-division multiplex　*(Telecom)* múltiplex por división de fase.

phase effect　efecto de fase.

phase encoding　codificación por fase. Método de registro magnético de información digital, en el cual la fase o sentido de la variación de flujo determina si el bitio registrado es un *uno* o un *cero* (dígitos binarios).

phase equalizer　compensador [igualador, ecualizador] de fase. SIN. **igualador de retardo** —— **delay equalizer** | compensador (de la distorsión) de fase. Red asociada a una línea o un sistema de transmisión y tal que, dentro de una cierta banda de frecuencias, la distorsión de fase del conjunto en función de la frecuencia, sea despreciable (CEI/70 55–20–370). V. **phase/frequency distortion**.

phase-equalizing network　red compensadora [igualadora] de fase.

phase error　error de fase.

phase factor　factor de fase (característico), factor de desfasaje [de desfasado] característico; desfasado característico; constante de longitud de onda.

phase-failure protection　*(Elec)* protección contra interrupción de fase.

phase focusing　focalización de fase; concentración por desfasaje. En un magnetrón de múltiples cavidades [multicavity magnetron], acción automática que contribuye a mantener los electrones en fase con el campo giratorio [rotating field].

phase/frequency characteristic　característica desfase-frecuencia, característica de fase en función de la frecuencia. SIN.

phase-vs-frequency characteristic.

phase/frequency distortion   distorsión de fase. Distorsión que se manifiesta en uno u otro de los casos siguientes: (a) La característica "desfase-frecuencia" [phase/frequency characteristic] no es lineal en toda la banda de frecuencias consideradas. (b) La ordenada en el origen (para la frecuencia cero) de la característica "desfase-frecuencia" no es nula ni igual a un múltiplo entero de 2π radianes (CEI/70 55–10–015). SIN. **phase distortion, phase-frequency distortion.**

phase/frequency linearity   linealidad de la característica fase-frecuencia. SIN. **phase-frequency linearity.**

phase front   (*Fís*) frente de fase.

phase indicator   indicador de fases. Aparato que indica cuando dos alternadores están en fase (en sincronismo); se utiliza al conectar un alternador más a una red de energía eléctrica.

phase integral   (*Mat*) integral de fase.

phase inversion   inversión de fase.

phase-inversion cabinet   (*Electroacús*) caja (acústica) inversora de fase, mueble (acústico) de inversión de fase. CF. **bass-reflex baffle.**

phase-inversion circuit   circuito inversor de fase.

phase-inversion modulation   modulación por inversión de fase. En telegrafía, método de modulación de fase [phase modulation] en el cual los dos estados significativos [significant conditions] presentan una diferencia de fase de π radianes.

phase inverter   inversor de fase. Circuito o dispositivo que cambia en 180° la fase de una señal, o que invierte la polaridad de un impulso. Uno de los tipos más sencillos consiste en un triodo acoplado por resistencia, pues la polaridad de la señal de tensión de ánodo es siempre opuesta a la de la señal de rejilla que la produce. En algunos amplificadores se utiliza para obtener una señal de fase opuesta a la original, y, utilizando entonces ambas, excitar una etapa amplificadora en contrafase o "push-pull" sin necesidad de utilizar un transformador de acoplamiento. En este caso el inversor de fase hace de transformador de señal asimétrica en señal simétrica. SIN. **tubo desfasador, etapa inversora de fase.** CF. **phase splitter** ‖ (*Electroacús*) inversor de fase (acústica). V. **bass-reflex baffle.**

phase-inverter tube   (*Elecn*) tubo inversor de fase, tubo [válvula] de inversión de fase, tubo desfasador. SIN. **phase-inverter valve** (*GB*).

phase-inverter valve (*GB*)   V. **phase-inverter tube.**

phase-isolated transformer   (*Elec*) transformador de fase aislada.

phase jitter   fluctuaciones [vibraciones, variaciones parásitas] de fase. CF. **phase noise.**

phase lag   retardo [retraso] de fase. SIN. **phase delay** [retardation].

phase lag angle   ángulo de retardo de fase.

phase-lag corrector   corrector de retardo de fase.

phase lead   avance [adelanto] de fase.

phase length   longitud de fase.

phase-length constant per section   (*Telecom*) desfasaje iterativo elemental.

phase linearity   linealidad de fase.

phase localizer   (*Radionaveg*) localizador por desfasaje, (aparato) localizador de radioguía por desfasaje.

phase lock   sincronización [enganche, enclavamiento, fijación] de fase. Técnica mediante la cual se consigue que la señal de un oscilador siga exactamente la fase de una señal de referencia, mediante un detector de fase (v. **phase detector**) ‖ v. **phase-lock.**

phase-lock   *adj*: de fase sincronizada, de enganche [fijación] de fase, enclavado en fase. V.TB. **phase-locked** ‖ *verbo:* sincronizar [enclavar, enganchar] en fase, fijar la fase.

phase-locked   *adj*: de fase sincronizada, sincronizado [enclavado] en fase.

phase-locked circuit   circuito de fase sincronizada.

phase-locked demodulator   desmodulador de fase sincronizada.

phase-locked loop [PLL]   bucle de enganche de fase, circuito de sincronización de fase. En telecomunicaciones, circuito con cuya ayuda un oscilador local se sincroniza en frecuencia y fase con una señal recibida.

phase-locked oscillator   oscilador de fase sincronizada, oscilador enclavado en fase. Oscilador cuya onda de salida conserva cierta relación fija de fase respecto a otra onda de igual frecuencia ‖ v. **parametron.**

phase-locked receiver   receptor de fase sincronizada, receptor enclavado en fase.

phase-locked servosystem   servosistema enclavado en fase.

phase-locked subharmonic oscillator   oscilador de subarmónica sincronizado en fase. V. **parametron.**

phase-locking oscillator   V. **phase-locked oscillator.**

phase magnet   (*Teleg*) electroimán de puesta en fase, electroimán sincronizador. Mecanismo de accionamiento electromagnético utilizado para poner en fase (sincronizar) los aparatos transmisor y receptor. SIN. **trip magnet.** CF. **phase correction.**

phase margin   margen de fase. Margen de seguridad en relación con la rotación de fase de un amplificador; diferencia entre la rotación de fase actual y la que daría lugar a un funcionamiento inestable.

phase measurement   medida de fase.

phase measurer   v. **phasemeter.**

phase-meter   v. **phasemeter.**

phase modifier   (*Elec*) modificador [compensador] de fase. Dispositivo que suministra voltioamperios reactivos (en avance o en retraso de fase) al sistema en que se encuentra conectado. CF. **phase advancer.**

phase-modulated   *adj*: modulado en fase.

phase-modulated carrier   portadora modulada en fase.

phase-modulated oscillation   oscilación modulada en fase.

phase-modulated transmitter   transmisor modulado en fase. Transmisor que emite una onda modulada en fase.

phase-modulated wave   onda modulada en fase. Onda cuya fase varía en concordancia con la señal moduladora.

phase modulation [PM]   modulación de fase, modulación en fase [MF]. (**1**) Modulación en la cual la característica de la onda portadora que se hace variar, es la fase. (**2**) Modulación en la cual la fase de la onda portadora varía en correspondencia con la amplitud de la señal moduladora. (**3**) Modulación angular (v. **angle modulation**) en la cual el ángulo de una onda portadora sinusoidal se desplaza en proporción al valor instantáneo de la onda moduladora. Si en un caso particular se hallan combinadas la modulación de fase y la modulación de frecuencia (v. **frequency modulation**), es propio utilizar la designación de *modulación angular* o *de ángulo,* que abarca a ambas; en inglés, sin embargo, es común usar en ese caso la denominación de *frequency modulation* | modulación de fase, modulación en fase. Modulación de ángulo de una onda portadora sinusoidal tal que la fase de la onda modulada difiere de la de la onda portadora, en una cantidad proporcional a la amplitud instantánea de la señal moduladora (CEI/70 55–05–375) | **phase modulation by inductance variation:** modulación de fase por variación de inductancia. Modulación de fase obtenida haciendo variar el valor de una inductancia de núcleo magnético con la ayuda de un arrollamiento auxiliar recorrido por la señal moduladora (CEI/70 60–42–150).

phase-modulation transmitter   transmisor de modulación de fase, transmisor modulado en fase. SIN. **phase-modulated transmitter.**

phase-modulation wave   onda de modulación de fase, onda modulada en fase. SIN. **phase-modulated wave.**

phase modulator   modulador de fase.

phase monitor   monitor de fase. CF. **phase indicator.**

phase monitoring   control [monitoreo] de fase.

phase multiplier   multiplicador (de frecuencias) para comparación de fases. Dispositivo que multiplica la frecuencia de ondas cuyas fases se quieren comparar, para que la comparación (a frecuencias más elevadas) sea de mayor resolución o precisión.

phase-multiplying transformer   *(Elec)* transformador multiplicador de fases.

phase noise   ruido de fase. Fluctuaciones erráticas o aleatorias de fase. Medida de la inestabilidad aleatoria de fase de una señal. CF. **phase jitter.**

phase of a periodic quantity   fase de una magnitud periódica. V. **phase.**

phase of a wave   fase [ángulo] de una onda. SIN. **angle of a wave.**

phase opposition   oposición de fase; oposición de fases, contrafase.

phase-out   *verbo:* descontinuar (un proyecto, una operación) por pasos graduales y según un plan; aparear las fases /// v. **phaseout.**

phase pattern   *(Ant)* diagrama de fase.

phase plotter   registrador de fase; fasímetro registrador. SIN. **phase recorder.** CF. **phasemeter.**

phase precorrection   precorrección de fase.

phase protective device   *(Elec)* dispositivo protector contra falta [falla] de fase.

phase quadrature   (a.c. quadrature) cuadratura (de fase). Diferencia de fase (v. **phase difference**) de $90° = \pi/2$ radianes.

phase-quadrature components   componentes en cuadratura de fase.

phase recorder   registrador de fase; fasímetro registrador. SIN. **phase plotter.** CF. **phasemeter.**

phase regulator   regulador de fase.

phase relation   relación de fase.

phase relationship   relación de fase.

phase resonance   (a.c. resonance) resonancia de fase. Resonancia en la cual la diferencia de fase (ángulo) entre las componentes fundamentales de la oscilación y la excitación, es de 90°. SIN. **velocity resonance.**

phase response   respuesta de fase.

phase-response characteristic   característica de respuesta de fase. De una red o un sistema, propiedades de desplazamiento de fase [phase displacement] en función de la frecuencia. SIN. **phase/frequency characteristic.**

phase retardation   retardo de fase. SIN. **phase delay [lag].**

phase reversal   inversión de fase. Cambio de fase de 180° (medio ciclo) | inversión (del orden) de las fases (de un circuito polifásico).

phase-reversal protection   protección contra inversión de (las) fases. Interrupción del suministro de energía en caso de inversión del orden de las fases en un circuito polifásico [polyphase circuit].

phase-reversal relay   *(Elec)* relé de inversión de (las) fases.

phase-reversal switch   inversor de fase, conmutador de inversión de fase. En un sistema de reproducción estereofónica, conmutador con el cual pueden invertirse las conexiones a uno de los altavoces (o sistemas de altavoces), con lo cual su salida acústica se invierte de fase (giro de 180°).

phase-reversing unit   inversor de fase.

phase rotation   rotación [giro] de fase.

phase-rotation relay   v. **phase-sequence relay.**

phase rule   *(Fís)* regla de las fases.

phase-sensing monopulse radar   radar monoimpulsional comparador de fases. v. **monopulse radar.**

phase-sensitive amplifier   amplificador sensible a la fase. Servoamplificador cuya fase (polaridad) de salida depende de la relación de fase entre la tensión de entrada y una tensión de referencia.

phase-sensitive demodulator   desmodulador sensible a la fase.

phase-sensitive detector   detector sensible a la fase, detector de fase. Detector sensible a las variaciones de fase. v.TB. **lock-in amplifier.**

phase-separated   *adj: (Elec)* de fases separadas.

phase sequence   *(Elec)* secuencia de fases, orden de las fases.

phase-sequence indicator   *(Elec)* indicador de secuencia de fases | indicador de orden de fases. Aparato que permite determinar el orden de sucesión de las fases en cualquier punto de un circuito o de una red polifásicos (CEI/58 20–10–045).

phase-sequence relay   *(Elec)* (a.c. phase-rotation relay) relé de secuencia de fases. Relé que funciona según el orden en que las tensiones de fase (circuitos polifásicos) alcanzan sucesivamente sus valores positivos máximos.

phase-sequence voltage relay   relé de tensión de secuencia de fases. Relé que funciona a un valor predeterminado de tensión polifásica en el orden deseado de fases.

phase-shaped antenna   antena de haz perfilado. SIN. **shaped-beam antenna.**

phase shift   desplazamiento [corrimiento, variación, cambio] de fase, desfase, desfasaje. (**1**) Cambio en la relación de fase [phase relationship] entre dos magnitudes periódicas [periodic quantities]. (**2**) Diferencia de tiempo entre las señales de entrada y de salida de un dispositivo o un sistema de control. (**3**) Relación de fase entre una onda dispersada y la onda incidente asociada a una partícula o fotón que sufre dispersión | (a.c. phase rotation) rotación de fase /// *verbo:* desfasar.

phase-shift bridge   puente de desplazamiento de fase. Puente de inductancias mutuas utilizado para medir la razón (relación por cociente) de dos tensiones, tanto en magnitud como en fase.

phase-shift circuit   circuito desfasador. Circuito que hace rotar la fase de una tensión respecto a la de otra de la misma frecuencia.

phase-shift circulator   *(Hiperfrec)* circulador desfasador.

phase-shift control   control por desplazamiento de fase, regulación por desfasaje. En el caso de los tiratrones, regulación de la potencia o mando de *todo o nada* [on-off control] que se obtiene regulando la fase de arranque en cada ciclo de la corriente mediante una combinación RC o RL en el circuito de rejilla. SIN. **phase control** (véase).

phase-shift discriminator   discriminador de desplazamiento de fase, discriminador de desfasaje. SIN. **Foster-Seeley discriminator.**

phase-shift discriminator circuit   circuito discriminador de desplazamientos de fase.

phase-shift feedback circuit   circuito de reacción de desfasamiento.

phase-shift keyed   *adj: (Teleg)* manipulado por desplazamiento de fase, de fase manipulada.

phase-shift keying   *(Teleg)* manipulación por desplazamiento de fase. Modalidad de modulación en la cual la señal o función moduladora desplaza la fase instantánea de la onda que se modula, entre valores discretos predeterminados. CF. **frequency-shift keying, on-off keying.**

phase-shift microphone   micrófono desfasador [de desfasaje]. Micrófono al que se le dan características direccionales mediante una red desfasadora.

phase-shift modulation   modulación por desplazamiento de fase, modulación por desfasaje.

phase-shift network   v. **phase-shifting network.**

phase-shift omnidirectional radio range   radiofaro omnidireccional de variación de fase. Radiofaro omnidireccional que indica la posición acimutal de una aeronave mediante dos ondas, de las cuales una varía de fase continuamente; las fases de las ondas coinciden solamente a lo largo de una recta que por lo general tiene dirección norte.

phase-shift oscillator   oscilador de desfasaje [de desplazamiento de fase], oscilador de circuito desfasador, oscilador por desplazamiento de fase. (**1**) Oscilador en el cual se emplea una red desfasadora [phase-shifting network] para obtener reacción regenerativa entre el ánodo y la rejilla de una válvula electrónica. (**2**) Oscilador constituido por un amplificador que lleva conectada entre la entrada y la salida una red con rotación de 180° por etapa.

phase-shift standard   patrón de desfasaje. Dispositivo que produce un desfasaje (rotación de fase entre la entrada y la salida) conocido, y que se utiliza p.ej. para la comprobación y calibración de fasímetros [phasemeters].

phase-shift telegraph system   sistema telegráfico por desplazamiento de fase, sistema telegráfico de variación de fase. Sistema telegráfico de manipulación por desplazamiento de fase [phase-shift keying].

phase-shift tone control control de tono [regulador de tonalidad] por desfasaje. Se funda en el efecto que tiene sobre la tonalidad la mezcla de varias ondas de formas diversas y fases diferentes.

phase-shifted-pulse generator generador de impulsos desfasados.

phase shifter desfasador, variador de fase. GALICISMO: decalador de fase. CASO PART. (si el desfase es de 180°): inversor de fase | cambiador de fases. GALICISMO: decalador de fases || (*Telecom*) desfasador, desviador de fase || (*Elec*) desfasador. Transformador en el cual pueden hacerse variar los ángulos de fase [phase angles] de las tensiones secundarias respecto a las tensiones primarias (CEI/56 10–25–050) || (*Guías de ondas*) (a.c. phase changer) desfasador. Dispositivo que modifica la longitud eléctrica [electrical length] de una guía de ondas (CEI/61 62–20–070). CF. line stretcher.

phase-shifting autotransformer autotransformador desfasador.

phase-shifting bridge puente de desplazamiento de fase.

phase-shifting circuit circuito desfasador || (*Telecom*) circuito por desplazamiento de fase.

phase-shifting device dispositivo desfasador; compensador de fases.

phase-shifting network red desfasadora, red desplazadora de fase; red cambiadora de fase.

phase-shifting transformer (*Elec*) transformador desfasador. v. phase shifter | (a.c. phasing transformer) transformador enfasador. Transformador de medida [instrument transformer] que se conecta entre las fases de un circuito polifásico para obtener tensiones de la fase apropiada para alimentar uno o varios aparatos de medida.

phase-shifting unit unidad desfasadora.

phase simulator simulador de fases. Aparato de pruebas de precisión que genera señales de datos y de referencia a la misma frecuencia, pero con separación precisa de fase.

phase slowness (*Mat*) lentitud de fase.

phase space (*Fís*) espacio fásico [de fase, de las fases] | espacio de fase, extensión en fase. Espacio de 6N dimensiones, correspondiente a las 3N coordenadas de posición [coordinates of position] y los 3N momentos cinéticos [kinetic moments] de las N partículas consideradas, o bien a las coordenadas generalizadas y a los momentos cinéticos generalizados de Lagrange (CEI/56 07–15–025).

phase-space cell (*Fís*) (*i.e.* elementary hypervolume in the phase space) célula del espacio de fase. Hipervolumen elemental en el espacio de fase (CEI/56 07–15–030).

phase spectrum espectro de fase.

phase splitter divisor de fase, desfasador múltiple. TB. inversor(a) de fase. (**1**) Dispositivo que, a partir de una sola onda aplicada a la entrada, suministra dos o más ondas de salida cuyas fases difieren las unas de las otras. (**2**) Circuito que, a partir de una señal alterna de entrada, suministra dos de salida de igual amplitud, una de las cuales está desfasada en 180° respecto a la otra (o sea, que una de las salidas es de polaridad opuesta a la de la otra); los niveles de continua pueden no ser idénticos. (**3**) Como caso particular se tiene el *inversor de fase catodino* o *de carga dividida* [cathodyne phase-splitter, split-load circuit, split-phase circuit], en el cual una fase es de salida por el ánodo y la otra es de salida por el cátodo, siendo las resistencias de carga de igual valor. Representa, pues, un punto exactamente intermedio entre el seguidor catódico [cathode follower], cuya carga va toda en el cátodo, y el montaje corriente (cátodo como electrodo común a la entrada y la salida), en el cual la carga va toda en el circuito de ánodo. SIN. phase-splitting circuit, paraphase amplifier. CF. phase inverter.

phase splitting división de fase; separación de fases. v. phase

splitter.

phase-splitting circuit circuito divisor de fase, circuito desfasador múltiple. v. phase splitter.

phase-splitting device dispositivo divisor de fase, dispositivo desfasador múltiple. v. phase splitter || (*Elec*) dispositivo separador de fases, dispositivo para separar fases.

phase-splitting reactance reactancia de división de fase.

phase-spread (*GB*) (*Elec*) anchura de fase. SIN. phase band-width.

phase stability estabilidad de fase. CF. phase jitter.

phase-stabilized *adj*: estabilizado en fase.

phase-stabilized electrons electrones estabilizados en fase.

phase swinging oscilación de fase | oscilaciones pendulares. Variaciones periódicas de la velocidad de una máquina sincrónica [synchronous machine] de un lado al otro de una velocidad media (CEI/56 10–40–160). CF. hunting.

phase-synchronized *adj*: sincronizado en fase. SIN. phase-locked.

phase-synchronized transmitter emisor sincronizado en fase.

phase terminal (*Elec*) terminal [borne] de fase.

phase-to-amplitude modulated transmitter transmisor de modulación de fase a modulación de amplitud, emisor de modulación de amplitud por modulación previa de fase. SIN. ampliphase transmitter.

phase-to-amplitude modulation modulación de fase a modulación de amplitud, modulación de amplitud por modulación previa de fase. SIN. ampliphase modulation.

phase tracker seguidor de fase.

phase tracking seguimiento de fase.

phase transformation transformación de fase || (*Quím*) transformación alotrópica.

phase transformer transformador de fase.

phase transition (*Fís*) transición de fase.

phase-tuned tube tubo de sintonía fija con control de fase. Tubo TR de banda ancha, de sintonía fija, en el cual se controlan (dentro de ciertos límites de tolerancia) el ángulo de fase a través del tubo y la reflexión introducida por este último.

phase undervoltage relay relé de tensión mínima. Relé que es disparado (puesto en funcionamiento) por una reducción de tensión de una fase en un circuito polifásico.

phase velocity velocidad de fase. (**1**) Producto de la frecuencia por la longitud de onda; puede no ser igual a la velocidad de radiación en el espacio libre. (**2**) De una onda plana a frecuencia única, velocidad de una superficie equifase [equiphase surface] a lo largo de la normal a la onda [wave normal]. (**3**) Velocidad de un observador que se desplaza normalmente al plano de la onda [along a normal to the plane of the wave], de manera que las características de la onda le parecen a él tener una fase constante; la velocidad de fase es el cociente de la longitud de onda por la duración de un período | velocidad de una onda periódica.

phase velocity of a wave velocidad de fase de una onda; velocidad de una onda periódica.

phase-versus-frequency response characteristic v. phase-vs-frequency response characteristic.

phase voltage (*Elec*) tensión de fase, tensión por fase | (**of a machine or an apparatus**) tensión por fase (de una máquina o un aparato). Diferencia de potencial [potential difference] entre las extremidades de una fase [extremities of a phase winding] de la máquina o del aparato (CEI/56 10–05–295).

phase voltmeter voltímetro de fase; voltímetro indicador de coincidencia de fases.

phase-vs-frequency characteristic característica de fase en función de la frecuencia, característica fase-frecuencia. SIN. phase/frequency characteristic.

phase-vs-frequency response respuesta de fase en función de la frecuencia, respuesta [relación] fase-frecuencia. SIN. phase/frequency response.

phase-vs-frequency response characteristic característica de respuesta de fase en función de la frecuencia. SIN. **phase/ frequency response characteristic.**

phase wave *(Fís)* onda de fase. En la mecánica ondulatoria [wave mechanics], onda o grupo de ondas que se suponen asociadas a una partícula elemental [elementary particle] en movimiento. SIN. **de Broglie wave.**

phase-white *(Facsímile/Fototeleg)* señal de ajuste de fase sobre blanco, puesta en fase para blanco | señal de ajuste de fase sobre blanco. Señal de puesta en fase [phasing signal] consistente en una interrupción breve correspondiente al blanco [picture-white], seguida durante el resto de la vuelta del cilindro de una señal correspondiente al negro [picture black]. La *puesta en fase sobre el negro* [phase-black] utiliza una señal inversa (CEI/70 55–80–160).

phase winding *(Elec)* devanado de fase | **(of a polyphase machine or apparatus)** fase (de una máquina o un aparato polifásicos). En las máquinas de conexión en estrella [star connection], conjunto de los conductores que conectan el punto neutro [neutral] a un borne de fase [phase terminal]; en las máquinas de conexión poligonal [delta connection], conjunto de conductores que conectan directamente dos bornes de fase que son consecutivos cuando se sigue el arrollamiento (CEI/56 10–30–225).

phase-wound *adj: (Elec)* devanado en fase.

phase-wound rotor *(Elec)* rotor con devanado en fase.

phaseable *adj:* enfasable, ajustable en fase.

phaseable gate *(Elecn)* compuerta enfasable [ajustable en fase].

phased *adj:* escalonado ‖ *(Elec)* fasado en fase; sincronizado.

phased array red de elementos en fase; red [sistema] de antenas excitadas en fase, antena de (múltiples) elementos excitados en fase.

phased-array antenna antena de (múltiples) elementos en fase.

phased-array radar radar con antena de elementos en fase, radar de alineamiento en fase.

phasemeter fasímetro. TB. fasómetro, medidor de fase. SIN. **phase-angle meter** | fasímetro. Aparato que sirve para medir la diferencia de fase de dos fenómenos periódicos (CEI/38 05–05–225) | fasímetro. Aparato que sirve para medir la diferencia de fase [difference of phase] entre dos magnitudes eléctricas alternas de la misma frecuencia. SIN. **power-factor indicator** (CEI/58 20–15–175).

phaseout descontinuación (de un proyecto, una operación) gradualmente y según plan /// v. **phase-out.**

phaser (a.c. phaser unit) enfasador, unidad de enfasaje, dispositivo de enfasamiento; sincronizador de fase ‖ *(Facsímile)* sincronizador, dispositivo de puesta en fase. Dispositivo que sirve para sincronizar el aparato transmisor con el receptor; o sea, ajustar el sistema de tal manera que los elementos de la imagen reproducida (receptor) tengan sobre el papel posiciones relativas que se correspondan exactamente con las de los elementos de imagen del original (transmisor) en la dirección de la línea de exploración [scanning line]. CF. **phase correction, phase magnet** ‖ *(Guías de ondas)* desfasador. CF. **phase shifter.**

phasing enfase, enfasaje, enfasamiento, fasaje, fasamiento; puesta en fase; ajuste [regulación] de fase; sincronización | v. **timing** ‖ *(Electroacús)* puesta en fase, enfasamiento. Conexión de dos o más altavoces de modo que sus conos o diafragmas se muevan al unísono. V.TB. **loudspeaker phasing.** CF. **phase-reversal switch** ‖ *(Tv)* ajuste de fase, puesta en fase. SIN. **synchronization** ‖ *(Facsímile/Fototeleg)* ajuste de fase, puesta en fase, sincronización, encuadre. (1) Ajuste de la posición de la imagen a lo largo de la línea de exploración. (2) Procedimiento por el cual los elementos de la imagen reproducida se ponen en la misma relación de tiempo y posición que los correspondientes elementos de la escena o imagen analizada en el punto de origen de la emisión. SIN. **framing.** V.TB. **phaser** | ajuste de fase. Puesta en concordancia de los instantes iniciales del barrido de líneas de exploración en la emisión y en la recepción, con el fin de asegurar la compaginación correcta de la imagen sobre el soporte de registro (CEI/70

55–80–035) | puesta en fase. Ajuste de los barridos que asegura la correspondencia en cada instante de las posiciones de los puntos del objeto y de la imagen en el análisis y la síntesis, respectivamente (CEI/70 60–64–125) ‖ *(Potenciómetros en tándem)* enfasamiento, alineamiento eléctrico. Medida del alineamiento [alignment] (expresado en grados o en tanto por ciento) entre la función eléctrica del elemento [cup] más próximo al eje de mando, y las funciones de los demás elementos del conjunto, al variar el ángulo de rotación del mencionado eje.

phasing actuator *(Facsímile)* accionador de puesta en fase, accionador de enfasaje. CF. **phase magnet.**

phasing agreement concordancia de fases.

phasing and branching equipment elementos de enfasamiento y distribución. Elementos que sirven para distribuir y poner en fase la energía de RF suministrada a un sistema irradiante múltiple.

phasing channel canal de puesta en fase.

phasing control control de fase; regulador de fase.

phasing equipment equipo de enfasamiento [regulación de fase]. Se usa p.ej. en ciertos sistemas de antena de transmisión.

phasing line *(Tv)* línea de puesta en fase ‖ *(Facsímile)* segmento de puesta en fase. Segmento de la línea de exploración reservado para la emisión de puesta en fase [phasing signal].

phasing network red de fasaje, red de enfasamiento.

phasing notch *(Rec)* muesca de fase (para supresión de interferencias), muesca de eliminación (de interferencia) por regulación de fase. CF. **notch filter.**

phasing pulse impulso de puesta en fase, impulso de enfasaje.

phasing signal *(Facsímile/Teleg)* señal de ajuste de fase; emisión de fase [de puesta en fase]. CF. **phasing line** | señal de ajuste de fase. Señal enviada para indicar el sector muerto [dead sector, clip position] del tambor del emisor [transmitter drum] y hacer arrancar el tambor del receptor [receiver drum] en fase con el del emisor (CEI/70 55–80–155).

phasing transformer transformador enfasador. v. **phase-shifting transformer.**

phasitron *(Elecn)* fasitrón. (1) Tubo electrónico modulador de fase. (2) Tubo electrónico modulador de frecuencia ideado de modo que haga posibles excursiones de fase relativamente amplias, a ritmo de audiofrecuencia, en una portadora de radiofrecuencia estabilizada por cristal piezoeléctrico.

phasitron tube *(Elecn)* fasitrón.

phasmajector *(Tv)* monoscopio, generador de imagen fija. v. **monoscope.**

phasor fasor, vector giratorio. SIN. **rotating vector** ‖ *(Elec)* fasor, vector de corriente.

phasotron *(Nucl)* fasotrón. SIN. **cyclotron, sinchrocyclotron.**

phenol *(Quím)* fenol, ácido fénico. SIN. **carbolic acid** /// *adj:* fenólico.

phenolic *(i.e.* phenolic material) material fenólico, substancia fenólica /// *adj:* fenólico. Relativo al fenol o derivado de él.

phenolic insulator aislador de material fenólico.

phenolic material material fenólico, substancia fenólica. Material plástico termoendurecible [thermosetting] que tiene numerosísimas aplicaciones en electricidad y electrónica, por ser aislante eléctrico y por la gran variedad de propiedades físicas, químicas y de moldeo que pueden dársele; se usa para fabricar aisladores, así como gran diversidad de elementos mecánicos como cajas, cojinetes, levas, engranajes, etc. EJEMPLO COMUN: la baquelita [bakelite].

phenolic plastic plástico fenólico.

phenolic resin resina fenólica.

phenology *(Meteor)* fenología.

phenomena Plural de *phenomenon.*

phenomenal *adj:* fenomenal.

phenomenal sea *(Meteor)* mar fenomenal [excepcional]; mar enorme; mar furiosa.

phenomenon fenómeno. PLURAL INGLES: phenomena.

phi phi. Letra griega ϕ (minúscula), Φ (mayúscula). Se usa como símbolo del flujo magnético y de otras magnitudes.

PHILA *(Teleg)* Abrev. de Philadelphia.

Phillips head *(Tornillos)* cabeza Phillips.

Phillips-head screw tornillo con cabeza Phillips.

Phillips-head screwdriver destornillador Phillips.

Phillips screw (a.c. Phillips-head screw) tornillo (de cabeza) Phillips. Tornillo cuya cabeza tiene dos ranuras ortogonales (en forma de cruz), en vez de tener una sola ranura, como la cabeza de los tornillos tradicionales.

Phillips screwdriver (a.c. Phillips-head screwdriver) destornillador Phillips. Destornillador para tornillos con cabeza Phillips.

Phobos *(Astr)* Fobos. Satélite más interior de Marte, descubierto en 1877, que sólo tiene unas 10 millas (16 km) de diámetro.

phon *(Acús)* fonio. (**1**) Unidad de sonoridad equivalente fundada en la sensibilidad del oído humano medio. (**2**) Unidad de nivel isofónico equivalente a un decibelio del sonido cuya frecuencia es 1 kHz. (**3**) Unidad igual a 10 veces el logaritmo del cociente de las intensidades objetivas medida y de referencia. Se ha comprobado que la sensación de un sonido más o menos fuerte es a 1 000 Hz casi proporcional al logaritmo de la intensidad objetiva del estímulo, propiedad empleada en la definición de unidades de medida para el sonido, tomando como origen de escala la sensación producida por una onda de 1 000 Hz con intensidad objetiva de 10^{-16} W/cm^2. Esta es la intensidad objetiva de referencia que entra en la definición del fonio.

phonautograph fonoautógrafo. Primitivo aparato destinado a registrar las formas de onda de los sonidos.

phone (*i.e.* headphone, earphone) audífono, auricular, receptor telefónico | (*i.e.* telephone, telephone set) teléfono, aparato telefónico | (*i.e.* radiotelephone, radiotelephone transmission) fonía, radiotelefonía /// *adj:* telefónico; radiotelefónico /// *verbo:* (*i.e.* telephone) telefonear.

phone combiner combinador telefónico [para telefonía].

phone/CW transmitter transmisor de telefonía y telegrafía.

phone jack jack para audífonos; jack tipo telefónico. Jack normalizado para las clavijas de 0,25 pulg. (6,35 mm). SIN. telephone jack.

phone net red telefónica.

phone operation trabajo en fonía; comunicación radiotelefónica.

phone patch acoplador telefónico. Dispositivo que sirve para conectar temporalmente un equipo radiotelefónico a la red telefónica.

phone plug clavija para audífonos [auriculares]; clavija tipo telefónico. Clavija de 0,25 pulg. (6,35 mm), usada normalmente para conexiones de audio.

phone reception recepción en fonía; recepción radiotelefónica.

phone tip punta [clavijita] del tipo de audífono, terminal para cordón de auricular telefónico; punta de prueba del tipo de auricular telefónico.

phone-tip plug clavijita del tipo de audífono.

phone transmitter transmisor de fonía, emisor radiotelefónico.

phoneme *(Acús/Fonética)* fonema.

phonemic *adj: (Acús/Fonética)* fonémico.

phonemic confusion confusión fonémica.

phonemic differentiation diferenciación fonémica.

phonemic element elemento fonémico.

phonemic transliteration transliteración fonémica.

phonendoscope *(Medicina)* fonendoscopio.

phonetic *adj:* fonético.

phonetic alphabet alfabeto fonético. Alfabeto o abecedario puesto en correspondencia con una serie de palabras seleccionadas por su fácil identificación auditiva, y que se enuncian en lugar de las letras al deletrear nombres o vocablos más o menos difíciles, y evitar de ese modo errores en las comunicaciones telefónicas o radiotelefónicas. Se han establecido y usado varios de estos alfabetos. El que sigue es uno de ellos:

A	Adam	N	Nancy
B	Baker	O	Otto
C	Charlie	P	Peter
D	David	Q	Queen
E	Edward	R	Robert
F	Frank	S	Susan
G	George	T	Thomas
H	Henry	U	Union
I	Ida	V	Victor
J	John	W	William
K	King	X	X-ray
L	Lewis	Y	Young
M	Mary	Z	Zebra

Por ejemplo, para deletrear *Roma* se diría: "Robert Otto Mary Adam". V.TB. **international phonetic alphabet.**

phonetic pattern configuración fonética.

phonetic speech power potencia (vocal) fonética. Valor máximo de la potencia vocal [speech power] media por centésimo de segundo, durante la emisión de una vocal o de una consonante. SIN. **potencia vocal silábica — syllabic speech power.**

phonetic typewriter máquina de escribir fonética.

phonetics fonética; fonología.

Phonevision Phonevision. Sistema particular de televisión por abono. v. **pay television.**

phonic *adj:* fónico.

phonic chronoscope cronoscopio fónico.

phonic motor motor fónico | rueda fónica. Motor sincrónico [synchronous motor] alimentado por una fuente de corriente alterna o de corriente continua interrumpida cuya frecuencia puede ser ajustada, y que funciona en virtud de la presencia de polos salientes [salient poles] o de dientes [teeth] sobre el rotor y el estator; por lo común, el circuito magnético de este motor está polarizado (CEI/70 55-75-170).

phonic-motor clock péndulo de motor fónico.

phonic wheel rueda fónica. v. **phonic motor.**

phonic-wheel synchronization sincronización por rueda fónica.

phono (*i.e.* phonograph) fonógrafo /// *adj:* fonográfico.

phono adapter adaptador fonográfico. v. **phonograph adapter.**

phono cartridge *(Electroacús)* cápsula fonocaptora. SIN. **phonograph pickup.** CF. **crystal cartridge, magnetic cartridge.**

phono changer (a.c. record changer) cambiador automático, tocadiscos automático.

phono equalizer compensador fonográfico [para reproducción fonográfica]. Dispositivo o circuito corrector de la característica de respuesta, utilizado en la reproducción fonográfica. V.TB. **phonograph equalizer.**

phono jack jack de entrada fonográfica. Jack que sirve para conectar a un amplificador o a un radiorreceptor utilizado como tal, el cable terminado en clavija de un fonocaptor.

phono lead conexión fonográfica. SIN. **phonograph connection.**

phono panel panel fonográfico. Panel o tablero (de un radiofonógrafo) en el cual va montado el tocadiscos.

phono pickup v. **phonograph pickup.**

phonocardiogram fonocardiograma. Registro gráfico de los sonidos del corazón.

phonocardiograph fonocardiógrafo.

phonoelectrocardioscope fonoelectrocardiógrafo. Aparato electrónico que permite estudiar visualmente las formas de onda de los sonidos y de las variaciones eléctricas del corazón, y las variaciones del pulso.

phonogram *(Telecom)* (*i.e.* telegram passed by telephone) telegrama por teléfono.

phonogram position *(Telecom)* posición de telegramas por teléfono. Posición donde los telegramas son recibidos de los abonados o les son transmitidos por teléfono (CEI/70 55-90-210).

phonogram service *(Telecom)* servicio de telegramas por teléfono [de telegramas telefoneados] | servicio de telegramas por teléfono. Servicio que asegura la transmisión de telegramas por teléfono entre una oficina telegráfica y abonados al teléfono (CEI/70 55–60–155).

phonograph   fonógrafo, gramófono. Aparato para la reproducción del sonido grabado en discos. SIN. **gramophone** *(GB),* **record player.** CF. **electric phonograph, mechanical phonograph, record changer, turntable.**

phonograph adapter   (a.c. phono adapter) adaptador fonográfico. Dispositivo o artificio para reproducir discos fonográficos mediante el audioamplificador de un receptor de radio.

phonograph amplifier   amplificador fonográfico [gramofónico]. Audioamplificador utilizado en un sistema reproductor de discos fonográficos. SIN. **gramophone amplifier** *(GB).*

phonograph cartridge   (a.c. phono cartridge) cápsula fonocaptora, cabeza de lectura fonográfica.

phonograph connection   conexión fonográfica. Conexión al audioamplificador de un radiorreceptor para la reproducción de discos fonográficos. CF. **phonograph adapter.**

phonograph disk   disco fonográfico, disco de fonógrafo [de gramófono]. v. **phonograph record.**

phonograph equalizer   (a.c. phono equalizer) compensador [ecualizador] fonográfico, compensador para reproducción fonográfica. Red destinada a compensar la atenuación introducida en cierta parte del espectro musical y la acentuación o refuerzo introducido en otra parte durante la grabación de los discos, para evitar sobremodulaciones en el primer caso (bajas frecuencias) y para mejorar la relación señal a ruido en el segundo caso (altas frecuencias). SIN. **record compensator [equalizer].**

phonograph input   entrada para fonógrafo. Jack o terminales para conectar un fonocaptor a un audioamplificador; éste puede ser independiente o formar parte de un radiorreceptor. SIN. **phonograph connection.**

phonograph needle   aguja fonográfica. SIN. **stylus.**

phonograph oscillator   oscilador fonográfico. Oscilador de radiofrecuencia modulado por la señal de audiofrecuencia de un fonocaptor y que se utiliza para reproducir discos fonográficos mediante un receptor de radio, sin necesidad de efectuar conexiones al mismo; el receptor capta la señal de RF y la sintoniza, detecta y reproduce como si se tratara de una señal recibida de una emisora radiofónica normal.

phonograph pickup   fonocaptor, captor [reproductor] fonográfico, cápsula fonocaptora, "pickup". Transductor mecanoeléctrico [mechanoelectrical transducer] que transforma en señales eléctricas correspondientes las ondulaciones del surco del disco fonográfico.

phonograph-pickup amplifier   amplificador de fonocaptor.

phonograph record   disco fonográfico [gramofónico], disco de fonógrafo [de gramófono]. Disco que contiene un registro sonoro reproducible mediante un fonógrafo [phonograph, record player]; el registro consiste en ondulaciones de un surco en espiral que es seguido por la aguja del fonocaptor [phonograph pickup]. SIN. **phonograph disk, (disk) recording, disk, gramophone record** *(GB),* **transcription, platter** *(slang).* AFINES: Las voces que designan las partes principales del disco son: borde, centro, superficie de grabación, espejo (círculo que queda sin grabar en la parte central). V.TB. **lead-in groove, leadout groove.** Términos especiales relativos a los equipos de fabricación: prensa o máquina estampadora [press]; cortador térmico de rebordes [hot-knife edger]; caldera [boiler]; bomba centrífuga [centrifugal pump]; equipo hidráulico [hydraulic unit]; unidad de bombeo (conjunto de motor y bomba) [pumping unit]; elevador de presión [booster]. Terminología relativa a los defectos de fabricación: Estos se dividen en *defectos audibles* (los que se manifiestan al reproducir el disco electroacústicamente) y *defectos visibles* (los que se notan observando el disco a simple vista). v. **bad center, bad label, blister, bubble, broken record, chrome craze, cold molding, dent, dirty record, grit, gritty surface, nickel slip, noisy groove, pop, repair mark, rumble, scratch, scuff marks, stain, surface noise, swish, thump, unfilled record, unmolded**

record, warped record.

phonograph recorder   grabador fonográfico.

phonograph recording   registro fonográfico, grabación fonográfica; disco fonográfico.

phonograph reproducer   reproductor fonográfico.

phonograph reproduction   reproducción fonográfica.

phonometer   fonómetro. Aparato para medir intensidades sonoras; aparato para medir presiones acústicas. V.TB. **sound-level meter.**

phonon   *(Fís)* fonón. Onda progresiva en un modo acústico de vibración térmica en una red cristalina. En la teoría de las vibraciones de las redes cristalinas se ha introducido el concepto de "ondículas": grupos de ondas que se comportan como partículas que se mueven a través del medio con la velocidad de grupo [group velocity] y que son susceptibles de creación, aniquilación, dispersión, etc. El fonón se cuantifica (como el fotón), asignándosele la energía $h\nu =$ (constante de Planck)$\times$(frecuencia vibracional). En vista de lo anterior se tiene también la definición del fonón: Unidad cuántica de energía térmica en una red cristalina, equivalente al producto de la constante de Planck por la frecuencia de vibración térmica [thermal vibration frequency] o frecuencia vibracional [vibrational frequency] /// *adj:* fonónico.

phonon amplifier   amplificador fonónico. Dispositivo en el cual se utilizan ondas acústicas para amplificar señales radioeléctricas.

phonon conduction   conducción fonónica.

phonon drag   arrastre de fonones.

phonon laser   laser fonónico. Laser que, además de emitir energía infrarroja coherente a 1,62 μm, genera vibraciones fonónicas.

phonon maser   maser fonónico. Maser que proporciona amplificación directa de ondas acústicas utilizando para ello energía radioeléctrica de hiperfrecuencias.

phonon mean free path   camino libre medio del fonón.

phonon-phonon interaction   interacción fonón-fonón.

phonon scattering   dispersión fonónica [de fonones].

phonoscope   fonoscopio. Primitivo aparato para el registro de formas de ondas acústicas.

phoresis   electroforesis. v. **electrophoresis.**

phosgene   *(Quím)* fosgeno.

phosphate   *(Quím)* fosfato /// *verbo:* fosfatar; tratar con una sal de fósforo.

phosphate glass   vidrio de fosfato. Vidrio compuesto de metofosfato de alúmina, de bario, y potásico, en proporciones por peso de 50, 25, y 25 por ciento, respectivamente.

phosphate-glass dosimeter   *(Radiol)* dosímetro de vidrio de fosfato activado.

phospate-glass dosimetry   *(Radiol)* dosimetría por vidrio [cristal] de fosfato activado. CF. **fluorod.**

phosphatizing   fosfatización; tratamiento con fosfato; tratamiento con sal de fósforo.

phosphene   *(Fisiol)* fosfeno. Sensación de luz producida por compresión del globo ocular.

phosphide, phosphid   *(Quím)* fosfuro. Unión del fósforo con un metal.

phosphor   fósforo | fósforo, luminóforo, pigmento [substancia] luminiscente. En los tubos de rayos catódicos (caso particular, los cinescopios), substancia fluorescente que cubre la superficie interna del frente de la ampolla del tubo, constituyendo así la pantalla sobre la cual se forman las imágenes | fósforo; luminóforo. Substancia, generalmente sólida, susceptible de producir fotoluminiscencia [photoluminescence] o electroluminiscencia [electroluminescence] (CEI/70 45–45–235).

phosphor bronze   bronce fosforoso. Aleación de cobre, estaño y fósforo; es duro, elástico y amagnético. Se usa extensamente para ballestas o resortes de contacto eléctrico, en particular de relés.

phosphor-dot faceplate   *(Tv)* pantalla (de cinescopio tricañón). Pantalla del cinescopio de tres cañones y máscara de sombra [shadow-mask three-gun picture tube], sobre la cual están colocados los "tríos" de puntos de fósforo de los tres colores primarios, y sobre la cual se forma la imagen en colores (o en blanco y negro si la emisión captada es monocroma).

phosphorescence fosforescencia. Luminiscencia que persiste después de haber cesado la excitación. SIN. **afterglow, persistence.** CF. **fluorescence** | fosforescencia. (1) Luminiscencia que persiste un tiempo considerable después de la excitación (tiempo superior a 10^{-8} s). NOTA: Este término se reserva generalmente para una luminiscencia visible (CEI/56 07–10–015). (2) Fotoluminiscencia que persiste un tiempo apreciable después de la excitación. NOTA: Este tiempo es generalmente superior a 10^{-8} s. Una definición física exacta de este fenómeno se saldría del marco de este vocabulario (CEI/70 45–35–060). (3) Luminiscencia [luminescence] que persiste un tiempo considerable después del cese de la irradiación de excitación, a diferencia de la fluorescencia [fluorescence] (CEI/64 65–10–420) /// *adj:* fosforescente.

phosphorescent *adj:* fosforescente. Que presenta el fenómeno de la fosforescencia [phosphorescence] o se debe a él.

phosphorescent glow luminiscencia fosforescente.

phosphorescent paint pintura fosforescente.

phosphorescent paper papel fosforescente.

phosphorescent screen pantalla fosforescente.

phosphorescing *adj:* fosforescente.

phosphorogen fosforógeno. Substancia que provoca fosforescencia en otra.

phosphoroscope fosforóscopo, fosforoscopio | fosforóscopo. Aparato utilizado para medir las variaciones de intensidad de una emisión luminiscente en función del tiempo (CEI/56 07–10–095).

phosphorous *adj:* fosforoso.

phosphorus fósforo. Elemento metálico de número atómico 15. Símbolo: P /// *adj:* fosforado, fosfórico.

phosphuranylite *(Miner)* fosfuranilita.

phot fot. En la nomenclatura internacional: phot. Símbolo: ph. Equivalencia: 1 ph = 10 lx | phot. Iluminación de una superficie de un centímetro cuadrado que recibe un flujo uniformemente distribuido de un lumen (CEI/38 45–10–075).

photicon foticón. Tubo tomavistas semejante al supericonoscopio.

photicon tube foticón.

photistor fototransistor. v. **phototransistor.**

photo *(i.e.* photograph) foto, fotografía /// *adj:* fotográfico | *(i.e.* photoelectric) fotoeléctrico /// *prefijo:* foto.

photo-barrier cell v. **photoelectric barrier cell.**

photo-offset fotolitografía, offset.

photo-offset printing impresión por sistema offset.

photo-offset-printing carbon ribbon cinta carbónica para impresión por sistema offset.

photo-offset reproduction reproducción fotolitográfica [por sistema offset].

photo-peak pico fotoeléctrico, fotopico.

photo reader lector fotográfico.

photo-resist v. **photoresist.**

photoactive *adj:* fotoactivo, fotosensible.

photocatalyst fotocatalizador.

photocathode fotocátodo. Electrodo que libera electrones al ser excitado por la luz u otra modalidad de la energía radiante; se utiliza en dispositivos tales como válvulas fotoeléctricas, tubos de cámara o tomavistas, y otros dispositivos fotosensibles | (a.c. photoelectric cathode) fotocátodo. Cátodo en el cual la emisión es principalmente fotoelectrónica (v. **photoelectric emission**) (CEI/68 66–15–190) || *(Tv)* fotocátodo. Pantalla que, en un tubo electrónico analizador [camera tube], recibe la imagen óptica y donde los elementos emisores de electrones son influidos por la luz (CEI/70 60–64–685). CF. **mosaic, target.**

photocathode sensitivity sensibilidad del fotocátodo | sensibilidad de un fotocátodo. Cociente de la corriente del fotocátodo por el flujo luminoso incidente [incident luminous flux], emitido

en condiciones determinadas por una fuente incandescente no filtrada [nonfiltered incandescent source] de características definidas (CEI/68 66–10–310).

photocell fotocélula, célula fotoeléctrica. A VECES: fotocelda, celda fotoeléctrica. Célula fotovoltaica [photovoltaic cell] o fotoconductiva [photoconductive cell]. SIN. **photoelectric cell.** CF. **phototube, photomultiplier tube** | (a.c. photoelectric tube) célula fotoeléctrica. Sistema en el cual se manifiesta el efecto fotovoltaico [photovoltaic effect] o el efecto de fotoconducción [photoconductive effect] (CEI/56 07–35–010) | (a.c. photoelectric receptor) fotocélula; receptor fotoeléctrico. Receptor físico [physical receptor] que funciona por efecto fotoeléctrico externo [external photoelectric effect] o interno [internal photoelectric effect] (CEI/70 45–30–225).

photocell amplifier amplificador de fotocélula, amplificador para célula fotoeléctrica.

photocell pickup captor fotoeléctrico.

photocell voltage tensión polarizadora de (la) celda fotoeléctrica.

photocharting fotogrametría; fotocartografía.

photochemical *adj:* fotoquímico. Relativo a la actividad química debida a la absorción de energía radiante por las moléculas, iones, y átomos.

photochemical activity actividad fotoquímica. Cambios químicos debidos a la energía radiante.

photochemical equivalents equivalentes fotoquímicos. Principio (formulado por Einstein) según el cual en una acción fotoquímica cualquiera, cada cuanto (quantum) de luz efectivo se transforma totalmente en energía química.

photochemical reaction reacción fotoquímica.

photochemical storage of energy almacenamiento fotoquímico de (la) energía.

photochemistry fotoquímica /// *adj:* fotoquímico.

photochopper cortador periódico fotorresistivo. Cortador periódico electrónico [electronic chopper] constituido por un elemento de fotorresistencia que recibe los destellos de una lámpara de neón que se ilumina periódicamente por formar parte de un circuito oscilador de relajación; al iluminarse el elemento fotorresistivo su resistencia disminuye y la señal se transmite, y viceversa: en ausencia de iluminación la resistencia aumenta y se corta la transmisión de la señal. CF. **photoelectric pulse generator.**

photochromic *adj:* fotocrómico.

photochromic compound compuesto fotocrómico. Compuesto químico que cambia de color (el efecto es reversible) cuando se lo expone a la energía radiante visible o casi visible; empléase para obtener microimágenes de muy alta densidad.

photochromic glass vidrio fotocrómico. Vidrio que se obscurece cuando se lo expone a la luz; el efecto es reversible.

photochromic microimage memory memoria de microimagen fotocrómica.

photochromic panel panel fotocrómico.

photocoagulator fotocoagulador. Aparato que produce un haz muy intenso y delgado de luz que se proyecta sobre una retina desprendida con el fin de provocar la coagulación y una lesión controlada que "suelda" la retina en su lugar.

photocolorimeter fotocolorímetro /// *adj:* fotocolorimétrico.

photoconductance fotoconductancia, fotoconductividad.

photoconducting *adj:* fotoconductor, fotoconductivo, fotoconductriz.

photoconducting cell célula fotoconductiva. v. **photoconductive cell.**

photoconducting surface superficie fotoconductora.

photoconduction fotoconducción /// *adj:* fotoconductor, fotoconductivo, fotoconductriz.

photoconductive *adj:* fotoconductivo, fotoconductor, fotoconductriz.

photoconductive camera tube *(Tv)* tubo de cámara fotoconductor. Tubo de cámara (tubo electrónico analizádor) cuyo electrodo sensible a la luz es fotoconductor (CEI/70 60–64–655).

photoconductive cell   célula fotoconductiva [fotoconductora]. SIN. **célula fotorresistente** | célula fotoconductiva. Célula fotoeléctrica [photocell] en la cual se manifiesta el fenómeno de fotoconducción [photoconductive effect] (CEI/56 07–35–020) | célula fotoconductora. Receptor fotoeléctrico [photoelectric receptor] de semiconductor, en el cual la absorción de radiación provoca un aumento de la conductividad por efecto fotoeléctrico interno [internal photoelectric effect] (CEI/70 45–30–240).

photoconductive detector   detector fotoconductivo. v. **photoconductive cell.**

photoconductive effect   (fenómeno de) fotoconducción, efecto fotoconductivo. Efecto fotoeléctrico [photoelectric effect] que se manifiesta como variación de la conductividad eléctrica de un cuerpo que puede ser sólido o líquido | fotoconducción, efecto fotoeléctrico interno. Efecto fotoeléctrico en un sólido o un líquido, que se manifiesta por una variación de la resistividad del cuerpo irradiado (CEI/56 07–23–015).

photoconductive principle   principio de la fotoconductividad.

photoconductive target   blanco fotoconductor. Electrodo cuya conductividad varía cuando sobre él incide la luz u otra radiación.

photoconductivity   fotoconductividad, fotoconductibilidad. Conductividad eléctrica que varía con la iluminación. Fenómeno por el cual la conductividad eléctrica de un semiconductor varía al ser éste irradiado con luz de determinada longitud de onda. SIN. **fotorresistencia, conductividad fotoeléctrica.**

photoconductor   fotoconductor.

photocontrol   fotocontrol. Sistema de control que comprende una célula fotoeléctrica [photoelectric cell, photocell].

photocurrent   corriente fotoeléctrica. Corriente eléctrica que varía con la iluminación.

photodensitometer   fotodensitómetro.

photodetector   fotodetector. Detector que responde a la energía radiante. SIN. **light-sensitive detector [cell], photodevice, photosensor.**

photodeuteron   fotodeuterón.

photodevice   dispositivo fotoeléctrico. v. **photodetector.**

photodiode   fotodiodo. Receptor fotoeléctrico [photoelectric receptor] en el cual la absorción de la radiación en el entorno de una unión PN entre dos semiconductores, o de un contacto entre un semiconductor y un metal, produce una variación de resistencia que depende del sentido de la corriente (CEI/70 45–30–250) /// adj: fotodiódico.

photodiode parametric amplifier   amplificador paramétrico fotodiódico.

photodisintegration   fotodesintegración. Desintegración de un núcleo atómico por la energía radiante.

photodissociation   fotodisociación. Disociación de un compuesto químico por la energía radiante. CF. **nuclear photoelectric effect**

photodissociation threshold   umbral de fotodisociación.

photodosimetry   fotodosimetría. Determinación de la dosis acumulativa de radiación ionizante con la ayuda de una película fotográfica.

photoeffect   efecto fotoeléctrico. v. **photoelectric effect.**

photoelasticimeter   fotoelasticímetro.

photoelasticimetry   fotoelasticimetría.

photoelasticity   fotoelasticidad.

photoelectric   adj: fotoeléctrico. Relativo a los efectos eléctricos de la luz u otra radiación.

photoelectric abridged spectrophotometry   espectrofotometría fotoeléctrica simplificada. Análisis cromático con la ayuda de filtros espectrales en número de tres a ocho utilizados en un espectrofotómetro simplificado para separar las bandas espectrales que constituyen el color.

photoelectric absorption   absorción fotoeléctrica. Transformación de energía radiante en energía de emisión fotoeléctrica [photoelectric emission].

photoelectric attenuation coefficient   coeficiente de atenuación

fotoeléctrico. Parte del coeficiente de atenuación total [total attenuation coefficient] atribuible al efecto fotoeléctrico [photoelectric effect]. Símbolo: τ. Unidad: cm^{-1} (CEI/64 65–15–075).

photoelectric autocollimator   autocolimador fotoeléctrico. Aparato que automáticamente genera señales eléctricas de error en función de la magnitud y sentido de un desplazamiento angular.

photoelectric barrier cell   fotocélula [célula fotoeléctrica] de capa interceptora. Fotocélula (célula fotoeléctrica) en la cual la luz incidente provoca el paso de electrones a través de la separación de un contacto rectificador entre las superficies límites de un conductor y un semiconductor.

photoelectric cathode   fotocátodo, cátodo fotoelectrónico. Cátodo cuya emisión es principalmente fotoelectrónica (CEI/56 07–26–115) | (a.c. photocathode) fotocátodo. Cátodo cuya emisión es principalmente fotoelectrónica (v. **photoelectric emission**) (CEI/68 66–15–190).

photoelectric cell   (a.c. photocell) fotocélula, célula fotoeléctrica. Dispositivo fotosensible que traduce las variaciones de luz incidente en variaciones correspondientes (señales) de tensión o de corriente eléctricas | tubo fotoeléctrico. Tubo de vacío en el cual la emisión electrónica es producida por la incidencia de una radiación sobre el cátodo (CEI/38 60–25–030). SIN. **phototube** | (a.c. photocell) célula fotoeléctrica. (**1**) Sistema en el cual se manifiesta el efecto fotovoltaico o el efecto de fotoconducción (CEI/56 07–35–010). (**2**) Dispositivo en el cual la luz por él recibida produce directamente un efecto eléctrico mensurable (CEI/58 45–30–100).

photoelectric-cell pyrometer   pirómetro de fotocélula [célula fotoeléctrica].

photoelectric character reader   lector de caracteres fotoeléctrico.

photoelectric color comparator   comparador de colores fotoeléctrico.

photoelectric color-register control   control fotoeléctrico de registro de colores.

photoelectric colorimeter   colorímetro fotoeléctrico. Tipo particular de colorímetro físico [physical colorimeter] en el cual se utiliza un receptor fotoeléctrico [photoelectric receptor] (CEI/70 45–30–100). CF. **photoelectric photometer.**

photoelectric colorimetry   colorimetría fotoeléctrica.

photoelectric conductivity   conductividad fotoeléctrica. Propiedad de ciertos cuerpos de aumentar su conductividad al ser iluminados.

photoelectric constant   constante fotoeléctrica. Cantidad que multiplicada por la frecuencia de la radiación que causa una emisión de electrones, da la tensión eléctrica absorbida por el fotoelectrón que se escapa; es igual a (constante de Planck) ÷ (carga electrónica) = h/e.

photoelectric control   control fotoeléctrico. Control o regulación en respuesta a cambios en la luz incidente, mediante el empleo de dispositivos fotoeléctricos.

photoelectric counter   contador fotoeléctrico. Contador que, con la ayuda de un dispositivo fotoeléctrico, totaliza el número de veces que es interrumpido un haz luminoso.

photoelectric cryptometer   criptómetro fotoeléctrico. Aparato que sirve para medir el poder cubridor de las pinturas, midiendo la diferencia en la cantidad de luz reflejada por una superficie blanca y una superficie negra, estando ambas cubiertas por una película de pintura de espesor conocido.

photoelectric current   corriente fotoeléctrica. (**1**) Corriente debida a un efecto fotoeléctrico (CEI/56 07–23–050). (**2**) Parte de la corriente eléctrica de un receptor fotoeléctrico [photoelectric receptor] que es producida por efecto fotoeléctrico [photoelectric effect] (CEI/70 45–30–260).

photoelectric cutoff register controller   control fotoeléctrico de registro para mantener la posición del punto de corte (respecto a un patrón repetitivo en un material en movimiento). CF. **photoelectric color register control.**

photoelectric densitometer   densitómetro fotoeléctrico. Aparato que comprende una celda fotoeléctrica y que sirve para medir la densidad u opacidad de un material.

photoelectric density meter   densímetro fotoeléctrico.

photoelectric detector   detector foteléctrico.

photoelectric device   dispositivo fotoeléctrico; fotocélula, célula fotoeléctrica; fototubo, tubo fotoeléctrico. v. **photocell, photo-tube.**

photoelectric directional counter   contador fotoeléctrico direccional. Contador que, con la ayuda de un dispositivo fotoeléctrico, totaliza las veces que un haz luminoso es interrumpido por un objeto que se mueve en determinada dirección.

photoelectric door opener   abridor de puertas fotoeléctrico, abrepuertas fotoeléctrico. Dispositivo fotoeléctrico que gobierna un sistema hidráulico o eléctrico de abrir una puerta. La interrupción de un haz luminoso (por la persona que se acerca a la puerta) es detectada por una fotocélula o un fototubo que, por intermedio de un amplificador y un relé, gobierna el mecanismo hidráulico o el motor eléctrico que acciona la puerta.

photoelectric effect   efecto fotoeléctrico. (**1**) Emisión de electricidad negativa (electrones) debida a la absorción de una radiación electromagnética (CEI/38 65–05–060). (**2**) Fenómeno de interacción entre la radiación y la materia, caracterizado por la absorción de fotones y la liberación consecutiva de electrones (CEI/56 07–23–005, CEI/70 45–30–215). (**3**) Expulsión de electrones de un sistema bajo la acción de una radiación electromagnética incidente de tal manera que es absorbido un cuanto [quantum] entero de energía por cada electrón expulsado (v. **photoelectric attenuation coefficient**) (CEI/64 65–10–585). (**4**) Expulsión de electrones de un sistema bajo la acción de fotones incidentes [incident photons], de tal manera que es absorbida la energía de un fotón por cada electrón expulsado (CEI/68 26–05–300) | **external photoelectric effect:** efecto fotoeléctrico externo. Efecto fotoeléctrico en el cual los electrones son expulsados de la materia (CEI/70 45–30–216) | **internal photoelectric effect:** efecto fotoeléctrico interno. Efecto fotoeléctrico producido en un semiconductor por el paso de electrones a una banda de energía superior y la aparición consecutiva de cargas eléctricas móviles en el interior de la materia (CEI/70 45–30–217).

photoelectric efficiency   rendimiento fotoeléctrico. v. **photoelectric yield, quantum yield.**

photoelectric electron-multiplier tube   fototubo multiplicador de electrones. Fototubo en el cual se aprovecha el fenómeno de la emisión secundaria [secondary emission] para amplificar la corriente electrónica emitida por el cátodo iluminado. SIN. **multiplier [electron-multiplier] phototube.**

photoelectric emission   (a.c. photoemissive effect) fotoemisión, emisión fotoeléctrica. Emisión de electrones por una substancia al ser expuesta a la luz u otra radiación | (a.c. photoemissive effect) fotoemisión, emisión fotoeléctrica, efecto fotoeléctrico externo. (**1**) Emisión electrónica resultante únicamente de una radiación incidente (CEI/56 07–20–015). (**2**) Emisión electrónica resultante únicamente de una radiación energética incidente (CEI/56 07–23–010). CF. **photoelectric effect.**

photoelectric eye   ojo fotoeléctrico. Nombre vulgar dado a la célula fotoeléctrica. SIN. **electric eye.**

photoelectric fatigue   fatiga fotoeléctrica, pérdida de sensibilidad de una substancia fotoeléctrica.

photoelectric flame-failure detector   detector foteléctrico de extinción [falta] de llama. Dispositivo fotoeléctrico utilizado en ciertas instalaciones industriales para cortar automáticamente el suministro de combustible al interrumpirse la combustión. CF. **combustion safeguard system.**

photoelectric glossmeter   medidor fotoeléctrico de brillo. Aparato fotoeléctrico destinado a medir el brillo de una superficie, p.ej. la de un papel o una superficie pintada o barnizada.

photoelectric guider   (dispositivo de) guía fotoeléctrica. Aparato que mantiene el telescopio apuntado a la estrella en observación, utilizando la luz recibida de ella e incidente en una célula fotoeléctrica.

photoelectric illumination control system   sistema fotoeléctrico de control de iluminación; control de iluminación mediante dispositivos fotoeléctricos.

photoelectric inspection   inspección fotoeléctrica. En la industria, inspección de la calidad del producto por medio de dispositivos fotoeléctricos. CF. **electronic beverage inspection.**

photoelectric intrusion detector   detector fotoeléctrico de alarma contra ladrones, alarma fotoeléctrica antihurto. V.TB. **burglar alarm.**

photoelectric lighting control   regulación fotoeléctrica del alumbrado.

photoelectric lighting controller   regulador fotoeléctrico del alumbrado.

photoelectric liquid-level indicator   indicador de nivel fotoeléctrico.

photoelectric loop control   control fotoeléctrico de bucle [de lazo]. v. **loop control.**

photoelectric material   material fotoeléctrico. Material que emite electrones cuando se lo expone a la energía radiante en el vacío.

photoelectric membrane manometer   manómetro fotoeléctrico de membrana. Instrumento que mide o registra variaciones muy pequeñas de presión. Se compone esencialmente de un espejito solidario con una membrana colocada en el sistema presionizado y de un fototubo que capta la luz reflejada por aquél.

photoelectric mosaic   mosaico fotoeléctrico.

photoelectric multiplier   fototubo multiplicador, multiplicador fotoeléctrico. Fototubo (tubo fotoeléctrico) cuya corriente de emisión inicial es multiplicada muchas veces antes de ser extraída del ánodo. CF. **multiplier phototube, photoelectric electron-multiplier tube.**

photoelectric number sieve   factorizador fotoeléctrico. Dispositivo fotoeléctrico utilizado para factorizar (descomponer en factores) números grandes.

photoelectric opacimeter   opacímetro fotoeléctrico. SIN. **photoelectric turbidimeter.**

photoelectric phonograph pickup   fonocaptor fotoeléctrico. Se compone esencialmente de una fuente de luz, un espejito solidario con el vástago de la aguja reproductora, y una célula fotoeléctrica sobre la cual incide la luz reflejada en el espejito. Las ondulaciones del surco producen movimientos de la aguja que se traducen en variaciones de la cantidad de luz que excita la célula; a su vez, las variaciones de excitación de ésta dan origen a una señal eléctrica que, convenientemente amplificada, alimenta los altavoces.

photoelectric photometer   fotómetro fotoeléctrico. Fotómetro en el cual se utiliza un dispositivo fotoeléctrico (fotocélula, fototubo, fototransistor). SIN. **electronic photometer** | fotómetro fotoeléctrico. Tipo particular de fotómetro físico [physical photometer] en el cual se utiliza un receptor fotoeléctrico [photoelectric receptor] (CEI/70 45–30–100).

photoelectric pickoff   captor [transductor] fotoeléctrico.

photoelectric pickup   captor [captador] fotoeléctrico.

photoelectric pickup device   (dispositivo) captador fotoeléctrico, captor fotoeléctrico.

photoelectric pinhole detector   detector fotoeléctrico de microagujeros. Sistema fotoeléctrico que permite descubrir la presencia de agujeros pequeñísimos en un material opaco.

photoelectric plethysmograph   pletismógrafo fotoeléctrico. Dispositivo fotoeléctrico que determina el grado de opacidad de la oreja y da una medida del grado de llenura de los vasos sanguíneos.

photoelectric potentiometer   potenciómetro fotoeléctrico.

photoelectric probe   sonda fotoeléctrica.

photoelectric pulse generator   generador fotoeléctrico de impulsos. Dispositivo que genera impulsos eléctricos por interrupción de un haz luminoso que incide sobre una fotocélula. CF. **photochopper.**

photoelectric pyrometer   pirómetro fotoeléctrico. Instrumento para la medida de altas temperaturas, midiendo la intensidad de la energía radiante que despide el cuerpo caliente, con la ayuda de un sistema fotoeléctrico.

photoelectric reader   lector fotoeléctrico. Dispositivo que lee la información registrada en forma de agujeros en una cinta de papel o en tarjetas, captando con una célula fotoeléctrica la luz que pasa por los agujeros.

photoelectric receiver   receptor fotoeléctrico.

photoelectric receptor   receptor fotoeléctrico; fotocélula. Receptor físico [physical receptor] que funciona por efecto fotoeléctrico externo [external photoelectric effect] o interno [internal photoelectric effect] (CEI/70 45–30–225).

photoelectric recorder   registrador fotoeléctrico. Aparato que registra gráficamente una señal eléctrica suministrada por una fotocélula excitada en función de la magnitud que se quiere estudiar.

photoelectric reflection meter   reflectómetro fotoeléctrico. v. photoelectric reflectometer.

photoelectric reflectometer   (a.c. photoelectric reflection meter) reflectómetro fotoeléctrico. Aparato que mide la reflexión difusa de superficies y cuerpos diversos (pastas, polvos, líquidos opacos) con la ayuda de una fotocélula o un fototubo.

photoelectric register control   control fotoeléctrico de registro; explorador fotoeléctrico. SIN. photoelectric scanner. CF. photoelectric cutoff register controller.

photoelectric relay   relé fotoeléctrico. Relé alimentado por un amplificador que es excitado por un fototubo; el relé se abre o se cierra en respuesta a los cambios en la luz incidente sobre el fototubo. SIN. light relay.

photoelectric scanner   explorador [buscador] fotoeléctrico; control fotoeléctrico de registro. SIN. photoelectric register control.

photoelectric scleroscope   escleroscopio fotoeléctrico. Aparato para medir la dureza de los metales mediante un sistema de pincel luminoso y fototubo que responde a la amplitud de rebote de una bola de acero sobre el metal en ensayo.

photoelectric sensitivity   sensibilidad fotoeléctrica. Razón de la corriente de emisión fotoeléctrica a la energía radiante incidente. SIN. photoelectric yield.

photoelectric side-register control   control fotoeléctrico de registro lateral. CF. photoelectric scanner.

photoelectric signal   señal fotoeléctrica.

photoelectric slack control   control fotoeléctrico de bucle [de lazo]. v. loop control.

photoelectric smoke-density control   control fotoeléctrico de densidad de humos. Sistema de control fotoeléctrico utilizado para medir, indicar, y regular la densidad del humo en una chimenea o un tubo de humos.

photoelectric smoke-density monitor   monitor fotoeléctrico de la densidad de humos.

photoelectric smoke meter   medidor fotoeléctrico de (la densidad de) humos.

photoelectric smoke recorder   registrador fotoeléctrico de la densidad de humos.

photoelectric sorter   clasificador fotoeléctrico. Sistema de control fotoeléctrico que sirve para la clasificación de objetos de acuerdo con ciertas características capaces de modificar la luz (tamaño, forma, color).

photoelectric tape reader   lector de cinta fotoeléctrico. v. photoelectric reader.

photoelectric threshold   umbral fotoeléctrico. Cuanto (quantum) de energía apenas suficiente para liberar electrones de una superficie dada por efecto fotoeléctrico [photoelectric effect].

photoelectric timer   temporizador fotoeléctrico. Dispositivo que automáticamente apaga un equipo de rayos X cuando la película ha recibido la exposición adecuada; comprende un sistema fotoeléctrico de medida del tipo integrador que monitorea una pantalla fluorescente dispuesta detrás de la película.

photoelectric transducer   transductor fotoeléctrico. Dispositivo que transforma variaciones de energía luminosa en variaciones de energía eléctrica.

photoelectric tristimulus colorimeter   colorímetro tricromático fotoeléctrico. Colorímetro en el cual se emplean al menos tres sistemas de fuentes de luz, filtros, y fototubos, y que se caracteriza por su gran precisión.

photoelectric tristimulus colorimetry   colorimetría t. icromática fotoeléctrica.

photoelectric tube   fototubo, tubo fotoeléctrico, válvula fotoeléctrica. v. phototube.

photoelectric turbidimeter   turbidímetro fotoeléctrico. Aparato fotoeléctrico que sirve para determinar la turbidez o turbiedad [turbidity] de líquidos casi transparentes. SIN. photoelectric opacimeter.

photoelectric valve (*GB*)   v. phototube.

photoelectric voltage   tensión fotoeléctrica.

photoelectric work function   función trabajo fotoeléctrico. Energía necesaria para transportar electrones de un metal dado a un medio contiguo, o al vacío, durante una emisión fotoeléctrica; se mide habitualmente en electrón-voltios. v. work function.

photoelectric yield   rendimiento fotoeléctrico, sensibilidad fotoeléctrica. SIN. photoelectric sensitivity.

photoelectrical   *adj:* fotoeléctrico.

photoelectrically   *adv:* fotoeléctricamente.

photoelectricity   fotoelectricidad. (**1**) Emisión de electrones provocada por la acción de la luz u otras radiaciones semejantes (CEI/38 05–15–170). (**2**) Parte de la ciencia que trata de los efectos fotoeléctricos (v. photoelectric effect).

photoelectroluminescence   fotoelectroluminiscencia.

photoelectromagnetic effect   efecto fotoelectromagnético. Fenómeno por el cual, cuando se ilumina una superficie plana de un semiconductor intermetálico [intermetallic semiconductor] colocado en un campo magnético paralelo a dicha superficie, se producen pares hueco-electrón [hole-electron pairs].

photoelectromotive force   fuerza fotoelectromotriz, fuerza electromotriz debida a acción fotovoltaica.

photoelectron   fotoelectrón. (**1**) Electrón liberado por efecto fotoeléctrico (CEI/56 07–23–025). (**2**) Electrón emitido por efecto fotoeléctrico (CEI/68 26–05–175). (**3**) Electrón emitido por un átomo durante la absorción fotoeléctrica [photoelectric absorption] de rayos X o gamma (v. photoelectric effect) (CEI/64 65–10–590) /// *adj:* fotoelectrónico.

photoelectronic   *adj:* fotoelectrónico.

photoelectronic device   dispositivo fotoelectrónico.

photoelectronic relay   relé [relevador] fotoelectrónico. Consiste en una fotocélula que excita una válvula electrónica que, a su vez, activa un relé electromecánico o activa un circuito cualquiera. SIN. photoelectric relay.

photoemission   fotoemisión.

photoemissive   *adj:* fotoemisivo, fotoemisor. Capaz de emitir electrones al ser expuesto a la luz u otras radiaciones próximas a la región visible del espectro.

photoemissive camera tube   (*Tv*) tubo de cámara fotoemisor. Tubo de cámara (tubo electrónico analizador) cuyo electrodo sensible a la luz es fotoemisivo (CEI/70 60–64–650).

photoemissive cell   célula fotoemisiva [fotoemisora], fototubo. v. phototube.

photoemissive effect   fotoemisión, emisión fotoeléctrica, efecto fotoeléctrico externo.

photoemissive target   blanco fotoemisor. Electrodo que emite electrones al incidir sobre él la luz u otra radiación.

photoemissive tube   tubo fotoemisivo, fototubo. v. phototube.

photoemitter   *adj:* fotoemisor, fotoemisivo.

photoemitter cathode   cátodo fotoemisor. Cátodo frío que emite electrones cuando se lo expone a la luz.

photoemulsion   fotoemulsión, emulsión fotográfica.

photoengraved   *adj:* fotograbado.

photoengraved circuit　circuito fotograbado [grabado].

photoetched circuit　circuito fotograbado (por corrosión).

photofission　fotofisión, fisión nuclear provocada por fotones.

photofission threshold　umbral de fotofisión.

photoflash　destello [relámpago, iluminación relámpago] (para fotografía nocturna) | (*i.e.* photoflash lamp) lámpara de destello, lámpara relámpago (para fotografía nocturna).

photoflash bomb　bomba luminosa [de iluminación] para fotografía nocturna.

photoflash lamp　lámpara de destello. Lámpara que da, por combustión en el interior de una ampolla, una emisión luminosa intensa, casi instantánea y única, para la iluminación de objetos que se quiere fotografiar (CEI/70 45–40–260).

photoflash tube　tubo de destellos (luminosos), tubo de fotodestellos. SIN. **flash tube.**

photoflood lamp　lámpara para fotografía, lámpara sobrevoltada. Lámpara incandescente para iluminar objetos que van a ser fotografiados, y que se hace trabajar a sobretensión. SIN. **overrun lamp** | lámpara para fotografía. Lámpara incandescente de eficacia luminosa especialmente elevada, a menudo del tipo de reflector, para la iluminación de objetos que se quiere fotografiar (CEI/70 45–40–255).

photofluorescence　fotofluorescencia.

photofluorograph　(*Radiol*) (a.c. photoroentgen unit, PR unit) aparato de radiofotografía. Aparato que permite obtener sobre una pequeña película la imagen de tamaño normal formada sobre una pantalla fluorescente [fluorescent screen] (CEI/64 65–30–325).

photofluorography　(*Radiol*) (a.c. fluorography) radiofotografía. Fotografía de la imagen producida sobre una pantalla fluorescente [fluorescent screen] (CEI/64 65–05–050).

photoformer　fotoformador. Generador de ondas con formas arbitrarias determinadas por la forma de una máscara recortada según la función deseada. SIN. **generador fotoeléctrico de funciones.**

photogalvanic　*adj:* fotogalvánico.

photogalvanic cell　célula fotogalvánica.

photogenerator　fotogenerador. Dispositivo de unión de semiconductores capaz de producir luz al ser pulsado.

photogenic　*adj:* fotogénico. Que sale bien en fotografía. CF. **telegenic.**

photoglow tube　fototubo de descarga luminiscente. Fototubo de gas utilizado como relé.

photogoniometer　fotogoniómetro. Aparato para el estudio de espectros de rayos X y de los efectos de difracción de esos rayos en los cristales.

photogrammetric　*adj:* fotogramétrico.

photogrammetric camera　cámara fotogramétrica.

photogrammetric engineer　fotogrametrista.

photogrammetric mapping　cartografía fotogramétrica.

photogrammetric optics　óptica fotogramétrica.

photogrammetric plotting　registro fotogramétrico.

photogrammetric survey　levantamiento fotogramétrico.

photogrammetry　fotogrametría. Técnica del levantamiento de mapas a partir de información recopilada fotográficamente /// *adj:* fotogramétrico.

photograph　fotografía. CF. **copy, picture, positive, print** /// *adj:* fotográfico /// *verbo:* fotografiar.

photographic　*adj:* fotográfico.

photographic accessories　accesorios fotográficos. Dispositivos y elementos que no forman parte integral de la cámara, pero que son útiles en la toma de fotografías.

photographic color transparency　transparencia fotográfica en colores. SIN. **color slide.**

photographic control　control fotográfico; orientación de fotografías aéreas.

photographic density　densidad fotográfica.

photographic emulsion　emulsión fotográfica.

photographic enlargement　ampliación fotográfica.

photographic equipment　equipo fotográfico; artículos fotográficos.

photographic exposure meter　exposímetro fotográfico. Instrumento que mide la luz incidente o la intensidad luminosa reflejada por el objeto que se quiere fotografiar, con el fin de determinar la exposición (tiempo y abertura del diafragma) de la cámara, de acuerdo con la sensibilidad de la película utilizada; los exposímetros modernos funcionan a base de fotocélulas.

photographic image　imagen fotográfica.

photographic lens　lente fotográfica, objetivo fotográfico.

photographic mask　estarcido fotográfico.

photographic mission　(*Avia*) misión fotográfica.

photographic observation　observación fotográfica.

photographic outfit　equipo fotográfico.

photographic paper　papel fotográfico; papel (revestido) con emulsión fotográfica; papel para negativos.

photographic plane　avión fotográfico.

photographic projection plan position indicator　(*Radar*) indicador panorámico de proyección fotográfica.

photographic reception　(*Fototeleg*) recepción fotográfica. v. **photographic recording.**

photographic reciprocity law　ley de reciprocidad fotográfica.

photographic recording　(*Fototeleg*) registro fotográfico. Imagen obtenida exponiendo papel fotosensible a la luz de la lámpara de registro; se emplean técnicas fotográficas normales para el revelado y el fijado. CF. **direct recording, electrosensitive recording** || (*Cine*) registro fotográfico [óptico]. v. **photographic sound recording.**

photographic reproduction　reproducción fotográfica.

photographic routine　(*Informática*) rutina fotográfica [instantánea, post-mortem]. Rutina diagnóstica que determina la impresión del contenido de la memoria y de los distintos registros y acumuladores de una computadora, en la situación en que se encontraban en el instante de la interrupción de un programa. SIN. **snapshot [post-mortem] routine.**

photographic shutter　obturador fotográfico.

photographic sound recorder　(a.c. optical sound recorder) registrador fotográfico de sonido. Equipo que comprende una fuente luminosa de haz modulado [modulated light beam] y un sistema mecánico que permite el desplazamiento de una capa fotográfica susceptible de ser impresionada por el haz luminoso, con el fin de registrar las señales acústicas (CEI/60 08–25–225).

photographic sound recording　(a.c. optical sound recording) registro fotográfico [óptico] del sonido.

photographic sound reproducer　(a.c. optical sound reproducer) reproductor optoeléctrico de sonido, reproductor de registro fotográfico de sonido.

photographic strip　cinta de aerofotografías; serie de fotografías aéreas, itinerario fotográfico.

photographic survey　levantamiento [reconocimiento] fotográfico, fototopografía.

photographic timer　temporizador [cronometrador] fotográfico, control de exposición. Dispositivo para regular el tiempo de exposición fotográfica.

photographic timing　temporización fotográfica, cronometraje fotográfico, control del tiempo de exposición fotográfica.

photographic trace　(*Nucl*) (a.c. photographic trail, photographic track) traza fotográfica; imagen fotográfica. SIN. **photographic image.**

photographic track　v. photographic trace.

photographic trail　v. photographic trace.

photographic transmission　transmisión fotográfica.

photographic transmission density　v. optical density.

photographing　fotografía, acción de fotografiar.

photographing of titles　(*Cine*) filmación de (los) títulos.

photography　fotografía. Arte o procedimiento para la obtención de imágenes visibles sobre una superficie fotosensible /// *adj:*

fotográfico.

photography against the light   fotografía a contraluz.

photoionization   fotoionización. Ionización por la absorción de fotones de luz visible o luz ultravioleta. SIN. **atomic photoelectric effect.**

photoisland grid   rejilla fotosensible. Superficie sensible del tubo disector de imagen de Farnsworth [Farnsworth image dissector, dissector tube], constituida por una oja metálica delgada con gran número de perforaciones diminutas (alrededor de 160 por centímetro en ambas direcciones).

photojunction cell   célula de fotounión.

photoklystron   fotoklistrón, fotoclistrón. Fotodetector de alta frecuencia del tipo de cavidad.

photoluminescence   fotoluminiscencia. (1) Luminiscencia provocada por radiación ultravioleta, visible o infrarroja (CEI/56 07–10–025, CEI/70 45–35–050). (2) Luminiscencia debida a la excitación de átomos o de moléculas por absorción de fotones /// *adj:* fotoluminiscente.

photolysis   fotólisis. Descomposición química por efecto de radiaciones luminosas. CF. **flash photolysis.**

photomagnetic effect   efecto fotomagnético. Efecto directo de la luz sobre la susceptibilidad magnética [magnetic susceptibility] de ciertos cuerpos.

photomap   *(Cartog)* fotomapa, mapa fotográfico, carta fotográfica.

photomeson   fotomesón. Mesón expulsado de un núcleo por un fotón incidente. CF. **photoneutron.**

photometer   fotómetro. (1) Instrumento utilizado para medir intensidades luminosas. (2) Aparato que sirve para la medición de magnitudes fotométricas (CEI/38 45–15–005) (3) Aparato destinado a la medida de magnitudes fotométricas (CEI/70 45–30–065).

photometer bench   banco fotométrico. Soporte provisto de rieles o correderas rectilíneos, a lo largo de los cuales pueden desplazarse a distancias medibles las fuentes de luz y la cabeza fotométrica [photometer head] (CEI/70 45–30–125).

photometer head   cabeza fotométrica. Parte de un fotómetro visual [visual photometer] donde se efectúa la comparación fotométrica [photometric comparison], o parte de un fotómetro físico [physical photometer] que contiene el receptor [receptor] (CEI/70 45–30–105).

photometer test plate   placa de ensayo fotométrico | placa de ensayo del fotómetro. Placa que posee propiedades fotométricas conocidas y que es iluminada por la luz que se examina (CEI/70 45–30–120).

photometer unit   unidad fotométrica, conjunto fotométrico.

photometer wedge   v. **photometric wedge.**

photometric   *adj:* fotométrico.

photometric brightness   brillo fotométrico, luminancia. SIN. luminance.

photometric integrator   integrador fotométrico.

photometric quantity   magnitud fotométrica.

photometric spectrum projector   espectroproyector fotométrico.

photometric sphere   (a.c. integrating sphere, Ulbricht sphere) esfera fotométrica [integrante, de Ulbricht].

photometric standard observer   observador de referencia fotométrico.

photometric wedge   (a.c. photometer wedge) cuña fotométrica.

photometry   fotometría. (1) Teoría y práctica de las mediciones de la luz por medio de la impresión visual que produce (CEI/38 45–05–130). (2) Medida de magnitudes relativas a las radiaciones, evaluadas según la impresión visual producida por éstas y sobre la base de ciertas convenciones. NOTA: En las publicaciones en lengua rusa, el término *fotometría* se usa frecuentemente en el sentido más amplio de la medida de la radiación óptica (CEI/70 45–30–045). v. **physical photometry, visual photometry** /// *adj:* fotométrico.

photomicrograph   fotomicrografía. Fotografía tomada con ayuda del microscopio. CF. **microphotograph.**

photomixer   fotomezclador. Fototubo detector de batidos ópticos en el receptor superheterodino de un sistema de telecomunicación óptica con laseres.

photomultiplier   (tubo) fotomultiplicador, fototubo multiplicador | fotomultiplicador. Tubo fotoeléctrico en el cual la corriente electrónica emitida por el cátodo es amplificada por emisiones electrónicas secundarias que se producen sobre uno o, las más de las veces, varios electrodos intermedios sucesivos llamados *dinodos* [dynodes]. NOTA: En alemán, este tipo de receptor se designa a menudo por la abreviatura "SEV" (CEI/70 45–30–235).

photomultiplier cell   fotomultiplicador, célula (fotoemisiva) multiplicadora | fotomultiplicador. Célula fotoemisiva [photoemissive cell] en la cual el flujo de electrones es amplificado por varias etapas de emisión secundaria (CEI/58 45–30–120).

photomultiplier counter   contador (de centelleos) con fotomultiplicador. v. **scintillation counter.**

photomultiplier tube   tubo fotomultiplicador. v. **multiplier phototube.**

photon   fotón. (1) Cuanto de radiación electromagnética (CEI/68 26–05–145). (2) Cantidad elemental de energía radiante (cuanto) cuyo valor es igual al producto de la frecuencia de la radiación electromagnética por la constante de Planck: $h\nu$ (CEI/56 07–23–030). (3) Cantidad elemental de energía radiante (cuanto) cuyo valor es igual al producto de la constante de Planck (h) por la frecuencia (ν) de la radiación electromagnética (CEI/70 45–05–115). CF. **photoelectron, threshold frequency** /// *adj:* fotónico.

photon absorption   absorción fotónica [de fotones].

photon-coupled amplifier   amplificador de acoplamiento fotónico. Amplificador que comprende un diodo luminiscente por inyección [injection luminescent diode], como fuente de luz de entrada; un fototransistor [phototransistor], como detector a la salida; y una guía o conducto de luz [light pipe] que acopla aquél con éste.

photon coupling   acoplamiento fotónico. Acoplamiento de dos circuitos por medio de fotones que pasan por una guía de luz [light pipe].

photon difference method   método diferencial de fotones.

photon emission   emisión fotónica [de fotones].

photon-emission curve   curva de emisión de fotones. Curva que representa la variación, en función del tiempo, de la emisión de fotones por unidad de tiempo [photon emission rate] correspondiente a una excitación aislada de un material centelleante (centelleador) [scintillating material (scintillator)] (CEI/68 66–10–270).

photon emission spectrum   espectro de emisión de fotones. Números relativos de fotones ópticos (v. **optical photon**) emitidos por un material centelleante por unidad de longitud de onda y en función de la longitud de onda.

photon energy   energía fotónica.

photon engine   motor fotónico. Motor de reacción cuyo empuje se obtiene por efecto de la emisión dirigida de rayos luminosos.

photon flux   flujo fotónico. Cantidad total de flujo luminoso que llega a un fotocátodo por unidad de tiempo, expresado en fotones por segundo.

photon radiation   radiación fotónica [de fotones].

photon rocket   cohete fotónico. v. **photon engine.**

photon spin   espín del fotón.

photonegative   *adj:* fotonegativo. De fotoconductividad negativa; de conductividad que decrece bajo la acción de la luz.

photonephelometer   fotonefelómetro, aparato para medir la claridad de los líquidos. CF. **photoelectric turbidimeter.**

photoneutron   fotoneutrón. Neutrón emitido durante una reacción fotonuclear [photonuclear reaction] (CEI/68 26–05–180). CF. **photoelectron, photomeson, photoproton.**

photonuclear effect   efecto fotonuclear.

photonuclear reaction   reacción fotonuclear. Reacción nuclear

[nuclear reaction] resultante de la interacción de un fotón con un núcleo (CEI/68 26–05–305).

photooxidation cell   célula de fotooxidación.

photoparametric amplifier   amplificador fotoparamétrico. Amplificador de luz que comprende un fotodiodo con amplificación paramétrica propia.

photophone   fotófono, teléfono óptico. Aparato para la transmisión de sonidos mediante un haz de luz.

photophoresis   fotoforesis. Fenómeno por el cual partículas pequeñísimas en suspensión en el aire pueden ser desplazadas por la acción de un haz luminoso intenso.

photopic   *adj:* fotópico.

photopic relative luminous efficiency   eficacia luminosa relativa fotópica.

photopic vision   visión fotópica. Visión del ojo normal cuando está adaptado a niveles de luminancia de al menos varias candelas por metro cuadrado. NOTA: Se considera que los conos de la retina [receptors of the retina] intervienen principalmente en estas condiciones y el espectro aparece coloreado (CEI/70 45–25–055).

photopositive   *adj:* fotopositivo. De fotoconductividad positiva; de conductividad que aumenta bajo la influencia de la luz. CF. photonegative.

photoprinting   fotograbado; fotocalco, fotocopia; heliograbado, heliografía.

photoprinting paper   papel heliográfico.

photoproduction   fotoproducción.

photoproton   fotoprotón. Protón emitido durante una reacción fotonuclear [photonuclear reaction]. CF. photoneutron.

photoreduction   fotorreducción.

photoreduction cell   célula de fotorreducción.

photorelay   fotorrelé, relé fotoeléctrico. V. photoelectric relay.

photoresist   substancia fotoendurecible; substancia protectora fotosensible. (1) Substancia que se endurece en grado variable, según la intensidad de la luz que sobre ella incida. (2) Capa fotosensible que se aplica a un substrato o un tablero, y luego se expone a la luz y se revela, antes de someter aquél al ataque químico; la parte expuesta sirve de máscara para el ataque químico selectivo. (3) Capa orgánica sensible a la luz ultravioleta, que se deposita selectivamente sobre silicio para formar una máscara o estarcido [mask] para el grabado (fabricación de circuitos integrados). (4) Materia resistente a los ácidos de grabar, que se forma por acción de la luz visible o ultravioleta. CF. coldtop, resist.

photoresistance   fotorresistencia /// *adj:* fotorresistente.

photoresistant   *adj:* fotorresistente.

photoresistant detector   detector fotorresistente.

photoresistor   fotorresistor, fotorresistencia, elemento fotorresistivo.

photoresistor multiplier   multiplicador (aritmético) de fotorresistor. Dispositivo que sirve para multiplicar dos variables función del tiempo, mediante un fotorresistor; una de las variables modula la corriente que atraviesa el fotorresistor y la otra modula la intensidad de la luz incidente; la tensión desarrollada entre los terminales del fotorresistor es proporcional al producto de las variables.

photoroentgen unit   *(Radio)* aparato de radiofotografía. V. photofluorograph.

photoscope reconnaissance   *(Radar)* reconocimiento fotoscópico, reconocimiento mediante fotografía de la imagen osciloscópica.

photosensitive   *adj:* fotosensible, sensible a la luz. SIN. light-sensitive.

photosensitive chart   gráfica fotosensible.

photosensitive device   dispositivo fotosensible.

photosensitive electronic device   dispositivo electrónico fotosensible.

photosensitive junction   unión fotosensible.

photosensitive mosaic   mosaico fotosensible.

photosensitive pigment   pigmento fotosensible.

photosensitive powder   polvo fotosensible.

photosensitive recording   registro sobre superficie fotosensible (mediante un pincel luminoso modulado por la señal).

photosensitive screen   pantalla fotosensible.

photosensitivity   fotosensibilidad, sensibilidad a la luz /// *adj:* fotosensible, sensible a la luz.

photosensor   V. photosensor.

photosensor   *(a.c. photosensor)* fotosensor, fotodetector. V. photodetector.

photoslide   fotodiapositiva, diapositiva fotográfica.

photosphere   fotosfera. Superficie aparente de una estrella (o del Sol), de la cual parece radiar la luz.

photostat   fotóstato; fotocopia, fotostato, reproducción fotostática /// *adj:* fotostático /// *verbo:* fotostatar.

photostat paper   papel de fotocopia [de reproducción fotostática]; papel heliográfico.

photostatic   *adj:* fotostático.

photostereograph   fotoestereógrafo.

photosurface   superficie fotoeléctrica; superficie fotosensible.

photoswitch   conmutador fotoeléctrico, fotoconmutador.

photosynthesis   *(Bioquím)* fotosíntesis /// *adj:* fotosintético.

photosynthetic   *adj:* fotosintético.

photosynthetic cycle   ciclo fotosintético.

phototelegram   fototelegrama. Telegrama facsímile [facsimile telegram] que *debe* ser transmitido por fototelegrafía [phototelegraphy] (CEI/70 55–60–150) /// *adj:* fototelegráfico.

phototelegram service   servicio fototelegráfico [de fototelegramas].

phototelegraph   fototelégrafo /// *adj:* fototelegráfico.

phototelegraph circuit   circuito fototelegráfico.

phototelegraph communication   comunicación fototelegráfica.

phototelegraph current   corriente fototelegráfica.

phototelegraph network   red fototelegráfica, red de fototelegrafía.

phototelegraph service   servicio fototelegráfico.

phototelegraph transmission   transmisión fototelegráfica.

phototelegraph transmitter   transmisor fototelegráfico.

phototelegraphic   *adj:* fototelegráfico.

phototelegraphic apparatus   aparato fototelegráfico.

phototelegraphy   fototelegrafía. A VECES: telefotografía. Este último término debe desecharse, al igual que *telefoto*, pues más que de fotografía a distancia (con lente telescópica), se trata de la *transmisión de imágenes* o *telegrafía de imágenes*, a distinción de la telegrafía alfabética. SIN. facsímile | fototelegrafía. Telegrafía facsímil [facsimile telegraphy] que tiene por objeto principal la reproducción de medias tintas [half-tone reproduction] y que utiliza procedimientos fotográficos en la recepción (CEI/70 55–55–045) /// *adj:* fototelegráfico.

phototelegraphy transmission   transmisión fototelegráfica.

phototelephony   fototelefonía, telefonía óptica. Transmisión de sonidos mediante un haz luminoso modulado.

phototheodolite   fototeodolito.

phototimer   *(Radiol)* fotocronómetro. Dispositivo automático de control de la exposición en radiografía. Por ejemplo, célula fotoeléctrica o cámara de ionización sobre la cual actúa, durante la exposición, la luz de fluorescencia o los rayos X, y que puede así determinar el fin de la exposición (CEI/64 65–30–330).

phototransducer   fototransductor.

phototransistor   *(a.c. photistor)* fototransistor, transistor fotosensible. SIN. light-sensitive transistor | fototransistor. Receptor fotoeléctrico [photoelectric receptor] de semiconductores en el cual el efecto fotoeléctrico [photoelectric effect] se produce en una doble unión PN (PNP o NPN) poseedora de propiedades amplificadoras (CEI/70 45–30–255).

phototransistor action   acción fototransistora [de fototransistor].

phototropism   *(Fís, Bot)* fototropismo.

phototropy   *(Fís)* fototropía.

phototube   fototubo, tubo fotoeléctrico, fotoválvula, válvula fotoeléctrica, célula fotoelectrónica. Tubo electrónico (válvula electrónica) en el cual las variaciones de la luz incidente causan variaciones correspondientes en la emisión electrónica, las que, a su vez, se traducen en variaciones de tensión o de corriente utilizables en el control de diversos dispositivos (alarmas, abridores automáticos de puerta, relés, etc.) | (a.c. photoelectric tube [valve], photovalve) tubo fotoelectrónico. Tubo electrónico en el cual uno de los electrodos es un cátodo fotoelectrónico [photoemissive cathode] (CEI/56 07–25–075, 07–35–005) | (a.c. photoemissive cell) fototubo; célula fotoemisora. Receptor fotoeléctrico [photoelectric receptor] constituido por un tubo electrónico, al vacío o de gas, que comprende un cátodo capaz de emitir electrones por efecto fotoeléctrico externo (CEI/70 45–30–230). v. **photoelectric effect.**

phototube amplifier   amplificador de fototubo.

phototube relay   relé [relevador] fotoeléctrico. Relé o relevador electromecánico gobernado por un tubo fotoeléctrico; éste es mandado por un haz luminoso y aquél se usa para accionar dispositivos como contadores, controles de seguridad, etc. SIN. **light relay.**

photovalve (GB)   v. **phototube.**

photovaristor   fotovaristor, varistor fotosensible. Varistor cuya característica de corriente en función de la tensión puede ser modificada por iluminación.

photovoltage   tensión fotoeléctrica.

photovoltaic   adj: fotovoltaico. Capaz de engendrar una tensión eléctrica al ser expuesto a la luz u otra radiación.

photovoltaic cell   célula fotoeléctrica. SIN. **célula fotoeléctrica** | celda [célula] fotoquímica. Celda electrolítica [electrolytic cell] que establece una fuerza electromotriz al incidir sobre ella la luz u otra radiación | célula fotovoltaica, célula con capa de detención, par fotoeléctrico, fotopila. Célula fotoeléctrica en la cual se manifiesta el efecto fotovoltaico [photovoltaic effect]. Se distinguen las células anteriores [front-wall cells] y las células posteriores [back-wall cells] (CEI/56 07–35–015) | célula fotovoltaica; fotopila. Receptor fotoeléctrico [photoelectric receptor] en el cual la absorción de radiación en las proximidades de una unión PN entre dos semiconductores, o de un contacto entre un semiconductor y un metal, produce una fuerza electromotriz (CEI/70 45–30–245).

photovoltaic detector   detector fotovoltaico, detector de célula fotovoltaica.

photovoltaic effect   efecto fotovoltaico. (1) Efecto fotoeléctrico [photoelectric effect] que se manifiesta por la aparición de una fuerza electromotriz en el contacto entre un electrodo y un electrólito o entre un metal y un semiconductor (CEI/56 07–23–020). (2) Efecto fotoeléctrico interno caracterizado por la producción de una fuerza electromotriz en la vecindad de una unión PN (CEI/70 45–30–218).

photovoltaic pile   pila fotovoltaica.

photovoltaic response   reacción fotovoltaica.

Photox cell   célula Photox. Tipo particular de célula fotovoltaica.

Photronic cell   célula Photronic. Tipo particular de célula fotovoltaica.

phrase   frase, locución; estilo, fraseología || (Acús/Telef) frase || (Mús) frase, período /// adj: fraseal /// verbo: frasear, formar frases.

phrase articulation   (Telef) nitidez de frases.

phrase intelligibility   (Telef) inteligibilidad de las frases.

phrasing   fraseología, estilo (de expresión); redacción || (Mús) fraseado.

phrenic   adj: frénico. Perteneciente al diafragma; perteneciente a la mente.

phthalate   (Quím) ftalato.

phthalic   adj: (Quím) ftálico.

phugoid   adj: (Aeron) fugoide.

phugoid curve   fugoide.

phugoid oscillation   oscilación fugoide. En un avión, oscilación longitudinal de largo período.

physical   adj: físico; material, tangible; corporal, corpóreo; natu-

ral || (Medicina) somático.

physical acoustics   acústica física.

physical assay   ensayo físico.

physical atomic weight   peso atómico físico.

physical buildup   estructuración física; desarrollo físico.

physical capacity   capacidad física.

physical chemist   fisicoquímico. El que profesa la fisicoquímica.

physical chemistry   fisicoquímica. Estudio de los fenómenos fisicoquímicos /// adj: fisicoquímico.

physical circuit   (Telecom) circuito físico [metálico, real, combinante]. Dícese en oposición al circuito fantasma [phantom circuit].

physical colorimeter   colorímetro físico. Colorímetro que utiliza un receptor físico de radiación [physical receptor of radiation] (CEI/70 45–30–095).

physical colorimetry   colorimetría física. Procedimientos de colorimetría en los cuales las medidas se efectúan por medio de receptores físicos [physical receptors] (CEI/70 45–30–060).

physical constant   constante física.

physical delivery   (Teleg) entrega física (de un telegrama). Dícese en oposición al uso del teléfono para comunicar al destinatario el contenido del telegrama. CF. **telephone delivery.**

physical development   desarrollo físico || (Fotog) revelado físico.

physical dimension   dimensión física.

physical dosimetry   (Nucl) dosimetría física.

physical electronics   electrónica física.

physical electrotonus   (Electrobiol) electrotono físico.

physical energy   energía física.

physical environment   medio (ambiente) físico, entorno físico.

physical equation   ecuación física.

physical extension circuit   (Teleg) sección local. Enlace permanente entre una estación telegráfica y un centro próximo que le da acceso a la red de larga distancia. Según la organización de la red nacional, la sección local puede estar constituida por un par de conductores metálicos, por un circuito radioeléctrico, etc. SIN. **tail, extension circuit.**

physical field survey   estudio físico sobre el terreno.

physical laboratory   (a.c. physical lab) laboratorio físico [de física].

physical layout   distribución física (p.ej. de equipos en una sala).

physical line   (Telecom) línea física [metálica, alámbrica, de conductores]. Dícese en oposición a los circuitos radioeléctricos o de ondas portadoras. SIN. **wire line** | v. **physical circuit.**

physical link   (Telecom) enlace físico [metálico]; enlace físico [real]. v. **physical line, physical circuit.**

physical magnitude   magnitud física. SIN. **physical quantity.**

physical mass unit   unidad de masa atómica. SIN. **atomic mass unit.**

physical measurement   medida [medición] física.

physical optics   óptica física. Rama de la óptica en la cual se considera la luz como una forma del movimiento ondulatorio [wave motion], con propagación de la energía por frentes de onda, y no por rayos como en la óptica geométrica [geometrical optics].

physical pendulum   péndulo físico.

physical phenomenon   fenómeno físico.

physical photometer   fotómetro físico [objetivo]. Fotómetro que utiliza para la medición fenómenos físicos cuya sensibilidad a las diferentes radiaciones sea comparable a la del ojo humano (CEI/38 45–15–015). SIN. **objective photometer** | fotómetro físico. Fotómetro que utiliza un receptor físico de radiación [physical receptor of radiation] (CEI/70 45–30–095).

physical photometry   fotometría física. Procedimientos de fotometría en los cuales las medidas se efectúan por medio de receptores físicos [physical receptors] (CEI/70 45–30–060).

physical property   propiedad física.

physical quantity   magnitud física.

physical-quantity measurement   medida de magnitudes físicas.

physical receptor   (i.e. of radiation) receptor físico. Aparato en el cual se produce, bajo la acción de la radiación que él recibe, un fenómeno físico mensurable (CEI/70 45–30–210).

physical requirement   requisito de aptitud física.

physical tracer   *(Nucl)* trazador físico.

physical unit   unidad física.

physical value   valor físico; valor [magnitud] real.

physical wire   hilo real. CF. **physical line.**

physicochemical   *adj:* fisicoquímico.

physicochemical hydrodynamics   hidrodinámica fisicoquímica.

physicochemical measure   medida fisicoquímica.

physicochemical measuring instrument   aparato de medidas fisicoquímicas.

physicochemical method   método fisicoquímico; procedimiento fisicoquímico.

physicochemistry   fisicoquímica. SIN. **physical chemistry** /// *adj:* fisicoquímico.

physics   física (la ciencia). /// *adj:* físico.

physiological   *adj:* fisiológico.

physiological effect   efecto fisiológico.

physiological electrotonus   *(Electrobiol)* electrotono fisiológico.

physiological monitor   monitor fisiológico. Aparato de empleo clínico o para quirófanos (salas de operaciones quirúrgicas) que registra o presenta a la observación visual parámetros fisiológicos tales como la frecuencia del pulso (latidos del corazón), el ritmo de la respiración, la presión sanguínea, y la temperatura.

phystron   fistrón. Tipo particular de tubo de microondas (hiperfrecuencias) de alta potencia.

phytohormone   fitohormona, hormona vegetal /// *adj:* fitohormonal.

phytohormone damage   alteración fitohormonal.

pi   pi. Letra griega π (minúscula), Π (mayúscula), equivalente a p, P. La minúscula (π) representa en matemática el cociente de la circunferencia por el diámetro, igual a 3,14159265... El número π se llama a veces *número ludolfino* [Ludolfine number], en homenaje al matemático alemán Ludolf von Ceulen (1540–1610), que en 1615 lo calculó con 35 cifras decimales.

P³I   *(Radar)* v. **PPPI.**

P⁴I   *(Radar)* v. **PPPPI.**

pi network, π network   red en pi, red en π. Red de tres impedancias y cuatro terminales; una impedancia (Z_{AM}) conectada entre el terminal de entrada A y el terminal de salida M; la segunda (Z_{AB}) entre los terminales de entrada A y B; y la tercera (Z_{MN}) entre los terminales de salida M y N; los terminales B y M están conectados directamente entre sí.

pi-network output coupling   acoplamiento de salida de red en pi.

pi winding   devanado no inductivo "pi". Devanado no inductivo utilizado en ciertos resistores, caracterizado por el hecho de que las espiras de las ranuras contiguas están invertidas. CF. **chapron winding.**

piano   *(Mús)* (a.c. pianoforte) piano /// *adj/adv:* *(Mús)* piano, dulcemente.

piano concerto   concierto de piano.

piano strapping   *(Telecom)* cableado con hilos desnudos. SIN. **bare-wiring strapping** (véase).

piano wiring   *(Telecom)* cableado con hilos desnudos. SIN. **bare-wiring strapping** (véase), **bare wiring.**

pianoforte   *(Mús)* (a.c. piano) piano (el instrumento).

PIBAL   *(Meteor)* boletín de sondeo del viento. Boletín sobre la dirección y velocidad del viento en la alta atmósfera | **PIBAL's, winds aloft observations:** observaciones de los vientos en la alta atmósfera.

pic   Abrev. de picture.

pic factory   *(Cine)* *(slang)* estudio cinematográfico.

Picard method   *(Mat)* método de Picard. Método numérico de resolver ecuaciones diferenciales por aproximaciones sucesivas (iteración).

piccolo   *(Mús)* flautín, octavín. Flauta pequeña de sonido agudo y penetrante || *(Organos)* flautín.

pick-ax, pick-axe   v. **pickax.**

pick off   *verbo:* derivar; captar; arrancar /// v. **pickoff.**

pick up   *verbo:* captar (p.ej. una señal, un mensaje, una estación) || *(Contactores)* cerrarse || *(Relés)* accionarse, ponerse en funcionamiento [en trabajo, en la posición de trabajo], pasar a la posición de trabajo /// v. **pickup.**

pick up a telegram   recoger un telegrama.

pickax, pickaxe   *(Herr)* zapapico; alcotana. LOCALISMO: piqueta /// *verbo:* picar (con el pico).

picked-up signal   señal captada.

picket   piquete, estaca; jalón; piquete (de obreros); tabla de valla; piquete, destacamento (p.ej. de soldados); avión estacionado (en determinado sitio); baliza radárica (en zona periférica) | v. **picket ship** /// *verbo:* poner piquetes [estacas]; poner una valla; colocar de guardia; asegurar (un avión) al aire libre.

picket ship   buque centinela de radar (generalmente anclado).

picking   recolección; picoteo; picadura; picado; elección, escogido; clasificación; selección; preparación de pedidos (tomando los artículos de los estantes) || *(Fab de discos fonog)* adherencia. Deformación de la etiqueta por su adherencia a la placa central durante la separación.

picking tag   etiqueta de localización (de mercadería).

picking up   toma; captación (p.ej. de una señal, de un mensaje, de una estación) || *(Microondas)* toma (de energía), captación (de onda). Transferencia de una onda de una guía a un cable coaxil o a un par de conductores. CF. **launching** || *(Telecom)* **(of a selector)** toma (de un selector).

pickle   *(Cocina)* encurtido; escabeche; adobo de vinagre || *(Electroquím/Electromet)* baño (químico) para limpiar metales; baño (de ácido) para desoxidar | decapante. Solución empleada para quitar óxidos y otros compuestos de la superficie de un metal por acción química (CEI/60 50–30–070) /// *verbo:* encurtir; curtir; escabechar; adobar; aliñar; revestir con líquido anticorrosivo || *(Electroquím/Electromet)* limpiar (metales) con baño químico, decapar (al ácido), desoxidar en baño ácido | decapar. Arrancar por métodos fisicoquímicos la capa de óxido, pintura, y otras materias, formada sobre un objeto metálico.

pickling   *(Cocina)* aderezo (de aceitunas); encurtido (de pepinos, de tomates); conservación en vinagre; escabechado || *(Curtición)* acción de meter en baño de casca || *(Curtición de cueros)* piclaje, salmuera ácida || *(Electroquím/Electromet)* decapado, decapaje, desoxidación | **pickling by cathode:** decapado catódico | (*i.e.* electrochemical pickling) decapado electroquímico, limpieza electroquímica | baño de decapado [de desoxidación]; decapado [desoxidación] por baño ácido; baño ácido para decapar | (*i.e.* chemical pickling) decapaje químico. Eliminación de óxidos u otros compuestos de la superficie de un metal, por medio de un decapante [pickle] (CEI/60 50–30–075(| (*i.e.* electrolytic pickling) decapaje electrolítico. Decapaje durante el cual el metal es utilizado como cátodo o como ánodo (CEI/60 50–30–080).

pickling bath   baño de decapado [de decapaje]; baño de desoxidación; baño ácido para decapar.

pickling inhibitor   inhibidor de decapado | inhibidor de decapaje. Substancia añadida a un decapante [pickle] para disminuir la velocidad de disolución del metal (CEI/60 50–30–085).

pickling solution   solución de decapado [de decapaje]; solución desoxidante.

pickoff   transductor. Dispositivo que transforma un movimiento mecánico en una señal eléctrica proporcional. SIN. **pickup, transducer.**

pickup   toma, captación; absorción; recepción; recogida; adherencia; acoplamiento; extractor; furgoneta, camioneta || *(Autos)* aceleración || *(Nucl)* reacción de captación (de un nucleón por una partícula incidente). CF. **stripping** || *(Elec)* escobilla || *(Elecn/Telecom)* captación (de zumbido); perturbación procedente de un circuito o sistema próximo | captor, (dispositivo) captador; transductor (eléctrico); lector (electromagnético); traductor, transcriptor, reproductor. (1) Dispositivo que transforma una magnitud (p.ej. un mensurando) en una señal eléctrica correspondiente. (2) Dispositivo que transforma movimientos mecánicos, ondas sonoras, variaciones luminosas, u otra magnitud física, en señales eléctricas correspondientes. (3) Dispositivo capaz de transformar una magnitud mensurable o portadora de información, en señales eléctricas correspondientes. SIN. **transducer, pickoff.** V. **microphone, photocell, vibration pickup** ‖ *(Radio/Tv)* toma (de vistas, de escenas, de sonido) | **pickup of local events:** toma de eventos locales (fuera de los estudios) ‖ *(Informática)* energización (de un selector) ‖ *(Relés)* valor de puesta en trabajo. Valor mínimo de una magnitud (tensión, corriente, potencia) al cual el relé ejecuta su función | puesta en trabajo. Desplazamiento de la posición de reposo [off-position] a la posición de trabajo [on-position] (CEI/56 16–10–020). La acción contraria se llama *paso al reposo* [dropout] ‖ *(Electroacús)* fonocaptor. TB. fonocaptador, captador, captor [transductor, transcriptor, reproductor, lector] fonográfico, reproductor fonoeléctrico, unidad reproductora, "pickup". LOCALISMO: pastilla. SIN. **phonograph pickup, pickup cartridge** | pickup. Dispositivo electromecánico accionado por un fonógrafo y capaz de excitar un altavoz (CEI/38 55–20–030) | (a.c. playback head) fonocaptor, cabeza lectora. Transductor electromecánico accionado por la modulación del surco de registro y que transforma esta señal mecánica de entrada en una señal eléctrica de salida. Se distinguen los tipos siguientes: electrostático, piezoeléctrico, electromagnético, de bobina móvil, de resistencia variable, de reluctancia variable, fotoeléctrico (de haz luminoso), etc. (CEI/60 08–25–125) ⫽ *verbo:* V. **pick up.**

pickup amplifier   *(Electroacús)* amplificador fonográfico, fonoamplificador.

pickup arm   *(Electroacús)* brazo (de) fonocaptor, brazo del fonocaptor. TB. brazo transcriptor, brazo de "pickup". SIN. **tone arm** | brazo del fonocaptor. Pieza alargada que soporta la cabeza lectora (fonocaptor) [pickup] y que le permite desplazarse sobre la superficie del disco (CEI/60 08–25–130).

pickup camera   *(Tv)* cámara tomavistas [televisora].

pickup cartridge   *(Electroacús)* cápsula fonocaptora, cabeza fonocaptora. TB. cabeza de "pickup". LOCALISMOS: pastilla, cartucho (de fonocaptor) | cápsula del fonocaptor. Parte amovible de ciertos conjuntos de lectura que comprende ciertos elementos de la cabeza de lectura y de la aguja reproductora [reproducing stylus] (CEI/60 08–25–145).

pickup characteristic   *(Electroacús)* característica del fonocaptor.

pickup circuit   circuito captador.

pickup coil   bobina captadora [de captación]; bobina exploradora; bobina acopladora. SIN. **exploration coil, pickup loop.**

pickup current   *(Relés, &)* corriente de puesta en trabajo. V. **pickup value.** SIN. **pull-in current.**

pickup device   dispositivo captador.

pickup electrode   *(Electrobiol)* electrodo explorador.

pickup equalizer preamplifier   preamplificador compensador para fonocaptor.

pickup factor   *(Radiocom)* factor de captación (de antena); altura de entrada | factor de captación. Cociente de la tensión a la entrada de un receptor radiogoniométrico de impedancia especificada, por el campo eléctrico de la onda recibida por la antena asociada, siendo la dirección de recepción en general la del máximo del diagrama de directividad y la polarización aquella para la cual ha sido ideada la antena; esta cantidad es generalmente expresada en metros (CEI/70 60–71–270).

pickup head   *(Electroacús)* cabeza lectora, fonocaptor. V. **pickup.**

pickup microphone   micrófono de toma [de captación].

pickup plug   clavija de fonocaptor.

pickup preamplifier   preamplificador fonográfico.

pickup probe   sonda de captación; sonda exploradora.

pickup ratio   *(Radiocom)* relación de captación [de alturas de entrada] ‖ *(Radiogoniómetros)* relación de la captación. Relación de los factores de captación [pickup factors] correspondientes a dos

polarizaciones rectilíneas especificadas de una onda de dirección especificada (CEI/70 60–71–275).

pickup sensing element   elemento sensible [captador]; captor de medida.

pickup spectral characteristic   característica espectral de captación. (1) Relación entre la intensidad luminosa y la amplitud de la señal eléctrica en un tubo de cámara (tubo tomavistas) o un tubo de imagen (cinescopio), sin tomar en cuenta las correcciones de gamma [gamma correction] o de matrizaje [matrixing correction]. (2) Familia de respuestas espectrales de una cámara, incluidos los elementos ópticos, que determina la conversión de la radiación en señales eléctricas, antes de cualquier operación de alinealizado [nonlinearizing] o de matrizaje [matrixing].

pickup stylus   *(Fonog)* aguja reproductora. SIN. **needle.**

pickup system   *(Electroacús)* sistema (de) fonocaptor | lector. Conjunto, desmontable o no, que comprende el fonocaptor (cabeza lectora) y el brazo del fonocaptor. NOTA: El vocabulario oficial (CEI) no registra término inglés para esta definición (CEI/60 08–25–135).

pickup terminal   *(Informática)* terminal de entrada.

pickup traffic   *(Avia)* tráfico de recogida.

pickup truck   camioneta de reparto.

pickup tube   tubo tomavistas [de cámara], tubo analizador (de televisión). TB. tubo de toma. Dispositivo optoelectrónico que transforma la imagen óptica en señales eléctricas correspondientes. SIN. **camera tube.**

pickup value   *(Relés)* valor de puesta en trabajo. Valor límite de la magnitud de influencia [actuating quantity] que pone el relé en posición de trabajo (CEI/56 16–20–020). El valor límite de dicha magnitud que pone el relé en posición de *reposo,* se llama *valor de paso al reposo* [dropout value].

pickup velocity   *(Tv)* (a.c. scanning speed) velocidad de exploración.

pickup voltage   *(Relés, &)* tensión de puesta en trabajo. V. **pickup value.**

pico   Prefijo que representa el factor 10^{-12}. Símbolo: p. V. **order of magnitude.**

picoammeter   *(Elec)* picoamperímetro.

picoamp   Abrev. no normalizada de picoampere.

picoampere   picoamperio, picoampere. Unidad igual a 10^{-12} amperio. Símbolo: pA.

picocoulomb   picoculombio, picocoulomb. Unidad igual a 10^{-12} culombio. Símbolo: pC.

picocurie   picocurie. Unidad igual a 10^{-12} curie. Símbolo: pCi.

picofarad   picofaradio, picofarad. Unidad igual a 10^{-12} faradio. Símbolo: pF.

picosecond   picosegundo. Unidad igual a 10^{-12} segundo. Símbolo: ps.

picowatt   picovatio, picowat. Unidad igual a 10^{-12} vatio. Símbolo: pW.

pictogram   *(Mat)* pictograma.

pictograph   pictograma, diagrama pictórico, pictografía.

pictorial   ilustración (pictórica); revista ilustrada ⫽ *adj:* pictórico, pictográfico; gráfico; ilustrado; fotográfico. AFINES: iconográfico, escenográfico.

pictorial display   *(Radar/Radionaveg)* presentación pictórica, representación en forma de imágenes.

pictorial information   información pictórica [en forma de imágenes].

pictorial photography   fotografía artística.

pictorial representation   representación gráfica; representación esquemática.

pictorial wiring diagram   diagrama pictórico de alambrado, esquema eléctrico en el cual aparecen dibujos (en vez de símbolos) de las piezas o elementos circuitales.

picture   *(Artes gráficas)* ilustración, grabado, lámina; dibujo ‖ *(Bellas artes)* cuadro, pintura; retrato ‖ *(Cine)* película, film ‖ *(Fotog)* foto, fotografía, imagen fotográfica. SIN. **photo, photo-**

graph. CF. **copy, positive, print** ‖ *(Elecn/Telecom)* imagen; registro; fototelegrama ‖ *(Tv)* imagen. Imagen televisada; imagen recibida; imagen en cuanto a forma y contenido. v. **quality of picture reproduction** | imagen. Imagen producida por el punto explorador electrónico sobre la pantalla luminiscente de un aparato de síntensis durante un período de imagen [cycle of scanning] (CEI/70 60–64–085). ⫽ *adj:* gráfico; fotográfico; cinematográfico. ⫽⫽ *verbo:* dibujar, pintar; imaginar; describir.

picture amplifier   amplificador de imagen.

picture analysis   *(Facsímile/Tv)* análisis [descomposición] de la imagen.

picture area   *(Cine/Tv)* área de la imagen; superficie de la imagen.

picture black   *(Facsímile)* nivel del negro. Nivel de la señal correspondiente a la parte más obscura (o la más negra) de la vista por transmitir (CEI/70 55–80–130). CF. **picture white** ‖ *(Tv)* negro de una imagen. Nivel de una señal correspondiente a la parte menos luminosa de una imagen dada (CEI/70 60–64–270).

picture bounce   *(Facsímile/Tv)* temblor de la imagen.

picture brightness   brillo de imagen. En televisión, brillo de las partes más iluminadas de la imagen. SIN. **picture brilliancy.**

picture brilliancy   brillo de imagen. v. **picture brightness.**

picture call   *(Telecom)* transmisión fototelegráfica.

picture carrier   *(Tv)* portadora de imagen [de la señal de imagen], frecuencia portadora de imagen. TB. portadora de video [de visión]. SIN. **luminance carrier.** CF. **sound carrier, chrominance subcarrier.**

picture-carrier amplifier   amplificador de (la) portadora de imagen.

picture-carrier frequency   frecuencia de (la) portadora de imagen.

picture-carrier monitor   *(Tv)* monitor de (la) portadora de imagen.

picture centering   *(Tv)* centrado [centraje] de (la) imagen; encuadre de (la) imagen.

picture-centering control   *(Tv)* control de centrado [mando de centraje] de la imagen.

picture channel   canal de imagen.

picture charge   carga de imagen.

picture check print   *(Cine)* copia de prueba.

picture chrominance   *(Tv)* crominancia de la imagen.

picture circuit   *(Telecom)* circuito fototelegráfico.

picture component   componente de imagen. CF. **picture element.**

picture compression   *(Tv)* compresión de (la) imagen. Compresión de parte o partes de la imagen, sea en sentido horizontal o vertical, debida a falta de linealidad de la onda en diente de sierra utilizada para el barrido. SIN. **packing.**

picture contrast   *(Tv, Facsímile)* contraste de la imagen.

picture-contrast control   control [mando] de contraste de la imagen.

picture control and monitor unit   equipo de supervisión [comprobación] y ajuste [corrección] de (la) imagen, equipo monitor y de control de (la) imagen.

picture-control coil   *(Tv)* bobina de encuadre de (la) imagen. SIN. **framing coil** (véase).

picture-control potentiometer   *(Tv)* potenciómetro de encuadre de (la) imagen.

picture daily print   *(Cine)* copia diaria imagen; primera copia (del negativo original de la película).

picture definition   definición de (la) imagen. SIN. **detalle [resolución]** de (la) imagen. v. **picture detail.**

picture detail   detalle de (la) imagen. Finura de detalle de la imagen; se expresa por el número de líneas de exploración o de elementos que componen la imagen en la pantalla del receptor. SIN. **picture definition [resolution].**

picture detector   detector de imagen.

picture detector diode   diodo detector de imagen.

picture diagram   diagrama pictórico [figurativo]. CF. **pictorial wiring diagram.**

picture dot   *(Tv)* elemento de imagen. v. **picture element.**

picture doubling   doblamiento de imagen.

picture dupe negative   *(Cine)* dup negativo imagen; contratipo negativo, negativo duplicado.

picture duping print   *(Cine)* copia lavanda. SIN. **lavender print.**

picture edge   borde de la imagen.

picture element   elemento de imagen, superficie elemental de imagen. En facsímile y televisión, subdivisión más pequeña de la imagen, definida arbitrariamente como un cuadrado con lados iguales al ancho de una línea de exploración. Esta definición presupone iguales la resolución horizontal [horizontal resolution] y la vertical [vertical resolution]. En televisión en colores se usa en inglés el término *picture dot* para referirse al elemento de imagen correspondiente a uno de los tres colores primarios. SIN. **critical [elemental] area** ‖ *(Facsímile)* elemento de imagen. En la emisión, la más pequeña superficie de la imagen efectivamente capaz de producir una señal discernible. En la recepción, la superficie del más pequeño detalle capaz de ser efectivamente reproducido por el receptor (CEI/70 55–80–025) ‖ *(Tv)* elemento de imagen. Superficie elemental de una imagen correspondiente al límite de resolución de un sistema de televisión (CEI/70 60–64–090).

picture elements per second   elementos de imagen por segundo.

picture fading   *(Tv)* desvanecimiento de imagen. Efecto de imagen producido en el estudio. v. **fade, fade over, fadeout.**

picture filter   filtro de imagen. Hoja transparente coloreada (de vidrio o de plástico) que se coloca frente a la pantalla de un televisor para mejorar el contraste u obtener otro efecto.

picture fine adjustment   ajuste fino [preciso] de (la) imagen. CF. **fine tuning, fine focusing.**

picture flash card   carta de visualización relámpago [de presentación rápida de imágenes]. Se usan estas cartas p.ej. para la enseñanza de idiomas.

picture focal plane   *(Tv)* plano de imagen.

picture foldover   *(Tv)* repliegue de la imagen. Efecto que hace aparecer la imagen como si se arrollara sobre sí misma. CF. **picture doubling.**

picture-form telegram   *(i.e.* telegram in picture form) telegrama en forma de imagen.

picture frame   *(Pinturas)* marco de cuadro.

picture-frame television   televisión de pantalla mural.

picture frequency   *(Facsímile)* frecuencia de imagen. Frecuencia resultante exclusivamente de la exploración del original ‖ *(Tv)* frecuencia de imagen [de cuadro]. Número de veces que la imagen es explorada completamente por segundo; en el sistema norteamericano (NTSC) es de 30 cuadros por segundo. SIN. **frame frequency, frame repetition rate** | frecuencia de imagen. Número de imágenes transmitidas por segundo en un sistema de televisión (CEI/70 60–64–115).

picture frequency band   banda de frecuencias de imagen.

picture gate   *(Cine)* ventanilla de proyección.

picture generator   *(Tv)* generador de imagen.

picture glass   *(Tv)* vidrio protector del tubo-pantalla.

picture height   *(Tv)* altura [dimensión vertical] de la imagen. CF. **picture width.**

picture-height control   control de altura de (la) imagen.

picture highlight   *(Tv)* parte brillante de la imagen.

picture highlight area   elemento de imagen brillante.

picture IF   Abrev. de picture intermediate frequency.

picture IF amplifier   amplificador de FI de imagen. Amplificador de frecuencia intermedia del canal de imagen. SIN. **video IF amplifier.**

picture IF stage   etapa de FI de imagen. Etapa del amplificador de frecuencia intermedia de imagen.

picture information   información de imagen.

picture intelligence   información de imagen.

picture intermediate frequency [picture IF]   frecuencia intermedia [FI] de imagen.

picture inversion   inversión de (la) imagen. En un receptor de facsímile, inversión de los tonos blancos y negros en la imagen reproducida [recorded copy]. SIN. **tone reversal.**

picture jitters   vibraciones [fluctuaciones] de la imagen. CF. **picture bounce.**

picture jump   *(Tv)* salto (vertical) de (la) imagen. CF. **picture bounce, picture weave.**

picture line amplifier   *(Tv)* amplificador de línea de imagen. Amplificador intercalado en la línea que lleva las señales de imagen del estudio al transmisor, a un transmisor de radioenlace, o a una cadena difusora.

picture line frequency   *(Tv)* frecuencia de líneas (de exploración). SIN. **horizontal [line] frequency.**

picture line standard   *(Tv)* norma de líneas de exploración; número de líneas horizontales en la imagen completa. La norma NTSC es de 525 líneas.

picture linearity   linealidad de imagen.

picture lock   *(Tv)* fijación [estabilización de posición] de la imagen. v. **horizontal centering, horizontal hold, vertical centering, vertical hold.**

picture mask   *(Cinescopios)* marco [recuadro] de la pantalla.

picture mixer   *(Tv)* mezclador de imagen.

picture modulation   modulación de imagen.

picture-modulation component   componente de modulación de imagen.

picture mold   recuadro mural; moldura para cuadros.

picture monitor   *(Tv)* monitor de imagen. (1) Televisor de comprobación; dispositivo que comprende un cinescopio y que sirve para vigilar o controlar la imagen en un punto de un sistema; p.ej. en un pupitre de control, la entrada de las señales captadas por la cámara de estudio. (2) Tubo de imagen [picture tube] y aparatos asociados que sirven en televisión para el control de la calidad técnica de una imagen (CEI/70 60–64–620).

picture negative   *(Cine)* imagen negativa.

picture-on-the-wall television   televisión mural. Televisor lo suficientemente plano para que pueda ser adosado a la pared.

picture-on-the-wall television screen   pantalla de televisión mural. Tubo-pantalla lo bastante plano para ser colgado o adosado a la pared como si fuese un cuadro o una pintura.

picture only   *(Cine/Tv)* imagen sola(mente).

picture output   *(Tv)* salida de imagen. SIN. **image output.**

picture painting   pintura; coloración ‖ *(Tv)* coloreado (de imagen), efecto de color. Cambios que por medios electrónicos, y con fines artísticos o especiales, se efectúan en los colores de la imagen televisada. Viene a ser la contraparte visual de los efectos de sonido [sound effects].

picture passband   banda pasante de imagen.

picture period   período de imagen; duración de imagen.

picture potentiometer   *(Tv)* potenciómetro de ajuste de imagen. CF. **picture-control potentiometer.**

picture quality   calidad de la imagen. v. **quality of picture reproduction.**

picture ratio   *(Cine/Tv)* formato (de la imagen). TB. relación de aspecto, proporción dimensional de la imagen. Relación numérica (por cociente) entre el ancho y el alto de la imagen. SIN. **aspect ratio.**

picture receiver   receptor de imagen, televisor sin sonido. Receptor de televisión sin medios para la reproducción del sonido que acompaña la imagen. SIN. **picture-only receiver.**

picture receiving tube   *(Tv)* tubo de recepción de imagen.

picture reconstruction   síntesis [integración] de la imagen. SIN. **picture synthesis.**

picture-reconstruction arrangement   esquema de síntesis [integración] de la imagen.

picture relay   radioenlace de televisión, enlace de televisión por relés hertzianos.

picture repetition rate   frecuencia (de repetición) de imagen. SIN. **picture frequency.**

picture reproduction   reproducción de (la) imagen; reproducción de (las) imágenes. CF. **quality of picture reproduction.**

picture resolution   resolución de (la) imagen. SIN. **detalle [definición] de (la) imagen.** v. **picture detail.**

picture roll   *(Tv)* (a.c. rollover) rodamiento [desplazamientos sucesivos] de la imagen.

picture-rotate control   *(Tv)* v. **picture-rotation control.**

picture rotation   *(Tv)* rotación de la imagen.

picture-rotation control   *(Tv)* mando de rotación de (la) imagen.

picture signal   señal de imagen. (1) Parte de la señal de videofrecuencia [video signal] que constituye la información de imagen [picture information, picture intelligence]; o sea, señal eléctrica resultante de la exploración de la imagen o escena televisada. (2) Onda de radiofrecuencia modulada por la señal de la definición precedente. (3) Señal que contiene información de imagen, tal como la señal resultante del análisis de una imagen (CEI/70 60–64–205).

picture-signal amplifier   amplificador de señal de imagen.

picture-signal amplitude   amplitud de la señal de imagen. Diferencia entre las amplitudes correspondientes a la cresta del blanco [white peak] y el nivel de supresión [blanking level] de la señal de televisión.

picture-signal input   entrada de señal de imagen.

picture-signal modulation   modulación de señal de imagen; modulación de (señal de) video.

picture-signal polarity   polaridad de la señal de imagen. Polaridad de la tensión de señal correspondiente a una zona obscura de la escena o imagen, respecto a la que representa una zona clara. v. **black negative, black positive.**

picture size   *(Tv)* tamaño de (la) imagen, área útil (de la pantalla). CF. **picture ratio.**

picture slip   *(Tv)* deslizamiento vertical de la imagen. Desplazamiento (movimiento) vertical aparente de la imagen visible debido a un defecto de sincronización de campo. SIN. **frame slip** *(término desaconsejado)* (CEI/70 60–64–525).

picture source   *(Tv)* fuente de imágenes.

picture storage tube   tubo acumulador [memorizador] de imágenes.

picture story   reportaje gráfico [fotográfico, ilustrado].

picture strip   *(Tv)* línea de exploración [de análisis] (de imagen) ‖ *(Cine/Fotog)* (*i.e.* of film) tira de fotogramas; tira de imágenes.

picture sweep amplifier   *(Tv)* amplificador de barrido de imagen [de cuadro]. SIN. **vertical sweep amplifier.**

picture synchronization   *(Tv)* (a.c. picture synchronizing) sincronización de imagen [de cuadro]. SIN. **frame synchronization** *(GB)*, **vertical sync.**

picture synchronizing   *(Tv)* v. **picture synchronization.**

picture synchronizing impulse   *(Tv)* v. **picture synchronizing pulse.**

picture synchronizing pulse   *(Tv)* (a.c. picture synchronizing impulse) impulso de sincronización de imagen [de cuadro], impulso de sincronización (de barrido) vertical. Impulso que determina el instante preciso en que el haz explorador del cinescopio retorna del extremo inferior al superior del cuadro para comenzar un nuevo ciclo de barrido vertical. SIN. **vertical synchronizing pulse.**

picture/synchronizing ratio   *(Tv)* relación de sincronización. Relación, expresada generalmente en centésimos, de la amplitud de la señal de sincronización [synchronizing signal] a la amplitud máxima de cresta a cresta [peak to peak] de la señal de imagen completa correspondiente al nivel del blanco [white level]. NOTA: El término inglés correspondiente designa una relación diferente (CEI/70 60–64–850).

picture synthesis   *(Tv)* síntesis de (la) imagen. SIN. **picture reconstruction.** CF. **picture analysis.**

picture taking   *(Fotog)* toma de fotografías ‖ *(Cine/Tv)* toma de vistas.

picture tearing   *(Tv)* desgarro de (la) imagen.

picture telegraph   fototelegrafía. SIN. **phototelegraph** ||| *adj:* fototelegráfico.

picture telegraph apparatus   aparato fototelegráfico | aparatos fototelegráficos. Aparatos que dan en el puesto receptor una reproducción geométrica semejante del texto (manuscrito, impreso, imagen, fotografía) expuesto delante del órgano explorador del aparato emisor (CEI/38 55–15–150).

picture telegraph service   servicio fototelegráfico [de fototelegrafía].

picture telegraphy   fototelegrafía; transmisión de imágenes. SIN. **phototelegraphy** ||| *adj:* fototelegráfico.

picture theater   teatro, cinematógrafo, sala cinematográfica.

picture-to-synchronizing ratio   *(Tv)* relación de sincronización. v. **picture/synchronizing ratio.**

picture tone   *(Facsímile)* frecuencia (portadora) de imagen, frecuencia portadora de (la modulación de) imagen | frecuencia portadora de imagen. Frecuencia de la portadora utilizada en la transmisión de facsímiles por modulación de amplitud [amplitude-modulated facsimile transmission] (CEI/70 55–80–165).

picture transformer   *(Tv)* transformador de imagen [de salida de cuadro]. SIN. **vertical output transformer.**

picture transmission   transmisión de imágenes, fototelegrafía. Sistema de telegrafía facsímile que tiene por principal objeto la reproducción de tonalidades [tone reproduction] y que utiliza en la recepción procedimientos fotográficos. SIN. **image transmission, phototelegraphy** | (a.c. image transmission) transmisión de (la) imagen.

picture-transmission method   procedimiento de transmisión de imágenes.

picture transmitter   transmisor de imágenes, emisor fototelegráfico || *(Tv)* transmisor de imagen. Transmisor de la parte visual del programa. SIN. **visual [video] transmitter.** CF. **sound [aural] transmitter.**

picture tube   *(Tv)* cinescopio, tubo-pantalla, tubo de imagen. TB. válvula-pantalla, tubo cinescópico, válvula cinescópica [reproductora de imágenes], tubo catódico receptor [para televisor], tubo de reproducción. Tubo de rayos catódicos [cathode-ray tube] para la reproducción de imágenes de televisión. SIN. **kinescope** | tubo de imagen, tubo de televisión, cinescopio. Tubo de rayos catódicos que, asociado a dispositivos apropiados, asegura la síntesis de la imagen (CEI/70 60–64–595).

picture-tube brightener   transformador para sobretensión de filamento de cinescopio. Pequeño transformador elevador de tensión que se intercala entre la base del tubo y su zócalo para aumentar la brillantez y compensar el efecto del envejecimiento normal del tubo.

picture-tube characteristic   característica del cinescopio [tubo-pantalla].

picture-tube harness   arnés [aparejo] del cinescopio. Especie de zuncho que se ajusta a la ampolla del cinescopio o tubo-pantalla para fijarlo al chasis o a la caja del aparato.

picture-tube safety glass   vidrio protector del cinescopio [tubo-pantalla].

picture weave   *(Tv)* salto horizontal de (la) imagen. CF. **picture jump.**

picture white   *(Facsímile)* nivel del blanco. Nivel de la señal correspondiente a la parte más clara (o la más blanca) de la vista por transmitir (CEI/70 55–85–135). SIN. **nivel de densidad mínima —— white** || *(Tv)* blanco de una imagen. Nivel de la señal de imagen correspondiente a la parte más luminosa de una imagen dada (CEI/70 60–64–275). SIN. **nivel del blanco.** CF. **picture black.**

picture width   *(Tv)* ancho [anchura] de (la) imagen.

picture-width control   control de anchura de (la) imagen.

picture work print   *(Cine)* copia imagen de armado.

Picturephone   Picturephone. Sistema telefónico-visual, o sea, de teléfono combinado con la transmisión de imágenes, mediante el cual los comunicantes pueden hablar y, además, verse. Es un sistema experimental realizado por Bell Laboratories y demostrado en la Feria Mundial de 1964–1965 (Nueva York).

pie winding   *(also π winding)* devanado de bobinas planas. Procedimiento para la construcción de devanados utilizando múltiples bobinas en forma de arandelas, llamadas en inglés *pies* (literalmente *tortas*). CF. **pile-wound coil.**

piece   pieza; pedazo, trozo; fragmento, retazo; parte, división, sección; parcela; muestra; obra a destajo; composición, escrito, obra; pieza (de teatro) || *(Mús)* pieza; trozo (de música).

piecewise   *adv:* por piezas; por secciones, por trozos, por partes.

piecewise continuous function   *(Mat)* función continua a trozos, función seccionalmente continua.

piecewise-linear bound   *(Mat)* límite cuasilineal [lineal por trozos].

piecewise-linear system   *(Mat)* sistema lineal por trozos.

piecewise solution   *(Mat)* solución por secciones, resolución por elementos; solución parcial.

pier   *(Arcos)* pie derecho || *(Constr, Mampostería)* pilar, pilón, dado (pequeño), machón. LOCALISMO: cepa, estribo | pila, pilastra; entrepaño; paño de muro entre ventanas | **pier embedded in the ground:** pilar empotrado en tierra || *(Obras portuarias)* malecón; muelle; desembarcadero; espigón, escollera, muelle saliente || *(Puentes)* palizada || *(Puentes, Viaductos)* pila. Las pilas sirven de apoyo a los extremos de un puente o un viaducto.

pierce   *verbo:* agujerear, perforar, taladrar, barrenar; pasar, atravesar, traspasar; penetrar; entrar a la fuerza; abrir paso.

Pierce oscillator   oscilador Pierce. Oscilador regulado por cristal en el cual éste va conectado entre la rejilla y el ánodo (placa) del tubo oscilador.

piercing point   *(Herr)* penetrador || *(Mat)* traza; punto de encuentro.

piezocrystal   v. **piezoelectric crystal.**

piezodielectric   *adj:* piezodieléctrico. Que posee la propiedad de cambiar en el valor de la constante dieléctrica [dielectric constant] cuando se le somete a la acción de una fuerza mecánica.

piezoelectric   *adj:* piezoeléctrico. Que posee la propiedad de generar una fuerza electromotriz cuando se le somete a la acción de una fuerza mecánica; que produce una fuerza mecánica cuando se le aplica una tensión eléctrica.

piezoelectric accelerometer   acelerómetro piezoeléctrico.

piezoelectric activity   actividad piezoeléctrica.

piezoelectric axis   eje piezoeléctrico. En un cristal piezoeléctrico [piezoelectric crystal], dirección en la cual una compresión o tensión mecánica genera una fuerza electromotriz (cargas piezoeléctricas).

piezoelectric ceramic   cerámica piezoeléctrica.

piezoelectric constant   constante piezoeléctrica.

piezoelectric crystal   cristal piezoeléctrico. Substancia, por lo común cuarzo natural, que al ser excitada eléctricamente, vibra a una frecuencia fija que depende del grueso a que ha sido cortada. Se utiliza para determinar con exactitud y estabilidad la frecuencia de osciladores en transmisores, receptores, y otros dispositivos de radio y electrónicos. Empléase también en ciertos tipos de filtros, en los cuales se comporta como un circuito resonante de alto Q. CF. **quartz crystal.**

piezoelectric detector   detector piezoeléctrico.

piezoelectric driving system   sistema impulsor piezoeléctrico.

piezoelectric effect   efecto piezoeléctrico. Generación de una tensión eléctrica (fuerza electromotriz) entre las caras de ciertos cristales (naturales o sintéticos) al ser deformados mecánicamente (compresión, flexión, torsión), y fenómeno opuesto: deformación mecánica del cristal bajo la influencia de un campo eléctrico.

piezoelectric gage   galga piezoeléctrica. Manómetro o piezómetro que utiliza un material piezoeléctrico como elemento sensible que traduce las presiones en tensiones eléctricas.

piezoelectric indicator   indicador piezoeléctrico. Indicador destinado a comprobar las presiones de los gases en un motor de combustión interna.

piezoelectric loudspeaker   altavoz [altoparlante] piezoeléctrico. v. **crystal loudspeaker** | altavoz piezoeléctrico. Altavoz cuyo principio de funcionamiento reposa en la deformación de un cuerpo, usualmente cristalino, poseedor de propiedades piezoeléctricas [piezoelectric properties] (CEI/60 08–20–015).

piezoelectric microphone   micrófono piezoeléctrico. Micrófono cuyo principio de funcionamiento descansa en la deformación de un cuerpo, habitualmente cristalino, poseedor de propiedades piezoeléctricas. SIN. **micrófono de cristal — crystal microphone** (CEI/60 08–15–045).

piezoelectric oscillator   oscilador piezoeléctrico. v. **crystal oscillator**.

piezoelectric pickup   fonocaptor ["pickup"] piezoeléctrico. v. **crystal pickup**.

piezoelectric pressure gage   manómetro piezoeléctrico.

piezoelectric quartz   cuarzo piezoeléctrico.

piezoelectric receiver   (*Telecom*) receptor piezoeléctrico.

piezoelectric resonator   resonador piezoeléctrico. Placa o varilla de un cristal piezoeléctrico (como el cuarzo natural) que al ser excitado eléctricamente entra en vibración resonante a una o más frecuencias precisas. V.TB. **piezoelectric crystal**.

piezoelectric seismograph   sismógrafo piezoeléctrico.

piezoelectric shaker   sacudidor piezoeléctrico.

piezoelectric strain gage   deformímetro piezoeléctrico; extensímetro piezoeléctrico.

piezoelectric transducer   transductor piezoeléctrico.

piezoelectric vibration pickup   vibrocaptor [captador de vibraciones] piezoeléctrico.

piezoelectric vibrator   vibrador piezoeléctrico. v. **piezoelectric resonator**.

piezoelectric well hydrophone   hidrófono piezoeléctrico para mediciones en pozos.

piezoelectricity   piezoelectricidad. (**1**) Fenómeno de polarización eléctrica provocada por variaciones de presión (CEI/38 05–15–175). (**2**) Fenómeno por el cual ciertos cristales, llamados *piezoeléctricos,* generan electricidad cuando se les comprime o deforma de algún otro modo. Fueron los físicos Haüy y Becquerel (1817–1818) los que pusieron de manifiesto que ciertas substancias cristalinas presentaban cargas eléctricas en ambas caras al aplicar a éstas fuerzas de compresión y de tracción. ETIM. Del griego *piezelein,* que quiere decir comprimir /// *adj:* piezoeléctrico.

piezoid   cuarzo tallado. v. **finished crystal blank.**

piezometer   piezómetro /// *adj:* piezométrico.

piezoresistance   piezorresistencia.

piezoresistive   *adj:* piezorresistivo.

piezoresistive strain-gage transducer   transductor deformimétrico piezorresistivo.

piezoresistive pressure gage   medidor de presión piezorresistivo.

piezoresistivity   piezorresistividad.

piezothermal   *adj:* piezotérmico.

piezotropism   piezotropismo.

piezoxide   piezóxido. Substancia cerámica a base de zirconato de titanato de plomo.

pig   (*Nucl*) cerdo. Envase fuertemente protegido, usualmente de plomo, utilizado para guardar o transportar materiales radiactivos, como p.ej. radioisótopos.

PIG   Abrev. de Penning ionization gage.

PIG discharge   descarga de Penning. v. **Penning discharge.**

pigeon message   colombograma, mensaje enviado por paloma mensajera.

pigeons   (*Tv*) "palomas". Ruido de impulso observable en la pantalla de los monitores de imagen; aparece en forma de impulsos o "ráfagas" de corta duración que se suceden a ritmo lento.

piggyback   (servicio de) semirremolque carretero cargado sobre vagón plataforma, (servicio de) ferrocamión /// *adj/adv:* incorporado; sobre vagón plataforma; sobre la espalda y los hombros.

piggyback control   (*Controles automáticos*) control en cascada. v. **cascade control.**

piggyback refrigeration   furgones refrigerados.

pigment   pigmento; color, (materia) colorante.

pigmentation   pigmentación; coloración (por pigmentos).

pigmented   *adj:* pigmentado; coloreado.

pigmented dope   (*Avia*) nobabia con pigmento, barniz pigmentado para telas, barniz de recubrimiento con pigmento.

pigtail   (*Bobinas de hilo*) rabillo || (*Elec*) cable de llegada | conexión en espiral; cable flexible de conexión; acoplamiento metálico flexible. Conexión metálica flexible (consistente por lo común en un alambre trenzado) que une un terminal o borne estacionario con otro que puede tener cierto grado de movimiento, como sucede p.ej. en el caso de la armadura de un relé | conductor flexible (de una escobilla) || (*Fusibles*) hilos de conexión || (*Lámparas y aparatos auxiliares*) (*i.e.* extremity of a support in the shape of a curl) rabo de cerdo. Extremidad de soporte en forma de bucle (CEI/70 45–45–190).

pigtail cable   cable flexible.

pigtail diode   diodo con rabillos de conexión.

pigtail fuse   fusible con hilos [alambres] de conexión.

pigtail lead   conductor flexible.

pigtail resistor   resistor arrollado en espiral.

pigtail splice   (*Elec*) empalme de hilos torcidos. Empalme que se hace poniendo los hilos paralelos y torciendo apretadamente sus puntas desnudas.

pike pole   pica, chuzo, lanza. LOCALISMO: garrocha.

pilbarite   (*Miner*) pilbarita.

pile   pila, montón; pelo, pelaje; pelusa, pelusilla; lana (de borrego); pelo (de alfombra, de tela, de camello) || (*Constr*) mole (de un edificio) | pilote. LOCALISMOS: estaca, zampa || (*Elec*) pila || (*Nucl*) (a.c. reactor, nuclear reactor) pila (atómica), reactor (nuclear). v. **nuclear reactor** /// *verbo:* apilar, amontonar, entongar. LOCALISMOS: apilonar, empilar | acumular || (*Constr*) hincar pilotes; afirmar (el suelo) con pilotes; cimentar sobre pilotes.

pile driver   martinete (para hinca de pilotes), machina. LOCALISMOS: hincapilotes, maza de Fraga.

pile-driver formula   fórmula de hinca, fórmula para la hinca [la resistencia] de pilotes. Fórmula para calcular la capacidad de carga de un pilote en función de la resistencia que el mismo ofrece a la hinca.

pile foundation   fundación [cimentación] sobre pilotes. Cimiento de una obra de arte [structure] en el cual las cargas se transmiten al terreno por medio de pilotes.

pile operation   (*Nucl*) funcionamiento de un reactor.

pile oscillator   (*Nucl*) oscilador de reactor.

pile period   (*Nucl*) período del reactor.

pile poisoning   (*Nucl*) envenenamiento del reactor.

pile up   *verbo:* apilar(se), amontonar(se); acumular(se) || (*Avia*) estrellarse (un avión) (al despegar o al aterrizar) /// v. **pileup.**

pile-up   v. **pileup.**

pile-wound   *adj:* bobinado en pilas.

pile-wound coil   bobina [bobinado] en pilas.

pileup   apilamiento, amontonamiento; acumulación || (*Radiaciones ionizantes*) (**in a counting assembly**) apilamiento (en un conjunto contador). Circunstancia en la cual dos o más impulsos suficientemente próximos entre sí en el tiempo pueden ser indiscernibles por el conjunto de medida [measuring assembly], produciendo así el mismo efecto que un impulso mayor (CEI/68 66–10–085) || (*Relés, Conmut*) juego (unitario) de contactos. Juego de contactos fijos y móviles que forman un conjunto unitario.

pileup insulator   (*Relés, Conmut*) aislador de juego de contactos.

piling rail   (*Telef*) zócalo.

piling wood   plancha de entibar.

pill diode   diodo tipo píldora.

pill varactor   varactor tipo píldora.

pillar   pilar; poste; columna; montante, pie derecho; soporte, sostén ‖ *(Buques)* puntal ‖ *(Minas)* pilar, macizo ‖ *(Elec)* columna. (1) Columna que soporta o contiene los aparatos destinados a mandar o vigilar circuitos eléctricos (CEI/38 10–05–030). (2) Columna que soporta o contiene aparatos eléctricos (CEI/57 15–60–050) ‖ *(Guías de ondas)* pilar. v. **miscellaneous matching and tuning devices.**

pillar line   pilar.

pillbox   caja [cajita] de píldoras, caja para píldoras ‖ *(Lenguaje militar)* fortín armado para ametralladoras, pequeño blocao de hormigón para ametralladoras ‖ *(Hiperfrec)* línea (de transmisión) de placas paralelas.

pillbox antenna   *(Hiperfrec)* antena con parábola achatada.

pillbox line   *(Hiperfrec)* línea (de transmisión) de placas paralelas.

pillbox package   *(Diodos)* construcción [estilo constructivo] de "cajita de píldoras".

pillow   almohada, cabezal; almohadón, cojín ‖ *(Mec)* cojinete, buje, dado, gorrón; soporte; rangua, tejuelo ‖ *(Palos de buque)* galleta, perilla ∭ *verbo:* poner sobre almohada [sobre cojinete, sobre soporte, etc.].

pillow-block   soporte, descanso, cojinete, tejuelo, cojín, caja de chumacera; cajera (de eje); cojinete (de eje de transmisión); chumacera (de línea de ejes).

pillow-bush   tejuelo, rangua.

pillow loudspeaker   altavoz de cabecera, altavoz plano para colocar debajo de la almohada. Altavoz plano que se coloca debajo de la almohada; va protegido por una cubierta con aberturas para la salida del sonido.

pillow speaker   v. **pillow loudspeaker.**

pilot   guía, mentor, consejero ‖ *(Avia/Aeron)* piloto; aviador. cf. **aeronaut, aviator** ‖ *(Naveg)* timonel; práctico (de puerto), piloto ‖ *(Locomotoras)* quitapiedras, limpiavía, barredor, rastrillo, trompa. localismos: botavaca, guardaganado, meriñaque ‖ *(Ferroc)* máquina exploradora ‖ *(Fotog)* piloto ‖ *(Elec)* conductor auxiliar ‖ *(Radio/Elecn)* (lamparita) piloto; lámpara testigo ‖ *(Mec)* macho centrador ‖ *(Telecom)* (onda) piloto. tb. onda [señal] auxiliar. Señal monofrecuencia emitida en un sistema de radioenlace o de ondas portadoras para servicios auxiliares tales como los de alarma, de regulación de niveles, y de regulación de frecuencia ‖ (a.c. pilot wave) onda piloto. Oscilación (onda) periódica sinusoidal emitida a bajo nivel con el fin de permitir en el punto de recepción un mando automático de ganancia o de sintonía (CEI/70 60–06–060) ∭ *adj:* de guía; auxiliar; experimental, de prueba; informativo; testigo ∭ *verbo:* guiar, dirigir, gobernar, conducir ‖ *(Avia)* pilotar, pilotear ‖ *(Buques)* gobernar.

pilot alarm   *(Telecom)* v. **pilot bell.**

pilot amplifier   amplificador auxiliar [piloto]. Por ejemplo, en un sistema de control automático de temperatura, amplificador intercalado entre dos elementos de regulación: el elemento primario (p.ej. un aparato sensible a las variaciones de temperatura que entrega una señal eléctrica representativa de la desviación respecto a la temperatura fijada) y el elemento secundario (dispositivo que gobierna la cantidad de calor generado por una caldera o un electrocalefactor).

pilot automatic exchange   *(Telecom)* central automática piloto.

pilot autooscillator   autooscilador piloto.

pilot balloon   globo piloto; globo sonda.

pilot-balloon observation   *(Meteor)* observación por globo sonda.

pilot bell   *(Telecom)* (a.c. pilot alarm) timbre piloto.

pilot carrier   *(Telecom)* (onda) portadora piloto.

pilot cell   *(Elec)* elemento testigo ‖ *(Acum)* elemento piloto. Elemento, seleccionado en una batería de acumuladores, que se supone representa el estado medio de la batería (CEI/60 50–20–205).

pilot channel   *(Telecom)* canal (de onda) piloto. Canal de banda

---

muy angosta por el cual se transmite una señal de frecuencia única para el control de funciones tales como las de alarma de fallas, y de regulación automática de nivel (v. **automatic level regulator**). sin. **pilot frequency.**

pilot circuit   circuito piloto [de mando]. Circuito por el cual circula una señal de control ‖ *(Telef)* circuito piloto.

pilot controller   *(Tracción eléc)* (*i.e.* motor-driven main controller) combinador piloto. Combinador de mando maniobrado por motor (CEI/57 30–15–645).

pilot-controller system   *(Telecom)* sistema piloto-controlador.

pilot detector   *(Telecom)* detector de piloto.

pilot direction indicator   *(Avia)* indicador de dirección del piloto.

pilot error   *(Avia)* error del piloto.

pilot-error accident   *(Avia)* accidente por error del piloto.

pilot exciter   excitador auxiliar; excitatriz auxiliar [primaria].

pilot flame   llama piloto [de encendido].

pilot-flame monitor   monitor de llama piloto.

pilot frequency   *(Telecom)* frecuencia piloto. v. **pilot channel** ‖ frecuencia de continuidad.

pilot-frequency carrier   *(Telecom)* (onda) portadora piloto, frecuencia piloto. sin. **pilot carrier, pilot frequency.**

pilot-frequency generator   *(Telecom)* generador de frecuencia piloto.

pilot fuse   *(Elec)* fusible indicador.

pilot generator   *(Telecom)* generador de (onda) piloto.

pilot hole   agujero piloto, agujero [orificio, taladro] guía.

pilot in command   *(Avia)* piloto al mando, piloto jefe.

pilot in training   *(Avia)* piloto en prácticas.

pilot indicator   *(Elecn/Telecom)* lamparilla piloto ‖ *(Radar)* receptor auxiliar; receptor del piloto.

pilot laboratory   laboratorio experimental [de prueba].

pilot lamp   *(Elecn/Telecom)* lámpara [lamparilla] piloto, lámpara [lamparita] indicadora; lámpara testigo; lámpara de vigilancia. Lamparilla para fines de señalización o para indicar que el aparato al cual ella pertenece está encendido o en determinadas condiciones de funcionamiento ‖ lámpara [lamparilla] piloto, lámpara [lamparita] (de iluminación) del cuadrante. sin. **dial light.**

pilot-lamp socket   portapiloto, zócalo para [de] lamparilla piloto.

pilot-lamp switching key   *(Telef)* llave de extinción (de lámpara piloto de llamada). sin. **release key.**

pilot level   *(Telecom)* nivel de piloto.

pilot light   (a.c. pilot lamp) luz piloto, luz [lámpara] testigo ‖ llama de encendido.

pilot-light lamp   lamparita de luz piloto.

pilot-light socket   portapiloto, zócalo para [de] lamparita piloto.

pilot loudspeaker   (a.c. pilot speaker) altavoz monitor [de comprobación]. sin. **monitoring loudspeaker** (véase).

pilot model   modelo experimental.

pilot nut   *(Mec)* tuerca guía; tuerca de montaje.

pilot-operated   *adj:* de accionamiento por piloto; accionado por válvula auxiliar; accionado por el piloto.

pilot-operated control   regulador accionado por válvula auxiliar.

pilot-operated controller   regulador de relé.

pilot-operated valve   válvula accionada por válvula auxiliar, válvula de accionamiento por piloto.

pilot oscillator   *(Radiocom)* (a.c. master oscillator) oscilador piloto [maestro]. Oscilador, de potencia relativamente baja, construido en forma de gobernar la frecuencia de salida de un amplificador (CEI/38 60–10–070).

pilot parachute   *(Avia)* paracaídas piloto [auxiliar].

pilot pickoff   *(Telecom)* selección de piloto, extracción de (la onda) piloto.

pilot-pickoff filter   filtro (de selección) de piloto. Filtro utilizado en el punto de recepción de un sistema de onda portadora; trátase de un filtro pasabanda de sintonía muy aguda que selecciona la frecuencia piloto al tiempo que bloquea todas las demás frecuencias presentes en el sistema.

pilot pin   pasador de guía.

pilot-piston-operated   *adj:* accionado por pistón piloto.

pilot-piston-operated valve   válvula accionada por pistón piloto [auxiliar].

pilot plant   instalación piloto; planta de ensayo; fábrica experimental (para la producción en pequeñas cantidades) ‖ *(Nucl)* instalación experimental.

pilot production   producción (experimental) en pequeñas cantidades, fabricación de ensayo (en cantidades limitadas).

pilot protection   *(Elec)* protección por piloto. Protección basada en la comparación de los valores o de las fases de una misma magnitud en los extremos del circuito protegido, efectuándose la comparación por un medio de telecomunicación [communicating means] tal como conductores piloto [pilot wires], corriente portadora [carrier current], o equipo radioeléctrico [radio link] (CEI/56 16–55–035). v.tb. **pilot protection with direct comparison, pilot protection with indirect comparison, phase-comparison protection, carrier-current protection, pilot-wire protection, radio-link protection.**

pilot protection with direct comparison   *(Elec)* protección por piloto de comparación directa. Protección por piloto en la cual el enlace de piloto transmite directamente las magnitudes de influencia [actuating quantities] (CEI/56 16–55–040).

pilot protection with indirect comparison   *(Elec)* protección por piloto mediante transmisión de señal ‖ protección por piloto merced a transmisión de señal. Protección por piloto en la cual el enlace de piloto transmite de cada extremidad a la otra una señal de bloqueo o de desbloqueo de elementos de dispositivo de protección [signal to lock or release elements of the protection] (CEI/56 16–55–045).

pilot pulse   *(Radar)* impulso piloto.

pilot regulator   *(Telecom)* regulador piloto. Dispositivo destinado a mantener constante el nivel de transmisión o de recepción de un circuito frente a condiciones variables de atenuación del medio de transmisión [transmission medium]. SIN. **pilot-wire regulator.**

pilot relay   relé de control ‖ *(Telecom)* relé piloto.

pilot relaying   telemando.

pilot run   *(Fáb)* serie de prueba [de reglaje].

pilot sampling   muestreo guía.

pilot selector   *(Informática)* selector piloto.

pilot-selector automatic dropout   desenergizador automático del selector piloto.

pilot signal   *(Avia)* señal del piloto ‖ *(Puertos)* señal del práctico ‖ *(Telecom)* señal de mando; señal de identificación ‖ onda piloto. Onda diferente de las que transmiten las señales de telecomunicación (telefonía, telegrafía) utilizada para asegurar ciertas funciones que afectan al conjunto de las vías de un sistema (por ejemplo, la regulación automática de niveles [automatic level control], la sincronización de osciladores [synchronization of oscillators], etc.) (CEI/70 55–15–035). SIN. **pilot (wave)** ‖ *(Telef)* lámpara indicadora. CF. **pilot lamp.**

pilot solenoid valve   válvula piloto de solenoide.

pilot spark   chispa auxiliar. Chispa pequeña o débil usada para ionizar el aire circundante y favorecer una descarga disruptiva grande.

pilot subcarrier   subportadora piloto. En las emisiones radioestereofónicas, subportadora utilizada como señal de control.

pilot tape   *(Teleg)* cinta piloto. Cinta perforada con información que determina la disposición del mensaje transmitido inmediatamente después.

pilot test   ensayo piloto; prueba en instalación experimental ⫽ *verbo:* efectuar un ensayo piloto; probar en instalación experimental.

pilot tone   señal de identificación ‖ *(Telecom)* tono piloto; onda piloto. v. **pilot signal.**

pilot-tone detector   *(Telecom)* detector de tono piloto.

pilot-tone generator   *(Telecom)* generador de tono piloto.

pilot-tone injection circuit   *(Telecom)* circuito de inyección del

tono piloto.

pilot tube   tubo piloto.

pilot valve   válvula piloto [de mando]; válvula auxiliar.

pilot warning   *(Avia)* advertencia al piloto; advertencia del piloto.

pilot warning instrument [PWI]   *(Avia)* **(for collision prevention)** advertidor de a bordo (para la prevención de colisiones).

pilot wave   *(Telecom)* onda piloto. v. **pilot, pilot signal** ‖ onda de continuidad (piloto).

pilot wire   hilo auxiliar; hilo testigo ‖ *(Redes eléc)* conductor piloto. Línea auxiliar destinada a mediciones, mandos, protecciones, telecomunicaciones, etc., en una red eléctrica (CEI/38 25–20–095) ‖ *(Tracción eléc)* hilo piloto. Conductor auxiliar destinado a mandos, enclavamientos, y protección (CEI/57 30– 10–035).

pilot-wire circuit   *(Telecom)* circuito piloto; circuito de mando ‖ *(Telef)* circuito piloto.

pilot-wire protection   *(Elec)* protección por hilos piloto. Protección por piloto [pilot protection] en la cual se utilizan conductores auxiliares como medio de comunicación [communicating means] entre las extremidades del circuito protegido (CEI/56 16–55–055).

pilot-wire regulator   *(Telecom)* regulador por hilo piloto. Aparato automático destinado al mando de atenuadores o de amplificadores ajustables asociados a circuitos de telecomunicación [transmission circuits], de manera de compensar las variaciones en las condiciones de transmisión debidas a las variaciones de temperatura, y cuyo funcionamiento es mandado por las variaciones de resistencia de un *hilo piloto* [pilot wire]: conductor puesto sensiblemente en las mismas condiciones de temperatura que los conductores de los circuitos a los cuales se les aplica la regulación. SIN. **pilot regulator.**

pilotage   (a.c. piloting) pilotaje, navegación observada. **(1)** Navegación (aérea o marítima) por referencia a puntos de comprobación. **(2)** Dirección del vuelo de una aeronave guiándose por objetos o señales visibles conocidas [landmarks]. CF. **electronic pilotage, dead-reckoning navigation** ‖ cabotaje ‖ *(Puertos)* practicaje (arte del práctico); derechos de practicaje; oficina de los prácticos.

pilotage dues   *(Puertos)* derechos de practicaje.

pilotage fees   *(Puertos)* derechos de practicaje.

pilotage radar   radar de piloto [de pilotaje].

piloted   *adj:* pilotado, piloteado; con piloto; guiado, con guía.

piloted aircraft   avión con piloto.

piloted-flight simulator   simulador de vuelo pilotado.

piloted reentry   *(Vehículos espaciales)* reentrada pilotada.

piloted temperature regulator   regulador de temperatura con piloto.

piloting   v. **pilotage.**

pilotless   *adj:* sin piloto; teleguiado.

pilotless aircraft   avión [aeronave] sin piloto. v. **drone, target airplane.**

pilotless airplane   avión sin piloto. SIN. **pilotless aircraft.**

pilot's aerial chart   carta de navegación del piloto.

pilot's certificate   título de piloto.

pilot's checklist   lista de verificación del piloto.

pilot's cockpit   cabina del piloto; asiento del piloto.

pilot's compartment   cabina del piloto.

pilot's compass   brújula del piloto.

pilot's-eye view   vista desde el aire. CF. **bird's-eye view.**

pilot's flight report   parte [informe] de vuelo del piloto.

pilot's information file   compendio de información del piloto.

pilot's instruction   instrucción del piloto.

pilot's wings   emblema [insignia] de piloto.

pin   alfiler; clavo, punta; púa; aguja; broche, prendedor; pata de palo; cosa pequeña, cosa nimia, nimiedad ‖ *(Carp)* espiga, clavija, espárrago, cabilla ‖ *(Cigüeñales)* muñequilla ‖ *(Constr)* pasador ‖ *(Cocina)* rodillo, rulo para pasta ‖ *(Columnas de laminador)* husillo ‖ *(Elec)* conectador ‖ perno. **(1)** Soporte axil de un aislador rígido o pieza de suspensión de un aislador suspendido (CEI/38

25–30–115). (**2**) Pieza conductora, rígida o elástica, destinada a ser insertada en un alveolo [socket-contact] de forma apropiada y establecer contacto eléctrico con él (CEI/57 15–15–095) ‖ *(Conectores)* espiga, alfiler (de contacto) ‖ *(Lámparas)* patilla. v. **post** | pitón. Pequeña pieza metálica que sobresale de la camisa de un casquillo [skirt of a cap] y destinada a quedar insertada en la ranura de un portalámparas, en particular en el caso de los portalámparas de bayoneta (CEI/58 45–45–105) ‖ *(Vál)* alfiler, pata, patilla (de contacto), espiga (de conexión); vástago, poste (de sostén) | vástago. Pieza metálica conectada a un electrodo de un tubo electrónico, pudiendo acoplarse a una pieza hembra de soporte del tubo, para efectuar la conexión eléctrica de ese electrodo con un circuito exterior, o para fijar mecánicamente el tubo sobre su soporte (CEI/56 07–26–025) ‖ *(Estiradoras de peines)* púa, diente ‖ *(Juego de billar)* palo, palillo ‖ *(Juego de bolos)* bolo ‖ *(Juego de golf)* banderín de agujero ‖ *(Levantamientos topog)* aguja, piquete ‖ *(Llaves)* espiga, pernete, pezón ‖ *(Líneas aéreas)* perno, portaaislador ‖ *(Mec)* alfiler, pasador, chaveta; perno; soporte, espiga; clavija, pernete; eje; pivote; gozne ‖ *(Plumas de ave)* cañón ‖ *(Relojes de sol)* estilo ‖ *(Remos)* tolete ‖ *(Tornos)* mandril ‖ *(Traumatología)* clavo ‖ *(Vál mec)* espiga, aguja ‖‖ *verbo:* sujetar, fijar; clavar; prender [sujetar] con alfileres ‖ *(Carp, Constr, Mec)* encabillar, enclavijar, espigar, apernar, empernar, enchavetar ‖ *(Dib)* sujetar con chinches ‖ *(Muros)* recalzar ‖ *(Plumas)* descañonar ‖ *(Costura)* sujetar con presillas [con pinzas] ‖ *(Tuercas)* frenar, inmovilizar.

PIN   *(Semicond)* Abrev. de positive-intrinsic-negative.

pin action   acción de pivote.

pin base   *(Lámparas)* (a.c. pin cap) casquillo de patillas. Casquillo provisto de una o de varias patillas (CEI/70 45–45–115).

pin cap   *(Lámparas)* casquillo de patillas. v. **pin base.**

pin carrier   *(Vál)* portaespiga. v. **valve pin.**

pin circle   *(Elecn)* círculo de alfileres [de conectores]. En los transistores y los tubos electrónicos, círculo hipotético sobre el cual se encuentran distribuidos los alfileres, espigas o hilos de conexión.

pin configuration   *(Elecn)* configuración de los alfileres de conexión.

pin connection   *(Mec)* junta articulada; unión con pasador ‖ *(Elecn)* conexión a espiga [alfiler] de contacto. Conexión que va de un electrodo o elemento interno de un dispositivo al correspondiente alfiler o espiga terminal o de contacto. En el caso de los tubos electrónicos se usan convencionalmente en inglés las siguientes abreviaturas para identificar las conexiones:

BC = base shield connection [conexión al blindaje de la base];
F   = filament [filamento];
G   = grid [rejilla];
H   = heater [calefactor];
IC = internal connection [conexión interna (pero no a un electrodo)];
IS = internal shield [blindaje interno];
K   = cathode [cátodo];
P   = plate [placa];
SU = suppressor [rejilla supresora];
TA = target [blanco, anticátodo];
RC = ray-control electrode [cátodo de control de rayo].

pin-cushion   v. **pincushion.**

PIN diode   diodo PIN. Diodo semiconductor en el cual la unión consiste en una capa de semiconductor casi intrínseco formada entre regiones tipo P y tipo N. A bajas frecuencias esta unión se comporta como una unión PN normal, pero a frecuencias ultraaltas tiene las características de una resistencia variable.

pin feed   *(Informática — Carros automáticos)* alimentación de pernos.

pin-feed platen   *(Carros automáticos)* rodillo con alimentación de pernos.

pin insulator   *(Líneas aéreas, Tracción eléc, Telecom)* aislador rígido. Aislador fijado rígidamente a un perno (CEI/38 25–30–095,

CEI/57 30–10–200, CEI/65 25–25–200).

pin jack   *(Elecn)* jack miniatura, jack de espiga fina, jack para espiga tipo alfiler; enchufe monopolar. Jack monopolar para espiga de diámetro poco mayor que el de un alfiler.

pin movement   *(Cine)* (a.c. claw mechanism, claw movement) mecanismo de ganchos.

pin needle bearing   cojinete de agujas.

PIN photodiode   fotodiodo PIN.

pin plug   enchufe macho ‖ *(Elecn)* clavija monopolar; espiga fina [tipo alfiler]. v. **pin jack.**

pin-point   v. **pinpoint.**

pin punch   *(Herr)* punzón de espiga; punzón botador, botapasador.

pin straightener   *(Elecn)* enderezador de terminales [de espigas de contacto]. Herramienta para enderezar los terminales o patitas de las válvulas tipo miniatura; útil para llevar a su forma y posición primitivas las espigas tipo alfiler de ciertas válvulas (tubos electrónicos).

pin switch   *(Elec)* conmutador de clavija.

pin-type bond   *(Tracción eléc)* (a.c. pressed-type bond) conexión acuñada. Conexión eléctrica cuyas dos extremidades se fijan por dilatación en los extremos de los carriles de una unión (CEI/57 30–10–370).

pin-type insulator   *(Telecom)* aislador de espiga [de varilla] ‖ v. **pin insulator.**

pin valve   válvula de aguja.

pinch   pellizco; presión muy localizada; estricción; pulgarada ‖ *(Carreteras)* rampa muy fuerte ‖ *(Electroacús)* saltos de aguja. cf. **mistracking** ‖ *(Filones)* contracción, adelgazamiento ‖ *(Nucl)* constricción, apretamiento, estrechamiento. sin. **constriction** ‖ *(Elecn)* pie [base interna] de los electrodos. tb. pellizco, pinza. Parte de la ampolla de un tubo electrónico destinada a soportar los electrodos, que se forma por compresión, y que es atravesada por las conexiones de los electrodos. sin. **press, stem** ‖ *(Lámparas)* aplastado. v. **stem press** | pellizco. Parte de una lámpara, constituida por una masa de vidrio en la cual son sellados el o los hilos dumet [seal wires, press leads]. nota: En las lámparas provistas de *pie* [stem], el *pellizco* [pinch, stem press] está formado por la fusión de la extremidad del *tubo del pie* [stem tube], el *rabo de vacío* [exhaust tube], y, eventualmente, de la *varilla* [stud, arbor]. (Esta definición no tiene término español correspondiente) (CEI/70 45–45–170) ‖‖ *verbo:* pellizcar; apretar (con pinzas); contraer(se), adelgazar(se); escatimar, limitar los gastos ‖ *(Arpa y violín)* puntear, hacer pizicatos ‖ *(Filones)* contraerse, adelgazarse, estrecharse ‖ *(Velas)* flamear.

pinch confinement   *(Plasmas)* confinamiento por reestricción [por estrechamiento, por efecto de pinza].

pinch current   corriente de reestricción [de apretamiento].

pinch discharge   descarga de reestricción [de efecto de pinza].

pinch dog   *(Unión de maderos)* grapa en U (de hierro redondo).

pinch effect   *(Fonog)* efecto pinza [de pinza, de pinzado]; irregularidad de corte. En la reproducción de discos fonográficos de modulación lateral, "pellizco" de la punta de la aguja reproductora dos veces en cada ciclo, debido a una disminución del ángulo del surco cortado durante la grabación, al pasar el estilete de una cresta negativa a una positiva ‖ *(Met)* efecto de estricción; efecto de ruptura. Constricción y, a veces, ruptura momentánea del metal fundido cuando el mismo es atravesado por una corriente muy fuerte ‖ *(Elec, Fís, Nucl)* reestricción, efecto constrictor [de constricción, de pinza, de contracción, de apretamiento]. (**1**) Contracción transversal de un conductor líquido (p.ej. mercurio o un metal fundido) debido a la atracción mutua de los distintos filetes recorridos por la corriente eléctrica; el fenómeno, que se produce a grandes intensidades de corriente, puede llegar a causar la ruptura momentánea del conductor. (**2**) Constricción de un gas ionizado, hasta reducirse a un "hilo" que ocupa el centro de un tubo electrónico (recto o en toroide) por el cual pasa una corriente eléctrica fuerte. (**3**) En experimentos de fusión controlada, efecto observado cuando una columna de plasma es comprimida por una corriente eléctrica que fluye a través de ella. SIN. **rheostriction** | reostricción. Fenómeno de contracción transversal de un conductor líquido, debido a la atracción mutua de los diferentes filetes recorridos por la corriente. SIN. **rheostriction** (CEI/38 05–20–185).

pinch instability   inestabilidad del efecto de apretamiento.

pinch magnetic field   campo magnético de apretamiento.

pinch-off   v. **pinchoff**.

pinch resistor   resistor de estricción. En la fabricación de circuitos integrados, resistor monolítico de silicio obtenido a partir de un resistor de difusión de base P, superponiendo sobre éste una difusión de emisor N+; esto hace que la superficie del resistor P se reconvierta a N, dejando debajo de la difusión N+ un resistor angosto tipo "pellizco". Su valor es de 10 kΩ por cuadrado; sus aplicaciones se limitan a las de baja tensión y posee un elevado coeficiente de temperatura.

pinch waist   fuselaje indentado.

pinch warp(ing)   *(Fab de discos fonog)* deformación de pellizco. Deformación que sufre el disco por la presión de los dedos al extraerlo de la prensa.

pinched   *adj:* pellizcado; apretado (como con pinzas); contraído, adelgazado, estrechado; retraído.

pinched base   *(Tubos elecn)* base con pie, base con soporte interno (de los electrodos). V.TB. **pinch**.

pinched discharge   *(Plasmas)* descarga confinada por estricción [reostricción], descarga con efecto de pinza.

pinched gas   gas apretado, gas estrechado.

pinched-gas discharge   descarga de gas apretado.

pinched lightning   relámpago con estricción.

pinched plasma   plasma retraído [con reostricción].

pinchoff   estricción, constricción | estrangulamiento. En los transistores de efecto de campo [field-effect transistors], reducción máxima de la corriente de fuente [source] a dren o drenador [drain]; equivalente del corte de colector [collector cutoff].

pinchoff diode   diodo de estricción.

pinchoff point   punto de contacto.

pinchoff voltage   *(Semicond)* tensión de estrangulamiento; tensión de estricción; tensión de codo || *(Transistores de efecto de campo)* tensión de estrangulamiento. Valor de tensión al cual el flujo de corriente entre la fuente y el dren queda cortada debido a que el canal [channel] entre esos electrodos queda completamente agotado (vacío de portadores de carga).

pincushion   acerico, almohada pequeña; acerico, almohadilla para clavar alfileres.

pincushion corrector   *(Tv)* corrector del efecto de cojín. Circuito utilizado en el receptor para compensar la distorsión o efecto de cojín [pincushion distortion].

pincushion distortion   *(Tv)* distorsión en cojín. Distorsión del cuadro (imagen recibida) en la cual los cuatro lados de éste aparecen cóncavos, o sea, curvados hacia adentro. SIN. **pincushion effect**.

pincushion effect   *(Tv)* efecto de cojín. v. **pincushion distortion**.

pine   pino (el árbol); pino (la madera); piña, ananás.

pine tree   pino.

pine-tree aerial   antena en pino. Red de antenas que comprende dobletes horizontales, paralelos, superpuestos en un plano vertical, generalmente espaciados en media longitud de onda y alimentados en fase por sus centros mediante líneas de transmisión (CEI/70 60–34–290).

pine-tree array   alineación en pino, red de dipolos horizontales en cortina, cortina de dipolos horizontales con reflectores. Red de antenas dipolo horizontales dispuestas de modo de formar una cortina radiante con reflectores detrás | (*i.e.* a plane array of "pine trees") alineación en pino. Red de antenas que comprende redes de dobletes (CEI/70 60–34–295).

pine-tree chain radar warning net   v. **Pine-tree Line**.

pine-tree crystal   dendrita, cristal dendrítico. v. **dendrite**.

Pine-tree Line   Línea de los Pinos, cadena "Pine-tree" de radares de alerta. Cadena de estaciones de radar de alerta militar a lo largo de la frontera entre los Estados Unidos y el Canadá. CF. **DEW Line, Mid-Canada Line**.

ping   silbido (de bala) || *(Mot)* autoencendido, detonación || *(Sonar)* impulso. Impulso (sónico o ultrasónico) emitido por el sonar de sondaje por ecos || *(Campanas)* zumbido.

ping analyzer   *(Sonar)* analizador de impulsos de retorno.

ping-pong   *ping-pong*, tenis de mesa || *(Radar) (slang)* radiogonió-metro localizador de radares costeros || *(Reconocimientos fotog)* (a.c. Ping-Pong) cohete balístico portador de cámara fotográfica automática || *(Elecn)* basculador dinámico; elemento de corrimiento en bucle. Elemento o elementos de corrimiento de núcleo magnético [magnetic-core shifting element(s)] conectados en bucle, y que proporcionan medios para el ciclaje de un bitio de información almacenada.

pinhole   agujero (como) hecho con alfiler; orificio diminuto [puntiforme]; abertura muy pequeña; pequeña burbuja ocluída || *(Aisladores)* agujero para (la) espiga || *(Estr, Mec)* agujero para pasador || *(Mec)* agujero para (el) muñón (de pie de biela) || *(Fotog)* estenope. Orificio muy pequeño que puede reemplazar al objetivo en una cámara fotográfica | puntito, punto transparente (en un negativo, por defecto de revelado) | **pinholes:** puntitos, puntos transparentes, moteado || *(Maderas)* **pinholes:** horadación por insectos || *(Tuberías)* picadura || *(Circ impresos)* **pinholes:** picaduras. Agujeritos resultantes de imperfecciones en la red conductiva [conductive pattern].

pinhole camera   *(Fotog)* cámara de abertura diminuta sin lente, aparato fotográfico de orificio; estenoscopio.

pinhole detector   detector de defectos puntiformes. Dispositivo fotoeléctrico que revela la presencia de agujeros sumamente pequeños y otras imperfecciones diminutas en un material en movimiento.

pinhole photography   fotografía sin objetivo.

pinhole porosity   porosidad puntiforme.

pinhole source   fuente puntiforme.

pinion   *(Mec)* piñón. Rueda dentada pequeña; rueda dentada cuyo diámetro es igual o menor que su espesor y que forma parte de un engranaje de ruedas iguales; rueda dentada de menor número de dientes de un engrane.

pinion cage   soporte de piñón.

pinion gear   piñón diferencial; piñón.

pinion housing   caja de (los) piñones.

pinion lock   chaveta de piñón.

pinion puller   sacapiñón, extractor de piñón.

pinion wheel   rueda de piñón.

pink   *adj:* rosado, color de rosa, rosáceo /// *verbo:* *(Avia)* picar, festonear; picar el motor (por autoencendido).

pink noise   ruido rosado, ruido con energía constante por octava CF. **white noise**.

pinking   *(Mot)* detonación, golpeo por autoencendido.

pinking shears   tijeras de festonear, tijeras picafestones.

PINO   Abrev. de positive input–negative output.

pinpoint   punta de alfiler | tipo punteado. Caracteres especiales a base de puntos para la impresión de cheques | *(Sentido figurado)* nimiedad, minucia, cosa minúscula [insignificante] /// *adj:* puntiforme; preciso, certero /// *verbo:* definir, precisar; apuntar [señalar] con precisión; situar; localizar con exactitud; realzar; poner en evidencia, hacer patente.

pinpoint blister   microampolla. Defecto de fabricación de un disco fonográfico, consistente en una ampolla sumamente pequeña, como la punta de un alfiler, que puede producir un ligerísimo tic al ser reproducido el disco; se atribuye generalmente a minúsculas indentaciones en la matriz.

pint   pinta. Medida de capacidad igual a 1/8 de galón.

pintle   pivote central; perno pinzote || *(Artillería)* gancho pinzote || *(Bisagras)* charnela, macho || *(Buques)* macho (del timón) ||

(Mot diesel) aguja (del inyector) || *(Vál)* aguja.

pintle hook   gancho de clavija [de seguridad].

pintle nozzle   tobera de aguja.

pintle pin   clavija de gancho pinzote.

pintle valve   válvula de aguja.

pintle-valve injector   inyector de válvula de aguja.

pion   (a.c. pi meson) pión, mesón pi. Mesón con vida media de $2,8 \times 10^{-8}$ s, y masa de alrededor de 270 veces la del electrón.

pion nucleon scattering   difusión de mesones (piones) por nucleones.

pip   *(Radio)* cresta; punto de señal horaria || *(Radar/Sonar)* cresta (de eco), impulso (de eco). Indicación osciloscópica de un eco procedente del blanco; puede consistir en un punto luminoso brillante o un impulso de punta aguda, según el tipo de indicador utilizado. SIN. **blip** | cresta de señal, señal marcadora, impulso de marcación. Señal o marca de referencia visible en la pantalla osciloscópica en forma de cresta o punta || *(Tubos elecn)* (a.c. tip) punta. Pequeña protuberancia sobre la ampolla resultante del seccionamiento y el cierre del tubo por el cual se hace el vacío (CEI/56 07–26–020).

pip matching   *(Radionaveg)* pareamiento de impulsos.

pip-matching display   *(Radionaveg)* indicador de impulsos pareados. Indicador en el cual la señal recibida aparece en forma de un par de impulsos.

pip-pip tone   señal de doble pitido.

pipe   tubo, tubería, caño, cañería; conducto; cachimba, pipa (de fumar) || *(Anat)* tubo respiratorio || *(Elec)* envolvente. v. **tube** | (*i.e.* ground pipe) tubo de tierra || *(Elec/Telecom) (slang)* línea (telefónica); cable coaxil; guía de ondas, guíaondas || *(Geol, Minería)* formación cilíndrica vertical; chimenea volcánica; bolsón de mineral || *(Presas de tierra)* venero (de agua interior). LOCALISMO: tubificación || *(Mús)* cañón (de órgano); gaita; caramillo, chirimía || *(Met)* bolsa de contracción; defecto de extrusión; escarabajo, rechupe, sopladura || *(Nucl)* sopladura || *(Defecto de soldadura)* cavidad tubular //// *adj:* tubular /// *verbo:* canalizar, establecer una canalización; instalar tuberías; transportar por canalización || *(Elecn/Telecom) (slang)* transmitir por línea [por cable, por teléfono] (refiérese en particular a programas de radio o televisión).

pipe cleaner   limpiapipas, desobturador de pipa. Se usa como herramienta para limpiar de partículas extrañas el espacio entre las placas de los condensadores variables.

pipe culvert   alcantarilla tubular [de caño]. Alcantarilla formada por tubos de diversos materiales.

pipe cutter   cortatubos, cortacaño, cortador de tubos; cortadora de tubos; máquina para trocear tubos.

pipe-line   v. **pipeline.**

pipe organ   *(Mús)* órgano (de cañones).

pipe plug   tapón de tubo, tapón macho roscado (para tubo).

pipe pusher   empujatubos, empujador de tubos | perforadora (máquina). SIN. **thrust borer** | barra [barrena] para abrir hoyos.

pipe tee   *(Accesorio de tubería o de cable coaxil)* conector en T.

pipe tongs   tenazas para tubos [para tubería]; llave de cadena para tubos, tenazas atornilladoras; tenazas para transportar tubos.

pipe-type cable   *(Elec)* cable entubado. Cable bajo presión consistente en un conjunto de conductores tendidos dentro de un mismo tubo, generalmente de acero, que ha sido colocado previamente en su lugar (CEI/65 25–30–140).

pipe wrench   llave para tubos, llave aprietatubos, llave Stillson, llave de tubista. LOCALISMO: tenaza para cañería.

piped   *adj:* tubular; tubulado; entubado; de tubo; con tubos.

piped program   *(Radio/Tv) (slang)* programa transmitido por línea. Programa de radio o televisión transmitido de una localidad a otra por líneas telefónicas o cables especiales.

piped television   *(slang)* televisión por cable [por línea]. v. **community television.**

pipeline   tubería, conducto, cañería, canalización; acueducto;

gasoducto; oleoducto; metanoducto || *(Elec/Telecom) (slang)* (*i.e.* coaxial cable, coaxial line, concentric line) cable coaxil, línea coaxil, línea concéntrica //// *verbo:* canalizar, transportar por tubería.

piping   tubería, cañería; canalización; entubación, tubuladura; fontanería; varilla hueca; colocación de tubería; acción de formar un tubo.

pipology   *(Radar/Sonar)* estudio e interpretación de los impulsos de eco.

pipper   *(Alzas ópticas)* agujero pequeño en el retículo || *(Elecn)* circuito comparador de amplitudes. Circuito de comparación de amplitudes que produce un tren de impulsos correspondientes en tiempo a un ángulo de fase precisamente determinado de una sinusoide de referencia [reference sinusoid]; dicho ángulo es preferiblemente un múltiplo entero de 2π radianes, ya que la pendiente de la sinusoide es máxima a ese ángulo.

Pirani gage   calibre de Pirani. Calibre de hilo caliente [hot-wire gage] para medir el grado de vacío. Se funda en el hecho de que la temperatura y la resistencia eléctrica de un filamento varían con la presión del gas que lo rodee: cuanto menor la presión, mayor la temperatura del filamento, por ser menor la disipación de calor.

PIREP   *(Aeron)* Abrev. de pilot weather report [parte meteorológico del piloto].

pistol   pistola; revólver; pistola de soldar; pistola de pintor; mecanismo [aparato] percutor, mecanismo de disparo, espoleta.

pistol grip   mango [cabo, empuñadura] de pistola, mango tipo pistola.

piston   *(Mec)* émbolo, pistón || *(Guías de ondas)* pistón (de cortocircuito). v. **plunger** || *(Instr mus de viento)* pistón.

piston action   *(Altavoces)* acción de pistón. Movimiento del cono o diafragma como un conjunto rígido, es decir, sin flexiones.

piston attenuator   *(Guías de ondas)* atenuador de pistón [del tipo de pistón], pistón atenuador | atenuador de pistón. Atenuador de corte [cutoff attenuator], de atenuación variable, en el cual el dispositivo de acoplamiento es generalmente portado por un elemento deslizante tal como un pistón (CEI/61 62–20–115).

piston displacement   cilindrada, embolada, desplazamiento del émbolo [del pistón].

piston engine   motor de émbolo; máquina de pistón.

piston head   cabeza del émbolo.

piston pin   eje de pie de biela; muñón de pie de biela; pasador [eje, bulón, perno] del émbolo.

piston-pin boss   refuerzo para el eje de pie de biela; soporte del pasador del pistón.

piston-pin bushing   casquillo del eje de pie de biela; casquillo de pie de biela.

piston-pin plug   tapón del perno de pistón.

piston-pin retainer   freno del eje de pie de biela.

piston ring   aro [segmento, anillo] de émbolo, aro de pistón.

piston-ring clamping tool   abrazadera para aros [segmentos] de émbolo.

piston-ring entering tool   herramienta para montar aros de émbolo.

piston-ring gap   hendidura del aro [segmento] del émbolo.

piston-ring groove   ranura de aro, alojamiento del aro [del segmento], ranura del émbolo [del pistón] (para recibir el aro).

piston-ring step joint   hendidura escalonada del aro [segmento] del émbolo.

piston rod   vástago del émbolo, vástago [barra, varilla] del pistón; biela || *(Locomotoras)* biela motriz. Barra que transmite el esfuerzo motor a las ruedas.

piston skirt   falda del émbolo, faldilla [superficie lateral] del pistón. LOCALISMO: camisa del pistón.

piston speed   velocidad (lineal) del émbolo, velocidad del pistón.

piston stroke   embolada, pistonada; carrera del émbolo [del pistón].

piston travel   carrera [recorrido] del émbolo, carrera del pistón; embolada, pistonada.

piston trimmer capacitor   capacitor de compensación [trimer] del tipo de pistón.

piston-type attenuator   *(Hiperfrec)* atenuador tipo pistón. v. piston attenuator.

piston-type economizer   economizador de émbolo.

piston-type high-frequency transducer   *(Electroacús)* transductor de alta frecuencia de acción de pistón. v. **piston action.**

piston valve   válvula de pistón ‖ *(Locomotoras, Máq alternativas de vapor)* distribuidor cilíndrico [de émbolo]. El que distribuye el vapor por medio de un émbolo o pistón.

pistonphone   *(Electroacús)* pistófono, pistonófono, fonopistón; cámara de compresión | pistófono. Aparato en el cual un pistón rígido puede ser animado de un movimiento alternativo de frecuencia y amplitud conocidos, y que permite obtener una presión acústica [sound pressure] conocida en una cámara cerrada de pequeñas dimensiones (CEI/60 08–30–050).

pit   foso, hoyo, hondón, hoya, fosa, cava; alvéolo; excavación; cantera; desmonte; irregularidad (en la superficie de un cuerpo) ‖ *(Met y plásticos)* picadura. Agujero pequeño o depresión abrupta en la superficie | v. **pits** ‖ *(Teatros)* foso de la orquesta; patio de butacas ⫽ *verbo:* picar(se); marcar con hoyos | **to pit an embankment:** terraplenar. Ejecutar obras destinadas a la formación de terraplenes ‖ *(Acidos)* picar, atacar, corroer ‖ *(Met)* picarse, oxidarse, corroerse.

pit count   cómputo de picaduras [irregularidades]. Cálculo del número de picaduras o irregularidades por unidad de superficie en un material como p.ej. el semiconductor destinado a la fabricación de diodos o transistores.

pit foundation   fundación sobre pozos. Fundación de una obra de arte [structure] en la cual las cargas se transmiten al terreno mediante el relleno con material resistente, de pozos hechos a ese efecto.

pit-run gravel   grava en bruto, grava como sale de la gravera [de la mina]. Material procedente de un yacimiento natural de grava, sin cribar.

pitch   *(Acús)* tono, altura (de un sonido). Cualidad subjetiva de un sonido que depende principalmente de su frecuencia, y secundariamente de la presión acústica y de la forma de onda del mismo; así se dice que un sonido es *de mayor altura* o *más alto* que otro cuando el primero es *más agudo* (frecuencia mayor); se dice que un sonido es *más bajo* que otro queriendo decir que es *más grave* (frecuencia menor). v. **musical tone** ‖ *(Mús)* diapasón (de un instrumento) ‖ *(Aviones, Buques)* cabeceo, cabezada, arfada. Movimiento de subida y bajada de la proa de un buque o de la cola de un avión por movimientos angulares del cuerpo del buque o avión alrededor de un eje horizontal transversal. CF. **roll, yaw** | inclinación longitudinal ‖ *(Locomotoras)* movimiento de galope ‖ *(Mec)* distanciamiento, espaciado, separación; declive, inclinación, pendiente ‖ *(Remaches)* distanciamiento, equidistancia, espaciamiento, separación, paso ‖ *(Roscas, Tornillos)* paso, avance ‖ *(Hélices)* paso; inclinación ‖ *(Cables, Cadenas)* paso ‖ *(Techos)* inclinación, declive; altura ‖ *(Cine)* paso (distancia entre centros de dos perforaciones consecutivas de la película); reborde ‖ *(Elec)* paso, avance | v. **pitch of a winding** ‖ *(Minas)* buzamiento ‖ *(Pliegues geol)* hundimiento ‖ *(Impr)* número de caracteres por pulgada (25,4 mm). EJEMPLO: 10 pitch = 10 caracteres por pulgada ‖ *(Ruedas dentadas)* paso (geométrico), paso de los dientes ‖ *(Sierras)* ángulo de los dientes ‖ *(Substancias)* brea, betún, alquitrán, pez; betún natural; pez rubia | brea. Residuo líquido en caliente y sólido en frío, obtenido por la destilación de alquitranes; a menos que se especifique otra cosa, se sobreentiende que procede del alquitrán de hulla. SIN. **tar pitch** ‖ *(Maderas)* resina ‖ *(Industria papelera)* mezcla de grasas y residuos ⫽ *verbo:* lanzar, arrojar, tirar; botar, echar; caer(se) de cabeza; inclinar(se); betunar, abetunar, brear, embrear, alquitranar; pavimentar; engranar (con) ‖ *(Buques, Aviones)* cabecear, arfar ‖ *(Locomotoras)* galopar ‖ *(Cantería)* cantear, escuadrar ‖ *(Mús)* graduar el tono; tocar con tono dado.

pitch accent   *(Mús)* acento tónico. SIN. **tonic accent.**

pitch attitude   *(Aviones, Buques)* actitud en cabeceo; (ángulo de) inclinación longitudinal. Angulo que forma el eje longitudinal del vehículo con un plano horizontal. SIN. **slope angle, angle of inclination.**

pitch changing   *(Hélices)* cambio de paso.

pitch-changing mechanism   *(Hélices)* mecanismo de cambio de paso, mecanismo para cambiar el paso.

pitch circle   *(Engranajes)* círculo primitivo ‖ *(Pernos)* círculo de agujeros.

pitch control   *(Acús)* control de altura (de los sonidos) ‖ *(Grabación de discos fonog)* regulación [control] del paso. Regulación de la distancia (a lo largo de un radio) entre los picos de surcos consecutivos. v. **variable-pitch recording.**

pitch-control mechanism   *(Grabación de discos)* mecanismo regulador del paso ‖ *(Hélices)* mecanismo de mando del paso.

pitch diameter   *(Roscas, Tornillos)* diámetro primitivo; diámetro efectivo ‖ *(Engranajes)* diámetro (del círculo) primitivo ‖ *(Trenes de laminación)* línea central.

pitch-diameter ratio   *(Hélices)* paso relativo.

pitch discrimination   *(Acús/Mús)* distinción de altura (de los sonidos).

pitch factor   *(Elec)* factor de paso. Parte del factor de bobinado [winding factor] que tiene en cuenta el paso de la bobina [coil pitch] (CEI/56 10–35–330).

pitch indicator   *(Aviones, Buques)* indicador de cabeceo; indicador de inclinación longitudinal.

pitch interval   *(Acús/Mús)* relación entre alturas (de sonido).

pitch level   *(Acús/Mús)* nivel de tono. Cantidad (en octavas) igual a $A \log_2 f$, donde f es la frecuencia en kilohertzios, y A es una constante.

pitch of a winding   *(Elec)* paso parcial en un devanado en tambor. Número de intervalos sobre el esquema de un arrollamiento en tambor, comprendido entre los dos lados de una misma sección, o entre los lados no correspondientes de dos secciones unidas a una misma lámina del colector. En las máquinas de colector, se consideran dos pasos parciales, el anterior y el posterior:

- *paso anterior* [front pitch]: Número de intervalos entre dos partes rectas unidas entre sí al pasar por una lámina del colector;
- *paso posterior* [back pitch]: Número de intervalos entre dos partes rectas unidas por una conexión frontal [front connection] situada del lado opuesto al colector (CEI/56 10–35–215).

pitch ratio   relación de paso ‖ *(Hélices)* relación de paso geométrico a diámetro.

pitch reversing   *(Hélices)* inversión de paso.

pitch-reversing mechanism   *(Hélices)* mecanismo de inversión de paso.

pitch setting   *(Hélices)* calaje [ajuste] del paso.

pitch variation   *(Acús/Mús)* variación de altura (de sonido, de tono) ‖ *(Hélices)* variación de paso.

pitch-varying mechanism   *(Hélices)* variador [mecanismo de variación] del paso.

pitchblende   pechblenda. Mineral que consiste en gran parte en óxidos de uranio, y del cual se extrae uranio y radio.

pitching   *(Aviones, Buques)* (a.c. pitch) cabeceo.

pitching moment   *(Aviones, Buques)* momento de cabeceo.

pitchover   *(Cohetes)* inclinación de trayectoria (respecto a la vertical).

Pitot   Henri Pitot: físico francés (1695–1771), inventor del tubo que lleva su nombre (v. **Pitot tube**).

Pitot bomb   tubo Pitot. v. **Pitot tube.**

Pitot head   *(Avia)* antena de Pitot; extremo del tubo Pitot.

Pitot heater   *(Avia)* calentador del tubo Pitot.

Pitot pressure   presión de choque en el interior de un tubo Pitot.

Pitot-static tube   tubo estático Pitot; tubo Pitot con toma estática. Dispositivo consistente en un tubo Pitot (v. **Pitot tube**) y un tubo estático combinados de modo de medir simultáneamente las presiones total y estática en una corriente; puede utilizarse en un avión para determinar la velocidad del viento relativo [relative wind speed].

Pitot tube tubo (de) Pitot. Dispositivo utilizado para medir la presión total de una corriente. Consiste esencialmente en un tubo unido a un manómetro por un extremo y que apunta contra la corriente con el otro. El manómetro (que responde a la presión) puede calibrarse para que indique la velocidad de la corriente, sea de agua, de aire (viento), u otra.

Pitot tube cover *(Avia)* funda del tubo Pitot.

Pitot-Venturi tube tubo Pitot-Venturi.

pits picaduras, cavidades, huecos (en la superficie de un cuerpo); irregularidades (en la superficie de un cuerpo) || *(Electro-quím/Electromet)* picaduras. Depresiones producidas en las superficies metálicas por un depósito electrolítico [electrodeposition] no uniforme o por electrodisolución [electrodissolution], por ejemplo corrosión [corrosion] (CEI/60 50–25–045). CF. **trees and nodules.**

pitted *adj:* picado; marcado con hoyos; terraplenado || *(Met)* picado, corroído, oxidado || *(Contactos eléc)* picado; quemado.

pittinite *(Miner)* pitinita.

PIV Abrev. de peak inverse voltage.

pivot pivote, espiga, espigón, gorrón, muñón, pezón; charnela; eje de rotación; centro de rotación [de giro]; fulcro (punto de apoyo de una palanca); tejuelo (pieza donde se apoya el gorrón de un árbol) || *(Aparatos de medida)* pivote, punta del eje (del movimiento) | pivote. Parte extrema del eje de un elemento móvil [moving element] por medio del cual éste se apoya sobre piezas de piedras preciosas u otros materiales duros (CEI/38 20–35–065, CEI/58 20–35–115). CF. **meter bottom bearing** /// *verbo:* pivotar, girar (sobre pivote, sobre un eje); hacer pivotar; montar sobre pivote [sobre eje]; colocar sobre un eje; colocar por medio de un pivote.

pivot arm brazo (de) pivote; brazo de movimiento.

pivot bearing rangua, quicionera.

pivot-mounted *adj:* montado sobre pivote.

pivot-mounted movement *(Aparatos de medida)* movimiento [elemento móvil] montado sobre pivote.

pivot pin pasador pivote.

pivot-point setscrew prisionero espigado.

pivot screw tornillo eje.

pivot shaft eje pivote, eje pivoteador.

pivot suspension suspensión de pivote.

pivot valve válvula de mariposa, válvula pivotada.

pix Abrev. de picture(s).

Pixlock *(Tv)* dispositivo Pixlock (de sincronización, de enganche) (para efectos especiales). Dispositivo que permite a una grabadora de televisión funcionar en perfecto sincronismo con las señales locales del estudio, haciendo posible la superposición de efectos especiales a la señal de salida procedente de la cinta. El dispositivo sincroniza los impulsos de sincronismo vertical y horizontal procedentes de la cinta, con los correspondientes impulsos procedentes del generador local de sincronismo de la estación. CF. **VTR servo mode.**

PL *(Telef)* Abrev. de permanent loop; private line || *(Teleg)* Abrev. de please.

placard cartel, letrero, rótulo, anuncio /// *verbo:* fijar (carteles, anuncios, avisos); publicar (mediante carteles).

placard speed *(Avia)* velocidad autorizada.

place lugar, sitio; plaza; puesto; localidad; paraje; local, establecimiento; empleo; fortaleza; posición; cabida, espacio || *(Avia)* asiento, plaza || *(Mat)* lugar. Posición correspondiente a determinada potencia de la base del sistema de numeración usado (notación posicional) /// *verbo:* situar, colocar, poner; localizar; emplear, colocar, dar empleo, dar colocación; fijar; establecer || *(Comercio)* vender, dar salida (a); pasar (un pedido).

place holder *(Mat)* símbolo que ocupa un lugar.

place measurement *(Movimientos de tierra)* medición en corte.

place name nombre de lugar, topónimo.

place-name abbreviation *(Telecom)* abreviatura [clave] de nombre de lugar, abreviatura toponímica, grupo toponímico.

place of departure punto de partida.

place of destination punto de destino.

place of origin punto de origen.

place value *(Mat)* valor posicional.

Placzek function función de Placzek. Función matemática que interviene en la teoría del retardo de los neutrones en sistemas homogéneos grandes.

plain planicie; llanura; meseta /// *adj:* plano, llano; liso; sencillo; natural; común, ordinario; claro, evidente, manifiesto.

plain carbon carbón homogéneo.

plain carbon steel acero ordinario al carbono, acero al carbono no aleado.

plain connector *(Guías de ondas)* *(i.e.* coupling flange with flat face) brida plana. Brida cuya superficie de empalme es plana. SIN. **plain coupling** (CEI/61 62–15–015).

plain coupling *(Guías de ondas)* brida plana. V. **plain connector.**

plain flap *(Aeron)* alerón [flap] de curvatura.

plain impulse impulso simple.

plain-impulse adapter *(Informática)* adaptador de impulsos simples.

plain language *(Telecom)* lenguaje claro. A VECES: lenguaje corriente. Lenguaje que ofrece un sentido comprensible en una o varias de las lenguas admitidas para la correspondencia telegráfica internacional, teniendo cada palabra y cada expresión el significado que normalmente se les asigna en la lengua a la cual pertenecen.

plain-language telegram telegrama en lenguaje claro. CF. **secret-language telegram.**

plain-language telegraph correspondence correspondencia telegráfica en lenguaje claro.

plain-language text texto en lenguaje claro.

plain-language word palabra de lenguaje claro.

plain surface superficie lisa; superficie plana.

plain-surface machine *(Elec)* máquina de armazón lisa. Máquina cerrada autoenfriada [totally enclosed self-cooled machine] en la cual no se ha previsto ningún medio para aumentar la superficie de contacto de la armazón [frame] con el aire de enfriamiento exterior [external cooling air] (CEI/56 10–05–260). CF. **ribbed-surface machine.**

plain text *(Teleg)* (a.c. plain-language text) texto en lenguaje claro.

plain-woven *adj:* de tejido sencillo; de tejido liso.

plain-woven fabric tela de tejido liso.

plain-woven monel wire screen malla de tejido sencillo de alambre de metal monel.

plait cordoncillo; trenza; pleita (de esparto) || *(Costura)* alforza, doblez, plegado, pliegue /// *verbo:* tejer, trenzar || *(Telas)* plegar, plisar; encañonar.

plait point *(Soluciones conjugadas, Diagramas ternarios de solubilidad)* punto de plegado. Punto en el cual dos soluciones conjugadas de líquidos parcialmente miscibles tienen la misma composición (confundiéndose las dos capas en una); punto en el cual son iguales las composiciones de las capas conjugadas.

plan plan, proyecto; programa; plano, dibujo; diagrama; traza; planta, vista de plano /// *verbo:* planear, proyectar; trazar; idear; hacer [formar] planes; proponerse.

plan of cable layout *(Telecom)* plano de tendido del cable.

plan position indicator [PPI] *(Radar/Sonar)* presentación panorámica, indicación de posición en el plano; indicador panorámico, indicador de posición en el plano [de posición planar]; pantalla panorámica. En radar y sonar, tubo de rayos catódicos, con sus elementos auxiliares, que presenta a la observación visual, simultáneamente, todos los objetos o blancos interceptados en un arco de 360° | presentación panorámica, PPI. Indicador de modulación de intensidad [intensity-modulated radar display] sobre cuya pantalla los ecos aparecen en puntos que sobre una carta representarían la posición del objeto correspondiente; el centro de la pantalla representa en general la posición del equipo de radar (CEI/70 60–72–310). CF. **off-center plan display.**

plan view   (vista en) planta, vista de plano; proyección horizontal.

planar   *adj:* planar. Relativo o perteneciente al plano; situado en un plano | plano || *(Elecn)* v. **planar process.**

planar antenna   antena plana.

planar array   *(Sonar)* red planar de transductores.

planar diode   diodo plano, diodo (de estructura) planar, diodo con electrodos planos paralelos.

planar-electrode tube   tubo (electrónico) planar, tubo electrónico con electrodos planos paralelos.

planar epitaxial passivated diode   diodo epitaxial de estructura planar pasivada. Diodo de estructura planar pasivada con óxido (v. **passivation**) constituida en una capa epitáxica [epitaxial layer] de alta resistividad cultivada en un substrato de silicio de baja resistividad. Las características ventajosas de este diodo son: conductancia alta, capacitancia y fuga pequeñas, y recuperación rápida.

planar epitaxial PNPN switch   conmutador epitaxial de estructura planar PNPN.

planar graph   *(Mat)* grafo planar.

planar half-loop   semibucle plano.

planar implant   *(Radiol)* injerto laminar [bidimensional]. Injerto en un solo plano o en dos dimensiones (CEI/64 65–25–080). CF. **volume implant.**

planar junction   *(Semicond)* unión plana.

planar-junction diode   diodo de unión plana.

planar junction transistor   transistor planar de uniones, transistor de uniones de estructura planar. Transistor de uniones (v. **junction transistor**) parecido al de uniones por difusión (v. **diffused-junction transistor**), pero en el cual la penetración localizada de la impureza se logra cubriendo partes de la superficie de la plaquita [wafer] con un compuesto de óxido, como p.ej. dióxido de silicio, procedimiento éste conocido por *pasivación superficial* [surface passivation].

planar mask   *(Tv)* v. **shadow mask.**

planar network   red planar, red dibujable en un plano sin ramas que se crucen.

planar photodiode   fotodiodo planar, fotodiodo al vacío de estructura planar.

planar point   *(Mat)* punto planar. Punto de una superficie en el cual son cero las dos curvaturas principales.

planar process   procedimiento planar. Procedimiento para la fabricación de dispositivos semiconductores y circuitos integrados monolíticos, en el cual se utiliza dióxido de silicio como agente protector (v. **masking**). En particular, procedimiento de fabricación de transistores de silicio que comprende la formación, sobre un substrato de dicho elemento, de una película de óxido de espesor inferior a un micrómetro; el transistor propiamente dicho se forma luego en el interior del substrato [substrate] mediante una serie de operaciones de difusión y de eliminación por ataque químico. SIN. **técnica de fabricación planar** —— **planar processing technique.**

planar processing technique   *(Elecn)* técnica de fabricación planar. v. **planar process.**

planar silicon transistor   (a.c. silicon planar transistor) transistor planar de silicio.

planar transistor   transistor planar. v. **planar process.**

planar transmission line   línea de transmisión planar, línea de transmisión constituida por elementos planos.

planar triode   triodo planar, triodo de electrodos planos paralelos.

planar tube   *(Elecn)* (a.c. planar-electrode tube) tubo (electrónico) planar, válvula (electrónica) de electrodos planos.

planarity   planaridad.

planchet   plancheta.

Planck   Max Planck: físico alemán (1858–1947), uno de los principales investigadores de la energía, en particular de la radiante, a la que consideraba como una magnitud discontinua formada por átomos o granos de energía (cuantos); teoría ésta que conmovió los cimientos de la Física clásica y abrió el camino a otras importantísimas teorías, como la de Bohr sobre la estructura de los átomos.

Planck-Einstein equation   ecuación de Planck-Einstein. Ecuación $h\nu_{max} = Ve$, que da los cuantos de rayos X en función de la energía del electrón, y en la cual h es la constante de Planck (v. **Planck's constant**) y ν_{max} la frecuencia máxima de rayos X producida por un electrón e que ha adquirido su energía por efecto de una tensión V.

Planckian   *adj:* planckiano, de Planck.

Planckian color   color planckiano. Color (distribución de intensidades en función de la longitud de onda) de la luz emitida por un cuerpo negro (v. **blackbody**) a una temperatura dada.

Planckian locus   lugar geométrico planckiano. En un diagrama de cromaticidad [chromaticity diagram], línea que pasa por los puntos que representan la radiación luminosa de un cuerpo negro [blackbody] a temperaturas entre los límites aproximados de 2 000 y 10 000 K | lugar de los estímulos planckianos. Línea que representa, en un diagrama de cromaticidad, los cuerpos negros de diferentes temperaturas (CEI/70 45–15–235).

Planckian radiator   radiador de Planck, radiador completo, cuerpo negro. v. **full radiator.**

Planck's constant   constante de Planck. Constante universal de la mecánica cuántica que, multiplicada por la frecuencia, da la energía absorbida o emitida en los fenómenos periódicos. Se representa por el símbolo h, tiene la misma dimensión que la acción (energía × tiempo), y vale $6,625 \times 10^{-27}$ erg/s. SIN. **cuanto de acción, cuanto elemental** | **Planck's constant,** h: constante de Planck, h. El cuanto de energía (E) es proporcional a la frecuencia (ν); el factor de proporcionalidad (h) es la constante de Planck: $E = h\nu$. El valor de la constante de Planck es aproximadamente $6,625 \times 10^{-34}$ julio por segundo, o $6,625 \times 10^{-27}$ ergio por segundo (v. **quantum**) (CEI/64 65–15–025).

Planck's formula   fórmula de Planck.

Planck's function   función de Planck.

Planck's law   ley de Planck. Ley que da la densidad espectral [spectral concentration] de la exitancia radiante [radiant exitance] de un cuerpo negro [full radiator] en función de la longitud de onda y de la temperatura (CEI/70 45–05–215). CF. **Stefan-Boltzmann law.**

Planck's radiation formula   fórmula de la radiación de Planck.

Planck's radiation law   ley (de radiación) de Planck. v. **Planck's law.**

plane   plano; superficie plana || *(Aeron)* (i.e. aeroplane, airplane) aeroplano, avión || *(Mat)* plano || *(Carp)* cepillo, garlopa, guillame || v. **plane of...** /// *adj:* plano, llano; planar /// *verbo:* alisar, cepillar, acepillar; allanar; aplanar; desbastar, dolar || *(Aeron)* planear; hidroplanear.

plane aerial   v. **plane antenna.**

plane analytic geometry   geometría analítica plana.

plane antenna   (a.c. plane aerial — *GB*) antena en hoja. SIN. sheet [flat-top] antenna.

plane aperture   *(Reflectors)* abertura plana.

plane condenser   condensador plano.

plane-convex lens   *(Opt)* lente planoconvexa.

plane-earth attenuation   atenuación sobre tierra plana. Atenuación que sufre una onda que se propaga sobre la tierra real (imperfectamente conductora), considerada plana, y que excede de la atenuación que sufriría la onda si se propagara sobre un plano perfectamente conductor.

plane-earth propagation   propagación sobre tierra plana. Propagación hipotética de las ondas electromagnéticas sobre la tierra considerada como un plano perfectamente conductor.

plane electromagnetic wave   onda electromagnética plana.

plane field   *(Mat)* campo plano.

plane geometry   geometría plana. Geometría que estudia las figuras planas, o sea, las figuras cuyos puntos se hallan todos comprendidos en un mismo plano.

plane mirror   (*Opt*) espejo plano.

plane motion   (*Fís*) movimiento plano.

plane of a loop   (*Radio*) plano de un cuadro. Plano que pasa por el centro del cuadro y es paralelo a los hilos de éste.

plane of curvature   (*Mat*) plano de curvatura.

plane of polarization   (*Propag de ondas radioeléc*) plano de polarización. Plano definido por el vector campo eléctrico y la dirección de la propagación, en el caso de una onda electromagnética polarizada rectilíneamente. NOTA: En óptica, el plano de polarización es normal al plano definido arriba (CEI/70 60–20–010).

plane of projection   plano de proyección.

plane of rotation   plano de rotación.

plane of symmetry   plano de simetría. Plano que divide un cuerpo en dos partes que guardan la misma relación que un objeto y su imagen especular [mirror image].

plane of the nominal ILS glide path   (*Avia*) plano de la trayectoria de planeo ILS nominal.

plane of vibration   plano de vibración.

plane polarization   polarización plana [lineal]. Polarización en la cual el extremo del vector giratorio [rotating vector] que representa las vibraciones en un haz de radiación polarizada, traza una recta en cada ciclo de polarización.

plane-polarized   *adj:* polarizado en un plano, de polarización plana.

plane-polarized light   luz polarizada.

plane-polarized sound wave   onda sonora polarizada en un plano, onda sonora de polarización plana. v. **plane-polarized wave.**

plane-polarized wave   onda polarizada en un plano. Onda transversal en la cual la dirección del desplazamiento en todos los puntos comprendidos en cierto espacio, es paralela a la dirección de propagación ‖ (*Propag de ondas radioeléc*) (a.c. linearly polarized wave) onda polarizada linealmente. Onda en la cual el vector campo eléctrico permanece, mientras dure la propagación, paralelo a una dirección fija llamada *dirección de polarización* (CEI/70 60–20–015).

plane position   posición planar.

plane-positioning system   sistema de determinación de posiciones planares.

plane progressive wave   onda progresiva plana.

plane rectangular surface sound source   fuente sonora plana rectangular.

plane reflector   reflector plano. En los sistemas de microondas, reflector de superficie plana y perfectamente lisa empleado para cambiar la dirección de propagación de un haz electromagnético (haz de ondas). SIN. **espejo plano.**

plane-reflector aerial   v. **plane-reflector antenna.**

plane-reflector antenna   (a.c. plane-reflector aerial — *GB*) antena con reflector plano.

plane sinusoidal wave   onda sinusoidal plana.

plane source   (e.g. of neutrons) fuente plana (p.ej. de neutrones).

plane (vector) field   campo (vectorial) plano.

plane wave   onda plana. (**1**) Onda cuyos frentes son planos paralelos normales a la dirección de propagación. (**2**) Onda cuyas superficies equifase [equiphase surfaces] forman una familia de planos paralelos.

plane wavefront   frente de onda plano.

planer   aplanador ‖ (*Carreteras*) alisadora (de asfalto) ‖ (*Herr*) espátula ‖ (*Máq herr*) cepillo (mecánico), cepilladora, acepilladora | obrero encargado de la cepilladora.

planet   planeta ⫽ *adj:* planetario.

planetary   *adj:* planetario; terrestre.

planetary atom   átomo de Bohr.

planetary circulation   (*Meteor*) circulación planetaria.

planetary electron   electrón planetario [satélite]. SIN. orbital

electron (véase).

planetary gear   engranaje planetario.

planetary impact   impacto en los planetas.

planetary landing   aterrizaje planetario.

planetary motion   movimiento planetario; engranaje planetario.

planetary orbit   órbita planetaria.

planetary-orbit theory   teoría de las órbitas planetarias.

planetary probe   sonda planetaria.

planetary reduction gear   tren planetario reductor.

planetary transmission   transmisión planetaria.

planetary wheel   rueda planetaria, piñón satélite.

planiform   *adj:* planiforme.

planigraph   (*Radiol*) planígrafo, estratógrafo, tomógrafo, dispositivo para radiografías por secciones. v. **laminagraph.**

planigraphy   (*Radiol*) (*i.e.* tomography of plane thin layers) planigrafía. Tomografía en capas delgadas planas (CEI/64 65–05–060). v.TB. **laminography.**

planimeter   planímetro. Aparato para medir las áreas de recintos planos ⫽ *adj:* planimétrico ⫽ *verbo:* planimetrar.

planimetric   *adj:* planimétrico.

planimetric details   (*Mapas*) detalles planimétricos.

planimetric features   (*Mapas*) detalles planimétricos.

planimetric map   mapa planimétrico.

planimetry   planimetría ⫽ *adj:* planimétrico.

planing   cepillado, acepillado, acepilladura ‖ (*Aeron*) planeo.

planing bottom   (*Aeron*) superficie de resbalamiento.

planish   *verbo:* aplanar, alisar; bruñir; pulir ‖ (*Fotog*) satinar ‖ (*Met*) allanar, alisar, aplanar; forjar en frío; laminar lingotes.

planisphere   (*Astr, Cartog*) planisferio.

planning   planeamiento, planificación, programación; plan, programa, proyecto; concepción, organización; trazado de un plano; preparación del trabajo, previsiones de trabajo; planteo, planteamiento; ordenamiento (general) urbano, plano regulador urbano ‖ (*PERT*) planeamiento. Establecimiento de las actividades y sucesos del proyecto, así como sus relaciones mutuas, y el orden lógico en que han de ser ejecutados. v. **PERT.**

planning chart   (*Avia*) carta para planear vuelos; carta para planificación ‖ (*Informática*) planilla de programación, cuadro de planteo. Se usa para formular el programa de trabajo de una máquina.

planning engineer   ingeniero proyectista [de proyecto]; ingeniero planificador.

planning officer   jefe de planificación (de la producción).

plant   material; instalación; herramental; maquinaria; planta, establecimiento; taller, talleres, fábrica; empresa productora ‖ (*Bot*) planta ‖ (*Constr*) equipo, planta. LOCALISMOS: planteles, obrador ‖ (*Elec*) central, estación, fábrica. LOCALISMO: usina | instalación de alumbrado | (a.c. equipment) equipo (eléctrico). Conjunto de las máquinas, de los aparatos de mando y control, y de las canalizaciones eléctricas, que aseguran el funcionamiento de una instalación (CEI/58 35–05–055) ‖ (*Telecom*) instalación; equipo; herramental. v. **outside plant, telephone plant, toll plant** ⫽ *verbo:* plantar, sembrar; enterrar; implantar; fundar, establecer; colocar; fijar, asegurar; instalar; colar, meter; proyectar; dibujar (un plano) ‖ (*Constr*) equipar ‖ (*Minas*) fondear ‖ (*Relojes*) emplatinar.

plant capacity   capacidad fabril ‖ (*Elec*) capacidad de la central.

plant capacity factor   (*Elec*) coeficiente de utilización de la central.

plant engineer   ingeniero de instalaciones ‖ (*Fáb*) ingeniero encargado del entretenimiento de las máquinas.

plant engineering   ingeniería de instalaciones; ingeniería fabril ‖ (*Telecom*) ingeniería de planta [de instalaciones]. Ingeniería que abarca todo lo relativo a la selección e instalación de equipos; el proyecto y utilización de los edificios y locales destinados a los equipos; y el proyecto de las rutas de las líneas y la asignación de conductores a circuitos particulares.

plant factor   (*Centrales eléc*) coeficiente [tasa] de utilización.

Relación de carga media a capacidad de la central.

plant load factor *(Elec)* coeficiente de utilización de la central | (a.c. average load per cent) factor de utilización de una central. Relación entre la energía eléctrica producida por un generador o un conjunto de generadores durante un intervalo de tiempo determinado y la energía que se habría producido si ese generador o ese grupo de generadores hubieran sido explotados, durante ese intervalo de tiempo, a su potencia máxima posible en servicio continuo. Esta relación se expresa generalmente en tanto por ciento (CEI/65 25–60–090).

plant mix v. **plant mixing**.

plant mixing (a.c. plant mix) mezcla en planta [en instalación central]. Procedimiento consistente en mezclar materiales en una instalación fija.

plant order wire *(Telef)* línea de servicio entre estaciones de repetidores.

plant site lugar de emplazamiento de la fábrica; terrenos en que se halla la fábrica; lugar de la instalación.

Planté cell *(Acum)* elemento Planté. v. **Planté plate**.

Planté plate *(Acum)* placa Planté, placa de gran superficie. Placa generalmente de plomo, de superficie muy extensa y cuya materia activa se forma en capas delgadas a expensas del plomo mismo. SIN. **plate with a large area** (CEI/60 50–20–105).

Planté-type plate *(Acum)* placa de tipo Planté. Placa, en general de plomo puro y de gran superficie, cuya materia activa se obtiene en forma de capa delgada a expensas del plomo mismo (CEI/38 50–15–070). SIN. **Planté plate**.

plaque placa (de mármol); plato decorativo, condecoración, placa; broche, medalla || *(Elecn)* plaqueta (de circuitos miniaturizados) || *(Anat, Medicina)* placa, mancha roja; disco | plaqueta (sanguínea), trombocito. SIN. **platelet**.

plasma *(Corona solar, Electrosoldadura)* plasma || *(Medicina, Miner)* plasma || *(Elecn/Fís/Nucl)* plasma, medio gaseoso ionizado con carga de espacio nula; gas caliente ionizado; descarga neutra | plasma. Medio gaseoso ionizado en el cual las concentraciones electrónica e iónica son sensiblemente iguales, de lo que resulta una carga de espacio casi nula (CEI/56 07–12–115) ||| adj: plasmático.

plasma accelerator acelerador plasmático [de plasma].
plasma anodization anodización por plasma.
plasma balance equilibrio de plasma.
plasma beam haz de plasma.
plasma burst ráfaga de plasma.
plasma column columna de plasma.
plasma current corriente de plasma.
plasma cylinder capa cilíndrica de plasma.
plasma density (*i.e.* density of particles in a plasma) densidad del plasma, densidad de las partículas del plasma.
plasma diode diodo plasmático. Diodo que convierte calor directamente en electricidad.
plasma discharge descarga en plasma.
plasma drift deriva del plasma.
plasma dynamics dinámica del plasma.
plasma electron electrón del plasma.
plasma filament filamento de plasma.
plasma frequency frecuencia del plasma. Frecuencia natural del movimiento coherente de los electrones en un plasma.
plasma heating calentamiento del plasma.
plasma jet motor plasmático. Motor magnetohidrodinámico para cohetes en el cual la propulsión se debe a la expulsión de plasma.
plasma layer capa del plasma.
plasma needle arc *(Electrosoldadura)* arco de aguja [arco fino] en atmósfera de plasma.
plasma neutron radiation radiación neutrónica del plasma.
plasma oscillation oscilación del plasma | oscilación plasmática. Oscilación electrostática o de carga espacial en un plasma a frecuencia ligada a la natural del movimiento coherente de los electrones.

plasma physics física del plasma.
plasma pinch estricción [reostricción] del plasma. v. **pinch effect**.
plasma pressure presión del plasma.
plasma radiation radiación del plasma.
plasma rocket engine motor de plasma. Sistema de propulsión eléctrica para cosmonaves basado en la resonancia ciclotrónica [cyclotron resonance] de un plasma atrapado por campos eléctricos y magnéticos cruzados. SIN. **coaxial plasma accelerator [gun]**.
plasma state estado del plasma.
plasma wave onda de plasma.
plasmagene *(Biol)* plasmagene.
plasmatron plasmatrón. Tubo de descarga gaseosa en el cual un plasma obtenido independientemente sirve de medio conductor entre un cátodo caliente y el ánodo. La corriente entre esos electrodos se modula haciendo variar la conductividad o la sección transversal efectiva del plasma.
plasmoid plasmoide. (1) En un tubo de alto vacío excitado por muy altas frecuencias, región luminosa que presenta variadas formas. (2) Región del plasma que presenta mayor luminosidad y está netamente separada del resto por una zona obscura.
plasmon *(Fís del estado sólido)* plasmón.
plasmon energy energía de excitación del plasmón.
plasmotron plasmotrón, generador de plasma.
plaster yeso; repello, revoque, revocadura, guarnecido, jaharro. LOCALISMO: masilla ||| verbo: enyesar; repellar, revocar, enlucir, jaharrar, aljorozar.
plastic plástico, material plástico; resina sintética | plástico. (1) Material constituido fundamentalmente por uno o varios tipos de compuestos orgánicos de alto peso molecular, sólido en su estado final, que se puede moldear por calor y presión. Se dividen los plásticos en dos grupos: *termoplásticos* y *termoestables*. (2) Material cuyo ingrediente fundamental es una materia orgánica, y que se presta muy bien para la fabricación de artículos moldeados. Se utilizan los plásticos p.ej. para la fabricación de discos fonográficos, cajas de receptores, bases de tubos electrónicos, perillas de mando, etc. ||| adj: plástico; dúctil; moldeable; de (material) plástico.
plastic analysis *(Mec)* análisis plástico. Análisis que tiene por fundamento las relaciones entre los esfuerzos y las deformaciones plásticas.
plastic-base sound tape cinta magnetofónica con base [soporte] de plástico.
plastic capacitor capacitor [condensador] de plástico.
plastic case caja de plástico.
plastic composition composición plástica.
plastic design *(Mec)* diseño plástico. Diseño fundado en relaciones entre esfuerzos y deformaciones plásticas.
plastic effect efecto plástico || *(Tv)* efecto plástico [de relieve] | efecto plástico. Modificación accidental o voluntaria de las señales de imagen que produce una sensación de relieve (CEI/70 60–64–495).
plastic-encapsulated adj: encapsulado en plástico.
plastic-encapsulated component *(Elecn)* componente encapsulado en plástico.
plastic flow *(Fís)* flujo plástico, fluencia plástica.
plastic glass cristal plástico.
plastic-impregnated adj: impregnado con plástico.
plastic-injected mold molde de inyección de plástico.
plastic-insulated adj: aislado con plástico.
plastic insulation aislante de materia plástica.
plastic-laminated waterproof paper papel impermeable con laminación de plástico.
plastic mask máscara de plástico. En los televisores, pieza de plástico transparente colocada delante del tubo de imagen (cinescopio) para fines de protección o seguridad.
plastic material materia plástica, material plástico.

plastic modulus   *(Mec)* módulo plástico.

plastic molding   moldeado plástico; moldeo de plásticos.

plastic radome   radomo de material plástico. Cubierta campaneiforme de plástico utilizada para proteger una antena de radar o de radioenlace por microondas.

plastic sheet   hoja de material plástico; plancha de material plástico.

plastic state   estado plástico. En el caso del soldante (material para soldadura), estado correspondiente al margen de temperaturas que va del punto en que empieza a fundirse al punto en que se licúa.

plastic-tip hammer   (a.c. plastic-tipped hammer) martillo de cabeza de material plástico, martillo de peña de plástico [de cotillo plástico].

plastic-tipped hammer   v. **plastic-tip hammer.**

plastic tool   herramienta de plástico.

plastic torsion   torsión plástica.

plastic transistor   transistor con caja de plástico.

plastic wave   *(Fís)* onda plástica.

plastic wood   madera plástica.

plastic yield   deformación plástica.

plasticine   plasticina.

plasticity   plasticidad. Capacidad de un material para deformarse bajo tensión y retener la nueva forma, después de que la tensión ha dejado de actuar.

plasticizer   plastificante; ablandador (de plásticos). (1) Substancia añadida a un plástico u otro material para conservarlo suave o flexible. (2) Compuesto líquido muy estable, preferentemente incoloro, inodoro, de muy baja volatilidad, que se mezcla con los materiales poliméricos para aumentar su plasticidad y flexibilidad. (3) En la fabricación de cintas magnéticas, componente del ligante de la capa magnética que permite a ésta conservarse flexible indefinidamente.

plastics   (materiales) plásticos, materias plásticas.

plastisol   plastisol. Mezcla de resinas y plastificantes.

plastometer   plastómetro.

PLAT   sistema PLAT. Sistema de televisión por circuito cerrado utilizado como ayuda de aterrizaje en portaaviones. El inglés viene de Pilot Landing-Aid Television.

plate   placa, plancha, chapa; lámina; placa de cristal, luna; orfebrería; vajilla de oro; vajilla de plata; platillo para colecta; plato (de comer); bastidor; tabla delgada ancha; mármol de trazar; pizarra (en capas de calizas); taller de galvanostegia; pieza dental, plancha, dentadura postiza; plaqueta (de la sangre); escama (de pescado); herradura (para bueyes, para caballos de carrera) ‖ *(Acero)* placa, chapa, lámina, plancha ‖ *(Balanzas)* platillo ‖ *(Béisbol)* base del bateador ‖ *(Carp)* solera superior; viga maestra ‖ *(Cerraduras)* platina, fondo ‖ *(Carreras de caballos)* copa (de oro, de plata) ‖ *(Elec)* placa | (*i.e.* ground plate) plancha de tierra ‖ *(Acum)* placa, electrodo | placa. Electrodo constituido por un soporte y la materia activa (CEI/38 50–15–035). Conjunto constituido por la materia activa y un soporte (rejilla o cuadro) (CEI/60 50–20–75) | **plate with a large area, Planté plate:** placa de gran superficie, placa Planté. Placa generalmente de plomo, de superficie muy extensa y cuya materia activa [active material] se forma en capas delgadas a expensas del propio plomo (CEI/60 50–20–105) ‖ *(Elecn)* *(slang)* cristal piezoeléctrico | placa, ánodo. A VECES: placa de ánodo. Electrodo positivamente polarizado que atrae los electrones emitidos por el cátodo de una válvula electrónica | anticátodo | (a.c. anode) placa, ánodo. Electrodo que recibe la corriente electrónica del espacio vacío del tubo termiónico (CEI/38 60–25–045) | placa. Nombre comúnmente dado al ánodo de un tubo electrónico (CEI/56 07–26–170) ‖ *(Forjas)* herramienta suelta (para formar p.ej. un cuello) ‖ *(Fotog)* placa (fotográfica) ‖ *(Libros)* lámina, grabado ‖ *(Tipog)* cliché, clisé ‖ *(Instr)* limbo ‖ *(Mec)* placa, plancha, platina ‖ *(Máq herr)* mesa ‖ *(Máq de fab de discos fonog)* platillo ‖ *(Prensas)* plato ‖ *(Relojes)* platina ‖ *(Guíaondas)* placa. v. **miscellaneous matching**

and tuning devices ‖ *(Vías férreas)* carril ‖ *(Yunques)* mesa ‖ *(Zool)* placa, lámina /// *adj:* *(Vál)* anódico /// *verbo:* blindar; colocar planchas; recubrir de placas; estirar con el martinete; herrar (un buey, un caballo de carreras); enchapar, metalizar, revestir con una capa metálica (cromar, dorar, platear, etc., según el caso), electrochapear, electrodepositar, placar por galvanoplastia ‖ *(Buques)* planchear, forrar con chapas ‖ *(Espejos)* azogar ‖ *(Tejido de punto)* vanisar ‖ *(Tipog)* clisar. Reproducir en plancha de metal la composición tipográfica y los grabados, para efectuar la tirada.

plate adapter   *(Fotog)* adaptador de placas.

plate-and-film camera   *(Fotog)* cámara para placas y películas, máquina mixta.

plate battery   batería de placa [de ánodo], batería anódica. Batería que alimenta la placa (ánodo) de un tubo electrónico. SIN. **B battery, anode battery** *(GB)*.

plate bypass capacitor   capacitor de paso de placa, condensador de paso de ánodo. Capacitor (condensador) conectado entre la placa (ánodo) y el cátodo de un tubo electrónico para dar paso a las corrientes de alta frecuencia e impedir su circulación por la carga. SIN. **plate bypass condenser.**

plate bypass condenser   v. **plate bypass capacitor.**

plate camera   *(Fotog)* cámara para placas ‖ *(Microscopios)* sistema fotográfico de placas. CF. **film camera.**

plate capacitance   *(Elecn)* capacitancia de placa.

plate-cathode capacitance   *(Elecn)* capacitancia placa-cátodo, capacidad de placa a cátodo.

plate characteristic   *(Tubos elecn)* característica de placa. Curva cuya abscisa es la tensión de placa y cuya ordenada es la corriente de placa, permaneciendo constantes las condiciones de los otros electrodos (CEI/38 60–25–125).

plate circuit   circuito de placa, circuito anódico. Circuito que comprende la fuente de alimentación de placa y todos los elementos conectados entre la placa y el cátodo de un tubo electrónico (válvula electrónica). SIN. **anode circuit.**

plate-circuit efficiency   rendimiento del circuito de placa. Cociente de la energía de CA suministrada a la carga, por la energía de CC absorbida de la fuente de alimentación de placa (ánodo).

plate-circuit relay   relé para circuito de placa, relevador del circuito de ánodo.

plate clutch   *(Mec)* embrague de discos [de plato].

plate coil   *(Elecn)* bobina de placa.

plate column   *(Nucl)* columna de placas; columna de platillos.

plate condenser   *(Elecn)* condensador de placa.

plate conductance   conductancia de placa. En un tubo electrónico, componente en fase de la corriente alterna de placa (ánodo) dividida por la tensión alterna del mismo electrodo, permaneciendo constantes las condiciones de los otros electrodos.

plate-coupled multivibrator   multivibrador de acoplamiento por placa. Este es el multivibrador corriente, en el cual la salida de placa (ánodo) de cada tubo va acoplada a la entrada (rejilla) del otro tubo.

plate current   *(Tubos elecn)* corriente de placa, corriente anódica. Flujo electrónico del cátodo a la placa por el interior de un tubo. SIN. **anode current** | (a.c. anode current) corriente de placa. Corriente total que circula por el circuito de la placa (CEI/38 60–25–090).

plate-current cutoff   corte de la corriente de placa.

plate-current detection   detección de corriente de placa.

plate-current meter   medidor de corriente de ánodo; miliamperímetro de corriente anódica.

plate-current modulation   modulación de corriente de placa [de corriente anódica].

plate current-plate voltage characteristic   característica corriente anódica — tensión anódica. SIN. **plate characteristic.**

plate-current relay   relé excitado por la corriente de placa, relevador de conexión en serie con el ánodo.

plate detection   detección de [por] placa. Detección en la cual la rectificación de la señal de radiofrecuencia tiene lugar en el circuito de placa o ánodo de una válvula electrónica. La polaridad de rejilla se hace lo suficientemente negativa para que la corriente de placa se reduzca casi a cero en ausencia de señal; en esas condiciones, el valor medio de la corriente de placa sigue las variaciones de amplitud de la señal aplicada a la rejilla. SIN. **anode detection.**

plate detector   *(Elecn)* detector de [por] placa.

plate dissipation   disipación de placa, disipación anódica. Potencia que se transforma en calor en la placa (ánodo) de un tubo electrónico.

plate efficiency   *(Elecn)* rendimiento de placa, rendimiento anódico. Potencia de salida de un tubo electrónico dividida por la potencia de CC consumida por el ánodo. SIN. **anode [plate-circuit] efficiency.**

plate efficiency factor   *(Nucl)* coeficiente de rendimiento por platillo.

plate electrode   electrodo de placa.

plate family of curves   *(i.e.* family of plate curves) familia de curvas de placa. Grupo de curvas de la corriente de ánodo (generalmente en miliamperios) en función de la tensión del mismo electrodo (usualmente en voltios), en el cual cada curva corresponde a una tensión constante distinta de rejilla. CF. **grid family of curves, plate characteristic.**

plate–filament capacitance   capacitancia placa–filamento, capacidad de placa a filamento. SIN. **plate–filament capacity.**

plate–filament capacity   v. **plate-filament capacitance.**

plate–grid capacitance   capacitancia placa–rejilla, capacidad de placa a rejilla. SIN. **plate–grid capacity.**

plate–grid capacity   v. **plate–grid capacitance.**

plate-holder   v. **plateholder.**

plate impedance   impedancia de placa, impedancia anódica. Cociente de un incremento en la tensión de placa de un tubo electrónico, dividido por el correspondiente incremento en la corriente del mismo electrodo, permaneciendo constantes las condiciones de los demás electrodos. CF. **plate resistance.**

plate input   v. **plate input power.**

plate input power   (a.c. plate input) potencia anódica de entrada. Producto de la tensión continua aplicada a la placa, por la corriente absorbida por ese mismo electrodo, en ausencia de toda modulación. SIN. **anode input power.**

plate keying   *(Radioteleg)* manipulación por placa [por interrupción de la alimentación de placa]. SIN. **anode keying.**

plate load impedance   impedancia de carga de placa. Impedancia de la carga sobre la cual trabaja una válvula electrónica cuando dicha carga forma parte del circuito de placa o ánodo.

plate load resistance   resistencia de carga anódica.

plate lug   *(Acum)* cola. Apéndice de la placa que sirve para el paso de la corriente (CEI/38 50–25–055).

plate magnet   imán de plancha. Imán destinado a la separación de fragmentos extraños de hierro, caracterizado por tener una superficie colectora plana. CF. **grate magnet.**

plate-modulated   *adj:* modulado en placa [por placa].

plate-modulated amplifier   amplificador modulado en placa.

plate modulation   *(Radio/Elecn)* modulación por placa. Introducción de la onda moduladora en el circuito de placa de un tubo en el cual está presente la onda portadora. SIN. **anode modulation.**

plate neutralization   *(Elecn)* neutralización anódica [de circuito anódico]. v. **anode neutralization.**

plate (onto)   *verbo:* electrodepositar (sobre).

plate paper   papel para calcografía; papel para impresión litográfica; papel opaco grueso.

plate penetrometer   (a.c. strip penetrometer) penetrómetro de plancha [de tira].

plate potential   potencial de placa, tensión anódica [de placa].

plate power source   fuente de alimentación anódica. v. **plate power supply.**

plate power supply   fuente de alimentación anódica. Fuente que

suministra tensión a la placa (ánodo) de un tubo termoiónico, usualmente positiva respecto al ánodo.

plate protector   *(Telecom)* pararrayos de placas.

plate pulse modulation   modulación por impulsos anódicos. v. **anode pulse modulation.**

plate resistance   *(Tubos elecn)* resistencia de placa, resistencia interna (de ánodo, de placa). Resistencia en ohmios del camino entre la placa y el cátodo | (*i.e.* dynamic plate resistance) resistencia dinámica de placa [de ánodo]. Cociente de un incremento en la tensión de placa, por el correspondiente incremento en la corriente del mismo electrodo, permaneciendo constantes las condiciones de los otros electrodos. Símbolo: R_p ‖ resistencia de la chapa.

plate saturation   saturación de placa. Condición en la cual la corriente de placa de un tubo electrónico no puede ser aumentada mediante un aumento en la tensión de ese electrodo, debido a que los electrones son ya atraídos por la placa (ánodo) con la misma rapidez con que son emitidos por el cátodo. SIN. **anode saturation, current [voltage] saturation.**

plate size   tamaño de la placa [de la chapa] ‖ *(Fotog)* formato de placa.

plate-size selector   *(Fotog)* selector de formato de placa.

plate spacing   *(Nucl)* distancia entre placas.

plate supply   abastecimiento de chapas ‖ *(Elecn)* alimentación anódica, fuente de alimentación de placa; batería de ánodo. v. **plate power supply, anode supply.**

plate supply voltage   tensión de alimentación de placa, voltaje de alimentación anódica, tensión polarizadora de ánodo.

plate tank   *(Radio)* (circuito) tanque de placa, circuito oscilante de ánodo, circuito resonante anódico [de placa].

plate tank coil   bobina del (circuito) tanque de placa.

plate tap switch   llave de derivaciones de placa. Llave (conmutador) que permite variar la tensión de placas (ánodos) de un transmisor u otro equipo conmutando entre varias derivaciones del primario del transformador que alimenta la correspondiente fuente de poder.

plate tester   *(Fotog)* opacímetro.

plate thickness   espesor de (la) placa [de (la) chapa].

plate-to-cathode capacitor   capacitor [capacidad] ánodo–cátodo.

plate-to-filament voltage   tensión placa–filamento.

plate-to-grid capacitance   capacitancia placa–rejilla, capacidad de placa a rejilla.

plate-to-grid capacity   v. **plate-to-grid capacitance.**

plate-to-plate impedance   impedancia entre placas. En una etapa en contrafase o "push-pull", impedancia medida entre las placas de uno y otro tubo.

plate tower   *(Nucl)* v. **plate column.**

plate transformer   transformador de placa [de ánodo], transformador de alimentación de placa [de ánodo].

plate tuning condenser   condensador de sintonización anódica [de placa].

plate vibrator   vibrador de placa.

plate voltage   tensión anódica [de ánodo, de placa], voltaje de ánodo [de placa]. SIN. **anode voltage** | (a.c. anode voltage) tensión de placa. Tensión que existe entre la placa y un punto especificado del cátodo (CEI/38 60–25–085).

plate-voltage apparatus   aparato de tensión anódica [de placa].

plate-voltage regulator   regulador de tensión de placa [de voltaje anódico].

plate warmer   calientaplatos. CF. **hotplate.**

plate with a large area   *(Acum)* placa de gran superficie, placa Planté. v. **Planté plate.**

plateau   mesa, meseta, altiplanicie, altiplano. MENOS USADOS: alcarria, altillano, rasa ‖ *(Curvas gráficas)* meseta, parte horizontal. A VECES: plateau, plató. CF. **potential plateau** ‖ *(Tubos contadores)* meseta. Parte de la curva característica de meseta [plateau characteristic curve] de un tubo contador de Geiger-Mueller, para la cual el régimen de recuento [counting rate] varía relativamente poco en función de la tensión aplicada (CEI/68 66–10–200). CF. **plateau relative slope.**

plateau characteristic   *(Tubos contadores de radiaciones)* característica de meseta [de plateau] | (a.c. plateau characteristic curve) **(of a Geiger-Mueller counter tube)** característica de meseta, curva característica de meseta (de un tubo contador de Geiger-Mueller). Curva que representa la variación del régimen de recuento [counting rate] en función de la tensión aplicada a un tubo contador de Geiger-Mueller, permaneciendo constantes los otros parámetros (CEI/68 66–10–195).

plateau characteristic curve   (curva) característica de meseta. v. **plateau characteristic.**

plateau length   *(Tubos contadores de radiaciones)* extensión de la meseta. Gama de valores de la tensión aplicada correspondiente a la meseta (v. **plateau**).

plateau of potential   meseta de potencial. v. **potential plateau.**

Plateau problem   *(Mat)* problema de Plateau.

plateau relative slope   *(Tubos contadores de radiaciones)* pendiente relativa de meseta. Variación relativa del régimen de recuento [counting rate] para una variación dada de la tensión aplicada en la región de la meseta; este valor se expresa habitualmente en tanto por ciento del régimen de recuento para una variación de cien voltios de la tensión (CEI/68 66–10–205).

plateau slope   *(Tubos contadores de radiaciones)* pendiente de la meseta [del plató].

plated   *adj:* enchapado, recubierto de chapas, blindado; enchapado, metalizado; plateado; encobrado; niquelado; estañado; electroplateado; electrodepositado; galvanoplastiado.

plated circuit   circuito enchapado. Circuito impreso que se obtiene por electrodeposición de una red conductiva (conexionado) sobre una base aislante. SIN. **plated printed circuit.**

plated crystal unit   cristal (piezoeléctrico) de electrodos depositados. Cristal piezoeléctrico cuyos electrodos de contacto están constituidos por películas metálicas depositadas directamente sobre sus superficies.

plated printed circuit   circuito impreso enchapado. v. **plated circuit.**

plated printed wiring board   tablero de conexionado enchapado, placa de conexionado impreso por depósito galvanoplástico.

plated-through hole   *(Circ impresos)* agujero metalizado, agujero (interfacial) metalizado [chapeado]. Perforación hecha en un tablero y sobre cuya superficie interna se deposita galvanoplásticamente un metal que establece una conexión conductora entre las dos caras de aquél.

plated-through interface connection   *(Circ impresos)* conexión interfacial por agujero metalizado, conexión interfacial chapeada. Conexión entre las dos caras de un tablero por electrodeposición de las caras internas de un agujero hecho en aquél. SIN. **plated-through hole.**

plateholder   *(Fotog)* portaplaca. LOCALISMO: chasis.

platelet   plaqueta || *(Cristalog)* laminilla || *(Anat, Medicina)* plaqueta, trombocito, corpúsculo de la sangre /// *adj: (Anat, Medicina)* trombocitario.

platelet count   recuento trombocitario.

platen   platina; plancha, placa; placa gruesa; cuadro || *(Impr, Mec)* platina || *(Máq herr)* mesa || *(Prensas)* plato, placa de compresión || *(Informática, Teleimpr, Máq de escribir)* rodillo (de impresión), rodillo portapapel, rodillo [cilindro] de caucho.

platen-feed extra space   espacio adicional de alimentación del rodillo.

platen hardness   dureza del rodillo.

platen knob   perilla del rodillo.

platen operating handle   manivela operadora del rodillo.

platen ratchet   corona espaciadora del rodillo.

platen roll   rodillo.

platen-roll ratchet   corona espaciadora del rodillo; cric del rodillo.

platen rubber   goma [caucho] del rodillo.

platen shift wheel   rueda de desplazamiento del rodillo.

platen turnover handle   manija para voltear el rodillo.

platform   plataforma; entarimado; tablado; estrado; púlpito || *(Avia)* plataforma || *(Estaciones)* andén, plataforma; muelle || *(Puentes)* tablero. Conjunto de estructuras que forman la plataforma o pavimento del puente. SIN. **flooring** || *(Radio/Radar)* torrecilla.

platform barrier   *(Ferroc)* barrera de andén. Barrera que impide el acceso o la salida sin la previa verificación de los boletos.

platform car   carro de plataforma; vagón plataforma.

platform railing   barandilla de la plataforma.

platform roof   techo de la plataforma; marquesina del andén.

platform scale   báscula (de romana), romana [balanza] de plataforma.

platform stabilization   *(Radio/Radar)* estabilización de torrecilla. Estabilización de una antena vehicular por un mecanismo que la mantiene automáticamente en posición horizontal, pese a los movimientos del vehículo.

platform support   *(Telecom)* soporte de plataforma.

platform ticket   *(Ferroc)* billete de andén.

platform track   *(Ferroc)* vía de trabajo. Vía sobre muelles y adyacente a los depósitos de aduana.

platform trailer   plataforma-remolque.

platform truck   camión plataforma, camión plano.

platform vibrator   vibrador de plataforma.

platform wagon   vagón plataforma.

plating   depósito [revestimiento] metálico, depósito de (un) metal, metalización, enchape, enchapado; depósito [revestimiento] electrolítico; galvanoplastia, electroplastia, electrochapeado; acción [arte, técnica] de revestir con capa metálica (en casos particulares: cromado, dorado, plateado, estañado, encobrado, niquelado) || *(Circ impresos)* electrodeposición (de una red conductora sobre una base aislante).

plating bath   baño galvanoplástico, baño galvánico.

plating operation   operación galvanoplástica.

plating rack   *(Galvanoplastia)* percha para baño galvánico; soporte de los cátodos | gancho de asimiento. Chasis o soporte utilizado para sostener uno o varios electrodos y para suministrarles la corriente durante el tratamiento galvanoplástico [electrodeposition] (CEI/60 50–30–270).

plating shop   taller de galvanoplastia || *(Ferroc)* (sección de) galvanoplastia. Sección destinada al niquelado, etc., de accesorios.

plating solution   solución para galvanoplastia [electroplastia, electrochapeado], solución para depósito galvanoplástico [electrolítico], solución electrolítica, baño electrolítico.

plating tank   cuba [tanque] de galvanoplastia.

plating thickness   espesor galvanoplástico, espesor de la capa depositada.

plating wastes   aguas residuales de galvanoplastia [de electrólisis], aguas de descarga de baños galvánicos, líquido usado en electrólisis.

platinite   platinite. Aleación de hierro y níquel (42 al 46 %), caracterizada por tener un coeficiente de dilatación casi igual al del platino; puede utilizarse en vez de este último para los hilos de conexión de ciertos tubos electrónicos especiales || *(Quím)* platinito.

platinization   platinado, revestido de platino.

platinize   *verbo:* platinar.

platinized   *adj:* platinado.

platinized-platinum electrode   electrodo de platino platinado.

platinized quartz   cuarzo platinado.

platinized titanium anode   ánodo de titanio platinado.

platinizing   platinado.

platinode   *(Pilas)* platinodo, polo negativo.

platinoid   platinoide. Aleación de alta resistencia parecida a la plata alemana [German silver], pero que contiene también tungsteno. Posee un coeficiente de temperatura positivo moderado; se emplea en la fabricación de reostatos.

platinotron   platinotrón. (1) Tipo especial de magnetrón sin circuito resonante. (2) Tubo análogo al magnetrón, usado en transmisores de impulsos. (3) Tubo de microondas utilizable como oscilador o como amplificador saturado de alta potencia en radares de impulsos.

platinrhodium   platinorrodio. Aleación de platino y rodio.

platinum   platino. Metal pesado, casi blanco, que resiste la acción de casi todo los ácidos, soporta altas temperaturs, y es apenas afectado por las chispas eléctricas. Se usa extensamente para contactos de conmutadores, relés, y ruptores de encendido de motores. Símbolo químico: Pt.

platinum-clad   *adj:* platinado, chapado en platino, revestido de platino.

platinum-clad copper   cobre platinado.

platinum-clad electrode   electrodo platinado.

platinum-cobalt (permanent) magnet   imán (permanente) de platino-cobalto.

platinum contacts   contactos de platino.

platinum-plate   *verbo:* platinar, chapar en platino.

platinum-plated   *adj:* platinado, chapado en platino.

platinum plating   platinado, chapado en platino.

platinum-pointed (sparking) plug   bujía (de encendido) con puntas platinadas.

platinum resistance   (elemento de) resistencia de platino.

platinum resistance bulb   elemento termosensible de resistencia de platino.

platinum resistance thermometer   termómetro de resistencia de platino.

platinum-ruthenium emitter   emisor de aleación platino-rutenio.

platinum-tipped   *adj:* (*Contactos*) platinado ‖ (*Bujías de encendido*) con puntas platinadas.

platinum toning   (*Fotog*) viraje al platino.

platinum wire   hilo de platino.

platter   fuente, plato grande, platazo, platel ‖ (*Fonog*) (*slang*) disco (fonográfico); transcripción fonográfica; plato (giradiscos) ‖ (*Interconexionado de circ*) tablero matriz. SIN. **mother board.**

play   juego ‖ (*Mec*) juego, huelgo, holgura ‖ (*Teatro*) obra, función ∥ *verbo:* jugar; tener huelgo, tener juego (una pieza, una máquina); tocar (un instrumento, una pieza) ‖ (*Cine, Teatro*) desempeñar (un papel); recitar; representar, poner en escena.

play back   *verbo:* reproducir (un registro).

play-back   v. **playback.**

play-over   v. **playover.**

play time   (*Registros de sonido*) duración (del registro, del disco).

play-time indicator   indicador de duración del registro.

playable   *adj:* reproducible.

playback   (*Registros*) reproducción, lectura (de un disco fonográfico, de una cinta magnética) ‖ (*Electroacús*) lectura, reproducción (*evítese el uso de este término*). Acción por la cual un registro es reconstituido a su forma primitiva (CEI/60 08–25–030) ‖ (*Radio/Tv*) (a.c. playover) control de registro. Lectura de un programa de radiodifusión para fines de control (CEI/70 60–60–185).

playback amplifier   amplificador de reproducción [de lectura].

playback channel   canal de reproducción.

playback characteristic   (*Electroacús*) (a.c. reproducing characteristic) característica de lectura. Curva de variación, en función de la frecuencia, de la tensión de salida de un sistema de lectura cuando está registrada en el soporte material de registro [recording medium] una señal de valor constante y frecuencia variable (CEI/60 08–25–040). CF. **recording characteristic.**

playback gap   (*Registros mag*) entrehierro de reproducción.

playback head   (*Electroacús*) fonocaptor, cabeza lectora. v. **pickup** ‖ (*Registros mag*) cabeza reproductora [lectora], cabeza de reproducción.

playback loss   (*Electroacús*) pérdida de lectura. En un sistema de lectura [reproducing system], pérdida de nivel en función de la

frecuencia debida a diversas causas y, en particular, a las dimensiones finitas del elemento de lectura (aguja, entrehierro magnético, rendija de exploración) (CEI/60 08–25–050). SIN. **translation loss.**

playback loudspeaker   (*Cine/Tv*) altavoz [altoparlante] de fondo, altavoz de acompañamiento. SIN. **background loudspeaker.**

playback-only deck   (*Electroacús*) mecanismo básico de reproducción solamente.

playback preamplifier   preamplificador de reproducción.

playback reproducer   (*Electroacús*) reproductor, lector. SIN. **phonograph pickup.**

playback strength   intensidad de reproducción.

playback stylus   (*Fonog*) aguja reproductora. CF. **cutting stylus.**

playback system   sistema de reproducción, sistema lector. SIN. **reproducing system.**

playback tape deck   plataforma lectora, tocacintas magnetofónico, mecanismo básico de reproducción (de cintas).

playback unit   aparato [dispositivo] de reproducción.

player   reproductor, lector; tocadiscos; tocacintas ‖ (*Mús*) instrumentista, ejecutante, músico, tocador ‖ (*Teatro*) actor, comediante, cómico, representante.

playing area   (*Discos fonog*) (a.c. music groove area) espacio [zona] de grabación, zona de registro. Espacio correspondiente a los surcos del registro sonoro.

playing deck   (*Electroacús*) mecanismo de reproducción, plataforma lectora.

playing surface   (*Discos fonog*) superficie grabada.

playing time   tiempo de registro; duración (del registro, del disco), tiempo que dura la reproducción; tiempo de audición ‖ (*Cine*) duración de proyección.

playing-time indicator   v. **play-time indicator.**

playover   (*Radio/Tv*) control de registro. v. **playback.**

plectron   v. **plectrum.**

plectrum   (a.c. plectron) plectro. Palillo o púa usado para tocar ciertos instrumentos de cuerda.

Plenipotentiary Conference   Conferencia de Plenipotenciarios (Buenos Aires, 1952; Ginebra, 1959).

plenum   pleno, asamblea plenaria ‖ (*Ventilación, Bombas*) pleno, cámara impelente [de distribución] ∥ *adj:* impelente, insuflante, de aire comprimido, de pleno, de distribución.

plenum absorber   (*Ventilación*) pleno absorbedor (de sonido).

plenum chamber   (*Ventilación*) cámara impelente [de pleno, de distribución, distribuidora de aire]; túnel de distribución, túnel distribuidor de aire ‖ (*Nucl*) cámara colectora [depósito], colector.

plenum fan   ventilador impelente.

plenum process   (*Túneles*) método de aire comprimido.

plenum ventilation   ventilación impelente [insuflante, a presión].

pleochroic   *adj:* (*Opt*) pleocroico, pleocroítico.

pleochroic halo   halo pleocroico.

pleochroism   (*Opt*) pleocroísmo.

plethysmograph   pletismógrafo. Aparato que sirve para medir las variaciones de tamaño de una parte del cuerpo por medida de la cantidad de sangre contenida en la misma.

plexiglas   plexiglas. Cristal sintético. Material en forma de láminas termoplásticas de resina acrílica (metacrilato de metilo); es aislante eléctrico.

pliability   docilidad; flexibilidad; plegabilidad.

pliable   *adj:* dócil; flexible; plegable; manejable.

pliance   v. **pliancy.**

pliancy   docilidad, flexibilidad, blandura.

pliers   (*Herr*) alicates; tenacillas.

pliodynatron   pliodinatrón. Primitivo tubo electrónico del tipo de emisión secundaria, parecido al dinatrón [dynatron], pero con una segunda rejilla destinada a funciones de control.

pliotron   pliotrón. Nombre genérico de los tubos electrónicos al vacío, de cátodo caliente, con una o más rejillas.

PLM   Abrev. de pulse-length modulation.

PLO   Abrev. de phase-locked oscillator.

ploidy *(Genética)* ploidia. cf. **polyploidy**.

plot gráfica, gráfico, trazado gráfico, construcción [representación] gráfica; curva; diagrama, plano; plan, proyecto; solar, parcela (de terreno) | **plot of VSWR vs frequency:** gráfica de ROET en función de la frecuencia || *(Cine/Tv/Teatro/Novelas)* trama, argumento, acción || *(Naveg)* diagrama de movimientos; rosa de maniobras /// *verbo:* representar gráficamente; registrar, hacer [levantar, construir] una gráfica; llevar a una gráfica (datos, valores); trazar (una curva); idear; delinear; marcar; localizar; registrar (en un diagrama); marcar por coordenadas; situar | to **plot a point:** marcar un punto | **to plot as cartesian coordinates:** llevar a coordenadas cartesianas | **to plot on a map:** marcar en una carta || *(Naveg)* fijar la posición (sobre la carta); fijar el rumbo | **to plot a course:** trazar un rumbo | **to plot a fix:** determinar la posición (del avión, del buque) || *(Topog)* determinar (un punto); levantar (un plano).

plot plan plano del terreno. Cuando pertenece a una instalación como una emisora de radio, indica la situación de las distintas estructuras: edificios, torre de antena, caseta de acoplamiento (de antena), líneas de transmisión, etc.

plotter (aparato) trazador, trazador de curvas, (aparato) registrador; aparato marcador; ábaco; transportador; trazador *(persona)* | (a.c. plotting machine) máquina trazadora.

plotting trazado, representación gráfica; trazado de curvas; dibujo hecho utilizando una serie de datos; levantamiento (de una curva, de un plano); replanteo; parcelación || *(Fotog)* restitución || *(Cartas de naveg)* trazado; punteo, fijación de (la) posición.

plotting board *(Avia)* mesa de navegación || *(Artillería)* plancheta de tiro [de localización].

plotting chart carta de posición.

plotting grid *(Fotog)* cuadrícula de trazar.

plotting interval intervalo de trazado.

plotting machine (a.c. plotter) máquina trazadora [de plotear]. Dispositivo que permite el trazado de curvas por el conocimiento de las coordenadas de sus diversos puntos.

plotting of a curve trazado [construcción, levantamiento] de una curva.

plotting of contours trazado de curvas.

plotting of points marcado de puntos; topometría.

plotting paper papel cuadriculado; papel para trazado de curvas.

plotting plate *(Radar)* plano de trazado.

plough *(GB)* v. **plow**.

plow, plough arado || *(Carp)* cepillo ranurador [de ranurar], guimbarda || *(Tracción eléc)* carrillo de contacto, frotador de toma de corriente, zapata de toma | **plough:** toma de arado. Conjunto de piezas que permiten la captación de corriente de conductores colocados en un conducto (CEI/38 30-25-085) /// *verbo:* arar || *(Carp)* ranurar, rebajar, acanalar, trabajar con la guimbarda || *(Naveg)* surcar (la mar), hender (las aguas).

plowing *(Hidroaviones)* deslizamiento sobre el agua a poca velocidad; movimiento del agua antes de levantarse sobre el rediente.

PLS *(Teleg)* Abrev. de please [sírvase, por favor].

plug tapón, obturador, tapador, tapadero || *(Elec)* clavija, clavija de conexión [de contacto], enchufe macho. poco usado: tapón de contacto. localismo: ficha. Pieza o dispositivo que al ser insertado en un receptáculo o enchufe hembra establece uno o varios contactos eléctricos; pieza macho, removible, de un contacto cualquiera. sin. **tomacorriente [toma de corriente] macho, espiga tomacorriente.** cf. **connector, outlet, socket, jack** | clavija. (**1**) Pieza destinada a ser insertada en un orificio de forma apropiada, para establecer uno o varios contactos (CEI/38 15-30-025). (**2**) Pieza amovible unida a uno o varios conductores y destinada a ser insertada en un zócalo de forma apropiada para establecer uno o varios contactos (CEI/57 15-15-085) | (a.c. bridging plug) pasador. Pieza amovible, generalmente troncocónica, no unida a un conductor y destinada a establecer un contacto por su inserción entre dos plots [fixed contacts] (CEI/57

15-15-090) | clavija. Parte amovible de una toma de corriente [socket-outlet and plug] destinada a ser unida eléctricamente a la extremidad de una canalización móvil o amovible [movable or detachable conductor] (CEI/57 15-45-015) || *(Telecom)* clavija, ficha. (**1**) Organo al cual están conectados los conductores de un cordón y que insertado en un conjuntor (jack) establece el contacto entre los conductores de este cordón y los conductores conectados en forma permanente al conjuntor (CEI/38 55-10-055). (**2**) Organo utilizado para efectuar el contacto con una toma hembra o un jack y que comprende elementos de contacto machos. nota: En una conexión coaxil, la ficha (clavija) es la parte en la cual el conductor interior [inner conductor] es el elemento de contacto macho [male connecting element] (CEI/70 55-25-385) || *(Calderas)* tapón fusible || *(Cantería)* cuña, aguja || *(Carp)* tarugo, taco, espiche (estaquilla para tapar agujeros); tapín, cubierta || *(Convertidores)* fondo apisonado sobre varillas || *(Fab de tubos estirados)* mandril || *(Geol)* lacolito, masa de roca ígnea intrusiva || *(Grifos y vál)* macho || *(Mot)* (*i.e.* sparkplug) bujía (de encendido) || *(Mús)* tapón || *(Plomería)* tapón; boca de agua; espita; descarga de agua || *(Radio/Tv)* cuña, anuncio comercial. Material publicitario comercial intercalado en una audición o programa || *(Topog)* piquete, estaca de tránsito || *(Nucl)* tapón. (a) Pieza de material utilizado para tapar un agujero en una rejilla de protección [screen of protective material] e impedir así el paso que éste pudiera ofrecer a las radiaciones. (b) Pieza soldada a la vaina [cladding] y que asegura la estanqueidad de ésta (CEI/68 26-15-140) /// *verbo:* taponar, tapar, obturar; entarugar, atarugar; cegar, rellenar; obstruirse, atascarse || *(Elec/Telecom)* enchufar, insertar [meter] una clavija; insertar un pasador; conectar || *(Cantería)* cuartear con cuña || *(Mot eléc)* frenar por contracorriente; parar invirtiendo la rotación [el sentido de marcha]. v. **plugging** || *(Radio/Tv)* anunciar, hacerle publicidad (a un producto); favorecer (una canción, para popularizarla).

plug adapter *(Elec)* clavija de contacto; adaptador de enchufe | clavija de adaptación. Clavija [plug] provista de alveolos [socket contacts] que le permiten recibir una clavija de un modelo diferente (CEI/57 15-45-025).

plug-and-block connector *(Elec)* conector de clavijas.

plug and jack *(Telecom)* clavija y base de contacto.

plug-and-jack connector conector de clavija y jack

plug and socket *(Elec)* tapón y enchufe.

plug-board v. **plugboard**.

plug body *(Elec)* tomacorriente, conector hembra.

plug button botón taponador.

plug cap clavija tomacorriente, clavija de conexión [de enchufe].

plug connection *(Elec)* enchufe; conexión de clavija; toma de corriente.

plug connector *(Elec)* conector de ficha || *(Conectores coaxiles)* conector macho. Conector que contiene una clavija. cf. **jack connector**.

plug contact *(Elec)* enchufe, contacto de clavija; toma de corriente.

plug cutout *(Elec)* cortacircuito de tapón.

plug-ended cord *(Telecom)* cordón con clavija en los extremos; dicordio.

plug-ended junction *(Telecom)* enlace terminado en clavija.

plug for operator's headset *(Telef)* clavija de operadora.

plug fuse *(Elec)* fusible de tapón. tb. fusible de rosca, tapón fusible [de fusión], tapón eléctrico. Fusible de rosca igual a la de las lámparas o bombillas corrientes de casquillo roscado.

plug gage calibrador [calibre] cilíndrico, calibrador (de) macho, calibrador [calibre] de tapón, tapón calibrador, calibre macho, galga de clavija. Dispositivo que sirve para calibrar diámetros de agujero.

plug in *verbo:* enchufar (acción de insertar una clavija, un conector macho, o un dispositivo en su correspondiente jack, receptáculo o zócalo); introducir una clavija (en un jack o conjuntor); conectar (mediante clavija o conector macho introduciéndolo en el correspondiente jack o conector hembra); dar corriente; intercalar (p.ej. resistencias) ‖ *(Telecom)* establecer una comunicación.

plug-in   unidad [dispositivo, elemento] enchufable. Unidad, dispositivo o elemento que se inserta en un receptáculo o zócalo ⫽ *adj:* enchufable, intercambiable. Dícese de los elementos que se insertan en un zócalo o receptáculo para su soporte mecánico y/o su conexionado eléctrico. SIN. **incorporable.**

plug-in amplifier   amplificador enchufable.

plug-in card   *(Elecn/Telecom)* tablilla (de circuitos) enchufable; chasis enchufable tipo plaqueta.

plug-in chassis   chasis enchufable [tipo gaveta].

plug-in chassis design   construcción a base de chasis enchufables.

plug-in circuit   circuito enchufable.

plug-in coil   bobina intercambiable [desmontable, de inserción]. Bobina arrollada sobre un soporte provisto de espigas de contacto como las de los tubos electrónicos y que se enchufa en un zócalo montado en un chasis. Estas bobinas pueden así ser fácilmente reemplazadas para cambiar la banda de sintonización de un receptor o un transmisor. SIN. **bobina de clavijas.**

plug-in component   componente enchufable.

plug-in condenser   condensador intercambiable.

plug-in connection   conexión enchufable.

plug-in connector   *(Elec)* conector enchufable. Conector cuyos contactos se establecen mediante espigas o clavijas metálicas.

plug-in contact   contacto enchufable [de clavija].

plug-in cord   cordón con enchufe; cordón tomacorriente.

plug-in device   dispositivo enchufable.

plug-in drawer unit   unidad enchufable tipo gaveta.

plug-in head assembly   *(Fonog)* conjunto de cabeza enchufable.

plug-in inductance   inductancia intercambiable. v. **plug-in coil.**

plug-in modular construction   *(Elecn)* construcción a base de módulos enchufables; construcción para el empleo de unidades modulares cambiables.

plug-in module   módulo [bloque modular] enchufable, módulo recambiable.

plug-in nest   receptáculo colectivo.

plug-in outlet   *(Elec)* tomacorriente [receptáculo] de clavija, toma de enchufe; caja de contacto.

plug-in patch wire   alambre de interconexión enchufable.

plug-in piezoelectric crystal   cristal piezoeléctrico enchufable.

plug-in preamplifier   preamplificador enchufable [tipo gaveta].

plug-in prong   pata enchufable.

plug-in relay   relé enchufable [recambiable], relevador de enchufe | relé de fichas. Relé previsto para ser insertado en una montura [fitting] por medio de fichas (clavijas) de conexión (CEI/56 16–35–020).

plug-in resistor   resistor intercambiable [de clavijas].

plug-in strip   *(Elec)* moldura para tomacorrientes, regleta [tira] para cajas de salida ‖ *(Elecn/Telecom)* plaqueta (de circuitos) enchufable.

plug-in subassembly   subconjunto [subunidad] enchufable.

plug-in transformer   transformador enchufable [de enchufe].

plug-in unit   unidad enchufable [recambiable]. Unidad funcional de fácil extracción e inserción en el equipo de que forma parte; dispositivo de montaje en receptáculo.

plug prong   *(Elec)* espiga de enchufe.

plug puller   *(Elec)* sacatapones.

plug receptacle   *(Elec)* tomacorriente [receptáculo] de clavija, toma de enchufe; caja de contacto.

plug seat   *(Telecom)* asiento de clavija; repisa para clavija.

plug selector   selector de clavija.

plug shelf   clavijero.

plug shell   camisa para clavija.

plug sleeve   *(Telecom)* base de clavija.

plug switch   conmutador de clavijas; interruptor de clavija [de ficha].

plug switchboard   *(Telecom)* cuadro de clavijas. LOCALISMO: cuadro de enchufes.

plug termination   clavija de terminación.

plug up   *verbo:* tapar, taponar; atascarse, obstruirse ‖ *(Canteras)* cuartear con cuña.

plug weld   soldadura obturadora [de tapón, de botón].

plug-wire   *(Informática)* cable conector.

plugboard   conmutador de clavijas, cuadro de contactos enchufables; clavijero | panel de control. v. **control panel** ‖ *(Informática)* tablero de conexiones, panel de conexiones (por hilos). v. **patch-board.**

pluggable   *adj:* enchufable, de enchufe, conectable mediante enchufe.

plugged program   *(Informática)* programa en panel.

plugged-program computer   computadora de programa (cableado) en panel.

plugging   taponamiento; obturación; colocación de tarugos ‖ *(Canteras)* cuarteamiento de rocas ‖ *(Mot eléc)* frenado por contracorriente [por inversión de la rotación], frenado de contramarcha, frenado en marcha invirtiendo las conexiones (a.c. counter-current braking) frenado por contracorriente. Frenado eléctrico [electric braking] en el cual la alimentación de los motores se modifica de tal manera que se invierta el par motor [torque] (CEI/58 35–05–135) ‖ *(Telecom)* bloqueo.

plugging device   *(Telecom)* dispositivo de bloqueo.

plugging diagram   *(Informática)* diagrama [esquema] de conexiones.

plugging-in   enchufamiento, inserción de clavijas en las tomas.

plugging-up   *(Telef)* toma de línea. Desconexión de una línea averiada para unirla al aparato verificador.

plugging-up and observation line circuit   *(Telef)* circuito de toma y observación de líneas.

plugging-up device   *(Telecom)* dispositivo de bloqueo.

plugging-up lines   *(Telef)* toma de líneas averiadas.

plugwire   v. **plug-wire.**

plumb   plomada; plomo (de la plomada) ⫽ *adj:* a plomo, perpendículo, vertical; derecho; recto ⫽ *verbo:* plomar, aplomar; emplomar, plomar, sellar con plomo; verificar la verticalidad (con la plomada); instalar cañerías ‖ *(Albañilería)* aplomar (muros) ‖ *(Canalizaciones)* emplomar ‖ *(Marina)* sondar, sondear ⫽ *adv:* a plomo, verticalmente.

plumb and level   nivel de albañil, nivel aplomador.

plumb bob   plomada, perpendículo.

plumb level   nivel de albañil, nivel de plomada [con plomada].

plumb line   cuerda [hilo] de plomada, tranquil; línea vertical; sondaleza ‖ *(Marina)* cordel de sonda.

plumb point   *(Fotog)* punto nadiral, nadir, punto V.

plumb rule   regla plomada, plomada; nivel de albañil [de perpendículo].

plumbago   grafito, plombagina. SIN. **graphite.**

plumber   plomero, fontanero. TB. cañero, tubero, instalador sanitario.

plumber's tool bag   herramental de plomero ‖ *(Telecom)* equipo de soldador.

Plumbicon   Plumbicon. Marca registrada (N.V. Phillips) de un tubo tomavistas con fotocátodo de óxido de plomo.

plumbing   instalación sanitaria; tubos, tuberías; instalación de cañerías; emplomado; plomería (oficio del plomero), fontanería (oficio del fontanero); oficio de encañar, distribuir y conducir las aguas ‖ *(Radio/Telecom)* (slang) línea de cable coaxil; tendido de guíaondas, instalación de guías de ondas ‖ *(Radar)* sondeo.

plumbing system   instalaciones sanitarias (de un edificio); sistema de evacuación de aguas sucias.

plumboniobite   *(Miner)* plumboniobita.

plume   pluma; penacho, plumero, plumaje ‖ *(Proyectiles)* estela ‖ *(Radar)* (eco en forma de) pluma. SIN. **feather** ‖ *(Explosiones submarinas)* columna de agua (levantada por la explosión). SIN. **column.**

plunger   pulsador; botador; golpeador, percutor ‖ *(Autoinductores variables)* núcleo buzo, núcleo móvil, núcleo de ajuste. SIN. **slug** ‖ *(Elec)* contacto de presión ‖ *(Electroimanes)* macho ‖ *(Guías de ondas)* pistón, pasador, pistón de cortocircuito, cortocircuito móvil. SIN. **piston, slug** | pistón, pistón de cortocircuito. Placa metálica perpendicular al eje de la guía de ondas y desplazable a lo largo de dicho eje, que actúa como un cortocircuito para las corrientes de alta frecuencia. SIN. **piston** (CEI/61 62–20–025) ‖ *(Mec)* émbolo, chupón, émbolo buzo [chupón], émbolo macizo, pistón. SIN. **plunger piston** | vástago, tarugo; brazo móvil ‖ *(Telecom)* pulsador, gatillo de resorte. SIN. **plunger armature stud** ‖ *(Telef)* horquilla ‖ *(Vál mec)* cabeza de vástago.

plunger armature stud   *(Telecom)* pulsador.

plunger-core reactor   *(Elec)* reactor de núcleo buzo [móvil].

plunger magnet   electroimán de núcleo buzo [móvil].

plunger proving of switch blades   *(Ferroc)* comprobador de cuchillas de agujas de pulsador. Comprobador de cuchillas de aguja cuya maniobra se obtiene empujando un pistón de resorte, bajo la acción de una cuchilla de aguja al final de la carrera de esta última (CEI/59 31–05–235).

plunger relay   relé de núcleo buzo, relé de solenoide. v. **solenoid relay**.

plunger-type instrument   aparato [instrumento] de medida de hierro móvil buzo. Aparato de medida cuya aguja indicadora está unida a una pieza de hierro larga y de forma especial que es atraída por el interior de una bobina recorrida por la corriente que se mide.

plural scattering   dispersión plural. Dispersión en la cual la desviación final de la partícula respecto a su trayectoria original, es la suma de varias desviaciones pequeñas; es menor que la dispersión múltiple [multiple scattering] y mayor que la dispersión única [single scattering].

plus   signo más (+); cantidad positiva ∭ *adj:* *(Elec, Mat)* positivo ∭ *prep:* más; además de, con (la añadidura de).

plus/minus sign   signo más/menos (±).

plus sign   signo más (+). Se usa para indicar una suma o un valor positivo. En electricidad indica polaridad positiva o identifica el borne o terminal positivo de un dispositivo.

plutonium   plutonio. Elemento radiactivo transuránico formado por la desintegración de ciertos isótopos del neptunio. Elemento metálico pesado, radiactivo, con número atómico 94. Símbolo: Pu.

plutonium bomb   bomba (atómica) de plutonio.

plutonium fission   *(i.e.* fission of plutonium) fisión del plutonio.

plutonium-producing reactor   *(Nucl)* reactor productor de plutonio.

plutonium reactor   *(Nucl)* reactor de plutonio. Reactor alimentado con combustible nuclear [nuclear fuel], en el cual el plutonio es el principal material fisible (CEI/68 26–15–030).

pluviograph   pluviógrafo, pluvígrafo, pluviómetro registrador.

pluviometer   pluviómetro, pluvímetro.

plywood   madera contraplacada [laminada, terciada], tabla multilaminar. TB. chapeado, contraplacado. LOCALISMOS: madera contrachapada [contrapeada, compensada].

plywood rib   *(Avia)* costilla de madera contraplacada.

PM   Abrev. de permanent magnet; phase modulation ‖ *(Teleg)* Abrev. de post meridiem [pasado meridiano]; afternoon [la tarde].

PMAKE   *(Teleg)* Abrev. de please make [sírvase hacer; sírvase leer]. Se usa en mensajes de servicio para hacer correcciones en despachos ya transmitidos.

PMBX   *(Telef)* central [instalación] privada manual. La expresión inglesa viene de *private manual branch exchange.* CF. **PABX, PBX**.

PMW   Abrev. de pulse-modulated wave.

PN barrier   *(Semicond)* barrera PN.

PN boundary   *(Semicond)* límite PN, linde PN. En una unión PN [PN junction], superficie en la cual son iguales las concentraciones de donadores [donors] y de aceptores [acceptors].

PN hook   *(Transistores)* gancho PN, asa PN. v. **hook transistor**.

PN junction   *(Semicond)* unión PN, zona PN.

PN junction diode   diodo de unión PN.

PN junction photocell   fotocélula [célula fotoeléctrica] de unión PN.

PN junction rectifier   rectificador de unión PN.

PN junction transistor   transistor de unión PN.

PN rectifier   rectificador (de unión) PN.

pneumatic   *adj:* neumático; de aire (comprimido).

pneumatic chipper   *(Herr)* martillo neumático de repelar.

pneumatic chisel   cincel neumático.

pneumatic circuit   circuito neumático.

pneumatic control   control neumático; mando de aire comprimido.

pneumatic deicer   rompehielos neumático.

pneumatic detector   detector neumático (de infrarrojo). v. **pneumatic receptor**.

pneumatic hammer   martillo (portátil) de aire comprimido; martinete de aire comprimido | martillo neumático. Máquina accionada por aire comprimido que sirve para realizar variadas tareas (rotura de rocas y pavimentos, apisonamiento de suelos y material, colocación de tablestacas) mediante diferentes herramientas intercambiables.

pneumatic hose   manguera neumática.

pneumatic impulse testing   prueba [ensayo] por impulsos de aire comprimido.

pneumatic liferaft   balsa salvavidas neumática.

pneumatic logic   lógica neumática; elementos lógicos neumáticos.

pneumatic loudspeaker   altavoz neumático. Altavoz cuyo principio de funcionamiento descansa en la modulación de una corriente gaseosa (CEI/60 08–20–040).

pneumatic receptor   *(i.e.* of radiation) receptor neumático. Receptor térmico [thermal receptor] en el cual el calentamiento de la parte que absorbe la radiación provoca una variación en la presión de un gas (CEI/70 45–30–290).

pneumatic relay   relé neumático.

pneumatic release   desembrague neumático.

pneumatic riveter   remachadora de aire comprimido.

pneumatic roller   *(i.e.* rubber-tired road roller) apisonadora de neumáticos, compactadora de ruedas neumáticas. Máquina, remolcable o autopropulsada, provista de ruedas con llantas neumáticas, que se emplea en la compactación de suelos y de ciertos tipos de pavimentos.

pneumatic seal   hermeticidad neumática.

pneumatic shock absorber   amortiguador neumático.

pneumatic throttling   *(Controles)* modulación neumática.

pneumatic throttling control   control modulador neumático.

pneumatic-throttling temperature control   control de temperatura de modulación neumática.

pneumatic time-delay relay   relé neumático temporizado [de retardo (de tiempo)].

pneumatic timer   cronizador [temporizador, cronorregulador] neumático.

pneumatic timing mechanism   mecanismo cronizador [temporizador, cronorregulador] neumático; sincronizador neumático.

pneumatic timing relay   relé neumático cronorregulador, relé cronorregulador neumático; relé neumático temporizado.

pneumatic tire   neumático, goma, llanta neumática; rueda neumática.

pneumatic-tired   *adj:* de neumáticos, de ruedas neumáticas, con ruedas de neumáticos.

pneumatic tool   herramienta neumática [de aire comprimido].

pneumatic tube   tubo neumático.

pneumatic-tube message system   correo neumático, sistema de intercomunicación por tubos neumáticos.

pneumatic-tube network   red de correo neumático.

pneumatic-tube system   (instalación de) correo neumático, (sistema de) transportador neumático, sistema de intercomunicación por tubos neumáticos, red de distribución mediante tubos neumáticos. Red de canalizaciones para el envío de mensajes y objetos pequeños impulsados por aire comprimido. Estas redes o sistemas pueden ser automáticos o semiautomáticos. Los mensajes u objetos son portados por *cartuchos,* aunque también hay sistemas en los cuales se prescinde de éstos y los mensajes o *papeletas* son impulsados directamente a lo largo de los tubos que enlazan las *estaciones expedidoras* y *receptoras.* Puede disponerse en ciertas instalaciones de un *tablero de vigilancia* o *supervisión* que indica el destino y el desplazamiento de los *cartuchos portadores.*

pneumatic-tube ticket distributor   *(Telef)* tubos neumáticos distribuidores de fichas. CF. **ticket distributing system.**

PNIN transistor   transistor PNIN. Transistor de unión intrínseca [intrinsic-junction transistor] en el cual la región intrínseca se encuentra entre dos regiones N.

PNIP transistor   transistor PNIP. Transistor de unión intrínseca en el cual ésta se encuentra "emparedada" entre una base tipo N y un colector tipo P.

PNM   Abrev. de pulse-number modulation.

PNP diffused-junction transistor   transistor de unión PNP por difusión.

PNP junction transistor   transistor de unión PNP.

PNP-NPN amplifier   amplificador PNP-NPN.

PNP phototransistor   fototransistor PNP.

PNP tetrode   tetrodo PNP.

PNP transistor   transistor PNP.

PNPN device   (a.c. NPNP device) dispositivo PNPN. Dispositivo constituido por cuatro capas de materiales semiconductores P y N alternadas.

PNPN diode   diodo PNPN.

PNPN transistor   transistor PNPN.

PNS   *(Teleg)* Abrev. de punctuation [puntuación].

PO   Abrev. de post office.

POB   Abrev de post-office box.

pocket   bolsillo; bolsa; bolsada; cavidad; receptáculo ‖ *(Aeron)* (*i.e.* air pocket) bache ‖ *(Acum)* alveolo | celdilla. Cubierta de metal perforado que contiene la materia activa. Término empleado especialmente para el acumulador alcalino (CEI/38 50–25–035) ‖ *(Informática)* casilla (de tarjetas).

pocket ammeter   amperímetro de bolsillo.

pocket capacity signal device   *(Informática)* dispositivo indicador de casilla colmada.

pocket chamber   *(Nucl)* cámara de ionización de bolsillo.

pocket lamp (*GB*)   linterna. Aparato de luz portátil [portable lighting fitting] constituido por una caja, una óptica (sistema óptico) y una lámpara miniatura alimentada por una pila seca o un acumulador. SIN. **(hand) lantern** *(EU).* NOTA: Si la linterna es de caja cilíndrica se llama en inglés *torch (GB)* o *flashlight (EU)* (CEI/70 45–55–160).

pocket meter   medidor de bolsillo ‖ *(Nucl)* dosímetro de bolsillo.

pocket monitor   monitor de bolsillo.

pocket plate   *(Acum)* placa de celdillas. Placa de acumulador alcalino compuesta de un conjunto de celdillas de forma de paralelepípedos de acero niquelado y perforado que contienen la materia activa (CEI/38 50–15–105). SIN. **pockets-type plate.**

pocket radio   radio de bolsillo. Radiorreceptor portátil que cabe en un bolsillo.

pocket size   tamaño de bolsillo ‖ *(Libros)* formato de bolsillo.

pocket-size receiver   receptor de bolsillo.

pocket-sized   *adj:* de bolsillo.

pocket stop   *(Informática)* parada por interruptor de casilla.

pocket stop contact   *(Informática)* contacto de parada de las casillas.

pocket tape recorder   magnetófono de bolsillo. TB. magnetófono de bolso [de cartera].

pocket torch   linterna (de bolsillo). v. **pocket lamp.**

pockets-type plate   *(Acum)* placa de alveolos. Placa de acumulador alcalino compuesta de un conjunto de alveolos de forma de paralelepípedos metálicos perforados que contienen la materia

activa (CEI/60 50–20–090). SIN. **pocket plate.**

pod   capullo (de gusano de seda); cápsula (de algodón); vaina (de legumbre); ranura longitudinal ‖ *(Avia)* góndola separada; compartimiento múltiple (para cohetes); compartimiento desprendible (para carga); receptáculo currentilíneo exterior; receptáculo para ametralladora; barquilla currentilínea (colgada del ala) ‖ *(Herr)* canaleta, canal, ranura.

podded engine   *(Avia)* motor en góndola separada.

podded turbojet   *(Avia)* turborreactor en góndola separada [en barquilla colgante del ala].

poid   *(Mat)* poide, sinusoide. SIN. **sinusoid.**

poidometer   báscula.

Poincaré   Jules Henri Poincaré: físico y matemático francés (1854–1912).

Poincaré's invariant   *(Opt)* invariante de Poincaré.

point   punto; punta; herramienta puntiaguda, instrumento metálico que remata en punta (buril, punzón, etc.); promontorio, punta (de tierra); particularidad, peculiaridad; fin, objeto ‖ *(Escalas)* grado ‖ *(Gram)* signo de puntuación ‖ *(Impr)* punto (unidad de medida tipográfica) ‖ *(Mat)* punto. Cada uno de los entes o elementos de un espacio | punto (decimal). Es equivalente a la coma decimal: signo ortográfico usado para separar la parte entera de la decimal de las fracciones decimales ‖ *(Mús)* puntillo; punto (de un instrumento de cuerdas) ‖ *(Encendido de mot)* platino (de contacto) ‖ *(Ferroc)* aguja ‖ v. **point of. . .** ‖ *adj:* puntual; puntiforme ‖‖ *verbo:* aguzar, afilar, sacar punta (p.ej. a un lápiz); apuntar, señalar, indicar; hacer puntería; tender (a), propender (a), inclinarse (a); dar a, mirar hacia ‖ *(Albañilería)* unir (con mortero), rellenar (juntas), fijar, llenar ‖ *(Gram)* puntuar.

point at infinity   *(Mat)* punto en el infinito, punto del infinito.

point brilliance   brillo puntual; brillo aparente.

point by point   punto por punto.

point-by-point data recording   apunte de datos punto por punto. Procedimiento empleado p.ej. para determinar (mediante la construcción de una curva o la formación de una tabla) la característica de frecuencia de un dispositivo electrónico.

point-by-point measurements   mediciones punto por punto. Como ejemplo, determinación de la característica de respuesta de un amplificador excitándolo con frecuencias únicas determinadas, y tomando nota de la respuesta a cada una de ellas; dícese en oposición al procedimiento según el cual se aplica un barrido de frecuencia y se obtiene la curva de respuesta de una vez con un osciloscopio o un registrador gráfico. Con el método de las mediciones punto por punto se utilizan los resultados obtenidos para construir a mano la curva.

point cathode   cátodo puntiforme.

point center of repulsion   *(Fuerzas intermoleculares)* centro puntual de repulsión.

point contact   contacto puntual [puntiforme, de punta]. En los dispositivos semiconductores, contacto a presión entre el cuerpo semiconductor y una punta metálica.

point-contact diode   diodo de contacto de punta.

point-contact photodiode   fotodiodo de contacto de punta.

point-contact phototransistor   fototransistor de contacto de punta.

point-contact rectifier   rectificador de contacto puntiforme [de punta de contacto] | rectificador de contacto por punta. Rectificador de contacto [contact rectifier] en el cual el contacto se establece entre una punta metálica y un semiconductor extrínseco (CEI/56 07–50–075).

point-contact transistor   transistor de puntas (de contacto), transistor de contactos de punta. Transistor con un electrodo de base y dos o más contactos de punta próximos entre sí que ejercen presión sobre la superficie de un cuerpo de germanio tipo N.

point-contact transistor tetrode   transistor tetrodo de contactos de punta. Transistor de contactos de punta que comprende dos emisores y un colector.

point control   *(Ferroc)* control de posición de las agujas.

point controller   *(Elec)* regulador de plots.

point counter tube   tubo contador de punta. Tubo contador de radiaciones cuyo electrodo central es una punta o una esferita.

point cover   *(Radar)* cobertura puntual.

point-cover radar   radar de cobertura puntual.

point detection   *(Ferroc)* comprobación de posición de aguja. Comprobación de aguja [blade] que indica la posición de la misma (CEI/59 31–05–215).

point detector   *(Nucl)* detector puntual.

point effect   efecto puntual ‖ *(Elec)* poder de las puntas. Expresión que alude al hecho de que la carga eléctrica de un cuerpo se escapa más fácilmente por sus partes puntiagudas que por las demás.

point electrode   electrodo puntiforme; electrodo de punta ‖ *(Electrobiol)* electrodo en punta. Punta metálica, provista de un mango aislado, que sirve para la aplicación de chispas eléctricas (CEI/38 70–20–015).

point group   *(Cristalog)* grupo puntual.

point indicator   *(Ferroc)* indicador de posición de cambio. Señal que indica la posición de un cambio. CF. **point detection, point control.**

point-junction transistor   transistor de punta y uniones. Transistor que comprende un contacto de punta, un electrodo de base, y electrodos de unión.

point lattice   red espacial de puntos.

point lever   *(Ferroc)* palanca de maniobra de (la) aguja.

point light   luz puntual, luz puntiforme, luz de punto; fuente luminosa puntual; lámpara puntual. CF. **linear light.**

point load   carga concentrada.

point lock   *(Ferroc)* cerrojo de aguja.

point machine   *(Ferroc)* motor de aguja. Conjunto, contenido en un cárter, de órganos que aseguran la maniobra de una aguja bajo la acción de una fuente de energía (en general eléctrica) (CEI/59 31–05–130) ‖ v. **point machine with...**

point machine with handcrank   *(Ferroc)* motor de aguja de manubrio. Motor de aguja cuyo accionamiento, en caso de falla de la fuente de energía, puede efectuarse a mano, en ciertas condiciones, por intermedio de un manubrio amovible [movable crank] (CEI/59 31–05–135).

point machine with long lever   *(Ferroc)* motor de aguja de gran palanca. Motor de aguja cuyo accionamiento, en caso de corte o de falla de la fuente de energía, puede efectuarse a mano, en ciertas condiciones, por intermedio de una palanca asociada al motor (CEI/59 31–05–140).

point mass   masa puntual.

point mutation   *(Genética)* mutación puntual.

point of application   punto de aplicación.

point of attachment   punto de unión [de acoplamiento].

point of certification   punto de certificación. En un sistema de transmisión o de televisión, punto en el cual se comprueban y, en su caso, corrigen las características de la señal de acuerdo con las normas y tolerancias establecidas. CF. **vertical interval reference signal.**

point of communication   *(Telecom)* punto de comunicación [de corresponsalía]. Punto fijo con el cual está autorizada para comunicarse y cursar correspondencia una estación radioeléctrica.

point of connection   *(Elec)* punto de conexión ‖ punta de conexión. Punta en la cual los relés discriminantes [discriminating elements] de un dispositivo de protección [protection] son conectados a la instalación (CEI/56 16–45–010).

point of contact   punto de contacto; punto de aplicación ‖ *(Mat)* punto de contacto.

point of contraflexure   *(Mec)* punto de inflexión.

point of departure   *(Naveg)* punto de partida.

point of division   *(Mat)* punto de división.

point of impact   punto de impacto ‖ *(Avia)* punto de caída.

point of inflection   *(Mat)* punto de inflexión.

point of input   *(Ant)* punto de ataque [de excitación, de alimentación]. SIN. **driving point.**

point of intersection   punto de intersección.

point of inversion   *(Meteor)* punto de inversión.

point of no return   *(Avia)* punto límite de retorno, punto de no retorno. Punto de la ruta pasado el cual la nave no puede ya regresar al punto de partida por insuficiencia de combustible.

point of origin   *(Mat)* punto de origen (de un vector, de un sistema de coordenadas, etc.) ‖ *(Telecom)* (a.c. point of origination) punto de origen.

point of phase   punto de fase.

point-of-purchase advertising   publicidad [anuncios] en el sitio de venta.

point-of-purchase display   exposición en el sitio de venta.

point of support   punto de apoyo.

point of switch   *(Ferroc)* punta de la aguja.

point of tangency   *(Mat)* punto de tangencia ‖ *(Trazados)* tangente de salida.

point particle   partícula puntual.

point-plane rectifier   rectificador de punta y plano. v. **glow tube rectifier.**

point scatterer   difusor puntual.

point set   *(Mat)* conjunto de puntos.

point singularity   singularidad puntual.

point-slope form   *(Mat)* forma de punto y pendiente. Ecuación de la recta que pasa por un punto dado con pendiente dada: $y - y_1 = m(x - x_1)$, donde (x_1, y_1) es el punto dado y m es la pendiente dada.

point slug   *(Nucl)* pieza puntual.

point source   fuente puntual, foco puntiforme ‖ fuente puntual. Fuente de radiación cuyas dimensiones son lo suficientemente pequeñas, en relación con su distancia al receptor [receptor], para que las mismas puedan despreciarse en los cálculos (CEI/70 45–05–105).

point-source lamp   lámpara puntual. Lámpara de luminancia elevada construida de tal suerte que la misma puede ser considerada como una fuente puntual. NOTA: En Alemania, el término "Punktlichtlampe" se usa a menudo con el mismo significado que "Wolframbogenlampe" (lámpara de arco de tungsteno [tungsten arc lamp]) (CEI/70 45–40–300).

point-source radiator   radiador puntual.

point switch   *(Ferroc)* cambio de aguja, cambio de vía con aguja. LOCALISMO: chucho de aguja.

point-to-mobile communication   *(Radiocom)* comunicación entre una estación fija y una estación móvil.

point to point   punto a punto; punto por punto; de punto a punto; de punta a punta ‖ *(Telecom)* de punto a punto, entre puntos fijos, entre estaciones fijas.

point-to-point circuit   *(Radiocom)* circuito entre puntos fijos, circuito punto a punto ‖ *(Teleg)* circuito punto a punto. Circuito establecido de manera permanente entre dos instalaciones telegráficas [telegraph sets] (CEI/70 55–60–005).

point-to-point communication   *(Radiocom)* comunicación entre puntos fijos, comunicación punto a punto. Radiocomunicación entre dos estaciones fijas determinadas. SIN. **comunicación de servicio fijo —— fixed communication.** CF. **mobile communication, point-to-mobile communication.**

point-to-point land communication   *(Radiocom)* comunicación del servicio terrestre entre puntos fijos.

point-to-point position   *(Telef)* posición de salida para tráfico diferido.

point-to-point telegraph station   *(Radiocom)* estación telegráfica de comunicación entre puntos fijos. Estación autorizada para comunicaciones radiotelegráficas de servicio fijo. v. **fixed service.**

point-to-point telephone station   *(Radiocom)* estación telefónica de comunicación entre puntos fijos. Estación autorizada para comunicaciones radiotelefónicas de servicio fijo. v. **fixed service.**

point-to-point wiring   *(Elecn)* alambrado de punto a punto. Dícese frecuentemente en oposición al conexionado impreso [printed wiring]. Puede referirse también al conexionado efectuado directamente entre los elementos de circuito, sin el empleo de soportes o terminales intermedios.

point transistor   v. point-contact transistor.

point-type transposition   *(Líneas aéreas)* transposición de tipo corto. Transposición que se efectúa con la ayuda de un soporte o ménsula especial, generalmente provista de cuatro aisladores, que permuta la posición de los hilos en un tramo de sólo unos cuantos centímetros. Este tipo de transposición, que tiene la ventaja de conservar el aspecto uniforme de la línea, se emplea comúnmente para la transmisión de onda portadora.

pointed lightning protector   *(Telecom)* pararrayos de puntas.

pointed mason's chisel   cincel de punta, cincel puntiagudo para piedra.

pointed stone chisel   cincel de punta, cincel puntiagudo para piedra.

pointer   aguja, indicador, puntero, índice; estilete; cursor, índice; indicación útil; puntero (de pizarra) | fiel (de balanza). SIN. **needle** ‖ *(Aparatos de medida)* aguja (indicadora). SIN. **needle** | aguja. Índice solidario a la parte móvil de un aparato y destinado a permitir la observación de las desviaciones [deflections] (CEI/38 20–35–010, CEI/58 20–35–035). CF. **index, spot** ‖ *(Herr)* buril; herramienta de punta. SIN. **point** ‖ *(Perillas de mando)* flecha, índice, puntero ‖ *(Relojes)* aguja. SIN. **puntero, saeta, saetilla** ‖ *(TRC)* haz electrónico ‖ *(Talleres)* máquina de hacer [sacar] punta, máquina de aguzar.

pointer centering error   *(Radiogoniometría)* error de excentricidad. Error instrumental [instrumental error] de un radiogoniómetro debido a un defecto de centrado del indicador de ángulo [angle indicator] (CEI/70 60–71–070).

pointer indicator knob   v. pointer knob.

pointer instrument   aparato de aguja. Aparato en el cual las indicaciones son dadas por el desplazamiento de una aguja delante de una escala (CEI/38 20–05–090, CEI/58 20–05–115). CF. **instrument with optical pointer.**

pointer knob   perilla [botón] con índice, perilla con flecha [puntero], perilla pico de loro.

pointillage   puntillismo. Efecto visual de relieve que se obtiene con pintura sobre superficies planas; técnica de pintura utilizada en teatro y televisión para simular figuras en relieve sobre superficies planas.

pointing element   *(Sist directores de tiro)* elemento apuntador.

points and crossing   *(Ferroc)* cambio con cruzamiento | aparato de vía. Conjunto de rieles y piezas mecánicas que asegura el empalme tangencial o el cruzamiento de vías (CEI/59 31–05–090).

poise   porte, talante; contrapeso, equilibrio; estabilidad; reposo; serenidad ‖ *(Fís)* poise. Unidad cegesimal de viscosidad que debe su nombre a Poiseuille (véase). Símbolo: P. Equivalencia: 1 poise=1 g/cm s =1 dina-segundo/cm².

Poiseuille   Jean Louis Marie Poiseuille: médico francés (1799–1869).

poison   veneno ‖ *(Luminiscencia)* contaminador; substancia atenuadora [debilitadora] | impureza. Impureza que en un cuerpo luminiscente tiene el efecto de reducir el rendimiento de la luminiscencia. SIN. **killer** (CEI/56 07–10–080) ‖ *(Nucl)* veneno | *(i.e.* nuclear poison) veneno nuclear. Substancia que, por efecto de su elevada sección eficaz de absorción para los neutrones, puede reducir la reactividad [reactivity] (CEI/68 26–15–325) ⫫ *verbo:* envenenar ‖ *(Luminiscencia)* contaminar; atenuar, debilitar; impurificar ‖ *(Baños electrolíticos)* contaminar ‖ *(Catalizadores)* empobrecer.

poison gas   gas tóxico, gas venenoso.

poisoning   envenenamiento ‖ *(Luminiscencia)* contaminación; atenuación, debilitamiento; impurificación ‖ *(Catalizadores)* empobrecimiento ‖ *(Cátodos)* inactivación.

poisoning agent   *(Semicond)* agente de contaminación.

poisoning cycle   *(Nucl)* ciclo de envenenamiento.

poisoning of reactor   *(Nucl)* (a.c. pile poisoning) envenenamiento

del reactor.

poisonous   *adj:* venenoso, tóxico.

poisonous effect   efecto tóxico.

Poisson   Siméon Denis Poisson: matemático francés (1781–1840).

Poisson bracket   *(Mat)* corchete de Poisson.

Poisson distribution   *(Estadística)* distribución de Poisson. Distribución de probabilidad que describe la ocurrencia de sucesos improbables en un gran número de pruebas repetidas independientes.

Poisson's constant   *(Fís)* constante de Poisson.

Poisson's equation   *(Fís)* ecuación de Poisson. Ecuación que demuestra que en un medio isótropo la divergencia (v. **divergence**) del desplazamiento eléctrico es proporcional a la densidad de la carga eléctrica.

Poisson's integral   *(Mat)* integral de Poisson.

Poisson's law   ley de Poisson.

Poisson's ratio   *(Fís)* relación de Poisson. Relación por cociente entre las deformaciones lateral y longitudinal en la compresión o la tensión sencillas.

polar   *adj:* polar. Relativo o perteneciente a un polo o a los polos; medido desde un polo; que tiene polo o polos (v. **pole**).

polar air   *(Meteor)* aire polar.

polar air navigation   aeronavegación [navegación aérea] polar.

Polar Atlantic air mass   masa de aire polar del Océano Atlántico.

polar atmosphere   atmósfera polar.

polar cap   *(Geog)* región polar; casquete polar ‖ *(Circ mag)* prolongación polar.

polar capacitor   v. polarized capacitor.

polar chart   diagrama polar; carta gnomónica polar | to plot on a **polar chart:** trazar (una curva) en coordenadas polares.

polar circuit   *(Teleg)* circuito polar, circuito de doble corriente. Circuito en el cual los elementos de trabajo [marking pulses] corresponden a un sentido de circulación de la corriente, y los elementos de reposo [spacing pulses] al sentido de circulación opuesto. CF. **polar keying.**

polar climate   clima polar.

polar comparator   *(Radio)* comparador polar.

polar continental air   aire continental polar.

polar-coordinate paper   papel polar, papel de coordenadas polares.

polar-coordinate system   sistema de coordenadas polares.

polar coordinates   coordenadas polares. Sistema de coordenadas en el cual la posición de un punto cualquiera del plano está dada por su distancia a un punto fijo llamado *polo* y por el ángulo que la recta que pasa por el punto y por el polo forma con una recta fija de referencia llamada *eje polar.*

polar curve   curva en coordenadas polares ‖ *(Ilum)* **polar curve of light distribution:** curva fotométrica. Intersección de la superficie fotométrica con un plano que pasa por el origen de los vectores mencionados en el artículo *polar surface of light distribution* (véase) (CEI/38 45–35–055).

polar detector   *(Radio)* detector polar.

polar developable   *(Mat)* *(i.e.* of a twisted curve) desarrollable polar. Envolvente de los planos normales de la curva.

polar diagram   diagrama polar. Curva trazada en coordenadas polares [polar coordinates].

polar direct-current system   *(Teleg)* *(also* double-current transmission) transmisión de doble corriente | transmisión por corriente doble. Transmisión bivalente [binary transmission] efectuada por medio de corrientes de uno u otro sentido, según los elementos de señal (CEI/70 55–70–035). CF. **polar circuit.**

polar distance   *(Astr)* distancia polar ‖ *(Naveg astr)* codeclinación.

polar distribution curve   curva de distribución polar.

polar form   *(Mat)* forma polar [trigonométrica].

polar front   *(Meteor)* frente polar.

polar graph   gráfico polar, gráfico en coordenadas polares.

polar grid   v. grid north.

polar keying   *(Teleg)* manipulación polar [de doble corriente]. v.

polar circuit, polar direct-current system.

polar line   *(Mat)* polar, recta polar.

polar maritime air   aire marítimo polar.

polar meteorology   meteorología polar.

polar molecule   *(Dieléctricos)* molécula polar.

polar operation   funcionamiento polarizado ‖ *(Teleg)* manipulación polar [de doble corriente]. SIN. **polar keying.**

polar orbit   *(Satélites artificiales)* órbita polar.

polar-orbiting satellite   satélite de órbita polar.

polar Pacific air mass   masa de aire polar del Océano Pacífico.

polar projection   *(Cartog)* proyección polar [gnomónica].

polar radiation pattern   diagrama polar de radiación. Curva trazada en coordenadas polares que ilustra la intensidad de radiación en función de la dirección en un plano dado; la radiación es electromagnética en el caso de una antena, acústica en el caso de un altavoz. SIN. **directional [radiation] pattern.**

polar region   *(Geog)* región polar.

polar relay   relé [relevador] polarizado. v. **polarized relay.**

polar surface of light distribution   *(Ilum)* superficie fotométrica. Lugar geométrico de los extremos de los vectores del mismo origen y cuya intensidad es proporcional a la intensidad de la fuente en la dirección paralela a cada vector (CEI/38 45–35–050).

polar three-position center-off relay   relé polarizado de tres posiciones con desconexión en la posición central. v. **polarized relay.**

polar triangle   *(Mat)* triángulo polar. Triángulo esférico cuyos vértices son los polos de los lados opuestos.

polar vector   *(Mat)* vector polar.

polarimeter   polarímetro. Aparato que mide el estado de polarización de la luz (v. **polarized light**) ‖‖ *adj:* polarimétrico.

polarimetry   polarimetría. Medida del estado de polarización de la luz ‖‖ *adj:* polarimétrico.

Polaris   *(Astr)* Estrella Polar.

polariscope   polariscopio. Aparato para estudiar el estado de polarización de la luz u otra radiación ‖‖ *adj:* polariscópico.

polarity   polaridad. Propiedad de poseer polos. En Magnetismo, cualidad de poseer dos polos de nombre contrario (*norte* y *sur*) que representan los dos sentidos del flujo. En Electricidad, condición que determina el sentido en que tiende a fluir la corriente; cualidad de poseer dos cargas de signo opuesto (una *positiva* y la otra *negativa*) ‖ **two diodes connected in inverse polarity:** dos diodos conectados en oposición.

polarity indicator   *(Elec)* indicador de polaridad. Aparato destinado a indicar la polaridad de un conductor con respecto a otro (CEI/38 20–10–035, CEI/58 20–10–050).

polarity of picture signal   *(Tv)* polaridad de la señal de imagen. v. **picture-signal polarity.**

polarity protection diode   diodo de protección contra inversión de (la) polaridad (de alimentación).

polarity-reversal switch   (conmutador) inversor de (la) polaridad. v. **polarity-reversing switch.**

polarity reverser   inversor de polaridad ‖ *(Tracción eléc)* inversor de polos. Dispositivo mecánico o eléctrico que tiene por efecto mantener invariable la polaridad en los bornes de una generatriz movida por un eje [axle-driven generator] cuando el sentido de rotación del inducido [armature] se invierte con el sentido de marcha del vehículo (CEI/57 30–15–550). SIN. **pole reverser.**

polarity reversing   inversión de polaridad; inversión de polos.

polarity-reversing probe   *(Instr de medida)* sonda [punta exploradora] con inversor de polaridad. Sonda o punta exploradora que permite invertir la polaridad de la tensión que se mide sin necesidad de permutar los cables de prueba.

polarity-reversing switch   (conmutador) inversor de (la) polaridad. Conmutador que permite invertir las conexiones a un dispositivo. EJEMPLO: el que tienen algunos voltímetros y algunas sondas de medida para que en las mediciones de CC pueda invertirse fácilmente la polaridad para hacerla coincidir con la del instrumento. SIN. **polarity switch, polarity-reversal switch.** CF.

phase-reversal switch.

polarity switch   (conmutador) inversor de (la) polaridad. v. **polarity-reversing switch.**

polarity tester   *(Elec)* buscapolos.

polarity wiring   *(Elec)* instalación con identificación de polaridad. Instalación eléctrica en la cual todos los circuitos tienen identificado el conductor de tierra, p.ej. utilizando para éste alambre con forro blanco.

polarizability   polarizabilidad.

polarizability catastrophe   *(Dieléctricos)* catástrofe de polarizabilidad.

polarizable   *adj:* polarizable.

polarization   polarización. (**1**) Acción y efecto de hacer que el movimiento ondulatorio de la luz ocurra en un solo plano perpendicular a la dirección del rayo luminoso. (**2**) Dirección del campo eléctrico radiado por una antena. v. **horizontal polarization, vertical polarization.** (**3**) En los condensadores (capacitores), fenómeno perjudicial que se observa en el dieléctrico y que tiene por efecto aumentar la capacidad y el factor de disipación a frecuencias infraaudibles. (**4**) En ciertas pilas o elementos primarios, desprendimiento de hidrógeno del polo positivo, con lo cual disminuye la fuerza electromotriz del elemento, debido en parte al aumento de resistencia eléctrica, y en parte a una fuerza contraelectromotriz de polarización originada por el hidrógeno. v. **depolarization** ‖ polarización. Propiedad de una onda electromagnética descrita por la dirección del vector campo eléctrico (CEI/70 60–20–005) ‖ **(of a relay)** polarización (de un relé). Método destinado a hacer depender el funcionamiento de un relé del sentido de la corriente o de la tensión (CEI/56 16–25–035). V.TB. **polarized relay** ‖ *(i.e.* electrolytic polarization) polarización (electrolítica). Conjunto de circunstancias que hace que la tensión de un electrodo (o la de una celda galvánica) sea, mientras pasa corriente, diferente de su valor con corriente total nula (CEI/60 50–05–185) ‖ **anodic polarization:** polarización anódica. Polarización del ánodo (CEI/60 50–05–190) ‖ **cathodic polarization:** polarización catódica. Polarización del cátodo (CEI/60 50–05–195) ‖ V.TB. **polarization of a medium, dielectric polarization, magnetic polarization.**

polarization apparatus   aparato de polarización.

polarization capacitance   *(Electrobiol)* capacitancia de polarización. Inversa del producto de la reactancia capacitiva del electrodo [electrode capacitive reactance] por 2π veces la frecuencia: $C_p = 1/(2\pi \times fp)$ (CEI/59 70–10–070).

polarization changer   cambiador [alternador, inversor] de polarización. CF. **pole changer.**

polarization cycle   ciclo de polarización. Trazo del extremo del vector rotativo que representa las vibraciones en un haz de radiación polarizada: una recta si la polarización es en un plano; una elipse si la polarización es elíptica; una circunferencia si la polarización es circular.

polarization discrimination   *(Radiocom)* discriminación de polarización.

polarization diversity   *(Radiocom)* diversidad de polarización.

polarization-diversity reception   *(Radiocom)* recepción en diversidad de polarización. Recepción en diversidad en la cual las dos señales combinantes provienen de dos receptores, uno alimentado por un dipolo horizontal y el otro por uno vertical. CF. **space-diversity reception, frequency-diversity reception.**

polarization effect   efecto de polarización.

polarization ellipse   elipse de polarización. Elipse que se menciona en la definición de *ciclo de polarización* (v. **polarization cycle**).

polarization error   *(Radiogoniometría)* error de polarización. (**1**) Error en la indicación de un radiogoniómetro debido a variaciones en la polarización de la onda recibida causadas por variaciones en las condiciones atmosféricas; la magnitud del error es máxima de noche, lo cual dio origen a los términos, ahora desaconsejados, de *night effect* y *night error,* y a sus correspondientes equivalentes españoles. (**2**) Error radiogoniométrico debido al hecho de que la polarización de la onda recibida no es aquella para la cual está previsto el radiogoniómetro (CEI/70 60–71–145). CF. **total polarization error.**

polarization interferometer   interferómetro de polarización.

polarization of a medium   polarización de un medio. Cambio en el estado físico del medio, por el cual ciertos fenómenos que lo afectan toman un carácter vectorial, adquiriendo cada elemento las propiedades de un dipolo (CEI/38 05–05–320). CF. **imperfect polarization, perfect polarization.**

polarization phenomenon   fenómeno de polarización.

polarization photometer   fotómetro de polarización. Fotómetro con el cual se emplean dispositivos polarizadores de la luz.

polarization plane   plano de polarización. Plano asociado con la polarización de un rayo de radiación.

polarization potential   potencial de polarización | (*i.e.* biological polarization potential) potencial de polarización (biológico). Potencial de límite en una interfaz [boundary potential over an interface] (CEI/59 70–10–020).

polarization reactance   (*Electrobiol*) reactancia de polarización. Impedancia multiplicada por el seno del ángulo entre el vector potencial [potential vector] y el vector corriente [current vector]: $X_p = Z_p \operatorname{sen} \theta$ (CEI/59 70–10–065).

polarization receiving factor   (*Ant*) coeficiente de recepción de polarización. Viene dado por el cociente P/P_{max}, donde P es la potencia recibida por la antena de una onda plana de polarización cualquiera, y P_{max} es la potencia recibida por la misma antena de una onda plana de densidad de potencia y dirección de propagación iguales, cuyo estado de polarización ha sido ajustado de modo de maximizar la potencia recibida.

polarization resistance   (*Electrobiol*) resistencia de polarización. Impedancia multiplicada por el coseno del ángulo de fase [phase angle] entre el vector potencial [potential vector] y el vector corriente [current vector]: $R_p = Z_p \cos \theta$ (CEI/59 70–10–060).

polarization unit vector   vector unitario [unidad] de polarización.

polarization voltage   tensión de polarización.

polarize   *verbo:* polarizar(se).

polarized   *adj:* polarizado.

polarized ammeter   amperímetro polarizado. v. **polarized meter.**

polarized bell   (*Telecom*) timbre polarizado. SIN. **polarized ringer.**

polarized capacitor   (a.c. polar capacitor) capacitor (del tipo) polarizado. Capacitor (condensador) que sólo puede cargarse con determinada polaridad de tensión. V.TB. **polarized electrolytic capacitor.**

polarized double-biased relay   relé polarizado de doble enganche magnético. Relé cuyo funcionamiento depende de la polaridad de la corriente excitadora y que engancha magnéticamente en cualquiera de sus dos posiciones. CF. **magnetic-latching relay.**

polarized electric drainage   drenaje eléctrico polarizado. Drenaje eléctrico tal que las conexiones de drenaje están insertadas en aparatos (rectificadores o contactores asociados a relés) que aseguran que en cada conexión el flujo de la corriente ocurre en una sola dirección.

polarized electrolytic capacitor   condensador electrolítico polarizado. Condensador electrolítico en el cual la película dieléctrica [dielectric film] formada está adherida a un solo electrodo metálico [metal electrode] y en el cual la impedancia, para un sentido de circulación de corriente, es más grande en un sentido que en el otro (CEI/60 50–60–025).

polarized electromagnet   electroimán polarizado.

polarized-field frequency relay   relé de frecuencia de campo polarizado.

polarized grid   rejilla polarizada.

polarized helical magnetization   imanación de polarización helicoidal.

polarized light   luz polarizada. v. **polarized radiation.**

polarized meter   instrumento de medida polarizado. Instrumento de medida cuya aguja, cuando está en reposo, se encuentra en el centro (cero) de la escala, y cuyas desviaciones son de sentido determinado por la polaridad de la magnitud (tensión, corriente) que se mide. Puede citarse como ejemplo el amperímetro de un automóvil, cuya aguja se desvía hacia la derecha o hacia la izquierda, según que la corriente sea positiva (carga) o negativa (descarga), respectivamente. SIN. **zero-center meter.**

polarized plug   (*Elec*) clavija tomacorriente polarizada. Clavija tomacorriente que sólo puede insertarse en su correspondiente receptáculo, en determinada posición.

polarized radiation   radiación polarizada. Radiación cuyas condiciones ofrecen ciertas asimetrías respecto al eje de propagación. EJEMPLOS: polarización lineal, elíptica, circular (CEI/38 05–05–315).

polarized receptacle   (*Elec*) receptáculo [tomacorriente] polarizado. Contraparte de la clavija tomacorriente polarizada (v. **polarized plug**).

polarized relay   relé [relevador] polarizado. (**1**) Relé o relevador en el cual el movimiento de la armadura (cierre o apertura de los contactos) depende del sentido de la corriente en los devanados. (**2**) Relé en el cual la posición final [final condition], para un valor suficientemente elevado de la magnitud actuante [actuating quantity], depende del sentido de esa magnitud. SIN. **polar relay** | relé polarizado. (**1**) Relé en el cual el movimiento de la armadura depende del sentido de la corriente en los devanados (CEI/38 55–15–160). (**2**) Relé en el cual la posición de la armadura depende a la vez del sentido y de la intensidad de la corriente de mando (CEI/70 55–75–195).

polarized ringer   (*Telecom*) timbre polarizado. SIN. **polarized bell, magneto bell.**

polarized sounder   (*Telecom*) acústico polarizado.

polarized telegraph relay   relé telegráfico polarizado.

polarized-vane ammeter   amperímetro de cuadro fijo. SIN. **stationary-coil ammeter.**

polarized wave   (*Fís*) onda polarizada.

polarizer   (*Opt*) polarizador. Dispositivo como p.ej. el prisma de Nicol (v. **Nicol prism**), destinado a polarizar la luz ‖ (*Electroquím/Electromet*) polarizante | polarizador. Substancia que, cuando es agregada a un electrolito, aumenta la polarización (CEI/60 50–05–220).

polarizing   polarización ⫼ *adj:* polarizador; polarizante; de polarización.

polarizing angle   (*Opt*) ángulo de máxima polarización. SIN. **Brewster's angle.**

polarizing battery   batería de polarización.

polarizing current   corriente polarizante. Corriente continua que circula por una bobina de reactancia con núcleo ferromagnético. La intensidad de esa corriente determina el valor de inductancia.

polarizing filter   filtro polarizador. En fotografía, filtro utilizado principalmente para suprimir reflexiones perjudiciales de superficies muy brillantes | pantalla polarizadora.

polarizing flux   flujo polarizador.

polarizing interference   (*Opt*) interferencia polarizante.

polarizing prism   (*Opt*) prisma polarizador.

polarizing solar prism   helioscopio polarizador.

polarizing voltage   tensión polarizadora [de polarización].

polarizing volts   v. **polarizing voltage.**

polarogram   polarograma. Registro obtenido con el polarógrafo (v. **polarograph**).

polarograph   polarógrafo. Aparato que registra automáticamente la curva que representa la relación entre una corriente y una tensión, en particular de los microelectrodos polarizados [polarized microelectrodes] utilizados en polarografía (v. **polarography**) ⫼ *adj:* polarográfico.

polarographic   *adj:* polarográfico.

polarographic analysis   análisis polarográfico.

polarography   polarografía. Procedimientos y métodos para la medida de relaciones entre diferencia de potencial y corriente en soluciones, e interpretación de los resultados respecto a la naturaleza y comportamiento de muy diversas substancias y sistemas. En una celda electrolítica se coloca un electrodo de gran superficie, y otro de dimensiones muy pequeñas (microelectrodo); en esas condiciones, la polarización del segundo se aproxima a un máximo, y las variaciones de la fuerza electromotriz de la celda se deben casi enteramente a los cambios en el potencial de ese electrodo. Por lo tanto, el microelectrodo sirve de indicador para medir las variaciones de potencial mientras circula la corriente /// *adj*: polarográfico.

polaroid   polaroide, polarizador /// *adj*: polaroide, polaroidal, polarizador.

Polaroid   Polaroid. Marca registrada (Polaroid Corporation) de una hoja de materia transparente que produce la polarización en un plano de la luz que la atraviesa. Se utiliza en diversos dispositivos de óptica para evitar resplandores. NOMBRE GENERICO: polarizador. VERSION CASTELLANIZADA DE LA MARCA: Polaroide.

polaroid filter   filtro polaroide.

pole   poste (de madera); mástil; palo, pértiga || (*Carros, Carruajes*) vara; lanza || (*Topog*) mira; jalón, piquete || (*Minas*) tablestaca, aguja || (*Elec*) poste. (**1**) Soporte de los conductores de una línea aérea, de madera, metal, cemento armado, etc., en general afirmado directamente en la tierra (CEI/38 25–30–055). (**2**) Soporte de una sola pieza afirmado en la tierra, directamente o por intermedio de una base (CEI/65 25–25–150) | (**of a switching device**) polo (de un aparato). Conjunto de elementos de un aparato correspondiente a un conductor de línea o de fase (CEI/57 15–05–035) || (*Relés*) polo. Conjunto de piezas que puede incluir los contactos y sus correspondientes bornes o terminales || (*Elecn*) (**of a multiple-cavity magnetron**) polo (de un magnetrón de cavidades). Parte del ánodo comprendido entre dos ranuras vecinas (CEI/56 07–29–040) || (*Mag*) (*i.e.* magnetic pole) polo (magnético). Punto en el cual parece hallarse concentrado el magnetismo de un imán o un electroimán | polo. Extremidad física de un imán o un electroimán || (*Fuentes de energía*) polo. Borne de una fuente de tensión o de corriente. Electrodo de una pila o una batería | v.TB. **commutating pole, consequent pole, magnetic pole, salient pole, terrestrial magnetic pole** || (*Mat*) polo || (*Telecom*) poste, apoyo; mástil. NOTA: Se llama *palomilla, montante* o *postecillo para muro* cuando se trata de un poste corto tubular que se fija a las paredes exteriores de los edificios para el soporte de los hilos || (*Tracción eléc*) pértiga || (*Medidas lineales*) (a.c. perch, rod) pértiga. Medida de longitud igual a 16,5 pies = 5,5 yardas = 5,029 metros /// *adj*: polar /// *verbo*: polarizar; conectar los polos en determinada forma | **the power supply is *poled* minus to cable and plus to earth**: la fuente de alimentación tiene el polo negativo conectado al cable y el positivo a tierra.

pole-and-wire system   (*Telecom*) red de líneas aéreas; líneas metálicas sobre postes.

pole arc   (*Elec*) (*i.e.* arc embraced by the pole shoe) arco polar. Arco abarcado por una expansión polar (CEI/56 10–30–100).

pole-arm   v. polearm.

pole auger   (*Telecom*) barrena.

pole band   zuncho para poste.

pole brace   (*Telecom*) travesaño.

pole butt   (*Telecom*) coz, base del poste.

pole changer   (*Elec*) cambiapolos, cambiador [inversor] de polos, conmutador cambiador de polos; inversor de corriente; inversor de polaridad || (*Telecom*) vibrador (de llamada).

pole-changing control   (*Tracción eléc*) regulación por cambio del número de polos. Procedimiento de regulación que permite obtener al menos dos velocidades con un motor polifásico [polyphase motor] (o grupos de motores trabajando en paralelo) haciendo variar el número de polos (CEI/57 30–15–380).

pole-changing starter   (*Elec*) arrancador por cambio del número de polos. Arrancador para motor de inducción [induction motor] provisto de arrollamientos estatóricos [stator windings] que pueden ser combinados de diferentes maneras, según el número de polos deseado, y que alimenta esos arrollamientos siguiendo una secuencia conveniente para el arranque (CEI/57 15–50–065).

pole-changing switch   v. pole changer.

pole climbers   (*Telecom*) trepadores (para postes de madera). LOCALISMO: espuelas de celador (de líneas).

pole climbing   (*Telecom*) trepa de postes.

pole-climbing irons   v. pole climbers.

pole cribbing   (*Telecom*) asiento [ancla] del poste.

pole dead-end   (*Líneas de tr*) amarre (de la línea) a un poste.

pole dead-end kit   juego de elementos para el amarre (de la línea) a un poste. CF. building dead-end kit.

pole diagram   (*Telecom*) ley de cambios, ley de rotaciones; esquema de transposiciones.

pole-diagram book   (*Telecom*) cuaderno de distribución de líneas; registro de líneas; hojas de replanteo.

pole earth wire   (*Telecom*) hilo pararrayos. SIN. ground wire.

pole face   (*Elec*) (*i.e.* surface of field pole forming one side of the air gap) cara polar. Superficie de la expansión o de la pieza polar que constituye una cara del entrehierro (CEI/38 10–40–040, CEI/56 10–30–105).

pole fender   (*Telecom*) parachoques.

pole finder   (*Elec*) buscapolos. SIN. pole indicator, pole tester.

pole-finding paper   (*Elec*) papel buscapolos. CF. polarity tester.

pole fittings   accesorios para postes.

pole gain   (*Telecom*) abrazadera para sujeción de (una) cruceta (al poste); accesorio soportador de cruceta, portacruceta.

pole gap   (*Ciclotrones*) entrehierro.

pole guy   viento, retenida (de poste).

pole-guying material   material para vientos [para retenidas de postes].

pole hole   hoyo para poste, hoyo [cepa, fosa] para plantar un poste; orificio de chimenea.

pole-hole digger   perforadora de hoyos para poste.

pole hook   (*Botes*) bichero || (*Sondeos*) caracola || (*Tracción eléc*) gancho de sujeción de la pértiga en reposo. Gancho que mantiene la pértiga abajo cuando la misma no está en servicio (CEI/57 30–15–880).

pole horn   (*Elec*) cuerno polar | pole horns: extremidades polares. Extremidades de las expansiones polares [pole shoes] (CEI/56 10–30–110).

pole indicator   (*Elec*) indicador de polos [de polaridad], indicador de sentido de (la) corriente.

pole inspection   (*Telecom*) inspección de postes; ensayo de postes.

pole jack   gato para (extraer) postes (clavados en la tierra).

pole line   postería, línea de postes. Hilera de postes para tender los alambres de una cerca o para otro fin. LOCALISMO: postación || (*Telecom*) postería, línea [ruta] de postes. LOCALISMO: postación. Hilera de postes para tender los hilos (conductores desnudos) o los cables de una línea | línea aérea (sobre postes), línea sobre postes.

pole mast   (*Buques*) palo macho; palo enterizo.

pole-mount station   estación de montaje en poste. Equipo emisor-receptor de radio que se monta en un poste u otra estructura semejante para darle mayor altura y mejorar la comunicación.

pole-mounted repeater   (*Sist de onda portadora*) repetidor montado en poste.

pole-mounting transformer   (*Elec*) transformador (de distribución) para montaje en poste.

pole paper   v. pole-finding paper.

pole piece   pieza polar. Pieza de material magnético que constituye uno de los extremos de un imán o un electroimán || (*Elec*) pieza [masa, ensanchamiento] polar. CF. **pole horn, pole shoe** | pieza polar. Parte de los polos salientes próxima al inducido y que sirve de ordinario de apoyo a los devanados (CEI/38 10–40–030). CF. field pole.

pole-piece face   (*Elec*) cara polar.

pole-piece meter   aparato (de medida) de piezas polares.

pole pitch   *(Elec)* paso polar, distancia entre polos | paso polar. (1) Distancia angular o periférica entre dos líneas neutras consecutivas (CEI/38 10–05–100). (2) Distancia periférica [peripherical distance] entre los puntos que ocupan la misma posición sobre dos polos consecutivos (CEI/56 10–30–095) | **pole pitch at the commutator:** paso polar en el colector. Número de intervalos en el colector correspondientes a un polo de la máquina (CEI/38 10–05–080, CEI/56 10–35–210).

pole retriever   *(Tracción eléc)* recuperador de la pértiga. Dispositivo que, en caso de descarrilamiento del trole [dewirement of the trolley], baja automáticamente la pértiga (CEI/57 30–15–875).

pole reverser   *(Elec)* inversor de polos [de polaridad]; inversor de corriente || *(Tracción eléc)* inversor de polos. Dispositivo mecánico o eléctrico para mantener invariable la polaridad en las bornas de una generatriz de eje cuando se invierte el sentido de rotación del inducido al cambiar el sentido de marcha del vehículo (CEI/38 30–20–160). SIN. **polarity reverser.**

pole route   *(Telecom)* ruta de postes, ruta de líneas sobre postes. CF. **pole line.**

pole saddle   caperuza para poste.

pole shoe   expansión polar. Pieza terminal de un imán o de un electroimán destinada a disminuir la reluctancia del entrehierro (CEI/38 05–30–045) || *(Máq eléc)* expansión [zapata, pieza, ensanchamiento] polar | expansión polar. Parte de una pieza polar [field pole] próxima al inducido y que da forma al entrehierro (CEI/56 10–30–090).

pole socket   *(Telecom)* raigal.

Pole Star   *(Astr)* Estrella Polar.

pole step   clavija de trepar, clavija para trepar (sobre el poste), escalón, peldaño (de poste), grapón (clavado al poste). LOCALISMO: paso para poste.

pole strength   *(Mag)* intensidad polar [de polo].

pole strut   puntal de poste, puntal para atirantada de poste.

pole switch   *(Elec)* interruptor de poste.

pole tester   *(Telecom)* sonda para la madera, sonda para ensayar [probar] postes.

pole tie   *(Ferroc)* traviesa redonda [de palo, de árbol enterizo]; traviesa de media luna [de medio tronco].

pole tip   *(Elec)* cuerno polar | **pole tips:** extremidades polares. Extremidades de las expansiones polares (CEI/38 10–40–045). v. **pole shoe.**

pole toll line   *(Telecom)* línea interurbana de postes.

pole trailer   remolque para (llevar) postes.

pole transformer   *(Elec)* (a.c. pole-mounting transformer) transformador para poste, transformador (de distribución) para montaje en poste.

pole trolley   *(Tracción eléc)* trole [colector] de pértiga.

pole winding   *(Elec)* devanado polar.

polearm   *(Telecom)* (a.c. crossarm) cruceta (de poste); travesaño.

police   policía; guardia /// *verbo:* inspeccionar; vigilar, mantener el orden.

police call   *(Radiocom)* llamada de la policía; emisión del servicio de (la) policía.

police message   *(Radiocom)* mensaje de (la) policía.

police patrol car   automóvil de patrulla policiaca.

police radio   equipo de radio policiaco; sistema de radiocomunicación de policía.

police radio station   estación de radio de la policía.

police radio system   sistema de radiocomunicación de policía.

police station   estación (de radio) de la policía; jefatura de policía.

policy   norma; costumbre; plan, sistema; fin propuesto || *(Seguros)* póliza.

policy writing   escritura de pólizas.

poling board   *(Ing civil)* plancha de entibar | **poling boards:** tablas de entibación; tablas para el revestimiento de una trinchera. SIN. **wood piling, wood shoring.**

polish   brillo, barniz; pulimento, bruñido; líquido para lustrar; producto para dar brillo; betún (para el calzado); cera || *(Pinturas)* brillantina, producto de abrillantado /// *verbo:* pulir, pulimentar; bruñir; lustrar, dar lustre; embetunar (el calzado); encerar, dar cera.

Polish notation   *(Informática)* notación polaca. Notación para lógica de computadoras digitales, en la cual cada operador actúa sobre no más de dos operandos; fue ideada por J. Lukasiewicz.

polishing   pulido, pulimiento, pulimentación; bruñido; abrillantado /// *adj:* pulidor, de pulir; bruñidor, de bruñir.

political boundary   *(Mapas)* frontera, límite político.

poll   votación; escrutinio; padrón, empadronamiento || *(Herr)* cotillo (de hacha, de martillo); boca plana (de martillo); extremo romo (de pico) || *(Telecom)* sistema de línea compartida por interrogación de las estaciones. Sistema o red de control central que permite a las diversas estaciones utilizar una línea colectiva sin conflictos en las comunicaciones. V.TB. **remote polling technique.**

polled system   *(Telecom)* sistema de línea compartida por interrogación de las estaciones. v. **poll.**

polling   votación, voto; escrutinio; elecciones || *(Telecom)* interrogación. En los sistemas de línea compartida por interrogación (v. **poll**), invitación que la estación de control central hace a cada estación para que transmita un mensaje o se disponga a recibir uno.

pollution   polución, impurificación, contaminación, corrupción.

pollution of the environment   polución del medio. Contaminación del aire y de las aguas producida por los residuos de procesos industriales y biológicos. SIN. **corruption [degradation] of the environment.**

polonium   polonio. Elemento químico radiactivo de número atómico 84 y peso atómico 210,0. Símbolo: Po.

polonium eliminator   eliminador de polonio.

polyanode   *adj:* *(Elec)* polianódico.

polyanode rectifier   rectificador polianódico.

polyatomic   *adj:* poliatómico.

polyatomic gas   gas poliatómico.

polyatomic molecule   molécula poliatómica.

polyatomic organic molecule   molécula orgánica poliatómica.

polybutadiene   polibutadieno [butadiene]. Tipo de caucho sintético obtenido del butadieno [butadiene]. Muchas veces se mezcla con otros cauchos sintéticos para mejorar sus propiedades.

polybutylene   *(Quím)* polibutileno.

polycarbonate   policarbonato. Material plástico muy fuerte con constante dieléctrica de 2,73.

polychloroprene   policloropreno. Compuesto parecido al caucho. Se usa extensamente para el aislamiento de conductores y cables eléctricos; es muy resistente al maltrato y a los efectos de las substancias químicas, la humedad, los aceites y las grasas /// *adj:* policloroprénico.

polychlorotrifluoroethylene resin   resina de policlorotrifluoroetileno. Resina fluorocarbúrica [fluorocarbon resin] de elevada rigidez dieléctrica [dielectric strength]; se usa extensamente como aislante eléctrico.

polychromatic   *adj:* policromático, policromo.

polychromatic chart   *(Meteor)* carta policroma.

polychromator   policromador.

polychrome   obra policroma /// *adj:* policromo.

polychrome picture   *(Tv)* imagen policroma.

polyconic   *adj:* policónico.

polyconic chart   carta policónica.

polyconic map   mapa de proyección policónica.

polyconic projection   proyección policónica.

polycrase   (a.c. polycrasite) policrasa. Uno de los minerales de las tierras raras. Otro de esos minerales es la *euxenita* [euxenite].

polycrasite   v. **polycrase.**

polycylindrical   *adj:* policilíndrico.

polycylindrical endovibrator   endovibrador policilíndrico. v. **multiple resonant line.**

polycythemia   (*Medicina*) policitemia.

polydirectional   *adj:* polidireccional.

polydirectional microphone   micrófono polidireccional [multidireccional]. Micrófono con medios para cambiar a voluntad sus características de directividad. CF. **omnidirectional microphone.**

polyelectrode   (*Electroquím/Electromet*) polielectrodo, electrodo múltiple. v. **multiple electrode.**

polyenergetic   *adj:* polienergético.

polyenergetic neutron radiation   radiación neutrónica polienergética.

polyester   poliéster. Resina empleada como base para diversos tipos de plástico | (*i.e.* polyester plastic) plástico poliestérico ||| *adj:* poliestérico.

polyester base   (*Cintas mag*) base de poliéster.

polyester-base sound tape   cinta magnetofónica con base de poliéster.

polyester film   película de poliéster. Película de plástico hecho de un poliéster. Se usa para soporte o substrato de cintas magnéticas, a las que confiere gran resistencia y estabilidad frente a los cambios de temperatura. Además, el poliéster no se deteriora ni se vuelve rompedizo por efecto del envejecimiento, como sucede p.ej. con los substratos de acetato [acetate].

polyester-impregnated glass tape   cinta (aislante) de vidrio impregnado en poliéster.

polyester plastic   plástico poliestérico [de poliéster].

polyethylene   polietileno. Termoplástico [thermoplastic] poseedor de excelentes propiedades como aislante eléctrico, aun a frecuencias ultraaltas. Además, es muy fuerte y flexible, por lo cual se usa extensamente en la fabricación de cables coaxiles y otros tipos de líneas de transmisión ||| *adj:* polietilénico.

polyethylene-insulated cable   cable aislado con polietileno.

polyformaldehyde   (*Quím*) poliformaldehído.

polygon   polígono. Parte de un plano limitada por una línea poligonal, o por rectas que se cortan dos a dos ||| *adj:* poligonal.

polygon of forces   (*Fís*) polígono de fuerzas.

polygon-sided   *adj:* poligonal.

polygon-type delay line   línea de retardo en polígono. Elemento poligonal de sílice fundida libre de esfuerzos de deformación y con superficies ideadas de modo de reflejar repetidamente un haz ultrasónico.

polygonal   *adj:* poligonal.

polygonal delay line   v. **polygon-type delay line.**

polygonal number   (*Mat*) número poligonal. Número deducido de la siguiente fórmula general:

$$\frac{(m-2)n^2 - (m-4)n}{2}$$

donde m es el orden del número y n el lado del polígono que lo representa gráficamente. Los números poligonales fueron creados por los pitagóricos.

polygonal overhead contact system   (*Tracción eléc*) (a.c. vertical overhead contact system) línea catenaria poligonal [vertical]. Línea catenaria [overhead contact system] en la cual todos los conductores, incluso en las curvas, están dispuestos en un mismo plano vertical entre cada uno de los soportes que determinan los vértices del polígono (CEI/57 30-10-125).

polygonal overhead line   línea aérea poligonal.

polygraph   polígrafo. SIN. **lie detector.**

polygraphy   poligrafía. Ciencia de la utilización del polígrafo.

polyhedral   *adj:* (*also* polyhedrous, polyhedric, polyhedrical) poliedro, poliédrico.

polyhedric, polyhedrical   v. **polyhedral.**

polyhedron   poliedro ||| *adj:* poliedro, poliédrico.

polyhedrous   v. **polyhedral.**

polyiron   polihierro. Substancia compuesta de gránulos finos de hierro separados entre sí por un ligante aislador.

polymer   polímero. Substancia entre dos o más con las mismas clases de átomos y en las mismas proporciones, pero con pesos moleculares diferentes. NOTA: El término *polymer* se usa a menudo como sinónimo de *plastic,* de *rubber* o de *elastomer* ||| *adj:* polímero.

polymer mixture   mezcla de polímeros.

polymeric   *adj:* polímero.

polymerization   polimerización.

polymerize   *verbo:* polimerizar.

polymeter   (*Meteor*) polímetro.

polymethylstyrene   polimetilestireno. Es substancia aislante.

polymorphic   *adj:* polimorfo.

polymorphism   polimorfismo.

polymorphonuclear   *adj:* polimorfonuclear.

polymorphonuclear leukocyte   (*Histología*) leucocito polimorfonuclear.

polymorphous   *adj:* polimorfo.

polymorphous generator   (*Elec*) generador polimorfo.

polynomial   (*Mat*) polinomio. Expresión algebraica de varios términos; suma de monomios ||| *adj:* polinómico.

polynomial expansion   (*Mat*) desarrollo polinómico.

polynomial factorization   (*Mat*) factorización de polinomios.

polyode   (*Elecn*) poliodo ||| *adj:* poliodo, poliódico.

polyode valve   (*Elecn*) válvula poliodo.

polyolefin   poliolefina. Material plástico aislante usado para forrar conductores eléctricos; es muy resistente a condiciones ambiente extremas.

polyoptic   *adj:* polióptico.

polyoptic sealing   cierre hermético polióptico. Técnica para el cierre hermético de ampollas al vacío, como las utilizadas para válvulas electrónicas. Esta técnica — que se considera superior en alto grado a la tradicional — se basa en el perfecto pulido óptico de las superficies que forman la unión, las cuales quedan así "trabadas" por atracción intermolecular. Se utiliza, además, una substancia obturadora que se aplica a temperaturas relativamente bajas y que sirve para perfeccionar y mantener la hermeticidad.

polyphase   *adj:* polifásico. POCO USADO: polifáseo. Que posee, comprende o utiliza varias fases (v. **phase**).

polyphase alternator   (*Elec*) alternador polifásico. v. **polyphase machine.**

polyphase commutator motor   (*Elec*) motor polifásico de colector.

polyphase compensating winding   (*Elec*) devanado compensador polifásico.

polyphase compound commutator motor   (*Elec*) motor polifásico compound de colector. Motor polifásico en serie con colector [polyphase series commutator motor] en el cual se limita la velocidad en vacío [speed at no-load] con la ayuda de reactancias montadas entre escobillas del rotor [rotor brushes] (CEI/56 10-15-150). v. **polyphase machine.**

polyphase converter   (*Elec*) convertidor polifásico.

polyphase current   (*Elec*) corriente polifásica.

polyphase induction machine   máquina (eléctrica) de inducción polifásica.

polyphase induction motor   (*Elec*) motor de inducción polifásico.

polyphase machine   (*Elec*) máquina polifásica. Expresión empleada en la lengua corriente para designar una máquina que produce, transforma o utiliza un sistema de corrientes polifásicas [system of polyphase currents] (CEI/56 10-05-085). CF. **polyphase transformer.**

polyphase mercury-arc converter   (*Elec*) convertidor polifásico de arco en vapor de mercurio.

polyphase meter   (*Elec*) contador polifásico.

polyphase motor   (*Elec*) motor polifásico.

polyphase oscillator   oscilador polifásico.

polyphase rectifier   (*Elec*) rectificador polifásico.

polyphase rectifier circuit   circuito rectificador polifásico.

polyphase selectivity   selectividad polifásica.

polyphase series commutator motor   (*Elec*) motor polifásico en serie con colector. Motor polifásico con colector [polyphase commutator motor] en el cual el rotor y el estator son recorridos por corrientes iguales o proporcionales (CEI/56 10–15–140). v. **polyphase machine.**

polyphase series commutator motor with rotor transformer *(Elec)* motor polifásico en serie con colector y transformador para el rotor. Motor polifásico en serie con colector cuyo rotor es alimentado por un transformador que tiene su primario en serie con el arrollamiento del estator [stator winding] (CEI/56 10–15–155).

polyphase shunt commutator motor *(Elec)* motor polifásico en shunt con colector. Motor polifásico con colector cuyo rotor y cuyo estator son alimentados por tensiones iguales o proporcionales (CEI/56 10–15–145).

polyphase shunt motor *(Elec)* motor polifásico en shunt, motor polifásico excitado en derivación.

polyphase slip-ring induction motor *(Elec)* motor de inducción polifásico de anillo colector [rozante].

polyphase synchronous generator *(Elec)* generador sincrónico polifásico.

polyphase synchronous motor *(Elec)* motor sincrónico polifásico.

polyphase system *(Elec)* sistema polifásico. Sistema de circuitos recorridos por varias corrientes de fases diferentes. Se entiende por sistemas polifásicos simétricos aquellos recorridos por *n* corrientes de igual frecuencia desplazadas en $2\pi/n$. ejemplos: difásico, trifásico, hexafásico, etc. (CEI/38 05–40–060).

polyphase torque converter *(Elec)* convertidor de par polifásico.

polyphase transformer *(Elec)* transformador polifásico. Expresión empleada en el lenguaje corriente para designar un transformador que produce, transforma o utiliza un sistema de corrientes polifásicas [polyphase currents] (CEI/56 10–05–085). cf. **polyphase machine.**

polyphase variable-speed commutator motor *(Elec)* motor polifásico de colector de velocidad variable.

polyphase-wound rotor *(Máq eléc)* rotor con devanado polifásico.

polyphonic *adj: (Mús)* polifónico.

polyphony *(Mús)* polifonía. Literalmente, sonoridad simultánea de diferentes notas; en el uso común, presencia de contrapunto /// *adj:* polifónico.

polyphotal *adj: (Elec)* polifoto. Dícese de lo que pertenece o designa lámparas de arco [arc lamps] construidas de manera que puedan emplearse dos o más de ellas en un mismo circuito.

polyphote polifoto /// *adj: (also* polyphotal) polifoto.

polyplexer *(Radar)* poliplexor. Dispositivo que combina las funciones de duplexión [duplexing] y de conmutación de lóbulo [lobe switching].

polyploidy *(Genética)* poliploidia. cf. **ploidy.**

polypropylene polipropileno. Materia termoplástica parecida al polietileno [polyethylene], pero de mayor rigidez y de mayor temperatura de reblandecimiento [softening point].

polyrod (a.c. dielectric-rod radiator) antena dieléctrica de varilla. Antena dieléctrica de radiación longitudinal en forma de cirio macizo o hueco (CEI/61 62–25–095).

polyrod antenna antena de varillas dieléctricas, antena dieléctrica de varillas. Antena constituida por conjuntos paralelos de varillas de material dieléctrico (usualmente poliestireno). Cuando se excitan por una de sus extremidades (mediante una guía de ondas), las varillas radían por sus extremidades opuestas. sin. **polyrod aerial** *(GB).*

polyspeed motor motor de velocidad variable.

polyspherical *adj:* poliesférico.

polystyrene poliestireno. Material sintético termoplástico transparente de excelentes propiedades dieléctricas, muy empleado en la fabricación de cables, condensadores, aisladores, etc. Como dieléctrico tiene características superiores a las de la mica, distinguiéndose asimismo por su resistencia a los agentes quími-

cos.

polystyrene capacitor capacitor [condensador] de poliestireno. Capacitor que utiliza como dieléctrico una película de poliestireno arrollada entre hojas de papel metálico que constituyen las placas.

polystyrene foam goma esponjosa de poliestireno.

polystyrene molding powder polvo de poliestireno para moldear.

polystyrene paint pintura de poliestireno.

polystyrol poliestirol.

polystyrol capacitor capacitor [condensador] de poliestirol.

polystyrol condenser v. **polystyrol capacitor.**

polytetrafluoroethylene [PTFE] politetrafluoetileno. Compuesto aislante de extraordinarias cualidades de inercia química, tenacidad a temperaturas muy diversas, y reducidas pérdidas dieléctricas en un amplio margen de frecuencias. No absorbe agua ni se deja mojar por ella; es completamente resistente a todos los ácidos; no es corrosivo cuando se pone en contacto con cualquier metal o aleación, no se disuelve en ningún líquido, y es ininflamable. El Teflón y el Fluon son marcas registradas, de Du Pont y de Imperial Chemical Industries (Inglaterra), respectivamente, que designan el PTFE.

polytetrafluoroethylene resin resina de politetrafluoetileno.

polythene politeno /// *adj:* politénico.

polythene dielectric dieléctrico de politeno.

polythene-insulated *adj:* aislado con politeno, con aislamiento de politeno.

polythene-insulated coaxial cable cable coaxil aislado con politeno.

polythene insulator aislador de politeno.

polytonality *(Mús)* politonalidad, politonía.

polytropic *adj: (Fís)* politrópico.

polytropic atmosphere atmósfera politrópica.

polytropic compression compresión politrópica.

polyurethane poliuretano. Designación de una clase de polímeros notables por su buena resistencia a la abrasión y a los disolventes. Puede ser macizo o en forma de cuerpo celular.

polyurethane foam espuma [esponja] de poliuretano. Resina celular o esponjosa que puede presentarse en una amplia gama de aspectos.

polyurethane varnish barniz de poliuretano.

polyvinyl polivinilo /// *adj:* polivinílico.

polyvinyl chloride cloruro de polivinilo. Termoplástico de aplicación general como aislante eléctrico, en particular en conductores y cables.

polyvinyl chloride plasticizer plastificante de cloruro de polivinilo.

polyvinyl insulation aislamiento polivinílico.

ponderomotive *adj: (Fís)* ponderomotor, ponderomotriz.

ponderomotive equation *(Fís)* ecuación ponderomotriz.

ponderomotive force *(Fís)* fuerza ponderomotriz.

pontoon pontón || *(Hidroaviones)* flotador.

pool alberca, balsa, rebalsa; charco, charca, agua estancada; piscina; aljibe; hoya; fuente; baño de fusión; fondo común; consorcio, mancomunidad, sindicato (de empresas), alianza (de intereses comerciales), combinado industrial (para coordinar la producción); unión de caudales (para un fin común), recursos puestos en común || *(Minas)* trabajo con maza y cuña || *(Petr)* criadero, depósito, yacimiento (de hidrocarburos) || *(Soldadura)* charco de metal fundido /// *verbo:* encharcarse, formar un charco; poner (fondos, recursos) en común, hacer una bolsa común, combinar recursos (para un fin común); aliarse, mancomunarse; consorciar, mancomunar intereses; pagar a escote; repartirse (p.ej. la explotación de una red ferroviaria); socavar (p.ej. una roca).

pool cathode *(Elecn)* cátodo líquido. Cátodo consistente en un electrodo de metal líquido (usualmente mercurio) en el cual la fuente principal de emisión electrónica es la llamada *mancha catódica* [cathode spot]. sin. **cátodo de (charco de) mercu-**

rio —— **mercury cathode** | (*i.e.* liquid arc-cathode, usually mercury) cátodo líquido. Cátodo de arco líquido en régimen de funcionamiento (CEI/56 07–40–080) | (*i.e.* arc-cathode consisting of a pool of liquid metal) cátodo líquido. Cátodo de arco consistente en un baño de metal líquido (CEI/56 11–10–050).

pool-cathode tube (*Elecn*) tubo de cátodo líquido. v. **pool cathode, pool tube.**

pool reactor (*Nucl*) (a.c. swimming-pool reactor) reactor de pileta [de piscina]. Reactor en el cual los elementos combustibles están suspendidos sobre un depósito de agua de grandes dimensiones, que sirve de moderador, reflector, refrigerante, y blindaje contra la radiación. Se utiliza comúnmente para investigaciones y adiestramiento de personal.

pool rectifier (*Elecn*) rectificador de cátodo líquido. v. **pool cathode** | (*i.e.* gas-filled rectifier with pool cathode) válvula de cátodo líquido. Válvula de arco con cátodo líquido (CEI/56 11–10–075) | (*i.e.* gas-filled rectifier with pool cathode, usually mercury) válvula de cátodo líquido. Válvula iónica de cátodo líquido, generalmente de mercurio (CEI/56 07–40–030).

pool tank tubo de cátodo líquido, cuba rectificadora de vapor de mercurio. v. **pool tube.**

pool tube tubo de cátodo líquido. (1) Tubo rectificador de vapor de mercurio y cátodo de mercurio. (2) Tubo de descarga luminosa con cátodo constituido por un depósito de mercurio. SIN. **mercury-pool tube, pool-cathode tube, pool rectifier, pool tank.**

pooling of traffic (*Telecom*) puesta en común del tráfico.

poop (*Buques*) popa, bovedilla; alcázar, toldilla || (*Radar*) (slang) impulso. SIN. **pulse.**

poor *adj:* pobre; deficiente, escaso; falto; defectuoso; imperfecto; inferior, de poco valor; de poco mérito; malo; de mala calidad; en mal estado || (*Tierras*) estéril.

poor audibility (*Telef*) mala audición; dificultad de audición. SIN. **poor transmission.**

poor conductor (*Elec*) mal conductor.

poor geometry (*Sist de medidas nucl*) mala geometría.

poor insulation (*Elec*) mal aislamiento, mala aislación.

poor matching mala adaptación, adaptación deficiente [incompleta, insuficiente, imperfecta].

poor tolerance poca exactitud.

poor transmission (*Telecom*) transmisión defectuosa || (*Telef*) mala audición; dificultad de audición. SIN. **poor audibility.**

pop chasquido, detonación, ruido seco; ruido de tipo explosivo; sonido breve; disparo; pistoletazo; taponazo; bebida gaseosa [espumosa], champán, champaña; pistola; taco, barreno pequeño (para fragmentar) || (*Mús — Lenguaje familiar*) concierto popular || (*Discos fonog — Defecto audible*) chasquido, ruido de taponazo /// *verbo:* chasquear, dar un chasquido, dejar oir una pequeña explosión; saltar, hacer saltar (un tapón de botella); saltar(se) (el esmalte); detonar; reventar; actuar, funcionar; trocear con pequeños barrenos, taquear (piedras grandes); espetar, disparar, soltar, decir bruscamente [de zopetón]; entrar de zopetón; salir de zopetón || (*Mot de explosión*) petardear, pedorrar, tartamudear || (*Vál de seguridad*) disparar(se).

pop-action valve válvula de acción rápida.

pop-off valve válvula de disparo.

pop-proof microphone v. **popproof microphone.**

pop-up antenna antena de eyección.

pop-up seismometer sismómetro submarino de retorno automático a la superficie. Sismógrafo o sismómetro combinado con un registrador de cinta magnética, que se deja caer al fondo del mar y que, transcurrido cierto intervalo predeterminado de tiempo, o al terminarse el rollo de cinta, se desprende del ancla y sale a flote, después de lo cual es recuperado para analizar las señales registradas correspondientes a microsismos ocurridos durante el intervalo de observación.

pop valve válvula de disparo [de escape rápido], válvula de seguridad de vaciado rápido [de descarga rápida], válvula de

acción directa. Válvula de seguridad que por sus características de funcionamiento proporciona un descenso de presión muy rápido.

popcorn noise ruido de chasquidos. Ruido aleatorio típico de los amplificadores operacionales [operational amplifiers].

POPI (*Radionaveg*) sistema POPI. Sistema de radionavegación inglés, del tipo de comparación de fases, que funciona con ondas continuas de baja frecuencia. El nombre viene de *Post Office Position Indicator.*

poplar álamo.

poppet (*Lanzamiento de buques*) cuna de botadura (de proa o de popa); gigantón, santo, columna de basada || (*Máq herr*) (a.c. poppethead) muñeca, contrapunta, cabezal móvil.

poppet valve válvula de elevación; válvula de disco con movimiento vertical; válvula de vástago; válvula accionada por leva, válvula de resortes; válvula de seta [de asiento cónico].

popping ruido seco; taqueo (de piedras grandes) || (*Micrófonos*) sonido explosivo. Sonido explosivo indeseable causado por exceso de articulación en la pronunciación de las consonantes explosivas (*p, t, k,* etc.) || (*Mot*) explosión || (*Galerías de minas, Túneles*) desconchamiento de la roca por deformación elástica; desprendimiento de fragmentos de roca en forma de lajas.

popproof microphone micrófono a prueba de ruidos explosivos [a prueba de articulación exagerada de las consonantes explosivas]. v. **popping.**

population población. LOCALISMO: populosidad || (*Estadística*) población. (1) Grupo de elementos (personas, objetos, etc.) del cual se toman muestras para medidas estadísticas. (2) Conjunto de elementos con alguna característica en común, supuesto engendrable por un proceso repetitivo de carácter aleatorio. SIN. **universo, colectivo** /// *adj:* demográfico.

population growth crecimiento de (la) población; desarrollo demográfico.

population inversion (*Fís — Distribución estadística de partículas*) inversión de la población.

population of levels (*Mec cuántica*) población de niveles.

porcelain porcelana, loza /// *verbo:* aporcelanar, porcelanizar.

porcelain enamel esmalte de porcelana.

porcelain enameling esmaltado de porcelana; esmaltado vítreo; porcelanización.

porcelain finish acabado en porcelana; enlozado.

porcelain glaze vidriado para porcelana.

porcelain insulator (*Elec*) aislador de porcelana.

porcelain leading-in tube (*Elec/Telecom*) tubo de entrada de porcelana.

porcelain opening pipe v. **porcelain leading-in tube.**

porcelain reflector reflector de porcelana.

porcelain sleeve (*Elec/Telecom*) manguito de porcelana.

porcelain sparkplug bujía (de encendido) con aislador de porcelana.

porcelain standoff insulator aislador de apoyo de porcelana, columna aislante de porcelana; aislador distanciador de porcelana.

porch porche, pórtico, atrio, cobertizo || (*Tv*) rellano, meseta, pórtico, umbral. v. **back porch, front porch.**

pore poro; hueco; espacio vacío || (*Electroquím/Electromet*) pores: poros. Microdiscontinuidades a través de un revestimiento [metal coating] que van hasta la base metálica [base metal] (CEI/60 50–30–235) /// *adj:* poroso; porífero.

pore ratio (*Mec de suelos*) relación de huecos [de porosidad].

pore space espacio poroso.

pore volume (*Hormigón, Terrenos*) volumen de los espacios vacíos.

porometer porosímetro.

porosimeter porosímetro.

porosity porosidad; permeabilidad.

porous *adj:* poroso; permeable || (*Met*) poroso, cavernoso.

porous absorber (*Acús*) material absorbente poroso.

porous barrier (*Nucl*) barrera porosa.

porous pot (*Electroquím*) vaso poroso. Vaso que sirve como diafragma en un elemento de uno o dos líquidos (CEI/38 50–25–020).

porous reactor   *(Nucl)* reactor poroso. Reactor compuesto de una materia porosa o un agregado de pequeñas partículas, y en el cual el fluido refrigerante o un combustible fluido circula por los poros.

porpoise   *(Zool)* marsopa, cerdo marino, puerco de mar ‖ *(Avia)* v. **porpoising** /// verbo: *(Avia)* volar en sinusoide ‖ *(Hidroaviones)* delfinear, marsopear, cabecear durante la corrida de despegue.

porpoise landing   *(Avia)* aterrizaje con rebotes ‖ *(Hidroaviones)* amaraje con rebotes, amaraje a botes [a saltos].

porpoising   *(Avia)* encabritamiento y picado sucesivo ‖ *(Hidroaviones)* delfineo, marsopeo, hociqueo, cabeceo (en el agua), movimiento ondulatorio (al hidroplanear), oscilaciones de cabeceo longitudinales (durante el despegue).

port   orificio, abertura; portillo; puerta ‖ *(Armarios met para equipos)* abertura | **port for cables**: abertura para (los) cables [para el paso de cables] ‖ *(Elec)* acceso, puerta. Acceso a una red o sistema, o sea, lugar por donde puede suministrarse o tomarse energía, o donde pueden observarse o medirse magnitudes eléctricas. En casos particulares, los accesos o puertas quedan determinados no sólo por la estructura de la red o el sistema, sino también por la forma en que se use éste. SIN. **entrada, salida, par de bornes, par de terminales, ventana de acoplamiento.** CF. **two-port (network), multiport (network), four-terminal network, two-terminal-pair, one-port, in-port, out-port** ‖ *(Electroacús)* puerta, ventanilla [tronera] de salida, abertura de escape de resonancia. Agujero o abertura que llevan las pantallas acústicas inversoras de fase (v. **bass-reflex baffle**) ‖ *(Carros)* aspillera ‖ *(Máq)* lumbrera, orificio ‖ *(Vál)* lumbrera, abertura ‖ *(Marina)* puerto. CASOS PART. puerto marítimo, puerto lacustre. AFINES: caleta, escala, abra, bahía, fondeadero, rada, antepuerto, muelle, desembarcadero, escollera, dique, estacada, esclusa, dársena; atracar, arribar a puerto, acostar, amarrar, anclar. CF. **airport** ‖ *(Buques)* babor (costado izquierdo mirando a proa; el otro costado se llama *estribor*). SIN. **portside** | tronera | porta. CF. **porthole** ‖ *(Nucl)* portillo. En los reactores de investigación, abertura por la cual se introducen objetos para irradiarlos, o por la cual emergen los rayos de la radiación que son utilizados para fines experimentales /// adj: *(Marina)* portuario.

port light   *(Marina)* luz de entrada al puerto ‖ *(Buques)* luz de babor.

port of arrival   puerto de llegada.

port of call   puerto de escala.

port of documentation   *(Buques)* puerto de matrícula [de abanderamiento].

port of embarkation   puerto de embarque.

port operation   explotación de puertos | **port operations**: operaciones portuarias.

port-operations service   servicio de operaciones portuarias.

port radar   radar portuario.

port radar installation   (instalación de) radar portuario, radar de puerto.

port-side   v. **portside.**

port tip   *(Aviones)* punta del ala de babor.

port wing   *(Aviones)* ala de babor, ala izquierda.

port-wing propeller   *(Aviones)* hélice de babor.

port-wing tank   *(Aviones)* depósito del ala de babor.

port worker   trabajador portuario.

portability   portabilidad; transportabilidad, movilidad; facilidad de transporte.

portable   adj: portátil. Dícese de los aparatos que por su tamaño, peso y forma son fáciles de portar por una sola persona | transportable; desmontable; móvil, locomóvil; acarreadizo.

portable aerial   v. **portable antenna.**

portable antenna   antena móvil [transportable, desplazable]. SIN. **portable aerial** *(GB)*.

portable apparatus   aparato portátil.

portable appliance   aparato [enser] portátil.

portable battery   *(Electroquím)* batería portátil | batería transportable. (**1**) Batería destinada a ser desplazada (CEI/38 50–30–020). (**2**) Batería de acumuladores ideada para que pueda ser transportada cómodamente (CEI/60 50–20–045).

portable broadcaster   radioemisora portátil en miniatura. v. **wireless broadcaster.**

portable camera   *(Cine)* cámara portátil [de mano] ‖ *(Fotog)* cámara [máquina] portátil.

portable carrying case   estuche portátil. Especie de maletín en el cual se montan o se guardan aparatos o instrumentos más o menos delicados, para su protección y fácil transporte.

portable cell   *(Electroquím)* elemento portátil | elemento transportable. Elemento destinado a ser desplazado (CEI/38 50–30–020).

portable centrifugal pump   *(Ferroc)* bomba centrífuga portátil. Equipo de motobombeador completo montado sobre un vehículo que puede ser de diversos tipos.

portable compressor   compresor portátil [móvil].

portable distiller   destilador portátil.

portable electric tool   herramienta eléctrica portátil, electroherramienta portátil.

portable engine   máquina locomóvil.

portable field energizer   excitador portátil.

portable generator   generador portátil.

portable gramophone *(GB)*   v. **portable phonograph.**

portable hardness meter   medidor de durezas de mano.

portable heating carpet   *(Aplicaciones electrotérmicas)* alfombrilla caliente portátil. Alfombrilla en la cual se ha dispuesto un hilo o un cordón de calefacción regularmente repartido (CEI/60 40–25–100). CF. **heating cable, heating conductor.**

portable lamp   lámpara portátil.

portable-lamp guard   protector de lámpara portátil.

portable mobile unit   *(Radiocom)* estación móvil portátil.

portable package   conjunto (completo) portátil, equipo portátil. CF. **package unit.**

portable phonograph   fonógrafo [gramófono] portátil, tocadiscos portátil [de maleta], maleta fonográfica, maleta amplificadora con tocadiscos. SIN. **portable gramophone** *(GB)*.

portable plant   instalación móvil.

portable radio   radio [receptor, radiorreceptor] portátil. SIN. **portable receiver.**

portable radiophone   radioteléfono portátil.

portable rail tester   *(Ferroc)* detector portátil de rieles. Pequeño instrumento para determinar las fallas de los rieles.

portable railway   ferrocarril Decauville. CF. **portable track.**

portable range   cocina portátil.

portable receiver   receptor portátil. Radiorreceptor de pilas. Televisor de poco tamaño y provisto de asa para su cómodo traslado.

portable recorder   grabadora [magnetófono] portátil.

portable routine tester   *(Telecom)* aparato de pruebas portátil. SIN. **portable test set.**

portable set   aparato portátil; equipo portátil.

portable station   estación portátil.

portable steam engine   máquina de vapor locomóvil.

portable storage   *(Informática)* medio de almacenamiento (de información) transportable. Medio de almacenamiento de datos o información que puede transportarse fácilmente sin que se pierdan aquéllos.

portable telephone set   aparato telefónico portátil; aparato (telefónico) móvil.

portable television set   televisor [aparato de televisión] portátil.

portable television transmitter   emisor de televisión portátil.

portable test set   multímetro (de pruebas) portátil. v. **multimeter** ‖ *(Telecom)* aparato de pruebas portátil. SIN. **portable routine tester.**

portable test unit   equipo de prueba móvil.

portable tester   probador [multímetro] portátil.

portable tester set   *(Telecom)* aparato de pruebas portátil. SIN.

portable test set.

portable track   *(Ferroc)* vía portátil, vía Decauville. LOCALISMO: vía armada.

portable transmitter   transmisor portátil, emisor transportable. Transmisor de radio ideado y construido de manera que pueda ser fácilmente transportado de lugar en lugar.

portable unit   equipo portátil. Equipo desmontable y fácilmente transportable en piezas, para su instalación donde se le necesite. SIN. **field equipment.**

portable voltmeter   voltímetro portátil.

portable weather station   estación meteorológica portátil.

portal   *(Arq)* portal, portada; vestíbulo ‖ *(Puentes)* portal, pórtico ‖ *(Túneles)* portal, boca, boquilla, emboquillado, entrada.

portal structure   *(Líneas aéreas)* pórtico. Estructura, que sirve de soporte, consistente en varios fustes o postes unidos por su parte superior por un travesaño (CEI/65 25–25–160).

portamento   *(Mús)* portamento. Acción de llevar un sonido de un punto de la escala a otro, sin que ocurra discontinuidad; transición de un sonido a otro, más grave o más agudo, sin que se produzca quiebre al pasar del uno al otro. v.TB. **musical tone.**

portative   *adj:* portátil; portante, sustentador, de sustentación.

portative organ   *(Mús)* órgano portátil.

Porter-Thomas distribution   *(Teoría de las reacciones de resonancia neutrónica)* distribución de Porter-Thomas.

porthole   *(Aviones)* ventana circular ‖ *(Buques)* porta, portañola, portilla (de luz), ojo de buey. LOCALISMO: porta espía ‖ *(Tubos tomavistas)* defecto que aumenta la tensión de corte del anticátodo y reduce la sensibilidad hacia las esquinas de la imagen.

portland cement   cemento portland.

portland-cement-bound macadam   macadam al cemento portland. Macadam cuyo ligante lo constituye una lechada de cemento portland.

portland-cement paste   pasta de cemento portland.

portrait   retrato; fotografía de retrato.

portrait attachment   *(Fotog)* accesorio para fotografía de retrato.

portrait camera   *(Fotog)* máquina [cámara] para fotografía de retrato.

portrait lens attachment   *(Fotog)* lente auxiliar [suplementario] para fotografía de retrato.

portside   *(Aviones, Buques)* (costado de) babor. SIN. **port.**

posistor   posistor. Termistor (v. **thermistor**) con elevada característica positiva de resistencia en función de la temperatura.

position   posición; posición, situación (de un objeto); posición, postura, actitud (del cuerpo); puesto; emplazamiento; puesto, empleo, colocación, destino; situación, circunstancias; posición, rango social; aserción; pretensión ‖ *(Comercio)* mes de entrega ‖ *(Impulsos)* posición temporal ‖ *(Mandos)* posición, punto de ajuste ‖ **maximum counterclockwise position:** posición tope hacia la izquierda, límite de la rotación en sentido contrario al de las agujas del reloj ‖ *(Mús — Trombones, Instr de cuerda)* posición ‖ *(Naveg)* posición, punto (de posición) ‖ *(Mat)* posición, puesto ‖ *(Refiriéndose a los dígitos de un número)* lugar ‖ *(Proposiciones)* enunciado ‖ *(Telecom)* posición; puesto (de trabajo) (de un operador, de una telefonista) ‖ *(i.e. station)* estación ‖ *(Telef)* puesto, posición. Parte de un cuadro conmutador atendido por una sola telefonista; posición de operadora, posición de telefonista ‖ *(Radionaveg)* posición. Punto de intersección de dos rectas determinadas por radiolocalización ‖‖ *adj:* posicional ‖‖ *verbo:* posicionar, poner en posición; colocar en su sitio; poner en punto; determinar la situación (de); situar (un punto sobre un plano); orientar (p.ej. un haz).

position A   *(Teleg)* posición A. v. **positions A and Z.**

position angle   ángulo de posición ‖ *(Astr)* ángulo (sobre el horizonte) de la visual a un cuerpo celeste.

position control   control de posición, regulación de (la) posición.

position control servomechanism   servomecanismo de regulación de (la) posición.

position control system   sistema de control de posición. Sistema

posicionador en el cual el movimiento controlado lo es sólo en cuanto a su punto final, sin regulación de su recorrido de transición de un punto a otro.

position control transducer   transductor para (el) control de (la) posición.

position coupling   *(Telef)* agrupación de posiciones de operadoras vecinas. SIN. **position grouping.**

position coupling key   *(Telef)* llave de conexión entre posiciones de operadora.

position data measuring system   sistema medidor de (los) datos de posición, sistema de medición de datos correspondientes a la posición.

position-dependent   *adj:* dependiente de la posición.

position distributor   *(Telef)* distribuidor del tráfico entre las posiciones de anotadoras.

position finder   indicador de posición; goniómetro ‖ *(Telef)* posicionador.

position finding   determinación de (la) posición; goniometría; localización; orientación.

position-finding element   *(Sist directores de tiro)* elemento localizador del blanco.

position fix   *(Naveg)* fijación de la posición; intersección de dos líneas de marcación trazadas en un mapa.

position fixing   *(Naveg)* fijación de (la) situación (en el plano).

position-fixing device   *(Naveg)* dispositivo para fijar la situación (en el plano).

position grouping   *(Telef)* agrupación de posiciones de operadoras vecinas. SIN. **position coupling.**

position grouping key   *(Telef)* llave de conexión entre posiciones de operadora.

position indicator   indicador de posición.

position light   *(Aviones, Buques)* luz de situación, luz de posición, luz de navegación. SIN. **navigation light** ‖ *(Ferroc)* luz de posición.

position-light signal   *(Ferroc)* señal luminosa de luces de posición. Aquella cuyas señales son debidas a alineaciones de varias luces blancas | señal luminosa con luces de posición. Señal luminosa cuya indicación resulta únicamente de las posiciones respectivas de dos o más luces presentes, las cuales son normalmente blancas (CEI/59 31–05–060).

position line   *(Naveg)* línea de posición. Línea sobre la cual calcula encontrarse el observador. SIN. **line of position.**

position load distributing circuit   *(Telecom)* circuito distribuidor.

position mark   referencia.

position meter   *(Telef)* (contador) totalizador; contador de llamadas | contador de posición. Contador destinado a registrar el número total de llamadas cursadas por una posición de operadora. El contador de una posición puede ser accionado manualmente o automáticamente (CEI/70 55–95–340).

position-modulated   *adj:* modulado en posición.

position of effective short   *(Tubos conmut)* posición de cortocircuito efectivo. Distancia entre un plano de referencia especificado y la situación aparente del cortocircuito producido por el tubo en su montura.

position of symmetry   posición de simetría; posición de reposo.

position of the center of gravity   *(Aeronaves)* centraje, posición del centro de gravedad.

position peg-count register   *(Telef)* (contador) totalizador.

position pilot lamp   *(Telef)* lámpara piloto de grupo.

position-recording mechanism   mecanismo registrador de (la) posición.

position report   *(Naveg)* informe [mensaje] de posición. Informe o mensaje, en formato normalizado, que contiene información sobre la posición y el itinerario de un buque o una aeronave.

position-sensitive   *adj:* sensible a la posición.

position sensor   transductor de posición. Dispositivo que mide los parámetros determinantes de una posición y transforma las medidas a una forma apropiada para su transmisión por medios eléctricos. SIN. **position transducer.**

position storage   *(Máq herr)* almacenador de posición. Medio de almacenamiento de información que contiene los datos sobre las posiciones principales de la herramienta, así como instrucciones para el gobierno de funciones auxiliares.

position switch   *(Elec)* conmutador de posición | interruptor [ruptor, contactor] de posición. Aparato en el cual cada maniobra de los contactos se produce por una posición predeterminada de un elemento móvil (CEI/57 15–30–150). cf. **limit switch, overtravel switch.**

position telemeter   v. **position telemetering system.**

position telemetering system   sistema de telemedida de posición. Sistema que mide posiciones angulares o lineales y transmite los resultados a un punto distante.

position tracker   *(Radar/Naveg)* plano de trazado; pantalla de trazado; aparato de indicación continua de posición.

position transducer   transductor de posición; transductor para indicación posicional. v. **position sensor.**

position-type telemeter   aparato de telemedida por posición relativa de fase. Aparato de medidas a distancia que utiliza, como medio de traducción, la posición relativa de fase de dos o más magnitudes eléctricas. cf. **position telemetering system.**

position vector   *(Mat)* vector posición.

position Z   *(Teleg)* posición Z. v. **positions A and Z.**

positional   *adj:* posicional, de posición.

positional accuracy   exactitud posicional.

positional checking   *(Ferroc)* (*i.e.* checking of one or several positions of an apparatus) comprobación de posición. Control (comprobación) de una o varias posiciones de un aparato (CEI/59 31–05–155).

positional crosstalk   *(TRC multicañón)* error de trayectoria por efecto de cruce. Error (variación) en la trayectoria de un haz electrónico resultante de un cambio efectuado en otro.

positional error   error posicional [de posición]; error por mala posición (del aparato).

positional notation   notación posicional. Método de representación numérica en el cual los dígitos se disponen en sucesión y representan los coeficientes de las potencias sucesivas de la base del sistema numérico.

positional relationship   relación posicional.

positional servomechanism   servomecanismo posicional [transmisor de posiciones].

positional tolerance   tolerancia posicional.

positioner   posicionador. Util de poner en posición las piezas para trabajarlas; útil giratorio para soldar | colocador [situador] en posición; posicionador, regulador de posición || *(Servos)* órgano de posicionamiento.

positioning   colocación, situación; ajuste de posición; posicionamiento; control posicional.

positioning appliance   posicionador. sin. **positioner.**

positioning device   posicionador, dispositivo colocador [de colocación].

positioning fixture   posicionador, dispositivo para sujetar piezas (en determinadas posiciones). Algunos son de acción magnética.

positioning flight   *(Avia)* vuelo de emplazamiento.

positioning magnet   imán de posicionamiento.

positioning mechanism   *(Teleimpr)* mecanismo de posicionamiento (axil).

positions A and Z   *(Teleg)* posiciones A y Z. Representación de las posiciones ocupadas por los órganos móviles (por ejemplo, armaduras de relé) en un esquema relativo a una comunicación telegráfica. Reglas:

(a) En un esquema representativo del conjunto de una comunicación telegráfica por modulación bivalente [binary modulation], todas las posiciones que deben ocupar simultáneamente los órganos móviles del equipo de esa comunicación para que el electroimán [electromagnet] del aparato receptor sea colocado en una posición determinada (A o Z), deben ser designadas de la misma manera que esta posición;

(b) La posición A es la que corresponde a la señal de arranque [start signal] de un aparato arrítmico normalizado [standardized start-stop apparatus]; la posición Z es la que corresponde entonces a la señal de parada [stop signal];

(c) En el caso de una comunicación arrítmica punto a punto [point-to-point start-stop circuit], los órganos móviles deben aparecer todos en la posición Z;

(d) En el caso de un esquema relativo a una comunicación por conmutación [switched connection], los órganos móviles deben aparecer todos en la posición correspondiente a la condición de disponibilidad de los circuitos [free condition of the circuits]. Así, por ejemplo, en el sistema télex internacional normalizado [standardized international telex system], esta posición es la posición A.

positive   certeza; realidad || *(Elec)* (*i.e.* positive pole) polo positivo | (*i.e.* positive terminal) terminal [borne] positivo || *(Electroformación)* (a.c. positive matrix) positiva, matriz positiva. Matriz cuya superficie es idéntica a la que será finalmente producida por electroformación (CEI/60 50–35–025). cf. **negative** || *(Cine)* positivo, copia positiva. sin. **(print) copy** || *(Fotog)* positivo, prueba positiva. Fotografía o impresión positiva obtenida mediante el negativo. cf. **copy, photo, picture, print** || *(Gram)* grado positivo de comparación /// *adj:* positivo, cierto, real, verdadero; absoluto; expreso, explícito, escrito; convenido; categórico, rotundo; eficaz; imperativo; firme || *(Elec, Cine, Fotog, Gram, Mat)* positivo.

positive-acting   *adj:* de funcionamiento seguro; de acción directa.

positive action   acción segura [positiva]; funcionamiento seguro [eficaz]; seguridad funcional [de funcionamiento].

positive after-potential   *(Electrobiol)* cola de potencial positivo. Potencial positivo relativamente prolongado [relatively prolonged positivity] que sigue a la cola de potencial negativo [negative after-potential] (CEI/59 70–10–115).

positive amplitude modulation   modulación de amplitud positiva. En televisión: Modulación de amplitud tal que el paso del negro al blanco de la señal de imagen moduladora corresponde a un aumento de amplitud de la oscilación modulada (CEI/70 60–64–330). cf. **positive frequency modulation.**

positive-and-negative booster   *(Elec)* elevador-reductor. Máquina dispuesta en forma tal que su fuerza electromotriz puede sumarse o restarse de la tensión provista por otra fuente eléctrica (CEI/38 10–10–055).

positive and negative electricity   electricidades positiva y negativa. Electricidades que se desarrollan sobre una pieza de vidrio frotada con un trozo de seda, y sobre una pieza de resina frotada con un trozo de lana, respectivamente (CEI/38 05–15–015).

positive angle   *(Mat)* ángulo positivo. Angulo engendrado por una semirrecta que gira alrededor de su origen en sentido contrario al de las agujas del reloj.

positive angle of attack   *(Aeron)* ángulo de ataque positivo.

positive area   área positiva || *(Elec)* (*i.e.* of a stray current) zona de salida (de una corriente vagabunda) || *(Meteor)* zona positiva.

positive battery metering   *(Telecom)* cómputo por batería positiva.

positive bias   polarización positiva. En los tubos electrónicos, tensión que hace a la rejilla de control (mando) positiva respecto al cátodo. sin. **tensión de polarización positiva.**

positive booster   *(Elec)* sobretensor; elevador [reforzador] de voltaje; dinamo elevadora de voltaje | elevador. Máquina auxiliar dispuesta en forma tal que su fuerza electromotriz se suma a la tensión provista por otra fuente eléctrica (CEI/56 10–10–050). cf. **negative booster.**

positive brush   *(Elec)* escobilla positiva.

positive busbar   *(Elec)* barra colectora positiva.

positive camber   *(Aeron)* curvatura positiva.

positive charge   *(Elec)* carga positiva. Defecto en el número de electrones que posee un cuerpo en relación con el número correspondiente a su estado normal o neutro.

positive clutch embrague de garra [de diente]; embrague de acción obligada.

positive column *(Descargas luminiscentes)* columna positiva. Región luminosa, a veces estriada, que sigue al espacio obscuro de Faraday [Faraday dark space], ocupada por un plasma (CEI/56 07–14–035).

positive conductance *(Elec)* conductancia positiva.

positive contact contacto seguro [positivo].

positive control mando directo.

positive crystal *(Opt)* cristal positivo. Cristal en el cual la velocidad del rayo ordinario es mayor que la del rayo extraordinario.

positive definite function *(Mat)* función definida positiva.

positive definite matrix *(Mat)* matriz definida positiva.

positive dispersion *(Líneas de retardo)* dispersión positiva. Dícese cuando la onda fundamental es una onda directa (v. **forward wave**).

positive displacement *(Bombas, Compresores, Sopladores)* desplazamiento positivo.

positive distortion *(Telecom)* distorsión positiva ‖ *(Cine/Tv)* distorsión en barril [en tonel].

positive drive transmisión directa; transmisión por ejes y engranes; conexión directa; conexión rígida; propulsión positiva.

positive-driven supercharger *(Avia)* sobrealimentador de transmisión directa.

positive electricity electricidad positiva. v. **positive and negative electricity.**

positive electrode *(Pilas primarias)* electrodo positivo. (1) Cuerpo conductor que sirve de cátodo cuando el elemento suministra corriente, y que va conectado al borne positivo del mismo. Los electrones circulan por el ´circuito exterior hacia al electrodo positivo. (2) Electrodo que hace de cátodo cuando la pila suministra corriente y al cual está conectado el borne positivo (CEI/60 50–15–150). CF. **positive plate** ‖ *(Rect met)* electrodo positivo. Electrodo hacia el cual fluye la corriente de sentido directo.

positive electron (a.c. positron) electrón positivo, positrón | electrón positivo. Partícula elemental que posee una masa del mismo valor que la del electrón negativo y que contiene una carga positiva equivalente (CEI/38 05–10–060). CF. **negative electron.**

positive feedback realimentación [reacción] positiva, regeneración. Retroalimentación de un punto de alto nivel a un punto de bajo nivel de un amplificador o sistema, en tal relación de fase que se aumenta la ganancia o amplificación neta (aunque, si es excesiva, puede dar origen a inestabilidad y aumento en la distorsión). Si la realimentación positiva es de suficiente amplitud, se producen oscilaciones sostenidas. SIN. **regeneration.** CF. **negative feedback, singing** | (*i.e.* feedback tending to increase the output) realimentación positiva. Reacción que produce un aumento de la señal de salida (CEI/70 55–05–310).

positive-feedback amplifier amplificador con realimentación [reacción] positiva.

positive-feedback circuit circuito de realimentación positiva.

positive field gradient *(Fís)* gradiente de campo positivo.

positive film *(Cine/Fotog)* positiva.

positive frequency modulation modulación de frecuencia positiva. En televisión: Modulación de frecuencia tal que el paso del negro al blanco de la señal de imagen moduladora corresponde a un aumento del valor de la frecuencia instantánea (CEI/70 60–64–335). CF. **positive amplitude modulation.**

positive gate *(Elecn)* impulso positivo de desbloqueo.

positive ghost *(Tv)* imagen secundaria positiva (con las mismas gradaciones tonales que la imagen primaria).

positive glow *(Elecn)* luz anódica.

positive-going *adj:* de variación en sentido positivo; de pendiente positiva; que aumenta en sentido positivo.

positive-going pulse impulso positivo.

positive-going slope pendiente positiva.

positive grid *(Elecn)* rejilla positiva (respecto al cátodo).

positive-grid oscillator *(Elecn)* oscilador de rejilla positiva, oscilador de campo retardador. v. **retarding-field oscillator.**

positive-ground converter inversor de polaridad a masa. Dispositivo que se instala en un vehículo con positivo de batería a masa (tierra), intercalándolo en el cable de alimentación de un equipo radiotelefónico, cuando éste se ha fabricado para funcionar en vehículos con negativo a masa.

positive-ground vehicle vehículo con positivo (de batería) a masa [a tierra].

positive grounding (polo) positivo a masa.

positive half of a wave semionda positiva.

positive hole *(Elecn)* (a.c. hole) agujero positivo, laguna positiva.

positive image *(Cine/Tv/Fotog)* imagen positiva. Imagen normal, en la cual las luces y las sombras se corresponden con las de la escena original.

positive input *(Elecn)* entrada positiva.

positive input–negative output [PINO] circuito lógico de entrada positiva y salida negativa. Circuito lógico que admite un impulso positivo y suministra uno negativo.

positive ion ion positivo.

positive-ion accelerator acelerador de iones positivos.

positive-ion beam haz de iones positivos.

positive-ion emission emisión de iones positivos. En el caso de los tubos electrónicos, emisión termoiónica de iones positivos del metal de que está hecho el cátodo o de alguna impureza del mismo.

positive-ion oscillation oscilación de iones positivos.

positive-ion sheath *(Triodos de gas)* vaina de iones positivos. Agregado de iones positivos sobre la rejilla de mando o control.

positive-ion trapping captura de iones positivos. CF. **ion trap.**

positive leg *(Circ de alim)* rama negativa, lado positivo. SIN. **positive side.**

positive lens *(Opt)* lente convergente.

positive logic *(Informática)* lógica positiva. Lógica digital en la cual el *uno lógico* [logic one] es representado por un valor de tensión positiva más alto que el *cero lógico* [logic zero].

positive magnetostriction magnetostricción positiva. Dícese cuando la aplicación de un campo magnético causa dilatación del cuerpo observado.

positive matrix *(Electroformación)* matriz positiva, positiva. v. **positive.**

positive modulation modulación positiva. v. **positive amplitude modulation, positive frequency modulation.** SIN. **positive transmission.**

positive modulation factor factor [coeficiente] de modulación positivo. En el caso de una modulación de amplitud, el cociente $(A_{max} - A) \div A$, donde A y A_{max} son, respectivamente, el valor medio y el valor positivo máximo de la envolvente de modulación. Se usa este factor cuando la señal moduladora tiene picos positivos y negativos desiguales.

positive-negative booster *(Elec)* elevador-reductor (de tensión, de voltaje). v. **positive-and-negative booster, positive booster, negative booster.**

positive-negative three-level action *(Automática)* acción más o menos. Acción de tres niveles correspondientes respectivamente a dos valores de signo contrario y a un valor nulo de señal de salida (CEI/66 37–20–065).

positive number *(Mat)* número positivo. Número mayor que cero.

positive optical system sistema óptico convergente.

positive peak pico positivo, cresta positiva.

positive peak modulation pico positivo de la modulación.

positive picture phase *(Tv)* fase de imagen positiva. Dícese cuando los aumentos de brillo de la escena o imagen televisada causan aumentos en sentido positivo, por encima del nivel cero, en la tensión de señal de imagen.

positive plate   *(Acum)* placa positiva. (**1**) Placa que posee polaridad positiva (CEI/38 50–15–040). (**2**) Placa que hace de cátodo en régimen de descarga (CEI/60 50–20–080) ‖ *(Cine/Fotog)* positiva sobre cristal.

positive polarity   polaridad positiva. En el caso de los rectificadores de potencia de semiconductor, dícese cuando el cátodo va conectado a la espiga roscada de fijación.

positive pole   *(Elec)* polo positivo ‖ *(Mag)* polo positivo [norte]. Polo de un imán que tiende a orientarse hacia el polo norte geográfico.

positive pressure   presión positiva. Presión superior a una (generalmente la atmosférica) que se toma arbitrariamente como presión cero. En ciertos laboratorios se mantiene una presión positiva (superior a la atmosférica) para evitar la infiltración de polvo y otras partículas extrañas, pues en esa forma el escape de aire ocurre hacia afuera.

positive-pressure blower   ventilador impelente.

positive pulse   impulso positivo.

positive ray   rayo positivo, rayo canal. Corriente de átomos o de moléculas positivamente electrizados, producida mediante una combinación apropiada de ionización, aceleración, y limitación de abertura. Se observan los rayos positivos o canales detrás del cátodo de un tubo catódico, cuando se le hacen a aquél perforaciones (canales) con ese fin. Dichos rayos consisten en iones positivos que parten de las perforaciones en dirección opuesta a la de los rayos catódicos. v.TB. **canal rays.**

positive-ray analysis   análisis por rayos positivos. Separación de átomos y medida de sus masas sometiendo iones positivos a la desviación de campos eléctricos o magnéticos.

positive-ray current   corriente de rayos positivos. Corriente en un gas enrarecido, constituida por el movimiento de partículas electrizadas positivamente. SIN. **anode-ray current.**

positive rays   rayos positivos [canales]. v. **positive ray, canal rays.**

positive release printer   *(Cine)* copiadora final.

positive sawtooth   *(Elecn)* diente de sierra positivo.

positive separations   *(Cine)* separaciones positivas.

positive shoe   zapata positiva.

positive side   *(Circ de alim)* lado positivo.

positive sign   *(Mat)* signo positivo (+). El siguiente cuadro da los signos de las funciones trigonométricas en los distintos cuadrantes:

Función:	sen	cos	tg	cot	sec	cosec
I Cuadrante	+	+	+	+	+	+
II ,,	+	−	−	−	−	+
III ,,	−	−	+	+	−	−
IV ,,	−	+	−	−	+	−

positive signal element   *(Teleg)* elemento de señal positivo.

positive slope   *(Mat)* pendiente positiva.

positive-slope zero crossing   *(Ondas)* cruce del eje de cero con pendiente positiva.

positive stagger   *(Biplanos)* decalaje positivo. Dícese cuando el ala superior está más avanzada en posición que el ala inferior.

positive sweepback   *(Aeron)* flecha positiva.

positive synchronization   sincronización positiva.

positive temperature coefficient   coeficiente positivo de temperatura. Dícese cuando la característica considerada (p.ej. la resistencia eléctrica o la longitud de un cuerpo) aumenta con la temperatura.

positive terminal   *(Elec)* terminal [borne] positivo, borna positiva. Terminal o borne de una fuente de corriente hacia el cual fluyen los electrones por el circuito externo ‖ *(i.e. of a direct-current machine)* terminal positivo. Dícese del terminal (polo) eléctrico que se encuentra al potencial más elevado (CEI/56 10–30–045) ‖ *(Pilas y bat)* polo positivo, borna positiva. Borne de un elemento o de una batería a partir del cual circula la corriente eléctrica por el circuito exterior, retornando a la borna negativa, cuando el elemento o la batería está en descarga (CEI/60

50–10–025).

positive transition   *(Impulsos)* transición positiva. CF. **transition time.**

positive transmission   *(Tv)* (a.c. positive modulation) transmisión positiva, modulación (de amplitud) positiva. v. **positive amplitude modulation** ‖ *(Mec)* transmisión mandada.

positive true logic   *(Informática)* lógica de validez positiva.

positive tube   *(Elecn)* tiratrón con rejilla de control que impide la ionización mientras no se la haga positiva respecto al cátodo (el tubo no responde a potenciales de rejilla negativos).

positive value   valor positivo, valor mayor que cero.

positive voltage   tensión positiva, voltaje positivo.

positive voltage feedback   realimentación positiva de tensión, reacción positiva en tensión.

positive wave   onda positiva.

positive wire   *(Telef)* (a.c. + wire) hilo positivo. En telefonía automática y dentro de una central telefónica, hilo que es conectado al polo positivo [positive pole] de la batería cuando los órganos de la central están en reposo (CEI/70 55–95–020).

positive zero   cero positivo. (**1**) Valor cero al cual se llega a partir de un valor positivo. (**2**) Valor cero que se alcanza contando a la inversa a partir de un número positivo.

positively   *adv:* positivamente.

positively charged   cargado [electrizado] positivamente, con carga positiva.

positively charged atom   átomo cargado positivamente.

positively charged nucleus   núcleo cargado positivamente.

positively ionized   ionizado positivamente.

positively ionized atom   átomo ionizado positivamente.

positron   (a.c. positive electron) positrón, positón, electrón positivo. TB. antielectrón, electrón con carga positiva. El término viene de *positive electron* ‖ positrón, electrón positivo. Entidad elemental que posee una carga de electricidad igual y de signo contrario a la del electrón y una masa del mismo orden (CEI/56 07–05–085) ‖ positón. Partícula elemental que posee una carga eléctrica igual a la del electrón, pero de signo contrario, e igual masa (CEI/64 65–10–350) ‖‖ *adj:* positrónico.

positron annihilation   aniquilación de un positrón.

positron camera   cámara (de centelleo) positrónica.

positron decay   *(Nucl)* desintegración positrónica.

positron disintegration   desintegración positrónica, desintegración con emisión de positrones.

positron emission   emisión positrónica [de positrones].

positron emitter   emisor de positrones.

positronium   positronio. Sistema cuasiestable constituido por un positrón y un electrón ligados entre sí, cuyo conjunto de niveles energéticos es semejante al de un átomo de hidrógeno.

POSS   *(Teleg)* Abrev. de possible [posible].

possibility   posibilidad.

possible capacity   capacidad posible ‖ *(Carreteras)* capacidad posible (de tránsito). Número máximo de vehículos que puede pasar por un punto dado en un carril o calzada en una hora, en las condiciones existentes en la calzada y en el tránsito, prescindiendo de sus efectos en cuanto a ocasionar demoras a los conductores y/o restringir su libertad de maniobra. Se distingue de la *capacidad práctica* de tránsito [practical capacity].

post   poste, puntal, paral, montante, pie derecho. LOCALISMO: horcón ‖ pilar; soporte; sujeción; correo, estafeta; posta; puesto, empleo, colocación, destino ‖ *(Caballetes)* pata ‖ *(Lenguaje militar)* puesto, establecimiento (militar); puesto (de centinela); guarnición; puesto ocupado por tropas; tropas que ocupan un puesto ‖ *(Elec)* (i.e: binding post) borne, borna, terminal de tornillo ‖ *(Electroquím)* perno de polo. Perno conductor conectado a las colas de las placas de igual polaridad y al terminal. SIN. **terminal pillar** (CEI/38 50–25–080) ‖ *(Ilum)* (a.c. pin) patilla. Pieza metálica de forma cilíndrica, lisa o perfilada, o de forma especial, fijada a la extremidad del casquillo [base, cap *(GB)*] y destinada a encajar en la abertura correspondiente del portalámpara [socket, lampholder *(GB)*] para asegurar la fijación del casquillo y/o establecer el contacto eléctrico. NOTA: Los términos ingleses "pin" y "post" indican generalmente diferencia en las dimensiones de una patilla, siendo el "pin" más pequeño que el "post" (CEI/70 45–45–135) ‖ *(Guías de ondas)* (a.c. waveguide post) espiga, varilla, clavija. v. **miscellaneous matching and tuning devices** ‖ *(Máq)* columna ‖ *(Minas)* pilar macizo (de carbón, de mineral) ‖ *(Pistas de carreras)* jalón ‖‖ *prefijo:* pos, post ‖‖‖ *verbo:* apostar, colocar, situar; colocar, fijar, pegar (carteles); informar, comunicar, tener al corriente; poner en correos, echar (una carta) al correo; apostar (un agente secreto); poner de centinela; contabilizar, asentar, pasar asientos (al libro mayor).

post-accelerating anode   *(TRC)* ánodo de postaceleración. MENOS USADO: ánodo de aceleración suplementaria, ánodo intensificador. v. **intensifier electrode**.

post-accelerating electrode   *(TRC)* electrodo de postaceleración, electrodo postacelerador. MENOS USADO: electrodo acelerador posterior. v. **intensifier electrode**.

post-accelerating tube   v. **post-acceleration tube**.

post-acceleration   *(TRC)* (a.c. post-deflection acceleration) postaceleración. Aceleración de los electrones del haz después de la desviación.

post-acceleration tube   (a.c. post-accelerating tube) tubo (de rayos catódicos) de postaceleración. Tubo de rayos catódicos en el cual el haz electrónico recibe su aceleración final después de haber pasado por los electrodos de desviación [deflection electrodes].

post-acceleration voltage   *(TRC)* tensión de postaceleración.

post-amble   postámbulo. En el registro de datos en cinta magnética, grupo de señales especiales registradas al final de cada bloque de datos codificados en fase [block of phase-encoded data] para fines de sincronización electrónica. CF. **preamble**.

post-deflection accelerating electrode   *(Elecn)* electrodo de postaceleración. v. **intensifier electrode**.

post-deflection acceleration   *(TRC)* postaceleración, aceleración final [posterior a la desviación]. v. **post-acceleration** ‖ aceleración final. Aceleración suplementaria imprimida a los electrones de un haz electrónico después de la desviación (CEI/56 07–30–200).

post-deflection focus [PDF]   *(TRC)* postenfoque, enfoque [concentración] posterior a la desviación.

post-detector filtering   filtraje después de la detección.

post-echo   *(Discos fonog)* eco posterior, posteco. Eco que se manifiesta en el surco siguiente al que contiene el sonido principal. v. **echo**.

post-edit   *verbo: (Informática)* posteditar, editar la información de salida (de una computadora).

post-emphasis   postecualización, igualación [compensación] posterior. Ecualización o compensación fija que se aplica a la salida de un sistema reproductor para corregir una deficiencia conocida en la respuesta del mismo. SIN. **post-equalization**. CF. **deemphasis, preemphasis**.

post-equalization   postecualización, igualación [compensación] posterior. v. **post-emphasis**.

post finder   *(Herr)* (a.c. beam finder) buscaclavos. Util o herramienta consistente simplemente en un pequeño imán recto equilibrado, que se orienta hacia cualquier objeto metálico próximo. Se usa para localizar clavos en las paredes, cuando están cubiertas por la pintura o el papel. Sabiendo donde están los clavos se sabe también donde están las vigas o pies derechos de la pared, de donde viene su nombre en inglés. Puede utilizarse para localizar cualquier otro objeto de hierro o acero cubierto por un material no magnético.

post-forming   postformación; postmoldeado. Acción de dar forma o moldear chapas de plástico o resina solidificada aplicándoles calor rápidamente y apretando la chapa contra un molde para conformarla.

post-forming sheet   *(Plásticos)* chapa moldeable en caliente, lámina [hoja] que se puede conformar [moldear] en caliente.

post mill   molino de aspas.

post-mortem   Locución latina que significa "después de la muerte" ‖ *(Informática)* v. **post-mortem routine**.

post-mortem dump   *(Informática)* vaciado al final de la pasada. Vaciado estático [static dump] para fines de depuración (v. **debugging**), que se ejecuta al final de la pasada del programa o la rutina por la computadora.

post-mortem routine   (a.c. post-mortem) rutina fotográfica, rutina "post-mortem". Tipo de rutina de diagnóstico que determina la impresión del contenido de la memoria, así como de los distintos registros y acumuladores, en la situación en que se encontraban en el momento de la interrupción de un programa o del "trabado" de un problema, con el fin de ayudar a localizar la causa de la interrupción o el error de codificación del problema. SIN. **photographic [snapshot] routine** ‖ rutina "post-mortem". Rutina de diagnóstico, con frecuencia un vaciado [dump], utilizada después que un programa ha dejado de funcionar en la forma prevista.

post office   oficina de correos; administración de correos; cartería, estafeta.

[1]post-office box   *(Correos)* apartado postal [de correos]. El siguiente cuadro da (sin garantía de exactitud) los localismos usuales en varios países hispanoamericanos:

Argentina, Paraguay, Uruguay	: Casilla de correo
Bolivia, Chile	: Casilla
Colombia (tres clases)	: Apartado postal; : Apartado nacional; : Apartado aéreo
Costa Rica, El Salvador, Guatemala, Honduras, Venezuela	: Apartado
Cuba	: Apartado, Apartado postal
Ecuador	: Apartado, Casilla, Casilla de correos
Perú	: Apartado, Casilla

[2]Post Office box   *(Elec)* caja de puente. Conjunto de resistencias calibradas contenidas en la misma caja y que constituyen tres ramas [arms] de un puente de Wheatstone [Wheatstone bridge] (CEI/38 20–30–020, CEI/58 20–30–055).

Post Office bridge   *(Elec)* puente de clavijas. Puente de Wheatstone en el cual se seleccionan los diversos valores de resistencias mediante clavijas o pasadores que se insertan entre plots (v. **plug** — a.c. bridging plug).

Post Office position indicator [POPI]   *(Radionaveg)* sistema POPI. v. **POPI**.

post-paid   v. **postpaid**.

post-record   *(Cine)* v. **post-scoring**.

post-scoring   *(Cine)* (a.c. post-record) postsonorización; sonorización (de una película muda); postsincronización. SIN. **post-synchronization**.

post-selection   *(Telecom)* selección ulterior.

post-sync field-blanking interval   *(Tv)* intervalo de supresión de campo postsincronización. Intervalo de tiempo comprendido entre el fin de la señal de sincronización de campo [field-sync pulse], durante el cual no se transmiten más que el nivel de supresión [blanking level] y la señal de sincronización de línea [line-sync pulses] (CEI/70 60–64–845).

post-synchronization   *(Tv)* postsincronización ‖ *(Cine)* (a.c. post-syncing) postsincronización; postsonorización; sonorización (de una película muda). SIN. **post-scoring**.

post-syncing   *(Cine)* v. **post-synchronization**.

post-type insulator   *(Elec)* aislador de columna.

postage   franqueo ‖ v. **postage expense**.

postage expense   (a.c. postage) gastos de franqueo [de correo, de expedición].

postage meter   franqueadora, contador postal. SIN. **postage-metering machine**.

postage-metering machine   v. postage meter.

postage paid   porte pagado; franco de porte.

postage rates   tarifa postal [de correo].

postage stamp   sello de correo(s), estampilla postal [de franqueo, de correo], timbre postal.

postage-stamp capacitor   *(slang)* capacitor de mica.

postal   *(i.e.* postal card) postal, tarjeta postal /// *adj:* postal.

postal card   *(also* postal, postcard) postal, tarjeta postal.

postal-cheque telegram   transferencia telegráfica, giro telegráfico.

postal convention   convenio postal.

postal customhouse   aduana de correos.

postal money order   (a.c. postal order) giro postal. LOCALISMOS: libranza postal, orden de estafeta, vale del correo.

postal note   mandato [vale] postal.

postal notification of delivery   *(Teleg)* acuse de recibo postal. Indicativo: PCP.

postal order   v. postal money order.

postal permit   franquicia postal.

postal rate   tasa postal, (cuota de) franqueo.

postal receipt   talón [guía] postal.

postal referendum   referéndum [consulta] por vía postal.

postal regulations   reglamento postal.

postal scale   balanza pesacartas [para cartas].

postal van   *(Ferroc)* coche correo.

postal wrapper   faja postal.

postal zone   zona postal.

postcard   (a.c. postal card) tarjeta postal.

poste restante   lista de correos. La frase en lengua francesa se usa internacionalmente para indicar que la carta o el telegrama que se lleva debe ser incluido en la *lista de correos* y retenido en la administración hasta que sea reclamado por el destinatario.

posterior   *adj:* posterior.

posterior-anterior view   *(Radiol)* (a.c. PA view, PA projection, anterior projection, frontal projection) vista posterior-anterior, vista [proyección] PA, proyección anterior [frontal]. Radiograma [radiograph] en el cual los rayos X atraviesan el cuerpo de atrás a adelante (CEI/64 65–25–105).

posterior probability   *(Mat)* probabilidad *a posteriori.* CF. prior probability.

posterior projection   *(Radiol)* proyección posterior. v. dorsal projection.

posting   inscripción, asiento (de cuentas) (en el mayor), acto de asentar cuentas en el libro mayor; fijación (de carteles, de anuncios); despacho de correspondencia por correo, envío (de cartas) por correo; nombramiento (para un puesto, para un mando).

posting counter   *(Informática)* contador de transferidora.

posting fluid   *(Informática)* fluido para transferidora.

posting line indicator   *(Informática)* indicador de renglón (en la transferidora).

posting linefinder   *(Informática)* visor indicador de renglón (en la transferidora).

posting machine   (máquina) contabilizadora || *(Informática)* transferidora.

posting supplies   *(Informática)* accesorios para transferidora.

posting table   *(Informática)* mesa de transferidora.

postpaid   *adj:* porte pagado, franco (de porte). Cuando acompaña la mención de un precio, puede traducirse también por *incluido el porte* o *el franqueo postal.*

postulate   postulado /// *verbo:* postular.

pot   pote; marmita; olla, puchero, cacerola; caldereta; recipiente, vaso; maceta, tiesto; crisol, recipiente refractario (para fundir vidrio) || *(Electroquím/Electromet)* célula [cuba] electrolítica | (a.c. furnace, electrolytic furnace) crisol, horno (electrolítico). v. electrolytic cell || *(Elecn/Telecom)* *(slang)* potenciómetro. v. potentiometer || *(Telecom)* caja de bobinas de carga /// *verbo:* cocer (en olla, en cacerola); plantar (en macetas, en tiestos); meter en

pote; conservar en tarros.

pot-head   v. pothead.

pot signal   *(Ferroc)* señal baja [de linterna].

pot sleeper   *(Ferroc)* durmiente copa [tortuga]. Traviesa formada por dos piezas elípticas de hierro fundido unidas por una planchuela de hierro.

potassium   potasio. Metal alcalino de número atómico 19. Posee características de fotosensibilidad. Es moderada su sección eficaz de absorción de neutrones térmicos [thermal neutron absorption cross-section]. Símbolo: K.

potassium-argon dating   determinación de edades por el método del potasio-argón. Determinación de la edad de una muestra geológica, arqueológica u orgánica por medida de la cantidad de argón acumulado en la roca madre [matrix rock] por desintegración del potasio radiactivo.

potassium chloride   *(Quím)* cloruro potásico.

potassium dihydrogen phosphate [KDP]   fosfato de potasio y dihidrógeno.

potassium dihydrogen phosphate crystal [KDP crystal]   cristal de fosfato de potasio y dihidrógeno. Tiene propiedades piezoeléctricas; se emplea p.ej. en transductores de sonar.

potassium hydroxide   hidróxido de potasio.

potassium silicate   silicato potásico [de potasio].

potassium silicate glass   silicato potásico sólido.

potassium silicate solution   solución de silicato potásico.

potency   potencia; poder; fuerza || *(Bebidas alcohólicas)* fuerza, grado || *(Medicina)* potencia, eficacia, actividad, poder terapéutico (de un medicamento) || *(Mat)* potencia.

potential   *(Fís, Elec)* potencial. Diferencia de tensión entre dos puntos o dos cuerpos. Con frecuencia se presume que una de las tensiones es la de tierra (potencial cero). SIN. tensión, voltaje | (at a point) potencial (en un punto). Cantidad de trabajo necesario para trasladar la unidad de cantidad de electricidad desde el infinito hasta el punto considerado | (a.c. potential function) potencial, función potencial. Magnitud escalar cuyo valor está definido, salvo una constante, en todos los puntos de un campo irrotacional, y cuya variación de un punto a otro es la integral de línea del vector entre estos dos puntos (CEI/38 05–05–10) || *(Mat)* potencial || v. magnetic potential, electrical potential, ionization potential, normal electrode potential (of a metal) /// *adj:* potencial; posible; virtual; latente || *(Elec)* de potencial, de tensión, de voltaje; en derivación.

potential attenuator   *(Elec)* atenuador de potencial [de voltaje].

potential barrier   *(Fís/Elecn)* (a.c. potential hill) barrera de potencial, colina [montaña] de potencial. Curva de energía potencial [potential energy curve] delimitadora de dos regiones del diagrama energético [energy diagram]:

• Una región en la cual la energía cinética [kinetic energy] es positiva y que corresponde por consiguiente a un movimiento posible en el sentido de la mecánica clásica [classical mechanics].

• Una región en la cual la energía cinética sería negativa, y que corresponde por consiguiente a un movimiento imposible en el sentido de la mecánica clásica.

• EJEMPLO: Barrera de potencial en la superficie de un metal, cuya existencia se debe al hecho de que no hay núcleo fuera del metal que modifique la curva de energía potencial debida al núcleo interior más próximo a la superficie.

(CEI/56 07–16–010). CF. potential trough.

potential box   *(Nucl)* v. potential well.

potential coil   *(Elec)* bobina en derivación. En un aparato, bobina conectada en derivación o shunt con el circuito, a distinción de las bobinas conectadas en serie con éste, y que en consecuencia responde a las variaciones de tensión. En el caso particular de los vatímetros se llama también *bobina voltimétrica.* CF. potential winding.

potential core   *(Chorros turbulentos)* núcleo potencial. Región no turbulenta próxima al orificio en el centro del chorro.

potential curve   *(Fís/Elecn)* curva de (energía) potencial. v. **potential-energy curve.**

potential diagram   diagrama de potencial | (of an electron-optical system) carta de potencial (de un sistema de óptica electrónica). Carta (diagrama) que representa las curvas equipotenciales [equipotential curves] en un plano de simetría [plane of symmetry] de un sistema de óptica electrónica (CEI/56 07-45-060).

potential difference [PD]   diferencia de potencial. Diferencia algebraica entre los potenciales de dos puntos; por lo tanto, tensión existente entre esos puntos. SIN. **tensión, voltaje** | diferencia de potencial. Trabajo necesario para trasladar la carga unitaria de un punto a otro.

potential distribution   reparto de potencial.

potential divider   divisor de potencial [de tensión, de voltaje]; reductor de voltaje. SIN. **voltage divider** | reductor, divisor de tensión. Aparato constituido por resistencias o reactancias que permite fraccionar la tensión a medir (CEI/38 10-10-050) | potenciómetro. SIN. **potentiometer.**

potential drop   caída de potencial [de tensión, de voltaje]. SIN. **potential fall.**

potential energy   energía potencial. Energía debida a la posición de una partícula o un cuerpo respecto a otras partículas u otros cuerpos.

potential-energy curve   *(Fís/Elecn)* curva de (energía) potencial. En un diagrama energético [energy diagram], curva que representa la variación de la energía potencial en función de un parámetro característico del grado de libertad [degree of freedom] de una partícula. EJEMPLOS:
- Curva de energía potencial relativa a un núcleo en un metal;
- Curva de energía potencial resultante de la presencia de varios núcleos;
- Curva de energía potencial de una molécula diatómica [diatomic molecule].

SIN. **potential curve** *(término desaconsejado)* (CEI/56 07-16-005).

potential fall   *(Elec)* caída de potencial. SIN. **potential drop** ‖ *(Elecn)* (due to space charge near the anode; a.c. anode fall) caída anódica | (due to space charge near the cathode; a.c. cathode fall) caída catódica.

potential field   campo potencial.

potential flow   flujo potencial.

potential flow tank   cuba electrolítica.

potential function   *(Elec)* función potencial, potencial. v. **potential.**

potential fuse   *(Elec)* fusible de potencial. Fusible que protege el circuito de tensión de un aparato.

potential galvanometer   galvanómetro de potencial. Galvanómetro de tan elevada resistencia que toma una corriente insignificante (prácticamente nula).

potential gradient   *(Elec)* gradiente de potencial. Tasa de variación del potencial en la dirección del campo (CEI/38 05-05-115).

potential hearing damage   sordera potencial, pérdida potencial de agudeza auditiva.

potential hearing-damage environment   ambiente capaz de causar sordera [pérdida de agudeza auditiva].

potential hill   *(Fís/Elecn)* colina [montaña] de potencial, barrera de potencial. v. **potential barrier.**

potential hole   *(Elec)* laguna de potencial. Región hacia la cual el potencial eléctrico cae abruptamente. CF. **potential trough, potential well.**

potential image   imagen de potencial.

potential interference   *(Radiocom)* perturbación potencial, riesgo de interferencia.

potential loop   *(Ondas estacionarias)* vientre de tensión [de voltaje].

potential minimum   mínimo de potencial.

potential-minimum noise   ruido de potencial mínimo.

potential node   *(Ondas estacionarias)* nodo de tensión [de voltaje].

potential operator   *(Mat)* operador potencial.

potential peak   cresta [pico] de potencial.

potential peak period   *(Elec)* período de punta [de carga fuerte]. Período durante el cual puede considerarse que existe una posibilidad apreciable de que aparezca una punta anual [absolute peak] (CEI/65 25-60-040). CF. **off-peak periods.**

potential plateau   *(Fís/Elecn)* meseta de potencial. Superficie superior de las colinas de potencial [potential hills] resultante del conjunto de núcleos, con exclusión de los que se encuentran inmediatamente adyacentes a la superficie del metal. Este es el nivel más bajo de electrones libres [free electrons] (CEI/56 07-16-025).

potential probe   *(Descargas eléc en los gases)* (a.c. probe) sonda (de potencial). Electrodo auxiliar de pequeñas dimensiones en relación con el volumen del gas, que se coloca en un tubo de gas [gas tube] para medir el potencial de espacio [space potential] (CEI/56 07-13-115).

potential pulse   impulso de tensión.

potential regulator   *(Elec)* regulador de tensión [de voltaje].

potential resolving ability   *(Lentes)* poder de resolución potencial.

potential scattering   *(Fís/Nucl)* dispersión potencial. Dispersión que se origina por reflexión en la superficie del núcleo, dejando sin perturbación el interior de éste; dispersión de una onda incidente por reflexión en una variación o discontinuidad.

potential switch   *(Elec)* interruptor de potencial.

potential temperature   *(Fís)* temperatura potencial. La que adquiere el aire cuando se lo lleva adiabáticamente a una presión normal (usualmente 1 baria = 1 dina/cm²).

potential theory   teoría del potencial.

potential transformer   *(Elec)* transformador de potencial [de tensión]. v. **voltage transformer.**

potential trough   *(Fís/Elecn)* valle [pozo] de potencial. Región de un diagrama energético [energy diagram] delimitada por los declives de dos colinas de potencial [potential hills] vecinas. EJEMPLO: Valles de potencial en las capas internas del núcleo en un metal. Los electrones cuyo punto representativo se encuentra en esta región, son electrones ligados [bound electrons] (CEI/56 07-16-020). CF. **potential plateau.**

potential value   valor potencial ‖ *(Elec)* valor de potencial.

potential variation   variación de potencial.

potential vector   vector potencial. v. **vector potential.**

potential well   *(Nucl)* pozo de potencial. Región próxima al mínimo en una curva de energía potencial nuclear (v. **nuclear potential**). CF. **potential hole.**

potential winding   *(Elec)* devanado en derivación. En un aparato, devanado conectado a los dos lados del circuito, y sobre el cual actúa, por consiguiente, la tensión de este último. CF. **potential coil.**

potentiality   potencialidad, capacidad; posibilidad en potencia; posibilidades de utilización [de aplicación].

potentially   *adv:* potencialmente, en potencia; virtualmente.

potentiometer   *(Elec)* potenciómetro. Dispositivo consistente en un elemento de resistencia con tres bornes o terminales; de éstos, dos van conectados a los extremos del elemento, y el tercero va unido a un contacto móvil (cursor) que puede situarse, mediante una perilla o una palanca de mando, en cualquier punto de dicho elemento. El potenciómetro sirve para obtener, entre el contacto móvil y uno de los extremos del elemento de resistencia, una fracción variable a voluntad de la tensión aplicada entre los extremos. En esta función se le llama *divisor de tensión* [voltage divider]. Si sólo se utilizan los terminales correspondientes al cursor y a uno de los extremos, el dispositivo puede conectarse en función de *reóstato* o de simple *resistencia variable*. SIN. **reductor de tensión [de voltaje], divisor de tensión [de voltaje]** —— pot *(slang)*, **potential [voltage] divider.** CF. **variable resistor, variable resistance, rheostat** ‖ *(Aparatos de medida)* potenciómetro. (1) Artificio de medida formado por resistencias calibradas y destinado a comparar una diferencia de potencial con la fuerza electromotriz de una pila patrón [standard cell], por un método de compensación (CEI/38 20–30–035). (**2**) Dispositivo de medida formado por resistencias calibradas [calibrated resistors] y destinado a la comparación de una diferencia de potencial con la fuerza electromotriz de una pila patrón o con otra diferencia de potencial, por un método de oposición [opposition method]. En la práctica el conjunto está dispuesto y marcado de manera que se pueda leer directamente el valor de la diferencia de potencial que se mide o un múltiplo decimal [decimal] de ella (CEI/58 20–30–085). /// *adj:* potenciométrico.

potentiometer arm   cursor de potenciómetro. SIN. **potentiometer slider.**

potentiometer chain   cadena potenciométrica.

potentiometer control   control [regulador] potenciométrico. Control o regulador de tensión variable obtenida mediante un potenciómetro.

potentiometer divider   divisor potenciométrico.

potentiometer indicator   indicador potenciométrico.

potentiometer method   método potenciométrico | método del potenciómetro. Método de oposición [opposition method] en el cual el valor numérico de la resistencia variable [variable resistor] es un múltiplo sencillo [simple multiple] de la tensión que se quiere medir (CEI/58 20–40–330).

potentiometer network   red potenciométrica, circuito potenciométrico.

potentiometer recorder   registrador potenciométrico.

potentiometer rheostat   reostato potenciométrico; reostato en puente.

potentiometer setting   ajuste del potenciómetro; calibración del potenciómetro.

potenciometer slider   cursor [corredera] de potenciómetro. SIN. **potentiometer arm.**

potentiometer step   paso de ajuste de potenciómetro; plot [contacto] de potenciómetro. CF. **step potentiometer.**

potentiometer stud   plot [contacto] de potenciómetro.

potentiometer-type resistor   resistencia potenciométrica. Resistencia con tomas intermedias [intermediate tappings] que permiten obtener entre ellas fracciones de la tensión aplicada a aquélla (CEI/57 15–50–175).

potentiometer-type rheostat   reostato potenciométrico. Resistencia potenciométrica [potentiometer-type resistor] que permite hacer variar el valor de la tensión obtenida sin deshacer las conexiones (CEI/57 15–50–180).

potentiometer-type transducer   transductor potenciométrico. Transductor en el cual la magnitud mecánica observada (p.ej. una presión) mueve el cursor o contacto deslizante de un potenciómetro.

potentiometer unit   conjunto potenciométrico.

potentiometer wiper   contacto deslizante de potenciómetro.

potentiometer wiper arm   cursor de potenciómetro. SIN. **potentiometer arm [slider].**

potentiometric   *adj:* potenciométrico.

potentiometric analysis   análisis potenciométrico.

potentiometric braking   *(Grúas)* frenado potenciométrico.

potentiometric proportioning control   control proporcional potenciométrico.

potentiometric strip-chart recorder   registrador potenciométrico de carta en rollo.

potentiometric titration   *(Quím analítica)* valoración [titulación] potenciométrica. SIN. **constant-current titration.**

potentiometric titrimeter   valorador [titulador] potenciométrico.

potentiometric transducer   transductor potenciométrico. v. **potentiometer-type transducer.**

potentiometric voltmeter   voltímetro potenciométrico. Voltímetro de precisión en el cual se compara una fracción de la diferencia de potencial que quiere medirse, con la fuerza electromotriz de una pila patrón, obteniéndose dicha fracción mediante resistencias calibradas de precisión. SIN. **potenciómetro —— (true) poten-**

tiometer.

potentiometrically   *adv:* potenciométricamente.

potentiometrically balanced   equilibrado potenciométricamente.

pothead   *(Elec/Telecom)* terminador [cabeza] de cable, cabeza terminal de cable. Aislador que sirve para efectuar un empalme hermético entre un cable soterrado y una línea aérea.

pothead jointing sleeve   *(Telecom)* manguito cabeza de cable.

Potier's coefficient of equivalence   *(Máq sincrónicas)* coeficiente de equivalencia de Potier. Coeficiente, deducido por el método de Potier [Potier's method] de las características en vacío y en carga reactiva, por el cual hay que multiplicar la corriente de inducido [armature current] del sistema directo para obtener la corriente de excitación [excitation current] que compensa la fuerza magnetomotriz de reacción de inducido [magnetomotive force of armature reaction] para esa corriente (CEI/56 10–45–085). v. la NOTA "10–45–000" en el artículo *synchronous machine.*

Potier's diagram   diagrama de Potier. Diagrama vectorial que representa las relaciones de tensiones y corrientes en una máquina sincrónica.

Potier's electromotive force   *(Máq sincrónicas)* fuerza electromotriz de Potier. Fuerza electromotriz resultante de la composición geométrica [vectorial addition] de la tensión en bornes, de la caída por resistencia [resistance drop] en el inducido, y de la caída inductiva [inductive drop] debida a la reactancia de Potier [Potier's reactance] (CEI/56 10–45–040). v. la NOTA "10–45–000" en el artículo *synchronous machine.*

Potier's method   método de Potier.

Potier's reactance   *(Máq sincrónicas)* reactancia de Potier. Reactancia de fugas para el régimen nominal [rated conditions] deducida por el método de Potier de las características en vacío y en carga reactiva (CEI/56 10–45–080). v. la NOTA "10–45–000" en el artículo *synchronous machine.*

potted   *adj:* en maceta, enmacetado, colocado en maceta; conservado (en tarros), en conserva | embebido [contenido] en una masa sólida (de material aislante, de resina sintética); encapsulado. v. **potting.**

potted and sealed transformer   transformador encapsulado herméticamente.

potted assembly   *(Elecn)* conjunto embebido (en resina sintética).

potted group   *(Elecn)* grupo encapsulado.

Potter-Bucky grid   *(Radiol)* (a.c. Bucky, grid, Bucky grid, Bucky diaphragm, moving grid, reciprocating grid) rejilla de Potter y Bucky, rejilla móvil [oscilante]. v. **moving grid.**

Potter multivibrator   multivibrador de Potter.

potting   enmacetado, colocación en macetas; colocación en tarros || *(Elecn)* impregnación; embebido; encapsulación. El procedimiento clásico consiste en colocar el elemento que se quiere proteger contra el medio en un recipiente metálico y vaciar en éste un compuesto aislante (generalmente asfáltico) en caliente. Modernamente la lata o recipiente metálico es reemplazado por un molde de vaciado que se usa repetidamente, y en vez de dicho compuesto se emplean plásticos o resinas sintéticas que al endurecerse dejan el elemento embebido en la masa sólida, la cual proporciona aislamiento eléctrico y hermeticidad contra el aire u otro medio ambiente. SIN. **impregnation, embedment, encapsulation.**

Poulsen arc   *(Radio)* arco de Poulsen. Primitivo arco de corriente continua usado para generar oscilaciones de radiofrecuencia entretenidas (no amortiguadas). Los electrodos del arco iban encerrados en una cámara a través de la cual pasaba continuamente hidrógeno o gas de alumbrado. En el exterior de la cámara el arco iba conectado en derivación con un circuito oscilante [oscillatory circuit] formado por un condensador y el circuito primario de un transformador con núcleo de aire.

pound   libra (= 453,6 gramos); choque, golpe; ruido pesado y apagado /// *verbo:* golpear; batir; triturar; machacar, majar; moler; apisonar || *(Máq)* hacer ruido.

pound avoirdupois libra. Libra de uso corriente, igual a 16 onzas (453,6 gramos).

pound troy libra de 12 onzas (373,24 gramos).

poundal poundal. Unidad de fuerza en el sistema pie-libra-segundo (sistema inglés). Es la fuerza que imparte a una masa de 1 libra una aceleración de 1 pie por segundo por segundo (1 pie/s²). Equivalencia: 1 poundal = $1,383 \times 10^4$ dinas.

pour point *(Aceites)* punto de fluidez ‖ *(Lubricantes)* temperatura de descongelación ‖ *(Petr)* punto de fusión; temperatura de fluidez crítica.

pour test prueba [ensayo] de fluidez.

powder polvo; pólvora ⫫ *verbo:* pulverizar(se); reducir(se) a polvo; espolvorear; empolvar; ponerse polvo.

powder metallurgy pulvimetalurgia, pulvimetalogía. Técnica de fabricar piezas y objetos comprimiendo metales finamente pulverizados en moldes apropiados, y tratando luego la pieza a una temperatura inferior a la de fusión del metal.

powder ore mineral [mena] en polvo; mineral diseminado.

powder pattern cristalograma de polvo de cristal; diagrama (de difracción) de cristales finos.

powdered *adj:* pulverizado, en polvo; empolvado.

powdered iron hierro pulverizado, hierro en polvo.

powdered-iron core núcleo de hierro pulverizado, núcleo de polvo de hierro conformado [aglomerado, conglomerado]. Núcleo hecho con hierro pulverizado, mezclado con un ligante aislador, y conformado a presión. SIN. **dust core, ferrite core.**

powdered-iron slug núcleo (deslizante) de hierro pulverizado [hierro en polvo], núcleo de polvo de hierro.

powdered magnetic alloy aleación magnética pulverizada.

powdered metal metal pulverizado [en polvo].

powdered resin resina en polvo.

powderiness pulverulencia.

powdering pulverización; reducción a polvo; espolvoreamiento; trituración.

powdery *adj:* empolvado, lleno de polvo; polvoriento; pulverulento; deleznable, quebradizo, friable, que se desmenuza fácilmente.

powdery snow nieve pulverulenta; nieve deleznable.

power energía; potencia; fuerza (motriz); poder; alimentación (de potencia), suministro de energía; energía eléctrica; alimentación eléctrica, suministro eléctrico [de energía eléctrica]; cantidad grande; medios mecánicos ‖ *(Fís)* potencia. Trabajo por unidad de tiempo. Energía consumida o suministrada por unidad de tiempo. En electricidad, producto de la tensión aplicada (voltios) por la corriente resultante en fase (amperios). Este producto viene dado por la fórmula: $W = EI \times (f.p.)$, donde W es la potencia en vatios, E la tensión en voltios, I la corriente en amperios, y $(f.p.)$ el factor de potencia (v. **power factor**). CF. **active power, apparent power, reactive power, instantaneous power, mean power, hydraulic power, thermal power, multiplying power, penetrating power of radiation** ‖ *(Máq)* potencia ‖ *(Mat)* potencia; exponente ‖ *(Opt)* aumento. Factor por el cual aparece multiplicado el tamaño del objeto. SIN. **magnification** ‖ *(Telecom)* potencia. Expresión de la intensidad absoluta de la señal en determinado punto de un circuito o sistema. CF. **level** ‖ *(Radioemisoras)* potencia; potencia suministrada a la antena ‖ v. **power of...** ⫫ *adj:* motriz, motor; motorizado; servomandado; mecánico, accionado mecánicamente ⫫ *verbo:* dar energía, suministrar energía [potencia, fuerza motriz], alimentar (con potencia); aplicar (la) energía eléctrica; accionar (mecánicamente), poner en movimiento.

power-actuated *adj:* motorizado, de accionamiento motriz; mecánico, accionado con el auxilio de potencia mecánica.

power advantage *(Telecom)* ganancia de potencia.

power aging *(Elecn)* estabilización (de características) con aplicación de tensiones eléctricas. v.TB. **aging.**

power amplification *(Elecn)* amplificación de potencia. Relación por cociente entre la potencia de salida y la potencia de entrada de un circuito o dispositivo. CF. **current amplification, voltage amplification** ‖ *(Transductores mag)* factor de amplificación en la potencia aparente. Razón (relación por cociente) de una variación elemental de la potencia de salida considerada, a la variación correspondiente de la potencia de mando [control power], en régimen estable [steady-state conditions] y para condiciones de funcionamiento determinadas (CEI/55 12-10-040).

power amplifier [PA] amplificador de potencia. LOCALISMO: amplificador de poder. INCORRECTAMENTE: amplificador de energía. Amplificador destinado a suministrar una potencia de salida considerablemente mayor que la de excitación, o sea, que la aplicada a la entrada. En el caso de los transmisores de radio refiérese a veces a la última etapa amplificadora de potencia, y entonces se le llama también *amplificador final* o *de salida,* o sencillamente *el final,* especialmente refiriéndose al tubo o al *paso final.* En los sistemas electroacústicos el amplificador de potencia es el que excita los altavoces.

power-amplifier drive excitador del amplificador de potencia, etapa de ataque al amplificador de potencia.

power-amplifier plate tank tanque de placa [circuito resonante de ánodo] del amplificador de potencia.

power-amplifier stage etapa amplificadora de potencia.

power-amplifier tube *(Elecn)* tubo amplificador de potencia. SIN. **power tube.**

power-amplifier unit unidad amplificadora de potencia.

power approach *(Avia)* acercamiento con motor, aproximación con motor en marcha.

power-assisted *adj:* ayudado por medios mecánicos; ayudado por servomando.

power-assisted control *(Automática)* control indirecto. Modo de control (regulación) que exige un aporte de energía exterior (CEI/66 37-25-045). CF. **self-operated control.**

power attenuation *(Transductores)* atenuación [pérdida] de potencia. v. **power loss.**

power balance *(Fís)* balance energético. SIN. **energy balance.**

power block *(Elecn/Telecom)* bloque de terminales de alimentación.

power-bogie locomotive *(Ferroc)* locomotora de bogie motor.

power-boosted *adj:* servoasistido.

power-boosted control mando servoasistido.

power-boosting linear amplifier *(Radiocom)* amplificador lineal para elevar potencia.

power brake freno mecánico ‖ *(Autos)* servofreno; freno de vacío ‖ *(Avia)* freno automático ‖ *(Mot)* freno para medir la potencia.

power breeder (a.c. power breeder reactor) reproductor de potencia, reactor reproductor. Reactor que produce energía útil y, además, combustible nuclear.

power breeder reactor *(Nucl)* v. **power breeder.**

power bridge *(Elec)* puente para mediciones de potencia.

power busbar *(Elec)* barra colectora para fuerza.

power cable cable de energía eléctrica, cable para transporte de energía, cable de transmisión, cable de fuerza motriz ‖ *(Elecn/Telecom)* cable tomacorriente, cable alimentador [de alimentación].

power cableway *(Elec)* conducto para cables de energía eléctrica, conducto para tendido interior de cables de transmisión.

power capability capacidad de potencia.

power capacitor condensador de potencia; capacitor de energía.

power capacity capacidad de potencia. Dícese p.ej. de la potencia que puede absorber un altavoz sin sufrir daño permanente ‖ *(Producción de energía)* potencia instalada.

power chain *(Mec)* cadena de transmisión.

power chain reaction *(Nucl)* reacción en cadena para producción de energía; reacción en cadena energética.

power circuit *(Elecn/Telecom)* circuito de potencia; circuito de alimentación ‖ *(Automática)* circuito de potencia. Conjunto de los circuitos que transmiten la mayor parte de la energía exigida por el funcionamiento del sistema de control automático [automatic control system] (CEI/66 37-15-015) ‖ *(Tracción eléc)* circuito principal. Conjunto de circuitos recorridos por la corriente de las máquinas que transforman la potencia de tracción [tractive output] (motores de tracción, convertidores, etc.) (CEI/57 30–15–195) ‖ *(Nucl)* ciclo de potencia.

power coefficient   *(Fuentes de energía)* coeficiente de rendimiento ‖ *(Nucl)* coeficiente de potencia. Variación de reactividad [reactivity] con el aumento de potencia en un reactor.

power coefficient of negative reactivity   *(Nucl)* coeficiente de potencia de reactividad negativa.

power company   compañía de electricidad, compañía de distribución (de energía eléctrica).

power component   *(Elec)* componente activa [en fase].

power conductor   *(Elec)* conductor de energía. CF. **power cable.**

power connector   *(Aparatos)* conector de alimentación.

power conserver   economizador de energía.

power consumption   consumo (de energía) ‖ consumo de potencia. Potencia suministrada a un emisor radioeléctrico en las condiciones especificadas de funcionamiento, en particular en lo que concierne a la modulación, y que comprende la potencia suministrada a todos los dispositivos auxiliares indispensables en servicio normal [normal operation] (CEI/70 60–42–240) ‖ *(Relés)* consumo propio. Potencia absorbida por los circuitos del relé, expresada en volt-amperes, en corriente alterna, y en watts, en corriente continua, para los valores normales de la corriente o de la tensión (CEI/56 16–20–055).

power-consumption efficiency   rendimiento de la potencia consumida. CF. **power factor.**

power contact   *(Elec)* contacto de potencia.

power control   control de potencia; mando mecánico; servomando, servomecanismo ‖ variador de potencia. Dispositivo con el cual puede hacerse variar la potencia suministrada a otro.

power control cable   cable de mando de la alimentación.

power control panel   tablero de mando de la alimentación.

power control relay   relé [relevador] de control de potencia.

power control rod   *(Nucl)* barra de control de potencia. Barra de control [control rod] que sólo produce variaciones menores en la reactividad [reactivity] de un reactor. CF. **regulating rod.**

power control unit   unidad de control de potencia ‖ *(Tractores)* unidad controladora [de control mecánico], unidad de gobierno (por potencia).

power-controlled   *adj:* de potencia controlada; servomandado; de regulación mecánica.

power-conversion unit   unidad de conversión de alimentación; equipo de conversión de potencia.

power converter   convertidor de alimentación [de potencia]. Dinamotor o dispositivo que transforma energía de CC en energía de CA.

power conveyor   transportador mecánico.

power cord   cordón de alimentación. Cable flexible que suministra energía eléctrica a un aparato o equipo. SIN. **cordón tomacorriente [eléctrico], cordón de la red, cordón de alimentación eléctrica, cordón conductor de la corriente (al aparato)** —— **line cord.**

power-cord retaining bracket   soporte para recoger el cordón de alimentación (cuando no se está usando el aparato).

power coupler   acoplador de potencia; enchufe de toma de fuerza.

power current   *(Elec)* corriente fuerte [de gran amperaje].

power curve   curva de potencia.

power cut   interrupción de la alimentación (eléctrica); interrupción en el suministro de energía (eléctrica); corte [restricción] de energía.

power cutout   *(Elec)* disyuntor.

power cycle   ciclo de trabajo.

power density   densidad de potencia. (**1**) Potencia por unidad de superficie en un campo electromagnético radiado, generalmente expresada en vatios por centímetro cuadrado. (**2**) En el núcleo de un reactor nuclear, potencia generada por unidad de volumen (unidad volumétrica).

power detection   detección [desmodulación] de potencia. V. **power detector.**

power detector   detector de potencia. Detector capaz de admitir señales de gran amplitud sin causar distorsión intolerable.

power development   desarrollo de los recursos de producción de energía; aprovechamiento de las fuentes de energía.

power deviation   desviación de potencia.

power device   dispositivo de potencia; dispositivo motorizado.

power direction relay   *(Elec)* relé para sentido de fuerza ‖ relé direccional de potencia. Relé de potencia [power relay] influido principalmente por el signo de la potencia, siendo de importancia secundaria el valor de la misma (CEI/56 16–30–045).

power directional relay   V. **power direction relay.**

power directivity pattern   distribución espacial de la potencia. V.TB. **directivity pattern.**

power-dissipating   *adj:* disipador de potencia.

power-dissipating resistor   resistor disipador de potencia.

power dissipation   disipación de potencia; disipación de energía; consumo, potencia absorbida.

power distributing bar   *(Elec)* barra distribuidora de potencia.

power distributing transformer   transformador de distribución de energía ‖ transformador repartidor de potencia. SIN. **power divider.**

power distribution   distribución de energía [de fuerza]; repartición de potencia.

power distribution box   *(Elec)* caja de distribución de fuerza.

power distribution components   elementos de distribución de energía ‖ *(Sist de ant)* elementos de repartición de potencia.

power distribution panel   *(Elec)* cuadro de distribución de fuerza.

power distribution unit   unidad de distribución de energía.

power distributor   distribuidor de fuerza; distribuidor de corriente.

power dive   *(Avia)* picado con motor (en marcha).

power divider   *(Autos)* divisor de fuerza ‖ *(Ant)* divisor de potencia ‖ *(i.e. of an aerial)* divisor de potencia; multiplexor. Dispositivo que permite repartir en proporciones determinadas la potencia suministrada por un emisor radioeléctrico entre varias antenas o varios elementos de antena (CEI/70 60– 30–095) ‖ *(Guías de ondas)* repartidor de potencia. Dispositivo que produce una repartición de potencia en un punto de bifurcación [branch point] de guía de ondas (CEI/61 62–15–175 GL). V. la NOTA ''62–05–000'' en el artículo *waveguides.*

power drain   consumo [drenaje] de energía; gasto de energía de entrada; potencia consumida [absorbida]. SIN. **power consumption.**

power drift   *(Nucl)* deriva [corrimiento, desviación] de (la) potencia.

power drive   unidad impulsora; sistema de mando.

power-drive backspace   *(Teleimpr)* mecanismo de retroceso mecánico.

power-driven   *adj:* con motor, provisto de motor, motorizado; accionado mecánicamente.

power-driven system   sistema de control mecánico ‖ *(Telecom)* sistema de transmisión mecánica; sistema de accionamiento por motor; sistema automático de arrastre mecánico ‖ sistema de arrastre mecánico. Sistema automático [automatic system] en el cual el movimiento de los frotadores [wipers] de los órganos de selección [selectors] es aportado por un motor común a cierto número de órganos (CEI/70 55–105–380).

power drop   pérdida de potencia. CF. **power loss.**

power dump   descarga mecánica ‖ *(Comput)* interrupción total de la alimentación eléctrica. Dícese lo mismo si la interrupción es intencional que si es imprevista.

power-duration curve   *(Fuentes de energía)* curva de duración de las potencias.

power electronics   electrónica de corrientes fuertes. CF. **light-current electronics.**

power engineer   ingeniero (electricista) especializado en fuerza; ingeniero especializado en energía.

power engineering   ingeniería eléctrica; técnica de las corrientes fuertes.

power equalizer   igualador de potencia.

power equipment   equipo de energía; instalación eléctrica.

power excursion   *(Nucl)* salto [cambio brusco] de potencia; variación brusca del nivel energético. Aumento repentino de potencia de un reactor, debido a un incremento súbito en la reactividad [reactivity].

power facilities   instalaciones de energía eléctrica.

power factor [p.f.]   *(Elec)* factor de potencia. POCO USADO: coeficiente de potencia. Cociente de la potencia activa [active power] por la potencia aparente [apparent power]. Su valor se obtiene dividiendo la resistencia de un elemento o de un circuito por su impedancia a la frecuencia de trabajo. Si la tensión y la corriente son ambas sinusoidales, el factor de potencia es igual al coseno del ángulo de fase entre una y otra, representado en las fórmulas por cos φ. Una resistencia pura tiene un factor de potencia igual a la unidad. Una capacitancia o una inductancia puras tienen un factor de potencia nulo. En el caso particular de los condensadores se llama también *tangente del ángulo de pérdidas* o simplemente *ángulo de pérdidas* | factor de potencia. (**1**) Relación entre la potencia activa y la potencia aparente (CEI/38 05–40–205). (**2**) Relación de la potencia activa total [total active power] a la potencia aparente, en el lado de corriente alterna de un convertidor estático [static converter] (CEI/56 11–20–075) | v. **power factor of the fundamental.**

power-factor adjustment (for an alternating-current meter) dispositivo de regulación en corriente desfasada (de un contador de corriente alterna). Dispositivo que permite la regulación de la velocidad del elemento móvil [moving element] para los valores nominales de la tensión, de la corriente y de la frecuencia, y para un desfase [phase difference] diferente de cero entre la corriente y la tensión (CEI/58 20–40–270).

power-factor capacitor   capacitor para mejorar el factor de potencia.

power-factor correction   corrección del factor de potencia. Se obtiene intercalando en el circuito un capacitor que compense en todo o en parte la reactancia inductiva, haciendo que la corriente total coincida mejor en fase con la tensión aplicada.

power-factor correction capacitor   capacitor para corrección del factor de potencia.

power-factor indicator   indicador de factor de potencia | (a.c. phasemeter — véase) fasímetro.

power-factor meter   medidor del factor de potencia. Por lo general tiene la escala marcada en tanto por ciento.

power factor of the fundamental   *(Convertidores estáticos)* (a.c. displacement factor) factor de desfase. Coseno del ángulo de desfase entre las componentes fundamentales de la tensión y de la corriente del lado de corriente alterna de un convertidor estático (CEI/56 11–20–080).

power-factor percentage   factor de potencia en tanto por ciento.

power-factor relay   relé desconectador para factor de potencia bajo.

power-factor tariff   tarifa basada en el factor de potencia.

power failure   falla de (la) alimentación (eléctrica), interrupción de la corriente (eléctrica), interrupción del suministro de energía, falta de alimentación, avería en la línea || *(Avia)* falla de motor.

power-failure alarm   alarma contra falta de corriente, alarma de falta [falla] de alimentación (eléctrica). Dispositivo o circuito que da una señal avisadora (audible o de otra clase) cuando se interrumpe el suministro de corriente eléctrica.

power-failure indicator   indicador de falta de corriente [de avería en la línea].

power failure point   *(Avia)* punto de falla de motor.

power-failure warning signal   señal avisadora de falta de alimentación [de avería en la línea].

power feed   suministro de energía, alimentación (de energía); alimentación mecánica; avance mecánico || *(Máq herr)* avance automático.

power feeding   alimentación.

power-feeding station   *(Telecom)* estación alimentadora. Estación autoalimentada [station with its own power supply] que, además, asegura la alimentación de estaciones telealimentadas [dependent stations].

power filter   *(Elec)* filtro de potencia.

power final amplifier   *(Radioemisores)* amplificador final (de potencia).

power flow   transmisión de (la) potencia; flujo energético.

power flux   flujo de potencia.

power flux density   densidad de flujo de potencia || *(Propag de ondas radioeléc)* (a.c. field intensity) intensidad de campo. Potencia transmitida por unidad de superficie normal al vector de Poynting en un punto del campo electromagnético (CEI/70 60–20–075).

power follow current   *(Arcos)* corriente de descarga.

power frame   *(Elec)* cuadro de fuerza.

power frequency   *(Elec)* frecuencia de la red (de alimentación eléctrica). SIN. **power-line frequency.**

power-frequency uniformity   uniformidad de la característica potencia/frecuencia.

power-frequency withstand voltage   *(Elec — Coordinación del aislamiento)* tensión de resistencia al choque a la frecuencia industrial. Valor eficaz [RMS value] más elevado de una tensión alterna sinusoidal de frecuencia industrial que el material (equipo) debe ser capaz de soportar sin perforación ni contorneamiento en el curso de ensayos ejecutados en las condiciones especificadas (CEI/65 25–55–025).

power function   *(Mat)* función de potencias; función exponencial.

power fuse   *(Elec)* fusible de (la) línea de fuerza.

power gain   *(Ampl, Transductores)* ganancia de potencia [en potencia], amplificación de potencia. Razón de la potencia útil a la salida por la potencia absorbida a la entrada. SIN. **power amplification** || *(Ant)* ganancia de potencia [en potencia]. (**1**) En una dirección dada, 4π veces la razón de la intensidad de radiación [radiation intensity] en esa dirección por la potencia total suministrada a la antena. (**2**) Razón de la intensidad de campo de la antena considerada, por la correspondiente a una antena de referencia. Puede expresarse en forma de factor, pero generalmente se expresa en decibelios (dB) | a power gain of 100 times: un factor de ganancia de potencia de 100 (aprox. 20 dB) | CF. directive gain | V.TB. **power gain of an aerial, power gain referred to a half-wave dipole, power gain referred to an isotropic radiator.**

power-gain cutoff frequency   frecuencia de corte de ganancia de potencia.

power gain of an aerial (in a given direction)   ganancia en potencia de una antena (en una dirección dada). Razón, generalmente expresada en decibeles, entre la potencia necesaria a la entrada de una antena de referencia y la potencia suministrada a la entrada de una antena dada, para que las dos antenas produzcan en una dirección dada el mismo campo a la misma distancia; en ausencia de especificación de la dirección, la ganancia indicada corresponde a la dirección en la cual la fuerza cimomotriz [cymomotive force] es máxima; se especificará en cada caso la antena de referencia utilizada y la dirección escogida, por ejemplo: dipolo de media onda (especificando una dirección del plano medianero); radiador isótropo aislado en el espacio y sin pérdidas (CEI/70 60–32–115).

power gain referred to a half-wave dipole   ganancia en potencia referida a un dipolo de media onda. Ganancia en potencia de una antena en una dirección dada cuando la antena de referencia es un dipolo de media onda sin pérdidas [loss-free half-wave dipole], aislado en el espacio, y cuyo plano ecuatorial [equatorial plane] contiene la dirección dada. NOTA: La diferencia en decibeles entre la ganancia en potencia referida a un radiador isotrópico [power gain referred to an isotropic radiator] y la ganancia en potencia referida a un dipolo de media onda, es de 2,15 (CEI/70 60-32-125). v. **power gain of an aerial.**

power gain referred to an isotropic radiator   ganáncia en potencia referida a un radiador isotrópico. Ganancia en potencia de una antena en una dirección dada cuando la antena de referencia [reference aerial] es un radiador isotrópico aislado en el espacio [isolated in space] (CEI/70 60-32-120). v. **power gain of an aerial.**

power-generating house   central electrógena [energética]. SIN. **powerhouse.**

power-generating plant   central electrógena; grupo electrógeno.

power-generating set   grupo electrógeno.

power generator   grupo electrógeno.

power germanium rectifier   rectificador de potencia de germanio.

power given out   potencia suministrada [de salida].

power grid detection   detección de potencia por rejilla. v. **power detection.**

power grid tube   *(Elecn)* tubo de potencia de rejillas.

power handled by the amplifier   potencia puesta en juego por el amplificador, potencia que el amplificador toma de la fuente.

power-handling ability   v. **power-handling capability.**

power-handling capability   (a.c. power-handling ability, power-handling capacity) capacidad de potencia; potencia admisible. SIN. **power rating.**

power-handling capacity   v. **power-handling capability.**

power-house   v. **powerhouse.**

power impulse   impulso motor; impulso de potencia.

power indicator   indicador de potencia.

power induction   v. **power induction noise.**

power induction noise   *(Telecom)* (a.c. induced noise, power induction) ruido inducido [de inducción].

power industry   industria de la energía eléctrica; industria energética.

power input   potencia de entrada, potencia absorbida; potencia alimentada; potencia admisible, potencia máxima aplicable (p.ej. a un altavoz) ‖ *(Compresores rotativos, Turbinas)* potencia [energía] específica ‖ v. **power input to a machine.**

power input rating   consumo nominal; potencia admisible nominal.

power input to a machine   *(Elec)* potencia absorbida por una máquina. Potencia transmitida a la máquina sobre su árbol si se trata de una generatriz o por el circuito de alimentación si se trata de un motor, de una conmutatriz o de un convertidor. Esta potencia es una potencia activa [active power] (CEI/56 10-05-320). CF. **power output supplied by a machine.**

power installation   instalación de energía [de fuerza motriz].

power intake   toma de potencia; potencia absorbida ‖ *(Centrales hidroeléc)* toma de la casa de máquinas.

power interference   *(Telecom)* perturbaciones causadas por las líneas de transporte de energía (p.ej. en circuitos telefónicos por línea aérea). CF. **power induction noise.**

power inverter   *(Fuentes de corriente)* ·inversor (de corriente), ondulador (de potencia).

power key   *(Informática)* tecla interruptora.

power landing   *(Avia)* aterrizaje con motor.

power-law   *adj:* de ley exponencial.

power-law equation   *(Mat)* ecuación de ley exponencial.

power lawnmower   cortadora de césped motorizada.

power lead   *(Telecom)* conductor [línea] de alimentación; alimentación. SIN. **supply lead.**

power level   *(Elec)* nivel de potencia, potencia transmitida ‖ *(Nucl)* nivel de potencia, potencia (producida). Potencia producida por un reactor ‖ *(Telecom)* nivel de potencia, potencia transmitida. Potencia que fluye por un punto de un sistema de transmisión, expresada en vatios o en decibelios referidos a una potencia

arbitraria de referencia (unidades de transmisión) o en unidades de volumen [volume units]; por ejemplo, dBm (decibelios referidos a 1 mW), dBW (decibelios referidos a 1 W). CF. **transmission unit.**

power-level calibration   calibración de (la) potencia transmitida.

power-level channel   *(Nucl)* canal de control del nivel de potencia.

power-level difference   *(Telecom)* diferencia de nivel de potencia [de potencia aparente] (entre dos puntos determinados de un sistema de transmisión). Expresión en unidades de transmisión [transmission units] de la relación de la potencia (o de la potencia aparente) en un punto del sistema, a la que se manifiesta en otro punto del sistema escogido como punto de referencia [reference point].

power-level indicator   indicador de nivel de potencia. Voltímetro de alterna calibrado de modo que indique el nivel de potencia directamente en unidades de transmisión (p.ej. decibelios) o en unidades de volumen. CF. **volume-unit meter.**

power leveler   nivelador de potencia. Dispositivo que suaviza las variaciones en la potencia suministrada por una fuente de señales. La acción suavizadora comienza cuando las variaciones exceden de determinado valor (digamos, 10 dB) y su eficacia se expresa por un factor (p.ej. 100:1) que indica la medida en que las variaciones de potencia son suprimidas por el nivelador.

power light   luz indicadora de corriente. SIN. **pilot lamp.**

power limit   límite de potencia.

power-limited   *adj:* de energía limitada; de potencia limitada; con potencia limitada.

power limiter   limitador de potencia.

power-limiting   *adj:* limitador de potencia.

power-limiting reactance   reactancia limitadora de potencia.

power line   línea de alimentación; línea de energía [fuerza] eléctrica, línea eléctrica, línea industrial; línea de alto voltaje, línea de transporte de fuerza (eléctrica); línea de canalización del alumbrado. CF. **power cable, power conductor, power cord, power system** ‖ curva de la potencia.

power-line adjustor   (mando de) ajuste de tensión de la red; regulador de la tensión de red.

power-line carrier   *(Telecom)* portadora sobre línea de energía, corriente portadora sobre línea de transporte de energía, onda portadora sobre línea de fuerza.

power-line carrier communication   comunicación por portadora sobre línea de (transporte de) energía.

power-line carrier-current telephony   telefonía por corriente portadora sobre líneas industriales [de transporte de energía].

power-line carrier system   *(Telecom)* sistema [equipo] de corriente portadora sobre líneas de distribución de energía.

power-line equivalent disturbing current   corriente perturbadora equivalente de una línea de fuerza [de energía].

power-line filter   filtro para la línea de alimentación. Filtro de radiofrecuencia que se intercala en la línea de alimentación de un receptor para evitar que lleguen a éste perturbaciones que se propagan por la red.

power-line frequency   *(also* power frequency) frecuencia de la red de CA [la red industrial, la red de energía primaria], frecuencia de la línea de alimentación (primaria).

power-line hum   zumbido de la red [del sector, de la línea de alimentación], zumbido de (la) corriente alterna. CF. **power induction noise, ripple noises.**

power-line leads   conexiones de alimentación eléctrica.

power-line radio interference   parásitos radioeléctricos debidos a las líneas de energía.

power-line transient   fluctuación transitoria de la línea de alimentación; fenómeno transitorio en las líneas de transporte de energía.

power load   *(Elec)* carga (de la red); consumo industrial [de fuerza motriz].

power loading *(Avia)* carga por caballo [por unidad de potencia].

power loss pérdida de potencia ‖ *(Transductores)* *(also* power attenuation) pérdida [atenuación] de potencia. Razón entre la potencia absorbida por el circuito de entrada y la potencia suministrada a una carga especificada. CF. **power amplification.**

power loudspeaker altavoz [altoparlante] de gran potencia. Altavoz o altoparlante con gran capacidad de potencia y capaz de grandes volúmenes de sonido.

power magnification amplificación de potencia.

power mains *(Elec)* canalización eléctrica [industrial, de fuerza], líneas (industriales) de alimentación, líneas [red] de energía eléctrica (industrial); conductores de fuerza.

power maximum demand consumo máximo de fuerza.

power measurement medida de potencia.

power measuring device dispositivo para medidas de potencia.

power megaphone *(Electroacús)* electromegáfono, megáfono eléctrico. SIN. **electric [electronic] megaphone.**

power meter medidor de potencia ‖ *(Elec)* vatímetro; medidor de fuerza motriz, contador.

power modulation *(Radio)* modulación de potencia. Modulación que se efectúa en la última etapa de potencia (etapa de salida). SIN. **high-level modulation.**

power modulator modulador de potencia.

power monitor monitor de potencia.

power network red (de distribución) de energía, red industrial.

power of a radio transmitter potencia de un emisor radioeléctrico | potencia de una emisora. Potencia suministrada a la antena (CEI/38 60–10–075). CF. **effective radiated power.**

power of absorption capacidad de absorción.

power of accommodation (of the eye) poder de acomodación (del ojo).

power of resolution *(Opt, Tv)* (a.c. resolving power) poder resolutivo [separador, de resolución].

power off *(Rótulo en un aparato)* alimentación [energía] desconectada, apagado. CF. **power on.**

power-off approach *(Avia)* aproximación con el motor parado.

power-off gliding *(Avia)* planeo con el motor parado.

power-off gliding distance *(Avia)* distancia de planeo con el motor parado.

power-off indicator indicador de falta de corriente, indicador (luminoso) de alimentación desconectada.

power-off key *(Informática)* tecla de desconexión.

power-off stall *(Avia)* entrada en pérdida [pérdida de velocidad] sin motor.

power on *(Rótulo en un aparato)* alimentación [energía] conectada, encendido. CF. **power off.**

power-on indicator indicador de conexión de (la) corriente, indicador (luminoso) de alimentación conectada [de energía aplicada].

power-on key *(Informática)* tecla de conexión.

power-on light luz indicadora de corriente, lámpara indicadora de alimentación conectada [de energía aplicada].

power on/off switch interruptor de encendido [de alimentación].

power-on spin *(Avia)* barrena con motor.

power-on stall *(Avia)* entrada en pérdida [pérdida de velocidad] con motor.

power-operated *adj:* de accionamiento eléctrico; de accionamiento mecánico, accionado mecánicamente; motorizado; servomandado.

power-operated backspacer *(Teleimpr)* retroceso de accionamiento eléctrico.

power operation mando por servomotor. Mando que se efectúa con la ayuda de energía eléctrica, mecánica, neumática o hidráulica (CEI/57 15–20–030).

power oscillator oscilador de potencia. Se usa para excitar puentes de medida, amplificadores de potencia, etc.

power outlet *(Elec)* tomacorriente, receptáculo de alimentación [de suministro eléctrico]; enchufe con energía de alimentación. SIN. **power socket.**

power output potencia [poder] de salida; potencia útil [disponible]; potencia cedida [suministrada]; potencia desarrollada; salida de potencia; rendimiento de energía ‖ *(Ampl)* potencia de salida. (1) Potencia de corriente alterna (potencia modulada) que suministra el amplificador a su carga. (2) Característica de un amplificador que se define por su aptitud de suministrar en el circuito de carga una potencia dada. Se distingue la *potencia normal* [normal power output], correspondiente a la potencia absorbida por el aparato de utilización [load] en funcionamiento normal, y la *potencia máxima utilizable* [maximum usable power], que corresponde al máximo admisible de la distorsión armónica [acceptable maximum harmonic distortion] de la señal de salida. SIN. **output power** ‖ *(Radioemisores)* potencia de salida; potencia de emisión ‖ *(Elec)* v. **power output supplied by a machine.**

power output capability capacidad de potencia de salida.

power output curve *(Mot)* curva de potencias desarrolladas.

power output supplied by a machine *(Elec)* potencia útil de una máquina. Potencia suministrada por la máquina al circuito de utilización en el caso de las generatrices, conmutatrices y convertidores, y sobre el árbol en el caso de los motores. Esta potencia es una potencia activa [active power] (CEI/56 10–05–315). CF. **power input to a machine.**

power output tube *(also* power tube) tubo de potencia, válvula de potencia [de salida]. Tubo electrónico destinado a ser utilizado en la etapa final de un amplificador y capaz de suministrar potencia considerable.

power pack equipo motor; unidad motriz ‖ *(Radio/Elecn)* bloque de alimentación, fuente de alimentación [de energía]. Dispositivo que, tomando energía de una red de distribución, de un acumulador o de una batería, alimenta un aparato a la tensión o tensiones necesarias.

power panel panel de alimentación; tablero de distribución (eléctrica).

power parasitics *(Radio/Tv)* parásitos industriales. CF. **power induction noise.**

power pattern *(Ant)* diagrama de potencia.

power peak pico de potencia.

power-peak limitation limitación de los picos de potencia.

power pentode *(Elecn)* pentodo de potencia. v. **power tube.**

power plant *(also* powerplant) planta [central] de energía, planta generadora [de fuerza], instalación de energía [de fuerza]; planta [central] eléctrica, central de luz y fuerza. CASOS PART. central hidroeléctrica; central termoeléctrica. LOCALISMO: usina. Conjunto de las estructuras, máquinas, equipos e instalaciones que tienen por fin la producción de energía, en particular eléctrica. SIN. **powerhouse** | grupo electrógeno [electrogenerador] ‖ *(Autos, Camiones, Grúas)* motor; grupo [equipo] motor, planta motriz. LOCALISMOS: conjunto motor, tren de fuerza ‖ *(Aviones)* grupo motor [motopropulsor], sistema propulsor [motopropulsor].

power-plant operation funcionamiento del grupo motor [motopropulsor].

power plug *(Elec)* tomacorriente, toma de fuerza.

power pole poste para línea de energía eléctrica.

power pool *(Elec)* red de energía eléctrica.

power press prensa mecánica.

power producer productor de energía; fuente de energía.

power production producción de energía.

power protection *(Elec)* dispositivo de protección de potencia. Dispositivo de protección cuya magnitud de influencia [actuating quantity] es la potencia activa (o reactiva) puesta en juego en el circuito protegido en el punto de conexión (CEI/56 16–60–060).

power pulse impulso de potencia; impulso de gran intensidad.

power range gama de potencia ‖ *(Nucl)* (i.e. of reactor operation) régimen con producción apreciable de potencia | margen de potencia. Margen de nivel de potencia [range of power level] en el cual el control fino del reactor se basa principalmente en medidas de temperatura o de flujo de neutrones, más bien que de constante de tiempo (período) [time constant (period)] (CEI/68 26–15–270). CF. **time-constant range.**

power rate   tarifa [precio] de la energía.

power rating   potencia de especificación; especificación de potencia | potencia nominal, potencia de salida. Potencia disponible en los bornes o terminales de salida de un dispositivo o aparato que funciona de conformidad con sus especificaciones | régimen de potencia; potencia límite nominal; límite nominal de capacidad de potencia ‖ *(Ant)* capacidad de potencia ‖ *(Resistores)* capacidad de disipación (de potencia); potencia nominal disipable.

power ratio   razón de potencias. Razón (relación por cociente) entre la potencia de salida y la potencia de entrada de un dispositivo; si es mayor que la unidad, se tiene *ganancia* o *amplificación de potencia,* y si es menor se tiene *pérdida* o *atenuación de potencia.* Por lo general se expresa en decibelios.

power reactor   *(Nucl)* reactor (generador) de potencia, generador nuclear | reactor de potencia. Reactor destinado principalmente a producir energía. Los reactores de esta clase comprenden los siguientes: reactor de producción de electricidad [electricity-production reactor]; reactor de propulsión [propulsion reactor]; reactor de producción de calor [heat-production reactor] (CEI/68 26–15–080).

power receptacle   *(Elec)* receptáculo tomacorriente [de alimentación, de suministro eléctrico]. SIN. **power outlet.**

power recovery   recuperación de energía.

power rectification   *(Elec)* rectificación de potencia.

power rectifier   rectificador de potencia, rectificador para aplicaciones de potencia [de corrientes fuertes]; rectificador [válvula rectificadora] de alimentación.

power rectifying valve   *(Elecn)* válvula rectificadora de potencia.

power-regulating unit   unidad reguladora [dispositivo regulador] de (la) potencia.

power regulator   regulador de (la) potencia. CF. **power leveler.**

power relay   relé de potencia. (**1**) Relé que funciona a un valor predeterminado de potencia. (**2**) Relé final en una cadena de relés que controlan una carga o un contactor electromagnético [magnetic contactor]. (**3**) Relé cuya magnitud de influencia [actuating quantity] es el producto de una tensión y una corriente (CEI/56 16–30–025).

power requirements   demanda de energía (eléctrica) (de alimentación); energía necesaria, alimentación requerida, consumo; potencia necesaria; alimentación (eléctrica), alimentación primaria.

power reserve   reserva de potencia.

power residue   *(Mat)* residuo de potencia.

power resistor   *(Elec)* resistor [resistencia] de gran disipación.

power ringing   *(Telecom)* llamada por corriente alterna, llamada de potencia. Llamada efectuada con corriente generada por una máquina, o tomada de la red de alterna, en oposición a las que se hacen con corriente de un generador de magneto accionado a mano [magneto hand generator]. CF. **machine ringing, manual ringing** | llamada por corriente alterna (de la red o de un generador). Llamada que comienza y cesa por la maniobra de una llave de emisión de una corriente alterna suministrada por la red o por un generador (CEI/70 55–105–125).

power roll   *(Informática)* rodillo propulsor.

power room   *(Telecom)* sala de fuerza. Sala de máquinas y baterías.

power screwdriver   destornillador [atornillador] motorizado.

power selector   selector de potencia.

power sensitivity   sensibilidad de [en] potencia. En relación con un amplificador o una válvula electrónica, medida de la potencia de salida en función de la tensión excitadora (tensión alterna de entrada). Es igual a la potencia de salida (a la frecuencia de la señal) dividida por el cuadrado de la tensión excitadora. En el caso de las válvulas de audio, la salida se mide generalmente en

milivatios, y la tensión excitadora en voltios eficaces.

power series   *(Mat)* serie de potencias; serie exponencial.

power servo   servomotor.

power shutdown   corte de (la) energía.

power signal box   *(Ferroc)* puesto de mando. Puesto en el cual la acción del señalero [signalman] sobre la maniobra de los aparatos se ejerce por intermedio de una fuente de energía (neumática, eléctrica, hidráulica) (CEI/59 31–10–065). v. **power signal box with. . .**

power signal box with free levers or thumb switches   *(Ferroc)* puesto de mando de palancas libres. Puesto de mando de palancas de itinerarios [power signal box with route levers] o de palancas individuales [power signal box with individual levers], cuyas palancas de mando están libres en todo tiempo y en las cuales las incompatibilidades de posiciones se traducen por la puesta en acción de enclavamientos eléctricos que actúan únicamente sobre los circuitos de mando (CEI/59 31–10–090).

power signal box with individual levers   *(Ferroc)* puesto de palancas individuales. Puesto de mando en el cual la maniobra de cada palanca manda el funcionamiento de un solo aparato o grupo de aparatos conjugados (CEI/59 31–10–080).

power signal box with route levers   *(Ferroc)* puesto de mando de palancas de itinerarios. Puesto de mando en el cual todos los aparatos de señalización [signaling apparatus] cuyo cambio es necesario para asegurar la realización completa de un itinerario determinado, son mandados simultáneamente por la maniobra de palancas de itinerarios. Esta maniobra puede efectuarse mediante una sola palanca por itinerario (o fracción de itinerario) o mediante dos palancas correspondientes a las extremidades de un itinerario (o fracción de itinerario) (CEI/59 31–10–085). v. **power signal box.**

power signal box with thumb switches   *(Ferroc)* v. **power signal box with free levers or thumb switches.**

power signaling   señalización de potencia; señalización mecánica ‖ *(Telecom)* v. **power ringing.**

power source   fuente de energía; fuente de alimentación.

power spectrum   espectro energético [de energía]; espectro de potencia.

power spectrum analysis   análisis por distribución espectral de la energía; análisis armónico generalizado.

power spectrum analyzer   analizador de espectros de energía.

power spectrum level   nivel de potencia espectral. Nivel correspondiente a la potencia acústica en una banda de 1 Hz con centro en una frecuencia especificada.

power spin   *(Avia)* barrena con motor en marcha.

power stage   *(Radio/Elecn)* etapa de potencia. Etapa amplificadora de potencia; en particular, la etapa final o de salida de un amplificador o de un radioemisor.

power stall   *(Avia)* entrada en pérdida [pérdida de velocidad] con motor.

power-starved   *adj:* escaso de potencia | subalimentado. CF. **starved amplifier.**

power station   central de energía [de fuerza motriz], estación generadora; central eléctrica. LOCALISMO: usina. SIN. **power plant, powerhouse** | central generadora. v. **generating station, power station with reservoir.**

power station with reservoir   central hidroeléctrica con embalse. Central hidroeléctrica [hydroelectric power station] provista corriente arriba de un embalse de acumulación que permite regular el suministro de agua a las turbinas (CEI/65 25–10–020).

power steering   *(Autos)* servodirección ‖ *(Aviones)* conducción (por la pista) mediante los motores.

power stroke   *(Mot)* carrera [tiempo] de trabajo, carrera motriz [de impulsión, de fuerza], tiempo [impulso] motor.

power supply   fuente de alimentación [de poder], bloque de alimentación; unidad suplidora de energía; fuente de energía [de suministro eléctrico]; manantial de energía; alimentación (de fuerza), suministro de energía; alimentación de corriente ‖

(Electroimanes) fuente (de energía) de excitación.

power-supply circuit   circuito de alimentación.

power-supply equipment   equipo(s) de alimentación.

power-supply hum   zumbido [componente alterna residual] de la (fuente de) alimentación.

power-supply line   línea de alimentación (eléctrica).

power-supply plug   clavija de alimentación, clavija tomacorriente.

power-supply rack   bastidor de alimentación.

power-supply rectifier   rectificador de alimentación.

power-supply rejection ratio   *(Ampl operacionales)* relación de desnivel por variación de tensión alimentadora. Viene dada, en decibelios, por la expresión:

$$20 \log (\Delta V_f / \Delta V_d)$$

donde ΔV_f es la variación de la tensión alimentadora y ΔV_d la variación resultante de la tensión de desnivel de entrada [input offset voltage].

power-supply system   *(also* power system) sistema de alimentación (de energía eléctrica); equipo de alimentación; red de energía, red de distribución (de energía eléctrica).

power-supply transformer   *(also* power transformer) transformador de alimentación [de fuerza]. SIN. **mains transformer** *(GB)*.

power-supply unit   fuente de alimentación, bloque [unidad] de alimentación; unidad suplidora de energía. SIN. **power supply.**

power-supply variation   variación de la alimentación.

power-supply voltage   tensión alimentadora [de alimentación].

power switch   interruptor de alimentación. Interruptor que sirve para conectar y desconectar un aparato de la línea de alimentación. SIN. **on-off switch, power on/off switch** | conmutador de potencia [para circuitos de potencia].

power switchboard   *(Elec)* cuadro de distribución de fuerza.

power switchgroup   *(Tracción eléc)* combinador de potencia | combinador. Combinador que realiza conexiones diversas del circuito principal [power circuit]. Según el fin perseguido, se distinguen los siguientes:

- combinador de acoplamiento de motores [motor-grouping switchgroup];
- combinador de transición de motores [transition switchgroup];
- combinador de eliminación de resistencias [resistance-cutout switchgroup];
- combinador de shuntado [field-weakening switchgroup];
- combinador de frenado [braking switchgroup];
- combinador de recuperación [regeneration switchgroup];
- combinador de inversión [reversing switchgroup];
- combinador de aislación [isolating switchgroup].

Estos combinadores se utilizan, respectivamente, para: el acoplamiento de motores [grouping of motors]; el acoplamiento y la transición de motores [grouping and transition of motors]; el acoplamiento y la eliminación de resistencias de arranque [grouping and cutting out of starting resistances]; la modificación de la proporción de excitación [alterations in the amount of excitation]; el acoplamiento de los órganos necesarios para asegurar el frenado reostático o la recuperación [grouping of the parts required to ensure rheostatic braking or regeneration]; la inversión del sentido de marcha [reversal of the direction of motion]; aislación de los motores [isolation of motors] (CEI/57 30-15-610).

power system   red de energía, red de distribución de energía, red de suministro de fluido; sistema de alimentación | sistema eléctrico. Conjunto que comprende instalaciones de generadores, de transformadores, de aparatos, de líneas, de accesorios y de obras, utilizado para la producción, la conversión, la transformación, el transporte y la distribución de energía eléctrica (CEI/65 25-05-035).

power-system analogue   analizador de redes de energía eléctrica.

power takeoff   toma de fuerza [de potencia]; tomafuerza, enchufe de toma de fuerza; toma de energía para aparatos auxiliares;

suministro de energía a dispositivos auxiliares.

power-takeoff transmission   transmisión con toma de fuerza.

power terminal   *(Elec)* terminal de fuerza; borne de alimentación.

power tetrode   *(Elecn)* tetrodo de potencia. v. **power tube.**

power tool   herramienta mecánica; herramienta eléctrica; herramienta motorizada [movida por motor].

power torque   *(Mec)* par motor.

power track cribber   *(Ferroc)* removedor motorizado de balasto. Aparato que quita el balasto del espacio entre los durmientes, forma el perfil del plano de formación, y mejora el drenaje del balasto.

power track machines   *(Ferroc)* equipos motorizados para vía. Conjunto de máquinas y herramientas motorizadas para facilitar las tareas de colocación y conservación de vías.

power transfer   transferencia de fuerza; traspaso de energía.

power-transfer relay   *(Elec)* relé de transferencia.

power transformation   *(Elec)* transformación de potencia.

power transformer   transformador de potencia [de fuerza, de poder, de alimentación]. Transformador con núcleo de hierro que forma parte de la fuente de alimentación de un aparato o equipo. En el caso corriente el primario está conectado a la línea de CA (por intermedio del correspondiente interruptor y fusible), y se tienen varios secundarios que suministran las distintas tensiones necesarias para el funcionamiento del aparato. SIN. **power-supply transformer** | transformador de energía; transformador para fuerza motriz.

power transistor   transistor de potencia. Transistor de uniones [junction transistor] capaz de dar paso a corrientes fuertes y poner en juego potencias considerables.

power transmission   transmisión de energía [de fuerza].

power transmission line   línea de transmisión de energía (eléctrica), línea de transporte de energía, línea de alta tensión.

power-transmitting mechanisn   mecanismo de transmisión.

power triode   *(Elecn)* triodo de potencia. v. **power tube.**

power tube   *(Radio/Elecn)* tubo [válvula] de potencia, tubo amplificador de potencia. LOCALISMO: bulbo de fuerza. Tubo electrónico (válvula electrónica) destinado principalmente a amplificar la potencia (más bien que la tensión) de la señal, o capaz de conducir corrientes mucho más fuertes que los tubos amplificadores de tensión [voltage-amplifier tubes]. CF. **transmitting tube.**

power turret   *(Avia)* torreta automática; torreta motorizada.

power unit   unidad de potencia; unidad de energía; unidad de fuerza; bloque de alimentación; grupo motor; órgano motor; bloque motor; motor; equipo propulsor; mecanismo de mando; grupo electrógeno || *(Avia)* grupo motor.

power user   consumidor de energía.

power utility   empresa de producción de energía eléctrica.

power valve *(GB)*   *(Radio/Elecn)* v. **power tube.**

power/weight ratio   *(Mec, Avia)* potencia másica.

power winding   *(Transductores mag)* devanado de potencia. Devanado de un elemento de transductor [transductor element] recorrido por la corriente de utilización [load current] (CEI/55 12-05-015).

power wiring   líneas de energía; cableado de energía eléctrica.

powered   *adj:* motorizado, con motor, accionado por motor; servomotor, servomotriz; propulsado.

powered approach   *(Avia)* aproximación con motor.

powered back-spacing   *(Informática)* retroceso accionado por motor.

powered descent   *(Avia)* descenso con motor.

powered flight   *(Aeron)* vuelo propulsado.

powerhouse   central eléctrica [generadora, electrógena], estación de fuerza [de energía], estación central generadora, instalación [casa] de fuerza (motriz), planta eléctrica. LOCALISMO: usina eléctrica. SIN. **power plant.**

powering   *adj:* de alimentación; mecánico; motor, motriz; de propulsión.

powering converter   convertidor de alimentación.

powerpack v. power pack.
powerplant v. power plant.
Poynting's theorem teorema de Poynting. Relación matemática derivada de las ecuaciones de Maxwell.
Poynting's vector vector de Poynting. Vector que representa la cantidad y dirección del flujo instantáneo de energía en un punto de una onda.
PP *(Esquemas)* Abrev. de push-pull ‖ *(Teleg)* Abrev. de pages | Abrev. de Port-au-Prince [Puerto Príncipe, Haití].
PP junction *(Semicond)* zona PP, región PP. Zona o región de transición entre dos regiones tipo P de propiedades diferentes.
PPI *(Radar)* PPI, presentación panorámica; indicador panorámico [de pantalla panorámica]. Indicador de tubo de rayos catódicos que da información de distancia y dirección acimutal sobre los objetos detectados en un arco de 360°. La razón entre las distancias sobre la pantalla y las correspondientes distancias reales en el espacio es la misma en todas la direcciones; por consiguiente, la presentación es un mapa verdadero de la región que rodea la instalación radárica. V.TB. **plan-position indicator.**
PPI approach *(Radionaveg)* aproximación PPI. Control de aproximación desde tierra [ground-controlled approach] en el cual la aeronave es dirigida hasta el aterrizaje sin el empleo de un sistema de radar de precisión [precision radar system]. Utilizando la información de distancia y acimut del PPI, el controlador dirige al piloto hacia la pista y le da indicaciones para ajustar el descenso (elevación) según un plan establecido.
PPI display *(Radar)* PPI, presentación panorámica, presentación visual tipo PPI, presentación PPI. Presentación equivalente a un mapa de la zona explorada, con los blancos representados por puntos brillantes. V.TB. **PPI** | pantalla PPI.
PPI prediction *(Radar)* imagen PPI teórica, imagen panorámica compuesta con datos conocidos.
PPI radar radar PPI, radar panorámico [de indicación en el plano].
PPI repeater *(Radar)* repetidor indicador de PPI [de posición en el plano].
PPI scope *(Radar)* osciloscopio [oscilógrafo] panorámico, indicador panorámico.
PPI screen pantalla PPI, presentación panorámica.
ppm Abrev. de parts per million [partes por millón]. Se usa para expresar tolerancias; por ejemplo, la variación de frecuencia de un oscilador patrón.
PPM Abrev. de pulse-position modulation; pulse-phase modulation ‖ *(TOP)* Abrev. de periodic permanent magnet.
ppm/°C Abrev. de parts per million per degree centigrade [partes por millón por grado centígrado].
PPM structure *(TOP)* estructura de imán (permanente) periódico.
PPPI *(Radar)* Abrev. de precision plan-position indicator.
pps Abrev. de periods per second; pulses per second.
PPSE *(Teleg)* Abrev. de purpose [fin, objeto, propósito].
PR *(Teleg)* Abrev. de Puerto Rico.
PR unit *(Radiol)* aparato de radiofotografía. V. **photofluorograph.**
practical *adj:* práctico; real; prácticamente factible; aplicado (en oposición a teórico) ‖ *(Cine/Teatro/Tv)* practicable, real, utilizable (en oposición a simulado, pintado o falso). Dícese de los detalles u objetos utilizables; por ejemplo, una ventana que puede abrirse hacia una escena exterior, en oposición a una ventana simulada o pintada (para fines decorativos o para equilibrio arquitectónico visual).
practical ceiling *(Avia)* techo práctico.
practical electrical units unidades eléctricas prácticas.

Cantidad medida	*Nombre (nomenclatura internacional)*	*Relación de la unidad a la del sistema CGS*
Resistencia	ohm	10^{-9}
Tensión	volt	10^{8}
Corriente	ampere	10^{-1}
Cantidad de electricidad	coulomb	10^{-1}
Capacidad	farad	10^{-9}
Inductancia	henry	10^{-9}
Flujo magnético	weber	10^{8}
Energía	joule	10^{7}
Potencia	watt	10^{7}
Potencia reactiva	var	10^{7}
Potencia aparente	volt-ampere	10^{7}

(CEI/38 05–35–080).

practical electricity electricidad práctica; electricidad industrial.
practical electromagnetic system sistema práctico electromagnético. Sistema coherente de unidades deducido del sistema electromagnético CGS y cuyas unidades son múltiplos o submúltiplos, de acuerdo a las potencias enteras de 10, de las unidades correspondientes del sistema CGS. A algunas de ellas se les ha dado nombres de personas. Las unidades fundamentales son 10^9 cm, 10^{-11} g, 1 segundo y la permeabilidad magnética del espacio vacío. Este mismo sistema puede ser considerado como absoluto adoptando como unidades fundamentales de longitud, masa y tiempo el metro, el kilogramo y el segundo (sistema Giorgi MKS) (CEI/38 05–35–055).
practical ohm ohm [ohmio] práctico.
practical range *(Avia)* alcance [radio de acción] práctico.
practical scenery *(Cine/Teatro/Tv)* escenario practicable. Elementos escénicos reales, es decir, que pueden ser utilizados, como p.ej. una puerta que se abre (en oposición a una puerta simulada). V.TB. **practical.**
practical system sistema práctico. Sistema en el cual las unidades fundamentales se eligen en forma tal que las magnitudes que han de medirse con mayor frecuencia adquieren valores convenientes (CEI/38 05–35–050).
practical system of units sistema práctico (de unidades).
practical training adiestramiento (práctico), capacitación práctica.
practical unit unidad práctica ‖ *(Cine/Teatro/Tv)* (elemento) practicable. Elemento de decorado que no es meramente figurado, sino que puede ser utilizado; dícese en particular de las aberturas: *puerta practicable, ventana practicable.* V.TB. **practical.**
practical width *(Fís)* anchura práctica. Concepto utilizado en la teoría de la captura por resonancia de neutrones en un sistema reaccionante en cadena.
practice práctica; ejercicio; experiencia; método, norma, sistema; procedimiento; costumbre, hábito, uso; regla; ejercicios de adiestramiento; ejercicio de una profesión (en particular la de médico); consultorio y/o clientela (de médico) ‖| *verbo:* practicar; ejercitar; acostumbrar, tener por hábito; dar lecciones, dar instrucción mediante ejercicios.
practice ammunition munición de ejercicio(s) [de fogueo].
practice bomb *(Avia)* bomba de ejercicio.
practice factor *(Telef)* coeficiente de práctica experimental. De un equipo de operadoras que efectúa una medida de nitidez o inteligibilidad [articulation measurement] sobre un sistema determinado: Factor de corrección [correction factor] por el cual hay que modificar el valor de nitidez obtenido por el equipo considerado para obtener la *nitidez ideal* [standardized measurement of articulation] del sistema considerado. El coeficiente de práctica experimental tiene en cuenta el grado de adiestramiento y el estado fisiológico del equipo considerado en el momento en que el mismo efectúa la medida. Para efectuar esta corrección se utilizan diferentes técnicas. SIN. **crew factor** *(GB).*
practice flight *(Avia)* vuelo de entrenamiento.
practice position *(Telef)* posición para alumnos. SIN. **learner's position.**
practices *(Telecom)* instrucciones, reglamentos. SIN. **instruc-**

tions ‖ v. **practice.**

practicing *adj:* práctico; practicón; que ejerce (una profesión o un oficio), en ejercicio.

practitioner práctico (de una profesión u oficio); médico que ejerce la profesión.

praetersonics v. **microwave acoustics.**

Prandtl-Glauert rule *(Fís)* regla de Prandtl-Glauert. Aplícase a un cuerpo bidimensional en una corriente uniforme con velocidades de perturbación pequeñas.

Prandtl-Meyer expansion *(Fís)* desarrollo de Prandtl-Meyer. Flujo supersónico bidimensional, inicialmente uniforme, que se desarrolla alrededor de una arista.

Prandtl number *(Fís)* número de Prandtl. Razón de la viscosidad dinámica por la conductividad termométrica; es una magnitud sin dimensiones que en el caso de un gas es siempre menor que la unidad.

Prandtl-Reuss material *(Fís)* material de Prandtl-Reuss. Material plástico perfectamente elástico.

praseodymium praseodimio. Elemento químico perteneciente a la serie de las tierras raras. Número atómico, 59; peso atómico, 140,92. Símbolo: Pr.

pre-TR tube tubo pre-TR. Tubo gaseoso conmutador de RF, utilizado en radar para proteger el tubo TR [TR tube] contra las sobrecargas y resguardar el receptor contra las frecuencias distintas a la fundamental. El nombre viene de *pre-Transmit-Receive tube.*

preacceleration preaceleración.

preaged *adj:* preavejentado.

preaged crystal cristal preavejentado. Cristal piezoeléctrico que se ha sometido a un procedimiento de avejentamiento previo a su instalación como elemento estabilizador de un oscilador, para prevenir las variaciones a largo plazo que produce en la frecuencia el avejentamiento natural del cristal.

preamble preámbulo. (1) En telegrafía, parte de un despacho (telegrama o radiotelegrama) que precede al nombre del destinatario, y que incluye los siguientes datos: prefijo o indicador de circuito, número de orden, oficina de origen, fecha y hora de imposición, cómputo de palabras, y otras indicaciones de servicio. CF. **message heading.** (2) En el registro de información digital en cinta magnética, grupo de señales especiales registradas al comienzo de cada mensaje (bloque de datos) en código de fase, con fines de sincronización electrónica. CF. **post-amble.**

preamp Abrev. de preamplifier.

preamplification preamplificación, amplificación previa [preliminar]. v. **preamplifier.**

preamplification transformer transformador de preamplificación.

preamplifier preamplificador. TB. amplificador previo [preliminar]. Amplificador que se antepone a un sistema o un aparato con el fin de obtener ganancia o sensibilidad adicional. EJEMPLOS: (a) Audioamplificador interpuesto entre una cápsula fonocaptora magnética y un amplificador que no tiene suficiente sensibilidad para ser excitado adecuadamente por las señales de aquélla. (b) Amplificador de audiofrecuencia utilizado delante de un amplificador principal, o a la entrada de una línea de transmisión, en un estudio de radio o de televisión; en esta última función se le llama también *amplificador de línea* [line amplifier]. (c) Etapa adicional de amplificación conectada a la entrada de un receptor de radio o televisión para reforzar las señales débiles; también puede tener la forma de un dispositivo independiente, que se denomina también *amplificador de antena o reforzador de señales* [booster]. (d) Amplificador de videofrecuencia excitado por las señales de la cámara tomavistas y que, a su vez, excita el amplificador principal. La abreviatura *preamp* es muy corriente en inglés; se usa en los textos corrientes, en los esquemas, y hasta al hablar. En español se usa a veces esa misma abreviatura, y también las abreviaturas *pre* y *previo.* SIN. **preliminary amplifier.**

preamplifier stage etapa preamplificadora.

preamplifier tube tubo preamplificador, válvula preamplificadora.

preamplifier unit unidad preamplificadora, dispositivo preamplificador.

preamplifying *adj:* preamplificador.

prearcing *(Cortacircuitos)* prearco.

prearcing time *(Elec)* **(of a fuse)** duración de prearco (de un cortacircuito de fusible). v. **melting time.**

prearranged *adj:* preestablecido; predeterminado; convenido de antemano.

prearranged order orden predeterminado.

prearranged schedule horario preestablecido; programa [calendario] previamente convenido.

prearranged telephone traffic tráfico telefónico según convenio.

preassembled *adj:* prearmado, preensamblado, premontado; armado en fábrica.

preassigned *adj:* preasignado; preestablecido.

preassigned multiple-access satellite circuits *(Telecom)* circuitos vía satélite de acceso múltiple de asignación preestablecida. Circuitos de telecomunicación por satélite de acceso múltiple (v. **multiple-access satellite system**) destinados al enlace entre estaciones terrenas predeterminadas, de conformidad con las demandas de servicio previstas. Estos circuitos se subdividen en dos clases: (a) *circuitos de preasignación fija* [fixed preassigned circuits], utilizados cuando no son de importancia las variaciones previstas durante el período de explotación considerado, y son deseables las asignaciones semipermanentes de circuitos; (b) *circuitos de preasignación variable* [timed preassignment circuits], empleados cuando se espera que la demanda durante el período de explotación considerado varíe de hora en hora o de día en día, y se desea, por tanto, poder variar las asignaciones dentro de dicho período.

préavis call *(Telef)* conversación con aviso previo. En el servicio internacional, conversación que sigue a una petición de comunicación [booking] que incluye un "aviso previo" cuyo objeto es el de prevenir a la estación de abonado [subscriber's station] interesada que el solicitante de la comunicación desea sostener su conversación con determinada persona, designada por su nombre o de cualquier otro modo, o con un aparato determinado. NOTA: En el Servicio Interior [Inland Service] del Reino Unido, el tipo de llamada correspondiente se conoce por "personal call". SIN. **messenger call.** CF. **person-to-person call.**

préavis charge *(Telef)* sobretasa de aviso previo, tasa perteneciente al aviso previo.

préavis d'appel call *(Telef)* v. **préavis call.**

préavis fee *(Telef)* sobretasa de aviso previo.

precalibrated *adj:* precalibrado.

precalibrated setting ajuste precalibrado.

precaution precaución ‖‖ *adj:* precautorio, preventivo.

precaution indicator *(Ferroc)* tablero de precaución. Señal de indicación fija que obliga a circular con precaución.

precautionary *adj:* precautorio, preventivo.

precautionary attachment *(Derecho)* embargo preventivo.

precautionary embargo *(Derecho)* embargo preventivo.

precautionary landing *(Avia)* aterrizaje precautorio.

precautionary measure medida preventiva [de precaución] ‖ *(Avia)* medida de seguridad.

precautionary move medida preventiva [precautoria, de precaución].

precede *verbo:* preceder, anteceder; anteponer; tener precedencia, ir delante; tener la primacía ‖ *(Mat)* preceder.

precedence *(also* precedency*)* precedencia; prioridad; anterioridad, antelación; superioridad ‖ *(Telecom)* prioridad.

precedence effect *(Acús)* efecto de precedencia. Fenómeno sicoacústico consistente en lo que sigue: Si un sonido llega a un observador con dos direcciones distintas *simultáneamente,* al mismo le parecerá que emana de una tercera dirección intermedia entre las dos reales; pero si el sonido que incide sobre él en una de las direcciones se retarda ligeramente (de 1 a 30 milisegundos) respecto al otro, el observador no lo toma en cuenta en absoluto en lo que se refiere a la localización de la fuente sonora, y sitúa ésta exclusivamente según la dirección del sonido precedente, o sea, el que ha llegado primero a sus oídos. CF. **Haas effect.**

precedence indicator   indicador de precedencia.

precedency   v. **precedence.**

precess   *(Astr, Fís, Giroscopios)* efectuar(se) la precesión; progresar con movimiento de precesión. v. **precession.**

precession   precedencia ‖ *(Fís)* precesión. Cambio en la orientación del eje de un cuerpo en rotación; aplícase en particular a los giroscopios ‖ *(Astr)* precesión (de los equinoxios).

precession angle   ángulo de precesión.

precession rate   velocidad de precesión. Dícese p.ej. en relación con la precesión de los ejes de espín de los electrones en el fenómeno de la resonancia ferromagnética [ferromagnetic resonance].

precession resonance   resonancia de precesión.

precious   *adj:* precioso, valioso; costoso, caro ‖ *(Metales, Minerales)* precioso, noble. SIN. **noble.**

precious metal   metal precioso.

precious-metal wire   hilo de metal precioso.

precious stone   piedra preciosa, gema.

precipitability   precipitabilidad.

precipitable   *adj:* precipitable.

precipitant   *(Quím)* precipitante, agente de precipitación.

precipitation   precipitación; derrumbamiento ‖ *(Elec)* separación, precipitación (electrostática). v. **electrostatic precipitation** ‖ *(Meteor)* precipitación. Precipitación atmosférica: lluvia, nieve | lluvia caída; nieve caída ‖ *(Quím)* precipitación.

precipitation clutter   *(Radar)* trazos parásitos debidos a la precipitación atmosférica. CF. **sea clutter, ground clutter.**

precipitation gage   *(Meteor)* pluviómetro, pluvionivómetro.

precipitation mechanism   mecanismo de precipitación.

precipitation particle   partícula de precipitación (p.ej. gota de lluvia, granizo).

precipitation static   *(Radio)* estática de precipitación. Perturbaciones o ruidos originados por la precipitación atmosférica (lluvia, nieve, partículas de polvo) o por nubes electrizadas.

precipitation station   *(Meteor)* estación pluviométrica [pluvionivométrica].

precipitation tank   cuba de precipitación.

precipitation titration   *(Quím analítica)* valoración de precipitaciones.

precipitation vat   cuba de precipitación.

precipitation with a carrier   precipitación con portador.

precipitation within sight   *(Meteor)* precipitación a la vista.

precipitator   precipitador ‖ *(Elec)* separador, precipitador (electrostático). Aparato para precipitar partículas en suspensión. v. **electrostatic precipitator.**

Precipitron   Precipitron. Marca registrada (Westinghouse Electric Corporation) de un renglón de precipitadores o separadores electrostáticos.

precise   *adj:* preciso; exacto; estricto; justo; idéntico, propio.

precise mass   masa precisa. Masa de una partícula o de un elemento determinada con varias cifras decimales (con ayuda del espectrógrafo de masa), a distinción del *número de masa,* que es el valor de la masa expresada por el número entero más próximo.

precision   precisión; exactitud; limitación exacta ‖ *(Informática, Mat, Medidas)* precisión. (1) Cualidad de lo que está definido o expresado con buena resolución o finura de medidas. (2) Grado de finura de una medición; cifras menos significativas de una medida. (3) Grado de discriminación con que se expresa una magnitud. La *precisión* no debe confundirse con la *exactitud* [accuracy], que es el grado de ausencia de error. Por ejemplo, un número con tres lugares decimales es más preciso que uno con sólo dos lugares decimales, pues el primero permite distinguir entre 1 000 valores posibles, en vez de 100 en el caso del segundo; pero si el número de

tres cifras decimales ha sido impropiamente calculado, puede ser *menos exacto* que el número de dos cifras decimales. Asimismo, un amperímetro que permite apreciar hasta el décimo de amperio es *más preciso* que otro que sólo permite apreciar hasta, digamos, dos décimos de amperio; pero el segundo puede ser *más exacto* si sus indicaciones están afectadas de un error más pequeño.

precision adjustment   ajuste [reglaje] de precisión.

precision approach   *(Avia)* aproximación de precisión.

precision approach controller   *(Avia)* controlador PAR.

precision approach lighting system   *(Avia)* sistema de iluminación de aproximación de precisión.

precision approach radar [PAR]   *(Avia)* radar de precisión de aterrizaje, equipo de radar de precisión para aterrizaje, radar de precisión para la aproximación, radar de acercamiento de precisión, PAR. CF. **ground-controlled approach, talk-down system** | radar de precisión de aterrizaje. Radar primario [primary radar] instalado en el suelo, que determina con precisión la posición de una aeronave respecto a una trayectoria de aproximación final predeterminada (CEI/70 60–74–385).

precision approach radar element   elemento PAR, elemento de radar de precisión para la aproximación.

precision approach radar system   sistema PAR, sistema de radar de precisión para la aproximación.

precision approach runway   *(Avia)* pista para aproximaciones de precisión.

precision balance   balanza de precisión.

precision bombing   bombardeo de precisión.

precision file   *(Herr)* lima de precisión. Se usa p.ej. en relojería y joyería.

precision fire   *(Artillería)* tiro de precisión.

precision frequency meter   frecuencímetro de precisión.

precision-ground   *adj:* rectificado con precisión.

precision-ground ball bearings   cojinetes de bolas de precisión.

precision-ground thread   rosca rectificada con precisión, rosca esmerilada de precisión.

precision instrument   instrumento de precisión ‖ *(Aparatos de medida)* aparato de control [de verificación]. Nombre dado a menudo a los aparatos de precisión mediana [instruments of intermediate accuracy], generalmente transportables (CEI/58 20–05–225). CF. **standard instrument, substandard instrument.**

precision lamp   lámpara de precisión.

precision landing   *(Avia)* aterrizaje de precisión.

precision lathe   torno de precisión.

precision net   *(Telecom)* v. **precision network.**

precision network   *(Telecom)* (a.c. precision net) terminador [equilibrador] de precisión. Terminador de cuatro hilos [four-wire terminating set] o dispositivo semejante que comprende un transformador diferencial [hybrid coil, hybrid transformer] y una línea artificial [artificial line], y que se calcula y ajusta de modo de equilibrar con exactitud una línea local y el aparato de abonado correspondiente, o la impedancia de una línea. CF. **compromise network.**

precision off-air receiver   *(Tv)* receptor de precisión para captación directa del aire [para captar los programas del aire]. Televisor de construcción especial destinado a servir de monitor de los programas tal como salen "al aire", a diferencia de los que se conectan directamente a la línea de videofrecuencia.

precision photometry   fotometría de precisión.

precision plan position indicator [PPPI, P³I]   *(Radar/Sonar)* indicador panorámico de precisión; pantalla panorámica de precisión; PPI de precisión.

precision radar   radar de precisión.

precision recording   registro de precisión.

precision recording paper   papel para registros de precisión [para aparatos registradores de precisión].

precision resistor   resistor de precisión.

precision snap-acting switch   *(Elec)* conmutador de acción rápida de precisión.

precision spin *(Avia)* barrena de precisión.

precision sweep *(Radar)* barrido de precisión, barrido "lupa". Barrido de cobertura que es sólo una fracción de la normal y que se amplía de modo de cubrir toda la pantalla, con el fin de poder efectuar medidas de distancia de precisión.

precision turn *(Avia)* viraje de precisión.

precision vernier nonio de precisión.

precision wire-wound resistor resistor de alambre de precisión, resistor de precisión de alambre arrollado.

precoating prerrecubrimiento ‖ *(Carreteras)* prerrecubrimiento de agregado. Operación consistente en recubrir un árido con una primera película de un producto destinado a mejorar su adhesividad posterior con otro ligante.

precombustion precombustión.

precombustion chamber *(Mot, Turbinas)* cámara de precombustión.

precombustion device dispositivo de precombustión. Usase p.ej. en los motores diesel.

preconduction *(Elecn)* preconducción.

preconduction current *(Elecn)* corriente de preconducción. En un tubo de gas de mando por rejilla (p.ej. un tiratrón), corriente de ánodo (placa) de pequeño valor que circula por el tubo antes de comenzar la conducción.

preconsolidated *adj:* preconsolidado.

preconsolidated clay arcilla preconsolidada. Arcilla que en algún momento de su historia geológica se ha consolidado hasta cierto punto por efecto de presiones verticales superiores a la presión existente.

precontrol precontrol, premando.

precooler *(Climatiz/Refrig)* preenfriador.

precorrection precorrección ‖ *(Elecn/Telecom)* (*i.e.* phase precorrection) precorrección (de fase) ‖ *(Teleg)* precorrección. Aplicación de una distorsión telegráfica artificial [artificial telegraph distortion] a las señales de entrada de una vía de transmisión, de modo de compensar, total o parcialmente, los efectos de la distorsión característica [characteristic distortion] de la vía. CF. **preemphasis.**

precursive v. **precursory.**

precursor precursor ‖ *(Impulsos)* efecto precursor. v. **undershoot** ‖ *(Nucl)* (**of a delayed neutron**) precursor (de un neutrón retardado) | (**of a nuclide**) precursor (de un núclido). Todo núclido radiactivo que precede a ese núclido en una cadena de desintegración [decay chain]. El término se limita a menudo al núclido inmediatamente precedente (CEI/68 26-05-065) ‖‖ *adj:* precursor.

precursor arc *(Plasmas)* arco precursor. v. **electric shock tube.**

precursor effect efecto precursor.

precursory *adj:* (*also* precursive) precursor.

precurve *verbo:* precurvar.

precut *adj:* precortado, cortado de antemano; cortado preliminarmente ‖‖ *verbo:* precortar; cortar preliminarmente; cortar a la medida.

precut wire alambre precortado, alambre cortado a la medida. Se usa la expresión p.ej. refiriéndose a los alambres ya cortados a la medida para las conexiones, que forman parte de algunos juegos de piezas para armar o "kits".

predetection predetección.

predetection recording registro con predetección. Procedimiento de registro magnético empleado en aplicaciones de instrumentación [instrumentation], en el cual la señal de datos se registra conjuntamente con su portadora antes de la detección final.

predetermination predeterminación.

predetermination unit *(Comput)* dispositivo de predeterminación. CF. **predetermining counter.**

predetermined *adj:* predeterminado; preestablecido.

predetermined code *(Informática)* código preestablecido.

predetermined counter contador predeterminado.

predetermined divider divisor predeterminado.

predetermined duplicating cutout bar *(Informática)* barra interruptora de duplicación.

predetermined eject *(Informática)* descarga predeterminada (de tarjetas).

predetermined sequence secuencia predeterminada.

predetermined torque par torsor predeterminado.

predetermined total line *(Informática)* renglón predeterminado para totales.

predetermining counter contador predeterminante. v. **preset counter.**

predetonation *(Nucl)* predetonación, detonación prematura.

predicted *adj:* previsto, pronosticado, predicho.

predicted consumption consumo previsto.

predicted wave *(Telecom)* onda pronosticada.

predicted-wave signaling señalización de ondas pronosticadas. v. **predicted-wave system.**

predicted-wave system sistema de ondas pronosticadas. Sistema de telecomunicación en el cual la detección es optimizada en presencia de ruido aprovechando la información que se tiene de antemano sobre los tiempos de llegada y terminación de cada impulso, así como sobre la forma, frecuencia y espectro de los impulsos, y su contenido posible de información. Se emplea en sistemas telegráficos y de transmisión de datos por desplazamiento de fase [phase shift].

predicting *adj:* pronosticador, previsor, predictor, que predice.

predicting element *(Artillería)* elemento de predicción [determinación de los datos futuros], elemento de extrapolación.

predicting interval *(Artillería)* tiempo muerto.

prediction predicción, pronóstico, previsión ‖ *(Artillería)* predicción, extrapolación, determinación de los datos futuros.

predictive *adj:* predictivo, de predicción.

predictive coding codificación predictiva.

predictive control control predictivo.

predictive controller regulador predictivo; (sistema de) control de predicción.

predictor *(Artillería)* predictor, extrapolador, calculador de tiro futuro.

predissociation predisociación. Disociación de una molécula después de haber absorbido energía y antes de perder energía por radiación.

predistorting *adj:* *(Elecn/Telecom)* de distorsión [corrección] previa, precorrector.

predistorting network red precorrectora, red de distorsión [corrección] previa. SIN. **preemphasis network.**

predistortion predistorsión; predeformación ‖ *(Elecn/Telecom)* predistorsión, precorrección. SIN. **preemphasis, precorrection.**

predominant *adj:* predominante; prevalente.

predose fluorescence *(Dosímetros)* fluorescencia antes de irradiado.

predosed component *(Nucl)* componente preirradiado (con un isótopo).

Preece's formula *(Elec)* fórmula de Preece. La corriente de fusión [fusing current] de un conductor es proporcional a la potencia 1,5 del diámetro.

preecho *(Discos fonog)* preeco, eco previo. Eco que precede al sonido principal. v. **echo.**

preedit *verbo:* *(Informática)* preeditar. Editar informaciones de entrada, antes de su elaboración o intervención en operaciones de cálculo.

preedit order *(Informática)* pedido semiconfeccionado.

preemphasis preacentuación, preénfasis. TB. resalte, acentuación previa. (1) Acción y efecto de aumentar intencionalmente el grado de amplificación o la potencia correspondiente a cierta banda de frecuencias respecto a las demás. (2) Aumento del nivel relativo de una parte de la banda audible respecto al resto de la banda. Esta técnica se utiliza en la grabación fonográfica y en las transmisiones de modulación de frecuencia o de fase, para mejorar la razón señal/ruido en la parte alta de la gama de frecuencias de la señal transmitida o grabada, según el caso; la misma exige que en el aparato receptor o reproductor se efectúe la operación inversa, para devolver a las distintas bandas de frecuencias su intensidad o potencia relativas originales (v. **deemphasis**). SIN. acentuación, énfasis, sobreamplificación (de los agudos), acentuación de los contrastes —— accentuation, emphasis, precorrection, predistortion, preequalization | preénfasis. Aumento sistemático de la amplitud relativa de ciertas componentes espectrales [frequency components] de una señal (CEI/70 60–10–175) | preénfasis, acentuación previa, distorsión previa *(denominación desaconsejada)*. Operación consistente en dar relieve a una parte de la curva de respuesta [response curve] de un sistema de registro, con el fin de igualar el reparto estadístico [statistical partition] de la energía en el dominio de las frecuencias acústicas antes de aplicar la señal al medio material de registro [recording medium] (CEI/60 08–25–020) | **preemphasis — deemphasis:** preacentuación — desacentuación. Conjunto de dos operaciones inversas cuyo fin es el de mejorar la transmisión, en particular en lo que respecta a la relación señal/ruido [signal/noise ratio]: La *preacentuación* [preemphasis] consiste en modificar la característica de ganancia en función de la frecuencia [gain/frequency characteristic] de una vía, buscando, de ordinario, aumentar las amplitudes relativas de aquellas componentes de la señal cuyas frecuencias son las más elevadas. La *desacentuación* [deemphasis], efectuada a la salida de la vía, es la operación inversa de la preacentuación y debe combinarse con ésta para reconstituir la forma primitiva de las señales (CEI/70 55–15–090).

preemphasis filter   filtro de preacentuación [preénfasis].

preemphasis network   red preacentuadora, red de preénfasis.

preemphasis value   valor de preacentuación [preénfasis].

preemphasized   *adj:* preacentuado, con preénfasis.

preemphasized signal   señal preacentuada, señal con preénfasis. Señal que ha sido sometida a la operación de preacentuación o preénfasis.

preequalization   preigualación, precorrección, corrección previa. CF. **precorrection** | corrección previa. Corrección efectuada en un punto de un sistema de registro o de lectura que precede (inmediatamente o no) a un elemento determinado cuyas características quieren corregirse (CEI/60 08–25–015). CF. **preemphasis.**

prefab   Abrev. de prefabricated | pieza prefabricada; casa prefabricada.

prefabricated   *adj:* prefabricado.

prefabricated circuit   *(Elecn)* circuito prefabricado. SIN. **printed circuit** (véase).

prefabricated interconnecting cable   cable de interconexión ya preparado. CF. **harness.**

prefabricated unit   casa prefabricada || *(Elecn)* elemento prefabricado.

prefabricated wiring   conexionado prefabricado. SIN. **printed wiring** | cableado [alambrado] preparado de antemano (en la fábrica).

prefabrication   prefabricación.

prefade listening   *(Radiodif)* escucha previa. Escucha de control de un programa antes de su difusión (CEI/70 60–62–075).

preference   preferencia; prelación; (derecho de) prioridad; predilección; cosa preferida, cosa predilecta; ventaja.

preference facility   *(Telef)* preferencia. En una instalación automática de abonados con supletorios [PABX], posibilidad ofrecida a los usuarios de aparatos determinados de intervenir en cualquier conversación en curso [conversation in progress] en la instalación (CEI/70 55–105–370).

preference tripping system   *(Relés)* sistema de desconexión [disyunción] preferente.

preferential   *adj:* preferencial; preferente; privilegiado.

preferential direction   dirección preferencial [de preferencia].

preferential flow   flujo preferencial; corriente preferente.

preferential nucleation   nucleación preferente.

preferential oxidation   oxidación preferente.

preferential recombination   recombinación preferente. La que ocurre inmediatamente después de formado un par de iones [ion pair].

preferential trip coil   *(Elec)* bobina de desconexión preferente.

preferentially   *adv:* preferencialmente.

preferentially oriented   de orientación preferencial.

preferred   *adj:* preferido; preferente; preferencial; privilegiado; predominante; recomendado, normalizado.

preferred circuit   *(Elecn)* circuito normalizado.

preferred numbers   *(Elecn)* números normalizados. Serie de números recomendados para la adopción de valores nominales de resistencia y capacitancia, para reducir el número de valores diferentes en almacén. SIN. **preferred values.**

preferred orientation   *(Nucl, Petrología)* orientación preferente [preferencial, predominante].

preferred tube types   *(Elecn)* tipos preferidos de tubos. Tipos de tubos electrónicos (válvulas electrónicas) recomendados para el proyecto de circuitos, con el fin de reducir el número de tipos distintos que hay que tener en existencia en los comercios y los talleres de reparación.

preferred values   *(Elecn)* valores (nominales) preferidos. v. **preferred numbers.**

prefix   prefijo || *(Gram)* prefijo, sufijo. CF. **suffix** || *(Telecom)* señal de desenganche; elemento de señal preparatorio | prefijo. Parte inicial de una señal de varios elementos, que tiene por objeto preparar el circuito o hacerlo sensible para la recepción de la parte restante de la señal (CEI/70 55–115–175). CF. **suffix** || *(Teleg)* prefijo. En el tráfico telegráfico, letra o grupo de letras (a veces se usan también números) que indica la clasificación del despacho que lo lleva. Se incluye en el preámbulo [preamble], se antepone al nombre del destinatario, o se envía antes de iniciar la transmisión del despacho o telegrama correspondiente. CF. **priority prefix** || v. **order of magnitude, prefixes of the metric system.**

prefix number   *(Teleg)* número de prefijo.

prefixes of the metric system   prefijos del sistema métrico. En el sistema métrico, los múltiplos y submúltiplos de las unidades fundamentales son designados con los prefijos siguientes:

Prefijo	*Relación a la unidad*	
mega	1 000 000	$= 10^6$
miria	10 000	$= 10^4$
kilo	1 000	$= 10^3$
hecto	100	$= 10^2$
deca	10	$= 10$
deci	0,1	$= 10^{-1}$
centi	0,01	$= 10^{-2}$
mili	0,001	$= 10^{-3}$
micro	0,000 001	$= 10^{-6}$

(CEI/38 05–35–075). v.TB. **orders of magnitude.**

preflight adjustment   *(Avia)* ajuste [reglaje] antes del vuelo.

preflight briefing   *(Avia)* exposición verbal previa al vuelo.

preflight check   *(Avia)* comprobación [verificación] antes del vuelo.

preflight checking   v. **preflight check.**

preflight inspection   *(Avia)* inspección antes del vuelo.

preflight operational planning   *(Avia)* planeamiento operacional inmediato al vuelo.

preflight testing   *(Avia)* pruebas antes del vuelo.

preflight training   *(Avia)* instrucción preparatoria de vuelo; enseñanza preliminar antes de los vuelos.

prefocus   *verbo:* preenfocar.

prefocus base   *(Lámparas)* (a.c. prefocus cap — GB) casquillo prefocus. Casquillo (tipo P) que permite, durante la fabricación de la lámpara, colocar el cuerpo luminoso [luminous element] en una posición determinada respecto a marcas hechas en el casquillo. De este modo se asegura un centrado reproducible cuando la lámpara se inserta en un portalámpara [socket, lampholder] apropiado.

NOTA: El *casquillo de aletas* ("flanged cap" en inglés, "culot a ailettes" en francés) es un tipo particular de casquillo prefocus (CEI/70 45–45–120).

prefocus cap *(GB)*   *(Lámparas)* v. **prefocus base.**

prefocus lamp   lámpara prefocus. Lámpara incandescente cuyo cuerpo luminoso [luminous element] ocupa una posición determinada respecto a marcas que forman cuerpo con el casquillo [base, cap *(GB)* | (CEI/70 45–40–205).

prefocus lamp base   casquillo de lámpara prefocus; base de bombilla para proyector.

prefocused   *adj:* preenfocado.

prefocused exciter lamp   *(Proy cine)* lámpara excitadora preenfocada.

prefocusing   preenfoque; prefocalización; preconcentración.

prefocusing lens   lente de prefocalización [preconcentración].

preform   *(Fab de discos fonog)* bizcocho, galleta, tableta, compuesto preformado. v. **biscuit** /// *verbo:* preformar.

preformed   *adj:* preformado.

preformed cable   *(Cables met)* cable preestirado, cable estirado antes de colocarlo || *(Elecn/Telecom)* cable preformado. cf. **harness.**

preformed precipitate   precipitado preformado.

preformed strand   *(Cables)* torón preformado.

preformed winding   *(Elec)* devanado sobre horma. Devanado constituido por elementos que reciben su forma antes de ser colocados en las ranuras [slots] (CEI/56 10–35–095).

pregnant solution   *(Quím)* (a.c. mother liquid) solución madre.

pregroup   *(Telecom)* pregrupo. En los sistemas de onda portadora con más de una etapa de modulación, grupo de canales modulados individualmente que, a su vez, modula a una portadora. cf. **modulation plan.**

preheat   precalentamiento, calentamiento preliminar /// *verbo:* precalentar.

preheat lamp   *(Ilum)* (i.e. hot-cathode lamp which requires preheating of the electrodes for starting — a.c. hot-start lamp) lámpara de cebado en caliente. Lámpara de cátodo caliente cuyo cebado necesita el precalentamiento de los electrodos (CEI/70 45–40–130).

preheater   precalentador, calentador inicial.

preheating   precalentamiento, calentamiento inicial [previo, preliminar].

preheating of electrodes   *(Lámparas)* precalentamiento de los electrodos.

preheating of gas mixture   *(Mot)* calentamiento previo de la mezcla.

preheating time   tiempo de precalentamiento || *(Elecn)* **(in a mercury-arc valve)** tiempo de calentamiento (en un tubo de vapor de mercurio). Tiempo necesario para que todas las partes del tubo alcancen su temperatura de funcionamiento [operating temperature] (CEI/56 07–40–270).

preignition   preignición || *(Mot)* encendido prematuro.

preimpregnate   material preimpregnado /// *verbo:* preimpregnar.

preimpregnated   *adj:* preimpregnado.

preimpregnated insulation   *(Cables)* aislamiento de impregnación previa. Aislamiento en el cual las cintas de papel [paper tapes] son impregnadas antes del encintado, y que no es impregnado después de terminado (CEI/65 25–30–020). cf. **mass-impregnated insulation.**

preindication   preindicación, indicación previa.

preindication device   *(Informática)* dispositivo preindicador.

preionization   preionización.

preionizing   *adj:* preionizante.

prelash   amarre previo.

prelash method (for the placing of cables)   método (de tender cables) con amarre previo.

preliminary   preliminar; preludio || *(Escuelas)* **preliminaries:** exámenes preliminares || *(Deportes)* **preliminaries:** (pruebas) eliminatorias /// *adj:* preliminar; preparatorio; introductorio; previo.

preliminary amplifier   amplificador preliminar [previo], pream-

plificador. v. **preamplifier.**

preliminary call   *(Telef)* llamada previa.

preliminary design   cálculo preliminar; anteproyecto, proyecto preliminar.

preliminary operational planning   *(Avia)* planeamiento operacional preliminar.

preliminary project   anteproyecto, proyecto preliminar.

preliminary scheme   esquema preliminar; anteproyecto.

preliminary study   anteestudio, estudio preliminar || *(Ferroc)* anteproyecto, proyecto preliminar. Trabajo que comprende un trazado basado en cartas topográficas y en el estudio de reconocimiento, completado con planos generales, memoria descriptiva, y presupuesto máximo.

preliminary warning   aviso [advertencia] preliminar || *(Telef)* llamada previa.

preliminary work   trabajo preliminar; trabajo preparatorio.

preload   carga previa /// *verbo:* precargar.

preloaded   *adj:* precargado.

preloaded ball bearing   cojinete de bolas precargado.

prelude   preludio, prelusión || *(Mús)* preludio /// *verbo:* preludiar.

premature   *adj:* prematuro.

premature disconnection   *(Telecom)* desconexión prematura; interrupción prematura.

premature release   *(Telecom)* desconexión prematura; interrupción prematura.

première   estreno (de una película, de una obra teatral, etc.); actriz protagonista.

premise   premisa; local, edificio || *(Lógica, Mat)* premisa. AFINES: enunciado, hipótesis.

premium   premio; galardón; remuneración || *(Comercio)* prima, beneficio; agio; interés /// *adj:* perfeccionado; mejorado; de calidad superior.

premium gasoline   gasolina de alto octanaje.

premium tube   *(Elecn)* tubo (electrónico) [válvula (electrónica)] de calidad especial. Esta es una de varias designaciones usadas por los distintos fabricantes para referirse a los tubos o válvulas de construcción reforzada y especialmente cuidadosa, para darles gran duración, robustez mecánica y estabilidad funcional, aunque sus características nominales eléctricas sean idénticas a sus equivalentes de fabricación normal. Se emplean cuando la aplicación exige estabilidad mecánica y/o eléctrica o un factor de seguridad superior al normal.

premodulation   premodulación, modulación previa.

premodulation amplifier   amplificador de premodulación.

preoiled   *adj:* preaceitado.

preoiled sleeve   manguito preaceitado.

preoscillation   preoscilación.

preoscillation current   v. **starting current.**

prepaid   *adj:* porte pagado; pagado por adelantado || *(Fletes)* pagado por el remitente || *(Correspondencia postal)* franqueado.

prepaid reply   *(Teleg)* respuesta pagada.

prepaid-reply voucher   *(Teleg)* cupón de respuesta pagada.

preparation   preparación; redacción; preparado; apresto || *(Mús)* preparación.

preparation of a telegram   redacción de un telegrama.

preparation of a trunk call   *(Telef)* preparación de una comunicación interurbana, concertación de una llamada interurbana.

preparation of trunk telephone calls by telegraph order wire with buzzer or sounder   *(Telef)* preparación telegráfica con zumbador o acústico.

preparation of trunk telephone calls by telegraph order-wire working   *(Telef)* preparación telegráfica.

preparatory   *adj:* preparatorio; preliminar.

preparatory period   *(Telecom)* período preparatorio.

preparatory traffic signal   *(Telecom)* señal preparatoria de tráfico.

prepared linen tape   *(Telecom)* cinta con tanino; cinta de algodón impregnado.

prepayment   pago previo; pago adelantado.

prepayment coin box   *(Telef)* aparato telefónico de previo pago, aparato de pago previo.

prepayment coin-collecting box   *(Telef)* caja colectora de monedas de pago previo.

prepayment meter   *(Elec)* (a.c. slot meter) contador de pago previo, contador de previo pago. Contador provisto de un órgano que interrumpe la corriente después de haberse registrado un número previamente establecido de ampere-horas o de watt-horas, correspondiente al valor de una pieza de moneda introducida en el aparato, o después de un tiempo determinado (CEI/38 20–25–105, CEI/58 20–25–115).

prepayment telephone   teléfono de pago previo.

prepayment telephone coin box   *(Telef)* caja colectora de teléfono de pago previo.

prepayment telephone station   aparato telefónico de pago previo.

prepulse   *(Elecn)* impulso preliminar.

prepunched   *adj:* prepunzonado; preperforado.

prepunched master card   *(Informática)* tarjeta maestra preperforada.

prepunched master card insertion   inserción de tarjeta maestra preperforada.

prerecorded   *adj:* pregrabado; prerregistrado.

prerecorded tape   v. **recorded tape.**

preroll period   *(Proy cine)* período de funcionamiento preliminar.

presbyope   *(Medicina)* présbite, présbita.

presbyopia, presbyopy   *(Medicina)* presbiopia, presbicia. SIN. **vista cansada** *(denominación popular)*, **hipermetropía** *(tecnicismo)*.

presbyopic   *adj:* présbita, présbite, presbiópico.

presbyopy   v. **presbyopia.**

prescoring   *(Cine)* grabación previa (del sonido); presincronización.

prescribed   *adj:* prescrito; preestablecido; reglamentario; especificado, ordenado, impuesto.

prescribed load   *(Avia)* carga prescrita.

prescribed test   prueba reglamentaria.

prescribed tolerance   tolerancia especificada [impuesta].

preselected   *adj:* preseleccionado, seleccionado de antemano.

preselected reference voltage   tensión de referencia preseleccionada.

preselecting   preselección *//// adj:* preselector, de preselección.

preselecting rotary line switch   *(Telecom)* preselector rotatorio.

preselection   preselección, selección previa [preliminar] || *(Telecom)* preselección. SIN. **sender selection** || *(Radio)* preselección, presintonización. v. **preselector.**

preselection stage   *(Telecom)* (a.c. stage of preselection) paso de preselección || *(Radio)* etapa preselectora [presintonizadora]. v. **preselector.**

preselector   *(Telecom)* preselector; distribuidor de buscadores || *(Telef)* preselector. Dispositivo de conmutación [switch] asociado a una línea que llama [calling line] y destinado a unir esa línea a un órgano libre cualquiera. SIN. **subscriber's uniselector** | preselector. Organo análogo a un selector libre cualquiera (CEI/38 55–20–075) || *(Radio)* preselector, presintonizador. (**1**) Dispositivo sintonizador intercalado entre la bajada de antena y los bornes de entrada de un receptor, para mejorar la selectividad. (**2**) Etapa amplificadora de radiofrecuencia intercalada antes del conversor de frecuencia [frequency converter] de un receptor superheterodino con el objeto de mejorar la selectividad y sensibilidad del aparato.

preselector stage   *(Telecom)* v. **preselection stage** || *(Radio)* etapa preselectora.

presence   presencia. En la reproducción electroacústica, impresión subjetiva de estar en presencia de la fuente original del sonido.

presence detector   *(Ferroc)* detector de presencia. Aparato que revela la presencia de un vehículo en determinada sección de vía.

presensing   *(Informática)* lectura previa.

present altitude   altura actual || *(Artillería antiaérea)* altura inicial.

present altitude spot   *(Artillería antiaérea)* corrección de reglaje de altura inicial.

present azimuth   acimut actual || *(Artillería antiaérea)* acimut inicial.

present position   posición actual.

present position of target   *(Artillería antiaérea)* avión-objetivo inicial.

present progressive tense   *(Gram)* (tiempo) presente progresivo.

present weather   condiciones meteorológicas presentes.

presentation   presentación || *(Radar)* presentación (visual) (de las señales de eco). Forma en que se presentan a la observación, en la pantalla de un tubo de rayos catódicos, las señales de eco || *(Tv)* aspecto de la imagen.

preservative   preservativo; defensa, salvaguarda; antiséptico; agente de conservación || *(Electroacús)* solución protectora. Solución utilizada para alargar la duración útil de los discos de grabación instantánea o directa [instantaneous recording disks] *//// adj:* preservador, conservador.

preserve   conserva; reservado *//// verbo:* conservar; preservar || *(Mat)* conservar.

preset   ajuste previo *//// adj:* preajustado; prefijado; preestablecido; regulado de antemano; preajustable *//// verbo:* preajustar; prefijar; preestablecer; ajustar previamente [de antemano]; determinar previamente.

preset button   *(Ascensores)* botón de parada automática.

preset controller   regulador (automático) preajustable. EJEMPLO: Contador electrónico industrial que al alcanzar determinado cómputo para el cual ha sido ajustado, activa una alarma, detiene la marcha de una máquina, o realiza otra función cualquiera.

preset correction   corrección previa; precorrección. CF. **precorrection.**

preset counter   contador preajustable [predeterminante, de cómputo previo]. Contador que emite un impulso, da una indicación o realiza alguna otra función al alcanzar el cómputo o total para el cual ha sido ajustado. SIN. **predetermining counter.**

preset guidance   *(Cohetes)* guía preajustada [prerregulada]; guiaje predeterminado. Guiaje según una trayectoria determinada por ajuste de mandos antes del lanzamiento.

preset limit   límite preestablecido.

preset parameter   *(Comput)* parámetro prefijado. Parámetro cuyo valor no se modifica durante la ejecución de determinada rutina.

preset potentiometer   potenciómetro de ajuste. EJEMPLOS DE APLICACION: En televisión, para preajustes de CAG, control de altura, de linealidad, de ancho, o limitación de la acción de un control manual (p.ej. el de frecuencia horizontal o de líneas). En radio, para la polarización individual de transistores, para limitar ganancia, para asegurar una producción de equipos uniformes, etc.

preset sequence   secuencia predeterminada.

preset speed   velocidad preestablecida.

preset-speed rheostat   reostato de velocidad preestablecida.

preset value   valor prefijado.

preset valve   válvula preajustable.

presetting   preajuste, prerreglaje, ajuste [reglaje] previo.

presetting control   *(Ferroc)* mando predeterminado. Mando de un aparato (por ejemplo, traslación de una aguja) que se ejecuta automáticamente, cuando se satisfacen las condiciones de seguridad deseadas (CEI/59 31–10–115).

presetting shutter   *(Fotog)* obturador de preselección [de tiempo prefijado].

presignal alarm   preseñal de alarma. Señal que sólo reciben determinadas personas encargadas de decidir si debe darse la señal de alarma general.

press   fuerza; presión; prensa; imprenta; impresión; apriete; prensador; sujetador; apretador || *(Tubos al vacío)* "pellizco". Parte de la ampolla de vidrio que se comprime alrededor de los hilos de soporte de los electrodos, y los hilos de conexión exterior, para fijarlos firmemente en sus posiciones relativas correctas. SIN.

pinch /// *verbo:* apretar, oprimir, presionar, comprimir; pulsar; prensar; poner en prensa; apoyarse contra; ejercer presión || *(Fab de discos fonog)* imprimir, moldear (el disco con la matriz). v. **stamper.**

press a button   *verbo:* apretar [pulsar] un botón || *(Telecom)* pulsar una tecla [una palanca].

press a key   *verbo:* pulsar una tecla; apretar una llave || *(Telecom)* pulsar una tecla [una palanca].

press button   botón pulsador [de presión], pulsador. SIN. **push-button** || *(Telecom)* tecla.

press-button board   cuadro de pulsadores.

press-button key   *(Telecom)* botón; pulsador con retención. SIN. **pushbutton key.**

press-button lock   cierre de botón de presión.

press-button locking with automatic release   cierre de botón pulsador con liberación automática || *(Telecom)* pulsador.

press-button momentary-contact switch   conmutador pulsador de contacto momentáneo.

press-button-operated   *adj:* accionado por (botón) pulsador.

press button with automatic release   botón pulsador con liberación automática || *(Telecom)* pulsador.

press call   *(Telef)* comunicación de prensa.

press dispatch   *(Teleg)* despacho [mensaje] de prensa.

press fit   ajuste forzado [a presión], encastre a presión /// *verbo:* ajustar a presión /// v. **press-fit.**

press-fit   *adj:* de montaje a presión; ajustado [colocado, puesto] a presión; puesto con la prensa.

press-fit package   *(Semicond)* caja de montaje a presión.

press operator   *(Telecom)* operador de prensa || *(Fab de discos fonog)* prensista.

press radiotelegram   radiotelegrama de prensa.

press service   servicio de prensa [de boletines de prensa], servicio informativo.

press telegram   telegrama de prensa. El prefijo internacional es =PRESSE= (la palabra francesa que significa *prensa*).

press telephone call   comunicación de prensa, conversación telefónica de prensa.

press-to-reset button   botón de reposición.

press-to-talk button   *(Telef)* botón de oprimir para hablar, botón pulsador para poner el micrófono en circuito, pulsador de habla/escucha.

press-to-talk handset   microteléfono de botón pulsador (para hablar).

press-to-talk intercom   intercomunicador con botón de oprimir para hablar.

press-to-talk microphone   micrófono de (botón) pulsador para hablar, micrófono con botón de apretar para hablar (para trabajo en símplex).

press-to-talk operation   telefonía a base de (botón) pulsador para hablar, comunicación símplex con mando manual. Sistema radiotelefónico en el cual, para pasar de recepción a emisión, o sea, cada vez que se quiere hablar a la estación distante, se oprime un botón, generalmente dispuesto en el propio micrófono o microteléfono.

press-to-talk system   sistema símplex de mando manual (de botón), sistema símplex con pulsador para hablar.

press-to-test button   botón de prueba.

press-type switch   *(Elecn)* conmutador pulsador.

press welder   prensa de soldar; soldadora por presión.

PRESSE   *(Teleg)* Prefijo internacional (UIT) de los telegramas de prensa [press telegrams].

pressed-glass base   *(Lámparas, Tubos al vacío)* base de vidrio comprimido [con "pellizco"]. v. **press, pinch.**

pressed in heat   comprimido en caliente; estampado en caliente.

pressed oxide   óxido prensado.

pressed powder   polvo comprimido.

pressed-powder printed circuit   *(Elecn)* circuito pulviimpreso, circuito [conexionado] impreso de polvo comprimido. Circuito o

conexionado formado con partículas comprimidas con o sin aplicación simultánea de calor.

pressed steel   acero prensado; acero embutido [estampado].

pressed-type bond   *(Tracción eléc)* conexión acuñada. v. **pin-type bond.**

pressing   presión; prensado, prensadura; presión de la prensa; impresión; moldeo a la prensa; estampación en la prensa; pieza estampada (en la prensa); pieza embutida; pieza forjada por presión; forja por presión; formación por prensado || *(Electroacús)* disco (fonográfico) estampado, disco moldeado (en oposición al grabado directamente); disco (fonográfico) comercial | *(i.e.* pressing of records) prensado, prensaje, estampado, matrizado (de discos). Producción de discos fonográficos por moldeo a presión y calor en una prensa en la cual se coloca la estampa [stamper] o matriz [master].

pressing plant   fábrica de prensar (discos fonográficos).

pressure   presión; tensión; carga, opresión; prensadura; empuje (del agua); carga (hidráulica); impulso, ímpetu; apremio, urgencia, premura, prisa || *(Cimientos)* compresión || *(Acús, Meteor)* presión || *(Elec)* presión eléctrica, tensión, fuerza electromotriz, voltaje || *(Fís)* presión. Fuerza que ejerce un cuerpo por unidad de superficie || *(Telecom) (i.e.* of traffic) concentración [afluencia, congestión] de tráfico || *(Tierra)* presión, empuje || v. **electrolytic solution pressure, electrostatic pressure, osmotic pressure** /// *verbo:* presionar, presionizar; oprimir; apremiar, urgir, apresurar.

pressure accumulator   acumulador de presión.

pressure-actuated   *adj:* accionado por (la) presión.

pressure-actuated switch   *(Elec)* conmutador accionado por presión.

pressure-adjusting device   dispositivo regulador de la presión.

pressure-adjusting knob   *(Informática)* perilla de ajuste de presión.

pressure adjustment   ajuste [regulación] de (la) presión || *(Manipuladores teleg)* ajuste [regulación] del muelle antagonista. El muelle antagonista es el que abre los contactos cuando cesa la presión del pulso del telegrafista; para cerrar los contactos hay que vencer su acción. Cada operador regula la tensión del muelle antagonista según su propio gusto, haciendo el manipulador más o menos "duro".

pressure-adjustment indicator   indicador de ajuste [regulación] de presión.

pressure air   aire comprimido, aire a presión.

pressure air-gap crystal unit   cristal (piezoeléctrico) de electrodos a presión.

pressure air system   instalación de aire comprimido.

pressure altimeter   baroaltímetro. Altímetro que funciona por efecto de la presión atmosférica, la cual depende de la altura sobre el nivel del mar [sea level]. CF. **radio altimeter.**

pressure altitude   altitud barométrica [de presión], altura barométrica standard. (1) Altitud correspondiente a la presión de la atmósfera normalizada. (2) Indicación obtenida con la escala barométrica [barometric scale] ajustada a la presión normalizada de 29,92 pulgadas (760 mm) de mercurio. (3) Presión atmosférica expresada por la altura correspondiente en la atmósfera tipo. CF. **indicated altitude, true altitude.**

pressure amplitude   *(Acús)* amplitud de presión. Presión acústica máxima instantánea en un punto dado durante un ciclo dado de una onda acústica sinusoidal.

pressure area   zona de presión. CF. **pressure center.**

pressure blower   ventilador impelente; ventilador centrífugo.

pressure bulb   *(Transductores de presión)* cápsula piezosensible.

pressure bulkhead   *(Aeronaves)* mamparo estanco.

pressure cabin   *(Aeronaves)* cabina de presión, cabina presionizada.

pressure cable   *(Elec)* cable a presión. Término general aplicado a los cables cuyo aislamiento se mantiene a una presión superior a la del medio exterior por medio de un fluido (por ejemplo, aceite o gas) (CEI/65 25-30-135) | CASOS PART. *(i.e.* gas-pressure cable)

cable con gas a presión, cable con dieléctrico gaseoso a presión | **gas-pressure cable:** cable con gas a presión. Cable a presión en el cual el fluido utilizado para la puesta a presión es un gas que actúa en el interior o el exterior de la vaina [sheath] (CEI/65 25–30–145) | v. **oil-filled cable, impregnated gas-pressure cable** | **compression cable:** cable bajo presión gaseosa. Cable con gas a presión [gas-pressure cable] cuyo aislamiento, generalmente constituido por papel impregnado [mass-impregnated paper], no está en contacto con el gas (CEI/65 25–30–160).

pressure calibration   calibración de presión.

pressure center   *(Meteor)* centro de presión. Centro de una zona de alta o de baja presión.

pressure chamber   cámara de presión; cámara neumática; cámara de impulsión.

pressure-chamber test   prueba en la cámara de presión.

pressure change   cambio [variación] de presión || *(Meteor)* cambio isobárico.

pressure-change chart   *(Meteor)* carta de isalobaras. Se llama *isalobara* a la curva que une los puntos en los cuales se ha registrado el mismo cambio (aumento o descenso) en la presión barométrica. CF. **pressure chart.**

pressure chart   *(Meteor)* carta isobárica [de isobaras].

pressure coefficient   *(Fís)* coeficiente de presión || *(Elec)* coeficiente de tensión [voltaje].

pressure connector   *(Elec)* conector de presión. Conector sin soldadura; borne que aprisiona el alambre a él unido.

pressure-connector lug   *(Elec)* orejeta de conector a presión.

pressure contact   contacto a presión.

pressure-contact switch   *(Elec)* conmutador de contacto(s) a presión; interruptor de contacto a presión.

pressure cooker   olla de presión; autoclave; olla "exprés", olla de cierre hermético (para cocinar al vapor).

pressure-creosoted   *adj: (Maderas)* creosotado a presión, tratado con creosota a presión.

pressure-creosoted pole   *(Telecom)* poste creosotado a presión.

pressure-creosoted timber   madera creosotada a presión.

pressure detector   detector de presión, piezodetector; detector de tensión [voltaje].

pressure difference   diferencia de presión; diferencia de presiones; diferencia de tensión [voltaje].

pressure-difference transducer   transductor de diferencias de presión.

pressure differential   diferencia de presiones, presión diferencial.

pressure-differential switch   *(Elec)* interruptor de presión diferencial. Interruptor accionado por la diferencia de presión entre dos espacios adyacentes; se utiliza p.ej. como interruptor de enclavamiento de la circulación de aire (v. **air interlock switch**).

pressure-differential valve   válvula controlada [regulada] por presión diferencial.

pressure distribution   distribución de la presión; distribución de presiones.

pressure drop   caída [baja] de presión || *(Hidr)* pérdida de carga || *(Elec)* caída de tensión [de voltaje].

pressure equalizer   igualador de (la) presión.

pressure equilibrium   equilibrio de presión.

pressure feed   alimentación a presión; avance por presión.

pressure-feed fuel system   sistema de alimentación de combustible a presión.

pressure fuel system   sistema de combustible a presión.

pressure gage, pressure gauge   manómetro, indicador [medidor] de presión; piezómetro. CASOS PART. manómetro Bourdón, manómetro balístico.

pressure-gage line   tubería del manómetro.

pressure gaging, pressure gauging   manometría, medida de presiones; piezometría.

pressure gate   *(Cine)* contraplaca. Elemento del mecanismo que guía la película. CF. **pressure plate.**

pressure gradient   *(Acús, Mec de suelos, &)* gradiente de presión ||

(Aeron) gradiente de presión; inclinación de presión || *(Meteor)* gradiente bárico [de presión].

pressure-gradient microphone   micrófono sensible al gradiente de presión | micrófono de gradiente de presión. Micrófono que funciona esencialmente por efecto del gradiente de presión acústica (CEI/60 08–15–025). CF. **pressure microphone, velocity microphone.**

pressure guide   *(Proy cine)* patín presor.

pressure head   salto; presión dinámica || *(Hidr)* carga de agua, altura piezométrica || *(Aviones)* tubo de Pitot presostático [con toma estática] || *(Herr)* cabezal de presión.

pressure hydrophone   hidrófono de presión. Micrófono de presión [pressure microphone] que responde a las ondas acústicas propagadas por el agua.

pressure-impregnated   *adj:* impregnado a presión.

pressure impregnation   impregnación a presión.

pressure-indicating gage   v. **pressure gage.**

pressure indicator   indicador de presión. SIN. **pressure gage.**

pressure indicator switch   conmutador indicador de (la) presión.

pressure level   nivel de presión. El nivel de presión (P_n) de un sonido, en decibelios, es igual a

$$P_n = 20 \log_{10} P/P_o$$

donde P es la *presión efectiva del sonido* [effective sound pressure] y P_o es la *presión de referencia;* a menos que se indique otra cosa se entiende que $P_o = 0,0002$ dina/cm² || *(Meteor)* (a.c. isobaric surface) superficie isobara.

pressure limit   límite de presión.

pressure-limit thermostatic expansion valve   válvula de expansión de gobierno termostático para limitación de presión.

pressure-limiting valve   válvula limitadora de presión.

pressure line   *(Arcos)* línea de presión; línea de presiones || *(Engranajes)* línea de acción; tangente común || *(Hidr)* tubería de presión.

pressure loss   pérdida de presión || *(Elec)* caída de tensión [de voltaje] || *(Hidr)* pérdida de carga.

pressure lubrication   lubricación a presión.

pressure lubrication system   sistema de lubricación a presión.

pressure lubricator   lubricador a presión.

pressure-measuring apparatus   aparato medidor de presión, manómetro; piezómetro. SIN. **pressure gage.**

pressure meter   medidor de presión, manómetro; piezómetro. SIN. **pressure gage.**

pressure microphone   micrófono de presión. (**1**) Micrófono cuya respuesta es función de las variaciones de presión causadas por la onda acústica incidente. (**2**) Micrófono que funciona esencialmente por efecto de la presión acústica [sound pressure] (CEI/60 08–15–010). v. **carbon microphone, crystal microphone, capacitor microphone, moving-coil [dynamic] microphone, piezoelectric microphone.**

pressure of atmosphere   presión atmosférica. v. **atmospheric pressure.**

pressure of traffic   *(Telecom)* concentración [afluencia, congestión] de tráfico.

pressure-operated   *adj:* accionado por (la) presión; accionado por la tensión [por el voltaje].

pressure-operated device   dispositivo manométrico.

pressure-operated microphone   micrófono de presión. v. **pressure microphone.**

pressure pad   *(Cine)* patín presor, almohadilla presora, almohadilla [zapata] de frenaje. SIN. **pad** || *(Magnetófonos)* almohadilla presora. Pieza de fieltro que mantiene la cinta en contacto con la cabeza magnética.

pressure pattern   *(Meteor)* configuración isobárica.

pressure-pattern flight   *(Aeronaveg)* vuelo isobárico; navegación isobárica.

pressure-pattern flying   vuelo isobárico; navegación isobárica.

pressure pickup   piezocaptor, piezocaptador, captor de presión. SIN. **pressure transducer.**

pressure plate   (*Autos*) platillo de presión. LOCALISMO: placa presionante || (*Cám cine*) presor, compresor || (*Proy cine*) placa presora || (*Fotog, Informática*) placa de presión || CF. **pressure gate.**

pressure potentiometer   potenciómetro traductor de presión, piezotransductor potenciométrico. Transductor de presión que actúa variando de posición el cursor de un potenciómetro.

pressure pulsation   pulsación de presión.

pressure pulse   pulsación de presión; impulsión de presión.

pressure-reducing valve   válvula reductora [de reducción] de presión.

pressure regulation   regulación de presión; regulación de tensión [de voltaje].

pressure regulator   regulador de presión; regulador de tensión [de voltaje].

pressure relay   (*Elec*) relé [relevador] de presión.

pressure release lever   (*Informática*) palanca liberadora de presión; palanca aflojadora del papel.

pressure relief   desahogo, alivio de la presión; descargador de presión.

pressure-relief valve   válvula de desahogo [de alivio de la presión]; válvula limitadora de presión; válvula de seguridad.

pressure-relief vent   orificio de alivio de la presión; orificio limitador de presión.

pressure resonance   (*Elec*) resonancia de tensión.

pressure response   respuesta a la presión || (*Electroacús*) (a.c. pressure sensitivity) respuesta en presión, rendimiento intrínseco [en presión]. De un micrófono, a una frecuencia dada: (a) cociente de la fuerza electromotriz en los bornes por la presión acústica sobre el diafragma; (b) cociente de la tensión en los bornes de una resistencia de carga especificada por el fabricante del micrófono, por la presión acústica [sound pressure] sobre el diafragma (CEI/60 08–10–175).

pressure-response characteristic   característica de respuesta a la presión.

pressure roll   rodillo de presión; cilindro prensador [de presión].

pressure-roll release lever   palanca liberadora del rodillo de presión.

pressure roller   rodillo prensador [de presión]; cilindro de presión || (*Cine, Magnetófonos*) rodillo presor.

pressure-sensitive diaphragm   diafragma piezosensible; diafragma sensible a las variaciones de presión.

pressure-sensitive strip   (*Informática*) tira indicativa a presión.

pressure-sensitive tape   cinta autoadhesiva, cinta adhesiva (piezosensible).

pressure sensitivity   piezosensibilidad, sensibilidad a la presión || (*Electroacús*) (*i.e.* of a pressure microphone) rendimiento en función de la presión (de un micrófono de presión). Razón medida en condiciones especificadas del valor de una magnitud eléctrica determinada, al valor de la presión acústica [sound pressure] ejercida sobre el diafragma. La magnitud eléctrica considerada es generalmente expresada por el valor de la fuerza electromotriz del micrófono en las condiciones de funcionamiento | rendimiento [respuesta] en presión, rendimiento intrínseco. V. **pressure response.**

pressure-sequence switch   conmutador de secuencia de la presión.

pressure shell   envuelta presionizada [bajo presión] || (*Nucl*) casco de la central. CF. **pressurized casing.**

pressure spectrum level   nivel de presión acústica espectral. Nivel de presión efectiva [effective sound pressure level] correspondiente a la energía acústica contenida en una banda de 1 Hz con centro en una frecuencia especificada. CF. **power spectrum level.**

pressure spring   resorte de presión || (*Manipuladores teleg*) muelle antagonista.

pressure suppression   (*Nucl*) (a.c. vapor suppression) supresión de presión [de vapor].

pressure switch   (*Elec*) interruptor automático por caída de presión; interruptor automático por caída de tensión [de voltaje];

disyuntor neumático [de aire comprimido]; presostato, conmutador automático manométrico [activado por presión prefijada] | conmutador accionado por presión [sensible a la presión]. Conmutador (como caso particular, interruptor) accionado por un cambio de presión de un fluido (gas, vapor, líquido) | manostato, autómata manométrico. Autómata de contactos eléctricos [mechanical relay] en el cual cada maniobra de los contactos [actuation of the contacts] se produce por una presión determinada de un fluido (CEI/57 15–35–030).

pressure system   (*Meteor*) sistema bárico; sistema isobárico.

pressure tank   depósito [tanque] de presión, depósito compresor, recipiente; depósito de fluido motor.

pressure test   prueba de presión || (*Elec*) prueba de tensión [de voltaje]; prueba de aislación /// *verbo:* probar a presión; someter a prueba de presión; probar a presión hidráulica.

pressure-tight   *adj:* a prueba de presión, estanco a la presión || (*Juntas, Tuberías*) que no pierde || (*Piezas fundidas*) no poroso a la presión.

pressure-tight seal   cierre hermético a prueba de presión.

pressure transducer   transductor piezométrico [de presión, para medir presiones]. CF. **pressure potentiometer.**

pressure transmitter   transmisor de presión; multiplicador de presión.

pressure-tube reactor   (*Nucl*) reactor de tubos de presión. Reactor nuclear en el cual los elementos combustibles están contenidos en numerosos tubos por los cuales circula el refrigerante a alta presión.

pressure-type capacitor   capacitor de nitrógeno a presión. Capacitor montado en un recipiente metálico lleno de nitrógeno a gran presión (hasta 20 atmósferas). La alta presión del gas permite tensiones de servicio varias veces mayores que las que son posibles con el capacitor en el aire ambiente.

pressure-type connector   v. **pressure connector.**

pressure unit   unidad de presión; equipo manométrico || (*Electroacús*) excitador de compresión. Altavoz que, en vez de dar directamente a la habitación, está dispuesto en la boquilla o parte más estrecha de una larga bocina, cuya boca se abre hacia la zona de escucha.

pressure vent   respiradero de presión; respiradero equilibrador de presiones, agujero para equilibrio de presiones.

pressure vessel   vasija de presión; recipiente a presión || (*Nucl*) recipiente de alta presión. En un reactor de potencia, recipiente de fuertes paredes que aloja la zona activa.

pressure warning system   dispositivo de aviso de presión.

pressure wave   onda de presión.

pressure weight   (*Informática*) pesa que se pone sobre las tarjetas.

pressure welding   soldadura por presión. LOCALISMO: soldeo por presión. Tipo de soldadura en la cual se aplica presión para mantener las piezas en contacto mientras se efectúa la unión. v. **percussive welding, resistance welding, seam welding, spot welding** | soldadura por presión. Soldadura que incluye presión para efectuar la unión, sin que ninguna de las partes constitutivas experimente fusión. SIN. **solid-phase welding** (CEI/60 40–15–030).

pressure window   ventana de presión.

pressure wire   (*Elec*) conductor de derivación; alambre de potencial.

pressurestat   manostato, piezostato, presostato. Dispositivo para el control de presiones, provisto de un interruptor eléctrico. SIN. **pressure switch.**

pressurization   presionización. INCORRECTAMENTE: presurización. Establecimiento de una presión en un espacio cerrado. Dícese p.ej. en relación con ciertas líneas de transmisión y guías de ondas que funcionan con aire seco o algún gas inerte en su interior, con el fin de impedir la entrada de humedad || (*Aeronaves*) presionización, regulación de la presión interior.

pressurize   *verbo:* presionizar; hacer sobrepresión || (*Aeronaves*) presionizar, mantener [regular] la presión interior.

pressurized   *adj:* presionizado, a presión (de aire o un gas), con presión interior; comprimido; con sobrepresión.

pressurized cabin   *(Aeronaves)* cabina presionizada [a presión], cabina de presión.

pressurized casing   *(Nucl)* envoltura a presión (de un reactor). CF. **pressure shell**.

pressurized gas   gas a presión.

pressurized transmission line   línea de transmisión presionizada. Línea de transmisión que contiene aire seco o un gas inerte a presión, para impedir la entrada de humedad. CF. **pressure cable**.

pressurized water   agua a presión.

pressurized-water reactor [PWR]   *(Nucl)* reactor [pila] de agua a presión. Reactor o pila nuclear en el cual se usa agua como refrigerante y moderador del combustible, manteniéndola a presión suficiente para impedir que hierva.

prestorage   prealmacenamiento.

prestore   prealmacenar. En una calculadora electrónica, almacenar una cantidad en una localidad libre antes de que se necesite para la ejecución de una rutina.

prestressed   *adj:* prefatigado; pretensado, con tensión preliminar; previamente sometido a esfuerzo (por el fabricante) ‖ *(Hormigón)* pretensado; precomprimido.

prestressed concrete   hormigón pretensado.

prestressing   pretensado. En el caso de los vientos o retenidas, supresión de aflojamientos constructivos inherentes.

presumptive   *adj:* supuesto.

presumptive address   *(Comput)* dirección supuesta. Dirección que se altera o modifica y pasa entonces a ser una *dirección efectiva* usada para identificar un operando [operand]. v.TB. **index register**.

pretaping   *(Radio/Tv)* (*i.e.* of shows or programs) registro previo (de programas), grabación (de programas) (en cinta magnética) con anterioridad a la transmisión. Registro o grabación de programas radiofónicos o televisivos (imagen y sonido) en cinta magnética, para ser transmitidos a otra hora, en otra fecha, o en otra localidad.

pretest   *verbo:* comprobar de antemano; probar preliminarmente.

pretest station   *(Informática)* estación de prueba previa.

pretranslation   pretraducción.

pretravel   *(Conmut)* recorrido hasta la posición de trabajo. Distancia o ángulo que recorre el accionador de la posición de reposo a la de trabajo.

pretrigger   *(Elecn)* impulso preliminar de disparo.

pretunable   *adj: (Radio)* presintonizable.

pretunable frequency   frecuencia presintonizable.

pretune   *verbo:* presintonizar.

pretuned   *adj:* presintonizado.

pretuned frequency   frecuencia presintonizada.

pretuned receiver   receptor presintonizado.

pretwist   pretorsión ‖‖ *verbo:* pretorcer.

prevailing   *adj:* dominante, predominante, reinante.

prevailing westerlies   *(Meteor)* vientos dominantes [predominantes] del oeste.

prevailing wind   viento dominante [predominante, reinante].

prevailing wind direction   dirección dominante [predominante] del viento.

prevent   *verbo:* impedir; evitar; precaver, prevenir.

"prevent shunt"   *(Ferroc)* **(of a track circuit)** shunt preventivo (de un circuito de vía). Valor máximo de la resistencia que, colocada entre los dos rieles de un circuito de vía, se opone a la excitación del relé de vía [track relay] (NOTA: La definición oficial del VEI no tiene término equivalente en español) (CEI/59 31-05-320). CF. **drop shunt**.

prevention   prevención; precaución; acción de impedir; acción de evitar; impedimento; estorbo, obstáculo.

preventive   *adj:* preventivo; impeditivo.

preventive maintenance   mantenimiento [entretenimiento] preventivo, conservación preventiva. (1) Trabajos de reparación preventiva. (2) Pruebas, medidas y ajustes a los valores especificados, efectuados antes de la aparición de ninguna avería o falla. (3)

Procedimiento de inspección, prueba y reacondicionamiento a intervalos regulares, con el fin de prevenir fallas de funcionamiento y/o prolongar la vida útil de los elementos de un equipo o una instalación. CF. **routine maintenance**.

preventive maintenance test   prueba de mantenimiento [entretenimiento] preventivo.

preventive maintenance testing   pruebas de mantenimiento preventivo, comprobaciones de conservación preventiva.

preventive medicine   medicina preventiva.

preventive servicing   servicio preventivo.

preview   *(also* prevue*)* examen previo, vista previa ‖ *(Cine)* exhibición preliminar; avance (de una película); proyección preliminar ‖ *(Tv)* vista [inspección] previa, observación previa [preliminar]; preparación del programa. Observación de la imagen o del programa por transmitir antes de hacer las conmutaciones que lo ponen en el circuito de emisión ‖‖‖ *verbo:* examinar previamente ‖ *(Cine)* exhibir preliminarmente; dar el avance de una película; proyectar preliminarmente ‖ *(Tv)* inspeccionar [observar] antes de la transmisión.

preview light   *(Tv)* luz indicadora de vista previa.

preview monitor   *(Tv)* monitor de precontrol [de vista previa, de primera visión]. Monitor de imágenes que no se están transmitiendo todavía.

preview projector   *(Cine/Telecine)* proyector de vista previa, proyector de prueba y exhibición preliminar (de películas).

preview room   *(Cine/Telecine)* sala de inspección de películas ‖ *(Tv)* sala de vista [inspección] previa; sala de preparación de programas.

PREWI   *(Teleg)* Abrev. de Press Wireless.

prewired   *adj: (Elec/Elecn)* precableado, con las conexiones ya hechas. Dícese p.ej. en oposición a los aparatos vendidos en piezas por montar y cablear ("kits").

PRF   Abrev. de pulse repetition frequency, pulse recurrence frequency.

PRF oscillator   oscilador establecedor [determinador] de la frecuencia de repetición [recurrencia] de impulsos.

pri.   Abrev. de primary.

PRI   *(Esquemas)* Abrev. de primary.

price   precio, costo de adquisición; valor ‖‖‖ *verbo:* fijar un precio; poner(le) precio (a algo); estimar, evaluar; conseguir un precio, informarse del precio (de algo).

price schedule, pricing schedule   escala [tarifa] de precios; lista de precios; cotización.

pricing   fijación del precio, fijación de precios; estimación, evaluación, tasación; tarificación; cálculo de precios; acción de informarse del precio (de algo).

pricing schedule   v. **price schedule**.

primal   *adj: (Mat)* primal.

primality   *(Mat)* primalidad.

primaries   *(Tv)* (*i.e.* primary colors) colores primarios. v. **primary color**.

primary   *(Astr)* (*i.e.* primary planet) planeta primario ‖ *(Elec)* (*i.e.* primary circuit) circuito primario ‖ (*i.e.* primary winding) primario, devanado [arrollamiento] primario; devanado inductor ‖ *(Tv)* (*i.e.* primary color) color primario ‖ *(Teleimpr)* (*i.e.* primary character) carácter primario ‖‖‖ *adj: (Astr, Elec, Geol, Quím)* primario ‖ *(Mat)* primario, principal ‖ primario, primero; primitivo, original; principal, fundamental; elemental, fundamental, rudimentario; prototipo.

primary assignment   *(Radiocom)* (*i.e.* of frequency) asignación primaria.

primary battery   *(Elec)* (*i.e.* battery of primary cells) batería primaria, batería de pilas ‖ batería primaria. Conjunto de dos o más elementos [cells] conectados para suministrar energía eléctrica (CEI/60 50-10-015). CF. **primary cell, secondary battery**.

primary breakdown   *(Transistores)* disrupción primaria. CF. **secondary breakdown**.

primary brush   *(Informática)* escobilla primaria.

primary capacitor   capacitor [condensador] primario.

primary card   *(Informática)* tarjeta primaria.

primary-card lever contact   contacto de la palanca de tarjetas primarias.

primary carrier flow   *(Semicond)* (a.c. primary flow) corriente principal (de portadores). Corriente de portadores de carga que determina las principales propiedades del dispositivo.

primary cell   *(Elec)* pila, elemento (primario), elemento de pila | pila, elemento primario. Fuente de energía eléctrica obtenida por transformación directa de energía química. NOTA: Cuando está preparada para su entrega, la pila comprende también los órganos de conexión y eventualmente una cubierta o caja. Se llama *elemento de pila* al conjunto de electrodos y electrólito que constituye la fuente unitaria. SIN. **battery** (CEI/60 50–15–005).

primary center   *(Telef)* centro primario.

primary change   *(Informática)* cambio primario.

primary character   *(Teleimpr)* carácter primario. Letra u otro carácter correspondiente a la caja baja [lower case]. CF. **letters shift, secondary character.**

primary circuit   *(Elec)* circuito primario. Circuito que incluye el devanado primario de un transformador. Con mayor generalidad, de dos circuitos acoplados, el primero en cuanto a la transmisión de la energía.

primary coil   *(Transf)* (a.c. primary winding) devanado [arrollamiento] primario, devanado [enrollamiento] de entrada || *(Telecom)* bobina primaria.

primary-coil system   *(Telecom)* sistema de bobinas (de autoinducción) primarias.

primary color   *(Opt)* color primario [elemental, espectral] || *(Tv)* (a.c. primary) color primario. TB. color fundamental. Color que mezclado con otros sirve para obtener cualquiera de los matices necesarios para sintetizar una imagen en color. Los *colores primarios aditivos* son tres colores que cuando se suman en ciertas proporciones, producen la sensación de blanco. Por otra parte, la luz blanca es completamente absorbida si atraviesa sucesivamente pantallas transparentes de *colores primarios substractivos* (como, por ejemplo, rojo, azul y amarillo). Normalmente un color primario no puede obtenerse por combinación de los otros colores primarios. En televisión se usan normalmente tres colores primarios, porque basta ese número de ellos para obtener la gran mayoría de los matices naturales. Los más sencillos y mejor conocidos de los colores primarios son los llamados *primarios de receptor* [receiver primaries], que son los colores emitidos por los fósforos del cinescopio de colores [color picture tube], y que son los obtenidos en el punto de emisión mediante los filtros de la cámara tomavistas: *rojo, verde* y *azul,* con longitudes de onda aproximadas de 610, 535 y 470 nm, respectivamente. Estos colores permiten obtener prácticamente todos los matices naturales, excepto los azules y verdes de mucha saturación, que en todo caso ocurren poco en la naturaleza. Otro trío de colores primarios está representado por los llamados *primarios de transmisión* [transmission primaries], que se forman eléctricamente en el transmisor y son captados por el receptor, en el cual son transformados de nuevo en los colores rojo, verde y azul definidos arriba. Los primarios de transmisión corresponden a la señal de luminancia *(señal Y,* equivalente a una señal de imagen monocroma), la *señal I,* y la *señal Q.* Las dos últimas no son traducibles en colores visibles reales, siendo por consiguiente *colores ficticios,* utilizados por prestarse para la transmisión en su forma eléctrica. CF. **chromaticity, hue.**

primary-color filter   filtro de color primario.

primary-color image   *(Tv)* imagen primaria.

primary-color unit   *(Cinescopios de colores)* área elemental de color primario.

primary coolant circuit   *(Nucl)* circuito primario de refrigeración. Sistema de circulación de fluido refrigerante utilizado para extraer el calor de una fuente primaria [primary heat source], tal como el núcleo de un reactor o una capa fértil reproductora [breeding blanket] (CEI/68 26–10–200). CF. **secondary coolant circuit.**

primary cosmic rays   (a.c. cosmic rays) rayos cósmicos primarios.

primary current   *(Transf)* corriente primaria [inductora]. La que circula por el devanado primario o inductor (v. **primary winding**).

primary-current distribution ratio   relación de distribución de corriente primaria.

primary-current ratio   *(Galvanoplastia)* relación de corriente primaria. Relación de densidades de corriente obtenidas sobre dos partes dadas de un electrodo en ausencia de polarización [polarization]. Es igual a la inversa de la relación de resistencias efectivas [ratio of the effective resistances] entre el ánodo y las dos partes especificadas del cátodo (CEI/60 50–30–030).

primary cycle delay   *(Informática)* ciclo demorado de primaria.

primary cyclone   *(Meteor)* ciclón principal.

primary dark space   *(Tubos de descarga luminiscente)* espacio obscuro primario. Región angosta no luminosa que se observa entre el cátodo y la vaina catódica [cathode glow], en el caso de ciertos gases.

primary detector   detector primario. En un sistema de telemedida, primer elemento (o grupo de elementos) que responde cuantitativamente al mensurando [measurand] y ejecuta la operación de medida inicial. SIN. **sensor.**

primary disconnect switch   *(Elec)* (a.c. primary disconnecting switch) desconectador [disyuntor] primario.

primary disconnecting switch   v. **primary disconnect switch.**

primary eccentric shaft   *(Teleimpr)* eje primario excéntrico.

primary eject   *(Informática)* expulsión primaria.

primary electricity   energía eléctrica primaria. SIN. **primary power.**

primary electron   electrón primario. (1) Electrón emitido directamente por un cuerpo, y no por efecto de un choque. (2) Electrón que al chocar contra un cuerpo, provoca la emisión de otro electrón (electrón secundario). SIN. **electrón incidente** | (*i.e.* electron in a primary emission) electrón primario; electrón incidente. Electrón de una emisión primaria. Por extensión, electrón incidente que provoca una emisión secundaria (CEI/56 07–22–005). CF. **secondary electron.**

primary emission   emisión (electrónica) primaria. Emisión electrónica resultante directamente de la agitación térmica, de la acción de una radiación, o de la acción de un campo eléctrico (CEI/56 07–20–025). CF. **secondary emission.**

primary emission current   corriente de emisión primaria.

primary fault   *(Elec)* falla primaria.

primary feed   alimentación primaria; alimentador primario.

primary feed hopper   *(Informática)* almacén de alimentación primaria.

primary feed roll   *(Informática)* rodillo de alimentación primaria.

primary feedback   *(Automática)* realimentación primaria; señal de realimentación. Realimentación derivada de la variable controlada y comparada con la variable de referencia de entrada para obtener la señal actuante [actuating signal] en un sistema de regulación con realimentación [feedback control system]. SIN. **feedback signal.**

primary feeder   alimentador primario || *(Elec)* cable alimentador primario.

primary filter   filtro primario. Hoja (generalmente metálica) con la cual se intercepta un haz de radiación para absorber sus componentes menos penetrantes.

primary fission yield   *(Nucl)* rendimiento de fisión primario. v. **independent fission yield.**

primary flow   flujo primario || *(Semicond)* corriente principal (de portadores). v. **primary carrier flow.**

primary frequency   *(Radiocom)* frecuencia principal.

primary frequency standard   patrón primario de frecuencia; patrón nacional de frecuencia.

primary front   *(Meteor)* frente principal.

primary fuel   combustible primario.

primary fuel cell   pila primaria de combustible. Célula electroquímica que produce energía eléctrica a expensas de un consumo continuo de combustible y oxidante.

primary grid emission   (a.c. thermionic grid emission) emisión primaria [termoiónica] de rejilla.

primary group   (*Telecom*) (*i.e.* of channels) grupo primario (de canales).

primary-group connection   (*Telecom*) enlace en grupo primario.

primary-group modulation   (*Telecom*) modulación de grupo primario.

primary guard   (*Telecom*) vigilancia primaria.

primary heat   (*Nucl*) calor primario.

primary heat exchanger   intercambiador de calor primario. CF. primary coolant circuit.

primary hue   (*Tv*) v. primary color.

primary impedance   impedancia primaria.

primary inductance   inductancia primaria.

primary ion   ion primario.

primary ion pair   par primario de iones. Par de iones producido directamente por el fotón o la partícula primaria.

primary ionization   ionización primaria. (1) La producida por partículas primarias o incidentes, a distinción de la ionización total, la cual incluye, además, la ionización secundaria [secondary ionization] provocada por los rayos delta (v. **delta ray**). (2) Ionización total que produce en un tubo contador la radiación incidente, sin amplificación debida al gas (v. **gas amplification**).

primary ionizing event   (*Contadores de radiación*) evento ionizante primario [inicial]. v. initial ionizing event.

primary keying   (*Teleg*) manipulación primaria, manipulación en el primario de alimentación.

primary leakage inductance   (*Transf*) inductancia de dispersión del primario.

primary light source   fuente primaria de luz. Superficie u objeto que emite luz producida por una transformación de energía [transformation of energy] (CEI/70 45–35–005).

primary line   línea primaria.

primary line switch   (*Elec*) conmutador de línea primaria ‖ (*Telecom*) buscador primario; buscador de líneas.

primary luminous standard   patrón primario de intensidad luminosa. Fuente de luz que sirve como definición de la unidad de intensidad luminosa (CEI/38 45–05–135).

primary means of communication   medio principal [primario] de comunicación.

primary neutron   neutrón primario [virgen]. v. virgin neutron.

primary pattern   diagrama primario.

primary pile   (*Nucl*) (a.c. primary reactor) reactor primario.

primary power   energía (eléctrica) primaria.

primary protective barrier   (*Radiol*) barrera primaria de radioprotección. Material empleado para absorber el haz útil de radiación de una manera suficiente para evitar una exposición que acarree un sobrepasamiento de la máxima dosis permisible [maximum permissible dose] (CEI/64 65–35–075). CF. secondary protective barrier.

primary proton   protón primario.

primary radar   (*i.e.* radar using reflection only) radar primario, detección electromagnética primaria. Radar (detección electromagnética) que utiliza solamente la reflexión ‖ (*i.e.* radar in which the object only reflects the incident radiation) radar primario. Sistema de radiolocalización [radiolocation] fundado en la comparación entre las señales de referencia y las señales radioeléctricas reflejadas a partir de la posición que se quiere determinar (RR Ginebra 1959) (CEI/70 60–72–010). CF. secondary radar.

primary-radar exciter unit   elemento de excitación de radar primario.

primary radiation   radiación primaria. Radiación que procede directamente de su fuente, sin interacción con ninguna materia ‖ **primary radiation (X rays or gamma rays):** radiación primaria (rayos X o rayos gamma). Radiación que procede directamente del anticátodo del tubo de rayos X o de la fuente de rayos gamma

(CEI/64 65–10–085).

primary radiator   radiador primario [principal] ‖ (*Ant*) (a.c. driven radiator) elemento primario [activo]. Elemento de antena unido al emisor por una línea de transmisión (CEI/61 62–25–015) | (a.c. active aerial, driven aerial, exciter) elemento primario [activo]. Elemento de antena unido a un emisor radioeléctrico por una línea de alimentación (CEI/70 60–30–015).

primary radionuclide   radionúclido primario. Radionúclido cuya vida es de centenares de millones de años o más larga.

primary reactor   (*Nucl*) (a.c. primary pile) reactor primario.

primary reading brush   (*Informática*) escobilla de lectura primaria.

primary reference standard   patrón primario de referencia.

primary relay   relé primario. (1) Relé que inicia la primera de una secuencia de operaciones. (2) Relé cuyos arrollamientos son alimentados directamente por la tensión o la corriente de un circuito principal sin la interposición de un transformador de medida [instrument transformer] o de un shunt (CEI/56 16–35–005). CF. secondary relay | relé directo.

primary route   (*Telecom*) (a.c. normal route) vía normal. SIN. first route ‖ (*Telef—Servicio intercontinental*) vía primaria.

primary select   (*Informática*) selección primaria.

primary selector   selector primario.

primary selector magnets   (*Informática*) electroimanes de selección primaria.

primary sequence brush   (*Informática*) escobilla de orden primario.

primary sequence control input   (*Informática*) entrada al control de orden primario.

primary sequence magnets   (*Informática*) electroimanes de orden primario.

primary service area   (*Radio/Tv*) área de servicio primario. Parte de la zona de servicio de un emisor de radiodifusión en la cual el campo de la onda de tierra [ground wave] del emisor es lo suficientemente intenso, en relación con los campos de las ondas indirectas y de las perturbaciones, para que la recepción sea satisfactoria, tanto de día como de noche (CEI/70 60–60–095). CF. secondary service area | zona (de servicio) primaria. Zona en la cual la onda de tierra de una emisora no está sujeta a perturbaciones o desvanecimientos inconvenientes.

primary shaft   (*Teleimpr*) eje primario.

primary shoe   (*Teleimpr*) zapata primaria.

primary skip zone   (*Radio*) zona de silencio primaria. Zona alrededor de un emisor en la cual la recepción es inestable o irregular, por encontrarse más allá del alcance de la onda de tierra [ground-wave range], pero no lo suficientemente alejada para que sea satisfactoria la recepción por distancia de salto [skip-distance reception].

primary source   fuente primaria ‖ (*Ilum*) fuente (luminosa) primaria. Superficie u objeto que emite luz producida por una transformación de energía (CEI/58 45–35–005). CF. secondary source.

primary specific ionization   ionización específica primaria. Número de nubes iónicas [ion clusters] producidas por unidad de longitud de traza [unit track length].

primary spectrum   (*Rejillas de difracción*) espectro primario [de primer orden].

primary standard   (*Metrología*) patrón primario. Unidad definida directamente; instrumento de máxima precisión utilizado para la calibración de *patrones secundarios* [secondary standards]. Los *patrones de referencia* [reference standards] son los empleados directamente en los trabajos de contrastación y pueden ser patrones secundarios o patrones calibrados contra éstos; en este último caso el patrón secundario viene a ser lo que se llama *patrón de transferencia* [transference standard]. CF. master gage | patrón prototipo ‖ (*Ilum*) patrón primario. Fuente luminosa patrón [standard light source] conforme a una especificación. El patrón internacional actual es un cuerpo negro [full radiator] a la

temperatura de solidificación del platino [temperature of solidification of platinum]. Hasta 1948, un grupo de lámparas incandescentes [incandescent filament lamps] definían la bujía internacional [international candle] cuando las mismas funcionaban en
condiciones determinadas y eran medidas en las direcciones
prescritas (CEI/58 45–30–005).

primary standard of light   (*Ilum*) patrón primario luminoso.
Fuente luminosa patrón, conforme a una especificación, que sirve
para reproducir la unidad de luz [unit of light]. NOTA: El patrón
internacional actual es un cuerpo negro a la temperatura de
congelación del platino [temperature of freezing platinum]
(CEI/70 45–30–005).

primary station   (*Telecom*) estación principal. CF. **key station,
master station.**

primary storage   (*Comput*) almacenador primario, almacenador
interno principal.

primary structure   (*Aeron*) estructura principal.

primary surveillance radar   radar primario de vigilancia.

primary-to-secondary ratio   relación primario/secundario.

primary training   (*Avia*) entrenamiento elemental.

primary transit-angle gap loading   (*Elecn*) carga del espacio de
interacción correspondiente al ángulo de tránsito primario.
Admitancia electrónica del espacio de interacción [electronic gap
admittance] resultante de la travesía de dicho espacio por una
corriente electrónica no modulada inicialmente.

primary-type glider   (*Avia*) planeador de entrenamiento elemental.

primary vacuum   vacío primario.

primary voltage   tensión primaria. Tensión aplicada al devanado
primario de un transformador.

primary water   (*Nucl*) agua del circuito primario de refrigeración.
Agua que se hace circular para extraer el calor producido por una
fuente primaria. V.TB. **primary coolant circuit.**

primary winding   (*Elec*) devanado [arrollamiento] primario, devanado inductor. Devanado de entrada de un transformador;
devanado de un transformador al cual se le aplica la tensión.
Abreviaturas usadas en los esquemas: P, PRI | (*of a transformer*)
devanado primario (de un transformador). (1) Devanado al que se
suministra la potencia eléctrica (CEI/38 10–25–065). (2) Devanado (arrollamiento) que recibe la potencia activa. En el caso de los
transformadores polifásicos [polyphase transformers], este término se aplica al conjunto de fases primarias. Un transformador
puede tener varios devanados primarios (CEI/56 10–25–080). CF.
secondary winding | (*of an induction machine*) devanado pri-
mario (de una máquina de inducción). Devanado (arrollamiento)
alimentado por la red [supply network] (CEI/56 10–35–060). CF.
secondary winding.

primary wire   (*Elec*) hilo inductor.

primary zone   (*Cám de combustión*) zona de llamas || (*Radio/Tv*) v.
primary service area.

primate   primate || (*Iglesia*) primado || (*Zool*) Primates: cuadru-
manos, primates.

prime   principio; lo mejor, lo más escogido, la flor (de algo);
fuente (de energía) primaria || (*Acús/Mús*) sonido fundamen-
tal || (*Fís*) átomo sencillo || (*Mat*) número primo || (*Pintura*) im-
primación, pintura [capa] de imprimación, pintura de fondo. V.TB.
priming coat || (*Tipog*) prima, virgulilla || (*Informática*) escritura
preparatoria. Escritura activa con el fin de poner un dispositivo
almacenador de información [storage device] en el estado preparatorio [prime state] /// *adj:* primero, principal; elegido, selecto:
primitivo, original || (*Mat*) primo /// *verbo:* cebar; alistar, preparar:
acondicionar || (*Armas de fuego, Voladuras*) cebar || (*Autos, Mot*)
cebar; purgar; introducir gasolina en los cilindros || (*Bombas*)
cebar, abrevar || (*Arcos eléc, Tubos gaseosos*) cebar || (*Pintura*) impri-
mar, aplicar una capa imprimadora, aprestar, aparejar; dar la
primera mano || (*Tipog*) poner el signo de prima (′ o ´) o de
virgulilla (′) || (*Tubos de memoria por carga*) sensibilizar, cebar.
Cargar o descargar elementos almacenadores de información

poniéndolos al potencial propicio para el registro o escritu-
ra || (*Carreteras*) estabilizar con un material aglutinante.

prime coat   (*Pintura*) v. **priming coat.**

prime contractor   contratista principal. El que contrata directamente la ejecución de una obra o proyecto completo, y que puede,
a su vez, contratar con terceros (subcontratistas) la ejecución de
partes de aquél.

prime factor   factor primordial; factor de primera importancia ||
(*Mat*) factor primo; divisor primo.

prime meridian   (*Cartog*) primer meridiano, meridiano de origen,
meridiano cero. SIN. **zero meridian.**

prime mover   fuente (de energía) primaria; fuente natural de
energía; fuente energética; primer móvil; motor, móvil (de una
acción) | motor primario, máquina motriz, (máquina) generadora
de energía. Motor, máquina, turbina u otra fuente de energía
mecánica empleada para arrastrar un electrogenerador | motor
primario. Motor o aparato que utiliza otra energía que energía
eléctrica, cuando arrastra una generatriz eléctrica (CEI/56
10–05–005).

prime note   (*Acús/Mús*) nota principal. Nota fundamental de un
tono complejo, a distinción de los tonos secundarios [partials].

prime number   (*Mat*) número primo. Número que sólo es
divisible por sí mismo y por la unidad.

prime polynomial   (*Mat*) polinomio irreducible.

prime radiation   (*Calefacción de locales*) radiación primaria.

prime state   (*Informática*) estado preparatorio. Estado de datos
fijos [fixed data state] otro que el de limpieza o estado cero [clear
state].

prime twins   (*Mat*) primos gemelos.

prime vertical   (*Astr*) vertical primario, primer vertical.

primer   (*Estudios*) cartilla; libro primero (de lectura); elementos,
fundamentos; estudio [libro] elemental (sobre determinado te-
ma) || (*Iglesias*) libro de horas || (*Elecn*) cebador, electrodo de
cebado. En ciertos tubos electrónicos, electrodo auxiliar destinado
a iniciar en forma franca y segura la conducción entre los
electrodos principales || (*Artillería, Municiones*) cebo, estopín, cáp-
sula || (*Autos*) cebador || (*Explosivos, Voladuras*) cebo, cartucho-ce-
bo, carga iniciadora; detonador, cápsula fulminante || (*Bombas*)
cebador; bomba de purga || (*Caminos*) aceite imprimador; material
aglutinante (de estabilización) || (*Pisos de hormigón*) capa de aga-
rre || (*Pintura*) imprimación; imprimador, aprestador, tapaporos,
pintura de imprimación /// *adj:* primario; primero, original; elemental, fundamental.

primer coat   (*Pintura*) v. **priming coat.**

primer valve   válvula de cebado; válvula de purga.

priming   cebado || (*Bombas*) cebado, cebadura, acción de cebar ||
(*Explosivos, Voladuras*) cebadura; cebo || (*Mot*) cebado, purga-
do || (*Pinturas*) color de apresto; imprimación, primera mano (de
pintura), aparejo, apresto. SIN. **priming coat** || (*Calderas*) arrastre
de agua (con el vapor), espumación || (*Cintas mag*) imprima-
ción || (*Tubos de memoria por carga*) cebado, sensibilización. v.
prime || (*Magnetrones*) (a.c. injection priming, pulse priming)
cebado (de impulsos), cebado de inyección. Inyección de una señal
externa a la llamada *frecuencia de inicio de oscilaciones* [start-oscilla-
tion frequency] de un magnetrón pulsado [pulsed magnetron], la
cual no debe confundirse con la de funcionamiento [operating
frequency]. El cebado aumenta la energía de las rayas espectrales
del impulso y reduce el ruido entre rayas, en forma parecida a la
de enganche de impulsos [pulse locking]. La técnica de cebado es
muy distinta de la de enganche. En el primer caso, la señal
inyectada es a la frecuencia de inicio de oscilaciones, y, como el
magnetrón pasa por esa frecuencia durante una parte muy breve
de la duración del impulso, la señal de cebado puede suprimirse
inmediatamente después de activado el magnetrón. En el segundo
caso, la señal inyectada es a la frecuencia de funcionamiento del
magnetrón, y tiene que mantenerse mientras dure el impulso. La
técnica de cebado tiene la ventaja de que mantiene la coherencia
de impulso a impulso, a frecuencias considerablemente mayores

que las que serían prácticas con la técnica de enganche.

priming coat *(Pintura)* (a.c. prime coat, primer coat) capa imprimadora [de imprimación], primera capa, primera mano (de pintura), mano de pintura de fondo. Capa de pintura protectora o de fondo; pintura antióxido que se le aplica a las superficies metálicas antes de la pintura final o de acabado. SIN. **prime, primer, priming.**

priming grid voltage *(Elecn)* tensión de cebado de (la) rejilla.

priming illumination *(Dispositivos fotoeléc)* luz de excitación, iluminación de cebado. Iluminación débil constante aplicada al dispositivo para hacerlo más sensible a las variaciones de iluminación incidente.

priming paint pintura de imprimación.

priming pump bomba de cebado; bomba de purga.

priming speed *(Tubos de memoria por carga)* velocidad de sensibilización [cebado]. Velocidad con que son sensibilizados o cebados sucesivamente los elementos almacenadores de información. v. **prime.**

priming system sistema de cebado; sistema de purga.

primitive *(Bellas artes)* primitivo. Artista (pintor o escultor) anterior al Renacimiento | obra primitiva ‖ *(Mat)* función primitiva. v. **primitive (of a function)** ⫽ *adj:* primitivo, original, primordial ‖ *(Biol)* rudimentario ‖ *(Gram, Mat)* primitivo.

primitive color *(Fís)* color primitivo (del espectro).

primitive (of a function) *(Mat)* función primitiva (de otra función). Función de la cual la segunda es la derivada. SIN. **indefinite integral (of a function), antiderivative.**

primitive root *(Mat)* raíz primitiva. Se llama raíz primitiva de una ecuación binomia la que es solución de ésta y no de ninguna otra de menor grado.

primitive set conjunto primitivo. Conjunto de funciones lógicas [logic functions] capaces, sea individualmente, sea en conjunción con otras del conjunto, de ejecutar todas las funciones de Boole [Boolean functions] de dos variables binarias.

primitive term *(Mat)* término primitivo [indefinido]. De un sistema matemático o de una teoría deductiva [deductive theory], término hipotético al cual, a los efectos de la prueba, no se le asignan más propiedades que las estipuladas en los axiomas o deducidas de éstos. SIN. **undefined term.**

primitive translation *(Cristalog)* traslación primitiva. Reticulado espacial [space lattice] que tiene la propiedad de repetirse exactamente si pasa por cualquiera de cierto número de traslaciones diferentes en el espacio.

principal *(Comercio, Negocios)* capital, principal (de una deuda); *(en la regla de interés)* capital; socio principal; jefe; dueño; representado ‖ *(Lenguaje legal)* causante; mandante, poderdante ‖ *(Cine/Teatro)* actor principal ‖ *(Escuelas)* director ‖ *(Mús)* solista ‖ *(Organos)* principal ⫽ *adj:* principal; máximo ‖ *(Arq)* maestro.

principal agricultural meteorological station estación principal de meteorología agrícola.

principal axis eje principal. (**1**) El más largo de los ejes de un cristal. (**2**) El eje óptico [optical axis] de un cristal. (**3**) En Física, en general, recta respecto a la cual determinada magnitud o propiedad posee un valor máximo, mínimo o estacionario. (**4**) Recta elegida de tal suerte respecto a un cuerpo rígido, que éste puede rotar alrededor de aquélla sin dar origen a un par centrífugo [centrifugal torque] en ningún plano que contenga esa recta. (**5**) En Matemática, uno cualquiera de un conjunto de ejes en función de los cuales una función cuadrática [quadratic function] puede ser expresada como una suma de cuadrados. (**6**) De un transductor electroacústico [electroacoustic transducer], generalmente el eje de simetría geométrica [axis of structural symmetry] o la dirección de respuesta máxima [direction of maximum response]. Dirección de referencia [reference direction] que sirve de origen en la representación en coordenadas polares de las características direccionales [directional characteristics] del transductor (CEI/60 08–10–205).

principal axis of inertia eje principal de inercia.

principal channel *(Telecom)* canal principal; banda principal.

principal channel filter *(Telecom)* filtro de banda principal.

principal clock reloj principal [maestro]. Reloj destinado a producir los impulsos de corriente necesarios para el mantenimiento o regulación de todos los demás relojes de la distribución. SIN. **master clock** (CEI/38 35–15–080).

principal diagonal *(Mat)* diagonal principal.

principal direction dirección principal. En las vías férreas, sentido de la marcha de un tren al entrar en una estación.

principal focus *(Opt)* foco principal. Foco de un haz de rayos paralelos al eje de una lente o un espejo.

principal mode modo principal. En una guía de ondas, modo con la frecuencia crítica más baja. SIN. **dominant [fundamental] mode.**

principal normal *(Mat)* normal principal. Normal a un punto de una curva espacial [space curve] que pertenece al plano osculador [osculating plane] de la curva.

principal path *(Telecom)* trayecto principal; vía principal.

principal plane *(Mat, Opt, Mec)* plano principal ‖ *(Perspectiva)* cuadro.

principal point *(Opt)* punto principal ‖ *(Aerofotog)* centro óptico; punto principal.

principal quantum number *(Fís at)* número cuántico principal.

principal ray *(Opt)* (a.c. chief ray) rayo principal.

principal root *(Mat)* raíz principal. De un número complejo [complex number], raíz con la amplitud no negativa más pequeña.

principal section *(Opt)* sección principal. Plano que corta un cristal y que contiene el eje óptico de éste y el rayo de luz considerado. SIN. **principal plane.**

principal series *(Espectros)* serie principal (de rayas).

principal stress esfuerzo [tensión] principal; fatiga principal.

principal test section *(Telecom)* (*i.e.* the longest test section which can be obtained from a complete channel) sección principal de prueba. La más larga de las secciones de prueba que es posible constituir sobre una vía completa (canal completo).

principal value valor principal. Por ejemplo, el de una función trigonométrica inversa [inverse trigonometric function].

principal vector *(Matrices)* vector principal.

principal visual ray *(Aerofotog)* rayo principal.

principle principio, origen; fundamento; norma ‖ *(Fís, Mat, &)* principio ‖ *(Quím)* principio activo ‖ v. **principle of . . .**

principle of correspondence *(Teoría cuántica)* principio de correspondencia.

principle of corresponding states *(Teoría cuántica)* principio de estados correspondientes.

principle of entropy increase *(Termodinámica)* principio de incremento de la entropía.

principle of equivalence *(Fís)* principio de equivalencia. Una de las premisas fundamentales de las teorías de Einstein, según la cual no hay diferencia observable entre las aceleraciones producidas por la gravedad y las producidas por otras fuerzas cualesquiera.

principle of least action *(Fís)* principio de la mínima acción, principio de acción mínima, ley de la menor acción. De todos los movimientos que puede ejecutar un sistema de cuerpos sometido a ciertas condiciones restrictivas, el mismo ejecuta de hecho el que represente la mínima acción posible.

principle of microscopic reversibility *(Fís)* principio de reversibilidad microscópica. Todo proceso microscópico va acompañado de un proceso inverso.

principle of operation principio de funcionamiento; mecanismo de trabajo.

principle of reciprocity principio de reciprocidad. Se aplica en particular en el estudio de las antenas.

principle of virtual work *(Mec)* principio de los trabajos virtuales. Aplícase en la mecánica de los sólidos que sufren deformaciones continuas.

print   impresión; huella, marca, señal; dibujo; plano; estampa, grabado; molde, muestra ‖ *(Cine)* (a.c. print copy) positivo, copia (positiva), copia del positivo. SIN. **positive** ‖ *(Fotog)* impresión, copia, prueba (positiva); reproducción fotográfica; fotografía; fotocopia. CF. **copy, photo, picture** ‖ *(Impr)* imprenta; impresión; impreso; hoja impresa; folleto; periódico; edición; tipo, letra de imprenta; papel de imprenta [de periódico] /// *verbo:* imprimir; tirar, hacer una tirada; editar; escribir en letra de molde [en tipo de imprenta]; estampar (telas) ‖ *(Cine/Fotog)* positivar, copiar del positivo.

print amplifier   *(Facsímile)* amplificador de impresión. Amplificador que suministra potencia modulada para la impresión de la imagen representada por la señal recibida.

print bank   *(Informática)* banco impresor.

print clutch   *(Informática)* embrague del mecanismo de impresión.

print control device   *(Informática)* dispositivo de control de impresión.

print control switch   *(Informática)* interruptor de control de impresión.

print copy   *(Cine)* (a.c. print) positivo, copia (positiva), copia del positivo. SIN. **positive.**

print driver   *(Facsímile)* excitador de impresión.

print entry control   *(Informática)* control de entrada de impresión.

print entry position   *(Informática)* posición de entrada de impresión.

print grader   *(Cine)* copista, operador de la copiadora.

print hammer   *(Teleimpr)* martillo impresor.

print impression control   *(Informática)* control de intensidad de impresión.

print mechanism   *(Informática, Teleimpr)* mecanismo de impresión.

print out   *verbo: (Informática)* imprimir (el contenido de una memoria o un almacenador de información).

print-out facility   dispositivo impresor.

print polishing   *(Cine)* pulido de copias.

print repeat   repetición de impresión.

print-repeat switch   *(Informática)* conmutador para repetición de impresión.

print roll   rodillo impresor.

print selection   *(Informática)* selección de impresión.

print stick   *(Informática)* barra octogonal impresora.

print suppression   *(Informática)* supresión de impresión.

print-through   *(Registro mag)* calco magnético (entre vueltas), registro [copia] por contacto, impresión [transferencia] magnética. TB. efecto de eco, falso registro, registro espurio [espontáneo], magnetización secundaria. (**1**) Transferencia del campo magnético de una vuelta a otra de una cinta arrollada. (**2**) Transferencia del sonido grabado a nivel muy alto, de una capa de la cinta magnética, a la o las capas adyacentes, después de arrollada la cinta en un carrete. Durante la reproducción se manifiesta en forma de eco de la señal registrada originalmente. El defecto, pasado a un disco fonográfico, es semejante al de eco que resulta de sobremodulación al cortar (grabar) un disco (v. **echo**), salvo que en este caso el eco y el sonido principal no guardan una relación fija de tiempo. SIN. **layer-to-layer signal transfer, magnetic printing [transfer], spurious printing, crosstalk.** CF. **low-print tape.**

print track (for dubbing)   *(Cine)* copia de sonido (para regrabación).

print trimmer   *(Fotog)* cortapruebas.

print unit   unidad impresora.

print-unit capacity   *(Informática)* capacidad de la unidad impresora.

print-unit platen   *(Informática)* rodillo de la unidad impresora.

print wheel   *(Informática)* rueda de impresión.

printed   *adj:* impreso ‖ *(Telas)* estampado.

printed capacitor   *(Elecn)* capacitor impreso. V. **printed component.**

printed circuit   *(Elecn)* circuito impreso; conexionado impreso, cableado plano. En la práctica, por extensión, se denominan *impresos* todos los circuitos que pueden ser reproducidos, por cualquier método, sobre una base o superficie aislante, pese a que las técnicas actuales no justifican, en general, tal denominación. Entre las técnicas particulares utilizadas o investigadas, están las de *grabado* [etching]; *estampado* [stamping]; *estampado en relieve* [embossing]; *revestimiento metálico* (por galvanoplastia u otro procedimiento, según el metal empleado); *polvo prensado* o *comprimido* [pressed powder]; *tinta metálica* [metallic ink]; *pintado* [painting]; etc. Existe también la tendencia a usar la expresión de *circuito impreso* [printed circuit] cuando sólo los conductores de interconexión son impresos, caso este en que la designación ajustada sería la de *conexionado impreso* o *cableado plano* [printed wiring]. Propiamente, el término *circuito impreso* debe reservarse para cuando, además de las interconexiones, son impresos (o grabados, estampados, pintados, etc.) algunos de los elementos de circuito (o todos ellos), tales como resistores y capacitores. SIN. **circuito prefabricado, circuito de elaboración automatizada** —— **prefabricated [processed] circuit, printed electronic circuit.** CF. **embossed-foil printed circuit, etched printed circuit, painted printed circuit, pressed-powder printed circuit.**

printed-circuit assembly   conjunto de circuito impreso. Tablero de circuito impreso [printed-circuit board] sobre el cual se han montado piezas o elementos separables.

printed-circuit board   tablero de circuito(s) impreso(s), placa de circuitos impresos, circuito impreso sobre placa; tablero de conexionado impreso.

printed-circuit card   tablilla [tarjeta] de circuitos impresos.

printed-circuit configuration   configuración de circuitos impresos.

printed-circuit connector   conector para circuitos impresos. Elemento removible de interconexión entre un contacto impreso de un tablero de circuitos impresos, y el cableado exterior. CF. **printed contact.**

printed-circuit motor   motor de circuito impreso; motor de circuito estampado.

printed-circuit panel   placa de circuitos impresos.

printed-circuit receiver   receptor de circuitos impresos.

printed-circuit technique   técnica de (los) circuitos impresos.

printed circuitry   circuitos impresos; conexionado impreso, cableado plano.

printed communications   *(Telecom)* comunicaciones impresas [teleimpresas], comunicaciones teletipográficas, medios de comunicación por teleimpresión. AFINES: telegrafía impresora, teletipografía, teletipógrafo, teletipresor, telescritor. V.TB. **printing telegraphy.**

printed component   *(Elecn)* componente [elemento] impreso. Elemento circuital (bobina, capacitor, resistor, conmutador) o línea de transmisión fabricado por técnicas de circuito impreso (v. **printed circuit**). SIN. **printed component part.**

printed-component assembly   conjunto de componentes [elementos] impresos. Circuito impreso (v. **printed circuit**) que consiste principalmente en componentes o piezas impresos.

printed-component board   tablero de componentes [elementos] impresos. Tablero o placa que sirve de base para un conjunto de componentes o elementos impresos en configuración interconectada; también comprende conexiones impresas, pero éstas sirven principalmente para las terminaciones.

printed component part   componente [elemento] impreso, pieza impresa. Elemento de circuito impreso destinado principalmente a desempeñar una función eléctrica, magnética, o electromagnética. EJEMPLOS: capacitor, inductor, resistor impresos. Se excluyen de este concepto las conexiones de punto a punto [point-to-point connections] y los blindajes, incluyéndose, en cambio, las líneas de transmisión. SIN. **printed component.**

printed conductor   *(Elecn)* conductor impreso.

printed contact   contacto impreso. Parte de un circuito impreso

printed data   datos impresos.

que sirve para conectar éste a un receptáculo, desempeñando la función de una clavija o alfiler [pin] en un conector macho. CF. printed-circuit connector.

printed data   datos impresos.
printed electronic circuit [PEC]   circuito electrónico impreso. v. printed circuit.
printed inductor   inductor impreso. v. printed component.
printed information   información impresa.
printed matter   material impreso, impresos.
printed page   página impresa.
printed-page reception   *(Teleimpr)* recepción en página impresa. CF. printing receiving apparatus.
printed resistor   resistor impreso, resistencia impresa. v. printed component.
printed switch   conmutador impreso. v. printed component.
printed tape   *(Teleg)* cinta impresa. Cinta de papel en la cual se imprime el tráfico de llegada en un teleimpresor; puede estar engomada, para pegarla al modelo o formulario de telegrama que sirve para la entrega del despacho al destinatario. CF. printing receiving apparatus.
printed transmission line   línea de transmisión impresa. v. printed component.
printed wiring   *(Elecn)* conexionado impreso, cableado plano. Conjunto de interconexiones y elementos de blindaje fabricado por técnicas de circuito impreso. SIN. printed circuit (véase). CF. point-to-point wiring.
printed-wiring armature   inducido de conexionado impreso. Inducido de motor cuyos conductores se forman por técnicas de circuito impreso sobre ambas caras de un disco delgado de material aislante. Se obtienen así servomotores de alta velocidad regulable.
printed-wiring assembly   conjunto de conexionado impreso [de interconexiones impresas]. Tablero de conexionado impreso [printed-wiring board] al cual se le han añadido elementos o componentes separables [separable components].
printed-wiring board   tablero de conexionado impreso, panel de conexiones [interconexiones] impresas. Tablero o panel aislante que soporta un conjunto o red de conexiones impresas, así como elementos de blindaje.
printed-wiring card   tablilla [tarjeta] de conexionado impreso.
printed-wiring substrate   red conductiva impresa sobre substrato (base aislante y de soporte).
printed-wiring terminal   terminal para conexionado impreso. Modernamente muchos dispositivos electrónicos van provistos de terminales especiales que permiten montarlos en chasis o tableros de conexionado impreso y utilizar la técnica de soldadura por inmersión [dip soldering].
printer   impresor || *(Cine)* copiadora || *(Fotog)* positivadora || *(Informática)* (máquina) impresora || *(Teleg)* (aparato) impresor, traductor. Aparato que transcribe en caracteres romanos las señales telegráficas eléctricas; éstas pueden ser Morse o teletipográficas | *(i.e. teleprinter)* (aparato) teleimpresor. SIN. teletypewriter.
printer control unit   *(Informática)* unidad de control de impresora.
printer input-output device   *(Informática)* dispositivo de entrada y salida para impresora.
printer light   *(Cine/Fotog)* luz de positivado.
printer operation   *(Teleg)* funcionamiento del impresor; explotación teletipográfica || *(Telef)* preparación telegráfica. Preparación de tráfico por vía telegráfica (teleimpresor). SIN. preparation of trunk calls by telegraph order-wire working.
printer output check   *(Informática)* verificación de salida de impresión.
printer perforator   *(Teleg)* receptor perforador impresor, reperforador impresor. v. printing reperforator.
printer telegraph code   código de teleimpresor, código teletipográfico [de telegrafía impresora]. CF. five-unit code, seven-unit code.

printergram   *(i.e. telegram sent by teleprinter)* telegrama por teleimpresor.
printergram service   servicio de telegramas por teleimpresor | servicio de transmisión de telegramas por teleimpresor. Servicio que asegura la transmisión de telegramas por teleimpresor entre un abonado al servicio télex [telex service] y un centro telegráfico o viceversa (CEI/70 55-60-165).
printing   impresión; estampado; estampación || *(Cine)* impresión || *(Fotog)* positivado, impresión. Obtención de la copia positiva [print, positive picture] a partir del negativo fotográfico || *(Impr)* impresión, tirada, tiraje || *(Informática, Teleg)* impresión || *(Elecn)* impresión. Reproducción de un esquema de circuitos sobre una superficie, mediante cualquier proceso. CF. printed circuit.
printing apparatus   *(Teleg)* aparato impresor.
printing arm   *(Teleimpr)* brazo impresor.
printing calculating machine   (máquina) calculadora impresora.
printing calculator   calculadora impresora.
printing cam   leva impresora [de imprimir].
printing camshaft   *(Informática)* eje de la excéntrica de impresión.
printing card   *(Cine)* tarjeta de luces.
printing card proof punch   *(Informática)* perforadora impresora de tarjetas con comprobación.
printing card punch   *(Informática)* perforadora impresora.
printing card unit   *(Informática)* unidad impresora de tarjetas.
printing carriage   *(Teleimpr)* carro impresor [de impresión].
printing-carriage track   *(Teleimpr)* guía del carro de impresión.
printing crosshead   *(Informática)* cruceta de impresión.
printing dailies   *(Cine)* copias diarias.
printing data transceiver   *(Informática)* transrreceptor impresor de datos.
printing department   *(Cine)* departamento de impresión.
printing device   *(Informática)* dispositivo impresor [de impresión].
printing drive link   *(Teleimpr)* eslabón de mando de (la) impresión.
printing effect   *(Registro mag)* efecto de calco. v. print-through.
printing hammer   *(Teleimpr)* martillo impresor.
printing helix   *(Teleg)* hélice de impresión.
printing instrument   *(Teleg)* (a.c. printing apparatus) aparato impresor.
printing keyboard perforator   *(Teleg)* perforador-impresor de teclado, teclado perforador impresor | perforador impresor de teclado, teclado perforador con impresión. Perforador de teclado [keyboard perforator] en el cual la opresión de una tecla provoca, al mismo tiempo que la perforación, la impresión sobre la misma cinta (o sobre otra cinta, o sobre una página) del carácter de escritura o del símbolo representativo del mando de función correspondiente a esa tecla [key] (CEI/70 55-75-080).
printing latch   *(Teleimpr)* retén de impresión.
printing lever   palanca impresora.
printing loss   *(Cine)* pérdida de copia, pérdida (de calidad de sonido) debida al procedimiento de copiado.
printing machine   *(Cine)* copiadora || *(Dib)* máquina de imprimir || *(Impr)* máquina de imprimir, prensa tipográfica || *(Telas)* máquina de estampar || *(Teleg)* (aparato) impresor. SIN. printing apparatus [instrument].
printing magnet   *(Teleimpr)* electroimán de impresión.
printing mechanism   *(Informática, Teleimpr)* mecanismo impresor [de impresión].
printing perforator   *(Teleg)* perforador impresor | (a.c. printer perforator) reperforador [receptor perforador] impresor. v. printing reperforator.
printing plunger   *(Informática)* golpeador de impresión. CF. printing hammer.
printing position locating knob   *(Informática)* perilla de cambio de renglón [línea].
printing positives   *(Fotog)* impresión de pruebas.
printing press   prensa tipográfica, prensa [máquina] de imprimir.
printing range   *(Teleg)* (a.c. range, margin) margen.

printing receiving apparatus *(Teleg)* receptor impresor. Aparato que traduce automáticamente las señales telegráficas recibidas e imprime el mensaje correspondiente en caracteres tipográficos sobre una tira o una hoja de papel (CEI/38 55–15–115).

printing reperforator *(Teleg)* reperforador impresor [inscriptor], receptor perforador impresor. Reperforador o receptor perforador que imprime o inscribe los despachos en la cinta, evitando así al operador la necesidad de interpretar las perforaciones de aquélla. SIN. **printer perforator** | receptor perforador impresor. Receptor perforador [reperforador] que imprime simultáneamente sobre la misma cinta (o sobre otra cinta, o sobre una hoja de papel) los caracteres correspondientes a la perforación efectuada sobre la cinta (CEI/70 55–75–090).

printing sector *(Sist de tabulación)* sector de impresión.

printing summary punch *(Informática)* perforadora sumaria impresora.

printing telegraph telégrafo impresor. V. **printing telegraphy.**

printing telegraph apparatus (a.c. printing telegraph machine) aparato telegráfico impresor, aparato de telegrafía impresora. SIN. **teleprinter, teletype, teletypewriter.**

printing telegraph machine V. **printing telegraph apparatus.**

printing telegraphy telegrafía impresora, teletipografía, telégrafo impresor | telegrafía por aparatos impresores. Telegrafía en la cual las señales de carácter recibidas son traducidas automáticamente en forma de caracteres impresos [printed characters] (CEI/70 55–55–030). CF. **printing receiving apparatus.**

printing track *(Teleimpr)* guía de impresión.

printing trip link *(Teleimpr)* eslabón de disparo de (la) impresión.

printing unit *(Informática)* unidad impresora || *(Teleg)* unidad impresora; receptor impresor.

printout impresión, tiraje; registro || *(Informática)* impresión; resultado impreso.

prior call *(Telef)* petición anterior | **a call with *n* prior calls:** petición de comunicación precedida por *n* peticiones anteriores.

prior probability *(Mat)* probabilidad a priori. CF. **posterior probability.**

priorite *(Miner)* priorita.

priority prioridad, precedencia, antelación, prelación (orden en que debe atenderse una cosa). SIN. **precedence** /// *adj:* prioritario.

priority indicator *(Telecom)* indicador de prioridad.

priority prefix *(Telecom)* prefijo de prioridad..

priority wavelength *(Radiocom)* longitud de onda de prioridad.

prism *(Mat)* prisma. Poliedro cuyas caras son paralelogramos unidos entre sí por dos polígonos congruentes, situados en planos paralelos, denominados *bases* || *(Opt)* prisma (óptico). Prisma triangular; cuerpo de vidrio u otro material transparente limitado por tres planos que se cortan en tres rectas paralelas (sección triangular), y que se utiliza para refractar los rayos de luz /// *adj:* prismático.

prism aerial *(GB)* V. **prism antenna.**

prism antenna antena en prisma. SIN. **prism aerial** *(GB).*

prism optics óptica de prismas.

prism spectrograph espectrógrafo prismático.

prismatic *adj:* prismático.

prismatic eye visor prismático [de prisma].

prismatic eye-level viewfinder *(Fotog)* (a.c. eye-level finder) visor prismático directo; visor de ocular.

prismatoid *(Mat)* prismatoide; prismoide /// *adj:* prismatoideo.

prismoid *(Mat)* prismoide /// *adj:* prismoidal.

prismoidal *adj: (Mat)* prismoidal.

privacy secreto, reserva; aislamiento || *(Telecom)* secreto; reserva; secreto de la comunicación.

privacy code código de reserva. Código empleado para hacer un mensaje ininteligible a la lectura normal, pero que no ofrece seguridad de secreto contra el criptoanálisis [cryptanalysis].

privacy equipment equipo [dispositivo] de secreto. Equipo que pone una comunicación radiotelefónica a cubierto de la intercepción inteligible por extraños, mediante diversas técnicas de codificación. En forma elemental puede consistir en un simple inversor de la voz (v. **speech inverter**), pero en los circuitos comerciales se trata generalmente de un equipo más complejo, incluso con variación periódica de codificación conforme a ley preestablecida | **five-band privacy equipment:** dispositivo de secreto de corte en cinco bandas.

privacy of radiotelephone conversations secreto de las comunicaciones [conversaciones] radiotelefónicas.

privacy system *(Telecom)* sistema de transmisión secreta [codificada].

privacy telephone system sistema de telefonía secreta.

private *(Lenguaje militar)* soldado raso /// *adj:* privado, particular; personal.

private-address system interfono, sistema de intercomunicación. SIN. **intercom, intercommunication system.** CF. **public-address system.**

private airdrome aeródromo particular.

private automatic branch exchange [PABX] *(Telef)* central privada automática, central automática privada, centralita automática particular. TB. instalación (telefónica) privada automática, central secundaria automática particular. SIN. **dial PBX** | *(i.e. private branch exchange operating on an automatic basis)* instalación automática de abonado con supletorios. Instalación de abonado con aparatos supletorios explotada según los principios de la conmutación automática (CEI/70 55–90–160).

private automatic exchange [PAX] *(Telef)* centralita automática, central automática privada, central privada automática. TB. instalación (telefónica) privada automática. Sistema telefónico automático destinado exclusivamente a comunicaciones internas por disco selector; por lo común se combina con un sistema PBX o PABX para el servicio exterior | *(i.e. private exchange operating on an automatic basis)* central automática privada. Central privada explotada según los principios de la telefonía automática (CEI/70 55–90–135).

private automatic telephone system autoconmutador telefónico privado.

private bank *(Comercio)* banco particular, casa de banca sin incorporar || *(Telecom)* regleta de contactos de los hilos C.

private branch exchange [PBX] *(Telef)* tablero conmutador de abonado, instalación de abonado con extensiones. (**1**) Sistema telefónico manual atendido por una operadora que efectúa todas las conexiones, que se encuentra instalado en una oficina particular, y que está enlazado con una central telefónica pública. (**2**) Central telefónica que da servicio a una empresa particular y que está conectada a una central telefónica pública [public telephone exchange] | central privada conectada a la red pública. Central telefónica generalmente instalada en los locales de un abonado al cual sirve, y conectada a una central de la red pública por una o más líneas (CEI/70 55–90–145).

private branch exchange switchboard, PBX switchboard *(Telef)* centralita privada [particular], conmutador de abonado.

private broadcasting station radiodifusora particular, estación privada de radiodifusión.

private call *(Telef)* conversación privada.

private circuit *(Telecom)* (a.c. private wire) circuito privado.

private commercial broadcasting station radiodifusora particular comercial, estación comercial privada de radiodifusión.

private correspondence *(Telecom)* correspondencia particular [privada].

private exchange [PX] *(Telef)* central [instalación telefónica] privada. Central que sirve a una empresa particular y que no tiene medios de enlace con una central pública [public exchange] | central privada. Central no conectada a la red pública (CEI/70 55–90–130).

private experimental station *(Radiocom)* estación experimental particular [privada].

private line *(Telecom)* línea particular [privada].

private-line channel   (*Telecom*) (as opposed to party-line channel) canal directo [exclusivo].

private-line connection   (*Telecom*) (as opposed to switched network connection) conexión por línea directa.

private-line teleprinter [teletypewriter] service   servicio de teleimpresor por líneas privadas.

private manual branch exchange [PMBX]   (*Telef*) central privada manual, instalación (telefónica) privada manual | (*i.e.* private branch exchange operating on a manual basis) instalación manual de abonado con supletorios. Instalación de abonado con aparatos supletorios explotada según los principios de la conmutación manual (CEI/70 55–90–165).

private manual exchange [PMX]   (*Telef*) (*i.e.* private exchange operating on a manual basis) central manual privada. Central privada explotada según los principios de la telefonía manual (CEI/70 55–90–140).

private network   (*Telecom*) red privada.

private operating agency   (*Telecom*) (entidad de) explotación privada. Todo particular, empresa o sociedad, distinto de una institución o dependencia gubernamental, que explota una instalación de telecomunicación destinada a asegurar un servicio de telecomunicación internacional o que es susceptible de causar perturbaciones perjudiciales a un servicio de esa clase.

private phototelegraph station   estación fototelegráfica privada.

private pilot   (*Avia*) piloto particular [privado].

private radiocommunication station   estación privada de radiocomunicación.

private receiving station   (*Radiocom*) estación receptora privada.

private service   (*Telecom*) servicio privado.

private station   (*Telef*) estación privada; aparato de abonado.

private telegram   telegrama privado. Telegrama distinto de un telegrama de servicio [service telegram] o de Estado [Government telegram].

private telegraph network   red telegráfica privada. Red constituida con el fin de prestar un servicio telegráfico especial, por un organismo distinto de una administración explotadora de telecomunicación [telecommunication operating administration] o una explotación privada reconocida [private operating agency]; generalmente, la red es propiedad de ese organismo.

private telephone exchange   central telefónica privada.

private telephone network   red telefónica privada. (**1**) Red constituida exclusivamente para responder a las necesidades particulares de un organismo privado. (**2**) Red telefónica que sirve a un organismo grande (por ejemplo, una empresa de servicio público). Una red de tal naturaleza comprende una o más centrales; sus líneas son de la propiedad de ese organismo o son arrendadas. Las centrales individuales de tal instalación pueden estar conectadas a la red pública (CEI/70 55–90–170).

private telephone operating agency   (entidad de) explotación telefónica privada.

private telephone station   estación telefónica privada; aparato telefónico de abonado.

private telex call   comunicación télex privada.

private tieline   (*Telecom*) línea local [urbana] particular. Línea particular o privada que enlaza la oficina de un particular con una central telefónica o telegráfica.

private wiper, P wiper   (*Telef*) escobilla de prueba. SIN. **test brush.**

private wire   (*Telecom*) (a.c. private circuit) circuito privado | (a.c. private line) línea particular [privada] | (a.c. leased circuit) circuito arrendado || (*Telef*) (a.c. P wire) hilo C de la clavija, tercer hilo, hilo [conductor] de prueba. SIN. **C wire, sleeve [test] wire** | (a.c. P wire) hilo de mantenimiento. Hilo que controla la guarda [guarding], el mantenimiento [holding] y, normalmente, la liberación [releasing] de conmutadores automáticos [automatic switches]. En algunos sistemas el hilo controla también el funcionamiento del contador de abonado [subscriber's meter] (CEI/70 55–95–030).

private-wire agreement   (*Telecom*) contrato de arrendamiento [alquiler] de un circuito.

private-wire circuit   (*Telecom*) (a.c. private circuit, private wire) circuito privado | (a.c. leased circuit) circuito arrendado; circuito privado. Circuito puesto por contrato a la disposición exclusiva y permanente de un usuario (CEI/70 55–05–020). CF. **part-time private-wire circuit** | V. private-wire (telephone) circuit.

private-wire communications network   red de comunicaciones por circuitos [hilos] privados.

private-wire connection   (*Telecom*) conexión por circuito [hilo] privado.

private-wire customer   (*Telecom*) usuario de línea privada. CF. private tieline.

private-wire service   (*Telecom*) servicio por circuitos privados || (*Telef*) explotación sobre (los) circuitos de servicio privado.

private-wire (telephone) circuit   (a.c. leased circuit) circuito telefónico alquilado permanentemente. Circuito telefónico puesto por contrato a la disposición exclusiva y permanente de un usuario (CEI/70 55–85–120). CF. **private-wire circuit.**

private-wire teletype service   servicio de teleimpresores por circuitos [hilos] privados.

privilege   privilegio; derecho; concesión, patente || (*Bolsa, Lonja*) opción || (*Lenguaje legal*) privilegio | **privileges of a license holder**: atribuciones del titular de una licencia | **privileges of a license**: privilegios correspondientes a una licencia.

privileged   *adj*: privilegiado; favorecido; preferente; (*refiriéndose a una comunicación o una información*) no divulgable.

privileged direction   (*Ant, Opt*) dirección privilegiada.

privileged information   información no divulgable.

privileged instruction   (*Comput*) instrucción de uso restringido, instrucción no utilizable por los usuarios. Instrucción de computadora que no se pone a disposición de los usuarios para su utilización en los programas ordinarios, estando su uso restringido a las rutinas del sistema operativo. En muchas computadoras pertenecen a esta clasificación las instrucciones de ingreso y egreso de información, de control de prioridad, y de protección de almacenamiento.

probability   probabilidad. En Matemática, razón (p) del número (n) de casos favorables a la realización de un suceso, al de casos posibles (N) cuando todos los casos son igualmente posibles, o sea, $p = n/N$ | cálculo de probabilidades || (*Estadística*) probabilidad. Número que mide objetivamente el grado de creencia en que un suceso determinado habrá de verificarse || V. **probability of. . .** /// *adj*: probabilístico, de probabilidad.

probability amplitude   amplitud de probabilidad. Función de onda que satisface ciertas ecuaciones de la mecánica ondulatoria y que corresponde a una condición cuántica que de hecho se satisface en la naturaleza.

probability current   (*Mec cuántica*) corriente de probabilidad.

probability curve   curva de probabilidad.

probability density   (*Mec cuántica*) densidad de probabilidad.

probability density function   función de densidad de probabilidad.

probability distribution   distribución de probabilidad.

probability generator   generador de funciones de probabilidad.

probability multiplier   multiplicador de probabilidad. V. **coincidence multiplier.**

probability of busy   (*Telef*) probabilidad de ocupación. SIN. probability of engagement.

probability of collision   probabilidad de choque [de colisión]. Probabilidad de que un electrón choque con un átomo o una molécula mientras recorre una distancia de un centímetro.

probability of delay   (*Telef*) probabilidad de retraso.

probability of disintegration   (*Nucl*) probabilidad de desintegración.

probability of engagement   (*Telef*) probabilidad de ocupación. SIN. probability of busy.

probability of ionization   (*Ionización de los gases*) probabilidad de ionización. Razón del número de choques seguidos de ionización, al número total de choques en un gas, en un tiempo dado, a presión y temperatura especificadas (CEI/56 07–12–050).

probability of loss   *(Telef)* probabilidad de pérdidas.

probability of random interference   *(Radiocom)* probabilidad de interferencia aleatoria.

probability of reaction   *(Nucl)* probabilidad de reacción.

probability sampling   muestreo de probabilidad predeterminada. Muestreo tal que la probabilidad de que un ente cualquiera sea seleccionado está determinada de antemano; distínguese de los métodos de selección basados en criterios o juicios más o menos arbitrarios.

probability theory   *(Mat)* teoría de las probabilidades.

probable   *adj:* probable, verosímil ‖ *(Mat)* probable.

probable error   error probable. Magnitud del error que tiene la mayor probabilidad de ocurrir al efectuar una medida. La mitad de los valores obtenidos estarán afectados de un error mayor, y la otra mitad estarán afectados de un error menor; es decir, que el error probable es la *mediana* (v. **median**) del error en una serie de medidas ‖ *(Artillería)* desvío probable.

probable value   valor probable.

probe   indagación; encuesta, investigación. cf. **survey** | prueba, ensayo ‖ *(Pruebas y medidas)* probeta; cabezal medidor | sonda. Dispositivo con mango utilizado con ciertos aparatos electrónicos de prueba y/o medida para efectuar contactos eléctricos temporales, captar señales de un circuito, o inyectarlas en él. Lleva en su interior elementos (tales como rectificadores, detectores o desmoduladores, resistores, capacitores) en número y configuración circuital variables, según la aplicación o aplicaciones a que se destine la sonda. sin. **sonda [punta] exploradora**. nota: También se usa el sinónimo *punta de prueba*, pero conviene reservar este término para el dispositivo más sencillo que en inglés se denomina *test point* o *test prod*. v.tb. **accessory probe, demodulator probe, detector probe, high-resistance probe, high-voltage probe, polarity-reversing probe, range-splitter probe, signal-tracer probe** ‖ *(Elecn)* sonda, probeta. En ciertos tubos de tipo gaseoso, pequeño electrodo auxiliar utilizado para determinar el potencial de espacio ‖ *(Microondas)* sonda (de acoplamiento), sonda de varilla. Conductor (usualmente una varilla metálica) que atraviesa una de las paredes de una guía de ondas o de una cavidad resonante, proyectándose en el interior de una u otra, para fines de acoplamiento con un circuito exterior (inyección o extracción de energía). v.tb. **slotted line** | sonda de varilla. Dispositivo en forma de hilo recto destinado al acoplamiento eléctrico (CEI/61 62–15–070). sin. **sonda capacitiva, antena de acoplamiento** ‖ *(Elec, Medicina)* sonda ‖ *(Cirugía)* sonda, tienta, exploratorio, cánula. Instrumento para la exploración de cavidades o de heridas ‖ *(Meteor)* sonda, radiosonda. v. **radiosonde** ‖ *(Tecn espacial)* dispositivo de sonda [de investigación] | *(i.e.* space probe) sonda cósmica (portadora de instrumentos). Vehículo no tripulado que se lanza a la alta atmósfera o al espacio extraatmosférico para captar datos sobre el medio ‖ *(Prueba de cementos)* aguja ‖ *(Sondeos)* lanza de sondas ‖‖ *verbo:* indagar, examinar, escudriñar; investigar; penetrar; sondar, sondear, explorar; probar, ensayar ‖ *(Cirugía)* explorar, examinar, tentar. Explorar o examinar con la ayuda de una sonda.

probe assembly   *(Elecn)* (conjunto de la) sonda.

probe capacity   capacidad de prueba.

probe carriage   *(Líneas ranuradas)* (carro) portasonda, carro de la sonda. v. **slotted line**.

probe-carriage travel   carrera del carro portasonda.

probe coil   bobina exploradora [sondeadora]. sin. **exploring coil**.

probe contacts   contactos de exploración.

probe coupling   *(Elecn, Microondas)* acoplamiento por sonda.

probe microphone *   micrófono sonda, sonda microfónica. Micrófono que permite explorar un campo acústico [sound field] sin perturbarlo sensiblemente (CEI/60 08–15–125).

probe point   punta de (la) sonda.

probe transformer   *(Microondas)* transformador sonda. Transformador de modo [mode changer] que asegura el paso de una línea coaxil [coaxial lines] a una guía de ondas rectangular [rectangular waveguide]. El conductor exterior de la línea coaxil termina en una abertura circular sobre uno de los lados anchos de la guía y el conductor interior está unido a una sonda [probe] (CEI/61 62–15–095). v. la nota "62–05–000" en el artículo *waveguide*.

probe-tube microphone   micrófono de válvula.

probe tuner   *(Líneas ranuradas)* sintonizador de sonda.

probe-type space vehicle   vehículo cósmico de exploración.

probing   sondeo, exploración; toma de muestras; prueba ‖ *(Fab de circ integrados)* prueba de (la) lasca. Prueba eléctrica de la lasca [chip] antes de separarla de la rodaja [wafer]. Las pruebas, efectuadas mediante contactos eléctricos en las zonas terminales [(bonding) pads] y la aplicación de corrientes continuas de poca intensidad, permiten marcar los circuitos defectuosos, los cuales son eliminados de las etapas de fabricación subsiguientes.

probit   *(Mat)* probit.

problem   problema; dificultad; cuestión ‖ *(Mat, Comput)* problema ‖‖ *adj:* problemático.

problem frame   *(Comput)* panel de problemas.

problem-oriented language   *(Comput)* lenguaje orientado hacia el planteo de problemas. Lenguaje ideado en especial para el planteo o formulación de una clase particular de problemas (p.ej. el control numérico de máquinas herramienta), más bien que con el criterio de su fácil traducción al código de instrucción de máquina [machine instruction code]. Por extensión se usa a veces este término con el significado de *lenguaje orientado hacia el procedimiento de solución de problemas* [procedure-oriented language].

problem position   *(Comput)* posición de problemas, puesto (de operador) para ponerle problemas a la máquina.

problem register   *(Comput)* registro de problemas.

problem solving   solución [resolución] de problemas.

problem-solving program   *(Comput)* programa de solución de problemas, programa para la resolución de problemas.

problem student   estudiante subdotado.

problem tape   *(Comput)* cinta de problemas.

Proca (system of) equations   *(Fís)* (sistema de) ecuaciones de Proca. Uno de los cuatro sistemas no equivalentes de ecuaciones [inequivalent sets of equations] usados para describir partículas de espín unitario. Estos sistemas fueron derivados por analogía con las ecuaciones de Maxwell para el espacio libre.

procedural   *adj:* procesal; reglamentario; de tramitación.

procedural control   *(Avia)* control reglamentario.

procedural separation   *(Avia)* separación reglamentaria.

procedure   procedimiento; método, modo operatorio; proceso; marcha a seguir, marcha de las operaciones; modalidad; trámite, tramitación, expedienteo; conducta ‖ *(Lenguaje forense)* tramitación judicial [procesal]; vía judicial ‖ *(Mat)* procedimiento ‖‖ *adj:* procesal ‖ *(Avia)* reglamentario.

procedure memory   *(Comput)* memoria de procedimiento.

procedure message   mensaje de servicio.

procedure-oriented language   *(Comput)* lenguaje orientado hacia el procedimiento de solución de problemas. Lenguaje ideado con el objeto de permitir el planteo o formulación fácil (en cuanto a los pasos algorítmicos o de procedimiento) de una sistematización de datos o de un proceso de cálculo cualquieras. ejemplos: ALGOL, COBOL, FORTRAN. cf. **machine-oriented language, problem-oriented language**.

procedure track   *(Avia)* trayectoria reglamentaria.

procedure turn   *(Avia)* viraje reglamentario; viraje de orientación.

Procedures Committee   *(Telecom)* Comisión de Métodos de Explotación.

proceed   *verbo:* proseguir; proceder, obrar; adelantar, avanzar, marchar; seguir (adelante).

proceed-to-dial signal *(Telef)* señal de invitación a marcar; señal de línea libre.

proceed-to-select signal *(Telef)* señal de invitación a marcar. Señal enviada por la vía utilizada para la señalización de retorno [backward signaling path], en respuesta a una señal de llamada [calling signal], con el fin de indicar que pueden ser emitidas las señales de selección [selecting information]. En ciertos sistemas de señalización [signaling systems], la señal de invitación a marcar se confunde con la de confirmación de llamada [call-confirmation signal]. SIN. **proceed-to-dial signal, proceed-to-send signal.**

proceed-to-send signal *(Telef)* señal de invitación a marcar [a transmitir], señal para transmitir, señal de comienzo de impulsos numéricos. POCO COMÚN: señal de autorización de emisión. SIN. **start-to-select [start-dialing, start-pulsing, proceed-to-dial] signal** | señal de proceder a transmitir. Señal transmitida desde la extremidad de llegada de un circuito inmediatamente después de la recepción de una señal preventiva [seizing signal], para indicar que los órganos de llegada están prestos para recibir las señales de numeración relativas al encaminamiento de la llamada (CEI/70 55–115–115) || *(Teleg)* v. **proceed-to-transmit signal.**

proceed-to-transmit signal *(Teleg)* señal de invitación a transmitir. Señal enviada por un conmutador manual [manual switchboard] por la vía utilizada para la señalización de retorno [backward signaling path], en respuesta a una señal de llamada [calling signal] || *(Telef)* v. **proceed-to-send signal.**

proceedings reunión, sesión; debates, deliberaciones; comunicaciones, memorias, versiones de conferencias, informes [artículos] sobre investigaciones; gestiones, trámites; actas, autos, actuaciones, diligencias.

process proceso; avance, progreso; curso, marcha, desarrollo; operación; tratamiento, elaboración; fabricación; método, procedimiento || *(Artes gráficas)* procedimiento fotomecánico; fotograbado a media tinta || *(Automática)* proceso controlado; *(por extensión)* sistema bajo control || *(Informática)* proceso; sistematización; procedimiento || *(Lab)* procedimiento; proceder || *(Mat)* proceso; procedimiento || *(Met)* operación || *(Quím)* reacción /// *verbo:* procesar; tratar, elaborar; fabricar; manufacturar; beneficiar; transformar; preparar; someter a determinado procedimiento u operación || *(Artes gráficas)* reproducir (por procedimientos fotomecánicos) || *(Fotog)* revelar || *(Textiles)* aprestar || *(Informática)* procesar, sistematizar, elaborar (datos, información). Someter datos o información a una o varias operaciones de interpretación, reordenamiento, compilación, cálculo, etc. || *(Elecn)* procesar (señales). Someter señales a una o varias operaciones de amplificación, limitación, filtrado, etc. v.TB. **processing amplifier.**

process amplifier *(Elecn)* v. **processing amplifier.**

process analysis análisis de procesos.

process background *(Cine)* v. **background projection.**

process control control de procesos industriales, control de elaboración, mando (automático) de operaciones fabriles [industriales] || *(Informática)* control de sistematización [tratamiento] (de datos).

process control component elemento de control de elaboración, órgano de mando de procesos industriales.

process control instrumentation instrumental para el control de procesos industriales, instrumental para el mando (automático) de procesos de fabricación.

process control panel *(Informática)* panel de control de sistematización.

process control system sistema de mando de operaciones industriales.

process controller controlador de procesos, dispositivo de mando de operaciones industriales || *(Control de la calidad)* inspector de fabricación [de procesos fabriles].

process development desarrollo de (los) procedimientos.

process gas *(Nucl)* gas de trabajo.

process heat reactor *(Nucl)* reactor productor de calor industrial. Reactor nuclear que produce calor para procesos industriales

o fabriles.

process heating calentamiento de elaboración; proceso térmico.

process industry industria de transformación.

process-industry control mando (automático) en las industrias de transformación.

process instrumentation instrumentación para las industrias de transformación.

process monitoring control de procesos [de operaciones].

process of detection proceso de detección.

process of modulation proceso de modulación.

process program controller control de programa para procesos industriales.

process timer control cronometrador [regulador de tiempo] de procesos industriales.

process timing cronometraje de procesos industriales, regulación de tiempos de fabricación.

process variable variable del proceso de elaboración, magnitud variable de un proceso industrial. Magnitud física variable que interviene en un proceso industrial. EJEMPLOS: aceleración, velocidad, densidad, temperatura, grado de vacío, tensión eléctrica.

process-variables control control para variables industriales. Dispositivo de registro, medida y/o mando de magnitudes variables en procesos u operaciones industriales.

processed circuit *(Elecn)* circuito impreso. v. **printed circuit.**

processed circuitry circuitos impresos. v. **printed circuit.**

processing procesamiento; proceso, elaboración, preparación, tratamiento; laboreo || *(Industria)* elaboración (de materias primas), operaciones de elaboración; preparación, método particular de preparar un producto; proceso [procedimiento] de fabricación; fabricación, método particular de fabricar un producto; (proceso de) transformación; tratamiento (industrial); operación (fabril); (método de) obtención; refinación, afinado || *(Fab de discos fonog)* proceso de fabricación. Serie de operaciones que va desde la grabación directa del sonido en el estudio, hasta la producción de los discos moldeados en la prensa || *(Informática)* sistematización, procesamiento, tratamiento (de datos) || *(Elecn)* procesamiento (de señales). Acción de someter señales a operaciones de amplificación, limitación, filtrado, corrección, etc.

processing amplifier *(Elecn)* (a.c. process amplifier) amplificador de procesamiento [acondicionamiento] (de señales). (1) En general, amplificador que sirve para someter una señal a diversas operaciones de amplificación, limitación, filtrado, corrección, etc. (2) En televisión, amplificador de videofrecuencia que tiene varias funciones especiales, entre ellas: compensación para la transmisión por cable [cable compensation]; amplificación y limitación lineal [linear clipping]; corrección de gamma [gamma correction]; inserción de la tensión de pedestal [pedestal insertion]; inserción de los impulsos de extinción o supresión [blanking insertion]; inserción de las señales correctoras de sombra [shading insertion]; etc. Desde luego, no siempre desempeña el amplificador todas esas funciones simultáneamente.

processing of data *(Informática)* sistematización [procesamiento, tratamiento] de datos.

processing operation *(Industria)* operación de transformación, operación fabril.

processing system *(Informática)* sistema de sistematización de datos [información]; método de sistematización (de datos).

processing time *(Informática)* tiempo de sistematización [tratamiento] (de datos) || *(Industria)* tiempo de fabricación; tiempo de utilización de máquina.

processing track *(Informática)* banda de sistematización.

processing unit *(Informática)* unidad de sistematización [tratamiento] (de datos).

processional bell campana procesional.

processor procesador; el que procesa; elaborador; el que elabora (un producto); máquina para elaborar (un producto) || *(Informática)* sistematizador, elaborador, ordenador (de datos). Sistema capaz de ejecutar operaciones con los datos a él suministrados | (*i.e.* language processor) procesador de lenguaje. En casos particulares puede referirse a un *codificador de instrucciones de máquina* [assembler] o a un *compilador* [compiler] | (a.c. translator) programa productor de programas. Programa de computadora que produce otros programas; dícese en oposición a los programas de trabajo [working programs], utilizados para obtener resultados o resolver problemas. SIN. **program generator** | v. **automatic coding.**

procurement　　obtención; adquisición, compra; aprovisionamiento, acopio, abastecimiento.

procurement department　　proveeduría; departamento de compras.

procurement division　　proveeduría; departamento de compras.

procurement service　　proveeduría; servicio de compras [de acopios].

prod　　acicate, estímulo; aguijón; punzón; pincho; aguijonazo; pinchada, pinchazo || (*Elec/Elecn*) (a.c. test prod) punta de prueba; punta de contacto. SIN. **test point** (véase). CF. **probe** /// *verbo:* acicatear, estimular, incitar; aguijonear; punzar; pinchar; tocar con un útil puntiagudo (como un punzón).

prodromal　　*adj:* (*Medicina*) prodrómico, premonitorio. Que señala el comienzo de una enfermedad.

prodromal phase　　fase prodrómica. Dícese p.ej. refiriéndose al período transitorio de enfermedad que se presenta muy pronto después de haber recibido grandes dosis de radiación.

prodrome　　(*Medicina*) pródromo, precursor [signo] de una enfermedad /// *adj:* prodrómico.

produce　　producto, rendimiento, ganancia; productos (agrícolas), frutos; producción, fabricación /// *verbo:* sacar, extraer; presentar, mostrar, exhibir; producir, generar, engendrar; producir, causar, provocar; producir, fabricar, manufacturar || (*Cine*) (a film) realizar (una película) || (*Mat*) (a line) prolongar (una recta).

producer　　productor; autor; productor, fabricante || (*Cine*) productor; director de producción || (*Radio*) realizador || (*Tv*) productor artístico; realizador; director de escena || (*Teatro*) director de escena.

producibility　　productividad; producción || (*Elec*) (of a hydroelectric power station) productividad (de una central hidroeléctrica). Cantidad máxima de energía que la totalidad de los recursos hidráulicos disponibles durante un período determinado permite producir en las condiciones más favorables (CEI/65 25–05–065).

product　　producto, artículo (de fabricación); producción; fruto || (*Mat*) producto, resultado de multiplicar. CF. **scalar product** || v. **product of. . .**

product counter　　(*Informática*) contador de productos.

product demodulator　　desmodulador de producto. Circuito cuya salida es el producto de la tensión de una portadora modulada en amplitud (señal de entrada) y la tensión de una onda procedente de un oscilador local que funciona a la frecuencia de dicha portadora; con un filtraje adecuado, la onda de salida es proporcional a la onda moduladora original.

product detection　　(*Elecn*) detección de producto; detección multiplicativa.

product detector　　(*Elecn*) detector de producto. v. **product demodulator.**

product material　　(*Nucl*) producto.

product matrix　　(*Mat*) matriz producto.

product modulator　　(*Telecom*) modulador ideal.

product-moment　　(*Mat*) momento-producto.

product nucleus　　(*Nucl*) núcleo producido.

product of inertia　　(*Mec*) producto de inercia.

product of sets　　(*Mat*) intersección de conjuntos. Operación que se define así: Dados dos conjuntos A y B de un universo, la intersección de A y B, simbolizada por $A \cap B$, es el conjunto de todos los elementos que pertenecen a ambos subconjuntos (A y B) a la vez. El grupo simbólico $A \cap B$ se lee "la intersección de A y B" o, más brevemente, "A intersección B". Siempre se cumple que $A \cap B = B \cap A$; por consiguiente, la operación de formar la intersección de dos conjuntos es *conmutativa.*

product of sums　　(*Mat*) producto de sumas. En algebra de Boole, expresión que (al igual que la suma de productos) puede efectuarse fácilmente mediante circuitos de compuerta electrónica [electronic gate circuits].

product of tensors　　(*Mat*) producto de tensores.

product-over-the-sum formula　　fórmula del producto sobre la suma. Relación matemática de la forma

$$R_t = (R_1 R_2)/(R_1 + R_2)$$

Esta es la fórmula que da la resistencia resultante de dos resistencias en paralelo o derivación, y es un caso particular de la *fórmula de las resistencias en paralelo* (v. **parallel-resistance formula**).

product overflow　　(*Informática*) producto excedido.

product-overflow in-out　　entrada-salida de producto excedido.

product-overflow light　　luz de producto excedido.

product particle　　(*Nucl*) partícula producida.

product relay　　(*Elec*) relé de producto. Relé cuya magnitud de influencia [actuating quantity] es el producto de dos magnitudes eléctricas, habitualmente dos corrientes (CEI/56 10–30–020).

production　　producción; generación; rendimiento; producto; producción, obtención; presentación; alargamiento, prolongación; elongación; extensión || (*Industria*) producción (fabril, industrial), fabricación; elaboración, manufactura || (*Radio/Tv*) producción (de programas), producción artística || (*Cine*) realización; película, film || v. **production of . . .**

production capacity　　capacidad de producción.

production center　　centro de producción; centro industrial.

production control　　(*Industria*) control en cadena; control [fiscalización] de la producción.

production efficiency　　rendimiento productivo; rendimiento de la producción (industrial).

production experience　　experiencia en producción; experiencia industrial [de producción fabril].

production facilities　　v. **production facility.**

production facilities department　　(*Tv*) departamento de elementos de producción. Departamento encargado de proveer todos los elementos físicos necesarios para la realización de los programas (v. **production facility**) y, además, dirigir y coordinar todas las actividades escénicas de tipo físico durante los ensayos y durante las emisiones.

production facility　　fábrica, centro [instalación] fabril || (*Tv*) **production facilities:** elementos de producción (de programa). Conjunto de todos los elementos físicos y los materiales necesarios para la producción de un programa, incluso: diseños escénicos, mobiliario, construcciones, pintura, dibujos, vestuario, maquillaje, utilería, titulares, y efectos especiales, tanto visuales como sonoros. CF. **property.**

production line　　(*Industria*) tren [línea] de montaje, tren (de montaje) de producción en serie, cadena de producción (en serie), circuito de producción.

production-line test　　prueba en fábrica durante el montaje; prueba [ensayo] de producción en serie.

production-line testing　　pruebas en el tren de montaje; ensayos de producción industrial.

production-line testing device　　dispositivo de prueba en fabricación.

production machine　　máquina de producción (industrial).

production machinery　　maquinaria industrial.

production manager　　(*Cine*) director [jefe] de producción || (*Industria*) jefe de fabricación; gerente de (la) producción.

production model　　modelo de producción. Modelo de un aparato en su forma definitiva, eléctrica y mecánicamente, obtenido con los mismos elementos de fabricación (herramientas y útiles) y por los mismos métodos que se utilizarán en la producción de las demás unidades.

production of neutrons　　producción de neutrones.

production pile   *(Nucl)* v. **production reactor.**

production plant   fábrica, instalación fabril ‖ *(Nucl)* planta de producción.

production quantity   cantidad de (la) producción | **production quantities:** cantidades industriales.

production reactor   *(Nucl)* (a.c. production pile) reactor de producción, reactor generador (de plutonio) | reactor de producción. Reactor destinado principalmente a producir materiales fisibles [fissile materials] o de otra clase o para asegurar una irradiación en escala industrial. Si no se indica otra cosa, el término designa habitualmente un *reactor de producción de plutonio* [plutonium-production reactor]. Los reactores de esta clase comprenden: (a) reactor de producción de materiales fisibles [fissile-material production reactor]; (b) reactor de producción de isótopos [isotope-production reactor]; (c) reactor de irradiación [irradiation reactor] (CEI/68 26–15–095).

production run   *(Industria)* lote de producción.

production sorting   *(Industria)* clasificación (de componentes) en fábrica.

production standard   norma de fabricación | patrón de fábrica. CF. **laboratory standard.**

production test   prueba en fábrica; prueba durante la fabricación; ensayo de producción.

production test equipment   equipo [instrumental] de prueba para fábricas.

production-test system   sistema de ensayos en fábrica.

production testing   pruebas en fábrica; ensayo en fábrica; pruebas de producción, ensayos de producción industrial.

production tool   herramienta fabril, herramienta (para trabajo) de producción (en fábrica).

production worker   obrero [trabajador] de fábrica, obrero industrial, operario de producción industrial.

productive   *adj:* productivo; útil, provechoso.

productive time   tiempo productivo.

products of combustion   productos de la combustión.

professional   profesional; facultativo ⫽ *adj:* profesional; facultativo; diplomado; titulado; de tipo profesional; de calidad profesional.

professional development   formación [perfeccionamiento] profesional.

professional engineer   ingeniero diplomado [titulado, graduado]; ingeniero profesional [colegiado].

professional fitness   aptitud profesional.

professional-grade   *adj:* de calidad profesional.

professional television   televisión profesional.

profile   perfil, silueta, contorno, configuración; plantilla ‖ *(Aeron)* perfil (aerodinámico) ‖ *(Constr)* perfil, vigueta, (de hierro laminado) ‖ *(Mec)* perfil (de engranaje, de leva) ‖ *(Industria)* recorte; calibre (de tornear) ‖ *(Terrenos)* perfil, corte vertical. V.TB. **profile of slope** ‖ *(Topog)* perfil altimétrico ‖ *(Mapas)* perfil ‖ *(Radiocom)* perfil (altimétrico), diagrama de perfil altimétrico (de la trayectoria). SIN. **path profile, profile chart [diagram]** | **profile based on 1,33 × earth's radius:** perfil altimétrico con radio terrestre igual a 1,33 veces el real ⫽ *verbo:* perfilar; contornear; copiar con plantilla; recortar; moldurar, hacer molduras.

profile chart   *(Radiocom)* perfil (altimétrico), diagrama de perfil altimétrico, gráfica de perfil (de la trayectoria). Representación gráfica de un trayecto de radioenlace, con indicación de alturas, accidentes del terreno, alturas de antena, franqueos verticales [path clearances], distancias, y otros detalles. Se utiliza en la fase de estudio y proyecto de los sistemas de radioenlace por microondas. SIN. **profile diagram, path profile.**

profile diagram   *(Radiocom)* diagrama de perfil longitudinal, diagrama longitudinal de niveles, perfil altimétrico (de la trayectoria). Diagrama, de uso muy corriente en relación con los radioenlaces por microondas, que muestra el perfil del terreno (y a veces también la curvatura de la tierra) a lo largo de la ruta o trayectoria del enlace; en breve, diagrama del perfil longitudinal

del terreno a lo largo de la trayectoria. SIN. **terrain profile, profile chart.**

profile drag   *(Aeron)* resistencia del perfil (al avance), resistencia (al avance) del perfil.

profile drag coefficient   coeficiente de resistencia (al avance) del perfil.

profile map   plano topográfico, mapa de perfil topográfico.

profile of radio path   *(Radiocom)* perfil altimétrico de la trayectoria radioeléctrica.

profile of slope   *(Vías férreas)* perfil de talud. Inclinación de las tierras que forman el talud, sea en terraplén, en desmonte, o en muro.

profile spotlight   *(Ilum)* proyector de siluetas. Proyector que produce un haz bien definido cuya forma puede ser modificada por diafragmas, plantillas o máscaras que forman siluetas (CEI/70 45–55–305).

profile thickness   *(Aeron)* espesor del perfil; espesor máximo de un perfil (aerodinámico).

profile view   *(Radiol)* (a.c. lateral projection, lateral view) vista de perfil, vista [proyección] lateral. Radiograma en el cual los rayos X atraviesan el cuerpo de un lado al otro (CEI/64 65–25–115).

profiling machine   (máquina) perfiladora, máquina de perfilar.

profilograph   rugosígrafo. v. **profilometer.**

profilometer   rugosímetro. Aparato para medir la rugosidad de superficies.

profiloscope   rugoscopio. v. **profilometer.**

profit-and-loss account   *(Contab)* cuenta de ganancias y pérdidas.

profit-and-loss statement   *(Contab)* estado de ganancias y pérdidas.

profitability   rentabilidad; remunerabilidad.

profitable   *adj:* productivo, provechoso, lucrativo, remunerador; rentable; útil, ventajoso.

progeny   progenie; descendencia; progenie, prole, generación que da origen a un organismo.

prognose   *verbo:* pronosticar. Prever el curso y la terminación probable de un fenómeno o de una enfermedad.

prognosis   prognosis, pronóstico. En Medicina, juicio médico acerca de la evolución y la terminación de una enfermedad.

prognostic   *adj:* pronóstico. Perteneciente al pronóstico o la prognosis [prognosis].

prognostic analysis   *(Meteor)* análisis de prognosis.

prognostic chart   *(Meteor)* carta de prognosis.

prognostic surface chart   *(Meteor)* carta de prognosis de superficie.

prognostic upper-air chart   *(Meteor)* carta de prognosis para altos niveles.

program   *(also programme — GB)* programa, agenda; programa, prospecto, manifiesto; plan ‖ *(Radio/Tv)* programa. Secuencia de señales de sonido y/o imagen radiadas por una emisora. Son variadísimos los programas en cuanto a su naturaleza, contenido y temas, pudiendo ser: dramáticos, humorísticos, cómico-musicales, románticos, musicales, de información periodística, de aficionados, folklóricos, de cocina (culinarios), del tipo de "jurado" o "mesa redonda", de orientación pública, culturales, educativos, infantiles, informales, deportivos, fílmicos, de asuntos especiales (disertaciones, conferencias, entrevistas), comerciales, publicitarios; etc. v. **programing** ‖ *(Cine)* programa ‖ *(Automática)* programa. Para un automatismo de secuencia [automatic sequence control] o para un control por realimentación [feedback control], conjunto de señales de mando y de información necesarias para la ejecución de una serie de operaciones determinada (CEI/66 37–15–120) | **hand-set program:** programa manual. Procedimiento por el cual las señales del programa son compuestas por el operador humano [human operator] mediante aparatos incorporados en el equipo automático (CEI/66 37–15–125) ‖ *(Mat)* programa ‖ *(Informática)* programa. (1) Plan para la solución de un problema; incluye la compilación y elaboración de los datos y la comprobación final. (2) Programación; planteo de la sistematización de datos que se quiere efectuar y el orden de realización de cada fase. (3) Ordenamiento racional de las funciones y/o instrucciones de la máquina. (4) Rutina de computadora; conjunto de instrucciones propiamente ordenadas para que la máquina ejecute un proceso particular ⫽ *adj:* programático ⫽ *verbo:* programar; planear ‖ *(Estadística)* programar. Aplicar el método matemático para determinar el máximo o el mínimo de una función de varias variables sometida a varias restricciones ‖ *(Informática)* programar. (1) Idear un plan para la resolución de un problema. (2) Escribir una rutina de computadora [computer routine].

program advance key   *(Informática)* tecla para avance manual de programa.

program amplifier   *(Radiodif)* amplificador de programa. (1) Amplificador de audiofrecuencia que forma parte de un equipo transmisor. (2) Amplificador conectado al canal de programa principal y que es capaz de suministrar la señal al nivel de salida normalizado [standard output level]: +18 dBm cuando la señal se aplica a una línea; +12 dBm cuando se aplica a un transmisor. SIN. **line amplifier, main amplifier**.

program assembly   *(Informática)* compaginación de programa.

program card   *(Informática)* tarjeta de programa.

program channel   *(Radiodif)* canal de programa ‖ *(Telecom)* circuito radiofónico. v. **program circuit**.

program circuit   *(Telecom)* circuito radiofónico [para transmisiones radiofónicas]. Circuito telefónico con suficiente anchura de banda para la transmisión de programas musicales. SIN. **music circuit**. CF. **program line**.

program-circuit loading   *(Telecom)* carga para radiodifusión musical.

program coding   *(Informática)* programa codificado. Programa escrito en lenguaje de computadora.

program computer   computadora por programa.

program construction   *(Informática)* establecimiento del programa.

program content   *(Radio/Tv)* contenido [naturaleza, carácter] del programa. v. **program**.

program control   control por programa. (1) Sistema de control que automáticamente mantiene o cambia el valor de consigna [target value] en función del tiempo transcurrido, según un programa preestablecido. (2) Regulador en el cual el valor de la magnitud regulada es cambiado automáticamente a determinados intervalos según un programa preestablecido. CF. **program regulation**.

program counter   *(Informática)* contador de programa. Dispositivo que cuenta las fases de ejecución de una operación, bajo el control de una instrucción.

program coupling   *(Informática)* acoplamiento de programa.

program cycle   ciclo de programa.

program-cycle total transfer   *(Informática)* transferencia de total en ciclo de programa.

program department   *(Telecom)* departamento de programas.

program design   *(Comput)* confección de programas.

program device   dispositivo de programa.

program director   *(Radio/Tv)* director de programas.

program disk   *(Comput)* disco de programa.

program distribution   *(Telecom)* distribución de programas; teledistribución, radiodistribución, teledifusión.

prog-am-distribution system   sistema de distribución de programas; sistema de teledistribución [de radiodistribución, de teledifusión].

program drum   *(Comput)* tambor de programa.

program entry   *(Comput)* entrada de programa.

program-entry isolation device   dispositivo de aislación de entrada de programa.

program error   error del programa.

program-error diagnosis   *(Comput)* diagnóstico de errores del programa.

program exchange   *(Radio/Tv)* intercambio de programas.

program exit expansion   *(Informática)* ampliación de salidas del programa.

program failure   *(Radio/Tv)* falla de la señal de programa.

program failure alarm   *(Radio/Tv)* alarma de falla de la señal de programa. Dispositivo electrónico que da una alarma acústica y/o visual en ausencia de señal en la línea de programa.

program filler   *(Cine)* relleno, complemento. Película de corto metraje que se pasa antes o después de la película principal del programa. CF. **program picture, feature film**.

program flow chart   *(Comput)* esquema del programa. Esquema gráfico de las etapas sucesivas y la lógica de procesamiento de un programa de computadora. CF. **system flow chart**.

program generator   *(Comput)* programa generador de programas. Programa con el cual la computadora escribe otros programas automáticamente.

program-hour   *(Radio/Tv)* hora-programa.

program instructions   *(Comput)* instrucciones del programa.

program level   *(Radio/Tv, Electroacús)* nivel de señal. Nivel de la señal de audiofrecuencia, expresado en unidades de volumen [volume units] | nivel medio de señal. En los sistemas audiomusicales, nivel medio de la señal procedente de una fuente cualquiera (fonocaptor, cabeza magnetofónica, sintonizador) | nivel normal de audición ‖ *(Comput)* nivel de programa.

program level indicator   *(AF)* indicador de nivel de señal ‖ *(Magnetófonos)* modulómetro, indicador de nivel (de grabación).

program library   *(Comput)* programoteca, archivo de programas.

program library tape   *(Comput)* cinta de archivo de programas.

program line   *(Radio/Tv)* (also programme line — *GB*) línea de programa. Línea destinada a la transmisión de las señales moduladoras [modulating signals]. SIN. **music line** (CEI/70 60–60–120) ‖ *(Telecom)* línea radiofónica. v. **program circuit**.

program-line compressor   *(Radio/Tv)* compresor en línea de programa. Audioamplificador de ganancia variable regulada automáticamente, destinado a mantener la dinámica del programa dentro de límites convenientes. V.TB. **AGC program amplifier**.

program link   *(Telecom)* enlace radiofónico. v. **program circuit**.

program machine   *(Informática)* máquina de control por programa.

program material   *(Electroacús)* programa; material de audición normal ‖ *(Radio/Tv)* programa.

program monitor   *(Radio/Tv)* monitor de programa. Monitor destinado a controlar la calidad del programa.

program music   música descriptiva.

program of routine maintenance   *(Telecom)* (a.c. program of routine tests) programa de entretenimiento periódico.

program of routine tests   *(Telecom)* v. **program of routine maintenance**.

program parameter   *(Comput)* parámetro del programa.

program patch-board   *(Informática)* tablero de conexiones de programación.

program picture   *(Cine)* (película de) relleno, (película de) complemento. Película de segunda importancia que se exhibe antes o después de la película principal para completar el programa. CF. **program filler, feature film**.

program position   *(Informática)* posición de programa.

program production   *(Radio/Tv)* producción de programas.

program pulse   *(Comput)* impulso de programa.

program register   *(Comput)* registro de programa. Registro que almacena determinado conjunto de instrucciones de un programa y que mantiene el control de la operación de la máquina en la ejecución de aquéllas.

program regulation   *(Automática)* regulación programática [de programa]; regulación de itinerario. CF. **program control**.

program repeat   *(Informática)* repetición de programa.

program repeater   repetidor de programas || (*Telecom*) amplificador de distribución de programas; amplificador de radiodistribución.

program run   (*Informática*) marcha del programa.

program scaler   (*Aparatos de medida*) escala de programa.

program schedule   (*Radio/Tv*) horario de programas [de emisiones].

program select stop key   (*Informática*) tecla de parada seleccionada de programa.

program selector   selector de programas.

program selector switch   selector [conmutador] de programas.

program-sensitive error   (*Informática*) error provocado por el programa. Error de la computadora que ocurre únicamente cuando se ejecuta una combinación única de pasos del programa.

program setup   (*Informática*) preparación de programa.

program sheet   (*Informática*) planilla de programación.

program signal   (*Radio/Tv*) señal de programa; señal moduladora. v. **modulation signal.**

program source   (*Radio/Tv, Electroacús*) fuente de señales. Dispositivo de audiofrecuencia cuyas señales se utilizan para excitar un amplificador o para constituir la señal de programa | punto de captación de sonidos.

program stand   (*Radio/Tv*) soporte para (el) programa.

program start   (*Radio/Tv*) comienzo del programa || (*Informática*) arranque [iniciación] del programa.

program step   (*Informática*) paso de programa.

program stop   (*Informática*) parada del programa.

program switching   conmutación de programas || (*Telecom*) conmutación de programas; conmutación radiofónica [de circuitos radiofónicos]. v. **program circuit.**

program switching center   (*Telecom*) centro de conmutación de programas; centro de conmutación radiofónica.

program switching facilities   dispositivos [medios] de conmutación de programas.

program switching panel   tablero conmutador de programas.

program tape   (*Informática*) cinta de programa, cinta-programa. Cinta magnética o perforada que contiene un programa de computadora, o sea, la secuencia de instrucciones que necesita la máquina para resolver un problema particular.

program test   (*Informática*) prueba de programa.

program test key   tecla de prueba de programa.

program test light   luz indicadora de prueba de programa.

program testing   (*Informática*) ensayo de programa.

program time   (*Radio/Tv*) duración del programa; hora del programa.

program time clock   reloj programador.

program timer   programador horario; dispositivo de accionamiento por tiempos programados || (*Soldadura*) sincronizador de ciclo.

program timing   programación horaria; accionamiento por tiempos programados.

program transmission   (*Telecom*) transmisión de programas; transmisión radiofónica; relé de emisiones radiofónicas.

program transmission circuit   circuito de transmisión de programas; circuito de transmisión radiofónica.

program transmission relay   relé de emisiones radiofónicas; relé de transmisión de programas.

program transmitter   transmisor de programa.

program unit   dispositivo de programación. Dispositivo que determina el orden, cronometraje, etc. de una serie de operaciones, según "instrucciones" || (*Informática*) unidad de programa.

programable, programmable   *adj:* programable, que puede ser programado; de acción [accionamiento, variación] programable.

programed, programmed   *adj:* programado; planeado; preestablecido, predeterminado; de acción programada.

programed algorithm   algoritmo programado.

programed attenuator   atenuador de acción programada.

programed check   (*Informática*) prueba programada. (1) Ensayo

en el cual se le pone a la computadora un problema de solución conocida y programación análoga a la del problema siguiente. (**2**) Serie de autocomprobaciones incorporadas en el programa de computadora para un problema determinado.

programed electron-beam welding   soldadura por haz electrónico programada. Soldadura por haz electrónico cuyas sucesivas operaciones se controlan mediante datos digitales almacenados. Se emplea en la fabricación de microcircuitos [microcircuits].

programer, programmer   (dispositivo) programador || (*Informática*) programador. Especialista en programas; organizador o elaborador de programas. Persona que se ocupa principalmente en la *formulación de programas,* en particular al nivel de preparación de los esquemas o diagramas de operaciones [flow charts]. Se distingue del *analista* [analyst], cuyo trabajo consiste principalmente en la *definición de los problemas,* y del *codificador* [coder], a quien compete la *traducción* o *codificación de los programas* para su ingreso en un sistema computador. En muchas empresas, las tres funciones son atendidas por los llamados *programadores.*

programing, programming   (*Mat,* &) programación. Acción y/o efecto de programar || (*Informática*) programación; establecimiento del programa; puesta en programa. Acción y/o efecto de programar; de establecer un programa; de poner en programa || (*Radio/Tv*) programación; producción [realización] de programas. Acción y/o efecto de establecer o producir los programas. AFINES: director de programas, personal técnico, personal artístico, moderador de programas de "mesa redonda" [panel programs], animador, locutor, director técnico, director artístico, camarógrafo, sonidista, escenógrafo, narrador [comentarista] deportivo, actor, actriz, dama joven, galán joven, actor novel, aficionado, modelo, imitador, cantante, cancionista, cantante folklórico, bailarín, pareja de baile, bailarina popular, conjunto coreográfico, conjunto orquestal, conjunto musical típico, dúo, trío, cuarteto, coro, autor dramático, autor humorístico, autor adaptador. v.TB. **program.**

programing computer   computadora de programación.

programing facilities   (*Radio/Tv*) medios de programación; recursos para la producción [realización] de programas; medios de difusión de programas.

programing language   (*Informática*) lenguaje de programación. (1) Lenguaje exento de ambigüedad usado para formular programas de computadora. (2) Lenguaje usado por los programadores para escribir rutinas de computadora.

programing tape   cinta de programación

programmable   v. **programable.**

programme (*GB*)   v. **program.**

programmed   v. **programed.**

programmer   v. **programer.**

programming   v. **programing.**

progress   progreso; marcha, curso; desarrollo, mejoramiento; aprovechamiento /// *verbo:* progresar; marchar, avanzar; adelantar, hacer progresos; adelantar, llevar adelante.

progress report   informe sobre la marcha del trabajo [el avance de una obra].

progress review   examen del progreso alcanzado; análisis de la marcha del trabajo.

progress review meeting   conferencia sobre el progreso [la marcha] del trabajo.

progression   progresión, avance, adelantamiento, curso || (*Mat*) progresión. Sucesión de números que se deducen unos de otros según determinada ley, y que se denominan *términos* de la progresión. En la *progresión aritmética* [arithmetic progression], la diferencia entre un término cualquiera y el siguiente es constante. En la *progresión geométrica* [geometric progression], el cociente entre un término cualquiera y el siguiente es constante. La primera se llama también *progresión por diferencia,* y la segunda recibe también el nombre de *progresión por cociente.* De definición más complicada es la *progresión hipergeométrica* || (*Mús*) marcha, secuencia || (*Tracción eléc*) v. **progression of equipment** || (*Topog*) trazado.

progression of equipment   *(Tracción eléc)* **(of a camshaft)** avance del equipo (de un árbol de levas). Sentido de funcionamiento correspondiente a la progresión [notching up] del manipulador [master controller] (CEI/57 30–15–165). CF. **runback of equipment.**

progressive   *adj:* progresivo ‖ *(Gram)* progresivo, durativo.

progressive action   *(Automática)* acción progresiva. Modo de acción que puede imponer a la señal de salida [output signal] una variación continua entre dos límites determinados (CEI/66 37–20–030). CF. **type of action.**

progressive fracture   fractura [rotura] progresiva.

progressive interconnection   *(Telecom)* (a.c. grading) interconexión progresiva. En conmutación automática: (a) Método de empalme de líneas múltiples sobre los niveles de selectores, tal que un grupo de selectores [group of selectors] tiene acceso, al principio de las búsquedas, a las líneas que le han sido asignadas en propiedad, y en lo que sigue de las búsquedas, a líneas cuyo acceso es compartido con otros grupos de selectores. (b) Disposición de circuitos conectados a los bancos de selectores [banks of selectors] de conformidad con el método precedente (CEI/70 55–110–205).

progressive interlace   *(Tv)* entrelazamiento progresivo. Método de exploración entrelazada [interlaced scanning] según el cual la primera línea de la imagen es explorada como primera línea del primer campo (v. **field**); la segunda, como primera línea del segundo campo; la tercera, como primera línea del tercer campo; y así sucesivamente. CF. **progressive scanning.**

progressive phase shift   desfasaje progresivo. El que ocurre p.ej. a lo largo de una línea de retardo.

progressive scanning   *(Tv)* exploración progresiva. TB. exploración continua [por líneas contiguas]. Exploración en la cual todas las líneas horizontales de cada cuadro (imagen completa) son recorridas sucesivamente, en lugar de serlo alternadamente, como en la exploración entrelazada [interlaced scanning]. SIN. **sequential scanning.**

progressive total   *(Informática)* subtotal, total parcial.

progressive wave   onda progresiva; onda móvil. Onda que se propaga libremente. SIN. **traveling wave.**

progressive-wave aerial   (a.c. progressive-wave antenna) antena de onda(s) progresiva(s) ‖ (a.c. traveling-wave aerial) antena de onda progresiva. Antena cuya alimentación produce una onda que se propaga a lo largo de la antena en un sentido determinado y sin reflexión en la extremidad (CEI/70 60–34–085).

progressive-wave antenna   (a.c. progressive-wave aerial) antena de onda(s) progresiva(s). SIN. **traveling-wave antenna.**

prohibited area   *(Avia)* zona prohibida. CF. **caution area, danger area, restricted area, traffic tunnel.**

prohibited zone   *(Avia)* zona prohibida.

project   proyecto, plan; empresa; obra ‖ (PERT) proyecto. Empresa que involucra numerosas actividades y sucesos necesarios a la consecución de un objetivo único ⫽ *verbo:* proyectar; planear; sobresalir, proyectarse ‖ *(Dib, Mat)* proyectar.

project engineer   ingeniero de proyecto, ingeniero proyectista [calculista].

project field office   oficina de proyecto al pie de la obra.

projected-scale instrument   *(Aparatos de medida)* aparato de escala proyectada. Aparato cuya escala, solidaria del elemento móvil [moving element], es proyectada sobre una pantalla provista de un índice fijo [fixed pointer] (CEI/58 20–05–120).

projectile   proyectil ⫽ *adj:* proyectante; arrojadizo.

projecting   *adj:* proyectante; saliente, saledizo, voladizo.

projecting cylinder   *(Mat)* cilindro proyectante.

projecting plane (of a line)   *(Mat)* plano proyectante (de una recta).

projection   proyección; lanzamiento, echamiento; resalte, resalto; saliente; uña; ensanchamiento, expansión; cálculo, plan, proyecto ‖ *(Arq)* vuelo, voladizo, saliente, salidizo, retallo, proyectura ‖ *(Cine/Tv)* proyección ‖ *(Cartog, Mat)* proyección ‖ *(Geog)*

planisferio. Carta que representa los hemisferios terrestres o los celestes sobre una superficie plana. Mapa en el cual están representados los dos hemisferios celestes o terrestres en el mismo plano.

projection angle   ángulo de proyección; ángulo de tiro.

projection booth   *(Cine)* cabina de proyección.

projection box   *(Cine)* cabina de proyección.

projection cathode-ray tube   tubo de rayos catódicos de proyección. Tubo de rayos catódicos que produce una imagen intensa que puede proyectarse sobre una pantalla grande con la ayuda de un sistema óptico.

projection comparator   comparador (óptico) de proyección.

projection densitometer   densitómetro de proyección.

projection distance   *(Cine)* distancia de proyección. SIN. **throw.**

projection frequency   frecuencia de proyección.

projection grid   *(Cartog)* cuadrícula de proyección.

projection head   *(Cine)* cabeza de proyección.

projection lamp   *(Cine)* lámpara de proyección. A VECES: lámpara proyectora ‖ *(Ilum)* lámpara de proyección, lámpara para proyector [para proyección de luz] | (a.c. projector lamp — *GB*) lámpara de proyección. Lámpara cuyo cuerpo luminoso está dispuesto de manera que pueda adaptarse a un sistema óptico que proyecta la luz en direcciones escogidas. NOTA: Los términos *lámpara de proyección* y "projection lamp" (EE.UU.) designan más particularmente una lámpara destinada a ser utilizada en un aparato para la proyección de vistas, animadas o fijas, sobre una pantalla (CEI/70 45–40–250).

projection lantern   aparato de proyección; linterna de proyección, linterna mágica.

projection lens   lente de proyección; objetivo de proyección.

projection machine   *(Cine)* proyector (cinematográfico).

projection optics   *(Tv)* óptica de proyección. SIN. **reflective optics.**

projection period   *(Cine)* período [fase] de proyección.

projection plane   *(Geom)* plano de proyección.

projection port   *(Cine: Cabinas de proyección)* ventanilla de proyección.

projection receiver   *(Tv)* receptor de proyección. Receptor de televisión cuya imagen es proyectada sobre una pantalla mediante un sistema óptico, en vez de ser vista directamente en la pantalla del cinescopio; en este último caso el aparato se llama *receptor de visión directa* [direct-viewing receiver]. SIN. **televisor para proyección, receptor (de televisión) del tipo proyector.** V.TB. **projection television receiver.**

projection room   *(Cine)* sala de proyección, sala de reproducción | cabina de proyección. SIN. **projection booth.**

projection screen   *(Cine)* pantalla (de proyección).

projection stand   *(Cine)* base del proyector.

projection television   televisión de proyección [de imagen proyectada]; televisión de pantalla grande. Dícese refiriéndose a los aparatos en los cuales se emplea un sistema óptico (lentes y espejos) para proyectar imágenes de televisión sobre una pantalla, generalmente grande. CF. **theater television, indirect viewing.**

projection television receiver   receptor de televisión de proyección. V. **projection receiver** | receptor-proyector de televisión. Receptor de televisión equipado con un sistema óptico especial que permite proyectar la imagen visible sobre una pantalla, generalmente con el fin de ampliarla (CEI/70 60–64–605).

projection tube   *(Elecn)* tubo (de rayos catódicos) de proyección. V. **projection cathode-ray tube** ‖ *(Tv)* (i.e. projection picture tube) tubo (de imagen) de proyección, cinescopio de proyección. Tubo de imagen especial para receptor de televisión de proyección [projection television receiver].

projection welding   soldadura por resistencia de resalto [con salientes]. Soldadura por resistencia a través de resaltos, salientes o proyecciones que tienen las piezas que se unen.

projectionist   *(Cine)* operador (de cine), operador de la cabina, proyeccionista.

projective   *adj:* proyectivo.

projective geometry   geometría proyectiva. Estudio de las propiedades de las figuras geométricas, prescindiendo de toda noción de medida.

projective relation   *(Mat)* relación proyectiva.

projective space   *(Mat)* espacio proyectivo.

projectivity   *(Mat)* proyectividad, estudio de las figuras proyectivas.

projector   proyector; aparato (óptico) de proyección; *(i.e.* slide projector) proyector (de diapositivas); *(i.e.* motion-picture projector) proyector (cinematográfico) ‖ *(Electroacús) (i.e.* sound projector) proyector (acústico). (**1**) Bocina unidireccional acoplada a un altavoz. (**2**) Dispositivo utilizado bajo el agua para radiar impulsos acústicos en direcciones determinadas ‖ *(Mat)* proyector ‖ *(Ilum)* proyector. Aparato de luz en el cual la luz está concentrada en un ángulo sólido determinado, por un sistema óptico (espejos o lentes), a fin de obtener una intensidad luminosa elevada. NOTA: En inglés, "searchlight" designa un proyector cuya abertura [aperture] es generalmente superior a 0,2 m y que produce un haz de luz aproximadamente paralelo. "Spotlight" designa un proyector cuya abertura es generalmente inferior a 0,2 m y que produce un haz concentrado [concentrated beam] cuyo ángulo de divergencia [divergence] no excede por lo común de 0,35 rad (20°) (CEI/70 45-55-170).

projector alignment   *(Cine)* alineamiento del proyector.

projector-alignment chart   *(Cine)* película de prueba para alineamiento de proyectores.

projector arc lamp   *(Cine)* lámpara de arco de proyección, arco de cine.

projector arc-lamp rectifier   rectificador para arco de cine.

projector carbon   *(Cine)* carbón para arco de cine, electrodo de carbón para lámpara (de arco) de proyección.

projector changeover panel   *(Cine)* cuadro de cambio de proyectores, tablero de conmutación de proyectores.

projector efficiency   *(Electroacús)* rendimiento del proyector (acústico); rendimiento del transductor (electroacústico). v. **transmitting efficiency.**

projector head   *(Cine)* cabeza de proyector. SIN. **projection head.**

projector horn   bocina con proyector.

projector lamp   *(Cine)* lámpara de proyección. A VECES: lámpara proyectora ‖ *(Ilum)* lámpara de proyección, lámpara para proyector [para proyección de luz] ‖ lámpara para proyectores. Lámpara cuyo filamento está concentrado en un espacio restringido (CEI/38 45-20-030). V.TB. **projection lamp.**

projector lens   lente proyector ‖ *(Microscopios elecn)* lente de proyección.

projector-lens resolution target   *(Cine)* diapositiva para pruebas de resolución óptica del proyector. Vista fija con imágenes patrón destinada a determinar el poder separador de las lentes del proyector, expresado por el número de líneas resueltas por milímetro.

projector power response   *(Electroacús)* v. **transmitting power response.**

projector rake   *(Cine)* inclinación del proyector.

prolate   *adj:* alargado; alargado hacia los polos.

prolate distortion   *(Nucl)* distorsión de alargamiento.

prolate spheroidal antenna   antena elipsoidal.

prolong   *verbo:* prolongar, dilatar, extender ‖ *(Mat)* prolongar.

prolongation   prolongación.

prolongation of delay   *(Telef)* prolongación de la espera.

prolonged   *adj:* prolongado, dilatado, extendido.

pROM, PROM   *(Informática)* Abrev. de programable [field-programable] read-only memory [memoria de lectura solamente, programable por el usuario].

promethium   prometio. Elemento químico del grupo de las tierras raras (número atómico 61) que no tiene isótopos conocidos en la naturaleza. Símbolo: Pm. Nombre antiguo ilinio [illinium].

prominence, prominency   prominencia, protuberancia; resalto, saledizo; altura, relieve; distinción, eminencia ‖ *(Anat)* prominencia, apófisis, elevación.

prominency   v. **prominence.**

prominent   *adj:* prominente, protuberante, saliente; destacado, descollante, conspicuo; distinguido, eminente, sobresaliente.

prominent landmark   *(Cartog)* punto de referencia prominente.

promissory   *adj:* promisorio.

promissory note   *(Comercio)* pagaré, abonaré, título de deuda; vale; reconocimiento de deuda.

prompt   *adj:* pronto, inmediato; listo, expedito; puntual ‖ *(Nucl)* inmediato; instantáneo ‖‖ *verbo:* mover, impulsar, incitar; indicar, sugerir, instigar, insinuar ‖ *(Aulas)* soplar (decir en voz baja) ‖ *(Teatro)* apuntar.

prompt critical   *(Reactores nucl)* crítico para los neutrones inmediatos | crítico instantáneo. Que cumple las condiciones requeridas para que un medio, asiento de una reacción nuclear en cadena, sea crítico bajo la acción de neutrones instantáneos solamente (CEI/68 26-10-165).

prompt fission neutron   *(Nucl)* neutrón de fisión inmediato. v. **prompt neutron.**

prompt (fission) neutron multiplication rate   velocidad de multiplicación de los neutrones inmediatos.

prompt gamma   *(Nucl)* v. **prompt gamma radiation.**

prompt gamma radiation   *(Nucl)* radiación gamma instantánea. Radiación gamma que acompaña el proceso de fisión sin retardo mensurable (CEI/68 26-05-165).

prompt gamma rays   rayos gamma inmediatos.

prompt generation time   *(Nucl)* tiempo de generación inmediata.

prompt neutron   neutrón inmediato. El liberado en coincidencia con el proceso de fisión, en oposición al liberado posteriormente | **prompt neutrons:** neutrones instantáneos. Neutrones que acompañan el proceso de fisión sin retardo mensurable (CEI/68 26-05-210).

prompt neutron fraction   fracción de neutrones instantáneos. Razón del número medio de neutrones instantáneos por fisión, al número medio total de neutrones (instantáneos más retardados) por fisión (CEI/68 26-05-580).

prompt poisoning   *(Nucl)* veneno rápido.

prompt radiation   *(Nucl)* radiación instantánea.

prompt reactivity   *(Nucl)* reactividad inmediata.

prompter   *(Teatro)* apuntador ‖ *(Tv)* desarrollador de textos; apuntador. SIN. **teleprompter.**

prone   *adj:* prono, dispuesto, predispuesto, propenso; prono, postrado; inclinado, pendiente.

prone-pressure method   método de presiones en posición prona. Procedimiento de resucitación de una víctima de electrocución.

prong   diente; punta, púa; garra; pitón (de asta) ‖ *(Elecn)* (a.c. terminal prong) espiga (de contacto), terminal (de contacto). SIN. **pin.**

Prony   Gaspard-Clair-François-Marie Riche Prony: ingeniero francés (1755-1839) que se especializó en Hidráulica y que descubrió algunas propiedades interesantes de las ecuaciones diferenciales.

Prony brake   freno de Prony. Disposición utilizada para medir la potencia mecánica [mechanical output] de un motor por la tracción ejercida sobre zapatas [friction blocks] apoyadas contra un volante [flywheel] solidario del árbol motor [driving shaft].

proof   prueba, evidencia; probación, comprobación; demostración; justificación; calificación; impenetrabilidad | prueba, ensayo, experimento. SIN. **test** ‖ *(Artes gráficas, Fotog, Teleg)* prueba ‖ *(Impr)* prueba; galerada ‖ *(Licores)* graduación normal ‖ *(Informática)* prueba; comprobación, verificación; cuadratura. SIN. **check** ‖ *(Mat)* prueba, demostración, verificación, comprobación ‖‖ *adj:* impenetrable; a prueba de (agua, etc.); protegido contra (un agente exterior); de prueba, de comprobación ‖ *(Elec)* -proof: protegido contra un agente exterior. Dícese de un aparato fabricado de manera tal que, en condiciones determinadas, un agente exterior especificado no puede estorbar su funcionamiento (CEI/57 15–10–070) /// *verbo:* probar; impermeabilizar, hacer estanco, hacer impenetrable a; proteger contra un agente exterior; hacer a prueba de; hacer resistente a.

proof device   (*Informática*) dispositivo de comprobación.

proof factor   factor de prueba.

proof load   carga de prueba.

proof loading   carga de prueba. Aplicación de una carga que produzca esfuerzos al menos iguales a los que se producen en servicio, para comprobar la resistencia mecánica (estructuras, vientos, tensores, cadenas).

proof machine   (*Informática*) máquina de distribución y comprobación.

proof of performance   (*Telecom*) comprobación de la calidad funcional [de transmisión], verificación de las características de funcionamiento.

proof-of-performance test   (*Telecom*) prueba de transmisión, ensayo para comprobar la calidad funcional [de transmisión].

proof plane   (*Elec*) plano de prueba. En Electricidad experimental, pequeña pieza de material aislante montada en un mango y que se usa para tomar una muestra de la carga eléctrica de un cuerpo y transportarla a un electroscopio para determinar su polaridad.

proof pressure   (*Elec*) tensión de prueba || (*Transductores de presión*) presión de prueba. Presión máxima aplicable al transductor sin alterar en forma permanente sus características.

¹**prop**   apoyo, soporte, sostén; sustentáculo; apeo, codal; asnilla, madrina; tentemozo || (*Arq*) machón, contrafuerte || (*Marina, Buques*) escora; pie de amigo || (*Minas*) adema, ademe, entibo, estemple, mamposta || (*Túneles*) vela, puntal grueso || (*Cine, Teatro, Tv*) v. **property** /// *verbo:* apoyar, soportar, sostener; sustentar; apuntalar, escorar, entibar, jabalconar; acodalar; ademar.

²**prop**   Forma abreviada de *propeller* | Abrev. de *proposal.*

propaganda   propaganda.

propaganda airplane   avión de propaganda.

propaganda balloon   globo de propaganda; globo para arrojar propaganda.

propagated   *adj:* propagado.

propagated potential   (*Electrobiol*) (*i.e.* biological propagated potential) potencial propagado (biológico). Onda de variación de potencial que involucra una despolarización progresiva a lo largo de un tejido excitable [excitable tissue] (CEI/59 70–10–230). CF. unpropagated potential.

propagated response   reacción propagada.

propagating medium   v. propagation medium.

propagating mode   v. propagation mode.

propagation   propagación, difusión || (*Fís*) propagación. Movimiento progresivo de ondas por un medio. EJEMPLOS: Propagación de ondas acústicas por el aire; de ondas electromagnéticas por una guía de ondas; de ondas radioeléctricas por el vacío; de ondas eléctricas por una línea de transmisión. Movimiento progresivo de una perturbación por un medio. EJEMPLO: una perturbación eléctrica por una línea || v. **propagation of . . .**

propagation blackout   (*Radiocom*) cese (temporal) de la propagación.

propagation characteristics   (*Radiocom*) características de propagación.

propagation clearance   (*Radioenlaces*) franqueo vertical de la trayectoria (de propagación). v. **path clearance.**

propagation coefficient   (*Telecom*) coeficiente de propagación, exponente lineico de propagación. En el caso de una línea homogénea, o de una línea constituida por una cadena de elementos idénticos (tal como una línea pupinizada terminada en media sección): Cociente, por la longitud de la línea, del valor común de la *constante de transferencia imagen* [image transfer coefficient] y el *coeficiente de transferencia iterativa* [iterative transfer coefficient] | coeficiente de propagación; exponente lineal de propagación. Logaritmo natural de la razón compleja de amplitu-

des, en régimen permanente, de una onda de frecuencia determinada, en puntos situados en la dirección de propagación y separados por la unidad de longitud. (a) En el caso de una línea homogénea, se supone que su longitud es infinita o que la misma está terminada por una red que imita las propiedades de la línea infinita [network simulating infinite-line conditions]. (b) En el caso de una línea pupinizada [coil-loaded line], logaritmo natural [natural logarithm] de la razón compleja de amplitudes de una onda de frecuencia determinada, en puntos situados análogamente respecto a las bobinas Pupin [loading coils], estando dicha razón dividida por la longitud de la línea que separa esos puntos, y suponiendo la línea de longitud infinita o terminada por una red que imita las propiedades de la línea infinita. SIN. **propagation constant** (*término desaconsejado*) (CEI/70 55–05–250).

propagation constant   constante de propagación. En el caso de una onda plana progresiva [traveling plane wave] de frecuencia dada, cantidad compleja cuya parte real es la *constante de atenuación* [attenuation constant] en neperios por unidad de longitud y cuya parte imaginaria es la *constante de fase* [phase constant] en radianes por unidad de longitud || (*Telecom*) constante de propagación. CF. **propagation factor, transfer factor, propagation constant per section** | exponente iterativo de propagación. SIN. **iterative propagation constant** | coeficiente de propagación, exponente lineico [lineal] de propagación. v. **propagation coefficient.**

propagation constant per section   (*Telecom*) exponente elemental de propagación.

propagation constant (per unit length)   (*Telecom*) constante de propagación (lineal). v. **propagation constant.**

propagation curve   curva de propagación.

propagation delay   (a.c. propagation delay time) tiempo de propagación. Intervalo de tiempo entre el instante de aplicación de una onda a la entrada de un circuito o dispositivo y el instante en que ocurre el cambio correspondiente a la salida del circuito o dispositivo; el tiempo de propagación puede ser diferente para una y otra polaridad de la onda de entrada.

propagation delay time   v. **propagation delay.**

propagation error   (*Radiogoniometría*) error de propagación. Error de un radiogoniómetro debido a una deformación o una desviación de la superficie de onda [wavefront] resultante de fenómenos de propagación (CEI/70 60–71–170).

propagation factor   factor [relación] de propagación. SIN. **propagation ratio** || (*Telecom*) factor de propagación (de una línea homogénea); factor de transferencia.

propagation factor (of a homogeneous line)   (*Telecom*) factor de propagación (de una línea homogénea).

propagation loss   (*Telecom*) pérdida [atenuación] de propagación. Atenuación de las señales al pasar de un punto a otro a lo largo de una vía de transmisión.

propagation medium   medio de propagación. Medio a través del cual se propaga o transmite una onda o una perturbación.

propagation mode   modo de propagación; régimen de propagación.

propagation of error   (*Mat*) propagación de errores.

propagation of sound (in the open air)   propagación del sonido (al aire libre).

propagation path   (*Telecom*) vía de propagación || (*Radiocom*) trayectoria de propagación; recorrido de la onda.

propagation path characteristics   (*Radiocom*) características de la trayectoria de propagación.

propagation ratio   relación [factor] de propagación. De una onda que se propaga entre dos puntos, relación por cociente entre la intensidad de campo eléctrico (cantidad compleja) en el segundo punto, y la correspondiente al primer punto. La intensidad de campo es un vector cuya magnitud (siempre menor que la unidad) es la *relación de atenuación* (v. **attenuation ratio**). SIN. **propagation factor, transfer factor** [ratio].

propagation reliability   (*Radiocom*) seguridad [confiabilidad] de propagación.

propagation study   (*Radiocom*) estudio de propagación.
propagation survey   (*Radiocom*) estudio de propagación.
propagation test   (*Radiocom*) prueba de propagación, ensayo de propagación radioeléctrica.
propagation testing   (*Radiocom*) pruebas de propagación.
propagation time   (*Telecom*) tiempo de propagación.
propagation velocity   velocidad de propagación.
propane   (*Quím*) propano /// *adj:* propánico.
propel   *verbo:* impeler, empujar; impulsar; propulsar; accionar, imprimir movimiento (a).
propellant   propulsor; propulsante; agente de propulsión || (*Cohetes*) propulsante; carga propulsora /// *adj:* v. propellent.
propellant combination   combinación propulsante [de agentes propulsores].
propellant mixture   mezcla propulsante [de agentes propulsores].
propellent   agente impelente [impulsor] /// *adj:* impelente, propulsor, propulsivo, impulsivo; motor, motriz.
propeller   impulsor, propulsor; inyector || (*Aviones, Buques*) hélice || (*Marina*) buque de hélice || (*Ventiladores*) rueda de paletas. SIN. impeller.
propeller aerodynamic balance   (*Avia*) equilibrio aerodinámico de la hélice.
propeller anti-icer   (*Avia*) dispositivo anticongelante de la hélice.
propeller area   superficie de (la) hélice. Superficie total de las palas de la hélice.
propeller backwash   v. propeller wash.
propeller balancing   equilibrio [equilibrado] de la hélice.
propeller-balancing machine   dispositivo para equilibrar hélices.
propeller-balancing stand   banco para equilibrar hélices.
propeller blade   pala de (la) hélice; paleta de (la) hélice.
propeller-blade angle   ángulo de la pala de la hélice.
propeller-blade area   superficie de la pala de la hélice; superficie desarrollada de la cara de la pala de la hélice.
propeller-blade aspect ratio   relación de alargamiento de la pala de la hélice. CF. propeller width ratio.
propeller-blade back   superficie posterior de la pala de la hélice.
propeller-blade cuff   manguito de la pala de la hélice; manguito de la raíz de la pala de la hélice.
propeller-blade face   superficie anterior de la pala de la hélice.
propeller-blade shank   raíz de la pala de la hélice.
propeller blast   (a.c. prop blast) torbellino de la hélice.
propeller boss   buje de la hélice; cubo de la hélice; núcleo de la hélice.
propeller brake   freno de la hélice.
propeller cavitation   cavitación de la hélice.
propeller counterweight   contrapeso de la hélice.
propeller cover   funda de la hélice.
propeller diameter   diámetro de la hélice.
propeller disk   v. propeller-disk area.
propeller-disk area   (a.c. propeller disk) plano de rotación de la hélice; área del círculo engendrado por la rotación de la hélice.
propeller dome   cono de la hélice.
propeller drive shaft   eje propulsor de la hélice.
propeller efficiency   rendimiento de la hélice.
propeller fan   ventilador de hélice; ventilador helicoidal.
propeller feathering   (*Avia*) puesta en paso bandera.
propeller flutter   trepidación de la hélice.
propeller flyweight   contrapeso dinámico de la hélice.
propeller governor   regulador de la hélice; regulador del paso de la hélice.
propeller-governor drive gear   engranaje impulsor del regulador de la hélice.
propeller gyroscopic force   par giroscópico de la hélice.
propeller hub   buje de la hélice; cubo de la hélice; núcleo de la hélice.

propeller kickback   retroceso de la hélice.
propeller load   carga de la hélice.
propeller-load curve   curva de carga de la hélice.
propeller master blade   pala patrón de hélice.
propeller pitch   paso de la hélice.
propeller-pitch indicator   indicador del paso de la hélice.
propeller radius   radio de la hélice.
propeller rake   inclinación de la hélice con respecto al eje longitudinal; inclinación (hacia atrás) de las palas de la hélice.
propeller reduction gear   engranaje desmultiplicador de la hélice.
propeller root   raíz de la hélice.
propeller section   corte [sección] de hélice.
propeller shaft   eje de transmisión || (*Autos*) eje propulsor [de propulsión], eje cardán, árbol de mando. LOCALISMOS: flecha motriz [de propulsión] || (*Aviones*) eje de la hélice || (*Buques*) eje portahélice, eje de hélice, eje de cola, árbol de (la) hélice.
propeller-shaft sleeve   (*Avia*) manguito del eje de la hélice.
propeller slip   resbalamiento de la hélice.
propeller slipstream   retroceso, estela de la hélice.
propeller speed   velocidad [régimen] de la hélice; revoluciones de la hélice.
propeller static balance   equilibrio estático de la hélice.
propeller static balancing   equilibrado [equilibrio] estático de la hélice.
propeller synchronizer   sincronizador de la hélice.
propeller test   prueba de (la) hélice.
propeller test stand   banco de prueba para hélices.
propeller thrust   empuje de la hélice; tracción de la hélice.
propeller thrust bearing   cojinete de empuje de la hélice.
propeller tipping   cantonera [blindaje] de la hélice. En las hélices de madera, refuerzo metálico que cubre la punta y parte del borde de la pala.
propeller torque   par de la hélice.
propeller turbine   turbina de hélice || (*Avia*) turbohélice, turbina de combustión con hélice.
propeller-type current meter   molinete de paletas.
propeller-type fan   ventilador de hélice.
propeller-type turbine   turbina (hidráulica) de hélice.
propeller-type water wheel   rueda de hélice.
propeller wash   (*Aviones*) (a.c. propeller backwash) flujo de la hélice; torbellino de la hélice; perturbación aerodinámica causada por la hélice || (*Buques*) estela de la hélice.
propeller width ratio   relación de alargamiento de la hélice. CF. propeller-blade aspect ratio.
propelling   *adj:* propulsor, propulsivo, de propulsión; impulsor, impulsivo, de impulsión; motor, motriz.
propelling force   fuerza propulsora [propulsiva, de propulsión], fuerza motriz.
propelling movement   (*Tracción eléc*) marcha acumulada desde la cola del tren. Marcha en la cual el vehículo motor [motor vehicle], enganchado o no y ocupado por su equipo de conducción, se coloca en la cola del tren y lo empuja (CEI/57 30-05-400).
proper   *adj:* propio; apropiado, adecuado, debido, conveniente; correcto; exacto, justo; propiamente dicho || (*Mat*) propio.
proper divisor   (*Mat*) divisor propio.
proper energy   (*Fís*) energía propia.
proper fraction   (*Mat*) fracción propia, quebrado propio. Fracción o quebrado cuyo numerador es menor (valor absoluto) que el denominador. CF. improper fraction.
proper Lorentz transformation   (*Mat*) transformación de Lorentz propia.
proper motion   (*Astr, Naveg*) movimiento propio.
proper subgraph   (*Mat*) subgrafo propio.
proper subset   (*Mat*) subconjunto propio. Dados dos conjuntos A y B, se dice que A es *subconjunto* de B (simbólicamente $A \subseteq B$), si todos los miembros de A lo son también de B; y se dice que A es *subconjunto propio* de B, si se cumple la condición anterior y,

además, la condición de que *B* tiene al menos un miembro que no es miembro de *A* (simbólicamente $A \subset B$).

proper value   *(Mat)* (a.c. eigenvalue) valor propio.

properly   *adv:* propiamente; apropiadamente, adecuadamente, debidamente, en debida forma, convenientemente; correctamente; exactamente, justamente; oportunamente ‖ *(Mat)* propiamente.

properties   bienes; bienes muebles; bienes inmuebles ‖ *(Estr)* características ‖ *(Quím)* propiedades ‖ *(Acús)* **properties of musical tones:** atributos de los sonidos musicales. v. **musical tone** ‖ *(Cine/Tv/Teatro)* (a.c. props) utilería, tramoyas; aderezos, decorados, decoraciones. (1) Todos los elementos físicos utilizados o necesarios para una escena (como muebles y decoraciones) o usados por los actores en sus caracterizaciones, con exclusión del guardarropa y el escenario. (2) Útiles y elementos auxiliares de escenografía; muebles, objetos y adornos empleados para la representación o la preparación de la escena, y artículos usados por los actores para caracterizarse. SIN. **scenery.** CF. **production facility** ‖ v. **property.**

property   propiedad; caudal, haberes, hacienda; posesión, pertenencia; dominio; propiedad, atributo, característica; facultad, virtud ‖ *(Mat)* propiedad ‖ v. **properties.**

prophase   *(Citología)* profase.

proportion   proporción; dosis; parte, porción ‖ *(Mat)* proporción; media proporcional; regla de tres ⫻ *verbo:* proporcionar; dosificar; mezclar en determinadas proporciones; medir; dimensionar, determinar (las) dimensiones ‖ *(Dib)* acotar.

proportion of gross to net weight   *(Ferroc)* coeficiente de carga, relación entre el peso bruto y el peso útil.

proportion of lost calls   *(Telef)* proporción de llamadas perdidas. Relación del número de llamadas perdidas a la entrada de un grupo de enlaces dado, al número total de llamadas ofrecidas a ese grupo (CEI/70 55–110–125).

proportion of polarization (of light)   proporción de polarización (de la luz).

proportion of usable to total track length   *(Ferroc)* coeficiente de utilización de las vías. Relación entre la longitud útil y la extensión total de las vías de una estación.

proportional   *adj:* proporcional; proporcionado.

proportional action   *(Automática)* (a.c. P action) acción proporcional, acción P. Modo de acción progresiva [progressive action] en el cual las variaciones de la señal de salida [output variable] son proporcionales a las variaciones correspondientes de una señal de entrada [input variable] (CEI/66 37–20–080).

proportional-action control   *(Automática)* regulación de acción proporcional, regulación P ‖ v. **proportional-action controller.**

proportional-action controller   regulador de acción proporcional, regulador P.

proportional-action factor   *(Automática)* coeficiente de acción proporcional. Para un elemento de acción proporcional [proportional-action element], relación de la variación relativa de la señal de salida, a la variación relativa de la señal de entrada (CEI/66 37–20–085).

proportional amplifier   amplificador proporcional; amplificador lineal de impulsos. v. **linear pulse amplifier.**

proportional band   *(Automática)* margen [gama] de proporcionalidad; margen [banda] proporcional. Margen de valores de la variable regulada correspondiente al margen total de accionamiento del regulador o elemento de control final; se expresa generalmente en tanto por ciento de la escala total del aparato ‖ margen de proporcionalidad. Gama de valores de la variable controlada final [final controlled variable] que resultan de una regulación por acción proporcional [proportional action]. El margen de proporcionalidad puede expresarse en forma de fracción del margen efectivo [effective range] (CEI/66 37–40–030).

proportional control   *(Automática)* control proporcional; acción proporcional. Acción reguladora proporcional a la desviación de la magnitud regulada ‖ control proporcional. Modo de regulación

por el cual las variaciones de la variable correctora [correcting variable] son proporcionales a la diferencia entre el valor consignado [set value] y el valor de la variable controlada (desviación o error de consigna [deviation]) (CEI/66 37–25–010).

proportional-control servo   servo de control proporcional.

proportional controller   regulador (automático) de acción proporcional.

proportional counter   *(Radiol)* contador proporcional. (1) Contador de radiaciones constituido por un tubo contador proporcional [proportional counter tube] y sus circuitos asociados. (2) Contador que comprende un tubo contenedor de gas, utilizado en condiciones tales que la amplitud de cada impulso sea una medida de la energía de la partícula que produce los iones (CEI/64 65–30–295).

proportional counter tube   *(Radiol)* tubo contador proporcional. (1) Tubo contador de radiaciones que funciona en condiciones tales que produce ionización por choque y ajustado de manera que la ionización total por unidad de cómputo [count] es proporcional a la ionización producida por el suceso ionizante [ionizing event] inicial. (2) Tubo contador que funciona en la región de proporcionalidad (v. **proportional region**) (CEI/68 66–15–125).

proportional counting chamber   *(Radiol)* cámara de cómputo proporcional. SIN. **contador proporcional.**

proportional current   corriente proporcional.

proportional direct current   corriente continua proporcional.

proportional dividers   compás de proporción [de reducción].

proportional governor   regulador proporcional.

proportional ionization   ionización proporcional.

proportional ionization chamber   cámara de ionización proporcional. Cámara de ionización en la cual la corriente de ionización inicial es amplificada por multiplicación electrónica en un campo eléctrico intenso, como en el caso de un contador proporcional [proportional counter]; se usa para medir corrientes de ionización o cargas en períodos de tiempo determinados, más bien que para cómputos.

proportional limit   límite de proporcionalidad [de elasticidad, de las deformaciones elásticas], límite elástico proporcional [verdadero].

proportional loading   carga proporcional.

proportional mean   *(Mat)* media proporcional.

proportional mixer   mezclador proporcional.

proportional navigation   navegación proporcional. Técnica de guiaje automático sobre el blanco en la cual la rapidez de viraje del proyectil es proporcional a la de la visual que va del proyectil al blanco.

proportional neutron counter   contador proporcional de neutrones, contador de neutrones proporcional.

proportional offset   *(Automática)* desviación remanente proporcional.

proportional-plus-derivative control   *(Automática)* control proporcional al error y a su derivada, amortiguación proporcional a la rapidez de variación del error. En un servocontrol, control que se efectúa mediante dos tensiones, una proporcional al error y la otra proporcional a la rapidez de variación del error. SIN. **error-rate damping.**

proportional-position action   v. **proportional action.**

proportional-position action controller   v. **proportional-action controller.**

proportional positioning   *(Automática)* posicionamiento proporcional.

proportional region   *(Tubos contadores)* región de proporcionalidad. Intervalo de la tensión de funcionamiento de un tubo contador en el cual el factor de amplificación debido al gas [gas amplification factor] es independiente de la ionización primaria [primary ionization], y la amplitud del impulso proporcional al número de iones inicialmente producidos, en el volumen útil [sensitive volume], por el suceso ionizante [ionizing event] (CEI/68 66–10–185) ‖ región proporcional.

proportional response *(Automática)* respuesta proporcional. SIN. rate [throttling] control.

proportional-speed floating action *(Automática)* acción flotante de velocidad proporcional. Acción flotante en la cual el órgano o elemento de control final [final controlling element] se mueve a velocidad proporcional a la desviación o error de consigna [deviation].

proportional valve válvula de control proporcional.

proportionality proporcionalidad.

proportionality constant *(Mat)* constante de proporcionalidad. MENOS USADO: factor de proporcionalidad.

proportionate *adj:* proporcionado; dosificado; armónico; proporcional /// *verbo:* proporcionar; ajustar.

proportionate mastering *(Reguladores de alumbrado)* regulación maestra proporcional.

proportioner proporcionador, dosificador.

proportioning proporcionamiento, dosificación, dosaje; dimensionamiento; acotamiento /// *adj:* proporcionador, dosificador.

proportioning band *(Automática)* v. **proportional band.**

proportioning burner quemador dosificador.

proportioning control control de dosificación || *(Automática)* v. **proportional control.**

proportioning controller regulador [controlador] de dosificación || *(Automática)* v. **proportional controller.**

proportioning reactor reactor [bobina de inducción] de corriente proporcional. Reactor o bobina de inducción de núcleo saturable, caracterizado por el hecho de que al aumentar la corriente de control (entrada) de cero a un valor especificado, se produce un incremento en la corriente de salida proporcional entre los valores de corte y de plena carga. Se utiliza para fines de control y regulación.

proportioning valve válvula dosificadora.

proposal proposición || *(Comercio)* propuesta; oferta.

propose *verbo:* proponer(se); tener intención de.

proposed cable scheme *(Telecom)* (a.c. cable project) proyecto de cables.

proposed frequency plan *(Telecom)* proyecto de frecuencias, plan de frecuencias propuesto.

proposition proposición, oferta || *(Mat)* proposición.

propositional *adj: (Mat)* proposicional.

propositional calculus cálculo proposicional.

propositional equation ecuación proposicional.

proprietary *adj:* especial; de marca; patentado.

props *(Cine/Teatro/Tv)* Forma abreviada de *properties.*

propulsion propulsión, impulsión; impulso /// *adj:* propulsor, impulsor.

propulsion alternator *(Buques)* alternador de propulsión.

propulsion system sistema de propulsión.

propulsive *adj:* propulsivo, impulsivo, propulsor, de propulsión, de impulsión.

propulsive efficiency rendimiento propulsivo [de propulsión] || *(Avia)* rendimiento de la hélice. SIN. **propeller efficiency.**

prospect pit v. **prospecting pit.**

prospecting prospección, cateo, exploración; calicata, sondeo, busca de minerales /// *adj:* prospector, cateador, explorador; sondeador.

prospecting pit, prospect pit *(Ferroc)* excavación de examen, excavación accesoria para mejor examen del terreno || *(Minería)* calicata, sondeo; busca de minerales; pozo de cateo [de prospección].

prospective current *(Elec)* (of a circuit) corriente propia (de un circuito). Corriente que circularía en un circuito si cada uno de los polos del aparato de interrupción [breaking device] destinado a cortarlo fuera reemplazado por una conexión de impedancia despreciable, sin hacer ningún otro cambio en el circuito ni en las condiciones de alimentación (CEI/57 15–25–005).

protactinium protactinio. Elemento químico radiactivo de número atómico 91. Es un metal de densidad 15,37; su temperatura de fusión es algo inferior a 1 600° C. Produce actinio [actinium] por desintegración. Carece de aplicaciones prácticas y sólo se obtiene en pequeñísimas cantidades como subproducto de la preparación del radio, extrayéndolo de los residuos de ésta. Símbolo: Pa.

protectant substancia protectora; elemento de protección /// *adj:* protector, de protección.

protected *adj:* protegido; amparado; cubierto || *(Elec)* protegido. Se dice de una máquina o de un aparato cuyas partes bajo tensión, o en movimiento, han sido hechas difícilmente accesibles a la penetración de cuerpos sólidos y a las proyecciones de agua horizontales o verticales (CEI/38 10–35–065).

protected against atmospheric humidity protegido contra la humedad atmosférica.

protected against burnout *(Elec/Elecn)* protegido contra sobrecargas destructivas.

protected apparatus *(Elec)* aparato protegido.

protected machine *(Elec)* máquina protegida.

protected zone zona protegida || *(Elec)* (i.e. part of an installation guarded by a certain protection) circuito protegido. Parte de una instalación protegida por un dispositivo de protección (CEI/56 16–45–005).

protecting protección; amparo; defensa; salvaguardia /// *adj:* protector, de protección. v.TB. **protective.**

protecting band banda protectora.

protecting cap v. **protective cap.**

protecting cover v. **protective cover.**

protecting element *(Elec)* elemento de protección.

protecting lamp lámpara de protección.

protecting plate placa protectora.

protection protección; abrigo, amparo; resguardo; defensa; salvaguardia; salvoconducto; sistema de protección; blindaje || *(Elec)* (dispositivo de) protección; disyuntor | (a.c. protective gear, protective relay) artificio [relé] de protección. Relé o grupo de relés con accesorios destinados a asegurar la protección de un elemento de red (máquina, transformador, alimentador, etc.) en caso de falla [fault] o de condiciones anormales de funcionamiento (CEI/56 16–05–020) | CF. **leakage protection, reverse-power protection, selective protection, time-limit protection** || *(Telecom)* protección. CF. **day protection, night protection** || *(Radiol)* protección (contra las radiaciones) | (i.e. radiology protection) protección radiológica. Medidas de precaución destinadas a reducir la exposición del personal a la radiación. OBSERVACION: En lo que concierne a la radiación externa [external radiation], estas medidas consisten en la utilización de barreras protectoras de material absorbente [protective barriers of radiation-absorbing material], en asegurarse de que la fuente está a una distancia conveniente, en reducir el tiempo de exposición [exposure time], o en una combinación de esos medios. En cuanto a las fuentes internas [internal sources], la protección comprende las medidas destinadas a reducir la inhalación, la ingestión, u otros modos de penetración de substancias radiactivas en el cuerpo (CEI/64 65–05–130) /// *adj:* protector, de protección.

protection against floods, etc. *(Ferroc)* obras de defensa. Estructuras para defender la vía contra las aguas, la nieve, las avalanchas, los aludes, los volcanes, etc.

protection against radiation protección contra las radiaciones.

protection channel *(Telecom)* canal de protección. SIN. **standby channel.** CF. **working channel, regular channel.**

protection current corriente de protección.

protection distance *(Radiocom)* distancia de protección; separación geográfica.

protection element *(Elec)* elemento de protección.

protection for interturn short-circuits *(Elec)* dispositivo de protección contra (los) cortocircuitos entre espiras. Dispositivo de protección contra los cortocircuitos entre espiras de una misma fase de una máquina o de un aparato (CEI/56 16–65–015).

protection from harmful interference *(Radiocom)* protección contra perturbaciones perjudiciales.

protection glass   vidrio protector.

protection ground relay   *(Elec)* relé de protección de puesta a tierra.

Protection of Underground Cables against Stray Currents from Electric Power Lines (Florence, 1951)   Recomendación para la Protección de Cables Subterráneos contra la Acción de Corrientes Vagabundas Procedentes de las Instalaciones de Tracción Eléctrica (Florencia, 1951).

protection rail   v. **protective railing.**

protection ratio   razón [relación] de protección.

protection solenoid   solenoide de protección.

protection survey   *(Radiol)* evaluación de la protección | (a.c. radiation survey) control de protección [de radiación]. Evaluación, para un conjunto determinado de condiciones, de los riesgos de irradiación ligados a la existencia, la producción o el empleo de materias radiactivas [radioactive materials] o cualquier otra fuente de radiaciones ionizantes. OBSERVACION: Tal evaluación incluye habitualmente un control físico de la disposición de las materias y del equipo, medidas o estimaciones de los niveles de radiación [levels of radiation] que pueden ser puestos en juego, y un conocimiento de las operaciones que utilizan o afectan esas materias, suficiente para predecir los riesgos resultantes de modificaciones probables o posibles de los materiales o del equipo (CEI/64 65–35–005).

protection wall   *(Ferroc: Obras de arte)* muro de protección. Muro derivador de aludes o avalanchas.

protective   *adj:* protector, de protección. v.TB. **protecting.**

protective apron   *(Radiol)* mandil protector. Hoja de material que absorbe eficazmente las radiaciones ionizantes, usualmente de caucho al plomo (v. **lead rubber**) (CEI/64 65–35–085).

protective atmosphere   *(Termotratamiento de aceros)* atmósfera protectora.

protective barrier   *(Radiol)* barrera protectora. Material empleado para absorber las radiaciones ionizantes [ionizing radiations], con fines de protección (CEI/64 65–35–070).

protective cable   *(Telecom)* cable protector.

protective cap, protecting cap   caperuza [cubierta, tapa] protectora, sombrerete [capucho] protector.

protective capacitor   *(Elec)* (i.e. surge absorber comprising a capacitor) condensador de protección. Absorbedor de ondas constituido por un condensador (CEI/57 15–55–075).

protective channel   *(Telecom)* v. **protection channel.**

protective circuit   *(Tracción eléc)* circuito de protección. Circuito especial o parte del circuito de mando [control circuit] utilizado para fines de protección (CEI/57 30–15–210).

protective circuit breaker   *(Elec)* disyuntor protector. CF. **protection.**

protective coating   *(Cintas mag)* capa protectora, capa destinada a reducir el desgaste de la cinta || *(Nucl)* (a.c. protective covering) cubierta protectora.

protective cover   cubierta protectora.

protective covering   *(Nucl)* cubierta protectora.

protective device   dispositivo protector [de protección]. En Electricidad, dispositivo destinado a impedir que lleguen a determinada parte de un circuito, tensiones, corrientes o potencias de magnitud perjudicial. v. **circuit breaker, fuse, interlock switch, interlocking protective circuit, lightning arrester, overload relay, protection, protective gap, protective horn, protective capacitor, protective relay, protective reactance coil, protective resistor, protective system, protector.**

protective earth *(GB)*   v. **protective grounding, protector ground.**

protective finish   acabado protector.

protective flat   *(Tv)* segmento de protección. v. **masking piece.**

protective fuse   *(Elec)* fusible protector.

protective gap   *(Elec)* chispero (de protección), chispero de protección (contra sobretensiones); intervalo de protección. Espacio entre dos terminales o dos electrodos entre los cuales pueden

formar arco las sobretensiones transitorias. Intervalo de aire dispuesto entre un circuito eléctrico y tierra o entre elementos de un aparato, y ajustado de modo que cuando la tensión entre el circuito y tierra o entre los elementos, sobrepasa cierto valor, salta una chispa a través del intervalo; la tensión queda así limitada a la de ruptura del intervalo, la cual se establece de manera que no cause daño al circuito o a los elementos que se quiere proteger | pararrayos, descargador. SIN. **lightning arrester** (véase) | explosor de protección. Explosor [spark-gap] destinado a proteger el material eléctrico contra las sobretensiones [surges] (CEI/57 15–55–065).

protective gauze   gasa protectora.

protective gear   *(Elec)* artificio [relé] de protección. v. **protection.**

protective glass   *(Aparatos)* (a.c. protection glass) vidrio protector || *(Ilum)* vidrio protector. Parte transparente o translúcida de un aparato de luz abierto o cerrado, destinada a proteger las lámparas contra el contacto, el polvo o la suciedad, o a evitar su contacto con líquidos, vapores o gases (CEI/70 45–55–265).

protective gloves   *(Radiol)* guantes protectores. Guantes de un material que absorbe eficazmente las radiaciones ionizantes [ionizing radiations], usualmente de caucho al plomo [lead rubber] (CEI/64 65–35–090). CF. **protective apron.**

protective grounding   puesta a tierra de protección. v. **tower grounding.** SIN. **protective earth** *(GB),* **protector ground.**

protective head leader   *(Cintas cine)* cabecera protectora.

protective horn   *(Elec)* cuerno de protección | antena de protección. Explosor de antenas dispuesto en las extremidades de una cadena de aisladores [insulator chain] para protegerla contra los efectos perjudiciales de un arco (CEI/38 25–30–130). CF. **guard ring.**

protective leader   *(Cintas cine)* cabecera protectora.

protective material   *(Radiol)* (i.e. any substance used for attenuating ionizing radiation) material protector. Toda substancia empleada para atenuar las radiaciones ionizantes (CEI/64 65–35–065). v. **protective barrier, lead rubber.**

protective railing   (a.c. protection rail) baranda [barandilla] protectora, pasamanos de protección.

protective reactance coil   *(Elec)* bobina de inductancia protectora | inductancia de protección. Inductancia colocada en serie en un circuito de corriente alterna para limitar las sobreintensidades de corriente (CEI/38 15–20–020).

protective relay   *(Elec)* relé protector [de protección] | relé [artificio] de protección. v. **protection.**

protective resistance   *(Elec)* resistencia de protección. Dispositivo de protección (v. **protective device**) constituido por un elemento de resistencia. SIN. **protective resistor.**

protective resistor   *(Elec)* resistor [resistencia] de protección. v. **protective resistance.**

protective screen   *(Elec/Telecom)* apantallado, pantalla (de blindaje), blindaje || *(Radiol)* pantalla protectora. Pantalla que contiene elementos que absorben las radiaciones y que se interpone con objeto de obtener una protección contra ellas (CEI/38 65–05–040, CEI/64 65–35–095). CF. **protective barrier, protective material.**

protective sleeve   *(Elec/Telecom)* manguito protector [de protección].

protective stock   stock de seguridad, nivel mínimo de material para asegurar el abastecimiento normal.

protective system   *(Elec)* sistema de protección. Sistema de aparatos que funciona en caso de perturbación (exceso de tensión o de intensidad, defecto de tierra, etc.) y destinado a proteger la instalación eléctrica de los efectos perjudiciales que pueden producirse en dichos casos (CEI/38 25–05–070). CF. **protective device.**

protective tail leader   *(Cintas cine)* cola protectora.

protective trailer   *(Cintas cine)* cola protectora.

protector   protector; patrocinador, patrono || *(Mec)* protector || *(Elec/Telecom)* protector, dispositivo protector [de protección].

CASOS PART. fusible (protector); disyuntor; pararrayos. Dispositivo destinado a proteger líneas o aparatos contra tensiones, corrientes o potencias anormalmente altas, como las producidas por las descargas atmosféricas. Puede tratarse p.ej. de un fusible (cortacircuito) o un disyuntor, o de un dispositivo (pararrayos, varistor, termistor) cuya resistencia a tierra es muy elevada en condiciones normales, pero baja en presencia de una tensión o una corriente peligrosamente elevada. V.TB. **fuse, circuit breaker, spark-gap, lightning guard, varistor, thermistor, protective capacitor, protective circuit breaker, protective device, protective fuse, protective gap, protective horn, protective reactance coil, protective relay, protective resistance** | dispositivo de protección. Dispositivo destinado a proteger la instalación contra los daños resultantes de las descargas eléctricas [lightning discharges] o contra las sobretensiones de otro origen (CEI/70 55–95–250).

protector box   *(Telecom)* caja de (las) protecciones.

protector drainage   *(Telecom)* drenaje de protector. v. **drainage equipment.**

protector frame   *(Telecom)* bastidor de (las) protecciones. SIN. **protection rack.**

protector ground   *(Telecom)* puesta a tierra de protección. SIN. **protective grounding** (véase).

protector rack   *(Telecom)* (*i.e.* protector side of MDF) bastidor de (las) protecciones. SIN. **protector frame.**

protector tube   *(Radio/Elecn)* tubo protector, válvula protectora. Tubo de cátodo frío y descarga gaseosa que entra en estado de conducción cuando la tensión aplicada alcanza un valor predeterminado, y que se utiliza para proteger un circuito contra sobretensiones perjudiciales.

protium   protio. Nombre a veces aplicado al isótopo hidrógeno de masa 1 (1H^1), para distinguirlo del deuterio (1H^2) y del tritio (1H^3).

protoactinium   protoactinio, protactinio. v. **protactinium.**

protometal   metal refinado a alta temperatura.

proton   protón. (**1**) Partícula elemental con carga positiva que se encuentra en el núcleo de todo átomo. (**2**) Partícula elemental que contiene la más pequeña carga de electricidad positiva y que posee una masa del mismo orden de la masa atómica más pequeña (CEI/38 05–10–065). (**3**) Partícula elemental que contiene la más pequeña carga de electricidad positiva y que posee una masa del mismo orden de la del átomo de hidrógeno (CEI/56 07–05–065). (**4**) Partícula elemental que posee una carga eléctrica positiva igual en magnitud a la carga del electrón y una masa muy ligeramente inferior a la del neutrón. La masa de un protón o de un neutrón es de alrededor de 1 836 veces la masa de un electrón o de un positón (CEI/64 65–10–355. (**5**) Partícula elemental que contiene la más pequeña carga de electricidad positiva e idéntica al núcleo del átomo de hidrógeno de masa 1 (CEI/68 26–05–190) /// *adj:* protónico.

proton accelerator   acelerador de protones, acelerador protónico.

proton-alpha reaction   reacción protón-alfa.

proton binding energy   energía de enlace del protón. Energía necesaria para extraer un protón de un núcleo; en la mayoría de los casos se encuentra entre 5 y 12 MeV.

proton bombardment   bombardeo con protones.

proton cycle   ciclo protónico.

proton diffractograph   difractógrafo protónico.

proton donor   donante protónico.

proton gun   cañón protónico; inyector de protones.

proton-induced   *adj:* inducido [provocado] por protones.

proton injector   inyector de protones.

proton-irradiated   *adj:* irradiado con protones.

proton magnetic resonance   resonancia magnética protónica.

proton magnetometer   magnetómetro protónico. Magnetómetro sumamente sensible cuyo funcionamiento se funda en el principio de precesión del espín [spin precession principle]. v. **spin precession magnetometer.**

proton mass   masa del protón, masa protónica.

proton microscope   microscopio protónico. Dispositivo de óptica electrónica análogo al microscopio electrónico [electron microscope], pero en el cual los portadores electrizados [charged particles] son protones (CEI/56 07–45–025).

proton moment   momento protónico. Constante física igual a $1{,}410\,49 \times 10^{-23}$ ergio/gausio.

proton-neutrino field   campo protón-neutrino.

proton-neutron force   fuerza protón-neutrón.

proton-proton chain   serie de reacciones protón-protón. Serie de reacciones termonucleares iniciadas por una reacción entre dos protones.

proton-proton force   fuerza protón-protón.

proton-proton reaction   reacción protón-protón.

proton radiation   radiación protónica.

proton ray   haz de protones.

proton recoil   retroceso del protón.

proton-recoil counter   contador de retroceso de protones, contador para medir neutrones rápidos.

proton resonance   resonancia protónica.

proton rest mass   masa en reposo del protón. Constante física igual a $1{,}67252 \times 10^{-24}$ g.

proton scintillation   escintilación por protones.

proton-sensitive fluorescent material   material fluorescente sensible a los protones.

proton synchrotron   sincrotrón protónico [para protones]. Sincrotrón destinado a acelerar protones. SIN. **bevatron, cosmotron.**

prototype   prototipo, arquetipo, modelo, original, primer tipo de una cosa || *(Lenguaje técnico)* prototipo. Modelo de un aparato utilizable para una evaluación cabal de su construcción, diseño y funcionamiento || *(Aparatos de medida)* prototipo. Uno de los primeros aparatos de un tipo determinado y que servirá de modelo para los otros aparatos del mismo tipo que se construyan posteriormente (CEI/58 20–05–240) /// *adj:* prototipo; arquetípico.

prototype aircraft   aeronave [avión] prototipo.

prototype flight   *(Avia)* vuelo de prototipo.

prototype L-section filter   *(Elec)* prototipo de sección L. Red reactiva [reactance network] utilizada como constituyente de base para la síntesis de filtros en escalera [ladder filters] y caracterizada por el hecho de que el producto de las impedancias de su rama longitudinal (o en serie) y de su rama transversal (o en paralelo) es una constante K^2, teniendo K las dimensiones de una resistencia (CEI/70 55–20–235).

prototype reactor   *(Nucl)* reactor prototipo.

prototype standard   *(Metrología)* patrón prototipo.

prototype test   prueba [ensayo] de prototipo; prueba [ensayo] de calidad; prueba de cualificación [de homologación] || *(Elec)* **prototype tests:** ensayos de la calidad. Conjunto de ensayos efectuados sobre un solo aparato (o máquina) o sobre varios aparatos de un mismo modelo, con objeto de asegurarse de que, desde el punto de vista de su concepción, de su dimensionamiento, de la calidad de las materias primas en él empleadas, y de su ejecución, ese modelo responde al conjunto de las condiciones de montaje y de funcionamiento especificadas (CEI/56 10–40–340). CF. **type test.**

protractor   *(Cirugía)* protractor. Instrumento destinado a la extracción de cuerpos extraños de las heridas || *(Dib)* transportador; limbo [semicírculo graduado] para medir ángulos.

provable   *adj:* demostrable; comprobable.

prove   *verbo:* probar; comprobar, verificar; demostrar; evidenciar; poner a prueba; constatar; hacer patente; sacar [tirar] una prueba (de imprenta).

provide   *verbo:* proveer, suministrar, proporcionar; abastecer, suplir, surtir; estipular.

proving   prueba; comprobación, verificación; demostración; puesta en evidencia; puesta a prueba; constatación; tiraje de una prueba (de imprenta) || v. **proving of . . .**

proving of opening of switch blades   *(Ferroc)* aparato de comprobación de posición de aguja. Comprobación de aguja [point check] que indica únicamente que las cuchillas no ocupan ninguna de las posiciones extremas (CEI/59 31–05–220).

proving of switch blades   *(Ferroc)* comprobador de cuchillas de aguja. Conmutador de circuitos eléctricos cuya posición depende de la posición de las cuchillas de una aguja (CEI/59 31–05–230).

provision   provisión; abasto; reserva; provisiones, comestibles; disposición, medida; (medida de) precaución | **provision of services:** prestación de servicios || *(Convenios y contratos)* estipulación; cláusula; convenio.

provisional   *adj:* provisional, provisorio.

provisional acceptance   aceptación provisional.

provisional forecast   *(Meteor)* pronóstico provisional.

Provisional Frequency Board [PFB]   *(Radiocom)* Comité Provisional de Frecuencias [CPF].

Provisional International Computation Center   Centro Internacional Provisional de Cálculo.

Provisional Regulations for the Subscribers' Telegraph Service by Start-stop Apparatus in the European System   Reglamento Provisional para el Servicio de Abonados al Telégrafo por Aparatos Arrítmicos del Régimen Europeo.

provisional specification   especificación provisional.

provisional sunspot number   número provisional de manchas solares.

provisional weight   *(Avia)* peso provisional.

provisions   provisiones, comestibles, víveres, abarrotes; productos elaborados (de frigoríficos); disposiciones, medidas; medidas de precaución; estipulaciones, disposiciones; medios.

prow   *(Marina)* proa; tajamar.

Proxima Centauri   *(Astr)* Próxima Centauri. La estrella más cercana a la Tierra (a excepción del Sol).

proximity   proximidad.

proximity effect   *(Elec)* efecto de proximidad. Redistribución de corriente en un conductor debido a la presencia próxima de otro conductor recorrido por una corriente | inducción.

proximity fuse   *(Artillería)* espoleta de proximidad. Espoleta que es activada por la presencia próxima del blanco; puede funcionar mediante dispositivos radioeléctricos, radáricos, fotoeléctricos, o de otras clases. SIN. **influence fuse, variable-time fuse.**

proximity fuze   *(Artillería)* v. **proximity fuse.**

proximity switch   conmutador [interruptor] de proximidad.

proximity transducer   transductor de proximidad.

PRR   Abrev. de pulse repetition [recurrence] rate.

pruning   poda, monda, escamonda, remonda.

pruning hook   podadera; hoz [cuchillo] de podar; podón (podadera grande); márcola (vara con hierro de figura de hocino u hoz para desmarojar).

pruning knife   podadera; podón; márcola.

pruning rod with shears   podadera (para árboles). SIN. **tree pruner.**

pruning saw   serrucho para podar.

pruning shears   podaderas, tijeras para podar.

pry   indagación, investigación; observación; registro, escudriñamiento; reconocimiento || *(Mec)* palanca, alzaprima, barra /// *verbo:* indagar, investigar; observar; registrar, escudriñar; reconocer; hurgar || *(Mec)* apalancar, palanquear, alzaprimar; separar o levantar con un útil puntiagudo.

pry-out   *(Elec)* tapadera [destapadero] de palanquita.

pry point   *(Herr)* punto [punta] de forzar.

PS   Abrev. de power supply || *(Teleg)* Abrev. de Paris.

psaltery   *(Mús)* salterio.

PSBL   *(Teleg)* Abrev. de possible [posible].

PSC   *(Teleg)* Abrev. de please send copy [sírvase enviar copia].

PSE   *(Teleg)* Abrev. de please [por favor, sírvase].

psec   Abrev. de picosecond. No es abreviatura normalizada; úsese *ps.*

pseudo   *adj:* seudo, pseudo; falso, pretendido.

pseudo-, pseud-   seudo, pseudo. Prefijo que indica *falso, supuesto.*

Entra en la formación de numerosos compuestos.

pseudo-Brewster-angle   *(Propag radioeléc)* seudoángulo de Brewster. Angulo de incidencia sobre la superficie de un dieléctrico imperfecto [imperfect dielectric], para el cual el módulo del coeficiente de reflexión [reflection coefficient] de una onda polarizada en el plano de incidencia, es mínimo (CEI/70 60–20–065).

pseudoadiabatic chart   *(Meteor)* carta seudoadiabática; diagrama seudoadiabático.

pseudocarrier   *(Telecom)* seudoportadora.

pseudocode   *(Informática)* seudocódigo. Código arbitrario independiente de la organización de la computadora y que debe ser transformado al lenguaje de ésta antes de ser usado.

pseudocubic dielectric   dieléctrico seudocúbico.

pseudodielectric   seudodieléctrico. Substancia que en estado líquido contiene un gran número de iones libres, los que en estado sólido están impedidos de moverse; por consiguiente, en el segundo estado el cuerpo es mal conductor.

pseudofront   *(Meteor)* seudofrente.

pseudogalena   falsa galena; esfalerita; blenda.

pseudogravitational force   fuerza seudogravitacional.

pseudoharmonic vibration   vibración seudoarmónica.

pseudoinstruction   *(Informática)* seudoinstrucción. Instrucción con la forma general de una instrucción de máquina, pero que no es directamente ejecutable por una computadora. Las seudoinstrucciones son de uso común en los lenguajes orientados hacia la máquina [machine-oriented languages] para controlar el funcionamiento de un traductor [translator]. CF. **pseudocode.**

pseudolumped-constant circuit   circuito de constantes seudoaglomeradas. v. **lumped-constant circuit.**

pseudomanifold   *(Mat)* seudovariedad.

pseudomonochromatic   *adj:* seudomonocromático.

pseudonoise   seudorruido. Secuencia repetitiva seudoaleatoria de impulsos, cuya configuración se asemeja lo más posible al verdadero ruido; utilízase en la comprobación del comportamiento de sistemas electrónicos y de telecomunicación.

pseudoperiodic quantity   magnitud seudoperiódica. Magnitud que varía de acuerdo al producto de una función periódica por otra función no periódica de la variable independiente (CEI/38 05–05–160).

pseudorandom   *adj:* seudoaleatorio; semialeatorio.

pseudorandom modulation   modulación seudoestadística.

pseudorandom numbers   números seudoaleatorios.

pseudoscalar   *adj:* *(Fís)* seudoescalar.

pseudoscalar coupling   acoplamiento seudoescalar; interacción seudoescalar.

pseudoscalar field   campo seudoescalar.

pseudoscalar meson   mesón seudoescalar.

pseudosphere   seudoesfera.

pseudospherical   *adj:* seudoesférico.

pseudostereophonic effect   efecto seudoestereofónico.

pseudostereoscopic effect   efecto seudoestereoscópico.

pseudovector   *(Fís)* seudovector.

pseudovector coupling   acoplamiento seudovectorial; interacción seudovectorial.

psf   Abrev. de pounds per square foot [libras por pie cuadrado]. NOTA: Para convertir a kg/m², se multiplica por 4,8825.

psi   Abrev. de pounds per square inch [libras por pulgada cuadrada]. NOTA: Para convertir a kg/m² se multiplica por 703,1.

psia   Abrev. de pounds per square inch absolute [libras por pulgada cuadrada, presión absoluta].

psid   Abrev. de pounds per square inch differential [libras por pulgada cuadrada, presión diferencial].

psig   Abrev. de pounds per square inch gage [libras por pulgada cuadrada sobre la presión atmosférica, libras por pulgada cuadrada leídas en el manómetro].

PSM   Abrev. de pulse slope modulation.

pso.   Abrev. de psophometer; psophometric.

psophometer   *(Telecom)* sofómetro, psofómetro. Aparato que da por lectura una indicación correspondiente al efecto sobre el oído de tensiones perturbadoras de frecuencias diversas. Comprende una red de filtraje ponderado [weighting network] con características que difieren según el tipo de circuito considerado (circuito telefónico comercial o circuito para transmisiones radiofónicas) (CEI/70 55–10–150) ⫽ *adj:* sofométrico, psofométrico.

psophometric   *adj:* sofométrico, psofométrico.

psophometric electromotive force, psophometric EMF   *(Telecom)* fuerza electromotriz sofométrica. En un circuito telefónico [telephone circuit], la *fuerza electromotriz sofométrica* es el doble de la *tensión sofométrica* [psophometric voltage] que sería medida entre los bornes (terminales) de una resistencia de 600 Ω sobre la cual se cerrara el circuito en el punto de medida [point of measurement], sea directamente, sea a través de un transformador ideal que adapte a 600 Ω la impedancia imagen [image impedance] del circuito, estando la extremidad de emisión del circuito cerrada sobre su impedancia imagen. NOTA: La fuerza electromotriz sofométrica permite expresar cuantitativamente el grado de perturbación que causaría en una conversación telefónica una fuerza electromotriz perturbadora [disturbing electromotive force] procedente de fuentes exteriores (CEI/70 55–10–140).

psophometric EMF   *(Telecom)* FEM sofométrica, fuerza electromotriz sofométrica. v. **psophometric electromotive force.**

psophometric noise   *(Telecom)* ruido sofométrico.

psophometric noise power   potencia de ruido sofométrico.

psophometric noise value   valor de ruido sofométrico.

psophometric potential difference   tensión sofométrica; tensión de ruido.

psophometric power   *(Telecom)* potencia sofométrica. Potencia disipada en una resistencia de 600 Ω por una fuente de fuerza electromotriz sofométrica [source of psophometric electromotive force]. Cuando puede admitirse que los ruidos se adicionan según una ley cuadrática (adición de potencias), se ha encontrado cómodo para el cálculo y los proyectos de construcción de circuitos internacionales, emplear la noción de "potencia sofométrica", definida por las fórmulas:

$$\text{potencia sofométrica} = \frac{(\text{tensión sofométrica})^2}{600}$$

o

$$\text{potencia sofométrica} = \frac{(\text{fuerza electromotriz sofométrica})^2}{4 \times 600}$$

Una unidad cómoda es el micromicrowatt o picowatt (pW), y esta relación puede entonces darse en la forma siguiente:

$$\text{potencia sofométrica (en pW)} = \frac{(\text{FEM sofométrica en mV})^2}{0,0024}$$

(CEI/70 55–10–135). v. **psophometric electromotive force, psophometric voltage.**

psophometric voltage   *(Telecom)* tensión sofométrica. (**1**) La tensión sofométrica entre dos puntos cualesquiera de un sistema telefónico corresponde a la tensión de 800 períodos por segundo de frecuencia que, substituyendo en una línea telefónica a la tensión parásita, produciría la misma perturbación en la conversación telefónica. NOTA: La tensión sofométrica entre dos puntos cualesquiera de una línea telefónica está dada por la expresión:

$$\frac{1}{P_{800}} \sqrt{\sum (P_f V_f)^2}$$

en la cual V_f es la componente de frecuencia f de la tensión parásita, y P_f el peso atribuido a esta frecuencia (CEI/38 55–05–075). (**2**) Tensión a 800 Hz en un punto de un sistema telefónico que, si reemplazara la tensión perturbadora [disturbing voltage], produciría la misma perturbación en una comunicación telefónica que la tensión perturbadora. El valor de la tensión está definido por la expresión:

$$\frac{1}{P_{800}} \sqrt{\sum (P_f V_f)^2}$$

en la cual V_f es la componente de frecuencia f de la tensión perturbadora, y P_f y P_{800} los coeficientes de ponderación [weighting factors] atribuidos a las componentes de frecuencia f y 800 Hz, respectivamente. Estos coeficientes dependen del tipo de circuito (CEI/70 55–10–145) | tensión de ruido | v.TB. **psophometric weight (of a frequency).**

psophometric weight (of a frequency)   *(Telecom)* peso sofométrico (de una frecuencia). Peso atribuido a la frecuencia en la tabla de pesos [weighting table] unida a la especificación del sofómetro [psophometer] en las Directivas para la protección de las líneas de telecomunicación. Esta tabla da los valores de P_f para las diversas frecuencias, cuando P_{800} es por convención igual a 1000 (v. **psophometric voltage**). La experiencia ha demostrado que las componentes sinusoidales [sinusoidal components] de diversas frecuencias y de la misma amplitud no tienen el mismo efecto perturbador sobre el oído humano durante una conversación telefónica; por ello, en el estudio de las perturbaciones, se atribuyen pesos diferentes a las diversas frecuencias. SIN. **psophometric weighting (factor).**

psophometric weighting   peso sofométrico.

psophometric weighting factor   peso sofométrico.

psophometrically   *adv:* sofométricamente, psofométricamente.

psophometrically weighted   *adj:* compensado sofométricamente, con peso sofométrico.

psophometrically weighted signal/noise ratio   relación señal/ruido compensada sofométricamente.

PST   Abrev. de Pacific Standard Time [Hora normal del Pacífico (EE.UU.) (correspondiente a 120°)].

psychiatry   siquiatría, psiquiatría.

psychoacoustic   *adj:* sicoacústico, psicoacústico.

psychoacoustic phenomenon   fenómeno sicoacústico.

psychoacoustics   sicoacústica, psicoacústica.

psychogalvanic   *adj:* sicogalvánico, psicogalvánico.

psychogalvanic phenomenon   fenómeno sicogalvánico. Fenómeno por el cual se modifican las características eléctricas de partes del organismo por efecto de la excitación mental.

psychogalvanometer   sicogalvanómetro. Aparato para el estudio de las reacciones mentales por medida de las variaciones de resistencia eléctrica de la piel aplicando una tensión externa entre electrodos colocados en contacto con la piel en distintos puntos del cuerpo. SIN. **pathometer.**

psychointegroammeter   sicointegroamperímetro, detector de mentiras. v. **lie detector.**

psychometrics   sicometría, psicometría.

psychopharmacology   sicofarmacología, psicofarmacología.

psychophysical   *adj:* sicofísico, psicofísico. Dícese de lo que es en parte mental y en parte físico. En el estudio de la luz y los colores, los conceptos sicofísicos son los que tienen por base las sensaciones humanas, pero que han sido normalizados tomando la media de la respuesta al estímulo de un número grande de observadores. Por ejemplo, la función de luminancia [luminance function] se ha normalizado promediando la sensibilidad de distintos observadores a la luz de diferentes longitudes de onda. v. **luminance.** CF. **subjective.**

(psychophysical) achromatic color   *(i.e.* psychophysical color of zero purity) color acromático (sicofísico). Color sicofísico de pureza nula (v. **achromatic**) (CEI/70 45–25–150).

psychosomatograph   sicosomatógrafo. Aparato para observar las corrientes de acción muscular o los movimientos del cuerpo en pruebas de coordinación sicofísica.

psychrometer   sicrómetro. SIN. **wet and dry bulb thermometer.**

PT   *(Teleg)* Abrev. de *punto*. Se usa sobre todo en los telegramas en idioma portugués.

PTFE   Abrev. de polytetrafluoroethylene.

PTL   *(Telecom)* Abrev. de private tieline.

PTM   Abrev. de pulse-time modulation.

PTM-PPM-AM system   sistema PTM-PPM-AM. Sistema en el cual una portadora es modulada en amplitud por varias subportadoras de impulsos modulados en posición o en tiempo. v. **amplitude modulation, pulse-position modulation, pulse-time modulation.**

Ptolemaic System *(Astr)* Sistema Ptolemaico.

PTR Abrev. de printer.

PTS Abrev. de program transmission service [servicio de transmisión de programas; servicio de transmisiones radiofónicas].

PTT Abrev. de Posts, Telephone and Telegraph [Administración de Correos, Telégrafos y Teléfonos].

PTTA Abrev. de Posts, Telephone and Telegraph Administration [Administración de Correos, Telégrafos y Teléfonos].

Pu Símbolo químico del plutonio [plutonium].

PU *(Esquemas)* Abrev. de pickup.

public público /// *adj:* público; notorio; común; popular.

public address [PA] difusión megafónica, megafonía, sonorización para audiciones públicas; sonido para multitudes (al aire libre o en locales cerrados); audiodifusión musical; refuerzo acústico.

public-address amplifier amplificador de difusión, amplificador megafónico [para audiciones públicas]. Amplificador que forma parte de un sistema de audiodifusión o de refuerzo acústico (v. public-address system).

public-address equipment equipo de audiodifusión [de sonorización].

public-address loudspeaker altavoz de audiodifusión, altoparlante megafónico.

public-address system, PA system sistema de audiodifusión [de difusión por altavoces], sistema audiodifusor [megafónico, para audiciones públicas], sistema de altavoces (para conferencias), instalación para audiciones públicas; sistema de amplificación para refuerzo acústico, instalación de refuerzo acústico [sonoro]. Sistema de amplificación de la palabra y la música y su difusión mediante altavoces en grandes locales o al aire libre, para dirigirse a grandes auditorios (conciertos, asambleas, espectáculos deportivos, reuniones políticas). Es bastante común el uso de la expresión inglesa "public address". Las expresiones con *refuerzo acústico* o *sonoro* están propiamente usadas cuando la voz del que habla puede escucharse directamente, además de escucharse por los altavoces. En ciertas aplicaciones (como p.ej. para hablar entre dos navíos) se le llama también *sistema de comunicación por altavoces.* Además de uno o más micrófonos, la instalación puede incluir un tocadiscos o un magnetófono, para la reproducción de música a través de los altavoces. CF. **mobile public-address equipment, outdoor public-address installation, sound system, sound-reinforcing system, megaphone.**

public authorities autoridades competentes.

public aviation service *(Radiocom)* servicio público de comunicación con aeronaves (en vuelo).

public call box *(Telef)* v. **public call office.**

public call office *(Telef)* (a.c. public call box) cabina telefónica pública. CF. **kiosk** | teléfono [aparato telefónico] público. v. **pay station.**

public correspondence *(Telecom)* correspondencia pública.

public-correspondence radiotelephone service servicio radiotelefónico de correspondencia pública.

public health higiene [sanidad] pública; salubridad pública.

public-health service servicio de sanidad pública.

public network *(Telecom)* red pública, red de servicio público.

public office *(Telecom)* oficina pública.

public phototelegraph station estación fototelegráfica pública.

public power supply suministro público de corriente (eléctrica).

public radiotelephone service servicio radiotelefónico público.

public safety seguridad pública.

public-safety radio service servicio de radiocomunicación para la seguridad pública.

public service servicio público.

public-service corporation empresa de servicio público.

public station *(Telecom)* estación pública || *(Telef)* teléfono públi-

co. v. **pay station.**

public telecommunications network red pública de telecomunicaciones.

public telegraph correspondence correspondencia telegráfica pública.

public telegraph network red telegráfica pública. Red constituida con el objeto de prestar servicio telegráfico al público, que es propiedad de una administración explotadora de telecomunicaciones (o de una explotación privada reconocida), y que puede ser utilizada para el servicio telegráfico general, el servicio télex, y el servicio de arrendamiento de circuitos. CF. **private telegraph network.**

public telegraph office oficina telegráfica pública. Centro telegráfico en relación directa con los usuarios para el depósito [handing in] o la entrega de telegramas.

public telegraph service servicio telegráfico público. v. **general telegraph service.**

public telephone teléfono público. SIN. **public station.**

public telephone booth cabina telefónica pública. SIN. **public call office, public telephone booth.**

public telephone exchange central telefónica pública.

public telephone kiosk cabina telefónica pública. SIN. **public telephone booth.** CF. **telephone booth, public telephone office.**

public telephone network red telefónica pública. Red constituida para la prestación de servicio telefónico al público. CF. **private telephone network.**

public telephone office oficina telefónica pública.

public telephone station cabina telefónica pública. SIN. **public call office, public telephone booth [kiosk]** | teléfono [aparato telefónico] público. Aparato puesto a la disposición del público, generalmente después del pago de una tasa depositada en un dispositivo tragamonedas o pagada a un encargado. SIN. **pay station, public call office** *(GB).*

public telephone station agent encargado de una estación telefónica pública.

public telephone station attendant encargado de una estación telefónica pública.

public utility utilidad pública; servicio público; empresa de servicio público.

puddling arcilla batida; barro trabajado || *(Met)* pudelado, pudelación, pudelaje || *(Soldadura)* mezcla del metal de aporte con el de base fundido; agitación del metal fundido (con el electrodo) mientras se efectúa la soldadura || *(Aparatos registradores)* formación de un charco de tinta.

pull tiro, tracción; esfuerzo (de tracción); gancho de tracción || *(Anuncios)* eficacia || *(Ferretería)* tirador, agarradera || *(Impr)* galerada || *(Met)* grieta superficial irregular transversal | grieta por contracción constreñida. SIN. **pull crack** || *(Mag, Imanes, Electroimanes, Relés)* fuerza atractiva [de atracción]; tiro, tracción; fuerza portante. En el caso de los relés, fuerza de atracción ejercida sobre la armadura || *(Minas)* avance || *(Telecom)* **pull on a pole:** tensión reducida a *x* metros. Fuerza resultante sobre un poste de ángulo [angle pole] expresada por la longitud de la perpendicular trazada desde el poste hasta una recta que une puntos de uno y otro lado del vano [span] distantes *x* metros del poste /// *verbo:* tirar (de); halar, arrastrar; atraer; dar un tirón; arrancar; estirar; rasgar, desgarrar; pelar, desplumar || *(Elecn)* **to pull toward ground:** llevar hacia el potencial de masa || *(Impr)* tirar (una prueba).

pull back *verbo:* retrotraer; tirar hacia atrás.

pull box *(Elec)* caja de acceso [de paso]; caja de derivación.

pull chain cadena de tracción; cadena de transmisión || *(Elec)* cadenilla de tiro.

pull cord cordón de tiro.

pull-cord switch *(Elec)* interruptor de cordón. SIN. **lanyard switch.**

pull crack *(Met)* v. **pull.**

pull down *verbo:* derribar, demoler; tirar hacia abajo /// v. **pulldown.**

pull-down   v. **pulldown**.

pull effectiveness   *(Imanes, Electroimanes)* efectividad de tiro [de tracción]. Es igual a PG/W, donde P es el tiro, G el entrehierro, y W el peso.

pull-in current   *(Relés)* corriente de puesta en trabajo; corriente de enganche [de conexión]. SIN. **pickup current**.

pull-in-dropout gap   *(Relés)* intervalo (de corriente, de tensión) entre la atracción y el desprendimiento. Diferencia entre los valores de corriente o de tensión que determinan, respectivamente, la atracción de la armadura o su retorno a la posición de reposo.

pull-in time   *(Relés)* tiempo de puesta en trabajo [de paso a la posición de trabajo], tiempo de activación; tiempo de cierre. CF. **drop-out time**.

pull-in torque   *(Electromotores)* par máximo constante en carga; momento torsional de sincronización | (of a synchronous motor) par de enganche (de un motor sincrónico). Par resistente constante máximo [maximum constant load torque] que permite al motor alcanzar la velocidad de sincronismo, para la tensión y la frecuencia nominales, en las condiciones especificadas de excitación y de inercia de las masas móviles (CEI/56 10-40-105).

pull-in value   *(Relés)* valor de puesta en trabajo. v. **pickup value**.

pull into synchronism   *verbo:* llevar a sincronismo, enganchar.

pull-off   v. **pulloff**.

pull out   *verbo:* extraer; sacar fuera; arrancar; irse, retirarse; desaparecer; ocultarse || *(Avia)* salir de un picado, restablecer (después de un picado). SIN. **recover** | interrumpir la aproximación (para aterrizar) || *(Ferroc)* arrancar, salir (un tren) de la estación || *(Electromotores)* sobrecargar; desenganchar /// v. **pull-out**.

pull-out   v. **pullout**.

pull out of step   sacar de sincronismo, desenganchar; desincronizarse, salirse de sincronismo.

pull ring   anillo de cierre (por tracción) || *(Avia)* anilla (del paracaídas).

pull rod   tensor; varilla de tiro || *(Ferroc)* varilla de maniobra (de una aguja) || *(Frenos)* tirante de reglaje || *(Ensayos de tracción)* varilla de tracción.

pull switch   *(Elec)* interruptor de cordón. SIN. **pull-cord switch**.

pull-through winding   *(Elec)* devanado de hilos sacados. Devanado ideado para ser armado tirando de los conductores a través de las ranuras [slots] (CEI/56 10-35-100).

pull tube   *(Nucl)* tubo de arrastre.

pull up   *verbo:* alzar, levantar; izar, subir; tirar hacia arriba; arrancar; desarraigar; parar, detenerse, hacer alto; recuperarse || *(Avia)* encabritar /// v. **pullup**.

pull-up   v. **pullup**.

pulldown   *(Refrig)* descenso de temperatura (hasta alcanzar la mínima correspondiente al ajuste de control); temperatura interior mínima (la más baja alcanzable con determinada temperatura ambiente) /// *verbo:* v. **pull down**.

pulldown mechanism   *(Cine)* mecanismo tractor.

pulled oscillations   oscilaciones forzadas. V.TB. **pulling**.

pulled oscillator   oscilador forzado. Oscilador al cual se le inyecta una onda estable que perturba su frecuencia. V.TB. **pulling**.

pulley   polea, garrucha, roldana; motón, cuaderal.

pulley block   motón, cuaderal.

pulley ratio   relación de poleas.

pulley weight   *(Telecom)* contrapeso de cordón. SIN. **cord weight**.

pulling   tiro, tracción; arrastre; desgarramiento (de una pieza moldeada) || *(Impr)* tiraje, impresión (de pruebas) || *(Osc)* *(i.e. frequency pulling)* arrastre [deslizamiento, corrimiento] (de la frecuencia), arrastre de oscilaciones. (1) Variación ligera en la frecuencia de un circuito resonante por la influencia de otro próximo. (2) Variación forzada en la frecuencia de un oscilador por acoplamiento con otra oscilación; la variación ocurre hacia la frecuencia de la oscilación externa acoplada || *(Magnetrones)* *(i.e. frequency pulling)* arrastre, corrimiento adelantado. v. **frequency change** || *(Tv)* inestabilidad [pérdida parcial] de sincronismo |

alargamiento de la imagen; alargamiento de partes de la imagen. CF. **packing**.

pulling attachment with shackle   *(Instalación de cables)* accesorio de tiro con grillete.

pulling effect   efecto de arrastre.

pulling figure   *(Osc)* índice [factor] de arrastre. Índice o factor correspondiente a la variación de frecuencia producida por la carga impuesta al oscilador || *(Magnetrones)* índice de corrimiento adelantado. Corrimiento de frecuencia máximo de un magnetrón oscilador, cuando el argumento del factor de reflexión [phase angle of the reflection coefficient] de la impedancia de carga varía en 2π, mientras el módulo [absolute value] de ese factor permanece constante e igual a un valor especificado, en general 0,2 (CEI/56 07-29-030). v. **frequency change**.

pulling force   fuerza de tracción || *(Mag, Imanes, Electroimanes, Relés)* fuerza atractiva [de atracción]; fuerza portante. SIN. **pull**.

pulling-in iron   *(Elec)* estribo de anclaje; estribo de tiro.

pulling-in line   *(Telecom)* cable tractor. SIN. **drawing-in wire**.

pulling iron   hierro de tiro.

pulling mechanism   mecanismo tractor.

pulling method   *(Obtención de monocristales semicond)* método de tiro [de tirado].

pulling on whites   *(Tv)* prolongación irregular de los elementos blancos (de la imagen).

pulling power   *(Locomotoras)* esfuerzo en el gancho.

pulling speed   velocidad de tracción.

pulloff   tirante || *(Elec)* desviador || *(Líneas aéreas)* aislador para curvas; sustentador para curvas; cable de suspensión (de catenaria) || *(Tracción eléc)* llamada. Dispositivo flexible constituido generalmente por cables, utilizado en las curvas o por encima de los aparatos de vía para mantener los conductores en una posición asignada (CEI/57 30-10-280).

pullout   arranque, acción de arrancar; extracción; saque, acción de sacar || *(Avia)* restablecimiento (después de un picado). SIN. **recovery** || *(Electromotores sincrónicos)* desincronización, desenganche /// *verbo:* v. **pull out**.

pullout shelf   repisa corrediza.

pullout torque   *(Mot sincrónicos)* par de desenganche. Par máximo que un motor puede desarrollar a la velocidad de sincronismo [synchronous speed] para la tensión y frecuencia normales con la excitación normal (CEI/56 10-40-150). CF. **pull-in torque**.

pullup   parada, alto; parador (para vehículos) || *(Avia)* tirón; encabritamiento brusco /// *verbo:* v. **pull up**.

pullup current   *(Relés)* corriente de puesta en trabajo; corriente de actuación. Intensidad de corriente necesaria para que funcione el relé. Valor mínimo de la corriente que atrae la armadura hacia el núcleo. SIN. **pull-in current, pickup current**.

pullup torque   *(Mot)* momento de torsión mínimo de aceleración; par terminal mínimo de aceleración; par máximo en el arranque.

pulsatance   pulsación. INCORRECTAMENTE: pulsatancia. Velocidad angular en radianes por segundo; es igual al producto $2\pi f$, en el cual f representa la frecuencia en hertzios (ciclos por segundo) de una magnitud alternativa. Símbolo: ω. SIN. **frecuencia angular** —— **angular frequency, pulsation**.

pulsate   *verbo:* pulsar; vibrar; tener pulsaciones; palpitar; latir; cribar.

pulsating   pulsación; vibración; palpitación; latido; cribado || *(Mot)* pulsaciones de marcha /// *adj:* pulsátil, pulsante, pulsatorio, pulsativo; vibrante; palpitante; latiente, que late; intermitente, periódico.

pulsating current   *(Elec)* corriente pulsatoria [ondulatoria]. Corriente unidireccional (corriente continua) que tiene una componente alterna; corriente periódica resultante de la suma de una corriente continua y una corriente alterna | corriente intermitente.

pulsating-current-fed track circuit   *(Ferroc)* circuito de vía de corriente intermitente. Circuito de vía en el cual la corriente es sucesivamente cortada y establecida, y eventualmente invertida, y que actúa por totalización de las acciones elementales que cada interrupción o envío de corriente determina en el aparato receptor [receiving apparatus], sin tomar en consideración la frecuencia o la duración de los impulsos (CEI/59 31–05–355).

pulsating direct current   v. **pulsating current.**

pulsating-field machine   *(Elec)* máquina de campo (inductor) pulsatorio [variable].

pulsating jet   chorro pulsátil [pulsatorio].

pulsating jet engine   *(Avia)* (a.c. pulsejet) pulsorreactor.

pulsating magnetic field   campo magnético pulsante.

pulsating quantity   magnitud pulsatoria. v. **pulsating current.**

pulsation   pulsación; vibración; palpitación; latido; cribado | pulsación. Producto de la frecuencia de una magnitud sinusoidal por 2π. Símbolo: ω. SIN. **velocidad angular —— angular [radian] frequency, angular velocity** | pulsación. Producto de la frecuencia de un fenómeno sinusoidal por el factor 2π (CEI/38 05–05–180) ‖ *(Nucl)* (a.c. pulse) pulsación.

pulsation frequency   frecuencia de pulsación.

pulsation period   período de pulsación.

pulsation welding   soldadura a pulsación, soldadura por impulsos (de corriente) | soldadura por pulsaciones. Soldadura por puntos [spot welding] o por protuberancias [projection welding] en la cual la corriente es cortada repetidamente mientras se mantienen los electrodos inmóviles por presión sobre las piezas (CEI/60 40–15–200).

pulse   pulso, pulsación; vibración, trepidación | impulso. POCO USADO: impulsión. Desviación del valor nominal de una magnitud, que dura un tiempo corto ‖ *(Elec/Elecn)* impulso. Irrupción o emisión breve de energía eléctrica. Señal de duración muy corta. Cambio muy rápido y bien definido en una tensión o una corriente respecto a un valor constante que puede ser cero; se caracteriza el impulso por ser de duración finita, medida entre el instante de subida [rise] y el de caída [decay]. SIN. **impulse** ‖ *(Nucl)* (a.c. pulsation) pulsación ‖ *(Automática)* impulso. Señal cuya duración es corta en la escala de tiempo que se considera (CEI/66 37–15–045) ‖ *(Telecom)* impulso. Señal cuya duración es corta en la escala de tiempo que se considera y cuya amplitud es la misma al principio y al final (CEI/70 55–35–005) | (a.c. signal pulse, signaling pulse) impulso (de conmutación). Variación brusca y de corta duración de la corriente que recorre un circuito, efectuada con el objeto de accionar un dispositivo de conmutación o un relé /// *verbo:* pulsar, hacer pulsante, modular una magnitud convirtiéndola en pulsante; aplicar impulsos; emitir impulsos; latir.

pulse amplifier   amplificador de impulsos. (1) Amplificador ideado de modo que amplifique impulsos eléctricos sin modificar sensiblemente su forma de onda. (2) Amplificador electrónico que, dentro de los límites de sus características normales de funcionamiento, suministra un solo impulso de salida por cada impulso de entrada (CEI/68 66–15–245).

pulse amplitude   amplitud de impulso. Amplitud de pico o cresta (valor instantáneo máximo) de un impulso, respecto a un valor normalmente constante. Cuando se da un valor numérico debe darse la indicación correspondiente a la amplitud de interés es otra, como p.ej. la amplitud *media* o la amplitud *efectiva*. SIN. **pulse height** | amplitud de (un) impulso. Valor de la desviación de la magnitud característica correspondiente a la cresta de un impulso (CEI/70 55–35–100).

pulse amplitude A   amplitud A del impulso. Amplitud de tensión máxima de la envolvente del impulso.

pulse-amplitude analyzer   analizador de amplitud de impulsos. v. **pulse-height analyzer.**

pulse-amplitude discriminator   discriminador de amplitud de impulsos. Circuito que da un impulso de salida por cada impulso de entrada cuya amplitud es superior a un umbral determinado (CEI/68 66–15–280). CF. **pulse-amplitude selector.**

pulse-amplitude modulation [PAM]   modulación de impulsos en amplitud, modulación de amplitud de impulsos. (1) Modulación en la cual, la característica de la sucesión de impulsos que se

hace variar, es la amplitud de los mismos. (2) Modulación de amplitud de un tren portador de impulsos [pulse carrier] | modulación de amplitud de impulsos. Modulación de impulsos tal que la onda moduladora hace variar la amplitud de los impulsos (CEI/70 55–35–040) | CF. **pulse modulation.**

pulse-amplitude selector   selector de amplitud de impulsos. Circuito que da un impulso de salida por cada impulso de entrada cuya amplitud se encuentra dentro de un intervalo seleccionado. NOTA: En ciertos países, particularmente en Francia, este término se usa a veces para designar el *analizador de amplitud (de impulsos)* [pulse-amplitude analyzer], del cual el selector de amplitud (de impulsos) no es más que una parte (CEI/68 66–15–285). SIN. **pulse-height selector.**

pulse-and-bar test signal   *(Telecom)* señal de prueba de impulso y barra.

pulse bandwidth   *(i.e.* pulse spectrum bandwidth) ancho de banda (del espectro) del impulso. Intervalo continuo de frecuencias de anchura mínima, fuera del cual la amplitud del espectro del impulso no excede de una fracción especificada de la amplitud a una frecuencia también especificada.

pulse carrier   portadora de impulsos. POCO USADO: pulsoportadora. Portadora consistente en una serie o sucesión de impulsos. Tren de impulsos utilizado como onda portadora de información | tren portador de impulsos. Serie periódica de impulsos idénticos destinada a ser combinada con una magnitud moduladora en una modulación (CEI/70 55–35–150).

pulse changeover unit   conmutador de impulsos.

pulse chopper   interruptor de impulsos.

pulse circuit   circuito de impulsos.

pulse clipper   limitador de impulsos.

pulse clipping   limitación de impulsos.

pulse-clipping stage   etapa limitadora [descrestadora] de impulsos.

pulse code   código de impulsos. (1) Conjunto de impulsos al cual se le atribuye significado especial. (2) Tren de impulsos modulado de manera de representar información. (3) Código consistente en sucesiones o conjuntos de impulsos; por ejemplo, el código Morse, el código Baudot, el código binario [binary code] | código de impulsos; código de modulación de impulsos. Código en el cual se emplean grupos de impulsos para expresar los valores cuantificados [quantized values] de una característica especificada de una señal (CEI/70 55–35–070).

pulse-code modulation [PCM]   modulación por codificación de impulsos, modulación de impulsos codificados [en código], modulación de impulsos por código, modulación por impulsos codificados [en código]. (1) Modulación de impulsos según un código. (2) Modulación en la cual la amplitud, la duración o la posición en el tiempo de un impulso, posee determinado significado según un código. (3) Modulación en la cual la presencia o ausencia de ciertos grupos de impulsos es función de la amplitud de la señal moduladora. (4) Modulación de impulsos en la cual la información se reduce a incrementos de amplitud discretos, a cada uno de los cuales se le asigna un tren predeterminado y único de impulsos (código), el cual pasa entonces a ser transmitido. (5) Modulación de impulsos cuantificada, en la cual las amplitudes aproximadas de los impulsos se representan con secuencias de n símbolos de m tipos diferentes, de tal suerte que $n^m = N$, donde N es el número de elementos de la cuantificación adoptada | *(i.e.* modulation in accordance with a pulse code) modulación por codificación de impulsos. Modulación de un tren de impulsos según un código (CEI/70 55–35–075) | CF. **pulse modulation.**

pulse-code telemetry   telemedida por impulsos codificados.

pulse coder   *(Radiobalizas e interrogadores)* generador de impulsos codificados. v. **coder.**

pulse coding   codificación de impulsos ‖ *(Telecom)* cifrado de los impulsos.

pulse coincidence   coincidencia de impulsos ‖ *(Equipos contadores)* (a.c. coincidence) coincidencia (de impulsos). Aparición en varios detectores de radiación o en varios canales, de impulsos separados por un intervalo de tiempo inferior a un valor fijado (CEI/68 66–10–420). CF. **true coincidence, random coincidence.**

pulse communicating system   sistema de comunicación por impulsos.

pulse-compression radar   radar de compresión de impulso; radar de señal con barrido de frecuencia. SIN. **chirp radar.**

pulse correction   corrección de impulso. Restauración del impulso a su forma original. SIN. **pulse regeneration.**

pulse corrector   corrector de impulso. Circuito que corrige la forma del impulso; como caso particular, circuito que corrige la pendiente de los flancos del impulso. CF. **pulse stretcher.**

pulse count   cómputo [recuento] de impulsos.

pulse-count discriminator   discriminador (de frecuencia) por cómputo [por cantidad] de impulsos. Dispositivo para la medida de frecuencias, o de variaciones (modulaciones) de frecuencia, cuyas indicaciones son función del número de ciclos de la señal medida u observada. El dispositivo (sistema típico) genera un impulso normalizado (área constante) por cada ciclo de la señal de entrada. Los impulsos normalizados pasan a un circuito cuya salida es una corriente continua directamente proporcional al número o cantidad de impulsos, y, por consiguiente, directamente proporcional a la frecuencia que se mide. Dicha CC se mide con un instrumento calibrado directamente en frecuencia. CF. **frequency counter.**

pulse-count modulation [PCM]   modulación de impulsos cuantificada [de impulsos cuantificados], modulación por cantidad de impulsos. Modulación de impulsos en amplitud [pulse-amplitude modulation], en la cual las amplitudes reales de los impulsos modulados vienen representadas, en la onda modulada, por valores discretos, a consecuencia de haber cuantificado aquéllos. CF. **pulse modulation.**

pulse counter   (a.c. impulse counter) contador de impulsos. Aparato que indica o registra el número total de impulsos recibidos durante intervalos conocidos de tiempo.

pulse-counter frequency meter   frecuencímetro contador de impulsos. CF. **frequency counter.**

pulse counting   cómputo [recuento] de impulsos.

pulse-counting channel   (Equipos contadores) canal contador de impulsos.

pulse-counting spectrophotometer   espectrofotómetro de recuento de impulsos.

pulse-counting system   sistema contador de impulsos.

pulse damping   amortiguación de impulsos.

pulse-damping diode   diodo amortiguador de impulsos.

pulse data   información codificada en impulsos.

pulse decay   caída [bajada] del impulso; amortiguación [debilitamiento] del impulso; extinción del impulso.

pulse-decay time   tiempo de caída [bajada] del impulso. Intervalo de tiempo necesario para que la amplitud del flanco posterior [trailing edge] disminuya del 90 al 10 por ciento de la amplitud de pico del impulso.

pulse decoding   descodificación de impulsos; descifrado de impulsos.

pulse delay   retardo de impulsos; desfasaje de impulsos.

pulse-delay circuit   circuito retardador de impulsos. SIN. **pulse-retardation circuit.**

pulse-delay network   red retardadora de impulsos. Red destinada a retardar el paso de un impulso.

pulse delta modulator   modulador delta de impulsos.

pulse demoder   desmodulador de impulsos. Circuito que responde únicamente a las señales de impulsos con un espaciamiento prefijado. SIN. **constant-delay discriminator.**

pulse-detecting channel   (Equipos contadores) canal de detección de impulsos.

pulse-discriminating voltage   tensión de discriminación de impulsos.

pulse discrimination   discriminación de impulsos.

pulse discriminator   discriminador de impulsos. Circuito o dispositivo que sólo responde a los impulsos que tengan determinada amplitud, duración, o período. En el tercero de los casos recibe también el nombre de *discriminador de periodicidad* [time discriminator].

pulse distortion   distorsión [deformación] de impulso. CF. **pulse correction.**

pulse distributing box   caja de distribución de impulsos.

pulse distribution   distribución de impulsos.

pulse-distribution amplifier   amplificador de distribución de impulsos.

pulse distributor   distribuidor de impulsos.

pulse-divider circuit   circuito divisor [desmultiplicador] de impulsos. Circuito destinado a dividir por determinado número la frecuencia de repetición de una sucesión de impulsos.

pulse Doppler radar   radar Doppler de impulsos. Radar Doppler (radiodetección por efecto Doppler-Fizeau) en el cual se utilizan radioimpulsos (CEI/70 70–72–045).

pulse droop   (Impulsos rectangulares) caída del techo, inclinación de la parte horizontal con pendiente negativa; pendiente negativa de la meseta. V.TB. **droop.** CF. **pulse tilt.**

pulse duplication   duplicación de impulsos; doblaje de impulsos.

pulse duration   duración de impulso. Intervalo de tiempo entre los dos puntos, situados respectivamente sobre la parte creciente o flanco anterior [leading edge] y la parte decreciente o flanco posterior [trailing edge] de un impulso, en los cuales el valor instantáneo está en una relación convencional especificada con la amplitud del impulso (v. **pulse amplitude**). Se recomienda descartar el uso de los sinónimos *pulse length* y *pulse width* y sus correspondientes sinónimos castellanos | duración de un impulso. Intervalo de tiempo entre el primer y el último instantes en que el valor instantáneo de un impulso (o su envolvente si se trata de un impulso de onda portadora) se hace igual a una fracción determinada de su valor de cresta (CEI/70 55–35–105).

pulse-duration coder   (Radiobalizas e interrogadores) generador de impulsos codificados en duración. V. **coder.**

pulse-duration discriminator   discriminador de duración de impulsos. Circuito cuya salida varía en magnitud y sentido en función de la diferencia entre la duración del impulso recibido y una duración de referencia. CF. **pulse discriminator.**

pulse-duration error   (Radar) error debido a la duración de los impulsos. El error consiste en que ciertos objetos aparecen más largos o más gruesos de lo que realmente son en la dirección del haz explorador.

pulse-duration modulation [PDM]   modulación de duración de impulsos, modulación de impulsos en duración, modulación por duración de impulsos. (1) Modulación de impulsos en la cual cada muestra instantánea de la onda moduladora hace variar la duración del impulso. (2) Modulación de impulsos en la cual la característica de la sucesión de impulsos que se hace variar, es la duración de los mismos. (3) Modulación de impulsos en la cual la onda moduladora modifica la duración de los impulsos (en relación con la duración de éstos en ausencia de toda modulación); la onda moduladora puede variar el instante de ocurrencia del flanco anterior, del flanco posterior, o de ambos flancos del impulso. Se recomienda abandonar el uso de los sinónimos *pulse-length modulation* y *pulse-width modulation* | modulación de duración de impulsos. Modulación de impulsos en tiempo [pulse-time modulation] en la cual se hace variar la duración de los impulsos (CEI/70 55–35–050) | CF. **pulse modulation.**

pulse duty factor   factor de trabajo de (los) impulsos. CF. **duty cycle, duty factor** | factor de duración. (a) Razón de la duración media de los impulsos por la separación media entre los mismos. NOTA: Esto equivale al producto de la duración media de los impulsos por la frecuencia de repetición de los mismos. (b) Razón de la duración en la base de un impulso que forma parte de una serie de impulsos idénticos regularmente espaciados, por el período de repetición. NOTA: La definición (a) corresponde al término *pulse duty factor* (inglés); la definición (b), que es más restrictiva, corresponde al término *facteur de durée* (francés) (CEI/70 55-35-135).

pulse echo tester   aparato de prueba por eco de impulsos.

pulse echometer   *(Telecom)* ecómetro de impulsos. Aparato destinado a descubrir ecos por medio de impulsos. Por ejemplo, este aparato comprende un generador de impulsos [pulse generator] aplicado, por intermedio de un transformador diferencial [differential transformer], a la entrada de un par coaxil; un amplificador que amplifica la tensión cuyas variaciones en el tiempo representan los ecos sucesivos del impulso sobre las irregularidades presentes en el par coaxil; y un osciloscopio de rayos catódicos [cathode-ray oscilloscope] a cuyas placas de desviación se le aplica esa tensión de eco. El punto luminoso obtenido sobre la pantalla fluorescente del osciloscopio traza una curva representativa de las variaciones de dicha tensión de eco en función del tiempo en los intervalos que siguen a la emisión del impulso. CF. **echometer**.

pulse edge   flanco del impulso. Todo impulso tiene dos flancos; el primero (en el tiempo) se llama *flanco anterior* [leading edge], y el segundo *flanco posterior* [trailing edge].

pulse electronic multiplier   multiplicador electrónico de impulsos.

pulse electroplating   electrodeposición por impulsos.

pulse emission   emisión de impulsos.

pulse envelope   envolvente de impulsos. Envolvente de una onda consistente en un tren de impulsos.

pulse envelope viewer   visor de envolvente de impulsos.

pulse equalizer   igualador [normalizador] de impulsos. Circuito o dispositivo a cuya salida se obtienen impulsos de amplitud y forma uniformes, en respuesta a impulsos de entrada que pueden variar en amplitud y/o forma.

pulse equipment   equipos para técnicas de impulsos.

pulse excitation   excitación por impulsos [por choque]; excitación por impulsión [por choque]. V. **impulse excitation**. CF. **pulse response**.

pulse excursion   excursión de (la) impulsión.

pulse firing circuit   *(Elecn)* circuito de impulsos de disparo.

pulse flat   meseta [techo] del impulso.

pulse force   fuerza impulsiva; fuerza de choque.

pulse forming   conformación de impulsos. Acción de dar a los impulsos determinada forma | formación de impulsos.

pulse-forming circuit   circuito conformador [modelador] de impulsos. SIN. **pulse-shaping circuit**. CF. **pulse shaper** | circuito de formación de impulsos.

pulse-forming line   *(Radar)* línea conformadora [modeladora] de impulsos. Línea continua o red en escalera [ladder network] que, en virtud de sus parámetros, da determinada forma al impulso modulador | línea formadora de impulsos. Línea artificial que almacena energía a partir de una alimentación de corriente continua o alterna, y la restituye en forma de impulsos moduladores (CEI/70 60-72-235).

pulse-forming network   red conformadora [modeladora] de impulsos. Red destinada a dar determinada forma a un impulso; como caso particular, red destinada a dar forma a uno o ambos flancos del impulso (v. **pulse edge**). CF. **pulse corrector**.

pulse frequency   frecuencia de repetición de impulsos. SIN. **pulse repetition frequency** || *(Telecom)* frecuencia de impulsión.

pulse-frequency modulation [PFM]   modulación de frecuencia de impulsos, modulación de impulsos en frecuencia. Modulación de impulsos en la cual la característica de la sucesión de impulsos que se hace variar, es la frecuencia de repetición de los mismos. Más precisos son los sinónimos *modulación de frecuencia de repetición de impulsos* y *modulación de impulsos en frecuencia de repetición* [pulse repetition-rate modulation] || (a.c. pulse repetition-rate modulation) modulación de frecuencia de impulsos. Modulación de impulsos en tiempo [pulse-time modulation] en la cual se hace variar la frecuencia de repetición de los impulsos (CEI/70

55-35-065) | CF. **pulse modulation**.

pulse frequency spectrum   espectro de frecuencias del impulso. V. **pulse spectrum**.

pulse front   frente del impulso.

pulse-front steepness   pendiente [inclinación] del frente del impulso. Cuando la pendiente o inclinación es grande se dice que el frente es muy *empinado* o *escarpado*.

pulse-generating circuit   circuito generador de impulsos.

pulse generation   generación [producción] de impulsos.

pulse generator   *(Elecn)* generador de impulsos. Dispositivo que produce impulsos recurrentes, o impulsos únicos iniciados individualmente por una señal de disparo o gatilladora. SIN. **impulse generator** || *(Telecom)* generador de impulsiones | generador de impulsos. En telefonía automática, máquina u otro dispositivo destinado a la producción de impulsos con características determinadas (CEI/70 55-95-285). CF. **pulse regenerator**.

pulse group   grupo [tren] de impulsos. SIN. **pulse train**.

pulse-halving circuit   circuito de impulsos alternos. CF. **pulse-divider circuit**.

pulse height   amplitud de impulso, altura de impulsión. V. **pulse amplitude**.

pulse-height analysis   análisis de amplitud de impulsos.

pulse-height analyzer   analizador de amplitud de impulsos. Aparato que indica el número de impulsos que ocurren dentro de uno o varios intervalos de amplitud predeterminados; se utiliza para determinar el espectro energético [energy spectrum] de radiaciones nucleares. SIN. **pulse-amplitude analyzer, multichannel analyzer, kick-sorter** *(GB)*.

pulse-height detector   detector de amplitud de impulsos.

pulse-height discriminator   discriminador de amplitud de impulsos. V. **pulse-amplitude discriminator**.

pulse-height selector   selector de amplitud de impulsos. Circuito que suministra un impulso de salida predeterminado únicamente cuando recibe un impulso de entrada cuya amplitud se encuentra entre límites preestablecidos. SIN. **amplitude selector, differential pulse-height discriminator, pulse-amplitude selector** (véase).

pulse-height spectrum   espectro de amplitud de impulsos.

pulse-height voltmeter   voltímetro para impulsos [para amplitud de impulsos].

pulse impulsion   *(Radiocom)* radioimpulsión.

pulse integration   integración de impulsos.

pulse integrator   integrador de impulsos.

pulse interlacing   *(Telecom)* entrelazamiento de impulsos. Procedimiento consistente en hacer intervenir sucesivamente los impulsos procedentes de dos o más fuentes en un sistema múltiplex por reparto de tiempo [time-division multiplex], para su transmisión por una vía en común (CEI/70 55-35-155). SIN. **pulse interleaving**.

pulse interleaving   *(Telecom)* entrelazamiento de impulsos. V. **pulse interlacing**.

pulse interrogation   *(Respondedores)* interrogación por impulso. V. **transponder**.

pulse interval   intervalo entre impulsos, intervalo de impulsos. Intervalo de tiempo entre los flancos anteriores [leading edges] de dos impulsos sucesivos de un tren; puede o no ser constante. SIN. **pulse spacing**.

pulse-interval meter   medidor de intervalo entre impulsos.

pulse-interval modulation   modulación de intervalo de impulsos. SIN. **pulse-spacing modulation** | modulación de espaciamiento de impulsos. Modulación de impulsos en tiempo [pulse-time modulation] en la cual se hace variar el intervalo entre los impulsos sucesivos (CEI/70 55-35-060).

pulse ionization chamber   cámara de ionización de impulsos. (**1**) Cámara de ionización destinada a detectar sucesos de ionización individuales [individual ionizing events]. (**2**) Cámara de ionización destinada a detectar individualmente los impulsos debidos a las partículas ionizantes [ionizing particles] (CEI/68

66–15–035). SIN. **counting ionization chamber.**

pulse-jet v. **pulsejet.**

pulse jitter fluctuación de espaciamiento de impulsos. Variación relativamente pequeña en el espaciamiento de los impulsos de un tren; la variación puede ser sistemática o aleatoria, según su origen o causa.

pulse-latched ferrite switch conmutador de ferrita de enganche por impulso.

pulse length duración de impulso, longitud [largo] de impulso. v. **pulse duration.**

pulse-length discriminator v. **pulse-duration discriminator.**

pulse-length modulation v. **pulse-duration modulation.**

pulse lengthener prolongador de impulsos, alargador (de duración) de impulsos. v. **pulse stretcher.**

pulse limiting limitación [descrestamiento] de impulsos.

pulse line línea de impulsos, línea artificial de transmisión (de impulsos). Red constituida por inductores y capacitores interconectados de modo de simular la inductancia y la capacitancia de una línea de transmisión de longitud considerable; es decir, que la red posee las características de una línea de transmisión real. Esta red recibe otros nombres, según la aplicación particular que se le dé (v. **pulse-forming line, pulse-forming network, delay circuit, delay line**). SIN. **artificial transmission line.**

pulse link repeater (*Telecom*) repetidor de impulsos de señalización.

pulse machine (*Telecom*) generador de impulsiones. SIN. **pulse generator.**

pulse magnetization imanación por impulsos.

pulse metering (*Telecom*) recuento de impulsos.

pulse-metering system (*Telecom*) sistema de recuento de impulsos.

pulse mixing mezcla de impulsos. CF. **pulse interleaving.**

pulse-mixing circuit circuito mezclador de impulsos.

pulse mode modo de impulsos. Secuencia prefijada de impulsos. Se emplea p.ej. para seleccionar un canal determinado en un sistema multicanal, o para activar un respondedor [transponder].

pulse-mode multiplex múltiplex por modos de impulsos. SIN. **pulse multiplex** (*término desaconsejado*).

pulse moder generador de modos [secuencias prefijadas] de impulsos.

pulse-modulated *adj:* modulado por impulsos; de impulsos modulados; de modulación de impulsos.

pulse-modulated oscillator oscilador modulado por impulsos.

pulse-modulated radar radar de modulación de impulsos, radar de trenes de impulsos discretos | (a.c. pulse radar) radar de impulsos. Radar (radiodetección) en el cual se utilizan radioimpulsos (CEI/70 60–72–025).

pulse-modulated radio link radioenlace de modulación de impulsos.

pulse-modulated transmission transmisión de modulación de impulsos; emisión modulada por impulsos.

pulse-modulated wave (*Radar*) onda modulada por impulsos. Trenes de ondas recurrentes cuya duración es corta en relación con el espacio entre ellos.

pulse modulation (*i.e.* modulation of pulses) modulación de impulsos. (**1**) Modificación de la magnitud de uno de los parámetros que caracterizan los impulsos. (**2**) Modulación en la cual la portadora es una sucesión de impulsos y la moduladora una continua. (**3**) Modificación de uno o varios de los parámetros que caracterizan una sucesión de impulsos con función de portadora (CEI/70 55–35–035) | (*i.e.* modulation by pulses) modulación por impulsos. (**1**) Modulación de una onda portadora, continua o ya modulada, por un impulso o una sucesión de impulsos. (**2**) Modulación en la cual la portadora es una onda continua y la moduladora una sucesión u onda de impulsos. (**3**) Modulación de una onda portadora (continua o ya modulada) por una sucesión de impulsos (CEI/70 55–35–030) | v. **pulse-amplitude modulation, pulse-code modulation, pulse-count modu-**

lation, pulse-duration modulation, pulse-frequency modulation, pulse-number modulation, pulse-interval modulation, pulse-position modulation, pulse-time modulation.

pulse-modulation multiplex múltiplex de impulsos modulados; múltiplex de modulación por impulsos.

pulse-modulation radio link radioenlace de modulación de impulsos.

pulse-modulation recording registro por modulación de impulsos.

pulse modulator modulador de impulsos. Dispositivo que aplica los impulsos al elemento en que ocurre una modulación.

pulse-modulator radar v. **pulse-modulated radar.**

pulse multiplex múltiplex por modos de impulsos. SIN. **pulse-mode multiplex** | codificación de impulsos. SIN. **pulse coding.**

pulse-multiplex telemetering system sistema de telemedidas por codificación de impulsos.

pulse navigation system (a.c. pulse navigational system) sistema de navegación por impulsos. Sistema de radionavegación cuyo funcionamiento se basa en el tiempo que necesita un impulso de energía radioeléctrica para recorrer una distancia dada. Pertenecen a esta clase el loran, el radar, el shoran, y el Gee (véanse estos términos).

pulse navigational system v. **pulse navigation system.**

pulse noise v. **impulse noise.**

pulse number número de impulsos || (*Convertidores estáticos*) índice [relación] de pulsación. Razón de la frecuencia fundamental de ondulaciones [fundamental ripple frequency] de la tensión continua, a la frecuencia de la red [network frequency] (CEI/56 11–20–055).

pulse-number modulation modulación de impulsos en número. Modulación de impulsos en la cual la característica de la sucesión de impulsos que se hace variar, es el número de los mismos por unidad de tiempo. CF. **pulse modulation.**

pulse of current impulso de corriente.

pulse of ionization impulso de ionización.

pulse offset desplazamiento (de base) de impulsos.

pulse-offset control control de desplazamiento de impulsos.

pulse-operated *adj:* accionado por impulsos.

pulse packing amontonamiento de impulsos.

pulse-packing density (*Registros mag*) densidad de impulsos.

pulse pair par de impulsos.

pulse phase fase de impulso.

pulse-phase-modulated *adj:* con modulación de impulsos en fase.

pulse-phase modulation modulación de impulsos en fase. v. **pulse-position modulation.**

pulse pickup (*Electromedicina*) transductor del pulso. Elemento utilizado en aparatos clínicos para la observación de la frecuencia del pulso. Convierte las pulsaciones de la circulación sanguínea en impulsos eléctricos que, después de amplificados, producen destellos de una lamparita o se transforman en emisiones de tono audible, según que el aparato indicador sea de observación visual o auditiva. También puede el aparato, mediante infegración de los impulsos eléctricos, indicar directamente, sobre una escala calibrada, la frecuencia del pulso [pulse rate] en pulsaciones por minuto. SIN. **pulse sensor.**

pulse position posición de impulso (en el tiempo).

pulse-position-modulated radio link radioenlace de modulación de impulsos en posición.

pulse-position modulation [PPM] modulación de [por] posición de impulsos, modulación de impulsos en posición, modulación por impulsos de posición variable. (**1**) Modulación de impulsos en tiempo [pulse-time modulation] en la cual se hace variar la posición en el tiempo de los impulsos sin modificar la duración de los mismos. (**2**) Modulación de impulsos en la cual la onda moduladora modifica la posición de los impulsos en el tiempo (en relación con la posición que éstos ocupan en ausencia de toda modulación), sin modificar su duración ni su amplitud | modulación de posición de impulsos. Modulación de impulsos en el tiempo en la cual se hace variar la posición en el tiempo de los impulsos respecto al valor no modulado (CEI/70 55–35–055) | CF. **pulse modulation.**

pulse power   potencia pulsante [pulsatoria, pulsativa]; potencia de cresta del impulso; potencia de los impulsos.

pulse power level   nivel de potencia en régimen de impulsos.

pulse power output   potencia de salida de impulsos.

pulse priming   *(Magnetrones)* cebado de impulsos. v. **priming.**

pulse radar   (a.c. pulse-modulated radar) radar de impulsos. Radar (radiodetección) en el cual se utilizan radioimpulsos (CEI/70 60–72–025).

pulse rate   *(Elecn/Telecom)* cadencia [ritmo, frecuencia de repetición] de (los) impulsos. v. **pulse repetition rate** || *(Medicina)* frecuencia del pulso, (frecuencia de las) pulsaciones. Número de pulsaciones por minuto en un punto del sistema circulatorio.

pulse ratio   relación de impulso, relación entre la duración del impulso y su período || *(Telecom)* (a.c. impulse ratio) relación de impulsos. Relación de la duración de la apertura sobre la duración del cierre | relación de impulsos. En conmutación automática, relación de la duración de un impulso de apertura [break pulse] a la duración del impulso de cierre [make pulse] que le sigue. NOTA: Esta es la definición correspondiente al término *rapport d'impulsion* (francés). Esta relación es la inversa de la relación definida bajo el término *pulse ratio* (inglés) (CEI/70 55–35–020).

pulse recorder   registrador de impulsos || *(Teleg)* registrador telegráfico. v. **code recorder.**

pulse recurrence frequency   v. pulse repetition rate.

pulse recurrence rate   v. pulse repetition rate.

pulse reflection   reflexión de impulsos.

pulse regeneration   regeneración del impulso; regeneración de los impulsos. Restablecimiento de la forma, magnitud relativa y relaciones temporales de un impulso o de un tren de impulsos | regeneración de impulsos. Operación consistente en corregir las posiciones, las amplitudes o las formas de los impulsos de una sucesión de ellos (CEI/70 55–35–260).

pulse regenerator   *(Telecom)* (i.e. device for correcting the speed and signal shape of pulses) regenerador de impulsos. Dispositivo que recibe impulsos y los reemite después de corregir su velocidad y su forma de onda. CF. **pulse repeater.**

pulse repeater   *(Telecom)* repetidor de impulsos [de impulsiones]. Conjunto de órganos utilizados en los sistemas de telefonía automática para recibir los impulsos procedentes de un circuito y retransmitirlos sin corrección por otro circuito. CF. **pulse regenerator** | repetidor de impulsos. Dispositivo que tiene por objeto recibir impulsos procedentes de un circuito y retransmitir impulsos correspondientes por otro circuito. NOTA: También puede modificar la forma de onda de los impulsos y efectuar otras funciones (CEI/70 55–35–265).

pulse repeating   repetición de impulsos.

pulse repetition   repetición de impulsos.

pulse repetition frequency [PRF]   frecuencia de repetición de impulsos; frecuencia de recurrencia. Número de impulsos por unidad de tiempo en una sucesión periódica de impulsos (CEI/70 55–35–120). v. **pulse repetition rate.**

pulse repetition period   período de repetición de impulsos. Inversa de la frecuencia de repetición de impulsos.

pulse repetition rate [PRR]   frecuencia de repetición [de recurrencia] de impulsos, velocidad de repetición [de recurrencia] de impulsos, cadencia [ritmo] de impulsos. En el caso de una sucesión de impulsos regularmente espaciados, número de impulsos por unidad de tiempo; en el caso de impulsos irregularmente espaciados, número medio de ellos por unidad de tiempo. SIN. **pulse (recurrence) rate, pulse repetition [recurrence] frequency** | grado de repetición de impulsos. Número medio de impulsos por unidad de tiempo durante un lapso de tiempo especificado (CEI/70 55–35–125).

pulse repetition-rate modulation   modulación de frecuencia de

impulsos. v. **pulse-frequency modulation.**

pulse reply   *(Respondedores)* respuesta de impulso. Emisión de un impulso o de un modo (secuencia prefijada) de impulsos en respuesta a una interrogación. CF. **pulse interrogation, pulse mode.**

pulse reshaping   conformación de impulsos.

pulse-reshaping circuit   circuito conformador de impulsos.

pulse resolution   resolución [poder separador] de impulsos. De un circuito o un dispositivo, separación mínima entre los impulsos consecutivos de entrada a la cual aquél responde eficazmente.

pulse response   respuesta a los impulsos; respuesta en régimen de impulsos | (i.e. response to a pulse or Dirac function) respuesta a un impulso. Respuesta a una acción representada por la percusión–unidad o distribución de Dirac (CEI/70 60–04–065). CF. **step-function response.**

pulse retardation   retardo de impulsos.

pulse-retardation circuit   circuito retardador [de retardo] de impulsos. SIN. **pulse-delay circuit.**

pulse retiming circuit   circuito resincronizador de impulsos.

pulse rise time   tiempo de subida del impulso, tiempo de establecimiento [formación] del impulso, tiempo de crecimiento [aumento] del impulso. Tiempo que emplea la amplitud instantánea para pasar del 10 al 90 por ciento del valor de pico o del valor final | tiempo de crecimiento de un impulso. Tiempo necesario para que un impulso pase del 10 % al 90 % de su valor máximo (CEI/68 66–10–380).

pulse scaler   escala, contador de impulsos del tipo desmultiplicador. SIN. **scaling circuit.**

pulse selecting   selección de impulsos.

pulse-selecting circuit   circuito selector de impulsos.

pulse selection   selección de impulsos.

pulse-selection circuit   circuito selector [de selección] de impulsos.

pulse selector   selector de pulsación || *(Telemedidas)* selector de impulso. Circuito o dispositivo que selecciona el impulso de interés de una sucesión o tren de impulsos.

pulse sensor   *(Elecn)* detector [transductor] de impulsos || *(Electromedicina)* detector del pulso, transductor de pulsaciones. Dispositivo que, aplicado a la yema del dedo u otra parte del cuerpo, produce señales eléctricas en correspondencia con las pulsaciones de la sangre. SIN. **pulse pickup.**

pulse separation   separación de impulsos. Intervalo de tiempo entre el flanco posterior [trailing edge] de un impulso y el flanco anterior [leading edge] del impulso que sigue al primero en el tiempo. CF. **pulse spacing.**

pulse sequence   sucesión [serie, tren] de impulsos. SIN. **pulse train.** CF. **pulse mode.**

pulse shape   forma (de onda) de impulso.

pulse shaper   formador [conformador] de impulsos; normalizador de impulsos. Circuito o transductor destinado a dar a los impulsos una forma determinada, o modificar una o varias de sus características. CF. **pulse regenerator.**

pulse shaping   formación [conformación] de impulsos; normalización de impulsos.

pulse-shaping circuit   circuito formador [conformador, configurador, modelador] de impulsos; circuito normalizador de impulsos. Circuito que da determinada forma a los impulsos. SIN. **pulse-forming circuit, pulse shaper** | modelador de impulsos. Circuito destinado a hacer la forma de onda de un impulso más o menos igual a la deseada (CEI/70 55–35–255). CF. **waveform corrector.**

pulse shortening   acortamiento de impulsos, disminución de la duración de los impulsos.

pulse signal   (señal de) impulso; señal de impulsos.

pulse signaling   *(Telecom)* señalización por impulsos.

pulse-signaling test set   probador de señalización por impulsos.

pulse slope   pendiente [inclinación] del impulso.

pulse-slope modulation [PSM]   modulación de pendiente de impulso, modulación por pendiente de impulso. Es de interés mayormente teórico.

pulse snap diode circuit   circuito de diodos ultrarrápidos que permite impulsos con tiempos de subida y de bajada de menos de un nanosegundo.

pulse sorter   selector de impulsos.

pulse spacing   espaciamiento [intervalo] entre impulsos, espaciamiento de impulsos. SIN. **pulse interval** | espaciamiento entre impulsos. Intervalo de tiempo entre los instantes en que dos impulsos consecutivos se presentan de la misma manera (CEI/70 55-35-130). CF. **pulse separation**.

pulse-spacing modulation   modulación de espaciamiento de impulsos. v. **pulse-interval modulation**.

pulse spectrum   espectro de un impulso. En el caso de un impulso considerado aisladamente, representación, en función de la frecuencia, de la expresión que interviene en la integral de Fourier que define la forma de onda del impulso (CEI/70 55-35-145). SIN. **pulse frequency spectrum**.

pulse spectrum bandwidth   ancho de banda (del espectro) de un impulso. v. **pulse bandwidth**.

pulse spike   impulso parásito, sobreimpulso. Impulso indeseado corto superpuesto a un impulso principal.

pulse-spike amplitude   amplitud de impulso parásito [de sobreimpulso]. Amplitud de pico del sobreimpulso o impulso parásito.

pulse spring   (*Telecom*) (*i.e.* of dial) resorte de impulsión.

pulse start   inicio del impulso.

pulse steepening   incremento en la pendiente del impulso. Acción y efecto de hacer más empinado o escarpado el flanco del impulso (v. **pulse edge**).

pulse stop   cese del impulso.

pulse stream   sucesión [tren] de impulsos. SIN. **pulse sequence [train]**.

pulse stretcher   prolongador de impulsos, alargador (de duración) de impulsos. Conformador o modelador de impulsos (v. **pulse shaper**) que produce un impulso de salida con duración mayor que la del de entrada y con amplitud proporcional a la de pico del impulso de entrada. CF. **pulse corrector**.

pulse stretching   prolongación [aumento de duración] del impulso.

pulse superposition   superposición de impulsos.

pulse switch   conmutador de impulsos || (*Radar*) conmutador (de duración) de impulsos.

pulse switching   conmutación de impulsos.

pulse-switching circuit   circuito conmutador [de conmutación] de impulsos.

pulse synthesizer   sintetizador de impulsos. Circuito que suministra los impulsos faltantes en una sucesión de ellos, por causa de alguna perturbación.

pulse test   (*Elec*) (a.c. impulse test) ensayo (de aislación) por impulsos. Ensayo de aislación mediante la aplicación de impulsos de tensión con una forma de onda especificada.

pulse tilt   (*Impulsos rectangulares*) inclinación (del techo), inclinación de la meseta. Deformación del impulso caracterizada por una inclinación de la parte que en el caso ideal es perfectamente horizontal. V.TB. **tilt**. CF. **pulse droop**.

pulse time   duración de impulso.

pulse-time analysis   análisis de (la) duración del impulso.

pulse-time modulation [PTM]   modulación de impulsos en tiempo, modulación en tiempo de impulsos, modulación por tiempo de impulsos. (1) Modulación en la cual el tiempo de ocurrencia de determinada característica de una onda portadora formada por una sucesión de impulsos, se hace variar respecto a su valor en ausencia de toda modulación. (2) Modulación de impulsos en la cual la característica de la sucesión de impulsos que se hace variar es, bien el instante de aparición de éstos, bien el de su desaparición, bien el momento medio de la duración de cada uno. Este es un concepto general que abarca como casos

particulares varias formas de modulación de impulsos. v. **pulse-duration modulation, pulse-position modulation, pulse-interval modulation** | modulación de impulsos en tiempo. Modulación de impulsos tal que el instante de aparición de cierta característica de los impulsos está en relación determinada con el instante que le corresponde cuando no hay modulación. NOTA: Este es un término general que engloba varias formas de modulación tales como la modulación de impulsos en duración y la modulación de impulsos en posición (CEI/70 55-35-045) | CF. **pulse modulation**.

pulse-time-modulation radio link   radioenlace de modulación de impulsos en el tiempo.

pulse-time ratio   relación de duración de impulsos. CF. **pulse ratio**.

pulse timing   temporización de impulsos; temporización por impulsos.

pulse-timing circuit   circuito temporizador [de temporización] de impulsos.

pulse tip   punta [tope] del impulso.

pulse top   tope [parte superior] del impulso.

pulse torque   par de impulsión.

pulse trace   (*TRC*) trazo (osciloscópico) de impulso.

pulse train   tren de impulsos. Sucesión de impulsos con características análogas. SIN. **secuencia [serie] de impulsos** | (*i.e.* discrete sequence of pulses) tren de impulsos. Parte definida de una serie de impulsos (CEI/70 55-35-140).

pulse-train generator   generador de trenes de impulsos.

pulse-train spectrum   espectro de un tren de impulsos. v. **pulse spectrum**.

pulse transformer   transformador de impulsos. Transformador que es capaz de responder a una amplia gama de frecuencias y que se utiliza para la transferencia de impulsos no sinusoidales sin alterar sensiblemente su forma de onda.

pulse translator   traductor de impulsos. Se usa p.ej. en sistemas de telemedida.

pulse transmission   transmisión de impulsos || (*Telecom*) transmisión por impulsos. Término general que engloba varios métodos de transmisión de información por modulación de impulsos (v. **pulse modulation**) y transmisiones que involucran la emisión de impulsos de tensión o de corriente (telegrafía Morse y teletipografía, selección o señalización por disco dactilar, transmisión de datos).

pulse transmission system   (*Telecom*) sistema de transmisión por impulsos; sistema de transmisión por emisión de impulsos.

pulse transmitter   (*Telecom*) transmisor por impulsos; emisor de impulsos.

pulse trigger circuit   circuito gatillador de impulsos.

pulse triple   trío de impulsos, grupo de tres impulsos.

pulse-type altimeter   altímetro radioeléctrico [radárico] de impulsos. SIN. **radar altimeter**.

pulse-type ionization chamber   v. **pulse ionization chamber**.

pulse-type telemeter   sistema de telemedida por impulsos. Sistema de telemedida de transmisión por impulsos (v. **pulse transmission**).

pulse ultrasonic flaw detection   detección de defectos por impulsos ultrasonoros.

pulse valley   valle del impulso, parte del impulso entre dos máximos.

pulse variable delay unit   retardador variable de impulsos.

pulse wave   señal de impulso; onda pulsatoria.

pulse waveform   señal de impulso; forma de onda del impulso.

pulse width   duración de impulso, anchura [ancho] de impulso. v. **pulse duration**.

pulse-width compressor   acortador (de duración) de impulsos.

pulse-width distortion   distorsión de duración de impulso, distorsión en ancho de impulso.

pulse-width expander   prolongador de impulsos, alargador (de duración) de impulsos. SIN. **pulse lengthener, pulse stretcher**

(véase).

pulse-width modulation [PWM]   modulación de duración de impulsos. v. **pulse-duration modulation.**

pulse word   *(Informática)* palabra de impulsos.

pulsed   *adj:* pulsado, impulsado; pulsante, pulsatorio, pulsátil; de impulsos; por impulsos; en régimen pulsante.

pulsed altimeter   v. **pulse-type altimeter.**

pulsed beacon   radiofaro de impulsos. Radiofaro de radionavegación que emite, bien automáticamente, bien en respuesta a una señal particular, una señal radioeléctrica de características particulares constituida por impulsos (CEI/70 60–74–155).

pulsed beam   haz pulsado.

pulsed carrier   *(Telecom)* portadora pulsada.

pulsed cavitation   cavitación pulsada.

pulsed command   impulso de mando; mando por impulsos. CF. **command pulse.**

pulsed conditions   régimen pulsante.

pulsed data   información en forma de impulsos; datos transmitidos por impulsos. v. **pulse transmission.**

pulsed discharge   descarga pulsante [pulsátil].

pulsed-discharge system   *(Nucl)* sistema de descargas pulsantes.

pulsed distributed amplifier   amplificador distribuido de impulsos. v. **distributed amplifier.**

pulsed Doppler technique   *(Radar)* técnica Doppler de impulsos. v. **pulse Doppler radar.**

pulsed emission   emisión pulsada.

pulsed glide path   *(Radionaveg)* sistema de trayectoria de planeo por impulsos.

pulsed gradient   gradiente pulsado.

pulsed klystron   klistrón pulsado; klistrón para funcionamiento pulsado [para trabajar en régimen pulsante].

pulsed light   luz pulsada, impulsos de luz.

pulsed light source   fuente luminosa pulsada.

pulsed magnetic field   campo magnético pulsado.

pulsed magnetron   magnetrón pulsado; magnetrón para trabajar en régimen pulsante [de impulsos].

pulsed maser   maser pulsado, maser de dos niveles. SIN. **two-level maser.**

pulsed operation   régimen pulsante [de impulsos].

pulsed oscillation   oscilación pulsatoria.

pulsed oscillator   oscilador pulsado. Oscilador que produce un impulso o un tren de impulsos de frecuencia portadora por efecto de la aplicación al mismo de impulsos de una fuente que puede ser interna o externa.

pulsed output   salida pulsada [pulsatoria].

pulsed-output laser   laser de salida pulsatoria.

pulsed particle accelerator   acelerador pulsado de partículas.

pulsed plasma accelerator   acelerador [motor] de plasma pulsante. CF. **pulsejet.**

pulsed plasma propulsion   propulsión por acelerador [motor] de plasma pulsante.

pulsed power   potencia pulsada; energía pulsante.

pulsed radar   radar de impulsos. v. **pulse radar.**

pulsed-radar altimeter   altímetro radárico de impulsos. SIN. **pulse-type altimeter, radar altimeter.**

pulsed-radar quaternary code   código cuaternario de radar de impulsos.

pulsed radio signal   señal de radioimpulsos, señal radioeléctrica de impulsos.

pulsed reactor   *(Nucl)* reactor pulsado. Reactor nuclear capaz de funcionar en régimen pulsante, o sea, produciendo energía y radiación a intervalos cortos recurrentes.

pulsed ruby laser   laser de rubí pulsado.

pulsed ruby maser   maser de rubí pulsado.

pulsed signal   señal de impulsos; señal pulsante [pulsatoria].

pulsed source   fuente pulsada; fuente a impulsos.

pulsed transmitter   transmisor de impulsos.

pulsed zero-energy system   *(Nucl)* sistema de energía cero de impulsos.

pulsejet   *(Avia, Tecn espacial)* pulsorreactor; motor pulsante de reacción [de chorro].

pulser   generador de impulsos, generador de impulsiones (eléctricas). Aparato electrónico que produce impulsos muy breves y de alta tensión a frecuencias de recurrencia definidas. SIN. **pulse generator.**

pulses per second [pps, p/s]   impulsos por segundo.

pulsing   pulsación, variación periódica; excitación por impulsos, impulsión || *(Telecom)* emisión de impulsos. SIN. **impulsing** /// *adj:* pulsante, pulsátil, pulsatorio; rítmico.

pulsing cam   *(Telef)* leva de impulsiones, leva de impulsión.

pulsing circuit   *(Telecom)* circuito de impulsiones. Circuito destinado a efectuar cambios abruptos de corriente o de tensión, según un esquema particular.

pulsing modulator   modulador de impulsos. SIN. **pulse modulator.**

pulsing reactor   *(Nucl)* reactor pulsado. v. **pulsed reactor.**

pulsing relay   *(Telecom)* relé de impulsiones || *(Telef)* (a.c. impulsing relay) relé receptor de impulsiones.

pulsing signals   *(Telecom)* (a.c. impulsing signals) señales de numeración. Señales que transmiten la información selectiva [selective information] necesaria para encaminar una llamada en la dirección deseada.

pulsing system   sistema de impulsos.

pulsing wave   onda pulsatoria.

pulsometer   pulsómetro.

pulverization   pulverización.

pulverization of nucleus   *(Nucl)* pulverización nuclear.

pulverize   *verbo:* pulverizar(se), reducir(se) a polvo; aciberar, moler; porfirizar, reducir a polvo finísimo (con una moleta).

pumice   piedra pómez /// *verbo:* apomazar.

pump   bomba || *(Ampl paramétricos)* bomba || *(Sist de vacío)* bomba || *(Hidr)* bomba. Mecanismo para extraer agua u otro líquido, o para elevarlo o darle impulso /// *verbo:* bombear.

pump case   v. **pump casing.**

pump casing   (a.c. pump case) cuerpo de bomba; caja [envoltura, envuelta] de la bomba.

pump down   *verbo:* *(Sist de vacío)* evacuar.

pump frequency   v. **pumping frequency.**

pump-generating station   central hidroeléctrica de turbina-bomba reversible.

pump-regulating valve   válvula de regulación de la bomba.

pump source   *(Maseres)* fuente de bombeo.

pump-turbine   *(Centrales hidroeléc)* turbina-bomba reversible.

pump up   *verbo:* bombear; hacer subir (el agua u otro líquido) con la bomba; inflar (p.ej. un neumático).

pumped rectifier   *(Convertidores estáticos)* válvula de vacío mantenido. Válvula conectada en forma permanente al equipo de mantenimiento del vacío durante su funcionamiento (CEI/56 11–15–065).

pumped storage   *(Centrales hidroeléc)* embalse de agua bombeada; acumulación de agua bombeada; acumulación (de agua) por bombeo.

pumped tube   tubo (electrónico) de vacío mantenido.

pumped tunnel diode   diodo Esaki [diodo de efecto túnel] bombeado.

pumping   bombeo, bombeado, bombaje; desagüe, agotamiento, extracción del agua; extracción del aire, acción de hacer el vacío, evacuación; impulsión; pulsación (periódica); penduleo || *(Ampl paramétricos, Maseres)* bombeo || *(TOP)* bombeo, saturación || *(Circ)* inestabilidad || *(Barómetros)* bombeo, tembleteo, inestabilidad (del mercurio) || *(Ferroc)* movimiento vertical (de las juntas de carriles al pasar las ruedas).

pumping band   *(Laseres)* banda (energética) de bombeo.

pumping circuit   *(Ampl paramétricos)* circuito de bombeo. Circuito en el cual se genera la frecuencia de bombeo [pumping frequency]. v. **parametric amplifier.**

pumping cycle   ciclo de bombeo.

pumping frequency   frecuencia de bombeo. En los amplificadores paramétricos, frecuencia de la señal que se aplica a la reactancia no lineal (señal moduladora) para que varíe su valor. v. **parametric amplifier.**

pumping radiation   *(Láseres)* radiación de bombeo. Radiación o luz aplicada al cristal para excitar los iones y llevarlos a la banda energética de bombeo [pumping band].

pumping station   estación de bombeo.

pumping voltage   *(Ampl paramétricos)* tensión de bombeo. Tensión inversa aplicada al varactor a una frecuencia múltiplo de la correspondiente a la señal de radiofrecuencia.

pumpless   *adj:* sin bombas || *(Convertidores estáticos)* hermético, sin bomba de vacío.

pumpless ignitron   ignitrón hermético [sin bomba de vacío].

pumpless rectifier   rectificador hermético [sin bomba de vacío].

pumpless steel-bulb [steel-tank] rectifier   rectificador con cuba de acero hermética.

punch   cuño; troquel; punzonadora, agujereadora; perforador || *(Cine)* punzón || *(Informática)* perforadora; unidad de perforación; perforación || *(Herr)* granete, sacabocado; punzón; rompedera; botador /// *verbo:* punzonar, punzar, horadar con punzón; agujerear, perforar, horadar, taladrar; picar (un boleto); marcar con punzón; troquelar, estampar; acuñar || *(Informática)* perforar (tarjetas, cintas de papel) || *(Teleg)* perforar (una cinta de teleimpresor).

punch bail   *(Informática)* varilla de perforación.

punch-bail return shaft   eje de retorno de la varilla de perforación.

punch binder post   *(Informática)* poste de unión de la perforadora.

punch block   *(Teleimpr)* bloque de punzonamiento; bloque de punzones.

punch brush   *(Informática)* escobilla de perforación.

punch bus   *(Informática)* conector de perforaciones.

punch-bus multicontact-relay setup circuit   circuito preparador del relé multicontacto conector de perforaciones.

punch-bus multirelay   relé múltiple conector de perforaciones.

punch-bus pickup relay   relé de "pickup" del conector de perforaciones.

punch-bus relay   relé del conector de perforaciones.

punch-bus terminal   terminal del conector de perforaciones.

punch card   *(Informática)* tarjeta perforable; tarjeta perforada.

punch-card file   archivo de tarjetas perforadas.

punch-card input-output unit   unidad de entrada y salida de tarjetas perforadas.

punch card lever   palanca de tarjetas de la unidad de perforación.

punch check   *(Informática)* verificación de (la) perforación; verificación de la perforadora.

punch-check switch   llave de perforación y verificación.

punch clutch   embrague de perforación.

punch-clutch dog   garra del embrague de perforación.

punch column   *(Informática)* columna de perforación.

punch control exit   *(Informática)* salida de impulsos de control de perforación.

punch delay hub   *(Informática)* boca de perforación demorada; emisora de impulso demorado para unidad de perforación.

punch die   punzón de embutir; troquel de punzonar; troquel perforador || *(Informática)* matriz cortante de perforación.

punch digit selector   *(Informática)* selector de dígitos en unidad de perforación.

punch eject   descarga de perforadora; descarga en perforadora.

punch emitter   *(Informática)* emisor de perforación.

punch feed   *(Informática)* alimentador de la perforadora.

punch-feed motor circuit   circuito del motor de alimentación de la perforadora.

punch-feed rack contact   contacto de la cremallera de alimentación de tarjeta por perforar.

punch-feed rack trip   embrague de la cremallera de alimentación de la unidad de perforación.

punch guide block   bloque guía de perforación.

punch half-time emitter   emisor de mitad de tiempo en unidad de perforación.

punch hole   perforación.

punch interlock   *(Informática)* intercierre de perforación.

punch magazine bed   *(Informática)* cama de perforación.

punch magnet   electroimán de perforación.

punch-magnet armature   armadura del electroimán de perforación.

punch-magnet circuit   circuito del electroimán de perforación.

punch-magnet contact   contacto del electroimán de perforación.

punch mechanism   *(Teleimpr)* mecanismo de punzonamiento.

punch-off program   *(Informática)* programa de perforadora desconectada.

punch operating bar   barra operadora del punzón.

punch out   *verbo:* cortar; botar (un pasador) || *(Informática)* perforar el contenido de una memoria o un almacenador.

punch pin   *(Teleimpr)* punzón.

punch press   prensa punzonadora; punzonadora, perforadora; prensa troqueladora; prensa cortadora [de recortar].

punch relay   *(Informática)* relé de perforación.

punch-relay circuit   circuito de relé de perforación.

punch release   *(Perforadoras de tarjetas)* desplazamiento de la tarjeta (hasta el final de la cama).

punch repeat   repetición de perforación.

punch selector   selector de perforación; selector de perforadora [de unidad de perforación].

punch-selector immediate pickup   "pickup" inmediato de selectores de perforadora.

punch slide   *(Teleimpr)* corredera de punzonamiento.

punch-slide downstop   tope inferior de la corredera de punzonamiento.

punch-slide guide   guía de la corredera de punzonamiento.

punch-slide latch   retén de la corredera de punzonamiento.

punch stacker assembly   *(Informática)* conjunto del depósito de descarga.

punch station   *(Informática)* estación de perforación.

punch stripper   matriz guía de perforación.

punch suppression   supresión de perforación.

punch switch   interruptor de perforadora.

punch-through voltage   *(Transistores)* tensión de perforación [de penetración]. Tensión colector-base a la cual la capa de carga de espacio se ensancha hasta tocar la unión del emisor. SIN. **penetration [reach-through] voltage.**

punch unit   *(Informática)* unidad de perforación.

punch X brush   *(Informática)* escobilla de perforación X.

punched   punzonado, perforado, horadado, taladrado; picado (un boleto o billete); marcado con punzón; troquelado, estampado; acuñado || *(Informática, Teleg)* perforado.

punched card   *(Informática)* tarjeta [ficha] perforada.

punched-card accounting equipment   equipo de contabilidad mecanizada por tarjetas perforadas.

punched-card calculating machine   máquina de calcular de tarjetas perforadas.

punched-card calculator   calculadora de tarjetas perforadas.

punched-card-controlled   gobernado por tarjetas perforadas, con mando por tarjetas perforadas.

punched-card electronic computer   calculadora electrónica de tarjetas perforadas.

punched-card interpreter   interpretador de tarjetas perforadas.

punched-card machine   máquina gobernada por tarjetas perforadas. Máquina de contabilidad o de sistematización de datos en la cual la información se ingresa codificada en forma de perforaciones en tarjetas o fichas de cartulina; se utilizan en funciones como las de control de inventario, compilación y análisis de estadísticas, operaciones aritméticas, etc.

punched-card programing   programación por tarjetas perforadas. Programación para el gobierno de una máquina (orden y cronometraje de una serie de operaciones) por medio de tarjetas o fichas perforadas con arreglo a un código conveniente.

punched-card reader   lectora de tarjetas perforadas.

punched-card transcriber   transcriptor de tarjetas perforadas.

punched paper tape   *(Informática, Teleg)* cinta de papel perforada.

punched program tape   cinta de programa perforado.

punched tape   *(Informática, Teleg)* (a.c. punched paper tape) cinta perforada.

punched-tape program   programa (registrado) en cinta perforada.

punched-tape-programed automatic control system   sistema de control [mando] automático con programa registrado en cinta perforada.

puncher   punzón; punzador, punzonador; punzonero, punzonador; perforador; (máquina) perforadora; sacabocado; estampador, troquelador; prensa cortadora [de recortar].

punching   punzonado, punzonadura, punzado; perforación; picado (de billetes o boletos); troquelado, estampado; pieza troquelada [estampada]; embutición; pieza embutida; disco cortado en la prensa || *(Informática, Teleg)* perforación.

punching and skipping   *(Informática)* perforación y salto.

punching apparatus   aparato perforador; dispositivo de perforación; (máquina) perforadora, máquina de perforación; punzonadora.

punching channel   canal de perforación.

punching die   v. punch die.

punching group indication   *(Informática)* perforación de datos indicadores de grupos.

punching position   *(Informática, Teleg)* posición de perforación. Puesto en el cual trabaja el operador de la perforadora | *(i.e. in a card; a.c. punch position)* posición [punto] de perforación.

punching relay   *(Informática, Teleg)* relé de perforación.

punching station   *(Informática)* estación de perforación.

punching unit   unidad perforadora [de perforación].

PUNCTD   *(Teleg)* Abrev. de punctuation counted [se cuenta la puntuación]. Esta indicación, incluida en el preámbulo de un telegrama, advierte que los signos de puntuación que aparecen en el texto están incluidos en el cómputo de palabras.

puncture   perforación; pinchazo; depresión hecha por un objeto agudo; punzada, picadura || *(Medicina)* punción || *(Neumáticos)* pinchazo, pinchadura, picadura. LOCALISMOS: ponche, ponchadura || *(Elec)* perforación (dieléctrica, del dieléctrico), perforación del aislamiento; falla de la aislación. Descarga disruptiva a través de un dieléctrico o un aislamiento sometidos a esfuerzo electrostático [electrostatic stress]. SIN. **breakdown** /// *verbo:* perforar; pinchar; punzar, picar; puncionar; agujerear.

puncture potential   *(Elec)* potencial [voltaje] de descarga disruptiva, tensión disruptiva.

puncture resistance   *(Elec)* v. **puncture strength.**

puncture strength   *(Elec)* (a.c. puncture resistance) rigidez [resistencia] dieléctrica, resistencia a la perforación (dieléctrica). SIN. **dielectric strength** (véase).

puncture voltage   *(Elec)* tensión disruptiva [de perforación], voltaje disruptivo.

punk   cosa sin valor, yesca || *(Radioafic)* *(i.e. poor operator)* mal operador, operador malo /// *adj:* malo; sin valor || *(Maderas)* podrida, pasada.

punner   pisón. SIN. **tamper.**

pup jack   v. tip jack.

pupil   alumno || *(Anat)* pupila.

Pupin coil   bobina Pupin, bobina pupinizadora, carrete pupinizador. Bobina de inducción con núcleo de hierro de las que se intercalan a intervalos regulares a lo largo de una línea telefónica con objeto de neutralizar el efecto de la capacitancia entre esa línea y las demás. SIN. **bobina de carga —— loading coil.**

Pupin loading   *(Telef)* pupinización, carga inductiva.

Pupin system   *(Telef)* sistema Pupin. Sistema en el cual se mejoran las características de transmisión de una línea intercalando en ella, a intervalos iguales, bobinas de inductancia (v. **Pupin coil**). El nombre se debe a M. I. Pupin, de la Universidad de Columbia, Nueva York (EE.UU.).

puppet   marioneta, títere; muñeco, monigote.

puppet film   *(Cine)* película de marionetas.

puppet show   *(Teatro)* función de títeres.

purchase   compra, adquisición; alquiler; *(uso anticuado)* obtención | asidero; fuerza, potencia; talud (de un muro) || *(Marina)* aparejo; maniobra || *(Mec)* apoyo; punto de apoyo; palanca; relación de engranajes; aparejo, cabrestante, polipasto, polispasto /// *verbo:* comprar, adquirir, hacer la compra de; alquilar; conseguir, ganar; *(uso anticuado)* obtener, alcanzar | apalancar; mover con aparejo || *(Marina)* levar (ancla), levar el ancla (con el chigre).

purchase order   orden de compra, carta de pedido. LOCALISMOS: demanda, vale de pedido.

purchase request   pedido de compra.

purchase requisition   solicitud de compra, nota de pedido. LOCALISMOS: pedido [requisición] de compra.

pure   *adj:* puro.

pure bending   *(Mec)* flexión pura [simple].

pure chance   puro azar.

pure-chance traffic   *(Telef)* tráfico ideal | tráfico puramente aleatorio. Tráfico tal que la probabilidad de que se reciba una petición de comunicación en un instante dado es la misma que en cualquier otro instante, y es independiente del número de conversaciones en curso; esto implica que el número de abonados u otras fuentes de tráfico es infinito (CEI/70 55–110–015). CF. **smooth traffic.**

pure color   color puro [simple, monocromático].

pure continuous wave   onda entretenida pura.

pure inductance   inductancia pura.

pure music   música pura. SIN. **absolute music.**

pure oscillation   oscilación sinusoidal.

pure resistance   *(Elec)* resistencia pura, impedancia óhmica pura.

pure-rubber tape   *(Telecom)* cinta de goma pura.

pure science   ciencia pura [abstracta]. Se distingue de la ciencia aplicada.

pure sine wave   sinusoide pura.

pure sine-wave generator   generador de sinusoides [ondas sinusoidales] puras.

pure sound   sonido puro. Sonido producido por una vibración acústica sinusoidal (CEI/60 08–05–015). SIN. **pure tone.**

pure spectral color   color espectral puro.

pure substance   cuerpo puro. Cuerpo que posee propiedades bien definidas, susceptibles de ser representadas por números fijos, cualquiera que sea el tamaño de la muestra sometida a examen (CEI/56 07–05–005). CF. **element, compound.**

pure tone   sonido [tono] puro. Sonido producido por una vibración sinusoidal de frecuencia única (sin armónicas). Son aproximadamente puros los sonidos de un diapasón golpeado levemente y el de una flauta soplada suavemente. SIN. **pure sound, simple tone.**

pure-tone audiometer   audiómetro para tonos puros.

pure-tone component   componente de tono puro.

pure wave   onda sinusoidal.

pure white   blanco puro.

purely   *adv:* puramente.

purely resistive load   *(Elec)* carga puramente resistiva.

purge   purga, purgante; purga, represión (política) sangrienta /// *verbo:* purgar; depurar, purificar, limpiar; acrisolar; sanear; justificar || *(Alcantarillas)* limpiar || *(Calderas, Aparatos climatizadores)* limpiar, purgar || *(Ingenios azucareros)* purgar || *(Líquidos)* clarificar || *(Mec)* sangrar; inyectar anhídrido carbónico en un depósito de combustible.

purging   purga, purgación; depuración, purificación; clarificación; saneamiento; limpieza (de tubos, de alcantarillas) /// *adj:* purgador, purgante, purgativo.

purification   purificación, depuración; saneamiento ‖ v. **purification of electrolyte.**

purification method   método de purificación.

purification of electrolyte\   *(Electroafino)* purificación del electrólito. Tratamiento de un cierto volumen del electrólito, gracias al cual se eliminan impurezas de manera que la proporción de las mismas en el electrólito se mantenga dentro de ciertos límites deseados (CEI/60 50–40–035). CF. **foul electrolyte.**

purifier   purificador, depurador.

purify   *verbo:* purificar, apurar, depurar; sanear; purgar, limpiar; clarificar; purificarse; depurarse.

purifying   purificación, depuración; saneamiento; clarificación /// *adj:* purificador, purificante, depurador, depurante, depurativo.

purifying coil   *(Tv)* v. **purity coil.**

purity   pureza; limpieza; *(refiriéndose al idioma)* pureza, casticidad | **purity of waveform:** pureza de forma de onda ‖ *(Colorimetría)* pureza (de excitación). En el diagrama de cromaticidad [chromaticity diagram] de la Comisión Electrotécnica Internacional [International Electrotechnical Commission], razón de distancias que sirve para comparar un color de muestra con la luz patrón de referencia. SIN. **excitation purity** ‖ *(Tv)* pureza cromática. Grado en que un color primario [primary color] se presenta puro; es decir, sin mezcla de otro u otros colores primarios. En el caso práctico de los televisores refiérese generalmente a la pureza de los tres colores primarios. v. **purity coil, purity control, purity magnet.**

purity coil   *(Tv)* bobina purificadora [de purificación]. Bobina montada en el cuello de un cinescopio cromático y destinada a corregir la pureza de los colores (v. **purity**). La bobina es recorrida por una corriente continua cuya intensidad se ajusta mediante el correspondiente control (v. **purity control**) de modo que el campo oriente los tres haces electrónicos en tales direcciones (respecto al eje principal del tubo) que cada uno de ellos incida sólo sobre los puntos de fósforo del color correspondiente. SIN. **purifying coil.**

purity control   *(Tv)* control de pureza. Reóstato o potenciómetro destinado a regular la corriente circulante por la bobina purificadora (v. **purity coil**) de un cinescopio cromático de tres cañones [three-gun color picture tube].

purity magnet   *(Tv)* imán purificador [de purificación]. Imán o conjunto de imanes de posición ajustable, destinado al mismo fin que la bobina purificadora (v. **purity coil**).

Purkinje phenomenon   *(Ilum)* efecto Purkinje. Disminución de la luminosidad [luminosity] de una luz roja respecto a la de una luz azul cuando se reducen las luminancias [luminances] en la misma proporción sin cambiar la distribución espectral [spectral distribution]. NOTA: Cuando se pasa de la visión fotópica [photopic vision] a la visión escotópica [scotopic vision], este fenómeno se traduce en un cambio de eficiencias luminosas espectrales [spectral luminous efficiencies], desplazándose la longitud de onda de máxima eficiencia hacia las longitudes de onda cortas (CEI/70 45–25–075).

purling   murmullo, susurro, ruido muy apacible /// *adj:* murmurante, susurrante.

purple   púrpura /// *adj:* purpúreo /// *verbo:* purpurar; purpurear.

purple boundary   *(Ilum)* lugar de los estímulos púrpuras saturados. Línea que une las extremidades de un diagrama de cromaticidad [chromaticity diagram]; plano que une las extremidades de un espacio de color [color space] (CEI/70 45–15–220).

purple light   luz purpúrea.

purple plague   En la fabricación de circuitos integrados, compuesto de aluminio y oro que se forma a alta temperatura donde estos metales están en contacto, como p.ej. donde un hilo de conexión se une a una zona terminal [pad]. Este compuesto, cuyo nombre (literalmente "plaga purpúrea") se debe a su color, tiene el efecto de debilitar la unión entre los dos metales.

purpura   *(Medicina)* púrpura (enfermedad).

purser   pagador; contador ‖ *(Aviones)* sobrecargo, jefe de cabina ‖ *(Buques)* sobrecargo.

pursuit airplane   v. **pursuit plane.**

pursuit plane   (a.c. pursuit airplane) avión [aeroplano] de caza, cazador.

push   empuje; impulsión, impulso; empujón; esfuerzo /// *verbo:* empujar; impulsar; presionar; apretar, oprimir ‖ *(Elec/Elecn)* to **push a button:** apretar [oprimir, pulsar] un botón | **the button is fully pushed in:** el botón está apretado a fondo.

push action   *(Conmut)* accionamiento por pulsación. CF. **switch action.**

push bar   *(Teleimpr)* barra de empuje.

push brace   trépano, taladro espiral automático ‖ *(Telecom)* tornapunta; puntal. SIN. **push-pole brace.**

push bracing (of poles)   *(Telecom)* acoplamiento de postes; atirantado de postes; apuntalamiento de postes.

push-button   v. **pushbutton.**

push car   *(Ferroc)* carro de mano.

push-drill   taladro de presión [de empuje, de movimiento alternativo]. Taladro de mano que al ser empujado por el mango, hace girar el eje que soporta la herramienta. Se usa generalmente con herramientas acanaladas, para trabajar en madera. Estas herramientas se prestan también para hacer agujeros piloto para tornillos.

push item   *(Comercio)* artículo cuya venta se desea forzar.

push lever   palanca impulsora ‖ *(Teleimpr)* palanca de empuje.

push mike   *(slang)* v. **pushbutton microphone.**

push-out door   *(Avia)* puerta lanzable.

push-pole brace   *(Telecom)* tornapunta. SIN. **push brace.**

push-pull   vaivén; acción de empujar y tirar alternadamente; acción de estirarse y encogerse alternativamente; compresión y tracción alternadas ‖ *(Elecn)* (i.e. push-pull arrangement) disposición [configuración] simétrica, montaje en contrafase /// *adj:* *(Elecn)* simétrico, equilibrado, balanceado, contrafásico, en contrafase, de doble efecto, "push-pull".

push-pull amplification   amplificación en contrafase [en disposición simétrica], amplificación con circuito simétrico.

push-pull amplifier   amplificador contrafásico [en contrafase], amplificador simétrico [de circuito simétrico, de doble efecto], amplificador "push-pull". Amplificador con salida única constituido por dos elementos de amplificación (tubos, transistores) sensibles, uno a la semionda positiva, y el otro a la semionda negativa de la señal de entrada. v.TB. **push-pull circuit.**

push-pull amplifier circuit   circuito amplificador contrafásico, montaje amplificador en contrafase. v.TB. **push-pull circuit.**

push-pull arrangement   disposición [configuración] simétrica, montaje [circuito] en contrafase, montaje balanceado ["push-pull"].

push-pull carbon microphone   micrófono de doble botón, micrófono de carbón en contrafase. v. **push-pull microphone.**

push-pull carbon transmitter   *(Telef)* micrófono de doble botón, micrófono de carbón en contrafase.

push-pull cascode   cascode "push-pull", circuito cascodo en contrafase.

push-pull circuit   circuito en contrafase, circuito (amplificador) simétrico, circuito "push-pull", circuito de doble efecto, montaje simétrico [en disposición simétrica]. (1) Circuito que comprende dos elementos semejantes que funcionan en oposición de fase, de tal suerte que las componentes de la onda deseada se suman a la salida, en tanto que se anulan ciertos productos indeseados. (2) Circuito amplificador con dos elementos activos (tubos electrónicos, transistores) iguales excitados con una diferencia de fase instantánea de 180°, de modo que cuando es máxima la amplitud de excitación de un elemento, es mínima la del otro, y la suma de las corrientes de salida es constante. Este circuito se caracteriza por un rendimiento de salida mayor que el de los circuitos asimétricos corrientes, y por el hecho de que en él se anulan las armónicas espurias de orden par, cuya presencia sería causa de distorsión. v.tb. **push-pull valve operation.**

push-pull class-B (transistor) amplifier   amplificador en contrafase (de transistores) en clase B.

push-pull coaxial-line oscillator   oscilador simétrico [en contrafase] de líneas coaxiles. v. **push-pull oscillator.**

push-pull connection   v. **push-pull arrangement, push-pull circuit.**

push-pull currents   corrientes en contrafase. sin. **balanced currents.**

push-pull detection circuit   circuito detector en contrafase.

push-pull detector   detector en contrafase.

push-pull effect   efecto "push-pull", doble efecto.

push-pull gating pulses   impulsos de compuerta simétricos.

push-pull grounded-grid circuit   circuito simétrico [en contrafase] con rejillas a masa.

push-pull input (circuit)   (circuito de) entrada en contrafase.

push-pull magnetic amplifier   amplificador magnético en contrafase.

push-pull microphone   micrófono (doble) en contrafase, micrófono de circuito simétrico, micrófono "push-pull". Micrófono con dos elementos en contrafase, es decir, desfasados en 180°. cf. **push-pull carbon microphone.**

push-pull mixer   mezclador en contrafase; conversor de frecuencia en contrafase, cambiador de frecuencia "push-pull".

push-pull mixing stage   etapa mezcladora en contrafase; etapa conversora de frecuencia en contrafase, etapa cambiadora de frecuencia "push-pull".

push-pull mode   modo simétrico.

push-pull modulator   modulador contrafásico [en contrafase], modulador (balanceado) "push-pull".

push-pull operation   funcionamiento en contrafase, funcionamiento "push-pull". v.tb. **push-pull valve operation.**

push-pull oscillator   oscilador contrafásico [en contrafase], oscilador equilibrado [de montaje simétrico]. Oscilador equilibrado en el cual se emplean dos elementos amplificadores (tubos, transistores) en oposición de fase.

push-pull-parallel amplifier   amplificador contrafásico de elementos en paralelo, amplificador con múltiples elementos en contrafase. Amplificador contrafásico (v. **push-pull amplifier**) en el cual cada lado del circuito tiene dos o más elementos amplificadores (tubos, transistores) en paralelo.

push-pull-parallel circuit   circuito contrafásico de elementos en paralelo, circuito con múltiples elementos en contrafase.

push-pull-parallel output stage   etapa de salida contrafásica [simétrica] con elementos en paralelo. Etapa de salida simétrica con dos o más elementos amplificadores (transistores o válvulas electrónicas) montadas en paralelo para cada fase.

push-pull pneumatic control   control neumático simétrico.

push-pull recording track   (*Registro fotog del sonido*) sistema de registro simétrico. Sistema en el cual la señal se registra en forma de dos trazas acústicas [sound tracks] yuxtapuestas y que tienen una diferencia de fase de 180° (CEI/60 08-25-260). cf. **push-pull sound track.**

push-pull repeater   repetidor en contrafase.

push-pull running   (*Tracción eléc*) marcha reversible. Marcha en la cual el vehículo motor [motor vehicle] está acoplado a la cola del tren y lo empuja, estando el conductor situado en una cabina de conducción a la cabeza del tren (CEI/57 30-05-405).

push-pull saturable-core transformer   transformador simétrico de núcleo saturable.

push-pull sawtooth voltage   tensión en diente de sierra simétrico.

push-pull sound track, class A   (*Registro fotog del sonido*) traza acústica simétrica, clase A. Conjunto de dos trazas acústicas yuxtapuestas y portadoras de señales registradas en oposición de fase [recorded in phase opposition] (CEI/60 08-25-265). cf. **push-pull recording track.**

push-pull sound track, class B   (*Registro fotog del sonido*) traza acústica simétrica, clase B. Conjunto de dos trazas acústicas yuxtapuestas utilizadas para el registro de una misma señal alterna, estando una de las pistas de registro adscrita al registro de las alternancias positivas, y la otra al registro de las alternancias negativas (CEI/60 08-25-270). cf. **push-pull recording track.**

push-pull stage   etapa simétrica [equilibrada, contrafásica].

push-pull tandem arrangement   configuración contrafásica en tándem, montaje "push-pull" en tándem.

push-pull track   (*Registro fotog del sonido*) traza simétrica; registro doble en contrafase. v. **push-pull sound track.**

push-pull train   (*Ferroc*) tren de marcha reversible; tren para circulación en lanzadera. v. **push-pull running.**

push-pull transformer   transformador simétrico. Transformador de audiofrecuencia cuyo devanado primario y/o el secundario tienen una derivación o toma central, y destinado a ser utilizado en un circuito en contrafase. Si se trata del transformador de entrada, será el secundario el devanado con la toma central; si se trata del transformador de salida, será el primario el que tiene la toma central; si es un transformador de acoplamiento entre dos etapas contrafásicas, ambos devanados tendrán toma central.

push-pull transistor amplifier   amplificador contrafásico de transistores, amplificador de transistores en contrafase.

push-pull valve operation (*GB*)   (*Elecn*) funcionamiento de válvulas [tubos] en contrafase | amplificación simétrica [en contrafase]. Amplificación mediante una etapa con dos tubos electrónicos idénticos o un tubo doble cuyas rejillas son atacadas (excitadas) por tensiones iguales y en oposición de fase, y cuyos circuitos de salida alimentan en fase una carga común a ambos (CEI/70 60-19-105).

push-pull voltages   tensiones en contrafase. sin. **balanced voltages.**

push-push amplifier   amplificador simétrico-asimétrico, amplificador de entrada simétrica y salida asimétrica. v. **push-push circuit.**

push-push circuit   circuito simétrico-asimétrico, circuito (amplificador) en contrafase-paralelo. Circuito con dos elementos amplificadores cuyos electrodos de excitación están en contrafase (disposición simétrica), y cuyos electrodos de salida están conectados en paralelo a una carga en común. Si dichos elementos amplificadores son tubos electrónicos, las rejillas son excitadas en oposición de fase, y los ánodos están conectados entre sí. Se utiliza este circuito como multiplicador de frecuencia [frequency multiplier], por su propiedad de reforzar las armónicas de orden par [even-order harmonics]. sin. **push-push amplifier.**

push-push currents   corrientes paralelas en fase. Corrientes que recorren los dos conductores de una línea simétrica y que en todo punto a lo largo de ésta tienen igual magnitud y sentido. sin. **totally unbalanced currents.** cf. **push-push voltages.**

push-push voltages   tensiones simétricas en fase. Tensiones aplicadas simultáneamente a los conductores de una línea simétrica [balanced line] y que en todo punto a lo largo de ésta tienen igual magnitud y polaridad (respecto a tierra). cf. **push-push currents.**

push rod   v. **pushrod.**

push switch   conmutador de pulsador, pulsador conmutador. sin. **pushbutton switch.**

push-through socket   (*Elec*) portalámpara con interruptor de botón de apretar.

push-to-listen switch   (*Telecom*) conmutador de oprimir para escuchar.

push-to-talk button   (*Telecom*) botón pulsador de hablar; tecla para pasar de recepción a transmisión; pulsador de micrófono.

push-to-talk handset   (*Telecom*) microteléfono con botón de apretar para hablar, teléfono de mano con pulsador para poner en circuito el micrófono.

push-to-talk operation   (*Telecom*) trabajo en alternativa con botón [conmutador] pulsador, explotación en alternativa mediante (botón) pulsador de micrófono, comunicación en alternativa mediante conmutador pulsador en el micrófono, comunicación con botón pulsador para hablar [con conmutador de apretar para hablar], servicio con micrófono de botón. Se refiere casi siempre a un circuito radiotelefónico. Cuando se habla de "push-to-talk operation" sin más, no hay la certidumbre de si la comunicación es símplex o semidúplex, pues se da el caso de un sistema dúplex en el cual (para ahorrar energía) el emisor sólo queda plenamente activado cuando se oprime el botón pulsador (generalmente montado en el micrófono o el microteléfono). Los términos *símplex* y *semidúplex* son generalmente sinónimos, pero a veces se hace la distinción siguiente: *símplex* para significar la comunicación bilateral alternada utilizando *la misma frecuencia* para la transmisión y la recepción; *semidúplex* para designar la comunicación bilateral alternada empleando *frecuencias diferentes* para la transmisión y la recepción. Por otra parte, *dúplex* significa que la transmisión y la recepción pueden ser simultáneas (comunicación bilateral simultánea) y se efectúan por frecuencias distintas. SIN. servicio [comunicación] símplex, servicio [comunicación] semidúplex. CF. duplex operation, half-duplex operation, simplex operation.

push-to-talk release-to-listen switching   (*Telecom*) conmutación de apretar para hablar y soltar para escuchar.

push-to-talk switch   (*Telecom*) conmutador de micrófono (del tipo de oprimir para hablar).

push-to-tune switch   pulsador de sintonización.

push wave   (*Fís*) onda compresional [de compresión, de empuje].

pushback hookup wire   (a.c. pushback wire) alambre (para conexiones) de forro deslizante, alambre con aislación deslizante. Alambre para conexiones eléctricas y electrónicas, de cobre estañado, cuyo forro aislante puede hacerse correr fácilmente empujándolo con los dedos, para dejar suficiente extensión del conductor al descubierto en las extremidades para efectuar las conexiones.

pushback wire   v. pushback hookup wire.

pushbutton   (*Elec/Telecom*) pulsador, botón pulsador [de presión, de oprimir]; botón de contacto; conmutador pulsador [de botón]. CASO PART. botón de timbre ‖ (*Elec*) botón pulsador. Parte de un aparato eléctrico constituido por un botón sobre el cual se ejerce presión para efectuar una operación (CEI/57 15-15-140) ‖ (*Telecom*) botón pulsador; botón de posición estable. SIN. plunger-type key /// *adj:* Se usa a veces con el sentido figurado de *automático; instantáneo.*

pushbutton actuated   accionado por pulsador.

pushbutton bank   botonera. LOCALISMO: banco de llaves. Conjunto de conmutadores accionados por botón pulsador.

pushbutton box   caja de pulsadores.

pushbutton circuit breaker   cortacircuito de reposición por botón.

pushbutton control   mando por pulsador [por botón], maniobra por botón de presión; manejo por botones de contacto. Mando o maniobra de aparatos o máquinas eléctricas (por ejemplo, motores de ascensores) mediante conmutadores de botón pulsador convenientemente dispuestos que cierran y abren circuitos auxiliares que a su vez gobiernan la maniobra de relés, contactores, etc. ‖ dispositivo de mando por botones.

pushbutton-controlled   *adj:* accionado por pulsador, de mando [maniobra] por botón.

pushbutton key   (*Telecom*) botón. SIN. **press-button key** ‖ pulsador con retención.

pushbutton microphone   micrófono con pulsador.

pushbutton-operated   *adj:* accionado por pulsador, de mando por botón, de maniobra por botón (de presión).

pushbutton plate   (*Elec*) escudete de conmutador [interruptor] de botón.

pushbutton selection   selección por botones pulsadores.

pushbutton start-stop control   control de arranque y parada por pulsador; mando de pulsador para arranque y parada.

pushbutton start-stop station   puesto de arranque y parada por pulsador, conmutador de arranque y parada de accionamiento por botones.

pushbutton-started   *adj:* de arranque por pulsador.

pushbutton starter   arrancador por botón.

pushbutton strip   botonera. SIN. **pushbutton bank.**

pushbutton switch   (*Elec/Telecom*) conmutador pulsador, conmutador de botón (pulsador); interruptor de botón [de pulsador, de botón pulsador], interruptor de accionamiento por botón. LOCALISMOS: llave a botón [a pulsador], llave botonera ‖ interruptor de botones. Interruptor cuyos contactos se cierran oprimiendo un botón y se abren apretando otro botón ‖ conmutador de botonera. Conmutador selector (por ejemplo, para seleccionar estaciones presintonizadas) con una hilera de botones que cierran y abren diversos circuitos ‖ botón de timbre [de campanilla] ‖ dispositivo interruptor de botón pulsador ‖ botón pulsador. Aparato de interrupción [switching device] en el cual un botó pulsador (v. **pushbutton**) actúa como órgano de mando (CEI/57 15-30-130).

pushbutton switching   conmutación por botones ‖ (*Teleg*) (a.c. semiautomatic reperforator switching) conmutación semiautomática con retransmisión por cinta perforada. Conmutación con retransmisión por cinta perforada [reperforator switching] en la cual la selección del canal de salida es mandado por un operador (CEI/70 55-55-110).

pushbutton telephone   teléfono de botonera [de botones selectores].

pushbutton tuner   sintonizador de botonera [de botones]. Dispositivo de sintonización automática de radioemisoras mediante un conjunto de botones pulsadores, de los cuales solamente uno puede quedar oprimido cada vez. Hay dos clases principales: (a) el de sintonización eléctrica, y (b) el de sintonización mecánica. En el (a), el botón oprimido conecta al circuito del receptor los elementos resonantes correspondientes a la frecuencia de la emisora seleccionada. En el (b), el accionamiento del botón hace girar el eje del condensador variable hasta la posición correspondiente a la estación deseada. CF. pushbutton tuning.

pushbutton tuning   sintonización por botonera [por botones], sintonía por teclas. Sistema que permite sintonizar un receptor a la emisora deseada con sólo oprimir el botón correspondiente a ésta. V.TB. pushbutton tuner, pushbutton tuning system.

pushbutton tuning system   sistema de sintonización por botonera [por botones], sistema de sintonía de botonera, sistema de sintonía por teclas. Sistema de sintonización automática en el cual la pulsación de un botón o una tecla determina la sintonización de la estación elegida; generalmente hay tantos botones (digamos cuatro o seis) como estaciones pueden sintonizarse automáticamente, y uno adicional para pasar a sintonía manual. V.TB. pushbutton tuner. CF. electric pushbutton tuning system, mechanical pushbutton tuning system.

pusher   impulsor; empujador ‖ (*Avia*) v. pusher airplane ‖ (*Ferroc*) v. **pusher locomotive** /// *adj:* impulsor; propulsor; empujador.

pusher aeroplane   v. pusher airplane.

pusher airplane   (*Avia*) (a.c. pusher, pusher aeroplane) avión de hélice propulsora.

pusher airscrew   (*Avia*) v. pusher propeller.

pusher engine   motor propulsor ‖ (*Ferroc*) v. **pusher locomotive.**

pusher grade   (*Ferroc*) pendiente [rasante] que exige doble tracción ‖ pendiente de inercia. Pendiente mayor que la determinante y que puede ser salvada a expensas de la fuerza viva.

pusher locomotive   (*Ferroc*) (a.c. pusher, pusher engine) locomotora trasera (para refuerzo en rampas, para doble tracción), locomotora de refuerzo [de empuje], locomotora en cola.

pusher operation   (*Tracción eléc*) (a.c. banking) marcha en múltiple tracción, por cabeza y cola. Marcha en la cual un vehículo motor [motored vehicle], acoplado o no, es puesto a la cola de un tren para concurrir por empuje a su desplazamiento

(CEI/57 30–05–395). CF. propelling · movement, push-pull running.

pusher propeller *(Avia)* (a.c. pusher airscrew, pusher screw) hélice propulsora.

pusher screw *(Avia)* v. pusher propeller.

pusher service *(Ferroc, Tracción eléc)* servicio de doble tracción (por cola); marcha en múltiple tracción (por cabeza y por cola).

pushing empuje; impulsión, impulso; empujón; esfuerzo ‖ *(Osc)* (*i.e.* frequency pushing) deslizamiento [corrimiento] (de la frecuencia de resonancia del circuito) por variación de las tensiones aplicadas. CF. pulling ‖ *(Magnetrones)* (*i.e.* frequency pushing) corrimiento atrasado (de frecuencia). v. frequency change /// *adj:* empujador; impulsor; propulsor.

pushing figure *(Osc)* índice [factor] de corrimiento (de la frecuencia). Indice o factor correspondiente a la variación de frecuencia producida por variación de las tensiones aplicadas. CF. pulling figure ‖ *(Magnetrones)* índice de corrimiento atrasado. Corrimiento de frecuencia de un oscilador por una variación especificada de la corriente anódica, después de hechas todas las correcciones destinadas a eliminar los efectos térmicos (CEI/56 07–20–035). CF. pulling figure.

pushrod, push rod varilla de empuje [de impulsión]; varilla de mando; barra impulsora [de empuje]; varilla del pulsador ‖ *(Mot)* empujador; levantaválvula; varilla del balancín de válvulas. Varilla movida por una leva para accionar las válvulas de un motor de combustión interna.

put *verbo:* poner; colocar.

put a call through *(Telef)* pasar una llamada [una comunicación], establecer una comunicación.

put a circuit regular *(Telecom)* restablecer normalmente un circuito.

put a novel on films filmar una novela, hacer una película de la novela.

put in circuit *(Telecom)* poner en circuito.

put in(to) service *(Telecom)* poner en servicio.

put in(to) use *(Telecom)* poner en servicio.

put on beacons poner balizas, balizar.

put out of service *(Telecom)* retirar [quitar] del servicio; bloquear (una línea, un órgano).

put through *(Telecom)* conectar, comunicar, poner en comunicación; establecer la comunicación.

put through a call establecer una comunicación. SIN. set up a call, establish a connection.

put through a call to a set *(Telecom)* pasar una llamada a un aparato; establecer la comunicación con un aparato.

put through manually *(Telecom)* establecer la comunicación manualmente.

put to earth *(Elec/Telecom)* poner [conectar] a tierra ‖ *(Elec)* poner a tierra [a masa]. Conectar un conductor a tierra o al armazón de una máquina o a una masa metálica que haga el papel de tierra (CEI/38 05–40–100).

put to ground *(Elec/Telecom)* poner [conectar] a tierra; poner a masa.

putting in(to) service *(Telecom)* puesta en servicio.

putty masilla. CASOS PART. masilla de minio; masilla de aceite; masilla de vidrieros ‖ mástique. CASO PART. mástique de cal ‖ almáciga.

putty knife espátula para masilla [para enmasillar]; cuchillo de vidriero.

PVC Abrev. de polyvinyl chloride.

PVC-insulated cable cable aislado con cloruro de polivinilo.

PVTE *(Teleg)* Abrev. de private.

pW Abrev. de picowatt.

PW *(Telecom)* Abrev. de Press Wireless ‖ Abrev. de private wire.

PWM Abrev. de pulse-width modulation.

PWM-FM system sistema PWM-FM. Sistema en el cual varias subportadoras de impulsos modulados en duración [pulse-width modulated subcarriers] modulan en frecuencia una portadora.

pWp *(Telecom)* Abrev. de picowatts psophometrically weighted [picovatios con ponderación sofométrica]. v. psophometric power.

PWR *(Esquemas, Teleg)* Abrev. de power ‖ *(Nucl)* Abrev. de pressurized-water reactor.

PX *(Telecom)* Abrev. de private exchange ‖ *(Teleg)* Abrev. de press.

pycnometer picnómetro. Aparato de laboratorio para medir densidades de líquidos. Consiste en un recipiente de capacidad exactamente conocida y que puede llenarse completamente con el líquido; así puede entonces determinarse la masa por determinación del peso. SIN. specific gravity bottle [flask].

pylon *(Elec/Telecom)* mástil; mástil [castillete, torre] en celosía; torre metálica ‖ (a.c. tower) castillete, torre. Soporte de los conductores de una línea aérea, hecho de hierro u hormigón armado, provisto de fundaciones, y susceptible generalmente de soportar un esfuerzo de tracción importante (CEI/38 25–30–045) ‖ (*i.e.* tower made up of members forming a lattice structure; a.c. lattice tower) torre, castillete de celosía. Torre o castillete constituido por un conjunto de miembros que forman una celosía (CEI/65 25–25–135) ‖ CF. lattice mast ‖ *(Avia)* pilón, punto de referencia; estructura rígida que sobresale del cuerpo de un avión y sirve para soportar algo.

pylon antenna antena de mástil radiante; antena de cilindro ranurado. Antena emisora constituida por un cilindro metálico alrededor del cual hay ranuras irradiantes uniformemente espaciadas y paralelas al eje del cilindro. El cilindro va montado en forma de mástil autoestable en el extremo superior de una torre destinada a darle mayor altura.

pyramid pirámide /// *adj:* piramidal; en pirámide.

pyramid aerial antena en pirámide.

pyramid antenna antena en pirámide.

pyramid switchboard tablero (de conmutación) en pirámide.

pyramidal *adj:* piramidal.

pyramidal horn *(Ant)* (*i.e.* horn flared in two planes, with a square or rectangular aperture) bocina piramidal. Bocina en forma de tronco de pirámide de base rectangular (CEI/70 60–36–075) ‖ embudo piramidal.

pyramidal horn antenna antena de bocina piramidal.

pyramidal horn radiator radiador de bocina piramidal, embudo radiador piramidal.

pyranometer piranómetro. Aparato que mide la intensidad de la radiación recibida de una parte determinada cualquiera del cielo.

pyrectron pirectrón.

pyrex pyrex (material aislante).

pyrex insulator aislador de pyrex.

pyrgeometer *(Meteor)* pirgeómetro.

pyrheliograph pirheliógrafo, piroheliógrafo /// *adj:* pirheliográfico, piroheliográfico.

pyrheliometer pirheliómetro, piroheliómetro. Aparato para medir la intensidad total de la radiación solar /// *adj:* pirheliométrico, piroheliométrico.

pyrheliometer observation observación pirheliométrica.

pyrheliometric *adj:* pirheliométrico, piroheliométrico.

pyrheliometric scale escala pirheliométrica.

pyrite *(Miner, Quím)* pirita ‖ (*i.e.* iron pyrite) pirita de hierro.

pyrochlore *(Miner)* pirocloro.

pyroconductivity piroconductividad. Conductividad eléctrica resultante del calentamiento a altas temperaturas.

pyroelectric *adj:* piroeléctrico.

pyroelectric effect efecto piroeléctrico. Fenómeno por el cual aparecen cargas eléctricas en ciertos cristales al ser calentados o enfriados desigualmente.

pyroelectric transducer transductor piroeléctrico.

pyroelectricity piroelectricidad. Fenómeno de polarización eléctrica provocada por el calor (CEI/38 05–15–165) /// *adj:* piroeléctrico.

pyroheliometer v. pyrheliometer.

pyrolitic *adj:* pirolítico.

pyrolysis   *(Quím)* pirólisis /// *adj:* pirolítico.

pyromagnetic   *adj:* piromagnético. Perteneciente o relativo a las acciones mutuas entre el calor y el magnetismo. SIN. **termomagnético — thermomagnetic.**

pyrometallurgical   *adj:* pirometalúrgico.

pyrometallurgy   pirometalurgia /// *adj:* pirometalúrgico.

pyrometer   pirómetro. Aparato para la medida de temperaturas, en particular las muy altas o las que sobrepasan los límites de los termómetros de mercurio. v. **electric pyrometer, thermoelectric pyrometer, radiation pyrometer, resistance pyrometer** || *(Ferroc)* pirómetro. Aparato indicador de la temperatura del vapor /// *adj:* pirométrico.

pyrometer controller   pirómetro de control; regulador pirométrico.

pyrometer head   cabeza pirométrica.

pyrometer probe   *(Elec)* (a.c. thermometer probe) sonda pirométrica. Dispositivo que comprende un par termoeléctrico [thermocouple] o una resistencia pirométrica [thermometer resistor] y dispuesto de suerte que se lo puede colocar fácilmente y dejarlo fijo en una parte de una máquina o un aparato donde se quiere medir la temperatura durante el funcionamiento de la máquina o el aparato (CEI/58 20–30–130).

pyrometer protection tube   tubo de protección [caña protectora] del pirómetro.

pyrometer tube   (a.c. thermometer tube) bastón pirométrico. Par termoeléctrico [thermocouple] o resistencia pirométrica [thermometer resistor] colocado en un tubo de protección (CEI/58 20–30–135).

pyrometric   *adj:* pirométrico.

pyrometric circuit   circuito pirométrico.

pyrometric range   gama pirométrica.

pyrometric switch   conmutador pirométrico.

pyrometrically   *adv:* pirométricamente.

pyrometrically controlled   regulado pirométricamente.

pyrometry   pirometría /// *adj:* pirométrico.

pyron detector   detector pirón. Primitivo detector de cristal [crystal detector] en el cual se utilizaba la rectificación que ocurre entre piritas de hierro [iron pyrites] y una punta metálica.

pyrophotometer   pirofotómetro /// *adj:* pirofotométrico.

pyroresistance   pirorresistencia.

pyroresistant   *adj:* pirorresistente.

pyrotechnic   *adj:* pirotécnico.

pyrotechnic equipment   equipo pirotécnico.

pyrotechnic igniter   ignitor pirotécnico.

pyrotechnic light   cohete luminoso. Se usa para enviar señales en el mar.

pyrotechnic pistol   pistola de señales pirotécnicas.

pyrotechnical signal   señal pirotécnica.

pyrotechnics   pirotecnia; material pirotécnico.

pyrotron   pirotrón. En las instalaciones de investigación sobre la fusión controlada [controlled fusion], máquina que utiliza espejos magnéticos [magnetic mirrors] dispuestos en el interior de un tubo recto largo para reflejar las partículas electrizadas e impedir su escape por las extremidades de aquel. SIN. **mirror machine.**

pyroxylin   *(Quím)* piroxilina.

pyroxylin primer   imprimación de piroxilina.

Pythagoras   Pitágoras: matemático del siglo VI antes de J.C., que generalizó el teorema que lleva su nombre (v. **Pythagorean theorem**) /// *adj:* pitagórico, de Pitágoras.

Pythagoras' theorem   v. **Pythagorean theorem.**

Pythagorean   *adj:* pitagórico, de Pitágoras.

Pythagorean equation   ecuación pitagórica. Ecuación de la forma $x^2+y^2=z^2$, que queda resuelta en números enteros determinando todos los valores posibles de x, y, z, primos entre sí.

Pythagorean scale   escala de Pitágoras. Escala musical en la cual los intervalos de frecuencia están representados por razones o cocientes de potencias enteras de los números 2 y 3.

Pythagorean theorem   teorema de Pitágoras. El cuadrado de la hipotenusa de un triángulo rectángulo es igual a la suma de los cuadrados de los catetos.

Pythagorean triangle   triángulo pitagórico.

PZT   Abrev. de lead zirconate-titanate.

PZT piezoelectric ceramic microphone   micrófono piezoeléctrico cerámico de zirconato-titanato de plomo.

Q

Q   (*i.e.* figure of merit, quality rating) Q, factor Q, factor de calidad, factor [cifra] de mérito; factor de sobretensión. v. **Q factor** | Símbolo de cantidad de electricidad (en culombios) [quantity of electricity (in coulombs)] | Símbolo de cantidad de luz [quantity of light] | Símbolo del coeficiente de actividad solar [sunspot coefficient] | Símbolo del factor 10^{18}, usado para expresar grandes valores de energía.

Q aerial (*GB*)   v. **Q antenna**.

Q antenna   (antena) dipolo Q, dipolo con tocón de λ/4 [cuarto de onda]. Antena dipolo cuyo elemento de adaptación a la línea de transmisión es un tocón de un cuarto de la longitud de onda. SIN. **Q aerial** (*GB*), **stub-matched antenna, stub-matched aerial** (*GB*).

Q band   banda Q. Banda de radiofrecuencias que va de 36 a 46 GHz, inclusive, y que corresponde a la banda de longitudes de onda de 0,834 a 0,652 cm. Se subdivide en las siguientes bandas:

$$Q_a = 36 \text{ a } 38 \text{ GHz};$$
$$Q_b = 38 \text{ a } 40 \text{ GHz};$$
$$Q_c = 40 \text{ a } 42 \text{ GHz};$$
$$Q_d = 42 \text{ a } 44 \text{ GHz};$$
$$Q_e = 44 \text{ a } 46 \text{ GHz}.$$

Q-band radar   radar en banda Q.

Q bar   (*Ant*) barra Q, adaptador Q.

Q box   medidor de Q.

Q channel   (*Tv*) canal Q. En el sistema de televisión en colores NTSC (EE.UU.), canal de 0,5 MHz de anchura de banda por el cual se transmite información cromática correspondiente al verde-magenta.

Q chrominance component   (*Tv*) componente de crominancia Q.

Q chrominance signal   (*Tv*) señal de crominancia Q.

Q code   (*Radiocom*) código Q. Sistema internacional de abreviaturas consistentes en grupos de tres letras, de las cuales la primera es siempre la Q. Se utilizan las series de grupos de QRA a QUZ. A cada grupo corresponde una frase afirmativa; o una pregunta, si va seguido de signo de interrogación. EJEMPLOS: QRA = Mi estación se llama . . . | QRA? = ¿Cómo se llama su estación?

Q demodulator   (*Tv*) desmodulador Q. Etapa en la cual se combinan la señal de crominancia y una tensión procedente del oscilador de 3,58 MHz para reconstruir la señal Q (v. **Q signal**).

Q electron   electrón Q. Electrón con órbita en la capa Q, o sea, la séptima de las capas de electrones que rodean el núcleo atómico, contando a partir de la más próxima a éste. v.TB. **Q shell**.

Q factor   (a.c. Q, quality factor) Q, factor Q, factor [coeficiente] de calidad, factor [cifra] de mérito; factor [coeficiente] de sobretensión. (**1**) Característica calificativa de la bondad de un circuito resonante o de un elemento reactivo (bobina o condensador); numéricamente es igual a la razón de la reactancia por la resistencia, e igual a la inversa del factor de disipación [dissipation factor]. Cuanto mayor es el factor Q de un circuito resonante, mayor es la selectividad o agudeza de resonancia del circuito. (**2**) Módulo de la razón de la parte imaginaria de la impedancia (reactancia), a una frecuencia dada, por la parte real de la impedancia (resistencia). (**3**) Razón de la diferencia de potencial entre bornes (terminales) de un circuito resonante en resonancia por la fuerza electromotriz que se supone aplicada en serie con el circuito. SIN. **factor de resonancia, factor de almacenamiento (de energía)** —— **figure [factor] of merit, magnification factor** (*GB*).

Q-matched dipole   dipolo de adaptación con tocón de λ/4, dipolo con tocón de cuarto de onda. v. **Q antenna**.

Q-matched system   sistema de adaptación con tocón de λ/4 [cuarto de onda]. v. **Q antenna**.

Q meter   Q-metro, Qmetro, cumetro, medidor de Q [de factor Q] | acuímetro. Aparato destinado a medir, por lectura directa, el factor de sobretensión de una inductancia utilizada en un circuito recorrido por corrientes alternas. Debe su nombre al hecho de que el factor de sobretensión (factor de calidad) se designa generalmente con la letra Q (CEI/58 20-15-285). v. **quality factor**.

Q multiplier   multiplicador de Q. En algunos receptores de radiocomunicación, circuito electrónico que tiene el efecto de multiplicar el *factor de sobretensión,* simbolizado por la letra Q, de un circuito resonante (v. **Q factor**).

Q of a capacitor   Q de un condensador.

Q of a cavity resonator   Q de una cavidad resonante.

Q of a resonant circuit   Q de un circuito resonante.

Q of a resonant system   Q de un sistema resonante.

Q of a tuned circuit   Q de un circuito sintonizado.

Q of an energy-storing device   Q de un elemento almacenador de energía.

Q phase splitter   desfasador Q.

Q point   Abrev. de quiescent point.

Q scan   (*Radar*) exploración tipo Q; explorador tipo Q.

Q shell   capa Q. La séptima capa de electrones de las que rodean el núcleo atómico, contando a partir de la más interior; los electrones de esa capa se llaman *electrones Q* y se caracterizan por el número cuántico principal 7.

Q sideband   (*Tv*) banda lateral Q.

Q signal   (*Radiocom*) señal Q, señal del código Q. v. **Q code** ‖ (*Tv*) señal Q. En el sistema de televisión en colores NTSC (EE.UU.), componente en cuadratura de la señal de crominancia [chrominance signal], limitada a una banda de 0 a 0,5 MHz y matemáticamente definida por la expresión $Q = 0{,}41\,(B-Y) + 0{,}48\,(R-Y)$, donde Q es la señal Q; B la señal de cámara correspondiente al azul; Y la señal de luminancia; y R la señal de cámara correspondiente al rojo. SIN. **quadrature signal**. CF. **I signal, W signal, transmission primaries**.

Q spoiling   (*Laseres*) frenaje por reducción de Q.

Q switching   (*Laseres*) conmutación de Q.

Q system   (*Ant*) v. **Q-matched system**.

Q tester   v. **Q meter**.

Q transformer   (*Ant*) transformador de cuarto de onda. CF. **Q antenna**.

Q value   (*Circ resonantes, Elementos reactivos*) Q, factor Q, cifra de mérito. v. **Q factor** ‖ (*Nucl*) valor Q, energía de desintegración (nuclear). SIN. **(nuclear) disintegration energy**.

Q vector   (*Tv*) vector Q.

Q wave   (*Electrobiol*) onda Q. v. **P wave**.

QCW signal   (*Tv*) (*i.e.* quadrature-phase subcarrier signal) señal QCW, señal de subportadora en cuadratura de fase.

QK   (*Teleg*) Abrev. de quick [rápido; prontamente].

QKLY   (*Teleg*) Abrev. de quickly [rápidamente; prontamente].

QM system   (*Radionaveg*) sistema QM. Sistema de radionavegación en el cual se emplean ondas medias. SIN. **decca system**.

QN   (*Teleg*) Abrev. de quotation.

QNS   (*Teleg*) Abrev. de quotations.

QNZ   (*Radiocom*) Abreviatura, utilizada en el servicio de radioaficionados (ARRL), que significa "Zero beat your signal with net control station" [Obtenga el punto de batido cero heterodinando su señal con la de la estación de control de la red]. Lo que en realidad se pide al corresponsal con esta abreviatura es que haga coincidir su frecuencia de emisión con la de la estación de control de la red, ajustándola hasta que la heterodinación de ambas frecuencias dé una frecuencia de pulsación nula.

QRM   Abreviatura del código Q que significa "Sufro interferencia", o, en forma de pregunta (QRM?), "¿Sufre usted interferencia?". Se usa también "extraoficialmente" con el significado de "interferencia", como en la frase "QRM-free reception" [recepción exenta de interferencias].

QRY   (*Teleg*) Abrev. de query [pregunta; duda; signo interrogante; preguntar; indagar].

QSL   *(Radiocom)* Abreviatura del código Q (v. **Q code**) que significa "Le acuso recibo", o, como pregunta (QSL?), "¿Puede acusarme recibo?". Se usa también, "extraoficialmente", como abreviatura de "acuse de recibo" o "acuse de comunicación".

QSL card   tarjeta "QSL", tarjeta de acuse de comunicación. Tarjeta que un operador radioaficionado envía por correo a su corresponsal para verificar y dejar constancia de una comunicación entre ambos.

QSO   *(Radiocom)* Abreviatura del código Q (v. **Q code**) que significa "Puedo comunicar directamente (*o por medio de . . .*) con . . .", o, en forma de pregunta (QSO?), "¿Puede usted comunicar directamente (*o por relé*) con . . . ?". Se usa también, "extraoficialmente", como abreviatura de "comunicación" o "comunicado".

QTO   *(Teleg)* Abrev. de Quito.

quad   cuatro | (*i.e.* quadrangle) cuadrángulo | (*i.e.* quadruplet) serie de cuatro cosas; grupo, conjunto o combinación de cuatro elementos con propiedades o comportamiento comunes ‖ *(Arq)* (*i.e.* quadrangle) patio ‖ *(Impr, Tipog)* cuadratín, regleta metálica para espaciado; prefijo indicativo de tamaño de papel cuádruplo del normal ‖ *(Telecom)* cuadrete, cable de cuadrete, cable cuádruple de parejas, cable de cuatro pares de cable. Conjunto de cuatro conductores de un cable, aislados los unos de los otros y torcidos entre ellos de manera determinada a fin de que puedan ser asociados dos a dos para formar un conjunto de dos pares | cuartilla. Conjunto de cuatro conductores aislados entre sí y trenzados (CEI/38 55–25–015) | cuadrete; cuádruple. Conjunto de cuatro conductores aislados. NOTA 1: Un cuadrete o cuádruple puede ser un *cable de cuadretes* [multiple-twin quad], en el cual dos pares torcidos [twisted pairs] son a su vez torcidos entre sí; o un *cuadrete en estrella* [star quad], en el cual cuatro conductores son cableados alrededor de un eje común. NOTA 2: En un *cable de cuadrete en estrella* [star-quad cable] los pares están normalmente constituidos por la asociación de dos conductores no adyacentes (CEI/70 55–30–020) | CF. **quad cable, quad-pair cable, spiral quad, spiral-four quad** ∭ *verbo:* cuadruplicar; formar grupos de cuatro elementos bajo cubierta común; agrupar cuatro elementos con propiedades o comportamiento comunes ‖ *(Tipog)* poner cuadratines, llenar (un espacio) con cuadratines.

quad antenna   antena cuadrangular; antena de cuadro cúbica. CF. **quadrant antenna**.

quad cable   *(Telecom)* (a.c. star-quad cable) cable de cuadretes en estrella. Cable que contiene cierto número de cuadretes en estrella [star quads] (CEI/70 55–30–035).

quad. coil   Abrev. de quadrature coil.

quad-pair cable   *(Telecom)* cable (de pares) en estrella, cable en cuadretes | cable de pares cableados en estrella. Cable que contiene cierto número de elementos, formados cada uno por cuatro pares (cada par torcido), estando el conjunto torcido alrededor de un eje común (CEI/70 55–30–040).

quad wire   *(Telecom)* hilo de cuadrete.

quadded cable   *(Telecom)* cable de cuadrete, cable en cuadretes. (1) Cable múltiple en el cual todos o algunos de los conductores están dispuestos en grupos de cuatro, denominados *cuadretes*. (2) Cable constituido por conjuntos de cuatro conductores aislados.

quadding   *(Elecn)* formación de grupos de cuatro elementos bajo una cubierta común; conexión de cuatro elementos (p.ej. transistores) en configuración serie-paralelo ‖ *(Telecom)* acción de torcer (para hacer cables); acción de toronar.

quadding machine   *(Telecom)* torcedora, máquina de torcer (para hacer cables). SIN. **twisting machine** | máquina de toronar.

quadiva   Abrev. de quadratic instantaneous value. CF. **liniva**.

quadra-tuned IF transformer   transformador de FI de cuádruple ajuste de sintonización.

quadradar   *(Avia)* radar cuádruple. Sistema de aproximación dirigida desde tierra [GCA system] que presta cuatro funciones que de ordinario exigirían el empleo de otros tantos radares independientes: vigilancia [surveillance]; control de aproximación final o de precisión [final approach, precision approach]; altimetría [height finding]; y control de rodaje en aeropuerto [airport taxiing].

quadraflop   *(Elecn)* (circuito) tetrabasculador. Circuito lógico con cuatro estados posibles y salidas complementarias; se presenta como cuatro basculadores [flip-flops], de los cuales uno se encuentra en el estado representativo de 1 y los demás en el representativo de 0 (al poner uno cualquiera en el estado correspondiente a 1, los demás pasan al estado que representa 0).

quadrajector   proyector cuádruple, sistema de presentación visual que proyecta cuatro imágenes independientes.

quadrangle   *(Arq)* patio ‖ *(Mat)* cuadrángulo, cuadrilátero, tetrágono ∭ *adj:* cuadrangular, cuadrático, tetrágono.

quadrangular   *adj:* *(Mat)* cuadrangular, cuadrático, tetrágono.

quadrant   *(Mat)* cuadrante, cuarto de círculo, sector (de círculo) de 90° ‖ *(Elec)* cuadrante. Sector metálico, generalmente en forma de cuartos de círculo, que entra en la construcción de ciertos aparatos. v. **quadrant electrometer** (CEI/38 20–35–045, CEI/58 20–35–075) | Nombre antiguo de la unidad de inductancia que hoy se llama *henrio* [henry] ‖ *(Mec)* sector (guía acanalada en arco de círculo).

quadrant aerial   antena de cuadrante. Antena simétrica, sensiblemente omnidireccional [substantially omnidirectional], constituida por dos conductores horizontales de la misma longitud que forman una V de ángulo recto [right-angled V] alimentada por el vértice (CEI/70 60–34–110). CF. **V aerial** | antena cuadrantal [en cuadrante]. SIN. **quadrant antenna**.

quadrant antenna   antena cuadrantal [de cuadrante, en cuadrante]. SIN. **quadrant aerial** *(GB)*, **quadrantal antenna**.

quadrant electrometer   electrómetro de cuadrantes. Electrómetro en el cual una aguja o un elemento móvil en forma de lámina se desplaza entre los elementos fijos en forma de cuadrantes (CEI/38 20–15–090, CEI/58 20–15–110). EJEMPLO: electrómetro de Mascart | electrómetro de cuadrante.

quadrant elevation   *(Balística)* ángulo de elevación; ángulo de nivel.

quadrant steering gear   *(Buques)* aparato de gobierno de cuadrante.

quadrant-type antenna   v. **quadrant antenna**.

quadrantal   *adj:* cuadrantal, de cuadrante.

quadrantal altitude   altitud cuadrantal.

quadrantal angle   ángulo de un cuadrante.

quadrantal antenna   antena cuadrantal. Antena horizontal de onda corta que radía omnidireccionalmente y con buen rendimiento en cualquier frecuencia de una banda con límites en relación 2:1. Por funcionar con radiadores horizontales alimentados simétricamente respecto al terreno, la resistividad de éste no interviene en el circuito de la antena. Esta antena es en esencia una antena horizontal en V, con sus ramas en ángulo recto y de una longitud función de la frecuencia media de la banda a cubrir. Se alimenta por el vértice, con un alimentador bifilar de 400 a 600 Ω. Si se emplea para recepción únicamente, puede utilizarse un alimentador concéntrico, lo que exigirá la utilización de un transformador de impedancias con paso de línea simétrica a asimétrica (balún). SIN. **quadrant antenna, quadrant aerial** *(GB)*.

quadrantal component of error   *(Radionaveg)* componente cuadrantal del error, componente de error cuadrantal.

quandrantal error   *(Brújulas mag, Radiogoniómetros)* error cuadrantal. Error de indicación debido a la presencia de masas metálicas próximas.

quadrantal-error corrector   corrector del error cuadrantal.

quadrantal frequency   frecuencia cuadrantal.

quadrantal heading   rumbo intercardinal. Rumbo al noreste, al sureste, al suroeste, o al noroeste. SIN. **intercardinal heading**.

quadrantal point   punto intercardinal. SIN. **intercardinal point**.

quadraphonic   *adj:* cuadrifónico. Adjetivo correspondiente a cuadrifonía (v. **quadraphony**). SIN. **quadrasonic**.

quadraphonic cartridge player　reproductor de cartuchos cuadrifónicos. Magnetófono reproductor de programas estereofónicos de cuatro canales en cartuchos de cinta.

quadraphonic decoder　descodificador para reproducción cuadrifónica.

quadraphonic disk　disco cuadrifónico.

quadraphonic record　disco cuadrifónico.

quadraphonic sound　v. **quadraphony**.

quadraphonic system　sistema cuadrifónico.

quadraphonic transmission　transmisión cuadrifónica.

quadraphonics　cuadrifonía, cuatrifonía. v. **quadraphony**.

quadraphony　(*Electroacús*) cuadrifonía, cuatrifonía, estereofonía en cuatro canales, estereofonía de señal cuádruple. Estereofonía [stereophony] en la cual se emplean cuatro canales de reproducción, o sea, cuatro cadenas de amplificación con sus correspondientes altavoces (o sistemas de altavoces), cada uno de los cuales funciona con una señal que difiere de las otras tres en contenido, en amplitud, en fase, o en tiempo relativo de tranmisión (emisión del sonido). SIN. **quadraphonics, quadrasonics, quadraphonic sound, four-channel sound (reproduction)** /// *adj:* cuadrifónico, estereofónico en cuatro canales, estereofónico de señal cuádruple.

quadrasonic　*adj:* cuadrifónico. v. **quadraphonic**.

quadrasonics　cuadrifonía, cuatrifonía. v. **quadraphony**.

quadratic　(*Mat*) (*i.e.* quadratic equation) ecuación cuadrática [de segundo grado] /// *adj:* (*Cristalog*) cuadrático || (*Mat*) cuadrático, de segundo grado.

quadratic component　componente cuadrática.

quadratic crystal　(*Cristalog*) cristal cuadrático [tetragonal].

quadratic curve　(*Mat*) curva cuadrática.

quadratic detector　detector cuadrático. v. **square-law detector**.

quadratic differential form　(*Mat*) forma diferencial cuadrática [de grado 2].

quadratic equation　(*Mat*) ecuación cuadrática [de segundo grado]. Ecuación de la forma $ax^2 + bx + c = 0$.

quadratic formula　(*Mat*) fórmula cuadrática.

quadratic instantaneous value [quadiva]　valor instantáneo cuadrático. CF. **linear instantaneous value**.

quadratic invariance　invariancia cuadrática.

quadratic lag　retraso cuadrático.

quadratic reciprocity　(*Mat*) reciprocidad cuadrática.

quadratrix　(*Mat*) cuadratriz. Curva empleada por Hipias para trisecar el ángulo y cuadrar el círculo.

quadrature　(*Mat*) cuadratura || (*Mec*) escuadreo || (*Elec*) (*i.e.* phase quadrature, phase separation of 90°) cuadratura (de fase). Separación de fase de un cuarto de período (90°). Relación de fase entre dos magnitudes periódicas de la misma frecuencia (el mismo período) cuando la diferencia de fase entre ellas es de 1/4 de período | **in quadrature:** en cuadratura. Se dice de dos magnitudes sinusoidales de la misma frecuencia cuando existe entre ellas una diferencia de fase de un cuarto de período (CEI/38 05–05–230).

quadrature adjustment　ajuste de cuadratura || (*Contadores*) reglaje.

quadrature amplifier　amplificador de salida en cuadratura. Amplificador que produce una rotación de fase de 90° en la señal que pasa por él.

quadrature amplitude modulation [QUAM]　(*Tv*) modulación de amplitud en cuadratura.

quadrature axis　(*Elec*) eje en cuadratura.

quadrature-axis component　(*Máq sincrónicas*) componente transversal | **. . . of a magnetomotive force:** componente transversal de una fuerza magnetomotriz. En una máquina sincrónica, componente de una fuerza magnetomotriz dirigida en cuadratura con el eje de los polos inductores [magnet poles] (CEI/56 10–45–010) | **. . . of a current:** componente transversal de una corriente. Componente de corriente que da nacimiento a tal componente de fuerza magnetomotriz [véase la definición precedente] de reacción de inducido [armature reaction] (CEI/56

10–45–010) | **. . . of an electromotive force:** componente transversal de una fuerza electromotriz. Componente de una fuerza electromotriz inducida por el flujo debido a las componentes transversales de las fuerzas magnetomotrices de la máquina sincrónica (CEI/56 10–45–015) | **. . . of a voltage:** componente transversal de una tensión. Diferencia de potencial resultante de la composición de la componente transversal de una fuerza electromotriz y de la caída de tensión debida a la componente transversal de una corriente (CEI/56 10–45–020) | CF. **direct-axis component** | v. la NOTA "10–45–000" en el art. *synchronous machine*.

quadrature-axis subtransient electromotive force　(*Máq sincrónicas*) fuerza electromotriz subtransitoria transversal. Componente transversal de la diferencia de potencial entre bornes del inducido [armature] que aparece, inmediatamente después de la apertura brusca del circuito exterior durante el funcionamiento al régimen considerado, antes de toda variación de flujo en el inducido y los circuitos amortiguadores [damping circuits] (CEI/56 10–45–030). CF. **direct-axis subtransient electromotive force**. v. la NOTA "10–45– 000" en el art. *synchronous machine*.

quadrature-axis subtransient impedance　(*Máq sincrónicas*) impedancia subtransitoria transversal. Cociente, por la componente transversal de la corriente al régimen estable considerado, de la diferencia entre la fuerza electromotriz subtransitoria transversal [quadrature-axis subtransient electromotive force] y la componente transversal de la tensión [quadrature-axis component of the voltage] entre bornes al mismo régimen (CEI/56 10–45–055). CF. **direct-axis subtransient impedance**. v. la NOTA "10–45– 000" en el art. *synchronous machine*.

quadrature-axis synchronous impedance　(*Máq sincrónicas*) impedancia sincrónica transversal. Cociente de la componente transversal de la tensión entre bornes por la componente transversal de la corriente [quadrature-axis current component], en régimen estable. En ausencia de saturación magnética [magnetic saturation], este cociente determina la proporcionalidad entre las variaciones de las componentes transversales de la tensión y de la corriente [quadrature-axis components of the voltage and of the current] al pasar de un régimen estable [steady-state condition] a otro (CEI/56 10–45–050). CF. **direct-axis synchronous impedance**. v. la NOTA "10–45–000" en el art. *synchronous machine*.

quadrature-axis transient electromotive force　(*Máq sincrónicas*) fuerza electromotriz transitoria transversal. Componente transversal de la diferencia de potencial [quadrature-axis component of the potential difference] entre bornes del inducido [armature] que aparece inmediatamente después de la apertura brusca del circuito exterior durante el funcionamiento al régimen considerado, cuando no se tiene en cuenta las componentes de amortiguación muy rápida que puedan aparecer durante los primeros períodos (CEI/56 10–45–035). CF. **direct-axis transient electromotive force**. v. la NOTA "10–45–000" en el art. *synchronous machine*.

quadrature-axis transient impedance　(*Máq sincrónicas*) impedancia transitoria transversal. Cociente, por la componente transversal de la corriente [quadrature-axis component of the current] al régimen estable considerado, de la diferencia entre la fuerza electromotriz transitoria transversal [quadrature-axis transient electromotive force] y la componente transversal de la tensión entre bornes [quadrature-axis component of the terminal voltage] al mismo régimen. Este cociente determina, para un estado de saturación magnética dado, la proporcionalidad entre las variaciones iniciales de las componentes alternas transversales de la tensión y de la corriente al pasar bruscamente de un régimen a otro, cuando no se tienen en cuenta las componentes de la tensión y de la corriente cuya amplitud decrece muy rápidamente bajo el efecto de los circuitos amortiguadores [damping circuits] (CEI/56 10–45–060). CF. **direct-axis transient impedance**. v. la NOTA "10–45–000" en el art. *synchronous machine*.

quadrature band　(*Contadores eléc*) espira compensadora.

quadrature booster　(*Elec*) elevador de voltaje desfasador.

quadrature channel   *(Tv)* canal en cuadratura.

quadrature coil   *(Elec)* bobina de cuadratura.

quadrature component   *(Elec)* componente en cuadratura. Componente reactiva de una tensión o de una corriente; componente de tensión o de corriente debida a la presencia de una reactancia inductiva o capacitiva en el circuito. sin. **componente desvatiada.**

quadrature crosstalk   *(Tv)* intermodulación [modulación cruzada] de cuadratura.

quadrature current   *(Elec)* corriente en cuadratura; corriente reactiva [desvatiada].

quadrature distortion   *(Telecom)* distorsión cuadrática.

quadrature-droop compensation   compensación de la caída de cuadratura.

quadrature-fed   *adj:* alimentado en cuadratura.

quadrature-fed grid   rejilla alimentada en cuadratura.

quadrature field   campo en cuadratura.

quadrature flux   flujo en cuadratura.

quadrature grid   *(Elecn)* rejilla en cuadratura.

quadrature-grid FM detector   detector de modulación por frecuencia con rejilla en cuadratura. v. **quadrature-grid operation.**

quadrature-grid operation   funcionamiento como detector de rejilla en cuadratura. Una de las modalidades de funcionamiento del detector de modulación por frecuencia de oscilador sincronizado y rejilla en cuadratura (v. **locked-oscillator/quadrature-grid FM detector**). En estas condiciones las variaciones de frecuencia de la señal de FI del sonido (receptor de televisión) producen cambios de fase en el voltaje de la rejilla supresora [suppressor grid] respecto al voltaje de la rejilla de control. Estas variaciones de fase entre los voltajes de una y otra rejilla hacen que el voltaje de salida (circuito de ánodo) varíe de acuerdo con las variaciones (modulación) de frecuencia de la señal de FI de llegada, las cuales representan la audiomodulación original.

quadrature magnetizing current   corriente magnetizante en cuadratura.

quadrature modulation   modulación en cuadratura.

quadrature network   red desfasadora en cuadratura.

quadrature operator   operador de cuadratura. En Electricidad, operador que al ser aplicado como coeficiente a un radio vector, produce en éste un giro de 90°; si lleva signo negativo, el giro es de −90°. Símbolo: j.

quadrature-phase subcarrier signal   *(Tv)* (a.c. QCW signal) señal de subportadora en cuadratura de fase, señal QCW. Parte de la señal de crominancia [chrominance signal] en cuadratura de fase (adelanto o atraso de 90°).

quadrature reactance   reactancia en cuadratura.

quadrature signal   *(Tv)* (a.c. Q signal) señal en cuadratura, señal Q.

quadrature stabilizing component   componente estabilizadora en cuadratura.

quadrature stage   etapa de salida en cuadratura. Circuito electrónico que produce una rotación de fase de 90° en la señal que pasa por ella. cf. **quadrature amplifier.**

quadrature suppression   *(i.e.* quadrature-component supresion) supresión de la componente en cuadratura.

quadrature transformer   *(Elec)* transformador en cuadratura; transformador de intensidad desfasador.

quadrature tube   *(Elecn)* tubo de etapa de salida en cuadratura; válvula (electrónica) utilizada para introducir un desfasaje de 90°. v. **quadrature stage.**

quadrature voltage   tensión [voltaje] en cuadratura.

quadric   *(Mat)* cuádrica. Superficie cuyas secciones planas son cónicas /// *adj: (Mat)* cuádrico.

quadric surface   *(Mat)* cuádrica.

quadricorrelator   cuadricorrelador. Circuito de control automático de fase utilizado en ciertos aparatos receptores de televisión en colores para mejorar su funcionamiento en caso de interferencia fuerte, y en el cual se utiliza la correlación entre un par de medidas

de una señal sincronizadora efectuadas en cuadratura de fase. El nombre viene de la expresión en inglés *"quadrature information correlator".*

quadrilateral   cuadrilátero /// *adj:* cuadrilátero, cuadrilateral cuadrangular.

quadrinomial   *(Mat)* cuadrinomio. Expresión algebraica que consta de cuatro términos /// *adj:* cuadrinómico.

quadripole   *(Elec)* cuadripolo. Red con dos pares de bornes o terminales: un par de entrada y un par de salida. sin. **two-terminal-pair network** | cuadripolo. Conjunto de dos dipolos; en ocasiones se emplea para designar un transductor electromagnético provisto de dos bornas de entrada y dos bornas de salida (CEI/38 05-45-080).

quadripole attenuation factor   *(Telecom)* factor de atenuación imagen. sin. **image attenuation factor.**

quadripole propagation factor   *(Telecom)* factor de propagación de un cuadripolo; factor [constante] de propagación | factor de transferencia. sin. **transfer factor.** cf. **image transfer coefficient.**

quadruple   cuádrplo /// *adj:* cuádruplo, cuádruple /// *verbo:* cuadruplicar.

quadruple diversity   *(Radiocom)* cuádruple diversidad.

quadruple-diversity receiver   receptor de cuádruple diversidad [de diversidad cuádruple]. Receptor en el cual se combinan cuatro señales recibidas por distintas antenas o por distintas frecuencias, de manera de aumentar la confiabilidad de la comunicación. v.tb. **diversity receiver, dual-diversity receiver.**

quadruple-diversity reception   recepción en cuádruple diversidad. v. **diversity reception.**

quadruple-diversity system   sistema de cuádruple diversidad. Sistema de radiocomunicación en el cual se reciben cuatro señales de distinta frecuencia, polarización o trayectoria de transmisión, y se combinan de modo de obtener una señal resultante de máxima estabilidad y óptima calidad.

quadruple down-lead flat-top antenna   antena en hoja de cuatro bajantes.

quadruple multiplex apparatus   *(Telecom)* (aparato) cuádruple.

quadruple phantom circuit   *(Telecom)* circuito fantasma cuádruple. Circuito superpuesto formado a partir de dos circuitos fantasmas dobles [double-phantom circuits] convenientemente dispuestos, utilizándose en paralelo los ocho conductores que constituyen cada circuito fantasma doble (CEI/70 55-30-155).

quadruple product (of vectors)   *(Mat)* producto cuádruple (de vectores).

quadruple scanning   *(Tv)* exploración de entrelazamiento cuádruple.

quadruple-track line   *(Ferroc)* vía cuádruple. Vía constituida por cuatro líneas principales paralelas.

quadrupler   cuadruplicador | *(i.e.* frequency quadrupler) cuadruplicador de frecuencia.

quadrupler stage   *(Elecn)* etata cuadruplicadora.

quadruplet   quadruplete; serie de cuatro cosas; grupo, conjunto o combinación de cuatro elementos o entes con propiedades o de comportamiento comunes || *(Mús)* cuatrillo. Grupo de cuatro notas, o notas y silencios, de igual duración, que ocupa el espacio de un grupo de tres, de cinco, o de otro número de figuras.

quadruplex   *(Teleg)* (aparato) cuádruplex /// *adj:* cuádruple || *(Teleg)* cuádruplex. cf. **duplex, simplex.**

quadruplex circuit   *(Teleg)* circuito cuádruplex. Circuito por el cual pueden transmitirse dos mensajes en cada dirección simultáneamente.

quadruplex-speed operation   *(Teleg)* manipulación con velocidad de cuádruplex. Velocidad de 240 PPM (palabras por minuto) por un circuito de teleimpresor, considerando como velocidad de transmisión normal la de 60 PPM.

quadruplex system   *(Teleg)* sistema cuádruplex. Sistema de telegrafía Morse dispuesto para la transmisión simultánea de dos mensajes en cada dirección por un solo circuito.

quadruplex telegraph circuit   circuito telegráfico cuádruplex.

quadruplex telegraphy   telegrafía cuádruplex. Telegrafía dúplex operada en una línea dúplex; este sistema permite por lo tanto cuatro transmisiones simultáneas en una misma línea, a razón de dos en cada sentido (CEI/38 55–15–025).

quadruplexer   *(Telecom)* cuadruplexor.

quadrupole   *(Elec, Mag)* cuadripolo. Ejemplo típico es una configuración de cuatro cargas de igual magnitud espaciadas de tal suerte que coincidan con los vértices de un paralelogramo, siendo de igual signo las cargas de vértices opuestos; la distancia de separación entre las cargas se considera de dimensiones moleculares o infinitesimales ⫽ *adj:* cuadripolar.

quadrupole coupling constant   constante de acoplamiento de cuadripolo.

quadrupole moment   momento cuadripolar.

quadrupole radiation   *(i.e.* radiation emitted by a quadrupole*)* radiación de un cuadripolo.

quadrupole structure   estructura de cuadripolo.

qualification   calificación, cualificación; aptitud, competencia, capacidad, idoneidad; requisito; atenuación; reserva, restricción.

qualified   *adj:* calificado, apto, capacitado, competente, idóneo; autorizado; habilitado; bajo reserva, con salvedades, condicionado; limitado, restringido.

qualified operator   *(Telecom)* operador calificado [competente].

qualifying certificate   certificado de aptitud.

qualifying examination   examen calificativo [de calificación]; examen de aptitud.

qualifying period (of instruction)   *(Telecom)* período de instrucción.

qualifying test   prueba de calificación; prueba de aptitud.

qualimeter   *(Radiol)* penetrómetro; cualímetro, cualitómetro. v. penetrometer.

qualitative   *adj:* cualitativo.

qualitative analysis   análisis cualitativo. (1) Identificación de los ingredientes que entran en la composición de una substancia, sin determinar sus cantidades o proporciones. (2) Análisis de la calidad funcional de un aparato o dispositivo, sin efectuar medidas detalladas de los diversos parámetros que la afectan. cf. **quantitative analysis.**

qualitative microanalysis   *(Quím)* microanálisis cualitativo.

qualitative test   prueba cualitativa, ensayo cualitativo.

quality   calidad; cualidad; propiedad, poder, virtud ‖ *(Acús/Mús)* *(i.e.* of a sound*)* timbre, calidad (de un sonido), calidad tonal. sin. **musical quality.** v. **musical tone** ‖ *(Electroacús)* calidad, fidelidad (de reproducción sonora) ‖ *(Cine/Tv)* calidad, fidelidad (de imagen) ‖ *(Radiol)* cualidad. Término que sirve para caracterizar aproximadamente una radiación desde el punto de vista de su poder de penetración [penetrating power]. Se expresa habitualmente en función de la longitud de onda eficaz [effective wavelength], o del voltaje del tubo [tube voltage] y filtración [filtration] (v. **hard, soft, penetrating power of radiation**) (CEI/64 65–10–020) ‖ v. **quality of . . .**

quality assurance   seguridad cualitativa; control de la calidad.

quality-assurance program   programa de seguridad cualitativa; programa de control de (la) calidad.

quality control   control de (la) calidad. tb. control cualitativo, verificación [contrastación, fiscalización] de la calidad.

quality-control stamp   estampilla de control de la calidad.

quality factor   (a.c. Q, Q factor) Q, factor Q, factor de calidad, coeficiente [índice] de calidad, factor [cifra] de mérito; factor [coeficiente] de sobretensión. (1) De un circuito o un dispositivo, reactancia (inductiva o capacitiva) dividida por la resistencia. (2) Factor de mérito igual a la relación entre la energía almacenada y la energía disipada; corrientemente se usa para definir la eficacia de un condensador, de una autoinducción o de un circuito sintonizado. En el caso de un condensador puede definirse por la relación entre la reactancia en serie y la resistencia efectiva en serie. sin. **factor de resonancia, factor de almacenamiento (de energía)** —— **figure [factor] of merit** ‖ (a.c. Q, Q factor) Q,

factor de calidad; factor de sobretensión. Medida de la relación entre la energía almacenada [stored energy] y la rapidez de disipación [rate of dissipation] en ciertos tipos de elementos, de estructuras o de materiales eléctricos. El valor del factor de calidad de un material magnético o dieléctrico es igual, a una frecuencia dada, a 2π veces la relación entre la energía máxima almacenada por ciclo y la energía disipada por ciclo en el material. NOTA: En un circuito oscilante [oscillatory circuit] en estado de resonancia, el valor del factor de sobretensión (factor de calidad) es el cociente de la diferencia de potencial entre los bornes (terminales) del circuito, por la fuerza electromotriz que se supone aplicada en serie con el circuito (CEI/70 55–05–280) ‖ *(Aparatos de medida)* **(of a meter)** factor de calidad (de un contador). Relación entre el par [torque] especificado y la velocidad angular [angular velocity] del elemento móvil [moving element], por la potencia nominal (CEI/58 20–40–170).

quality-factor meter   medidor de factor de calidad, Q-metro, cúmetro, acuímetro. v. **Q meter.**

quality figure   cifra [índice] de calidad.

quality index   *(Teleg)* **(of a channel)** índice de calidad (de una vía de transmisión). Probabilidad de que sea sobrepasado un valor asignado del grado de distorsión propia [inherent distortion] de una vía de transmisión o de una sección de vía ‖ **(of an apparatus)** índice de calidad (de un aparato). (1) Probabilidad de que sea sobrepasado un valor asignado del grado de distorsión propia de un traslator [repeater] u otro aparato, o del grado de distorsión [degree of distortion] de la modulación producida por el aparato. (2) Probabilidad de que el margen efectivo [effective margin] de un aparato receptor [receiving apparatus] sea inferior a su margen nominal [nominal margin] (o a un valor asignado a ese aparato).

quality meter   Q-metro, cumetro, medidor de Q, acuímetro. v. **Q meter.**

quality of a radiation   *(Radiol)* cualidad de una radiación.

quality of a sound   *(Acús/Mús)* calidad [timbre] de un sonido. v. **musical tone.**

quality of articulation   *(Telef)* calidad de la audición.

quality of picture reproduction   *(Cine/Tv)* calidad de la imagen reproducida, calidad en la reproducción de imagen. AFINES: detalle [finura, fineza] de detalle, riqueza de detalles, definición, resolución, nitidez (de reproducción), claridad (de contornos), exactitud geométrica (de la imagen), contraste, riqueza de contrastes, brillo, brillantez, luminosidad, fidelidad; centelleo, parpadeo, nieve, lluvia, confeti, perturbaciones molestas, imágenes fantasmas, visibilidad de la retícula de líneas, dispersión de los colores, imagen débil [desvanecida], imagen pobre de contraste, distorsión geométrica (de la imagen). v.tb. **picture detail, definition, resolution, contrast, sharpness, gamma, depth, brightness, fidelity; flicker, snow, ghost, color breakup, color edging, color fidelity, color flicker, image distortion.**

quality of service   *(Telecom)* calidad del servicio.

quality of speech   *(Telef)* calidad de la conversación.

quality of transmission   *(Telecom)* calidad de transmisión. sin. **transmission performance** (véase).

quality protection   protección de la calidad.

quality rejection   rechazo por mala calidad.

quality retention   retención de la calidad.

quality tester   *(Fáb)* inspector de la calidad.

QUAM   Abrev. de quadrature amplitude modulation.

quanta   Plural de quantum.

quantic   *(Mat)* cuántica. Función algebraica homogénea de dos o más variables ⫽ *adj:* cuántico.

quantification   cuantificación. v. **quantization.**

quantifier   cuantificador. v. **quantizer.**

quantify   *verbo:* cuantificar. v. **quantize** ‖ determinar la cantidad (de algo).

quantile   *(Estadística)* cuantila ⫽ *adj:* cuantílico.

quantimeter   *(Radiol)* dosímetro (de irradiaciones). v. **dosimeter** ‖ (a.c. dosemeter) cuantímetro, cuantitómetro. Instrumento destinado a medir dosis de rayos X (CEI/38 65–25–060).

quantitative   *adj:* cuantitativo.

quantitative analysis   análisis cuantitativo. Análisis de una subs-tancia con determinación de las cantidades o las proporciones de cada uno de sus elementos constitutivos. CF. **qualitative analysis.**

quantitative autoradiography   autorradiografía cuantitativa. Medida de la radiactividad tomando como registro de la misma una autorradiografía.

quantitative detector   detector cuantitativo.

quantitative measurement   medida [medición] cuantitativa.

quantitative microanalysis   *(Quím)* microanálisis cuantitativo.

quantitative spectrochemical analysis   análisis espectroquímico cuantitativo.

quantitatively   *adv:* cuantitativamente.

quantity   cantidad; magnitud; grandor, valor ‖ *(Mat)* canti-dad ‖ *(Informática)* cantidad. Número real (positivo o negativo) usado para datos numéricos ‖ *(Elec)* magnitud. v. **alternating quantity, oscillating quantity, periodic quantity, pseudope-riodic quantity, scalar quantity, sinusoidal quantity, sym-metrical alternating quantity, undulating quantity** ‖ v. **quan-tity of . . .**

quantity efficiency   *(Electroquím)* rendimiento en cantidad. Rela-ción entre la cantidad de electricidad desarrollada durante la descarga del acumulador detenida en un límite determinado, y la cantidad de electricidad necesaria para la carga (CEI/38 50–30–070).

quantity meter   (a.c. ampere-hour meter) amperihorímetro, con-tador de cantidad. Aparato integrador [integrating instrument] que mide la cantidad de electricidad [quantity of electricity] en amperiohoras [ampere-hours] (CEI/58 20–25–025).

quantity of change   cantidad de cambio.

quantity of electricity   cantidad de electricidad. (1) Magnitud de la carga eléctrica almacenada en un condensador. Símbolo: Q. (2) Intensidad de corriente multiplicada por el tiempo de circulación de la corriente. El producto se mide en culombios. Un culombio es la carga transportada por una corriente de un amperio que circule durante un segundo.

quantity of illumination   cantidad de iluminación. Producto de una iluminación [illumination] por su duración (CEI/58 45–10–080). NOTA: En la tercera edición (1970) del Grupo 45 del VEI (término 45–10–115), este término ha sido substituido por el de *exposición luminosa* [light exposure], definido así: Cantidad superfí-cica de luz recibida; producto de la iluminancia [illuminance] por su duración. Unidad: lux-segundo (lx·s).

quantity of information   cantidad de información.

quantity of light   cantidad de luz. Producto del flujo luminoso [luminous flux] por su duración. Símbolo: Q_v, Q. $Q_v = \int \Phi_v dt$. Unidad: lumen-segundo (lm·s) (CEI/70 45–10–030).

quantity of radiant energy   cantidad de energía radiante. Símbo-lo: Q_e.

quantity of radiation   cantidad de radiación. Energía radiada total que pasa por una superficie unitaria en la unidad de tiempo. Se expresa en ergios/cm² o en vatio-segundos/cm².

quantity of X rays   cantidad de rayos X. Producto de la in-tensidad de los rayos X por su duración.

quantity on hand   cantidad de existencia.

quantization   (a.c. quantification) cuantificación. Acción de to-mar, en una función continua, un número finito de valores discretos susceptibles de producir, con aproximación suficiente, el mismo efecto útil que la serie infinita de valores de aquélla ‖ cuantificación. Proceso consistente en dividir el conjunto de valores de una variable en un número fijo de subconjuntos más pequeños, para después representar cada uno de ellos por un valor contenido en el subconjunto, definido de una vez por todas y que se dice haber sido así *cuantificado* (CEI/70 55–35–295).

quantization distortion   *(Telecom)* distorsión de cuantificación, distorsión causada por la cuantificación ‖ (a.c. quantization noise) distorsión [ruido] de cuantificación. Distorsión introducida por el proceso de cuantificación. La señal afectada de esta distorsión puede considerarse como resultante de la superposición, a la señal original, de un ruido de cuantificación (CEI/70 55–35–300).

quantization error   error de cuantificación.

quantization level   nivel de cuantificación, subconjunto de valo-res obtenido por cuantificación.

quantization noise   ruido de cuantificación; zumbido debido a la cuantificación; ruido granular. SIN. **granular noise, quantization distortion** (véase).

quantization of a signal   cuantificación de una señal.

quantization of an electromagnetic field   cuantificación de un campo electromagnético.

quantize   *verbo:* (also quantify) cuantificar.

quantize information   cuantificar información.

quantized   *adj:* (also quantified) cuantificado.

quantized field   campo cuantificado.

quantized-field theory   teoría de los campos cuantificados. En Física, teoría según la cual los campos electromagnéticos y los campos de materia pueden ser representados por operadores matemáticos [mathematical operators] que describen los procesos elementales de creación y de aniquilación de partículas o de fotones.

quantized interaction   interacción cuantificada.

quantized pulse modulation   modulación de impulsos cuantifi-cados. v. **pulse-code modulation, pulse-number modulation.**

quantized pulses   impulsos cuantificados.

quantized signal   señal cuantificada.

quantized system   *(Fís)* sistema cuantificado. (1) Sistema de partículas cuyas energías no pueden poseer más que valores discretos, lo que equivale a decir que sólo pueden variar de manera discontinua. En el caso de los electrones (teoría cuántica), éstos sólo pueden existir a ciertos niveles energéticos discretos; un electrón no puede existir con valores de energía entre dichos niveles discretos, y no pueden existir dos electrones en el mismo nivel energético. (2) En oposición a un sistema clásico [classical system], sistema de partículas cuyas energías no pueden tener más que valores discretos, es decir, que sólo pueden variar de una manera discontinua (CEI/56 07–15–045). CF. **nonquantized system.**

quantizer   (a.c. quantifier) cuantificador, dispositivo de cuantifi-cación.

quantizing   cuantificación. v. **quantization** ⫽ *adj:* cuantificante; de cuantificación.

quantizing encoder   codificador de cuantificación.

quantizing error   error de cuantificación.

quantometer   *(Elec)* cuantómetro. Galvanómetro balístico [bal-listic galvanometer] empleado para medir cantidades de electrici-dad (v. **quantity of electricity**) ‖ *(Met)* cuantómetro. Aparato destinado a determinar los elementos que entran en una aleación y las proporciones de los mismos.

quantum   parte, tanto ‖ *(Fís, Mec)* cuanto, quántum. Cantidad mínima o elemental de energía; la más pequeña cantidad de energía que puede ser asociada con un fenómeno determinado. Por ejemplo, el fotón es el cuanto de radiación electromagnética. El plural inglés es *quanta* ‖ (a.c. energy quantum) cuanto (de energía). Energía elemental de radiación [elementary energy of radiation] de frecuencia ν; la energía hν (v. **Planck's constant**) (CEI/64 65–10–035). V.TB **quantum jump, quantum theory** ⫽ *adj:* cuán-tico, cuantístico, cuantista.

quantum condition   condición cuantista. Condición matemática que tiene que satisfacerse en relación con un estado cuántico dado de un sistema.

quantum correction   corrección cuántica. Corrección que ha de aplicarse a una ley o una ecuación de la Física clásica para ponerla en armonía con la teoría cuántica [quantum theory].

quantum effect   efecto cuántico.

quantum efficiency   (a.c. quantum yield) rendimiento cuántico. En un fototubo, número medio de electrones emitidos fotoeléctricamente por cada fotón incidente de determinada longitud de onda.

quantum electrodynamics   electrodinámica cuántica.

quantum electronics   electrónica cuántica. Electrónica en la cual tienen papel prominente los fenómenos de mecánica cuántica [quantum-mechanical phenomena]. El maser, por ejemplo, es un dispositivo de electrónica cuántica.

quantum emission   emisión cuántica.

quantum equivalence principle   *(Fís)* principio de la equivalencia cuántica. Cuando en un proceso fotoeléctrico o fotovoltaico es absorbido un cuanto de radiación, la totalidad de su energía reaparece en alguna otra forma definida (por ejemplo, como energía cinética de un fotoelectrón liberado o como la energía de un átomo ionizado).

quantum jump   salto cuántico. Salto que experimenta la energía de un corpúsculo cuando absorbe o emite radiación; es proporcional a la frecuencia de esta última. SIN. **quantum transition.**

quantum leakage   filtración cuántica. SIN. **tunnel effect.**

quantum level   nivel cuántico. SIN. **energy level.**

quantum limit   *(Radiol)* longitud de onda crítica; longitud de onda mínima, límite cuántico, cuanto límite. v. **minimum wave-length.**

quantum-mechanical   *adj:* cuántico, cuantista; de (la) mecánica cuántica.

quantum-mechanical resonance   resonancia cuántica.

quantum-mechanical wavelength   longitud de onda cuántica.

quantum mechanics   mecánica cuántica, mecánica de Heisenberg. Mecánica de los sistemas cuantificados (v. **quantized system**); mecánica acorde con la teoría cuántica (v. **quantum theory**). CF. **wave mechanics.**

quantum momentum   momento cuántico.

quantum number   *(Fís)* número cuántico | **quantum numbers (of an atom):** números cuánticos (de un átomo). Números que caracterizan los grados de libertad [degrees of freedom] de un átomo, y que son cuatro por cada electrón: el *número cuántico principal* [main quantum number], *n;* el *número cuántico secundario* [orbital quantum number], *l;* el *spin* [spin], *s;* y el *número cuántico interno* [total angular momentum quantum number], *j* (CEI/56 07–15–075).

quantum of action   cuanto de acción. SIN. **Planck's constant.**

quantum of energy   (a.c. energy quantum) cuanto de energía.

quantum of light   cuanto de luz.

quantum of radiant energy   cuanto de energía radiante.

quantum of radiation   cuanto de radiación.

quantum physics   física cuántica.

quantum state   estado cuántico, estado en que puede existir un átomo; nivel de energía.

quantum statistical mechanics   mecánica estadística cuántica.

quantum statistics   estadística cuántica. Estadística de distribución de un tipo particular de partícula o corpúsculo entre sus posibles valores de energía (niveles cuantificados).

quantum theory   teoría cuántica, teoría de los cuantos [de los quanta]. Teoría formulada por el físico alemán Max Planck, según la cual la emisión y la absorción de energía en los fenómenos periódicos, no se efectúa de modo continuo, sino por saltos, en cada uno de los cuales se emite o se absorbe una energía igual al producto de la frecuencia por la constante de Planck (v. **Planck's constant**).

quantum theory of dispersion   teoría cuántica de la dispersión.

quantum theory of heat capacity   teoría cuántica de la capacidad térmica.

quantum theory of magnetism   teoría cuántica del magnetismo.

quantum theory of spectra   teoría cuántica de los espectros.

quantum transition   salto cuántico. v. **quantum jump.**

quantum voltage   tensión cuántica. Diferencia de potencial a través de la cual ha de ser acelerado un electrón para que adquiera la energía correspondiente a un quántum (cuanto) particular.

quantum yield   rendimiento cuántico. (**1**) Razón del número de

reacciones de una clase determinada provocadas por fotones, al número de fotones absorbidos. (**2**) En fotoluminiscencia, razón del número de fotones emitidos, al número de fotones absorbidos (CEI/56 07–10–120). SIN. **quantum efficiency** | (of the photographic process) rendimiento cuántico (del proceso fotográfico).

quarantine   cuarentena.

quarantine airport   aeropuerto en cuarentena.

quarantine buoy   boya de cuarentena. Boya de color amarillo que indica donde debe fondear un buque para la visita de Sanidad.

quark   *(Fís)* quark. Una cualquiera de tres partículas atómicas hipotéticas con carga de magnitud igual a 1/3 ó 2/3 la del electrón, y que se han postulado como unidades fundamentales de la materia. SIN. **ace.**

quarry   cantera, pedrera. Yacimiento de roca [deposit of rock] susceptible de explotación industrial /// *verbo:* cantear, explotar canteras; sacar [extraer] (piedra) de una cantera.

quart   cuartillo; cuarto de galón (0,946 litro).

quarter   cuarto, cuarta parte (de); cuarto de hora; cuarto de dólar (moneda de 25 ¢); cuarto de braza (0,457 metro); cuarto (de res); gajo (de naranja); región; lugar, lado, parte, sitio; comarca; barrio, barriada; distrito; trimestre || *(Astr)* cuarto de luna || *(Marina)* aleta, cuadra (de popa); lado del viento /// *adj:* cuarto /// *verbo:* cuartear, dividir en cuatro partes; descuartizar, cortar en cuartos; alojar || *(Astr)* entrar (la luna) en un nuevo cuarto || *(Aviones)* volar con viento de costado || *(Buques)* navegar con viento de aleta || *(Mil)* acuartelar, acantonar.

quarter channel   *(Telecom)* cuarto de canal. Subcanal de los que resultan de subdividir un canal telefónico [voice channel] en cuatro partes iguales. El canal telefónico tiene una anchura de banda mínima de aproximadamente 3 000 Hz; por consiguiente, el cuarto de canal tiene una anchura mínima de unos 750 Hz, la cual es suficiente para ciertos servicios distintos al de la comunicación vocal.

quarter-phase   *adj: (Elec)* bifásico; difásico.

quarter-phase current   *(Elec)* corriente difásica.

quarter-phase network   *(Elec)* red difásica.

quarter turn   cuarto de vuelta.

quarter-turn fastener   fijador de un cuarto de vuelta.

quarter undulation   *(Opt)* cuarto de onda.

quarter wave   *(Fís)* cuarto de onda.

quarter-wave   *adj:* de cuarto de onda, en cuarto de onda. Que posee una longitud eléctrica igual a un cuarto de onda.

quarter-wave aerial (GB)   v. **quarter-wave antenna.**

quarter-wave antenna   antena de cuarto de onda, antena (en) cuarto de onda. Antena cuya longitud eléctrica es igual a un cuarto de la longitud de onda a su frecuencia de trabajo (frecuencia de la señal que se transmite o que se desea recibir). Esa longitud es siempre ligeramente mayor que el largo físico de la antena. SIN. **quarter-wave aerial** *(GB).*

quarter-wave attenuator   *(Microondas)* atenuador en cuarto de onda. Conjunto de dos retículos [wire gratings] espaciados en un número impar de cuartos de onda, y que, colocado en una guía de ondas, atenúa las ondas que se propagan en uno de los dos sentidos.

quarter-wave dipole   *(Ant)* dipolo (de) cuarto de onda.

quarter-wave filter   *(Microondas)* filtro en cuarto de onda. Conjunto de dos retículos [wire gratings] espaciados en aproximadamente un cuarto de onda, y que, convenientemente dispuesto en una guía de ondas, refleja o absorbe casi toda la energía de determinada onda que quiere suprimirse.

quarter-wave line   línea en cuarto de onda. SIN. **quarter-wave stub.**

quarter-wave matching section   sección de adaptación en cuarto de onda.

quarter-wave plate   *(Opt)* placa de cuarto de onda. Placa de mica u otro material cristalino birrefringente de tal espesor que introduzca un retardo o desfase de un cuarto de período entre los rayos ordinario y extraordinario de la luz que la atraviese.

quarter-wave radiation   radiación en cuarto de onda.

quarter-wave radiator   radiador de cuarto de onda.

quarter-wave receiving antenna   antena receptora de cuarto de onda. v. **quarter-wave antenna.**

quarter-wave resonance   resonancia en cuarto de onda. Dícese cuando la frecuencia de resonancia de una antena de cuarto de onda coincide con la frecuencia de trabajo.

quarter-wave resonant frequency   frecuencia de resonancia en cuarto de onda.

quarter-wave retardation plate   *(Opt)* placa de retardo de cuarto de onda. v. **quarter-wave plate.**

quarter-wave skirt dipole   (a.c. coaxial antenna, sleeve dipole) antena coaxial. Antena constituida por la extremidad de una línea coaxil [coaxial line] cuyo conductor exterior es replegado sobre sí mismo sobre una longitud generalmente próxima a un cuarto de longitud de onda, dejando el conductor interior al descubierto sobre la misma longitud (CEI/70 60–34–155).

quarter-wave sleeve   balún en cuarto de onda. Balún que acopla una antena simétrica [balanced aerial] a una línea coaxil [coaxial line], constituido por un cilindro conductor largo, de un cuarto de longitud de onda, que rodea la extremidad de la línea coaxil y va conectado al conductor exterior de la línea a una distancia de la antena igual a aproximadamente un cuarto de longitud de onda (CEI/70 60–30–075).

quarter-wave step-up transformer   *(Ant)* transformador elevador en cuarto de onda.

quarter-wave stub   *(Microondas)* sección en cuarto de onda, línea (de transmisión) en cuarto de onda. Segmento de línea de transmisión cuya longitud es igual a un cuarto de la longitud de onda a la frecuencia fundamental de transmisión; cuando se la pone en cortocircuito en la extremidad lejana, presenta una impedancia elevada a la frecuencia fundamental y sus armónicas impares, y una impedancia pequeña a las armónicas pares. SIN. **quarter wave (transmission) line.**

quarter-wave termination   *(Microondas)* terminación en cuarto de onda. Terminación no reflectora utilizada en una guía de ondas y consistente en un retículo [wire grating] o una película de material semiconductor dispuestos transversalmente en la guía, a una distancia de λ/4 de una placa metálica terminal, de tal manera que la onda reflejada por el retículo es neutralizada por la reflejada en la placa.

quarter-wave transformer   transformador en cuarto de onda. Sección de línea de transmisión con largo aproximadamente igual al de un cuarto de onda, que se utiliza para fines de adaptación de impedancias [impedance matching] entre una línea de transmisión y una antena o un elemento de carga.

quarter-wave transmission line   línea de transmisión en cuarto de onda. v. **quarter-wave stub.**

quarter-wave tuner   sintonizador de cuarto de onda.

quarter wavelength   cuarto (de longitud) de onda, λ/4 | **length of odd quarter wavelengths:** largo de un número impar de longitudes de onda.

quarter-wavelength line   (a.c. quarter-wavelength line transformer) transformador en cuarto de onda. SIN. **quarter-wave transformer** | (a.c. quarter-wavelength transformer) línea [transformador] cuarto de onda. Línea de largo igual a un cuarto de longitud de onda utilizada como transformador (o adaptador) de impedancia [impedance transformer] (CEI/70 60–30–120).

quarter-wavelength line transformer   v. **quarter-wavelength line.**

quarter-wavelength transformer   transformador [línea] cuarto de onda. v. **quarter-wavelength line.**

quartering wind   *(Avia)* viento a la cuadra.

quarterly   publicación trimestral ||| *adj:* trimestral ||| *adv:* trimestralmente; en cuartos, por cuartos.

quarterly payments   pagos trimestrales, trimestralidades.

quartet   *(Mús)* cuarteto || *(Quím)* cuartete.

quartic   *(Mat)* cuártica. Curva algebraica de cuarto grado | (*i.e.* quartic equation) ecuación cuártica ||| *adj:* *(Mat)* cuártico, de cuarto grado.

quartic equation   *(Mat)* ecuación cuártica [de cuarto grado]. Si carece de potencias impares de la incógnita (caso particular), se llama *ecuación bicuadrática o bicuadrada.*

quartile   *(Estadística)* cuartila, cuartil. Valor del límite en las percentilas (v. **percentile**) 25ª, 50ª ó 75ª de una distribución de frecuencias [frequency distribution] dividida en cuatro partes, cada una de las cuales contiene una cuarta parte de la población (v. **population**) ||| *adj:* cuartílico.

quartz   cuarzo; cristal de cuarzo. (**1**) Mineral que se encuentra en la naturaleza en forma de cristales hexagonales, y que en algunas de sus formas posee propiedades piezoeléctricas; se utiliza en radio y electrónica para determinar frecuencias con elevado grado de exactitud y estabilidad. v.TB. **piezoelectric effect, piezoelectric crystal.** (**2**) Químicamente, dióxido de silicio cristalino [crystalline silicon dioxide]. Así, por ejemplo, cuando se oxida la superficie de una rodaja [wafer] de silicio de las utilizadas en la fabricación de circuitos integrados, dicha superficie se convierte en cuarzo que protege el resto del material ||| *adj:* cuarcífero, cuarzoso.

quartz block   bloque de cuarzo.

quartz clock   reloj de cuarzo, reloj regulado por cuarzo, péndulo piezoelectrónico, péndulo gobernado por cristal de cuarzo.

quartz-controlled   *adj:* regulado por (cristal de) cuarzo.

quartz-controlled carrier generator   generador de portadora regulado por cuarzo.

quartz-controlled generator   generador regulado por cuarzo.

quartz-controlled oscillation   oscilación regulada por (cristal de) cuarzo.

quartz crystal   cristal de cuarzo. (**1**) Cristal piezoeléctrico (de origen natural o artificial) compuesto de óxido de silicio [silicon dioxide], que se talla en forma de plaquitas delgadas para utilizarlas en osciladores para regular la frecuencia de los mismos. El efecto piezoeléctrico de estos cristales, previsto por Coulomb, fue demostrado en 1880 por los hermanos Curie, y puesto en aplicación en 1917 y 1919 por Langevin y Nicolson. Posteriormente el cuarzo adquirió grandísima importancia, por la estabilidad de frecuencia de sus oscilaciones eléctricas y mecánicas. v.TB. **quartz.** (**2**) Fragmento de cuarzo cristalizado tallado en forma de poder utilizar sus propiedades piezoeléctricas (CEI/38 60–10–080).

quartz-crystal calibrator   calibrador de cristal de cuarzo.

quartz-crystal grounding   rectificación de cristales de cuarzo.

quartz-crystal growing   obtención [cultivo] de cristal de cuarzo artificial; producción de cristales de cuarzo artificiales.

quartz-crystal lapping   rectificación de cristales de cuarzo.

quartz-crystal oscillator   oscilador de cristal de cuarzo, oscilador regulado por (cristal de) cuarzo, oscilador estabilizado por cristal piezoeléctrico. Circuito oscilante cuya frecuencia es regulada mediante un cristal de cuarzo.

quartz-crystal reference AFC   CAF [control automático de frecuencia] contrastado por cristal de cuarzo.

quartz cut   corte de cuarzo.

quartz delay line   línea de retardo de cuarzo. Dispositivo de retardo de ondas acústicas al atravesar éstas un cuerpo de cuarzo; línea de retardo acústica en la cual se emplea cuarzo como medio de transmisión de las ondas acústicas.

quartz fiber   fibra [hilo] de cuarzo.

quartz-fiber electrometer   electrómetro de fibra de cuarzo.

quartz-fiber electroscope   electroscopio de fibra de cuarzo. Electroscopio en el cual se emplea una fibra de cuarzo dorada para la función que en el electroscopio clásico desempeña una hoja de oro (v. **goldleaf**). CF. **goldleaf electroscope.**

quartz-fiber manometer   manómetro de fibra de cuarzo. Manómetro cuyo funcionamiento se funda en el efecto amortiguante que tiene el gas cuya presión se mide, en las vibraciones de una fibra de cuarzo.

quartz-fiber microbalance   microbalanza de fibra de cuarzo.
quartz-fiber spectroscope   espectroscopio de fibra de cuarzo.
quartz-insulated capacitor   capacitor con aisladores de cuarzo. Capacitor variable cuya armadura aislada lo está mediante aisladores de cuarzo.
quartz iodine lamp   (*Ilum*) lámpara (de incandescencia) de vapor de yodo con ampolla [envuelta] de cuarzo. Pertenece a la categoría de las lámparas de incandescencia con halógenos. v. **tungsten halogen lamp**. CF. **quartz lamp**.
quartz lamp   (*Ilum*) lámpara de cuarzo, lámpara de vapor de mercurio con ampolla de cuarzo. Lámpara de vapor de mercurio con ampolla transparente de cuarzo (en lugar de vidrio). El cuarzo tiene la ventaja de ser resistente al calor, por lo cual permite utilizar corrientes más intensas, y de dejar pasar los rayos ultravioleta que son absorbidos por el vidrio ordinario. CF. **quartz iodine lamp**.
quartz lens   lente de cuarzo. Lente especial empleado en fotografía con luz ultravioleta.
quartz master oscillator   oscilador maestro de cristal de cuarzo. v. **crystal oscillator, master oscillator**.
quartz mercury arc   lámpara de vapor de mercurio con ampolla de cuarzo. SIN. **quartz lamp**.
quartz microbalance   v. **quartz-fiber microbalance**.
quartz monitor   monitor con cuarzo.
quartz monochromator   monocromador de cuarzo.
quartz optical-phonon maser   maser de cuarzo de fonones ópticos. v. **phonon maser**.
quartz oscillator   oscilador (de cristal) de cuarzo, oscilador regulado [estabilizado] por cuarzo. v. **crystal oscillator**.
quartz oscillator plate   placa de cuarzo para oscilador.
quartz plate   placa de cuarzo [de cristal]. v. **crystal plate**.
quartz-plate resonator   resonador de placa de cuarzo.
quartz prism   prisma de cuarzo.
quartz-reference frequency meter   frecuencímetro con cuarzo de referencia.
quartz resonator   resonador de cuarzo. Resonador piezoeléctrico con placa de cuarzo.
quartz ring   anillo de cuarzo.
quartz rock   roca cuarzosa; cuarcita.
quartz sand   arena cuarzosa.
quartz saw   sierra de cuarzo.
quartz spectrograph   espectrógrafo de cuarzo.
quartz-stabilized oscillator   oscilador estabilizado por (cristal de) cuarzo.
quartz tuning fork   diapasón (de cristal) de cuarzo. Diapasón fabricado con cristal de cuarzo, en lugar de utilizar acero al níquel u otras aleaciones.
quartz vibrator   vibrador de cuarzo; oscilador (de cristal) de cuarzo.
quartz wire   hilo de cuarzo.
quartz-wire electrometer   electrómetro de hilo de cuarzo. v. **quartz-fiber electrometer**.
quartz zero-coupling cut   corte de cuarzo de acoplo zero.
quartzic   *adj:* cuarzoso.
quartziferous   *adj:* cuarcífero.
quartzite   (*Geol, Miner*) cuarcita.
quartzitic   *adj:* cuarcítico.
quartzose   *adj:* cuarzoso.
quartzy   *adj:* cuarzoso.
quasar   quasar. Objeto celeste probablemente extragaláctico, de naturaleza no determinada, y a menudo fuente de energía radioeléctrica de gran potencia; se aleja en el espacio a aproximadamente la mitad de la velocidad de la luz, radiando energía en medida inexplicable por ningún fenómeno conocido. El nombre viene de *quasi*-stellar.
quasi   *adj/adv:* cuasi, casi; como de, como si fuera, al parecer; aparente.
quasi-active homing guidance   (*Proyectiles dirigidos*) guía cuasiac-

tiva al blanco. Sistema en el cual el proyectil lleva un radioemisor que ilumina el blanco, pero no recibe las reflexiones de éste; las reflexiones son captadas por una estación independiente que a su vez transmite señales de guiaje al proyectil.
quasi-analytic function   (*Mat*) función casi analítica.
quasi-bistable circuit   circuito cuasibiestable. Circuito electrónico astable [astable electronic circuit] que es gatillado a un ritmo rápido en comparación con su frecuencia natural.
quasi-chemical approximation   aproximación cuasiquímica.
quasi-conductor   cuasiconductor. Conductor cuyo factor de calidad (v. **quality factor**) es mucho menor que la unidad.
quasi-crystalline structure   estructura cuasicristalina.
quasi-dielectric   cuasidieléctrico. Dieléctrico cuyo factor de calidad (v. **quality factor**) es mayor que la unidad.
quasi-elastic scattering   dispersión cuasielástica.
quasi-elasticity   cuasielasticidad.
quasi-electronic apparatus   aparato cuasielectrónico.
quasi-Fermi level   (*Semicond*) nivel como de Fermi. Energía potencial definida de manera a dar, bien el número de huecos [holes], bien el número de electrones en la banda de conducción [conduction band], cuando el material no se encuentra en equilibrio térmico, como si fuera el nivel de Fermi.
quasi-free scattering   dispersión cuasilibre.
quasi-group algebra   álgebra de cuasigrupos.
quasi-harmonic vibration   vibración cuasiarmónica.
quasi-impulsive interference   (*Radiocom*) perturbación de carácter cuasiimpulsivo.
quasi-linear feedback control system   sistema casi lineal de control con realimentación. Sistema de control con realimentación sensiblemente lineal en su conjunto (es decir, que la señal de salida mantiene una relación casi lineal con la de entrada), no obstante la presencia de elementos alineales.
quasi-linear sweep   barrido cuasilineal.
quasi-logarithmic response   respuesta cuasilogarítmica.
quasi-monostable circuit   circuito cuasimonoestable. Circuito electrónico monoestable que es gatillado a un ritmo rápido en comparación con su frecuencia natural.
quasi-optical   *adj:* cuasióptico. Que posee propiedades parecidas a las de las ondas de luz.
quasi-optical antenna   antena para microondas.
quasi-optical propagation   propagación cuasióptica. Propagación de ondas radioeléctricas tan cortas que su comportamiento es parecido al de la luz; propagación en línea casi recta a distancias poco mayores que la del horizonte óptico.
quasi-optical range   alcance cuasióptico. Alcance (de una transmisión radioeléctrica de microondas) muy poco mayor que la distancia al horizonte visible.
quasi-optical wave   microonda. Onda tan corta (microonda) que sus características de propagación son parecidas a las de la luz.
quasi-passive satellite   satélite (artificial) cuasipasivo.
quasi-peak detector   (*Radiocom*) detector de cuasicresta. Aparato que sirve esencialmente para la medida de ruidos y que comprende un detector y un instrumento de medida asociado tal que la indicación corresponde a una fracción de la cresta [peak] de la señal aplicada y aumenta con la frecuencia de repetición de impulsos (CEI/70 60–44–240).
quasi-peak level   nivel de cuasicresta.
quasi-peak receiver   receptor de cuasicresta.
quasi-peak value   valor de cuasicresta.
quasi-random-access memory   (*Comput*) memoria de acceso casi arbitrario [casi libre].
quasi-random sampling   muestreo cuasialeatorio.
quasi-RMS characteristic   (*Det*) característica casi proporcional a los valores eficaces.
quasi-RMS meter   indicador de medida con característica casi cuadrática media.
quasi-RMS response   respuesta esencialmente proporcional a los valores eficaces, respuesta de característica casi cuadrática.

quasi-single-sideband transmission   transmisión como de banda lateral única. Transmisión de las bandas laterales de modo de simular una transmisión de banda lateral única.

quasi-stable state   estado cuasiestable ‖ *(Multivibradores)* estado semiestable.

quasi-static   *adj:* cuasiestático.

quasi-statics   *(Meteor)* cuasiestáticos.

quasi-stationary   *adj:* cuasiestacionario.

quasi-stationary (energy) level   nivel (energético) cuasiestacionario.

quasi-stationary front   *(Meteor)* frente cuasiestacionario.

quasi-stationary pinch effect   efecto de apretamiento cuasiestacionario.

quasi-steady state   estado cuasiestacionario; régimen cuasipermanente.

quaternary   grupo de cuatro; compuesto cuaternario ‖ *(Geol)* (período) cuaternario ⫽ *adj:* cuaternario; constituido por cuatro elementos ‖ *(Geol)* cuaternario ‖ *(Mat)* cuaternario, cuaterno.

quaternion   cuaternidad; serie de cuatro; fila de cuatro ‖ *(Mat)* cuaternio. Número complejo de cuarto orden, o sea, del tipo $\alpha = a + bi + cj + dk$, siendo $a, b, c,$ y d las componentes del cuaternio. Fue creado por Hamilton.

quaver   gorjeo, trino ‖ *(Acús)* trémolo, vibración ‖ *(Mús)* corchea ⫽ *verbo:* gorjear, trinar, gargantear, hacer quiebros; temblar, vibrar.

quay   muelle; embarcadero.

que   v. **cue.**

QUE   *(Teleg)* Abrev. de Quebec.

quench   *verbo:* detener abruptamente; enfriar repentinamente; apagar, extinguir (fuego, llamas); remojar; enfriar un objeto candente sumergiéndolo en un líquido; amortiguar, extinguir (oscilaciones); reducir la fluorescencia o la fosforescencia (de una substancia mezclándola con otra, o por otros medios) ‖ *(Elec)* suprimir chispas; soplar, extinguir (un arco) ‖ *(Met)* templar, ahogar, sumergir, enfriar por inmersión.

quench capacitor   v. **quenching capacitor.**

quench circuit   v. **quenching circuit.**

quench condenser   v. **quenching capacitor.**

quench frequency   (a.c. quenching frequency) frecuencia de corte [entrecorte, interrupción, amortiguación]. Frecuencia a la cual son suprimidas o amortiguadas las oscilaciones en un receptor superregenerativo [superregenerative receiver] ‖ frecuencia de recorte. Frecuencia a la cual varía la reacción en la recepción superregenerativa [superregenerative reception] (CEI/70 60–44–065).

quench oscillator   v. **quenching oscillator.**

quench voltage   v. **quenching voltage.**

quenched   *adj:* apagado, extinguido; amortiguado; suprimido; templado.

quenched gap   v. **quenched spark-gap.**

quenched resonator   resonador de extinción.

quenched spark   chispa interrumpida [entrecortada, apagada, soplada]. Chispa que comprende un número corto de oscilaciones, debido a la acción de un artificio que desioniza el espacio interelectródico [gap] casi inmediatamente después de haber saltado la chispa inicial.

quenched spark-gap   *(Radiocom, Gen de osc)* explosor de chispas entrecortadas [apagadas] ‖ explosor de chispas interrumpidas. Explosor en el cual la chispa es extinguida por medios especiales después de un pequeño número de oscilaciones (CEI/38 60–10–010).

quenched spark-gap converter   convertidor con explosor de chispas interrumpidas. Generador de oscilaciones (energía) de radiofrecuencia que utiliza la descarga oscilatoria de un capacitor a través de una bobina y un explosor de chispas interrumpidas. CF. **spark-gap generator.**

quenched-spark system   sistema apagador de descarga.

quencher   apagador; extintor; atenuador; producto retardador;

bebida que calma la sed ‖ *(Elec)* extinguidor ‖ *(Luminiscencia)* extintor (de luminiscencia). Substancia introducida en un cuerpo luminiscente [luminescent material] a fin de reducir la duración de la fosforescencia (CEI/56 07–10–075).

quenching   detención abrupta; extinción, interrupción (de un fenómeno); extinción, interrupción, amortiguamiento (de oscilaciones); enfriamiento repentino [rápido]; templado (del acero); extinción, apagado (de una chispa eléctrica); extinción (de luminiscencia); reducción de duración (de una fosforescencia) ‖ *(Nucl, Det de radiación)* extinción. Proceso de detener la descarga continua o las descargas múltiples que suceden a un suceso ionizante [ionizing event] en ciertos tipos de detectores de radiación, en particular en los tubos contadores Geiger-Mueller (CEi/68 66–10–215).

quenching agent   agente de extinción.

quenching capacitor   (a.c. quench capacitor, quench condenser, quenching condenser) capacitor [condensador] de extinción (de chispas).

quenching choke   bobina de reactancia extintora; bobina de reactancia amortiguadora.

quenching circuit   (a.c. quench circuit) circuito de extinción; circuito supresor [eliminador] de chispas ‖ *(Nucl, Det de radiación)* circuito extintor. Circuito que asegura la extinción [quenching] por reducción, supresión o inversión de la tensión aplicada a un tubo contador Geiger-Mueller (CEI/68 66–10–225).

quenching coil   bobina de extinción.

quenching condenser   v. **quenching capacitor.**

quenching frequency   v. **quench frequency.**

quenching gas   *(Nucl, Det de radiación)* gas de extinción. Uno de los constituyentes de la mezcla gaseosa de llenado de un tubo contador Geiger-Mueller, cuyo papel es el de provocar la autoextinción de la descarga [self-quenching of the discharge] (CEI/68 66–10–220).

quenching of a discharge   extinción de una descarga.

quenching oil   aceite de temple [para temple].

quenching oscillator   oscilador de interrupción.

quenching period   período de extinción.

quenching power   poder extintor [de extinción]; poder amortiguador; poder atenuador.

quenching probe unit   *(Nucl)* sonda amplificadora de autointerrupción.

quenching rate   velocidad de extinción; velocidad de amortiguamiento; velocidad de enfriamiento.

quenching resistance   v. **quenching resistor.**

quenching resistor   (a.c. quenching resistance) resistor [resistencia] de extinción; resistencia de soplado de chispas.

quenching vapor   *(Nucl, Det de radiación)* vapor de extinción. Gas poliatómico utilizado en un tubo contador Geiger-Mueller para extinguir la avalancha de ionización. v.TB. **quenching gas.**

quenching voltage   tensión interruptora.

queue   cola, fila, hilera de personas o cosas; coleta, trenza (de pelo) ‖ *(Estadística)* cola, fila de espera. Personas, máquinas, etc., que esperan un servicio. v. **queues in tandem** ‖ *(Telecom)* cola. En un sistema de espera [call queuing system], conjunto de un cierto número de posiciones donde pueden ser acumuladas las llamadas en su orden de llegada mientras esperan el establecimiento de un enlace con una operadora (CEI/70 55–105–400). v. **queuing system, variable queue.**

queue equipment   *(Telecom)* equipo de tráfico de espera.

queue list   *(Telecom)* lista de espera.

queue place   *(Telecom)* posición en la cola. En un sistema de espera [call queuing system], una de las posiciones previstas para el almacenamiento de una llamada de la cola (CEI/70 55–105–410). v. **queuing system.**

queues in tandem   *(Estadística)* colas [filas de espera] en tándem.

queuing   puesta en fila [en cola, en turno].

queuing problem   *(Estadística)* problema de cola [fila de espera].

queuing system   sistema de espera ‖ *(Telecom)* **call queuing**

system: sistema de espera. Sistema en el cual cierto número de llamadas son almacenadas en su orden de llegada para ser contestadas posteriormente (CEI/70 55–105–395).

quick   *adj:* rápido, veloz; ágil, ligero, presto; activo, vivo /// *adv:* rápidamente, velozmente; ágilmente, de prisa, con presteza, prontamente.

quick-acting   *adj:* de acción rápida, rápido.

quick-acting relay   relé rápido.

quick-acting switch   interruptor de acción rápida.

quick-acting thermostat   termostato de acción rápida; termostato positivo.

quick action   acción rápida ‖ *(Telecom)* acción inmediata. CF. **delayed action, step-by-step action.**

quick-break contactor   *(Elec)* contactor de acción rápida, contactor ultrarrápido.

quick-break fuse   *(Elec)* fusible ultrarrápido. Fusible ideado de modo que al fundirse el hilo o elemento fusible, el arco es alargado rápidamente, generalmente separando los extremos de dicho elemento mediante un resorte, con lo cual el circuito queda cortado casi instantáneamente.

quick-break switch   *(Elec)* interruptor rápido [ultrarrápido, instantáneo, de ruptura brusca] | interruptor de corte rápido. Aparato provisto de un dispositivo tal que su apertura es siempre rápida, sea cual fuere la velocidad con que se maniobre el órgano de accionamiento (CEI/38 15–10–045).

quick change   cambio rápido; conmutación rápida.

quick-change bracket   *(Proy cine)* soporte (para lámparas excitadoras) de conmutación rápida.

quick-change spare lamp   *(Proy cine)* lámpara de repuesto de cambio rápido.

quick charge   *(Acum)* (a.c. boost charge) carga rápida. Carga parcial, generalmente a un régimen elevado, durante un período corto (CEI/60 50–20–265).

quick closing   cierre rápido.

quick-connect   *adj:* de conexión rápida.

quick-connect clip   *(Elec)* pinza de conexión rápida.

quick connecting   conexión rápida.

quick-connecting coupling   acoplamiento de acción rápida.

quick-connecting device   dispositivo de conexión [unión] rápida.

quick coupling   acoplamiento rápido.

quick-disconnect   *adj:* de desconexión rápida.

quick-disconnect plug and receptacle   clavija y receptáculo de desconexión rápida.

quick-disconnect terminal   terminal de desconexión rápida.

quick disconnection   desconexión rápida.

quick fastening   unión rápida; colocación rápida.

quick fire   *(Artillería)* tiro rápido.

quick firing   *(Artillería)* tiro rápido.

quick-firing cannon   cañón de tiro rápido.

quick-firing gun   cañón de tiro rápido.

quick flashing   destellos rápidos.

quick-flashing light   foco de destellos rápidos | luz parpadeante. Luz que aparece a intervalos regulares (generalmente no menos de 60 veces por minuto) y cuyas duraciones de emisión y de obscuridad son iguales o aproximadamente iguales (CEI/58 45–60–045) | luz centelleante. Luz de alternancias o grupos de alternancias regulares de luz y obscuridad, que se repiten a intervalos iguales o inferiores a un segundo (CEI/70 45–60–090).

quick heating   calentamiento rápido.

quick-heating filament   filamento de calentamiento rápido.

quick-insert   *adj:* de inserción rápida.

quick-insert carriage   *(Informática)* carro de inserción rápida.

quick-insert feature   característica de inserción rápida ‖ *(Informática)* dispositivo de inserción rápida.

quick-make   *adj:* de acción rápida ‖ *(Elec)* de cierre rápido; de contacto ultrarrápido [instantáneo].

quick-make-and-break switch   interruptor de cierre y corte rápidos.

quick-make switch   interruptor de cierre rápido.

quick opening   apertura rápida.

quick-opening switch   interruptor de apertura rápida.

quick operating   funcionamiento rápido; acción rápida.

quick-operating relay   relé rápido.

quick operation   operación rápida; funcionamiento rápido; acción rápida ‖ *(Telecom)* acción inmediata | **(of a relay)** atracción rápida (de la armadura).

quick recovery   recuperación rápida ‖ *(Elecn)* restablecimiento rápido, reacción rápida. Rapidez con que un dispositivo retorna a su condición normal o de reposo después de cesar la excitación.

quick release   aflojamiento rápido; desembrague rápido ‖ *(Avia)* suelta rápida, desprendimiento [lanzamiento] rápido ‖ *(Telecom)* interrupción [desconexión] inmediata.

quick-release coupling   acoplamiento de desenganche rápido; acoplamiento de desembrague rápido.

quick-release fastener   sujetador de desenganche rápido.

quick-release harness   *(Paracaídas)* arnés de desenganche rápido.

quick response   respuesta rápida.

quick-response recorder   (aparato) registrador de respuesta rápida.

quick return   retorno rápido; retroceso rápido.

quick start   arranque rápido.

quick-start fluorescent lamp   *(Ilum)* lámpara fluorescente sin cebador. v. **starterless fluorescent lamp.**

quick switch   v. **quick-acting switch, quick-break switch.**

quick test   prueba rápida.

quick thread   *(Roscas)* paso grande, paso largo.

quick withdraw   retirada rápida; extracción rápida; retracción rápida.

quiescent   *adj:* inactivo; estático, fijo; estable; en reposo ‖ *(Elecn/Telecom)* sin excitación; sin señal de entrada; en reposo.

quiescent antenna   (a.c. dummy antenna) antena ficticia.

quiescent carrier   *(Radiocom)* portadora suprimida (durante los intervalos de reposo de la modulación).

quiescent-carrier modulation   *(Radiocom)* modulación de portadora suprimida (durante los intervalos de reposo de la modulación) | modulación con interrupción de portadora. Modulación en la cual la emisión de la portadora se interrumpe en ausencia de señal moduladora (CEI/70 60–42–120).

quiescent-carrier system   *(Radiocom)* sistema de portadora retirada, sistema de modulación con interrupción de (la) portadora.

quiescent-carrier telephony   *(Radiocom)* telefonía de modulación con interrupción de (la) portadora, telefonía con intervalos sin emisión [con supresión de la portadora en los silencios].

quiescent circuit   circuito inactivo [sin corriente]; circuito en reposo.

quiescent condition   estado de reposo ‖ *(Sincros)* estado de error cero.

quiescent current   *(Elecn)* corriente de reposo. Corriente de electrodo [electrode current] correspondiente a la tensión de reposo [bias voltage] del mismo (CEI/56 07–27–070).

quiescent-current compensation   compensación de la corriente de reposo.

quiescent operating point   v. **quiescent point.**

quiescent plasma   plasma estable.

quiescent point   *(Elecn)* (a.c. quiescent operating point, Q point) punto de reposo, punto de trabajo estático. (1) Valores de tensión y de corriente propios del estado de reposo, es decir, sin señal excitadora. (2) Valores de tensión y de corriente continuas y valor de disipación de energía en ausencia de señal de entrada. SIN. **(static) operating point** | punto de reposo. Punto de una curva característica [characteristic curve] correspondiente a la tensión de reposo [(electrode) bias voltage] (CEI/56 07–28–160)]. CF. **working point.**

quiescent power consumption   consumo (de energía) en reposo.

quiescent power dissipation   disipación (de energía) en reposo [en estado de reposo].

quiescent push-pull   v. **quiescent push-pull amplifier.**

quiescent push-pull amplifier   amplificador en contrafase silencioso, amplificador simétrico silencioso, montaje equilibrado sin componente continua. Amplificador contrafásico o simétrico (v. **push-pull amplifier**) en el cual las rejillas de control tienen aplicada un polarización negativa de tal valor que la corriente anódica total es prácticamente cero en ausencia de señal. Se utiliza en radiorreceptores con el fin de suprimir todo ruido al pasar de una estación a otra, aunque la calidad de sonido no es buena cuando las señales recibidas son muy débiles.

quiescent push-pull valve operation   amplificación en contrafase quiescente. Amplificación simétrica [balanced operation] en la cual cada tubo electrónico está polarizado de tal manera que la corriente anódica total sea muy reducida en ausencia de señal (CEI/70 60–19–110) | amplificación simétrica silenciosa.

quiescent state   *(Elecn)* estado de reposo.

quiescent value   *(Elecn)* valor de reposo. Valor de corriente, de tensión o de disipación de energía en ausencia de toda señal. CF. **quiescent current, quiescent point.**

quiet automatic gain control   *(Rec)* control automático de ganancia con silenciador. Regulador automático de ganancia con umbral, asociado a un dispositivo de insensibilización destinado a reducir o suprimir toda señal de salida correspondiente a señales de entrada o de ruidos de nivel medio inferior al umbral de regulación de ganancia (CEI/70 60–44–170). CF. **quiet automatic volume control.**

quiet automatic volume control [QAVC]   control automático de volumen silencioso, regulación automática silenciosa del volumen. Control automático de volumen que no entra a funcionar mientras la señal recibida no alcance cierta intensidad, con el resultado de que no se les da plena amplificación a los ruidos de fondo que normalmente se captan al pasar de una estación a otra. SIN. **delayed automatic gain control.**

quiet battery   *(Telef)* batería silenciosa. Batería o fuente de corriente continua especialmente bien filtrada, con el fin de que la misma no aporte ruido al circuito de conversación [talking circuit]. SIN. **talking battery.**

quiet channel   *(Telecom)* canal silencioso || *(Radiocom)* *(i.e.* quiet-channel device) activador selectivo de canales. Dispositivo que mantiene el receptor mudo mientras no sea activado por una señal selectiva transmitida por la estación que llama. Se usa en redes de radiotelefonía móvil para no tener que estar oyendo el tráfico de las demás estaciones mientras se tiene el receptor encendido y listo para recibir llamadas.

quiet circuit   *(Telecom)* circuito silencioso. SIN. **circuito no afectado de ruido, circuito exento [libre] de perturbaciones.**

quiet ionosphere   ionosfera en calma.

quiet running   funcionamiento silencioso [suave]; marcha silenciosa [suave].

quiet sun   sol tranquilo, sol en calma, sol con poca actividad.

quiet-sun year   año de sol tranquilo, año de actividad solar mínima.

quiet surrounding   ambiente [entorno] silencioso.

quiet tuning   sintonía [sintonización] silenciosa. Sintonización de un receptor provisto de un sistema que enmudece la salida siempre que no haya una portadora exactamente sintonizada.

quieting   silenciamiento, enmudecimiento; supresión de ruidos /// *adj:* silenciador, enmudecedor; supresor de ruidos.

quieting sensitivity   umbral de silenciamiento. En un receptor, mínima amplitud de la señal de entrada a la cual la relación señal a ruido de salida alcanza determinado valor especificado.

quieting system   *(Radiocom)* sistema silenciador | **20-dB quieting system:** método de 20 dB de silenciamiento. Método para determinar la selectividad de un receptor, construyendo una curva que representa la función $A = 10 \log_{10} P_0/P$, para $s = 20$ dB, donde A viene dada en decibelios; P_0 es la potencia de la señal de entrada a la frecuencia de resonancia; P es la potencia de la misma señal a otras frecuencias; y s la constante de silenciamiento (atenuación de ruidos), expresada en decibelios. La variable independiente es la frecuencia, o, más exactamente, la desviación de la frecuencia de resonancia. Dicha curva representa la *selectividad útil* del receptor,

porque en ella se toma en cuenta el factor de ruido. La constante s es función de la tensión de CAV, la que a su vez es proporcional a la intensidad de señal a la entrada del segundo detector.

quill   pluma de ave: cañón de pluma; cañón [pluma] de escribir, calamo; *(sentido figurado)* escritor; escarbadientes de cañón de pluma; canilla, canutillo, broca, devanador; pliegue cilíndrico (de un rizado); tubo (p.ej. de canela); cañón, pliegue (de visillo o cortinilla de ventana) || *(Mús)* plectro de pluma; caramillo || *(Mec)* árbol hueco; eje hueco; manguito, forro, vaina || *(Elec)* soporte (de inducido) || v. **quill drive.**

quill drive   *(Mec)* (a.c. quill) transmisión tubular [por vaina, por eje hueco], impulsión por vaina || *(Tracción eléc)* transmisión por árbol hueco. Transmisión que comprende alrededor del eje [axle] un árbol hueco [hollow shaft] solidario del motor y unido a las ruedas motrices por un sistema deformable [resilient drive] (CEI/57 30–15–485). CF. **hollow-shaft motor drive.**

quinary   *adj:* quinario. Que consta de cinco elementos; que tiene por base el número cinco.

quinary group   *(Comput)* grupo quinario.

quinary quadratic form   *(Mat)* forma cuadrática quinaria.

quinary solution   *(Quím)* disolución quinaria.

quinhydrone   *(Quím)* quinhidrona.

quinhydrone electrode   *(Electroquím/Electromet)* (a.c. quinhydrone half-cell) electrodo [semicelda] de quinhidrona. Semicelda que comprende un electrodo inatacable [electrode of an inert metal] en contacto con una solución de un electrólito saturado de quinhidrona (CEI/60 50–05–175).

quinhydrone half-cell   *(Electroquím/Electromet)* semicelda [electrodo] de quinhidrona. v. **quinhydrone electrode.**

quinol   *(Quím)* quinol.

quint   conjunto de cinco; *(en ciertos juegos de naipes)* quinta || *(Mús)* quinta; registro de órgano.

quintal   quintal. Peso de 100 libras (4 arrobas). SIN. **hundredweight** | *(i.e.* metric quintal) quintal métrico. Peso de 100 kg.

quintet, quintette   quintete, conjunto de cinco elementos de una misma clase || *(Astr)* **(of galaxies)** quintete (de galaxias) || *(Mús)* quinteto.

quintic   *adj:* *(Mat)* quíntico, de quinto grado.

quintic equation   *(Mat)* quíntica, ecuación quíntica [de quinto grado].

quintuple   quintuplo /// *adj:* quintuplo /// *adv:* cinco veces mayor /// *verbo:* quintuplicar(se).

quintuplet   quintuplete, conjunto de cinco elementos de una misma clase; grupo de cinco; quintillizo || *(Mús)* quintillo.

quota   cuota.

quota sampling   *(Estadística)* muestreo por cuotas.

quotation   cita (de un pasaje, de un texto); cotización (de precios). SINONIMO COLOQUIAL: *quote.*

quotation marks   comillas.

quote   v. **quotation** /// *verbo:* citar (un pasaje, un texto); cotizar (precios).

quotient   cociente, cuociente.

quotient-difference algorithm   *(Informática)* algoritmo cociente-diferencia.

quotient expansion   *(Informática)* ampliación del cociente.

quotient group   *(Mat)* grupo cociente.

quotient law (for tensors)   *(Mat)* ley del cociente (para tensores).

quotient meter   *(Elec)* logómetro, cocientímetro. Aparato destinado a medir la relación entre dos magnitudes eléctricas (CEI/38 20–15–150).

quotient relay   *(Elec)* relé de cociente. Relé cuya magnitud de influencia [actuating quantity] es el cociente de dos magnitudes eléctricas, usualmente dos corrientes (CEI/56 16–30–050).

quotient ring   *(Mat)* anillo cociente.

quotient semigroup   *(Mat)* semigrupo cociente.

quotient set   *(Mat)* conjunto cociente.

quotient space   *(Mat)* espacio cociente.

QY   *(Teleg)* Abrev. de query [pregunta; duda; signo interrogante; preguntar; indagar].

R

r   Abrev. de radius.

R   Símbolo o abreviatura de resistance; resistor; rectifier; Rankine; Reaumur; roentgen | Símbolo del número de Wolf [Wolf's number] o número de Zurich [Zurich's number] || *(Teleg)* Abrev. de are; right || *(Radiol)* v. **R (French)**.

R/C   Abrev. de remote control | Expresión del cociente de la resistencia por la capacitancia.

R/C tester   probador de resistencias y condensadores.

R-C   Abrev. de resistance-capacitance. v. **RC**.

R display   *(Radar)* presentación R, presentación visual tipo R. Es igual a la presentación A [A display], pero el segmento de recta horizontal que aparece en la pantalla corresponde sólo a una parte de la distancia total explorada, por lo cual puede medirse mejor dicha distancia. SIN. **scope**.

r-f   Abrev. de radio-frequency. v. **RF**.

R (French), R (Solomon)   *(Radiol)* R (Francés), R (Solomón). Unidad de medida que representa la cantidad de ionización producida por segundo, por gramo de elemento radium filtrado por 0,5 mm de platino a 2 cm de distancia de la cámara (CEI/64 65-20-020).

R meter   R-metro. Aparato de medida de ionización calibrado de modo de medir la intensidad de una radiación ionizante [ionizing radiation] (p.ej. rayos gamma o rayos X) en roentgens

R/O   *(Teleimpr)* Abrev. de receive only.

R/P   Abrev. de record/playback.

r parameter   *(Transistores)* parámetro r. Se relaciona con la resistividad.

R-S flip-flop   *(Elecn)* basculador R-S. Basculador electrónico con dos entradas designadas con encionalmente R y S, y tal que la aplicación de un impulso a reloj [clock pulse] hace que un 1 binario en la entrada S ponga el circuito en el estado "1", y que un 1 binario en la entrada R lo devuelva al estado "0" (se entiende que no existirá un 1 binario en ambas entradas simultáneamente). CF. **R-S-T flip-flop**.

R (Solomon)   *(Radiol)* v. **R (French)**.

R-S-T flip-flop   *(Elecn)* basculador R-S-T. Basculador electrónico igual al R-S (v. **R-S flip-flop**), pero con una tercera entrada, designada convencionalmente T, que al ser excitada cambia el estado del circuito.

R/T   *(Radiocom)* Abrev. de radiotelephone; radiotelephony.

R/T channel   canal radiotelefónico.

R/T conversation   conversación radiotelefónica, comunicación en fonía.

R/T talk-down instructions   *(Avia)* instrucciones de aterrizaje por radiotelefonía. CF. **talk-down system**.

R-theta navigation   navegación r-theta.

r unit   *(Radiol)* R, roentgen. v. **roentgen**.

R wave   *(Electrobiol)* onda R. v. **P wave**.

R—Y amplifier   *(Tv)* amplificador de señal R—Y. v. **R—Y signal**.

R—Y component   *(Tv)* componente R—Y.

R—Y demodulator   *(Tv)* desmodulador de señal R—Y.

R—Y detector   *(Tv)* detector de señal R—Y.

R—Y information   *(Tv)* información R—Y.

R—Y signal   *(Tv)* señal R—Y. Señal diferencia de color igual a la señal del rojo (R) menos la señal de luminancia (Y), utilizada para la transmisión de televisión en colores. Cuando se la combina con la señal de luminancia en el receptor, se obtiene la correspondiente al rojo primario: $(R-Y)+Y=R$.

R—Y vector   *(Tv)* vector R—Y.

Ra   Símbolo químico del radium o radio [radium].

rabal   rabal. (1) Sistema que comprende el empleo de un globo radiosonda [radiosonde balloon] para determinar las condiciones atmosféricas a diversas alturas. (2) Parte o boletín preparado con datos obtenidos mediante ese sistema. El término viene de *radiosonde balloon*.

rabbet plane   *(Herr)* guillame, guillamen, quillame, guimbarda, garlopín, cepillo avivador, cepillo de ranurar.

rabbit   *(Zool)* conejo || *(Nucl)* (*i.e.* pneumatically operated sample tube) "conejo", "rabbit", tubo neumático, tubo de muestra de funcionamiento neumático, dispositivo de irradiación rápida. Pequeño recipiente que es impulsado neumáticamente (o hidráulicamente) a través de un tubo en un reactor nuclear, con el objeto de exponer substancias a la radiación y al flujo de neutrones en la zona activa; se utiliza en experimentos para la rápida extracción de muestras con períodos de semidesintegración [half-lives] cortos. SIN. **shuttle**.

rabbit-ear antenna   antena en V, antena en forma de cuerno. LOCALISMO: antena "bigote de gato". Antena formada por dos varillas metálicas en forma de "V", y utilizada bajo techo con receptores de televisión y, a veces, de difusión de modulación de frecuencia.

rabies   *(Medicina)* rabia, hidrofobia /// *adj:* hidrofóbico.

rabies investigation   investigación hidrofóbica.

RAC   Abrev. de rectified alternating current || *(Avia)* Abrev. de Rules of the Air and Air-Traffic Control [Reglamento de la Circulación Aérea y del Control de la Circulación Aérea].

Racah coefficient   *(Fís)* coeficiente de Racah. Coeficiente que ocurre en la teoría cuántica de la cantidad de movimiento angular.

race   raza; casta; descendencia; estirpe; carrera; regata; pista (de bestia de noria); canal, surco; canaleta; raudal || *(Hidr)* canal (de trabajo); caz, saetín || *(Mec)* jaula, aro de rodamiento || *(Cojinetes)* anillo [collar] de bolas; anillo-guía, anillo de rodadura || *(Plomería)* conducto para tubería || *(Avia)* torbellino de la hélice; corriente de aire de la hélice || *(Comput)* "carrera". Estado transitorio, en un circuito de computadora asíncrona, durante el cual dos o más elementos de memoria están cambiando de estado simultáneamente /// *verbo:* correr (de prisa); correr (en competencia); ir a toda marcha, ir a toda velocidad; galopar; acelerarse (el pulso) || *(Mot)* embalarse. TB. desbocarse, dispararse | acelerar (un motor) a fondo.

race condition   *(Contadores de control)* condición ambigua que se presenta cuando un basculador pasa a su estado siguiente antes de que otro haya tenido tiempo de engancharse.

race rotation   *(Avia)* rotación del torbellino [del viento] de la hélice; rotación de una vena de aire al pasar por una hélice en movimiento.

race track   v. **racetrack**.

racemic   racémico /// *adj:* racémico. (1) Dícese de las substancias constituidas por partes iguales de moléculas dextrógiras y levógiras, existiendo así una compensación que hace aquéllas inactivas. (2) Dícese de una substancia ópticamente inactiva, pero que contiene o puede ser resuelta en formas de actividad óptica opuesta (v. **optical activity**).

RACEP   Siglas de Random Access and Correlation for Extended Performance (designación de una red de satélites artificiales destinada a comunicaciones militares — EE.UU.).

RACER   Siglas representativa de cinco criterios propuestos para evaluar el mérito de un producto: *Reliability* [seguridad funcional]; *Availability* [disponibilidad]; *Compatibility* [compatibilidad]; *Economy* [economía]; *Reproducibility* [reproducibilidad].

RACES   Siglas de Radio Amateur Civil Emergency Service.

racetrack   *(also* race track*)* pista de carreras, carrera; hipódromo || *(Nucl)* (*also* track, rack track) "pista de carreras". Conjunto de calutrones [calutrons] en forma de pista de carreras o hipódromo, con campo magnético en común.

raceway   canal (de conducción); canaleta || *(Hidr)* (a.c. race) canal (de trabajo); caz, saetín || *(Mec)* anillo de rodadura; superficie de rodamiento; caja, canal || *(Plomería)* (a.c. race) conducto para tubería || *(Elec)* canal para alambres; conducto eléctrico. Canalización utilizada para contener y proteger conductores, cables, o barras colectoras o de distribución [busbars].

raceway terminal fitting   *(Elec)* guarnición terminal de conducto.

rack   soporte, bastidor; percha; atril; caballete; anaquel; estantería; consola; rejilla; enrejado; aparato para estirar ‖ *(Autos)* rejilla portaequipajes [para equipajes] ‖ *(Aviones)* dispositivo portabombas ‖ *(Cine/Fotog)* bastidor; portapelícula ‖ *(Hidr)* enrejado, reja, rejilla ‖ *(Informática)* tarjetero ‖ *(Lab)* atril, gradilla; soporte de tubos de ensayo ‖ *(Mec)* cremallera; escalerilla; sector dentado ‖ *(Carros, Camiones)* adrales (tablas o zarzos para mantener la carga) ‖ *(Meteor)* nube pequeña; cúmulos ‖ *(Montaje de acumuladores)* estante ‖ *(Tuberías)* astillero, casillero ‖ *(Puertas y ventanas)* cuadro, batiente ‖ *(Relojes)* segmento dentado ‖ *(Elec/Elecn/Telecom)* bastidor (armazón para el montaje de aparatos); chasis; armario metálico; gancho portacable | **rack for supporting cables:** bastidor para cabezas de cable | bastidor. Armazón fija, generalmente metálica, sobre la cual son montados aparatos, paneles o platinas de soporte de órganos (CEI/70 55–25–400) | CF. **bay, frame, relay rack** ‖ *(Fab de tubos elecn) (i.e.* electron-tube rack) estante para prueba de tubos, grada para comprobación de válvulas ‖ *(Torres de ant)* **rack for fastening of cables or waveguides:** escalerilla para sujeción de cables o de guías de ondas ⫻ *verbo:* hacer un enrejado; poner sobre zarzos; estirar (p.ej. pieles); colocar en perchas; montar en bastidor.

rack adapter   *(Elecn/Telecom)* adaptador para montaje en bastidor.

rack adapter panel   panel adaptador [de adaptación] para montaje en bastidor. Utilízase para montar en bastidor un aparato o dispositivo cuyo panel propio es de ancho menor que el del bastidor.

rack adjustment   ajuste por cremallera.

rack-and-panel construction   *(Elecn/Telecom)* construcción para montaje en bastidor normalizado.

rack and pinion   *(Mec)* cremallera y piñón. Organo constituido por una barra dentada (la cremallera) en la cual engrana una rueda dentada (el piñón), y que permite transformar un movimiento rotativo en movimiento rectilíneo, y viceversa. Este sistema tiene infinidad de aplicaciones; en unas, la cremallera se mueve y hace girar el piñón; en otras, éste es motor y provoca la traslación de aquélla | engranaje de cremallera; mecanismo de cremallera.

rack-and-pinion drive   mecanismo impulsor (del tipo) de piñón y cremallera, mecanismo (de accionamiento) de piñón y cremallera.

rack-and-pinion processing unit   *(Cine)* cuba de revelado con mecanismo de cremallera.

rack-and-pinion steering   *(Autos)* dirección de cremallera, dirección por piñón y cremallera. Dirección en la cual el volante acciona un piñón que obliga a correrse a una cremallera que es solidaria de las barras que gobiernan las ruedas directrices.

rack-and-pinion viewer   *(Microscopios elecn)* visor de piñón y cremallera.

rack assembly   *(Elecn/Telecom)* conjunto de bastidores | conjunto de bastidor. **(1)** Conjunto de los equipos y dispositivos montados en un bastidor. **(2)** Conjunto de equipo montado en un bastidor y compuesto generalmente de uno o varios paneles [panels] o conjuntos de caja de montaje [shelf assemblies]. CF. **terminal assembly.**

rack-bench housing   *(Elecn)* cubierta de montaje en bastidor o sobre el banco. Cubierta (caja metálica) de un dispositivo que permite montar éste en un bastidor o colocarlo sobre el banco de trabajo.

rack cabinet   armario bastidor. Bastidor cubierto; combinación de bastidor y armario metálico.

rack-cabinet layout   *(Elecn/Telecom)* croquis [esquema] de disposición de los armarios bastidores.

rack channel   *(Telecom)* base de bastidor.

rack frame   *(Elecn)* caja-soporte para bastidor.

rack gear   engranaje de cremallera; mecanismo de cremallera ‖ *(Sist de sintonía por botones)* sector dentado.

rack guide   guía de cremallera.

rack hanger   *(Elecn/Telecom)* soporte de montaje en bastidor.

rack layout   *(Elecn/Telecom)* disposición de equipos en el bastidor; croquis de disposición de bastidores, esquema de distribución de bastidores | esquema de disposición de bastidor. Esquema en el cual se muestra la distribución de las unidades montadas en un bastidor.

rack link   varilla de cremallera.

rack lock   seguro de la cremallera.

rack-mount   *adj:* de montaje en bastidor, para montaje en bastidor.

rack-mount hardware   (piezas de) ferretería para montaje en bastidor.

rack-mount instrument   instrumento para montaje en bastidor. CF. **bench-mount instrument.**

rack-mounted   *adj:* montado en bastidor; montado sobre consola.

rack-mounted equipment   equipo montado en bastidor.

rack-mounted missile   proyectil montado sobre consolas.

rack-mounted unit   unidad (de equipo) montada en bastidor.

rack-mounting   *adj:* de montaje en bastidor, para montaje en bastidor.

rack-mounting frame   *(Elecn/Telecom)* chasis de montaje en bastidor.

rack panel   *(Elecn/Telecom)* panel de bastidor. Plancha (generalmente metálica) a la cual se fija un aparato o dispositivo y que a su vez se monta sobre un bastidor normalizado [relay rack] o sobre un armario bastidor [rack cabinet]. Su ancho normalizado es de 19 pulgadas (48,3 cm); su altura es siempre un múltplo de 1,75 pulgada (44,45 mm). CF. **rack adapter panel.**

rack rail   *(Ferroc)* riel dentado, carril de cremallera | cremallera sencilla (de dos o tres láminas). Barras dentadas que se colocan entre las dos filas de rieles y en las cuales engranan ruedas dentadas verticales situadas en el vehículo de tracción.

rack railroad   ferrocarril de cremallera.

rack railway   *(Ferroc)* locomoción por cremallera [por adherencia artificial]. Traslación utilizando cremallera en medio de la vía y ruedas dentadas en los vehículos de tracción | **rack railways:** ferrocarril de ruedas dentadas.

rack roller   rollete de la cremallera.

rack section   *(Telecom)* bastidor único.

rack segment   *(Mec)* sector dentado.

rack tab   *(Informática)* rótulo de tarjetero.

rack wheel   rueda dentada; piñón de la cremallera; rueda de escape.

rack wiring   *(Elecn/Telecom)* cableado de bastidor.

rack-work   v. **rackwork.**

rackboard   *(Organos)* soporte de tubos.

racking   estirado (p.ej. de pieles) ‖ *(Cine)* encuadre ‖ *(Elecn/Telecom)* colocación en bastidor(es).

racking space   espacio para almacenar en estantes ‖ *(Elecn/Telecom)* espacio para montar en bastidores.

rackwork   mecanismo de cremallera.

racon   racon. TB. faro [baliza] de radar, radiofaro respondedor, radiofaro receptor-emisor. Dispositivo utilizado como ayuda a la navegación (p.ej. al aterrizaje sin visibilidad) y caracterizado por reflejar con gran intensidad todo haz radioeléctrico incidente sobre él, o por emitir una señal propia (señal de respuesta) al recibir determinados impulsos de mando (señal de interrogación) emanados de un emisor de radar. El nombre viene de *radar* beacon. SIN. **radiobaliza gobernada por impulsos radáricos —— radar beacon, responder beacon, transponder.** CF. **radio beacon** | racon. Radiobaliza de radionavegación de cotranscéptor de identificación [transponder] utilizada en radionavegación marítima (CEI/70 60–74–085).

rad   *(Radiol)* rad. Unidad de dosis absorbida correspondiente a la absorción de 100 ergios por gramo de materia irradiada. Es nombre masculino. PLURAL: rades | rad. Unidad de dosis absorbida igual a 100 ergios por gramo. OBSERVACION: El *rad* es actualmente reconocido internacionalmente como unidad de dosis absorbida [unit of absorbed dose] y constituye con el *roentgen* y el *curie* las únicas unidades fundamentales reconocidas de la dosimetría (CIUR Copenhague 1953) (CEI/64 65–15–120) | rad. Unidad especial reservada para la dosis absorbida.

$$1 \text{ rad} = 100 \text{ erg/g} = (1/100) \text{ J/kg}$$

NOTA: J es el símbolo del joule (CEI/68 66–05–015).

RAD   (*Teleg*) Abrev. de radar; radio | (*En la clave para los mensajes URSI*) constante solar [solar constant].

RADAC   Siglas de Rapid Digital Automatic Computation (designación de un sistema electrónico director de tiro contra cohetes atacantes — EE.UU.).

radan   radan. Sistema de navegación por radar basado en el efecto Doppler, utilizado a bordo de aviones. Es totalmente autónomo; es decir, que su funcionamiento es independiente de toda estación fija. También encuentra el sistema aplicación en prospección y cartografía, con la ventaja de que todos los dispositivos van montados en el avión explorador, a bordo del cual se efectúan todas las operaciones necesarias. El nombre viene de *ra*dar *D*oppler *a*utomatic *n*avigator.

radan antenna array   red de antenas radan.

radan navigation system   sistema de navegación radan.

radan navigator   equipo de navegación radan.

radar   radar. TB. radiodetección, radiolocalización, detección electromagnética. (**1**) Técnica destinada a descubrir la presencia y determinar la posición de objetos distantes (aviones, buques, obstáculos, etc.) mediante la emisión de ondas radioeléctricas y la recepción de sus reflexiones sobre esos objetos (llamados *blancos*). (**2**) Sistema radioeléctrico cuyo objeto es el de determinar las coordenadas polares de un cuerpo distante. (**3**) Sistema de radiolocalización [radiolocation system] en el cual la transmisión y la recepción se efectúan en el mismo punto, y que utiliza las propiedades de reflexión o de retransmisión de los objetos para determinar la posición de éstos. El término viene de *radio detection and ranging* | radar. Sistema de radiolocalización fundado en la comparación entre señales de referencia y señales radioeléctricas reflejadas o retransmitidas a partir de la posición que se quiere determinar (RR Ginebra 1959) (CEI/70 60–72–005). CF. **primary radar, secondary radar** | (a.c. radar set) radar, equipo de radar. Conjunto de aparatos, comprendidos las antenas y los circuitos asociados, que sirven para la radiodetección (radiolocalización) (CEI/70 60–72–170). /// *adj:* radárico, de radar.

radar aerial *(GB)*   antena de radar. SIN. **radar antenna.**

radar aid (to navigation)   ayuda radárica a la navegación, auxiliar radárico de navegación. SIN. **radar navigation aid.**

radar-aimed gun   cañón apuntado por radar.

radar aircraft   avión radar.

radar aircraft detection   detección de aviones por radar.

radar aircraft-detection station   estación detectora de aviones por radar, estación radárica detectora de aviones.

radar altimeter   altímetro radárico [de radar], radioaltímetro. SIN. **high-altitude radio altimeter, pulse-type altimeter.**

radar altitude   altitud (absoluta) determinada por radar. SIN. **radio altitude.**

radar antenna   antena de radar.

radar antenna drive   accionamiento de antena de radar.

radar approach *(Avia)*   aproximación (por) radar. Aproximación bajo la dirección de un controlador por radar [radar controller].

radar area   zona de cobertura de radar; red radárica de vigilancia.

radar astronomy   astronomía radárica. Astronomía con la ayuda del radar, en particular el radar de impulsos [pulse radar]. CF. **radio astronomy.**

radar balloon   globo sonda con radar. Se utiliza para hacer observaciones meteorológicas a diferentes alturas.

radar band   banda de radar. Se han usado las siguientes designaciones:

Designación	Banda de frecuencias
K	10,90 a 36,00 GHz (banda de 1 cm)
L	0,39 a 1,55 GHz
P	0,225 a 0,39 GHz
S	1,55 a 5,20 GHz (banda de 10 cm)
X	5,20 a 10,90 GHz (banda de 3 cm)

En este cuadro se dan las bandas por el orden alfabético de sus designaciones. Nótese que por frecuencia ascendente la ordenación sería P, L, S, X, K, y que las cinco bandas cubren sin solución de continuidad la gama de 0,225 a 36,00 GHz.

radar beacon   baliza [faro] de radar, radiofaro respondedor [de respuesta]. SIN. **beacon, (radar) transponder, racon** (véase).

radar beam   haz radárico, haz de radar. Haz de energía radioeléctrica radiado por la antena emisora de un equipo de radar.

radar blanket   zona barrida (por el radar).

radar blind spot   zona ciega del radar.

radar blip   traza radárica. Eco radárico; respuesta radárica desde una aeronave. V.TB. **blip.**

radar bomb-sight   v. radar bombsight.

radar bombardier   bombardero especializado en bombardeo con ayuda del radar.

radar bombing   bombardeo con ayuda del radar.

radar bombsight   dispositivo radárico de mira; alza radárica para lanzabombas.

radar boresight target   blanco de alineación de radar. Objeto de acimut, elevación y distancia exactamente conocidos, y que se utiliza para la orientación del sistema de antena y la colimación del haz.

radar calibration   calibración del radar. Procedimiento para determinar la extensión y la exactitud de la cobertura de una instalación determinada de radar.

radar camera   cámara para fotografiar imágenes de radar.

radar camouflage *(Guerra elecn)*   camuflaje [enmascaramiento] antirradar, protección antirradárica. Medidas que se toman para reducir la energía radioeléctrica reflejada por un objeto y reducir así las probabilidades de que sea descubierto por el radar del adversario | camuflaje radar. Arte de disimular la presencia o la naturaleza de un objeto a las tentativas de radiodetección, por ejemplo, por el empleo de un revestimiento de una substancia absorbente (CEI/70 60–72–165).

radar chart   carta de navegación con radar. Mapa especialmente preparado para la navegación con la ayuda del radar.

radar check point *(Naveg)*   punto de referencia por radar. Accidente geográfico que produce una reflexión muy destacada en la pantalla del radar, y que se utiliza como punto de referencia en la navegación aérea.

radar chronograph   cronógrafo radárico. Se emplea para medir velocidades de proyectiles.

radar chronometer   cronómetro radárico.

radar chronometry   cronometría radárica.

radar clutter   (a.c. clutter) ecos parásitos (de radar).

radar coastal picture   imagen radárica del litoral [de la línea costera].

radar console   consola de radar; soporte de radar.

radar contact   contacto por radar. Identificación de un objeto por su imagen en la pantalla del radar.

radar control   control radárico [por radar]. Control de una aeronave, un proyectil dirigido, etc. con la ayuda del radar. /// *verbo:* controlar por radar; gobernar por radar.

radar control area   región de control por radar. Región o espacio aéreo dentro del cual las aeronaves o los proyectiles son dirigidos con el auxilio del radar.

radar-controlled   *adj:* dirigido [gobernado] por radar.

radar controller *(Avia)*   controlador por radar, encargado del control de radar | dispositivo de control por radar.

radar countermeasure [RCM] *(Guerra elecn)*   (sistema) antirradar; contramedida radárica [de radar]. Sistema o técnica que tiene por finalidad hacer inefectivo el radar del adversario mediante perturbaciones radioeléctricas o con reflectores que introduzcan confusiones en las observaciones del contrario.

radar coverage cobertura del radar, región explorada por el radar.

radar coverage indicator indicador de cobertura del radar.

radar cross-section área de eco. v. **echo area**.

radar data datos radáricos. Información obtenida mediante un equipo de radar y/o sus aparatos asociados.

radar data display presentación (visual) de datos radáricos.

radar data display board tablero de presentación (visual) de datos radáricos.

radar data handling manipulación de datos radáricos.

radar deception (Guerra elecn) contramedida que produce indicaciones engañosas en el radar enemigo. v. **countermeasure**.

radar defense system sistema de radar defensivo.

radar detection detección radárica. SIN. **radiodetección, radiolocalización, detección electromagnética**.

radar detection belt faja de detección radárica.

radar direction finder goniómetro radárico. CF. **radiogoniometer**.

radar dish reflector parabólico (de radar).

radar display presentación [imagen] de radar. Presentación visual de la información obtenida mediante el radar, generalmente en forma de indicaciones osciloscópicas, o sea, imágenes observables en la pantalla de un tubo de rayos catódicos | pantalla radárica [de radar]. v. **radar screen**.

radar display room sala de información radárica. Sala en la cual se encuentran los dispositivos de presentación de imágenes de radar.

radar display unit dispositivo de indicación visual de radar; pantalla de radar. SIN. **radar indicator**.

radar distance measuring telemetría radárica.

radar distance-measuring equipment telémetro radárico.

radar disturbance perturbación del radar.

radar dome radomo. v. **radome**.

radar drift (Aeron) deriva determinada con ayuda del radar.

radar drop bombardeo [lanzamiento de bombas] con ayuda de un alza radárica. CF. **radar bombsight**.

radar echo eco radárico, eco de radar. SIN. **radioeco, eco radioeléctrico, señal radárica de retorno** — **echo, return**.

radar element elemento de radar.

radar engineering ingeniería de radar; técnica del radar.

radar equation ecuación del radar. En relación con un sistema de radar primario (v. **primary radar**), ecuación que liga la potencia emitida, la potencia recibida, y las ganancias de antena, con el área de eco (v. **echo area**) y la distancia entre el radar y el objeto o blanco. CF. **radar performance figure**.

radar equipment (equipo de) radar. SIN. **radar set**.

radar-equipped adj: equipado con radar, dotado de radar.

radar fading desvanecimiento de las señales de radar.

radar fence barrera radárica, cadena de estaciones radáricas de alerta (contra ataques por sorpresa).

radar fire control control de tiro mediante radar; director de tiro radárico.

radar-fitted adj: equipado con radar, dotado de radar, radarizado.

radar fix (punto de) posición determinada por radar; determinación de posición mediante radar.

radar flying aid radar de ayuda a la navegación aérea. SIN. **radar navigation aid**.

radar frequency band banda de frecuencias de radar. v. **radar band**.

radar fuse (Proyectiles) espoleta radárica.

radar guidance guía radárica, guiaje radárico.

radar-guided adj: guiado por radar.

radar gun-layer apuntador automático radárico (para cañón).

radar gun-laying puntería automática por radar; dirección de

tiro mediante radar, dirección del tiro por radar.

radar gun ranging alcance del cañón determinado mediante radar.

radar gunsight alza radárica de cañón, mira radárica. CF. **radar bombsight**.

radar handoff (Control radárico de aeronaves) cambio de controlador sin interrupción de la vigilancia. v. **radar control, radar controller**.

radar head cabezal [emisor-receptor] de radar.

radar heading rumbo radárico.

radar height finder altímetro radárico. SIN. **radar altimeter**.

radar homing autoguiaje hacia el origen de un haz radárico; busca (del blanco) por emanaciones radáricas | autoguiaje por radar, busca del blanco por radar propio. Dícese en el caso de un proyectil portador de un radar de guía cuyo haz se mantiene apuntado al blanco.

radar-homing bomb bomba buscadora del blanco por radar propio.

radar-homing missile proyectil buscador del blanco por radar propio.

radar-homing set equipo de radar de autoguiaje.

radar horizon horizonte radárico, mínimo ángulo de elevación al cual funciona eficazmente un equipo de radar. Está determinado fundamentalmente por la curvatura de la tierra, pero también hay que tomar en cuenta los accidentes del terreno en los alrededores de la instalación.

radar identification identificación radárica. Acción y efecto de relacionar una traza radárica [radar blip] con una aeronave determinada. CF. **radar contact**.

radar illumination iluminación radárica.

radar image imagen de radar. SIN. **radar display**.

radar indicator indicador de radar. SIN. **radar display unit**.

radar industry industria del radar.

radar information información radárica. SIN. **radar data**.

radar information center centro de información radárica. SIN. **radar display room**.

radar installation instalación de radar. SIN. **radar set**.

radar intelligence información radárica. SIN. **radar information**.

radar interception intercepción radárica.

radar jammer perturbador radárico. v. **radar countermeasure**.

radar jamming perturbación radárica.

radar jamming aircraft aeronave [avión] de perturbación radárica.

radar jamming transmitter transmisor de perturbación radárica.

radar klystron klistrón para equipo de radar.

radar laboratory laboratorio de radar.

radar land station estación terrestre de radar.

radar lock-on "enganche" del radar, seguimiento automático (del blanco) mediante un haz radárico. CF. **radar homing**.

radar log parte diario (de una estación de radar).

radar maintenance mantenimiento [entretenimiento] del equipo de radar.

radar maintenance room taller de mantenimiento de radar || (Buques) pañol de mantenimiento del radar.

radar map mapa radárico. Presentación de radar [radar display] con superposición de datos seleccionados. CF. **radar chart**.

radar mapping central centro radárico para levantamiento de mapas.

radar mark marcador de radar. v. **ramark**.

radar marker marcador de radar. v. **ramark**.

radar marker float boya radárica, baliza radárica flotante.

radar meteorological station estación meteorológica radárica.

radar mirage espejismo radárico.

radar missile tracking seguimiento de proyectiles por radar.

radar missile-tracking central central de seguimiento de proyectiles por radar, central radárica para seguimiento de proyectiles.

radar modulator modulador de radar. Modulador de un emisor

radar monitor   monitor de radar.

radar monitoring   *(Aeronaveg)* asistencia por radar. Empleo del radar para ayudar a las aeronaves a mantenerse sobre su trayectoria nominal de vuelo.

radar mosaic   mosaico de fotografías de la pantalla de radar. CF. **radar photograph.**

radar nacelle   *(Globos y dirigibles)* nacela [barquilla] del radar.

radar nautical mile   tiempo de doble recorrido de una milla náutica por un impulso de radar. Tiempo (aproximadamente 12,367 μs) que tarda un impulso de radar en propagarse hasta un objeto distante una milla náutica y volver al punto de emisión.

radar navigation   navegación radárica. Navegación con la ayuda de aparatos de radar.

radar navigation aid   ayuda radárica a la navegación, auxiliar radárico de navegación. Aparato de radar (p.ej. el altímetro de radar) destinado a ayudar a la navegación. SIN. **radar aid (to navigation).**

radar navigation chart   carta de navegación con radar. SIN. **radar chart** (véase).

radar navigational system   sistema de navegación radárica.

radar navigator   navegante especializado en navegación radárica.

radar net   red de instalaciones de radar antiaéreo. SIN. **radar screen.**

radar network   red de radar, red de estaciones de radar.

radar noise   parásitos de radar.

radar observation   *(Meteor)* observación por radar.

radar observatory   observatorio de radar.

radar observer   (observador) radarista. En una aeronave, observador especializado en las observaciones por radar.

radar obstacle   obstáculo radárico.

radar officer   oficial radarista.

radar-operated   *adj:* gobernado [dirigido] por radar.

radar operator   (operador) radarista. Persona encargada del manejo de un equipo de radar. CF. **radar bombardier, radar observer.**

radar paint   pintura antirradar, pintura que absorbe las ondas de radar. v. **radar camouflage.**

radar patrol   patrullador de radar.

radar patrol aircraft   aeronave patrulladora de radar, avión de patrulla radárica.

radar performance figure   cifra de comportamiento del radar. Cociente P/p, donde P es la potencia de impulso del emisor, y p es la potencia mínima que ha de tener la señal de retorno para ser detectada por el receptor. CF. **radar equation.**

radar photograph   fotografía de la imagen de radar.

radar picket   centinela radárico de avanzada; avión centinela de radar; buque centinela de radar. Avión o buque dotado de radar de detección lejana [early-warning radar] y que vuela o navega, según el caso, en zonas alejadas de la que se quiere proteger, con el fin de extender el alcance de la detección radárica.

radar picket aircraft   aeronave centinela de radar.

radar picket plane   avión centinela de radar.

radar picket ship   buque centinela de radar. Buque que lleva una estación de radar antiaéreo y que patrulla aguas a cierta distancia del territorio o la zona que se quiere proteger. v.TB. **radar picket.**

radar picture   imagen de radar. SIN. **radar image, radar display.**

radar pilotage   *(Naveg)* pilotaje con ayuda del radar, navegación observada por medio del radar. v. **pilotage.**

radar pilotage equipment   equipo de pilotaje con ayuda del radar, equipo de navegación observada con técnicas de radar primario. v. **primary radar.**

radar pip   (a.c. pip) impulso de radar; cresta [punta] indicadora de eco. SIN. **blip.**

radar plot   *(Naveg)* (a.c. radar plotting) diagrama de marcaciones radáricas. Diagrama de las posiciones de aeronaves o barcos determinadas con datos obtenidos con ayuda del radar.

radar plotting   *(Naveg)* marcación radárica | v. **radar plot.**

radar prediction   predicción radárica. Representación gráfica de lo que se calcula podrá observarse en la pantalla del radar cuando se efectúe determinada exploración.

radar prediction device   maqueta de predicción radárica. Mapa al relieve en el cual se coloca una diminuta lámpara en el punto en que se encuentra una instalación de radar; las sombras proyectadas por las montañas y otros accidentes del terreno indican las zonas "ciegas" del radar.

radar pulse   impulso de radar. Impulso de energía de radiofrecuencia emitido por el radar.

radar pulse modulator   modulador de impulsos de radar.

radar pulse repeater   repetidor de impulsos de radar.

radar radiation   radiación radárica.

radar range   alcance máximo del radar. Máxima distancia a la cual el equipo de radar es efectivo en la detección de objetos. CF. **radar equation, radar performance figure.**

radar range finder   telémetro radárico. SIN. **radar distance-measuring equipment.**

radar range finding   telemetría radárica. SIN. **radar distance measuring.**

radar range marker   marcador de radar. v. **ramark** | marca de distancia. Marca inscrita o establecida electrónicamente sobre la pantalla del indicador de radar para señalar la distancia al objeto detectado. SIN. **range mark.**

radar ranging   telemetría radárica || *(Artillería)* cálculo de distancia con ayuda del radar; medida de alcance con radar.

radar ray   .haz radárico, haz de ondas de radar. SIN. **radar beam.**

radar receiver   receptor de radar.

radar reflection   reflexión de radar.

radar reflector   reflector de radar [de ondas de radar].

radar reflectoscope   reflectoscopio radárico. Sistema de espejos con el cual se obtiene una imagen compuesta de un mapa y una presentación osciloscópica de radar.

radar relay   retransmisión de información radárica; relevador radárico. SIN. **relay radar** *(término desaconsejado)* | repetidor radar. Sistema de retransmisión a distancia de la información suministrada por un equipo de radar [radar set] (CEI/70 60-72-415).

radar repeat-back guidance   *(Proyectiles guiados)* guiaje con radar detector que transmite información al punto de control.

radar repeater   repetidor radar; teleindicador de radar, indicador que reproduce a distancia una imagen de radar.

radar resolution   resolución del radar.

radar responder   respondedor [contestador] de radar. SIN. **racon, transponder.**

radar responder beacon   baliza respondedora de radar.

radar response   respuesta de radar. Indicación visual de una señal radárica transmitida en respuesta a una interrogación [interrogation].

radar safe distance   distancia de seguridad. Distancia mínima a un haz radárico que garantiza la seguridad del personal.

radar safety beacon   baliza de radar de seguridad, radiobaliza aeroportada. Combinación de receptor y emisor empleada a bordo de una aeronave para que al recibir una señal de radar transmitida desde tierra, emita una señal distintiva o de identificación. SIN. **radiobaliza de a bordo —— transponder, interim airborne transponder, transition-period transponder, airborne responsor [replier, beacon].**

radar scan   exploración radárica. Movimiento sistemático (circular, rectangular, en espiral, etc.) del haz de un radar al buscar el blanco.

radar scanner   explorador [buscador] radárico; dispositivo de exploración radárica.

radar scanner aerial   v. **radar scanner antenna.**

radar scanner antenna   antena de explorador radárico. SIN. **radar scanner aerial** *(GB).*

radar scope   v. **radarscope.**

radar screen   pantalla radárica [de radar]. Pantalla de un tubo de rayos catódicos utilizado como indicador de radar | red de radares antiaéreos, red de instalaciones de radar antiaéreo. SIN. **radar net.**

radar screen picture   imagen osciloscópica de radar, imagen sobre la pantalla radárica. SIN. **radar display [image, picture].**

radar sea clutter   v. **sea clutter.**

radar search beam   haz buscador [detector] de radar.

radar-self-guided missile   proyectil autoguiado por radar, proyectil guiado por radar propio. v. **radar homing.**

radar separation   (*Avia*) separación según radar. Separación adoptada cuando la información sobre la posición de las aeronaves se obtiene mediante radar.

radar service   servicio de radar; servicio prestado directamente mediante radar.

radar set   (a.c. radar) (equipo de) radar. Conjunto de aparatos, comprendidas las antenas y los circuitos asociados, que sirven para la radiodetección (radiolocalización) (CEI/70 60-72-170).

radar shadow   sombra radárica. Zona detrás de un obstáculo interpuesto en la trayectoria del haz radárico. CF. **radar illumination, radar prediction device.**

radar ship   buque de radar. CF. **radar picket ship.**

radar sighting   (*Artillería*) puntería radárica.

radar signal   señal radárica [de radar].

radar signal recorder   (aparato) registrador de señal radárica.

radar signal recording   registro de señal radárica.

radar signal simulator   simulador de señales de radar, generador de ecos radáricos ficticios. Aparato electrónico cuya salida puede acoplarse directamente a un indicador de radar para producir en la pantalla de éste indicaciones de ecos ficticios.

radar silence   silencio radárico, período en que se detiene toda transmisión de radar.

radar simulator   simulador de radar.

radar site   emplazamiento de radar; estación de radar.

radar-sonde   sonda radárica. Cometa, globo o cohete que al ser mandado por una señal de radar, transmite a tierra, por radio, datos meteorológicos obtenidos a grandes alturas. CF. **radar balloon.**

radar-sonde system   sistema de sonda radárica.

radar speed measurement   medida de velocidad por medio del radar.

radar station   estación de radar. SIN. **radar site.**

radar storm detection   detección de tormentas mediante radar. Se funda en las reflexiones de radar producidas por el agua líquida o en forma de hielo contenida en la zona de la tormenta. CF. **weather radar.**

radar storm-detection set   (equipo de) radar de detección de tormentas.

radar surveillance   vigilancia con radar. Localización de objetos distantes y obtención de datos sobre sus movimientos, mediante uno o varios equipos de radar.

radar surveillance network   red de radares de vigilancia. CF. **radar net.**

radar surveying   levantamiento de planos con ayuda del radar. Se utiliza un radar a bordo de un aeroplano para medir exactamente la distancia entre dos radiobalizas situadas en tierra a lo largo de la base [baseline], para no tener que medir dicha distancia por tierra cuando la base pasa por parajes inaccesibles o de muy difícil tránsito.

radar synchronizer   sincronizador de radar.

radar synchronous bombing   (*Avia*) bombardeo sincrónico con ayuda del radar. SIN. **synchronous radar bombing.**

radar system   sistema de radar. TB. sistema de radiodetección [de radiolocalización, de detección electromagnética].

radar target   objetivo de radar. TB. blanco de radar. Objeto observado o seguido mediante radar.

radar target simulator   simulador de objetivos de radar.

radar technician   técnico de radar, técnico radarista.

radar telescope   telescopio radárico. Instalación de radar de gran potencia y con antena de grandes dimensiones, utilizada en astronomía radárica [radar astronomy].

radar terrain profiling   determinación de perfiles topográficos con ayuda del radar.

radar time base   v. **time base.**

radar tower   torre de radar.

radar trace   traza radárica. Oscilograma observable en la pantalla del indicador de radar.

radar track command guidance   (*Proyectiles guiados*) guiaje de seguimiento por radar y corrección de trayectoria por radio.

radar track position   posición de seguimiento por radar. Extrapolación de la posición de una aeronave efectuada por una calculadora electrónica en base a datos radáricos (información radárica), y que utiliza la propia calculadora para fines de seguimiento.

radar-tracked   *adj:* seguido por radar.

radar-tracked flight   vuelo seguido por radar.

radar tracker   (*Meteor*) radar rastreador.

radar tracking   seguimiento [rastreamiento] por radar.

radar tracking system   sistema de seguimiento por radar. Sistema de radar para detectar y seguir la pista o trayectoria de un objeto móvil.

radar trainer   (a.c. radar training equipment) equipo de enseñanza de técnicas de radar; equipo para adiestramiento en el empleo del radar.

radar training equipment   v. **radar trainer.**

radar transmitter   transmisor [emisor] de radar. Parte transmisora de un equipo de radar. CF. **radar set.**

radar transmitter-receiver   emisor-receptor de radar.

radar transponder   respondedor de radar, radiofaro respondedor. SIN. **radar beacon.**

radar unit   equipo de radar ‖ (*Avia*) dependencia de radar. Dependencia o sección que utiliza equipos de radar para prestar determinados servicios.

radar vectoring   (*Aeron*) guía vectorial con ayuda del radar. Guía de aeronaves en forma de rumbos definidos basados en observaciones radáricas.

radar video data processor   procesador de información de video de radar. Permite observar señales reflejadas débiles rodeadas de ruido.

radar warning   alerta de radar.

radar warning aircraft   avión radar de alerta, aeronave centinela de radar. SIN. **radar picket aircraft.**

radar warning chain   cadena de radares de alerta.

radar warning net   red de radares de alerta. CF. **radar net.**

radar warning station   estación de radar de alerta.

radar wave   onda radárica, onda de radar. Onda radioeléctrica que interviene en el funcionamiento de un radar.

radar wind   v. **radar balloon.**

radar wind-finding equipment   equipo de sondeo radárico del viento; anemómetro radárico.

radar wind observation   observación del viento por radar; sondeo radárico del viento.

radarized   *adj:* radarizado. SIN. **radar-equipped, radar-fitted.**

radarized motor-car   vehículo automotor radarizado.

radarman   (operador) radarista. SIN. **radar operator** (véase).

radarscope   (a.c. scope, radar scope) pantalla de radar, radariscopio. Tubo de rayos catódicos utilizado como indicador de radar. SIN. **radar screen.**

radarscope camera   cámara (fotográfica) que se monta sobre la pantalla de radar, cámara para tomar fotos de la imagen de radar. CF. **radar mosaic, radar photograph.**

radarscope display   presentación [imagen] de radar, presentación visual en la pantalla radárica, presentación (visual) sobre la pantalla del radar. SIN. **radar display [image, picture].**

radarsonde   v. **radar-sonde.**

radiac   radiac. Nombre adoptado para la técnica y los procedimientos para la identificación y medida de intensidad de la radiación nuclear en una zona determinada. Viene de *ra*dioactivity *d*etection, *i*dentification, *and c*omputation ‖ (*i.e.* radiac set) aparato de radiac.

radiac computer   computadora de radiac. Computadora electrónica que trabaja con la información suministrada por un detector radiac (v. **radiac detector**), efectuando operaciones de cómputo, puesta en escala, integración, etc.

radiac detector   detector radiac. Dispositivo sensible a la radiactividad o a las partículas nucleares libres, que produce una reacción susceptible de ser medida e interpretada con la ayuda de otros elementos, en particular una computadora electrónica.

radiac-detector charger   cargador de detector radiac. Generador que suministra la carga electrostática necesaria para el funcionamiento de un detector radiac.

radiac instrument   instrumento de radiac. v. **radiac set**.

radiac set   aparato de radiac. Equipo para la identificación y medida de radiactividad. SIN. **radiac instrument, radiacmeter, radiac**.

radiac survey meter   medidor radiac portátil, medidor portátil de radiactividad.

radiacmeter   medidor radiac. v. **radiac set**.

radial   *(Anat)* arteria radial; vena radial; músculo radial; nervio radial ‖ *(Medidas)* medida de la circunferencia ‖ *(Radionaveg)* radial. Recta radial definida por una instalación de radionavegación e identificada con determinado acimut [azimuth] o marcación [bearing] ‖ *(Ant)* radial. Uno cualquiera de un conjunto de conductores soterrados en forma de radios con centro en una torre o mástil de antena, y que constituye el sistema de tierra de una antena. En ciertos casos los conductores (alambres gruesos) llevan varillas de tierra en los extremos SIN. **radial conductor [wire]** ⫽ *adj:* radial. Perteneciente al radio o dispuesto en forma de radio; que se extiende o mueve alejándose de un punto central, como los rayos de una rueda | radiado, radiante ‖ *(Anat)* radial, relativo al hueso radial ‖ *(Quím)* rádico, relativo al radio.

radial acceleration   *(Mec)* aceleración radial.

radial arm   brazo radial.

radial-beam power tetrode   *(Elecn)* tetrodo de potencia de haz radial.

radial-beam tube   *(Elecn)* tubo de haz radial. Tubo al vacío en el cual un haz electrónico emitido por un cátodo central gira por la acción de un campo magnético exterior y va barriendo una serie de ánodos dispuestos en circunferencia alrededor del cátodo. Se utiliza como conmutador electrónico. CF. **beam-switching tube**.

radial bearing   cojinete radial.

radial circuit   *(Elec)* circuito radial. Línea que tiene su origen en un punto de suministro de energía y que termina en un punto de consumo que, al igual que todo otro punto de consumo alimentado por la misma línea, no puede ser alimentado más que por esa vía (CEI/65 25–15–045). CF. **radial network, ring circuit**.

radial coil armature   *(Elec)* inducido de polos interiores.

radial component   componente radial. Componente (de fuerza, de aceleración) que actúa a lo largo de un radio. CF. **tangential component**.

radial conductor   *(Ant)* conductor radial. Conductor de un sistema de tierra de alambres radiales enterrados. Conductor de una contraantena (tierra capacitiva) formada por una red radial aislada que se arma a cierta altura del suelo, de modo de formar una gran capacitancia con éste. SIN. **radial**.

radial-conductor ground system   sistema radial de conductores de tierra, sistema de tierra de conductores radiales. SIN. **radial ground system**.

radial convergence   convergencia radial.

radial diffusion   difusión radial.

radial dimension   dimensión radial.

radial distribution   distribución radial.

radial distribution function   *(Teoría cinética de los líquidos)* función de distribución radial.

radial drill   (a.c. radial drilling machine) taladradora radial.

radial drilling machine   v. **radial drill**.

radial engine   motor radial [en estrella].

radial feeder   *(Elec)* (cable) alimentador radial. v. **radial circuit**.

radial field   *(Fís)* campo radial. Campo de fuerza dirigido hacia un punto del espacio o que tiene origen en él.

radial force   fuerza radial. Puede ser *centrífuga* o *centrípeta,* según su sentido.

radial grating   *(Guías de ondas)* rejilla [retículo] radial, filtro radial [de hilos radiales]. v. **grating**.

radial ground system   *(Ant)* sistema de tierra radial [de conductores radiales]. SIN. **radial-conductor ground system**.

radial highway   *(i.e.* arterial highway leading to or from an urban center) carretera radial. Carretera destinada a conducir el tránsito hacia un centro urbano o desde él.

radial lead   *(Elecn)* conexión perpendicular, (alambre de) conexión radial. Alambre de conexión de un elemento cilíndrico (p.ej. un resistor) que sale paralelamente a un radio del elemento, o sea, perpendicularmente a su eje. CF. **axial lead**.

radial-lead resistor   resistor de conexiones radiales.

radial line   línea radial.

radial loading   *(Fís)* carga radial. SIN. **proportional loading**.

radial magnification   *(Opt)* aumento radial.

radial network   *(Elec)* red radial. Red o parte de una red, entera o parcialmente constituida por circuitos radiales [radial circuits] (CEI/65 25–15–050). CF. **radially operated network**.

radial node   nodo radial.

radial oscillation (of a plasma)   oscilación radial (de un plasma).

radial pattern   *(Elec)* configuración radial; configuración ramificada.

radial peak flux   flujo radial máximo.

radial position   posición en un radio.

radial-ridge cyclotron   ciclotrón de aristas radiales.

radial slit   rendija radial; corte radial.

radial-slot rotor   *(Elec)* rotor de ranuras radiales.

radial slots   *(Elec)* ranuras radiales. Ranuras de inducido [armature slots] cuyas caras son radiales, en vez de ser paralelas al radio que pasa por la línea de centros de la ranura. CF. **parallel slots**.

radial sweep   barrido [exploración] radial.

radial system   sistema radial; sistema en estrella.

radial transmission line   línea de transmisión radial. Está constituida por dos planos conductores paralelos, y se emplea para la propagación de ondas uniformes circularmente cilíndricas cuyos ejes son normales a los planos.

radial triangulator   triangulador radial. LOCALISMO: radiotriangulador.

radial truck   *(Locomotoras)* caja radial. Dispositivo para permitir el desplazamiento radial de un eje al pasar la locomotora por una curva | bogie de un eje.

radial velocity   *(Astr, Mec)* velocidad radial.

radial ventilation   *(Tracción eléc)* ventilación radial. Ventilación en la cual la entrada o la salida de aire se efectúa radialmente cerca del plano mediano del motor (CEI/57 30–15–435).

radial wire   *(Dirigibles)* tirante radial ‖ *(Sist de tierra)* alambre radial. SIN. **radial conductor**.

radial wiring   *(Dirigibles)* alambrado radial.

radially   *adv:* radialmente.

radially bare   *(Nucl)* descubierto radialmente.

radially operated network   *(Elec)* red de explotación radial. Red radial [radial network], o red cuya estructura es la de una red de anillos [ringed network] o la de una red de mallas [meshed network], pero que es explotada de tal manera que los puntos que han de ser alimentados no son servidos continuamente por más de una vía de alimentación, estableciéndose los enlaces con las otras vías de alimentación únicamente por el cierre de dispositivos de conmutación [switching devices] que están normalmente abiertos (CEI/65 25–15–055). CF. **mesh-operated network, ring-operated network**.

radiameter   radiámetro. Nombre comercial (Curtiss-Wright) de un detector de radiactividad portátil que funciona con pilas de linterna ordinarias.

radian   radián. POCO USADO: radiante. (1) Arco de circunferencia cuya longitud es igual al radio. (2) Unidad de ángulo; es el ángulo cuyos arcos tienen igual longitud que los radios respectivos. Por consiguiente, la circunferencia tiene 2π radianes, y la medida del radián en grados es $360°/2\pi = 57{,}2957795° = 57°\ 17'\ 44{,}80625''$. Como equivalencia recíproca se tiene que $1° = 0{,}01745$ radián. ABREVIATURA: rad.

radian frequency   frecuencia pulsatoria, pulsación, velocidad angular. INCORRECTAMENTE: frecuencia angular, pulsatancia. SIN. **angular velocity, pulsatance, pulsation** (véase).

radian-length   v. **radianlength**.

radian per second   radián por segundo. Unidad de velocidad angular (v. **angular velocity**). ABREVIATURA: rad/s.

radian-sphere   v. **radiansphere**.

radiance   *(Lenguaje ordinario) (also* radiancy*)* esplendor, resplandor, brillo ‖ *(Fís) (also* radiancy*)* radiancia, intensidad específica de radiación; radiación luminosa específica; radiación; flujo radiante; densidad de flujo radiante | **radiance (of a surface at a given point)**: radiación (de una superficie en un punto dado). Densidad del flujo luminoso emitido o irradiado en ese punto por la superficie (CEI/38 45-10-045) | **radiance (in a given direction, at a given point on the surface of a source or a receptor, or at a point on the path of a beam)**: radiancia (en una dirección, en un punto de la superficie de una fuente o de un receptor, o en un punto de la trayectoria de un haz). Cociente del flujo radiante [radiant flux] que parte de, llega a, o atraviesa un elemento de superficie [element of surface] en ese punto, y se propaga en direcciones definidas por un cono elemental que contiene la dirección dada, por el producto del ángulo sólido [solid angle] del cono y el área de la proyección ortogonal [orthogonal projection] del elemento de superficie sobre un plano perpendicular a la dirección dada. Símbolo: L_e, L. Fórmula:

$$L_e = \frac{d^2\Phi_e}{d\Omega \cdot dA \cdot \cos\theta}$$

Unidad: watt por estereorradián y por metro cuadrado: $\text{W} \cdot \text{sr}^{-1} \cdot \text{m}^{-2}$ (CEI/70 45-05-150) | v. **radiant intensity per unit area**.

radiance factor (at a point on the surface of a non-self-radiating body, in a given direction, under specified conditions of irradiation)   factor de radiancia (en un punto sobre la superficie de un cuerpo no radiante por sí mismo, en una dirección, en condiciones de irradiación dadas). Razón de la radiancia del cuerpo a la de un difusor perfecto por reflexión o por transmisión [perfect reflecting or transmitting diffuser] irradiado en las mismas condiciones. Símbolo: β_e, β_v, β (CEI/70 45-20-200).

radiance temperature (of a thermal radiator, for a wavelength)   temperatura de radiancia (de un radiador térmico, para una longitud de onda). Temperatura del cuerpo negro [blackbody] que, a la longitud de onda dada, tiene la misma densidad espectral [spectral concentration] de radiancia que el cuerpo considerado. Unidad: kelvin. Símbolo de la unidad: K. NOTA: En pirometría visual [visual pyrometry], la longitud de onda de referencia es generalmente 655 nm (CEI/70 45-05-260).

radiancy   v. **radiance**.

radianlength   radianlongitud. Distancia entre puntos de una onda sinusoidal con diferencia de fase de un radián; es igual a la longitud de onda dividida por 2π.

radiansphere   radianesfera. Superficie de separación entre los campos próximo y lejano de una antena de pequeñas dimensiones; es una superficie esférica de radio igual a la longitud de onda dividida por 2π.

radiant   *(Fís)* foco irradiador; objeto radiante ‖ *(Geom)* línea radial ⫽ *adj: (Lenguaje ordinario)* radiante, radioso; brillante, resplandeciente ‖ *(Bot, Zool)* radiado ‖ *(Fís)* radiante. (1) Emitido o transmitido en las direcciones de los radios, como de un foco puntual [point source]. (2) Que emite calor o luz. (3) Que consiste

en una radiación o se emite como tal. (4) Emitido o transmitido por radiación. (5) Relativo a la radiación o las radiaciones.

radiant efficiency   *(Fís)* rendimiento radiante; rendimiento energético | **(of a source of radiation)** eficiencia radiante (de una fuente de radiación). Razón del flujo energético [radiant flux] emitido, a la potencia consumida. Símbolo: η_e, η. NOTA: Puede considerarse la eficiencia radiante de una fuente en un dominio limitado del espectro, es decir, la razón del flujo energético emitido en ese dominio espectral, a la potencia consumida (CEI/70 45-05-140).

radiant element   elemento radiante. En las aplicaciones electrotérmicas: Elemento de calefacción [heating element] en el cual la emisión de calor se efectúa principalmente por radiación, en particular infrarroja; puede o no comprender un reflector (CEI/60 40-10-125).

radiant emittance   emitancia radiante; emitancia energética | **(at a point of a surface)** emitancia de radiación (en un punto de una superficie). Cociente del flujo energético [radiant power] emitido por un elemento infinitamente pequeño en torno al punto considerado, por el área de ese elemento (CEI/58 45-05-120).

radiant energy   energía radiante. Energía emitida, transportada o recibida en forma de radiación. Símbolo: Q_e, Q. Unidad: joule. Símbolo de la unidad: J. NOTA: En terapéutica por radiación ultravioleta [ultraviolet radiation therapy] y en fotobiología [photobiology], la energía radiante recibida se llama también *dosis integral* [integral dose] (Comité Internacional de Fotobiología, 1954) (CEI/70 45-05-130).

radiant exitance (at a point of a surface)   exitancia radiante (en un punto de una superficie). Cociente del flujo radiante [radiant flux] que parte de un elemento de la superficie que contiene el punto, por el área de ese elemento. Símbolo: M_e, M. Fórmula:

$$M_e = d\Phi_e/dA = \int L_e \cdot \cos\theta \cdot d\Omega$$

Unidad: watt por metro cuadrado: W m^{-2}. NOTA 1: El nombre *emitancia energética* [radiant emittance] dada anteriormente a esta magnitud debe ser abandonado en razón de las confusiones a que ha dado lugar. El término *emitancia* [emittance] se ha usado para designar, bien un flujo por unidad de área que parte de una superficie (cualquiera que sea el origen del flujo), bien un flujo por unidad de área emitido por una superficie (flujo con origen en la superficie), bien, principalmente en ciertos medios de los Estados Unidos de América, una magnitud sin dimensiones semejante a la *emisividad* [emissivity], pero aplicable solamente a una muestra. NOTA 2: La expresión *exitancia radiante propia* [self radiant exitance] ($M_{e,s}$) permite especificar que el flujo considerado no incluye el flujo de la radiación reflejado o transmitido. La expresión *exitancia radiante térmica* [thermal radiant exitance] ($M_{e,\text{th}}$) permite especificar que el flujo considerado es el flujo producido por radiación térmica. Estos mismos adjetivos *(propio, térmico)* son igualmente aplicables a otras magnitudes tales como la luminancia, etc. NOTA 3: En el caso de un cuerpo negro [blackbody], la radiancia [radiance] L_e es uniforme en dirección. Por consiguiente, la exitancia radiante es en valor numérico $M_e = \pi L_e$ cuando el ángulo sólido se evalúa en estereorradianes [steradians] (CEI/70 45-05-170).

radiant exposure (at a point of a surface)   exposición radiante (en un punto de una superficie). Cantidad surfácica [surface density] de la energía radiante recibida. Símbolo: H_e, H. Fórmula:

$$H_e = dQ_e/dA = \int E_e \, dt.$$

Unidad: joule por metro cuadrado: $\text{J} \cdot \text{m}^{-2}$ NOTA 1: ANTES: *irradiación* [irradiation]. NOTA 2: DEFINICIÓN EQUIVALENTE: Producto de una irradiación [irradiance] por su duración. NOTA 3: En terapéutica por radiación ultravioleta [ultraviolet radiation therapy] y en fotobiología [photobiology] esta magnitud se llama *dosis* [dose] (Comité Internacional de Fotobiología, 1954) (CEI/70

45–05–165).

radiant flame   llama radiante.

radiant flux   (a.c. radiant power) flujo energético. Potencia emitida, transportada o recibida en forma de radiación (CEI/58 45–05–100) | (a.c. radiant power) flujo radiante. Potencia emitida, transportada o recibida en forma de radiación. Símbolo: Φ_e, Φ, P. Fórmula: $\Phi_e = dQ_e/dt$. Unidad: watt. Símbolo de la unidad: W (CEI/70 45–05–135).

radiant flux density   radiancia | irradiancia, densidad de flujo radiante. SIN. **irradiance** | v. **radiant flux.**

radiant heat   calor radiante. Calor comunicado a un cuerpo por radiación.

radiant heater   calentador de calor radiante.

radiant heating   calor radiante; calentamiento por calor radiante; calefacción por calor radiante; calentamiento por inducción.

radiant intensity (of a source in a given direction)   intensidad radiante (de una fuente en una dirección). Cociente del flujo radiante [radiant flux] que parte de la fuente y se propaga en un elemento de ángulo sólido que contiene la dirección dada, por el elemento de ángulo sólido. Símbolo: I_e, I. Fórmula: $I_e = d\Phi_e/d\Omega$. Unidad: watt por estereorradián: $W \cdot sr^{-1}$. NOTA: Para una fuente no puntual: Si una fuente extendida envía un cierto flujo radiante sobre una superficie elemental vista, desde un punto cualquiera de la fuente, bajo un cierto ángulo sólido, la intensidad radiante de la fuente en una dirección es el límite del cociente de ese flujo por ese ángulo sólido cuando esa superficie se aleja hasta el infinito en la dirección considerada (CEI/70 45–05–145) | (of a source in a given direction) intensidad de radiación (de una fuente en una dirección). Cociente del flujo energético [radiant power, radiant flux] emitido por una fuente o por un elemento de fuente en un cono infinitamente pequeño [infinitesimal cone] que tiene por eje esa dirección, por el ángulo sólido de ese cono (CEI/58 45–05–105) | v. **radiant intensity per unit area.**

radiant intensity per unit area   (a.c. radiance) (at a point on a surface and in a given direction) radiancia (en un punto de una superficie, en una dirección). Cociente de la intensidad de radiación [radiant intensity] en la dirección dada de un elemento infinitamente pequeño de la superficie en torno al punto considerado, por el área de la proyección ortogonal de ese elemento sobre un plano perpendicular a esa dirección (CEI/58 45–05–110).

radiant power   flujo radiante; flujo energético. v. **radiant flux.**

radiant quantity   magnitud radiante; magnitud energética.

radiant sensitivity   (Fototubos, Tubos tomavistas) sensibilidad al flujo radiante. Corriente de señal de salida dividida por el flujo radiante incidente a determinada longitud de onda.

radiate   verbo: radiar, irradiar. Emitir energía radiante (como p.ej. ondas electromagnéticas) al espacio | emitir rayos; emitir, desprender; emanar || (Radio/Tv) (a program) radiar, emitir (un programa).

radiatector   radiatector. Nombre comercial (Curtiss-Wright) de un detector de radiactividad portátil que funciona con pilas de linterna ordinarias.

radiated carrier power   (Radiocom) potencia radiada de la portadora.

radiated energy   energía radiada.

radiated field intensity   intensidad de campo radiante.

radiated field pattern   (Radiocom) diagrama de radiación.

radiated power   energía radiada; energía de radiación || (Radiocom) potencia radiada [de radiación], potencia emitida. Potencia total emitida por una antena de transmisión | v. **radiated power per unit solid angle in a given direction.**

radiated power per unit solid angle in a given direction   (Radiocom) potencia radiada por unidad de ángulo sólido en una dirección dada. Cociente de la potencia radiada por una antena en un ángulo sólido elemental [infinitesimal solid angle] que contiene una dirección especificada, por el valor de ese ángulo sólido (CEI/70 60–32–090).

radiated radio-frequency field pattern   v. radiated field pat-tern.

radiated signal   señal radiada.

radiated spectrum   espectro radiado.

radiatics   radiática. Ciencia que trata de las radiaciones.

radiating   adj: radiante, irradiante; emisor.

radiating antenna   (Radiocom) antena emisora.

radiating area   (Electroacús) área radiante.

radiating atom   átomo radiante.

radiating circuit   circuito radiante. Circuito capaz de emitir ondas electromagnéticas al espacio, tal como el circuito de una antena emisora.

radiating curtain   cortina radiante. Sistema de dipolos dispuestos en un plano vertical y espaciados de modo que se refuercen mutuamente.

radiating dish   (Radiocom) paraboloide radiante.

radiating doublet   (Ant) (a.c. doublet; infinitesimal dipole) doblete radiante; doblete; dipolo infinitesimal. Elemento radiante ficticio [hypothetical radiator] constituido por dos cargas eléctricas variables, iguales y de signos contrarios, cuya distancia de separación puede considerarse muy pequeña en relación con la menor longitud de onda de las ondas electromagnéticas radiadas (CEI/70 60–34–010).

radiating element   (Ant) elemento radiante. Parte de una antena capaz de radiar energía de radiofrecuencia por sí misma.

radiating guide   guíaondas [guía de ondas] radiante. Guía de ondas destinada a radiar energía radioeléctrica (RF) al espacio libre, bien a través de ranuras o espacios entre segmentos de guía, bien mediante bocinas convenientemente acopladas a la guía.

radiating microsphere   microesfera radiante. Partícula de cerámica esférica con diámetro del orden del de un cabello humano, que rodea y aisla (física y químicamente) un radioisótopo, sin impedir la radiación útil de éste. Se emplea para irradiaciones médicas y como trazador radiactivo [radioactive tracer], pasando por el organismo sin sufrir modificación alguna.

radiating power   potencia de emisión, poder emisivo. De un cuerpo radiante a una temperatura dada, emisión de energía radiante por unidad de tiempo y por unidad de superficie en todas direcciones. SIN. **emissive power.**

radiating simulator   simulador de radiación.

radiating slot   ranura radiante. Ranura (p.ej. en una guía de ondas) por la cual se radía energía de radiofrecuencia. CF. **radiating guide.**

radiating surface   superficie de radiación.

radiating tower   (Radio) torre [mástil] radiante. Torre o mástil de acero empleado directamente como antena o radiador. Las ventajas del mástil radiante son varias. En primer lugar, es más económico un mástil o una torre que dos de ellos para soportar una antena de alambre; además, las torres de soporte, hallándose en el campo de la antena, sufren a menudo la inducción de fuertes corrientes, las que las transforman en radiadores secundarios que pueden producir efectos indeseables en el diagrama de directividad horizontal. Se utilizan las torres radiantes como antenas de radiodifusión de onda media.

radiation   radiación, irradiación. Energía electromagnética que se propaga por el espacio. CASOS PART. luz visible, luz infrarroja, luz ultravioleta, rayos X, ondas radioeléctricas o hertzianas, radiación calorífica, emisión radiactiva | radiación. (1) Emisión de energía o de partículas de materia (CEI/38 05–05–310, CEI/56 05–03–095, CEI/68 26–05–100). (2) (a) Emisión o transporte de energía en forma de ondas electromagnéticas o de partículas; (b) esa misma energía. NOTA: "Radiación" se reserva de preferencia para una radiación monocromática. SIN. **radiant energy** (EU, sentido b) (CEI/58 45–05–005). (3) (a) Emisión o transporte de energía en forma de ondas electromagnéticas o de partículas; (b) esas ondas electromagnéticas o esas partículas. NOTA: En este vocabulario no se consideran en general las radiaciones nucleares ni las ondas radioeléctricas, sino solamente las radiaciones ópticas [optical radiations], es decir, las radiaciones electromagnéticas (fotones) cuya longitud de onda está comprendida entre la región de transición hacia los rayos X ($\approx$ 1 nm) y la región de transición hacia las ondas radioeléctricas ($\approx$ 1 mm) (CEI/70 45–05–005) | radiación. (**1**) Radiación electromagnética o cuántica, por ejemplo *rayos X y gamma.* (**2**) Radiación corpuscular que comprende: (a) partículas cargadas, por ejemplo *partículas alfa, electrones, protones, deuterones;* (b) partículas neutras, por ejemplo *neutrones.* CF. **particle [corpuscular] emission** (CEI/64 65–10–005) | **radiation from excited atoms:** radiación de átomos excitados || *(Radiocom)* radiación (radioeléctrica). (a) Transporte de energía en forma de ondas radioeléctricas [radio-frequency energy] a partir de una fuente. (b) Energía que se propaga en un medio en forma de ondas radioeléctricas [radio waves] (CEI/70 60–02–005) | **radiation in an unwanted direction:** radiación en dirección indeseada, radiación inútil || *(Topog)* irradiación || CF. **abnormal radiation, characteristic radiation, continuous radiation, corpuscular radiation, diffused radiation, normal radiation, polarized radiation, secondary radiation, tertiary radiation** /// *adj:* radiativo.

radiation absorber   absorbedor de radiación, material absorbente de radiaciones. Material empleado para absorber energía en forma de ondas radioeléctricas.

radiation absorption   absorción de radiación; absorción de irradiaciones.

radiation angle   ángulo de radiación.

radiation background   radiación natural ambiente; ruido de fondo de la radiación.

radiation beam   haz de radiación.

radiation-beam attenuation   atenuación del haz de radiación.

radiation belt   cinturón de radiación. SIN. **Van Allen belt.**

radiation biology   biología de las irradiaciones.

radiation burn   quemadura por irradiación, quemadura causada por sobreexposición a una energía radiante.

radiation chemistry   química de las irradiaciones, química de las reacciones provocadas por radiaciones.

radiation cone   *(Radio, Rayos X)* cono de radiación.

radiation constant   constante de radiación.

radiation cooling   enfriamiento [refrigeración] por radiación (del calor).

radiation counter   *(Nucl, Radiaciones ionizantes)* contador de radiaciones. SIN. **detector, survey meter** | contador de radiación. Conjunto de medida de radiación [radiation measuring assembly] que comprende un detector de radiación [radiation detector] en el cual los sucesos ionizantes individuales [individual ionizing events] producen impulsos eléctricos, y el equipo asociado tiene la función de tratar y contar esos impulsos (CEI/68 66–15–360). CF. **scintillation counter.**

radiation-counter tube   tubo contador de radiación [de radiaciones]. SIN. **counter tube.**

radiation damage   *(Nucl)* daños por irradiación | daño por irradiación. Modificaciones perjudiciales en las propiedades físicas o químicas de una substancia, a consecuencia de su exposición a una radiación ionizante [ionizing radiation] (CEI/68 26–15–440).

radiation danger   peligro de irradiación.

radiation danger zone   zona de peligro de irradiación. Zona en la cual se excede la máxima dosis constante permisible por unidad de tiempo.

radiation death   muerte por irradiación.

radiation density   densidad de radiación.

radiation-density constant   constante de densidad de radiación.

radiation detector   detector de radiaciones | detector de radiación. Aparato (en general subconjunto) o substancia que permite convertir la energía de radiación en una forma de energía que permita obtener una indicación y/o suministrar una medida (CEI/68 66–15–005) | **2π [4π] radiation detector:** detector de radiación de 2π [4π]. Detector de radiación que permite la detección de la radiación emitida en un ángulo sólido de 2π [4π] estereorradianes por una fuente radiactiva (CEI/68 66–15–

010) | **detector with internal gas source:** detector con fuente gaseosa interna. Detector de radiación (cámara de ionización, tubo contador, etc.) en el cual el gas de llenado está constituido en todo o en parte por el gas radiactivo cuya actividad [activity] se quiere medir. NOTA: El gas puede o no circular en el detector; en el segundo caso, este detector se llama comúnmente en francés "détecteur à remplissage interne" (CEI/68 66–15–015).

radiation diagram   *(Radiocom)* (a.c. directivity pattern, radiation pattern) diagrama de radiación [de directividad]. Lugar geométrico de las extremidades de los radios vectores cuyas longitudes representan los valores de la fuerza cimomotriz [cymomotive force] de una antena en las diferentes direcciones de un plano [de un cono] especificado; la fuerza cimomotriz máxima se toma a menudo como unidad de longitud del radio vector (CEI/70 60–32–135).

radiation dissipation   disipación de la irradiación.

radiation dosage   (a.c. radiation dosis) dosificación de la radiación.

radiation dose   dosis de radiación; dosis de irradiación | v. **radiation dosage.**

radiation dosemeter   dosímetro. Aparato de medida de cantidades de rayos X [X radiation], o de rayos gamma [gamma radiation], o de radiaciones corpusculares [corpuscular radiation] (CEI/58 20–15–270).

radiation dosimetry   dosimetría de irradiaciones.

radiation effect   efecto de radiación; efecto de las radiaciones.

radiation efficiency   *(Radiocom)* **(of an aerial)** rendimiento de radiación (de una antena). Relación entre la potencia irradiada y la potencia total suministrada a la antena a una frecuencia determinada (CEI/38 60–15–050) | rendimiento de una antena. Relación de la potencia radiada por una antena, a la potencia suministrada a la misma (CEI/70 60–32–025).

radiation energy   energía de radiación; energía radiante.

radiation equilibrium   equilibrio de radiación; equilibrio radiactivo.

radiation excitation (of a gas)   excitación por radiación (de un gas). Excitación de un gas bajo la acción de una radiación electromagnética tal como rayos ultravioleta [ultraviolet radiation], rayos X [X rays], rayos gamma [gamma rays], etc. (CEI/56 07–11–020). CF. **radiation ionization.**

radiation exposure   exposición a la radiación.

radiation facility   instalación de irradiaciones.

radiation field   *(Radiocom)* campo de radiación. (**1**) Campo electromagnético que se propaga por el espacio desde una antena emisora. (**2**) Conjunto de las componentes del campo de una antena correspondientes a una propagación de energía (véase la nota incorporada en el artículo *radiation zone*) (CEI/70 60–32–040) || *(Radiol)* campo de radiación. (a) Región a través de la cual se propaga una radiación ionizante [ionizing radiation]. (b) Superficie (p.ej. la piel) o volumen (p.ej. una parte del cuerpo de un paciente) que es irradiado por el haz útil [useful beam] (CEI/64 65–10–070).

radiation flux   flujo de radiación.

radiation fog   *(Meteor)* niebla de radiación; niebla rastrera.

radiation food preservation   conservación de alimentos mediante radiaciones. Empleo de las radiaciones ionizantes [ionizing radiations] en el tratamiento de alimentos con el doble propósito de conservarlos y de librarlos de todo organismo perjudicial a la salud de la persona que los consuma.

radiation frost   *(Meteor)* helada de radiación.

radiation gage   galga para espesores que emplea radiaciones (de rayos beta o rayos X).

radiation gap   espacio sin radiación.

radiation genetics   radiogenética; efectos genéticos de la irradiación.

radiation-hardened   *adj:* resistente a las radiaciones.

radiation hardness   *(Radiol)* dureza [poder de penetración] de la radiación. v. **penetrating power of radiation.**

radiation hazard   riesgo de radiación. Riesgo que existe en una región donde hay un campo de radiación [radiation field] distinto del considerado resultante de la radiación ambiente normal [normal background radiation] (CEI/64 65–05–135).

radiation height *(Ant)* altura de radiación. Semialtura del doblete equivalente, es decir, de aquel que produciría a distancia el mismo campo eléctrico (CEI/38 60–15–045) | altura efectiva.

radiation history   radioantecedentes; radiohistorial.

radiation hygiene   higiene radiactiva. Arte de conservar la salud en presencia de riesgos de radiación [radiation hazards] (CEI/64 65–05–140).

radiation indicator   indicador de radiaciones | indicador de radiación. Dispositivo destinado a indicar la presencia o la ausencia de una radiación (CEI/64 65–30–280).

radiation-induced decomposition   descomposición producida por irradiación.

radiation-induced genetic defect   defecto genético resultante de las radiaciones.

radiation-induced mutation   mutación radioinducida.

radiation-induced photoluminescence   fotoluminiscencia provocada por irradiación.

radiation injury   lesión por irradiaciones, lesión debida a las radiaciones, radiolesión.

radiation-insensitive *adj:* insensible a las radiaciones.

radiation instrumentation   instrumentación de radiaciones [para medir irradiaciones].

radiation intensity   intensidad de radiación || *(Ant)* **(in a given direction)** intensidad de radiación (en una dirección dada). Potencia radiada por una antena por unidad de ángulo sólido en esa dirección.

radiation ionization (of a gas or a vapor)   ionización por radiación (de un gas o un vapor). Ionización de átomos o de moléculas de un gas o un vapor bajo la acción de una radiación electromagnética tal como rayos ultravioleta [ultraviolet radiation], rayos X [X rays], rayos gamma [gamma rays], etc. NOTA: Cuando el agente ionizante es una radiación de fotones de poca energía [low-energy photons] como p.ej. la radiación ultravioleta, se llama también *fotoionización* [photoionization] (CEI/56 07–12–020). CF. **radiation excitation.**

radiation laboratory   laboratorio de radiaciones.

radiation length   distancia de radiación. Recorrido medio necesario para reducir la energía de partículas cargadas relativistas o ultrarrápidas [relativistic charged particles] por el factor $1/e$ $(=1/2,71828 \ldots \approx 0,368)$ cuando las mismas atraviesan la materia.

radiation level   intensidad de (la) radiación.

radiation lobe *(Ant)* lóbulo de irradiación [radiación]. Parte de un diagrama de radiación (v. **radiation diagram**) limitada por uno o dos conos de mínimos de intensidad [cones of nulls].

radiation loss *(Nucl)* **(of energy)** pérdida (de energía) por radiación || *(Radiocom)* pérdida por radiación. Pérdida de transmisión [transmission loss] debida a la radiación de energía radioeléctrica (RF) de un sistema de transmisión | **radiation loss of conductors, of lines:** pérdida por radiación en (los) conductores, en (las) líneas.

radiation measurement   medida de radiación.

radiation monitor   monitor de radiación; detector de irradiaciones.

radiation outside the occupied band *(Radiocom)* radiación fuera de la banda ocupada.

radiation pasteurization   pasteurización por irradiación.

radiation pattern *(Radiocom)* diagrama de radiación [de irradiación], característica de radiación [de irradiación], diagrama de directividad. Gráfica o mapa en el cual se representa la intensidad de la señal radiada por una antena en función de la dirección. En radiodifusión, por ejemplo, sirve para mostrar las regiones o zonas cubiertas por la emisora. SIN. **directional [directivity, distribution, field] pattern, polar diagram, radiation diagram** (véase).

radiation-permeable *adj:* permeable a las radiaciones.

radiation physicist *(Radiol)* (a.c. radiological physicist) físico radiologista. Físico que se ocupa del empleo de las radiaciones y de sus fuentes (CEI/64 65–05–160).

radiation physics   física de las radiaciones.

radiation potential   potencial de radiación; energía de excitación. Tensión eléctrica correspondiente a la energía en electrón-voltios necesaria para excitar un átomo o una molécula y provocar una emisión radiativa a una de sus frecuencias características.

radiation power   potencia de radiación.

radiation power density   densidad de la energía de radiación.

radiation preservation of food   preservación de alimentos por irradiación. v. **radiation food preservation.**

radiation pressure   presión de radiación. TB. presión radiativa. (1) Presión (de valor sumamente pequeño) causada por una radiación electromagnética sobre una superficie. (2) Presión que provoca una onda acústica sobre una superficie.

radiation-processed *adj:* tratado por irradiación; irradiado.

radiation protection   protección contra las radiaciones [irradiaciones].

radiation-protection guide [RPG]   guía de protección contra las radiaciones. Guía de las cantidades totales de dosis de radiación ionizante [ionizing radiation] permisibles en períodos de tiempo especificados, sin peligro de daños a los grupos industriales. CF. **maximum permissible exposure.**

radiation pyrometer   pirómetro de radiación. Pirómetro en el cual la energía radiante del objeto o la fuente objeto de la medida se enfoca sobre un detector o elemento sensible apropiado (termopar, termopila, bolómetro) que proporciona la magnitud eléctrica aplicada a un instrumento indicador. SIN. **radiation thermometer.**

radiation Q   Q de radiación.

radiation quality *(Radiol)* (a.c. quality of radiation) cualidad de una radiación. v. **quality.**

radiation rate *(Nucl)* (a.c. radiation intensity, radiation level) intensidad de (la) radiación.

radiation research   investigaciones sobre las radiaciones.

radiation resistance *(Radiocom)* resistencia de radiación. (1) Componente de la resistencia de antena que, multiplicada por el cuadrado de la corriente de antena, da la potencia irradiada. (2) Cociente de la potencia radiada por una antena dividida por el cuadrado de la corriente de antena medida en un punto especificado o en el punto donde se suministra la potencia a la antena || *(Acús)* **(at a surface vibrating in a medium)** resistencia de radiación (en una superficie que vibra en un medio). Parte de la resistencia total debida a la radiación de energía acústica al medio || *(Nucl)* radiorresistencia.

radiation-resistant *adj:* resistente a las irradiaciones.

radiation-responsive *adj:* sensible a la irradiación.

radiation-safe corridor   corredor libre de irradiaciones.

radiation-sensitive *adj:* sensible a las radiaciones [irradiaciones], radiosensible.

radiation sensor   sensor de radiaciones, elemento sensible a las radiaciones.

radiation shield   blindaje contra la radiación [contra las radiaciones nucleares]. Cubierta o pared de un material (p.ej. plomo) que absorbe las radiaciones nucleares.

radiation sickness *(Radiol)* radiopatía. Enfermedad resultante de sobreexposición a radiaciones ionizantes o nucleares | enfermedad por radiación. Enfermedad que sobreviene después de una irradiación (CEI/64 65–10–815).

radiation source *(Nucl)* fuente de radiación. Aparato o substancia que emite o es susceptible de emitir una radiación ionizante [ionizing radiation] (CEI/68 26–15–240).

radiation sterilization   radioesterilización, esterilización por irradiaciones. Acción y efecto de matar los microorganismos indeseables existentes en una substancia, mediante radiaciones ionizantes.

radiation survey   *(Radiol)* control de radiación [de protección]. v. **protection survey.**

radiation survey instrument   instrumento de prospección de radiación. Instrumento portátil utilizado para medir el nivel de radiación ambiente [level of environmental radiation] (CEI/68 66–15–405).

radiation survey meter   contador de radiación para investigaciones; contador para control de radiación.

radiation system   sistema de irradiación.

radiation temperature   temperatura de radiación. Temperatura a la cual hay que calentar un cuerpo negro [blackbody] para que tenga el mismo poder emisivo [emissive power] que la fuente de radiación térmica considerada.

radiation therapy   radioterapia | terapia por radiación. Tratamiento de enfermedades con cualquier tipo de radiación ionizante [ionizing radiation]. SIN. **radiotherapy** *(término desaconsejado)* (CEI/64 65–05–090).

radiation thermometer   termómetro de radiación. v. **radiation pyrometer, infrared radiation thermometer.**

radiation thermometry   termometría de radiación.

radiation thermometry system   sistema termométrico de radiación.

radiation thermopile   termopila de radiación.

radiation thermostat   termostato de radiación.

radiation warning symbol   símbolo de alerta contra riesgo de radiación. Consiste en un trébol o trifolio [trefoil] magenta sobre fondo amarillo y se coloca en forma visible en locales donde existe riesgo de radiación (v. **radiation hazard**).

radiation width   anchura de la radiación.

radiation window   ventana de radiación. Ventana transparente a ciertas radiaciones, que protege contra cuerpos extraños el objeto que ella cubre.

radiation worker   trabajador sometido a irradiación.

radiation zone   *(Radiocom)* *(also far zone)* zona de radiación. Región del espacio suficientemente alejada de una antena emisora para que puedan considerarse las ondas radiadas como prácticamente progresivas. NOTA: En esta región, y en el espacio libre, el producto del campo magnético por la impedancia característica del espacio, es igual al campo eléctrico y varía en toda dirección fija como la inversa de la distancia a la antena. Puede establecerse el comienzo de dicha región a una distancia de la antena igual a una longitud de onda, si la antena es de pequeñas dimensiones en relación con esa distancia (CEI/70 60–32–050).

radiational   *adj:* radiativo.

radiational load   carga radiativa.

radiationless   *adj:* no radiativo.

radiationless transition   transición no radiativa.

radiative   *adj:* radiativo; de radiación.

radiative capture   *(Nucl)* captura radiativa [radiante, de radiación]. Proceso de captura cuyo resultado inmediato es la emisión de radiación electromagnética solamente | captura radiativa. Captura de una partícula por un núcleo, seguida de la emisión inmediata de una radiación gamma [gamma radiation] (CEI/68 26–05–425).

radiative-capture cross-section   *(Nucl)* sección eficaz de captura radiativa.

radiative capture of neutrons (by uranium)   captura radiativa de neutrones (por el uranio).

radiative correction   *(Fís)* corrección de radiación.

radiative decay   desintegración radiativa.

radiative equilibrium   equilibrio de radiación. Dícese cuando un cuerpo conserva una temperatura constante por ser iguales la absorción y la emisión de energía radiante del mismo.

radiative heat transfer   transporte calorífico radiativo.

radiative inelastic-scattering cross-section   sección eficaz de dispersión inelástica radiativa. Sección eficaz relativa al proceso de difusión inelástica radiativa (CEI/68 26–05–675). CF. **thermal inelastic-scattering cross-section.**

radiative neutronic capture   captura neutrónica radiativa.

radiative pion capture   captura radiativa de piones.

radiative recombination   recombinación radiativa.

radiative transfer   intensidad de radiación.

radiative transition   transición radiativa.

radiator   radiador | **(of an electrode)** radiador (de un electrodo) | *(i.e.* electric radiator) radiador (eléctrico) | *(i.e.* heat radiator) radiador (térmico). CF. **heat sink** ‖ *(Mot)* radiador ‖ *(Calefacción)* radiador, calorífero, aparato de calefacción ‖ *(Nucl)* radiador, emisor de radiaciones ‖ *(Radiocom)* radiador, irradiador. Parte de una antena que emite la mayor parte de la energía radioeléctrica | antena emisora ‖ v. **full radiator, nonselective radiator, Planckian radiator, selective radiator, thermal radiator.**

radiator core   *(Mot)* núcleo del radiador.

radiator fan   ventilador para radiador.

radiator flap   aleta de radiador.

radiator shutter   persiana de radiador.

radiator tube   *(Elecn)* tubo con aletas de refrigeración.

radical   *(Lingüística, Quím)* radical ‖ *(Mat)* radical. Nombre del signo $\sqrt{}$, al cual se llegó por deformación de la letra *r,* inicial de *radix* (raíz), con un vínculo que abarca todas las cantidades afectadas por la raíz ⫻ *adj:* radical; fundamental, esencial.

radical axis   *(Mat)* eje radical. Lugar de los puntos de igual potencia respecto de dos circunferencias; es una recta perpendicular a la línea que une los centros de ambas circunferencias. El nombre de *eje radical* se debe a Gaultier de Tours.

radical ring   *(Quím)* anillo de radical.

radical sign   *(Mat)* radical, signo [símbolo] radical. v. **radical.**

radical trapping   *(Quím)* captación de radicales libres.

radicand   *(Mat)* radicando. Número, cantidad o expresión algebraica que se somete a la operación de radicación (operación de encontrar raíces).

radician   *(i.e.* radar technician) técnico radarista.

radicle   *(Bot)* raicilla, radícula, raiceja ‖ *(Quím)* radical.

radii   Plural de *radius.*

radio   radio. Apócope de numerosas voces relacionadas con las ondas radioeléctricas [radio waves], entre ellas: aparato de radio; radiorreceptor, receptor de radio; radioemisor; estación radiotelegráfica; radiocomunicación; radiodifusión; radiotelefonía, telefonía inalámbrica [sin hilos]; radiotelegrafía, telegrafía inalámbrica [sin hilos]; radiotecnia, técnica de radio; radioelectricidad, técnica de alta frecuencia; radioenlace, enlace radioeléctrico; radiograma, radiotelegrama, telegrama por radio | Apócope de *radiology* [radiología] | radiocomunicación. Transmisión de señales a través del espacio, por medio de ondas electromagnéticas | radioelectricidad. Término general aplicado al empleo de las ondas hertzianas [Hertzian waves] ⫻ *adj:* radial. Relativo a la radiocomunicación, en particular la radiodifusión | radioeléctrico. Relativo al empleo de las ondas hertzianas | por radio, por vía radioeléctrica; inalámbrico, sin hilos ‖ *(Nucl/Radiol)* radiactivo, radioactivo; por medio de radium (radio) ⫻ radio. Prefijo derivado del latín *radius,* que significa *radio* o *rayo* | Prefijo que denota el empleo de energía radiante ‖ *(Radiocom)* Prefijo que se aplica al empleo de las ondas radioeléctricas [radio waves] (CEI/70 60–00–05) ‖ *(Quím/ Nucl/Radiol)* (1) Prefijo que denota radiactividad o relación con ella. (2) Prefijo que designa los isótopos radiactivos ‖ *(Medicina)* Prefijo que denota *radial* o *radialmente* ⫻ *verbo:* radiar, emitir (por radio); transmitir por radio; comunicar por radio; radiodifundir; radiotelefonear; radiotelegrafiar; enviar un radiograma, un radiotelegrama; enviar un mensaje [un telegrama] por radio | **to radio a message:** radiar un mensaje; radiodifundir un mensaje ‖ *(Nucl/Radiol)* tratar con irradiaciones; radiografiar.

RADIO   *(Radiocom)* RADIO. Indicativo que sigue al nombre de una estación costera.

radio-acoustic   v. **radioacoustic.**

radio-acoustics   v. **radioacoustics.**

radio-active   v. **radioactive.**

radio advertising   publicidad radial [radiada, por radio].

radio aid   *(Radionaveg)* radioayuda, ayuda radioeléctrica; sistema de radioayuda. SIN. **radionavigation aid.**

radio aid for instrument approach and landing   *(Aeronaveg)* ayuda radioeléctrica para la aproximación y el aterrizaje por instrumentos.

radio aid to air navigation   radioayuda para la navegación aérea. Sistema o servicio radioeléctricos de ayuda a la aeronavegación.

radio aid to collision warning   radioayuda anticolisión, ayuda radioeléctrica para la prevención de colisiones.

radio aid to navigation   radioayuda para la navegación; servicio radioeléctrico de ayuda a la navegación.

radio alert   radioalerta. En los Estados Unidos, orden general a todas las estaciones de radio, dictada por el Ministerio de la Defensa, para que, hasta nuevo aviso, efectúen sus emisiones de acuerdo con el procedimiento CONELRAD (véase). CF. **radio all clear.**

radio all clear   fin de radioalerta. En los Estados Unidos, orden general a todas las estaciones de radio, dictada por el Ministerio de la Defensa, de que normalicen sus emisiones, descontinuando el procedimiento CONELRAD (véase). CF. **radio alert.**

radio altimeter   radioaltímetro, altímetro radioeléctrico. SIN. altímetro radárico [de reflexión radioeléctrica] — **electronic [radar, reflection] altimeter.** CF. **absolute altimeter, terrain clearance indicator** | radioaltímetro. Aparato de radionavegación colocado a bordo de una aeronave, y que utiliza la reflexión de las ondas radioeléctricas sobre el suelo con el fin de determinar la altura de la aeronave sobre el suelo (RR Ginebra 1959) (CEI/70 60–74–355).

radio altitude   altitud (absoluta) determinada por medios radioeléctricos. SIN. **radar altitude.**

radio amateur   radioaficionado, aficionado de radio.

Radio Amateur Civil Emergency Service [RACES]   Servicio de Radioaficionados en casos de Emergencia Civil. En los Estados Unidos, servicio de radiocomunicación prestado por radioaficionados, según reglamentación e instrucciones de las autoridades competentes, durante estados de emergencia civil.

radio amplification   radioamplificación.

radio-and-phonograph combination   radiofonógrafo, combinación de radio y fonógrafo. LOCALISMO: combinado.

radio-and-television repairman   reparador de radio y televisión, técnico en radio y televisión, técnico en reparaciones de radio y televisión.

radio-and-television show   exposición [exhibición] de radio y televisión, salón de la radio y la televisión.

radio announcer   anunciador de radio; radiolocutor, locutor de radio.

radio antenna   antena de radio.

radio art   técnica de radio, técnica radioeléctrica; radioelectricidad.

radio astronomer   radioastrónomo.

radio-astronomical   *adj:* radioastronómico.

radio-astronomical measurement   medida radioastronómica.

radio-astronomical observation   observación radioastronómica.

radio-astronomical observatory   observatorio radioastronómico.

radio astronomy   radioastronomía. Estudio de las ondas radioeléctricas emitidas por los cuerpos celestes. AFINES: radioondas extraterrestres, ondas eléctricas emanadas del Sol, radioerupciones, emisión radioeléctrica de las manchas solares, radioestrellas, radiorruidos cósmicos, radionebulosas. CF. **radar astronomy** /// *adj:* radioastronómico.

radio-astronomy center   centro radioastronómico.

radio atmosphere   atmósfera radioeléctrica.

radio attenuation   atenuación radioeléctrica. CF. **path attenuation.**

radio-autopilot coupler   acoplador radio-autopiloto. Dispositivo que permite acoplar directamente el piloto automático de una aeronave a una ayuda de radionavegación, de tal manera que ésta gobierne la marcha de aquél; se consigue así un vuelo completa-

mente automático.

radio backpack unit   radioteléfono de mochila.

radio balloon   (globo) radiosonda. CF. **radar balloon, rawin.**

radio baseband   *(Telecom)* banda base de radio, banda básica del sistema radioeléctrico; pasabanda de radiocomunicación. En los radioenlaces multicanal, banda de modulación aplicada al transmisor o procedente del receptor de radio; banda de frecuencias que contiene todas las subportadoras de multiplexión, y que se aplica al transmisor de radio, o que se obtiene del receptor después de la desmodulación, pero antes de disgregar los canales individuales. También se aplica el término a la banda de frecuencias que el equipo es capaz de transmitir.

radio baseband spectrum   espectro radioeléctrico de la banda base.

radio beacon   *(Radionaveg)* radiofaro. (1) Estación radioeléctrica (estacionaria y de posición geográfica exactamente conocida) que emite una señal distintiva destinada a que las aeronaves y los buques puedan determinar su posición y/o rumbo. (2) Estación radioeléctrica de ayuda a la navegación utilizada principalmente con un radiogoniómetro móvil para la determinación de rumbos. SIN. **radiobaliza** — **radio range, aerophare.** V.TB. **LF/MF marker, LF/MF nondirectional beacon, H facility, compass locator.** CF. **radar beacon** | radiofaro. (1). Aparato combinado con radiogoniómetro que transmite señales características para ayudar a la navegación (CEI/38 60–30–010). (2) Conjunto emisor de radionavegación cuyas emisiones están destinadas a permitir a una estación móvil determinar su posición o su dirección respecto a dicho conjunto (RR Ginebra 1959) (CEI/70 60–74–050). V.TB. **directional radio beacon, nondirectional radio beacon, omnidirectional radio beacon, VHF omnirange, rotating beacon, sector-scanning beacon, four-course radio range, radio range** | **radio beacon with double modulation:** V. **equisignal localizer.**

radio-beacon antenna   antena de radiofaro.

radio-beacon identification   identificación del radiofaro. Grupo en clave emitido por un radiofaro.

radio-beacon receiver   receptor de radiofaro; radiofaro receptor.

radio-beacon station   estación de radiofaro. Estación de radionavegación cuyas emisiones permiten a una estación móvil determinar su posición o su dirección con relación a la estación de radiofaro.

radio-beacon system   red de radiofaros.

radio-beaconing   instalación de radiofaros.

radio beam   haz radioeléctrico, haz de ondas radioeléctricas | *(Por extensión)* enlace hertziano, radioenlace por haz dirigido. CF. **radar beam** || *(Radionaveg aérea)* haz de zumbido.

radio-beam system   sistema de radioenlaces por haz dirigido.

radio bearing   radiomarcación, marcación radiogoniométrica. Marcación obtenida con ayuda de un radiogoniómetro | rumbo radiogoniométrico.

radio-bearing installation   radiogoniómetro, instalación radiogoniométrica. CF. **radio direction finder.**

radio blackout   desvanecimiento radioeléctrico, atenuación general de las señales de radio; interrupción de la radiopropagación. SIN. **radio fadeout.**

radio bomb   bomba con espoleta activada por radio.

radio bomb fuse   espoleta (de bomba) activada por radio. Espoleta de bomba activada por ondas radioeléctricas reflejadas por el blanco.

radio broadcast   radiodifusión, emisión [transmisión] radiofónica. POCO USADO: perifonía. Programa emitido por radio y destinado a la recepción por el público en general.

radio-broadcast   *verbo:* radiar, radiodifundir, transmitir por radio.

radio broadcast relaying   *(Telecom)* (a.c. broadcast relaying) relé de emisiones radiofónicas.

radio broadcast station   radiodifusora, radioemisora, estación de radiodifusión.

radio broadcaster   radiolocutor, locutor (de radio); radioemisor; aparato de radiodifusión. v.tb. **broadcaster, wireless broadcaster.**

radio broadcasting   radiodifusión. Transmisión por radio destinada a la recepción por el público en general | radiotransmisión. Radiocomunicación cuyas emisiones están destinadas a una recepción general (CEI/70 60–00–030).

radio-broadcasting terminal   (*Telecom*) terminal de radiodifusión.

radio buoy   radioboya.

radio call   llamada por radio.

radio call sign   (*Radiocom*) indicativo de llamada.

radio call-sign plate   placa del indicativo de llamada.

radio callbox   caja de llamada radiotelefónica.

radio carrier   portadora radioeléctrica, (onda) portadora de radio.

radio central   (*Radiocom*) central de radio.

radio channel   (*Radiocom*) canal radioeléctrico [de radio], radiocanal. Banda de frecuencias de ancho suficiente para determinado servicio de radiocomunicación | canal de radio(comunicación), enlace radioeléctrico, vía de radiocomunicación, circuito (de telecomunicación) por radio. A VECES: vía radio, radiovía. CASOS PART. canal radiotelefónico; canal radiotelegráfico | radiocanal. Sistema de comunicación radioeléctrica caracterizado por una banda de frecuencias determinada (CEI/38 60–05–100) | canal radioeléctrico, vía radioeléctrica. Vía de transmisión establecida por medio de un emisor y un receptor radioeléctricos (CEI/70 60–00–040).

radio channeling   (*Telecom*) canalización de radio.

radio channeling equipment   equipo de canalización de radio. Equipo para dividir un canal de radiocomunicación en cierto número de subcanales.

radio choke coil   bobina de inducción para RF, reactor de radiofrecuencia. SIN. **radio-frequency choke.**

radio chromometer   (*Radiol*) (of Benoist, etc.) radiocromómetro (de Benoist, etc.). Cualímetro [penetrometer] basado en las variaciones comparativas de la transparencia de un elemento ligero [light element] y un elemento pesado [heavy element], cuando varía la longitud de onda efectiva [effective wavelength] de un haz heterogéneo [heterogeneous beam] (CEI/38 65–25–065). v. **heterogeneous radiation.**

radio circuit   (*i.e.* arrangement of parts and connections for radio purposes) circuito de radio ‖ (*Radiocom*) (*i.e.* radiocommunication circuit) circuito de radio(comunicación), enlace radioeléctrico, vía radioeléctrica, circuito de telecomunicación por radio | circuito radiotelefónico. Conjunto de dos enlaces radioeléctricos [radio links] (de sentido único) y las líneas terrestres que los unen a las centrales cabeza de línea [terminal exchanges].

radio city   palacio de la radio.

radio climatology   radioclimatología.

radio club   radio-club, club de radioaficionados.

radio coast station   estación costera de radiocomunicación.

radio command   señal de radiomando, señal de control por radio. SIN. **radio control signal.**

radio-command guided missile   proyectil radioguiado, proyectil dirigido por radio.

radio communication   v. **radiocommunication.**

radio compass   radiocompás, radiobrújula, brújula radiogoniométrica, radiogoniómetro de navegación. SIN. **automatic direction finder** | radiocompás. Radiogoniómetro de a bordo que indica automáticamente el rumbo del emisor al cual está sintonizado (CEI/70 60–74–125).

radio-compass indicator   indicador de radiocompás; indicador del radiogoniómetro.

radio component   componente de radio, pieza (suelta) de radio.

radio concert   radioconcierto, concierto radiofónico.

radio connection   enlace radioeléctrico.

radio consultation   radioconsulta, consulta por radio.

radio control   radiocontrol, control [mando, teledirección] por radio, radiomando a distancia | radiocontrol. Mando a distancia de un dispositivo por medio de ondas radioeléctricas (CEI/70 60–74–025) | radioguía, radiomando. v. **radiocontrol.**

radio control box   (*Avia*) caja de mando de la radio.

radio control circuit   (*Telecom*) circuito de control radioeléctrico. SIN. **order-wire circuit.**

radio-controlled   *adj:* radioguiado, radiomandado, radiodirigido, radioconducido, radiogobernado, controlado [guiado, mandado, dirigido, conducido, gobernado] por radio. CF. **radar-controlled.**

radio-controlled aircraft   avión dirigido por radio.

radio-controlled antiaircraft missile   proyectil antiaéreo radioguiado.

radio-controlled garage door opener   dispositivo radiomandado para abrir automáticamente la puerta del garaje.

radio-controlled pilotless aircraft   avión sin piloto radiogobernado.

radio converter   (*Rec*) convertidor de banda. Aparato que permite recibir bandas de frecuencias más altas que las de las bandas para las cuales fue construido el receptor. v.TB. **short-wave converter.**

radio countermeasure [RCM]   contramedida radioeléctrica [de radio]. CF. **radar countermeasure.**

radio course   curso de radio, curso de radioelectricidad.

radio deception   (*Guerra elecn*) tácticas de radiocomunicación engañosas. Empleo de la radiocomunicación con el fin de confundir o engañar al adversario; por ejemplo, transmisión de mensajes falsos, uso de indicativos de llamada asignados a estaciones del adversario, etc. CF. **radar deception.**

radio detection   radiodetección, detección electromagnética | radiodetección. Radiolocalización [radiolocation] que indica la presencia de un objeto, sin determinación precisa de su posición. SIN. **radio warning** (CEI/70 60–70–010). CF. **radar detection.**

radio determination (of position)   radiolocalización. v. **radio-location.**

radio direction finder [RDF]   radiogoniómetro. TB. radioorientador, radiolocalizador de dirección. Aparato radiorreceptor con antena de cuadro giratoria [rotatable loop antenna] que indica, mediante dispositivos apropiados, la dirección en que se reciben las señales del emisor que se tenga sintonizado. SIN. **direction finder, radiogoniometer** (véase). CF. **radio compass, radar direction finder.**

radio direction finding [RDF]   radiogoniometría. POCO USADO: busca de dirección por radio. Radiolocalización [radiolocation] en la cual únicamente se determina la dirección de una estación por medio de sus emisiones. SIN. **radiogoniometry** (véase).

radio-direction-finding apparatus   radiogoniómetro.

radio-direction-finding station   estación radiogoniométrica. Estación de radiolocalización [radiolocation station] destinada a determinar únicamente la dirección de otras estaciones por medio de las emisiones de éstas.

radio-directional antenna   antena dirigida. v. **directional antenna.**

radio-directional beacon   radiofaro de navegación guiada | v. **radio-range beacon.**

radio directorate   dirección de radio; dirección de la radiodifusión.

radio discipline   disciplina en la explotación [utilización] de la radiocomunicación.

radio dispatching   despacho (de vehículos) por radio.

radio-dispatching system   sistema de despacho por radio. Red de radiocomunicación utilizada para coordinar el movimiento de trenes o de flotillas de vehículos de transporte.

radio-dispensary   radiodispensario.

radio distribution system   (*Telecom*) (a.c. program-distribution system) teledifusión, hilodifusión, radiodistribución, distribución de radioprogramas por hilo. SIN. **wire broadcasting.**

radio disturbance   perturbación radioeléctrica, radioperturbación. CF. **radar disturbance.**

radio-disturbance forecast   previsión de radioperturbaciones.

radio-Doppler   radiolocalización por efecto Doppler. Radiolocalización basada en la determinación de la componente radial [radial component] de la velocidad relativa de dos objetos, por la observación de la diferencia, ligada al valor de dicha componente, entre la frecuencia de una onda radioeléctrica periódica sinusoidal emitida por uno de los objetos, y la frecuencia de la onda correspondiente recibida, reflejada o retransmitida por el otro objeto (CEI/70 60–70–015).

radio drama   radiodrama, obra dramática transmitida por radio.

radio drop repeater   (*Telecom*) radiorrepetidor con acceso [con derivación]. CF. **radio through repeater.**

radio echo   eco radioeléctrico, eco de radio. CF. **radar echo.**

radio-echo method   método del eco radioeléctrico.

radio-echo observation   observación por ecos radioeléctricos.

radio-electronic circuit   circuito radioelectrónico.

radio-electronic installation   instalación radioelectrónica.

radio-electronics   radioelectrónica.

radio emanation   radioemanación. CF. **radon.**

radio emergency transmitter   transmisor de radio de emergencia.

radio emission   emisión radioeléctrica [de ondas radioeléctricas].

radio energy   energía radioeléctrica.

radio engineer   ingeniero de radio, ingeniero radioelectricista.

radio engineering   ingeniería de radio, ingeniería radioeléctrica; técnica radioeléctrica, radioelectricidad.

radio equipment   equipo de radio; material de radio; equipos hertzianos.

radio exhibition   exhibición [exposición] de radio; salón de la radio. SIN. **radio show.**

radio expert   perito en radio; técnico de radiocomunicaciones.

radio facilities   instalaciones radioeléctricas [de radio]; aparatos de radiocomunicación; servicios de radio; instalaciones y servicios de radio.

radio facility chart   (*Naveg*) carta de instalaciones radioeléctricas [de radio]; carta de rutas radiobalizadas; carta auxiliar de navegación con indicación de las estaciones de radio.

radio facsimile   radiofacsímile, radiofototelegrafía. Facsímile o fototelegrafía por radio. SIN. **radiophoto.**

radio facsimile transmission   transmisión de radiofacsímile.

radio fadeout   (a.c. fadeout) desvanecimiento (radioeléctrico) total, desvanecimiento profundo repentino. SIN. **(radio) blackout** | (a.c. Dellinger fadeout) desvanecimiento repentino; efecto Dellinger. Desvanecimiento brusco de las señales radioeléctricas que se propagan normalmente por la ionósfera, por ejemplo las comprendidas en la banda de frecuencias de 2 MHz a alrededor de 30 MHz, debido a una perturbación ionosférica repentina [sudden ionospheric disturbance] que se produce cuando una parte suficiente de la trayectoria de transmisión [transmission path] se encuentra en el hemisferio iluminado por el sol [sunlit hemisphere] (CEI/70 60–24–210).

radio fan marker   (*Radionaveg*) v. **fan marker beacon.**

radio fan marker beacon   (*Radionaveg*) v. **fan marker beacon.**

radio field intensity   intensidad de campo radioeléctrico [electromagnético, de irradiación]. v. **field intensity.** SIN. **radio field strength.**

radio field strength   v. **radio field intensity.**

radio field-strength meter   medidor de intensidad de campo radioeléctrico. v. **field-strength meter.**

radio field-to-noise ratio   relación de intensidades de campo de la onda deseada y del ruido. CF. **signal-to-noise ratio.**

radio filter   filtro de radio.

radio fix   punto de posición determinado por radio; posición determinada por radiogoniometría; situación determinada por intersección de haces radioeléctricos; marcación radioeléctrica; determinación de (la) posición por radio. CF. **radar fix.**

radio flashing strobe   (*Radionaveg*) radiobaliza de emisión intermitente.

radio flutter   fluctuación radioeléctrica; fluctuación en las señales recibidas por radio.

radio flying   vuelo radioguiado. CF. **radar flying aid.**

radio frequency [RF]   radiofrecuencia [RF], frecuencia radioeléctrica, alta frecuencia. Frecuencia superior a las frecuencias acústicas, pero inferior a las de la luz y el calor; frecuencia utilizable en radiocomunicación. v. **electromagnetic spectrum, nomenclature of frequency and wavelength bands** | radiofrecuencia. Frecuencia a la cual es posible la radiación de energía electromagnética con el propósito de comunicación (CEI/38 60–05–085) | radiofrecuencia, frecuencia radioeléctrica. Frecuencia a la cual la radiación electromagnética es útil para las telecomunicaciones (CEI/70 55–05–060) /// *adj:* de radiofrecuencia, de RF; radiofrecuente. v.TB. **RF.**

radio-frequency alternator   alternador de radiofrecuencia. Alternador que genera corrientes de radiofrecuencia, generalmente inferior a 100 kHz. Se utilizaba antiguamente como generador de oscilaciones para transmisores de radio. Posteriormente se utilizó para calentamiento por alta frecuencia [high-frequency heating]. SIN. **Alexanderson generator.**

radio-frequency amplification   amplificación de radiofrecuencia, amplificación en radiofrecuencia [en alta frecuencia].

radio-frequency amplifier   amplificador de radiofrecuencia [de alta frecuencia].

radio-frequency amplifier stage   etapa amplificadora de radiofrecuencia.

radio-frequency beam   haz radioeléctrico, haz de ondas radioeléctricas, haz de energía radioeléctrica.

radio-frequency booster (for broadcast station)   reforzador de radiofrecuencia (para estación radiodifusora). Equipo en el cual se emplea una antena receptora especial y un amplificador de radiofrecuencia, sin detección, para reforzar la señal por irradiación.

radio-frequency bridge   puente de radiofrecuencia.

radio-frequency carrier   onda portadora, portadora de alta frecuencia. SIN. **carrier wave.**

radio-frequency choke [RFC]   bobina de inducción para RF, reactor de radiofrecuencia. Inductor con núcleo de aire o de hierro pulverizado que presenta un alto valor de impedancia a las corrientes de radiofrecuencia, al propio tiempo que da paso fácil a las corrientes de baja frecuencia y a la corriente continua.

radio-frequency coil   bobina de radiofrecuencia.

radio-frequency component   componente de radiofrecuencia.

radio-frequency contactor   contactor de radiofrecuencia.

radio-frequency current   corriente de radiofrecuencia.

radio-frequency directional filter   (*Telecom*) filtro direccional de radiofrecuencia. En los sistemas de microondas, filtro de ondas eléctricas que permite acoplar varios emisores y/o receptores a una misma antena; está constituido por una combinación de cavidades resonantes.

radio-frequency energy   energía radioeléctrica, energía de alta frecuencia.

radio-frequency filter   filtro de radiofrecuencia.

radio-frequency furnace   horno de calentamiento por alta frecuencia, electrohorno de RF.

radio-frequency generator   generador de radiofrecuencia. CF. **radio-frequency alternator.**

radio-frequency glow discharge   descarga luminosa de RF.

radio-frequency ground   (punto al potencial de) tierra respecto a las radiofrecuencias.

radio-frequency harmonic   armónica de frecuencia radioeléctrica [de alta frecuencia].

radio-frequency heating   caldeo por radiofrecuencia, caldeo (industrial) por altas frecuencias, caldeo por corrientes inducidas de RF. SIN. **radiotermia** —— **radiothermics.**

radio-frequency induction brazing   broncesoldadura por inducción de corrientes de RF.

radio-frequency induction heating   caldeo por inducción de alta frecuencia, caldeo por inducción de corrientes de RF.

radio-frequency input   entrada de RF.

radio-frequency insulator   aislador para RF. Aislador apropiado para radiofrecuencias, como los de cuarzo, esteatita, Pyrex, Mycalex, Isolantite, etc.

radio-frequency interference   interferencia radioeléctrica; interferencia producida por radiofrecuencias.

radio-frequency link   eslabón de RF. En los transmisores de radio, artificio de acoplamiento entre dos etapas de radiofrecuencia, constituido por dos bobinas conectadas entre sí y acopladas a los circuitos resonantes de una y otra etapa.

radio-frequency melting equipment   equipo de fusión por corrientes de RF.

radio-frequency oscillator   oscilador de radiofrecuencia [de alta frecuencia]. Oscilador que genera corrientes alternas de frecuencia radioeléctrica.

radio-frequency plasma torch   soplete de plasma de RF.

radio-frequency power amplifier   amplificador de potencia de radiofrecuencia. Se refiere a menudo a la *etapa de salida* de un radioemisor.

radio-frequency power output   potencia de salida de RF.

radio-frequency probe detector   sonda detectora de RF.

radio-frequency pulse   impulso de radiofrecuencia | portadora de RF modulada en amplitud por un impulso. La amplitud de la portadora modulada es cero antes y después del impulso; no está implícita la autocoherencia de la portadora [coherence of the carrier with itself].

radio-frequency radiation   radiación de radiofrecuencia.

radio-frequency record   *(Radiocom)* registro de radiofrecuencia; repertorio de frecuencias.

Radio Frequency Record [RFR]   *(UIT)* Registro de Frecuencias Radioeléctricas.

radio-frequency resistance   resistencia en radiofrecuencia, resistencia a las altas frecuencias. SIN. **alternating-current resistance, effective resistance** (véase), **high-frequency resistance** (véase).

radio-frequency self-oscillating circuit   circuito autooscilador de RF.

radio-frequency signal generator   generador de señales de RF. Aparato de prueba que genera tensiones de radiofrecuencia para fines de alineamiento de aparatos de radio y electrónicos. SIN. **service oscillator.**

radio-frequency spectrum   espectro de radiofrecuencias, espectro de las frecuencias radioeléctricas. v. **nomenclature of frequency and wavelength bands.**

radio-frequency stage   etapa [paso] de radiofrecuencia | etapa amplificadora de radiofrecuencia. SIN. **radio-frequency amplifier stage.**

radio-frequency suppressor   supresor de radiofrecuencia, eliminador de RF.

radio-frequency transformer   transformador de radiofrecuencia [de alta frecuencia]. Transformador para corrientes radiofrecuentes; el núcleo puede ser de aire o de hierro pulverizado.

radio-frequency transparent   v. **radiotransparent.**

radio-frequency tube   tubo (electrónico) para radiofrecuencia, válvula (electrónica) para RF.

radio-frequency voltage   tensión radiofrecuente. Tensión alterna a frecuencia radioeléctrica.

radio-frequency welding   soldadura por calor de corriente de alta frecuencia.

radio galaxy   radiogalaxia. Galaxia que emite ondas radioeléctricas. CF. **radio meteor.**

radio gear   equipo de radio; material técnico de radio.

radio-gramophone (*GB*)   radiofonógrafo, radiogramófono, combinación de radio y fonógrafo. SIN. **radio-phonograph.**

radio guidance   radioguía, radioguiaje, guiaje por radio. CF. **radar guidance** | radioconducción. Conducción a distancia de un

vehículo o una aeronave por medio de ondas radioeléctricas (CEI/70 60–74–015). CF. **radio control.**

radio-guided   *adj:* radioguiado, guiado por radio.

radio-guided bomb   bomba radioguiada.

radio ham   *(slang for "radio amateur")* radioaficionado, aficionado de radio.

radio heat welding   v. **radio-frequency welding.**

radio history   historia del radio; historia de las radiocomunicaciones.

radio homing   *(Radionaveg)* recalada por radio | radioconducción desde el punto de destino. Navegación de un móvil que se dirige continuamente hacia un punto determinado, con la ayuda de un aparato radioeléctrico situado en ese punto (CEI/70 60–74–020). CF. **radio guidance.**

radio homing beacon   radiofaro de recalada; radiobaliza para la recalada. v. **homing beacon.**

radio horizon   horizonte radioeléctrico; radiohorizonte. Lugar de los puntos en los cuales los rayos directos que parten de un radioemisor tocan tangencialmente la superficie de la Tierra. En una superficie esférica el horizonte es una circunferencia. La distancia al horizonte radioeléctrico es afectada por la refracción atmosférica [atmospheric refraction] | horizonte radioeléctrico. Lugar de los puntos en los cuales los rayos procedentes de un emisor se hacen tangenciales a la superficie de la Tierra (CEI/70 60–22–140). CF. **radar horizon.**

radio-induced mutation   *(Genética)* mutación radioinducida.

radio industry   industria radioeléctrica.

radio-inertial guidance (system)   (sistema de) guía radioeléctrica-inercial. Sistema de guía por radio con un sistema auxiliar de guía por inercia, utilizado en algunos proyectiles guiados [guided missiles].

radio influence   influencia radioeléctrica, interferencia de radiofrecuencia con origen en líneas de energía eléctrica.

radio inspector [RI]   inspector de radio.

radio intercept   intercepción radioeléctrica; interceptación de radiomensajes.

radio-interception crew   equipo de intercepción radioeléctrica, personal de vigilancia de las radiocomunicaciones.

radio interference   (a.c. interference) perturbación radioeléctrica; ruido radioeléctrico, parásitos; interferencia, radiointerferencia.

radio-interference department   departamento de investigación y corrección de interferencias.

radio-interference suppression   supresión de perturbaciones radioeléctricas.

radio-interference suppression capacitor   capacitor [condensador] de supresión de perturbaciones radioeléctricas.

radio interferometer   interferómetro radioeléctrico.

radio jamming   radiointerferencia; perturbación intencional, interferencia voluntaria, emisión de ondas perturbadoras.

radio key   manipulador de radio.

radio knife   bisturí de arco de alta frecuencia. Instrumento quirúrgico que utiliza un arco eléctrico de alta frecuencia para cortar tejido y simultáneamente esterilizar los bordes de la herida.

radio laboratory   laboratorio radioeléctrico [de radio].

radio landing beam   *(Radionaveg)* haz de aterrizaje, haz-guía de aterrizaje; haz de trayectoria de planeo. Haz radioeléctrico que sirve a una aeronave de guía vertical durante el descenso de aterrizaje. v.TB. **landing beam.**

radio laws   derecho de radiocomunicaciones.

radio-letter [RLT]   *(Teleg)* carta radio. SIN. **letter-telegram via radio.**

radio license   licencia de radio; licencia de radiodifusión.

radio line of position   *(Radionaveg)* línea de posición determinada con el radiogoniómetro.

radio link   *(Telecom)* radioenlace, enlace radioeléctrico. TB. enlace (de) radio, enlace hertziano [por haces hertzianos]. (**1**) Sistema de radiocomunicación entre dos puntos o localidades. (**2**) Vía de transmisión [channel] establecida por medio de una estación radioemisora y una estación radiorreceptora. (3) En casos particulares: enlace [circuito] radiofónico; circuito radiotelefónico; circuito radiotelefónico que conecta dos secciones de una línea telefónica; circuito radioeléctrico que une los estudios con el emisor de una estación difusora | radioenlace. Tramo radioeléctrico de una vía de telecomunicación (CEI/70 60–00–035) | comunicación radioeléctrica | CF. **radio channel, radio circuit.**

radio-link chain   cadena de radioenlaces; arteria hertziana.

radio-link circuit   circuito de radioenlace; circuito de enlaces radioeléctricos.

radio-link equipment rack   bastidor de radioenlace.

radio-link protection   (*Elec*) protección por telerradio. Protección por piloto [pilot protection] en la cual un equipo radioeléctrico asegura la comunicación entre las extremidades del circuito protegido [protected zone] (CEI/56 16–55–065).

radio-link system   radioenlace, enlace hertziano; sistema de enlaces radioeléctricos. CF. **radio-relay system.**

radio-link transmitter   transmisor de radioenlace, emisor de enlace radioeléctrico. Transmisor que con su receptor corresponsal forma un radioenlace. En radio y televisión (aplicación particular) se utiliza para tomas exteriores [field pickups] o para el enlace entre el estudio y el transmisor principal de una difusora.

radio listener   radioescucha, radiooyente. El que escucha una emisión radiofónica.

radio listening   radioescucha, escucha [audición] de programas radiofónicos.

radio listening density   densidad de escucha radiofónica. Relación entre el número de radioescuchas y la extensión superficial de la zona en que ellos residen.

radio-location   v. radiolocation.

radio log   parte diario (de las radiocomunicaciones). Registro de las comunicaciones establecidas o intentadas, del tráfico cursado (mensajes enviados y recibidos), y de otros datos pertinentes, que llevan los operadores de una estación de radiocomunicación.

radio loop   antena de cuadro.

radio-loop nacelle   (*Avia*) carenado de la antena de cuadro.

radio magnetic indicator [RMI]   (*Radionaveg*) indicador combinado, indicador radio-magnético. (1) Elemento indicador de ciertos equipos radiogoniométricos. (2) Instrumento que da indicaciones visuales de rumbo del vehículo [vehicle heading], marcación relativa [relative bearing], marcación magnética [magnetic bearing], y rumbo de radiofaro omnidireccional [omnibearing].

radio manufacturer   fabricante de radios; fabricante de radio [de material radioeléctrico].

radio marker   (*Radionaveg*) radiobaliza; radiobaliza de posición. v. **marker.**

radio marker beacon   (*Radionaveg*) radiobaliza; radiobaliza de posición. v. **marker beacon.**

radio marker station   estación de radiobaliza (de posición).

radio mast   mástil [torre] de antena. SIN. **aerial mast, antenna tower.** CF. **radiating tower.**

radio-mast rigging insulator   aislador para viento de mástil de antena.

radio matters   cuestiones relativas a las radiocomunicaciones.

radio measurement   medida de radio, medida radioeléctrica.

radio-medical assistance   asistencia radiomédica.

radio-medical message   mensaje radiomédico.

radio mesh   radiomalla.

radio message   mensaje por radio; radiograma.

radio metal locator   radiolocalizador de metales; detector (electrónico) de objetos metálicos. SIN. **metal detector.**

radio meteor   radiometeoro. Meteoro detectado y rastreado con aparatos radioastronómicos.

radio-meteorograph   v. radiometeorograph.

radio microphone   radiomicrófono, micrófono inalámbrico. SIN. **wireless microphone.**

radio monitor   monitor de radio | monitor de emisión. Dispositivo receptor destinado a asegurar en forma continua el control local de la calidad de una emisión radioeléctrica, por ejemplo por registro de las señales emitidas (CEI/70 60–50–015).

radio monitoring station   puesto de observación de radio, estación radiomonitora.

radio multichannel link   radioenlace multicanal, enlace de radiocomunicación multicanal.

radio multiplex system   sistema radioeléctrico múltiplex.

radio multiplexing   (*Radiocom*) multiplexión de una vía radioeléctrica, canalización de radio. Obtención de múltiples canales de comunicación mediante un solo enlace radioeléctrico, bien por división de frecuencia (v. **frequency-division multiplexing**), bien por división de tiempo (v. **time-division multiplexing**). SIN. **radio channeling.**

radio navaid   v. radionavigation aid.

radio navigation   v. radionavigation.

radio navigational   v. radionavigational.

radio net   red radioeléctrica; red de radiotransmisiones.

radio noise   ruido radioeléctrico [de radio, de RF], radiorruido; parásitos; ruido de origen radioeléctrico. CF. **radio disturbance, radio interference.**

radio noise field   intensidad de campo de ruido radioeléctrico, intensidad de campo perturbador. Intensidad de campo de las ondas electromagnéticas perturbadoras.

radio noise filter   filtro de radiorruido [de radiointerferencia], filtro antiparásitos.

radio noise level   nivel de ruido radioeléctrico.

radio noise storm   tormenta de ruido radioeléctrico, tempestad de radiorruidos.

radio observation   observación radioeléctrica. CF. **radar observation.**

radio office   (*Buques*) cuarto de la radio.

radio officer   (*Buques*) radiotelegrafista.

radio-opacous   v. radiopaque.

radio-opaque   v. radiopaque.

radio-operated   *adj*: radioaccionado, radiomandado, radiogobernado. CF. **radio-controlled.**

radio operator   operador de radio; radiotelegrafista. SIN. **radioman.**

radio-optical distance   (*Radiocom*) distancia radioóptica; distancia entre las antenas emisora y receptora. En condiciones normales de refracción, esa distancia puede ser ligeramente (alrededor de 6%) mayor que la distancia máxima de la visual. CF. **radio-optical range.**

radio-optical range   (*Radiocom*) alcance radioóptico; distancia máxima entre las antenas emisora y receptora. Distancia máxima posible entre las antenas de transmisión y recepción; esa distancia está limitada a la del horizonte radioeléctrico (v. **radio horizon**), el cual sobrepasa el horizonte óptico [optical horizon] en alrededor del 6 % en condiciones normales de refracción atmosférica, y aumenta con la altura de las antenas.

radio outlet   tomacorriente con conexiones de antena y tierra, combinación de tomacorriente y conector de antena y tierra. Artefacto montado en la pared y que comprende una toma de corriente y dos bornes en los cuales terminan, respectivamente, el bajante de antena y el conductor de toma de tierra. Se tienen así en un solo punto todas las conexiones necesarias para el funcionamiento de un radiorreceptor.

radio paging system   sistema de llamadas por radio, sistema de llamada sin hilos. Sistema de llamadas y avisos por altavoces en el cual se utiliza el radio como medio de enlace, en lugar de líneas.

radio part   pieza de radio.

radio-parts catalog   catálogo de piezas de radio.

radio-parts supplier   negocio de radio, comercio de material de radio.

radio path   trayectoria radioeléctrica.

radio-phono   radio-fono. Identificación de las dos posiciones de un conmutador para seleccionar entre recepción de radio y reproducción fonográfica en un radiofonógrafo.

radio-phonograph   radiofonógrafo. LOCALISMOS: combinado, radiogramola. SIN. **radio-gramophone** *(GB)*.

radio photogram   v. **radiophotogram**.

radio photography   v. **radiophotography**.

radio physics   Física aplicada a la Radioelectricidad.

radio pill   radioendosonda, píldora radioemisora. Traductor-radioemisor minúsculo que se introduce en el tubo digestivo para hacer exploraciones u observaciones médicas.

radio point source   fuente radioeléctrica puntual.

radio position finding   radiogoniometría; radiolocalización; localización de estaciones de radio.

radio position-line determination   radiolocalización de la línea de posición.

radio practice   radiotecnia, radiotécnica; radioelectricidad.

radio principles   principios de radio [de la radio], nociones de radiotecnia.

radio project   proyecto radioeléctrico.

radio propagation   propagación radioeléctrica [de las ondas radioeléctricas].

radio-propagation engineering   ingeniería [técnica] de la propagación radioeléctrica.

radio-propagation measurement   medida de propagación radioeléctrica.

radio-propagation physics   física de la propagación radioeléctrica.

radio-propagation prediction   previsión [pronóstico] de propagación radioeléctrica.

radio prospecting   radioprospección. Empleo de técnicas de radio y electrónica para la localización de depósitos minerales y yacimientos petrolíferos.

radio prospection   radioprospección. v. **radio prospecting**.

radio proximity fuse   espoleta de proximidad radioeléctrica. Espoleta de proximidad que emite ondas radioeléctricas y es disparada o activada por las reflexiones de éstas en el blanco, cuando la espoleta se ha acercado lo suficiente.

radio radiation   radiación radioeléctrica.

radio range   *(Radionaveg)* radiofaro direccional [de alineación]. TB. radioemisor indicador de rumbo, radiobaliza emisora de señales de guía. Estación radioeléctrica que radía señales de característica única en direcciones especificadas. SIN. **radio beacon**, **radio-range beacon**. CF. **equisignal localizer**, **four-course radio range** | (a.c. four-course beacon) radiofaro de cuatro alineaciones. Radiofaro de alineación [track beacon] que determina cuatro ejes orientados [tracks] (CEI/70 60-74-100) | zona de navegación guiada | ruta de vuelo radioguiado. Cadena de radiofaros direccionales que establece una ruta de vuelo de un aeropuerto a otro.

radio-range antenna   antena de radiofaro direccional.

radio-range beacon   radiofaro direccional [de alineación]; radiofaro de navegación guiada. Estación radioeléctrica de radiación direccional que permite a una aeronave observar en todo momento cualquier desviación respecto a la ruta de vuelo. SIN. **radio range** | baliza de ruta de vuelo radioguiado, radiobaliza de ruta. SIN. **radio range**.

radio-range beacon course   alineación (de radiofaro direccional), eje de rumbo (determinado por radiofaro direccional). SIN. **radio-range leg**.

radio-range beam   haz de radiofaro direccional, haz de alineación; sector de rumbo. Sector (en un plano horizontal) dentro del cual se recibe la señal indicadora de rumbo emitida por un radiofaro direccional. SIN. **course sector, radio-range leg**.

radio range finding   telemetría radioeléctrica. CF. **radar range finding** | radiotelemetría. Radiolocalización [radiolocation] en la cual se determina la distancia de una estación o de un objeto con la ayuda de sus emisiones, las cuales pueden ser propias de la estación o el objeto o reflejadas o recibidas y retransmitidas por el

objeto en la misma forma o en forma diferente (CEI/70 60-70-030).

radio-range fix   posición determinada por radio. V.TB. **radio fix**.

radio-range leg   haz de radiofaro direccional, haz de alineación; sector de rumbo. v. **radio-range beam** | v. **radio-range beacon course**.

radio-range monitor   monitor de radiofaro direccional. Aparato que automáticamente da una alarma cuando el error de alineación de un radiofaro direccional excede del límite establecido.

radio-range orientation   orientación por señales de navegación guiada.

radio-range station   estación de radiofaro direccional; estación de radio de navegación guiada.

radio-range transmitter   transmisor de radiofaro direccional; emisor de radioalineación.

radio ranging   radiotelemetría, telemetría radioeléctrica [electromagnética]. SIN. **radio range finding**.

radio rate   *(Telecom)* tasa radioeléctrica.

radio ray   rayo radioeléctrico; haz de radioondas [de ondas radioeléctricas].

radio receiver   radiorreceptor, receptor de radio, receptor (radioeléctrico). Aparato que transforma las señales radioeléctricas en señales perceptibles al oído o a la vista. SIN. **radio, radio set, radio receiving set** | receptor. Aparato que recibe de una antena o de algún otro dispositivo radioeléctrico una señal incidente y suministra a la salida una señal que contiene esencialmente la misma información que la señal incidente, pero que posee características diferentes, por ejemplo componentes espectrales más bajas y una potencia mucho mayor, que hacen la señal de salida más directamente utilizable (CEI/70 60-44-005) | *(i.e. radio broadcast receiver)* receptor radiofónico [de radiodifusión].

radio receiver circuit   circuito receptor de radio.

radio receiving position   *(Telecom)* puesto de radiorrecepción; puesto receptor para circuito de radio(comunicación).

radio receiving set   aparato radiorreceptor, aparato receptor de radio. SIN. **radio receiver, radio set**.

radio reception   radiorrecepción, recepción de radio [por radio]. Recepción de señales o de información por medio de ondas radioeléctricas.

radio recorder   registrador de radio. CF. **radio monitor**.

radio reflector   reflector radioeléctrico [de ondas radioeléctricas]. CF. **radar reflector**.

radio refractive index   índice de refracción radioeléctrico.

radio regulations   reglamento de radio; reglamento de radiocomunicaciones.

Radio Regulations (Atlantic City, 1947)   Reglamento de Radiocomunicaciones (Atlantic City, 1947).

Radio Regulations (Geneva, 1959)   Reglamento de Radiocomunicaciones (Ginebra, 1959).

radio relay   *(Radiocom)* relé radioeléctrico, relé [relevador] hertziano; radioestación relé; radioenlace dirigido.

radio-relay channel   canal de comunicación por relé radioeléctrico, vía de telecomunicación por relevador hertziano.

radio-relay circuit   circuito de radioenlace, circuito radioeléctrico dirigido, cable hertziano.

radio-relay communications equipment   equipo de comunicación por radiorrelevadores [por enlaces radioeléctricos], equipo de radiocomunicación por haces dirigidos, equipo de radioenlace.

radio-relay equipment   equipo de radioenlace [de haces hertzianos, de haces dirigidos].

radio-relay facilities   vías (de telecomunicación) por relés radioeléctricos [hertzianos].

radio-relay link   radioenlace, enlace radioeléctrico [por haz hertziano], cable hertziano. A VECES: radiopuente, puente radio | enlace por relés radioeléctricos [hertzianos].

radio-relay link network   red de radioenlaces, red de comunicaciones por haces hertzianos.

radio-relay link telephony   telefonía por radioenlaces [por haces hertzianos].

radio-relay network   red de radioenlaces, red de enlaces por haces hertzianos.

radio-relay route   ruta de radioenlaces, arteria radioeléctrica [hertziana, por relés hertzianos].

radio-relay station   estación de radioenlace [de haz hertziano]; estación de radiorrelé [de relé radioeléctrico]; instalación de radiotransmisión direccional | estación de enlace herciano. Estación radioeléctrica intermedia que asegura la recepción de una señal y la emisión de otra señal representativa de la misma información (CEI/70 60–00–050).

radio-relay system   (*Telecom*) (*i.e.* one-station system; radio repeater) relé hertziano, (sistema de) relé [relevador, repetidor] radioeléctrico, (sistema de) radioestación relé. SIN. **repeater (station)** | (*i.e.* two-station system) cable hertziano, sistema de radioenlace. Sistema de comunicación realizado mediante ondas electromagnéticas dirigidas entre dos estaciones directas, es decir, sin la ayuda de repetidores intermedios. SIN. **radio link, radio-relay link** | (*i.e.* multistation system) cable hertziano, sistema de radioenlaces; red de cables hertzianos, red de radioenlaces. TB. sistema de haces hertzianos [de relevadores radioeléctricos, de radioestaciones relé, de relés hertzianos]. Sistema de comunicación realizado mediante ondas electromagnéticas dirigidas y que comprende uno o varios repetidores intermedios. Se utilizan en estos sistemas ondas métricas o más cortas (microondas), que se propagan en línea esencialmente recta (propagación óptica), por lo que su alcance está limitado en general por la curvatura de la tierra, y, en casos particulares, también por la topografía de la región. Esto obliga a emplear repetidores (estaciones intermedias) cuando la longitud del sistema es mayor de unos 50 km. En los casos más complejos, el sistema puede comprender muchas estaciones terminales y repetidoras entre las estaciones extremas, e incluso varios ramales o sistemas secundarios, formando una verdadera red. SIN. **sistema [red] de microondas — microwave system. V.TB. end station, intermediate station, repeating station, drop repeater, through repeater, terminal station** | cable herciano. Vía de radiocomunicación que comprende estaciones terminales [terminal stations] conectadas mediante estaciones intermedias de enlace herciano [intermediate radio-relay stations] (CEI/70 60–00–045). CF. **wideband radio-relay system.**

radio-relay television link   radioenlace direccional de televisión, cable hertziano para la transmisión de programas de televisión.

radio relaying   radiorrelevo, retransmisión radioeléctrica; telecomunicación por cables [enlaces] hertzianos.

radio remote control   radiomando a distancia, telemando por radio, radiocontrol. SIN. **radio control.**

radio repairman   reparador [técnico de reparaciones] de radio, radiomecánico. LOCALISMO: radiotricista. SIN. **radio mechanic, radio serviceman, radio technician.**

radio repeater   repetidor radioeléctrico [de radio]. SIN. **radio repeater station.**

radio repeater station   estación repetidora [relevadora] radioeléctrica, repetidora de radio. En los sistemas de microondas (cables hertzianos), *estación intermedia* que recibe señales de una estación distante y, después de amplificarlas, las retransmite a otra estación distante. En la generalidad de los casos la estación intermedia efectúa dichas funciones (recepción, amplificación, retransmisión) en ambos sentidos de transmisión simultáneamente. SIN. **radio repeater, intermediate station, repeating station, radio-relay station.** CF. **passive repeater.**

radio report   radiorreportaje.

radio reporter   radiorreportero, periodista que hace radiorreportajes.

radio reporting   radiorreportaje.

radio research   investigaciones (científicas) de radio, investigaciones en el campo de la radioelectricidad.

radio scattering   dispersión de ondas radioeléctricas, difusión de

ondas electromagnéticas. V. **scattering.**

radio school   escuela de radio(electricidad).

radio screen   V. **radio shield.**

radio search   radioexploración.

radio section   (*Telecom*) sección de radio. En un sistema de radioenlaces [radio-relay system], tramo o trayecto entre dos estaciones consecutivas | radioenlace. Tramo radioeléctrico que forma parte de una vía de telecomunicación. SIN. **radio link.**

radio sender   radioemisor, emisor radioeléctrico, radiotransmisor, transmisor de radio. SIN. **radio set, radio transmitter.**

radio service   servicio de radiocomunicación.

radio serviceman   radiomecánico, reparador [técnico] de radio, técnico en reparaciones de radio. SIN. **radio mechanic, radio repairman, radio technician.**

radio servicing   (servicio de) reparaciones de radio, servicio de reparaciones de aparatos de radio.

radio set   (aparato de) radio; equipo de radio, equipo radioeléctrico | (aparato) receptor de radio, radiorreceptor. SIN. **radio receiver** | emisor [transmisor] de radio, radioemisor. SIN. **radio transmitter** | equipo emisor/receptor de radio, transceptor. SIN. **transceiver.**

radio set tester   probador de aparatos de radio; probador de receptores.

radio sextant   radiosextante. Aparato constituido en esencia por un radiogoniómetro para microondas que señala el acimut y la altura del Sol. La antena es parabólica y apunta automáticamente hacia el astro. Si la antena se desplaza ligeramente de la dirección del disco solar, se produce una señal modulada que, después de detectada, hace funcionar un servomecanismo que actúa sobre la antena y la apunta exactamente hacia el Sol.

radio shield   radioblindaje, radiopantalla. SIN. **radio screen** /// *verbo:* radioblindar, radioapantallar.

radio show   exhibición [exposición] de radio; salón de la radio. SIN. **radio exhibition.**

radio signal   radioseñal, señal radioeléctrica [de radio], señal transmitida por radio.

radio signal scattering   V. **radio scattering.**

radio silence   período de "silencio"; (período de) suspensión de radioemisiones. Período durante el cual una estación o un grupo de estaciones suspenden sus emisiones, p.ej. para permitir la recepción de las señales de otras estaciones.

radio sky   cielo radioeléctrico. El cielo tal como se nos aparecería si nuestros ojos fueran sensibles a las ondas radioeléctricas y no a las luminosas.

radio sonobuoy   sonoboya, radioboya hidrófónica, boya radiohidrofónica. V. **sonobuoy.**

radio sounding   radiosondeo. Exploración de la atmósfera mediante globos sonda provistos de radioemisor. CF. **radiosounding.**

radio sounding balloon   globo radiosonda. SIN. **radiosonde balloon.**

radio source   (*Radioastr*) fuente (de radiación) radioeléctrica, radiofuente. Región del espacio de la cual se reciben ondas radioeléctricas. CF. **radio star.**

radio spectral line   raya radioeléctrica, raya del espectro radioeléctrico.

radio spectroscope   radioespectroscopio.

radio spectrum   espectro radioeléctrico [de las frecuencias radioeléctricas], espectro de radio(frecuencia), radioespectro; espectro de las ondas de radiocomunicación. (1) Gama de las frecuencias correspondientes a las ondas hertzianas [Hertzian waves]. (2) Parte del espectro electromagnético correspondiente a las frecuencias comprendidas entre 10 Hz ($\lambda = 30$ km) y 3×10^{13} Hz ($\lambda = 1$ cm), aproximadamente. Este espectro se ha dividido convencionalmente en cierto número de bandas. V. **nomenclature of frequency and wavelength bands. SIN. radio-frequency spectrum.**

radio spectrum analyzer   analizador de espectro radioeléctrico.

radio spectrum conservation   economía (en el uso) del espectro radioeléctrico, aprovechamiento [buen uso] del espectro de radiocomunicación. SIN. **radio spectrum economy**.

radio spectrum economy   v. **radio spectrum conservation**.

radio standard   norma radioeléctrica; patrón radioeléctrico.

radio standards broadcast   emisión radioeléctrica de señales patrón.

radio star ·   (*Radioastr*) radioestrella, estrella radioeléctrica, fuente radioeléctrica estelar. Punto extraterrestre de fuerte emisión radioeléctrica concentrada, llamado en lenguaje más científico *fuente discreta* [discrete source], a distinción de las *zonas* de emisión. Por lo común las radioestrellas no coinciden con las *estrellas ópticas* conocidas. El Sol es quizás la única estrella conocida que emite ondas radioeléctricas. CF. **radio source**.

radio star scintillation   escintilación de las radioestrellas.

radio station   estación radioeléctrica [de radio], radioestación; estación de radio, emisora de radio(difusión), radioemisora, radiodifusora; estación de radiocomunicación | estación radioeléctrica. Uno o más emisores o receptores, o un conjunto de emisores y receptores, comprendidos los aparatos accesorios, necesarios para asegurar un servicio de radiocomunicación en un emplazamiento dado (CEI/70 60–40–010).

radio-station interference   interferencia procedente de una radioestación.

radio storm   tormenta radioeléctrica. CF. **radio noise storm, ionospheric storm, magnetic storm**.

radio strontium   v. **radiostrontium**.

radio studio   estudio de radio, estudio radiofónico.

radio subscription   abono a la radio.

radio sun   radiosol, sol radioeléctrico. El Sol según es el mismo observado por su radiación electromagnética en el espectro radioeléctrico [radio spectrum].

radio-supervised master clock   reloj maestro supervisado por radio.

radio-supervised time control   control de tiempo supervisado por radio.

radio suppression condenser   (a.c. suppression capacitor) condensador supresor de perturbaciones de radio, condensador de antiparasitaje.

radio suppressor   supresor [eliminador] de perturbaciones de radio, dispositivo de antiparasitaje. V.TB. **suppressor**.

radio survey   reconocimiento radioeléctrico.

radio system   sistema radioeléctrico. En telecomunicaciones refiérese al conjunto de las instalaciones que provee comunicación multicanal entre dos puntos, mediante uno o más canales radioeléctricos. SIN. **microwave system**.

radio-system link   v. **radio link**.

Radio Technical Committee for Aeronautics   Comité de Radiotecnia para la Aeronáutica (EE.UU.).

Radio Technical Planning Board [RTPB]   Junta de Planificación Técnica de Radio (EE.UU.).

radio technician   radiotécnico, técnico de radio. SIN. perito en radio, radioelectricista, radiomecánico, radiorreparador, reparador de radio —— radio repairman, radio serviceman. V. **radioman**.

radio technology   v. **radiotechnology**.

radio telecommunication   v. **radiotelecommunication**.

radio telegraphy   v. **radiotelegraphy**.

radio telephony   v. **radiotelephony**.

radio telescope   radiotelescopio. Radiorreceptor sumamente sensible y de muy bajo ruido utilizado con una antena direccional de grandes dimensiones para captar ondas radioeléctricas de origen estelar.

radio teletype   v. **radioteletype**.

Radio-Television-Electronics Manufacturers Association [RETMA]   Asociación de Fabricantes de Material de Radio, Televisión y Electrónica (EE.UU.).

radio-television servicing   (servicio de) reparaciones de radio y televisión, servicio de reparación de aparatos de radio y televisión.

radio tester   probador de aparatos de radio; probador de radiorreceptores. SIN. **radio set tester**.

radio theater   radioteatro, teatro radiofónico, estudio-teatro.

radio theodolite   v. **radiotheodolite**.

radio therapy   v. **radiotherapy**.

radio-thermoluminescence   v. **radiothermoluminescence**.

radio through repeater   (*Telecom*) radiorrepetidor de paso, repetidor radioeléctrico sin acceso [sin derivación]. CF. **radio drop repeater**.

radio time-signal transmission   emisión radioeléctrica de señales horarias.

radio time-signals   señales horarias radioeléctricas, señales horarias por radio.

radio-to-telephone hybrid   transformador diferencial para acoplamiento entre circuito radiotelefónico y línea telefónica.

radio tower   (*i.e.* antenna tower) torre de antena(s) | (*i.e.* radiating tower) torre [mástil] radiante.

radio tracking   seguimiento [rastreo] radioeléctrico. CF. **radar tracking** | localización por radio.

radio traffic   tráfico de radiocomunicación; tráfico radioeléctrico.

radio train control   radiocontrol de trenes; mando de trenes por radio.

radio transceiver   transceptor de radio; radioteléfono, emisor/receptor radiotelefónico. SIN. **radio set**.

radio transmission   radiotransmisión, transmisión radioeléctrica [de radio, por radio], transmisión hertziana [por vía radioeléctrica]; transmisión de señales eléctricas sin hilos, TSH; radiación, propagación de radioondas | v. **radio transmission of pictures**.

radio transmission of pictures   transmisión radioeléctrica de imágenes | radiotransmisión de imágenes. Transmisión por ondas electromagnéticas de fotografías, facsímiles, imágenes en general, escritos, etc. (CEI/38 60–30–020).

radio transmitter   radiotransmisor, transmisor radioeléctrico [de radio], emisor radioeléctrico [de radio], radioemisor. Aparato que genera oscilaciones de frecuencia radioeléctrica y las modula conforme a la información o señal que se desee transmitir en forma de ondas de radio. SIN. **radio sender, radio set**. CF. **amplitude-modulation transmitter, frequency-modulation transmitter, phase-modulation transmitter, single-sideband transmitter, vestigial-sideband transmitter, alternator transmitter, spark transmitter, vacuum-tube transmitter, radiotelegraph transmitter, radiotelephone transmitter** | emisor radioeléctrico. Aparato que produce energía radioeléctrica [radio-frequency energy] con el fin de asegurar una radiocomunicación (CEI/70 60–42–005).

radio transmitting equipment   equipo radiotransmisor [radioemisor], equipo transmisor [emisor] de radio.

radio transmitting position   (*Telecom*) puesto de radiotransmisión; puesto transmisor para circuito de radio(comunicación). CF. **radio receiving position**.

radio-transparent   v. **radiotransparent**.

radio trunk   (*Telecom*) tronco radioeléctrico. En las redes de telecomunicación por microondas, en particular las utilizadas para servicio telefónico, *ruta troncal* o *enlace principal*.

radio tube   tubo [válvula] de radio, tubo electrónico. POCO USADO: lámpara de radio. SIN. **electron tube, radio valve** (*GB*).

radio tube noise   ruido de los tubos [válvulas] de radio.

radio tuner   sintonizador de radio. V. **tuner**.

radio tuner unit   bloque de sintonía; sintonizador de radio.

radio-type resistor   resistor del tipo usado en aparatos de radio.

radio valve (*GB*)   v. **radio tube**.

radio warning   radiovigilancia | radiodetección. V. **radio detection** || (*Meteor*) aviso [predicción] por radio.

radio watch   radioobservación; (servicio de) escucha por radio | guardia. Servicio que presta el radiotelegrafista de un buque mientras está en el cuarto de radio [radio room]. SIN. **watch**.

radio wave   onda de radio, onda radioeléctrica, onda hertziana. POCO USADO: radioonda. (**1**) Onda electromagnética de longitud de onda inferior a las de la luz infrarroja. (**2**) Onda electromagnética cuya frecuencia está comprendida entre 10 kHz y 3 THz. SIN. **Hertzian wave** | **radio waves**: ondas radioeléctricas. Ondas electromagnéticas cuyas frecuencias son inferiores a 3 000 GHz, y que se propagan por el espacio sin guía artificial, tal como hilos o guías de ondas [waveguides] (CEI/70 60–02–015). v. **nomenclature of frequency and wavelength bands.**

radio wave propagation (a.c. radio propagation) propagación radioeléctrica [de ondas radioeléctricas]. Transporte de energía a través del espacio mediante radiación electromagnética a frecuencia radioeléctrica [radio frequency].

radio wave scattering (a.c. radio scattering) dispersión de ondas radioeléctricas, difusión de ondas electromagnéticas. v. **scattering.**

radio wavefront distortion distorsión del frente de onda. Produce una modificación en la dirección de avance de la onda radioeléctrica.

radio wavelength longitud de onda radioeléctrica.

radio welding v. **radio-frequency welding.**

radio whistler silbido radioeléctrico [ionosférico]. v. **whistler.**

radio window (a.c. window) ventana radioeléctrica. Banda de frecuencias, que se extiende entre los límites aproximados de 6 MHz y 30 GHz, dentro de la cual las radiaciones del universo exterior pueden penetrar en la atmósfera terrestre y propagarse por ella.

radio working explotación radioeléctrica; servicio de radiocomunicación.

radio workshop taller (de reparaciones) de radio.

radioacoustic *adj:* radioacústico, radiofónico.

radioacoustic position-finding telemetría radioacústica. Medida de distancias a través del agua observando la diferencia en el tiempo de propagación hasta el punto de observación, de una onda acústica y una onda radioeléctrica que se originan simultáneamente en el punto de interés, haciendo coincidir en el tiempo la detonación de una carga explosiva y el cierre de un circuito radioemisor.

radioacoustics radioacústica, radiofonía. Ciencia de la transmisió de sonidos por radio, y de la utilización de sonidos transmitidos por radio /// *adj:* radioacústico, radiofónico.

radioactinium radioactinio. Isótopo del torio de la serie del actinio [actinium series]. Símbolo: RdAc.

radioactivate *verbo:* hacer radiactivo.

radioactivation radiactivación, radioactivación.

radioactivation analysis análisis por radiactivación.

radioactive *adj:* radiactivo, radioactivo. Relativo a la radiactividad [radioactivity]; que posee radiactividad. SIN. **active.**

radioactive aerosol aerosol radiactivo.

radioactive aerosol recorder registrador de aerosoles radiactivos.

radioactive air aire radiactivo.

radioactive airborne particle partícula radiactiva transportada por el aire.

radioactive atom átomo radiactivo.

radioactive barium bario radiactivo.

radioactive by-product subproducto radiactivo.

radioactive capture reaction reacción de captura radiactiva; reacción provocada por captura con radiación. Proceso nuclear en el cual es capturada una partícula y la energía excedente es emitida en forma de radiación.

radioactive carbon carbono radiactivo, radiocarbono.

radioactive cemetery cementerio radiactivo. Lugar destinado al depósito de objetos radiactivos indeseables, con protección apropiada (CEI/68 26–15–495).

radioactive chain cadena radiactiva; cadena de elementos radiactivos. SIN. **radioactive series.**

radioactive chemistry v. **radiochemistry.**

radioactive cloud nube radiactiva. Nube de humo, gases, polvo y otras materias radiactivas que produce la detonación de un arma nuclear.

radioactive constant constante de radiactividad. Constante asociada con la velocidad de desintegración de una substancia particular. SIN. **decay constant.**

radioactive contamination contaminación radiactiva. Presencia de una substancia radiactiva en un medio o en contacto con una materia, donde la misma es indeseable (CEI/68 26–15–420).

radioactive dating determinación de la edad por método radiactivo. Técnica para determinar la edad de un objeto determinando las proporciones de los distintos radioisótopos contenidos en él.

radioactive decay desintegración radiactiva, decrecimiento radiactivo. SIN. **radioactive disintegration** | (a.c. disintegration, nuclear disintegration) desintegración (nuclear). Transformación nuclear espontánea (radiactividad) caracterizada por la emisión de energía del núcleo. Cuando están en juego grandes números de núcleos, el proceso se caracteriza por un período radiactivo [half-life] definido (CEI/64 65–10–230) | desintegración radiactiva. Transformación de un núclido por emisión espontánea de partículas, con o sin emisión de rayos gamma, o por captura de un electrón orbital [orbital electron] de ese núclido (CEI/68 26–05–345).

radioactive decay constant constante de desintegración radiactiva. SIN. **decay constant.**

radioactive decay product producto de desintegración radiactiva. SIN. **decay product.**

radioactive decay series serie de desintegración radiactiva. SIN. **decay series.**

radioactive deposit depósito radiactivo. Película de materia radiactiva formada sobre un objeto sólido que ha sido sometido a una emanación radiactiva (actinón, radón, torón) o a un producto subsiguiente | yacimiento radiactivo.

radioactive disintegration desintegración radiactiva. SIN. **radioactive decay.**

radioactive displacement law ley de los desplazamientos radiactivos. Ley que rige las transformaciones radiactivas. SIN. **displacement law.**

radioactive dust polvo radiactivo.

radioactive-dust vacuum cleaner aspirador de polvo radiactivo.

radioactive effect efecto radiactivo.

radioactive effluent efluente radiactivo. Residuos radiactivos en forma de fluido (gas o líquido).

radioactive element elemento radiactivo. Elemento en desintegración espontánea que emite diversos rayos y partículas.

radioactive emanation emanación radiactiva. Gas radiactivo que despiden ciertos elementos radiactivos. SIN. **emanation.**

radioactive emission emisión radiactiva.

radioactive equilibrium equilibrio radiactivo. Estado que se establece entre los miembros de una serie radiactiva [radioactive series] cuando las razones entre las actividades de los miembros sucesivos de la serie permanece constante (CEI/64 65–10–275). CF. **secular equilibrium.**

radioactive fallout (*Explosiones nucl*) precipitación radiactiva; cenizas radiactivas. SIN. **fallout.**

radioactive family familia radiactiva.

radioactive fission fisión radiactiva.

radioactive fission product producto de fisión radiactiva; producto radiactivo de fisión [de ruptura].

radioactive gage galga radiactiva para espesores. Se utiliza sin contacto físico.

radioactive gas gas radiactivo.

radioactive-gas storage almacenamiento de gases radiactivos.

radioactive ground contamination contaminación radiactiva del terreno.

radioactive half-life período radiactivo, semivida radiactiva. En el caso de un proceso único de desintegración radiactiva [a single radioactive decay process], tiempo medio necesario para que la actividad [activity] disminuya hasta la mitad de su valor por ese proceso (CEI/68 26–05–380).

radioactive heat   calor radiogénico, calor de la radiactividad. v. radiogenic heat.

radioactive hormone   hormona radiactiva.

radioactive impurity   impureza radiactiva.

radioactive indicator   indicator radiactivo. SIN. indicator, tracer.

radioactive indium   indio radiactivo.

radioactive iodine   yodo radiactivo, radioyodo.

radioactive isotope   isótopo radiactivo, radioisótopo. SIN. radioisotope.

radioactive liquid wastes   residuos líquidos radiactivos. CF. radioactive effluent.

radioactive material   materia radiactiva | material radiactivo; substancia radiactiva. Material (substancia) en el que uno o varios constituyentes presentan radiactividad [radioactivity]. NOTA: A fines particulares, tales como los de reglamentación, el sentido de este término puede ser restringido al material radiactivo cuya actividad o la actividad especificada del mismo es superior a un valor especificado (CEI/68 26-15-435).

radioactive mineral   mineral radiactivo. CF. radioactive deposit.

radioactive nucleus   núcleo radiactivo.

radioactive nuclide   núclido radiactivo, radionúclido. SIN. radionuclide.

radioactive ore   mineral radiactivo.

radioactive-ore detector   detector de minas radiactivas [de yacimientos radiactivos].

radioactive particulate   partícula radiactiva.

radioactive period   período radiactivo, período de un reactor nuclear.

radioactive poison   veneno radiactivo.

radioactive poisoning   envenenamiento radiactivo. Enfermedad resultante de la presencia de substancias radiactivas en el organismo.

radioactive pollution   polución radiactiva. CF. radiactive contamination.

radioactive precursor   precursor radiactivo.

radioactive primary water   agua primaria radiactiva.

radioactive product   producto radiactivo. Substancia resultante de una desintegración radiactiva.

radioactive radiation   radiación radiactiva.

radioactive recoil   retroceso radiactivo.

radioactive relationship   filiación radiactiva.

radioactive scanner   explorador de radiactividad.

radioactive screening   protección contra radiactividad.

radioactive-sensitive   adj: sensible a la radiactividad.

radioactive series   serie [familia] radiactiva, serie de desintegración, serie de desintegraciones radiactivas. SIN. decay [disintegration, radioactive] chain, decay [disintegration] family, decay [disintegration, transformation] series, radioactive decay series, series decay.

radioactive solution   solución radiactiva.

radioactive source   fuente radiactiva. Cantidad cualquiera de material radiactivo destinada a ser utilizada como fuente de radiaciones ionizantes [ionizing radiations] (CEI/68 26-15-245). CF. radiation source, sealed source.

radioactive standard   patrón de radiactividad. Muestra de material radiactivo cuyo número y tipo de átomos radiactivos en un momento definido de referencia, son conocidos. SIN. reference source.

radioactive steam   vapor radiactivo.

radioactive strontium   estroncio radiactivo.

radioactive survey meter   detector (de control) de radiactividad.

radioactive survivor   superviviente contaminado de radiactividad.

radioactive thickness gage   galga radiactiva de espesores. Aparato para determinar espesores de chapas metálicas (por ejemplo, la pared de un tubo o de un depósito metálicos) desde un lado, dirigiendo un haz de rayos gamma a través de la chapa a cierto

ángulo, y midiendo la cantidad de retrodispersión [backscattering] con un detector de radiación; la lectura de este último aumenta con el espesor medido.

radioactive tracer   trazador [indicador] radiactivo. A VECES: rastreador [testigo, visualizador] radiactivo. SIN. (radioactive) indicator, radiotracer, tracer | trazador radiactivo. Pequeña cantidad de núclido radiactivo, con portador [carrier] o sin él, empleado para seguir procesos biológicos, químicos, u otros. OBSERVACION: Como los núclidos estables y radiactivos de un elemento poseen esencialmente las mismas propiedades químicas, y los que son radiactivos son fácilmente detectados, se obtiene una indicación del desplazamiento y el comportamiento de los átomos estables siguiendo la radiactividad. En este caso el compuesto en observación se dice estar "marcado" ["labeled", "tagged"] con el núclido radiactivo [radioactive nuclide] (CEI/64 65-10-745). CF. tracer studies.

radioactive transformation   transformación radiactiva. SIN. radioactive decay.

radioactive waste   residuos [desechos] radiactivos. TB. desperdicios radiactivos | residuos radiactivos. Materias radiactivas inutilizables obtenidas durante el tratamiento o la manipulación de materiales radiactivos [radioactive materials] (CEI/68 26-15-445).

radioactive-waste disposal   retirada [tratamiento] de los residuos radiactivos.

radioactive-waste storage tank   depósito para residuos radiactivos. Depósito metálico cubierto de hormigón armado, colocado bajo tierra, que se utiliza para el almacenamiento permanente de residuos altamente radiactivos.

radioactive water   agua radiactiva.

radioactively   adv: radiactivamente, radioactivamente.

radioactively marked   marcado radiactivamente.

radioactivity   radiactividad, radioactividad. SIN. activity | radioactividad. Propiedad de ciertos elementos de emitir espontáneamente radiaciones α, β o γ (CEI/38 65-40-005) | radiactividad. (1) Desintegración espontánea [spontaneous disintegrating] de un núclido inestable [unstable nuclide] con emisión de una partícula o de una partícula y un fotón (CEI/64 65-10-210). (2) Propiedad de ciertos núclidos de emitir espontáneamente partículas o una radiación gamma, o de emitir una radiación X seguidamente después de la captura de un electrón orbital [orbital electron] (CEI/68 26-05-330). CF. artificial radioactivity, induced radioactivity, natural radioactivity.

radioactivity absorber   absorbedor de radiactividad.

radioactivity air monitoring   detección de radiactividad en el aire.

radioactivity detection   detección de radiactividad.

radioactivity monitor   monitor [detector] de radiactividad.

radioautograph   v. autoradiograph.

radiobarium   radiobario.

radiobeacon   v. radio beacon.

Radiobeacon Conference (Paris, 1951)   Conferencia para la Reorganización de los Radiofaros (París, 1951).

radiobiologic   v. radiobiological.

radiobiological   adj: (also radiobiologic) radiobiológico.

radiobiological action   acción radiobiológica.

radiobiological effect   efecto radiobiológico.

radiobiologist   radiobiólogo.

radiobiology   radiobiología. Rama de la biología que trata de los efectos de la radiación sobre los organismos vivos (CEI/64 65-05-010) /// adj: radiobiológico.

radiobroadcaster   v. radio broadcaster.

radiobroadcasting   v. radio broadcasting.

radiobroadcasting station   v. radio broadcast station.

radiocarbon   radiocarbono /// adj: radiocarbónico.

radiocarbon age   edad calculada por radiocarbono.

radiocarbon dating   datación radiocarbónica [por radiocarbono], determinación de la antigüedad [de la fecha] por radiocarbono.

radiocast   v. radio broadcast.

radiocaster   v. radio broadcaster.

radiocesium   radiocesio.

radiochemical   producto radioquímico /// *adj:* radioquímico.

radiochemical analysis   análisis radioquímico.

radiochemical process   proceso químico inducido por la radiación. SIN. **radiation-chemical process.**

radiochemistry   radioquímica. Química que incluye el empleo de radionúclidos [radionuclides] /// *adj:* radioquímico.

radiocinematography   v. **Roentgen cinematography.**

radiocolloid   radiocoloide. Agrupamiento de átomos radiactivos en agregados coloidales (CEI/64 65–10–775) /// *adj:* radiocoloidal, radiocoloide, radiocoloideo.

radiocolloidal   *adj:* radiocoloidal, radiocoloide, radiocoloideo.

radiocommunication   (*also* radio communication) radiocomunicación, comunicación radioeléctrica [por radio]. Telecomunicación por medio de ondas hertzianas [radio waves] | radiocomunicación. (**1**) Comunicación realizada por medio de ondas electromagnéticas (CEI/38 60–05–005). (**2**) Telecomunicación realizada por medio de ondas radioeléctricas [radio waves] (CEI/70 60–00–010) | enlace radioeléctrico | v. **radiocommunication with . . .**

radiocommunication circuit   circuito de radiocomunicación. v.TB. **radio circuit.**

radiocommunication station   estación de radiocomunicaciones [de comunicaciones radioeléctricas]. CF. **radio station.**

radiocommunication with ocean-going vessels   radiocomunicación con buques en alta mar.

radiocommunication with small craft   radiocomunicación con embarcaciones menores, comunicación radioeléctrica con naves de poco calado.

radiocommunications engineer   ingeniero en radiocomunicaciones.

radiocommunications receiver   receptor para radiocomunicaciones, receptor de tráfico. SIN. **communication receiver.**

radiocommunications technology   técnica de las radiocomunicaciones.

radiocompass   v. **radio compass.**

radioconductor   radioconductor.

radiocontrol   radioguía, radiomando. Mando a distancia [remote control] por medio de ondas electromagnéticas (CEI/58 35–05–040) | v. **radio control.**

radiocrystallography   (a.c. crystal analysis) radiocristalografía. Estudio de la estructura de los cristales, y particularmente de la disposición de los átomos en el cristal, por procedimientos de difracción de rayos X, de electrones, de neutrones, etc., e identificación de substancias cristalinas por los mismos medios (CEI/64 65–25–140).

radiodermatitis   (a.c. X-ray dermatitis) radiodermatitis. Lesión de la piel producida por una exposición excesiva a los rayos X o a rayos emitidos por substancias radiactivas (CEI/38 65–20–035) | (a.c. X-ray dermatitis) radiodermatitis, dermatitis de rayos X. Inflamación de la piel producida por una exposición excesiva a los rayos X o a radiaciones emitidas por substancias radiactivas [radioactive substances] (CEI/64 65–10–820).

radiodetection   radiodetección. v. **radio detection.**

radiodetector   radiodetector.

radiodetermination   radiolocalización. v. **radiolocation.**

radiodiagnosis   radiodiagnóstico. Diagnóstico médico basado en el estudio radiológico de un sujeto (CEI/38 65–20–010) | (a.c. diagnostic roentgenology) roentgendiagnóstico. Roentgenología aplicada al diagnóstico médico (CEI/64 65–05–030).

radiodiffusion   (*Telecom*) teledifusión, radiodifusión, hilodifusión, teledistribución. SIN. **radiodistribution, radio distribution, wire (program) distribution** | (a.c. wire broadcasting) teledifusión. Utilización de una red de distribución para la transmisión simultánea de señales a un número cualquiera de aparatos receptores (CEI/38 55–25–115).

radiodistribution   radiodistribución.

radiodistribution system   (*Telecom*) v. **radio distribution system.**

radioelectric   *adj:* radioeléctrico.

radioelectric pattern   espectro radioeléctrico.

radioelectric storm detection [SFERICS]   (*Meteor*) detección radioeléctrica de tempestades.

radioelectric wave   onda radioeléctrica.

radioelectricity   radioelectricidad /// *adj:* radioeléctrico.

radioelement   (*i.e.* element tagged with one or more radioisotopes) radioelemento, elemento radiactivo. Elemento marcado con uno o más radioisótopos | (*i.e.* radioactive chemical element) radioelemento. Elemento químico radiactivo (CEI/68 26–05–085).

radiofacsimile   v. **radio facsimile.**

radiofrequency   v. **radio frequency.**

radiogenic   *adj:* radiogénico. Producido por transformación radiactiva; engendrado por la radiactividad. No se confunda con *radiógeno:* que produce rayos X.

radiogenic heat   calor radiogénico. Calor engendrado en la tierra por la desintegración de núclidos radiactivos [radioactive nuclides]. SIN. **radioactive heat.**

radiogenic terrestrial heat   calor radiogénico terrestre. v. **radiogenic heat.**

radiogoniometer   radiogoniómetro | indicador de dirección. Goniómetro que forma parte de un radiogoniómetro [radio direction finder] | buscador radiogoniométrico. Dispositivo unido a la antena fija de un radiogoniómetro [direction finder], mediante el cual se determina el azimut por rotación de un órgano giratorio acoplado a un órgano fijo (CEI/70 60–71–460).

radiogoniometry   radiogoniometría. (**1**) Ciencia de la determinación de la dirección de llegada de las ondas radioeléctricas al punto donde se efectúa la observación. (**2**) Radiolocalización [radiolocation] en la cual se determina la dirección de una estación o de un objeto por medio de sus emisiones; las emisiones pueden ser propias de la estación o del objeto, o reflejadas o retransmitidas por el objeto sobre las mismas frecuencias o sobre frecuencias diferentes (CEI/70 60–70–020). SIN. **direction finding, radio direction finding.**

radiogoniscope   radiogoniscopio. Radiogoniómetro automático con indicador visual.

radiogram   (*i.e.* radio-gramophone) radiofonógrafo, radiogramófono, radiogramola | (a.c. radiograph, X-ray photograph) radiografía, radiograma | (*i.e.* X-ray pattern produced by crystal diffraction) radiograma de difracción | (*i.e.* message transmitted by wireless telegraphy) radiograma, radiotelegrama. Telegrama cursado por radiotelegrafía. NOTA: En la nomenclatura oficial (UIT) se hace cierta distinción entre *radiograma* y *radiotelegrama.*

radiogramophone   v. **radio-gramophone.**

radiograph   radiografía, radiograma. SIN. **roentgenogram, X-ray photograph** | radiograma. Imagen de un objeto obtenida sobre una placa fotográfica por medio de rayos X (CEI/38 65–05–130) | (a.c. roentgenogram) radiograma. Imagen de un objeto obtenida sobre una placa o una película radiográfica, y cuya formación se debe a la absorción diferencial de una radiación penetrante, por ejemplo de rayos X (CEI/64 65–30–395) | (a.c. skiagram) esquiagrama /// *adj:* radiográfico /// *verbo:* radiografiar.

radiographer   radiógrafo; radiólogo | técnico radiográfico. Asistente técnico [technical assistant] en las aplicaciones prácticas de los rayos X al diagnóstico radiológico [diagnostic radiology] (CEI/64 65–05–175). CF. **Roentgen-ray technician.**

radiographic   *adj:* radiográfico.

radiographic diagnosis   diagnóstico radiográfico.

radiographic examination   inspección radiográfica.

radiographic film   (*i.e.* photographic film used to make radiographs) película radiográfica. Película fotográfica utilizada en radiografía (CEI/64 65–30–400). CF. **screen film.**

radiographic inspection   inspección radiográfica.

radiographic interpretation   interpretación radiográfica.

radiographic putty   masilla radiográfica. Se usa en radiografía para reducir el efecto de la radiación dispersa y para evitar la sobreexposición de ciertas partes de la película.

radiographic standards   normas radiográficas.

radiographic stereometry   estereometría radiográfica.

radiographic test   prueba radiográfica.

radiographic thickness gage   galga radiográfica [calibrador radiográfico] de espesores (de chapas). CF. **radioactive gage.**

radiographically   *adv:* radiográficamente.

radiographically detectable   radiográficamente detectable.

radiography   (*i.e.* photographic registration by means of X rays) radiografía. Registro fotográfico por los rayos X (CEI/38 65–05–125) | (*i.e.* art or the act of producing radiographs) radiografía. Arte o acción de obtener radiogramas (CEI/64 65–05–035). CF. **radiographic film** /// *adj:* radiográfico.

radioguide   v. **radio guidance.**

radioguided   v. **radio-guided.**

radioguiding   v. **radio guidance.**

radiointerference   v. **radio interference.**

radiointerferometer   v. **radio interferometer.**

radioisotope   (*i.e.* radioactive isotope) radioisótopo. Isótopo radiactivo (CEI/68 26–05–060). CF. **radionuclide.**

radioisotope measuring system   sistema de medida por radioisótopos. Sistema para la medida de espesores, volúmenes, grados de fluidez, etc. haciendo pasar la muestra entre una fuente de radioisótopos y un detector, y determinando la cantidad de radiación que llega al detector atravesando la muestra.

radioisotope therapy   (*i.e.* treatment of disease by use of radioactive nuclides; a.c. curietherapy) terapia por isótopos radiactivos, curieterapia. Tratamiento de enfermedades por el empleo de núclidos radiactivos (CEI/64 65–05–115).

radioisotope thermoelectric generator   generador termoeléctrico radioisotópico. Generador de electricidad por transformación del calor emitido por isótopos radiactivos.

radioisotope tracer   trazador [indicador] radioisotópico. CF. **radioactive tracer.**

radioisotopic   *adj:* radioisotópico.

radioisotopic power   energía radioisotópica.

radioisotopy   radioisotopía /// *adj:* radioisotópico.

radiokrypton   radiocriptón.

radiolead   radioplomo. Radioisótopo del plomo.

radiolocation   radiolocalización. (**1**) Determinación de una posición o de una dirección, por medio de la propiedad de propagación rectilínea a velocidad constante de las ondas hertzianas. (**2**) Determinación de una posición, u obtención de datos relativos a una posición, por medio de las propiedades de propagación de las ondas radioeléctricas (RR Ginebra, 1959) (CEI/70 60–70–005). NOTA: En el Reglamento de Radiocomunicaciones de Ginebra, 1959, se usa en inglés, para este concepto, el término *radiodetermination* [radiodeterminación] | Término antes usado en el inglés británico para el concepto de *radar;* CF. **radio detection, radar detection.**

radiolocation service   servicio de radiolocalización. Servicio que entraña el empleo de radiolocalización.

radiolocation station   estación de radiolocalización. Estación del servicio de radiolocalización.

radiolocator   radiolocalizador, aparato de radiolocalización; radar.

radiological   *adj:* radiológico. Perteneciente o relativo a la radiactividad, la radiación nuclear, o las armas atómicas.

radiological attack   ataque radiológico.

radiological decontamination   descontaminación radiológica.

radiological defense   defensa radiológica. Defensa contra los efectos de la radiactividad procedente de armas atómicas.

radiological defense instrument   instrumento de defensa radiológica. Instrumento para la detección y/o la medida de la radiactividad, con fines de defensa radiológica.

radiological defense personnel   personal de (la) defensa radiológica.

radiological dose   dosis radiológica. Cantidad total de radiación ionizante [ionizing radiation] absorbida por un sujeto expuesto a una fuente de radiación.

radiological hazard   peligro radiológico.

radiological health   sanidad radiológica.

radiological indicator   indicador radiológico. Aparato que señala la presencia de radiactividad cuando ésta sobrepasa un nivel predeterminado.

radiological instrument   instrumento radiológico.

radiological instrumentation   instrumental radiológico; instrumentación radiológica.

radiological monitor   monitor [comprobador] radiológico.

radiological monitoring   inspección radiológica.

radiological physicist   (*Radiol*) físico radiologista. v. **radiation physicist.**

radiological physics   física radiológica. Rama de la física que trata de las aplicaciones médicas, físicas e industriales de los rayos X y de las radiaciones producidas por radionúclidos, reacciones nucleares y aceleradores de partículas (CEI/64 65–05–150).

radiological protection   protección contra la radiactividad.

radiological safety   protección radiológica.

radiological safety officer   encargado de la protección radiológica. Persona directamente responsable de la seguridad relativa a los riesgos de irradiación (CEI/64 65–05–165).

radiological shielding   defensa radiológica.

radiological survey   control radiológico. Determinación de la distribución y de las dosis por unidad de tiempo de la radiación en una zona determinada.

radiological warfare   guerra radiológica. Guerra con armas productoras de radiactividad.

radiologically   *adv:* radiológicamente.

radiologist   radiólogo | (a.c. medical radiologist — *GB*) radiologista. Médico especialista que emplea las radiaciones ionizantes [ionizing radiation] para el diagnóstico y el tratamiento de enfermedades (CEI/64 65–05–155).

radiology   radiología. Rama de la física y de la técnica que estudia y emplea las radiaciones de pequeña longitud de onda, y en particular los rayos X y los rayos de las substancias radiactivas (CEI/38 65–05–005) | (a.c. medical radiology — *GB*) radiología médica. Rama de la medicina que trata de las aplicaciones diagnósticas y terapéuticas de la radiación, principalmente los rayos X y las radiaciones producidas por los radionúclidos y los aceleradores de partículas. OBSERVACION: En el Reino Unido [United Kingdom], el término *radiology* abarca tanto las aplicaciones industriales como las aplicaciones médicas de las radiaciones. CF. **diagnostic radiology, therapeutic radiology** (CEI/64 65–05–020) /// *adj:* radiológico.

radiolucent   *adj:* transparente a los rayos X; transparente a las ondas radioeléctricas.

radioluminescence   radioluminiscencia. Luminiscencia provocada por energía radiante.

radiolysis   radiólisis. Disociación de moléculas por radiación /// *adj:* radiolítico.

radiolytic   *adj:* radiolítico.

radioman   (*i.e.* radio operator) operador de radio; radiotelegrafista | (*i.e.* radio technician) radiotécnico, técnico de radio.

radiomaritime   *adj:* (*Radiocom*) radiomarítimo.

radiomaritime letter   carta radiomarítima.

radiomaritime service   servicio radiomarítimo.

radiomateriology   Término ya inusitado que designaba la técnica de analizar o inspeccionar materiales por medio de rayos X para descubrir defectos y fisuras internas.

radiometallographist   radiometalografista.

radiometallography   radiometalografía. Estudio de la estructura de los metales por medio del análisis cristalino por rayos X (CEI/38 65–15–060).

radiometallurgy   radiometalurgia /// *adj:* radiometalúrgico.
radiometeorograph   radiometeorógrafo, radiosonda. v. **radiosonde.**
radiometeorography   radiometeorografía /// *adj:* radiometeorográfico.
radiometeorology   radiometeorología. (**1**) Rama de la meteorología que estudia la propagación de la energía radiante a través de la atmósfera. (**2**) Técnica del empleo de aparatos radioeléctricos (incluso radáricos) en meteorología /// *adj:* radiometeorológico.
radiometer   radiómetro. (**1**) Aparato destinado a medir energía radiante. v. **bolometer, microradiometer, thermopile.** (**2**) Aparato destinado a la medida de radiaciones en unidades energéticas [energy or power units] (CEI/70 45–30–030) | (a.c. microwave radiometer, radiometer-type receiver) radiómetro (de microondas), receptor radiométrico. Aparato destinado a la detección de radiación térmica de microondas y señales semejantes (débiles, de banda ancha, de naturaleza parecida al ruido) que tienden a confundirse con el ruido del receptor. Son ejemplos el *radiómetro de Dicke* [Dicke radiometer], el *de substracción* [subtraction-type radiometer], y el *de doble receptor* [two-receiver radiometer] /// *adj:* radiométrico.
radiometer-type receiver   radiómetro (de microondas), receptor radiométrico. v. **radiometer.**
radiometric   *adj:* radiométrico.
radiometric analysis   análisis radiométrico. Análisis químico cuantitativo por medida de la velocidad absoluta de desintegración de un constituyente radiactivo de actividad específica [specific activity] conocida.
radiometric examination   examen radiométrico.
radiometric gage   galga radiométrica (para espesores) | manómetro radiométrico. Manómetro para bajas presiones de gas cuyo funcionamiento se basa en las diferencias de presión sobre las caras opuestas de una aleta suspendida, debidas a bombardeo molecular. v. **Knudsen gage.**
radiometric prospecting   radioprospección, exploración radiométrica.
radiometrically   *adv:* radiométricamente.
radiometry   radiometría. (**1**) Medida de radiaciones; medidas efectuadas con un radiómetro [radiometer]. (**2**) Medida de magnitudes relativas a las radiaciones (CEI/58 45–30–035, CEI/70 45–30–025) /// *adj:* radiométrico.
radiomicrography   (*Radiol*) microrradiografía. v. **microradiography.**
radiomicrometer   radiomicrómetro, microrradiómetro. v. **microradiometer.**
radion   radión. Partícula radiante emitida por una substancia radiactiva /// *adj:* radional.
radionavigation   (*also* radio navigation) radionavegación, navegación radioeléctrica. (**1**) Navegación por medio de señales radioeléctricas. (**2**) Navegación (aérea o marítima) con el auxilio de aparatos radioeléctricos. (**3**) Radiolocalización [radiolocation] empleada en navegación solamente para determinar una posición o una dirección, o para señalar la presencia de obstáculos [obstruction warning] | (radio navigation) radionavegación. Aplicación de la radiolocalización a la navegación, incluso para señalar la presencia de obstáculos (RR Ginebra, 1959) (CEI/70 60–74–005) | navegación radiogoniométrica; navegación guiada /// AFINES: goniómetro, radio-piloto, radiofaro, radiobaliza, radiotelémetro, radiogoniómetro, lorán, radiocompás, radiobrújula, brújula radiogoniométrica, tacán, vortac, indicador azimutal, marcación, deriva, curva del nadador, rumbo, dirección, azimut, ángulo acimutal, ángulo de elevación, navegante, piloto, radiotelegrafista, radiotelefonista, coordenadas, aeronavegación, aerotráfico, ruta, desvío, cálculo en vuelo, vuelo a una emisora, tiempo a antena, cuadrante, línea de recalada, espera sobre antena, espera OACI, lugar de destino, aterrizaje "ZZ", trayectoria de planeo, bisectriz media (de un radiofaro de cuatro haces), orientación por desvanecimiento de la señal, cono de silencio, ILS, VOR, DME,

haz direccional frontal, transmisor direccional, transmisor de haz de planeo, baliza tipo abanico, haz direccional posterior, "campo amarillo", "campo azul", baliza interior, baliza intermedia, baliza exterior, radial, computador "R-θ", interrogador, respondedor, indicador radiomagnético, radar localizador, irradiación acimutal, sistema hiperbólico (decca, lorán, etc.), sistema de radiogoniometría (consol, etc.), carta de navegar, trazador, radar panorámico, radux, hipérbola de navegación.
radionavigation aid   (a.c. radio navaid, radionavigational aid) radioayuda para la navegación; medio auxiliar para radionavegación; servicio radioeléctrico de ayuda a la navegación. SIN. **radio aid (to navigation).** CF. **radar navigation aid.**
radionavigation aid facilities   instalaciones (auxiliares) de radionavegación, elementos radioeléctricos de ayuda a la navegación; servicios radioeléctricos de ayuda a la navegación.
radionavigation chart   carta de radionavegación. CF. **radar navigation chart.**
radionavigation guidance   guía de radionavegación. Radioguía o radioconducción (v. **radio guidance**) para fines de navegación.
radionavigation land service   servicio terrestre de radionavegación.
radionavigation land station   estación terrestre de radionavegación. Estación del servicio de radionavegación [radionavigation service] no destinada a ser utilizada en movimiento.
radionavigation mobile station   estación móvil de radionavegación. Estación del servicio de radionavegación destinada a ser utilizada en movimiento, o mientras está detenida en puntos no determinados. CF. **radionavigation land station.**
radionavigation service   servicio de radionavegación. Servicio de radiolocalización [radiolocation service] que entraña el empleo de la radionavegación.
radionavigation station   estación de radionavegación. Estación del servicio de radionavegación [radionavigation service].
radionavigation system   sistema de radionavegación.
radionavigational   *adj:* (*also* radio navigational) de radionavegación.
radionavigational aid   v. **radionavigation aid.**
radionecrosis   radionecrosis. (**1**) Muerte de tejidos causada por radiación. (**2**) Dermatitis causada por exposición prolongada a los rayos X o a los rayos solares.
radionics   (*i.e.* radio-electronics) radioelectrónica, ciencia del radio y la electrónica.
radionuclide   (*i.e.* radioactive nuclide) radionúclido. Núclido radiactivo (CEI/68 26–05–055). CF. **radioisotope.**
radiopacity   radioopacidad. Cualidad de radioopaco (v. **radiopaque**).
radiopaque   radioopaco. Sensiblemente impenetrable a los rayos X u otras formas de radiación.
radiopaque obstacle   obstáculo radioopaco. Cuerpo que bloquea la radiocomunicación con un vehículo espacial.
radiophare   radiofaro. (**1**) Antiguamente, estación radiotelegráfica empleada para determinar la posición de buques en alta mar. (**2**) v. **radio beacon.**
radiophare of circular diagram   radiofaro de diagrama circular. v. **omnidirectional radio beacon.**
radiophone   radioteléfono. v. **radiotelephone** | (*Acepciones antiguas*) radiófono. (**1**) Emisor, receptor, o equipo emisor/receptor de radiotelefonía. (**2**) Aparato destinado a producir sonidos por la acción de una energía radiante /// *adj:* radiotelefónico; radiofónico.
radiophonic   *adj:* radiotelefónico; radiofónico.
radiophonograph   (*also* radio-phonograph) radiofonógrafo /// *adj:* radiofonográfico.
radiophonograph console   consola radiofonográfica, radiofonógrafo de consola.
radiophony   radiofonía; radiodifusión /// *adj:* radiofónico; radiodifusor.
radiophoto   radiofoto, radiofotografía, fototelegrafía, radiofototelegrafía, facsímile. Transmisión por radio de imágenes fijas

(fotografías, dibujos, páginas impresas o escritas a máquina, etc.) para su recepción en forma de registro permanente. SIN. **facsimile, radio transmission of pictures** | radiofoto, radiofotografía, radiofotograma, fototelegrama. Fotografía transmitida por radio para ser reproducida por un receptor de facsímile [facsimile receiver]. SIN. **radiophotogram** /// *adj:* radiofotográfico, fototelegráfico, radiofototelegráfico.

radiophoto channel   canal de radiofoto, canal radiofototelegráfico.

radiophoto circuit   circuito de radiofoto, circuito radiofototelegráfico.

radiophotogram   fototelegrama, radiofotograma. Fotografía transmitida por radio. SIN. **radiophoto** /// *adj:* fototelegráfico.

radiophotography   radiofotografía, fototelegrafía, radiofototelegrafía. Transmisión de fotografías por radio. SIN. **radiophoto** /// *adj:* radiofotográfico, fototelegráfico, radiofototelegráfico.

radiophotoluminescence   radiofotoluminiscencia. Luminiscencia que presentan ciertos minerales después de irradiados con rayos beta o gamma y expuestos seguidamente a la luz.

radiophysics   radiofísica /// *adj:* radiofísico.

radiopraxis   radiopraxis. Empleo de la energía radiante (rayos luminosos, luz ultravioleta, rayos X, radio) en el tratamiento de las enfermedades.

radioprinter   *(Telecom)* radioteletipo, radioteleimpresor. SIN. **radioteleprinter, radioteletypewriter** (véase).

radioprobe   radiosonda. CF. **radiosonde.**

radiopropagation   v. **radio propagation.**

radiorange   *(Radionaveg)* v. **radio range.**

radioreceiver   v. **radio receiver.**

radioreceiving   v. **radio receiving.**

radioreception   v. **radio reception.**

radioresistance   *(Radiol)* radiorresistencia. Resistencia relativa a los efectos nocivos o lesivos de la radiación /// *adj:* radiorresistente.

radioresonance   radiorresonancia.

radioresonance method   método de la radiorresonancia.

radioscope   radioscopio /// *adj:* radioscópico.

radioscopy   *(Radiol)* radioscopía. Examen de cuerpos opacos realizado por medio de las sombras proyectadas por los rayos Roentgen sobre pantallas fluorescentes (CEI/38 65–05–135) | (a.c. fluoroscopy, roentgenoscopy) radioscopía, roentgenoscopía. Examen por rayos X mediante un aparato de radioscopía [fluoroscope, roentgenoscope]. SIN. **skioscopy** *(término desaconsejado).* CF. **fluoroscopic screen** (CEI/64 65–05–045) /// *adj:* radioscópico.

radiosender   v. **radio sender.**

radiosensitive   *adj:* radiosensible. Susceptible de sufrir daño por efecto de la energía radiante.

radiosensitivity   radiosensibilidad. Susceptibilidad relativa a la acción perjudicial o lesiva de las radiaciones. CF. **radioresistance.**

radioservice   v. **radio service.**

radiosonde   radiosonda, radiometeorógrafo. (1) Radiotransmisor automático de datos meteorológicos que suele colocarse en globos, aviones, paracaídas, etc. (2) Transmisor radioeléctrico automático del servicio auxiliar de la meteorología [meteorological aids service], que suele instalarse en una aeronave, globo libre, paracaídas o cometa, y que transmite datos meteorológicos. SIN. **radiometeorograph.** CF. **rawin, rawinsonde** /// *verbo:* radiosondear, radiosondar.

radiosonde balloon   globo radiosonda. Globo libre portador de una radiosonda. SIN. **radio balloon.** CF. **rawin balloon.**

radiosonde data   datos de radiosonda.

radiosonde observation   observación por radiosonda, observación radiometeorográfica.

radiosonde parachute   paracaídas con radiosonda. Paracaídas portador de una radiosonda | paracaídas de radiosonda. Paracaídas para bajar a tierra una radiosonda portada por globo libre, después que éste se revienta.

radiosonde-radiowind station   *(Meteor)* estación de radiosonda-radioviento. CF. **rawin.**

radiosonde receiver   receptor de radiosonda.

radiosonde recorder   registrador de radiosonda. Aparato que registra los datos transmitidos por una radiosonda.

radiosonde sensor   sensor de radiosonda. Elemento sensible a la presión, la humedad, la temperatura, etc. y que alimenta sus señales eléctricas a una radiosonda.

radiosonde station   estación de radiosonda [de radiosondeo].

radiosonde transmitter   transmisor de radiosonda, emisor radiometeorográfico.

radiosonic   *adj:* radiosónico. Relativo al empleo de las ondas radioeléctricas para fines de sondeo.

radiosounding   radiosondeo. (1) Obtención de datos por medio de una radiosonda. (2) Exploración de la atmósfera o la ionósfera por medio de ondas radioeléctricas. CF. **ionosonde, ionospheric sounding, radio sounding.**

radiostar   v. **radio star.**

radiostation   v. **radio station.**

radiostrontium   radioestroncio, estroncio radiactivo. SIN. **strontium-90.**

radiotechnology   radiotecnología. Aplicación industrial de los rayos X u otras radiaciones | radiotecnia, radiotécnica; ciencia de la radioelectricidad.

radiotelecommunication   telecomunicación radioeléctrica, radiocomunicación.

radiotelegram   radiotelegrama. (1) Término oficial que designa un telegrama original de una estación móvil o destinado a ella y que se transmite sobre todo o parte de su recorrido por vía de radiocomunicación (CEI/38 60–05–020). (2) Telegrama cuyo origen o destino es una estación móvil, transmitido, en todo o en parte de su recorrido, por las vías de radiocomunicación de un servicio móvil [mobile service] | radiograma.

radiotelegram with prepaid reply   radiotelegrama con respuesta pagada.

radiotelegraph   radiotelégrafo /// *adj:* radiotelegráfico.

radiotelegraph alarm signal   señal de alarma radiotelegráfica.

radiotelegraph channel   canal radiotelegráfico, vía radiotelegráfica.

radiotelegraph circuit   circuito radiotelegráfico.

radiotelegraph communication   comunicación radiotelegráfica [por radiotelegrafía].

radiotelegraph connection   enlace radiotelegráfico.

radiotelegraph console   consola radiotelegráfica. Equipo de estación radiotelegráfica utilizado a bordo de buques. Se trata de un conjunto que comprende uno o más transmisores, uno o más receptores, y diversos dispositivos auxiliares, tales como alarma automática, fuentes de energía de emergencia, reloj, altavoz, repisa de trabajo, etc.

radiotelegraph facilities   instalaciones radiotelegráficas; vías de comunicación radiotelegráfica; servicio radiotelegráfico.

radiotelegraph first-class operator license   título de radiotelegrafista de primera clase.

radiotelegraph limited-correspondence service   servicio radiotelegráfico de correspondencia restringida.

radiotelegraph link   enlace radiotelegráfico.

radiotelegraph log   parte diario (del servicio radiotelegráfico). v. **radio log.**

radiotelegraph maritime service   servicio radiotelegráfico marítimo.

radiotelegraph operator   (operador) radiotelegrafista. SIN. **radio operator.**

radiotelegraph operator's restricted certificate   certificado restringido de radiotelegrafista.

radiotelegraph operator's special certificate   certificado especial de radiotelegrafista.

radiotelegraph public-correspondence service   servicio radiotelegráfico de correspondencia pública.

radiotelegraph receiver   receptor radiotelegráfico.

radiotelegraph receiving system   sistema receptor radiotelegráfico.

radiotelegraph reception   recepción radiotelegráfica.

radiotelegraph reception by ear   recepción radiotelegráfica auditiva [a oído]. Recepción de señales radiotelegráficas mediante auricular (o altavoz). v.TB. **ear reception.**

radiotelegraph route   vía radiotelegráfica.

radiotelegraph second-class operator license   título de radiotelegrafista de segunda clase.

radiotelegraph transmitter   transmisor radiotelegráfico.

radiotelegraph transmitting station   estación transmisora radiotelegráfica.

radiotelegraphic   *adj:* radiotelegráfico.

radiotelegraphist   radiotelegrafista. SIN. **radiotelegraph operator.**

radiotelegraphy [RTG]   radiotelegrafía. Telegrafía por radio; radiocomunicación por medio de códigos telegráficos, como p.ej. el Morse internacional. SIN. **telegrafía inalámbrica [sin hilos], TSH** | radiotelegrafía. (**1**) Arte de realizar comunicaciones telegráficas por métodos radioeléctricos (CEI/38 60–05–010). (**2**) Telegrafía por ondas radioeléctricas (CEI/70 60–00–020) /// *adj:* radiotelegráfico.

radiotelemetering   radiotelemetría; radiotelemedición | (a.c. radiotelemetry) radiotelemedida. Utilización de una radiocomunicación con el fin de indicar o de registrar automáticamente medidas a cierta distancia del instrumento de medida [measuring instrument] (CEI/70 60–00–060).

radiotelemetry   radiotelemetría | radiotelemedida. v. **radiotelemetering.**

radiotelephone   radioteléfono. Equipo emisor/receptor de radiotelefonía. SIN. **two-way radio, radiophone** /// *adj:* radiotelefónico.

radiotelephone alarm signal   señal de alarma radiotelefónica.

radiotelephone call   llamada radiotelefónica; conversación radiotelefónica.

radiotelephone channel   canal radiotelefónico, vía radiotelefónica.

radiotelephone charge   tasa radiotelefónica.

radiotelephone circuit   circuito radiotelefónico.

radiotelephone connection   enlace radiotelefónico.

radiotelephone distress call   llamada de socorro radiotelefónica. Consiste en la expresión francesa "m'aider".

radiotelephone distress frequency   frecuencia de socorro radiotelefónica.

radiotelephone distress signal   señal de socorro radiotelefónica. SIN. **radiotelephone distress call.**

radiotelephone emission   emisión radiotelefónica.

radiotelephone facilities   instalaciones radiotelefónicas; vías de comunicación radiotelefónica; servicio radiotelefónico.

radiotelephone first-class license   título de radiotelefonista de primera clase.

radiotelephone land mobile service   servicio móvil terrestre radiotelefónico.

radiotelephone limited-correspondence service   servicio radiotelefónico de correspondencia restringida.

radiotelephone link   enlace radiotelefónico.

radiotelephone log   parte diario (del servicio radiotelefónico). v. **radio log.**

radiotelephone maritime service   servicio marítimo radiotelefónico.

radiotelephone operation   explotación radiotelefónica; servicio radiotelefónico.

radiotelephone operator   (operador) radiotelefonista.

radiotelephone operator's certificate   certificado de radiotelefonista.

radiotelephone operator's restricted certificate   certificado restringido de radiotelefonista.

radiotelephone procedure   procedimiento de radiotelefonía.

radiotelephone public-correspondence service   servicio radiotelefónico de correspondencia pública.

radiotelephone relay link   enlace radiotelefónico.

radiotelephone second-class operator license   título de radiotelefonista de segunda clase.

radiotelephone security system   sistema de seguridad radiotelefónica.

radiotelephone selective-calling system   sistema radiotelefónico de llamada selectiva.

radiotelephone ship station   estación radiotelefónica de barco.

radiotelephone traffic   tráfico radiotelefónico.

radiotelephone transmitter   transmisor radiotelefónico.

radiotelephone trunk   tronco radiotelefónico, vía radiotelefónica troncal; tronco telefónico vía radio.

radiotelephony [RTF, RT, R/T]   radiotelefonía. (**1**) Telefonía por radio; radiocomunicación mediante la palabra hablada. (**2**) Arte de realizar comunicaciones telefónicas por método radioeléctrico (CEI/38 60–05–015). (**3**) Telefonía por ondas radioeléctricas (CEI/70 60–00–015) /// *adj:* radiotelefónico.

radiotelephony calling frequency   frecuencia de llamada en radiotelefonía [en radiofonía].

radiotelephony connection   enlace radiotelefónico.

radiotelephony network   red radiotelefónica, red de comunicaciones radiotelefónicas.

radioteleprinter   radioteleimpresor, radioteletipo, radioteleescritor. v. **radioteletypewriter.**

radiotelescope   v. **radio telescope.**

radioteletype   radioteletipo, radioteleimpresor, radioteleescritor. v. **radioteletypewriter.**

radioteletypewriter   radioteleimpresor, radioteletipo, radioteleescritor. Teleimpresor, teletipo o teleescritor utilizado o equipado para ser utilizado por circuitos de radio, en vez de líneas. SIN. **radioteleprinter, radioteletype.**

radioteletypewriter broadcast   difusión por radioteleimpresor.

radioteletypewriter circuit   circuito de radioteleimpresor; enlace por radioteleimpresor.

radioteletypewriter communication   comunicación por radioteleimpresor.

radioteletypewriter connection   enlace por radioteleimpresor.

radioteletypewriter converter   convertidor de radioteleimpresor [radioteletipo]. En versión sencilla consiste esencialmente en un limitador, un detector y un amplificador de corriente para la recepción, y en un oscilador para la transmisión; va conectado entre el teleimpresor y el equipo de radio.

radioteletypewriter exchange service [Tex]   servicio de radioteleimpresores con conmutación [Tex].

radioteletypewriter link   enlace por radioteleimpresor.

radioteletypewriter system   red radioteletipográfica, red de radioteleimpresores, red de radiotelegrafía impresora; sistema de radioteleimpresor; sistema de radiotelegrafía impresora.

radiotelex   radiotelex.

radiotelex circuit   circuito de radiotelex; enlace radioeléctrico télex.

radiothallium   radiotalio.

radiotheodolite   radioteodolito.

radiotherapist   radioterapeuta. Especialista en radioterapia.

radiotherapy   radioterapia, roentgenterapia. Aplicaciones terapéuticas de los rayos X. SIN. **roentgentherapy** (CEI/38 65–20–005) | terapia por radiación. v. **radiation therapy.**

radiothermics   radiotérmica. Técnica del calentamiento por corrientes de alta frecuencia. v. **high-frequency heating.** CF. **radiothermy.**

radiothermoluminescence   radiotermoluminiscencia. Luminiscencia que presentan ciertas substancias vítreas y cristalinas cuando son irradiadas con rayos beta o gamma y luego expuestas al calor. CF. **radiophotoluminescence.**

radiothermy   radiotermia. Diatermia (v. **diathermy**) por corrientes de alta frecuencia; tratamiento terapéutico de los tejidos subcutáneos por medio de energía radioeléctrica.

radiotracer   v. **radioactive tracer**.

radiotrain   (*Telecom*) tren con servicio radiotelefónico.

radiotransmission   v. **radio transmission**.

radiotransparent   *adj:* radiotransparente, transparente a las irradiaciones. Que se deja atravesar por los rayos X u otras formas de radiación | (a.c. radio-frequency transparent) radiotransparente, transparente a las ondas radioeléctricas. Dícese de las substancias o materiales que las ondas radioeléctricas atraviesan con muy poca atenuación, y que se emplean p.ej. para la construcción de radomos [radomes].

radiotrician   radiotécnico, radioelectricista, perito en radio.

Radiotron   Radiotron. Marca registrada (RCA Corporation) de tubos electrónicos al vacío.

radiotropism   radiotropismo. Fenómeno por el cual una planta u otro organismo gira o se encurva por efecto de una radiación.

radiovisible   *adj:* observable mediante aparatos radioastronómicos | a distancia radioóptica. v. **radio-optical distance**.

radiovision   radiovisión. Nombre primitivo de la televisión. v. **television**.

radiovisor   radiovisor. (1) Nombre ya desusado del dispositivo en el cual se reconstituye la imagen de televisión. (2) Nombre adoptado (Inglaterra) para los *relés fotoeléctricos,* o sea, los *relés accionados por célula fotosensible,* en aplicaciones tales como los controles automáticos de iluminación, las alarmas contra intrusos, etc.

radiowin   v. **rawin**.

radiowind   v. **rawin**.

radiowindow   v. **radio window**.

radium   radio, radium. Elemento metálico intensamente radiactivo, de número atómico 88, que emite rayos alfa, beta, y gamma. Símbolo: Ra /// *adj:* rádico; radífero (que contiene radio).

radium age   edad calculada por radium. Determinación de la edad o antigüedad de un mineral calculando el número de átomos de radio presentes originalmente, actualmente, y al establecerse el equilibrio con el ionio [ionium]. cf. **radiocarbon age**.

radium-beryllium source (of neutrons)   fuente radio-berilio (de neutrones).

radium cell   celda de radio. Tubo cerrado que contiene radio.

radium chloride   cloruro de radio. Fórmula: Cl_2Ra.

radium dosage   dosis rádica.

radium mold   (*Radiol*) molde (de radio). v. **moulage**.

radium needle   aguja de radio. Celda de radio [radium cell] en forma de aguja, destinada principalmente a ser insertada en los tejidos.

radium pack   (*Radiol*) compresa de radio. Soporte de aplicación de fuentes de radio [radium sources] destinada a mantener éstas en el exterior del cuerpo (CEI/64 65–30–210).

radium parameter   parámetro rádico. Cociente $r/\sqrt[3]{A}$, donde r es el radio efectivo de un núcleo atómico y A su número de masa. Su valor es aproximadamente constante para todos los núcleos, y aproximadamente igual a $1,4 \times 10^{-13}$ cm.

radium plaque   placa de radio, recipiente de radio en el cual éste está distribuido sobre una superficie.

radium technician   (*Radiol*) técnico en radium. Asistente técnico que colabora en la preparación y la aplicación del radium y de sus productos de desintegración. Igualmente, persona empleada en ciertas ramas de la fabricación de aparatos de aplicación y recipientes de radium (radio) o en las aplicaciones industriales de éste (CEI/64 65–05–185).

radium therapy   terapia por radio. Curieterapia [curietherapy, radioisotope therapy] por el empleo de radio o radón [radon] (CEI/64 65–05–125). cf. **radiotherapy**.

radium toxicity   toxicidad rádica.

radius   (*Anat, Bot*) radio || (*Mat*) radio. (1) Longitud del segmento que une el centro con la circunferencia de un círculo. (2) Con mayor generalidad, longitud del segmento que une el centro de una figura con un punto cualquiera de su contorno || v. **radius of . . .** || NOTA: El plural inglés es *radii*.

radius of action   radio de acción. SIN. **range of action** || (*Avia*) radio de acción (de ida y vuelta).

radius of convergence   (*Mat*) (of a series) radio de convergencia (de una serie). Semiamplitud del intervalo de convergencia de la serie.

radius of curvature   (*Mat*) radio de curvatura. Valor inverso de la curvatura de una curva plana en el punto considerado.

radius of destructiveness   radio de destrucción.

radius of gyration   radio de giro. Raíz cuadrada de la razón del momento de inercia a la masa de un cuerpo: $r = \sqrt{I/M}$. SIN. **radius of inertia**.

radius of inertia   radio de inercia.

radius of operation   radio de acción. SIN. **radius of action**.

radius of relative stiffness   (*Avia*) radio de rigidez relativa.

radius of service area   (*Radio*) radio de acción; radio del área de servicio; alcance (del radioemisor).

radius of sharpest curve   (*Ferroc*) radio de curvatura máxima.

radius of spherical curvature   (*Mat*) radio de curvatura esférica.

radius of steady turn   radio de viraje suave.

radius of torsion   (*Fís*) radio de torsión. Inversa de la torsión.

radius of turn   radio de viraje.

radius of visibility   radio de visibilidad.

radius vector   (*Mat*) radio vector. (1) Segmento que une un foco con un punto de una cónica. (2) En coordenadas polares o en coordenadas polares esféricas, vector con origen en el origen de coordenadas y extremo en un punto; es una de las dos o tres magnitudes necesarias y suficientes para definir la posición del punto en el sistema de coordenadas.

radiumtherapy   v. **radium therapy**.

radix   raíz, origen (de algo) || (*Bot, Gram*) raíz || (*Mat*) base (de un logaritmo, de un sistema de numeración). SIN. **base** || NOTA: El plural inglés tiene dos formas: *radices, radixes*.

radix notation   notación con base. Notación posicional en la cual los dígitos sucesivos representan los coeficientes de potencias enteras sucesivas de un número llamado base, y que en el sistema de numeración corriente es 10; el número representado es igual a la suma de la serie de potencias.

radix point   (*Mat*) (a.c. point) punto (separador de fracción), coma (separadora de fracción). En un sistema de numeración [number system], carácter (usualmente un punto o una coma) que separa la parte entera [integral part] de la parte fraccionaria [fractional part] de un número. Si la base del sistema es 10: *punto (coma) decimal* [decimal point]; si la base es 2: *punto binario (coma binaria)* [binary point].

radnos   (*Radiocom*) (*i.e.* fadeout encountered chiefly in arctic regions) (radio)desvanecimiento. Desvanecimiento que ocurre principalmente en las regiones árticas y que se atribuye a explosiones y manchas solares y a auroras boreales. NOTA: El término en inglés es de formación artificial y algo caprichosa.

radome   radomo. VAR. cúpula [cubierta] protectora, cúpula de antena [de radiador]. Cubierta protectora radioeléctricamente transparente (transparente a las ondas electromagnéticas) que se emplea para proteger de los elementos (lluvia, nieve, viento) las antenas de algunos equipos de radar y otras instalaciones radioeléctricas. En las instalaciones fijas es un techo en forma de domo o cúpula; en los aviones con radar meteorológico es un casquete que forma parte integral de la proa y que (al tiempo que protege la antena) conserva las características aerodinámicas de la nave. SIN. **bóveda de protección (contra la intemperie), domo de radar** —— **blister** (*slang*). NOTA: El inglés viene de *radar dome* | cúpula. Cubierta transparente a la energía electromagnética y que protege una antena contra los agentes atmosféricos (CEI/61 62–25–035).

radome-enclosed antenna   antena bajo radomo, antena con cúpula (protectora).

radon   radón. Gas radiactivo que despiden ciertos elementos. Símbolo: Rn. SIN. **emanación radiactiva** —— **radioactive emanation** /// *adj:* radónico.

radon seed   tubito de radón. Pequeño tubo metálico o de vidrio usado como recipiente para radón.

radux   radux. Sistema de radionavegación de larga distancia, del tipo de comparación de fases, que establece hipérbolas de navegación [hyperbolic lines of position]; funciona con ondas continuas de baja frecuencia.

radwin   v. **rawin.**

raffinate   *(Quím)* residuos de refinado; (líquido) refinado.

raft   balsa, almadía, armadía, jangada, maderada; masa flotante (p.ej. de hielo) ⫫⫫ *verbo:* balsear; transportar en balsa; pasar (un río) en balsa; hacer una balsa (con maderos).

rafter   balsero, almadiero; obrero flotador de maderas ‖ *(Constr)* alfarda, cabio, cabrio, par. LOCALISMO: cuchillo ⫫⫫ *verbo: (Constr)* colocar alfardas [cabios].

ragged cloud   *(Meteor)* nube rasgada.

ragged picture   *(Tv)* imagen desgarrada; imagen inestable. Defecto debido a irregularidades de sincronismo.

ragtime   *(Mús)* tiempo sincopado; música popular de piano muy sincopada.

RAI   Abrev. de Radiotelevisione Italiana (Italia).

raies ultimes   *(Fís)* rayas últimas. MENOS PROPIAMENTE: líneas últimas. Rayas más fuertes en el espectro de un elemento; las más persistentes de las rayas del llamado *espectro persistente* [persistent spectrum], siendo éste el de una substancia resultante de la más moderada excitación. SIN. **ultimate lines.**

rail   *(Ascensores)* montante [riel] de guía ‖ *(Constr, &)* baranda, barandal, barandilla; balaustrada; pasamanos; quitamiedos; barra; barrera; barrote (de parrilla); larguero ‖ *(Puertas)* cabio, peinazo, travesaño ‖ *(Ventanas)* peinazo, travesaño ‖ *(Constr naval)* cairel, batayola ‖ *(Ferroc)* carril, riel, rail ‖ *(Puentes)* parapeto ‖ *(Proy cine)* patín. Parte de la ventanilla de proyección [film gate]. CF. **film shoe** ⫫⫫ *verbo:* barandillar; balaustrar, adornar con balaustres; enrejar; poner carriles; poner quitamiedos; transportar por ferrocarril.

rail anchor   *(Ferroc)* ancla de riel. Mordaza para evitar el deslizamiento del riel sobre el durmiente.

rail bender   *(Ferroc)* doblador [encorvador] de rieles, curvarrieles. LOCALISMOS: diablo, santiago, donsantiago, el viejo. Aparato para doblar o curvar rieles.

rail bond   *(Tracción eléc)* cable de unión [de liga], conectador eléctrico de carriles, ligadura, ligazón. LOCALISMOS: fusible, eclisa eléctrica. Trozo de cable destinado a unir eléctricamente los extremos de los rieles; cable o conductor para la unión eléctrica de los carriles en las juntas ‖ conexión eléctrica de los carriles. Conductor que tiene por objeto mantener la continuidad eléctrica de los carriles (CEI/38 30–40–105) ‖ conexión eléctrica de carriles. Conductor que tiene por objeto mantener la continuidad eléctrica de los carriles en una junta [joint] (CEI/57 30–10–355) ‖ conexión de carril a carril, plaqueta eléctrica. Conexión que mantiene la continuidad eléctrica [electrical continuity] entre los extremos de carriles consecutivos (CEI/59 31–05–295).

rail-car   v. **railcar.**

rail clamp   *(Grúas sobre vía)* abrazadera de anclaje (al carril).

rail drill   *(Ferroc)* taladrador de rieles. Máquina para agujerear rieles.

rail end   extremidad [extremo, cabeza] de carril.

rail-end hardening   *(Ferroc)* endurecimiento de las extremidades del riel. Procedimiento térmico que se aplica a los rieles para darles mayor resistencia al desgaste y la deformación de sus extremos.

rail-end surface hardening   endurecimiento de la superficie de los extremos del carril [del riel].

rail gage   *(Ferroc)* entrevía, galga de la vía. CF. **third-rail gage.**

rail joint   *(Ferroc)* junta de rieles, junta [unión] de carriles. Unión de las puntas de dos rieles.

rail layer   máquina tendedora de rieles; máquina tendedora de vía prefabricada ‖ enrieladora, cabrio de volante. Aparato para tender y levantar rieles.

rail laying   enrieladura, tendido [colocación] de carriles.

rail leveler   *(Ferroc)* niveladora de rieles. Aparato para enderezar rieles verticalmente.

rail lifter   levantacarriles.

rail lubricator   *(Ferroc)* lubricador de rieles. Lubricador de los rieles externos de las curvas para reducir la fricción entre las pestañas de las ruedas y los rieles, disminuyendo así su desgaste.

rail maintenance   *(Ferroc)* conservación de los rieles. Procedimientos aplicados a los rieles para mantenerlos en buenas condiciones de tránsito.

rail return   *(Tracción eléc)* retorno por carril.

rail-return traction line   línea de tracción con retorno por carril.

rail saw   *(Ferroc)* sierra para rieles. Máquina para cortar rieles.

rail scotch   *(Ferroc)* detentor. Dispositivo destinado a detener vehículos alzados. SIN. **scotch block.**

rail seat   *(Ferroc)* caja para asiento del carril.

rail seating   *(Ferroc)* (i.e. adzed rail seating) entalladura. Corte o entalle transversal y agujeros en el durmiente para apoyo inclinado del riel.

rail surface   superficie del riel [del carril].

rail surface grinder   esmeriladora superficial. Máquina con piedra de esmeril para desbastar las superficies de los rieles.

rail surfacing   recrecimiento de carriles (por soldadura).

rail tong   *(Ferroc)* tenaza para rieles. Pinza o mordaza para levantar rieles ‖ **rail tongs:** tenazas para rieles [para carriles], tenazas portacarriles.

railbearer   *(Ferroc)* longrina, soporte de riel. Viga longitudinal de las colocadas en la estructura del tablero de un puente y que sirven de sostén directo a los rieles. SIN. **stringer.**

railcar   vagón (para transportar carriles) ‖ *(Ferroc)* (coche) automotor ‖ (i.e. motorcoach fitted with a heat engine) autovía. Automotor de motor térmico (CEI/57 30–15–035).

railing   cerca; enrejado, reja; vallado, verja; empalizada, estacada; barrera; rampa; (material para) carriles ‖ *(Escaleras)* barandilla; pasamanos ‖ *(Balcones, Terrazas, Puentes)* baranda, barandaje, barandal, barandilla, antepecho, guardacuerpo(s), quitamiedos, balaustrada ‖ *(Puentes)* parapeto, pretil, antepecho, baranda ‖ *(Madera laminada)* guardacanto ‖ *(Radar)* v. **railings.**

railings   *(Radar)* empalizada. Perturbación intencional [jamming] de una radiodetección que produce una serie de líneas normales a la línea de base, que recuerda el aspecto de una empalizada, sobre un indicador de amplitud y de distancia [range-amplitude display] (CEI/70 60–72–160).

railroad   ferrocarril, vía [línea] férrea, ferrovía, camino de hierro ⫫⫫ *adj:* ferroviario ⫫⫫ *verbo:* enviar por tren, expedir [transportar] por ferrocarril; trabajar en los ferrocarriles, ser empleado de los ferrocarriles.

railroad communications system   sistema de telecomunicaciones ferroviarias.

railroad radio service   servicio de radiocomunicaciones ferroviarias.

railroad right of way   terreno de la vía férrea; zona de vía, faja expropiada.

railroad spiral   espiral de ferrocarriles. Curva compuesta por arcos circulares de distintos radios que subtienden cuerdas de igual longitud; el grado de curvatura del primer arco se establece como diferencia común para los grados de curvatura de los arcos sucesivos.

railroad track   vía (férrea), línea, carrilera, camino de hierro, ferrocarril.

railway   ferrocarril, vía [línea] férrea, camino de hierro. SIN. **railroad** ⫫⫫ *adj:* ferroviario.

railway bridge   puente de ferrocarril. Construcción apropiada para permitir al ferrocarril cruzar ríos, fosos, valles, caminos, etc.

railway center   centro [nudo] ferroviario. Sitio donde convergen o se bifurcan diversas líneas férreas.

railway gage   ancho [anchura] de vía, entrevía.

railway line   *(Ferroc)* (línea de) ferrocarril, línea [vía] férrea || *(Tracción eléc)* línea de tracción. Recorrido asignado a vehículos de transporte (pasajeros y mercaderías) (CEI/38 30–05–005).

railway location *(Ferroc)* recorrido [dirección] sobre el terreno. Recorrido o dirección sobre el terreno, proyectados para un ferrocarril.

railway radiocommunications radiocomunicaciones ferroviarias.

railway signaling señalización ferroviaria [para vías férreas].

railway signaling apparatus aparato de señalización para vías férreas.

railway telegram telegrama del servicio ferroviario.

railway telegraphy telegrafía de vía férrea.

railway telephone system sistema telefónico de vías férreas.

railway telephony telefonía de vía férrea.

railway territory terreno de la vía férrea. SIN. **railroad right of way.**

rain lluvia || *(Cine/Tv)* "lluvia", efecto de lluvia. Perturbación de la imagen en forma de finas rayas verticales. En el caso de la imagen cinematográfica se debe a estar rayada la película. CF. **snow** /// *verbo:* llover.

rain alarm alarma antilluvia. Dispositivo que da una indicación de alarma cuando comienza a llover.

rain-and-snow gage *(Meteor)* pluvionivómetro.

rain-and-sunshine test chamber cámara de ensayos de (resistencia a las alternativas de) lluvia y sol.

rain attenuation *(Radiocom)* atenuación por lluvia. Atenuación de las ondas radioeléctricas al atravesar una zona donde llueve o al atravesar nubes de lluvia. Es de importancia en la comunicación por microondas y aumenta con la densidad de la lluvia. También aumenta rápidamente con la frecuencia; por ejemplo, una precipitación que en un enlace en la banda de 6 GHz causa una atenuación de algunos decibelios puede causar un pérdida total en el mismo enlace si funciona en la banda de 12 GHz.

rain cloud *(Meteor)* nube de lluvia.

rain clutter *(Radar)* ecos de lluvia, parásitos debidos a la lluvia. Ecos parásitos debidos a reflexiones en el agua de lluvia | bloqueo por lluvia. Efecto de bloqueo de la lluvia observado en el indicador y que a veces dificulta la interpretación de las indicaciones.

rain drop v. **raindrop.**

rain effect *(Cine/Tv)* efecto de lluvia. v. **rain.**

rain forest selva húmeda. SIN. **tropical rain forest.**

rain gage pluviómetro. MENOS USADO: pluvímetro. Instrumento meteorológico para medir la lluvia que cae en un lugar durante un período determinado. Puede ser *de lectura directa* o *registrador;* en el segundo caso se llama también *pluviógrafo.* CF. **rainfall.**

rain gaging *(Meteor)* pluviometría /// *adj:* pluviométrico.

rain-making pluvificación, producción artificial de lluvia.

rain return v. **rain clutter.**

rain shadow *(Meteor)* sequía orográfica. Zona de escasa precipitación de lluvia a sotavento de una cordillera.

rain shower chaparrón (de lluvia).

rain spell período lluvioso.

rain squall chubasco (de agua).

rain water v. **rainwater.**

rainband *(Meteor)* banda de absorción de lluvia; raya espectral que indica la presencia de vapor de agua (en la atmósfera); faja de lluvia.

rainbow *(Meteor)* arco iris.

rainbow generator *(Tv)* generador de arco iris. Generador de señales que en la pantalla de un televisor a colores produce todos los colores del espectro.

raindrop gota de lluvia; gota de agua.

rainfall aguacero, chaparrón; lluvia, lluvias, aguas lluvias, precipitación atmosférica [pluvial, de agua], caída pluvial [de lluvia] | pluviosidad, altura pluviométrica, cantidad de agua (de lluvia) caída, agua de lluvia acumulada, nivel de agua caída acumulada. Cantidad de precipitación pluvial o atmosférica

medida por la profundidad (o altura) en pulgadas (sistema anglosajón) o en milímetros (sistema métrico). CF. **rain gage.**

rainfall chart mapa pluviométrico.

rainproof *adj:* a prueba de lluvia; inalterable por la lluvia; impermeable a la lluvia.

rainproof case estuche a prueba de lluvia.

rainproof construction construcción a prueba de lluvia.

rainproof fitting *(Ilum)* luminaria a prueba de lluvia.

rainproof lighting fitting *(Ilum)* luminaria a prueba de lluvia. Luminaria construida de modo que resista la penetración de la lluvia y destinada a ser utilizada en el exterior (CEI/70 45–55–045). CF. **watertight lighting fixture.**

raintight *adj:* estanco a la lluvia, a prueba de lluvia.

rainwater agua de lluvia; agualluvia, aguas llovidas, agua llovediza [pluvial].

rainy *adj:* lluvioso, pluvial.

rainy film *(Cine)* película rayada. v. **rain.**

rainy season estación lluviosa [de lluvias], estación pluvial, época de lluvias, temporada de aguas.

raise alzamiento, levantamiento; aumento, subida, incremento; ascenso /// *adj:* alzar, elevar; aumentar, subir, incrementar; ascender; construir, edificar, erigir; cultivar; criar; formar en relieve; recrecer; reunir, allegar, juntar (dinero, fondos); levantar (fondos) || *(Mat)* elevar a una potencia.

raise an embankment terraplenar. SIN. **make [pit] an embankment.**

raised approach *(Vías férreas)* rampa de acceso. Rampa de acceso hasta el nivel de la vía superior de un cruce. SIN. **approach ramp, crossing approach.**

raised center area *(Fab discos fonog)* zona central levantada. Defecto consistente en que la zona de la etiqueta (dentro del borde de receso) está más alta que la superficie de grabación del disco. v. **bad center.**

raised-cosine pulse *(Elecn)* impulso en coseno elevado. CF. **sine-squared pulse.**

raised edge reborde || *(Cintas mag)* **raised edges:** bordes levantados. SIN. **horns.**

raised pattern diseño en relieve.

rake inclinación; ángulo de incidencia; desviación de la vertical || *(Braseros, Chimeneas, Hogares)* rascacenizas, herramienta picafuego, badil, badilla (paleta de hierro para mover la lumbre) || *(Buques)* caída [inclinación] (del palo), lanzamiento (de la roda) || *(Constr)* inclinación; rastrillo || *(Cordelerías)* rastrillo quitahilos || *(Geol)* inclinación, pendiente || *(Herr)* ángulo de rebaje [salida], inclinación respecto a la horizontal || *(Máq herr)* inclinación || *(Jardinería)* (*i.e.* garden rake) rastro, rastrillo || *(Tijeras para lingotes)* ángulo de las cuchillas || *(Hidr)* limpiarrejas, limpiador de rejas || *(Minería)* inclinación; rastrillo; filón; filón irregular (de mineral de hierro); rama, tren de vagonetas || *(Teatro)* pendiente del escenario; pendiente del patio de butacas || *(Cine)* **(of the projector)** inclinación (del proyector) || *(Telecom)* inclinación (de un poste, de un apoyo, de un puntal) || *(Teleimpr)* rastrillo /// *verbo:* inclinar(se); rastrillar, pasar el rastrillo; raer, rascar, raspar; recoger; cubrir con tierra; atizar, hurgar || *(Buques)* inclinarse hacia atrás (el palo) || *(Mil)* enfilar, tomar de enfilada.

ram morueco, carnero padre; ariete; pisón, pilón; martinete de vapor; pistón (macizo); grúa de martinete | (*i.e.* hydraulic ram) ariete hidráulico || *(Avia)* presión dinámica (de admisión); presión de impacto del aire || *(Dirigibles)* amortiguador de amarre || *(Máq herr)* carretilla, corredera; carro portaherramienta || *(Pilotaje)* martinete, pisón /// *verbo:* apisonar; pisonar; impeler con fuerza; hincar (pilotes) || *(Cañones, Voladuras)* atacar.

RAM *(Informática)* Abrev. de random-access memory; read-and-write memory.

ram effect *(Avia)* efecto de presión dinámica.

ram-jet *(Avia)* v. **ramjet.**

ramac *(Informática)* contabilidad y control por el método de libre acceso. El inglés viene de *random-access memory accounting and* *control* | Abrev. de *random-access memory accounting* (machine).

ramair *(Avia)* aire bajo presión dinámica; aire admitido en el sentido de la marcha.

Raman Sir Chandrasekhara Venkata Raman: físico hindú (nacido en 1888) descubridor del efecto que lleva su nombre.

Raman effect *(Fís)* efecto Raman. Fenómeno por el cual se altera la frecuencia y se altera aleatoriamente la fase de la luz dispersada en un medio material. CF. **Compton effect.**

Raman scattering *(Fís)* dispersión de Raman. Dispersión de la luz al atravesar un cuerpo transparente (sólido, líquido o gaseoso), resultante de una variación en la frecuencia de la radiación incidente que ocurre por interacción entre esta última y las moléculas del cuerpo.

Raman spectrometer espectrómetro Raman.

Raman spectroscopy espectroscopía Raman.

Raman spectrum espectro de Raman. Espectro observable después de ocurrido el efecto Raman (v. **Raman effect**).

ramark *(Radionaveg)* ramark, radiobaliza [marcador] de radar, radiobaliza para radar. El inglés viene de *radar marker* (beacon) | ramark. Radiobaliza de radionavegación que en general funciona por impulsos, utilizada como baliza de radiodetección (radar) respecto a la cual puede determinar su dirección una estación móvil (CEI/70 60–74–090). CF. **racon.**

Ramberg-Osgood parameters *(Fís)* parámetros de Ramberg-Osgood. Parámetros de una ecuación que representa con bastante buena aproximación la curva de esfuerzo-deformación en el caso de una tensión sencilla en muchos materiales estructurales.

ramie ramio.

ramie-covered wire *(Telecom)* hilo aislado con ramio, alambre con forro de ramio.

ramjet *(Avia)* autorreactor, estatorreactor. SIN. **athodyd.**

ramming apisonado, apisonamiento || *(Avia)* presión dinámica de admisión.

ramming air intake *(Avia)* toma de aire bajo presión dinámica.

ramp rampa, declive, repecho; compuertas empaquetadoras; plataforma de lanzamiento (de proyectiles dirigidos, de aviones sin piloto) || *(Escaleras)* curva de enlace [de transición] || *(Elecn)* rampa. Onda de tensión cuya amplitud aumenta linealmente y, al alcanzar cierto valor, baja a cero para comenzar otro ciclo igual. Se utiliza para funciones de barrido, de base de tiempo, etc. NOTA: La rampa puede ser *triangular* o *en diente de sierra* [sawtooth] || *(Ferroc, Tracción eléc)* (a.c. incline) trazo ascendente de la rasante | contacto fijo de vía. Pieza metálica colocada entre los carriles de la vía que puede estar bajo tensión eléctrica y que, por contacto con un frotador portado por el tren, acciona el dispositivo de repetición [repeater mechanism] (CEI/59 31–05–410) | plano inclinado. Desviación del carril de contacto [contact rail] en cada extremidad de una sección para facilitar el acoplamiento o el desacoplamiento del aparato de toma de corriente [current collector] (CEI/57 30–10–375).

ramp generator *(Elecn)* generador de rampa. v. **ramp.** CF. **sawtooth generator.**

ramp-off v. **rampoff.**

ramp waveform *(Elecn)* (onda en) rampa. v. **ramp.** CF. **sawtooth waveform.**

rampoff *(Elecn)* (*also* ramp-off) declive. Declive de amplitud en la parte horizontal de un impulso rectangular. SIN. **droop, tilt.**

rampoff effects *(Impulsos rectangulares)* efectos de rampa [de declive].

Ramsauer effect efecto Ramsauer. Fenómeno por el cual los electrones lentos son atenuados por un gas inerte.

Ramsden eyepiece objetivo de Ramsden. Objetivo para instrumentos de óptica consistente en dos lentes planoconvexos [planoconvex lenses] iguales, con sus superficies convexas enfrentadas, y separados por una distancia igual a dos tercios de la distancia focal de uno de ellos.

randite *(Miner)* randita.

random azar, casualidad; acaso, ventura /// *adj:* aleatorio; que sigue [obedece] la ley del azar; casual, fortuito; de carácter fortuito; desordenado, caótico; errático, irregular; arbitrario; incoherente; imprevisible, impredecible; accidental, contingente; probabilístico; de naturaleza o propiedades estadísticas. CF. **coherent, ordered, regular, systematic.**

random access *(Informática)* acceso arbitrario [directo, libre, aleatorio, fortuito]. (1) Acceso al almacenador [storage] en condiciones en que la posición de la cual se va a obtener información no depende en ningún modo de la posición anterior. (2) Acceso al almacenador de una calculadora en condiciones en que los registros sucesivos de los cuales se obtiene información se eligen sin seguir ningún orden determinado. NOTA: Los términos *aleatorio* y *fortuito* no son muy acertados porque sugieren que el acceso se efectúa al azar, cosa que no es cierta. Algunos autores hacen la misma crítica al término *random*. SIN. **arbitrary [direct] access.** CF. **serial access.**

random-access discrete-address system *(Telecom)* sistema de acceso arbitrario y direcciones discretas. Sistema de radiocomunicación en el cual un gran número de usuarios comparte una banda ancha de canales. Las modulaciones se convierten a forma digital y los impulsos resultantes se transmiten en sucesión, utilizando diferentes frecuencias de portadora y diferentes instantes; a cada receptor se le asigna una combinación única de frecuencias de canal y de instantes preestablecidos llamados *segmentos de tiempo* [time slots].

random-access memory [RAM] memoria de acceso arbitrario [directo, libre]. (1) Memoria en la cual el acceso a cualquiera de sus direcciones es directo, y, por tanto, ocurre en un intervalo de tiempo sensiblemente constante. (2) Sistema de almacenamiento que permite obtener la información con velocidad independiente de su localidad en el dispositivo. Es de esta clase la memoria de núcleos magnéticos; pero no la de cinta magnética. V.TB. **random-access storage device.**

random-access-memory accounting sistema de contabilidad con memoria de libre acceso. CF. **ramac.**

random-access-memory accounting machine máquina de contabilidad con memoria de libre acceso.

random-access method of accounting and control contabilidad y control por el método de libre acceso.

random-access programing *(Informática)* programación (de computadora) sin tomar en cuenta el tiempo de acceso a la información almacenada.

random-access slide projector proyector de diapositivas [vistas fijas] que permite pasarlas en cualquier orden. Las diapositivas van en un magazín de cilindro rotativo.

random-access storage *(Informática)* almacenamiento de acceso directo | v. **random-access storage device.**

random-access storage device *(Informática)* (a.c. random-access storage, random-access store) almacenador [dispositivo de almacenamiento] de acceso directo. (1) Almacenador en el cual el tiempo de acceso a cada dirección es independiente del orden en que se solicite el acceso a las diversas direcciones. (2) Dispositivo de almacenamiento cuyo tiempo de acceso no es afectado en forma notable por la localización de los datos buscados. SIN. **direct-access [arbitrary-access] storage device, random-access memory.** CF. **block-access store, serial-access storage device.**

random-access store v. **random-access storage device.**

random antenna *(i.e.* random-length antenna) antena irregular. Antena de longitud cualquiera, que no ha sido calculada de acuerdo con la frecuencia de trabajo.

random coincidence *(Equipos contadores de radiaciones)* (a.c. accidental coincidence) coincidencia accidental | *(i.e.* any coincidence which is not a true coincidence) coincidencia fortuita. Toda coincidencia que no es una coincidencia verdadera (CEI/68 66–10–430). v. **pulse coincidence, true coincidence.**

random digit dígito aleatorio. v. **random number.**

random distribution *(Estadística)* distribución aleatoria [casual].

random disturbance *(Telecom)* perturbación errática.

random electrical noise   ruido eléctrico aleatorio.

random electrostatic field   campo eléctrico aleatorio.

random emission   *(Elecn)* emisión aleatoria. CF. **Schottky noise.**

random encounter   *(Nucl)* choque aleatorio [al azar].

random error   error aleatorio [casual].

random event   fenómeno errático, suceso [evento] de ocurrencia aleatoria, acontecimiento estadístico.

random field   campo de propiedades estadísticas.

random firing   *(Respondedores de radar)* activación fortuita [sin interrogación], oscilaciones parásitas. CF. **squitter.**

random fluctuations   fluctuaciones aleatorias [estadísticas], fluctuaciones impredecibles [imposibles de predecir, que no pueden predecirse].

random grain orientation   *(Met)* orientación aleatoria [desordenada] del grano.

random-incidence response   *(Micrófonos)* respuesta (a los sonidos) de incidencia aleatoria. SIN. **diffuse-field response** | (a.c. random sensitivity) rendimiento [respuesta] omnidireccional. Para un micrófono, a una frecuencia dada, media de los valores eficaces de la sensibilidad en campo libre [free-field sensitivity], para todos los ángulos de incidencia (CEI/60 08–10–170).

random inputs   señales de entrada aleatorias [gausianas]. Señales de entrada (excitadoras) transitorias y que se suceden al azar.

random interference   *(Telecom)* interferencia fortuita [estadística].

random interlace   *(Tv)* entrelazamiento errático. Entrelazamiento de líneas obtenido cuando la sincronización de las frecuencias de barrido es menos precisa que la necesaria para las emisiones de servicio público; es permisible p.ej. en los sistemas de televisión industrial.

random lengths   longitudes diversas [variadas]; longitudes de fabricación; largos irregulares.

random line   *(Topog)* línea perdida.

random linear filter   filtro lineal aleatorio [estadístico].

random loading   carga distribuida arbitrariamente.

random mating   *(Genética)* panximia, acoplamiento al azar. CF. **sib mating.**

random motion   movimiento aleatorio [al azar]; movimiento desordenado; movimiento arbitrario.

random multiple-access assigned circuits   v. **demand-assigned multiple-access satellite circuits.**

random noise   *(Elecn/Telecom)* ruido errático [aleatorio]. **(1)** Ruido caracterizado por la superposición de un gran número de perturbaciones transitorias que ocurren al azar en el tiempo. **(2)** Perturbaciones fortuitas e inevitables en los aparatos o instrumentos muy sensibles, originadas por la estructura atómica de la materia. SIN. **ruido de fluctuación —— fluctuation noise.** CF. **background noise, shot noise, thermal noise, basic noise, impulsive noise** | ruido errático. Ruido debido al conjunto de un gran número de perturbaciones elementales [elementary disturbances] que se producen en instantes aleatorios (CEI/70 55–10–065).

random-noise generator   generador de ruido aleatorio.

random-noise input   entrada de ruido aleatorio. CF. **random inputs.**

random number   número aleatorio. Número que se obtiene enteramente al azar. Más precisamente, número formado por un conjunto de dígitos cada uno de los cuales tiene igual probabilidad de ser uno cualquiera de los n dígitos de un sistema de numeración de base n. En el caso de la numeración común y corriente (base 10) los dígitos equiprobables son 1, 2, 3, 4, 5, 6, 7, 8, 9, 0. v. **random-numbers table.**

random-numbers generator   generador de números aleatorios.

random-numbers table   tabla de números aleatorios. Tabla de números tal que los dígitos de 0 a N tienen idéntica probabilidad de aparecer en cualquier posición de la tabla. Las tablas de números aleatorios se emplean en diversos estudios y técnicas.

random operation   funcionamiento errático; funcionamiento intermitente.

random-orbit satellite   satélite de órbita fortuita [de órbita variable].

random-orbit satellite system   sistema de satélites de órbitas fortuitas.

random orientation   *(Met)* orientación aleatoria [desordenada, caótica].

random output   salida aleatoria || *(Fuentes de energía)* producción ocasional.

random paving   granitullo, adoquinado irregular [de mosaico]. Empedrado constituido por adoquines de pequeña dimensión, de forma aproximadamente cúbica, y que se colocan a mano en hiladas que forman arcos de círculo concéntricos.

random phase   fase aleatoria.

random phase fluctuations   fluctuaciones aleatorias [erráticas] de fase. SIN. **phase noise.**

random phenomenon   fenómeno aleatorio.

random process   proceso aleatorio.

random pulses   impulsos aleatorios.

random response   *(Micrófonos)* v. **random-incidence response.**

random sample   muestra aleatoria, muestra (tomada) al azar. Muestra obtenida por métodos del cálculo de probabilidades.

random sampling   muestreo aleatorio [al azar]; ensayo de apreciación.

random scattering   dispersión aleatoria [al azar].

random selection   selección aleatoria; selección arbitraria.

random sensitivity   *(Micrófonos)* sensibilidad media | v. **random-incidence response.**

random signal   señal aleatoria. TB. señal casual [estadística, fortuita].

random-signal generator   generador de señal aleatoria [de señales aleatorias].

random times   instantes aleatorios; instantes elegidos al azar.

random variable   *(Estadística)* variable aleatoria. **(1)** Variable que representa los resultados posibles de una experiencia con sus correspondientes probabilidades. **(2)** Variable cuyos valores numéricos son determinados por los resultados de un experimento de azar [chance experiment]. SIN. **statistical [stochastic] variable.**

random variations   variaciones aleatorias [esporádicas].

random velocity   velocidad aleatoria; velocidad irregular.

random walk   trayectoria aleatoria [al azar], recorrido aleatorio [al azar]. Trayectoria que sigue una partícula que sufre choques de dispersión aleatoria en un medio. SIN. **movimiento desordenado.**

random winding   *(Elec)* bobina de arrollamiento desordenado [al azar]. Bobina cuyas vueltas o espiras están dispuestas sin seguir método ni orden determinado.

randomization   aleatorización; repartición al azar; construcción de series aleatorias.

randomize   *verbo:* aleatorizar, hacer aleatorio.

randomized   *adj:* aleatorizado.

randomized block   *(Estadística)* bloque aleatorizado; bloque con repartición al azar.

randomizing   aleatorización || *(Informática)* conversión libre.

randomly   *adv:* aleatoriamente, al acaso, al azar; desordenadamente, caóticamente; erráticamente, irregularmente; arbitrariamente, a capricho; estadísticamente, por ley del azar.

randomly distributed   repartido al azar, distribuido aleatoriamente [al azar]; aleatorio.

randomly recurring   de recurrencia aleatoria; aleatorio.

randomly timed   de ocurrencia aleatoria, que se produce en un instante cualquiera; que varía estadísticamente en el tiempo; aleatorio.

randomness   aleatoriedad; condición de aleatorio; estatisticidad.

range   margen, gama; dominio; distancia; intervalo; alcance; radio de acción. NOTA: Es erróneo usar *rango* como traducción de *range,* cualquiera que sea el significado con que se use este último término. CF. **coverage, distance, interval, margin, rank, reach** |

(*i.e.* frequency range) margen, gama, banda (de frecuencias). CF. **band, spectrum, octave** | **ten-to-one range:** gama con límites en la relación 10:1 | **range audible to the human ear:** gama de frecuencias perceptibles al oído humano || (*Avia*) radio de acción; distancia franqueable. V.TB. **range at** . . . | (*i.e.* radioelectrical range) alcance radioeléctrico | (*i.e.* visual range) alcance visual || (*Cocina*) (*i.e.* cooking range, kitchen range) cocina. TB. fogón || (*Controles*) margen de acción || (*Dispositivos variables*) margen de variación. Diferencia o intervalo entre los valores extremos alcanzables por la magnitud que se hace variar (capacitancia, inductancia, resistencia, atenuación, etc.). Por ejemplo, diferencia entre las capacitancias máxima y mínima de un capacitor variable al hacer girar el rotor entre sus topes extremos o (si no tiene topes) al hacerlo girar una vuelta completa || (*Instr de medida*) margen, alcance, escala, margen de alcance. A VECES: calibre || (*Magnitudes variables*) margen, gama. Escala comprendida entre los valores mínimo y máximo de la variable | intervalo, amplitud de oscilación. EJEMPLO: Diferencia entre las temperaturas máxima y mínima registradas en determinado lugar durante el año || (*Mat*) extensión, colección [campo] de valores funcionales | recorrido. Dada una función $y=f(x)$, diferencia entre los valores máximo y mínimo de y dentro de un intervalo dado (Δx) de la variable independiente (x) || (*Estadística*) amplitud, campo de valores || (*Máq eléc*) (a.c. tier) plano (de un devanado repartido). Se dice que un devanado repartido [distributed winding] tiene uno, dos o más planos, según que los extremos de la bobina ocupen en cada lado una, dos o más superficies de revolución alrededor del eje de la máquina (CEI/56 10–35–190) || (*Radiocom*) alcance. Distancia entre una estación transmisora y una receptora para la cual las transmisiones están prácticamente aseguradas durante todos los períodos del año (CEI/38 60–35–095) || (*Radiodif*) alcance, radio de acción. Distancia máxima a la cual son todavía útiles las señales de una emisora | **within range of the station:** dentro del radio de alcance de la estación || (*Radar*) distancia. Distancia entre la estación y el blanco u objetivo; la distancia puede ser creciente o decreciente si el blanco o la estación son móviles || (*Radionaveg*) radioalineación, alineación; balizaje | (*i.e.* radio range) radiofaro direccional [de alineación] || (*Partículas ionizantes*) penetración máxima. Espesor máximo de un medio dado que puede ser penetrado por una partícula determinada || (*Referencia geog*) alineación, dirección. Recta definida por dos puntos fijos de fácil identificación || v. **range of** . . . /// *verbo:* cubrir (un margen, una gama) | **these rectifiers range from 25 to 300 amperes:** estos rectificadores cubren el margen (de corrientes) de 25 a 300 A | oscilar (entre valores extremos), recorrer (un intervalo entre valores máximo y mínimo); fluctuar, variar (entre límites determinados); alcanzar; poner en fila; alinear(se); telemetrar.

range accuracy   (*Radar*) exactitud en distancia.

range ambiguity   (*Radar*) ambigüedad de distancia.

range-amplitude display   (*Radar*) indicador de amplitud y distancia. Indicador catódico sobre cuya pantalla el eco se presenta en forma de una desviación del punto [spot] cuya magnitud y colocación sobre la línea de base son funciones de la intensidad del eco y de la distancia del objetivo, respectivamente (CEI/70 60–72–295). CF. **range-bearing display, type "A" display.**

range angle   (*Bombardeo aéreo*) ángulo de alcance.

range at cruising speed   (*Avia*) radio de acción a velocidad de crucero.

range at economic speed   (*Avia*) radio de acción a velocidad económica.

range at maximum speed   (*Avia*) radio de acción a velocidad máxima.

range-bearing display   (*Radar*) (a.c. type "B" display) indicador de distancia y azimut, presentación tipo B. Indicador de modulación de intensidad sobre cuya pantalla el eco se presenta en forma de un punto [spot] cuyas coordenadas rectangulares [rectangular coordinates] indican, respectivamente, la distancia y el azimut del

objetivo [range and bearing of the object] (CEI/70 60–72–305). CF. **range-amplitude display, type "A" display.**

range calibrator   calibrador de alcances || (*Radar, Sonar, Radionaveg*) calibrador de distancias.

range circle   (*Radar*) círculo indicador de distancia. Marca de distancia en forma de círculo. v. **range marker.**

range control   control de alcance; ajuste en distancia.

range correction   (*Artillería*) corrección en alcance, corrección de distancia.

range corrector   corrector de alcances [de distancias].

range coverage   alcance en distancia.

range deviation   (*Artillería*) desvío [desviación] en alcance.

range direction   (*Radar*) dirección del objeto.

range discrimination   (*Radar*) discriminación de distancia, resolución radial [de distancia]. v. **distance resolution, range resolution.**

range distribution   distribución de gamas.

range-energy relation   relación penetración-energía. Relación entre la penetración y la energía de partículas determinadas | relación alcance-energía.

range gate   (*Radar*) compuerta de intervalo. Compuerta electrónica empleada para seleccionar ecos dentro de un pequeño intervalo de distancias.

range error   error en alcance; error de distancia.

range estimation   apreciación de distancias.

range extender   multiplicador de alcance. En las cámaras tomavistas, dispositivo para aumentar la distancia focal [focal length].

range extension   (*Instr de medida*) multiplicación [extensión] de alcance. CF. **range multiplier.**

range-extension unit   (*Instr de medida*) unidad extensora [de extensión] de alcance, unidad ampliadora de margen.

range finder   telémetro. En fotografía, aditamento o dispositivo incorporado en la cámara y que sirve para medir la distancia entre ésta y el objeto || (*Teleimpr*) buscador de margen (de trabajo). v. **margin.**

range-finder knob   (*Teleimpr*) perilla del buscador de margen (de trabajo).

range-finder sector   (*Teleimpr*) sector dentado del buscador de margen (de trabajo).

range finding   telemetría || (*Teleimpr*) determinación del margen (de trabajo).

range-finding device   dispositivo telemétrico || (*Teleimpr*) dispositivo buscador de margen (de trabajo).

range-height indicator [RHI]   (*Radar*) (a.c. height-position indicator, HPI) indicador de altura y distancia. Indicador de modulación de intensidad que da la distancia y, en escala muy agrandada, el ángulo de elevación, y que permite leer directamente la altura de un objeto sobre el suelo por medio de un ábaco trazado sobre la pantalla (CEI/70 60–72–330). SIN. **range-height indicator display.**

range-height indicator display [RHI display]   indicador de altura y distancia, presentación (visual) RHI, presentación visual tipo RHI. En la pantalla del tubo de rayos catódicos aparece una imagen de la zona explorada por el radar, con los objetos o blancos representados por puntos brillantes. El eje horizontal corresponde a la distancia y el vertical a la altitud, aunque generalmente en escalas diferentes. SIN. **range-height indicator.**

range light   (*Avia*) luz de límite; luz de alineación, farol de enfilación; luz de balizamiento; luz de posición.

range limits   (*Teleimpr*) margen (de trabajo); límites del margen (de trabajo). v. **margin.**

range mark   (*Radar*) (a.c. range marker, radar range marker) marca de distancia. SIN. **distance mark** || (*Sondadores por ecos*) marca de distancia, marcaje.

range marker   baliza fija || (*Radar*) baliza fija (radárica) | marcador de distancia. Marca electrónica sobre la pantalla de un indicador [display], que permite leer la distancia al objeto

(CEI/70 60–72–625).

range-marker generator *(Radar)* generador de marcas de distancia. Dispositivo electrónico que genera la señal necesaria para obtener las marcas de distancia en la pantalla del indicador; es disparado por el impulso sincronizador que da comienzo a la base de tiempos [time base].

range measurement *(Radar)* medida de distancia (al objeto).

range multiplier *(Instr de medida)* multiplicador de alcance [de sensibilidad] ‖ *(Voltímetros)* multiplicador de alcance. Puede consistir en una resistencia en serie o en un divisor de tensión.

range of action radio de acción.

range of audibility *(Acús)* intervalo audible, intervalo [margen] de audibilidad. A determinada frecuencia, intervalo de intensidades entre el límite inferior de audibilidad [threshold of hearing] y el límite superior de audibilidad [threshold of feeling].

range of bearings *(Radiogoniometría)* (a.c. spread of bearings) gama azimutal. Diferencia entre el mayor y el menor de los azimuts observados [observed bearings] medidos en presencia de oscilación de azimut [bearing oscillation] (CEI/70 60–71–225).

range of brightness gama de brillantez.

range of colors gama de colores.

range of currents gama de intensidades (de corriente).

range of detection alcance de detección.

range of frequencies gama [margen, banda] de frecuencias. CF. band, octave, spectrum.

range of human ear gama de frecuencias perceptibles al oído humano | v. range of audibility.

range of load resistances gama de resistencias de carga.

range of measurement margen de medida..

range of neutron velocity gama de velocidades neutrónicas [de los neutrones].

range of nuclear forces radio de acción de las fuerzas nucleares.

range of operating temperature margen de temperaturas de trabajo [de funcionamiento].

range of particle *(Fís)* penetración de una partícula; alcance de una partícula.

range of rotation margen de rotación. En el caso de los mandos rotativos se expresa generalmente en grados de arco, y es casi siempre inferior a 360°, aunque existen algunos elementos (p.ej. ciertos potenciómetros especiales) que dan varias vueltas. v. **multiturn potentiometer.**

range of station *(Radiocom)* alcance [radio de acción] de una estación.

range of temperature margen de temperaturas.

range of values gama de valores. Gama de los valores que alcanza una magnitud variable.

range of vision alcance visual.

range of voltage gama de tensiones [de voltajes].

range of volts v. range of voltage.

range of wavelengths gama de longitudes de onda.

range overlap recubrimiento de gamas; superpoición de márgenes.

range rate *(Artillería)* rapidez de variación en alcance, variación en alcance por unidad de tiempo ‖ *(Telemetría)* rapidez de variació de distancia. Variación por unidad de tiempo en la distancia entre el equipo telemétrico y un objeto en movimiento.

range resolution *(Radar)* (a.c. distance resolution) resolución de distancia ‖ (a.c. range discrimination) resolución radial. Límite inferior de la diferencia de distancias de dos objetos a un aparato de medida de distancia, por debajo del cual el aparato no permite discernir un objeto de otro (CEI/70 60–70–040).

range ring *(Radar)* anillo (marcador) de distancia. Marca de distancia en forma de anillo. SIN. **range circle.** v. **range marker.**

range scale *(Radar)* escala de distancia ‖ *(Teleimpr)* escala de margen (de trabajo).

range search *(Radar)* exploración en distancia. Exploración sistemática [systematic search] de objetivos sobre partes seleccionadas, generalmente variables, de la escala de distancias [range

scale] de un radiodetector (radar) (CEI/70 60–72–090).

range selector selector de márgenes ‖ *(Instr de medida)* selector de escalas [de alcances] ‖ *(Radar)* selector de escala de distancia ‖ *(Radio)* selector de banda.

range-selector switch v. range selector.

range signal *(Sondadores por ultrasonidos)* señal de distancia.

range-splitter probe *(Aparatos de prueba)* sonda divisora de escala. Sonda accesoria que permite medir tensiones +B y tensiones de placa y de rejilla auxiliar en una escala de 500 V, en lugar de la escala corriente de 250 V de los multímetros ordinarios.

range station (estación de) radiofaro direccional. SIN. **radio-range station.**

range step *(Radar)* desplazamiento vertical indicador de distancia (en un indicador tipo M).

range straddle v. range straggling.

range straggling *(Partículas)* (a.c. range straddle) dispersión estadística del alcance [del recorrido]. Variación en el alcance o penetración de partículas con la misma energía inicial.

range switch conmutador de márgenes; conmutador de gamas ‖ *(Instr de medida)* conmutador de escalas [de alcances]; conmutador de sensibilidades ‖ *(Radar)* conmutador de escala de distancia ‖ *(Radio)* conmutador de banda.

range switching conmutación de márgenes; conmutación de gamas; etc. (v. **range switch**).

range target *(Radar)* blanco de calibración de distancia. Objeto reflector cuya distancia a la antena se conoce exactamente, y que sirve para el alineamiento o calibración del sistema indicador de distancias.

range tracking observación telemétrica; lectura de (la) distancia.

range transmission unit *(Radar)* transmisor de indicación de distancia. Dispositivo que transmite a un aparato indicador las señales de distancia.

range transmitter *(Radar)* transmisor de distancia, emisor telemétrico. Emisor destinado principalmente a medidas de distancia.

range unit *(Radar)* unidad de distancia. Elemento de equipo empleado para el control y las indicaciones de las medidas de distancia.

range zero *(Radar)* calibración de distancia cero. Alineamiento de la distancia cero con el comienzo del trazo de barrido.

Ranger Ranger. Vehículo espacial (EE.UU.) destinado a transmitir a la Tierra fotografías 'de la Luna mientras se dirige a chocar con ésta y hasta el momento del impacto.

ranging telemetría; determinación [medida] de distancias; exploración a grandes distancias ‖ *(Artillería)* reglaje de alcance.

ranging crystal *(Radar)* cristal cronizador para medidas de distancia. En la unidad de distancia [range unit], cristal piezoeléctrico que determina la frecuencia primaria necesaria para las indicaciones de distancia.

ranging echo *(Radar)* eco de distancia.

ranging oscillator *(Radar)* oscilador generador de marcas de distancia. CF. range-marker oscillator.

rank hilera, línea; rango, jerarquía; posición (social, etc.); calidad, distinción; cuantía ‖ *(Estadística)* rango ‖ *(Mat)* rango; orden; característica, rango ‖ *(Mil)* grado, graduación, categoría; fila ‖ *(Organos)* juego (de tubos iguales) ‖ v. **rank of…** /// *adj:* exuberante, fértil, lozano; rancio, espeso; rancio; fétido ‖ *(Mec)* profundo, hondo /// *verbo:* clasificar, ordenar; colocar por grados; poner en fila, colocar en hileras; tener tal grado, tener tal o cual clasificación; ocupar (el primer lugar, el segundo lugar, etc.); figurar, contarse entre ‖ *(Estadística)* rangar, ordenar por rangos ‖ *(Mil)* tener un grado superior a.

rank correlation *(Mat)* correlación ordinal; correlación por rangos.

rank of a matrix *(Mat)* rango de una matriz.

rank of a network rango de una red. Número de conjuntos de corte [cut-sets] independientes que pueden ser seleccionados en la red; es igual al número de nudos [nodes] menos el número de partes separadas.

rank of addressee (*Telecom*) jerarquía del destinatario.

rank of selectors (*Telecom*) juego de selectores | línea de selectores. En conmutación automática: Conjunto de los selectores de la misma etapa de selección [stage of call selection] (CEI/70 55–110–180).

Rankine William J. M. Rankine: físico escocés (1820–1872) | v. **Rankine scale.**

Rankine cycle ciclo de Rankine. Ciclo ideal utilizado como patrón de comparación en el estudio de instalaciones de vapor. SIN. **Clausius-Rankine cycle.**

Rankine-cycle system sistema de ciclo de Rankine. Sistema electrogenerador que se tiene en estudio para naves espaciales grandes.

Rankine scale (a.c. Rankine) escala Rankine. Símbolo: R. Escala de temperatura absoluta en la cual se usan grados Fahrenheit, y en la cual el punto de congelación [freezing point] del agua es 459,6° R, y el punto de ebullición [boiling point] es 639,6° R.

Rankine vortex (*Fís*) vórtice de Rankine.

rapcon (*Avia*) rapcon. Empleo del radar para el control directo de las aeronaves que vuelan en las cercanías de un aeropuerto o que se aproximan a la pista de aterrizaje [landing strip]. El término viene de radar *ap*proach *con*trol.

Raphael bridge puente de Rafael. Puente del tipo de hilo y cursor [slide-wire bridge] empleado para localizar averías en líneas de transmisión mediante la prueba en bucle (v. **loop test**). El cursor tiene una escala que indica directamente la distancia al punto de la avería.

rapid rápido (de un río) /// adj: rápido, veloz || (*Roscas*) de paso grande.

rapid action acción rápida.

rapid-action switch (*Elec*) conmutador de acción rápida; interruptor de tiempo corto.

rapid-aging test prueba de envejecimiento acelerado.

rapid approach aproximación rápida.

rapid approximation aproximación rápida.

rapid charging (*Acum*) carga rápida.

rapid fire (*Armas*) tiro rápido.

rapid memory (*Comput*) memoria rápida [de acceso rápido]. Parte de la máquina de la cual puede obtenerse con la mayor rapidez la información almacenada. SIN. **high-speed memory.**

rapid pulse impulso rápido.

rapid response respuesta rápida.

rapid rise subida rápida.

rapid rise-time pulse v. **fast rise-time pulse.**

rapid scanning (*Radar*) exploración rápida. Exploración con haz estrecho a razón de 10 o más barridos por segundo.

rapid-scanning motor (*Radar*) motor para exploración rápida. SIN. **slewing motor.**

rapid service (*Telef*) servicio rápido. Servicio que entraña, después de la anotación de la petición de comunicación [booking of the call] en el centro internacional de salida [outgoing international exchange], una tentativa inmediata de establecimiento de la comunicación. Se hacen las siguientes distinciones:
(1) *Servicio rápido manual* [manual rapid service, manual demand service *(GB)*]. Este servicio se presta con dos modos de explotación:
(a) *Servicio rápido manual indirecto* [indirect manual rapid-service working, indirect manual demand working *(GB)*]. En este modo de explotación, la operadora del centro internacional de llegada [incoming international exchange] sirve sistemáticamente de intérprete entre la operadora del centro internacional de salida y el abonado llamado [called subscriber].
(b) *Servicio rápido manual directo* [direct manual rapid-service working, direct manual demand working *(GB)*]. En este modo de explotación, la operadora del centro internacional de salida se dirige directamente al abonado llamado.
(2) *Servicio rápido semiautomático* [semiautomatic rapid service, semiautomatic demand service *(GB)*]. Este servicio entraña en general el establecimiento automático de la comunicación entre la operadora del centro internacional de salida y el abonado llamado. SIN. **demand service** *(GB)*.

rapid start arranque rápido.

rapid-start fluorescent lamp (*Ilum*) lámpara fluorescente de encendido instantáneo | lámpara fluorescente sin cebador. Lámpara fluorescente que funciona con un aparato que permite el encendido inmediato después de aplicada la tensión. NOTA: Llamada también *lámpara fluorescente de encendido instantáneo*, este tipo de lámpara puede ser *de cebado en frío* [cold-start lamp *(GB)*, instant-start lamp *(EU)*] o *de cebado en caliente* [preheat lamp, hot-start lamp] (CEI/70 45–40–150).

rapid-start lamp (*Ilum*) lámpara (fluorescente) de encendido instantáneo; lámpara (fluorescente) sin cebador.

rapid tool steel acero rápido para herramientas.

rapidity rapidez, velocidad. SIN. **rapidness** (*p.us.*). CF. **speed** || v. **rapidity of . . .**

rapidity of a lens (*Fotog*) luminosidad [rapidez] de un objetivo. SIN. **speed of a lens.**

rapidity of modulation (*Teleg*) rapidez de modulación. SIN. **modulation rate.**

rapidly adv: rápidamente, velozmente.

rapidness rapidez, velocidad. SIN. **rapidity.**

RAPPI (*Radar*) indicador PPI de acceso aleatorio, indicador PPI que admite información asíncrona (del blanco) y la presenta como si fuera síncrona. El inglés viene de *random-access PPI*.

RARAD (*Palabra clave*) (*i.e.* radar weather advisory) parte meteorológico basado en observaciones de radar.

rare adj: raro; escaso, raro; contado, poco común, extraordinario; precioso; esparcido; raro, enrarecido, rarificado (dícese de la atmósfera y de los gases).

rare earth (*Quím*) tierra rara; metal alcalino raro. Elemento con número atómico entre 57 y 71, inclusive.

rare-earth element elemento de las tierras raras; metal alcalino raro.

rare gas gas raro, gas noble, gas inerte. Gas químicamente inerte. EJEMPLOS: argón, helio, criptón, neón, xenón. SIN. **inert gas, noble gas.**

rare-gas filling llenado con gas inerte; inflado [carga] con gas inerte.

rare-gas structure estructura de los gases nobles.

rare-gas tube (*Elecn*) tubo de gas raro.

rarefaction rarefacción, rarificación, enrarecimiento.

rarefaction wave (*Fís*) onda de succión.

rarefied atmosphere atmósfera enrarecida.

rarefied gas gas enrarecido, gas rarificado.

rarefied-gas dynamics (*Fís*) dinámica de los gases enrarecidos.

rarefied plasma (*Fís*) plasma enrarecido.

rarefy verbo: enrarecer, rarificar, rarefacer. NOTA: *Rarefacer* se conjuga como *hacer*.

RAREP (*Palabra clave*) (*i.e.* radar weather report) parte [boletín] meteorológico basado en observaciones de radar.

raser raser, maser de RF. Amplificador o generador atómico que trabaja a frecuencia radioeléctrica, o sea, en el espectro de radiofrecuencia. v. **maser** || (*Radiocom*) resonador para aumentar el alcance y la sensibilidad, raser. Circuito resonante utilizado en algunos equipos radiotelefónicos transistorizados para aumentar la potencia de emisión y la sensibilidad de recepción. El inglés viene de *range and sensitivity extending resonator*.

rasp (*Herr*) escofina, limatón, raspa, raspador, rallo (lima de dientes muy gruesos) || (*Telecom*) raspador para plomo || (*Sonido*) ruido de escofina; rechinamiento; sonido estridente /// verbo: escofinar, raspar, rallar; rechinar.

rasp cut picadura de escofina.

rasp-cut file (*Herr*) escofina.

raster (*Tv, TRC*) trama, cuadrícula, cuadriculado [red, retículo, emparrillado] de exploración, entramado. Conjunto de las líneas iluminadas de exploración; red de líneas de exploración que cubre en forma sensiblemente uniforme la zona de la pantalla en la cual aparece la imagen. SIN. **scanning pattern** ‖ *(Tv)* rectángulo luminoso, cuadro iluminado [fluorescente] (de la pantalla), formato iluminado (de la imagen). Parte de la pantalla que se ilumina por efecto del barrido (exploración) del haz o pincel electrónico, aunque no llegue modulación al cinescopio. SIN. **scanning raster** | "**no raster**": "pantalla obscura", "la pantalla no se ilumina" | trama, cuadrícula, "raster". Red completa de líneas de análisis y de síntesis (CEI/70 60–64–095).

raster burn   *(Tubos de cám)* quemadura de trama. Alteración de las características del blanco (anticátodo) en la zona barrida por la exploración (análisis de imagen), que da por resultado la generación de una señal espuria cuando se explora un rectángulo mayor que el primitivo o inclinado respecto al primitivo.

raster distortion   *(Tv)* distorsión del formato (de imagen).

RAT   Abrev. de rocket-assisted torpedo.

rat-race   *(Guías de ondas)* v. **hybrid ring.**

rat-tail   v. **rattail.**

rat-tailed   v. **rattailed.**

ratchet   trinquete, carraca, gatillo, matraca, chicharra, cric. LOCALISMOS: crique, catraca | garra, uña ‖ *(Informática, Teleimpr)* corona (de rodillo de impresión); rueda de escape; tambor dentado.

ratchet-and-pawl device   dispositivo de trinquete.

ratchet-and-pawl motion   mecanismo de trinquete.

ratchet and tongs with tensor indicator   *(Telecom)* dinamómetro. SIN. **dynamometer.**

ratchet gear   mecanismo de trinquete; dispositivo de lengüeta.

ratchet impulse relay   relé de trinquete accionado por impulsos, relevador de trinquete excitado por impulsos.

ratchet mechanism   mecanismo de trinquete.

ratchet motion   mecanismo de trinquete.

ratchet motor   motor de trinquete.

ratchet relay   relé [relevador] de trinquete. Relé (relevador) de progresión [stepping relay] accionado por un trinquete que es a su vez impulsado por la armadura.

ratchet screwdriver   destornillador de carraca [de trinquete]. LOCALISMO: destornillador de crique.

ratchet wheel   rueda de trinquete [de estrella, de gatillo] ‖ *(Teleimpr)* rueda de escape.

ratchet wrench   *(Herr)* llave de trinquete [de chicharra], llave de apriete de trinquete. LOCALISMOS: llave de crique, chicharra.

rate   rapidez, velocidad, régimen; intensidad; porcentaje, tanto por ciento; razón, relación; coeficiente; proporción, número [cantidad] proporcional, clasificación; clase, rango; grado; cuota, canon, pago periódico; tasa, tarifa; precio; estimación, valuación; modo, manera; impuesto, contribución; salario, jornal, retribución (por día, por hora); tipo (de interés, de cambio) | ritmo, cadencia, frecuencia. SIN. **frequency, recurrence [repetition] rate.** CF. **modulation rate, pulse-repetition rate** | **at the rate of:** a razón de, al ritmo de (x por unidad de tiempo) | v.TB. **rate of . . .** ‖ *(Acum)* régimen. Valor, en amperes, de la corriente suministrada por la batería durante la descarga de la misma durante un tiempo dado, en condiciones dadas de temperatura y de tensión final [final voltage] (CEI/60 50–20–225) | **charging rate:** régimen de carga. Valor, en amperes, de la corriente mediante la cual se carga la batería (CEI/60 50–20–240) | **finishing rate:** régimen de fin de carga. Régimen de carga al cual debe reducirse la corriente al final de la carga (CEI/60 50–20–245) ‖ *(Balística)* ley de variación (de alcances, de distancias) ‖ *(Cronómetros)* marcha; error diario ‖ *(Mat)* razón, tipo ‖ *(Telecom)* tarifa, tasa; tarifa, tasa unitaria. SIN. **tariff** | **rate for rural districts:** tarifa rural | **rates to be charged:** tarificación | **setting of rates:** establecimiento [determinación] de tarifas | v.TB. **rate per . . .** ‖ *(Transportes)* tarifa; flete | (*i.e.* freight rate) tarifa de fletes ‖ v. **rate of . . .** ⫼ *verbo:* clasificar; estar [ser] clasificado como; tasar, valuar, justipreciar, estimar, evaluar; calificar (según una escala); calcular, estimar; fijar (precio, valor,

tarifa); fotometrar ‖ *(Cronómetros)* arreglar; verificar ‖ *(Instr)* tarar ‖ *(Máq)* tarar; determinar la capacidad normal.

rate action   *(Automática)* acción derivada, acción D; acción compensada, regulación compensada [diferencial]. (**1**) Acción reguladora cuya rapidez es proporcional a la rapidez con que se ha desviado la variable controlada. (**2**) Acción tal que se mantiene continuamente una relación lineal entre la rapidez de variación de la variable controlada y la posición de un órgano o elemento final. SIN. **derivative action, D action.**

rate control   *(Automática)* acción derivada. CF. **reset control** | control de la rapidez de variación (de la variable independiente). SIN. **proportional response, throttling control.**

rate effect   *(Semicond)* efecto de transición. Fenómeno por el cual un dispositivo tipo PNPN pasa al estado de fuerte conducción por efecto de una transición brusca en la tensión de ánodo (p.ej. al ser ésta aplicada repentinamente) o por la presencia de tensiones transitorias de alta frecuencia.

rate for rural districts   *(Telecom)* tarifa rural.

rate generator   transductor de velocidad angular. Elemento que transforma las velocidades angulares [angular rates] en señales proporcionales a ellas.

rate-grown junction   *(Semicond)* unión graduada [de cultivo regulado]. Union cultivada (v. **grown junction**) obtenida variando periódicamente la rapidez de crecimiento del cristal y empleando una masa fundida contentiva de impurezas tipo N y tipo P, de modo que las mismas predominen en forma alternada. SIN. **capa de cultivo regulado —— graded junction.**

rate-grown transistor   (a.c. rate-grown junction transistor) transistor de unión graduada, transistor de unión por variación periódica de la velocidad de crecimiento. SIN. **graded-junction transistor.**

rate gyro   v. **rate gyroscope.**

rate gyroscope   (a.c. rate gyro) *(Avia)* giroscopio para la medida de velocidades angulares (de viraje).

rate meter   *(Nucl)* v. **ratemeter.**

rate of approach   *(Fís, Aeron)* velocidad de acercamiento.

rate of change   rapidez de cambio [de variación], velocidad [régimen] de variación; gradiente.

rate-of-change relay   *(Elec)* relé de velocidad de variación. Relé de medida [measuring relay] que funciona cuando la magnitud de influencia [actuating quantity] varía con una rapidez que sobrepasa el valor de regulación [operating value] del relé (CEI/56 16–15–035).

rate of charge   *(Acum)* régimen (de carga), velocidad de carga ‖ *(Cond)* régimen [velocidad] de carga.

rate of chemical reaction   velocidad de reacción química.

rate of climb   *(Avia)* velocidad [régimen] ascensional, régimen de toma de altura. SIN. **vertical velocity.**

rate-of-climb-and-descent indicator   *(Avia)* variómetro.

rate-of-climb indicator   *(Avia)* variómetro, indicador de régimen ascensional.

rate of closure   velocidad de aproximación de dos móviles. Velocidad con que se reduce la distancia entre dos objetos en movimiento relativo; si los dos objetos se mueven al encuentro uno del otro (como en el caso de dos automóviles que chocan de frente), la velocidad de aproximación es igual a la suma de sus velocidades individuales.

rate of convergence   velocidad de convergencia.

rate of decay   *(Acús)* velocidad [relación] de extinción. Velocidad con que una magnitud acústica (presión, velocidad de partículas, o densidad de energía) disminuye en un punto y un instante dados; se mide en decibelios por segundo (dB/s) ‖ *(Nucl)* velocidad de desintegración.

rate of deceleration   *(Fís, Aeron)* régimen de retardo.

rate of deposition   *(Soldadura)* velocidad de deposición, rapidez de depósito, depósito unitario.

rate of descent   *(Avia)* velocidad (vertical) de descenso, régimen de descenso.

rate of diffusion   velocidad de difusión.

rate of discharge   capacidad de descarga; descarga unitaria, volumen descargado por unidad de tiempo ‖ *(Acum, Cond)* régimen [velocidad] de descarga ‖ *(Electroscopios)* velocidad de descarga.

rate of disintegration   *(Nucl)* velocidad de desintegración.

rate of energy gain   velocidad [ritmo] de ganancia de energía.

rate of fall   velocidad de caída.

rate of fire   *(Armas)* cadencia de tiro.

rate of flow   régimen de circulación [de paso]; régimen de corriente; régimen de descarga; velocidad de paso; velocidad de movimiento ‖ *(Fluidos)* gasto, caudal, régimen de flujo, desplazamiento volumétrico por unidad de tiempo; caudal medio ‖ *(Ventiladores)* caudal (de aire), régimen de desplazamiento (de aire).

rate of formation   *(Nucl)* velocidad de formación.

rate of growth   (e.g. of a current) tasa de crecimiento, ritmo de incremento.

rate of illumination   *(Estroboscopios)* frecuencia de iluminación. Número de destellos luminosos emitidos por unidad de tiempo. SIN. rate of viewing. v. stroboscope.

rate of inherent regulation   *(Automática)* velocidad de autorregulación. Para un sistema controlado [controlled system] provisto de autorregulación [inherent regulation], velocidad de variación que alcanzaría la variable controlada [controlled variable] en un instante dado, después de una perturbación determinada, si el regulador [controlling equipment] quedara insensible al comienzo de la perturbación (CEI/66 37–40–075).

rate of interrogation   *(Radar)* ritmo [cadencia] de interrogación.

rate of irreversible process   *(Fís, Quím)* velocidad de un proceso irreversible.

rate of landing   *(Avia)* cadencia de aterrizaje.

rate of modulation   rapidez de modulación. v. modulation rate.

rate of power generation   ritmo de producción de energía.

rate of radioactive decay   velocidad de desintegración radiactiva.

rate of reaction   *(Quím, Nucl)* velocidad de reacción.

rate of rise   velocidad de subida; pendiente, rapidez de subida; porcentaje de aumento.

rate-of-rise relay   relé de sobrecorriente de acción instantánea. Relé de sobrecorriente [overcurrent relay] que funciona instantáneamente en respuesta a un valor excesivo de corriente, o en respuesta a una velocidad excesiva de aumento de intensidad de la corriente; en uno u otro caso la causa sería una falla o avería en el circuito protegido por el relé. SIN. instantaneous overcurrent relay. CF. rate-of-change relay.

rate of settlement   *(Aeródromos)* grado de asiento.

rate of speed   velocidad.

rate of transmission   *(Informática, Telecom)* velocidad de transmisión. SIN. speed of transmission. CF. modulation rate.

rate of turn   *(Avia)* velocidad angular (de viraje), régimen de viraje.

rate-of-turn control   *(Avia)* control de velocidad angular (de viraje). Aparato giroscópico que alimenta una señal de velocidad angular de viraje al sistema de piloto automático.

rate-of-turn gyro(scope)   *(Avia)* v. rate gyroscope.

rate-of-turn indicator   *(Avia)* indicador de viraje.

rate of vibration   velocidad de vibración.

rate of withdrawal   *(Nucl)* velocidad de extracción.

rate per unit call   *(Telef)* tasa por unidad de conversación.

rate per word   *(Teleg)* tasa por palabra.

rate phenomenon   *(Fís)* fenómeno cinético.

rate receiver   *(Tecn espacial)* receptor de señal de velocidad (de un cohete o proyectil).

rate setting   *(Telecom)* establecimiento [determinación] de tarifas.

rate signal   señal de rapidez de variación. Señal proporcional a la derivada, respecto al tiempo, de una variable determinada.

rate structure   régimen tarifario [de tasas], tarificación, composición de (las) tasas.

rate technique   técnica de tarificación.

rate time   *(Automática)* duración de la compensación; tiempo de acción derivada; tiempo de antelación.

rate transmitter   *(Tecn espacial)* emisor de señal de velocidad (de un cohete o proyectil).

rate zone   *(Telef)* zona tarifaria.

rate-zone principle   *(Telef)* principio de tasación por zona.

rated   *adj:* nominal, especificado, indicado, normal.

rated accuracy   *(Instr de medida)* exactitud nominal. La indicada por el fabricante.

rated altitude   *(Avia)* altitud nominal; altura calculada.

rated burden   régimen nominal, régimen normal (de funcionamiento) ‖ *(Transf eléc de medida)* potencia de precisión. Potencia aparente [apparent power] que el transformador puede suministrar al secundario a la tensión nominal (a la corriente nominal) sin que los errores por él introducidos en las medidas sobrepasen los valores garantizados. A veces se le llama *potencia nominal* (término éste que se recomienda evitar) (CEI/58 20–45–130). CF. rated impedance.

rated capacity   capacidad nominal [asignada, indicada]; capacidad de régimen; potencia nominal; producción normal.

rated characteristic   característica nominal. La facilitada por el fabricante.

rated coil current   *(Relés)* corriente nominal de excitación. Corriente de excitación (en régimen permanente) a la cual funciona el relé según los cálculos del fabricante.

rated coil voltage   *(Relés)* tensión nominal de excitación. Tensión de funcionamiento para la cual se ha calculado el relé.

rated contact current   *(Conmut, Relés)* capacidad nominal de corriente de los contactos. Corriente máxima a la cual los contactos tienen la duración útil para la cual fueron calculados.

rated coverage   *(Radiocom)* cobertura nominal.

rated current   corriente nominal [de régimen]. Corriente que en condiciones normales toma un aparato (p.ej. un radiorreceptor); corriente de consumo normal del aparato | corriente permisible, corriente máxima nominal. Intensidad mayor que el fabricante o el proyectista señala como segura para el aparato de que se trate, en condiciones determinadas (temperatura ambiente, ventilación, factor de trabajo, etc.) consideradas normales. Esa intensidad puede ser excedida en cierta medida y por períodos limitados (sobrecargas tolerables); pero puede fijarse un *valor máximo absoluto* que no puede sobrepasarse en ninguna circunstancia ni en ningún momento. CF. duty cycle, short-period overload | capacidad nominal de corriente | valor nominal de corriente. Valor numérico de corriente que entra en la definición de un régimen nominal [rating] (CEI/56 10–05–415). CF. rated frequency, rated voltage.

rated density   densidad nominal.

rated dissipation   disipación normal.

rated duty   potencia de régimen | (of a machine or an apparatus) servicio nominal (de una máquina o un aparato). Servicio particular para el cual ha sido construida la máquina o el aparato (CEI/56 10–05–405). CF. rating.

rated engine speed   velocidad [régimen] nominal de un motor.

rated frequency   frecuencia nominal; frecuencia de régimen [de servicio] | valor nominal de frecuencia. Valor numérico de frecuencia que entra en la definición de un régimen nominal [rating] (CEI/56 10–05–415).

rated frequency deviation   *(Telecom)* desviación nominal de frecuencia. Valor máximo de la desviación de frecuencia impuesta por las especificaciones de un sistema de modulación de ángulo. SIN. rated system deviation (CEI/70 55–05–405).

rated horsepower   potencia nominal; potencia de régimen.

rated hourly capacity   capacidad horaria normal.

rated impedance   impedancia nominal ‖ *(Transf eléc de medida)* impedancia de precisión. Impedancia del circuito secundario [secondary circuit] correspondiente a la potencia de precisión [rated burden] a la tensión nominal (a la corriente nominal). A veces se le llama *impedancia nominal* (término éste que se recomienda evitar) (CEI/58 20–45–135).

rated input   entrada nominal [especificada].

rated life   duración [vida] normal, duración de vida normal ‖ *(Ilum)* (of a type of lamp) vida nominal. Duración declarada resultante de ensayos de duración de lámparas del mismo tipo (CEI/70 45–30–190).

rated load   carga especificada [prevista]; carga normal [de régimen]; carga máxima admisible. cf. **rated current.**

rated making capacity   *(Elec)* capacidad normal de cierre [de conexión].

rated operating range   margen nominal de trabajo.

rated operational voltage   tensión nominal de trabajo.

rated output   salida nominal [especificada]; potencia nominal de salida, potencia normal [de régimen].

rated output power   potencia de salida nominal. Potencia de salida que figura en las especificaciones de un emisor radioeléctrico [radio transmitter] (CEI/70 60–42–285).

rated power   potencia nominal; potencia normal [de régimen] ‖ *(Avia)* (a.c. nominal horsepower) potencia nominal.

rated power supply   alimentación nominal; potencia nominal.

rated pressure   presión asignada [de régimen] ‖ *(Elec)* tensión nominal, voltaje de régimen ‖ *(Transductores de presión)* presión nominal. Presión especificada para salida especificada de plena escala [rated full-scale output].

rated primary current   *(Elec)* corriente primaria nominal ‖ *(Transf eléc de medida)* **(of a current transformer)** intensidad nominal primaria (de un transformador de intensidad). Valor de la corriente primaria que figura en la designación del transformador y según la cual se determinan las condiciones de funcionamiento del transformador (CEI/58 20–45–100). cf. **rated secondary current.**

rated primary voltage   *(Elec)* tensión primaria nominal ‖ *(Transf eléc de medida)* **(of a voltage transformer)** tensión nominal primaria (de un transformador de tensión). Valor de la tensión primaria que figura en la designación del transformador y según la cual se determinan las condiciones de funcionamiento del transformador (CEI/58 20–45–095). cf. **rated secondary voltage.**

rated quantity   *(Elec)* magnitud nominal. Magnitud (corriente, tensión, frecuencia, etc.) que sirve para designar una máquina o un aparato y cuyo valor numérico entra en la definición de un régimen nominal [rating] (CEI/56 10–05–410). cf. **rated current, rated frequency, rated voltage.**

rated secondary current   *(Transf eléc de medida)* **(of a current transformer)** intensidad nominal secundaria (de un transformador de intensidad). v. **rated primary current.**

rated secondary voltage   *(Transf eléc de medida)* **(of a voltage transformer)** tensión nominal secundaria (de un transformador de tensión). v. **rated primary voltage.**

rated short-circuit capacity   *(Elec)* capacidad normal en cortocircuito.

rated short-circuit current   *(Transf eléc de medida)* **(of a current transformer)** corriente de cortocircuito (de un transformador de intensidad), intensidad límite térmica (de un transformador de intensidad). v. **thermal short-time current rating.**

rated short-time current   *(Elec)* corriente máxima momentánea.

rated speed   velocidad de régimen; velocidad normal de funcionamiento ‖ (of an internal combustion engine) velocidad nominal. Velocidad de rotación [rotational speed] a la cual un motor térmico [heat engine] es capaz de desarrollar su potencia efectiva [effective output] (CEI/57 30–05–085).

rated system deviation   *(Telecom)* desviación nominal de frecuencia. v. **rated frequency deviation.**

rated temperature-rise current (of an instrument)   *(Aparatos de medida)* corriente de calentamiento (de un aparato). Corriente a la cual el aparato debe satisfacer las condiciones de calentamiento [conditions of temperature rise] (CEI/58 20–40–225).

rated thermal current   *(Contactores)* corriente de calentamiento permisible. Corriente a la cual se alcanza la temperatura de calentamiento permisible.

rated torque   par [momento torsional] de régimen, momento torsional normal.

rated tractive force   *(Locomotoras de vapor)* esfuerzo de tracción indicado. Fuerza desarrollada por el vapor en los cilindros.

rated unmodulated carrier power output   *(Tr)* potencia nominal de portadora sin modular a la salida.

rated value   valor nominal.

rated voltage   tensión nominal; tensión especificada; tensión [voltaje] de régimen. Tensión a la cual debe funcionar un dispositivo o elemento, en condiciones normales, según las especificaciones del fabricante ǀ valor nominal de tensión. Valor numérico de tensión que entra en la definición de un régimen nominal [rating] (CEI/56 10–05–415) ǀ **(of a cable)** tensión nominal (de un cable). Tensión para la cual se designan las diferentes partes del dieléctrico del cable (CEI/38 25–25–050) ‖ *(Capacitores)* tensión límite.

rated wind speed   *(Fuentes de energía)* velocidad característica, velocidad óptima.

rated working conditions   régimen nominal.

rated working voltage   tensión nominal de funcionamiento, voltaje de régimen, voltaje de operación prescrito, voltaje especificado de operación.

ratemeter   (a.c. rate meter) contador integrador; contador de frecuencia; contador de cadencia de impulsos; contador de tarifa ‖ *(Nucl)* integrador; intensímetro; contador. sin. **counting-rate meter.** cf. **linear ratemeter.**

rates of charges   régimen de tasación.

rates of pay   tipos de salario.

rating   régimen; régimen nominal [normal], condiciones nominales (de funcionamiento); régimen de servicio [de trabajo], condiciones de trabajo; especificación; clasificación; categoría, clase; apreciación, índice; evaluación; tasación; calibración, calibrado; valor nominal; capacidad, capacidad nominal [normal]; capacidad de funcionamiento; potencia indicada; máxima carga permitida, carga máxima permisible; características nominales, características de trabajo ǀ características límites. Límites establecidos en las especificaciones de funcionamiento de un aparato o dispositivo cualquiera, basados en condiciones definidas ǀ *(i.e.* pressure rating) presión de servicio ‖ *(Altavoces)* capacidad de potencia, potencia máxima admisible ‖ *(Avia)* (condiciones de) homologación; habilitación (de personal) ‖ *(Cronómetros)* verificación, reglaje ‖ *(Fáb)* capacidad de producción ‖ *(Hidr)* aforo, calibración ‖ *(Elec)* (*i.e.* current rating) corriente [amperaje] nominal, capacidad en amperios, amperaje (de servicio) ǀ *(i.e.* power rating) potencia nominal [normal], potencia de servicio [de régimen]; (capacidad de) potencia, capacidad en vatios. cf. **power-handling capability** ǀ *(i.e.* voltage rating) tensión [voltaje] nominal ǀ **at full rating:** a plena potencia nominal; con corriente [tensión] igual a la máxima nominal ǀ cf. **maximum rating** ‖ *(Acum)* **(of a storage battery)** capacidad nominal (de un acumulador). Cantidad de electricidad que un acumulador es capaz de suministrar después de una carga completa, en condiciones dadas de temperatura, de régimen [rate of discharge], y de tensión final [final voltage] (CEI/60 50–20–345) ‖ *(Fusibles)* capacidad (de corriente); intensidad [amperaje] de fusión. sin. **fusing current** ‖ *(Lámparas)* fotometrado ‖ *(Aparatos de medida)* (in terms of the quantity measured) alcance (de un aparato, con relación a la magnitud que mide). Valor de esa magnitud que correponde al límite superior del campo de medida [effective range] (CEI/58 20–40–050) ǀ (in terms of a limiting quantity) alcance (de un aparato, con relación a otras magnitudes ligadas a la magnitud por medir). Valor nominal de la magnitud. Por ejemplo, el alcance en corriente de un vatímetro, un varmetro, un contador, un fasímetro . . . es el valor nominal de su corriente (CEI/58 20–40–055) ǀ especificación; índice ‖ *(Máq, aparatos y redes eléc)* (a.c. working conditions) régimen. Conjunto de condiciones que caracterizan el funcionamiento de una máquina, un aparato o una

red en un instante dado (CEI/38 05–40–150, 35–30–005) |
régimen nominal. Conjunto de magnitudes eléctricas y mecánicas
atribuídas a una máquina o un aparato por el constructor e
indicadas en una placa indicadora [rating plate] para definir su
funcionamiento en las condiciones especificadas (CEI/56 10–05–
400). CF. **rated duty** ‖ (*Relés*) valor nominal. Valor de la tensión,
la corriente, etc. que figura en la designación [designation] del relé
(CEI/56 16–20–005) ‖ (*Conductores*) capacidad en amperios ‖
(*Resistores*) capacidad (nominal) de disipación, capacidad de
disipación (de potencia); potencia nominal disipable | **resistor
conservatively rated at 5 W**: resistor con capacidad nominal de
disipación calculada conservadoramente en 5 vatios ‖ (*Telecom*)
tarificación; habilitación (de una licencia); certificado de apti-
tud | **rating of a transmitter**: evaluación de la potencia de un
transmisor ‖ (*Elecn*) **conservatively rated tube**: tubo [válvula]
cuyas características se han establecido conservadoramente.

rating chart   (*Tubos elecn*) gráfico de regímenes ‖ (*Tubos de rayos X*)
curvas de carga.

rating curve   (*Hidr*) curva de gastos; curva de caudales.

rating flume   (*Hidr*) conducto de aforo [de calibración].

rating lab test   ensayo de comprobación de tolerancias.

rating laboratory   (*also* rating lab) laboratorio de evaluación.

rating plate   placa indicadora. Placa fijada sobre una máquina o
un aparato en la cual se especifican las condiciones (valores
nominales) del servicio normal (tipo, potencia, tensión, corriente,
etc.) (CEI/38 05–40–240).

rating report   informe de evaluación.

rating speed   velocidad de régimen, velocidad normal (de funcionamiento).

rating system   sistema de especificaciones; sistema de evaluación.

rating time   tiempo de evaluación; duración de la prueba.

ratings   cifras [especificaciones] nominales; límites nominales;
características (límites) nominales; características de régimen;
límites funcionales; clasificaciones. v.TB. **rating.**

ratio   razón, relación, cociente, relación por cociente. Cociente de
dos números o, en general, de dos cantidades compara-
bles | proporción. Cociente indicado de dos cantidades de la
misma especie, que indica sus proporciones relativas ‖ (*Progresiones
geométricas*) razón. Cociente de dividir un término cualquiera por el
que le precede ‖ v. **ratio of…**

ratio arm   v. **ratio arms.**

ratio-arm box   (*Elec*) caja de relación.

ratio arms   (*Puentes Wheatstone*) brazos [ramas] de relación. Dos
brazos o ramas adyacentes, con elementos de resistencia ajustables
de suerte que puedan obtenerse diferentes relaciones fijas y
conocidas de resistencia entre ellos. SIN. **brazos [ramas] adyacentes.**

ratio between channels   (*Telecom*) relación (de intensidad) entre
canales.

ratio box   caja de relación. Dispositivo (especie de divisor de
tensión) que permite obtener tensiones que guarden entre sí
determinadas relaciones de magnitud. CF. **ratio-arm box.**

ratio calculator   máquina de calcular de relación; dispositivo de
medida de relación.

ratio calibration   calibración de relación. (1) Calibración de una
cantidad sin dimensiones que representa el cociente de dos de sus
valores. (2) Método de calibración de transductores potenciométricos, en el cual el valor del mensurando se expresa por fracciones
decimales que representan la relación entre la resistencia de salida
y la resistencia total.

ratio control   control de relación. Control destinado a mantener
determinada razón o relación entre dos magnitudes o cantidades
físicas.

ratio detector   detector de relación. Circuito para la detección de
señales moduladas en frecuencia (o en fase), inventado por Stuart
W. Seeley (EE.UU.). En este detector se utiliza la relación por
cociente (o razón) de dos tensiones de FI cuya amplitud relativa es
función de la frecuencia, en lugar de utilizar, como en el

discriminador [discriminator], la *diferencia* de dichas tensiones.

ratio discriminator (circuit)   (circuito) discriminador de relación.

ratio error   (*Transf*) error de relación.

ratio error (of a current transformer)   (*Transf eléc de medida*) error
de relación (de un transformador de intensidad). Error en por
ciento [percentage error] que el transformador introduce en la
medida de una corriente y que proviene de que la relación de
transformación [transformation ratio] no es igual a su valor
nominal [nominal value] (CEI/58 20–45–115).

ratio error (of a voltage transformer)   (*Transf eléc de medida*) error
de relación (de un transformador de tensión). Error en por ciento
que el transformador introduce en la medida de una tensión y que
proviene de que la relación de transformación no es igual a su valor
nominal (CEI/58 20–45–115).

ratio-meter   v. **ratiometer.**

ratio metering   medida de relación; medida de porcentaje.

ratio of a transformer   relación de transformación. Relación
entre las tensiones entre las bornas, o, en ciertos casos, entre las
corrientes de un transformador en condiciones determinadas
(CEI/38 10–25–080). CF. **ratio of the windings, transformation
ratio.**

ratio of attenuation   relación de atenuación.

ratio of currents   relación de intensidades de corriente.

ratio of division   relación de división.

ratio of lift   (*Aeron*) relación de sustentación.

ratio of magnification   razón de amplificación; razón de dilatación.

ratio of signal to background noise   relación de señal a ruido de
fondo. Relación de intensidades entre la señal y el ruido de fondo.
CF. **signal-to-noise ratio.**

ratio of similitude   (*Mat*) razón de homotecia [de semejanza]. Se
dice que dos figuras son *homotéticas* si a cada punto de una de ellas
le corresponde un punto en la otra de tal manera que la razón de
sus distancias a un punto fijo es constante. Este punto fijo se llama
centro de homotecia, y la razón constante se denomina *razón de
homotecia o de semejanza.*

ratio of slope   (*Movimiento de tierra*) proporciones del talud.
Relación entre el alto y la base de la inclinación del talud.

ratio of the windings   (*Elec*) relación de devanado. Relación entre
los números de espiras de los devanados de un transformador
(CEI/38 10–25–085). SIN. **turns ratio.** CF. **transformation ratio.**

ratio of transformation   (*Transf*) relación de transformación. v.
transformation ratio.

ratio of voltages   relación de tensiones.

ratio print   (*Fotog*) impresión con cambio de tamaño (ampliada o
reducida).

ratio resistors   resistores con valores en determinada relación. Dos
(o más) resistores cuyos valores de resistencia guardan determinada relación.

ratio square   razón cuadrática.

ratio-squared combiner   (*Telecom — Sist de diversidad*) combinador de relación cuadrática.

ratio squelch   (*Rec*) silenciador por relación. Silenciador automático que responde a la relación entre la energía de señal en la
banda pasante del receptor [receiver passband] y el efecto de
acallamiento por ruido [noise quieting].

ratio test   prueba de relación ‖ (*Mat*) regla de comparación.

ratio to fundamental   (*Acús*) relación (por cociente) con la
fundamental.

ratio transformer   transformador de relación.

ratio-type telemeter   aparato de telemedida por relación de
magnitudes. Aparato de telemedidas a distancia que utiliza, como
medio de traducción, la relación de magnitudes entre dos o más
cantidades eléctricas. CF. **position-type telemeter.**

ratiometer   (*Elec*) (*also* ratio-meter) logómetro, cocientímetro,
medidor de relación. (1) Instrumento destinado a determinar la
relación por cociente existente entre dos magnitudes. Se utiliza
p.ej. para comprobar la tolerancia de los resistores comparando el

valor de resistencia de cada uno de ellos con el del que se ha tomado como patrón o prototipo. La comparación es más rápida y sencilla que la determinación del valor absoluto, pues en el primer caso puede marcarse en la escala del instrumento indicador el sector de desviación admisible, y así el operario sabe con un solo golpe de vista si se ha excedido o no el margen de tolerancia. (2) Instrumento especial para medir la relación o razón de transformación de un transformador (v. **transformation ratio**) con ayuda de una disposición en puente de resistencias. (3) Instrumento indicador en el cual la desviación de la aguja es proporcional a la razón entre dos corrientes que recorren sendas bobinas | (ratio-meter) logómetro. Aparato destinado a medir la relación o cociente de dos magnitudes eléctricas (CEI/58 20–15–235).

rational   *adj:* racional; razonado; conforme a la razón ‖ *(Mat)* racional.

rational expression   *(Mat)* expresión racional. Expresión algebraica que no tiene raíces ni exponentes fraccionarios.

rational horizon   *(Astr)* horizonte racional [natural, celeste, sensible, verdadero]. SIN. **celestial horizon.**

rational number   *(Mat)* número racional. Número expresable como razón de dos números enteros (positivos o negativos), con la condición de que el segundo no sea cero. Los números racionales abarcan como casos particulares los números naturales y los fraccionarios, positivos o negativos.

rationalization   explicación racional [racionalista], acción y efecto de explicar (acciones, creencias, opiniones) de un modo favorable ‖ *(Mat)* racionalización, supresión de radicales. Operación de suprimir los radicales en una expresión que los contenga, sin cambiar el valor de la misma. Si el denominador de una fracción es un radical o contiene un radical, la fracción puede simplificarse racionalizando el denominador ‖ *(Elec, Mag)* (of units) racionalización de unidades. v. **rationalized system.**

rationalize   *verbo:* racionalizar; normalizar, someter a normas; hacer racional; concebir racionalmente; interpretar racionalmente; hallar explicación justificativa (de); razonar, emplear la razón; profesar el racionalismo ‖ *(Mat)* racionalizar. Hacer racional; quitar o suprimir los radicales. v. **rationalization.**

rationalized Giorgi system (of units)   sistema (de unidades) Giorgi racionalizado.

rationalized MKSA system (of units)   sistema (de unidades) MKSA racionalizado, sistema (de unidades) Giorgi racionalizado.

rationalized system   sistema racionalizado. Sistema de unidades eléctricas y magnéticas modificado de modo que en las ecuaciones aparezca lo menos posible la constante 4π.

rationalized unit   unidad racionalizada. v. **rationalized system.**

rattail   *adj:* (also rattailed) en forma de cola de rata.

rattail file   *(Herr)* lima (de) cola de ratón, lima (de) cola de rata, lima en cola de ratón.

rattail joint   *(Elec)* empalme de cola de rata.

rattailed   *adj:* v. **rattail.**

rattle   cascabel (de crótalo); sonajero (juguete); ruido, bulla; golpeteo; crepitación, crujido ‖ *(Altavoces)* ruido producido por defecto del altavoz (p. ej. roce de la bobina móvil con el entrehierro) ‖ *(Cajas de altavoz)* vibración, golpeteo, traqueteo. v. **cabinet vibration** ‖ *(Mús)* carraca, matraca /// *verbo:* tocar las castañuelas; hacer sonar como matraca; sacudir con ruido; rechinar; matraquear; funcionar con matraqueo [con chirridos].

rattle echo   retumbo.

rattling   ruido; golpeteo; crepitación, crujido. v.TB. **rattle, rattling noise** /// *adj:* ruidoso; vivo.

rattling noise   ruido de golpeteo; ruido de carraca [de matraca]. v.TB. **rattle.**

rauvite   *(Miner)* rauvita.

raw   material en bruto; desolladura; carne llagada [viva] ‖ *(Veterinaria)* matadura /// *adj:* crudo; en bruto; pelado, despellejado; en carne viva; fresco, nuevo; *(refiriéndose al tiempo)* frío y húmedo, desapacible.

raw AC   *(slang)* corriente alterna sin rectificar.

raw billet   *(Met)* tocho en bruto.

raw data   *(Informática)* (as opposed to reduced or processed data) datos "en bruto", datos no elaborados [no reducidos]; datos no analizados [no evaluados].

raw emulsion   *(Fotog)* emulsión virgen.

raw film   *(Fotog)* película virgen. Película todavía sin usar.

raw film stock   *(Fotog)* película virgen.

raw-hide   v. **rawhide.**

raw material   materia prima, primera materia.

raw photographic material   película virgen.

raw stock   *(Cine/Fotog)* película virgen.

raw tape   cinta virgen. Cinta magnética todavía sin usar. SIN. **blank [virgin] tape.**

raw water   agua bruta [basta, cruda].

rawhide   cuero crudo [verde], cuero al pelo, cuero sin curtir, piel sin adobar; látigo de cuero crudo /// *adj:* de cuero crudo [sin curtir].

rawhide-faced hammer   v. **rawhide hammer.**

rawhide hammer   (a.c. rawhide-faced hammer) martillo (con cabeza) de cuero crudo.

rawin   *(also Rawin, RAWIN, radiowin, radiowind)* radioviento. (1) Acción de observar o determinar la dirección y la velocidad del viento por seguimiento mediante radio o radar de un globo portador de una radiosonda [radiosonde], un emisor de radio, o un reflector de radar. (2) Viento cuya dirección y velocidad han sido determinadas por seguimiento mediante radio o radar de un globo especialmente equipado para ese fin; información relativa al viento recogida de esa manera. El término en inglés viene de *radar wind* o *radio wind*. CF. **radio balloon, radiosonde balloon.**

rawin balloon   globo de radioviento. SIN. **radiosonde balloon.**

rawin equipment   equipo de radioviento; equipo de radiosondeo.

rawin flight   v. **radio balloon, radiosonde.**

rawin observation   observación radioviento.

rawin station   estación de radioviento.

rawinsonde   radiosonda de radioviento; globo de radiosondeo.

rawinsonde station   estación de radiosondeo-radioviento.

rawl drill   herramienta utilizada para trabajar en mampostería. Se conoce por su nombre en inglés, que proviene de la marca registrada "Rawldrill".

RAX   *(Telef)* *(i.e. rural automatic exchange)* central automática rural (RAX).

ray   rayo; haz; recorrido, trayectoria (de las ondas); radiación; raya (pez) ‖ *(Bot, Zool)* rayo ‖ *(Mat)* rayo. Recta o plano /// *verbo:* emitir rayos; radiar; tratar con rayos X.

ray acoustics   acústica geométrica, acústica de propagación rectilínea. Estudio de fenómenos acústicos suponiendo rectilínea la propagación del sonido al atravesar medios homogéneos, y despreciando los efectos de difracción.

ray beam   haz de rayos.

ray control   control del rayo.

ray-control electrode   *(Indicadores catódicos)* electrodo de control de rayo [de haz]. Electrodo que gobierna la posición del haz electrónico sobre la pantalla. v. **cathode-ray tuning indicator, electron-ray indicator tube.**

ray locking   *(TRC)* bloqueo del haz. En un oscilógrafo de rayos catódicos, desviación del haz electrónico, alejándolo de la película fotográfica, después de haber sido ésta impresionada.

ray of light   *(Opt)* rayo de luz.

ray-proof   *adj:* antirradiactivo; de protección contra radiaciones.

ray tracing   *(Opt)* delineamiento de rayos.

ray tube   tubo catódico, tubo de rayos catódicos.

raydist   *(Radionaveg)* raydist. Sistema, semejante en principio al lorac, que establece hipérbolas de navegación por técnicas de comparación de fases de radiofrecuencia; funciona con ondas continuas.

rayl   raylio. Magnitud de una impedancia, reactancia o resistencia acústicas, para la cual una presión acústica de 1 μbar produce una velocidad lineal [linear velocity] de 1 cm/s. El nombre se adoptó en honor de Lord Rayleigh.

Rayleigh   Lord Rayleigh, título de John William Strutt: físico inglés (1842–1919), descubridor del argón.

Rayleigh criterion for resolution   *(Opt)* criterio de resolución de Rayleigh. Dos focos puntuales primarios [primary point sources] están en el límite de resolución de un sistema óptico si los diagramas de difracción [diffraction patterns] de sus imágenes están situados de tal manera que el máximo central de uno se sobrepone al primer mínimo del otro.

Rayleigh cycle   *(Mag)* ciclo de Rayleigh. Ciclo de magnetización que no se extiende más allá de la rama inicial de la curva de magnetización [magnetization curve], comprendida entre cero y el codo ascendente, región esta en la cual son pequeños los valores de permeabilidad y de histéresis.

Rayleigh disk   *(also* Rayleigh disc) *(Acús)* disco de Rayleigh. (1) Aparato de acústica destinado a medir la velocidad de las partículas en un medio observando el par producido, sobre un cuerpo sólido que forma parte de un disco, por el desplazamiento del medio. (2) Péndulo de torsión [torsion pendulum] destinado a medir la velocidad acústica de las partículas [sound particle velocity] de un fluido (CEI/60 08–30–055).

Rayleigh distribution   distribución de Rayleigh. (1) Formulación matemática de una distribución estadística o natural de variables aleatorias. (2) Distribución de frecuencia de un número infinito de cantidades de la misma magnitud, pero con relaciones de fase aleatorias. (3) Distribución estadística que da la magnitud de un fasor [phasor] resultante de la composición de muchos fasores aleatoriamente distribuidos en cuanto a amplitud y fase. Es de interés en los estudios de propagación en sistemas de microondas y de transmisión transhorizonte (desvanecimiento, intensidad de señal recibida).

Rayleigh-Jeans equation   *(Fís)* ecuación de Rayleigh-Jeans. Ecuación basada en el teorema de la equipartición de energía, que da (desde el punto de vista de la mecánica estadística) la distribución espectral de la radiación de un cuerpo negro [blackbody]; se cumple en cuanto a las ondas largas, pero no en relación con las ondas cortas.

Rayleigh-Jeans law   ley de Rayleigh-Jeans. Forma aproximada de la ley de Planck [Planck's law], obtenida despreciando en la fórmula de esta ley los términos de orden superior [terms of higher order] del desarrollo en serie de la función exponencial [series expansion of the exponential]. Esta aproximación es válida cuando λT es suficientemente grande.

$$M_{e,\lambda}(\lambda, T) = \frac{c_1}{c_2}\, \lambda^{-4} T = 2\pi c \lambda^{-4} kT$$

NOTA: La aproximación es válida con error de menos de 1 por ciento cuando λT es mayor que 0,72 m·K (por ejemplo, en el infrarrojo a la longitud de onda de 0,1 mm para T superior a 7 200 K) (CEI/70 45–05–225).

Rayleigh law   ley de Rayleigh. Para valores muy pequeños de la inducción magnética máxima, la pérdida por histéresis en un ciclo magnético es proporcional al cubo de la inducción magnética.

Rayleigh limit for spherical aberration   *(Opt)* límite de Rayleigh de la aberración esférica.

Rayleigh line   *(Fís)* raya de Rayleigh. En la radiación difusa, raya espectral con frecuencia igual a la de la correspondiente radiación incidente.

Rayleigh number   *(Fís)* número de Rayleigh.

Rayleigh reciprocity theorem   *(Ant)* teorema de reciprocidad de Rayleigh. Relación de reciprocidad en una antena que transmite o que recibe. La altura eficaz, la resistencia de radiación y el diagrama de direccionalidad no cambian cuando la antena pasa de emisión a recepción, o viceversa.

Rayleigh-Ritz method   *(Mat)* método de Rayleigh-Ritz.

Rayleigh scatter   *(Fís)* difusión de Rayleigh; esparcimiento. Difusión de una radiación al pasar por un medio que contiene partículas cuyas dimensiones son pequeñas comparadas con la longitud de onda de la radiación (CEI/70 45–05–080).

Rayleigh scattering   *(Fís)* difusión [dispersión] de Rayleigh. v. **Rayleigh scatter.**

Rayleigh-Schrödinger perturbation formula   *(Sist cuánticos)* fórmula de perturbación de Rayleigh-Schrödinger.

Rayleigh statistical distribution   distribución estadística de Rayleigh. Por ejemplo, en los radioenlaces por microondas, los desvanecimientos profundos [deep fadeouts] siguen una distribución estadística de Rayleigh. v.TB. **Rayleigh distribution.**

Rayleigh surface wave   onda de superficie de Rayleigh. v. **Rayleigh wave.**

Rayleigh wave   onda de Rayleigh. (1) Onda de superficie [surface wave] asociada con un sólido y caracterizada por ser su intensidad máxima en la superficie del sólido y disminuir rápidamente hacia el interior de éste. (2) Onda que puede propagarse cerca de la superficie de un sólido y se caracteriza por un movimiento elíptico de partículas.

raymark   *(Radionaveg)* v. **ramark.**

rayon   rayón /// *adj:* rayónico.

razon   *(Radar)* razón. Proyectil dirigido por radio, utilizado durante la II Guerra Mundial.

RB   *(Telecom)* Abrev. de ringing battery.

RBE   *(Radiol)* EBR, efectividad biológica relativa (de la radiación). v. **relative biological effectiveness.**

RBE dose   *(Radiol)* dosis EBR. Dosis absorbida [absorbed dose] igual al producto de la dosis absorbida en rads por la EBR (v. **relative biological effectiveness**) (CEI/64 65–15–165) | dosis en función de la EBR.

RBN   *(Radionaveg)* Abrev. de radio beacon.

RBS   *(Radionaveg)* Abrev. de radio-beacon station.

RC   *(Elec)* Abrev. de rubber-covered || *(Elecn—Esquemas)* Abrev. de ray-control electrode | Símbolo de resistance-capacitance, resistance-capacity.

RC amplifier   amplificador acoplado por resistencia y capacitancia.

RC audio generator   generador de audiofrecuencias del tipo de RC.

RC cathode-follower feedback circuit   circuito de reacción a base de resistencias y capacitancias para seguidor catódico.

RC circuit   circuito RC. v. **resistance-capacitance circuit.**

RC constant   constante RC. Constante de tiempo de un circuito con resistencia y capacitancia. v. **resistance-capacitance circuit.**

RC coupling   acoplamiento RC. v. **resistance-capacitance coupling.**

RC differentiator   diferenciador RC. v. **resistance-capacitance differentiator.**

RC filter   filtro RC. v. **resistance-capacitance filter.**

RC network   red [célula] RC, célula de constante de tiempo. v. **resistance-capacitance network.**

RC oscillator   oscilador RC. v. **resistance-capacitance oscillator.**

RC probe   *(Elecn)* sonda RC.

RC product   producto RC. v. **resistance-capacitance circuit.**

RCA   Abrev. de Radio Corporation of America.

RCA licensed   fabricado al amparo de convenio de licencia con la RCA.

RCAC   Abrev. de RCA Communications, Inc.

RCC   *(Aeronaveg)* Abrev. de Rescue Coordination Center || *(Telecom)* Abrev. de Radio Corporation of Cuba.

RCD   *(Teleg)* Abrev. de received [recibido].

RCG circuit   v. **reverberation-controlled gain circuit.**

RCM   Abrev. de radar countermeasure; radio countermeasure.

RCPR   *(Telecom)* Abrev. de Radio Corporation of Puerto Rico (filial de la ITT).

RCR   *(Teleg)* Abrev. de receiver.

RCT   *(Teleg)* RCT. Indicativo de los telegramas de la Cruz Roja [Red Cross telegrams].

RCTL   *(Elecn)* Abrev. de resistor-capacitor-transistor logic.

RCVR   *(Teleg, Esquemas)* Abrev. de receiver.

Rd   Símbolo de rutherford.

RD   *(Teleg)* Abrev. de read [léase, sírvase leer]. Se usa para hacer correcciones en telegramas ya cursados.

RdAc   Símbolo del radioactinio [radioactinium].

RDF   Abrev. de radio direction finder; radio direction finding.

RDO   *(Teleg)* Abrev. de radio.

RDS   *(Teleg)* Abrev. de reads [dice]. Se usa para informar al corresponsal de una parte de un telegrama ya cursado, para confirmar o corregir el texto.

RdTh   Símbolo del radiotorio [radiothorium].

RE   *(Teleg)* Abrev. de regarding [en relación con . . . ; refiérome a . . . ; nos referimos a . . .].

re-bar   v. reinforcing bar.

re-file   v. refile.

re-solution   *(Depósitos electrolíticos)* redisolución. Vuelta a solución del metal ya depositado (CEI/60 50–25–035).

reach   alcance; distancia; extensión; separación; capacidad; facultad, poder ‖ *(Camiones)* barra de extensión ‖ *(Grúas)* alcance, radio de acción ‖ *(Canales, Ríos)* tramo. Extensión de agua visible entre dos curvas ‖ *(Imanes, Electroimanes)* alcance. Longitud del entrehierro o distancia entre el polo y la pieza atraída por él. CF. **air gap, reach factor** ‖ *(Relés)* alcance. Para un dispositivo de protección a distancia de característica discontinua [stepped-curve distance-time protection], distancia correspondiente a la extremidad más alejada de cada escalón o zona (CEI/56 16–60–110) ‖‖ *verbo:* extender(se); tender; llegar (a); alcanzar (hasta); penetrar; conseguir, lograr.

reach factor   *(Imanes, Electroimanes)* factor de alcance. Es igual al cociente del entrehierro [air gap] por la raíz cuadrada del tiro o tracción.

reach-in refrigerator   *(Refrig comercial)* refrigerador [armario frigorífico] de acceso al alcance del brazo. CF. **walk-in refrigerator.**

reach-through   *(Semicond)* v. **reach-through voltage.**

reach-through voltage   *(Semicond)* (a.c. reach-through) tensión de penetración [de perforación]. Valor de tensión inversa a la cual la capa de agotamiento [depletion layer] en una unión PN con polarización inversa [reverse-biased PN junction] se extiende lo suficiente para hacer contacto eléctrico con otra unión. SIN. **penetration [punch-through] voltage.**

reacquisition time   *(Radar)* tiempo de readquisición. Tiempo que necesita un radar de seguimiento [tracking radar] para relocalizar el blanco después de haber sido desconectado el mecanismo de seguimiento automático.

reactance   reactancia. Propiedad de un elemento de circuito, independiente de la resistencia, que se opone a la circulación de las corrientes alternas o variables. La debida a una capacitancia pura se llama *reactancia capacitiva* [capacitive reactance], y la debida a una inductancia pura se denomina *reactancia inductiva* [inductive reactance]. La reactancia y la resistencia son las dos componentes de la impedancia. Símbolo: X. Unidad: ohmio. CF. **effective reactance** ‖ (elemento de) reactancia. Elemento de circuito que posee reactancia ‖‖ *adj:* reactivo.

reactance amplifier   v. **variable-reactance amplifier.**

reactance bond   *(Ferroc)* ligazón de bobina de reactancia, ligadura de impedancia. CF. **rail bond.**

reactance coil   bobina de reactancia. POCO USADO: bobina de reacción.

reactance diode   diodo de reactancia.

reactance drop   caída de tensión de la reactancia. Caída de tensión debida a la reactancia, y que está en cuadratura con la corriente.

reactance-drop compensation   compensación de la caída de tensión de la reactancia.

reactance factor   factor de reactancia. Razón de la resistencia de CA [AC resistance] por la resistencia óhmica [ohmic resistance]

de un circuito.

reactance-fed alternating-current track circuit   *(Ferroc)* (i.e. track circuit fed via an inductive reactance) circuito de vía en corriente alterna de reactancia. Circuito de vía alimentado a través de una impedancia inductiva (CEI/59 31–05–345).

reactance frequency multiplier   multiplicador de frecuencia por reactancia alineal. Circuito en el cual se usa un elemento de reactancia alineal para generar armónicas de una onda sinusoidal de entrada.

reactance-grounded   *adj:* puesto a tierra a través de una reactancia [bobina de autoinducción].

reactance load   carga reactiva. Carga inductiva o capacitiva.

reactance meter   reactancímetro, medidor de reactancia.

reactance modulator   modulador de reactancia. Dispositivo de modulación cuya reactancia puede hacerse variar en correspondencia con la amplitud instantánea de la fuerza electromotriz moduladora aplicada al mismo. En el caso corriente se trata de un circuito de tubo electrónico utilizado para efectuar una modulación de frecuencia o de fase.

reactance network   red reactiva; célula reactiva.

reactance protection   *(Elec)* dispositivo de protección de reactancia. Dispositivo de protección que funciona conforme al principio de la medida de la reactancia. CF. **impedance protection** (CEI/56 16–60–085).

reactance relay   *(Elec)* relé de reactancia. Relé cuya magnitud de influencia [actuating quantity] es el cociente de una tensión por una corriente que reproduce la reactancia de un circuito. CF. **impedance relay** (CEI/56 16–30–055).

reactance-resistance ratio   relación reactancia/resistencia. CF. **reactance factor.**

reactance tube   *(Elecn)* tubo [válvula] de reactancia, reactancia electrónica. Tubo electrónico conectado y utilizado de tal manera que el mismo se comporta como una reactancia inductiva o capacitiva cuya magnitud puede ser variada por ajuste de la polarización de rejilla. Se usa en moduladores de reactancia (v. **reactance modulator**) y en circuitos de control automático de frecuencia de osciladores. v.TB. **reactance valve** *(GB).*

reactance-tube modulator   modulador de reactancia electrónica, modulador de tubo de reactancia. Modulador de reactancia (v. **reactance modulator**) en el cual la reactancia variable se obtiene con un tubo electrónico (válvula electrónica) ‖ tubo modulador de reactancia.

reactance valve *(GB)*   *(Elecn)* tubo [válvula] de reactancia, reactancia electrónica. SIN. **reactance tube** (véase) ‖ (a.c. valve reactor) tubo de reactancia. Tubo electrónico cuya impedancia de entrada se comporta como una reactancia que varía en función de una tensión aplicada a un electrodo de mando (CEI/70 60–19–085) ‖ (a.c. valve reactor) reactancia electrónica. Circuito que comprende un tubo electrónico que se comporta como una reactancia cuyo valor es función de los parámetros del tubo y del circuito, y función también de la señal de mando [controlling signal] (CEI/70 55–25–145).

reactance voltage   tensión de reactancia. CF. **reactance drop.**

reactant   *(Quím)* reactivo. Cuerpo que entra en una reacción química.

reactatron   reactatrón. Amplificador para hiperfrecuencias en el cual se utiliza un diodo semiconductor; se caracteriza por su baja cifra de ruido.

reacting   *adj:* reactor, de reacción ‖ *(Nucl)* reaccionante.

reacting field   campo de reacción.

reacting fuel   *(Nucl)* combustible reaccionante.

reacting plasma   *(Nucl)* plasma reaccionante.

reacting region   *(Nucl)* v. **reaction region.**

reacting volume   *(Nucl)* volumen reaccionante.

reaction   reacción; contragolpe ‖ *(Elecn)* reacción. SIN. **positive feedback, regeneration** ‖ *(Fís)* reacción. Cuando un cuerpo A ejerce sobre otro B una fuerza *(acción)*, el cuerpo B ejerce sobre el A otra fuerza de igual intensidad pero de dirección contraria que se llama *reacción* ‖ *(Quím)* reacción, cambio químico ⫽ *adj:* reaccional, reaccionante, reactivo, de reacción.

reaction alternator   *(Elec)* alternador de reacción. Alternador sincrónico provisto de un inductor de polos salientes sin devanado de excitación, y en el cual se provee la potencia magnetizante por las corrientes del inducido (CEI/38 10–10–035). CF. **reaction motor.**

reaction amplifier   *(Elecn)* amplificador con reacción.

reaction cavity   *(Guías de ondas)* cavidad de reacción. Cavidad que se sintoniza mediante una cabeza micrométrica [micrometer head] que gobierna la posición de un pistón [plunger] en la cavidad, y que se utiliza para funciones de control de frecuencia.

reaction channel   *(Nucl)* canal de reacción.

reaction circuit   circuito de reacción.

reaction coil   bobina de reacción [de reactancia]. SIN. **reactance coil.**

reaction coupling   acoplamiento de reacción. SIN. **feedback coupling.**

reaction cross-section   *(Nucl)* sección eficaz de reacción.

reaction degree   grado de reacción.

reaction distance   distancia de reacción. Distancia recorrida por un vehículo desde el instante en que el conductor advierte la necesidad de detenerlo lo más rápidamente posible, hasta el instante en que toca el mecanismo de freno.

reaction energy   *(Nucl)* energía de la reacción.

reaction engine   motor de reacción. SIN. **reaction motor.**

reaction equation   *(Quím)* ecuación química.

reaction force   *(Fís)* (fuerza de) reacción.

reaction formula   fórmula de reacción.

reaction heat   *(i.e. heat of reaction)* calor de reacción.

reaction indicator   indicador de reacción.

reaction inhibitor   inhibidor de reacción. Compuesto o materia que se usa para disminuir o detener una reacción química perjudicial, tal como la corrosión.

reaction mean free path   *(Nucl)* recorrido libre medio de la reacción.

reaction mean free time   *(Nucl)* tiempo libre medio de la reacción.

reaction motor   motor de reacción. SIN. **reaction engine** ‖ motor cohete, motor cohético. SIN. **rocket engine** ‖ *(Elec)* motor sincrónico de hierro giratorio. Motor sincrónico cuyo rotor comprende un hierro giratorio de polos salientes [salient poles] desprovisto de todo devanado y de todo imán permanente [permanent magnet] (CEI/56 10–15–115). CF. **reaction alternator.**

reaction power   energía de reacción; poder reaccional.

reaction power density   densidad de energía de reacción.

reaction power supply   *(TRC/Tv)* v. **flyback power supply.**

reaction product   *(Nucl)* producto de reacción.

reaction rate   *(Nucl)* velocidad de reacción. TB. ritmo de reacción. Velocidad con que ocurre la fisión en un reactor nuclear. CF. **reactivity.**

reaction-rate parameter   parámetro de la velocidad de reacción.

reaction region   *(Nucl)* (a.c. reacting region) región [zona] de reacción. CF. **reaction channel.**

reaction scanning   *(TRC/Tv)* exploración por reacción.

reaction stresses   esfuerzos [tensiones] de reacción. (1) Esfuerzos resultantes de la contracción de una soldadura. (2) En una estructura sin carga externa, esfuerzos o tensiones producidos durante la fabricación y la erección y que se extienden sobre una región apreciable de la estructura. CF. **residual stresses.**

reaction suppressor   eliminador de (la) reacción ‖ *(Telecom)* supresor de reacción. Aparato utilizado en particular en los circuitos radiotelefónicos para evitar que el puesto receptor sea perturbado por una antena emisora próxima (CEI/38 55–25–100).

reaction system   sistema de reacción.

reaction threshold   *(Nucl)* umbral de (la) reacción.

reaction time   tiempo de reacción ‖ *(Nucl)* tiempo [período] de

reacción.

reaction turbine   turbina de reacción.

reaction-type frequency meter   frecuencímetro del tipo reactivo. CF. **transmission-type frequency meter.**

reaction-type unit   turbina de reacción.

reaction vessel   *(Quím)* recipiente de reacción.

reactivate   *verbo:* reactivar; poner de nuevo en servicio (un buque, una instalación, etc.).

reactivation   reactivación ‖ *(Elecn)* (of a filament) reactivación (de un filamento). Procedimiento utilizado para mejorar la emisión electrónica de un filamento (de tubo electrónico) del tipo toriado. Consiste en la aplicación durante unos pocos segundos de una tensión más alta que la normal de trabajo, con lo cual se trae a la superficie del filamento una capa nueva de átomos de torio.

reactivator   reactivador.

reactive   *adj:* reactivo. (1) Que reacciona o hace reaccionar. (2) Relativo a la reactancia [reactance].

reactive anode   ánodo reactivo. Masa metálica enterrada o inmersa, y conectada a una estructura metálica que se quiere proteger, que constituye una pila con esa estructura y tiene por efecto hacerla más electronegativa con relación al medio ambiente [surrounding medium].

reactive atom   átomo reactivo.

reactive attenuator   atenuador reactivo. Atenuador que absorbe o disipa muy poca energía ‖ *(Guías de ondas)* atenuador reactivo. Atenuador que no absorbe energía (CEI/61 62–20–105).

reactive balance   equilibrio reactivo. (1) Estado de un circuito de alterna en el cual es nulo el ángulo de fase entre la tensión y la corriente. (2) Valor de la capacitancia o la inductancia correctoras necesarias para anular la salida de ciertos transductores o sistemas excitados con corriente alterna. (3) Equilibrio capacitivo o inductivo a menudo necesario para anular la salida de ciertos transductores o sistemas con excitación y/o salida de CA.

reactive circuit   *(Elec)* circuito reactivo.

reactive coil   bobina de reactancia. SIN. **reactance coil.**

reactive component   *(Elec)* componente reactiva.

reactive current   *(Elec)* corriente reactiva [desvatada, devatiada] ‖ corriente reactiva. Componente de la corriente en cuadratura con la fuerza electromotriz o la tensión. NOTA: Esta definición es sólo aplicable, en rigor, en el caso de circuitos recorridos por corrientes sinusoidales (CEI/38 05–40–180).

reactive-current protection relay   ·relé de protección de corriente reactiva.

reactive damping   amortiguamiento reactivo.

reactive energy   energía reactiva.

reactive-energy meter   *(Elec)* (a.c. varhour meter) contador de energía reactiva, varhorímetro. Aparato integrador que mide la energía reactiva en varhoras [varhours] (CEI/58 20–25–035).

reactive factor   *(Elec)* coeficiente de reactancia. Cociente de la potencia reactiva [reactive power] por la potencia aparente [apparent power].

reactive-factor meter   medidor del coeficiente de reactancia.

reactive kilovolt-ampere, reactive kVA   kilovoltioamperio reactivo.

reactive kilovolt-ampere-hours   kilovoltioamperio-horas reactivos.

reactive kVA   kilovoltioamperio reactivo; potencia reactiva en kVA.

reactive kVA meter   contador de energía desvatada [devatiada].

reactive load   *(Elec)* carga reactiva. Carga que tiene reactancia capacitiva (v. **capacitive reactance**) o inductiva (v. **inductive reactance**). Una carga puramente reactiva no disipa potencia, pues en ella la tensión y la corriente están en cuadratura de fase.

reactive mixture   *(Nucl)* mezcla reactiva.

reactive near-field region   *(Ant)* región reactiva de campo próximo.

reactive power   *(Elec)* potencia reactiva [desvatada, devatiada] ‖ potencia reactiva. Producto de la tensión o de la fuerza electromotriz eficaz por la componente de la corriente en cuadratura con ella. NOTA: Esta definición es sólo aplicable, en rigor, en el caso de circuitos recorridos por corrientes sinusoidales (CEI/38 05-40-195).

reactive-power meter   contador de potencia reactiva.

reactive-power relay   relé de potencia reactiva. Relé de potencia [power relay] cuya magnitud de influencia [actuating quantity] es la potencia reactiva (CEI/56 16-30-035).

reactive spring   muelle [resorte] antagonista. SIN. **restoring spring.**

reactive volt-ampere   voltioamperio reactivo. SIN. **volt-ampere reactive** | **reactive volt-amperes**: voltioamperios reactivos, potencia reactiva [desvatada, devatiada]. SIN. **reactive [wattless] power.**

reactive volt-ampere-hour   voltioamperio-hora reactivo, varhora.

reactive volt-ampere-hour meter   varhorímetro, contador de energía reactiva. SIN. **reactive-energy meter, varhour meter.**

reactive volt-ampere meter   contador de potencia reactiva [desvatada, devatiada], varmetro. SIN. **varmeter.**

reactive voltage   tensión reactiva. CASOS PART. tensión capacitiva; tensión inductiva. Componente reactiva de la tensión | (*i.e.* reactive voltage drop) caída de tensión reactiva.

reactivity   (*Avia*) tendencia reactiva ‖ (*Nucl*) reactividad. Medida del apartamiento de un reactor del estado crítico, o sea, el estado en que el reactor es capaz de mantener una reacción en cadena a nivel constante. SIN. **multiplication constant** | reactividad. Para un medio en el cual se produce una reacción nuclear en cadena, parámetro ρ que da la diferencia que lo separa de la criticidad [criticality] (estado crítico), correspondiendo los valores positivos a un estado supercrítico [supercritical state] y los negativos a un estado subcrítico [subcritical state]. Cuantitativamente: $\rho = 1 - (1/k_{eff})$, donde k_{eff} es el factor de multiplicación efectivo [effective multiplication constant] ‖ (*Quím*) reactividad. Grado en que un cuerpo puede reaccionar o combinarse químicamente con otro.

reactivity calibration   (*Nucl*) calibración de la reactividad.

reactivity drift   variación de la reactividad.

reactivity meter   indicador de reactividad.

reactivity temperature coefficient   coeficiente de temperatura de reactividad | coeficiente de reactividad por temperatura, "core-te". Derivada parcial de la reactividad respecto a la temperatura. NOTA: La temperatura puede ser especificada en un punto o para un constituyente cualquiera (CEI/68 26-10-275).

reactor   motor de reacción. SIN. **reaction engine [motor]** ‖ (*Elec*) reactor, elemento de reactancia. Elemento de circuito que posee reactancia (v. **reactance**); elemento destinado a introducir reactancia en un circuito. El término se usa comúnmente refiriéndose a una *bobina de inductancia* [inductance coil] o *de reactancia* [reactance coil] (reactancia inductiva), pero es aplicable también a un condensador o capacitor (reactancia capacitiva). CF. **reactance tube** ‖ (*Nucl*) (a.c. pile) pila, reactor (nuclear). Instalación destinada a producir y regular la escisión de ciertos núcleos atómicos por la acción de los neutrones liberados durante el proceso. V.TB. **nuclear reactor** ‖ (*Quím*) reactor (químico).

reactor block   (*Nucl*) bloque del reactor.

reactor charge   (*Nucl*) (*i.e.* charge of reactor) carga del reactor.

reactor chemistry   (*Nucl*) química del reactor.

reactor containment   (*Nucl*) contención del reactor. Prevención contra la dispersión de cantidades inaceptables de productos radiactivos más allá de la zona controlada [controlled zone], aun en caso de accidente de reactor [reactor accident]. El término se usa también, comúnmente, para designar el propio sistema de prevención [containing system] (CEI/68 26-15-205).

reactor control   (*Nucl*) control del reactor | control de un reactor. Modificación intencional de la velocidad de reacción [reaction rate] en un reactor, o ajuste de la reactividad [reactivity] con el fin de mantener el estado de funcionamiento deseado (CEI/68 26-15-285).

reactor control rate   velocidad de control [reglaje] del reactor.

reactor core   (*Nucl*) núcleo del reactor.

reactor design   (*Nucl*) diseño del reactor.

reactor engineering   (*Nucl*) ingeniería del reactor, tecnología del reactor (nuclear).

reactor equation   (*Nucl*) ecuación del reactor.

reactor fuel   (*Nucl*) combustible del reactor.

reactor kinetics   (*Nucl*) cinética del reactor.

reactor lattice   (*Nucl*) retículo del reactor. Disposición del combustible y de otros materiales según un diseño geométrico regular (CEI/68 26-15-175).

reactor metallurgy   (*Nucl*) metalurgia del reactor.

reactor neutron flux   (*Nucl*) flujo neutrónico del reactor.

reactor noise   fluctuación estadística (de la población neutrónica, del nivel de energía) del reactor.

reactor period   (*Nucl*) (a.c. pile period) período [constante de tiempo] del reactor. V. **reactor time constant.**

reactor pit   (*Nucl*) cámara del reactor.

reactor poison   (*Nucl*) veneno del reactor.

reactor poisoning   (*Nucl*) envenenamiento del reactor.

reactor-rectifier amplifier   amplificador de reactor y rectificador. V. **self-saturating circuit.**

reactor runaway   (*Nucl*) pérdida de control del reactor.

reactor safety   seguridad del reactor.

reactor safety fuse   (*Nucl*) fusible de seguridad del reactor. Dispositivo que reduce la velocidad de reacción a un valor seguro, en respuesta a sobrecalentamiento o exceso de flujo en el reactor.

reactor shell   (*Nucl*) envuelta del reactor.

reactor simulator   (*Nucl*) simulador de reactor.

reactor spectrum (of neutrons)   (*Nucl*) espectro (de neutrones) del reactor.

reactor-start motor   (*Elec*) motor de arranque con reactor. Motor de fase partida [split-phase motor] ideado para arrancar con un reactor en serie con el devanado principal. Cuando el motor ha alcanzado cierta velocidad predeterminada, el reactor queda fuera de servicio y el circuito auxiliar queda abierto.

reactor synchronization   (*Nucl*) sincronización del reactor.

reactor technology   (*Nucl*) tecnología [técnica] de los reactores (nucleares).

reactor time constant   (*Nucl*) (a.c. reactor period) constante de tiempo de un reactor, período de un reactor. Tiempo necesario para que la densidad de flujo de neutrones [neutron flux density] varíe por un factor e (=2,718 . . .) cuando el flujo aumenta o disminuye exponencialmente. NOTA: El término "constante de tiempo de un reactor" es preferible a "período de un reactor" (CEI/68 26-10-155).

reactor transfer function   (*Nucl*) función de transferencia del reactor.

reactor tube   (*Elecn*) v. **reactance tube** ‖ (*Nucl*) tubo del reactor.

reactor valve   (*Elecn*) v. **reactance valve.**

reactor vessel   (*Nucl*) recipiente [recinto] del reactor | vasija del reactor. Recipiente principal que rodea al menos el núcleo [core] del reactor (CEI/68 26-15-230).

read   *verbo:* leer; dar lectura (a); descifrar (p.ej. un jeroglífico); interpretar, explicar ‖ (*Aparatos indicadores*) indicar, marcar, señalar, acusar | **the dial reads R**: el cuadrante da lecturas de R [indica valores de R] | **the voltmeter reads 50 V:** el voltímetro indica 50 V | **the thermometer reads 25°:** el termómetro marca 25° ‖ (*Informática*) leer. Extraer información de un vehículo o de un registro; adquirir información almacenada p.ej. en cinta magnética. CF. **sensing** ‖ (*Tubos de memoria por carga*) leer. Generar una salida correspondiente a la imagen de cargas almacenada en el tubo ‖ (*Mús*) leer ‖ (*Radiocom*) entender (las señales recibidas).

read-and-punch code   (*Informática*) código de lectura y perforación.

read-and-write memory [RAM]   (*Informática*) memoria de lectura y escritura. CF. **read-only memory.**

read-around *(Informática)* v. **read-around number.**

read-around number *(Informática)* (a.c. read-around, read-around ratio) cifra de independencia. Número de operaciones de cebado o sensibilización [priming], escritura, lectura, o borrado, que pueden efectuarse en los elementos contiguos o adyacentes a un elemento dado de un tubo de memoria por carga [charge storage tube] sin que ocurra pérdida de información en ese elemento. Dicho número es tanto más grande cuanto mayor es la independencia mutua de los elementos de memoria [storage elements].

read-around ratio *(Informática)* v. **read-around number.**

read back *verbo:* releer || *(Informática)* controlar, puntear, cotejar, verificar mediante lectura.

READ BACK *(Fraseología radiotelef)* SIRVASE COLACIONAR. Frase que significa "Sírvase repetir completo el mensaje que acabo de transmitir". v.TB. **readback.**

read command *(Informática)* (señal de) mando de lectura.

read couple *(Informática)* acoplamiento de lectura.

read cycle *(Informática)* ciclo de lectura.

read delay hub *(Informática)* boca de lectura demorada.

read digit selector *(Informática)* selector de dígitos en unidad de lectura.

read-error routine *(Informática)* rutina para corregir error de lectura.

read half-time emitter *(Informática)* emisor de mitad de tiempo en unidad de lectura.

read head *(Informática)* cabeza de lectura.

read-in *verbo: (Informática)* escribir. (1) Introducir información en un vehículo o un registro. (2) Detectar información y hacerla ingresar en un almacenador interno de una computadora | admitir, recibir (un impulso).

read-in hub *(Informática)* boca de ingreso.

read-in minus *(Informática)* ingreso en menos.

read-in plus *(Informática)* ingreso en más.

read lamp *(Telecom)* lámpara de información válida.

read level *(Informática)* nivel leído.

read-mostly memory [RMM] memoria para lectura principalmente. Memoria que se utiliza principalmente para lectura de la información en ella contenida; su contenido de información no es "volátil", pero puede modificarse cuando así convenga. CF. **read-only memory.**

read number *(Tubos de memoria por carga)* cifra de lectura. Número de veces que se lee un elemento de memoria sin reescribir la información. CF. **read-around number.**

read-only memory [ROM] memoria de lectura solamente, memoria de datos fijos. (1) Memoria para la conservación de datos fijos o invariantes, en la cual la lectura de la información no causa el borrado de la misma. (2) Dispositivo almacenador destinado principalmente a la extracción de información; ésta se establece al efectuar el alambrado del dispositivo y no puede ser modificada posteriormente, o sólo puede ser modificada escribiendo a una velocidad de lectura. v.TB. **read-only storage.** CF. **read-and-write memory, read-mostly memory.**

read-only storage [ROS] *(Informática)* almacenador de lectura solamente. Dispositivo de almacenamiento de información en el cual ésta no puede ser escrita por el computador que lo utiliza. En ciertos computadores, partes del almacenador (de núcleos magnéticos o de tambor magnético) pueden hacerse a voluntad *de lectura solamente,* por medio de *señales de inalterabilidad* [write lockouts] originadas manualmente o incorporadas en el programa.

read out *verbo: (Informática)* leer; hacer egresar, emitir (un impulso, información); leer y transmitir /// v. **readout.**

read-out v. **readout.**

read pulse *(Informática)* impulso de lectura.

read-punch unit *(Informática)* unidad de lectura y perforación.

read to *verbo: (Aparatos de medida)* apreciar hasta || *(Informática)* transmitir (una lectura) a.

read unit *(Informática)* unidad de lectura.

read-unit feed alimentación de la unidad de lectura.

read units into *verbo: (Informática)* ingresar unidades en.

read units out of *verbo: (Informática)* egresar unidades de.

read-write cycle *(Informática)* ciclo de lectura y escritura.

read-write head *(Informática)* cabeza de lectura y escritura.

readability (grado de) legibilidad; facilidad de lectura || *(Instr de medida)* precisión; apreciación || *(Radiocom)* inteligibilidad, legibilidad (de las señales recibidas).

readability error *(Instr de medida)* error óptico [de lectura, de apreciación]. Incluye el error de paralaje [parallax error].

readability of signals *(Radiocom)* inteligibilidad [legibilidad] de las señales.

readability scale *(Radiocom)* escala de inteligibilidad [de legibilidad] (de las señales). Escala usada para informar al corresponsal del grado de inteligibilidad con que se reciben sus señales.

readable *adj:* legible, inteligible.

readable indication *(Instr de medida)* indicación discernible.

readable signal *(Radiocom)* señal legible [inteligible] | **signals readable with difficulty:** señales legibles con dificultad | **signals readable now and then:** señales legibles por momentos | **signals perfectly readable:** señales perfectamente legibles.

readback *(Informática)* cotejo, verificación mediante lectura || *(Radiocom)* colación. Procedimiento por el cual la estación receptora repite el mensaje recibido (o parte de él) para que su corresponsal compruebe la exactitud de la recepción.

readback pin *(Radiocom)* contacto de colación [de lectura de verificación].

reader lector; declamador; persona que lee en voz alta || *(Colegios)* encargado del curso || *(Editoriales)* consultor que lee los manuscritos e informa sobre ellos || *(Impr)* corrector (de pruebas) || *(Informática)* (máquina) lectora. Dispositivo que traslada la información de un vehículo a otro; p.ej. de cinta perforada a cinta magnética. CF. **tape read unit** || *(Teleimpr)* v. **tape reader** || *(Instr)* dispositivo de lectura; fluorímetro | (a.c. reading glass) lupa de leer, lupa para leer || *(Mús/Canto)* intérprete.

reader start *(Informática)* arranque de la lectora.

reader stop *(Informática)* parada de la lectora.

reading lectura, acción de leer; leyenda || *(Aparatos de medida e instrumentos graduados)* lectura, indicación; observación (de la indicación); interpretación (de la indicación); acción de tomar nota de la indicación || *(Aparatos registradores)* lectura, transcripción, traducción. P.ej. traducción de las señales registradas en una cinta magnética || *(Nonios)* apreciación || *(Mús)* interpretación || *(Cine)* desempeño [interpretación] de un papel || *(Dispositivos de memoria)* lectura. Acción de tomar una señal de salida correspondiente a los datos o elementos de información almacenados.

reading access time *(Informática)* tiempo de acceso de lectura. Tiempo transcurrido antes de que una palabra pueda ser utilizada durante el ciclo de lectura [reading cycle].

reading accuracy *(Instr de medida)* precisión de lectura.

reading board *(Informática)* mesa de lectura.

reading brush *(Informática)* escobilla de lectura.

reading channel canal de lectura.

reading circuit circuito de lectura.

reading glass (a.c. reader) lupa de leer || *(Agrimensura)* lente, lupa.

reading head *(Informática, Teleg)* cabeza de lectura. v. **tape-reading head.**

reading lamp lámpara para lectura.

reading light luz para lectura.

reading machine máquina lectora.

reading rate velocidad de lectura.

reading speed velocidad de lectura.

reading station *(Informática)* estación de lectura.

reading strip *(Informática)* barra de lectura.

reading unit *(Informática)* unidad de lectura.

readjust *verbo:* reajustar. Ajustar de nuevo; corregir un ajuste | readaptar.

readout   lectura, transcripción, traducción ‖ *(Informática)* presentación (de la información). Forma en que se presenta la información. EJEMPLOS: presentación visual [visual display]; cinta perforada; tarjetas perforadas; texto impreso ‖ *(Instr de medida, Contadores)* lectura, indicación; interpretación de la indicación; escala; indicador; dispositivo de lectura | **5-digit readout:** indicador [dispositivo de lectura] de 5 dígitos.

readout accuracy   exactitud de lectura.

readout clock   *(Informática)* reloj emisor.

readout device   dispositivo indicador [de lectura]. Dispositivo que presenta la información de salida de un equipo o sistema, sea en forma digital, impresa, o gráfica.

readout dial   cuadrante de lectura.

readout equipment   aparato de lectura.

readout error   error de lectura.

readout hub   *(Informática)* boca de egreso.

readout indicator   indicador de lectura.

readout resolution   resolución de lectura; precisión; apreciación.

readout signal   señal de lectura.

ready room   *(Avia)* sala de espera.

ready signal   *(Teleg)* señal de invitación a transmitir. CF. **GO AHEAD.**

ready-use tank   *(Mot)* depósito [tanque] de combustible para el trabajo diario. V.TB. **day tank.**

reagent   *(Quím)* reactivo.

real   *adj:* real, verdadero; efectivo; legítimo; auténtico; inmueble ‖ *(Mat)* real.

real axis   *(Mat)* eje real, eje de las cantidades reales. En la representación gráfica de los números complejos [complex numbers], eje de las abscisas, sobre el cual se toma la parte real del número. CF. **imaginary axis** | eje de los números reales. V. **real number.**

real circuit   *(Telecom)* circuito real [combinante, constituyente]. SIN. **real line.**

real component   *(Mat)* componente real ‖ *(Elec)* componente activa. SIN. **active component.**

real estate   bienes raíces [inmuebles, inmobiliarios], inmuebles.

real field of view   campo de visión efectivo.

real fluid   *(Fís)* fluido real.

real focus   *(Opt)* foco real.

real function   *(Mat)* función real. Función que toma valores reales para valores reales de la variable en todo su campo de existencia (campo de variabilidad).

real gas   *(Fís)* (as opposed to "ideal gas") gas real.

real horizon   horizonte verdadero.

real image   *(Opt)* imagen real. Imagen por la cual pasan, de hecho, los rayos luminosos. Contraparte óptica de un objeto, producida sobre una superficie en la cual convergen los rayos de luz después de pasar por una lente.

real line   *(Telecom)* línea real. SIN. **physical line** | v. **real circuit.**

real number   *(Mat)* número real. Número que es racional [rational number] o el límite de una sucesión de números racionales. Los números reales abarcan el conjunto de todos los números racionales y todos los irracionales.

real part   *(Mat)* parte real. v. **real axis** ‖ *(Elecn)* **real part of the small-signal value of the short-circuit input impedance:** parte real del valor de la impedancia de entrada, con la entrada en cortocircuito, para señales débiles.

real point   *(Mat)* punto real. Punto del eje real [real axis].

real point set   *(Mat)* conjunto de puntos reales.

real power   *(Elec)* potencia activa. Componente de la potencia aparente [apparent power] que representa trabajo verdadero. SIN. **true power.**

real property   v. **real estate.**

real time   tiempo real. Tiempo en el cual ocurre, de hecho, un fenómeno físico o una sucesión de operaciones en un sistema.

real-time computer   computadora de tiempo real. Computadora cuya respuesta a los datos de llegada es tan rápida que puede considerarse instantánea.

real-time data   datos en tiempo real. Datos que se registran o ingresan en un sistema a la misma velocidad con que los mismos se producen, es decir, sin almacenamiento ni retardo previo.

real-time digital system   sistema numérico de tiempo real.

real-time monitor   monitor en tiempo real.

real-time monitoring   monitoreo en tiempo real.

real-time operation   operación en tiempo real. (**1**) Funcionamiento de una computadora en el cual coinciden las escalas de tiempo del modelo matemático y del fenómeno físico. (**2**) Funcionamiento de una computadora al ritmo de un proceso físico, de manera que los resultados de las operaciones efectuadas con los datos relativos al proceso, sirvan para controlar o modificar el resultado final del mismo. SIN. **funcionamiento instantáneo.**

real-time process control computer   computadora de control de procesos en tiempo real.

real-time switching   *(Telecom)* conmutación en tiempo real. v. **circuit switching.**

real-time working operation   *(Informática)* funcionamiento instantáneo [en tiempo útil].

real value   valor verdadero; valor efectivo ‖ *(Mat)* valor real.

real variable   *(Mat)* variable real.

real word   *(Teleg)* (as opposed to artificial word) palabra real.

real zero   *(Mat)* cero real.

realign   *verbo:* realinear.

realigned curve   *(Ferroc)* curva circular trasladada en general, con el objeto de introducir una curva o un enlace.

realignment   realineación, realineamiento ‖ *(Carreteras, Vías férreas)* variante, cambio de trazo.

realization   realización; comprensión, concepción, acto de darse cuenta (de algo); verificación; adquisición (de dinero) ‖ *(Mat)* **(of a stochastic process)** realización (de un proceso estocástico). Muestra de la distribución de las variables aleatorias infinitamente numerosas que definen el proceso.

reallotment   redistribución; reasignación.

ream   *(Papel)* resma ⫽ *verbo:* escariar, ensanchar, alegrar. LOCALISMOS: fresar, rimar | avellanar; mandrilar.

reamer   *(Herr)* escariador, ensanchador, alegrador. LOCALISMOS: fresador, rima, alisador, calisuar, legra | máquina de escariar; fresa cónica para escariar; avellanador.

rear   parte trasera [posterior]; espalda; fondo; retaguardia; culote; cola ⫽ *adj:* trasero, posterior, de atrás; último, de más atrás.

rear airfield   aeródromo de retaguardia.

rear antenna bearing   *(Radioenlaces)* rumbo de antena hacia atrás.

rear area   *(Mil)* zona de retaguardia.

rear boundary   límite posterior.

rear check pawl   *(Teleimpr)* trinquete de retención posterior.

rear cover   tapa posterior.

rear edge   borde posterior ‖ *(Impulsos)* flanco posterior. SIN. **lagging [trailing] edge.**

rear feed   alimentación posterior ‖ *(Ant de microondas)* alimentación transversal. Alimentación de una antena de espejo por una línea o una guía que atraviesa el espejo [mirror] (CEI/70 60–36–040).

rear lamp   *(GB)* (a.c. tail lamp) luz roja posterior. Luz roja que señala la presencia de un vehículo visto por la parte posterior (CEI/70 45–60–325).

rear light   (a.c. tail light) luz piloto. Luz roja que señala la presencia de un vehículo visto por la parte posterior (CEI/58 45–60–090).

rear-loaded horn   *(Electroacús)* bocina de carga posterior.

rear metering ratchet   *(Teleimpr)* rueda de escape de medición posterior.

rear number plate light   *(i.e. light designed to illuminate a rear number plate)* luz de matrícula posterior. Luz destinada a iluminar la matrícula posterior (de un vehículo) (CEI/58 45–60–120).

rear pinion   *(Teleimpr)* piñón trasero.

rear plate   *(Teleimpr)* placa posterior.

rear projection   *(Cine, Tv)* proyección por transparencia. Proyección sobre el reverso de una pantalla transparente (de papel o de vidrio esmerilado). La imagen visible por el frente de la pantalla puede ser observada directamente por los espectadores, o bien puede utilizarse como fondo de modo que forme el segundo plano al tomar la vista en el estudio. SIN. transparencia —— **back [background] projection.** CF. **transparency.**

rear-projection readout   dispositivo indicador de proyección por transparencia. Consiste en un conjunto de proyectores para transparencia en miniatura, cada uno de ellos constituido por una lamparita, una película con un carácter o símbolo, y un lente. Al aplicar corriente a una de las lámparas, el correspondiente carácter o símbolo aparece en la pantalla de proyección.

rear ratchet   *(Teleimpr)* rueda de escape trasera.

rear red reflex reflector   catadióptrico rojo posterior. Dispositivo que señala la parte posterior de un vehículo por reflexión de la luz que emana de una fuente ajena al vehículo, estando el observador cerca de esa fuente (CEI/58 45–60–125).

rear reflector   *(Vehículos)* (dispositivo) reflector posterior.

rear scanning   *(Cine—Sist lector de sonido)* exploración posterior.

rear-screen projection   proyección por transparencia.

rear-screen projector   proyector por transparencia, proyector de pantalla transparente.

rear section   sección posterior.

rear side   reverso; lado posterior.

rear-side erase   borrado a trascinta, borrado por el reverso (de la cinta). Borrado de cinta magnética por el lado opuesto al de la capa magnética.

rear-side erase head   cabeza de borrado a trascinta [por el reverso de la cinta].

rear slope   *(Impulsos)* pendiente (del flanco) posterior. SIN. **lagging [trailing] slope.**

rear spar   *(Avia)* larguero posterior.

rear-to-front ratio   eficacia direccional. v. **front-to-back ratio.**

rear view   vista posterior [de atrás] /// v. **rearview.**

rear-view   *adj:* v. **rearview.**

rear-viewing mirror   v. **rearview mirror.**

rear-vision mirror   v. **rearview mirror.**

rear wagon   *(Ferroc)* vagón [furgón] de cola.

rear window   *(Vehículos)* ventanilla posterior.

rearrange   *verbo:* volver a arreglar [a ordenar], reordenar; cambiar el arreglo [el orden] (de); refundir || *(Mat)* reordenar (términos en una expresión); transponer (términos en una ecuación).

rearrangement   redisposición, reordenación, reordenamiento, reagrupación || *(Mat)* reordenación; transposición || *(Nucl)* **rearrangement of the outer electronic structures of the atoms:** reagrupación de las estructuras electrónicas de la capa externa.

rearview   *adj:* retrovisor, de retrovisión.

rearview mirror   *(Vehículos)* (a.c. rear-viewing mirror, rear-vision mirror) espejo retrovisor. LOCALISMO: espejo retroscópico.

rearward communications   *(Estaciones terrenas)* comunicaciones "de retaguardia", comunicaciones terrestres (a distinción de las comunicaciones vía satélite).

rearward microwave communications link   *(Estaciones terrenas)* enlace terrestre de comunicaciones por microondas.

rearward microwave link   *(Estaciones terrenas)* enlace de microondas "de retaguardia", enlace "de retaguardia" [enlace terrestre] por microondas. Enlace de microondas que conecta la estación terrena con la red nacional de telecomunicaciones, por la cual se prolongan las comunicaciones internacionales vía satélite.

rearward takeoff   *(Avia)* (a.c. backward takeoff) despegue hacia atrás.

reasoning   razonamiento, raciocinio.

reassemble   *verbo:* rearmar, volver a armar [a montar].

Réaumur   René Antoine Ferchault de Réaumur: físico francés (1683–1757).

Réaumur scale   escala Réaumur. Abreviatura: R, Réaum. Escala termométrica en la cual el punto de congelación del agua corresponde a 0° R y el punto de ebullición a 80° R. Las indicaciones en esta escala se convierten a indicaciones centígradas multiplicando por 5/4.

rebalance   *verbo:* reequilibrar, reajustar el equilibrio, restablecer [restaurar] el equilibrio.

rebate a charge   *(Telecom)* reembolsar una tasa. SIN. **refund a charge.**

Rebecca   *(Radionaveg)* Rebecca. v. **Rebecca-Eureka system.**

Rebecca equipment   *(Radionaveg)* equipo Rebecca.

Rebecca-Eureka beacon   radiofaro Rebecca-Eureka.

Rebecca-Eureka equipment   equipo Rebecca-Eureka.

Rebecca-Eureka system   *(Radionaveg)* sistema Rebecca-Eureka. Radiotelémetro de a bordo que permite a un vehículo determinar su distancia a un radiofaro de impulsos [pulsed beacon]. EJEMPLO: En la expresión *Rebecca-Eureka* que designa un radiotelémetro de respondedor, la palabra *Rebecca* designa el aparato de a bordo, y la palabra *Eureka* el radiofaro de impulsos instalado en tierra (CEI/70 60–74–160).

Rebecca-H system   *(Radionaveg)* sistema Rebecca-H. Sistema H en el cual se emplea un radar Rebecca modificado para presentar a la observación dos respuestas de radiofaro simultáneamente.

Rebecca interrogator   interrogador Rebecca.

Rebecca system   sistema Rebecca. v. **Rebecca-Eureka system.**

reboiler   rehervidor; intercambiador de calor; equipo de transferencia calorífica.

reboiler coil   serpentín del intercambiador de calor.

rebound   bote, rebote; resalto, resurtida; rechazo; repercusión /// *verbo:* botar, rebotar, saltar; resaltar, resurtir; rechazar; repercutir.

rebreather bag   *(Avia)* bolsa de la máscara de oxígeno.

rebroadcast   *(Radio/Tv)* reemisión, retransmisión; reemisión [retransmisión] diferida /// *verbo:* *(Radio/Tv)* reemitir, retransmitir, redifundir.

rebroadcasting   v. **rebroadcast.**

rebroadcasting transmitter   *(Radio/Tv)* reemisor, retransmisor | reemisor. Conjunto de aparatos que reciben y retransmiten el programa difundido por otro emisor de radiodifusión (CEI/70 60–60–045).

rebroadcasting van   *(Radio/Tv)* camión para retransmisiones. Camión equipado para la retransmisión de programas.

REC   *(Esquemas)* Abrev. de receiver; receiving; reception.

REC LEG   *(Telecom—Esquemas)* v. **receive leg.**

REC LOOP   *(Telecom—Esquemas)* v. **receive loop.**

RECAB   *(Teleg)* Contracción de *re cable* [en relación con el cable].

recalculate   *verbo:* recalcular, volver a calcular.

recalculation   repetición de cálculo; cálculo de verificación.

recalescence   *(Fís)* recalescencia. Fenómeno por el cual se produce un aumento brusco en la temperatura de ciertos metales durante el enfriamiento de los mismos, y que se debe a cambios de estado alotrópico.

recalescence point   *(Fís)* punto de recalescencia. Temperatura a la cual se libera el calor bruscamente durante el enfriamiento de ciertos metales. V.TB. **recalescence.**

recall   *verbo:* *(Telef)* volver a llamar | **to recall the operator:** llamar la atención de la operadora por destellos de la lámpara de supervisión. SIN. **flash the operator.**

recall button   *(Telef)* botón para volver a llamar. Botón dispuesto en un microteléfono [handset], que al ser oprimido interrumpe el circuito de línea en igual forma que lo hace el conmutador del gancho [hookswitch], y que al ser soltado permite marcar otra llamada. El botón provee así la facilidad de hacer llamadas sucesivas sin accionar el gancho conmutador que forma parte de la base del aparato [base unit].

recall of calling subscriber   *(Telef)* llamada del abonado que llama.

recall signal   *(Telef)* señal de llamada.

recalling key *(Telef)* llave de llamada.

recapitulation recapitulación ‖ *(Mús)* recapitulación. Reexposición; sección de una obra que repite con alguna variación una estructura de temas ya presentados.

recapitulatory *adj:* recapitulativo, que recapitula.

Recapitulatory Supplement to the Alphabetical List of Call Signs *(Telecom)* Suplemento Recapitulativo a la Lista Alfabética de Indicativos de Llamada.

recapture recaptura; represa ‖‖ *verbo:* recapturar; represar; recobrar; volver a tomar.

recapture constant *(Nucl)* constante de recaptura.

receding front *(Meteor)* frente en retroceso.

receipt recibo, recepción; entrada de mercaderías; cobro, recaudación, entrada de fondos; recibo; acuse de recibo; factura firmada; percepción (de tasas, de impuestos); receta, fórmula.

receipt card *(Informática)* tarjeta de entrada de mercadería.

receive *verbo:* recibir; aceptar, admitir, tomar; recoger; acoger; percibir, cobrar ‖ *(Telecom)* recibir; captar | to receive by ear: recibir a oído. v. **ear reception.**

RECEIVE ADJUST *(Telecom — Esquemas)* *(i.e.* receiving-level adjustment) ajuste del nivel de recepción.

receive baseband amplifier *(Telecom)* amplificador de banda base recibida.

receive branch *(Telecom)* ramal de recepción.

receive chain *(Telecom)* cadena de recepción.

receive electromagnet *(Teleimpr)* electroimán de recepción.

receive frequency *(Telecom)* frecuencia de recepción.

receive gain *(Telecom)* ganancia de recepción.

receive leg *(Telecom)* ramal de recepción.

receive loop *(Telecom)* bucle de recepción.

receive-only base *(Teleimpr)* base para receptor solo.

receive-only printer teleimpresor de recepción solamente.

receive-only teleprinter teleimpresor de recepción solamente, teleimpresor sólo receptor.

receive-only typing reperforator set equipo reperforador impresor para recepción solamente.

receive operating frequency frecuencia de trabajo en recepción, frecuencia de recepción.

receive terminal unit *(Telecom)* unidad de recepción terminal. Unidad utilizada en la rama de recepción de una estación terminal, y consistente en un desmodulador y un amplificador de banda base. CF. **transmit terminal unit.**

receive wave onda de recepción.

receiver recibidor, receptor; colector, depósito, recipiente ‖ *(Armas de fuego)* cajón de mecanismos ‖ *(Elec)* receptor, receptriz ‖ *(Sist audiomusicales)* receptor, receptor-amplificador, sintonizador-amplificador. Aparato único que combina las funciones de recepción, preamplificación, y amplificación de potencia, con todos los mandos necesarios. Para constituir un sistema completo de reproducción musical sólo es necesario conectarle los altavoces y el tocadiscos y/o magnetófono. CF. **tuner, preamplifier, power amplifier** ‖ *(Telecom)* receptor. En general, cualquier aparato o dispositivo para la recepción de señales o de mensajes transmitidos eléctricamente o mediante ondas electromagnéticas de cualquier clase (radioeléctricas, luminosas, etc.). CF. **transmitter** ‖ *(Radiocom)* receptor. Aparato o equipo completo necesario para la recepción de ondas radioeléctricas y su transformación en sonidos, en imágenes, en señales inteligibles de cualquier otra clase, o en acciones tales como la excitación o desexcitación de un relé. SIN. **radiorreceptor, televisor** — **radio receiver, television receiver** ‖ *(Telef)* receptor (telefónico), auricular. Dispositivo reproductor del sonido (transductor electroacústico) que se utiliza sosteniéndolo sobre el oído. SIN. **earphone** | receptor (telefónico). Transductor electroacústico [electroacoustic transducer] que permite obtener oscilaciones acústicas a partir de oscilaciones eléctricas y que está construido de manera que pueda ser aplicado sobre el oído (CEI/70 55–85–155) ‖ *(Informática)* depósito de descarga ‖ *(Calderas)* colector ‖ *(Cubilotes)* antecrisol. NOTA: El

cubilote es un tipo especial de horno para refundir hierro colado ‖ *(Met)* mezclador ‖ *(Máq de vapor)* depósito intermedio ‖ *(Lab, Máq neumáticas)* campana ‖ *(Quím)* tubo de condensación ‖ *(Sist de aire comprimido)* depósito, recipiente, receptor (de aire), tanque de compresión.

receiver bandwidth *(Radiocom)* pasabanda [ancho de banda] del receptor, ancho de la banda de recepción. Banda de frecuencias entre los puntos de potencia mitad de la curva de respuesta del receptor (v. **half-power point**).

receiver cabinet mueble [caja] del receptor.

receiver cap *(Telef)* orejera; auricular. SIN. **earpiece.**

receiver case *(Telef)* caja del receptor.

receiver changeover *(Telecom)* conmutación [permutación] de receptores.

receiver circuit circuito receptor.

receiver end *(Telecom)* extremo de recepción; punto de recepción.

receiver gating activación [desbloqueo] del receptor. Activación del receptor durante determinados intervalos mediante la aplicación de tensiones de trabajo o de desbloqueo a una o más etapas, generalmente en la sección de amplificación a frecuencia intermedia. CF. **gate, indicator gate** | desbloqueo periódico del receptor.

receiver hook *(Telef)* gancho conmutador; gancho para colgar el receptor. SIN. **switchhook** (véase).

receiver incremental tuning *(Transceptores)* sintonización incremental del receptor. Permite sintonizar el receptor a frecuencias dentro del margen de ±3 kHz con centro en la frecuencia del emisor.

receiver lockout system *(Radiocom)* sistema de bloqueo de receptores. En una red de radiocomunicaciones móviles, sistema de circuitos de control que impide que se alimenten a la red las señales de más de un receptor al mismo tiempo, para evitar distorsiones.

receiver-modulator *(Telecom)* receptor-modulador. Equipo utilizado en estaciones repetidoras de microondas, y que realiza dos funciones: (a) desmodula la señal de microondas de entrada, obteniendo de este modo la banda base de modulación (v. **baseband**), y (b) provee, mediante una sección moduladora integral, la señal múltiplex que ha de ser alimentada al transmisor de la estación para obtener la señal de microondas que se transmite a la próxima estación del sistema de microondas. Permite agregar o segregar canales en el circuito de microondas, y también funciona como repetidor heterodino para dar curso a los canales de tránsito [through channels]. CF. **heterodyne through repeater.**

receiver monitor monitor de recepción.

receiver muting *(Radiocom)* enmudecimiento [silenciamiento] del receptor; insensibilización del receptor. Aplícase durante los períodos de transmisión, cuando el receptor está próximo al transmisor.

receiver muting circuit circuito enmudecedor [silenciador] del receptor; circuito de insensibilización del receptor.

receiver noise *(Radiocom)* ruido (propio) del receptor, ruido interno [de fondo] del receptor. Ruido originado en los circuitos del receptor; en particular, ruido causado por fluctuaciones erráticas de corriente en las etapas de entrada, especialmente la etapa mezcladora | (a.c. set noise) ruido del receptor. Ruido con origen en el interior de un receptor radioeléctrico (CEI/70 60–44–115).

receiver noise figure cifra de ruido del receptor. Cociente de la tensión de ruido en el receptor considerado por la correspondiente a un receptor de referencia (receptor hipotético perfecto).

receiver output salida del receptor.

receiver output circuit circuito de salida del receptor.

receiver output test set aparato de prueba de salida para receptores.

receiver plate for audible signaling equipment tapa de caja de conexiones con receptor de señales audibles.

receiver preamplifier   preamplificador del receptor.

receiver primary   *(Tv) (i.e.* receiver primary color) color primario de receptor. Color de cromaticidad constante y luminancia variable producido por el receptor, y que al ser mezclado con otros en las proporciones convenientes, produce otros colores. Normalmente se utilizan tres colores primarios de receptor: rojo, verde y azul. v.TB. **primary color.** SIN. **display primary.**

receiver radiation   radiación del receptor. Radiación de campos electromagnéticos perturbadores por el oscilador de un radiorreceptor | radiación de un receptor. (a) Defecto de un receptor radioeléctrico que radía energía electromagnética, directa o indirectamente, por intermedio de la antena, de la red de alimentación, o de cualquier otra manera. (b) Onda electromagnética radiada por un receptor radioeléctrico (CEI/70 60–44–110).

receiver response   respuesta del receptor.

receiver-response time   *(Telecom)* tiempo de reposición | tiempo de respuesta (de un receptor de señales). Intervalo comprendido entre el momento en que se aplica una señal a un receptor de señales y el momento en que se produce el cambio de estado eléctrico de los circuitos de corriente continua asociados a la salida del receptor de señales (CEI/70 55–115–125). CF. **splitting time.**

receiver rest   *(Telef)* (a.c. cradle switch, switchhook) soporte conmutador. Conmutador asociado al soporte del receptor o del combinado [handset] del abonado (CEI/70 55–85–160). SIN. **receiver hook.**

receiver selectivity   selectividad del receptor.

receiver sensitivity   sensibilidad del receptor. Se expresa por el límite inferior de intensidad de la señal de entrada al receptor, para un valor especificado de la relación señal a ruido [signal-to-noise ratio] a la salida | sensibilidad en recepción.

receiver shell   *(Telef)* caja del receptor.

receiver site   *(Radiocom)* puesto receptor; emplazamiento del receptor [de los receptores].

receiver synchro   sincrorreceptor. SIN. **synchro receiver.**

receiver technology   técnica de receptores.

receiver testing   prueba del receptor; prueba de receptores; análisis de receptores averiados.

receiver-transmitter amplifier   amplificador de recepción y transmisión.

receiver tuning   sintonización del receptor.

receiver unit   *(Telecom)* unidad de recepción; bloque receptor.

receiving   recepción /// *adj:* receptor, de recepción.

receiving aerial   antena receptora [de recepción].

receiving amplifier   *(Telecom)* amplificador de recepción. Amplificador empleado en el extremo de recepción de un sistema, con el fin de levantar el nivel de las señales.

receiving antenna   antena receptora [de recepción]. A VECES: colector (de ondas). Conductor o sistema de conductores utilizado para captar señales radioeléctricas.

receiving bandpass filter   *(Telecom)* filtro pasabanda de recepción. TB. filtro de banda de recepción.

receiving bandwidth   ancho de la banda de recepción, banda pasante de recepción. v. **receiver bandwidth.**

receiving baseband   *(Telecom)* (a.c. receive baseband) banda base en recepción.

receiving baseband amplifier   amplificador de banda base de recepción. v.TB. **receive baseband amplifier.**

receiving branch   *(Telecom)* ramal de recepción. CF. **transmitting branch.**

receiving center   *(Telecom)* centro receptor.

receiving circuit   *(Radiocom)* circuito receptor. Aparato e instalaciones destinadas a la recepción de tráfico radiotelefónico o radiotelegráfico.

receiving console   *(Telecom)* consola receptora.

receiving current sensitivity   *(Micrófonos)* respuesta de corriente en campo libre. v. **free-field current response.**

receiving distributor   *(Telecom)* distribuidor receptor. CF. trans-mitter distributor.

receiving echo suppressor   *(Telecom)* supresor de ecos del receptor.

receiving electrode   electrodo receptor.

receiving end   *(Telecom)* extremo de recepción (de un sistema); punto de recepción.

receiving-end impedance   impedancia en el extremo de recepción.

receiving-end voltage   tensión en el punto de recepción.

receiving equipment   *(Telecom)* equipo receptor. Equipo asociado con las señales de llegada | instalación receptora.

receiving filter   *(Telecom)* filtro de recepción.

receiving intensity   intensidad de recepción.

receiving leg   *(Telecom)* rama receptora (local). En un sistema telegráfico de ondas portadoras, circuito local de corriente continua de un canal, con sus relés y otros elementos. CF. **sending leg** | (a.c. receive leg) ramal de recepción.

receiving level   *(Telecom)* nivel de recepción.

receiving location   *(Telecom)* punto de recepción; emplazamiento del receptor.

receiving loop   *(Telecom)* (a.c. receive loop) bucle de recepción || *(Ant)* cuadro receptor [de recepción].

receiving-loop loss   *(Telef)* pérdida del bucle de recepción. Parte del equivalente de transmisión [transmission equivalent] atribuible a la línea del abonado, el aparato de su estación, y el circuito de alimentación correspondiente.

receiving net   red receptora.

receiving office   *(Telecom)* oficina receptora || *(Teleg)* (a.c. receiving center) oficina receptora, centro receptor.

receiving officer   *(Teleg)* oficial receptor.

receiving-only teleprinter   (a.c. receive-only teleprinter) teleimpresor de recepción solamente.

receiving-only typing reperforator   (a.c. receive-only typing reperforator) reperforador impresor de recepción solamente.

receiving pair   *(Telecom)* par de recepción.

receiving perforator   *(Teleg)* (a.c. reperforator) receptor perforador. Aparato telegráfico [telegraph instrument] en el cual la recepción de las señales provoca la perforación, en una cinta, de agujeros que representan, según cierto código, los caracteres o los mandos de función correspondientes a esas señales (CEI/70 55–75–085) | perforador de llegada.

receiving position   *(Telecom)* puesto receptor, posición de recepción.

receiving-position table   mesa para puesto receptor. En los circuitos telegráficos, mesa en la cual se sienta el operador de recepción.

receiving relay   *(Telecom)* relé receptor [de recepción].

receiving reperforator   *(Teleg)* receptor perforador, reperforador de recepción.

receiving room   sala de recibo.

receiving set   *(Radiocom)* (aparato) receptor, equipo receptor, radiorreceptor. SIN. **radio receiver.**

receiving site   *(Radiocom)* puesto receptor [de recepción]; emplazamiento del receptor [de los receptores].

receiving slip   *(Teleg)* cinta de recepción; cinta del ondulador. Cinta que sale de un ondulador telegráfico [undulator] o de un teleimpresor receptor.

receiving station   *(Radiocom)* estación receptora. A veces se dice sencillamente *receptora* | centro receptor.

receiving system   *(Telecom)* sistema receptor.

receiving telegraphist   telegrafista receptor.

receiving teletype   teletipo receptor.

receiving terminal   *(i.e.* receiving terminal equipment) terminal receptor | *(i.e.* receiving terminal station) terminal receptora.

receiving terminal equipment   equipo terminal receptor.

receiving terminal station   estación terminal receptora.

receiving track   *(Informática)* banda receptora.

receiving-transmitting station   estación receptora y transmisora.

receiving tube *(Elecn)* tubo (del tipo) de recepción, válvula de recepción. SIN. **receiving valve** *(GB)*.

receiving-type tube tubo [válvula] del tipo de recepción.

receiving unit unidad receptora [de recepción].

receiving valve (GB) *(Elecn)* v. **receiving tube.**

receiving voltage sensitivity *(Micrófonos)* respuesta de tensión en campo libre. v. **free-field voltage response.**

receiving winding *(Telef)* devanado [enrollamiento] de recepción.

receptacle receptáculo; recipiente ‖ *(Elec)* receptáculo, tomacorriente, toma, caja de contacto. SIN. **outlet.** CF. **convenience receptacle, wall outlet** | portalámpara. SIN. **socket, lampholder** | enchufe hembra.

receptacle outlet *(Elec)* toma de receptáculo; tomacorriente múltiple.

receptacle plate *(Elec)* escudete de receptáculo.

receptacle plug *(Elec)* tapón de receptáculo.

reception recepción ‖ *(Telecom)* recepción. Acción de recibir señales (CEI/38 55-05-020) | audición | v.TB. **reception by...,** **reception of a telegram.**

reception area *(Radiocom)* zona de recepción.

reception area contemplated *(Radiocom)* zona enfocada (por una emisión).

reception by buzzer *(Teleg)* recepción auditiva [a oído].

reception by ear *(Telecom)* recepción auditiva [a oído].

reception by sounder *(Teleg)* recepción auditiva [a oído].

reception by tape *(Teleg)* recepción en cinta.

reception dock *(Ferroc)* muelle de recepción. Muelle destinado a las cargas recibidas.

reception grid *(Ferroc)* haz de recepción, haz de llegada. Grupo de vías destinadas a recibir los trenes que llegan a una estación.

reception level *(Telecom)* nivel de recepción.

reception mode *(Radiocom)* modalidad de recepción. EJEMPLOS: recepción de ondas continuas, de banda lateral única.

reception of a telegram recepción de un telegrama. Operación efectuada en la extremidad receptora de una comunicación [receiving end of a connection], automáticamente o con la intervención de un telegrafista u operador, para reproducir un telegrama transmitido por esa comunicación, en cualquier forma útil, como p.ej. cinta Morse [Morse tape], cinta impresa [printed tape], página impresa [printed page], cinta perforada [perforated tape], o texto dictado [dictated text].

receptionist recepcionista.

receptive *adj:* receptivo; receptor.

receptive field *(Electrobiol)* campo receptor. Región cuya actividad es observada con la ayuda de un electrodo explorador [pickup electrode] (CEI/59 70-25-035).

receptivity receptividad.

receptivity diagram diagrama de receptividad.

receptivity pattern diagrama de receptividad.

receptor *(Ilum, Telecom, Plomería)* receptor. v. **photoelectric receptor, physical receptor, pneumatic receptor, thermal receptor** ‖‖ *adj:* receptor.

recessed *adj:* embutido; empotrado; rebajado; ahuecado; ranurado.

recessed head cabeza ahuecada ‖ *(Pernos)* cabeza metida.

recessed-head screw tornillo de cabeza (con ranuras) en cruz.

recessed lighting fixture *(Ilum)* luminaria empotrada. Luminaria montada por encima del cielo raso [ceiling], o detrás de una pared u otra superficie. NOTA 1: En la práctica americana, la "regressed luminaire" tiene su abertura retirada de la superficie considerada (cielo raso, pared, etc.) y la "flush-mounted luminaire" o "recessed luminaire" tiene su abertura a ras con la superficie. NOTA 2: En alemán, el término "Deckeneinbauleuchte" designa una luminaria empotrada en el cielo raso (CEI/70 45-55-095).

recessed luminaire *(Ilum)* luminaria empotrada. Tiene su abertura a ras con la superficie de montaje (cielo raso, pared). SIN.

flush-mounted luminaire.

recessed nut tuerca ahuecada [de rebajo, con entalladuras].

recessed piston pistón de cabeza cóncava.

recessed piston head cabeza cóncava del émbolo.

recession receso; retroceso; retirada; desistimiento; retracción; alejamiento; depresión (económica) temporal ‖‖ *adj:* recesivo.

recessive *adj:* recesivo.

recessive character *(Genética)* carácter recesivo.

recessive mutation *(Genética)* mutación recesiva.

recharge recarga ‖ *(Acum)* recarga, carga complementaria ‖‖‖ *verbo:* recargar, volver a cargar.

recharge (of a secondary cell) carga complementaria (de un elemento de acumulador).

rechargeable *adj:* recargable.

rechargeable battery *(Elec)* batería recargable, acumulador.

rechargeable nickel-cadmiun battery batería recargable de níquel-cadmio.

rechargeable primary cell pila primaria recargable. Pila primaria que, no obstante, puede ser recargada cierto número de veces (generalmente entre 5 y 10 veces).

recharging current *(Elec)* corriente de recarga.

reciprocal *(Mat)* inverso, inversa, valor recíproco, recíproca. Se llama inverso de un número, a la fracción que tiene por numerador 1, y por denominador el número; así, el inverso de 5 es 1/5. Es fácil comprobar que el inverso de una fracción es la fracción que resulta de permutar el numerador y el denominador; p.ej. el inverso de 3/5 es 5/3 ‖‖‖ *adj:* recíproco; mutuo; alterno, alternativo; permutable ‖ *(Mat)* inverso, recíproco.

reciprocal action acción recíproca; (efecto de) reacción.

reciprocal bearing *(Naveg)* marcación recíproca [inversa] ‖ *(Radiogoniometría)* azimut inverso.

reciprocal course *(Naveg)* rumbo recíproco.

reciprocal device dispositivo recíproco. Dispositivo (caso particular: transductor electroacústico) en el cual no se altera la razón entre la respuesta y la excitación cuando se permutan entre sí los puntos de excitación y de observación, a condición de que permanezcan inalteradas las condiciones en los terminales del dispositivo.

reciprocal differences *(Mat)* diferencias recíprocas.

reciprocal-energy theorem *(Elec)* teorema de las energías recíprocas. Teorema debido a Rayleigh que expresa que si una fuerza electromotriz E_1 en una rama de un circuito produce una corriente I_2 en otra rama cualquiera, y si una fuerza electromotriz E_2 intercalada en la segunda rama, produce una corriente I_1 en la primera rama, se cumple entonces que $I_1E_1=I_2E_2$. CF. **reciprocity theorem.**

reciprocal equation *(Mat)* ecuación recíproca. Ecuación cuyas raíces coinciden con la de su transformada en 1/x.

reciprocal extinction (of waves) extinción recíproca (de ondas).

reciprocal ferrite phase shifter desfasador recíproco de ferrita.

reciprocal gradient *(Geofís)* gradiente recíproco.

reciprocal impedances *(Elec)* impedancias recíprocas. Se dice que dos impedancias son recíprocas respecto a una tercera impedancia (invariablemente una resistencia), si el producto de las dos primeras es igual al cuadrado de la tercera.

reciprocal interlocking *(Ferroc)* enclavamiento recíproco. Enclavamiento producido sobre el aparato enclavador [interlocking part] por la posición dada al aparato enclavado [interlocked part] (CEI/59 31-10-020).

reciprocal lattice *(Cristalog)* reticulado recíproco.

reciprocal linear dispersion *(Fís)* dispersión lineal recíproca.

reciprocal matrix *(Mat)* matriz recíproca [inversa]. SIN. **inverse matrix.**

reciprocal method método de las recíprocas. Nombre que se le da a la aplicación de la fórmula de las resistencias en paralelo
$$1/R = 1/R_1 + 1/R_2 + 1/R_3 + \ldots + 1/R_n$$
que en forma de regla dice: La recíproca de la resistencia resultante es igual a la suma de las recíprocas de las resistencias

conectadas en paralelo. El mismo nombre es dable a la aplicación de las fórmulas, semejantes a la anterior, utilizadas en el caso de inductancias en paralelo o de capacitancias en serie. V.TB. **parallel-resistance formula.**

reciprocal motion   v. **reciprocating motion.**

reciprocal networks   *(Elec)* redes recíprocas, circuitos recíprocos. Se dicen recíprocas dos redes cuando una de ellas se obtiene por transformación de todos los elementos de la otra, de tal manera que una inductancia en una de las redes se corresponde con una capacitancia en la otra, y así sucesivamente.

reciprocal of the amplification factor   *(Elecn)* coeficiente de penetración de rejilla, transparencia de rejilla.

reciprocal ohm   *(Elec)* ohmio recíproco. SIN. **siemen.**

reciprocal theorem   *(Fís)* teorema recíproco.

reciprocal transducer   transductor recíproco. v. **reciprocal device.**

reciprocal vector system   *(Mat)* sistema recíproco de vectores.

reciprocal velocity region   *(Nucl)* región de velocidad recíproca. Región energética en la cual la sección eficaz de captura de neutrones por un elemento dado, es inversamente proporcional a la velocidad de los mismos.

reciprocating   *adj:* alternativo, de vaivén, oscilante.

reciprocating engine   motor alternativo, motor de émbolos [de pistones]. SIN. **piston engine.** CF. **jet engine.**

reciprocating grid   *(Radiol)* rejilla oscilante [móvil], rejilla de Potter y Bucky. v. **moving grid.**

reciprocating motion   movimiento alternativo [de vaivén].

reciprocating movement   v. **reciprocating motion.**

reciprocating-movement motor   v. **reciprocating engine.**

reciprocating pump   bomba oscilante [de movimiento alternativo]. LOCALISMOS: bomba de vaivén, bomba recíproca | bomba aspirante e impelente.

reciprocating-type supercharger   *(Avia)* sobrealimentador de acción alternativa.

reciprocating vacuum pump   bomba oscilante de vacío.

reciprocation   reciprocación; reciprocidad, correspondencia mutua; correspondencia, acción de corresponder; alternación, vaivén, oscilación ‖ *(Elec)* determinación de la recíproca (de una impedancia o de una red dadas). v. **reciprocal impedances, reciprocal networks** ‖ *(Mat)* reciprocación.

reciprocity   reciprocidad.

reciprocity calibrator   calibrador de reciprocidad. CF. **microphone reciprocity calibrator.**

reciprocity coefficient   *(Electroacús)* coeficiente de reciprocidad. Para un transductor electroacústico que satisfaga el principio de reciprocidad [reciprocity principle], valor común, a una frecuencia determinada, de los dos cocientes que siguen: (a) cociente de la sensibilidad de tensión en campo libre [free-field voltage sensitivity] del transductor utilizado como receptor de sonido [sound receiver], por la respuesta en campo libre a la corriente aplicada [free-field response to current], del mismo transductor utilizado como emisor de sonido [sound emitter]; (b) cociente de la sensibilidad de corriente en campo libre [free-field current sensitivity] del transductor utilizado como receptor de sonido, por la respuesta en campo libre a la tensión aplicada [free-field response to voltage] del mismo transductor utilizado como emisor de sonido (CEI/60 08–10–235).

reciprocity method   *(Calibración de micrófonos)* método de reciprocidad.

reciprocity parameter   parámetro de reciprocidad.

reciprocity principle   *(Electroacús)* principio de reciprocidad. Para un transductor electroacústico lineal, pasivo y reversible [linear passive reversible electroacoustic transducer], principio según el cual la relación entre la sensibilidad de tensión (o de corriente) en campo libre del transductor, cuando el mismo es utilizado como receptor de sonido [sound receiver], y su respuesta en campo libre a la corriente (o a la tensión) aplicada cuando el mismo es utilizado como emisor de sonido [sound emitter], es

independiente del transductor considerado (CEI/60 08–10–230).

reciprocity property   propiedad de reciprocidad.

reciprocity relation   relación de reciprocidad.

reciprocity theorem   teorema de la reciprocidad. (**1**) De acuerdo con este teorema, en cualquier red eléctrica compuesta de impedancias bilaterales lineales [linear bilateral impedances] se cumple que si en un punto cualquiera P de la red existe una fuerza electromotriz (FEM) que produce una corriente en otro punto cualquiera P′ de la red, la misma FEM produce la misma corriente en el punto P si se la aplica en el punto P′. (**2**) Según este teorema, si una fuerza electromotriz E insertada en una rama de una red lineal pasiva [linear passive network] produce una corriente de valor I en una segunda rama, la misma fuerza electromotriz E insertada en la segunda rama produce en la primera rama de la red una corriente del mismo valor I. NOTA: El teorema no es válido para todas las redes; no lo es p.ej. para las redes que comprendan giradores [gyrators] (CEI/70 55–20–315). CF. **reciprocal-energy theorem.**

recirculation   recirculación.

recirculatory   *adj:* recirculatorio.

recitative   *(Mús)* recitado, recitativo. Es adjetivo y substantivo.

reclaim bridge   v. **reclaiming bridge.**

reclaimer   removedor de impurezas ‖ *(Lubricación)* recuperador, aparato para recuperar aceites lubricantes ‖ *(Met, Minería)* homogeneizador; máquina recogedora de mineral (de una pila).

reclaimer bridge   v. **reclaiming bridge.**

reclaiming bridge   (a.c. reclaim bridge, reclaimer bridge) puente de recogida de minerales (de una pila); puente grúa para recoger mineral del parque y depositarlo sobre el transportador.

reclamation   reclamación; recuperación; aprovechamiento; mejoramiento; rescate (de terrenos); terreno ganado (al mar).

reclosing   *(Elec)* recierre, reconexión.

reclosing circuit breaker   *(Elec)* disyuntor de reconexión automática.

reclosing contact   *(Elec)* contacto de reposición de cierre.

reclosing fuse cutout   *(Elec)* cortacircuito de fusible restablecedor.

reclosing relay   relé de reconexión. Relé destinado a reconectar (recerrar) un circuito automáticamente en ciertas condiciones.

reclosure   *(Elec)* recierre, reconexión.

reclosure switch   interruptor de reconexión [de recierre].

recode   *verbo:* recodificar.

recode selector   *(Informática)* selector de recodificación.

recoding   recodificación, recifrado.

recognition   reconocimiento; identificación; discernimiento.

recognition device   dispositivo de reconocimiento. Dispositivo capaz de identificar un número cualquiera de entidades distinguibles pertenecientes a un conjunto determinado.

recognition differential   diferencial de discernimiento. Para un sistema de escucha dado, la cantidad $d = s - n$, donde s es el nivel de la señal y n el nivel del ruido presentado al oído cuando la probabilidad de detección de la señal es del 50 por ciento; se supone que s es mayor que n.

recognition light   *(Naveg aérea)* luz de identificación | luz de señalización. Luz de señalización aire-suelo, generalmente coloreada y codificada (CEI/70 45–60–270).

recognition signal   señal de reconocimiento ‖ *(Mil)* consigna.

recognition time   *(Telecom)* duración de identificación.

recognizable   *adj:* reconocible; identificable; discernible.

recognizable signal   señal discernible.

recognize   *verbo:* reconocer; identificar; discernir.

recognized private operating agency   *(Telecom)* (entidad de) explotación privada reconocida. Entidad de explotación privada (v. **private operating agency**) que explota un servicio de correspondencia pública [public correspondence] o de radiodifusión [broadcasting] y a la cual se le imponen las obligaciones previstas en el Artículo 19 de la Convención (UIT) por intermedio del Miembro o el Miembro Asociado sobre cuyo territorio está situada la oficina principal de la entidad.

recoil   retroceso, reculada; reacción; culatazo, culateo /// *verbo:* retroceder, recular; culatear.

recoil electron   electrón de retroceso [de rebote, de rechazo]. Electrón libre que retrocede al chocar con un fotón, adquiriendo así energía cinética; el fotón se desvía y su energía cinética disminuye como consecuencia del mismo choque | (*i.e.* electron resulting from the Compton effect; a.c. Compton electron) electrón Compton. Electrón resultante del efecto Compton (CEI/64 65–10–580).

recoil nucleus   *(Fís)* núcleo de retroceso.

recoil particle   *(Fís)* partícula de retroceso.

recoil proton   *(Fís)* protón de retroceso.

recoil spectrum   *(Fís)* espectro de retroceso.

recoil spring   resorte [muelle] recuperador, resorte antagonista.

recoil triton   *(Fís)* tritón de retroceso.

recoil velocity   *(Armas)* velocidad de retroceso.

recoiling   retroceso /// *adj:* retrocedente, reculante.

recoiling motion   movimiento de retroceso || *(Locomotoras de vapor)* retroceso, tangage. Movimiento debido a la acción horizontal de las piezas con movimiento alternativo.

recombination   recombinación || *(Elec/Elecn)* recombinación. Captura de un electrón, o de un ion negativo, por un ion positivo, con neutralización de las cargas (CEI/56 07–12–095, CEI/68 66–10–080) | (of ions) recombinación (de iones). Proceso por el cual los iones vuelven al estado neutro [neutral state] (CEI/64 65–10–410) || *(Semicond)* recombinación. Desaparición simultánea de un electrón y un agujero [hole].

recombination center   *(Semicond)* centro de recombinación.

recombination coefficient   coeficiente de recombinación. Cociente del tanto de desionización (velocidad específica de desionización) [deionization rate] por el cuadrado de la concentración de los iones que se recombinan [density of the recombining ions] (CEI/56 07–12–105).

recombination rate   velocidad de recombinación.

recombination velocity   *(Semicond)* velocidad de recombinación. Cociente de dividir la componente normal de la densidad de corriente de electrones (o de agujeros) en la superficie por la concentración de cargas de electrón (o de agujeros) excedentes en la superficie.

recombiner   recombinador.

recombiner assembly   *(Nucl)* recombinador.

recombiner condenser   *(Nucl)* condensador recombinador.

recommendation   recomendación.

Recommendations concerning Protection of Underground Cables against Corrosion (Paris, 1949)   Recomendaciones relativas a la Protección de los Cables Soterrados contra la Corrosión (París, 1949).

Recommendations for the Protection of Underground Cables against the Action of Stray Currents arising from Electric Traction Systems (Florence, 1951)   Recomendaciones para la Protección de los Cables Soterrados contra las Corrientes Vagabundas procedentes de Instalaciones de Tracción Eléctrica (Florencia, 1951).

recommended practice   método recomendado.

reconciliation   reconciliación; conciliación; ajuste; confrontación.

recondition   *verbo:* reacondicionar; reparar; corregir.

reconditioned-carrier demodulation   v. **reconditioned-carrier reception.**

reconditioned-carrier reception   recepción con regeneración [aumento] de la portadora. Método de recepción utilizado comúnmente con las emisiones de banda lateral única (BLU) y portadora reducida. Consiste en separar la portadora, filtrarla para eliminar el ruido que la acompañe, suprimir de ella las variaciones de amplitud (mediante etapas de amplificación y limitación), y agregarla de nuevo, con mayor amplitud, a la banda lateral. Se obtiene así una salida relativamente exenta de

distorsión. SIN. **exalted-carrier reception** | (a.c. reconditioned-carrier demodulation) recepción con regeneración de la portadora. Recepción radioeléctrica en la cual la portadora recibida es filtrada y amplificada separadamente antes de efectuar la desmodulación de la señal, sea directamente, sea por intermedio de un oscilador local [local oscillator] que ella sincroniza (CEI/70 60–44–090).

reconnaissance   reconocimiento. Estudio general del terreno para establecer cuál es el trazado más conveniente para una vía férrea || *(Mil, Avia militar)* reconocimiento.

reconnaissance airplane   avión de reconocimiento.

reconnaissance flight   vuelo de reconocimiento.

reconstituted conductive material   *(Elecn)* material conductor reconstituido. Material conductor formado con partículas finas.

reconstruction   reconstrucción.

reconstruction of a line   *(Telecom)* reconstrucción de una línea.

recontrol time   *(Tubos de gas)* tiempo de desionización. SIN. deionization time, recovery time (véanse).

reconversion   reconversión; retransformación, transformación inversa.

record   disco (fonográfico, de gramófono); registro (de sonido, de señales); registro, anotación; archivo, protocolo, registro; constancia; datos; partida, inscripción; acta; documento; atestación, testimonio; expediente; nota, mención; marca, signo, señal (de algo); recuerdo, recordatorio; memorial, memoria, informe, expediente; récord; contenido de un informe; relación, crónica; historial, hoja de servicios, antecedentes (de una persona); diagrama; mesa de trabajo | set of records: expediente || *(Cine)* registro (del sonido). CF. **sound track** || *(Pianolas)* rollo (de música) || *(Informática)* registro. (1) Conjunto de datos correlacionados. (2) Grupo de elementos o de campos de información tratado como una unidad. CF. **field** | contenido de archivo. Conjunto de los ítems de un archivo. CF. **file, unit of information** /// *verbo:* registrar, grabar (sonido); registrar (señales); registrar, grabar (en cinta magnética, en disco fonográfico); registrar, anotar (en el registro); anotar, tomar nota (de); asentar, inscribir, consignar por escrito, dejar constancia (escrita); archivar; protocolizar (un documento); marcar, registrar (un instrumento); narrar, relatar; indicar, consignar, marcar; conmemorar; recordar.

record advance   *(Informática)* avance del registro.

record-advance overflow test device   *(Informática)* dispositivo de prueba de capacidad excedida de avance de registros.

record-and-information switchboard   *(Telef)* mesa conmutadora para servicio de anotaciones e información.

record book   libro registro.

record changer   *(Fonog)* (a.c. disk changer) cambiadiscos, cambiador de discos, tocadiscos automático. Tocadiscos que toca en sucesión un grupo de discos fonográficos. GLOSARIO: **arm rest:** poste de reposo del brazo (fonocaptor) | **automatic shutoff:** desconexión automática | **balance arm:** contrapeso | **cam:** leva | **clutch plate:** planchita de embrague | **clutch pin sleeve:** manguito del pasador del brazo de embrague | **ejector pin:** eje eyector | **friction spring:** muelle de fricción | **gravity pawl:** trinquete de gravedad | **holddown arm:** contrapeso | **idler wheel:** rueda loca | **index arm:** brazo índice | **index lever:** palanca índice | **index selector:** selector de índice | **index pin:** espiga de la palanca índice | **index pin sleeve:** manguito de la palanca índice | **pickup cord:** cordón del fonocaptor | **pickup cord plug:** clavija del cordón del fonocaptor | **plunger pin:** varilla elevadora | **record support:** soporte de discos | **reproducer arm:** brazo fonocaptor | **record shelf:** apoyo de discos | **record spindle:** pivote de discos | **record turntable:** plato giratorio | **record balance arm:** contrapeso | **pivot channel:** base del pasador de giro | **speed selector:** selector de velocidades | **stylus selector:** selector de púas | **reject spring:** resorte rechazador | **shipping screws:** tornillos de embarque (de sujeción durante el transporte) | **spindle step:** descanso del pivote (de discos) | **swing post:**

poste de giro lateral del brazo fonocaptor | **shutoff trigger:** gatillo de parada | **trip pawl:** trinquete de disparo | **wiping contact:** contacto deslizante.

record circuit   *(Telef)* línea de anotadora; línea de llamada de las anotadoras. SIN. **record operator's line, recording trunk** | circuito de registro. Línea utilizada únicamente para el registro de las peticiones de comunicación interurbana por una operadora anotadora (CEI/70 55–105–235) | línea auxiliar para enlace de anotaciones.

record collection   *(Fonog)* discoteca, colección de discos. SIN. **record library.**

record collector   discófilo, coleccionista de discos, aficionado a los discos fonográficos, "discofanático".

record communications   *(Telecom)* comunicaciones de registro permanente, comunicaciones telegráficas. Comunicaciones que el aparato receptor suministra en forma de registro permanente (telegrama, facsímile, fotografía); dícese en oposición a las comunicaciones telefónicas o de televisión.

record compartment   discoteca, compartimiento para discos.

record compensator   *(Fonog)* corrector de discos, dispositivo corrector de las curvas de grabación de los discos, compensador de las características de grabación de los discos. SIN. **record equalizer, phonograph equalizer** (véase).

record compound   pasta para (la fabricación de) discos fonográficos.

record condition   *(Magnetófonos)* condición de grabación, disposición para el registro.

record current optimizer   *(Grabadoras de tv)* optimizador de corrientes de grabación.

record cutter   *(Electroacús)* grabador (de discos), cabeza cortadora [grabadora] de discos. v. **cutter.**

record dropping   *(Tocadiscos automáticos)* caída de los discos.

record equalizer   v. **record compensator.**

record exhibition   exhibición de discos (fonográficos), salón del disco.

record gap   *(Informática)* intervalo sin registro, intervalo de separación entre mensajes [entre bloques de información]. Segmento de cinta magnética entre el fin de un mensaje o bloque de información y el comienzo del siguiente. Ese segmento sirve para detener la cinta o para ponerla en marcha y permitir que alcance su velocidad normal antes de registrar datos o leer datos ya registrados en ella. SIN. **interblock [intermessage, interrecord] gap.**

record head   v. **recording head.**

record jacket   funda de disco (fonográfico).

record keeping   *(Informática)* mantenimiento de registros (comerciales).

record library   discoteca, colección de discos fonográficos. SIN. **record collection.**

record line   *(Telef)* línea de anotación, línea de pedido. Línea por donde llegan a la operadora las peticiones de comunicación. SIN. **record circuit.**

record medium   medio de registro, vehículo [soporte] material del registro. Medio material en que se efectúa un registro o grabación o en el cual se forma, en el receptor de facsímile, la imagen del original. SIN. **recording medium.**

record operator's line   *(Telef)* línea de anotadora. SIN. **record circuit** (véase).

record photographically   registrar fotográficamente.

record/playback amplifier   *(Magnetófonos)* amplificador de registro y reproducción. Amplificador que se utiliza alternadamente para amplificar las señales que se graban y las señales reproducidas.

record player   *(Fonog)* tocadiscos, fonógrafo, reproductor fonográfico. El término *fonógrafo* [phonograph] se usa generalmente cuando el aparato lleva incorporados el amplificador y el altavoz (o altavoces). Si el conjunto está contenido en un estuche o maletín, se tiene el *tocadiscos portátil*, llamado también *fonógrafo* o

gramófono de maleta.

record position   *(Telef)* posición de anotadora | **record positions:** servicio de anotadoras. SIN. **recording board.**

record press   *(Fab de discos)* prensadora de discos.

record protective sleeve   funda protectora de discos (fonográficos).

record relay   relé de registro.

record scratch   *(Fonog)* ruido de superficie (del disco).

record selector   selector de discos.

record selector knob   botón de selección de discos.

record sheet   hoja de registro, hoja [planilla] de anotaciones, ficha.

record size   *(Fonog)* tamaño del disco. Los diámetros normalizados son los de 12, 10 y 7 pulgadas (305, 254 y 178 mm, respectivamente).

record speed   *(Fonog)* velocidad del disco. Las velocidades usadas son cuatro: $16\frac{2}{3}$, $33\frac{1}{3}$, 45 y 78 rpm (revoluciones o vueltas por minuto). La de $16\frac{2}{3}$ se usa para discos especiales (discursos, conferencias, comedias, cuentos). La de $33\frac{1}{3}$ es la más común hoy día; es la normal de los discos de larga duración (monofónicos o estereofónicos). La de 45 es la de los discos del llamado "Sistema 45", con diámetro de 7 pulgadas (179 mm) y agujero grande, aunque también se fabrican con agujero normal. La de 78 rpm es la de los primitivos discos de laca, de los que todavía existen muchos en discotecas de particulares; también se ha usado esta velocidad en ciertos discos experimentales de microsurco [microgroove] con gama de frecuencias muy amplia en el registro alto.

record table   *(Telef)* mesa [posición] de anotadora. CF. **record-and-information switchboard, record circuit.**

record tape   cinta de registro.

record warp   *(Fonog)* alabeo del disco.

recorded ambience   *(Electroacús)* efecto tonal característico (de una sala en una grabación). Efecto característico que tiene una sala o local en la tonalidad de los sonidos musicales grabados en él. v. **ambience.**

recorded broadcast   *(Radio/Tv)* transmisión diferida. Radiodifusión de un programa previamente registrado. (CEI/70 60–60–015).

recorded description   narración registrada ‖ *(Radio/Tv)* (*i.e.* of events) reportaje de transmisión diferida.

recorded intelligence   información registrada.

recorded magnetic tape   cinta magnética registrada [grabada].

recorded program   programa registrado [grabado].

recorded surface noise   *(Fonog)* ruido de superficie grabado. En la reproducción de discos fonográficos, ruido de superficie caracterizado por aumentar bruscamente un instante antes de comenzar la música y disminuir también bruscamente al terminar ésta.

recorded tape   cinta registrada [grabada] | cinta registrada [grabada] en fábrica. Cinta magnetofónica que, en vez de venderse virgen, se vende con música grabada profesionalmente. SIN. **prerecorded tape.**

recorded value   valor registrado. En un aparato registrador, valor inscrito por el dispositivo marcador en el papel y referido a las divisiones marcadas en éste.

recorder   registrador, oscilógrafo. TB. aparato [dispositivo, instrumento] registrador, aparato grabador [inscriptor, trazador]. Aparato o dispositivo destinado al registro permanente de una señal o de una magnitud variable. Aparato o instrumento destinado a acumular información sobre la relación que liga dos o más variables. CF. **graphic recorder, recording instrument, analog recorder, digital recorder, pulse recorder, ink recorder** ‖ *(Telecom)* registrador. CF. **code recorder, facsimile recorder, telegraph recorder** ‖ *(Electroacús)* registrador (de sonido), grabador (fonográfico). CF. **sound recorder, disk recorder, magnetic recorder, tape recorder, wire recorder, sound-on-film recorder** ‖ *(Tv)* registrador. CF. **kinescope recorder** | (*i.e.* television recorder, video-tape recorder) grabadora de televisión, videograbadora. CF. **video-tape recording** ‖ (*Mec*) indicador, contador ‖ (*Mús*) flauta dulce [recta, de pico] ‖ (*Oficinas*) registrador, archivero; anotador, apuntador ∭ adj: registrador, de registro; grabador, de grabación.

recorder chart   carta de registro; gráfico registrado.

recorder-controller   registrador-regulador; regulador [control] registrador.

recorder head   v. **recording head.**

recorder lamp   (*Cine*) lámpara para registro sonoro [para grabación sonora] ‖ (*Fototeleg*) lámpara excitadora para registro fotográfico.

recorder pen   estilete registrador, pluma de registro.

recorder pen mechanism   mecanismo de estilete registrador.

recorder room   (*Cine*) estudio acústico [de registro sonoro].

recorder signal   (*Telecom*) señal de registrador.

recorder stylus   estilete registrador.

recorder tape   cinta de registro.

recorder transmitting contact   contacto de transmisión del registrador.

recording   registro, grabación. Acción o efecto de registrar o grabar señales | impresión; anotación, apunte; consignación por escrito | (*i.e.* sound recording) registro (sonoro, de sonido) | (*i.e.* phonograph record) grabación, disco (fonográfico, gramofónico) ‖ (*Cine*) toma de vistas ‖ (*Telecom*) registro ‖ (*Telef*) anotación (de peticiones de comunicación) ‖ (*Teleg*) registro (de señales telegráficas). Operación que permite conservar una representación, en cualquier forma, de señales telegráficas o de elementos de señales telegráficas; resultado de esa operación. El registro se llama *provisional* cuando se borra automáticamente después de cumplida su función, y *permanente* cuando es indeleble o no se borra automáticamente una vez cumplido su cometido (ejemplo: registro en cinta perforada). SIN. **storage** ∭ adj: registrador, de registro; grabador, de grabación; anotador; inscriptor.

recording accelerometer   acelerómetro registrador, acelerógrafo.

recording altimeter   altímetro registrador, altígrafo.

recording ammeter   amperímetro registrador.

recording amplifier   amplificador de registro. Amplificador de la señal que se registra.

recording apparatus   aparato registrador. Aparato que inscribe o registra los valores sucesivos de la magnitud que se mide (CEI/38 20–05–010). SIN. **recording instrument.**

recording barometer   barómetro registrador, barógrafo.

recording base   (*Registro mag*) soporte (del registro).

recording blank   (*Fonog*) disco virgen. SIN. **recording disk.**

recording board   (*Telef*) servicio de anotadoras. SIN. **record positions.**

recording bridge   (*Radioteleg*) registrador (telegráfico) de puente | conformador (telegráfico) en puente. Conformador telegráfico [recording unit] constituido esencialmente por un puente rectificador (CEI/70 60–50–050).

recording camera   (*Fotog*) cámara registradora.

recording channel   canal de registro.

recording characteristic   característica de registro [de grabación]. (1) En general, amplitud de la acción de registro en función de la intensidad, la frecuencia, u otra característica de la señal registrada. (2) En la grabación de discos fonográficos, curva o gráfica que pone de manifiesto la atenuación intencional de las frecuencias bajas (sonidos graves) y la acentuación, también intencional, de las frecuencias altas (sonidos agudos); en el primer caso, para limitar la amplitud de las ondulaciones del surco, y en el segundo, para mejorar la relación señal/ruido. Al reproducir el disco es necesario devolver las diferentes frecuencias a sus amplitudes relativas originales. CF. **record compensator, crossover frequency** | característica de registro. Curva de variación, en función de la frecuencia, de un parámetro que caracteriza el estado de un soporte material de registro cuando se aplica una señal de valor constante y frecuencia variable en un punto especificado de

un sistema de registro (CEI/60 08–25–035).

recording circuit   (*Telef*) circuito de anotación [de registro]. V.TB. **record circuit.**

recording-completing circuit (*GB*)   (*Telef*) v. **recording-completing trunk.**

recording-completing trunk   (*Telef*) línea de llamada de la anotadora y de salida. Línea auxiliar que sale de una central urbana [local office] y va a una central interurbana [toll office], y que se utiliza para pedir la comunicación interurbana y establecerla a continuación. SIN. **CLR trunk, recording-completing circuit** (*GB*).

recording controller   regulador registrador, controlador registrador.

recording cubicle   cabina de registro.

recording curve   (*Electroacús*) curva de registro [de grabación]. v. **recording characteristic.**

recording cutter   v. **record cutter.**

recording decibelimeter   decibelímetro registrador.

recording demand meter   (*Elec*) contador registrador de demanda. SIN. **demand recorder.**

recording density   (*Informática*) densidad de registro. Caracteres o cambios de estado magnético por unidad de longitud de la cinta u otro vehículo de registro magnético. Número de células de almacenamiento útiles por unidad de área o de longitud; p.ej. número de hileras o de caracteres por unidad de longitud de una cinta perforada, o número de bitios por unidad de longitud de una pista de registro en un tambor magnético.

recording depth sounder   sondeador registrador de profundidades, sondeador de profundidades del tipo registrador. CF. **indicating depth sounder.**

recording digital voltmeter   voltímetro numérico registrador.

recording disk   (*Fonog*) disco virgen, disco para grabación instantánea. SIN. **recording blank.** CF. **instantaneous recording.**

recording engineer   técnico de grabación.

recording equalizer   compensador para grabación [para registro sonoro]. Compensador (red correctora de respuesta) utilizado para el registro sonoro en película cinematográfica, cinta magnetofónica, o disco fonográfico. v. **recording characteristic.**

recording equipment   equipo [aparato] registrador.

recording fathometer   aparato registrador de profundidades. CF. **recording depth sounder.**

recording filter   filtro para grabación [para registro sonoro]. v. **recording equalizer.**

recording frequencies   frecuencias de registro.

recording frequency-meter   frecuencímetro registrador.

recording galvanometer   galvanómetro registrador.

recording gap   (*Registro mag*) entrehierro de registro. CF. **record gap.**

recording head   (*Registro mag*) (a.c. record head, recorder head) cabeza de registro, cabeza registradora [grabadora]. Elemento que registra o imprime las señales en la cinta u otro vehículo de registro ‖ (*i.e.* cutting head of sound recorder) cabeza grabadora [cortadora]. V.TB. **cutter.**

recording head assembly   conjunto de la cabeza grabadora; bloque de cabezas de registro.

recording hydrometer   aerómetro [densímetro] registrador.

Recording Industry Association of America [RIAA]   Asociación Estadounidense de la Industria del Disco.

recording instrument   instrumento registrador [gráfico], aparato (de medida) registrador. SIN. **graphic instrument, recorder, recording apparatus** | aparato registrador. Aparato que inscribe o registra generalmente los valores instantáneos, eficaces, o medios, que toma sucesivamente la magnitud medida (CEI/58 20–05–015). CF. **indicating instrument.**

recording ionometer   ionómetro registrador.

recording lamp   (a.c. recorder lamp) lámpara para registro (sonoro). Lámpara cuya intensidad luminosa puede ser variada en correspondencia con las variaciones de una corriente de audiofrecuencia que la atraviesa, y que se emplea para el registro sonoro en película cinematográfica por el sistema de densidad variable [variable-density system].

recording level   *(Electroacús)* nivel de grabación. (**1**) Nivel de salida de un amplificador necesario para efectuar una grabación satisfactoria. (**2**) Indicación (en decibelios o en unidades de volumen) de la salida de un amplificador utilizado para grabaciones de sonido.

recording-level indicator   indicador de nivel de grabación.

recording live   registro "en vivo". Dícese p.ej. cuando se graba un concierto tal como es el mismo ejecutado para el público, a diferencia de la grabación en el estudio; en éste se graba por segmentos o "tomas" que se repiten si es necesario (para eliminar imperfecciones) y que luego se compaginan para obtener un registro magnético continuo (cinta maestra).

recording loss   *(Electroacús)* pérdida de grabación | pérdida de registro. En un sistema de registro [recording system], atenuación del nivel en función de la frecuencia, debido a diversas causas, en particular, a las dimensiones finitas del elemento registrador (grabador, entrehierro magnético, rendija óptica). Puede asimismo comprender otras pérdidas relativas al procedimiento mismo, por ejemplo, la relación imperfecta de trazas mecánicas, magnéticas, u ópticas, con la señal aplicada (CEI/60 08–25–045). CF. **playback loss.**

recording maximum-demand indicator   *(Elec)* indicador registrador de demanda máxima.

recording mechanism   mecanismo de registro.

recording medium   medio de registro, vehículo [soporte] del registro. v. **magnetic tape, magnetic wire.**

recording meter   instrumento registrador; medidor registrador; contador registrador; contador de registro.

recording music live   registro de música "en vivo". v. **recording live.**

recording needle   *(Aparatos de medida)* aguja indicadora ǁ *(Electroacús)* aguja para grabar. SIN. **recording stylus.**

recording of calls   *(Telef)* inscripción de peticiones de comunicación.

recording operator   *(Telef)* anotadora, operadora de registro.

recording pen   estilete registrador.

recording-pen mechanism   mecanismo de estilete registrador.

recording-pen unit   unidad de estilete registrador.

recording/playback head   *(Magnetófonos)* cabeza de registro y lectura, cabeza de grabación/reproducción. Cabeza magnética utilizada alternadamente para registro o grabación y lectura o reproducción.

recording pneumatic temperature control   control de temperatura registrador (de accionamiento) neumático.

recording position   *(Telef)* posición de anotadora. SIN. **record position.**

recording process   proceso de registro, procedimiento de grabación.

recording process instrumentation   instrumentación de registro para industrias de transformación.

recording pyrometer   pirómetro registrador.

recording ratemeter   integrador registrador.

recording regulator   regulador registrador.

recording/reproducing head   cabeza de registro y reproducción.

recording/reproducing switch   selector registro/lectura.

recording/reproducing unit   unidad registradora y reproductora, grabador/reproductor, equipo de grabación y reproducción.

recording room   *(Cine)* sala de registro (sonoro) ǁ *(Tv)* sala de registro (de sonido y/o imagen), sala de grabación de programas | sala de magnetoscopios. Local que aloja las instalaciones necesarias para el registro de las señales de modulación y el control de ese registro (CEI/70 60–60–160).

recording session   sesión de registro.

recording speed   velocidad de registro. CF. **record speed.**

recording spot   *(Facsímile)* punto de registro, elemento de imagen.

recording studio   estudio de grabación.

recording stylus   *(Aparatos de registro gráfico)* estilete registrador [inscriptor] ǁ *(Electroacús)* estilete (grabador), aguja grabadora.

recording tachometer   tacógrafo; cuentarrevoluciones registrador.

recording tape   cinta de registro [de grabación]. SIN. **record tape.**

recording telegraph   telégrafo registrador; telégrafo impresor.

recording time   tiempo de registro.

recording trace   trazo de registro.

recording transmission measuring set   *(Telecom)* hipsógrafo.

recording trunk   *(Telef)* línea de anotadora [de llamada de las anotadoras], enlace de anotaciones [de inscripción], línea de registro de llamadas. Línea auxiliar que sale de una central urbana [local central office] o de una instalación de abonado con aparatos supletorios [private branch exchange] y va a una central interurbana [toll office], y que es utilizada únicamente para entrar en comunicación con las operadoras interurbanas [toll operators], y no para el establecimiento de la comunicación interurbana [toll connection]. SIN. **record circuit.**

recording tuning fork   diapasón registrador.

recording turntable   *(Fonog)* plato giratorio de grabación.

recording unit   unidad registradora [grabadora] ǁ *(Radioteleg)* registrador (telegráfico) | conformador telegráfico. Dispositivo que transforma los elementos de señales telegráficas a frecuencia audible, o a frecuencia intermedia, en elementos de señales rectangulares [square pulses] aptas para mandar un teleimpresor [teleprinter], un ondulador [undulator], etc. (CEI/70 60–50–045). CF. **recording bridge.**

recording van   *(Radio/Tv)* camión para grabaciones. Camión-estudio para grabaciones (generalmente sonoras) fuera de los estudios.

recording voltmeter   voltímetro registrador.

recording watt- and varmeter   *(Elec)* vatímetro-varmetro registrador | vat-varmetro registrador. Aparato registrador [recording instrument] que inscribe sobre un mismo diagrama las potencias, activa y reactiva, puestas en juego en un circuito (CEI/58 20–20–065).

recording wattmeter   *(Elec)* vatímetro registrador, vatígrafo.

recordist   *(Cine/Electroacús)* operador encargado del registro sonoro; técnico de sonido; aficionado a las grabaciones audiomusicales.

Recordolock   Recordolock (nombre comercial de una cerradura registradora).

Recordolock paper tape   cinta de papel para Recordolock.

recover   *verbo:* recobrar, recuperar; restablecer; extraer; separar y retirar (un material) para su (ulterior) aprovechamiento; regenerar (un material) ǁ *(Dispositivos)* volver a la posición inicial; retornar a la condición normal.

recoverable   *adj:* recobrable, recuperable; reaprovechable.

recoverable satellite   satélite (artificial) recuperable.

recovering   recuperación; reaprovechamiento.

recovery   recuperación, restablecimiento; curación, cura; mejoría; rescate; restauración; reactivación, regeneración ǁ *(Avia)* restablecimiento ǁ *(Nucl)* recuperación. Vuelta a la normalidad de una célula, un tejido o un organismo que ha sufrido daño por efectos de la radiación ǁ *(Minerales, Petróleo)* extracción, producción ǁ v.TB. **recovery of. . .**

recovery curve   *(Nucl)* curva de recuperación; curva de restablecimiento.

recovery cycle   *(Electrobiol)* (*i.e.* electrical recovery cycle) ciclo de restablecimiento (eléctrico). Secuencia de estados de excitabilidad variable que sigue a un estímulo de condicionamiento [conditioning stimulus]. La secuencia puede incluir períodos de estado absolutamente refractario [absolutely refractory state], de estado relativamente refractario [relatively refractory state], de estado supernormal [supernormality], y de estado subnormal [subnormality] (CEI/59 70–10–285).

recovery from spin *(Avia)* salida de barrena, restablecimiento desde una barrena.

recovery of batteries recuperación de baterías.

recovery of space objects recuperación de objetos espaciales.

recovery of space vehicles recuperación de vehículos espaciales.

recovery of the line *(Telecom)* desmonte de la línea.

recovery of uranium *(Nucl)* recuperación del uranio.

recovery of waste uranium *(Nucl)* recuperación del uranio de desecho.

recovery rate proporción de aprovechamiento ‖ *(Nucl)* velocidad de recuperación.

recovery ratio grado [porcentaje] de recuperación ‖ *(Mecánica de suelos)* relación de recuperación (de la muestra).

recovery time tiempo de recuperación [de restablecimiento] ‖ *(Elecn)* tiempo de recuperación [de restablecimiento, de reacción] ‖ *(Tubos de gas)* tiempo de desionización. Intervalo de tiempo necesario después de la cesación de la corriente anódica, para que la rejilla de control recobre su función en condiciones físicas y para un régimen de funcionamiento determinados (CEI/56 07–40–265) ‖ *(Radar)* tiempo [período] de restablecimiento. Intervalo de tiempo transcurrido entre el instante de emisión de un impulso y el instante en que el equipo está en condiciones de recibir el eco de ese impulso ‖ *(Radiaciones ionizantes — Equipos contadores)* tiempo de restitución | tiempo de recuperación. Tiempo necesario para que un dispositivo de medida, que acaba de dar una señal de salida, recupere sus características iniciales, aunque haya sido saturado. Cuando este término se utiliza en relación con los tubos contadores de Geiger-Mueller, según el uso de diversos países, puede o no comprender el tiempo de paralización [paralysis time] (CEI/68 66–10–455) ‖ *(Tv)* (a.c. flyback) tiempo de retorno.

recovery time constant *(Elecn)* constante de tiempo de recuperación [reacción]. CF. **attack time constant.**

recovery value valor de recuperación.

recovery voltage *(Elec)* tensión del circuito cortado. Valor de la tensión entre fases en los bornes de un interruptor o de un disyuntor inmediatamente después de la ruptura del arco (CEI/38 15–35–030) | tensión de restablecimiento de frecuencia de servicio. ABREVIADAMENTE: tensión de restablecimiento. Componente a la frecuencia de servicio [service-frequency component] de la tensión transitoria de restablecimiento [restriking voltage]. Se expresa en valor eficaz. Para los disyuntores multipolares [multipole circuit breakers], se expresa por la tensión entre fases del circuito (CEI/57 15–25–045).

RECR *(Teleg, Esquemas)* Abrev. de receiver.

recreational *adj:* recreativo, de recreo.

recreational broadcast *(Radio/Tv)* programa recreativo.

recrystallization *(Quím, Met, Geol)* recristalización.

recrystallization nucleus núcleo de recristalización.

rectangle rectángulo, cuadrilongo ‖‖ *adj:* rectangular, cuadrilongo.

rectangular *adj:* rectangular, cuadrilongo.

rectangular aperture abertura rectangular.

rectangular array conjunto [ordenación] rectangular.

rectangular cathode *(Elecn)* cátodo rectangular.

rectangular cavity *(Electromag)* cavidad rectangular.

rectangular coordinates *(Mat)* coordenadas rectangulares [ortogonales, cartesianas]. SIN. **cartesian coordinates.**

rectangular course *(Avia)* trayectoria rectangular.

rectangular distribution *(Mat)* distribución rectangular.

rectangular-faced tube *(TRC)* tubo de cara rectangular.

rectangular graph gráfica de barras.

rectangular hole agujero rectangular.

rectangular horn bocina [embudo] rectangular.

rectangular horn antenna antena de bocina rectangular.

rectangular horn radiator radiador de bocina rectangular.

rectangular hyperbola *(Mat)* hipérbola equilátera [rectangu-

lar]. Hipérbola que tiene los ejes iguales.

rectangular hysteresis loop ciclo de histéresis rectangular.

rectangular impulse (a.c. square pulse) impulso rectangular.

rectangular loop *(Electromag)* ciclo (de histéresis) rectangular.

rectangular-loop ferrite ferrita de ciclo de histéresis rectangular.

rectangular-loop magnetic material material magnético de ciclo de histéresis rectangular.

rectangular parallelepiped paralelepípedo rectangular.

rectangular picture tube cinescopio (de pantalla) rectangular, tubo-pantalla [tubo de imagen] rectangular.

rectangular plate placa rectangular.

rectangular population *(Estadística)* población rectangular.

rectangular pulse (a.c. square pulse) impulso rectangular.

rectangular-pulse generator generador de impulsos rectangulares.

rectangular-pulse modulation modulación de impulsos rectangulares.

rectangular section sección rectangular.

rectangular-section fuselage *(Avia)* fuselaje de sección rectangular.

rectangular shed *(Ferroc)* depósito (de locomotoras) rectangular. Galpón con planta en forma de rectángulo.

rectangular signal señal (de onda) rectangular.

rectangular step peldaño rectangular. Variación discreta de tensión con forma de onda rectangular.

rectangular synchronization pulse impulso de sincronización rectangular.

rectangular tube tubo (de pantalla) rectangular. Tubo de rayos catódicos (caso particular: cinescopio o tubo de imagen) con pantalla rectangular.

rectangular voltage tensión rectangular. Onda de tensión rectangular.

rectangular voltage pulse impulso de tensión rectangular.

rectangular wave onda rectangular. Onda periódica que toma sucesivamente, y durante períodos de tiempo que pueden ser diferentes, dos valores fijos, siendo el tiempo de transición de uno a otro despreciable en comparación con los períodos durante los cuales la onda toma cada uno de esos dos valores (CEI/70 55–35–085). CF. **square wave.**

rectangular-wave generator generador de onda rectangular.

rectangular-wave multivibrator multivibrador de ondas rectangulares.

rectangular waveform v. **rectangular wave.**

rectangular waveguide guía de ondas rectangular, guíaondas (de sección) rectangular.

rectangular wing *(Aeron)* ala rectangular.

rectangular wire alambre (de sección) rectangular.

rectangular wiring *(Telecom)* armado en rectángulo.

rectangularity rectangularidad.

rectifiable *adj:* rectificable.

rectifiable curve *(Mat)* curva rectificable. Curva que se puede rectificar (v. **rectify).**

rectification rectificación, corrección, enmienda; enderezamiento; repaso; depuración; restauración ‖ *(Elec/Elecn/Telecom)* rectificación. Procedimiento de transformación de una corriente alterna en corriente unidireccional [unidirectional current] por medio de un dispositivo de conducción asimétrica [asymmetrically conducting device] (CEI/70 55–05–465) | (of an alternating current) rectificación (de una corriente alterna). Operación por la cual una corriente alterna es transformada en una corriente unidireccional (CEI/56 07–50–005) | CF. **demodulation, detection** ‖ *(Fotog)* rectificación, proyección, transformación. LOCALISMO: enderezamiento ‖ *(Mat)* rectificación ‖ *(Quím)* rectificación, refinación.

rectification efficiency *(Elec/Elecn)* rendimiento de (la) rectificación. Cociente de la potencia suministrada (CC) por la potencia tomada del circuito de corriente alterna.

rectification factor factor [coeficiente] de rectificación. Cambio en la corriente media de un electrodo dividido por el cambio en amplitud de la fuerza electromotriz alterna sinusoidal aplicada al mismo electrodo, mientras se mantienen constantes las tensiones continuas a todos los electrodos.

rectification ratio   relación de rectificación.

rectified AC   v. **rectified alternating current.**

rectified alternating current   corriente alterna rectificada.

rectified current   corriente rectificada. Corriente unidireccional [unidirectional current] resultante de la rectificación.

rectified output   salida rectificada; corriente rectificada.

rectified signal   señal rectificada.

rectified tension   (Elec) tensión rectificada; tensión continua.

rectified voltage   tensión rectificada, voltaje rectificado; tensión continua.

rectifier   (Elec/Elecn/Telecom) rectificador. POCO USADO: enderezador. (1) Dispositivo que transforma la corriente alterna en corriente continua pulsante. (2) Aparato o elemento que sirve para transformar una fuerza electromotriz alternativa en corriente de dirección constante | convertidor estático (de corriente) | CF. **detector** | rectificador. (1) Aparato que tiene por finalidad obtener una corriente unidireccional a partir de una fuente de fuerza electromotriz alterna; por ejemplo, mecánico, electrolítico, de arco, de gas rarificado (CEI/38 05–45–070). (2) Dispositivo utilizado para obtener una corriente unidireccional a partir de una corriente alterna o de una corriente oscilante [oscillatory current], sea por la supresión, sea por la inversión de uno de sus grupos de alternancias (CEI/70 55–25–300) | válvula eléctrica. Dispositivo que comprende uno o más caminos de conducción unidireccional y que forma una unidad física (CEI/56 11–05–030) | CF. **arc rectifier, copper-oxide rectifier, electrolytic rectifier, mechanical rectifier, mercury-arc rectifier, metal rectifier, cold-cathode rectifier, gas-filled rectifier, semiconductor rectifier, multianode rectifier, single-anode rectifier, electronic rectifier, thermionic rectifier, full-wave rectifier, half-wave rectifier, valve rectifier, static convertor** ‖ (Fotog) rectificador. LOCALISMO: enderezador ‖ (Mec) rectificador ⫶ adj: rectificador.

rectifier-amplifier voltmeter   voltímetro rectificador-amplificador, voltímetro con amplificador y rectificador. CF. **rectifier instrument.**

rectifier assembly   bloque rectificador; bloque de rectificadores.

rectifier bridge   puente rectificador.

rectifier cell   célula rectificadora. Refiérese generalmente a un elemento de rectificador seco, como el el selenio.

rectifier cubicle   cubículo de rectificadores.

rectifier delay bias   polarización de retardo del rectificador. Tensión (fija o ajustable) cuya polaridad y magnitud son tales que bloquean el rectificador para tensiones inferiores a determinado valor crítico.

rectifier diode   diodo rectificador.

rectifier disk   rodaja de rectificador. Elemento rectificador en forma de disco o rodaja. SIN. **rectifier element.**

rectifier element   elemento rectificador. SIN. **rectifier cell, rectifier disk.**

rectifier equipment   equipo rectificador | rectificador. Convertidor estático [static converter] de corriente alterna en corriente continua (CEI/56 11–05–010).

rectifier-fed   adj: alimentado por rectificador; alimentado por convertidor estático.

rectifier filter   filtro del rectificador.

rectifier forward current   corriente directa de rectificación.

rectifier gas tube   tubo rectificador de gas. SIN. **gas-filled rectifier.**

rectifier instrument   (Aparatos de medida) (a.c. rectifier meter) instrumento (de medida) con rectificador | aparato rectificador. Aparato constituido por un aparato de medida sensible a la corriente continua asociado a un dispositivo rectificador [rectifying device], y por medio del cual pueden medirse corrientes o tensiones alternas (CEI/58 20–05–105).

rectifier meter   v. **rectifier instrument.**

rectifier noise   ruido de rectificador.

rectifier panel   panel rectificador. Bloque de rectificación de montaje en bastidor.

rectifier pool   cátodo líquido de rectificador. v. **pool rectifier.**

rectifier power-supply system   sistema rectificador para alimentación.

rectifier probe   (Aparatos de prueba) sonda rectificadora. CF. **crystal probe.**

rectifier relay   relé de rectificador; relé de rectificadores secos.

rectifier reverse current   corriente inversa de rectificación.

rectifier stack   pila de rectificadores, grupo rectificador, conjunto de rectificadores. Bloque o conjunto de elementos rectificadores (células o rodajas) conectados en paralelo, en serie-paralelo, en puente, etc.

rectifier substation   (Elec) subestación de rectificadores. Subestación destinada a transformar la energía eléctrica mediante rectificadores (CEI/38 25–10–040) | subestación rectificadora.

rectifier transformer   transformador para rectificador. Transformador cuyo secundario o secundarios alimentan los electrodos principales de uno o varios rectificadores.

rectifier tube   tubo rectificador, válvula rectificadora. POCO USADO: lámpara rectificadora | kenotrón, rectificador, válvula rectificadora. v. **kenotron.**

rectifier-type ammeter   amperímetro rectificador. v. **rectifier instrument.**

rectifier-type echo suppressor   (Telecom) supresor de eco de acción continua. Supresor de eco que introduce, en la vía que el mismo bloquea, una atenuación progresivamente variable, de cero a un máximo igual o superior a la atenuación de bloqueo [blocking attenuation, attenuation, suppression loss]. SIN. **valve-type echo suppressor** (CEI/70 55–25–420).

rectifier unit   unidad rectificadora, conjunto rectificador.

rectify   verbo: rectificar, corregir, enmendar; reparar, subsanar (un error); modificar, reformar; enderezar; repasar; depurar; restaurar ‖ (Elec/Elecn/Telecom) rectificar. POCO USADO: enderezar. Convertir una corriente alterna en otra continua (unidireccional) por medio de un elemento conductor asimétrico. V.TB. **rectification, rectifier** ‖ (Fotog) rectificar, transformar. LOCALISMO: enderezar ‖ (Mat) rectificar. Hallar un segmento rectilíneo de longitud igual a la de un segmento curvilíneo o a la de una curva cerrada ‖ (Quím) rectificar, refinar.

rectifying   rectificación. V.TB. **rectification** ⫶ adj: rectificador, de rectificación; de propiedades rectificadoras; rectificante; rectificativo.

rectifying action   efecto rectificador [de rectificación].

rectifying barrier   (Semicond) barrera rectificadora.

rectifying camera   cámara rectificadora.

rectifying circuit   circuito rectificador [de rectificación].

rectifying commutator   (Elec) permutatriz.

rectifying detector   (Radiocom) detector rectificador.

rectifying developable   (Mat) (of a twisted curve) curva desarrollable rectificante (de una curva alabeada). Envolvente de los planos rectificantes [rectifying planes] de la curva.

rectifying element   elemento rectificador. Elemento de circuito que conduce la corriente eléctrica en un solo sentido. SIN. **rectifier element.**

rectifying-filtering circuit   circuito de rectificación y filtraje.

rectifying installation   instalación de rectificación. CF. **rectifier equipment.**

rectifying interval   intervalo de rectificación.

rectifying junction   (Semicond) unión rectificadora.

rectifying line   (Mat) línea rectificante.

rectifying plane   (Mat) plano rectificante.

rectifying ratio   v. **rectification ratio.**

rectifying telegram   telegrama rectificativo.

rectifying tube   v. **rectifier tube.**

rectifying valve (GB)   válvula rectificadora, tubo rectificador. v.

rectifier tube.

rectigon   *(Elecn)* rectigón. Diodo de cátodo caliente (tubo ter-moiónico de dos electrodos) en atmósfera de gas a alta presión; se utiliza como rectificador en cargadores de batería.

rectigon tube   rectigón.

rectilineal   *adj:* rectilíneo. v. **rectilinear.**

rectilineal compliance   docilidad rectilínea. Docilidad mecánica (v. **compliance**) que se opone a toda variación en la fuerza aplicada. EJEMPLO: la elasticidad que se opone a la fuerza que actúa sobre el diafragma de un micrófono o de un altavoz.

rectilinear   *adj:* (*also* rectilineal) rectilíneo. Que sigue una línea recta; que se mueve en línea recta; que forma o está limitado por una línea recta. CF. **linear.**

rectilinear congruence   *(Mat)* congruencia rectilínea.

rectilinear lens   *(Opt)* lente ortoscópica. Objetivo fotográfico cuya distorsión ha sido corregida; objetivo u ocular que no deforma la imagen.

rectilinear motion   movimiento rectilíneo.

rectilinear paper   papel cuadriculado. Papel utilizado para gráficas en coordenadas rectangulares.

rectilinear recorder   v. **rectilinear writing recorder.**

rectilinear recording   registro en coordenadas rectilíneas.

rectilinear scanning   exploración rectilínea, análisis rectilíneo. Exploración o análisis que se efectúa por franjas rectas angostas, paralelas entre sí.

rectilinear writing recorder   (a.c. rectilinear recorder) registrador en coordenadas rectilíneas. Oscilógrafo que registra con referencia a un sistema de coordenadas rectilíneas.

rectilinearity   rectilinealidad.

rectopanchromatic film   *(Fotog)* película ortopancromática [isopancromática]. Película fotográfica cuya sensibilidad a la luz roja es menor que la de la película pancromática [panchromatic film] ordinaria. SIN. **isopanchromatic [orthopanchromatic] film.**

recuperation   recuperación.

recuperation of current   recuperación de corriente.

recur   *verbo:* recurrir.

recurrence   recurrencia.

recurrence frequency   frecuencia de recurrencia, cadencia, ritmo, periodicidad. SIN. **recurrence rate.**

recurrence paradox   *(Fís)* paradoja de la recurrencia. Fenómeno (aparente contradicción de la segunda ley de la termodinámica) por el cual un sistema mecánico cualquiera retorna, después de transcurrido un tiempo suficientemente largo, a un estado de desequilibrio en el cual se ha encontrado alguna vez.

recurrence period   período de recurrencia [de repetición].

recurrence rate   frecuencia de recurrencia [de repetición], cadencia, ritmo. SIN. **recurrence frequency, repetition frequency [rate].**

recurrent   *adj:* recurrente, cíclico, periódico.

recurrent code   código recurrente.

recurrent network   *(Telecom)* red recurrente. Estructura constituida por una cadena de varios cuadripolos idénticos (CEI/38 55-25-075) | circuito iterativo; línea artificial en cadena.

recurrent period   período recurrente [cíclico].

recurrent series   *(Mat)* serie recurrente [periódica].

recurrent structure   *(Telecom)* red recurrente. √. **recurrent network.**

recurrent surge   *(Elec/Elecn)* impulso cíclico; onda pulsante.

recurrent sweep   barrido recurrente; barrido de relajación.

recurrent sweep chronograph   cronógrafo de barrido recurrente.

recurrent-type sweep generator   generador de barrido (del tipo) recurrente.

recurrent waveform   onda recurrente.

recurring   *adj:* recurrente, cíclico, periódico.

recurring decimal   *(Mat)* número decimal periódico, decimal periódico [repetidor], decimal periódica [repetidora]. SIN. **repeating decimal.**

recurring pulse   impulso periódico.

recursion   *(Informática)* recurrencia. Repetición continua de una misma operación o de un mismo grupo de operaciones || *(Mat)* recursión.

recursion equation   *(Mat)* ecuación de recursión.

recursion formula   *(Mat)* fórmula de recursión.

recursive   *adj:* (*Informática*) recurrente, que puede ser repetido || *(Mat)* recursivo.

recurvature   incurvación.

recurvature of storm   *(Meteor)* incurvación de la tempestad.

recut   *verbo:* cortar de nuevo; rerroscar; repicar (una lima).

RECVR   *(Teleg)* Abrev. de receiver.

recyclability   reciclabilidad; reutilizabilidad || *(Bat)* recargabilidad. Aptitud de una batería de ser cargada de nuevo después de haber sido descargada.

recycle   *verbo:* reciclar; reutilizar; recircular; repasar.

recycle time   pausa de reciclado. Intervalo de tiempo durante el cual ha de ser interrumpida la tensión de control de un temporizador [timer] después de terminado un ciclo de temporización [timing cycle], para que el retardo subsiguiente sea al menos igual al 95 % del retardo original, en condiciones de funcionamiento constantes. CF. **repeatability, reset time.**

recycle timer   temporizador de reciclado. Dispositivo con el cual se programan períodos de conexión y desconexión dentro de un ciclo que puede repetirse indefinidamente o por determinado período de tiempo. CF. **timer.**

recycled fuel   *(Nucl)* combustible recirculado.

recycling   reciclado; reutilización || *(Nucl)* recirculación. Reutilización del combustible fisionable de un reactor después de someterlo a procesos de recuperación (por medios químicos), reenriquecimiento, e inclusión en nuevos elementos combustibles [fuel elements] || *(Circ contadores)* reciclado. Retorno al estado inicial (cero o uno).

recycling detector   detector reciclado. Detector en el cual el capacitor conectado en derivación con la salida es descargado (mediante un circuito conmutador) inmediatamente antes de cada nuevo ciclo de la portadora; con esta técnica es más completa la supresión de la portadora y más alta la salida del detector.

recycling pulse   impulso de reciclado.

red   (color) rojo /// *adj:* rojo; colorado, encarnado.

red amplifier   *(Tv)* amplificador del rojo.

red blood count   (a.c. red-corpuscle count) fórmula eritrocítica.

red camera   *(Tv)* cámara para el rojo.

red component   *(Tv)* componente roja.

red corpuscle   corpúsculo rojo, glóbulo rojo de la sangre.

red-corpuscle count   v. **red blood count.**

red filter   *(Tv)* filtro del rojo, filtro (de color) rojo.

red gun   *(Tv)* cañón del rojo. Cañón electrónico que en el cinescopio de tres cañones produce el haz que incide sobre los puntos de fósforo productores del rojo primario. v. **receiver primary.**

red lead   minio, azarcón. TB. albayalde rojo. LOCALISMO: plomo rojo.

red light   luz roja.

red phosphor   *(Tv)* fósforo rojo; substancia luminiscente roja.

red picture signal   *(Tv)* señal de imagen roja.

red primary color   color primario rojo.

red restorer   *(Tv)* restablecedor del rojo. v. **restorer.**

red-sensitive   *adj:* sensible al rojo.

red-sensitive photoelectric detector   detector fotoeléctrico sensible al rojo.

red shift   *(Fís)* corrimiento hacia el rojo. Corrimiento hacia el extremo del rojo del espectro, de las rayas de absorción en el espectro de la luz procedente de cuerpos astronómicos luminosos (estrellas, nebulosas). Se distinguen dos casos: (a) El observado en relación con las nebulosas muy distantes, y que se interpreta como un *corrimiento Doppler* (v. **Doppler shift**) debido al alejamiento de las nebulosas. (b) El *corrimiento gravitacional hacia el rojo* [gravitation-

red signal — reducing agent — 1153

al red shift], que es un fenómeno relativista. En efecto, la teoría general de la relatividad establece que los períodos de osciladores idénticos situados en puntos diferentes dependen de los potenciales gravitacionales [gravitational potentials] de esos puntos; por lo tanto, la longitud de onda de una raya espectral [spectral line] procedente del Sol, supera la de la correspondiente raya procedente de una fuente situada en la Tierra, por la fracción $2,12 \times 10^{-6}$.

red signal   *(Tv)* señal del rojo, señal correspondiente al rojo.

red spot   mancha roja. En astronomía se refiere al único detalle de Júpiter que se considera semipermanente. Fue observada por primera vez en 1831; su naturaleza es incierta.

red tape   cinta roja | v. **redtape**.

red video voltage   *(Tv)* tensión de videoseñal del rojo. Tensión de videoseñal procedente de la sección del rojo de la cámara tomavistas (televisión en colores). Tensión de videoseñal procedente de la matriz del receptor y aplicada a la rejilla del cañón del rojo [red-gun grid] del cinescopio tricolor; eléctricamente es uno de los colores primarios de receptor (v. **receiver primary**).

redeposit   *(Cintas mag)* aglomeración de partículas. Aglomeración o aglutinación de partículas desprendidas por desgaste de la cinta, en un punto de la superficie de ésta; generalmente es causa de una caída de señal [dropout].

redesign   *verbo:* recalcular, revisar el cálculo; modificar el proyecto; rediseñar.

rediffusion   *(Telecom)* redifusión, radiodistribución, teledifusión, hilodifusión, difusión por hilo. Distribución de programas radiofónicos por líneas. SIN. **wire broadcasting, wired radio**.

rediffusion channel   canal de redifusión [radiodistribución].

rediffusion service   servicio de redifusión [radiodistribución].

rediffusion set   aparato de redifusión [radiodistribución].

rediffusion transmitter   emisor de redifusión [radiodistribución].

rediffusion wave   onda (radioeléctrica) de redistribución.

redirected telegram   telegrama reexpedido.

redirecting charge   gasto de reexpedición ‖ *(Teleg)* tasa de reexpedición.

redirection   modificación de la propagación (de la luz) ‖ *(Telef, Teleg)* reexpedición.

redirection charge   v. **redirecting charge**.

redistribution   redistribución ‖ *(Tubos de memoria por carga, Tubos tomavistas)* redistribución (de cargas). Modificación indeseable de las cargas en una zona de la superficie acumuladora por efecto de electrones secundarios procedentes de otra zona de la superficie.

redness   rojez, rojura, bermejura; aspecto rojo.

redox   *(Quím)* (*i.e.* reduction-oxidation) reducción-oxidación. v. **oxidation-reduction**.

redox cell   célula de reducción-oxidación. Se utiliza para transformar la energía de los reactivos [reactants] en energía eléctrica.

redox potential   potencial de reducción-oxidación.

redox reaction   *(Quím)* reacción de reducción-oxidación.

redox system   sistema de reducción-oxidación. En este sistema se establece un potencial en un electrodo de un metal inerte (p.ej. platino), siendo esta la base del funcionamiento del solión.

redress   *verbo:* enderezar, reparar, corregir, rectificar, enmendar, remediar, poner remedio (a); restablecer (el equilibrio); vestir de nuevo.

redtape   papeleo, expedienteo.

redtape operation   *(Informática)* operación "burocrática". Operación de una computadora que no contribuye directamente al resultado que se busca.

reduce   *verbo:* reducir, rebajar, disminuir, aminorar; bajar; degradar; mermar; convertir ‖ *(Fotog)* debilitar ‖ *(Mat)* reducir ‖ *(Quím)* reducir, desoxidar. Añadir electrones a un átomo o un ion. v. **oxidation-reduction**.

reduce a negative   *(Fotog)* debilitar un negativo.

reduce the charge for a call   *(Telef)* acordar una reducción de tasas. CF. **reduction of a charge**.

reduce the gain   *(Elecn/Telecom)* rebajar la ganancia.

reduce to lowest terms   *(Mat)* reducir a la mínima expresión. CF.

reduction *(Mat)*.

reduced band   *(Telecom)* banda reducida.

reduced calibrated data   datos reducidos calibrados.

reduced carrier   *(Radiocom)* (onda) portadora reducida. CF. **exalted carrier**.

reduced-carrier transmission   *(Radiocom)* emisión con portadora reducida. Emisión modulada en amplitud [amplitude-modulated transmission] en la cual la amplitud de la onda portadora es reducida respecto a la necesaria para asegurar una restitución correcta de la señal moduladora, sin distorsión, con la ayuda de un detector lineal [linear detector] (CEI/70 60–06–055). CF. **reconditioned-carrier reception**.

reduced coefficient of performance   *(Termodinámica)* rendimiento reducido. Razón entre un rendimiento dado y el correspondiente al ciclo de Carnot.

reduced equation   *(Mat)* ecuación reducida [resolvente]. Ecuación que, una vez resuelta, permite hallar las soluciones de otra ecuación. Esto equivale a decir que las raíces de la ecuación dada son funciones de las de su resolvente (y viceversa).

reduced focal length   *(Opt)* distancia focal reducida.

reduced gage   *(Ferroc)* (*e.g.* Decauville gage) trocha reducida. Trocha que mide menos de un metro.

reduced generator efficiency   *(Gen termoeléc)* rendimiento reducido. Razón entre el rendimiento dado y el rendimiento de Carnot.

reduced mass   *(Fís)* masa reducida.

reduced power   potencia reducida.

reduced-power operation   funcionamiento a potencia reducida. Los transmisores de radio de potencia considerable tienen por lo general medios de reducir la potencia de emisión, pues en determinadas circunstancias puede ser innecesaria la radiación a plena capacidad; trabajando con menor potencia se economiza energía eléctrica, se alarga la vida de los tubos electrónicos, y se reducen las posibilidades de interferencia o perturbación a otros servicios. También conviene reducir bastante la potencia mientras se efectúan ajustes de sintonía o de neutralización.

reduced rate   velocidad reducida; potencia reducida ‖ *(Correos)* tarifa (postal) reducida; franqueo reducido ‖ *(Telecom)* tarifa reducida.

reduced-rate radiotelegram   radiotelegrama a tarifa reducida.

reduced speed   velocidad reducida.

reduced troland   *(Ilum)* troland reducido. v. **troland**.

reduced voltage   tensión reducida, voltaje reducido.

reduced-voltage starter   *(Elec)* arrancador estatórico. Arrancador cuyo funcionamiento se basa en la reducción de la tensión aplicada al devanado estatórico (CEI/57 15–50–035). CF. **stator-resistance starter**.

reduced-voltage switch   conmutador de voltaje reducido.

reducer   reductor; atenuador ‖ *(Líneas de tr)* reductor. Elemento de conexión entre dos líneas de transmisión de distinto diámetro pero de igual impedancia característica. v. **step reducer, tapered reducer** ‖ *(Mec)* reductor de velocidad ‖ *(Fotog)* reductor; reductor, debilitador. Solución que actúa sobre la imagen de plata y la disuelve (por acción química o abrasiva), con lo cual se reduce el contraste ‖ *(Fontanería)* reductor, reducción, manguito reductor [de reducción] ‖ *(Quím)* agente reductor; solución reductora [desoxidante].

reducibility   reductibilidad ‖ *(Mat)* reducibilidad.

reducible   *adj:* reducible, que se puede reducir ‖ *(Mat)* reducible, que se puede reducir o simplificar ‖ *(Quím)* reductible, desoxidable.

reducing   reducción, rebaja, disminución, aminoramiento; degradación; merma; conversión ‖ *(Fotog)* reducción, debilitamiento ‖ *(Quím)* reducción, desoxidación ‖ *adj:* reductor, rebajador; atenuador ‖ *(Fotog)* reductor, debilitador ‖ *(Quím)* reductor, desoxidante.

reducing agent   *(Cine/Fotog)* reductor, agente debilitador. Solución o baño fotográfico que tiene por efecto reducir el contraste de la imagen. SIN. **reducer** ‖ *(Quím)* (agente) reductor. Substancia capaz de producir reducción, o sea, una transformación en la cual se incorpora un electrón a un átomo o a un ion. v. **oxidation-reduction.**

reducing atmosphere   atmósfera reductora [desoxidante].

reducing baffle   (*Altavoces*) tablero reductor. Tablero usado para montar un altavoz en un agujero cuyo diámetro fue calculado para un altavoz de mayor tamaño.

reducing bushing   buje reductor; casquillo reductor.

reducing camera   cámara de reducción.

reducing coupling   (*Fontanería, Líneas de tr*) conectador reductor, unión de reducción. v. **reducer.**

reducing flame   llama reductora [desoxidante].

reducing flange   brida reductora.

reducing flare nut   tuerca reductora abocinada.

reducing gear   (engranaje) desmultiplicador, engranaje reductor (de velocidad).

reducing joint   (*Elec*) empalme de reducción.

reducing printer   (*Fotog*) impresora reductora.

reducing reaction   (*Quím*) reacción de reducción. v. **oxidation-reduction.**

reducing scale   escala de reducción.

reducing sleeve   manguito reductor.

reducing valve   válvula reductora; válvula de escape.

reducing zone   zona de reducción, zona desoxidante.

reductio ad absurdum   (*Mat*) reducción al absurdo. (1) Demostración de la falsedad de una proposición poniendo en evidencia lo absurdo de su conclusión inevitable. (2) Razonamiento consistente en admitir provisionalmente lo contrario de lo que se quiere demostrar, llegando así a una contradicción que justifica desechar la hipótesis provisional y admitir como cierta la tesis. Es un método de prueba de carácter indirecto.

reductio ad absurdum proof   (*Mat*) (prueba por) reducción al absurdo, demostración indirecta.

reduction   reducción, disminución, aminoramiento, rebaja; baja; degradación; merma ‖ (*Fotog*) debilitamiento ‖ (*Informática*) reducción (de datos). Transformación de datos "en bruto" [raw data] a una forma utilizable ‖ (*Mat*) reducción, simplificación. FRASES: reducción de fracciones a un común denominador; r. de integrales curvilíneas a ordinarias; r. de términos semejantes; r. de un número mixto a fracción; r. de una fracción a número mixto ‖ (*Mec*) mecanismo reductor; desmultiplicación ‖ (*Quím*) reducción. v. **oxidation-reduction** ‖ (*Acum*) reducción. Formación de la placa negativa por reducción (CEI/38 50–15–060).

reduction division   (*Nucl*) división reductora.

reduction factor   factor de reducción.

reduction formula   (*Mat*) fórmula de reducción. Fórmula para simplificar la integración de ciertas expresiones.

reduction from 35-mm negative   (*Cine*) reducción de negativo de 35 mm (a 16 mm).

reduction gear   reductor, engranaje reductor [desmultiplicador], engranaje de reducción (de velocidad).

reduction-gear ratio   relación de desmultiplicación.

reduction in area   (*Medidas de ductilidad*) reducción en área (de la sección transversal), reducción de sección ‖ (*Probetas*) estricción.

reduction of a charge   (*Telecom*) reducción de tasa. SIN. **allowance.**

reduction of the roots (of an equation)   (*Mat*) reducción [disminución] de las raíces (de una ecuación).

reduction of traffic   (*Telecom*) reducción del tráfico.

reduction print   (*Cine/Fotog*) copia por reducción.

reduction printing   (*Cine/Fotog*) copia por reducción; tiraje por reducción.

reduction ratio   (relación de) desmultiplicación, relación desmultiplicadora.

reduction sleeve   manguito reductor.

reduction technique   técnica de reducción [de simplificación]. Técnica mediante la cual puede simplificarse o transformarse una expresión booleana [Boolean expression], de modo que su

realización circuital sea más sencilla y económica.

reduction to lowest terms   (*Mat*) reducción a la mínima expresión.

reduction to practice   realización práctica (de una idea); puesta en práctica (de una invención).

reduction to sea level   (*Meteor*) reducción al nivel del mar.

reduction to thermal velocities   (*Nucl*) reducción a velocidades térmicas.

reduction unit   reductor, desmultiplicador.

reductive   *adj:* reductivo.

redundance   v. **redundancy.**

redundancy   (*also* redundance) redundancia. (1) En ciertos sistemas, empleo de dos o más elementos o dispositivos para una misma función, para mejorar la confiabilidad del sistema. (2) Repetición de la información por transmitir, o parte de ella, para evitar ambigüedades y reducir los errores debidos a perturbaciones en la vía de transmisión.

redundancy check   (*Informática*) (a.c. redundant check) verificación [prueba] de redundancia, verificación por repetición, comprobación por redundancia. (1) Uso de información suplementaria para fines de comprobación exclusivamente. (2) Técnica de prueba basada en la presencia de una información duplicada o redundante, utilizada solamente para los fines de la prueba. (3) Prueba en la cual se usan bitios suplementarios para asegurar la conservación del contenido de información de la palabra. (4) Comprobación de combinación prohibida [forbidden-combination check] en la cual se usan dígitos redundantes, llamados *dígitos de comprobación* [check digits], para detectar los errores debidos a la computadora. (5) Prueba o verificación basada en la transferencia de un número de bitios o caracteres mayor que el mínimo necesario para expresar el mensaje propiamente dicho, insertándose los bitios o caracteres suplementarios en forma sistemática para los fines de la prueba. La modalidad más común de esta técnica es la *prueba de paridad* [parity check].

redundant   *adj:* redundante; repetido; supernumerario; superabundante, sobrante, superfluo.

redundant bit   (*Informática*) bitio redundante; bitio repetido.

redundant character   (*Informática*) carácter redundante; carácter repetido.

redundant check   (*Informática*) v. **redundancy check.**

redundant circuit   (*Elecn*) circuito redundante.

redundant code   (*Teleg*) código redundante. Código que emplea un número de elementos de señal [signal elements] mayor que el necesario para representar la información intrínseca. EJEMPLOS: (a) No es redundante un código de cinco unidades que emplee todos los caracteres del Alfabeto Telegráfico Internacional No. 2. (b) Es redundante un código de cinco unidades que no emplee más que las cifras del Alfabeto Telegráfico Internacional [International Telegraph Alphabet] No. 2. (c) Es redundante un código de siete unidades que no emplee más que señales compuestas con cuatro elementos A y tres elementos Z.

redundant constraint   (*Estr*) vínculo redundante.

redundant construction   construcción con elementos redundantes.

redundant digit   (*Informática*) dígito redundante. v. **redundancy check.**

redundant member   (*Estr*) miembro [pieza] redundante; barra superflua. LOCALISMO: miembro superabundante.

redundant neural net   red neural redundante. Red neural cuya función no es afectada por la interrupción o falla de algunos de sus elementos o ramas.

reduplication of organs   v. **regeneration of organs.**

reed   caña, cañizo, cañuela, junquillo, bejuco ‖ (*Elec*) lengüeta ‖ (*Mús*) lengüeta; canal; caramillo, chirimía, churumbela, dulzaina; instrumento de boquilla ‖ (*Tejidos*) peine; urdimbre.

reed frequency meter   frecuencímetro de lengüetas. SIN. **vibrating-reed frequency meter** (véase).

reed pipe   (*Mús*) tubo de lengüeta.

reed relay   relé de láminas (flexibles), relé de láminas magnéticas. Relé o relevador cuyos contactos van fijos a dos láminas magnéticas flexibles dispuestas en el interior de una cápsula o ampolla (de vidrio u otro material semejante) que, a su vez, ocupa el interior de la bobina excitadora. Al aplicársele corriente a esta última, las láminas se atraen mutuamente y cierran los contactos. CF. **magnetic dry-reed switch** | relé [relevador] con armaduras de lengüeta, relé de armaduras resonantes. Relé o relevador de CA con varias armaduras de lengüeta que responden a distintas frecuencias de excitación del dispositivo; esto es, pueden activarse selectivamente las distintas armaduras aplicando a la bobina de excitación corrientes de frecuencias diferentes.

reed switch   conmutador de lámina [de laminilla]; interruptor de lámina.

reed-type frequency meter   frecuencímetro de lengüetas. SIN. vibrating-reed frequency meter (véase).

reed-type relay   v. reed relay.

reefing hook   gancho destinado p.ej. a arrollar en él un cordón cuando no se necesita.

reel   carrete, carretel; bobina, rollo; tambor, enrollador, torno, ruleta; polea de garganta cónica || *(Cable)* carrete, tambor || *(Cine)* carretel; rollo (longitud normalizada de película igual a 1 000 pies, con duración de 11 minutos). CF. **takeup reel** || *(Cinta mag)* carrete. Dispositivo portador para rollo de cinta. Consiste esencialmente en un cubo sobre el cual se arrolla la cinta, y pestañas que sostienen y protegen ésta || *(Papel)* bobina || *(Tejeduría)* aspa, aspadera; devanadera; ovillo; torno de cordeleros /// *verbo:* enrollar, arrollar, devanar; dar vueltas, (hacer) girar; devanar, bobinar; aspar, plegar en madejas.

reel antenna   *(Aviones)* antena de tambor [de carretel].

reel capacity   *(Cine, Cinta mag)* capacidad del carrete.

reel end   *(Cine, Cinta mag)* fin del carrete.

reel holder   portacarrete; devanadera; portabobinas.

reel length   *(Cables)* longitud arrollada (en el carretel o tambor).

reel mechanism   tambor de enrollamiento.

reel-off the tape   desenrollar la cinta.

reel-to-reel tape deck   chasis magnetofónico de carretes; grabadora magnetofónica de carretes.

reel-to-reel tape recorder   magnetófono de carretes. Dícese en oposición al de magazín o cartucho [cartridge tape recorder].

reel-to-reel transport   *(Magnetófonos)* mecanismo de transporte de carrete a carrete.

reemergent   *adj:* resurgente.

reentrance   reentrada; segunda entrada.

reentrancy   *(Osc de microondas)* reentrada; recirculación (del haz). Se trata de una técnica de realimentación.

reentrant   *adj:* entrante, reentrante.

reentrant angle   *(Mat)* ángulo entrante [cóncavo].

reentrant cavity   cavidad (resonante) reentrante. Cavidad resonante con una o más secciones dirigidas hacia adentro.

reentrant oscillator   oscilador reentrante. Oscilador en el cual se utilizan tres resonadores de línea coaxil como elementos de sintonización y de realimentación.

reentrant prismatic cavity   cavidad (resonante) prismática reentrante.

reentrant revolution cavity   cavidad (resonante) de revolución reentrante.

reentrant routine   *(Comput)* rutina de uso en común (por varios programas). Rutina que puede ser utilizada por dos o más programas simultáneamente. Esto significa que la rutina no puede modificar el contenido de ninguna de sus localidades, y que los almacenamientos temporales que puedan necesitarse han de ser suministrados junto con los programas que utilicen la rutina.

reentrant trumpet   *(Electroacús)* trompeta reentrante.

reentrant winding   *(Elec)* devanado cerrado. Devanado de inducido [armature winding] que retorna al punto de comienzo, formando así un circuito cerrado.

reentry   reentrada || *(Vehículos espaciales)* descenso, retorno (al espacio atmosférico).

reentry contamination   contaminación producida por el retorno de los vehículos al espacio atmosférico.

REF   *(Telecom)* Abrev. de Registro Español de Frecuencias [Spanish Frequency Registry]. Oficina española de registro de frecuencias de radiocomunicación || *(Teleg)* Abrev. de reference; refund.

reface   *verbo:* repulir, rectificar; revestir de nuevo || *(Mec)* repasar (en el torno); rectificar (asientos de válvula).

reference   referencia; recomendación; alusión, mención /// *adj:* de referencia; testigo; de consulta /// *verbo:* referenciar; aludir, hacer mención.

reference address   *(Comput)* dirección de referencia. Dirección usada en la programación de una computadora digital como referencia para un grupo de direcciones relativas [relative addresses].

reference angle   ángulo de referencia. En radar, ángulo que forman el eje del haz explorador, cuando el haz incide sobre una superficie reflectora, y la normal a esta superficie.

reference apparatus   *(Telecom)* aparato de referencia.

reference area   *(Avia)* zona de referencia.

reference artificial ear   *(Acús)* oído artificial de referencia.

reference axis   *(Ilum)* eje de referencia. Eje característico del retrorreflector [retrorreflector], determinado por el fabricante para servir de dirección de referencia [reference direction] para los ángulos de iluminación [entrance angles] en las medidas fotométricas [photometric measurements] y en las aplicaciones prácticas. Ese eje pasa por el centro de gravedad de la superficie retrorreflectora efectiva [effective reflex surface], confundiéndose con el eje de simetría normal a esta superfice, cuando existe el mismo (CEI/70 45–60–395).

reference baseline   línea base de referencia. En los osciloscopios, línea que establece un nivel de referencia, generalmente el de amplitud nula.

reference black level   *(Tv)* nivel (de referencia) del negro. Nivel de la señal de imagen correspondiente a un límite máximo especificado de los picos en el sentido del negro.

reference block   *(Teleimpr)* bloque de referencia.

reference boresight   *(Ant)* mira (de alineamiento) de referencia. Dirección dada por un eje óptico, eléctrico o mecánico de la antena, y que sirve de referencia para el alineamiento del haz radioeléctrico.

reference burst   *(Tv)* ráfaga de referencia, impulso de referencia de fase. SIN. color burst.

reference cavity   *(Microondas)* cavidad (resonante) de referencia.

reference center   *(Ilum)* centro de referencia. Intersección del eje de referencia [reference axis] con el plano, perpendicular a este eje, más próximo al observador y que toca la superficie retrorreflectora efectiva [effective reflex surface] (CEI/70 45–60–400).

reference channel   *(Telecom)* canal de referencia.

reference chromaticity   *(Tv)* cromaticidad de referencia.

reference circuit   circuito de referencia.

reference color   *(Tv)* color de referencia.

reference core   *(Nucl)* núcleo típico [de referencia].

reference coupling   *(Telecom)* acoplamiento de referencia. Grado de acoplamiento entre dos circuitos que da una lectura de 0 dBa en un medidor de ruido especificado (p.ej. el WE Tipo 2B) conectado a uno de ellos (circuito perturbado) cuando se le aplica al otro (circuito perturbador) un tono de prueba [test tone] de 90 dBa, suponiendo igual la compensación de ruido utilizada en uno y otro. V.TB. **dBx.**

reference datum   *(Avia)* nivel de referencia, plano de comparación.

reference dipole   dipolo de referencia. Dipolo recto de media onda, sintonizado y adaptado para determinada frecuencia, que se utiliza como elemento de comparación en el estudio de antenas.

reference direction   dirección de referencia. Dirección que sirve de referencia para la determinación de ángulos.

reference electrode   *(Electroquím/Electromet)* electrodo de referencia. (**1**) En las medidas de pH, electrodo (por lo común lleno de hidrógeno) que se emplea para obtener un potencial de referencia. (**2**) Semicelda cuya tensión de equilibrio [equilibrium potential] tiene un valor constante y bien determinado respecto al cual pueden medirse o calcularse otras tensiones de electrodo [electrode potentials] acoplándolos en una celda apropiada (CEI/60 50–05–155). CF. **glass electrode** ‖ (*Electrobiol*) **reference (inactive, diffuse, dispersive, indifferent) electrode:** electrodo de referencia (inactivo, difuso, dispersivo, indiferente). (a) Electrodo explorador [pickup electrode] que, a consecuencia del establecimiento de una media [averaging], de una derivación [shunting], o de otros aspectos del sistema de corrientes en el tejido al cual está él conectado, presenta potenciales que no son característicos de la región vecina al electrodo activo [active electrode]. (b) Todo electrodo que no produce excitación en un sistema de electrodos de estímulo [system of stimulating electrodes]. (c) Electrodo de sección relativamente grande, aplicado a un tejido inexcitable o distante, con el fin de completar el circuito con el electrodo activo utilizado para el estímulo (CEI/59 70–25–015).

reference equivalent   (*Telecom*) equivalente de referencia. En el caso de una comunicación telefónica completa [complete telephone connection], indicación en decibeles dada por el *nuevo sistema fundamental para la determinación de equivalentes de referencia* (NOSFER) [New Master Telephone Transmission Reference System (NOSFER)] cuando el mismo está ajustado de manera de obtener a su salida la misma impresión sonora [loudness of sound] que a la salida del sistema dado, siendo la potencia vocal la misma en las extremidades de emisión de los dos sistemas. El signo del equivalente de referencia es positivo si, para obtener esta igualdad de impresiones sonoras, es necesario incluir cierta atenuación en el NOSFER. Si es preciso retirar atenuación del NOSFER, el signo es negativo. NOTA: El NOSFER ha reemplazado *el sistema fundamental europeo de referencia para la transmisión telefónica* (SFERT) [Master System for Determination of Reference Equivalent (SFERT)], pero los valores antes determinados con el SFERT siguen siendo válidos (CEI/70 55–40–035). SIN. **volume equivalent, loudness volume equivalent** (*GB*) ‖ equivalente efectivo de transmisión.

reference equivalent of sidetone   (*Telecom*) equivalente de referencia del efecto local. Equivalente de referencia del sistema que comprende: (a) el micrófono de la estación de abonado [telephone station] en condiciones especiales de alimentación por la batería; (b) la estación de abonado cuyos bornes de línea [line terminals] están conectados a una impedancia de valor especificado; (c) el receptor de la estación de abonado.

reference file   archivo de consulta.

reference for cubication   (*Movimientos de tierra*) dama, testigo. Montículo que se deja como testigo en las excavaciones para justificar la cubicación de las tierras.

reference frequency   frecuencia de referencia. En las emisiones radioeléctricas, frecuencia que coincide con la asignada o tiene una relación especificada con ella; puede o no estar comprendida entre las frecuencias emitidas.

reference frequency-meter   frecuencímetro de referencia.

reference generator   (*Tv*) generador (de señales) de referencia; generador (de impulsos) de referencia.

reference grid   cuadrícula de referencia.

reference humidity   humedad de referencia.

reference ideal instants   (*Teleg*) instantes ideales de referencia. v. **ideal instants.**

reference indicator   (*Informática*) indicador de referencia.

reference input   entrada de referencia ‖ (*Automática*) señal patrón, señal (de entrada) de referencia; magnitud piloto. TB. magnitud directriz [guía]. Magnitud o señal establecida independientemente y utilizada como patrón de comparación en un sistema de control con reacción [feedback control system]. SIN. **energía de entrada de referencia.**

reference input element   (*Automática*) elemento correlacionador de señal patrón. Elemento de un sistema de control con reacción en el cual se establece la relación entre la señal patrón o de referencia y la de mando [command].

reference instrument   instrumento de referencia; instrumento patrón.

reference intensity   intensidad de referencia. En acústica equivale normalmente a 10^{-16} W/cm².

reference lead   (*Elec*) hilo de referencia.

reference level   nivel de referencia. (**1**) Punto de partida o punto cero de una escala de medidas. (**2**) Valor utilizado como punto de comparación para expresar la potencia de una señal de audiofrecuencia en decibelios o en unidades de volumen [volume units]. Dos valores comunes son el de 6 mW para 0 dB, y el de 1 mW para los volúmetros o indicadores de UV [VU meters]. Para las medidas de sonoridad [sound loudness], el nivel de referencia coincide generalmente con el umbral de audibilidad [threshold of hearing]; en el caso de los receptores de tráfico [communication receivers], el nivel de referencia acostumbrado es 60 μW.

reference line   línea de referencia; línea de cero ‖ (*Mat*) recta de referencia. Recta respecto a la cual se miden ángulos ‖ (*Radionaveg*) línea de base, línea de referencia. Geodésica entre dos estaciones que forman un par para la determinación de coordenadas de navegación, como en el sistema lorán.

reference log   registro de referencia.

reference mark   (marca de) referencia; llamada (para nota al pie de página).

reference modulation index   índice de modulación de referencia.

reference monitor   (*Tv*) monitor patrón. Receptor u otro dispositivo de cualidades conocidas que se utiliza para juzgar la calidad de una transmisión.

reference noise [RN]   (*Telecom*) ruido de referencia (americano). Valor de un ruido de circuito [circuit noise] para el cual el sofómetro [circuit-noise meter] da la misma indicación que para una onda sinusoidal de 1 000 Hz con potencia de 10^{-12} W ($= -90$ dBm). Se utiliza como nivel de referencia en los aparatos que miden el ruido en dBrn; si se usa compensación F1A, el ruido de referencia es de $10^{-11.5}$ W ($=85$ dBm).

reference number   número de referencia.

reference oscillator   oscilador de referencia.

reference phase   fase de referencia. En televisión en colores: (**1**) Fase de la tensión de señal de ráfaga [burst signal] en el receptor. (**2**) Fase de la tensión del oscilador maestro [master oscillator] en el transmisor.

reference pilot   (*Telecom*) piloto [onda] de referencia, onda piloto. Onda distinta de las que transmiten las señales de telecomunicación [telecommunication signals] (telefonía, telegrafía), y que se utiliza en los sistemas de corrientes portadoras [carrier systems] para ciertas funciones tales como la de regulación automática de niveles [automatic level regulation], la sincronización de osciladores [synchronization of oscillators], etc.

reference plane   plano de referencia.

reference point   punto de referencia ‖ (*Mapas, Planos*) punto de referencia, testigo; punto acotado ‖ (*Elecn*) punto [terminal] de referencia. Punto o terminal que es eléctricamente común a los circuitos de entrada y de salida, y que generalmente va conectado a masa (chasis).

reference pressure   presión de referencia. (**1**) Presión patrón utilizada en la cámara hermética de un manómetro diferencial [differential manometer, differential pressure gage], y generalmente igual a 1 atmósfera. (**2**) En acústica, presión igual a 0,000 2 dina/cm². CF. **pressure level, reference intensity, intensity level.**

reference pressure level   nivel de presión de referencia. En acústica se usa el valor de 0,000 2 microbara.

reference printer   (*Teleg*) impresora de referencia.

reference pulse group   grupo de impulsos de referencia.

reference pulse pair   par de impulsos de referencia.

reference radiograph   radiografía tipo.

reference recording   registro de referencia ‖ *(Radio/Tv)* registro de archivo. Registro de un programa para comprobaciones o documentaciones futuras.

reference room   *(Bibliotecas)* sala de consulta.

reference sensitivity   sensibilidad de referencia.

reference service   servicio de consultas; servicio bibliográfico.

reference signal   señal de referencia ‖ *(Tv)* señal de referencia (de fase). SIN. **reference burst, color burst.**

reference sound level   intensidad acústica (subjetiva) de referencia.

reference source   fuente de referencia ‖ *(Nucl)* fuente de referencia, patrón de radiactividad. v. **radioactive standard.**

reference speech power   *(Acús/Telecom)* potencia vocal de referencia.

reference speech power for the measurement of AEN   *(Telecom)* potencia vocal de referencia para la medida de las AEN. La potencia vocal de referencia para el ARAEN (véase), es la potencia vocal que, en un punto situado a una distancia de 33,5 cm de los labios del operador que habla y directamente enfrente de los mismos, produce una presión acústica vocal [acoustic speech pressure] que da, para cada una de las tres sílabas: Kan, Kon, Baj... de la frase de enlace [carrier phrase], empleada en las pruebas de nitidez [articulation tests], una desviación de la aguja del instrumento indicador [indicating instrument] de un volúmetro [speech voltmeter] especificado conectado a un sistema "micrófono-amplificador" especificado, igual a la obtenida por la aplicación en ese mismo punto, en régimen permanente, de una presión acústica [acoustic pressure] de 1 bara a 1 000 Hz. v. **AEN.**

reference stake   *(Ferroc)* punto de referencia. Punto marcado al lado de una línea proyectada, para que sirva de guía o de referencia.

reference standard   *(Metrología)* patrón de referencia. Patrón usado para la contrastación directa de unidades o de instrumentos. v. **standard, primary standard, transfer standard, master gage.**

reference standard capacitor   capacitor patrón de referencia.

reference stimuli   *(Ilum)* estímulos de referencia. Estímulos linealmente independientes, pero por lo demás arbitrarios, cuya mezcla aditiva puede servir para una evaluación cuantitativa de todos los otros estímulos de color [color stimuli]. Para este fin son necesarios y suficientes tres estímulos de referencia (CEI/70 45-15-085).

reference stimulus   *(Ilum)* estímulo de referencia. v. **reference stimuli** ‖ *(Sist de telemedida)* excitación de referencia. Magnitud aplicada al sistema para fines de calibración.

reference surface   *(Ilum)* superficie de referencia. Superficie sobre la cual se mide o se especifica la iluminancia [illuminance] (CEI/70 45-50-185).

reference system   sistema de referencia.

reference system for determining the articulation reference equivalent [SRAEN]   *(Telecom)* sistema de referencia para la determinación de las atenuaciones equivalentes de nitidez (SRAEN). v. **AEN, ARAEN.**

reference tape   cinta tipo. Cinta magnética cuyas características (en condiciones de funcionamiento especificadas) son conocidas, y que se usa como patrón de comparación en la calibración del equipo o de otras cintas.

reference telephonic power [RTP]   *(Telecom)* volumen de referencia. Volumen [volume] correspondiente a la división cero [zero graduation] del indicador de volumen del SFERT [SFERT speech level meter]. La aguja alcanza esta división cero cuando se aplica una tensión sinusoidal a 800 Hz o a 1 000 Hz, correspondiente a una potencia de 6 mW en una resistencia de 600 Ω (CEI/70 55-40-010).

reference temperature   temperatura de referencia; temperatura de comparación. Temperatura patrón utilizada para la calibración de dispositivos termométricos.

reference time   *(Elecn, Comput)* tiempo [instante] de referencia. Instante que se toma como tiempo cero en medidas de tiempo, de amplitudes, etc.

reference tone   tono de referencia. En acústica se toma usualmente, para fines de referencia, un tono de 1 000 Hz.

reference transmission-level point [RTLP]   *(Telecom)* punto de nivel de transmisión de referencia. SIN. **zero-transmission-level point [0TLP]** (véase).

reference tube   *(Elecn)* tubo de referencia.

reference value   valor de referencia.

reference variable   *(Automática)* variable de referencia. Variable activa independiente [independent actuating variable] que define el valor consignado [set value] (CEI/66 37-10-090).

reference voltage   tensión de referencia. Tensión utilizada para fines de comparación de magnitud o de fase; p.ej. para identificar si está en fase o fuera de fase un circuito de alterna (en este caso la tensión de comparación es alterna).

reference-voltage circuit   circuito de tensión de referencia.

reference-voltage source   fuente de tensión de referencia. CF. **standard cell.**

reference volume   *(Acús)* volumen de referencia; nivel de referencia ‖ *(Telecom)* volumen de referencia (americano), potencia vocal normal. Valor de una onda eléctrica compleja [complex electric wave] tal como la correspondiente a la palabra o a la música, para la cual el volúmetro actualmente normalizado en los Estados Unidos de América ("VU meter") da una indicación de *cero unidad (americana) de volumen* [zero VU]. La sensibilidad de dicho volúmetro se ajusta de manera que se obtenga una indicación de cero unidad de volumen (correspondiente a ese volumen de referencia) cuando el aparato está conectado a los bornes o terminales de una resistencia de 600 ohmios a la cual se le aplica una potencia de 1 mW a 1 000 Hz. NOTA: Antes de la normalización del "vumetro" [VU meter], en 1939, se utilizaron diversos instrumentos para medidas de volumen, así como diferentes valores de volumen de referencia. SIN. **American reference volume** *(GB)*. CF. **reference telephonic power, reference speech power.**

reference white   blanco de referencia. (1) Luz de reflexión difusa procedente de un reflector no selectivo que recibe la iluminación normal de una escena. (2) Color blanco patrón usado como referencia en la especificación de todos los demás colores. La suma de cantidades unitarias de los colores primarios produce el blanco de referencia en cualquier sistema, y es así como se definen esas cantidades unitarias. La CEI ha adoptado tres patrones diferentes para ser utilizados como blanco de referencia: (a) El *Iluminante A* [Illuminant A], que es un patrón de luz artificial y es el blanco producido por una lámpara de filamento de volframio a 2 848 K. (b) El *Iluminante B* [Illuminant B], que a veces se usa en Europa como patrón de luz natural, y se aproxima al color de un cuerpo negro [blackbody] a 4 800 K. (c) El *Iluminante C* [Illuminant C], que es un blanco al cual se aproxima la luz directa del sol en un día de cielo despejado, con una temperatura de color [color temperature] de 6 500 K. El Iluminante C ha sido adoptado por el Comité Nacional de Sistemas de Televisión [National Television System Committee — NTSC] como blanco de referencia para la televisión en colores. En el sistema NTSC de televisión en colores [NTSC color television system], la señal de luminancia o señal Y [luminance signal, Y signal] es una variación del Iluminante C, que es el blanco de referencia del sistema.

reference white level   *(Tv)* nivel del blanco de referencia. Nivel de la señal de imagen correspondiente a un límite superior especificado de las crestas de blanco.

referencing   referenciación ‖ *(Radionaveg)* confirmación. Verificación y ajuste que tiene por objeto corregir los efectos de los desfasajes indeseables producidos en un receptor de radionavegación Decca (CEI/70 60-74-270).

refile   *verbo:* relimar, volver a limar ‖ *(Teleg)* retransmitir, volver a transmitir (un telegrama).

refill   *verbo:* rellenar, volver a llenar, llenar de nuevo.

refillable   *adj:* rellenable.

refilling of a slipped embankment   *(Movimientos de tierra)* reconstrucción de un terraplén hundido. Operaciones destinadas a rehacer el macizo de tierras de un terraplén hundido.

refine   *verbo:* refinar, afinar, purificar, acrisolar, acendrar; depurar; afinarse, refinarse; perfeccionar; perfilar.

refinement   refinamiento, afinamiento; depuración; perfeccionamiento; refinación.

refinery   refinería; horno de afino ∥ *(Petr)* refinería. LOCALISMO: destilería.

refining   afino, refinación; depuración ∥ *(Electroquím)* v. **electrolytic refining** /// *adj:* depurador; purificador.

refit   reajuste; reacondicionamiento; reparación ∥ *(Buques)* recorrida ∥ *(Máq)* repaso /// *verbo:* reajustar; reacondicionar; reparar ∥ *(Buques)* recorrer; carenar ∥ *(Máq)* repasar.

reflect   *verbo:* reflejar, reflectar; reflexionar; indicar, manifestar, poner de manifiesto.

reflectance   reflectancia, factor [coeficiente] de reflexión. Razón del flujo luminoso [luminous flux] reflejado por una superficie dada, por el flujo incidente [incident flux] sobre la misma superficie. SIN. **reflection factor** | (a.c. total reflectance) factor (total) de reflexión (de un cuerpo). Razón del flujo luminoso reflejado por el cuerpo (con o sin difusión) por el flujo que el mismo recibe. En la reflexión mixta [mixed reflection], el factor (total) de reflexión es la suma de dos componentes: el factor de reflexión regular [regular reflection factor], y el factor de reflexión difusa [diffuse reflection factor]. SIN. **(total) reflection factor (of a body** *(GB)* (CEI/58 45–20–030) | reflectancia. Razón del flujo radiante o luminoso reflejado por el flujo incidente. SIN. **reflection factor.** Símbolo: ρ_e, ρ_v, ρ; $\rho = \rho_r + \rho_d$. NOTA 1: Cuando hay reflexión mixta [mixed reflection], la reflectancia puede dividirse en dos partes: la *reflectancia regular* (ρ_r) y la *reflectancia difusa* (ρ_d), correspondientes respectivamente a los dos modos de reflexión indicadas en las definiciones de *reflexión regular* [regular reflection] y *reflexión difusa* [diffuse reflection]. NOTA 2: Sobre el empleo del adjetivo *espectral* [spectral], véase la observación preliminar 2 de la Sección 45–05, página 9 (CEI/70 45–20–040).

reflectance factor   *(Ilum)* factor de reflectancia. En un punto de una superficie, para la parte de la radiación reflejada que está contenida en un cono dado con vértice en ese punto de la superficie, y para una radiación incidente de composición espectral y de distribución geométrica dadas: Razón del flujo energético [luminoso] reflejado en las direcciones delimitadas por el cono, al flujo reflejado en las mismas direcciones por un difusor perfecto por reflexión [perfect reflecting diffuser] irradiado [iluminado] en las mismas condiciones. NOTA: En los Estados Unidos de América se usa corrientemente, en este sentido, el término *directional reflectance* (CEI/70 45–20–201).

reflectance spectrophotometer   espectrofotómetro de reflectancia.

reflectance standard   patrón de reflectancia.

reflected   *adj:* reflejado; reflejo.

reflected assembly   *(Nucl)* montaje con reflector.

reflected-beam kinescope   cinescopio de haz reflejado. Cinescopio en el cual el haz se dirige hacia el frente (como es corriente), para reflejarse allí hacia la pantalla, que se encuentra en el fondo del tubo. Con esta configuración se consigue fácilmente un ángulo de desviación del haz de 180°. Este tubo se usa principalmente en radares de aplicación militar.

reflected binary code   código binario reflejado [cíclico]. v. **reflected code.**

reflected code   *(Comput)* código reflejado [cíclico]. Notación posicional (no necesariamente binaria) en la cual las cantidades que difieren en una unidad son representadas por expresiones que difieren únicamente en una posición y columna, cuyos dígitos sólo difieren en una unidad. SIN. **cyclic code.**

reflected current   *(Fís, Elec)* corriente reflejada.

reflected electron   electrón reflejado [secundario]. v. **secondary electron.**

reflected energy   energía reflejada.

reflected flow   flujo reflejado.

reflected glare   resplandor reflejado; resplandor por reflexión | deslumbramiento por reflexión. SIN. **ceiling reflections.**

reflected heat   calor reflejado.

reflected impedance   impedancia reflejada. Valor de impedancia que parece existir entre los terminales del primario de un transformador cuando se conecta una impedancia de carga al secundario.

reflected light   luz reflejada.

reflected-light scanning   exploración de luz reflejada.

reflected power   *(Elec)* potencia reflejada.

reflected-power meter   medidor de potencia reflejada.

reflected reactor   *(Nucl)* reactor con reflector.

reflected resistance   *(Transf eléc)* resistencia reflejada. Componente resistiva [resistive component] de la impedancia reflejada (v. **reflected impedance**).

reflected signal   señal reflejada.

reflected signal strength   intensidad de la señal reflejada.

reflected wave   onda reflejada, onda de eco. Onda que se refleja en una superficie o en una discontinuidad del medio por el cual se propaga. EJEMPLOS: La onda de eco que parte del objeto o blanco de un radar. La onda que retorna a la fuente cuando en su propagación por una línea de transmisión encuentra una discontinuidad o desadaptación de impedancia ∥ *(Elec)* onda reflejada. Parte de una onda móvil que retorna por reflexión en un punto de transición [point of transition] (CEI/65 25–50–065) ∥ *(Radiocom)* onda reflejada. Onda que llega a la antena receptora por vía indirecta, después de reflejarse en una superficie o en la ionósfera. SIN. **onda indirecta —— indirect [sky] wave.**

reflecting   reflexión; reflejos /// *adj:* reflector, reflexivo, reflectante, reflejante, que refleja.

reflecting curtain   *(Ant)* cortina reflectora. Conjunto vertical de antenas reflectoras de media onda; por lo común va colocada a la distancia de un cuarto de onda detrás de un conjunto de dipolos radiantes (cortina radiante), con el cual constituye una antena de alta ganancia.

reflecting electrode   *(Elecn)* electrodo de reflexión; electrodo de emisión secundaria.

reflecting galvanometer   galvanómetro de espejo. A VECES: galvanómetro de reflexión. v. **mirror galvanometer.**

reflecting goniometer   goniómetro de reflexión.

reflecting grating   *(Microondas)* (a.c. reflection grating) rejilla reflectora. Red de hilos conductores colocada en una guía de ondas para reflejar determinada onda al tiempo que se deja pasar otra u otras ondas libremente.

reflecting layer   capa reflectora, estrato reflector. Refiérese generalmente a una capa ionosférica que refleja las ondas radioeléctricas.

reflecting mirror   espejo ustorio. Espejo cóncavo que se utiliza para concentrar el calor del sol en determinado punto.

reflecting plane   plano de reflexión.

reflecting power   poder reflector.

reflecting screen   *(Ilum)* pantalla reflectora. Pantalla que se utiliza para difundir la luz.

reflecting sphere   esfera reflejante.

reflecting target   *(Radar)* blanco reflector. Blanco (objeto) que refleja las ondas.

reflecting telescope   telescopio reflector [de reflexión], telescopio de espejo.

reflecting-type radio telescope   radiotelescopio del tipo de reflexión.

reflecting viewfinder   visor obscuro; visor de cámara obscura.

reflection   reflexión, reflejo; reflexión, meditación | reflexión. (1) Fenómeno por el cual una onda que se propaga por un medio e incide sobre otro medio de características distintas, retorna al primero. (2) Retorno o cambio de dirección de una onda (acústica, luminosa, radioeléctrica) o de un chorro de partículas (p.ej. electrones) al incidir sobre una superficie. Se llama *ángulo de incidencia* [angle of incidence] al que forma la onda o rayo incidente con la normal a la superficie reflectora, y *ángulo de reflexión* [angle of reflection] al que forma la onda o rayo reflejado con dicha normal. Se distinguen tres clases de reflexiones, a saber: (a) La *reflexión regular* o *especular* [regular reflection, mirror reflection, specular reflection], que se produce cuando la superficie reflectora es lisa, en el sentido de que sus desigualdades son pequeñas en comparación con la longitud de onda de los rayos incidentes, cada uno de los cuales da origen a un rayo reflejado en el mismo plano, siendo iguales los ángulos de incidencia y de reflexión. (b) La *reflexión difusa* [diffuse reflection], cuando las irregularidades de la superficie son tan finas y uniformes que los rayos reflejados se distribuyen en todas direcciones de una manera definida, siguiendo la llamada *ley de los cosenos* [law of cosines]. (c) La *reflexión mixta, irregular* o *semidifusa* [mixed reflection, spread reflection], que es intermedia entre la regular y la difusa, y que ocurre cuando la superficie es irregular o rugosa ‖ *(Radio/Tv)* reflexión. CF. **multipath effect** ‖ *(Ilum)* reflexión. Retorno de una radiación por una superficie sin cambio de frecuencia de las radiaciones monocromáticas que la componen (CEI/58 45–05–050, CEI/70 45–05–060). CF. **absorption, diffusion, refraction, transmission, dispersion** ‖ *(Líneas de tr)* reflexión, eco. Retorno de energía de un dispositivo de carga o de terminación, cuando no hay adaptación exacta de impedancias, lo cual da también origen al establecimiento de ondas estacionarias en la línea. El mismo fenómeno se produce cuando existen en la línea irregularidades o discontinuidades. CF. **mismatch, mismatch [reflection] factor, feeder distortion, echo** ‖ *(Anat)* repliegue ‖ *(Mat)* reflexión; simetría � *adj:* v. **reflecting, reflective, reflector.**

reflection altimeter　altímetro de reflexión. v. **radio altimeter.**

reflection at ground　reflexión en tierra. Reflexión de las ondas radioeléctricas al chocar con la superficie de la tierra.

reflection by ionosphere　*(Radio)* reflexión ionosférica. SIN. **ionospheric reflection.**

reflection coefficient　coeficiente de reflexión. (1) Para una frecuencia, un punto y un modo de transmisión dados, razón de una magnitud perteneciente a una onda reflejada, a la magnitud correspondiente de la onda incidente. (2) Refiriéndose a la unión de una fuente de energía con un absorbedor o sumidero de energía, cantidad (R) dada por las expresiones

$$R = 1 - (I/I') \text{ y } R = (Z_A - Z_F)/(Z_A + Z_F)$$

en las cuales I representa la corriente recibida; I' la corriente que se recibiría si la impedancia del absorbedor fuera igual a la de la fuente; Z_A la impedancia del absorbedor; y Z_F la impedancia de la fuente. SIN. **mismatch [mismatching] factor, reflection [transition] factor** ‖ *(Guías de ondas)* factor de reflexión. Razón de dos números complejos representativos de los vectores de campo eléctrico respectivamente de la onda reflejada y de la onda incidente, en una sección determinada de la guía. El término se usa igualmente para designar el módulo de esa razón (CEI/61 62–05–085 GL). Véase la NOTA "62–05–000" en el artículo *waveguide* ‖ *(Nucl)* v. **albedo** ‖ *(Radiaciones)* coeficiente de reflexión. Raíz cuadrada de la reflectividad [reflectivity] de una superficie. CF. **reflectance** ‖ *(Telecom)* coeficiente de reflexión [de corrientes reflejadas]. Coeficiente sin dimensiones que sirve para medir el defecto o error de adaptación entre dos impedancias; es igual a la razón $(Z_b - Z_a)/(Z_b + Z_a)$, donde Z_b y Z_a son las dos impedancias consideradas. En el caso de una línea de impedancia característica Z_b terminada sobre una impedancia Z_a, el coeficiente de reflexión es igual al cociente (complejo) de la corriente reflejada por la corriente incidente (o directa) en el punto de terminación. OBSERVACIONES SOBRE CASOS PARTICULARES: (a) Para una línea uniforme, la condición de terminación sin reflexión es que la línea sea terminada sobre su impedancia característica. Si la impedancia característica es Z_b y la impedancia colocada en la

extremidad es Z_a, el coeficiente de reflexión es $(Z_b - Z_a)/(Z_b + Z_a)$. (b) Para un aparato de impedancia Z_a terminado por una impedancia Z_b, el coeficiente de reflexión es igual a $(Z_b - Z_a)/(Z_b + Z_a)$ y se confunde con el *coeficiente de adaptación* [return-current coefficient]. (c) Para una línea no uniforme, tal como una línea telefónica con bobinas de carga [coil-loaded telephone line], el coeficiente de reflexión es igual a $(Z_b - Z_2)/(Z_b + Z_1)$, donde Z_1 es la impedancia imagen [image impedance] de la sección de línea no uniforme; Z_2 la impedancia que corresponde a la línea suponiéndola prolongada indefinidamente; y Z_b la impedancia terminal particular utilizada. (d) Para un transformador diferencial [hybrid coil] o un terminador a cuatro hilos [four-wire terminating set], en el cual los arrollamientos del lado de la línea y del lado del dispositivo están terminados respectivamente por las impedancias Z_a y Z_b, el coeficiente de reflexión es igual a $(Z_b - Z_a)/(Z_b + Z_a)$ y se confunde con el *coeficiente de equilibrio* [return-current coefficient] ‖ *(Propag de ondas radioeléc)* coeficiente de reflexión. Razón de las cantidades complejas representativas de una componente dada del campo eléctrico de la onda reflejada por una superficie y la componente correspondiente del campo de la onda incidente, cuando las dos componentes se toman en el plano de incidencia o normalmente a éste (CEI/70 60–20–045).

reflection-coefficient angle　ángulo del coeficiente de reflexión.

reflection-coefficient meter　medidor [aparato de medida] del coeficiente de reflexión.

reflection coefficient of load impedance　coeficiente de reflexión de la impedancia de carga.

reflection color tube　*(Tv)* cinescopio cromático de reflexión. La imagen se forma por una técnica de reflexión electrónica en la región de la pantalla.

reflection density　densidad óptica externa. SIN. **external optical density.**

reflection diffraction　*(Microscopios elecn)* difracción por reflexión. CF. **transmission diffraction.**

reflection Doppler (system)　sistema Doppler por reflexión. Sistema que sirve para medir la posición y/o velocidad de un móvil no portador de un transpondedor, en función del corrimiento de frecuencia por efecto Doppler [Doppler frequency shift].

reflection effect　efecto de reflexión; fenómeno de reflexión.

reflection error　error por reflexión. En radionavegación, error debido a energía de la onda que llega al receptor por reflexiones indeseadas.

reflection factor　*(Elec/Telecom)* factor de reflexión; coeficiente de pérdidas por reflexión, coeficiente de pérdidas debidas a las reflexiones. Razón de la corriente suministrada a una carga inadaptada a la fuente, por la corriente que sería suministrada si hubiera adaptación de impedancias entre la carga y la fuente. Cuantitativamente viene dado por la fórmula:

$$\frac{\sqrt{4Z_1 Z_2}}{Z_1 + Z_2}$$

donde Z_1 y Z_2 son las impedancias adaptadas e inadaptadas, respectivamente. SIN. **mismatch factor, reflectance, reflectivity, transition factor** ‖ *(Elecn)* (of a reflex klystron) factor de reflexión (de un klistrón reflejo). Razón del número de electrones del haz reflejado, por el número total de electrones que penetran en el espacio de reflexión [reflector space] en un tiempo dado (CEI/56 07–30–425) ‖ *(Propiedades fotométricas de la materia)* factor (total) de reflexión (de un cuerpo); reflectancia. v. **reflectance.**

reflection from ground surface　*(Radio)* reflexión sobre el suelo.

reflection from water surface　*(Radio)* reflexión sobre una superficie líquida.

reflection gain　*(Telecom)* ganancia por reflexión, ganancia debida a las reflexiones. Expresión en unidades de transmisión [transmission units] de la relación de impedancias representada por la inversa del coeficiente de pérdida debida a las reflexiones [reflection factor] | ganancia de reflexión. Razón, expresada en decibeles, de la potencia aparente transmitida a un receptor de impedancia diferente de la fuente, por la potencia aparente que sería transmitida si la impedancia del receptor fuera igual en módulo [magnitude] y en argumento [angle] a la de la fuente (CEI/70 55–20–185). CF. **reflection loss.**

reflection glare   *(Tv)* reflejos molestos, resplandor molesto. Se producen en el vidrio de la pantalla o en el vidrio protector que la cubre.

reflection goniometer   goniómetro de reflexión.

reflection grating   *(Espectroscopía)* gratícula sobre metal ‖ *(Guías de ondas)* v. **reflecting grating.**

reflection interval   *(Radar)* intervalo de reflexión. Intervalo de tiempo transcurrido entre el instante de la emisión de un impulso y la recepción del eco correspondiente.

reflection law   ley de la reflexión. El ángulo de incidencia es igual al de reflexión. v. **reflection.**

reflection loss   *(Telecom)* pérdida por reflexión, pérdida debida a las reflexiones. (**1**) Pérdida de transmisión [transmission loss] aparente resultante del retorno hacia la fuente de parte de la energía, debido a una discontinuidad en la línea de transmisión. (**2**) Parte de la pérdida de transición [transition loss] debida a la reflexión de energía en la discontinuidad. (**3**) Razón (en decibelios) de la potencia incidente en la discontinuidad, por la diferencia entre esta potencia y la potencia reflejada en la discontinuidad. (**4**) Expresión en unidades de transmisión de la relación (razón) de impedancias representada por la inversa del coeficiente de pérdida debida a las reflexiones. SIN. **return loss** | pérdida de reflexión. Razón, expresada en decibeles, de la potencia aparente transmitida a un receptor de impedancia diferente de la fuente, por la potencia aparente que sería transmitida si la impedancia del receptor fuera igual en módulo y en argumento a la de la fuente (CEI/70 55–20–185). CF. **reflection gain.**

reflection losses   v. **reflection loss.**

reflection measuring set   *(Telecom)* (a.c. reflectometer) reflectómetro. Aparato para la determinación del punto de cebado de oscilaciones [singing point]. Consiste en un terminador [terminating set] (transformador diferencial) conectado por una parte al cuadripolo en el cual se quiere medir el punto de cebado (línea), y por otra parte al cuadripolo equivalente [equivalent quadriple], pero exento de irregularidades de impedancia [impedance irregularities] (equilibrador Z). Entre otros dos pares de bornes del terminador va conectado un amplificador de ganancia ajustable y de salida constante en toda la banda de frecuencias en la cual se quiere verificar el punto de cebado (umbral de silbido). SIN. **return measuring set.**

reflection meter   reflectómetro. v. **reflectometer.**

reflection mode filter   *(Guías de ondas)* filtro de modo por reflexión. Filtro de modo que favorece un modo determinado por reflexión de todos los otros modos (CEI/61 62–15–110). CF. **resonant mode filter.**

reflection of a neutron beam   reflexión de un haz de neutrones.

reflection plane   *(Cristalog, Mat, Opt)* plano de reflexión.

reflection plotter   *(Radar)* reflectoscopio. Dispositivo de óptica con el cual se superpone a la pantalla de un tubo indicador PPI, una imagen virtual de una carta de navegación. SIN. **radar reflectoscope.**

reflection seismograph   sismógrafo de reflexión. Se utiliza en la exploración de depósitos de petróleo subterráneos, y se funda en la medida del intervalo de reflexión en la capa o depósito de petróleo, de las ondas acústicas originadas cerca de la superficie del terreno mediante una explosión de dinamita; dicho intervalo permite calcular la profundidad del depósito.

reflection sounding   ecosondeo, sondeo de profundidades por ecos, sondeo acústico de fondos. v. **fathometer.**

reflection symmetry   simetría de reflexión. SIN. **right-left symmetry.**

reflection target   *(Radar)* v. **reflecting target.**

reflection wave   onda reflejada.

reflectionless   *adj:* sin reflexión, sin reflexiones, que no produce reflexiones.

reflective   *adj:* reflexivo, reflectante, reflector, que refleja, de reflexión; reflectivo, meditativo.

reflective code   *(Informática)* v. **reflected code, Gray code.**

reflective ducting   canalización reflectante.

reflective efficiency   rendimiento de reflexión.

reflective element   elemento reflector.

reflective insulation   aislación reflectora.

reflective jamming   *(Contramedidas elecn)* confusión del radar enemigo mediante elementos reflectores.

reflective optics   *(Tv)* óptica de proyección. Sistema óptico (lentes y espejos) utilizado para proyectar la imagen sobre una pantalla grande. SIN. **projection optics, Schmidt optics.** v.TB. **projection television.**

reflective stereophonism   *(Electroacús)* pérdida de efecto estereofónico por exceso de reflexiones. CF. **reverberatory stereophonism.**

reflective surface   superficie reflectora.

reflectivity   reflectividad, reflectancia ‖ *(Climatiz)* reflexividad ‖ *(Ilum)* reflexividad | reflectividad. Reflectancia [reflectance] de una capa material de espesor tal que la reflectancia no cambia cuando se aumenta ese espesor. Símbolo: ρ_∞ (CEI/70 45–20–050) ‖ *(Elec/Telecom)* reflectividad, factor de reflexión. v. **reflection factor.**

reflectogram   reflectograma.

reflectograph   reflectógrafo.

reflectometer   reflectómetro. (**1**) Aparato destinado a la medida de magnitudes relativas a la reflexión (CEI/70 45–30–150). (**2**) Aparato fotoeléctrico destinado a la medida de la reflectancia óptica de una superficie reflectora. (**3**) En microondas, acoplador direccional destinado a medir la potencia que fluye en una y otra dirección por una guía de ondas, como medio de determinar el factor de reflexión (v. **reflection coefficient**) y/o la relación de ondas estacionarias [standing-wave ratio] ‖ *(Telecom)* reflectómetro. v. **reflection measuring set.** /// *adj:* reflectométrico.

reflectometer measurement   medida reflectométrica. AFINES: técnica reflectométrica, método reflectométrico.

reflectometer value   valor reflectométrico. Valor medido por medio de un reflectómetro particular. NOTA: El reflectómetro empleado debe ser especificado. El valor reflectométrico depende, en efecto, de las características geométricas [geometric characteristics] del reflectómetro, del iluminante [illuminant], de la sensibilidad espectral del receptor [spectral sensitivity of the receptor] (teniendo en cuenta los filtros que puedan utilizarse), y del patrón de referencia [reference standard] utilizado (CEI/70 45–20–202).

reflector   reflector; espejo; anteojo reflector | reflector. En general, superficie reflectora destinada a modificar la dirección de la energía radiante o de las ondas sonoras, o a concentrar aquélla o éstas en una dirección deseada. SIN. **espejo** ‖ *(Ant)* (a.c. reflector element) (elemento) reflector. Uno o más conductores o superficies conductoras destinados a reflejar la energía radiante; elemento parásito (v. **parasitic element**) dispuesto en una dirección distinta a la dirección general del lóbulo principal (v. **major lobe**) | reflector. (**1**) Elemento o conjunto (hoja metálica, varilla, red de varillas) destinado a incrementar la directividad de la emisión o de la recepción y que va colocado detrás de la antena. (**2**) Hoja o tela metálica utilizada a modo de espejo para cambiar la dirección de un haz de microondas. v.TB. **passive reflector** | **(of an aerial)** reflector (de antena). Elemento secundario [secondary radiator] colocado detrás de uno o varios elementos primarios [primary radiators], respecto al sentido deseado de la propagación, con la mira de reforzar el campo electromagnético en ese mismo sentido (CEI/61 62–25–100) | reflector. Elemento secundario (o conjunto de elementos secundarios) colocado detrás de uno o varios elementos primarios, respecto al sentido deseado de la propagación, con la mira de reforzar el campo electromagnético en ese mismo sentido y reducirlo en el otro sentido (CEI/70 60–30–025) ∥ *(Elecn, Tubos de microondas)* reflector. Electrodo cuya función principal es la de invertir el sentido de un flujo electrónico. SIN. **reflector electrode, repeller** | (a.c. repeller) reflector. Electrodo que se mantiene a un potencial negativo respecto a un resonador, con el propósito de devolver hacia el resonador el haz electrónico que parte de él (CEI/56 07–30–375) ∥ *(Ilum)* reflector. (1) Aparato que sirve para modificar la distribución del flujo luminoso de una lámpara utilizando esencialmente fenómenos de reflexión (CEI/38 45–30–045). (2) Dispositivo que sirve para modificar la distribución espacial del flujo luminoso de una fuente utilizando esencialmente el fenómeno de la reflexión (CEI/58 45–55–060, CEI/70 45–55–225). CF. **refractor, diffuser** ∥ *(Nucl)* reflector, capa reflectora. Capa de una substancia dispersora (agua, grafito, berilio) colocada alrededor del núcleo de un reactor para reducir la pérdida de neutrones. SIN. **tamper** | reflector. Materia u objeto que refleja una radiación incidente. En la tecnología de los reactores nucleares este término se reserva habitualmente para designar una parte del reactor colocada al lado del núcleo con el objeto de devolver, por choques de dispersión [scattering collisions], los neutrones en vías de escape (CEI/68 26–15–195). CF. **moderator.**

reflector antenna　　antena con reflector.

reflector control　　*(Nucl)* control del reflector | control por reflector. Control de un reactor por ajuste de las propiedades, de la posición, o de la cantidad del reflector, de manera de modificar la reactividad [reactivity] (CEI/68 26–15–345).

reflector curtain　　*(Ant)* cortina reflectora; reflector. v. **reflecting curtain, reflector.**

reflector electrode　　*(Elecn, Tubos de microondas)* (electrodo) reflector, electrodo de reflexión. v. **reflector.**

reflector element　　*(Ant)* (elemento) reflector. v. **reflector.**

reflector holder　　portarreflector.

reflector lamp　　*(Ilum)* lámpara con reflector. Lámpara incandescente o de descarga cuya ampolla, generalmente de forma apropiada, está en parte provista de un revestimiento reflejante con el fin de dirigir la luz. NOTA: Entre las lámparas de esta categoría pueden citarse: (a) La *lámpara de óptica incorporada*, o *lámpara de vidrio comprimido* [pressed-glass lamp], cuya ampolla está formada de dos partes de vidrio fundidas juntas: una (el fondo) que constituye el reflector, y la otra (el casquete) que constituye el sistema óptico. (b) La *lámpara monobloque* [sealed-beam lamp], tipo de lámpara de óptica incorporada construida de manera de obtener un haz de luz de características definidas (CEI/70 45–40–216).

reflector lattice　　*(Nucl)* retículo del reflector.

reflector-radiator distance　　*(Ant)* distancia reflector-radiador.

reflector satellite　　satélite reflector. Satélite artificial de telecomunicación en el cual se reflejan las ondas radioeléctricas.

reflector saving(s)　　*(Nucl)* ahorro del reflector, economía por el empleo de reflector.

reflector screen　　pantalla reflectora.

reflector space　　*(Elecn)* espacio de reflexión. En un klistrón reflejo [reflex klystron], región del tubo que sigue al espacio de modulación [buncher space], y está limitada por el electrodo de reflexión [reflector] (CEI/56 07–30–415).

reflector spotlight　　*(Ilum)* proyector con reflector. Proyector de simple reflector [simple reflector] cuya abertura angular de haz puede ser ajustada por movimiento relativo de la lámpara y del espejo (CEI/70 45–55–285).

reflector tracker　　*(Radar/Naveg)* v. **position tracker.**

reflector-type aerial *(GB)*　　v. **reflector antenna.**

reflector-type antenna　　v. **reflector antenna.**

reflector voltage　　*(Elecn)* tensión de reflector. En un klistrón reflejo [reflex klystron], tensión entre el reflector y el cátodo.

reflex　　reflejo; acción refleja; reverberación ∥ *(Sicología)* reflejo ⫽ *adj:* reflejo; reflejado; indirecto; reflector ∥ *(Bot)* recurvado ∥ *(Electroacús)* reflector, reflex; reentrante ∥ *(Elecn/Radio)* refle-

jo, reflex ⫽ *verbo:* replegar.

reflex amplification　　amplificación reflex [refleja]. v. **reflex amplifier.**

reflex amplification factor　　*(Elecn)* factor de amplificación reflejo. Variación de la tensión de rejilla resultante de una variación en la tensión de placa de un tubo electrónico.

reflex amplifier　　*(Radio)* amplificador reflex. Amplificador en el cual dos etapas que funcionan a frecuencias muy diferentes, por ejemplo antes y después de la detección de una señal, son combinadas en un circuito único equipado con un solo tubo electrónico (CEI/70 60–16–020) | amplificador reflejo. v.TB. **reflex circuit.**

reflex angle　　*(Mat)* ángulo cóncavo.

reflex baffle　　*(Electroacús)* bafle reflex, pantalla reflectora, pantalla [caja] acústica inversora de fase. Pantalla o caja de altavoz en la cual una parte de la radiación acústica de la cara posterior del diafragma o cono se invierte de fase y se propaga hacia el frente, de modo que se refuerce la radiación total de los sonidos graves. SIN. **reflex cabinet [enclosure], acoustical phase inverter, bass-reflex baffle [loudspeaker enclosure], vented baffle.**

reflex bunching　　*(Elecn)* agrupamiento por reflexión. Agrupamiento que ocurre en una corriente electrónica que se ha hecho invertir de sentido en el espacio de corrimiento [drift space].

reflex cabinet　　*(Electroacús)* bafle [caja] reflex, pantalla reflectora, caja de reflexión de bajos, pantalla [caja] acústica inversora de fase. v.TB. **reflex baffle.**

reflex camera　　*(Fotog)* cámara reflex. Máquina fotográfica provista de un dispositivo visor que da la imagen exacta del sujeto sobre la superficie sensible. La imagen formada por el objetivo se refleja sobre una pantalla para fines de enfoque y composición.

reflex circuit　　*(Radio)* circuito reflex [reflejo]. Circuito en el cual la señal es amplificada dos veces por el mismo tubo (o los mismos tubos): antes de la detección (a RF o FI), y después de la detección (audiofrecuencia). v.TB. **reflex amplifier.**

reflex circuit arrangement　　v. **reflex circuit.**

reflex coefficient　　*(Elecn)* coeficiente reflejo (de corriente de rejilla). Coeficiente que indica el comportamiento de un tubo electrónico en lo que se refiere a la corriente de rejilla y el efecto que sobre ella tienen la tensión de la propia rejilla, y la tensión y la corriente de la placa. Como coeficiente reflejo, la resistencia de rejilla es la variación de tensión de rejilla resultante de una variación en la corriente de la misma. v.TB. **reflex amplification factor, reflex transconductance.**

reflex enclosure　　*(Electroacús)* bafle reflex, caja acústica de reflexión de bajos. v.TB. **reflex baffle.**

reflex klystron　　klistrón reflejo. Klistrón que comprende un solo resonador [resonator], el cual, gracias al empleo de un reflector [reflector], desempeña a la vez las funciones de resonador de entrada y de resonador de salida (CEI/56 07–30–350). También se escribe *clistrón* reflejo.

reflex loading　　carga refleja.

reflex loudspeaker　　altavoz reflex [reentrante]. Altavoz con bocina plegada sobre sí misma. SIN. **reentrant loudspeaker.**

reflex oscillator　　*(i.e.* reflex klystron oscillator) oscilador de klistrón reflejo.

reflex reflection　　*(Ilum)* (a.c. retroreflection) retrorreflexión, reflexión catadióptrica. Reflexión caracterizada por el retorno de la radiación en las direcciones vecinas a aquella de la cual procede la misma, conservándose esta propiedad para variaciones importantes de la dirección de la radiación incidente (CEI/70 45–20–030).

reflex reflector　　*(Ilum)* retrorreflector. Aparato listo para ser utilizado, que comprende una o más unidades ópticas retrorreflectoras [retroreflecting optical units]. NOTA: Los términos en francés son *dispositif catadioptrique, rétroréflecteur,* y, a veces, *catadioptre* (CEI/70 45–60–385).

reflex sight　　*(Opt)* visor reflex.

reflex transconductance　　*(Elecn)* transconductancia refleja. Variación en la corriente de rejilla resultante de una variación en la tensión de placa de un tubo electrónico. v. **reflex coefficient.**

reflexion (*GB*)   v. **reflection.**

reflexive   *adj:* reflexivo.

reflexive relation   (*Mat*) relación reflexiva.

reflexivity   (*Mat*) reflexividad.

reflight   (*Aerofotog*) vuelo de comprobación /// *verbo:* repetir el vuelo.

reflux   (*i.e.* countercurrent recycle of portion of an effluent) reflujo /// *verbo:* refluir || (*Quím*) refluir, ascender.

reflux condenser   (*Quím*) condensador de reflujo.

reflux ratio   (*Quím*) coeficiente de reflujo.

reforwarding   (*Teleg*) reexpedición.

refract   *verbo:* refractar, refringir.

refracted light   luz refractada; luz transmitida.

refracted neutron   neutrón refractado.

refracted wave   onda refractada; onda transmitida. Parte de una onda incidente que se transmite de un medio a otro. SIN. **transmitted wave.**

refracting   *adj:* refractante, refringente, refractor.

refracting medium   (*Fís*) medio refringente.

refracting telescope   telescopio refractor [de refracción]. Telescopio que emplea una lente de vidrio u objetivo para formar la imagen. El objetivo está constituido por dos lentes, para que sea mínima la aberración cromática. El telescopio refractor, o simplemente *refractor,* se diferencia del *telescopio reflector,* o sencillamente *reflector,* por el hecho de que en éste se utiliza un espejo (en vez de una lente) para formar la imagen.

refraction   refracción. Cambio abrupto que se produce en la dirección de propagación de una onda (acústica o electromagnética) al pasar oblicuamente de un medio a otro en el cual la velocidad de propagación es diferente. Por ejemplo, se dobla un rayo luminoso que atraviesa oblicuamente la superficie de separación de dos medios transparentes distintos, como el aire y el agua o el vidrio; y cambia de dirección un haz radioeléctrico al atravesar oblicuamente la superficie que separa dos masas de aire de distintas densidades. El cambio de dirección es hacia el medio en el cual la velocidad es menor. El ángulo entre la nueva dirección de la onda o el rayo y la normal a la superficie de separación, se llama *ángulo de refracción.* CF. **absorption, dielectric constant, diffusion, diffraction, index of refraction, inversion, reflection** | refracción. (**1**) Cambio de dirección de un rayo que atraviesa oblicuamente la superficie de separación de dos medios transparentes (CEI/38 45–05–090). (**2**) Cambio de la dirección de propagación de una radiación, determinado por las variaciones de la velocidad de propagación en un medio ópticamente no homogéneo, o al pasar de un medio a otro (CEI/58 45–05–070, CEI/70 45–05–085).

refraction coefficient   coeficiente de refracción.

refraction error   error por refracción, error debido a la refracción. Error en una radiomarcación [radio bearing] introducido por un fenómeno de refracción en una o más trayectorias de propagación de las ondas radioeléctricas.

refraction in the atmosphere   refracción atmosférica.

refraction index   v. **refractive index.**

refraction law   ley de la refracción. v. **refraction.**

refraction loss   pérdida por refracción, pérdida (de transmisión) debida a la refracción.

refraction of light   refracción de la luz.

refraction of neutron beam   refracción de un haz de neutrones.

refraction phenomenon   fenómeno de refracción.

refractive   *adj:* refractivo, refringente, refractor, de refracción.

refractive dispersivity   dispersividad refractiva. Derivada del índice de refracción [refractive index] respecto a la frecuencia o respecto a la longitud de onda.

refractive index   índice de refracción. De un medio por el cual puede propagarse una onda, razón entre la velocidad de fase en el vacío (espacio libre) y la velocidad en el medio | (**of a medium, for a monochromatic radiation of wavelength λ**) índice de refracción (de un medio, para una radiación monocromática de longitud de onda λ). Relación de la velocidad de las ondas electromagnéticas en el vacío a la velocidad de fase de las ondas de la radiación monocromática en el medio. Símbolo: n(λ), n. NOTA: Este índice es igual a la relación de los senos de los ángulos de incidencia (θ_1) y de refracción (θ_2) cuando un rayo atraviesa la superficie de separación entre el vacío y el medio (n = sen θ_1/sen θ_2) (CEI/70 45–20–225). V.TB. **refractive index of the atmosphere.**

refractive index gradient   gradiente del índice de refracción.

refractive index of the atmosphere   índice de refracción de la atmósfera. El índice de refracción de la atmósfera para las microondas (como también para los rayos ópticos) es una magnitud que varía con la densidad de la atmósfera y, por lo tanto, con la altura sobre la superficie terrestre. Esto produce una incurvación de los rayos que aumenta el alcance.

refractive medium   (*Fís*) medio refringente.

refractive modulus   (*Radiocom*) módulo de refracción. (**1**) En la troposfera, cantidad en que el índice de refracción modificado supera la unidad, expresada en millonésimas. Símbolo: M. Ecuación: $M = (\eta + h/a - 1) \, 10^6$, donde η es el índice de refracción a la altura h sobre el nivel del mar, y a es el radio de la Tierra. (**2**) En la propagación de ondas radioeléctricas entre la superficie de la Tierra y la troposfera: Exceso del índice de refracción modificado [modified refractive index] sobre la unidad, expresado en millonésimas (CEI/70 60–22–085).

refractive modulus gradient   gradiente del módulo de refracción.

refractive power   poder refringente [de refracción]; refringencia.

refractivity   (*Fís*) refringencia. Propiedad de los cuerpos de refractar la luz u otra radiación. SIN. **refringence** | coíndice de refracción. Indice de refracción [refractive index] menos 1 || (*Quím*) refractividad, refracción específica.

refractometer   refractómetro. (**1**) Aparato destinado a medir el índice de refracción [refractive index] de un sólido o de un líquido, generalmente por medida del ángulo al cual se produce reflexión total. (**2**) Aparato destinado a medir el coíndice de refracción [refractivity] de la atmósfera (éste es proporcional a la constante dieléctrica del aire en que se efectúa la medida) /// *adj:* refractométrico.

refractometric   *adj:* refractométrico.

refractometry   refractometría.

refractor   medio refringente; dispositivo refractor || (*Astr*) refractor, telescopio de refracción. v. **refracting telescope** || (*Ilum*) refractor. (**1**) Aparato que sirve para modificar la distribución del flujo luminoso de una lámpara utilizando esencialmente fenómenos de refracción (CEI/38 45–30–050). (**2**) Dispositivo que sirve para modificar la distribución espacial del flujo luminoso de una fuente utilizando el fenómeno de la refracción (CEI/58 45–55–055, CEI/70 45–55–220). CF. **reflector, diffuser.**

refractoriness   refractariedad, poder refractario; alto punto de fusión; estado refractario.

refractory   refractario; producto refractario; material refractario /// *adj:* refractario; poco fusible.

refractory brick   ladrillo refractario.

refractory castable   producto moldeable refractario.

refractory material   material refractario.

refractory metal   metal refractario.

refractory plastic   plástico refractario.

refractory steel   acero refractario.

refractory thermistor   termistor refractario.

refractoscope   refractoscopio.

refrangibility   (*Fís*) refrangibilidad.

refrangible   *adj:* refrangible. Capaz de ser refractado.

refreshment   refresco, refrigerio; recuperación.

refreshment carriage   (*Ferroc*) coche cantina. Coche donde se presta un servicio reducido de bar o cantina. SIN. **canteen car.**

refrigerant   (cuerpo) refrigerante, fluido frigorígeno. EJEMPLO: Freon 12 /// *adj:* refrigerante, frigorígeno. Que engendra frío.

refrigerant condenser   condensador del refrigerante.

refrigerant dehydrant   deshidratador para refrigerante.

refrigerant distributor   distribuidor de refrigerante.

refrigerant evaporator   evaporador del refrigerante.

refrigerant gas   gas refrigerante, gas frigorígeno.

refrigerant oil   aceite del refrigerante. Aceite presente en el refrigerante.

refrigerant suction temperature range   margen de temperaturas de aspiración del refrigerante.

refrigerate   *verbo:* refrigerar; enfriar; refrescar.

refrigerated car   vagón frigorífico.

refrigerated cargo   carga refrigerada.

refrigerated drinking-water fountain   surtidor de agua refrigerada para tomar. SIN. **drinking-water cooler.**

refrigerated rail wagon   vagón refrigerado.

refrigerated wind tunnel   túnel aerodinámico refrigerado.

refrigerating   refrigeración; enfriamiento /// *adj:* refrigerante, frigorífico; refrigerador, enfriador.

refrigerating agent   medio refrigerante.

refrigerating coil   serpentín refrigerador [enfriador].

refrigerating cupboard   armario frigorífico eléctrico. Armario que contiene un refrigerador eléctrico (CEI/38 40-10-060).

refrigerating engineer   ingeniero especializado en refrigeración [en instalaciones frigoríficas], (ingeniero) frigorista.

refrigerating engineering   ingeniería de refrigeración; técnica frigorífica.

refrigerating plant   planta refrigeradora, instalación frigorífica, heladera. LOCALISMO: frigocentral.

refrigeration   refrigeración; enfriamiento. LOCALISMO: frigorificación.

refrigerative   *adj:* refrigerativo, refrigerante.

refrigerator   refrigerador, armario frigorífico, nevera; cámara frigorífica; máquina frigorígena. CF. **electric refrigerator.**

refrigerator car   vagón frigorífico, carro nevera.

refrigerator lorry (*GB*)   camión frigorífico.

refrigerator railway van   vagón frigorífico.

refrigerator ship   buque frigorífico.

refringence   refringencia. v. **refractivity.**

refringent   *adj:* refringente, refractivo.

REFS (*Teleg*)   Abrev. de references [referencias: datos de identificación de un telegrama citado en un mensaje de servicio].

refuel   *verbo:* reabastecer(se) [reaprovisionar(se)] de combustible.

refueling, refuelling   reabastecimiento [reaprovisionamiento] de combustible.

refund   reembolso, devolución, reintegro; bonificación /// *verbo:* reembolsar, devolver, reintegrar, restituir.

refund a charge (*Telecom*)   reembolsar una tasa.

¹refuse   basura, desechos, desperdicios; sobrantes, residuos; detritos, detritus /// *verbo:* rehusar, negar, denegar; rechazar; desechar.

²refuse   *verbo:* refundir, fundir de nuevo, relicuar || (*Elec*) renovar [reponer] el fusible.

refuse a call (*Telef*)   rechazar una comunicación.

refused call (*Telef*)   comunicación rechazada. Comunicación no seguida de conversación cuando, en el momento en que la misma es ofrecida, la persona en la estación que llama o en la estación llamada, indica inmediatamente que no puede o no desea hablar. SIN. **refused communication.**

refused communication (*Telef*)   comunicación rechazada.

REG (*Esquemas*)   Abrev. de regulated; regulator.

regal (*Mús*)   organillo portátil /// *adj:* real, regio.

regap   *verbo:* (*Bujías de encendido*) reajustar la separación entre los electrodos.

regelate   *verbo:* volverse a helar; soldarse entre sí (trozos de hielo).

regelation (*Calorimetría*)   regelo, rehielo. Fenómeno por el cual dos trozos o fragmentos de hielo puestos en contacto se funden y forman uno solo, siendo el proceso tanto más rápido y completo cuanto mayor es la presión.

REGEN (*Esquemas*)   Abrev. de regeneration; regenerative.

regenerable   *adj:* regenerable.

regenerable cell (*Elec*)   pila regenerable.

regenerant   *adj:* regenerante, regeneratriz.

regenerate   *verbo:* regenerar(se); reproducir(se); reengendrar; recuperar || (*Elecn, Informática*) regenerar. (1) Devolver impulsos a su forma original. (2) Devolver a su estado original la información almacenada en un tubo de memoria por cargas, combatiendo así los efectos del desvanecimiento y las perturbaciones.

regenerate plutonium (*Nucl*)   regenerar el plutonio.

regenerated fuel   combustible regenerado; combustible recuperado.

regenerated leach liquor (*Electroquím/Electromet*)   líquido de solución regenerada. Solución que ha recuperado la aptitud de disolver los constituyentes buscados del mineral por la eliminación de esos constituyentes en el proceso de extracción por vía electrolítica [electrowinning] (CEI/60 50-45-045).

regeneration   regeneración; renacimiento; depuración || (*Nucl*) regeneración. Acción de devolver un combustible nuclear contaminado, a un estado útil || (*Radio/Elecn*) regeneración, reacción [realimentación] positiva. Reacción o realimentación (v. **feedback**) en la cual la energía de retorno está en fase con la de entrada. Ganancia en potencia resultante del acoplamiento de un punto de un amplificador o un sistema que comprende dispositivos con ganancia de potencia, a un punto de nivel más bajo del propio amplificador o sistema. SIN. **positive** [**regenerative**] **feedback, reaction** (*p.us.*), **retroaction** (*GB*) || (*Tubos de memoria por carga*) regeneración. Reemplazo o restauración de las cargas para compensar las pérdidas debidas a las lecturas y el efecto de desvanecimiento gradual de las cargas. CF. **read number, decay** || (*Mec*) regeneración, restitución || v. **regeneration of. . . , rewrite.**

regeneration control   control de regeneración. En un receptor regenerativo, elemento variable que sirve para regular la realimentación positiva, según la intensidad de la señal recibida. Cuando la señal es fuerte hay que rebajar la realimentación (reacción) para evitar oscilaciones, y cuando la señal es débil hay que aumentarla para incrementar la amplificación.

regeneration of current   recuperación de corriente.

regeneration of electrolyte (*Electroquím/Electromet*)   regeneración de electrólito. Tratamiento de un electrólito para hacerlo de nuevo apropiado para ser utilizado en una celda electrolítica [electrolytic cell] (CEI/60 50-40-040).

regeneration of neutrons (*Nucl*)   regeneración de neutrones.

regeneration of nuclear fuels   regeneración de combustibles nucleares.

regeneration of organs (*Biol*)   regeneración de órganos. SIN. **reduplication of organs.**

regeneration period   período de regeneración. En los tubos de memoria por carga, intervalo de tiempo en el cual es explorada la pantalla por el haz para regenerar la distribución de cargas que representa la información almacenada. SIN. **scan period.**

regenerative   *adj:* regenerador, regenerativo; de recuperación || (*Radio/Elecn*) regenerativo, reactivo, de reacción.

regenerative amplification   amplificación con regeneración [con reacción positiva]. v. **regeneration.**

regenerative amplifier   amplificador con regeneración [con reacción positiva].

regenerative braking (*Elec, Tracción eléc*)   frenado (eléctrico) por recuperación, frenado regenerativo, frenaje de recuperación [de regeneración] | frenado (eléctrico) por recuperación. Método de frenado aplicable a un conjunto de aparatos accionados por uno o varios motores eléctricos y que consiste en utilizar la energía disponible para hacer funcionar como generatrices al motor o los motores y restituir así una parte de esa energía a la red (CEI/38 30-20-135, 35-05-070) | (a.c. electric regenerative braking) frenado (eléctrico) por recuperación. Modo de frenado en el cual los motores de tracción arrastrados por el tren funcionan como generatrices y alimentan corriente a la línea (CEI/57 30-05-

480) | frenado por recuperación. Frenado que transforma, en un motor funcionando como generatriz, la energía disponible en energía eléctrica que es restituida a la red (CEI/58 35–05–125). CF. **dynamic braking, rheostatic braking.**

regenerative circuit   (*Radio/Elecn*) circuito regenerativo.

regenerative cooling   enfriamiento regenerador, refrigeración regenerativa.

regenerative coupling   (*Radio/Elecn*) acoplamiento regenerativo, acoplamiento de reacción positiva. v. **positive feedback.**

regenerative detector   (*Radio*) detector regenerativo. Circuito detector con regeneración. v. **regeneration.**

regenerative divider   divisor [modulador] regenerativo. Divisor de frecuencia en el cual la onda de salida se obtiene mediante modulación, amplificación y reacción positiva selectiva. SIN. **regenerative modulator.**

regenerative feedback   (*Radio/Elecn*) realimentación regenerativa, reacción positiva, regeneración. v. **regeneration.**

regenerative fuel cell   pila de combustible regenerativa. Pila de combustible en la cual el producto de la reacción es tratado para regenerar los reactivos.

regenerative loop   bucle de regeneración [de reacción positiva].

regenerative modulator   modulador [divisor] regenerativo. v. **regenerative divider.**

regenerative preselector   (*Radio*) preselector regenerativo.

regenerative process   (*Nucl*) proceso de regeneración.

regenerative pulse repeater   (*Telecom*) repetidor regenerador de impulsos. Repetidor de impulsos que efectúa la regeneración [regeneration] de los mismos (CEI/70 55–35–270). v. **pulse regeneration, pulse repeater.**

regenerative reactor   (*Nucl*) reactor regenerador. Reactor que, además de energía, produce material fisionable.

regenerative reactor-breeder   (*Nucl*) pila supergeneratriz.

regenerative receiver   (*Radio*) receptor regenerativo. v. **regenerative reception.**

regenerative reception   recepción regenerativa. Recepción radioeléctrica en la cual se utiliza el efecto de la reacción positiva para aumentar la sensibilidad y la selectividad por reducción de la amortiguación [damping] de un circuito oscilante [oscillating circuit] (CEI/70 60–44–060). CF. **superregenerative reception.**

regenerative repeater   (*Teleg*) repetidor regenerativo [regenerador, de regeneración], traslator rectificador, aparato de traslación regeneratriz [rectificadora]. (1) Retransmisor que corrige la deformación de las señales recibidas. (2) Repetidor en el cual las señales reemitidas están prácticamente exentas de distorsión. SIN. **regenerator** | retransmisor. Instalación dispuesta en el punto de unión de dos líneas para recibir y conservar las señales telegráficas transmitidas por cada una de ellas, y luego reexpedir por la otra línea señales análogas, corregidas en general de la deformación que las primeras han sufrido en el curso de su transmisión (CEI/38 55–15–185).

regenerative repeating   (*Teleg*) traslación regeneratriz [rectificadora].

regeneratively   *adv:* regenerativamente.

regenerator   regenerador; recuperador || (*Hornos*) termorrecuperador, cámara de recuperación de calor; termorrecuperador con panales de ladrillos; termocambiador con materiales almacenadores de calor || (*Elecn/Telecom*) (*i.e.* impulse regenerator) regenerador de impulsos || (*Telef*) regenerador. En telefonía automática, dispositivo dispuesto para recibir y registrar trenes de impulsos [trains of pulses] con características (velocidad y razón) comprendidas entre límites determinados, y emitir trenes de impulsos correspondientes con características comprendidas entre límites más estrechos (CEI/70 55–95–210) || (*Teleg*) v. **regenerative repeater.**

region   región. SIN. **dominio, zona** || (*Comput*) región. Grupo de registros de máquina relacionados con una dirección o un símbolo básico || v. **region of...**

region of anode   región anódica.

region of cathode   región catódica.

region of electron emitters   región de emisores de electrones.

region of guidance   (*Avia*) región de guía.

region of limited proportionality   (a.c. limited-proportionality region) región [zona] de proporcionalidad limitada. En un tubo contador de radiaciones [radiation-counter tube], gama de valores de la tensión aplicada por debajo del umbral de Geiger-Mueller [Geiger-Mueller threshold], en la cual la amplificación debida al gas [gas amplification] depende de la carga liberada por el suceso ionizante inicial [initial ionizing event].

region of negatron emitters   región de emisores de electrones. SIN. **region of electron emitters.**

region of nonoperation   (*Relés*) región de no funcionamiento | límites de no funcionamiento. Conjunto continuo de valores de la magnitud de influencia [actuating quantity] para los cuales el relé no funciona (CEI/56 16–20–035). CF. **region of operation.**

region of operation   (*Relés*) región de funcionamiento | límites de funcionamiento. Conjunto continuo de valores de la magnitud de influencia para los cuales el relé funciona (CEI/56 16–20–030). CF. **region of nonoperation.**

region of positron emitters   región de emisores de positrones.

regional   *adj:* regional.

regional address   (*Comput*) dirección regional. Dirección de un registro perteneciente a una región.

regional aeronautical chart   carta aeronáutica regional.

regional air-navigation agreement   acuerdo regional de navegación aérea.

regional and domestic air-route area [RDARA]   zona de rutas aéreas regionales y nacionales [ZRNN].

Regional Arrangement concerning Maritime Radiobeacons in the European Area of Region 1 (Paris, 1951)   Acuerdo Regional relativo a los Radiofaros Marítimos de la Zona Europea de la Región 1 (París, 1951).

regional broadcast   (*Radiocom*) emisión [radiodifusión] regional.

regional channel   (*Radiodif*) canal regional. Canal de radiodifusión por ondas medias en el cual pueden funcionar varias estaciones con ciertas restricciones en cuanto a la potencia radiada y el diagrama de intensidades de campo.

regional collecting center   (*Meteor*) centro regional de recopilación.

regional interconnection   (*Elec*) interconexión regional.

regional magnetic anomaly   anomalía magnética regional.

regional office   oficina regional.

regional standard barometer   barómetro patrón regional.

regionalization   regionalización.

regionally   *adv:* regionalmente.

register   registro, archivo, protocolo; libro registro; registro parroquial; registro, referencia; certificado; lista; matrícula; índice, tabla de materias; coincidencia (entre dos o más cosas); correspondencia (entre partes que van a unirse); cantidad marcada (por un aparato); temperatura marcada (por un termómetro); registrador (aparato); contador (aparato); mecanismo contador; mecanismo totalizador || (*Artes gráficas, Fotog, Tv*) registro. (1) Correspondencia de elementos superpuestos, en particular las matrices de colores separados que se imprimen o se proyectan juntas para reproducir la imagen original. Cuando dos o más colores o páginas coinciden exactamente, se dice que *registran;* si, por lo contrario, coinciden imperfectamente, se dice que están *fuera de registro.* (2) Grado de exactitud en la coincidencia o superposición de los elementos cromáticos de la imagen. SIN. **superposición de colores** —— **registry, color registration** || (*Climatiz, Ventilación*) registro || (*Calefacción*) rejilla, reja regulable || (*Chimeneas*) registro, compuerta de tiro || (*Contadores*) mecanismo integrador, movimiento de relojería | v. **register of a meter** || (*Elecn*) registro. Posición relativa de una o más configuraciones de circuitos impresos [printed-circuit patterns], o de partes de ellas, respecto a sus localizaciones deseadas sobre una base de circuitos impresos, o respecto a otra configuración situada en la cara opuesta de la base ‖ *(Informática)* registro. **(1)** Conjunto de elementos biestables capaz de retener información en forma binaria. **(2)** Dispositivo destinado a retener una palabra de máquina [machine word]; cuando forma parte de la memoria interna principal se le llama *registro acumulador* [storage register]. **(3)** Dispositivo capaz de almacenar una cantidad determinada de datos (p.ej. una palabra), y que por lo general se destina a algún fin especial. Son varios los registros que forman parte de muchas computadoras. v. **accumulator, index register, instruction register, sequence counter** ‖ *(Marina)* matrícula; registro marítimo; rol ‖ *(Mús)* registro, extensión (de la voz, de un instrumento) | *(i.e.* organ register) registro ‖ *(Telecom)* registrador; contador; traductor ‖ *(Telef)* registrador; contador de conversación [de conferencias]; selector primario | registrador. Dispositivo que forma parte de un sistema de conmutación automática y que registra las señales de numeración [dialed impulses] y controla, de conformidad con esas señales, las operaciones ulteriores de selección [subsequent switching operations] | registrador de partida. v. **sender** ‖ v. **registration** ⫴ *verbo:* registrar; protocolar; registrar(se), inscribir(se); matricular(se); certificar (una carta); acusar, indicar, manifestar; facturar (un equipaje); hacer coincidir exactamente; hacer corresponder ‖ *(Artes gráficas)* estar en registro, registrar ‖ *(Buques)* matricular, abanderar ‖ *(Instr)* indicar, marcar, acusar.

register chooser *(Telef)* buscador de registrador. SIN. **register [sender] selector.**

register circuit *(Telef)* circuito emisor. SIN. **sender circuit.**

register constant *(Elec)* constante del contador. Factor por el cual hay que multiplicar las indicaciones de un contador, para tomar en cuenta la relación de engranaje [gear ratio] y la relación de transformación de los transformadores de medida [instrument transformer ratio], y obtener las indicaciones en las unidades deseadas. Símbolo: K_r.

register control *(Artes gráficas)* control de registro. Dispositivo (p.ej. fotoeléctrico) que sirve para mantener el registro automáticamente ‖ *(Telef)* control por registradores ‖ *(Informática)* control del registro.

register-controlled system *(Telef)* sistema de control por registradores. Sistema de conmutación automática [system of automatic switching] en el cual los selectores son puestos en posición por las señales procedentes de registradores según la información suministrada a estos últimos por accionamiento de un disco selector [dialing] o por otros medios (CEI/70 55–105–385). CF. **revertive control system.**

register finder *(Telecom)* buscador de registrador. SIN. **sender selector.**

register key *(Telef)* llave de contador. SIN. **meter key.**

register length *(Informática)* extensión del registro. Número de elementos (bitios, caracteres, dígitos) que puede almacenar o acumular un registro.

register mark *(Artes gráficas, Circ impresos)* marca de registro [de coincidencia] ‖ *(Fotog)* marca registradora.

register of a meter *(Elec)* totalizador de un contador. Elemento del contador que permite conocer la energía o, más generalmente, el valor de la magnitud medida por el contador. SIN. **counting mechanism (of a meter)** (CEI/58 20–35–180).

register pilot lamp *(Telef)* lámpara (piloto) de contador. SIN. **meter lamp.**

register pin clavija de fijación ‖ *(Cine)* contragrifa. Parte del mecanismo de la cámara.

register reading lectura del contador ‖ *(Telecom)* lectura de contadores. SIN. **meter reading.**

register relay *(Telef)* relé contador. SIN. **metering relay.**

register selector *(Telef)* buscador de registrador. SIN. **register chooser [finder], sender selector.**

register stud clavija de fijación.

register-translator *(Telef)* registrador traductor. Dispositivo en el cual se asocian las funciones de un registrador y de un traductor, como p.ej. un *director* [director] (CEI/70 55–95–305).

registered baggage equipaje facturado [registrado].

registered engineer ingeniero matriculado.

registered letter *(Correos)* carta certificada.

registered parcel paquete con valor declarado.

registered pattern modelo registrado.

registered trademark marca registrada.

registering registro, inscripción; matriculación; registro, coincidencia ‖ *(Telef)* cuenta ⫴ *adj:* registrador.

registering balloon globo sonda.

registering hole agujero para coincidencia.

registering pin clavija de fijación; pasador de registro [de coincidencia] ‖ *(Cine)* v. **register pin.**

registering relay *(Telef)* relé contador.

register's translator *(Telecom)* traductor de registrador. CF. **register-translator.**

registration registro, asiento, inscripción; empadronamiento; indicación, lectura ‖ *(Artes gráficas)* registro; referencia ‖ *(Acús/Mús)* registración ‖ *(Correos)* certificación (de una carta u otro envío postal) ‖ *(Aviones, Buques)* matrícula ‖ *(Artillería)* reglaje sobre blanco auxiliar ‖ *(Fotog)* registro | **film registration in the exposure aperture:** registro de la película en la abertura de exposición ‖ *(Libros de contabilidad)* rubricación (de folios) ‖ *(Tv)* registro, superposición (de colores). v.TB. **register** ‖ v. **registration of. . .**

registration arm *(Tracción eléc)* dispositivo contra el balanceo. Organo rígido aislado eléctricamente y destinado a mantener en una posición asignada los conductores de la catenaria (CEI/57 30–10–285). CF. **steady arm.**

registration error *(Tv)* error de registro, registro defectuoso.

registration mark *(Artes gráficas, Circ impresos)* marca de registro [de coincidencia] ‖ *(Aviones)* marca de matrícula.

registration of aircraft matrícula de una aeronave.

registration of colors *(Artes gráficas, Tv)* registro [superposición] de los colores.

registration of conductive pattern to board outline *(Circ impresos)* registro de la red conductora respecto al delineamiento del tablero. v.TB. **register** *(Elecn).*

registration of frequencies *(Radiocom)* registro de frecuencias.

registration of meter *(Elec)* indicación de consumo totalizado de un contador. Indicación de la energía eléctrica aparente que ha pasado por el contador, según la lectura del totalizador (v. **register of a meter**). Es igual a la lectura del totalizador multiplicada por la constante del contador (v. **register constant**). Durante un período dado es igual a la diferencia entre las lecturas del totalizador al principio y al fin del período, multiplicada por la constante del contador.

registration test chart *(Tv)* mira de registro, modelo para prueba de registro.

registration test film *(Cine)* película para pruebas de registro. Película destinada a la ejecución de diversas pruebas cuantitativas de precisión del funcionamiento de un proyector cinematográfico: estabilidad de la proyección, alineamiento de la abertura, obturación, encuadre, y enfoque.

registry registro, inscripción; registro, protocolo; archivo; matrícula; oficina de registro; oficina del registro civil ‖ *(Tv)* v. **register.**

regressed luminaire *(Ilum)* luminaria empotrada. Tiene su abertura retirada de la superficie considerada (cielo raso, pared, etc.). CF. **recessed lighting fixture.**

regression regresión ‖ *(Mat)* regresión. Expresión analítica de la dependencia entre los valores medios de una variable aleatoria y los valores de otra relacionada con ella | retroceso (de una curva).

regression coefficient *(Mat)* coeficiente de regresión.

regression line *(Mat)* línea de regresión. Línea lugar de los puntos representativos de los valores medios de una variable aleatoria que depende de otra | curva con retroceso.

regula falsi   (*Mat*) regula falsi. Método iterativo de resolver una ecuación respecto a una raíz real; este método es de convergencia lenta.

regular   empleado de plantilla; obrero permanente; soldado de carrera; soldado del ejército regular /// *adj:* regular; corriente, normal; arreglado, metódico, ordenado; uniforme; constante, continuo; asiduo; cabal, completo; cíclico, periódico; de carrera; de oficio; de profesión; en regla, verdadero || (*Mat*) regular || (*Funciones de variable compleja*) regular, analítico, holomórfico, uniforme. SIN. **analytic, holomorphic, uniform** || (*Telecom*) **the circuit is regular:** la línea está restablecida.

regular aerodrome   aeródromo regular.

regular channel   (*Telecom*) canal normal. Dícese p.ej. en oposición al canal de protección [protection channel]. CF. **main channel, standby channel.**

regular earnings   haberes normales.

regular figure   figura regular.

regular function   (*Mat*) (**of a complex variable**) función regular (de una variable compleja). Se dice que una función de variable compleja es regular en un punto dado si la misma tiene derivada en todo punto de cierto entorno del punto dado.

regular meeting   junta ordinaria.

regular pulse train   tren de impulsos a intervalos regulares, tren de impulsos de período uniforme. Tren de impulsos que recurren a intervalos regulares (ritmo uniforme).

regular reflectance   reflectancia regular. Reflectancia correspondiente a la reflexión regular [regular reflection].

regular reflection   reflexión regular. Fenómeno por el cual todo rayo luminoso que incide sobre una superficie es reflejado por ella en una sola dirección (simétrica a la dirección de incidencia respecto a la normal a dicha superficie) (CEI/38 45–05–065) | (a.c. direct reflection, specular reflection) reflexión regular [directa, especular]. Reflexión que obedece las leyes ópticas válidas para los espejos (CEI/58 45–20–015) | (a.c. specular reflection) reflexión regular. Reflexión sin difusión que obedece las leyes ópticas válidas para los espejos (CEI/70 45–20–010). SIN. **mirror reflection.** CF. **diffuse reflection, mixed reflection, uniform diffuse reflection.**

regular reflection factor   factor [coeficiente] de reflexión regular.

regular refraction   (*Ilum*) refracción regular.

regular singularity   (*Mat*) (**of a differential equation**) singularidad regular (de una ecuación diferencial).

regular solution   (*Fís*) solución regular.

regular station   (*Telecom*) estación regular.

regular transmission   (*Ilum*) (a.c. direct transmission) transmisión regular. Transmisión sin difusión (CEI/70 45–20–065). CF. **diffuse transmission.**

regular transmission factor   factor de transmisión regular.

regular transmittance   (*Ilum*) transmitancia regular.

regularity   regularidad.

regularity attenuation   (*Telecom*) atenuación de regularidad. SIN. **structural return loss.**

regularity return-current coefficient   (*Telecom*) coeficiente de regularidad. Si W es el valor medido de la impedancia a la entrada de una línea prácticamente homogénea o de una cadena periódica de cuadripolos prácticamente simétricos e idénticos, estando la línea terminada sobre una impedancia que reproduce las condiciones de la línea infinita absolutamente regular, y si Z es el valor de la impedancia de entrada nominal de la línea infinitamente larga [infinitely long line] calculada a partir de los valores medios de las constantes primarias [primary constants], o bien el valor medio de la impedancia de la línea deducido de los resultados de medidas, se llama *coeficiente de regularidad* a la expresión $(W−Z)/(W+Z)$.

regularity return loss   (*Telecom*) atenuación de regularidad. Medida de la regularidad de una línea homogénea que comprende

irregularidades de construcción, estando la línea terminada sobre una impedancia que reproduce (simula) las condiciones de la línea infinita [infinite-line conditions]. Esta medida tiene por valor la razón $(Z_b+Z_a)/(Z_b−Z_a)$ expresada en decibelios o en neperios, siendo Z_a el valor medido de la impedancia de la línea y Z_b el valor de la impedancia dado por la curva más regular [best smooth curve] que se pueda trazar, sin sinusoidades, a través de la característica impedancia/frecuencia [impedance/frequency characteristic] de la línea (CEI/70 55–05–200). CF. **terminal return loss.**

regularly scheduled flight   (*Avia*) vuelo regular. CF. **nonscheduled flight.**

regulate   *verbo:* regular, ajustar, reglar; regularizar; arreglar, ordenar. CF. **adjust, control.**

regulated flow   caudal regularizado [regulado, graduado].

regulated high-voltage DC power supply   fuente regulada de alta tensión continua.

regulated line section   (*Telecom*) sección de regulación de línea. En un sistema de corrientes portadoras [carrier system], sección de línea [line section] sobre la cual se transmiten de extremo a extremo la onda o las ondas piloto de regulación sin que sufran en puntos intermedios una regulación de amplitud que es particular de las mismas.

regulated power supply   fuente de alimentación regulada [estabilizada], fuente de energía regulada [estabilizada]. Fuente de alimentación o energía provista de medios para mantener constante la tensión o la corriente de salida frente a variaciones en las condiciones de carga, la tensión de alimentación primaria o de entrada, la temperatura, etc. CF. **current regulator, voltage regulator, constant-current governor.**

regulated station   (*Telecom*) estación regulada. Estación de repetidores que posee un dispositivo local de regulación (automática o manual) de los niveles y eventualmente de la contradistorsión [equalization] | estación telerregulada. Estación de repetidores [repeater station] que posee un dispositivo de regulación (de los niveles o de la contradistorsión) controlado a distancia desde otra estación. SIN. **remote-controlled station.**

regulated stream   corriente regulada.

regulated supply   fuente regulada.

regulated voltage   tensión regulada, voltaje regulado [estabilizado].

regulated voltage rating   tensión nominal de regulación.

regulating   regulación, ajuste, reglaje; regularización; reglamentación /// *adj:* regulador, regulativo; regularizador; estabilizador, estabilizante. V.TB. **regulator.**

regulating agent   (*Quím*) agente estabilizante.

regulating apparatus   aparato regulador.

regulating cell   elemento de regulación; elemento de reducción. Elemento que puede incluirse o excluirse a voluntad del circuito de una batería con el objeto de regular la tensión de la misma (CEI/38 50–30–050).

regulating characteristic   característica de regulación.

regulating choke coil   bobina de impedancia reguladora [de regulación].

regulating coil   (*Elec*) bobina reguladora [de regulación].

regulating contact   contacto de regulación.

regulating device   dispositivo regulador.

regulating element   elemento regulador || (*Nucl*) elemento de control fino. Elemento de mando utilizado para los ajustes pequeños y precisos de la reactividad [reactivity] de un reactor. SIN. **fine control element [member], regulating member** (CEI/68 26–15–380).

regulating equipment   (*Telecom*) equipo de regulación.

regulating grid   rejilla reguladora.

regulating inductor   (*Elec*) inductor de regulación | inductancia de regulación. Aparato destinado a regular entre ciertos límites una corriente o una caída de tensión en el circuito en que el mismo es insertado (CEI/57 15–50–100).

regulating member   *(Nucl)* elemento de control fino. v. **regulating element**.

regulating pilot   *(Telecom)* (onda) piloto de regulación. Piloto de referencia (v. **reference pilot**) destinado a mantener los equivalentes en los valores prescritos y a asegurar una contradistorsión de atenuación [attenuation equalization] siempre satisfactoria.

regulating relay   relé de regulación. Relé de máximo y mínimo [over-and-under. . . relay, maximum-and-minimum. . . relay] con límites estrechos de regulación, utilizado para mantener una magnitud entre límites determinados (CEI/56 16–15–025) | relé regulador.

regulating resistor   resistor de regulación.

regulating rod   *(Nucl)* barra de regulación fina. Barra de control [control rod] destinada a efectuar ajustes finos, frecuentes y, a veces, continuos en la reactividad [reactivity] de un reactor; generalmente es accionada automáticamente por un servomecanismo.

regulating-rod position   *(Nucl)* posición de la barra de regulación fina.

regulating-rod position indicator   *(Nucl)* indicador de posición de la barra de regulación fina.

regulating screw   tornillo regulador [de regulación, de reglaje].

regulating servo   servo regulador.

regulating servomechanism   servomecanismo regulador.

regulating switch   *(Elec)* conmutador de regulación; conmutador de carga.

regulating system   sistema regulador | sistema de control automático. SIN. **automatic control system**.

regulating table   *(Telecom)* cuadro de tensiones de los hilos.

regulating transformer   *(Elec)* transformador regulador | transformador de regulación. Transformador que permite, mediante un arrollamiento especial dividido en varias secciones, obtener una tensión regulable a voluntad (CEI/57 30–15–760). v.TB. **regulating winding**. CF. **high-tension (winding) regulating transformer, low-tension (winding) regulating transformer**.

regulating unit   unidad reguladora || *(Automática)* órgano regulador [de regulación]. SIN. **final control element**.

regulating valve   válvula reguladora || *(Elecn/Telecom — GB)* válvula reguladora, tubo regulador.

regulating winding   *(Elec)* arrollamiento [devanado] regulador | arrollamiento de regulación. Arrollamiento especial de transformador de regulación [regulating transformer], dividido en varias secciones cuya puesta en servicio o fuera de servicio permite la regulación de la tensión en bornes del transformador [transformer terminal voltage] (CEI/57 30–15–775).

regulation   regulación, reglaje, ajuste; regularización; igualación, uniformación; regla, reglamentación; reglamento; ordenanza, ley | regulación, estabilización. Acción o efecto de mantener constante una variable física: tensión, corriente, potencia, temperatura, posición, velocidad, etc. || *(Elec)* regulación. (1) Variación de tensión debida a una carga, dividida por la tensión en circuito abierto. (2) Aptitud de una fuente de alimentación de mantener constante la tensión o la corriente de la carga, frente a variaciones en la tensión de entrada o en la impedancia de la carga | variación absoluta de tensión. (a) En una máquina: Variación algebraica de la tensión en los bornes entre dos regímenes en condiciones determinadas. (b) En un transformador: Variación algebraica de la tensión secundaria entre dos regímenes para una misma frecuencia y una misma tensión aplicada al primario (CEI/56 10–40–195). v.TB. **operating conditions, working conditions, relative regulation** || *(Tubos de gas)* margen de regulación | ámbito de regulación. Diferencia entre los valores máximo y mínimo de la caída de tensión anódica [anode voltage drop] en una gama determinada de corriente anódica (CEI/56 07–40–150) || *(Telecom)* instrucción; regla de servicio || v. **regulation of. . .** /// *adj:* corriente, ordinario; normalizado; reglamentario, de reglamento.

regulation accuracy   exactitud de regulación [de reglaje].

regulation call-sign   *(Radiocom)* indicativo de llamada reglamentario.

regulation for NL to FL   v. **regulation for no-load to full-load**.

regulation for no-load to full-load   regulación respecto a variaciones de carga de cero al máximo.

regulation lights   luces reglamentarias. Dícese p.ej. en relación con las luces de situación o de posición (v. **position light**), las luces de obstáculo, o las luces de balizamiento (v. **obstruction light**).

regulation of a carrier system   *(Telecom)* regulación de un sistema de corrientes portadoras. CF. **regulating pilot**.

regulation of a constant-current transformer   regulación de un transformador de intensidad constante. Máxima desviación de la corriente secundaria respecto a su valor especificado, cuando la carga varía entre su valor especificado y un cortocircuito; la desviación se expresa en tanto por ciento del valor especificado de la corriente secundaria, y se determina cuando la tensión y frecuencia aplicadas al primario y el factor de potencia del circuito secundario tienen todos sus valores especificados.

regulation of a constant-potential transformer   regulación de un transformador de potencial constante. Variación que se produce en la tensión secundaria cuando la salida especificada en kilovoltioamperios se reduce a cero; la variación se expresa en tanto por ciento de la tensión secundaria especificada, y se determina mientras se mantiene constante la tensión entre terminales aplicada al primario, y con el factor de potencia especificado en el circuito secundario; si se trata de un transformador de varios devanados, se reduce a cero la salida de todos ellos simultáneamente.

regulation of a discharge tube   margen [ámbito] de regulación de un tubo de descarga. v. **regulation**.

regulation of a metallic circuit   *(Telecom)* regulación de una línea metálica.

regulation of frequency   regulación de la frecuencia.

regulation of output   regulación de la salida; regulación de la potencia de salida.

regulation of wires   *(Telecom)* regulación de conductores.

regulation process   proceso de regulación.

regulation table   *(Telecom)* v. **regulating table**.

regulation tolerance   tolerancia de regulación.

regulations   reglamento; reglas, reglamentación; ordenanzas, leyes, disposiciones | **in accordance with regulations:** acorde con el reglamento, reglamentario /// *adj:* reglamentario, de reglamento.

regulator   regulador. (1) Dispositivo destinado a mantener constante una magnitud física cualquiera. (2) Aparato capaz de mantener constante, o de hacer variar según una ley determinada, un elemento de funcionamiento, tal como una corriente, una tensión, una velocidad, etc. (CEI/38 15–15–025). (3) Aparato automático capaz de mantener prácticamente constante, o de hacer variar según una ley determinada, una magnitud: corriente, tensión, velocidad, potencia, etc. (CEI/57 15–50–075). CF. **control, differential regulator, electropneumatic regulator, induction regulator, pressurestat, series regulator, shunt regulator, variable-voltage regulator, voltage regulator, voltage stabilizer** || *(Astilleros)* ajustador. Obrero que coloca correctamente los elementos estructurales puestos por los montadores || *(Minas)* regulador (de aire) || *(Relojería)* regulador; registro; cronómetro regulador /// *adj:* regulador, de regulación.

regulator circuit   circuito regulador.

regulator diode   diodo regulador.

regulator triode   triodo regulador.

regulator tube   tubo regulador, válvula reguladora. Tubo de dos electrodos en atmósfera gaseosa, de descarga luminiscente, cuya caída de tensión es esencialmente constante. Cuando se lo conecta con una resistencia en serie entre los polos de una fuente de alimentación, tiene la aptitud de mantener constante la tensión entre dichos polos frente a grandes variaciones en la tensión interna de la fuente.

regulator valve   *(Elecn)* v. **regulator tube** ‖ *(Máq de vapor)* regulador. Válvula que sirve para graduar la entrada de vapor a los cilindros.

regulin   *(Electroquím/Electromet)* regulin. Depósito electrolítico compacto y coherente (CEI/60 50–25–020). CF. **sponge**.

Regulus   Regulus. (**1**) Estrella brillante de la constelación de Leo. (**2**) Proyectil táctico tierra-tierra, con superficie de sustentación, de la Marina de Guerra norteamericana.

rehearsal   *(Cine, Tv)* ensayo; repetición ‖ *(Teatro)* ensayo.

reheat   *verbo:* recalentar; calentar de nuevo; recocer.

reheat factor   *(Turbinas de gas o vapor)* factor de recalentamiento.

reheat regenerative steam cycle   ciclo de vapor regenerado y recalentado.

reheater   recalentador.

reheating   recalentamiento; recalefacción; recocido.

reignition   reencendido, reignición ‖ *(Arcos eléc)* recebado ‖ *(Tubos contadores de radiaciones)* reencendido. Proceso por el cual se generan múltiples unidades de cómputo por efecto de átomos o moléculas excitados o ionizados en la descarga que normalmente acompaña una unidad de cómputo.

reignition voltage   *(Arcos eléc)* tensión de recebado ‖ *(Tubos de gas)* tensión de reencendido. Valor de tensión apenas suficiente para restablecer la conducción si se le aplica al tubo durante el período de desionización; varía inversamente con el tiempo transcurrido del período de desionización. SIN. **restriking voltage**.

Reike diagram   diagrama de Reike. Diagrama en coordenadas polares de la carga de un tubo de microondas (en particular un klistrón o un magnetrón).

reimburse   *verbo:* reembolsar; reintegrar.

reimbursement   reembolso; reintegro.

Reinartz crystal oscillator   oscilador de cristal de Reinartz. Oscilador de tubo electrónico estabilizado por cristal piezoeléctrico, en el cual la corriente del cristal se mantiene a un valor bajo intercalando en el conductor del cátodo un circuito resonante a una frecuencia que es la mitad de la del cristal; prodúcese así una regeneración a la frecuencia del cristal que aumenta el rendimiento del oscilador sin riesgo de que ocurran oscilaciones incontrolables a otras frecuencias.

reinforce   *verbo:* reforzar; fortalecer ‖ *(Hormigón)* armar.

reinforce coverage   *(Radio/Tv)* reforzar la intensidad de señales en la zona de servicio; mejorar la recepción (por refuerzo de la señal).

reinforced concrete   hormigón armado. LOCALISMOS: concreto reforzado, cemento armado.

reinforced-concrete bridge   puente de hormigón armado.

reinforcement   refuerzo; reforzamiento ‖ *(Hormigón)* armadura ‖ *(Cables eléc)* (*i.e.* reinforcement against internal pressure) zunchado. Parte del revestimiento constituida por cintas o hilos metálicos destinados a asegurar la resistencia del cable a la presión interna (CEI/65 25–30–115). NOTA: Se llama *revestimiento* del cable al conjunto de los materiales que lo protegen contra los agentes exteriores (CEI/65 25–30–085). CF. **armor, braiding, bedding, serving, sheath**.

reinforcement of butt   *(Postes)* refuerzo de la base.

reinforcing bar   *(Estr met)* barra de refuerzo ‖ *(Hormigón)* barra de armadura, barra [varilla] de refuerzo.

reinforcing tape   cinta de refuerzo.

reinserter   *(Tv)* restituidor de la componente continua. v. **DC restorer, clamper**.

reinsertion   reinserción ‖ *(Tv)* restitución [reinserción] de la componente continua. v. **DC reinsertion, clamping**.

reinsertion of carrier   *(Radiocom)* reinserción de portadora. Acción de combinar una onda generada localmente, con una señal recibida de portadora suprimida. v. **suppressed-carrier transmission**.

reinsertion of direct current   v. **DC reinsertion**.

reject   *(Control de la calidad)* rechazo, pieza descartada [rechaza-

da]; pieza inservible (por defecto de fabricación) ‖‖ *verbo:* rechazar.

reject gate   *(Controles industriales)* dispositivo de rechazo ‖ *(Hidr)* compuerta de exclusa [de purga].

reject pocket   *(Informática)* casilla de rechazo.

reject rate   *(Control de la calidad)* proporción [tanto por ciento] de piezas rechazadas; número relativo de piezas inútiles.

rejected ray   *(Fís)* rayo rechazado; rayo de rechazo.

rejected signal   *(Telecom)* señal rechazada.

rejection   rechazo; rechazamiento; rechazo, pieza rechazada, material descartado; descarte.

rejection band   banda de supresión. En el caso de una guía de ondas, banda de frecuencias por debajo de la frecuencia de corte [cutoff frequency]. SIN. **stop band**.

rejection circuit   circuito de supresión. V.TB. **rejector circuit**.

rejection filter   filtro de bloqueo [rechazo]; filtro supresor [eliminador] de banda.

rejection notch   *(Filtros)* muesca de rechazo, muesca de supresión (en la curva de respuesta).

rejection of image frequency   *(Rec)* supresión de frecuencia imagen, protección contra frecuencia imagen.

rejection of second channel   protección contra segundo canal.

rejection of the accompanying sound   *(Tv)* supresión de la señal de sonido.

rejection rate   *(Control de la calidad)* v. **reject rate** ‖ *(Rec en diversidad)* proporción de rechazo.

rejection ratio   factor de supresión [de atenuación]. En el caso de un micrófono bidireccional, valor (generalmente expresado en decibelios) del cociente que tiene por denominador la respuesta a los sonidos que inciden en las direcciones de máxima sensibilidad, y por numerador la respuesta a los que inciden en direcciones normales a éstas.

rejection tuning filter   filtro de rechazo sintonizable. Se utiliza p.ej. para eliminar interferencias heterodinas en un receptor del tipo profesional o de tráfico [communications receiver].

rejection tuning notch   *(Filtros)* muesca de rechazo sintonizable.

rejection tuning notch depth   profundidad de la muesca de rechazo sintonizable.

rejector   *(Mec)* rechazador ‖ *(Radio)* rechazador, (circuito) repulsor. SIN. **trap** | circuito antirresonante. Conjunto formado por una inductancia y una capacitancia en paralelo, dispuesto de tal manera en el circuito, que el mismo presenta una impedancia elevada a la frecuencia de sintonización y una impedancia relativamente baja a todas las otras frecuencias. SIN. **antiresonant circuit**. NOTA: Se aconseja abandonar el término *rejector* en favor de *antiresonant circuit* (CEI/70 55–20–090). CF. **resonant circuit**.

rejector circuit   circuito antirresonante, circuito resonante paralelo, circuito tapón [eliminador, rechazador, repulsor, supresor, de supresión]. Circuito resonante paralelo [parallel-resonant circuit] utilizado para eliminar o suprimir las señales de la frecuencia a la cual se encuentra sintonizado. V.TB. **antiresonant circuit, band-elimination filter, rejector**.

rejector impedance   impedancia de antirresonancia. Impedancia máxima de un circuito antirresonante [parallel-tuned circuit] a la frecuencia de sintonización (frecuencia de resonancia). SIN. **dynamic impedance**. NOTA: Se aconseja abandonar el término *rejector impedance* en favor de *dynamic impedance*. OBSERVACIÓN: Normalmente el criterio de resonancia es que la impedancia de antirresonancia es puramente resistiva; en este caso la impedancia de resonancia se conoce a menudo, en inglés, con el nombre de *dynamic resistance* [resistencia dinámica] (CEI/70 60–10–010).

rejectostatic circuit   *(Radio)* circuito preselector.

rejects   desechos, piezas desechadas [descartadas] ‖ *(Cine)* desechos, cintas desechadas.

rejoin   *verbo:* reunir; reunirse, volver a juntarse (con).

rejoining process   *(Genética)* proceso de recombinación.

rejoint   *verbo:* reempalmar, rehacer un empalme ‖ *(Muros)* rejuntar.

rejuvenator *(Elecn)* reactivador. Dispositivo utilizado para reactivar la emisión de ciertos tubos, en particular los cinescopios; consiste sencillamente en un transformador con el cual se aplica una sobretensión al filamento por un período controlado. V.TB. **reactivation**.

rel *(Elec)* rel. Unidad de reluctancia (v. **reluctance**); es igual a 1 amperio-vuelta por línea de fuerza magnética.

relate *verbo:* relacionar.

related *adj:* relacionado, conexo, afín; correspondiente; homólogo.

related angles *(Mat)* ángulos correspondientes [relacionados].

related color color dependiente. v. **related (perceived) color**.

related keys *(Mús)* llaves conexas.

related output waves ondas de salida correspondientes.

related (perceived) color color dependiente (percibido). Color percibido como perteneciente a una superficie o un objeto vistos al mismo tiempo que otros colores vecinos y que da lugar a relaciones de luminosidad entre esos colores. NOTA: En las publicaciones alemanas en las cuales se usa la terminología de Ostwald, un *color dependiente* se refiere específicamente al caso de un color percibido en relación de luminosidad con otros colores. En particular, el color de los objetos en su ámbito habitual es, según esta terminología, un color dependiente (CEI/70 45–25–160).

related terminals (of a transformer) terminales homólogos (de un transformador). Bornes de alta tensión y bornes de baja tensión asociados convencionalmente (y marcados de acuerdo) al objeto de poder definir el desplazamiento de fase [phase displacement] entre las tensiones correspondientes (CEI/56 10–25–115).

relatedness relación, conexidad, afinidad; correspondencia; homología.

relation relación ‖ *(Teleg)* comunicación.

relative *(Lenguaje ordinario)* pariente, deudo ‖ *(Gram)* pronombre relativo ⫲ *adj:* relativo.

relative abundance abundancia relativa. Proporción de los átomos de un elemento en un isótopo dado; se expresa como fracción o como tanto por ciento.

relative abundance of an isotope abundancia relativa de un isótopo.

relative accuracy exactitud relativa.

relative address *(Comput)* dirección relativa. (1) Dirección usada en la preparación de una rutina o una subrutina. Las direcciones relativas se transforman en absolutas cuando se utiliza la rutina o la subrutina, lo cual se hace por la suma de la dirección absoluta de la primera instrucción, que se llama *dirección de referencia* [reference address]. (2) Designación usada para identificar la posición de una localidad de memoria [memory location] en una rutina o en una subrutina. (3) Etiqueta [label] usada para identificar una palabra en una rutina o una subrutina respecto a su posición en la rutina o la subrutina. (4) Dirección (por lo común contenida en una instrucción) que se combina con una dirección de base [base address] para formar la dirección absoluta [absolute address] de una localidad de almacenamiento [storage location] particular.

relative addressing *(Comput)* direccionado relativo.

relative aperture abertura relativa. (1) En fotografía, razón de la abertura [aperture] por la distancia focal [focal length]. La luminosidad de un objetivo viene dada por su abertura relativa, que se determina dividiendo el diafragma máximo, o sea, su abertura útil [effective aperture], por la distancia focal del mismo. Proporcionalmente al cierre del diafragma corresponde menor luminosidad real del objetivo. (2) En nucleónica, razón de la mínima distancia horizontal o vertical para el paso de una partícula, por el radio de la órbita de esa partícula en una cámara de aceleración [accelerating chamber].

relative articulation *(Telef)* inteligibilidad relativa (de un aparato respecto a otro).

relative atmospheric humidity humedad atmosférica relativa. v. **relative humidity**.

relative attenuation *(Elec)* atenuación relativa.

relative bearing *(Naveg)* marcación relativa. Marcación en la cual la línea de referencia [reference line] es el rumbo del vehículo [heading] ‖ *(Radiogoniometría)* (a.c. bearing, direct bearing) marcación. Angulo de dos semiplanos limitados por la vertical de un dispositivo de localización, de los cuales uno está dirigido hacia el objeto localizado, y el otro es un plano vertical de referencia especificado; el sentido positivo de rotación es las más de las veces el de las agujas del reloj (CEI/70 60–71–005). CF. **true bearing**.

relative biological effectiveness (of radiation) [RBE] *(Radiol)* efectividad biológica relativa (de la radiación), EBR. El factor EBR representa el valor apropiado de la efectividad biológica de la radiación estudiada respecto a la de una radiación X de ionización específica media de 100 pares de iones por micra de agua, para un efecto biológico particular considerado y en las mismas condiciones de exposición (CEI/64 65–15–160) ‖ eficacia biológica relativa [EBR].

relative calibration calibración relativa; calibrado relativo.

relative coding *(Comput)* codificación relativa. (1) Programa codificado en el cual se usan direcciones relativas [relative addresses]. (2) Codificación empleada en direcciones relativas. (3) Codificación en la cual todas las direcciones están referidas a una posición seleccionada arbitrariamente. (4) Codificación en la cual todas las direcciones son representadas simbólicamente.

relative concentration *(Nucl)* concentración relativa.

relative conductance conductancia relativa.

relative control control relativo.

relative control range *(Automática)* margen de control relativo. Razón del margen de control [control range] a un valor elegido convencionalmente (CEI/66 37–40–015).

relative course *(Naveg)* rumbo relativo.

relative current level *(Telecom)* nivel relativo de intensidad de corriente. Expresión en unidades de transmisión [transmission units] de la razón I/I_o, donde I representa el valor eficaz de la intensidad de corriente en el punto considerado, e I_o el valor eficaz de la intensidad de corriente en el punto escogido como origen del sistema de transmisión.

relative damping amortiguamiento relativo. De un aparato de medida, razón del par de amortiguamiento [damping torque] a una velocidad angular [angular velocity] dada de un elemento móvil, al par de amortiguamiento que produciría amortiguamiento crítico [critical damping] a esa misma velocidad angular. SIN. **specific damping**.

relative deafness sordera relativa. Expresión (generalmente en tanto por ciento) de la razón de la pérdida de audibilidad del oído considerado, para una frecuencia especificada, al intervalo audible [range of audibility] normal.

relative delay *(Circ de filtro)* retardo relativo.

relative density densidad relativa.

relative dielectric constant constante dieléctrica relativa. Razón de la constante dieléctrica de una substancia, a la constante dieléctrica del vacío; esta última se toma arbitrariamente como igual a la unidad (valor 1).

relative drift deriva relativa. Corrimiento de frecuencia de una fuente de oscilaciones respecto a la de otra fuente, cuando teórica o idealmente la primera frecuencia debe ser idéntica a la segunda.

relative effectiveness efectividad [eficacia, eficiencia] relativa ‖ *(Radiol)* v. **relative biological effectiveness**.

relative efficiency eficiencia [eficacia, efectividad] relativa; rendimiento relativo ‖ *(Telef)* equivalente relativo. Término que en el Bell System designa la diferencia B–A.

relatve energy energía relativa.

relative entropy entropía relativa. CF. **conditional entropy**.

relative equivalent *(Telef)* equivalente relativo.

relative error error relativo. Razón del error absoluto (v. **absolute error**) al número exacto. SIN. **fractional error** ‖ *(Aparatos de medida)* error relativo. Cociente del error absoluto por el valor exacto de la magnitud que se mide (CEI/38 20–40–035,

CEI/58 20–40–090).

relative frequency   frecuencia relativa. En estadística, cociente de la frecuencia por el número de experimentos realizados.

relative gain   ganancia relativa. Ganancia de una antena en una dirección dada, respecto a un dipolo de media onda sin pérdidas, aislado en el espacio, cuyo plano ecuatorial contiene la dirección dada.

relative heading   (*Naveg*) rumbo (de la nave), rumbo proa. v. **heading.**

relative hearing loss   sordera relativa. v. **relative deafness.**

relative hue   tinte [tonalidad] relativa.

relative humidity   (*Meteor*) humedad relativa, estado higrométrico. (**1**) Expresión en tanto por ciento del cociente de la cantidad de vapor de agua presente en la atmósfera, por la mayor cantidad que ésta puede contener a una temperatura dada. (**2**) Cociente de la presión del vapor de agua por la presión del vapor de agua saturado [saturated water vapor] a la misma temperatura.

relative importance   (*Nucl*) importancia relativa. Para neutrones de tipo "A" con relación a neutrones de tipo "B", número medio de neutrones con la velocidad y la posición de "B" que deben ser añadidos a un sistema crítico [critical system] para mantener constante la velocidad de reacción en cadena después de la supresión de un neutrón con la posición y la velocidad de "A" (CEI/68 26–10–195). CF. **importance function.**

relative intelligibility   (*Telef*) inteligibilidad relativa (de un aparato con respecto a otro). SIN. **relative articulation.**

relative intensity (of radiation)   intensidad relativa (de radiación).

relative isotopic abundance   abundancia isotópica relativa.

relative key   (*Mús*) llave relativa.

relative kinetic energy   energía cinética relativa.

relative level   nivel relativo. En telecomunicaciones, la definición del *nivel relativo* de una vía en un punto del enlace implica la elección de un punto de referencia, llamado *punto de nivel relativo cero,* que coincide generalmente con el origen del circuito que toma esa vía (conmutador manual o autoconmutador interurbanos). Si se envía por la vía considerada una cierta potencia P_o en el punto de nivel relativo cero, se medirá en un punto de interés una cierta potencia P. El nivel relativo de la vía en este punto es igual al intervalo que separa los niveles de potencia P y P_o, o sea, $10 \log_{10} (P/P_o)$ o $\frac{1}{2} \log (P/P_o)$, según que se lo exprese en decibelios o en neperios, y depende de la posición del punto y de la clase de vía de que se trate. SIN. **relative power level, transmission level** | (*i.e.* power ratio) diferencia de nivel de potencia | (*i.e.* voltage ratio) diferencia de nivel de tensión.

relative luminance   luminancia relativa; brillo.

relative luminosity   luminosidad relativa. Razón de la luminosidad a una longitud de onda dada, por la luminosidad a la longitud de onda correspondiente a la luminosidad máxima. CF. **luminance function.**

relative luminosity curve   curva de luminosidad relativa.

relative luminosity factor   coeficiente de luminosidad relativa | coeficiente de visibilidad relativa. Relación del coeficiente de visibilidad para cierta longitud de onda al factor de visibilidad máxima (CEI/38 45–05–110).

relative luminous efficiency   eficacia luminosa relativa; rendimiento luminoso relativo.

relative luminous efficiency of a monochromatic radiation   eficacia luminosa relativa de una radiación monocromática | ...**for an individual observer:** eficacia luminosa relativa de una radiación monocromática para un observador individual | ...**for photopic vision, for the CIE 1924 photometric standard observer:** eficacia luminosa relativa de una radiación monocromática, para visión fótica, para el observador fotométrico patrón CIE 1924 | ...**for scotopic vision, for the CIE 1951 photometric standard observer:** eficacia luminosa relativa para una radiación monocromática, para visión escotópica, para el observador patrón CIE 1951.

relative motion   movimiento relativo.

relative neutron flux   flujo neutrónico relativo.

relative orientation   (*Fotog*) orientación relativa.

relative particle energy   energía relativa de las partículas.

relative pattern   (*Ant*) diagrama de intensidades relativas.

relative Peltier coefficient   (*Fís*) coeficiente de Peltier relativo. Coeficiente de Peltier cuando uno de los conductores del par es el dado y el otro es uno especificado como patrón (p.ej. cobre, platino o plomo).

relative permeability   permeabilidad relativa. Relación entre la permeabilidad absoluta de una substancia o de un medio y la del vacío (CEI/38 05–25–180). SIN. **specific permeability.**

relative permittivity   constante dieléctrica relativa.

relative plateau slope   (*Tubos contadores*) pendiente relativa de meseta. v. **plateau relative slope.**

relative plot   (*Radar*) trazado por puntos sucesivos; diagrama de posiciones relativas.

relative power   potencia relativa. CF. **relative level.**

relative power gain   ganancia relativa en potencia. De la antena B respecto a la antena A (ambas emisoras o ambas receptoras), relación medida de la potencia de señal que la B produce en los terminales de entrada del receptor, por la potencia de señal que produce la A, permaneciendo constante el nivel de potencia de emisión. CF. **relative gain.**

relative (power) level   (*Telecom*) nivel relativo de potencia. SIN. **relative level** | nivel relativo de potencia real; nivel relativo de potencia aparente. Expresión en decibelios o en neperios, de la relación de la potencia real [aparente] de una señal en un punto de una vía de transmisión [transmission path], a la que se manifiesta en otro punto de esa vía, elegido como punto de referencia (en general el origen del circuito) (CEI/70 55–05–105).

relative power output   potencia de salida relativa.

relative pressure   presión relativa.

relative refractive index   índice de refracción relativo. Relación del índice de refracción de un medio por el de otro medio.

relative regulation   regulación relativa ‖ (*Máq y transf*) variación relativa de tensión. Relación entre la variación absoluta de tensión entre dos regímenes y la tensión en el primer régimen. Cuando se habla de *variación de tensión* [regulation] sin otro calificativo, se entiende que se trata de la variación *relativa* de tensión (CEI/56 10–40–200).

relative response   (*Electroacús*) respuesta relativa, rendimiento relativo. Respuesta de un transductor en condiciones particulares, respecto a la respuesta en las condiciones de referencia, que deben estipularse explícitamente. SIN. **relative sensitivity** (CEI/60 08–10–150).

relative Seebeck coefficient   (*Fís*) coeficiente de Seebeck relativo. Coeficiente de Seebeck cuando uno de los conductores del par es el dado y el otro es uno especificado como patrón (p.ej. cobre, platino o plomo).

relative sensitivity   (*Aparatos de medida*) sensibilidad relativa. (**1**) Relación entre el incremento de la variable observada y el incremento relativo correspondiente de la cantidad que se mide (CEI/38 20–40–015). (**2**) Relación entre la variación de la variable observada y la variación relativa correspondiente de la cantidad que se mide (CEI/58 20–40–045). CF. **absolute sensitivity** ‖ (*Electroacús*) respuesta relativa, rendimiento relativo. v. **relative response.**

relative slack   (*PERT*) tiempo libre relativo. Tiempo que puede retrasarse el comienzo de una actividad o prolongarse su realización sin que se alteren los tiempos libres totales de las demás actividades.

relative specific ionization   ionización específica relativa. Ionización específica de una partícula en un medio dado, respecto a la de la misma partícula con la misma energía en un medio tomado como patrón, o respecto a la misma partícula en el mismo medio, con energía especificada.

relative spectral curve   curva espectral relativa. Representación gráfica de la repartición de potencia de una radiación, de acuerdo a la longitud de onda de las radiaciones componentes (CEI/38 65–15–030).

relative spectral distribution   distribución espectral relativa. v. **spectral distribution.**

relative spectral distribution curve   curva de distribución espectral relativa.

relative spectral energy distribution   distribución espectral relativa de energía. Descripción de las cualidades espectrales de una radiación (descripción de una luz) por la forma en que varía en el espectro la densidad espectral de una magnitud energética (la luminancia energética por ejemplo) (CEI/58 45–05–140) | **(of a radiation)** distribución espectral relativa de energía (de una radiación). Representación de las cualidades espectrales [spectral character] de una radiación (descripción de un iluminante) por la distribución espectral relativa de una magnitud energética cualquiera (flujo radiante, intensidad radiante, etc.). SIN. **relative spectral power distribution (of a radiation).** Símbolo: $S(\lambda)$ (CEI/70 45–05–195).

relative spectral power distribution   distribución espectral relativa de energía. v. **relative spectral energy distribution.**

relative speed   velocidad relativa.

relative speed drop   (Máq eléc) caída relativa de velocidad. Relación entre la caída absoluta de velocidad [absolute speed drop] entre dos regímenes y la velocidad del primer régimen. Cuando se habla de *caída de velocidad* sin otro calificativo, se entiende que se trata de caída *relativa* de velocidad (CEI/56 10–40–220). CF. **relative speed rise.**

relative speed rise   (Máq eléc) elevación relativa de velocidad. Relación entre la elevación absoluta de velocidad [absolute speed rise] entre dos regímenes y la velocidad del primer régimen. Cuando se habla de *elevación de velocidad* [speed rise] sin otro calificativo, se entiende que se trata de la elevación *relativa* de velocidad (CEI/56 10–40–220). CF. **relative speed drop.**

relative speed variation   (Máq eléc) variación relativa de velocidad. Relación entre la variación absoluta de velocidad [absolute speed variation] entre dos regímenes y la velocidad del primer régimen. Cuando se habla de *variación de velocidad* [speed variation] sin otro calificativo, se entiende que se trata de variación *relativa* de velocidad (CEI/56 10–40–215). CF. **relative speed drop, relative speed rise.**

relative stopping power   (Nucl) poder frenador relativo. Relación del poder frenador de una substancia dada por la de una substancia tomada como patrón. SIN. **equivalent stopping power.**

relative target bearing   (Radar) marcación del objetivo [del blanco]. v. **relative bearing.**

relative tensor   (Mat) (i.e. tensor of nonzero weight) tensor relativo.

relative time delay   retardo relativo. Diferencia de retardo entre componentes de una señal o entre dos señales que se propagan por un sistema de transmisión.

relative value   valor relativo.

relative value of moisture   valor relativo de humedad. CF. **relative (atmospheric) humidity.**

relative velocity   velocidad relativa. De un punto respecto a un sistema de referencia [frame of reference], velocidad de variación de un vector posición [position vector] de ese punto respecto a ese sistema.

relative velocity (of two colliding particles)   velocidad relativa (de dos partículas que chocan).

relative volatility   (Quím) volatilidad relativa.

relative voltage drop   (Elec) caída relativa de tensión. Relación entre la caída de tensión y la tensión nominal (CEI/38 10–45–030). CF. **relative voltage rise.**

relative voltage level   (Telecom) nivel relativo de tensión. Expresión en unidades de transmisión [transmission units] de la relación V/V_o, donde V representa el valor eficaz de la tensión en el punto

considerado, y V_o el valor eficaz de la tensión en el punto escogido como origen del sistema de transmisión.

relative voltage response of an exciter (during the first half-second)   rapidez de respuesta relativa de una excitatriz. Rapidez de respuesta inicial relativa [relative rapidity of initial response] calculada reemplazando la variación real de la tensión por una variación lineal [linear variation] que conduzca al mismo valor medio durante la primera mitad de segundo. Se expresa por la relación: $4(U_{medio}-U_o)/U_o$, siendo U_o el valor de la tensión de la excitatriz para el régimen nominal de la máquima síncrona y U_{medio} el valor medio de la tensión durante la primera mitad de segundo (CEI/56 10–45–145). Véase la NOTA "10–45–000" en el artículo *synchronous machine.*

relative voltage rise   (Elec) elevación relativa de tensión. Relación entre el aumento de tensión que se obtiene al pasar del funcionamiento con un cierto régimen de carga al funcionamiento en vacío y la tensión nominal (CEI/38 10–45–035). CF. **relative voltage drop.**

relative voltage variation   variación relativa de tensión.

relative wind   (Naveg) viento relativo. SIN. **apparent wind.**

relatively   adv: relativamente.

relatively prime numbers   (Mat) números primos entre sí. TB. números relativamente primos. Números cuyo máximo común divisor es la unidad. CASOS PART. Son *primos entre sí dos a dos* si cada número es primo con cada uno de los demás. Son *números primos gemelos* dos impares consecutivos primos.

relatively refractory state   (Electrobiol) (i.e. electrical relatively refractory state) estado relativamente refractario (eléctrico). Parte del ciclo de restablecimiento eléctrico [electrical recovery cycle] durante la cual la excitación es inferior a la normal (CEI/59 70–10–295).

relativistic   adj: relativista. En física, relativo o perteneciente a velocidades que son grandes con respecto a la de la luz; resultante de esas velocidades; relativo o perteneciente a fenómenos explicables a la luz de las teorias de la relatividad.

relativistic annihilation   aniquilación [desmaterialización] relativista.

relativistic electron   electrón relativista, electrón ultraveloz [ultrarrápido].

relativistic hydrodynamics   hidrodinámica relativista.

relativistic invariance   invariancia relativista.

relativistic mass   masa relativista. Masa de una partícula que se mueve a una velocidad superior a un décimo de la velocidad de la luz; esa masa es apreciablemente mayor que la de la misma partícula en estado de reposo, y aumenta con la velocidad.

relativistic mass equation   ecuación de la masa relativista. Ecuación de la masa relativista de una partícula en función de su masa en reposo [rest mass] y de su velocidad.

relativistic particle   partícula relativista, partícula rápida. Partícula cuya velocidad es tal que su masa relativista es mucho mayor que su masa en reposo.

relativistic quantum field theory   teoría de los campos cuánticos relativistas.

relativistic speed   velocidad relativista.

relativistic velocity   velocidad relativista. Velocidad superior a aproximadamente un décimo de la de la luz.

relativistically   adv: relativistamente.

relativistically invariant wave equation   ecuación de onda relativistamente invariante.

relativity   relatividad. Teoría física que postula la interdependencia en el universo de la materia, el espacio y el tiempo, para diversos sistemas de referencia /// adj: relativista.

relativity kinematics   cinemática relativista.

relativity optics   óptica relativista.

relativity precession   precesión relativista.

relativity theory   teoría de la relatividad, teoría relativista.

relaxation   relajación, relajamiento; flojedad; aflojamiento; descanso; distracción, recreo, solaz | relajación. Acción, provocada por un cambio repentino en las condiciones de un circuito o un sistema, que necesita un intervalo observable de tiempo para su inicio /// *adj:* relajacional.

relaxation absorption   absorción relajacional.

relaxation behavior   comportamiento de relajación.

relaxation circuit   circuito de relajación. Circuito electrónico capaz de existir en dos estados o condiciones, ambos estables, ambos inestables, o uno estable y el otro inestable.

relaxation cycle   ciclo de relajación.

relaxation cycles per second   ciclos de relajación por segundo. SIN. relaxation frequency.

relaxation distance   v. relaxation length.

relaxation factor   *(Estr)* coeficiente de relajamiento.

relaxation frequency   frecuencia de relajación [de relajamiento].

relaxation function   *(Fís)* (a.c. relaxation) función de relajación. Variación del esfuerzo [stress] debida a la carga impuesta por una función escalón de deformación [step function of strain].

relaxation generator   generador de relajación. v. relaxation oscillator.

relaxation inverter   inversor [ondulador] con oscilador de relajación.

relaxation length   distancia [recorrido] de relajación. (1) En el transporte de neutrones y/o radiaciones, recorrido libre medio [mean free path] global respecto a la absorción. (2) Distancia o recorrido en el cual la intensidad de un haz de neutrones se reduce a la fracción $1/e$ de su valor inicial por efecto de la absorción y en ausencia de otros tipos de interacción. SIN. relaxation distance.

relaxation modulus   *(Fís)* módulo de relajación.

relaxation oscillations   oscilaciones de relajación | oscilaciones de relajamiento. Oscilaciones en las cuales el amortiguamiento varía en forma de producir periódicamente la interrupción y el restablecimiento de las condiciones iniciales (CEI/38 60–05–155).

relaxation oscillator   oscilador de relajación. (1) Oscilador que produce una onda no sinusoidal mediante intervalos periódicos de conducción y no conducción, generalmente sin el empleo de circuitos resonantes. (2) Oscilador cuya frecuencia fundamental está determinada por los intervalos de carga y descarga de un condensador (o un inductor) a través de una resistencia, generando así ondas que pueden ser rectangulares (o en forma de almenas) o en diente de sierra. (3) Generador de oscilaciones periódicas no sinusoidales producidas por la sucesión de dos fenómenos aperiódicos, por ejemplo la carga y la descarga de un condensador, en general de duraciones muy diferentes, que alternan regular e indefinidamente (CEI/70 60–18–015). SIN. relaxation generator. CF. multivibrator.

relaxation phenomenon   *(Fís)* fenómeno de relajación.

relaxation time   *(Fís)* tiempo de relajación.

relaxor   *(i.e.* relaxation oscillator) oscilador de relajación.

relay   relé, relevador. A VECES: relai, relais. (1) Dispositivo mediante el cual una pequeña potencia puede controlar una potencia relativamente grande. Esta definición es aplicable a toda clase de relés (electromagnéticos, electrónicos, etc.). (2) Conmutador consistente esencialmente en un electroimán cuya armadura, al moverse, abre o cierra un par o varios pares de contactos eléctricos. Esta definición corresponde al relé electromagnético [electromagnetic relay]. Este tipo de relé se clasifica, como los conmutadores, según el número de polos y de vías. v. switch | relé, relevador. Aparato destinado a producir una modificación dada en un circuito cuando se realizan ciertas condiciones en el mismo circuito o en otro distinto (CEI/38 05–45–085) | relé. Aparato destinado a producir, cuando se realizan ciertas condiciones en un circuito eléctrico a cuya influencia está él sujeto, modificaciones dadas en el mismo o en otro circuito eléctrico, siendo el circuito sobre el cual actúa el relé, un circuito de mando o de señalización (CEI/56 16–05–005) | *(i.e.* electrical relay) relé eléctrico. Aparato de mando eléctrico que provoca en un circuito eléctrico modificaciones bruscas (por ejemplo, apertura del circuito, cambios de conexiones del circuito, o variaciones en las características del

circuito) (CEI/70 55–25–150) | *n*-contact relay: relé de *n* contactos | AFINES: excitación, desexcitación, bobina, muelle antagonista, pivote, contacto de trabajo, contacto de reposo, cierre, apertura | NOTA: Las clases y aplicaciones de los relés son numerosísimas; véase p.ej. block system relay, definitive time-limit relay, differential relay, instantaneous relay, inverse time-limit relay, motor-type relay, movable-disk relay, cage relay, moving-coil relay, polarized relay, signal relay, thermionic relay, time-limit relay, track relay, telephone relay, slow-acting relay, time relay, sealed relay, vacuum relay, midget relay, keying relay, polar relay, shaded-pole relay, AC operated relay, DC operated relay, remanent relay, two-step relay, relay unaffected by alternating current, plate-current relay, antenna-switching relay, stepper, stepping relay, ratchet relay, latching relay, interlocking relay, mechanical-action relay, reverse-current relay, aircraft contactor, overload relay, electronic relay, pneumatic relay, relay with... | Símbolo: K || *(Telecom)* relé, relevador; escala, retransmisión; repetidor; estación retransmisora. CF. translator, radio relay || *(Radiocom)* retransmisión, redifusión, difusión retransmitida || *(Elec)* relé, contactor-disyuntor || servomotor || relevo (de hombres, de caballos) /// *verbo:* reponer; volver a colocar, colocar de nuevo; dar relevo || *(Telecom)* retransmitir || *(Teleg)* retransmitir, dar escala (al tráfico); poner repetidores | to relay a message: retransmitir [darle escala a] un mensaje.

relay adjustment panel   panel para ajuste de relés.

relay amplifier   amplificador relé.

relay antenna   antena de relevo; antena de reemisión.

relay armature   armadura de relé.

relay automatic system   *(Telef)* sistema automático de relés. v. relay system.

relay bay   sección de relés.

relay bias   polarización del relé.

relay bias coil   bobina de polarización del relé.

relay booster   estación retransmisora.

relay box   caja de relés.

relay broadcast station   estación relevadora de radiodifusión.

relay cabinet   gabinete de relés.

relay calculator   calculadora de relés. Este es el tipo más primitivo de las calculadoras digitales; posteriormente los relés fueron substituidos por tubos electrónicos; éstos a su vez han sido substituidos por transistores y otros dispositivos de estado sólido, incluso circuitos integrados.

relay center   *(Telecom)* centro retransmisor.

relay chain   *(Telecom)* cadena de relés | cadena de relés (radioeléctricos), cadena de estaciones relevadoras. Cadena de transmisión por radioenlaces sucesivos; radioenlace a base de repetidoras o retransmisoras de microondas.

relay chain circuit   *(Telecom)* circuito de cadena de relés.

relay channel   canal de radioenlace. Se refiere generalmente a la banda de frecuencias (con sus bandas de guarda) utilizada por una sola señal de televisión transmitida por un sistema de radioenlaces.

relay circuit   circuito de relé.

relay computer   computadora [calculadora] de relés. v. relay calculator.

relay contact   contacto de relé [de relevador].

relay-controlled   *adj:* controlado por relé; regulado por relé.

relay controlling local bell   *(Telef)* relé de timbre; relé (de mando) de llamada.

relay core   núcleo de relé [de relevador].

relay counter   contador de relés.

relay counting circuit   circuito contador de relés.

relay driver   excitador de relé.

relay drop   *(Telef)* anunciador de relé. Relé activado por una corriente de llamada de llegada, y que sirve para llamar la atención de la operadora hacia determinada línea de abonado.

relay flutter   comportamiento errático del relé.

relay group *(Elec)* grupo de relés. Asociación de relés que cooperan eléctrica o mecánicamente (CEI/56 16–05–010) ‖ *(Telecom)* grupo de relés [de relevadores]. SIN. **relay-set** | selector de relevadores. SIN. **all-relay selector.**

relay impedance impedancia del relé.

relay interrupter *(Telecom)* relé interruptor.

relay link radioenlace, enlace por haz hertziano.

relay magnet electroimán de relé. El que atrae la armadura [armature] al ser excitado.

relay message *(Teleg)* mensaje [despacho] de escala.

relay mounting soporte de relé, portarrelé.

relay mounting bracket escuadra soporte de relé, escuadra portarrelé.

relay mounting plate *(Telef)* banda soporte de relé, banda de relais.

relay mounting strip regleta de montaje de relés, regleta portarrelés.

relay network *(Telecom)* red de radiorrelevos; red de retransmisión.

relay neutrally adjusted *(Teleg)* relevador a la indiferencia, relé regulado a la indiferencia.

relay-operated *adj:* accionado por relé, mandado por relevador.

relay operating coil bobina de accionamiento del relé. SIN..**relay magnet.**

relay operation funcionamiento del relé; activamiento [excitación, accionamiento] del relé. EXPRESIONES CARACTERISTICAS: **the relay is energized:** el relé funciona, el relé está excitado | **the relay is fully energized:** el relé está plenamente [completamente] excitado | **the relay is partially energized:** el relé está parcialmente excitado | **the relay deenergizes [releases, restores]:** el relé vuelve al reposo | **the relay is working normally:** el relé funciona normalmente | **the relay is sticking:** el relé se pega | **stability of the relay:** estabilidad del relé | CF. **relay flutter, relay setting, relay adjustment panel.**

relay panel panel de relés. Panel en el cual va montado un grupo de relés [relay group] y que a su vez es soportado por un bastidor (v. **relay rack**).

relay point *(Telecom)* punto de relevo [retransmisión], emplazamiento de estación repetidora [retransmisora]. SIN. **relay site** ‖ *(Tv)* emplazamiento de un emisor de retransmisión ‖ *(Teleg)* punto de escala.

relay post puesto de relevo.

relay power supply fuente de alimentación de relés.

relay rack *(Elecn, Telecom)* bastidor normalizado, bastidor de ancho normal(izado). Bastidor (armazón metálica vertical) en el cual pueden montarse unidades de equipo con paneles de 19 pulgadas (483 mm) de ancho y alturas variables. Están también normalizados los espaciamientos, los diámetros y las roscas de los agujeros de montaje, en correspondencia con las muescas de los extremos de los paneles por las cuales pasan los tornillos de montaje. El nombre en inglés se debe a que este bastidor se ideó originalmente para el montaje de paneles de relés en las centrales telefónicas. SIN. **rack** | cuadro [estante] de relés ‖ *(Telecom)* bastidor del equipo de relevo [retransmisión] ‖ *(Telef)* bastidor de relés [de relais]. En las centrales, bastidor en el cual se montan bancos de relés.

relay-rack cabinet armario-bastidor normalizado, bastidor normalizado con cubierta metálica. Armario metálico con bastidor normalizado integral. Se emplean los armarios-bastidor cuando conviene resguardar el equipo contra el polvo o contra golpes, o cuando se necesita blindar ciertos elementos del equipo.

relay-rack mounting montaje en bastidor normalizado.

relay radar v. **radar relay.**

relay receiver receptor de repetidora. Parte de recepción de una estación repetidora o retransmisora.

relay satellite *(Telecom)* satélite repetidor, satélite-relé.

relay selector *(Telecom)* selector de relé.

relay sensitivity sensibilidad del relé | **to decrease the sensiti-vi-**

ty of a relay: disminuir la sensibilidad de un relé, reducir la sensibilidad de un relevador.

relay servo servomecanismo de relé(s).

relay-set *(Elec)* conjunto de relés. Conjunto de varios relés y accesorios colocados sobre un mismo soporte (CEI/56 16–05–015). CF. **relay group** ‖ *(Telecom)* grupo de relés [de relevadores]. SIN. **relay group** | juego de relés. Conjunto de relés montados sobre un soporte en común para constituir una unidad de montaje (CEI/70 55–25–175).

relay setting regulación del relé. SIN. **relay adjustment** | **the relay is set too closely:** el relé está regulado entre topes muy próximos, el relé está muy cerrado.

relay site v. **relay point.**

relay station *(Telecom)* estación retransmisora [repetidora, amplificadora], puesto amplificador ‖ *(Teleg)* estación retransmisora [traslatora, amplificadora]; estación de escala ‖ *(Radiocom)* estación relé [relevadora], estación repetidora [retransmisora]. Estación intermedia que recibe las señales de otra y las retransmite a una tercera. En radio y televisión, estación que recibe y redifunde las señales más allá de la zona de alcance directo de la estación cabecera o principal. En los sistemas de microondas, estación que sirve para continuar el enlace más allá del límite impuesto por el horizonte radioeléctrico. SIN. **repetidor, reemisor, emisor de relevo —— repeater (station), repeating station, relay transmitter.** CF. **drop repeater, through repeater** | estación de radioenlace. En sentido más general que el anterior, cualquier estación que forme parte de un sistema o red de radioenlaces, y que puede ser repetidora (definición anterior), pero que puede ser asimismo estación terminal [terminal station] o estación de entronque o convergencia de rutas [junction station].

relay stop pin tope de relé, tope de relais.

relay storage *(Informática)* almacenamiento mediante relés.

relay switch conmutador relé; interruptor electromagnético.

relay system *(Telecom)* sistema de retransmisión | sistema de relé hertziano. v. **radio-relay system, radio repeater** | sistema de relés. Conjunto de relés (relevadores) destinado a funciones de conmutación ‖ *(Telef)* sistema (exclusivo) de relés. Sistema de conmutación automática [dial switching system, automatic switching system] en el cual se utilizan principal o exclusivamente relés, en lugar de conmutadores mecánicos [mechanical switches]. SIN. **all-relay system, relay automatic system.**

relay television televisión retransmitida.

relay time *(Telecom)* tiempo de retransmisión.

relay timing temporización de relé.

relay tongue lengüeta de relevador; armadura de relevador.

relay tower *(Telecom)* torre de relevo [de retransmisión].

relay transmitter retransmisor, transmisor [emisor] de relevo, emisor-relé, transmisor de estación repetidora, emisor de estación relé. CF. **repeater (station), relay station.**

relay tube tubo-relé, válvula-relé, relevador electrónico. Tubo electrónico (válvula electrónica) que funciona como relé.

relay-type echo suppressor *(Telecom)* supresor de eco de acción discontinua. Supresor de eco que intercala (inserta) bruscamente, en la vía que el mismo debe bloquear, una atenuación determinada, igual o superior a la de bloqueo (CEI/70 55–25–415). CF. **metal-rectifier-type echo suppressor, rectifier-type echo suppressor, valve-type echo suppressor.**

relay-type servomechanism servomecanismo de relé.

relay unaffected by alternating current relé insensible a la corriente alterna.

relay unit *(Telecom)* selector de relevadores. SIN. **all-relay selector.**

relay valve *(GB)* v. **relay tube.**

relay winding bobinado de relé, bobina [carrete] de relevador.

relay with flexible armature relé con armadura flexible; relé con armadura empotrada [encastrada]. CF. **relay tongue.**

relay with holding winding relé con (bobina de) retención.

relay with instantaneous tripping relé de desconexión instantánea.

relay with magnetic shunt   relé con reductor [shunt] magnético.

relay with pivoted armature   relé de armadura giratoria.

relay with sequence action   relé de acción escalonada; relé de tiempo.

relay with switching contacts   relé conmutador, relé de contactos conmutadores.

relay yoke   culata de relé.

relayed message   mensaje retransmitido.

relayed ringing   *(Telef)* llamada por repetidor.

relaying   instalación de relés; protección con relés; retransmisión, escala.

relaying function   función de relevo; función de relé.

relaying station   v. relay station.

release   liberación; desenganche; separación; lanzamiento; desprendimiento; desembrague; suelta, acción de soltar; disparo; puesta en marcha; publicación ‖ *(Cine)* tiraje de explotación; distribución, puesta en circulación (de una película) ‖ *(Elec)* desconexión, ruptura; desenganche, interruptor, disyuntor | escape. Dispositivo que actúa mecánicamente sobre un interruptor para provocar su apertura. De acuerdo a las circunstancias en que el escape entre en acción, se le llama *a máxima o a mínima intensidad de corriente, a mínima o a falta de tensión,* etc. (CEI/38 15–30–045). CF. **instantaneous release, time-limit release, definite time-limit release** ‖ *(Gases y vapores)* escape, salida, emisión ‖ *(Mec)* disparador, mecanismo de disparo, soltador, relevador; trinquete ‖ *(Pianos)* escape ‖ *(Relés)* apertura; vuelta al reposo; desexcitación. Dícese cuando el relé es desexcitado, funcionan los contactos, y la armadura pasa a la posición de abierto o de reposo ‖ *(Máq de vapor, Mot de combustión interna)* escape; período de escape ‖ *(Telef)* desconexión, desocupación (de una línea, de un circuito); reposición ‖ v. **release of...** ‖‖ *verbo:* liberar, soltar; dejar escapar; liberar, librar, dejar libre, poner en libertad; desenganchar; separar; lanzar, largar; desprender; disparar; soltar, dar suelta, zafar; desembragar; poner en marcha [en movimiento]; desengranar; poner en venta; publicar, dar a publicación; permitir [autorizar] la publicación; desprender (gases); emitir (gas, humo, vapor) | **to release the brake:** soltar el freno ‖ *(Cine)* distribuir, poner en circulación (una película) ‖ *(Relés)* abrirse; quedar abierto; desexcitarse; quedar sin excitación; desactuarse ‖ *(Telecom)* **to release for service:** librar al servicio ‖ *(Telef)* desconectar, interrumpir, cortar (una comunicación); liberar; desconectarse, desocuparse, quedar disponible; quitar una clavija | **to release a call [a connection]:** cortar [desconectar] una comunicación ‖ *(Teleg)* autorizar la transmisión (de un despacho).

release a balloon   soltar un globo.

release arm   *(Teleimpr)* brazo de liberación.

release bar   *(Informática)* barra de escape; barra de desplazamiento.

release button   *(Mot)* pulsador de arranque.

release circuit   circuito de liberación.

release coil   *(Elec)* bobina de desenganche; bobina de desconexión.

release current   corriente de liberación. Valor por debajo del cual ha de caer la intensidad de la corriente que recorre un relé para que el mismo vuelva a su posición de reposo (CEI/70 55–25–200). SIN. **dropout current.** CF. **operate current.**

release device   disparador, mecanismo de disparo; soltador, dispositivo soltador; trinquete; dispositivo de destrinca.

release factor   *(Relés)* factor de liberación. Expresión en tanto por ciento de la razón entre la corriente de liberación [dropout current] del relé y la corriente nominal o de régimen [rated current], o entre las tensiones correspondientes.

release force   fuerza de liberación. Valor al cual hay que reducir la fuerza aplicada al elemento de accionamiento de un conmutador de contacto momentáneo [momentary-contact switch] para que los contactos vuelvan a sus posiciones normales o de reposo. CF. **releasing position.**

release gear   mecanismo de desenganche; dispositivo de desconexión; mecanismo de disparo; destrinca ‖ *(Avia)* mecanismo de lanzamiento.

release guard   *(Telecom)* mantenimiento de liberación. En conmutación automática [automatic switching], estado que se realiza en un selector, un juego de relés [relay-set], u otro dispositivo similar, durante la liberación, y según el cual el dispositivo no puede ser utilizado para una llamada posterior hasta después de terminadas las operaciones de liberación (CEI/70 55–105–485). CF. **forced release.**

release guard signal   *(Telecom)* señal de liberación de guarda, señal de librar guardia; señal de eliminación de bloqueo; señal de comprobación de reposición. Señal que se envía en respuesta a la señal de fin de conversación [forward clear signal], para proteger la línea contra captación o toma [seizure] antes de que la desconexión haya quedado terminada | señal de liberación de inhibición. Señal emitida hacia atrás en respuesta a la señal de fin de conversación, para indicar que el circuito ha sido liberado en la extremidad de entrada [incoming end]. Esta señal tiene el fin de proteger un circuito en su extremidad de salida [outgoing end] contra una toma posterior mientras no se hayan terminado en la extremidad de entrada las operaciones de desconexión [release operations] mandadas por la recepción de la señal de fin de conversación [clear-forward signal] (CEI/70 55–115–130). CF. **seizing signal.**

release key   *(Informática)* tecla de liberación; tecla de escape; tecla de desplazamiento ‖ *(Telef)* llave de liberación; llave de extinción (de lámpara piloto de llamada); llave de ruptura; botón de corte; botón de anulación.

release-key eject   *(Informátcia)* descarga por tecla de desplazamiento.

release-key switch   *(Informática)* interruptor de la tecla de escape.

release knob   perilla de desenganche.

release lag   *(Telecom)* tiempo de reposición.

release lever   *(Informática)* palanca de escape ‖ *(Teleimpr)* palanca de liberación.

release-lock action   accionamiento de retención y liberación. En relación con las botoneras (bancos de conmutadores de botón), dícese cuando un botón apretado a fondo, retorna en parte cuando se lo libera, pero queda retenido; es necesario entonces apretarlo de nuevo para que retorne completamente a la posición normal o de reposo (todo hacia afuera). CF. **switch action.**

release locking   *(Ferroc)* enclavamiento de protección. Enclavamiento que establece vínculos entre señales que comandan itinerarios concurrentes | enclavamiento binario simple [de posición]. Solidaridad entre dos palancas que asegura una sola posición a cada una de ellas. SIN. **front locking.**

release magnet   *(Telecom)* electroimán de liberación.

release mechanism   mecanismo liberador [de liberación]; mecanismo de disparo. v.TB. **releasing mechanism.**

release of a balloon   suelta de un globo.

release of a bomb   lanzamiento de una bomba.

release of energy   liberación de energía.

release of oscillations   *(Telecom)* cebado [enganche] de oscilaciones. v. **singing.**

release of shutter   *(Fotog)* disparo del obturador.

release period   *(Mec)* período de desembrague ‖ *(Máq de vapor, Mot de combustión interna)* período de escape.

release point   *(Mot)* principio del escape ‖ *(Bombardeo aéreo)* punto de lanzamiento ‖ *(Globos)* punto de suelta.

release print   *(Cine)* copia (de serie), copia de explotación [de distribución]; tiraje de copias.

release rod   varilla de desenganche.

release signal   *(Telecom)* señal de liberación; señal de desconexión.

release studio   *(Tv)* Expresión que el productor dirige al personal del estudio para indicar que ha terminado la emisión y el estudio ha quedado ya "fuera del aire" ["off the air"].

release time   tiempo de emisión; duración de la emisión ‖ *(Avia)* hora de relevo. Hora antes de la cual una aeronave necesita un nuevo permiso; hora antes de la cual una aeronave no debe continuar su camino si ha sufrido avería que impide la radiocomunicación ‖ *(Radiocom)* tiempo de desprendimiento. En relación con los relés accionados por la voz (VOK, VOR), intervalo necesario para la conmutación a las condiciones de recepción después de dejar de hablar ante el micrófono. CF. **attack time** ‖ *(Relés)* tiempo de liberación. Intervalo transcurrido entre el instante en que se corta la corriente de excitación [coil current] y el instante en que se abren los contactos que estaban cerrados o se cierran los que estaban abiertos.

release wire   *(Telef)* hilo de liberación. Hilo que a veces se provee en un sistema automático [automatic system] con el solo fin de mandar la liberación de los conmutadores (CEI/70 55–95–040).

releasing   liberación; desenganche; desprendimiento; suelta, acción de soltar; disparo; desconexión; desengrane. V.TB. **release.**

releasing current   *(Relés)* corriente de liberación. V. **release current** ‖ *(Telef)* corriente para desprender, corriente de reposición; corriente de desconexión.

releasing gear   v. **release device, release gear, release mechanism.**

releasing interval   *(Telef)* plazo de liberación.

releasing key   cuña para aflojar ‖ v. **release key.**

releasing lever   palanca de liberación [de suelta, de destrinca]; palanca de desconexión [de desembrague]; palanca de disparo ‖ v. **release lever.**

releasing magnet   electroimán de desconexión; electroimán de disparo ‖ v. **release magnet.**

releasing mechanism   mecanismo liberador [de liberación]; mecanismo de disparo; mecanismo de desconexión; mecanismo de suelta; mecanismo de desembrague.

releasing point   v. **release point.**

releasing position   punto de liberación. En un conmutador de contacto momentáneo, posición del elemento de accionamiento en la cual los contactos saltan de la posición de trabajo [operated position] a la normal o de reposo [normal position]. CF. **release force.**

releasing time   temporización; duración de corte ‖ v. **release time.**

relet   *verbo:* realquilar, volver a alquilar (un apartamento, una habitación).

RELET   *(Teleg)* Abrev. de regarding letter [nos referimos carta].

reliability   confiabilidad, fiabilidad, seguridad (funcional), seguridad de funcionamiento [de servicio]. (**1**) Calidad o condición de lo que es seguro o digno de confianza. (**2**) Probabilidad de que determinado elemento (circuito, dispositivo, sistema) desempeñará satisfactoriamente la función a que se le destina, durante un período determinado, y en condiciones especificadas. SIN. **estabilidad [regularidad] de funcionamiento, regularidad de rendimiento, continuidad de servicio, garantía de seguridad** —— **reliableness, dependability.** AFINES: confiable, fiable, período de defectos precoces [de defectos de juventud], período de vida útil, período de defectos de uso [defectos de envejecimiento], probabilidad de supervivencia, media de los tiempos de buen funcionamiento (MTBF). V.TB. **unreliability, mean time between failures, mean time to failure, mean time to first failure, mean time to repair, failure rate.**

reliability control   control de (la) confiabilidad.

reliability data   datos de confiabilidad; historial de confiabilidad.

reliability engineering   ingeniería de (la) confiabilidad.

reliability factor   factor de confiabilidad [de seguridad funcional]. Probabilidad, generalmente expresada en tanto por ciento, de que el elemento o equipo considerado cumplirá su cometido satisfactoriamente, por determinado período de tiempo, y en condiciones de funcionamiento dadas. En un equipo o un sistema que comprenda un gran número de piezas cuyo factor de seguridad sea inferior al 100 %, el factor de seguridad global resulta muy inferior al 100 %;

es decir, que el factor de seguridad funcional global disminuye rápidamente en razón inversa al número de piezas o elementos que forman el conjunto, pues en la práctica la seguridad funcional de cada pieza, por elevada que sea, es siempre inferior al 100 %. CF. **reliability index.**

reliability index   índice de confiabilidad. Cifra de mérito relativa a la confiabilidad de un elemento de equipo. EJEMPLOS: número de fallas por millar de ciclos de funcionamiento o por número especificado de horas de funcionamiento. CF. **reliability factor.**

reliability longevity   duración de la seguridad de servicio.

reliability measurement   medida de fiabilidad.

reliability of operation   confiabilidad [seguridad] de funcionamiento.

reliability prediction   predicción de (la) fiabilidad.

reliability test   prueba de fiabilidad. Prueba destinada a evaluar la fiabilidad o confiabilidad de un elemento o equipo en diversas condiciones ambientales.

reliable   *adj:* confiable, fiable, seguro, digno de confianza, de fiar; de funcionamiento seguro, de buena seguridad funcional.

reliable operation   funcionamiento confiable.

reliable results   resultados de fiar.

reliable working   funcionamiento confiable; seguridad de servicio.

relief   alivio; aligeramiento; socorro; descanso; mitigación; descarga; relieve, realce; resalto ‖ *(Mec)* relieve; alivio, desahogo, desfogue (de presión); descompresión; rebajado (de una pieza); franqueo, rebajo, destalonado (de una herramienta); desahogo (de una rosca) ‖ *(Personal)* relevo (de guardia) ‖ *(Topog)* relieve (del terreno). SIN. **terrain, topography.**

relief crew   *(Avia)* tripulación de relevo.

relief engine   *(Ferroc)* locomotora de socorro.

relief engraving   grabado en relieve.

relief features   *(Topog)* relieves característicos.

relief gas   gas evacuado.

relief line   *(Ferroc)* línea auxiliar.

relief map   mapa de relieve, mapa en relieve.

relief party   destacamento de relevo.

relief period   *(Telef)* intervalo de reposo [de descanso].

relief plate   *(Tipog)* cliché, clisé.

relief port   *(Mot)* lumbrera de escape.

relief track   *(Ferroc)* vía auxiliar de recorrido, vía auxiliar de paso, vía larga de paso.

relief train   *(Ferroc)* tren de socorro.

relief tube   tubo de desahogo.

relief valve   válvula de seguridad; válvula de compensación; válvula de desahogo [de alivio], aliviador; válvula de aire.

relieve   *verbo:* relevar; descargar, descongestionar, aligerar; remediar, asistir, ayudar, socorrer; aliviar, mitigar; aflojar, reducir (la presión); soltar, aflojar (los frenos); descargar (una válvula); relajar (un esfuerzo); destalonar (una herramienta); rebajar (por maquinado) ‖ *(Telecom)* **to relieve a circuit of some of its traffic:** descargar un circuito. Descongestionar el circuito aliviándolo de parte de su tráfico.

relieving   relevo; descarga, descongestión, aligeramiento; remedio, asistencia, ayuda, socorro; alivio, mitigación; aflojamiento, reducción (de la presión); suelta, aflojamiento (de los frenos); descarga (de una válvula); relajamiento, relajación (de un esfuerzo, de una tensión); destalonamiento (de una herramienta) ‖ *(Galvanoplastia)* liberación. Eliminación de compuestos de las partes coloreadas de la superficie del metal, por medios mecánicos (CEI/60 50–30–265) ‖‖ *adj:* aliviador, descargador; relajador.

relieving anode   *(Tubos de gas)* ánodo auxiliar de descarga | ánodo de descarga [de alivio] auxiliar. Anodo que permite una descarga auxiliar destinada a reducir la corriente de otro electrodo (CEI/56 07–40–125) ‖ *(Convertidores estáticos)* ánodo de shunt. Anodo que ofrece un trayecto conductor derivado, con el fin de captar la corriente de otro ánodo. SIN. **bypass anode** (CEI/56 11–10–035).

relieving arc *(Elec)* arco de descarga, arco de aligeramiento.

relieving discharge path *(Convertidores estáticos)* trayecto de descarga de shunt. Trayecto de descarga que ofrece un trayecto conductor derivado, con el fin de captar la corriente de otro trayecto de descarga. SIN. **bypass discharge path** (CEI/56 11–10–035).

relieving rectifier *(Convertidores estáticos)* válvula de shunt. Válvula que ofrece un trayecto conductor derivado, con el fin de captar la corriente de otra válvula. SIN. **bypass rectifier** (CEI/56 11–10–035).

relieving temperature temperatura de relajación (de esfuerzos internos).

reline *verbo:* reforrar, poner forro nuevo, revestir de nuevo; reforrar (frenos); reencamisar (cilindros); reguarnecer (cojinetes) ‖ *(Telecom)* reajustar (un circuito).

relocatable *adj:* relocalizable.

relocatable coding *(Informática)* codificación relocalizable. Codificación de tal forma que puede ser cargada y ejecutada en cualquier región disponible de la memoria interna de una computadora.

relocate *verbo:* relocalizar, trasladar, cambiar de sitio ‖ *(Informática)* relocalizar. Modificar las instrucciones de una rutina de modo que la misma pueda ser trasladada a otras posiciones para su ejecución.

relocation relocalización; retrazado, cambio de trazado; desplazamiento; traslado.

reluctance *(Lenguaje ordinario)* aversión, renuencia, repugnancia (a hacer una cosa) ‖ *(Mag)* reluctancia, resistencia magnética ‖ reluctancia. Cociente de la fuerza magnetomotriz aplicada a un circuito magnético por el flujo de inducción producido (CEI/38 05–30–020).

reluctance-element microphone micrófono con elemento de reluctancia variable. SIN. **reluctance microphone.**

reluctance factor factor de reluctancia.

reluctance generator *(Elec)* alternador de reacción. Alternador sincrónico que comprende un inductor de polos salientes [field magnet with salient poles] sin devanado de excitación [exciting winding], y cuyo campo no se debe más que a las corrientes de inducido [armature currents] (CEI/56 10–10–035).

reluctance microphone micrófono de reluctancia variable. SIN. **variable-reluctance microphone.**

reluctance motor *(Elec)* motor (sincrónico) de reluctancia. Motor sincrónico (constructivamente semejante al de inducción) en el cual el miembro portador del circuito secundario comprende polos salientes, pero no tiene excitación de corriente continua; arranca como motor de inducción, pero funciona normalmente a velocidad sincrónica [synchronous speed]. CF. **reluctance generator.**

reluctance pickup fonocaptor de reluctancia variable. SIN. **variable-reluctance pickup.**

reluctance torquemeter torsiómetro de reluctancia.

reluctance tuning sintonía por reluctancia. V. **permeability tuning.**

reluctive *adj:* *(Mag)* reluctivo.

reluctive transduction transducción reluctiva. Transducción en la cual interviene la variación de reluctancia de un trayecto entre dos o más bobinas al ser aplicada una excitación de corriente alterna.

reluctivity *(Mag)* reluctividad, reluctancia [resistencia magnética] específica. SIN. **specific reluctance** ‖ reluctividad. Recíproca de la permeabilidad [permeability] (CEI/38 05–25–195).

reluctometer reluctómetro.

rem *(Radiol)* rem. PLURAL INGLES: rems. PLURAL ESPAÑOL: remes. Unidad de dosis biológica efectiva; corresponde a la dosis absorbida de una radiación que produce el mismo daño biológico que un rad de radiación gamma. SIN. **roentgen equivalent man.** Las iniciales de este nombre forman el de *rem* ‖ rem. El rem es una unidad de dosis EBR [RBE dose]; es la dosis absorbida de una radiación ionizante [ionizing radiation] cualquiera que tiene la misma efectividad biológica [biological effectiveness] que un rad de rayos X de ionización específica media [average specific ionization] de 100 pares de iones por micra de agua. Una dosis en remes es igual a la dosis absorbida [absorbed dose] en rades multiplicada por el coeficiente EBR (v. **relative biological effectiveness**). OBSERVACION: El rem no es reconocido por la CIUR como unidad, sino solamente como un símbolo (CEI/64 65–15–155).

remainder resto, saldo, remanente, residuo, sobrante ‖ *(Mat)* resto, residuo. Resultado de una substracción; resultado de restar. SIN. **diferencia** ‖ resto, residuo. En una división, diferencia entre el dividendo y el producto del divisor por el cociente por defecto.

remainder formula *(Mat)* fórmula de los restos. Fórmula que expresa el resto en la aproximación de una función, o de una derivada o una integral de la misma.

remainder theorem *(Mat)* teorema del resto [del residuo]. El residuo de la división de un polinomio entero por un bionomio de la forma $(ax-b)$ se obtiene substituyendo en el polinomio en lugar de las x el valor b/a, es decir, el segundo término del binomio con el signo cambiado dividido por el coeficiente del primer término.

remanence residuo, remanente; remanencia, persistencia ‖ *(Mag)* remanencia, magnetismo remanente, imanación remanente [residual], imantación remanente [residual]. Flujo de inducción que persiste en un circuito magnético después de suprimida la fuerza magnetomotriz aplicada. Medida en que un cuerpo permanece magnetizado después de suprimido un campo magnetizante [magnetizing field] que ha llevado el cuerpo al punto de magnetización máxima (saturación) ‖ imanación remanente [residual]. Intensidad de imanación que persiste por efecto de la histéresis en un cuerpo magnético después de haberse suprimido el campo magnetizante. SIN. **residual magnetization** (CEI/38 05–25–215).

remanence curve curva de imanación remanente [residual].

remanent *adj:* remanente.

remanent deformation deformación remanente.

remanent flux density densidad de flujo remanente.

remanent-flux difference diferencia de flujos remanentes. Diferencia de flujo entre los dos estados remanentes [remanent states] que se presentan durante una conmutación de un dispositivo magnético de aplicación digital.

remanent induction *(Mag)* inducción remanente.

remanent magnetization imanación remanente [residual]. Imanación que persiste en un cuerpo después de haberse suprimido la fuerza magnetizante [magnetizing force].

remanent relay relé de remanencia. Relé que, en virtud del efecto de la remanencia magnética, permanece en la posición en que ha sido puesto por una corriente de mando [operate current], y que no abandona esta posición sino bajo la acción de una corriente de sentido opuesto al de la corriente de mando primitiva (CEI/70 55–25–165).

remanent state estado de remanencia. Estado de un dispositivo magnético cuando se ha suprimido la fuerza magnetomotriz [magnetomotive force]. CF. **residual state.**

remark observación; anotación (p.ej. en el parte diario de un operador).

remedial *adj:* remedial, correctivo.

remedial action acción correctiva.

remedial measure medida remedial.

Remendur Remendur. Material magnético de elevadas características ideado por Bell Laboratories (EE.UU.); es una aleación de cobalto, hierro y vanadio dúctil, maleable y capaz de valores de remanencia hasta 21 500 gausios.

remesh *verbo:* volver a engranar; remallar, reenmallar.

remittance remesa.

remodulation remodulación. Transferencia de una modulación de una portadora a otra.

remodulation-type repeater *(Sist de microondas)* repetidor del tipo remodulador.

remodulator remodulador. Dispositivo que cambia la modulación de amplitud en modulación de desplazamiento de una audiofrecuencia [audiofrequency-shift modulation]; se usa para transmitir señales de facsímile por un canal telefónico. SIN. converter.

remote *(Tv)* toma de (vistas) exteriores; transmisión de (vistas) exteriores. SIN. **field pickup, nemo, outside broadcast** ⫽ *adj:* remoto, distante, lejano, alejado, apartado.

remote actuation telemando.

remote aiming puntería a distancia. Dispositivo que permite apuntar a distancia cañones o proyectores (CEI/58 35–05–035).

remote alarm telealarma, alarma a distancia.

remote alarm indication teleindicación [teleseñalización] de alarma.

remote amplifier amplificador distante; amplificador de mando a distancia.

remote antenna ammeter teleamperímetro de antena.

remote balance control telemando de equilibrio (entre canales). En un sistema estereofónico, mando a distancia para equilibrar la potencia acústica de los canales desde el punto o zona de escucha.

remote broadcasting van *(Radio/Tv)* camión para transmisiones "remotas" [desde fuera de los estudios]. SIN. **outside-broadcast van, mobile unit.**

remote camera unit *(Tv)* equipo de tomas exteriores, equipo de toma de vistas en el exterior. CF. **mobile unit.**

remote community antenna *(Tv)* antena colectiva alejada.

remote compass brújula a distancia.

remote control telecontrol, control a distancia, control remoto; telemando, mando a distancia; teleaccionamiento, teledirección, telegobierno, telemaniobra, telerregulación, accionamiento [dirección, gobierno, maniobra, regulación] a distancia. (1) Control o gobierno de un aparato o de una magnitud desde un punto distante. (2) Dispositivo en el cual se efectúan las maniobras destinadas a gobernar o regular un dispositivo distante; el primero es el dispositivo de control, el segundo es el dispositivo mandado. SIN. **telecontrol.** CF. **local control, telemetering** | telemando, mando a distancia. Mando con la ayuda de un enlace eléctrico o de otra clase que permite realizar a distancia una maniobra cualquiera (CEI/57 15–20–020, CEI/58 35–05–020) | telerregulador; regulación a distancia. Dispositivo que permite el reglaje a distancia de máquinas o de aparatos. NOTA: En inglés no se hace distinción entre este concepto y el inmediatamente precedente (CEI/58 35–05–030). CF. **radiocontrol, remote aiming** ⫽ *(Ferroc)* v. **remote control of an area** ⫻ *adj:* telecontrolante, telerregulador; telemandado, teleguiado, teledirigido, telerregulado ⫻ *verbo:* telecontrolar, telemandar, telerregular, telegobernar, telemaniobrar, teleaccionar, teledirigir, controlar [mandar, regular, gobernar, maniobrar, accionar, dirigir] a distancia.

remote-control break switch *(Elec)* disyuntor de telemando.

remote-control broadcast station radiodifusora telemandada.

remote-control circuit circuito de telemando [de gobierno a distancia].

remote-control code señal codificada de telecontrol.

remote-control equipment equipo de telemando [de control remoto].

remote-control interlocking enclavamiento teleaccionado.

remote-control manipulator telemanipulador.

remote control of an area *(Ferroc)* telemando de una zona. Mando a distancia, por un número reducido de conductores, de los aparatos (agujas, señales, etc.) de una zona, aportando el sistema localmente sus fuentes de energía y sus enclavamientos [interlockings]. El telemando implica necesariamente la teleindicación [remote indication] (CEI/59 31–10–130).

remote-control operation telemando, telemaniobra, teleaccionamiento.

remote-control pushbutton botón de telemando; sistema de telemando por botón.

remote-control receiver receptor de telecontrol.

remote-control receiver unit unidad receptora de telecontrol. Puede contener uno o varios receptores.

remote-control signal señal de telemando.

remote-control steering gear aparato eléctrico de gobierno. Mecanismo que acciona el timón [rudder] de un buque, generalmente por medio de un servomotor eléctrico (CEI/58 35–10–025).

remote-control switch *(Elec)* teleconmutador; teleinterruptor, interruptor a distancia ‖ *(Telecom)* relé de corte a distancia.

remote-control switching teleconmutación.

remote-control transmitter transmisor de telecontrol.

remote-control transmitter unit unidad transmisora de telecontrol. Puede comprender uno o más transmisores de telecontrol.

remote-control unit unidad de control remoto, equipo de telemando.

remote-controlled *adj:* telecontrolado, telemandado, teleaccionado, teledirigido, telegobernado, telemaniobrado, telerregulado.

remote-controlled relay relé telemandado.

remote-controlled station *(Telecom)* estación telemandada ‖ estación telerregulada. Estación repetidora que comprende dispositivos de control de ganancia y de compensación o igualación, y que es telemandada desde otra estación ‖ *(Radiocom)* v. **remotely controlled station.**

remote controller telemando, mando a distancia; telerregulador.

remote counting telecómputo.

remote cutoff *(Elecn)* corte alejado. v. **remote-cutoff tube.**

remote-cutoff grid *(Elecn)* rejilla de corte alejado. v. **remote-cutoff tube.**

remote-cutoff tube *(Elecn)* tubo [válvula] de corte alejado, tubo [válvula] de pendiente variable. LOCALISMO: válvula de corte remoto. Tetrodo o pentodo cuya pendiente o factor de amplificación es función no lineal de la polaridad negativa de rejilla, y que requiere un valor bastante elevado de esta última para llegar al punto de corte de la corriente de ánodo. Se consigue este resultado dándole a la rejilla un paso mayor hacia el centro que hacia los extremos; es decir, que en la parte central los hilos están más espaciados. SIN. tubo [válvula] de mu variable [de transconductancia variable, de conductancia mutua variable], válvula de supercontrol —— variable-mu [variable-transconductance, variable-mutual-conductance] tube [valve *(GB)*], extended-cutoff tube, variable-slope valve *(GB)*, remote-cutoff valve *(GB)*, supercontrol tube. CF. **sharp-cutoff tube.**

remote-cutoff valve *(GB)* v. **remote-cutoff tube.**

remote deskset aparato (telefónico) de extensión.

remote-deskset switch unit conmutador [unidad selectora] de extensiones telefónicas.

remote detection teledetección. CF. **telemetering.**

remote display teleindicación visual, presentación visual a distancia; televisualización.

remote-display unit teleindicador visual; unidad de televisualización.

remote electric control telemando eléctrico.

remote error sensing teledetección de error. Como ejemplo, en una fuente de alimentación regulada, detección del error en la tensión de salida que se efectúa directamente entre los terminales de la carga, para que la señal de error sea función de la tensión verdaderamente aplicada a la carga, después de cualquier caída que ocurra en los conductores que van de la fuente a la carga. CF. **remote sensing.**

remote extension telephone set teléfono de extensión, teléfono supletorio distante.

remote gain control telemando [control remoto] de ganancia.

remote guidance teleguiaje.

remote handling telemanejo, telemanipulación.

remote-handling device dispositivo de telemanipulación.

remote-handling equipment aparato de telemanipulación.

remote-indicating *adj:* teleindicador.

remote-indicating meter   aparato de medida teleindicador.

remote indication   teleindicación; teleseñalización.

remote indicator   teleindicador, indicador a distancia.

remote keying   *(Teleg)* telemanipulación.

remote light-intensity control   telerregulación de intensidad de iluminación. CF. **dimmer.**

remote line   *(Radio/Tv)* línea de toma exterior, línea de transmisión "remota". Línea por la cual se transmite al estudio o al equipo transmisor el programa originado en un punto distante. V. TB. **remote pickup.**

remote-line seizure lamp   *(Teleimpr)* lámpara (indicadora) de toma de línea remota.

remote/local switch   selector de telemando o mando local.

remote manipulation   telemanipulación, manipulación a distancia.

remote manipulator   telemanipulador, aparato [dispositivo] de manipulación a distancia. Sirve para la manipulación a distancia de materiales o aparatos que ofrecen peligro, tales como los utilizados en reactores nucleares. SIN. **manipulator.**

remote manual board   *(Telef)* conmutador manual remoto. Se dice que una central automática [automatic exchange] tiene un *conmutador manual remoto* cuando su central magistral [parent exchange] se encuentra en un edificio que no es el que aloja la primera (CEI/70 55–90–225).

remote measurement   telemedida, telemedición. V. **telemetering.**

remote measuring   telemedida. V. **telemetering.**

remote meter   instrumento (de medida) teleindicador; telecontador.

remote-meter indicator   teleindicador (de instrumento de medida).

remote-metered   *adj:* telemedido, medido a distancia.

remote-metered quantity   magnitud telemedida.

remote metering   telemedida. V. **telemetering.**

remote-metering detector   detector de telemedida.

remote monitor   monitor a distancia, monitor remoto. En nucleónica, aparato electrónico de control a distancia que sirve para detectar radiaciones beta y gamma procedentes de diversas distancias y referidas a un punto único. SIN. **detector a distancia, detector remoto.**

remote monitoring   telecomprobación, televigilancia, comprobación [vigilancia] a distancia.

remote observation   teleobservación, observación a distancia. SIN. **teleobservation.**

remote-operated   telemandado, telemaniobrado, teleaccionado.

remote operator   operador de telemando.

remote pickup   *(Radio/Tv)* captación exterior [fuera de los estudios], toma de (escenas) exteriores, telerreportaje. Toma o captación de un programa o de escenas y su transmisión al estudio o al transmisor de la estación, mediante líneas telefónicas o por enlace de microondas. SIN. **field pickup, nemo, outside broadcast.**

remote-pickup camera   *(Tv)* cámara de toma exterior [fuera de los estudios], cámara para (escenas) exteriores, cámara de telerreportaje. CF. **remote camera unit.**

remote-pickup equipment   equipo de captación remota (de programas), equipo de tomas exteriores [fuera de los estudios]. CF. **remote broadcasting van.**

remote pickup unit   telecaptor, telecaptador ‖ *(Radio/Tv)* unidad de toma fuera de los estudios. CF. **mobile unit.**

remote polling technique   *(Telecom)* técnica de compartimiento de línea por interrogación centralizada. Técnica que permite a múltiples estaciones enlazadas por una línea colectiva, compartir eficientemente el uso de ésta. Una estación de control central les va dando turno, mediante un proceso electrónico automático de interrogación a intervalos muy cortos; cada "interrogación" consiste en una invitación a transmitir un mensaje o a disponerse a recibir uno. V. TB. **poll, polling.**

remote position control   telecontrol de posición.

remote position indicator   teleindicador de posición ‖ transmisor de posición. Aparato que transmite a un receptor distante la posición de un órgano (CEI/58 35–05–045).

remote positioning   teleposicionamiento, telemando [telegobierno] de (la) posición.

remote PPI   *(Radar)* V. **PPI repeater.**

remote preamplifier   preamplificador distante [remoto].

remote printing station   *(Informática)* estación impresora remota.

remote program   *(Radio/Tv)* programa exterior [captado fuera del estudio]. V. **outside program.**

remote programing   teleprogramación. En el caso de las fuentes de alimentación regulada, control de la salida regulada (corriente o tensión) mediante la variación a distancia de una tensión o de una resistencia.

remote reading   teleindicación.

remote-reading indicator   teleindicador.

remote-reading level gage   teleindicador de nivel.

remote-reading water gage   teleindicador de nivel del agua.

remote-reading thermometer   termómetro teleindicador.

remote readout   teleindicación.

remote receiver   receptor remoto.

remote-receiver control system   *(Radiocom)* sistema de telemando [telecontrol] de receptores, sistema de mando [control] de receptores remotos [distantes].

remote receiver station   *(Radiocom)* V. **remote receiving station.**

remote receiving station   *(Radiocom)* estación receptora remota, puesto receptor distante.

remote recording   telerregistro, registro a distancia.

remote selection   teleselección, selección telemandada [por control remoto], selección a distancia.

remote sensing   lectura distante. En el caso de un cargador de batería, lectura de tensión que se obtiene a distancia del cargador y lo más cerca posible de los bornes de la batería; esto hace la lectura independiente de la caída de tensión en los cables de carga. CF. **local sensing, remote error sensing.**

remote servocontrolled iris   *(Cám tomavistas)* diafragma servomandado [telemandado por servomecanismo].

remote set   *(Telecom)* aparato (telefónico) de extensión, teléfono de extensión, teléfono supletorio distante.

remote signaling   teleseñalización, señalización a distancia.

remote slave unit   aparato subordinado mandado a distancia.

remote station   *(Telecom)* estación remota [distante] ‖ *(Interfonos)* estación secundaria, (aparato) supletorio.

remote supervision   televigilancia, telesupervisión, vigilancia [supervisión] a distancia.

remote-supplied station   V. **remotely supplied station.**

remote switching   teleconmutación.

remote switchover   teleconmutación.

remote telemetering unit   unidad remota de telemedida.

remote thermometer   V. **remote-reading thermometer.**

remote-to-studio communications link   *(Radio/Tv)* enlace de comunicación entre el estudio y el lugar de captación remota.

remote transmitter station   *(Radiocom)* V. **remote transmitting station.**

remote transmitting station   *(Radiocom)* estación transmisora remota, puesto emisor distante. CF. **remote receiving station.**

remote tuning   telesintonización, sintonización a distancia.

remote tuning control   mando de telesintonización.

remote tuning mechanism   mecanismo de telesintonización [de sintonización a distancia]; mecanismo de servosintonización.

remote warning   telealarma.

remotely   *adv:* remotamente, a distancia.

remotely controlled   *adj:* V. **remote-controlled.**

remotely controlled drone aircraft   avión radiomandado utilizado como blanco móvil.

remotely controlled station   *(Telecom)* V. **remote-controlled**

station || *(Radiocom)* estación con control remoto. Estación radioeléctrica mandada a distancia (CEI/70 60–60–080). CF. **unattended station.**

remotely indicating   *adj:* teleindicador.

remotely operated   *adj:* v. **remote-operated.**

remotely oriented   *adj:* orientado a distancia, orientado por telemando.

remotely oriented antenna   antena orientada por telemando. CF. **remote aiming.**

remotely steered   *adj:* telegobernado, telemandado. CF. **remote-controlled steering gear.**

remotely supplied station   *(Telecom)* estación telealimentada. CF. **remote-controlled station.**

removable   *adj:* removible, amovible, desmontable, retirable, separable, que se puede quitar; de quita y pon; transportable; cambiable.

removable discontinuity   *(Mat)* discontinuidad evitable. Dícese cuando se puede completar la continuidad de una función discontinua.

removable picture-tube window   *(Tv)* vidrio de pantalla desmontable.

removal   remoción; supresión; traslado; desmontaje.

removal of a fault   reparación de una avería.

removal of a subscriber's telephone   traslado de un teléfono de abonado.

remove   *verbo:* quitar, sacar, retirar, desmontar (p.ej. una pieza); alejar, apartar, retirar; remover, retirar, trasladar; cambiar, mudar; suprimir; desviar, desplazar; desalojar; alzar, levantar; corregir, reparar, remediar (p.ej. una falla, una avería) | **the signal is removed in frequency:** la señal está desviada [desplazada] en frecuencia.

remove a circuit from service   *(Telecom)* retirar un circuito del servicio | . . . **for observation:** poner un circuito en observación | . . . **for trouble investigation:** poner un circuito en observación.

remove a discontinuity   *(Mat)* evitar una discontinuidad.

remove the receiver   *(Telef)* descolgar (el receptor, el microteléfono).

removing of kinks (in a wire)   rectificación (de un hilo, de un conductor).

renardite   *(Miner)* renardita.

render automatic   automatizar, hacer automático.

render fully automatic   automatizar totalmente, transformar en totalmente automático.

render inoperative   v. **inoperative.**

render valid   convalidar (un certificado, una licencia).

rendezvous   encuentro, reunión; concurrencia; cita | *(i.e.* space rendezvous) reunión en órbita.

rendezvous radar   radar de encuentro en órbita.

rendition of colors   reproducción de los colores.

renew   *verbo:* renovar.

renewable   *adj:* renovable, cambiable, reemplazable, recambiable; prorrogable (un plazo).

renewable arcing tips   *(Elec)* contactos renovables.

renewable fuse   *(Elec)* fusible renovable. Fusible que se pone de nuevo en servicio reemplazando el elemento fundido | fusible intercambiable.

renewal   renovación; prórroga (de un plazo).

renewal cost   v. **renewals cost.**

renewal part   repuesto, recambio, pieza de repuesto. LOCALISMO: parte de repuesto.

renewal theory   teoría de renovación. Teoría de la renovación (reemplazo) de componentes en un equipo o sistema complejos en los que las fallas de aquéllos pueden ocurrir según una ley de probabilidad.

renewals cost   gastos de renovación. Suma necesaria para la renovación de una instalación al cabo de un tiempo dado (CEI/38 25–05–030).

renormalization   renormalización.

renormalization of mass   renormalización de la masa. Acción y efecto de añadir a la masa mecánica de una partícula, la masa debida a la acción de la partícula sobre sí misma, con el objeto de obtener una suma igual a la masa medida (teoría de los campos cuantificados).

renormalize   *verbo:* renormalizar.

rental   alquiler, arrendamiento; renta; renta de alquiler, renta que proviene del alquiler.

rental tariff   *(Telecom)* renta de alquiler.

renversement   *(Acrobacias aéreas)* renversement.

reoperate time   *(Relés térmicos)* tiempo de liberación. SIN. **release time.**

reorder point   *(Control de inventario)* punto de reposición. Nivel de la existencia llegado al cual debe pedirse nuevamente.

REOURLET   *(Teleg)* Abrev. de re our letter [refiérome a nuestra carta].

REOURRAD   *(Teleg)* Abrev. de re our radiogram [refiérome a nuestro radiograma].

REOURTEL   *(Teleg)* Abrev. de re our telegram [refiérome a nuestro telegrama].

rep   Abrev. de repetition; representative || *(Radiol)* rep. El nombre es abreviatura de *roentgen equivalent physical* | rep. Unidad de dosis absorbida [absorbed dose], hoy reemplazada por el *rad.* Un rep es la dosis absorbida de cualquier clase de radiación para la cual la energía comunicada a un tejido blando [soft tissue] es de 93 ergs por gramo; esta es la absorción de energía para un tejido blando expuesto a los rayos X o gamma para los cuales la dosis de exposición es de un roentgen (CEI/64 65–15–140). CF. **rem.**

rep rate   Abrev. de repetition rate.

repair   reparación; retoque (de pintura) //// *verbo:* reparar; componer, restaurar, remendar; restablecer; renovar; enmendar, remediar, subsanar; resarcir, indemnizar.

repair clerk's desk   *(Telef)* mesa de reclamaciones. SIN. **complaint desk.**

repair depot   taller de reparaciones.

repair mark   marca de reparación. En la fabricación de discos fonográficos, marca resultante de la corrección de una línea en una matriz o un molde positivo, para que la misma no suene.

repair part   repuesto, pieza de recambio [de reparación], refacción.

repair personnel   personal de reparaciones.

repair service   servicio de reparaciones || *(Telef)* servicio de averías. SIN. **fault complaint service.**

repair shop   taller de reparaciones.

repair-shop truck   camión-taller (de reparaciones), taller ambulante [rodante].

repair squad   equipo de reparación.

repair team   equipo [cuadrilla] de reparaciones.

repair track   *(Ferroc)* vía para reparación de carros [de vagones].

repair truck   camión-taller, taller rodante.

repair wagon   vagón-taller, taller sobre ruedas.

repairability   reparabilidad, facilidad de reparación.

repairman   reparador, ténico [mecánico] de reparaciones; reparador, obrero reparador; obrero de la cuadrilla de entretenimiento.

repeat   *(Mús)* repetición //// *verbo:* repetir; reiterar; reproducir; repetirse || *(Telecom)* retransmitir //// *adj:* repetidor, de repetición.

repeat a message   *(Telef)* servir de intermediario en una conversación.

repeat-cycle timer   cronoprogramador de ciclo repetido.

repeat function   *(Teleimpr)* función de repetición.

repeat-function lever   palanca de función de repetición.

repeat indicator   indicador repetidor.

repeat key   *(Máq de escribir eléc)* tecla de repetición.

repeat mechanism   *(Teleimpr)* mecanismo de repetición.

repeat number   número (telefónico) en el cual se repiten algunas de las cifras. EJEMPLO: 3232.

repeat point   *(Rec)* punto (de sintonización) de frecuencia imagen, punto de sintonía repetida. Dícese cuando en un receptor superheterodino se recibe la misma estación en dos puntos distintos del cuadrante, correspondientes a las frecuencias del oscilador local iguales a la frecuencia de entrada (antena) aumentada o disminuida en el valor de la frecuencia intermedia.

repeat-point tuning   *(Rec)* sintonía repetida. v. **double-spot tuning.**

repeat signal   *(Teleg)* señal de repetición; señal de invitación a repetir. CF. **repeated signal.**

repeatability   repetibilidad, reproducibilidad. (1) Exactitud con que pueden repetirse las medidas con determinado instrumento. (2) Reproducción de los resultados de un experimento por el mismo operador utilizando el mismo aparato. (3) Medida de la aptitud de un transductor de suministrar la misma señal de salida en respuesta a la misma excitación, suponiendo idénticas las condiciones en ambas pruebas. (4) En el caso de un tubo regulador o de referencia de tensión, aptitud de alcanzar el mismo valor de caída de tensión a determinado tiempo especificado de haber comenzado un período de conducción cualquiera. (5) En el caso de un dispositivo temporizador [timer, time-delay device], valor de la desviación respecto al reglaje de retardo [time-delay setting], a cualquier temperatura dentro de límites especificados, y con un tiempo de reposición [reset time] superior al especificado. SIN. reproducibility | **repeatability of measurements:** reproducibilidad de las medidas.

repeatability error   error de repetibilidad.

repeatable   *adj:* repetible, reproducible.

repeated   *adj:* repetido; cíclico; múltiple.

repeated call   *(Telef)* llamada repetida | llamada de nuevo. Llamada que es la repetición de una llamada anterior no satisfecha debido a congestión (CEI/70 55–110–095).

repeated root   *(Mat)* raíz múltiple. Dícese cuando son iguales varias de las raíces de una ecuación; en casos particulares se llaman *raíces dobles, raíces triples, raíces cuádruples,* etc., según que sean dos, tres, cuatro, etc., el número de las raíces iguales.

repeated signal   señal repetida. Señal cuya emisión es repetida indefinidamente mientras sea válida la indicación que ella da (CEI/70 55–115–235). CF. **repeated-until-acknowledged signal.**

repeated solidification   *(Elaboración de semicond)* solidificación repetida.

repeated-until-acknowledged signal   *(Telecom)* señal repetida hasta acuse de recibo. Señal repetida con intervalos suficientes entre las emisiones sucesivas para permitir la recepción de una señal de acuse de recibo que hace cesar las emisiones (CEI/70 55–115–240).

repeater   repetidor; reincidente; fusil de repetición; reloj de repetición || *(Telecom)* repetidor. Amplificador u otro dispositivo que recibe señales débiles y emite señales correspondientes más fuertes, con o sin modificación de las formas de onda; puede ser de transmisión en un sentido o en ambos sentidos. Aparato tal que las señales recibidas de un circuito son reproducidas en otro u otros circuitos, generalmente después de ser amplificadas. SIN. **amplificador, retransmisor.** CF. **regenerative repeater, telegraphic repeater** | estación amplificadora intermedia; repetidor de señales | teleindicador, indicador a distancia. SIN. **remote indicator** | transformador de línea. SIN. **repeating coil** | estación repetidora [relevadora, retransmisora]. SIN. **repeating station** || *(Telef)* repetidor (telefónico). Conjunto de uno o más amplificadores y sus elementos asociados utilizados sobre un circuito telefónico. SIN. **telephone amplifier [repeater]** | repetidor (telefónico). Aparato que esencialmente consiste en uno o más amplificadores destinados a ser empleados en un mismo punto de una vía de telecomunicación (CEI/70 55–100–005). CF. **telephone repeater, impulse repeater, two-wire repeater, four-wire repeater** /// *adj:* repetidor.

repeater alarm   *(Telef)* alarma de repetidor.

repeater alarm circuit   *(Telef)* circuito de alarma de repetidor.

repeater bay   *(Telecom)* panel de repetidores; bastidor de repeti-

dores; fila de repetidores.

repeater building   *(Telecom)* caseta para repetidora.

repeater circuit   *(Telef)* circuito de repetidor.

repeater compass   *(Naveg)* brújula repetidora; compás repetidor.

repeater cord-circuit   *(Telef)* cordón de repetidor.

repeater distribution frame [RDF]   *(Telecom)* repartidor de repetidores; repartidor de baja frecuencia | entramado para distribución de repetidores. Repartidor [frame] situado en una estación de repetidor [repeater station] y que permite la interconexión, a frecuencia acústica, de amplificadores, traslatores, y dispositivos de señalización (CEI/70 55–100–020). CF. **repeater test rack.**

repeater gain   *(Telecom)* ganancia de un repetidor; amplificación de un repetidor.

repeater-gain measurement   medida de la ganancia de los repetidores.

repeater hut   *(Telecom)* caseta de repetidores.

repeater insertion   *(Telef)* inserción de repetidores | **repeater insertion on automatic long-distance tandem exchanges:** inserción de repetidores en las centrales interurbanas automáticas de tránsito | **automatic insertion of repeaters with operator dialing:** inserción automática de repetidores por la operadora.

repeater jammer   *(Radar)* perturbador reemisor. Equipo que recibe una señal de radar del adversario, la modifica de modo que quede falseada la información llevada por ella, y la vuelve a radiar.

repeater lamp   lámpara de repetidor | luz testigo. Luz indicadora [indicator light] que señala funcionamiento normal (CEI/70 45–60–070).

repeater line   *(Telef)* línea de repetidor.

repeater mechanism on engines   *(Ferroc)* dispositivo de repetición sobre las máquinas. Dispositivo que asegura la repetición acústica [acoustic repeating] de ciertas señales y el registro de su indicación con la ayuda de aparatos instalados en el puesto de conducción del tren (CEI/59 31–05–395).

repeater monitoring frequency   *(Telecom)* frecuencia de supervisión de repetidores.

repeater network   *(Telef)* línea artificial de repetidor.

repeater point   *(Telecom)* punto repetidor [de repetición].

repeater rack   *(Telecom)* (consisting of a number of bays) fila de repetidores | bastidor de repetidores.

repeater section   *(Telecom)* sección de repetición; sección repetidora | sección (elemental) de amplificación. Sección de línea comprendida entre dos estaciones de repetidores sucesivas [adjacent repeater stations].

repeater service unit   *(Telecom)* localizador de fallas de estación repetidora. Equipo que detecta, codifica y transmite a un punto de control (que puede estar en otra estación) las fallas o averías que se produzcan en una estación repetidora inatendida, es decir, una estación intermedia que funciona sin personal de guardia.

repeater station   *(Telecom)* estación de repetidores. Estación que comprende uno o varios repetidores. SIN. **centro de amplificación** || *(Radiocom)* estación repetidora, estación relé [relevadora], estación retransmisora [de retransmisión]. A VECES: estación amplificadora. (1) Estación de radio intermedia para la transmisión de programas entre una emisora principal y otros transmisores. (2) En un sistema de microondas, estación intermedia que recibe una señal de la estación inmediata anterior y la retransmite a la estación inmediata siguiente a lo largo de la ruta del enlace; por lo general funciona en ambos sentidos de transmisión simultáneamente. SIN. **repeating [relay] station, relay transmitter.**

repeater test rack [RTR]   *(Telecom)* bastidor de prueba de repetidores. Bastidor de una estación de repetidores [repeater station] en el cual pueden efectuarse las medidas de niveles de entrada y de salida de los amplificadores de audiofrecuencia y de los dispositivos de señalización [signaling units] (CEI/70 55–100–025). CF. **repeater distribution frame.**

repeater transmitter   transmisor repetidor, retransmisor. SIN. **relay transmitter** || *(Radar)* estación esclava [satélite]. SIN. **slave**

transmitter.

repeater tube   tubo (electrónico) repetidor. SIN. **repeater valve** (*GB*).

repeater valve (*GB*)   v. **repeater tube.**

repeatered cable   (*Telecom*) cable con amplificadores, cable con amplificación intermedia.

repeatered circuit   (*Telecom*) circuito con repetidores.

repeatered line   (*Telecom*) línea con repetidores.

repeating   repetición; reiteración; reproducción || (*Fonog*) repetición de surcos. v. **sticking** //// *adj:* repetidor, de repetición.

repeating coil   (*Telecom*) transformador toroidal || (*Telef*) bobina repetidora [de repetición], transformador (de línea); traslator; transformador para teléfono. (**1**) Transformador de audiofrecuencia (normalmente de relación 1:1) que se utiliza para el acoplamiento inductivo de dos secciones de línea telefónica. (**2**) Transformador utilizado para la combinación [phantoming] y la interconexión de circuitos telefónicos. SIN. **line transformer, repeater.** CF. **matched repeating coils.**

repeating-coil rack   (*Telecom*) bastidor de bobinas de repetición.

repeating decimal   (*Mat*) decimal periódico [recurrente], fracción decimal periódica. Fracción decimal que consta de un grupo de cifras que se repite indefinida y periódicamente, o que comprende un grupo tal, llamado *período*. Si el período empieza inmediatamente después de la coma, la fracción se llama *periódica pura;* en caso contrario se llama *periódica mixta*. En el segundo caso recibe el nombre de *parte no periódica* o *parte irregular* el conjunto de las cifras anteriores al período o posteriores a la coma. EJEMPLOS: 5,727272 . . . ; 0,428595959 . . . La primera es periódica pura y su período es 72; la segunda es periódica mixta, tiene por período 59, y por parte irregular 428. SIN. **circulating [periodic, recurring] decimal.**

repeating flash tube   (*Fotog*) lámpara de destellos de repetición. Se emplea en aerofotografía nocturna.

repeating installation   (*Telef*) instalación de traslación.

repeating register   (*Telecom*) registrador repetidor.

repeating relay   relé repetidor, relé amplificador.

repeating selector   selector repetidor.

repeating ship   buque repetidor (de señales).

repeating signal   (*Ferroc*) señal de repetición. La que repite la indicación de la señal siguiente.

repeating station   v. **repeater station.**

repeating timer   v. **repeat-cycle timer.**

repel   *verbo:* repeler.

repel protons   repeler protones.

repellent   (substancia) repelente //// *adj:* repelente; repulsivo; ahuyentador; (*i.e.* water repellent) impermeable.

repeller   repeledor, repelente || (*Elecn, Tubos de microondas*) reflector. v. **reflector.**

repeller electrode   (*Elecn, Tubos de microondas*) v. **reflector electrode.**

repelling   repulsión //// *adj:* repelente; repulsivo.

repelling force   fuerza repulsiva [de repulsión].

reperforating monitor   (*Teleimpr*) monitor reperforador.

reperforator   (*Informática*) reperforadora. Máquina que lee la información perforada en una cinta o una tarjeta y perfora la misma información en otra cinta u otra tarjeta || (*Teleimpr*) reperforador. Máquina que convierte una señal de llegada en una cinta perforada que puede usarse para la retransmisión del despacho o para su impresión local. SIN. **tape reperforator** | receptor perforador. v. **receiving perforator.**

reperforator base   (*Teleimpr*) base del reperforador.

reperforator switching   (*Teleg*) conmutación por reperforador | conmutación con retransmisión por cinta perforada. Tránsito por cinta perforada en el cual la cinta que sale de un receptor perforador [reperforator, receiving perforator] alimenta directamente un emisor automático [automatic transmitter] con el cual está permanentemente asociado y que puede ser conmutado hacia cualquier canal de salida (CEI/70 55-55-100). CF. **tape relay,**

torn-tape relay, pushbutton switching.

repertory dialing unit   (*Telef*) cuadrante repertorio.

repetition   repetición; reiteración; reproducción; copia; repaso || (*Telecom*) repetición, traslación, retransmisión || (*Teleg*) repetición, colación || (*Mús*) repetición.

repetition echo   eco de repetición.

repetition frequency   frecuencia de repetición. V.TB. **repetition rate.**

repetition of frequencies   (*Radiocom*) repetición (geográfica) de frecuencias. CF. **duplication of frequencies, sharing conditions.**

repetition of telegraph signals   traslación de señales telegráficas.

repetition-paid telegram   telegrama colacionado.

repetition rate   frecuencia de repetición [de recurrencia], ritmo, cadencia. Ritmo o rapidez con que se produce un fenómeno recurrente; frecuencia con que se genera o se emite una señal o un impulso recurrente. SIN. **recurrence rate, repetition frequency.** CF. **pulse repetition rate** || (*Telef*) tasa de repetición; porcentaje de repeticiones | coeficiente de repetición. Número medio, referido en general a un intervalo de 100 segundos, de las repeticiones pedidas por uno u otro de los corresponsales durante una conversación telefónica corriente o una conversación de ensayo efectuada en condiciones que imitan las del servicio normal; la duración total de la observación debe ser lo suficientemente larga para que los resultados numéricos sean válidos (CEI/70 55-40-030).

repetitive   *adj:* repetitivo; iterativo; reiterativo; recurrente; periódico, cíclico; de repetición || (*Informática*) constante, invariable.

repetitive account   (*Informática*) cuenta "repetitiva", cuenta de repetición periódica.

repetitive analog computer   calculadora analógica repetidora [de repetición].

repetitive checking   comprobación cíclica.

repetitive differential analyzer   analizador diferencial repetitivo.

repetitive error   error repetido.

repetitive event   fenómeno [suceso] recurrente. Si recurre a intervalos regulares puede llamársele *cíclico* o *periódico*.

repetitive motion   movimiento recurrente.

repetitive operations   operaciones recurrentes [de naturaleza recurrente].

repetitive peak inverse voltage   (*Rect*) cresta de tensión inversa recurrente.

repetitive printing   (*Informática*) impresión repetida.

repetitive rate   ritmo de repetición.

replace   *verbo:* reemplazar, substituir, cambiar (p.ej. una pieza defectuosa); reemplazar, reponer (volver a poner o colocar algo donde estaba); renovar; devolver, restituir; reembolsar.

replace the receiver   (*Telef*) colgar (el receptor). SIN. **hang up.**

replacement   reemplazo, substitución, cambio, recambio; reemplazo, reposición; renovación; devolución, restitución; reembolso; relevo, reemplazo; reemplazamiento | v. **replacements.**

replacement cartridge   (*Fonocaptores*) cápsula de reemplazo || (*Micrófonos*) cápsula de reemplazo; elemento interno.

replacement of receiver   (*Telef*) acción de colgar.

replacement part   repuesto, pieza de repuesto [de reemplazo, reposición], (pieza de) recambio.

replacement pickup   fonocaptor de repuesto.

replacement tube   (*Elecn*) tubo [válvula] de recambio, tubo de substitución; válvula equivalente. Tubo o válvula que sirve para reemplazar a otro; puede tener el mismo número de tipo o tener una designación diferente.

replacement unit   unidad de reposición.

replacements   repuestos, recambios, refacciones, piezas [elementos] de repuesto [de recambio]. LOCALISMOS: reposiciones, respetos, piezas de respeto. SIN. **spares, replacement parts.**

replay   (*Electroacús*) reproducción, lectura. SIN. **playback** || (*Radar*) respuesta. Señal más o menos compleja transmitida por un respondedor [transponder] en respuesta a una interrogación. SIN. **response.**

replay amplifier   *(Electroacús)* v. **playback amplifier**.

replay chain   cadena de reproducción.

replay channel   *(Electroacús)* v. **playback channel**.

replenisher   regenerador; recargador; dinamo para cargar acumuladores; cuba de recuperación; rellenador.

replica   réplica; modelo; copia, reproducción ‖ *(Mús)* repetición.

replica grating   réplica de la rejilla (de difracción). Réplica del rayado de una rejilla de difracción.

replicate   repetición ‖ *(Estadística)* elemento repetitivo ⫽ *adj:* (also replicated) replegado, doblado sobre sí mismo ⫽ *verbo:* repetir, duplicar, copiar; replegar, doblar sobre sí mismo.

replicative process   proceso de duplicación.

reply   respuesta, contestación ‖ *(Radar)* respuesta. Señales de radiofrecuencia que emite un respondedor [transponder] en respuesta a una interrogación. SIN. **response** ‖ *(Teleg)* **reply to paid service:** respuesta a un servicio pagado ⫽ *verbo:* responder, contestar.

reply frequency   frecuencia de respuesta.

reply paid [RP]   *(Teleg)* respuesta pagada. Dícese cuando el remitente paga anticipadamente por la respuesta que espera recibir de su corresponsal.

reply-paid charge   tasa de respuesta pagada.

reply-paid telegram   telegrama con respuesta pagada.

reply pulse   impulso de respuesta.

reply telegram   telegrama-respuesta.

report   informe, relación, memoria; informe, parte, notificación, mensaje; boletín (de información); reporte; reportaje, informe, información, relato, reseña, noticia, parte; rumor, voz ‖ *(Acús)* detonación, estallido, estruendo, trueno, ruido de explosión ‖ *(Meteor)* boletín, informe, parte; mensaje (de observaciones); observación ‖ *(Informática)* informe, estado, planilla | informe, reporte. Documento de salida de un sistema de elaboración de datos ⫽ *verbo:* informar, dar parte, dar cuenta, dar noticia, notificar, comunicar, reportar; presentarse (al trabajo, al servicio) | **it has been reported:** se tiene noticia [conocimiento] (de), se ha informado (que).

report call   *(Telef)* llamada de aviso.

report charge   *(Telef)* tasa de preparación.

report for duty   presentarse al servicio.

report for landing   *(Avia)* informe para el aterrizaje.

report generation   *(Informática)* generación de informes. Técnica de producir informes completos en la máquina, partiendo de informaciones que describen los datos de entrada y el formato y contenido que se persiguen en el informe de salida.

report generator   *(Informática)* generador de informes. Rutina o programa especiales de computador mediante el cual se efectúa la generación de informes [report generation].

report program generator [RPG]   *(Informática)* generador de programas para informes. Generador destinado a estructurar programas que ejecutan funciones rutinarias de preparación de informes; es decir, programas que admiten datos de entrada procedentes de tarjetas perforadas o de cinta magnética y producen informes impresos (a menudo con encabezamientos, subtotales y totales, etc.).

reporting   información; comunicación, notificación; reportaje.

reporting car   *(Radio/Tv)* automóvil [vehículo] de reportaje.

reporting events   *(Radio/Tv)* actualidades, noticias, asuntos [acontecimientos] de actualidad.

reporting line   línea (telefónica) directa.

reporting of a fault   notificación de una avería.

reporting point   *(Avia)* punto de notificación. Punto de referencia para indicar la posición geográfica de una aeronave.

reporting station   *(Telecom)* estación de aviso. En los sistemas de microondas, estación que en caso de avería en el equipo transmite señales de falla a una estación supervisora o de control. CF. **fault reporting**.

reporting step   *(Meteor)* fase de notificación.

represent   *verbo:* representar.

representation   representación.

representative   representante ⫽ *adj:* representativo; tipo, típico.

representative array   distribución [ordenación] típica.

representative calculating time   *(Informática)* tiempo representativo de cálculo. Concepto utilizado para evaluar la velocidad de una calculadora o computadora; por lo general corresponde al tiempo necesario para ejecutar una operación o una serie de operaciones especificadas.

representative fraction   *(Dibujos, Planos, Mapas)* fracción representativa, escala fraccionaria; escala (numérica).

representative observation   *(Meteor)* observación representativa [típica].

representative sample   muestra representativa [tipo].

representative value   valor tipo.

reprint   reimpresión; separata; separados, tirada aparte.

reprocessing   reelaboración; retratamiento; reutilización; regeneración ‖ *(Nucl)* reprocesamiento, reacondicionamiento, regeneración (del combustible). Proceso al cual se somete el combustible del reactor para volverlo a utilizar o para recobrar el material fisionable no utilizado.

reprocessing loss   *(Nucl)* pérdida por reprocesamiento.

reproduce   *verbo:* reproducir; copiar, duplicar información.

reproduce condition   *(Magnetófonos)* condición de reproducción, disposición para la reproducción.

reproduce head   *(Electroacús, Registro mag)* v. **playback head**.

reproduced ambience   *(Electroacús)* efecto que en el sonido reproducido tiene la acústica de la sala donde se hizo la grabación. v. **ambience, room tone, recorded ambience**.

reproducer   *(aparato)* reproductor ‖ *(Fotog)* reproductor ‖ *(Electroacús)* reproductor. Transductor electroacústico; dispositivo que transforma señales eléctricas en ondas acústicas o sonoras correspondientes. v. **loudspeaker, headphone, receiver** ‖ *(Informática)* reproductora. Máquina destinada a la duplicación de información. Máquina que lee tarjetas perforadas y reproduce la información (o parte de ella) perforando otras tarjetas.

reproducibility   reproducibilidad, uniformidad de producción. Grado de uniformidad en la fabricación de un elemento | reproducibilidad, repetibilidad. Uniformidad de resultados de un experimento realizado en iguales o en distintas circunstancias o fechas, o ejecutado por distinto personal. V.TB. **repeatability**.

reproducible   *adj:* reproducible.

reproducible light source   fuente luminosa reproducible.

reproducible test   prueba reproducible (dentro de ciertos límites de error).

reproducible value   valor reproducible.

reproducing   reproducción, duplicación ⫽ *adj:* reproductor, duplicador, copiador.

reproducing and gang punching   *(Informática)* multiperforación y reproducción.

reproducing apparatus   aparato(s) de reproducción.

reproducing characteristic   *(Electroacús)* característica de lectura. v. **playback characteristic**.

reproducing head   cabeza de reproducción. v. **playback head**.

reproducing punch   *(Informática)* perforadora reproductora automática.

reproducing stylus   *(Electroacús)* (a.c. stylus) aguja (de fonocaptor). Elemento mecánico terminado en punta fina, que sigue las ondulaciones del surco del disco fonográfico y transmite los movimientos resultantes al mecanismo del fonocaptor.

reproduction   reproducción, duplicación (de información) ‖ *(Electroacús, Tv, Teleg)* reproducción | **reproduction of pictures:** reproducción de imágenes | **reproduction of music:** reproducción musical [de sonidos musicales] | **reproduction of speech:** reproducción de la palabra.

reproduction channel   canal de reproducción. SIN. **playback channel**.

reproduction factor   *(Nucl)* factor de multiplicación.

reproduction ratio   *(Facsímile)* relación de reproducción | *(i.e.*

ratio of linear size between received and transmitted documents) razón de reproducción. Razón de las dimensiones lineales de la imagen recibida a las de la imagen transmitida (CEI/70 55–80–085).

reproduction room   sala de reproducción.

reproduction set   *(Electroacús)* aparato reproductor. EJEMPLOS: fonógrafo, magnetófono. SIN. **playback unit.**

reproduction speed   *(Facsímile)* velocidad de reproducción. Area de imagen reproducida por unidad de tiempo.

repulsion   rechazo, rechazamiento ‖ *(Elec, Mag)* repulsión. Fuerza que tiende a separar los cuerpos cargados con electricidad del mismo nombre o magnetizados con igual polaridad.

repulsion-induction motor   *(Elec)* motor de repulsión-inducción. Motor eléctrico de repulsión que, además del devanado de repulsión normal, lleva en el rotor un devanado en jaula de ardilla [squirrel-cage winding].

repulsion motor   *(Elec)* motor de repulsión. Motor monofásico de colector [commutator] cuyas escobillas están conectadas en cortocircuito (CEI/38 10–15–055, CEI/56 10–15–070). v. **repulsion motor with. . .**

repulsion motor with double set of brushes (Déri)   *(Elec)* motor de repulsión con doble juego de escobillas (Déri). Motor de repulsión que comprende dos juegos de escobillas, de los cuales uno es fijo y el otro desplazable (CEI/56 10–15–120).

repulsion-start induction motor   *(Elec)* motor de inducción de arranque por repulsión. Electromotor de alterna que arranca como motor de repulsión y continúa como tal hasta alcanzar una velocidad predeterminada; entonces las barras del colector se ponen en cortocircuito y se establece así el equivalente de un devanado en jaula de ardilla [squirrel-cage winding] para funcionamiento como motor de inducción con características de velocidad constante. SIN. **repulsion-start (induction-run) motor.**

repulsion-start induction-run motor   *(Elec)* motor de inducción de arranque por repulsión. v. **repulsion-start induction motor.**

repulsion-start motor   *(Elec)* motor de inducción de arranque por repulsión. v. **repulsion-start induction motor.**

repulsive   *adj:* repulsivo, de repulsión.

repulsive energy   energía de repulsión.

repulsive force   fuerza repulsiva [de repulsión]. SIN. **repulsion.**

repulsive potential   *(Fís)* potencial repulsivo.

repulsive-potential curve   curva de potencial repulsivo.

repulsiveness   repulsividad; fuerza repulsiva [de repulsión].

REQ   *(Teleg)* Abrev. de request.

request   pedido, petición, solicitud ⫽ *verbo:* pedir, solicitar.

request for information   pedido [solicitud] de información ‖ *(Telef)* petición de información. Solicitud formulada por un usuario con el objeto de saber: (a) si cierta persona designada por su nombre, con las indicaciones suplementarias necesarias de identificación (p.ej. su dirección completa), es abonado del servicio telefónico [telephone subscriber] y, en caso afirmativo, cuál es su número de teléfono; o (b) a quién corresponde un número de teléfono dado en una red telefónica determinada.

request repeat system   *(Teleg)* RQ automático, sistema detector de errores con pedido de repetición. v. **error-detecting and feedback system.**

request/reply transmission   *(Telecom)* transmisión a petición, transmisión pregunta-respuesta.

requester   solicitante, peticionario.

requesting subscriber   *(Telef)* abonado solicitante.

required power   *(Avia)* potencia requerida.

requirement   requisito, exigencia, condición requerida; necesidad; demanda; reclamación.

requirement card   *(Informática)* tarjeta de materiales requeridos.

requisition   requisición; pedido; petición, solicitud, demanda ⫽ *verbo:* requisar; pedir, solicitar, demandar.

reradiate   *verbo:* rerradiar; reflejar; retransmitir, reemitir.

reradiated energy   energía retransmitida.

reradiation   rerradiación; reflexión; retransmisión, reemisión; dispersión de energía incidente ‖ *(Radio)* radiación indeseable (del oscilador local). Radiación indeseable de oscilaciones locales cuando en un receptor superheterodino (o regenerativo) no hay suficiente aislación [isolation] entre el circuito de antena y la fuente local de oscilaciones.

reradiation error   *(Radiogoniometría)* error de reflexión local. Error local [site error] de un radiogoniómetro debido a la sola acción de masas conductoras vecinas (CEI/70 60–71–095).

rerail   *verbo:* *(Ferroc)* encarrilar (un vehículo descarrilado); reponer carriles, poner carriles nuevos, renovar la vía.

rerailer   *(Ferroc)* encarrilador.

rerailing ramp   *(Ferroc)* rampa de encarrilar.

reread   *verbo:* releer.

reread device   *(Informática)* dispositivo de relectura.

rerecord   *verbo:* *(Electroacús)* regrabar, transferir un registro. Registrar una señal obtenida por reproducción de un registro previo.

rerecording   *(Electroacús)* regrabación, rerregistro, transferencia de registro | nuevo registro. Operación consistente en registrar, por un procedimiento cualquiera, la señal obtenida por la lectura de una señal ya registrada (CEI/60 08–25–075) | regrabación, mezcla. Grabación combinada de las distintas partes del programa sonoro de una película (diálogo, canto, música) que primero han sido grabadas separadamente; al hacer la grabación combinada se le da a cada parte el nivel conveniente, para obtener los efectos deseados (perspectiva, etc.). SIN. **dubbing.**

rerecording amplifier   amplificador de regrabación.

rerecording compensator   compensador de regrabación.

rerecording console   consola de regrabación ‖ *(Cine)* consola de grabación [de mezcla].

rerecording room   sala de regrabación ‖ *(Cine)* cuarto de grabación, cuarto [cabina] de mezcla.

rerecording system   sistema de regrabación [de rerregistro]; sistema de regrabación [de mezcla]. El sistema comprende elementos tales como reproductores, amplificadores, mezcladores, compensadores, y aparatos de registro o grabación.

rereel   *verbo:* rebobinar, rearrollar.

rering   *verbo:* volver a repicar, tocar de nuevo (una campanilla, un timbre ‖ *(Mot)* colocar aros nuevos (en los pistones) ‖ *(Telef)* *(i.e.* rering on a trunk; have the called subscriber ring again) invitar a llamar al abonado llamado.

reringing   acción de volver a repicar, acción de tocar de nuevo (una campanilla, un timbre) ‖ *(Mot)* colocación de aros nuevos (en los pistones).

reringing signal   *(Telef)* señal de emisión de corriente de llamada. Señal emitida cuando la operadora quiere volver a llamar a un abonado que ha colgado su microteléfono.

reroute   *verbo:* reencaminar, cambiar la ruta.

reroute the traffic   *(Telecom)* reencaminar el tráfico, encaminar el tráfico por rutas alternativas | desviar el tráfico. SIN. **divert the traffic.**

rerouting   reencaminamiento, acción de cambiar la ruta ‖ *(Telecom)* reencaminamiento (del tráfico), encaminamiento (del tráfico) por rutas alternativas | reconstitución de la ruta | desvío (del tráfico). Método de encaminamiento del tráfico en el cual una comunicación que no dispone de circuito libre [free circuit] por la vía normal es dirigida hacia una vía alternativa [alternative route], sea por el equipo automático, sea por una operadora (CEI/70 55–105–315). SIN. **alternative routing.**

rerun   *(Informática)* repetición. Acción de volver a pasar tarjetas o una cinta perforada; acción de repetir la ejecución de un programa de computadora o parte del mismo. SIN. **rollback** ‖ *(Teleg)* repetición, retransmisión. Acción de volver a pasar una cinta perforada (o parte de ella) por el emisor automático [automatic transmitter] ‖ *(Petr)* redestilación ⫽ *verbo:* repetir, volver a pasar; retransmitir, volver a transmitir ‖ *(Petr)* redestilar, volver a destilar.

rerun points   *(Informática)* puntos de repetición. Puntos preseleccionados en un programa de computadora, para que, de descubrirse un error entre dos de ellos, pueda volverse al primero y repetir a partir de él la ejecución del programa, en vez de volver al principio del programa.

rerun routine   *(Informática)* rutina de repetición. Rutina utilizada para reconstituir una anterior a partir de un punto de repetición (v. **rerun points**) después de descubierto un mal funcionamiento o un error de codificación o de maniobra.

rerun slip   *(Teleg)* sírvase volver a pasar la cinta. Pedido que se le hace al operador corresponsal para que vuelva a pasar la cinta que acaba de terminar, por no haberse efectuado la recepción o por haberse producido mutilaciones en la misma.

RES   *(Esquemas)* Abrev. de resonance.

rescap   rescap. Circuito formado por resistencias y condensadores y que se fabrica como conjunto integral encapsulado.

rescue   rescate; salvamento; auxilio, socorro; recogida de las víctimas (muertos y heridos) /// *verbo:* rescatar; salvar; auxiliar, socorrer; recoger las víctimas.

rescue boat   embarcación de salvamento; lancha de salvamento. Embarcación de salvamento fluvial y costera con velocidad próxima y aún superior a los 14 nudos. El *buque de salvamento* [rescue ship, rescue vessel], en cambio, es una embarcación para altar mar, con gran radio de acción y bastante velocidad.

rescue brigade   brigada [equipo] de salvamento. SIN. **rescue party [unit]**.

rescue coordination center [RCC]   centro coordinador [de coordinación] de salvamento. Centro establecido en un área determinada de busca y salvamento para promover la eficacia de ese servicio. CF. **rescue subcenter**.

rescue frequency   *(Radiocom)* frecuencia de salvamento. Frecuencia de radiocomunicación reservada para el servicio de salvamento.

rescue hatch   escotilla de salvamento.

rescue party   equipo [grupo] de salvamento. SIN. **rescue brigade [unit]**.

rescue ship   buque de salvamento. v. **rescue boat**.

rescue subcenter   subcentro de salvamento. CF. **rescue coordination center**.

rescue unit   brigada [equipo] de salvamento. Brigada compuesta de personal adiestrado y provisto del equipo necesario para la mayor eficacia de las operaciones de busca y salvamento. SIN. **rescue brigade [party]**.

rescue vehicle   vehículo de salvamento.

rescue vessel   buque de salvamento. v. **rescue boat**.

research   investigación, averiguación, indagación; estudio | investigación (científica, tecnológica). AFINES: investigación (científica) básica [fundamental, pura], investigación (tecnológica) aplicada, investigación (científica) académica [universitaria] (la realizada en universidades), estudios básicos. [científicos], progresos científicos fundamentales, experimentación científica, experimentación técnica, experimentos, pruebas, ensayos, proyectos, estudios, cálculos, progresos [adelantos, perfeccionamientos] técnicos, mejoras técnicas. v.TB. **applied research, basic research, development, product engineering, research and development**.

research and development [R&D]   investigación y desarrollo, investigación y perfeccionamiento, investigación y experimentación (científica, tecnológica). Conjunto de los trabajos que exige la realización de una idea o una novedad de aplicación futura determinada, desde su concepción hasta que se ha logrado el prototipo que puede ser multiplicado industrialmente. AFINES: investigación industrial [de desarrollo, de servicio], investigación patrocinada, investigación en grupo [en equipo], descubrimiento, invención, invento, nuevos productos, instalación de ensayo, investigador (industrial), personal investigador, trabajo en equipo, espíritu de equipo. v.TB. **research**.

research and development program   programa de investigación

y adelantos tecnológicos.

research assistant   ayudante de investigación.

research assistantship   ayudantía de investigación.

research engineer   ingeniero de investigaciones.

research experience   experiencia científica; experiencia en investigaciones científicas.

research laboratory   laboratorio de investigaciones.

research organization   organismo de investigación. Institución dedicada a la investigación científica o tecnológica, y que puede pertenecer a uno de los siguientes grupos: laboratorios universitarios, industriales, cooperativos o patrocinados; institutos profesionales; instituciones encargadas de misiones concretas de investigación; centros independientes de investigaciones técnicas; instituciones científicas y técnicas estatales o paraestatales.

research reactor   *(Nucl)* reactor de investigación. Reactor de potencia cualquiera utilizado principalmente como instrumento de investigación fundamental o aplicada. Los reactores de esta clase comprenden los siguientes:

.reactor de investigación de bajo flujo [low-flux research reactor];

.reactor de investigación de alto flujo [high-flux research reactor];

. reactor pulsado [pulsed reactor];

. reactor de ensayo [testing reactor];

.reactor de potencia nula [zero-power reactor]. Este último puede ser también considerado como reactor experimental [experimental reactor] (CEI/68 26–15–085).

CF. **production reactor, training reactor**.

research rocket   cohete experimental.

research scientist   científico investigador, hombre de ciencia que se dedica a la investigación.

research station   estación experimental.

research team   equipo [grupo] investigador.

research worker   investigador.

researcher   investigador.

reseater   *(Mec)* rectificadora de asientos (de válvula).

réseau   redecilla || *(Fotog estelar)* red || *(Meteor)* red de estaciones (meteorológicas).

reservation   reserva, salvedad; restricción; reserva (de billetes, de pasajes), separación (de asientos, de plazas).

reservation charge   *(Telef)* tasa de preparación. Tasa aplicable cuando no se efectúa la comunicación solicitada.

reservation message   *(Avia)* mensaje de reserva de plazas [de separación de asientos].

reserve   reserva, reservación; terreno reservado; restricción, reserva; salvedad || *(Mil)* reserva, retén /// *adj:* de reserva /// *verbo:* reservar, guardar, retener, conservar; exceptuar, excluir.

reserve aircraft   avión de reserva.

reserve bars   *(Centrales eléc)* barras de reserva. Segundo juego de barras [second set of busbars] al cual puede conectarse cada circuito, con su propio disyuntor, por medio de seccionadores de selección de barras [busbar selection isolators] (CEI/65 25–10–155). CF. **transfer bars**.

reserve battery   batería de reserva | batería almacenable en estado inactivo. Batería formada por pilas almacenables en estado inactivo (v. **reserve cell**).

reserve buoyancy   *(Buques, Hidroaviones)* reserva de flotabilidad.

reserve cell   pila de reserva | pila almacenable en estado inactivo. Pila que puede ser guardada por largo tiempo en estado inactivo, y que se activa añadiéndole el electrólito o, en las de ciertos tipos, agua. CF. **reserve battery**.

reserve circuit   *(Telecom)* circuito de reserva. v. **fallback circuit**.

reserve equipment   equipo de reserva || *(Elec)* planta de reserva.

reserve fuel   combustible de reserva.

reserve fuel tank   depósito de combustible de reserva.

reserve group   *(Telecom)* grupo de reserva.

reserve installation   instalación de reserva. SIN. **emergency installation**.

reserve link *(Telecom)* sección de reserva. SIN. **reserve section**.

reserve pair *(Cables)* par de reserva.

reserve pilot *(Avia)* piloto de reserva.

reserve protection *(Elec)* protección de reserva [de emergencia]. Protección destinada a substituir la protección principal [main protection] en caso de fallar ésta. SIN. **backup protection** (CEI/56 16-05-030).

reserve section *(Telecom)* sección de reserva. SIN. **reserve link**.

reserve set *(Telef)* grupo [juego] de reserva.

reserve stock siding *(Ferroc)* vía de reserva, vía destinada a vehículos de reserva.

reserve tank depósito de reserva.

reservoir depósito (de agua, de combustible, etc.); estanque, cisterna, aljibe; pozo colector | depósito (de abastecimiento), embalse, represa, pantano, estanque, vaso, lago artificial. LOCALISMOS: reservorio, presa, alcubilla, atarjea. Acumulación de agua parcial o totalmente bajo el nivel del suelo o contenida por muros de embalse || *(Bot, Zool)* reservorio || *(Petr)* yacimiento, depósito, surtidero.

reservoir capacitor *(Fuentes de alim)* capacitor almacenador; condensador de filtro.

reset reposición; reajuste; dispositivo de reajuste, reajustador || *(Elec)* reconectador; dispositivo de reposición || *(Contadores)* puesta a cero; vuelta a cero || *(Informática)* reposición. Acción de devolver un dispositivo almacenador de información [storage device] a un estado prescrito (estado de referencia). Acción de devolver un elemento binario a su estado inicial (estado cero) || *(Relés)* retroceso, vuelta a la posición inicial /// *verbo:* reponer; corregir; reajustar, retocar (un ajuste); cambiar el ajuste; reemplazar, volver a colocar [poner] en su sitio; reengastar; montar de nuevo; colocar en la posición inicial; restaurar (un mecanismo) || *(Contadores)* borrar, poner a cero, volver a cero, poner en cero || *(Elec)* reponer; reconectar || *(Relés)* volver a la posición inicial; rearmar | retroceder. Un relé retrocede cuando el mismo retorna a su posición inicial (CEI/56 16-10-040). v. **resetting time** || *(Telef)* reponer || *(Herr)* reafilar || *(Informática)* borrar (una memoria); reponer (un dispositivo almacenador a su estado de referencia); poner (un elemento binario) en su estado inicial. SIN. **clear**. CF. **set**.

reset action *(Automática)* acción correctora proporcional a la magnitud y duración del error. Acción de control en la cual las correcciones se efectúan en proporción a la magnitud del error y el tiempo que ha durado el mismo.

reset bail *(Teleimpr)* fiador de reposición.

reset-bail cam leva del fiador de reposición.

reset-bail latch retén del fiador de reposición.

reset-bail shaft eje del fiador de reposición.

reset-bail trip lever palanca de disparo del fiador de reposición.

reset button botón [pulsador] de reposición.

reset cam leva de reposición; leva de rearmar (un mecanismo).

reset-cam follower seguidor de la leva de reposición.

reset check *(Informática)* verificación de borrado [de reposición].

reset circuit *(Contadores)* circuito de reposición [de vuelta al cero].

reset command *(Elecn, Contadores, Temporizadores)* señal de reposición.

reset contact *(Informática)* contacto de borrado [de reposición].

reset contactor *(Elec)* contactor reposicionador [de reposición]; disyuntor de reconexión.

reset control *(Automática)* acción integral. CF. **rate control, reset action**.

reset control circuit *(Ampl mag)* circuito de reposición de flujo (en el núcleo del reactor saturable).

reset cord cuerda de reposición.

reset counter contador totalizador. CF. **reset timer**.

reset device *(Informática)* dispositivo para puesta a cero de (los) contadores || v. **resetting device**.

reset flux level *(Reactores saturables)* diferencia entre los niveles de saturación y de reposición del flujo.

reset key *(Informática)* tecla de borrado [de restauración] || *(Telecom)* llave de reposición.

reset lever *(Teleimpr)* palanca de reposición.

reset position posición de reposición.

reset pulse *(Contadores, Elecn)* impulso de reposición || *(Elec)* impulso de reconexión || *(Telecom)* impulso de recomposición.

reset rate *(Automática)* rapidez de corrección; número de correcciones por minuto || *(Elec)* tiempo de reconexión.

reset switch *(Automática)* conmutador de reposición. Conmutador accionado por una máquina, que restaura un sistema de control al funcionamiento normal después de una corrección || *(Elec)* disyuntor de reconexión.

reset terminal *(Elementos binarios)* terminal de reposición. SIN. **zero-input terminal**.

reset time *(Automática)* tiempo de restitución [de reajuste] || *(Temporizadores)* tiempo de reposición. (1) Intervalo necesario, a partir del instante en que se le aplica la señal de reposición [reset command] hasta que el temporizador ha retornado completamente a las condiciones iniciales y está dispuesto para comenzar el próximo ciclo. (2) En ciertos tipos de temporizador, intervalo de tiempo durante el cual hay que interrumpir la tensión de control [control voltage], después de una interrupción en el ciclo de temporización o retardo, para que el retardo siguiente alcance o supere determinado porcentaje (p.ej. 80 %) del retardo original, en condiciones de funcionamiento constantes, sin que ocurran operaciones falsas | v. **resetting time**.

reset timer totalizador de tiempo. CF. **reset counter** | temporizador reposicionable.

reset tripped position *(Teleimpr)* posición de preparación para la reposición.

reset voltage tensión de reposicionamiento. v. **switching circuit**.

resettability reposicionabilidad, exactitud de reposición | reproducibilidad de los ajustes, facilidad de reproducción de los ajustes. EJEMPLO: Facilidad con que puede localizarse la misma frecuencia, repetidamente, en un oscilador o un generador de señales. OBSERVACION: No se confunda este concepto con el de *exactitud* [accuracy], que indicaría cuánto se acerca la frecuencia seleccionada (mediante un cuadrante o mediante conmutadores) a la frecuencia deseada. SIN. **settability**. CF. **repeatability**.

resettability of tuning reproducibilidad de la sintonía [de los ajustes de frecuencia].

resettable *adj:* reposicionable || *(Ajustes)* reproducible.

resettable register registro reposicionable.

resettable tuning sintonía reproducible.

resetting reposición, reposicionamiento; reajuste, corrección; cambio de ajuste; reemplazo; reengaste; colocación en la posición inicial; restauración (de un mecanismo) || *(Contadores, Informática)* reposición; puesta [vuelta] a cero || *(Elec)* reposición; reconexión || *(Relés)* vuelta a la posición inicial; rearmado; retroceso || *(Herr)* reafilado || *(Telef)* reposición || *(Sist de sintonía)* **resetting of frequencies**: relocalización de frecuencias || *(Tipog)* recomposición.

resetting (after tripping) *(Elec)* reenganche, reconexión (después del desenganche).

resetting cam v. **reset cam**.

resetting device *(Elec)* dispositivo de reposición; dispositivo de reenganche [de reconexión] | dispositivo de reinstalación de enganche (de un aparato). Dispositivo que vuelve a poner un mecanismo en su posición de enganche [set position] (CEI/57 15-15-120) || *(Relés)* dispositivo de rearme. Dispositivo que sirve para devolver a su posición inicial el equipo móvil [movable element], después del funcionamiento (CEI/56 16-35-120) || *(Vías férreas)* dispositivo de reposición. Dispositivo que permite reponer a su posición inicial un aparato desenganchado (CEI/59 31-05-420). CF. **latch, tripping device** || v. **reset device**.

resetting half-cycle *(Ampl mag)* semiciclo de reposición. Semiciclo (semiperíodo) de la tensión alterna de alimentación en el cual se efectúa la reposición del flujo en el núcleo.

resetting interval *(Ampl mag)* intervalo de reposición. Parte del semiciclo de reposición (v. **resetting half-cycle**) durante la cual el flujo en el núcleo del reactor saturable pasa del nivel de saturación al de reposición.

resetting pulse v. **reset pulse.**

resetting ratio *(Relés)* razón de desenganche. Relación entre el valor de desenganche [resetting value] y el valor de regulación [operating value] (CEI/56 16–20–050).

resetting time *(Relés)* tiempo de retroceso. Tiempo que transcurre, en el retroceso, entre el momento en que la magnitud de influencia [actuating quantity] ha pasado por el valor de desenganche [resetting value] hasta el retroceso completo [full reset] del relé (CEI/56 16–20–090) ‖ v. **reset time.**

resetting to zero vuelta a cero; reposición a cero.

resetting value *(Relés)* valor de desenganche. Valor límite de la magnitud de influencia [actuating quantity] que produce el retroceso [resetting] del relé (CEI/56 16–20–045). cf. **dropout value, operating value, pickup value.**

reshaping circuit circuito conformador de onda. Circuito destinado a modificar la forma de onda de una señal.

residence telephone aparato para uso privado, aparato de residencia [de domicilio]. SIN. **residential telephone.**

resident engineer ingeniero residente; ingeniero de obra [de trabajos]. cf. **field engineer.**

resident watchman guardián permanente.

residential air-conditioning climatización de residencias, acondicionamiento de aire en residencias [domicilios particulares].

residential telephone v. **residence telephone.**

residential wiring instalación eléctrica de casas (particulares).

residual residuo; *(i.e.* residual error) error residual ‖ *(Mat)* resto ‖ *(Quím)* residuo ‖ *(Medidas eléc)* magnitud residual; impedancia residual. v. **bridge residuals** ⫻ *adj:* residual, restante; remanente ‖ *(Mat)* restante, residuo.

residual aberration aberración residual.

residual activity actividad [radiactividad] residual.

residual band banda residual cf. **vestigial sideband.**

residual bandwidth ancho de banda residual.

residual capacitance capacitancia residual.

residual charge carga residual [remanente]. Carga que retiene un capacitor (condensador) después de una primera descarga.

residual contamination contaminación residual.

residual current corriente remanente ‖ *(Elec)* *(i.e.* vector sum of the currents in the several wires of a power line) corriente residual. Suma vectorial de las corrientes en los diferentes hilos de una línea industrial ‖ **residual currents (in a three-phase power line):** corrientes homopolares (en una línea industrial trifásica) ‖ *(Elecn)* *(i.e.* value of current in the residual-current state) corriente residual. Valor de corriente en régimen de corriente residual (CEI/56 07–21–080). cf. **saturation current** ‖ *(Cám de ionización)* *(i.e.* residual current after an exposure) corriente residual (después de una irradiación). Corriente que la cámara de ionización continúa suministrando cuando ya no está sometida a una radiación exterior, y que se debe a la activación [activation] de los materiales constitutivos de la cámara, a su contaminación [contamination], y a las modificaciones de las cualidades de su aislamiento (CEI/68 66–10–165). cf. **saturation current.**

residual-current state *(Elecn)* régimen de corriente residual. Régimen de funcionamiento de un tubo electrónico en ausencia de un campo acelerador (debido al ánodo de un diodo o del diodo equivalente), en el cual la corriente catódica se debe a la velocidad de salida no nula de los electrones (CEI/56 07–21–070). cf. **space-charge-limited-current state.**

residual deflection *(Aparatos de medida)* desviación residual. Desplazamiento del equipo (elemento móvil) de un aparato con par antagonista que subsiste después de haber desaparecido la causa que la provocara (CEI/38 20–40–075) ‖ *(TRC)* desviación [deflexión] residual ‖ *(Estr)* flecha residual [remanente].

residual deviation desviación residual. En un transmisor de modulación de frecuencia, modulación parásita debida a ruidos y/o distorsiones. cf. **incidental frequency modulation.**

residual discharge *(Cond)* descarga residual, descarga de la carga residual. v. **residual charge.**

residual dispersion dispersión residual.

residual dose *(Nucl)* v. **residual intensity.**

residual energy energía remanente.

residual error error residual [restante], residuo de error. (**1**) Suma de los errores casuales [random errors] y los errores sistemáticos no corregidos. (**2**) En radiogoniometría, error que persiste después que se han reducido al mínimo el error local [site error] y el efecto de antena [antenna effect].

residual error rate *(Tr de datos)* proporción de errores residuales. Relación entre el número de bits (bitios), elementos unitarios [unit elements], caracteres [characters] o bloques [blocks] incorrectamente recibidos pero no detectados o no corregidos por el equipo de protección contra errores [error-control equipment], y el número total de bits, elementos unitarios, caracteres o bloques transmitidos.

residual excitation excitación remanente.

residual field campo remanente. Campo magnético que persiste en la estructura de hierro del inductor de una máquina eléctrica después de suprimida la excitación.

residual flux flujo remanente. (**1**) Valor de la inducción magnética que persiste en un circuito magnético cuando se reduce a cero la fuerza magnetomotriz. (**2**) Producto de la densidad de flujo por el área; este producto representa el flujo que persiste en un cuerpo magnético (p.ej. una cinta magnética) después de suprimida la fuerza magnetizante [magnetizing force]. Símbolo: Φ.

residual flux density densidad de flujo remanente. Inducción magnética [magnetic induction] correspondiente a la fuerza magnetizante cero, cuando se mide la misma con un dispositivo tal como un trazador de curvas de histéresis magnética [B-H loop tracer]. Símbolo: B_r.

residual FM v. **residual frequency modulation.**

residual FM noise ruido de MF residual.

residual frequency instability inestabilidad de frecuencia residual. v. **frequency change with time, short-period frequency instability, incidental frequency modulation, microphonics.**

residual frequency modulation modulación de frecuencia residual. En el caso de un klistrón, modulación de frecuencia de la oscilación fundamental debida a ruido iónico [ion noise] y de granalla [shot noise]. cf. **incidental frequency modulation, short-period frequency instability.**

residual gap *(Relés)* entrehierro. Distancia entre la armadura y el centro de la cara del núcleo cuando el relé está excitado.

residual gas gas residual, gas remanente, residuo gaseoso, residuo de gas. Pequeña cantidad de gas que queda en un recipiente evacuado (p.ej. la ampolla de un tubo electrónico al vacío). En inglés es común la expresión en plural: *residual gases.*

residual hum *(Elecn)* zumbido residual.

residual impedance impedancia residual. v. **bridge residuals.**

residual impulse *(Telecom)* impulsión residual. SIN. **residual pulse.**

residual inductance inductancia residual. v. **bridge residuals.**

residual induction inducción remanente [residual], remanencia. Inducción magnética que persiste en un cuerpo magnetizado una vez suprimida (reducida a cero) la fuerza magnetizante. Símbolo: B_r. SIN. **residual flux density.**

residual intensity *(Nucl)* intensidad remanente. SIN. **residual dose.**

residual ion ion residual.

residual ionization ionización residual. Ionización del aire u otro gas contenido en una cámara cerrada, no atribuible a ningún agente exterior conocido (hoy se atribuye a los rayos cósmicos).

residual loss pérdida residual ‖ efecto magnético secundario. SIN. **magnetic after-effect.**

residual losses pérdidas residuales ‖ v. **residual loss.**

residual magnetic induction   inducción magnética remanente. Inducción magnética que persiste en un cuerpo ferromagnético después de suprimida la fuerza magnetizante. SIN. **residual magnetism, residual flux density.**

residual magnetism   remanencia, magnetismo remanente. SIN. **remanence, residual magnetic induction, residual flux density.**

residual magnetization   imanación remanente [residual], imantación remanente [residual]. V. **remanence** | magnetismo remanente.

residual mistune   (*Controles automáticos de frec*) error residual de sintonía.

residual modulation   (*Radiocom*) modulación residual. Pequeño valor de modulación que persiste en ausencia de toda señal moduladora, debido a imperfección de los circuitos. SIN. **carrier noise level.** CF. **residual deviation.**

residual noise   ruido residual. En telecomunicaciones, todo ruido distinto al de intermodulación [intermodulation noise] y consistente, fundamentalmente, en el ruido de origen térmico [thermal noise] procedente de los elementos de circuito del sistema (tubos electrónicos, transistores, moduladores). El ruido total presente en un sistema de telecomunicación está constituido por: (a) el ruido residual, también llamado *ruido de fondo* o *ruido intrínseco* [background noise, idle noise, intrinsic noise], que se halla presente aun en ausencia de señal y que es independiente de la cantidad de tráfico circulante por el sistema; y (b) el ruido de intermodulación, cuya magnitud aumenta con el tráfico transmitido por el sistema.

residual nucleus   núcleo restante [remanente]. Núcleo pesado que queda al final de una transformación nuclear.

residual pin   (*Relés*) tope antirremanente. Espiga o tornillo no magnético unido a la armadura o al núcleo, y que sirve para impedir que la primera toque y se adhiera al segundo. SIN. **residual screw, residual stop.** V.TB. **residual plate.**

residual plate   (*Relés*) placa antirremanente. Placa o pastilla habitualmente no magnética, insertada en el entrehierro [air gap] para asegurar que éste tenga una longitud mínima y evitar así que la armadura se pegue. SIN. **residual stud, antifreeze pin [plate]** (CEI/56 16–35–025). V.TB. **residual pin.**

residual post   (*Relés*) V. **residual pin.**

residual pulse   (*Telecom*) impulsión residual. SIN. **residual impulse.**

residual radiation   radiación residual. La que subsiste después de una explosión nuclear.

residual radioactivity   radiactividad residual. La que subsiste después de haberse detenido un reactor nuclear.

residual range   (*Nucl*) alcance residual. Distancia a la cual una partícula puede todavía producir ionización después de haber atravesado materia y haber perdido así parte de su energía.

residual reactivity   (*Nucl*) reactividad remanente.

residual resistance   resistencia residual. (1) Por ejemplo, la resistencia en serie de un capacitor. V. **bridge residuals.** (2) Parte de la resistencia eléctrica de un cuerpo metálico que es independiente de la temperatura.

residual resistivity   resistividad residual. Valor constante de la resistividad de un metal para temperaturas decrecientes, que se alcanza cerca del cero absoluto; es tanto menor cuanto más puro es el metal de la muestra.

residual ripple (content)   (*Elec*) ondulación residual. CF. **residual hum.**

residual screw   (*Relés*) tope antirremanente, tope (de entrehierro), tornillo de ajuste (antirremanente). V. **residual pin.**

residual set   (*Mat*) conjunto residual. Llámase así al complemento de un conjunto.

residual spacing error   (*Radiogoniometría*) error de separación residual. Error de separación [spacing error] de un radiogoniómetro de antena circular que subsiste para ángulos de elevación [angles of elevation] de la dirección de propagación diferentes de cero después de la corrección del error de separación calculado

para un ángulo de elevación nulo (CEI/70 60–71–080).

residual state   (*Mag*) estado de remanencia. Estado de un cuerpo magnético cuando se ha suprimido la fuerza magnetomotriz. CF. **remanent state.**

residual stop   (*Relés*) tope antirremanente, tope de entrehierro, tope limitador. V. **residual pin.**

residual strain   (*Mec*) deformación residual [remanente].

residual stress   (*Mec*) esfuerzo residual [restante], tensión residual. SIN. **internal stress.**

residual stud   (*Relés*) placa antirremanente. V. **residual plate.**

residual time constant   (*Transductores mag*) constante de tiempo interna de salida. En un transductor, constante de tiempo de la ley de variación de la magnitud de salida después de una variación brusca de la corriente de mando [control current], para condiciones de funcionamiento determinadas (CEI/55 12–10–050). CF. **input time constant, total time constant.**

residual unbalance   desequilibrio residual. En el caso de un transductor de presión, medida del desequilibrio del puente para presión nula; se da como porcentaje del valor de plena escala o en milivoltios en la hoja de calibración que acompaña el dispositivo.

residual vapor   vapor residual. CF. **residual gas.**

residual voltage   (*Elec*) (of a power line) tensión residual (de una línea industrial). Suma vectorial de las tensiones, con relación a la tierra, de los diferentes hilos de fase [phase wires]. CF. **residual current** | (of a surge diverter) tensión residual. Valor máximo de la tensión en bornes de un pararrayos o autoválvulas durante el paso de la corriente de descarga [discharge current]. SIN. **discharge voltage** (CEI/57 15–55–090). CF. **follow current.**

residual voltage standing-wave ratio   relación residual de ondas estacionarias.

residual VSWR   V. **residual voltage standing-wave ratio.**

residue   residuo, resto, sobrante, remanente || (*Mat*) residuo, resto || (*Quím*) residuo.

residue check   (*Informática*) comprobación por el residuo. Comprobación de datos numéricos o de operaciones aritméticas, en la cual cada número (A) es dividido por el módulo (N), y el resto (B) acompaña a A como dígito (o dígitos) de comprobación. Por ejemplo, en una comprobación de módulo 4, B vale 0, 1, 2, ó 3, y el residuo obtenido al dividir A por 4 es igual a B; de lo contrario, hay error. SIN. **modulo N check.**

residue class   (*Mat*) clase residual [residua].

residue number   (*Mat*) número residuo.

residue theorem   (*Mat*) teorema de los residuos.

resilience, resiliency   elasticidad; rebote (p.ej. de la pelota) || (*Mec*) resiliencia. Número que caracteriza la fragilidad de un cuerpo (o sea, su resistencia a los choques); la fragilidad es tanto menor cuanto mayor es la resiliencia | energía de deformación elástica. Medida en que un cuerpo puede almacenar energía por deformación elástica [elastic deformation].

resiliency   V. **resilience.**

resilient   *adj:* elástico; resiliente; flexible.

resilient gear   V. **resilient gearing.**

resilient gearing   engranaje elástico. Engranaje en el que una de las ruedas constituyentes posee elasticidad tangencial [resilience in a tangential direction] (CEI/57 30–15–535).

resilient-mounted motor   motor montado elásticamente.

resilient mounting   montaje elástico [flexible, antivibratorio].

resilient wheel   rueda elástica.

resiliently mounted   elásticamente montado, sobre montaje elástico.

resiliently supported   soportado elásticamente, de apoyo elástico.

resin   resina; colofonia; pez rubia /// *adj:* resínico /// *verbo:* (en)resinar.

resin-core solder   (a.c. resin-cored solder) soldadura con resina, estaño (de soldar) con alma de resina, estaño para soldar con núcleo de resina fundente, soldadura en forma de tubillo con decapante en el interior.

resin-encapsulated circuit circuito encapsulado [embebido] en resina.

resin-encapsulated component componente encapsulado en resina.

resinous *adj:* resinoso.

resinous charge *(Elec)* carga resinosa. Es término de interés histórico solamente; no es de uso actual.

resist capa protectora, materia [substancia] protectora. (**1**) Materia o substancia químicamente neutra colocada sobre una superficie para protegerla. (**2**) Substancia que impide el estañado de ciertas partes de una pieza o un objeto. (**3**) En la fabricación de circuitos impresos [printed circuits], materia (tinta, pintura, baño metálico) utilizada para proteger ciertas partes de la red conductora [wiring pattern, printed conductive pattern] contra la acción de los ácidos de ataque, la soldadura, etc. ‖ *(Galvanoplastia)* materia protectora. Materia aplicada a una parte de un cátodo o de un gancho de asimiento [plating rack] para hacer la superficie no conductora (CEI/60 50–30–280). CF. **stopping off** ‖ *(Fotomecánica)* capa protectora. Capa que se extiende sobre la placa metálica para resistir los mordidos del ácido ‖ **resina** protectora. Resina en forma de polvo que se aplica a los tabiques de los puntos y líneas al grabar ‖ *(Estampación de telas)* reserva ⫽ *verbo:* resistir; aguantar, soportar; rechazar.

resist-coated surface superficie con capa protectora.

resistance resistencia, aguante; oposición, obstáculo, fuerza contraria; defensa ‖ *(Elec)* resistencia. (**1**) Propiedad de los circuitos que se opone a la circulación de la corriente eléctrica. Oposición que presenta un cuerpo o un dispositivo a la circulación de la corriente. El efecto de la resistencia es el de disipar energía en el cuerpo o conductor por el cual circula la corriente, con lo cual se eleva la temperatura del mismo. (**2**) Cociente de la diferencia de potencial aplicada a los extremos de un conductor, por la intensidad de corriente que la misma produce cuando el conductor no contiene fuerza electromotriz (CEI/38 05–20–125). La resistencia se mide en ohmios (v. **ohm**). Al valor de la resistencia en ohmios se le llama a veces *ohmiaje*. Símbolo: R ‖ (*i.e.* resistance element) (elemento de) resistencia, resistor. SIN. **resistor** ‖ CF. **aerial resistance, contact resistance, critical resistance, earth resistance, effective resistance, grid resistance, insulation resistance, internal resistance, radiation resistance, resistivity, resistance at. . . , resistance to. . .**

resistance adapter adaptador de resistencia.

resistance amplifier v. **resistance-coupled amplifier.**

resistance apparatus *(Medidas)* v. **resistance bridge.**

resistance at DC resistencia a la continua, resistencia en corriente continua. v. **DC resistance.**

resistance at high frequency resistencia en alta frecuencia. v. **high-frequency resistance.**

resistance attenuator atenuador resistivo [de resistencia].

resistance balance resistencia de equilibrio. Valor de resistencia necesario para anular la salida de ciertos transductores y ciertos sistemas.

resistance box *(Elec)* caja de resistencias. (**1**) Caja que contiene cierto número de resistores de precisión conectados a bornes o contactos montados en un panel o tablero, de tal manera que es posible seleccionar el valor deseado de resistencia (entre muchos posibles) mediante la inserción o la extracción de clavijas o la maniobra de conmutadores (v.TB. **decade box**). (**2**) Conjunto de resistencias eléctricas calibradas, contenidas en una misma caja (CEI/38 20–30–010, CEI/58 20–30–010). v.TB. **Post Office box, resistance box with plugs.**

resistance box with plugs *(Elec)* caja de resistencias de clavijas. Caja en la cual la introducción o la supresión de resistencias en un circuito se obtiene con la ayuda de clavijas cuya parte metálica se coloca en alveolos apropiados (CEI/58 20–30–015). CF. **inductance box with plugs.**

resistance braking *(Elec)* frenaje [frenado] reostático. SIN. **dynamic braking, rheostatic braking** (véase).

resistance brazing soldadura con latón por resistencia, cobresoldadura por resistencia. Soldadura con latón o cobresoldadura en la cual el calor se obtiene por resistencia eléctrica, estando la unión intercalada en el circuito por el cual circula la corriente.

resistance bridge puente de resistencias. Puente de Wheatstone (v. **Wheatstone bridge**) cuyas ramas están constituidas por elementos de resistencia.

resistance-bridge pressure pickup transductor de presión del tipo de puente de resistencias. Transductor en el cual la presión se traduce en el desequilibrio de un puente de resistencias; a su vez, este desequilibrio se traduce en la señal eléctrica de salida del transductor.

resistance butt welding soldadura a tope por resistencia.

resistance-capacitance [RC] *adj:* RC, de resistencia-capacitancia, por resistencia y capacitancia. Que contiene resistencia y capacitancia; que comprende resistores y capacitores.

resistance-capacitance arrangement configuración [circuito] de resistencia y capacitancia.

resistance-capacitance circuit circuito RC, circuito de resistencia y capacitancia. Circuito que contiene capacitancia y resistencia. El producto de estas magnitudes, en faradios y ohmios, respectivamente, da la constante de tiempo [time constant] del circuito en segundos. SIN. **RC circuit.**

resistance-capacitance constant constante (de tiempo) RC. v. **resistance-capacitance circuit.** SIN. **RC constant.**

resistance-capacitance-coupled amplifier amplificador de acoplamiento por resistencia y capacitancia. v. **resistance-capacitance coupling.**

resistance-capacitance-coupled stages etapas de acoplamiento RC, etapas acopladas por resistencia y capacitancia.

resistance-capacitance coupling *(Ampl)* acoplamiento por resistencia y capacidad ‖ (a.c. RC coupling) acoplamiento resistivo-capacitivo, acoplamiento RC. Acoplamiento entre etapas en el cual el electrodo de salida de una etapa está unido a una carga resistiva y al propio tiempo está acoplado al electrodo de entrada de la etapa siguiente por intermedio de un condensador (CEI/70 60–14–040). CF. **resistance coupling.**

resistance-capacitance differentiator circuito diferenciador RC, diferenciador de resistencia y capacitancia. Circuito RC utilizado para obtener a la salida una tensión de amplitud proporcional a la rapidez de variación de la tensión de entrada. SIN. **RC differentiator.**

resistance-capacitance divider divisor (de tensión) de resistencia y capacitancia.

resistance-capacitance filter filtro RC, filtro resistivo-capacitivo. El constituido exclusivamente por elementos capacitivos y resistivos. SIN. **RC filter.**

resistance-capacitance generator generador RC, generador de resistencia-capacitancia. v. **résistance-capacitance oscillator.**

resistance-capacitance network red RC, red resistiva-capacitiva. SIN. **RC network.**

resistance-capacitance oscillator oscilador de RC, oscilador sintonizado por resistencia y capacitancia. Oscilador cuya frecuencia está determinada por elementos resistivos y capacitivos. Es caso particular de la clase de los osciladores de circuito desfasador (v̄. **phase-shift oscillator**). SIN. **RC oscillator.**

resistance-capacitance phase-shift network red desfasadora de resistencia-capacitancia.

resistance-capacitance phase-shift oscillator (circuit) (circuito) oscilador del tipo de desplazamiento de fase por resistencia y capacitancia.

resistance-capacitance time constant constante de tiempo RC. v. **resistance-capacitance circuit.**

resistance-capacitance-tuned oscillator oscilador sintonizado por resistencia y capacitancia. v. **resistance-capacitance oscillator.**

resistance-capacitance tuning sintonización por resistencia-capacitancia.

resistance-capacity [RC]   *adj:* RC, de resistencia-capacidad, por resistencia y capacidad. v. **resistance-capacitance.**

resistance coefficient   *(Mec de los fluidos, Textiles)* coeficiente de resistencia.

resistance coil   *(Elec)* bobina [carrete] de resistencia.

resistance component   componente resistiva. Parte resistiva de una impedancia | componente resistivo. SIN. **resistance element.**

resistance-condenser combination   combinación de resistencia y condensador, circuito RC. v. **resistance-capacitance circuit.**

resistance contact   contacto de resistencia.

resistance control   control por resistencia; regulación por reostato.

resistance-coupled amplifier   amplificador acoplado [de acoplamiento] por resistencia. Amplificador cuyas etapas están acopladas entre sí por medio de resistencias que unen el electrodo de salida de una etapa con el de entrada de la etapa siguiente; trátase, pues, de un amplificador de acoplamiento directo [direct-coupled amplifier], cuya respuesta se extiende hasta la frecuencia cero. El término se usa también para designar un *amplificador de acoplamiento por resistencia y capacitancia* (v. **resistance-capacitance-coupled amplifier**).

resistance coupling   acoplamiento resistivo [por resistencia]. TB. acoplamiento a resistencia. Unión de un circuito con otro mediante una resistencia mutua, o una resistencia que une la salida del primero con la entrada del segundo. El término se aplica también al *acoplamiento RC* o *acoplamiento por resistencia y capacitancia* (v. **resistance-capacitance coupling**). SIN. **resistive coupling.**

resistance derivatives   *(Aerodinámica)* derivados de resistencia.

resistance drop   caída de tensión [de voltaje] por resistencia. Caída de tensión entre dos puntos de un circuito debida al flujo de corriente entre ellos; su valor en voltios es igual al producto de la corriente en amperios por la resistencia en ohmios entre los puntos considerados. SIN. **IR drop.**

resistance due to gradients   *(Ferroc)* resistencia de la gravedad [del perfil]. Resistencia debida al gradiente del perfil longitudinal de la línea.

resistance element   elemento resistivo [de resistencia]. SIN. **resistive element, resistor.**

resistance frame   cuadro de resistencia, reostato de cuadro.

resistance furnace   horno de resistencia. (**1**) Horno eléctrico en el cual el calor es producido por el paso de la corriente a través de resistencias (CEI/38 40–15–015). (**2**) Horno eléctrico de calefacción por resistencia [resistance heating] (CEI/60 40–10–140). CF. **direct resistance furnace, indirect resistance furnace.**

resistance-grounded   puesto a tierra a través de una resistencia, puesto a tierra con resistencia en serie [con resistencia intercalada].

resistance heat   calor generado en una resistencia, calor generado por efecto Joule /// v. **resistance-heat.**

resistance-heat   *verbo:* calentar por resistencia [por efecto Joule].

resistance heater   calentador de resistencia.

resistance heating   caldeo por resistencia. Modo de caldeo en el cual el calor se desarrolla por efecto Joule en un conductor eléctrico conectado directamente a una fuente de corriente (CEI/60 40–05–030).

resistance-heating apparatus   aparato de caldeo por resistencia. Aparato caldeado por corrientes que circulan por resistencias (CEI/38 40–10–005) | aparato de calefacción por resistencia.

resistance hybrid   red diferencial de resistencias. v. **hybrid.**

resistance instrument   aparato térmico de resistencia. Aparato en el cual se utiliza la variación de resistencia de un conductor recorrido por la corriente (CEI/38 25–05–075) | aparato de resistencia.

resistance junction   red diferencial de resistencias. v. **hybrid.**

resistance lamp   *(Elec)* lámpara de resistencia. Lámpara incandescente utilizada como elemento de resistencia.

(resistance) lap welding   soldadura eléctrica (por resistencia) por recubrimiento. Soldadura por resistencia de dos o más piezas

superpuestas, siendo la corriente conducida por electrodos que también suministran la presión necesaria para la soldadura (CEI/60 40–15–180). v. **resistance welding.**

resistance loading damper   *(Proy cine)* tensor resistivo de arrollamiento.

resistance loss   *(Elec)* pérdida por resistencia [por efecto Joule]. Pérdida de energía que ocurre cuando la corriente eléctrica atraviesa una resistencia. Fórmula: $W = RI^2$, donde W es la energía en vatios, R la resistencia en ohmios, e I la corriente en amperios.

resistance magnetometer   magnetómetro de resistencia. Magnetómetro en el cual se utiliza la variación de resistencia eléctrica de un cuerpo rodeado por el campo que se mide.

resistance matching pad   atenuador resistivo de adaptación.

resistance material   *(Elec)* material resistivo [con resistencia]. Material con suficiente resistencia eléctrica para su utilización en la fabricación de resistores o elementos de resistencia.

resistance measurement   medida de resistencia | medida de aislación [aislamiento]. SIN. **insulation measurement.**

resistance noise   ruido en resistencia, ruido térmico| v. **thermal noise.**

resistance pad   atenuador resistivo. Atenuador formado exclusivamente por resistencias; se utiliza para reducir la potencia de una señal, adaptar impedancias, o desacoplar circuitos, sin alterar la respuesta de frecuencia.

resistance per unit length   *(Telecom)* resistencia unitaria [lineica]. Resistencia por unidad de longitud de línea.

(resistance) projection welding   soldadura por protuberancias. Soldadura de piezas por recubrimiento [lap welding of pieces] en la cual la extensión del núcleo soldado está limitada esencialmente por protuberancias portadas por un elemento o por los dos elementos del conjunto, permitiendo esas protuberancias la formación de puntos separados o de costuras de soldadura (CEI/60 40–15–190). CF. **resistance welding.**

resistance protection   *(Elec)* dispositivo de protección de resistencia. Dispositivo de protección que funciona conforme al principio de la medida de resistencia (CEI/56 16–60–085). CF. **impedance protection.**

resistance pyrometer   pirómetro de resistencia. Pirómetro en el cual el elemento termosensible es un trozo de hilo cuya resistencia varía mucho en función de la temperatura.

resistance range   gama de resistencias.

resistance ratio   relación de resistencias. En el caso de un termistor [thermistor], razón de los valores de resistencia correspondientes a dos temperaturas de referencia dadas, sin potencia aplicada.

resistance reduction   disminución de la resistencia.

resistance regulation   regulación por resistencia; regulación reostática.

resistance relay   *(Elec)* relé de resistencia. Relé cuya magnitud de influencia [actuating quantity] es el cociente de una tensión por una corriente que reproduce la resistencia de un circuito (CEI/56 16–30–055). CF. **impedance relay.**

(resistance) seam welding   soldadura por costura. Soldadura de piezas por recubrimiento [lap welding of pieces] en la cual la zona soldada progresa para constituir una línea continua por medio de uno o varios electrodos circulares (discos, roldanas) animados de un movimiento de rodamiento sobre los elementos que han de ser unidos (CEI/60 40–15–195). v. **resistance welding.**

resistance shunt   *(Elec)* derivación [shunt] de resistencia.

resistance soldering   soldadura por resistencia. Soldadura en la cual se hace pasar una fuerte corriente continua por la pieza que se va a soldar, con lo cual se genera suficiente calor para fundir el soldante y efectuar la unión soldada. Este método tiene la ventaja de que permite aplicar calor en puntos o en zonas muy localizadas y en forma casi instantánea. CF. **resistance welding.**

(resistance) spot welding   soldadura eléctrica (por resistencia) por puntos. Soldadura por recubrimiento [lap welding] en la cual la extensión del núcleo soldado está limitada esencialmente por la forma y las dimensiones de las puntas [tips] de los electrodos (CEI/60 40–15–185). v. **resistance welding.**

resistance-stabilized   *adj:* estabilizado por resistencia.

resistance-stabilized oscillator   oscilador estabilizado por resistencia.

resistance standard   patrón de resistencia. v. **standard resistor.**

resistance-start motor   *(Elec)* motor de arranque con resistencia [con reostato]. Motor de fase dividida [split-phase motor] que lleva una resistencia intercalada en serie con el devanado auxiliar; el circuito auxiliar se abre cuando el motor alcanza cierta velocidad predeterminada.

resistance strain gage   deformímetro [transductor de deformación] de resistencia. Deformímetro o transductor de deformación en el cual una pequeña tira de material resistivo especial va adherida a la pieza en ensayo y varía en resistencia eléctrica en función del alargamiento o la compresión.

resistance strip   regleta de resistencia; resistencia tipo regleta.

resistance substitution box   caja de substitución de resistencias.

resistance switchgroup   *(Tracción eléc)* *(i.e.* switchgroup for cutting out resistance) eliminador. Combinador de eliminación de resistencias (CEI/57 30–15–665).

resistance temperature detector   detector termométrico de resistencia. Elemento de resistencia de un material cuya resistividad eléctrica es función conocida de la temperatura, y que constituye el elemento sensible de un termómetro de resistencia [resistance thermometer]. SIN. **resistance-thermometer detector** [resistor].

resistance temperature meter   termómetro de resistencia. v. **resistance thermometer.**

resistance termination   *(Elecn/Telecom)* terminación de resistencia.

resistance test   prueba de resistencia.

resistance testing set   probador de resistencias.

resistance thermometer   termómetro de resistencia. Termómetro cuyo elemento sensible es un elemento cuya resistencia eléctrica es una función exactamente conocida de la temperatura. SIN. **resistance temperature meter** | termómetro [pirómetro] de resistencia. Termómetro (pirómetro) que utiliza una resistencia a la cual se transmite el calor directamente, principalmente por conducción (CEI/58 20–15–210).

resistance-thermometer bridge   puente de termómetro de resistencia. Puente de resistencias (v. **resistance bridge**) una de cuyas ramas está constituida por el elemento sensible de un termómetro de resistencia. En una de las diagonales está intercalada la fuente de excitación del puente (fuente de CC con un reostato de ajuste) y en la otra diagonal está intercalado un instrumento de medida que indica el desequilibrio del puente causado por la temperatura observada.

resistance-thermometer detector   detector termométrico de resistencia, elemento sensible de termómetro de resistencia. v. **resistance temperature detector.**

resistance-thermometer resistor   elemento termométrico de resistencia, elemento sensible de termómetro de resistencia. v. **resistance temperature detector.**

resistance thermometry   termometría de resistencia. Técnica de los termómetros de resistencia. v. **resistance thermometer.**

resistance to bending   resistencia a la flexión || *(Cables met)* rigidez.

resistance to buckling   resistencia a la flexión.

resistance to demagnetization   poder de retener la imanación.

resistance to demagnetizing fields   resistencia a los campos desmagnetizantes [desimanadores].

resistance to earth   *(Elec)* resistencia a tierra. En un punto de una instalación de puesta a tierra [earthing system], cociente por la corriente (derivación) a tierra de la componente de la tensión respecto a tierra [voltage to earth] en fase con esa corriente (CEI/65 25–35–060).

resistance-to-reactance ratio   relación resistencia/reactancia.

Inversa del factor de calidad [quality factor].

resistance tube   tubo de resistencia. Resistor bajo cubierta metálica con la forma y la base de un tubo electrónico. Los extremos del resistor y las derivaciones que pueda tener van a distintas espigas de la base, las cuales se insertan en un portatubos convenientemente alambrado. CF. **resistance lamp.**

resistance-tuned oscillator   oscilador sintonizado por resistencia. CF. **resistance-capacitance-tuned oscillator.**

resistance-type amplifier   v. **resistance-coupled amplifier.**

resistance unit   unidad de resistencia; elemento de resistencia.

resistance value   valor de resistencia.

resistance variance   variación [fluctuación] de resistencia.

resistance variation   variación de resistencia.

resistance weld   soldadura por resistencia. v. **resistance welding** ||| *verbo:* soldar por resistencia.

resistance welder   máquina de soldar por resistencia, soldadora por resistencia eléctrica.

resistance welding   soldadura por resistencia. (**1**) Procedimiento de soldadura en el cual el calor es producido por la resistencia de contacto de las piezas a soldar (CEI/38 40–20–040). (**2**) Soldadura con presión en la cual el aporte de calor se obtiene por el paso de una corriente eléctrica por la resistencia de contacto [contact resistance] de las piezas a soldar (CEI/60 40–15–160). CF. **(resistance) lap welding, (resistance) projection welding, (resistance) seam welding, (resistance) spot welding, percussion welding.**

resistance welding electrode   electrodo de soldadura por resistencia | electrodo para soldadura por resistencia. Pieza que aplica la corriente a uno de los elementos que se van a soldar y, además, transmite generalmente el esfuerzo necesario para la soldadura (CEI/60 40–15–215).

resistance welding equipment   equipo de soldadura por resistencia.

resistance wire   *(Elec)* hilo [alambre] de resistencia. Hilo o alambre de un metal o una aleación con elevado valor de resistencia eléctrica por unidad de longitud, y que se utiliza en la fabricación de resistores y elementos de caldeo por resistencia (v. **resistance heating**) | hilo resistivo. CF. **resistive conductor.**

resistant   *adj:* resistente || *(Elec)* (-resistant) resistente (a un agente exterior). Dícese de un aparato construido de tal manera que en condiciones determinadas un agente exterior especificado no puede deteriorarlo (CEI/57 15–10–065).

resisting   resistencia ||| *adj:* resistente.

resisting moment   *(Mec)* momento resistente [de estabilidad]. CF. **overturning moment.**

resisting spring   muelle [resorte] antagonista.

resisting torque   par resistente; momento resistente de torsión.

resistive   *adj:* resistivo, resistente, que resiste.

resistive adapter   adaptador resistivo. Puede referirse a una red de resistencias para adaptación de impedancias, y en ese caso puede llamársele *adaptador resistivo de impedancias.* CF. **resistance pad.**

resistive attenuator   *(Elecn/Telecom)* atenuador resistivo. CF. **resistance pad** || *(Guías de ondas)* atenuador resistivo [de absorción]. Trozo de guía ideado de manera de introducir una pérdida de transmisión [transmission loss] por el empleo de una materia absorbente [dissipative material]. SIN. **absorptive attenuator.** (CEI/61 62–20–100). CF. **disk attenuator, guillotine attenuator, pad, rotary attenuator, vane attenuator, reactive attenuator.**

resistive bidirectional coupler   acoplador bidireccional resistivo.

resistive circuit   *(Elec)* circuito resistivo.

resistive component   componente resistiva. Parte resistiva de una impedancia | componente resistivo. SIN. **resistive element.**

resistive conductor   *(Elec)* conductor resistivo. Conductor utilizado en particular por su elevado valor de resistencia eléctrica por unidad de longitud [resistance per unit length]. CF. **resistance wire.**

resistive coupling   acoplamiento resistivo [por resistencia]. v.

resistance coupling.

resistive current-limiting device dispositivo resistivo limitador de corriente, limitador de corriente del tipo resistivo.

resistive cutoff frequency *(Diodos Esaki)* frecuencia de corte resistivo.

resistive DC voltage drop caída óhmica de tensión continua. En los convertidores estáticos: Caída de tensión continua, para una carga determinada, debida a las resistencias (excluida la resistencia del arco), expresada generalmente en tanto por ciento de la tensión continua virtual en vacío [ideal no-load DC voltage] (CEI/56 11–20–180). CF. **inductive DC voltage drop.**

resistive direct-current voltage drop v. **resistive DC voltage drop.**

resistive divider *(Elec)* divisor (de tensión) resistivo.

resistive element elemento resistivo. Elemento de resistencia eléctrica (óhmica). SIN. **resistance element, resistive component.**

resistive impedance impedancia resistiva.

resistive impedance-matching pad adaptador resistivo de impedancias, red resistiva de adaptación de impedancias. SIN. **resistance pad.**

resistive load carga resistiva. Carga en la cual la corriente está en fase con la tensión aplicada.

resistive-loop coupler acoplador de espira resistiva.

resistive loss pérdida resistiva. v. **resistance loss.**

resistive network *(Elec)* red resistiva.

resistive transduction *(Transductores)* transducción resistiva. Dícese cuando las variaciones del mensurando [measurand] se traducen en variaciones de resistencia.

resistive unbalance desequilibrio resistivo. Desigualdad de resistencia entre los dos conductores de una línea de transmisión bifilar.

resistive vane *(Guías de ondas)* lámina [aleta] resistiva.

resistive-vane attenuator atenuador de lámina resistiva.

resistive voltage caída de tensión resistiva. Componente resistiva de una caída de tensión.

resistive voltage divider divisor de tensión resistivo.

resistive-wall amplifier (tube) (tubo) amplificador de pared resistiva. Tubo amplificador de microondas, del tipo de haz electrónico, en el cual la ganancia se obtiene por interacción entre el haz y una carga inducida por éste en una pared resistiva próxima.

resistive Wheatstone bridge puente Wheatstone resistivo.

resistivity *(Elec)* resistividad, resistencia específica. Resistencia en ohmios de un volumen unitario (1 cm³) del material de que se trate; más específicamente, resistencia en ohmios de un bloque de longitud y sección unitarias (1 cm y 1 cm², respectivamente). En unidades inglesas se expresa por el número de ohmios de una pieza circular de una milipulgada (0,025 4 mm) de diámetro y un pie (30,5 cm) de largo. La resistividad es la inversa de la conductividad [conductivity]. SIN. **resistencia cúbica —— specific resistance, volume resistivity | resistividad.** Resistencia de un conductor de longitud y sección unitarias (CEI/38 05–20–135).

resistivity measurement medida de resistividad.

resistivity probe sonda de resistividad.

resistor *(Elec)* resistor, resistencia. Elemento de circuito que posee resistencia [resistance]. SIN. **elemento resistivo —— resistance (element).** CF. **variable resistor, rheostat, potentiometer | resistencia.** Conjunto de conductores que se utiliza especialmente a causa de su resistencia (CEI/38 05–45–010, CEI/57 15–50–115). CF. **composite resistor, carbon resistor, film resistor, liquid resistor, metallic resistor, wire-wound resistor.**

resistor adapter adaptador resistivo. v. **resistive adapter.**

resistor-biased circuit circuito de polarización por resistencia.

resistor-capacitor-transistor logic [RCTL] lógica de resistores, capacitores y transistores, lógica RCT. Circuito lógico en el cual se utilizan elementos de resistencia y capacitancia y transistores.

resistor-capacitor unit elemento de resistencia y capacitancia. v.

rescap.

resistor color code código de colores de resistores. Método especificado en los EE.UU. por la EIA (Asociación de las Industrias Electrónicas) para marcar el valor de los resistores por medio de bandas y puntos de colores. Se usan tres colores para el valor de resistencia y un cuarto color para indicar la tolerancia. En los resistores con hilos de conexión radiales [radial-lead resistors], el primer color es el del cuerpo, el segundo es el de un extremo, el tercero es el del punto, y el cuarto es el del otro extremo. En los resistores de hilos axiales [axial-lead resistors], los cuatro colores aparecen en bandas sucesivas a partir de un extremo del resistor. La clave de los colores es la siguiente:

Negro [black]	= 0
Marrón [brown]	= 1
Rojo [red]	= 2
Naranja [orange]	= 3
Amarillo [yellow]	= 4
Verde [green]	= 5
Azul [blue]	= 6
Violado [violet]	= 7
Gris [gray]	= 8
Blanco [white]	= 9
Oro [gold]	= tolerancia de ±5 %
Plata [silver]	= tolerancia de ±10 %

Los dos primeros colores dan las cifras significativas del valor de resistencia en ohmios; el tercer color indica el número de ceros que hay que agregar; el cuarto color (oro o plata) da la cifra de tolerancia. La ausencia del cuarto color indica que la tolerancia es de 20 %. EJEMPLO: Un resistor marcado con los colores *amarillo - violado - naranja - oro* sería de 47 000 Ω con tolerancia de ±5 %.

resistor core núcleo aislante del resistor. Pieza de material aislante sobre el cual se arrolla el elemento de resistencia o que de algún modo sirve de soporte a dicho elemento.

resistor-coupled circuit circuito acoplado por resistencia. v. resistance coupling.

resistor-earthed *(GB)* v. **resistance-grounded.**

resistor element elemento de resistencia. Parte de un resistor que posee la propiedad de resistencia eléctrica; el resistor está constituido por este elemento y elementos de construcción tales como el soporte, los hilos de conexión o los terminales, y los materiales de protección.

resistor furnace electrohorno de resistencia; horno de calentadores eléctricos. Horno de resistencia [resistance furnace] en el cual el calor es producido por el paso de la corriente por resistencias que no forman parte de la carga.

resistor fuse resistor fusible.

resistor-grounded v. **resistance-grounded.**

resistor-heated furnace v. **resistor furnace.**

resistor housing cubierta del resistor.

resistor mixer mezclador de resistencia, mezclador resistivo.

resistor network red de resistores, red resistiva.

resistor potentiometer cadena potenciométrica de resistores. Potenciómetro formado por varios resistores conectados en serie.

resistor sparkplug bujía (de encendido) con resistencia, bujía con resistencia supresora. Bujía de encendido con una resistencia en serie destinada a suprimir las perturbaciones radioeléctricas.

resistor spiral espiral de resistencia, resistencia (eléctrica) en espiral.

resistor strip regleta de resistencias.

resistor tape cinta resistiva [para resistencias].

resistor tester probador de resistencias.

resistor-transistor logic [RTL] lógica de resistores y transistor, lógica RT. Circuito lógico de resistores en el cual se utiliza un transistor en funciones de dispositivo de umbral de tensión, amplificador e inversor.

resistor unit resistor, elemento de resistencia.

resnatron resnatrón. Tetrodo de microondas del tipo de haz. Se trata de un tubo cilíndrico con un resonador de entrada entre cátodo y rejilla de control y un resonador de salida entre la rejilla pantalla y el ánodo, estando estos resonadores acoplados mediante una línea coaxil exterior; a la rejilla de control se le da una tensión mayor que la de corte de la corriente anódica, de modo que el tubo funciona análogamente a un triodo oscilador en clase C. Se ha utilizado con notable rendimiento en la región de las ondas métricas (VHF), suministrando potencias de 50 y hasta de 85 kW.

resolderable   *adj*: resoldable.

resolderable fuse   *(Elec)* fusible del tipo resoldable.

resolidification   resolidificación.

resolution   proposición; propósito; determinación; denuedo; tesón ‖ *(Juntas y asambleas)* orden del día; deliberación; acuerdo, resolución ‖ *(Aleaciones)* redisolución ‖ *(Galvanoplastia)* vuelta al baño del material depositado en el cátodo ‖ *(Quím)* resolución; separación, redisolución ‖ *(Medicina, Mús)* resolución ‖ *(Fís)* descomposición (de fuerzas, de velocidades) ‖ *(Mat)* resolución; descomposición ‖ *(Opt)* análisis; resolución, poder separador [resolutivo, de resolución] ‖ *(Radar)* poder analizador [separador, de resolución]. Separación mínima entre dos objetivos o blancos (sea en distancia, sea en ángulo) que puede distinguirse en la pantalla. SIN. **resolving power** ‖ *(Tv)* definición. Grado en que pueden apreciarse los más pequeños detalles de la imagen después de la transmisión por un sistema óptico o electrónico o por el sistema de televisión completo. Se expresa generalmente por el número máximo de líneas blancas y negras alternadas que pueden distinguirse en el patrón de prueba [test pattern]. La definición es inversamente proporcional al tamaño y directamente proporcional al número de los elementos de imagen utilizados, admitiéndose generalmente que es necesario transmitir no menos de 200 000 elementos discretos de imagen para obtener en el receptor una imagen de suficiente detalle. SIN. **finura [fineza] de detalle** —— **definition, detail** ‖ *(Facsímile)* definición. (1) Indicación del más pequeño detalle reconocible en la imagen reproducida; puede expresarse por la inversa de la dimensión lineal del más pequeño detalle y medirse por el número total máximo de líneas alternativamente blancas y negras discernibles por unidad de longitud. (2) Indicación que permite caracterizar el más pequeño detalle que puede ser reconocido en la imagen obtenida por medio de un sistema determinado (CEI/70 55-80-110). SIN. **definition** ‖ *(Controles)* resolución, finura de ajuste. (1) En una fuente de tensión de precisión, fineza de ajuste de la tensión; es decir, mínima variación que puede ser efectuada mediante los mandos correspondientes. (2) En el caso de un potenciómetro, incremento menor posible en el valor de la resistencia que se hace variar ‖ *(Registro mag)* resolución. (1) Aptitud de una cabeza magnética de separar (reproducir) impulsos próximos entre sí o señales de onda corta grabados en la cinta (u otro medio de registro). (2) Aptitud de una cinta de registrar impulsos próximos entre sí o señales de pequeña longitud de onda, sin excesiva pérdida en la reproducción ‖ v. **resolution** n..., **resolution of.** ..

resolution capability   poder de resolución.

resolution chart   *(Tv)* mira [imagen patrón] para pruebas de definición. Imagen patrón de líneas blancas y negras alternadas, utilizada para determinar la capacidad de definición de un sistema de televisión. SIN. **resolution pattern, definition chart.** V.TB. **test pattern.**

resolution in azimuth   *(Radar)* poder de resolución en acimut. Menor ángulo de separación entre dos objetivos situados a la misma distancia, que permite la separación de los mismos en la pantalla del equipo considerado.

resolution in range   *(Radar)* poder de resolución en distancia. Menor distancia de separación entre dos objetivos de igual rumbo, que permite separarlos en la pantalla del equipo considerado.

resolution in the horizontal direction   *(Tv)* definición en sentido horizontal. SIN. **horizontal resolution.**

resolution in the vertical direction   *(Tv)* definición en sentido vertical. SIN. **vertical resolution.**

resolution noise   *(Transductores potenciométricos)* ruido de variación por pasos. Ruido debido a la variación por pequeños pasos característica de los elementos de resistencia de alambre bobinado.

resolution of forces   *(Fís)* descomposición de fuerzas.

resolution of measurements   resolución de las medidas. La resolución de una medida equivale a la variación más pequeña de la magnitud medida capaz de ser acusada por el instrumento y el método utilizados.

resolution of target   *(Radar)* resolución, finura de detalle en la observación de los blancos.

resolution pattern   *(Tv)* imagen patrón para pruebas de definición. SIN. **definition [resolution] chart.** V.TB. **test pattern.**

resolution sensitivity   sensibilidad de resolución. En un sistema de control automático, cambio mínimo de la variable medida capaz de accionar el sistema.

resolution test chart   *(Tv)* v. **resolution chart.**

resolution time   tiempo de resolución. Intervalo de tiempo mínimo entre dos impulsos sucesivos que permite que los impulsos sean registrados individualmente por un contador.

resolution wedge   *(Tv)* cuña para pruebas de definición. Parte del diseño de la imagen patrón de prueba (v. **test pattern**) consistente en un grupo de líneas que convergen gradualmente, y que se utiliza para medidas de definición.

resolutor   resolutor; resolvedor.

resolve   *verbo*: determinar, resolver; acordar, decidir; resolverse (a), decidirse (a); disipar (una duda), resolver (una ambigüedad); descomponer, separar, resolver, analizar; descomponer (una fuerza, un vector, un sistema polifásico) ‖ *(Mat)* resolver; descomponer ‖ *(Opt)* resolver ‖ desdoblar. Distinguir, mediante la fotografía o de otro modo, dos elementos que a simple vista forman uno solo ‖ *(Quím)* descomponer; reducir ‖ desdoblar. Descomponer una substancia en otras dos.

resolvent   *(Mat)* resolvente. Ecuación que, una vez resuelta, permite resolver otra.

resolver   resolutor; descomponedor; reductor; transformador de coordenadas; transformador seno-coseno ‖ resolvedor, unidad de resolución, descomponedor (de magnitudes), dispositivo de descomposición de magnitudes. Dispositivo que descompone una magnitud vectorial en elementos constitutivos (p.ej. dos o tres componentes perpendiculares entre sí) ‖ sincrotrigonómetro. Sincro utilizado como elemento de cálculo ‖ resolutor. Dispositivo (p.ej. un sincro) con un rotor que es accionado mecánicamente para transformar la información de ángulo del mismo en información eléctrica correspondiente al seno y el coseno del ángulo del rotor; se usa para pasar de coordenadas rectangulares a polares y viceversa. SIN. **sine-cosine generator, synchro resolver.**

resolver magslip   sincro de transformación de coordenadas. SIN. **resolver synchro.**

resolver synchro   v. **resolver magslip.**

resolver system   sistema resolutor [resolvedor]; sistema de transformación de coordenadas; sistema de descomposición de magnitudes.

resolving capability   poder de resolución. v. **resolving power.**

resolving power   poder de resolución, poder resolutivo [separador] ‖ *(Ant unidireccionales)* poder resolutivo. Inversa de la abertura del haz [beamwidth] medida en grados ‖ *(Opt)* poder separador. (1) Capacidad de un instrumento de óptica de separar las imágenes de objetos muy próximos entre sí. (2) Capacidad de un espectroscopio de distinguir entre longitudes de onda casi iguales ‖ *(Cine/Tv)* poder de definición. v. **resolution** ‖ *(Radar)* poder de definición. Capacidad del equipo de formar sobre la pantalla imágenes distinguibles ‖ v. **resolution** ‖ *(Espectrómetros de radiación)* poder de resolución. Razón de la media aritmética [arithmetic mean] de dos valores de una misma magnitud separados por la más pequeña diferencia entre ellos que el espectrómetro es capaz de distinguir, por el valor absoluto de esa diferencia (CEI/68

66–10–405).

resolving power of a prism   poder separador [de resolución] de un prisma.

resolving power of the human eye   poder separador del ojo humano.

resolving time   *(Equipos contadores)* tiempo de resolución. Intervalo de tiempo mínimo que ha de separar la aparición de dos impulsos o de dos sucesos ionizantes [ionizing events] consecutivos para que el dispositivo demedida sea capaz de cumplir su función para cada uno de ellos (CEI/68 66–10–435).

resolving-time correction   *(Equipos contadores)* corrección de tiempo de resolución, corrección de tiempo muerto. Corrección que se aplica al número de impulsos observados, a fin de tomar en cuenta el número de impulsos perdidos durante el tiempo de resolución. SIN. **dead-time correction** (CEI/68 66–10–440) | corrección por tiempo de resolución.

resonance   resonancia. (**1**) Fenómeno presentado por un sistema oscilante en el cual el período de las oscilaciones libres es aproximadamente el mismo que el de las oscilaciones forzadas (CEI/38 05–05–255). (**2**) Condición existente, respecto a determinada frecuencia, en un circuito resonante [resonant circuit] con capacitancia (C) e inductancia (L), cuando la reactancia capacitiva [capacitive reactance] y la reactancia inductiva [inductive reactance] son de igual magnitud, lo cual ocurre respecto a una frecuencia única (la de resonancia) para cada combinación de valores de C y L. Como las reactancias capacitiva e inductiva son de signos opuestos, se neutralizan mutuamente, y entonces la única oposición a la circulación de corriente, a la frecuencia de resonancia, es la de la resistencia óhmica del circuito resonante. Si C y L están en serie, la corriente circulante en el circuito es máxima a la frecuencia de resonancia. Si están en paralelo (respecto a la oscilación aplicada), es mínima la corriente externa suministrada al circuito, y máxima la tensión entre ambos lados de éste; también es máxima la corriente que, sin entrar ni salir por los terminales del circuito, circula internamente por el circuito. Cuando, p.ej., se sintoniza un radiorreceptor, lo que se hace es variar C o L (o ambos simultáneamente) para poner los circuitos de RF en resonancia respecto a la frecuencia portadora de la estación que se desea recibir. (**3**) En un sistema nuclear en movimiento, condición en la cual el sistema reacciona en presencia de una fuerza o un campo exterior aplicado a la misma frecuencia de vibración natural del sistema. CF. **nuclear magnetic resonance.** (**4**) Condición existente cuando la frecuencia de una vibración aplicada a un cuerpo o un sistema oscilante, es igual a la frecuencia natural [natural frequency] del cuerpo o el sistema. CF. **velocity resonance** ||| *adj:* resonante; de resonancia.

resonance absorption   absorción de resonancia || *(Nucl)* (**of neutrons**) absorción (de neutrones) por resonancia. Absorción de neutrones cuyas energías están comprendidas en una gama angosta correspondiente a un nivel de resonancia nuclear en un reactor.

resonance amplifier   amplificador de resonancia.

resonance amplitude   amplitud de resonancia.

resonance breeder   *(Nucl)* reactor reproductor de resonancia.

resonance bridge   *(Medidas)* puente de resonancia. Puente de corriente alterna, de cuatro ramas, que sirve para medir capacitancias, inductancias, o frecuencias; antes de poner el puente en equilibrio, se sintonizan a resonancia con la frecuencia excitadora exterior, los elementos de capacitancia y de inductancia, los cuales pueden estar en serie o en paralelo. CF. **impedance bridge.**

resonance capacitor-transformer   *(Elec)* transformador-condensador de resonancia. Combinación de un reductor de tensión por condensador [capacitor voltage divider] y de un transformador de medida [instrument transformer] que utiliza un fenómeno de resonancia para satisfacer condiciones de utilización análogas a las del transformador de tensión [voltage transformer] (CEI/58 20–45–020).

resonance capture   captura por resonancia. Captura de una partícula incidente por un núcleo atómico en forma tal que aquélla entra en un nivel de resonancia del núcleo compuesto resultante.

resonance characteristic   característica [curva] de resonancia. v. **resonance curve.**

resonance circuit   circuito resonante. v. **resonant circuit.**

resonance contour   *(Nucl)* curva de resonancia.

resonance current step-up   (a.c. resonant current step-up) elevación de corriente de resonancia. Aptitud de un circuito antirresonante [antiresonant circuit, parallel-resonant circuit] de poner en circulación una corriente "interna" (a través de la bobina y el condensador) muchas veces más intensa que la corriente suministrada al circuito a la frecuencia de resonancia.

resonance curve   (a.c. resonant curve) curva [característica] de resonancia. Representación gráfica del valor de corriente o de tensión en un circuito resonante, en función de la frecuencia aplicada, en el entorno de la frecuencia de resonancia. SIN. **resonance characteristic.**

resonance effect   efecto de resonancia.

resonance energy   energía de resonancia. Energía de enlace [binding energy] adicional de una molécula, debida a resonancia cuántica [quantum-mechanical resonance].

resonance energy band   banda de energía de resonancia.

resonance escape probability   probabilidad de escape a la captura por resonancia. En un reactor nuclear, probabilidad de que un neutrón con la mayor de dos energías, pierda velocidad y energía, en lugar de ser absorbido.

resonance fluorescence   fluorescencia de resonancia. Emisión de radiación por un gas o un vapor, a la misma frecuencia de la radiación incidente o excitadora.

resonance flux   *(Nucl)* flujo de resonancia.

resonance frequency   frecuencia de resonancia. v. **resonant frequency.**

resonance frequency meter   frecuencímetro de resonancia.

resonance heating   *(Nucl)* calentamiento por resonancia.

resonance in free air   *(Altavoces)* resonancia (del sistema móvil) con el altavoz en el aire. Resonancia del sistema móvil de un altavoz sin pantalla o caja acústica.

resonance indicator   indicador de resonancia. Dispositivo (instrumento de medida, lámpara neón, audífono, tubo catódico) que acusa la condición de resonancia de un circuito.

resonance integral   *(Nucl)* integral de resonancia. Logaritmo natural, con signo cambiado, del producto de la probabilidad de escape a la captura por resonancia [resonance escape probability], por el poder de moderación [slowing-down power] por átomo de absorbente [absorber] en un reactor.

resonance isolator   desacoplador de resonancia. Dispositivo de desacoplamiento o aislación basado en el fenómeno de la resonancia ferromagnética. v. **isolator.**

resonance lamp   lámpara de resonancia. Lámpara consistente esencialmente en una ampolla evacuada que contiene mercurio y que actúa como fuente de radiación a la longitud de onda de la raya de resonancia pura del mercurio, cuando es irradiada por una lámpara de arco de mercurio.

resonance level   *(Elecn)* nivel (de energía) de resonancia. Nivel a partir del cual el átomo puede retornar directamente al estado normal [normal energy level] emitiendo una radiación. SIN. **resonance state** (CEI/56 07–11–065).

resonance line   *(Fís)* raya [línea] de resonancia | línea de resonancia. Raya espectral, que puede manifestarse en la emisión o en la recepción, producida por una transición directa de un estado excitado [excited state] al estado fundamental [ground state], o por la transición inversa, sin pasar por un estado intermedio (ejemplo: Hg 253,7 nm) (CEI/70 45–35–035).

resonance meter   medidor de resonancia.

resonance method   *(Elec)* método de resonancia.

resonance neutron   *(Nucl)* neutrón de resonancia | **resonance neutrons:** neutrones de resonancia. Neutrones cuya energía corresponde a la energía de resonancia [resonance energy] de un núclido o de un elemento determinado. Cuando no se especifica el núclido, se refiere a neutrones de resonancia de ^{238}U (CEI/68 26–05–230).

resonance neutron flux   v. **resonance flux.**

resonance oscillatory circuit   circuito oscilante de resonancia.

resonance overlap   superposición de resonancias.

resonance peak   pico [cresta, punta] de resonancia; máximo de resonancia; cresta de la curva de resonancia.

resonance penetration   *(Nucl)* penetración de resonancia. Penetración en un núcleo por una partícula electrizada cuya energía corresponde a uno de los niveles de energía existentes en el núcleo.

resonance poisoning   *(Nucl)* envenenamiento de resonancia.

resonance radiation   radiación de resonancia. Emisión de radiación por un gas o un vapor a consecuencia de la excitación de sus átomos por fotones incidentes a la frecuencia de resonancia del gas o el vapor, siendo la radiación emitida característica del gas o vapor particular de que se trate.

resonance radiometer   radiómetro de resonancia. Se utiliza para efectuar medidas relativas de radiaciones de poca intensidad en espectrómetros de infrarrojo.

resonance reactor   *(Nucl)* reactor de resonancia.

resonance region   *(Nucl)* zona de resonancia.

resonance resistance   resistencia de resonancia. v. **resonant resistance.**

resonance rise of voltage   sobretensión de resonancia. CF. **Q.**

resonance scattering   dispersión de resonancia. Dispersión que tiene por origen la parte de la onda incidente que atraviesa la superficie e interacciona con el interior de un núcleo atómico.

resonance section   *(Nucl)* sección eficaz de resonancia.

resonance sharpness   agudeza de (la) resonancia.

resonance spectral line   raya espectral de resonancia. Raya espectral que se manifiesta cuando un electrón pasa a un estado de energía inferior en un átomo dado. v.TB. **resonance line.**

resonance spectrum   espectro de resonancia. Espectro de la radiación emitida por un átomo excitado, durante su retorno al estado fundamental [ground state]. CF. **resonance level.**

resonance state   *(Elecn)* nivel (de energía) de resonancia. v. **resonance level.**

resonance transformer   transformador resonante [sintonizado]. Transformador de alta tensión cuyo circuito secundario resuena (está sintonizado) a la frecuencia de tensión aplicada al primario.

resonance tube   tubo de resonancia.

resonance-type isolator   *(Hiperfrec)* desacoplador [aislador] del tipo de resonancia.

resonance vibration   vibración de resonancia.

resonant   *adj:* resonante, de resonancia.

resonant acoustic panel   panel acústico resonante.

resonant aerial   antena resonante. SIN. **resonant antenna.**

resonant amplitude   amplitud de resonancia. SIN. **resonance amplitude.**

resonant antenna   antena resonante [sintonizada]. SIN. **tuned antenna.** CF. **aperiodic antenna.**

resonant bump   pico de resonancia. En los amplificadores, pico de respuesta causado por una resonancia interna. CF. **resonance peak.**

resonant capacitor   condensador resonante [de resonancia en serie]. Condensador (capacitor) que por su construcción especial posee tal grado de autoinducción que forma un circuito resonante en serie. En el caso típico de aplicación en los receptores superheterodinos, la frecuencia de resonancia coincide aproximadamente con la FI y el elemento va conectado entre –B y el chasis, para impedir regeneraciones u oscilaciones a la frecuencia intermedia del receptor. Es decir, que se utiliza como condensador de paso [bypass capacitor] con efectividad superior a la de los condensadores corrientes.

resonant cavity   *(Hiperfrec)* cavidad resonante. Cavidad o cámara de paredes metálicas en la cual pueden excitarse campos electromagnéticos alternos a la frecuencia de resonancia de la cavidad, frecuencia ésta que es susceptible de variación mediante elementos de posición ajustable (pistón, diafragma) y capaces de reflejar las ondas electromagnéticas. Utilízanse las cavidades resonantes como elemento de acoplamiento entre guíaondas de diámetros diferentes, como filtro, o como red de impedancia. SIN. **resonador de cavidad [de guíaondas], cavidad sintonizada, cámara resonante, rumbatrón — resonating cavity, cavity resonator, cavity, rhumbatron** | cavidad (resonante), resonador. Cubierta de forma sencilla capaz de entrar en resonancia y construida de tal suerte que las pérdidas por radiación y por conducción son despreciables. SIN. **cavity** (CEI/61 62–15–225).

resonant-cavity dielectrometer   dielectrómetro de cavidad resonante.

resonant-cavity magnetron   magnetrón de cavidades resonantes.

resonant-cavity maser   maser de cavidad resonante. Maser en el cual el material paramagnético activo va colocado en una cavidad resonante.

resonant-cavity wavemeter   ondámetro de cavidad resonante.

resonant chamber   cámara resonante. v. **resonant cavity.**

resonant-chamber switch   conmutador de cavidades resonantes. Conmutador de guíaondas en el cual cada rama de guía tiene una cavidad resonante cuya función es comparable con la de un par de contactos de conmutador ordinario; la desintonización de una cavidad (equivalente a la apertura de un par de contactos) corta la transmisión de energía en la rama correspondiente.

resonant charging choke   inductor resonante. En ciertos moduladores, inductor que resuena con la capacitancia efectiva de una red conformadora de impulsos [pulse-forming network] para producir oscilaciones a la frecuencia de resonancia.

resonant circuit   circuito resonante. Circuito que posee inductancia y capacitancia y por el cual pueden circular con mínima oposición las corrientes oscilantes de determinada frecuencia (frecuencia de resonancia) que depende de los valores de inductancia y capacitancia; si la inductancia o la capacitancia es variable, puede variarse la frecuencia de resonancia [resonant frequency] a voluntad, es decir, puede *sintonizarse* el circuito a la frecuencia deseada | circuito resonante. Conjunto formado por una inductancia y una capacitancia en paralelo, dispuesto de tal manera en el circuito, que el mismo presenta una impedancia baja a la frecuencia de sintonización y una impedancia relativamente elevada a todas las otras frecuencias. SIN. **acceptor** *(término desaconsejado)* (CEI/70 55–20–085). CF. **antiresonant circuit, rejector.**

resonant-circuit coupling   acoplamiento por circuito resonante.

resonant-circuit drive   *(Radiocom)* oscilador (maestro) de circuito resonante. Oscilador maestro [master oscillator] cuya frecuencia es determinada por las características eléctricas de un circuito resonante (CEI/70 60–42–175) | oscilador (maestro) de circuito oscilante.

resonant-circuit frequency indicator   indicador de frecuencia del tipo de circuito resonante. Dispositivo de indicación de frecuencia cuyo funcionamiento se funda en las características de frecuencia en función de la reactancia de dos circuitos resonantes serie.

resonant current step-up   v. **resonance current step-up.**

resonant curve   v. **resonance curve.**

resonant depolarization   despolarización resonante.

resonant diaphragm   *(Guías de ondas)* diafragma resonante. Diafragma calculado de tal modo que no introduzca impedancia reactiva [reactive impedance] a determinada frecuencia.

resonant dipole   dipolo resonante.

resonant earthed system (by arc-suppression coil)   *(Elec)* red compensada (mediante bobina de extinción). Red en la cual el neutro está unido a la tierra por una bobina cuya reactancia es de valor tal que, durante una falla [fault] entre una fase de la red y la tierra, la corriente inductiva a la frecuencia fundamental [power-frequency inductive current] que circula entre la falla y la bobina neutraliza esencialmente la componente capacitiva [capacitive component] a la frecuencia fundamental de la corriente de falla. NOTA: En una red compensada por bobina de extinción, la corriente de falla resultante [net current in the fault] está limitada de tal manera que el arco de falla [arcing fault] en el aire se extingue espontáneamente (CEI/65 25–15–030).

resonant element   elemento resonante. CF. **resonant cavity, resonant circuit, resonant capacitor.**

resonant extraction   *(Ciclotrones)* extracción resonante.

resonant frequency   (a.c. resonance frequency) frecuencia de resonancia. TB. frecuencia resonante. (**1**) Frecuencia a la cual son iguales la reactancia inductiva [inductive reactance] y la reactancia capacitiva [capacitive reactance] de un circuito resonante [resonant circuit], de manera que existe la condición de resonancia (v. **resonance**, def. **2**). La frecuencia de resonancia está dada en hertzios por la fórmula $f = 1/2\pi\sqrt{LC}$, donde L es la inductancia en henrios y C la capacitancia en faradios. (**2**) En el caso de un cristal piezoeléctrico, para un modo particular de vibración, frecuencia a la cual es cero la impedancia efectiva del cristal (sin tomar en cuenta la disipación). (**3**) En el caso de un altavoz, frecuencia a la cual el sistema móvil (diafragma o cono y otros elementos a él unidos) vibra con la mayor facilidad. (**4**) Frecuencia a la cual oscila o vibra fácilmente un cuerpo u objeto cualquiera. (**5**) Frecuencia teórica más alta a la cual podría oscilar un tubo electrónico, correspondiente a la ausencia completa de capacitancia y de inductancia externas.

resonant gap   *(Tubos TR)* intervalo resonante. Intervalo interno pequeño en el cual se concentra el campo eléctrico.

resonant-gate transistor   transistor de compuerta resonante.

resonant iris   *(Guías de ondas)* (diafragma) iris resonante. Ventanilla resonante en una guía de sección circular, semejante a un iris óptico.

resonant line   línea resonante [sintonizada]. Línea de transmisión que (en virtud de los valores de inductancia y de capacitancia distribuidas) resuena a la frecuencia de funcionamiento. Se dan dos casos: (a) resonancia paralela, que existe cuando la longitud de la línea es múltiplo impar de un cuarto de la longitud de onda y está cortocircuitada en la extremidad de carga; y (b) resonancia serie, que existe en la misma línea cuando está abierta en la extremidad de carga.

resonant-line amplifier   amplificador (del tipo) de línea resonante. SIN. **tuned-line amplifier.**

resonant-line oscillator   oscilador de línea resonante. Oscilador en el cual se emplean segmentos de línea resonante en función de circuitos tanque o resonantes.

resonant-line tuner   sintonizador de líneas resonantes. Sintonizador (selector de canales) de televisión en el cual se utilizan líneas resonantes para sintonizar los circuitos de antena, amplificador de RF, y oscilador de RF. La sintonización se efectúa desplazando un cortocircuito, con lo cual se hace variar la longitud eléctrica de las líneas.

resonant mode   modo resonante. (**1**) Vibración mecánica de un cuerpo (p.ej. el núcleo de un transformador) correspondiente a un fenómeno de resonancia, en vez de ser de índole aleatoria. (**2**) Componente de la respuesta de un dispositivo lineal, caracterizada por determinado diagrama de campo [field pattern]. CF. **resonator mode.**

resonant-mode filter   *(Guías de ondas)* filtro de modo resonante. Filtro de modo [mode filter] que favorece un modo determinado, por resonancia (CEI/61 62–15–105). CF. **reflection-mode filter.**

resonant oscillation   oscilación resonante.

resonant quarter-wave line   línea resonante [sintonizada] de cuarto de onda.

resonant reed   lengüeta resonante.

resonant-reed relay   relé [relevador] con armaduras de lengüeta, relé de armaduras resonantes. v. **reed relay.**

resonant rejector circuit   circuito antirresonante. v. **rejector.**

resonant relay   relé [relevador] resonante.

resonant resistance   (a.c. resonance resistance) resistencia de resonancia. Resistencia de un circuito o una línea resonante a la frecuencia de resonancia; valor de resistencia al cual equivale un circuito resonante.

resonant shunt   derivación resonante ‖ *(Aparatos de medida)* shunt en resonancia. Shunt que comprende una inductancia y una capacitancia en resonancia a una frecuencia determinada (CEI/58 20–35–100).

resonant structure   estructura resonante.

resonant tap   derivación resonante.

resonant torsional vibration   vibración resonante torsional.

resonant transmission line   línea de transmisión resonante [sintonizada]. v. **resonant line.**

resonant trap circuit   *(Radio)* circuito trampa. SIN. **trap.**

resonant vibration   vibración resonante. SIN. **resonance vibration.**

resonant voltage step-up   sobretensión de resonancia. Aptitud o propiedad de un circuito resonante serie de desarrollar una tensión muchas veces mayor que la aplicada.

resonant wavelength   longitud de onda de resonancia. Longitud de onda correspondiente a la frecuencia de resonancia (v. **resonant frequency**).

resonant window   *(Hiperfrec)* (a.c. resonating window) ventana resonante. (**1**) En una guía de ondas, combinación en paralelo de diafragmas inductivos y capacitivos, que sirve para permitir la transmisión a la frecuencia de resonancia y producir reflexión a las demás frecuencias. (**2**) En un tubo conmutador, diafragma iris resonante [resonant iris] cerrado con un material dieléctrico apropiado, y que constituye parte de la envuelta al vacío del tubo.

resonate   *verbo:* resonar; entrar en resonancia; poner en resonancia, sintonizar ‖ **to resonate the antenna**: llevar la antena a resonancia.

resonating   *adj:* resonante.

resonating cavity   v. **resonant cavity.**

resonating piezoid   cuarzo tallado resonante. Cuarzo tallado (v. **finished crystal blank**) utilizado como resonador u oscilador, a distinción del usado como transductor.

resonating window   v. **resonant window.**

resonator   resonador. Aparato o sistema susceptible de entrar en oscilación por resonancia con otro oscilador (CEI/38 05–45–055). CF. **Oudin resonator, Helmholtz resonator** ‖ *(Mús)* cuerpo (de un tubo de lengüeta) ‖ *(Teleg)* caja de resonancia ‖‖ *adj:* resonador, resonante.

resonator cavity   cavidad resonante. v. **resonant cavity.**

resonator current   *(Electrobiol)* corriente de resonador [de desecación, de Oudin]. v. **Oudin current.**

resonator grid   *(Tubos de microondas)* rejilla de resonador. Electrodo conectado a un resonador, atravesado por el haz electrónico, y que efectúa el acoplamiento entre el haz y el resonador (CEI/56 07–30–370).

resonator mode   modo de resonador. Modo de funcionamiento en el cual una corriente electrónica introduce una conductancia negativa en el circuito acoplado de un oscilador. CF. **resonant mode.**

resonator wavemeter   ondámetro de resonancia. Circuito o cavidad resonante destinado a determinar longitudes de onda. Con mayor frecuencia se refiere a un *ondámetro de cavidad resonante* [resonant-cavity wavemeter].

resonistor   resonistor. Dispositivo resonante constituido esencialmente por una lasquita de silicio montada en voladizo (en forma de minúsculo trampolín) en un substrato, y susceptible de entrar en vibración al ser excitado por una señal de entrada, obteniéndose así una tensión de salida de frecuencia determinada y estable.

respiratory mask   careta respiratoria.

respiratory rate   ritmo respiratorio.

respirometer   respirómetro. Aparato que sirve para medir el ritmo respiratorio y otras variables tales como el volumen y la presión del aire durante la respiración.

responder *(Radar)* respondedor, contestador, retransmisor. Parte emisora de una baliza de radar [radar beacon]. SIN. **responder beacon, transponder** (véase). CF. **responsor.**

responder beacon radiofaro respondedor [de respuesta]. SIN. **racon, transponder.**

response *(Lenguaje ordinario)* respuesta, contestación ‖ *(Lenguaje técnico)* respuesta. Expresión cuantitativa de la salida de un dispositivo o un sistema en función de la entrada | *(i.e.* response characteristic) característica de respuesta | *(i.e.* amplitude-frequency response) respuesta de amplitud en función de la frecuencia ‖ *(Electroacús)* rendimiento. Expresión cuantitativa del cociente de una magnitud determinada medida a la salida de un transductor, por otra magnitud determinada medida a la entrada. SIN. **sensitivity** (CEI/60 08–10–145) | respuesta, sensibilidad | v. **response to current, response to power, response to voltage** ‖ *(Radiocom)* respuesta. Magnitud, función del tiempo, que se obtiene a la salida de una red cuando se aplica a la entrada una acción representada por una función del tiempo (CEI/70 60–04–045) ‖ *(Radar)* respuesta, réplica. Señal o combinación de señales radioeléctricas emitidas por un radiofaro respondedor [transponder] al ser interrogado. SIN. **reply** ‖ *(Sist de control)* réplica, reacción (del órgano de regulación) | *(i.e.* response delay) inercia, retardo, retraso (en la acción de un mecanismo).

response characteristic característica [curva] de respuesta. (1) Respuesta de amplitud en función de la frecuencia. (2) Curva de fidelidad de respuesta. SIN. **respuesta de frecuencia —— response curve, frequency response, amplitude-frequency response.** CF. **transient response.**

response curve curva [característica] de respuesta; curva de transmisión. (1) Gráfica de la salida de un dispositivo en función de su entrada. (2) Gráfica de la salida en función del estímulo. (3) Curva que representa la variación de una característica de la señal a la salida de un amplificador (potencia o tensión) en función de una característica de la señal de entrada (nivel, frecuencia, etc.), mientras permanecen constantes las demás características.

response delay inercia, retardo, retraso (en la acción de un mecanismo); tiempo muerto (de un mecanismo).

response drift corrimiento de la respuesta.

response frequency frecuencia de respuesta.

response/frequency characteristic *(Radiocom)* característica de respuesta amplitud-frecuencia. Amplitud de la componente fundamental de una respuesta, en función de la frecuencia de una acción periódica sinusoidal de amplitud constante. SIN. **amplitude/frequency characteristic** (CEI/70 60–04–050).

response lift acentuación de (la) respuesta. Acentuación de respuesta en determinada región del espectro de frecuencias; p.ej., en electroacústica, acentuación de los graves [bass boost], de los agudos [treble boost], o del registro medio [midrange boost].

response linearity linealidad de respuesta.

response range gama de respuesta.

response rate rapidez [velocidad] de respuesta.

response recorder registrador de respuesta.

response reproducibility reproducibilidad de respuesta.

response shape forma de la respuesta.

response spectrum espectro de respuesta.

response speed rapidez de respuesta. Intervalo de tiempo entre un cambio en la magnitud detectada, y el comienzo de la correspondiente acción reguladora en un sistema de control.

response time *(Aparatos indicadores)* tiempo de respuesta. Período necesario para que la aguja quede en reposo después de aplicada al instrumento una tensión (u otra magnitud, según la clase de instrumento de que se trate) de valor fijo ‖ *(Aparatos de medida)* tiempo de indicación. Tiempo que toma el elemento móvil [moving element] para quedar en reposo, cuando se hacen pasar bruscamente corrientes por el aparato en condiciones determinadas (CEI/58 20–40–255) ‖ *(Automática)* tiempo de respuesta. (1) Cuando se aplica a ciertos dispositivos o sistemas de control una tensión de entrada en escalón [step voltage], la magnitud de salida

cambia, pero no instantáneamente; se llama entonces *tiempo de respuesta* al período necesario para que la magnitud de salida alcance determinada fracción o tanto por ciento del valor final que adquirirá al recobrar las condiciones de estabilidad. (2) Intervalo de tiempo después del comienzo de una perturbación sostenida, hasta el instante en que la variación correlativa de la magnitud de salida alcance por primera vez una fracción determinada, elegida convencionalmente, de su valor final (CEI/66 37–50–050) ‖ *(Nucl)* tiempo de respuesta; período de reacción. SIN. **reaction time** ‖ *(Transductores mag)* duración de respuesta. Intervalo de tiempo a partir del instante de una variación brusca de la magnitud de mando [control quantity], hasta el instante en que la magnitud de salida alcanza una fracción dada de su valor final (CEI/55 12–10–060).

response to current *(Electroacús)* respuesta a la corriente. Para un transductor emisor de sonido, para una frecuencia especificada, cociente de la presión acústica eficaz [RMS sound pressure] producida por ese transductor a una distancia especificada de su centro acústico [acoustic center] y en una dirección definida, por la corriente que circula entre los bornes de entrada (CEI/60 08–10–195).

response to power *(Electroacús)* respuesta de potencia. Para un transductor emisor de sonido, para una frecuencia especificada, cociente del cuadrado del valor eficaz de la presión acústica [mean-square sound pressure] producida por ese transductor a una distancia especificada de su centro acústico y en una dirección definida, por la raíz cuadrada de la potencia eléctrica a la entrada (CEI/60 08–10–185).

response to voltage *(Electroacús)* respuesta de tensión. Para un transductor emisor de sonido, para una frecuencia especificada, cociente de la presión acústica eficaz producida por ese transductor a una distancia especificada de su centro acústico y en una dirección definida, por la tensión de la señal aplicada a los bornes de entrada (CEI/60 08–10–190).

responser v. **responsor.**

responsiveness sensibilidad, obediencia; simpatía; correspondencia, conformidad, respuesta conforme ‖ *(Dispositivos diversos)* sensibilidad (de respuesta) ‖ *(Emulsiones fotog)* respuesta ‖ *(Mot)* nerviosidad; flexibilidad ‖ *(Radiocom)* respondencia ‖ CF. **compliance, responsivity.**

responsivity responsividad. Magnitud usada en relación con los detectores de infrarrojo, equivalente al cociente de la *señal eléctrica* (voltios) por la *señal radiante* (vatios). Es ajena a consideraciones de ruido, y equivale, hasta cierto punto, a la ganancia de un amplificador. La señal radiante es el *flujo radiante incidente,* y la señal eléctrica es la *de salida* del detector.

responsor *(also* responser) *(Radar)* respondedor; receptor (de radiofaro interrogador) | receptor de identificación. Aparato de recepción de respuestas en la identificación (CEI/70 60–72–210).

rest resto, residuo, excedente, sobrante, sobra; descanso, reposo; apoyo, soporte, sustentáculo; detención, parada ‖ *(Mús)* pausa; atril ⫽ *verbo:* descansar, reposar; yacer; quedar, permanecer; apoyarse (en), descansar (sobre); asentarse, posarse; cargar sobre.

rest contact *(Elec)* contacto de reposo. v. **normally closed interlock** ‖ *(Telecom)* v. **resting contact.**

rest current corriente de reposo; corriente permanente.

rest electromotive force fuerza electromotriz de reposo.

rest energy *(Fís)* energía en reposo. Energía de una partícula en reposo; es igual al producto de la masa en reposo [rest mass] por el cuadrado de la velocidad de la luz.

rest landing *(Escaleras de torres)* plataforma de descanso.

rest mass *(Fís)* masa en reposo. Masa de una partícula en estado de reposo o en movimiento a baja velocidad en relación con la velocidad de la luz. CF. **relativistic mass.**

rest period *(Personal)* período de descanso.

rest position posición de reposo; posición de equilibrio.

rest potential *(Electroquím)* potencial residual. Potencial remanente entre un electrodo y un electrólito después de que el primero ha quedado polarizado. CF. **resting potential.**

restart rearranque; reanudación /// *verbo:* recomenzar, comenzar [empezar] de nuevo, reiniciar; rearrancar, arrancar de nuevo; recebar (una bomba, una emisión electrónica); reanudar (una labor, un viaje); poner en marcha (una máquina) || *(Informática)* reiniciar (una operación). Retornar a un punto previo del programa y recomenzar la operación a partir de él.

resting contact *(Telecom)* contacto de reposo. SIN. **normal contact** || *(Elec)* v. **rest contact.**

resting frequency *(MF)* frecuencia de reposo [de portadora]. SIN. **center [carrier] frequency.**

resting potential *(Electrobiol)* potencial de reposo. Tensión existente entre los dos lados de una membrana o interfaz viviente en ausencia de excitación (CEI/59 70–10–085). CF. **rest potential.**

restitute *verbo:* restituir.

restituted signal *(Teleg)* señal restituida.

restituting force fuerza restituyente.

restitution restitución; devolución, reintegro, reintegración; recobro, recuperación; indemnización, reparación; retorno (de un cuerpo elástico) a su forma primitiva || *(Fotog)* restitución || *(Teleg)* restitución. Serie de estados adquiridos, como resultado de una modulación telegráfica [telegraph modulation], por el órgano apropiado de un aparato receptor, estando cada estado asociado al intervalo de tiempo correspondiente a su duración (CEI/70 55–70–095).

restitution delay *(Teleg)* retardo de la restitución | retraso de restitución. Intervalo de tiempo comprendido entre un instante significativo de la modulación [significant instant of modulation] y el instante significativo correspondiente a la restitución (CEI/70 55–70–120).

restitution distortion *(Teleg)* distorsión de restitución.

restitution element *(Teleg)* elemento de restitución. Estado definido adquirido por el órgano apropiado de un aparato receptor asociado al intervalo de tiempo correspondiente a su duración (CEI/70 55–70–100). CF. **modulation element.**

restoration restauración; recuperación; restablecimiento; reposición; renovación, reparación; reintegración, instauración, rehabilitación.

restoration circuit *(Telecom)* circuito restaurador.

restoration of DC component *(Tv)* restablecimiento de la componente continua. v. **restorer.**

restore *verbo:* restaurar, reponer, restablecer; reintegrar || *(Informática)* normalizar. Sacar un dispositivo almacenador de un estado provisional [interim state] sin afectar la información o los datos fijos contenidos en el dispositivo | reponer. Devolver una palabra de computadora (o, como caso particular, una dirección variable) a su valor inicial. CF. **reset** || *(Telecom)* **the line is restored:** la línea está restablecida | v. **restore a. . . , restore the. . .**

restore a circuit *(Telecom)* restablecer normalmente un circuito.

restore a circuit to service *(Telecom)* reponer un circuito en servicio.

restore a pulse restituir un impulso.

restore the connection *(Telef)* restablecer la comunicación.

restore the receiver *(Telef)* colgar (el receptor). SIN. **hang up.**

restore to normal *(Telecom)* volver al reposo.

restore-to-normal switch *(Teleg)* conmutador de posición de reposo.

restored energy energía recuperada [restituida].

restored wave onda reconstituida, onda restaurada (a su forma primitiva).

restorer *(Tv)* restablecedor, restaurador (de la componente continua). Circuito que automáticamente genera una tensión polarizadora de la rejilla del cinescopio, proporcional a la intensidad de la señal. Si se emplea un cinescopio de tres cañones (televisión en colores), se utiliza uno de estos circuitos para cada canal (rojo, verde y azul), de tal manera que se mantenga la debida iluminación general y la proporción correcta de los tres colores primarios. SIN. **DC restorer.**

restoring circuit circuito restablecedor [de reposición].

restoring force *(Fís)* fuerza de recuperación [de restauración], fuerza restablecedora. Fuerza elástica que actúa sobre una partícula o una parte de un sistema mecánico cuando el mismo se ha separado del estado de equilibrio y que tiende a restaurar el equilibrio del sistema.

restoring mechanism mecanismo de reposición.

restoring moment *(Aeron)* momento enderezador [de enderezamiento], momento restablecedor [de restablecimiento].

restoring spring resorte antagonista. En los relés, resorte que, al cesar la excitación, lleva la armadura a la posición normal o de reposo. SIN. **return spring.**

restoring time *(Telecom)* tiempo de recuperación (de un supresor de eco). v. **partial restoring time.**

restoring torque par antagonista [de reposición, de llamada]; torsión de reposición || *(Aparatos de medida)* par antagonista. Par que tiende a llevar el elemento móvil [moving element] al cero mecánico [mechanical zero] del aparato (CEI/58 20–40–145). CF. **torsion torque, controlling torque.**

restrain *verbo:* detener; impedir; reprimir, contener; limitar, restringir, moderar; inhibir; prohibir, vedar (a); empotrar (una viga).

restrained beam viga empotrada [fija]; viga semiempotrada.

restrainer persona o cosa que reprime; moderador; substancia moderadora || *(Fotog)* retardador, retrasador.

restraining bath *(Fotog)* baño retardador.

restraining condition condición restrictiva.

restraint impedimento, traba; restricción, freno; inhibición || *(Estr)* fijación, sujeción; empotramiento (de una viga) || *(Sist mec)* ligadura, vínculo.

restraint coefficient *(Estr)* coeficiente de fijación (de una viga o una columna).

restraint index *(Estr)* índice de fijación.

restrict *verbo:* restringir, limitar; reducir; coartar, prohibir, vedar.

restricted airspace *(Avia)* espacio aéreo restringido. Espacio aéreo sobre una zona restringida [restricted area].

restricted area *(Avia)* zona restringida. Zona en la cual los vuelos están restringidos o prohibidos. CF. **caution area, danger area, prohibited area, traffic tunnel.**

restricted homogeneous Lorentz transformation *(Mat)* transformación homogénea restringida de Lorentz.

restricted-hour maximum-demand indicator *(Aparatos de medida)* indicador de máxima intermitente. Indicador de máxima [maximum demand indicator] dispuesto de suerte que no funcione más que a ciertas horas del día (CEI/58 20–30–180).

restricted motion movimiento limitado; movimiento vinculado.

restricted-radiation device *(Radio)* dispositivo de radiación limitada.

restricted radiotelegraph operator permit permiso limitado de radiotelegrafista.

restricted radiotelephone operator permit permiso limitado de radiotelefonista.

restricted radiotelephone operator's certificate certificado limitado de radiotelefonista.

restricted tariff *(Telecom)* tarifa a tanto alzado.

restricted visibility *(Avia)* visibilidad limitada [reducida].

restricter v. **restrictor.**

restriction restricción.

restriction fitting acoplador de restricción.

restrictive *adj:* restrictivo.

restrictor restrictor; limitador; reductor; tubo limitador; tubo de sección reducida; tubo capilar; estrangulador (de aire); válvula reductora.

restrictor valve válvula limitadora; válvula reductora; válvula de estrangulación; válvula reguladora de la velocidad.

restrike *(Elec)* reencender, restablecer (un arco).

restriking *(Elec)* reencendido (de un arco); corriente de retorno (de un interruptor).

restriking voltage *(Elec)* tensión transitoria de restablecimiento. Tensión que aparece en bornes de un aparato de corte, inmediatamente después de la ruptura del circuito. Esta tensión puede ser considerada como la suma de dos componentes: una que subsiste en régimen permanente [steady-state conditions] y que es continua o alterna a la frecuencia de servicio, según el caso, y la otra que desaparece al final de cierto período y que puede ser oscilatoria (a una o más frecuencias) o no oscilatoria (por ejemplo exponencial) o una combinación de éstas, según las características del circuito y del aparato de corte (CEI/57 15–25–040). CF. **recovery voltage** ‖ *(Tubos de gas)* tensión de reencendido. Valor de la tensión a la cual se reanuda la descarga después de la extinción, en un tubo alimentado a tensión creciente, antes de la desionización completa (CEI/56 07–40–165). SIN. **reignition voltage.** CF. **extinction voltage.**

result resultado.

result punching *(Informática)* perforación de los resultados.

resultant resultado (final), consecuencia ‖ *(Mat, Mec)* resultante, suma vectorial. SIN. **vectorial sum** ⫽ *adj:* resultante.

resultant alpha particle *(Nucl)* partícula alfa resultante.

resultant color shift *(Ilum)* desplazamiento total. Diferencia entre el aspecto cromático de un objeto iluminado por una fuente luminosa de ensayo y el aspecto del mismo objeto iluminado por el iluminante de referencia [reference illuminant], tomando en cuenta el estado de adaptación cromática [chromatic adaptation] en cada caso. (Resultante del desplazamiento colorimétrico [colorimetric shift] y del desplazamiento por adaptación cromática [adaptive color shift]) (CEI/70 45–25–360).

resultant count *(Contadores)* cómputo resultante.

resultant force (fuerza) resultante.

resultant interlocking *(Ferroc)* enclavamiento resultante [indirecto]. V. **indirect interlocking.**

resultant lift *(Aeron)* sustentación resultante.

resultant nucleus *(Nucl)* núcleo resultante.

resultant of concurrent forces resultante de fuerzas concurrentes.

resultant pitch of a winding *(Elec)* paso resultante de un devanado. Número de intervalos, en el esquema de un devanado en tambor, comprendido entre los costados correspondientes de dos secciones conectadas a una misma delga del colector (CEI/38 10–05–090).

resultant pressure presión resultante.

resultant tone *(Acús)* tono resultante. Tono que resulta de la producción simultánea de otros dos.

resultant velocity velocidad resultante.

resultant voltage tensión resultante.

resulting *adj:* resultante.

resulting error error resultante.

resume *verbo:* reanudar.

resume service *(Telecom)* reanudar el servicio.

resume transmission *(Telecom)* reanudar la transmisión.

resume work reanudar el trabajo.

resuscitation resucitación.

resuscitator set equipo para respiración artificial.

reswitch *verbo:* reconmutar.

reswitching reconmutación.

retained image imagen retenida. En los tubos tomavistas (televisión), imagen que persiste en el electrodo de blanco o anticátodo [target] durante un número grande de cuadros después de retirada una imagen luminosa que permaneció estacionaria por cierto tiempo. SIN. **burned-in image, image burn.**

retainer retenedor; sujetador; dispositivo de retenida; honorarios pagados por adelantado (a un abogado) ‖ *(Mec)* retén, aldaba, fiador ‖ *(Cojinetes)* caja [jaula] de bolas ‖ *(Comercio)* anticipo, pago a cuenta ⫽ *adj:* v. **retaining.**

retaining retención; sujeción ⫽ *adj:* retenedor, de retención, que retiene; sujetador, de sujeción, que sujeta.

retaining bar barra de retención.

retaining clip *(Teleg)* barrita [barra] de fijación.

retaining coil *(Elec)* bobina de retención.

retaining device dispositivo sujetador; dispositivo de retenida.

retaining nut tuerca de retención [de retenida], tuerca sujetadora.

retaining plate placa de retención [de sujeción].

retaining rim reborde de retención.

retaining ring (a.c. retainer ring) anillo de retención, anillo retenedor [de retenida], anillo sujetador [de sujeción]; aro de retención; cerco de sujeción.

retaining rod tirante.

retaining spring (a.c. retainer spring) resorte retenedor [de retención], muelle de retenida.

retaining strip *(Refrig/Cong)* (a.c. retainer strip) banda de retención.

retaining wall muro de sostenimiento [de contención, de retención]; muro de apoyo ‖ *(Ferroc)* muro de sostenimiento [de sostén]. Muro que debe resistir el empuje de las tierras.

retaining washer arandela sujetadora [de retención].

retaining zone *(Tv)* v. **hold range.**

retake *(Cine)* retoma, repetición (de una toma) ⫽ *verbo:* repetir (una toma, una escena).

retard retardo, retraso, atraso; demora, dilación ‖ *(Mot)* retardo (del encendido) ‖ *(Hidr)* dique de retardo ⫽ *verbo:* retardar, retrasar, atrasar; demorar, dilatar.

retard coil v. **retardation coil.**

"retard" position *(Nucl)* (of pile) posición de retardo.

retard transmitter transmisor con retardo. Transmisor en el cual existe cierto intervalo de tiempo entre el instante de su accionamiento y el de comienzo de la emisión.

retardation retardo, retardación; atraso, retraso. CF. **delay** | desaceleración, aceleración negativa; frenado ‖ *(Mús)* retardo.

retardation coil bobina de retardo. Bobina especial utilizada para modificar la relación de fase de un campo magnético alternativo | bobina autoinductiva [de autoinducción, de reacción] ‖ *(Telecom)* bobina de retardo; bobina de inductancia [de inducción]; bobina de impedancia. Bobina de elevado valor de inductancia utilizada para dar paso a las corrientes continuas o de baja frecuencia, e impedir al propio tiempo el paso de las corrientes de audiofrecuencia. CF. **inductor.**

retardation effect efecto de retardo; efecto de retraso.

retardation mechanism mecanismo de retardo.

retardation method *(Máq eléc)* método de deceleración. Método que permite la medida de ciertas categorías de pérdidas (pérdidas por ventilación y por frotamiento, pérdidas en el hierro, etc.), por construcción de la curva de deceleración de la máquina en función del tiempo (CEI/56 10–40–255).

retarded closing cierre retardado.

retarded combustion *(Mot)* combustión retardada.

retarded field *(Electromag)* campo retardado.

retarded ignition *(Mot)* encendido retardado.

retarded opening apertura retardada.

retarded relay relé temporizado [diferido].

retarded release *(Distribuidores)* escape retardado.

retarded spark *(Mot)* chispa retardada.

retarder (elemento) retardador; moderador ‖ *(Elec, Mec, Cemento, Fotog)* retardador ‖ *(Ferroc)* freno de vía. Aparato de vía que actúa sobre las ruedas de los vehículos para regularizar su marcha o detenerlos oportunamente. Se utiliza p.ej. en el lomo de asno de una estación clasificadora.

retarder speed control *(Ferroc)* regulación de velocidad por freno de vía.

retarding retardo, retardación; retraso, atraso ⫽ *adj:* retardador, retardante; moderador; frenante, de frenaje.

retarding electrode electrodo retardador [de retardo]. SIN. **decelerating electrode.**

retarding field campo retardador [de retardo], campo frenante.

Campo eléctrico o magnético que desacelera los electrones en un espacio interelectródico [interelectrode space].

retarding-field detector   detector de campo retardador. SIN. **reverse-field detector.**

retarding-field energy analyzer   analizador de energía de campo retardante.

retarding-field oscillator   oscilador de campo retardador [frenante]. Oscilador de tubo electrónico con rejilla que se mantiene positiva respecto al ánodo y al cátodo. Los electrones oscilan a través de la rejilla a una frecuencia que depende de su tiempo de tránsito, así como de los parámetros de los circuitos asociados. Son ejemplos de este tipo de oscilador el de Barkhausen-Kurz y el de Gill-Morrell. SIN. **positive-grid oscillator.**

retarding-field tube   tubo de campo retardador. Tubo electrónico ideado para su utilización en un oscilador de campo retardador. SIN. **retarding-field valve** *(GB).*

retarding-field valve *(GB)*   v. **retarding-field tube.**

retarding force   fuerza retardadora [retardante, retardatriz]; fuerza frenante ‖ *(Tracción eléc)* esfuerzo retardador. v. **decelerative force.**

retarding magnet   imán retardador [frenador]. En los aparatos de medida tipo motor, imán utilizado para limitar la velocidad del rotor. SIN. **braking [drag] magnet.**

retarding mechanism   mecanismo de retardo; mecanismo desmultiplicador.

retarding plate voltage   tensión retardante de placa.

retarding stress   *(Ferroc)* esfuerzo retardante. Esfuerzo producido por la acción de los frenos.

retarding torque   par retardador, par de frenado.

RETEL   *(Teleg)* Abrev. de re telegram [nos referimos telegrama].

retention   retención; conservación; retentiva, memoria ‖ *(Nucl)* retención (de átomos radiactivos). Fracción o tanto por ciento de los átomos radiactivos que no pueden ser separados de los materiales utilizados como blanco después de la obtención de los átomos mediante reacción nuclear o desintegración radiactiva ‖ v. **retention of. . .**

retention coefficient   *(Nucl)* coeficiente de retención.

retention of a scene   *(Tv)* retención de una imagen. v. **sticking picture.**

retention of images   *(Opt, Cine/Tv)* persistencia de las imágenes (en la retina), persistencia de la visión. SIN. **persistence [permanency] of vision.**

retention range   *(Tv)* v. **hold range.**

retention time   *(Elecn)* tiempo de retención. Intervalo máximo entre el momento de la escritura en un tubo de memoria [storage tube] y el momento de la lectura en forma aceptable ‖ *(Nucl)* tiempo de retardo.

retentivity   persistencia ‖ *(Mag)* retentividad. (1) Valor máximo de la densidad de flujo remanente. (2) Propiedad de una substancia que se mide por la densidad de flujo remanente [residual flux density] correspondiente a la inducción de saturación [saturation induction] de la substancia.

retentivity of vision   *(Opt)* persistencia de la visión. v. **persistence of vision.**

reticle   *(Instr, Opt, Bot, Zool)* retículo.

reticular   *adj:* reticular.

reticular structure   estructura reticular.

reticulate   *verb:* reticular; mallar.

reticulated   *adj:* reticulado.

reticulated crystal   cristal reticulado.

reticulated structure   estructura reticulada [mallada].

reticulation   *(Fotog)* reticulación.

reticule   *(Opt)* v. **reticle.**

retime   *verbo:* recronizar ‖ *(Mot)* volver a poner a tiempo, volver a afinar, repetir el reglaje.

retiming circuit   circuito de resincronización.

retin   *verbo:* reestañar, volver a estañar.

retina   retina. Membrana del fondo del ojo sensible al estímulo luminoso, compuesta de fotorreceptores [photoreceptors] propiamente dichos (conos y bastones) y de células nerviosas, las cuales transmiten al nervio óptico [optic nerve] la excitación de los elementos receptores (CEI/70 45–25–020).

retina character reader   lector de caracteres de retina artificial. Lector de caracteres que funciona en forma análoga a la retina.

retinning   reestañado.

RETMA   Siglas de Radio-Electronics-Television Manufacturers Association (Asociación de Fabricantes de Radio, Electrónica y Televisión (EE.UU.)]. La asociación tiene hoy el nombre de *Electronic Industries Association (EIA).*

RETMA color code   código de colores RETMA. Sistema de identificación de valores eléctricos y terminales de conexión de elementos electrónicos, mediante diversos colores. Hoy se llama *EIA color code.*

retouching   *(Fotog)* retoque, retocado. Alteración de un negativo fotográfico con el objeto de obtener una imagen más deseable.

retrace   *(Tv)* retorno, retroceso (del punto explorador, de la exploración); línea de retroceso [de retorno]; trazo de retorno, retrazo. SIN. **flyback, kickback, return trace** | retorno del punto. Desplazamiento real o virtual del punto que tiene lugar entre el fin de una línea (o un campo) de análisis o de síntesis y el comienzo de la línea (o el campo) siguiente. SIN. **flyback** (CEI/70 60–64–130) ‖ *verbo:* *(Levantamientos)* retrazar.

retrace blanking   *(Tv)* extinción (del haz) durante el retorno. Extinción o corte del haz electrónico del cinescopio durante el retorno del punto explorador, para evitar que se vea en la pantalla el trazo correspondiente.

retrace ghost   *(Tv)* imagen parásita durante el intervalo de retorno. Imagen indeseable que aparece en la pantalla del receptor y que por lo general se debe a insuficiente extinción o borrado en el tubo tomavistas (tubo de cámara) de la estación emisora.

retrace interval   *(Tv)* intervalo de retorno. Intervalo de tiempo durante el cual el punto explorador retorna del final de una línea o de un campo al comienzo de la línea o el campo siguiente. SIN. **retrace period [time], return interval [period, time].**

retrace line   *(Tv)* línea de retorno [de retroceso]. Línea trazada por el punto explorador al retornar del final de una línea o de un campo, al principio de la línea o el campo siguiente. SIN. **return line.**

retrace-line extinguisher   *(Tv)* extinguidor de líneas [trazos] de retorno.

retrace period   *(Tv)* período de retorno. v. **retrace interval.**

retrace suppression circuit   circuito de supresión del trazo de retorno. Circuito que suprime el haz del tubo de rayos catódicos o del cinescopio durante el retorno del punto, para que no se haga visible el trazo correspondiente.

retrace time   *(Tv)* tiempo de retorno. v. **retrace interval.**

retract   *verbo:* retirar(se) ‖ *(Avia)* plegar, retraer, escamotear ‖ *(Palas mec)* retirar.

retractable   *adj:* retractable; retraíble, retráctil; plegable; replegable.

retractable cable   cable retráctil, cordón (en espiral) retráctil. SIN. **coiled cord.**

retractable float   *(Avia)* flotador plegable [escamoteable].

retractable gun turret   *(Avia)* torreta escamoteable.

retractable idler   rueda loca retráctil. En los tocadiscos y motores giradiscos, rueda loca o rueda guía que, al hacerse la desconexión eléctrica, se separa del eje motor, para evitar la deformación de la llanta (banda de caucho periférica), deformación que sería causa de ruido durante la reproducción de los discos.

retractable landing gear   *(Avia)* tren de aterrizaje plegable [escamoteable], tren (de aterrizaje) replegable. LOCALISMO: aterrizador eclipsable.

retractable landing lights   *(Avia)* faros de aterrizaje plegables [escamoteables].

retractable radiator   *(Avia)* radiador escamoteable.

retractable tail wheel   *(Avia)* rueda de cola plegable [escamoteable].

retractable undercarriage   *(Avia)* tren de aterrizaje plegable [escamoteable]. LOCALISMO: aterrizador retráctil.

retractable wheel   *(Avia)* rueda plegable [escamoteable]. LOCALISMO: rueda retráctil.

retracting   retracción; retroceso; contracción; repliegue /// *adj:* retráctil; replegable; retractor.

retracting mechanism   mecanismo retractor.

retraction   retracción; retroceso; contracción; retractación.

retraction spring   resorte de retracción, muelle de retracción [de retorno].

retractor   retractor; herramienta de retracción || *(Cirugía)* retractor. Instrumento que sirve para mantener separados los bordes de una herida /// *adj:* retractor, de retracción || *(Mec)* de retorno, de llamada.

retractor bail   *(Teleimpr)* fiador retractor.

retrain   reinstruir, reenseñar, volver a instruir [a enseñar].

retransmission   *(Telecom)* retransmisión || *(Teleg)* retransmisión, escala, reexpedición.

retransmission installation   *(Teleg)* instalación de retransmisión.

retransmission unit   *(Telecom)* unidad de retransmisión.

retransmit   *verbo:* retransmitir.

retransmit a booking   *(Telef)* retransmitir una petición [solicitud] de comunicación. SIN. **pass a call again.**

retransmitter   retransmisor.

retransmitting installation   *(Teleg)* instalación de retransmisión.

retransmitting station   estación retransmisora.

retrieval   *(Documentación)* búsqueda selectiva, rebusca || *(Informática)* recuperación; extracción selectiva (de datos almacenados).

retrieve   *verbo:* recobrar, recuperar; recoger || *(Documentación)* buscar selectivamente, rebuscar || *(Informática)* recuperar; extraer selectivamente (datos almacenados). Localizar y seleccionar datos o información específicos.

retriever of magnetic articles   recogedor de artículos magnéticos. Consiste esencialmente en un imán o un electroimán, o un conjunto de ellos, destinado a recoger artículos u objetos de material magnético.

retroaction   retroactividad || *(Elecn/Radiocom—GB)* reacción, retroacción. SIN. **reaction, feedback** | reacción. Efecto de acoplamiento entre los circuitos de entrada y de salida de tubos termiónicos, que produce una modificación de la potencia producida. La reacción puede ser positiva o negativa (CEI/38 60–05–040) | reacción positiva, regeneración. SIN. **positive feedback, regeneration.**

retroactive   *adj:* retroactivo || *(Elecn/Radiocom)* reactivo, de reacción; regenerativo.

retroactive amplification   amplificación con reacción.

retroactive amplifier   amplificador con reacción.

retroactive circuit   circuito reactivo; circuito de reacción.

retroactive detector   detector de reacción.

retroactive effect   efecto retroactivo.

retroactive tube   *(Elecn)* (a.c. retroactor) tubo reactivo.

retroactively   *adv:* retroactivamente; reactivamente.

retroactively coupled   acoplado reactivamente [en reacción].

retroactor   *(Elecn)* v. **retroactive tube.**

retrodirective   *adj:* retrodirectivo.

retrodirective antenna   antena retrodirectiva.

retrodirective reflector   reflector retrodirectivo. El que devuelve el flujo incidente hacia la fuente.

retrodirective steering   (sistema de) enfoque retrodirectivo. Sistema en el cual la energía transmitida es enfocada en el sentido de llegada de las señales recibidas.

retrodispersion   retrodispersión.

retrofire time   *(Tecn espacial)* tiempo de funcionamiento de los retrocohetes. v. **retrorocket.**

retrofit   modificación retroactiva; reemplazo durante la producción en serie; modificación de un elemento durante la fabricación en serie /// *verbo:* reequipar; reemplazar o modificar un elemento o

una pieza durante la producción en serie del equipo que lo lleva.

retrogradation   *(Quím)* retrogradación.

retrograde   *adj:* retrógrado.

retrograde motion   movimiento retrógrado [de retroceso].

retrograde movement   movimiento retrógrado [de retroceso].

retrograde rays   rayos retrógrados. Rayos análogos a los positivos o canales (v. **positive ray**), pero que se alejan del cátodo, en lugar de dirigirse al mismo.

retrograde velocity   retrovelocidad, velocidad retrógrada.

retrogress   *verbo:* retrogradar, retroceder, volver hacia atrás; degenerar || *(Curvas)* retroceder.

retrogression   retrogresión, retroceso || *(Elec, Hidr)* retroceso.

retrogression point   *(Mat)* punto de retroceso. Punto donde coinciden dos ramas de una curva de la misma inclinación.

retrogressive   *adj:* retrogresivo, retrógrado, regresivo, retrocedente.

retrogressive wave winding   devanado ondulado retrógrado.

retrogressive winding   devanado retrógrado.

retropropulsion   retropropulsión.

retroreflecting   *adj:* retrorreflector, retrorreflejante.

retroreflecting material   material retrorreflejante. Material que lleva incorporado un gran número de muy pequeños elementos que, actuando por refracción o por reflexión, producen el fenómeno de retrorreflexión [retroreflection] cuando aparecen en la superficie a medida que el material se desgasta. NOTA: El término *superficie retrorreflejante* o *superficie reflectorizada* [retroreflecting surface] designa un tipo particular de material retrorreflejante en el cual los pequeños elementos son simplemente depositados en la superficie (CEI/70 45–60–380).

retroreflecting optical unit   unidad óptica retrorreflectora. Combinación de elementos ópticos que permite obtener la retrorreflexión [retroreflection] (CEI/70 45–60–375).

retroreflecting surface   superficie retrorreflejante [retrorreflectora]. v. **retroreflecting material.**

retroreflection   retrorreflexión, reflexión catadióptrica. v. **reflex reflection.**

retroreflector   retrorreflector. v. **reflex reflector.**

retrorocket   retrocohete, cohete de freno. Cohete cuyo empuje se opone al avance de una nave espacial o de un satélite artificial.

retune   *verbo:* resintonizar, volver a sintonizar; retocar la sintonía.

retuning   resintonización; retoque [reajuste] de (la) sintonía.

retuning positional error   error posicional de resintonía.

return   retorno, regreso, vuelta, retornamiento *(p.us.)*; respuesta; retorno, reexpedición; reembolso; devolución; restitución, devolución; torna, devolución (de un favor), correspondencia (a un favor); pago, compensación, recompensa; reaparición; instauración, reinstalación, restablecimiento; cambio, intercambio, trueque; curva, vuelta; desviadero; lista, nómina, relación, inventario; padrón, censo, empadronamiento; estado, estadillo; informe oficial, parte oficial; estadística, situación numérica; recensión | **returns:** datos estadísticos; tablas estadísticas; resultados (de elecciones); devoluciones (material devuelto por el comprador, libros no vendidos a la editorial); desperdicios (en funderías, en fábricas) || *(Arq/Constr)* ala; vuelta (de moldura, de marco) || *(Climatiz/Ventilación)* toma de retorno || *(Contadores)* **return to zero:** vuelta al cero || *(Elecn, &)* **return to zero:** vuelta a cero, retorno al valor nulo || *(Radar/Sonar)* eco, señal de eco, señal de retorno || *(Telecom)* retorno | **return of dial:** vuelta del disco | **return to normal:** vuelta al reposo, vuelta al estado normal || *(Tv)* segmento de protección. SIN. **masking piece** (véase) || *(Esgrima)* a fondo || *(Lenguaje forense)* reversión; diligencia || *(Comercio/Negocios)* ganancia, beneficio, rendimiento, utilidad, provecho || *(Tejidos)* (remetida a) retorno /// *verbo:* retornar, regresar, volver; responder, dar respuesta, contestar, dar como contestación; reexpedir; reembolsar; restituir; corresponder, pagar, retornar, dar en cambio, compensar, recompensar; dar (gracias); reaparecer, presentarse de nuevo; dar otra vuelta, volver a dar vuelta; retornear, repasar en el torno; revertir; rentar, dar beneficios, dar ganancias, producir utilidades; declarar, dar cuenta (de algo), rendir (un informe).

return address   *(Correos)* dirección del remitente [del expedidor].

return beam   *(Tv)* haz de retorno.

return cable   *(Tracción eléc)* cable de retorno | arteria [alimentador] de retorno. Arteria conectada entre los carriles de rodadura [running rails] de una red electrificada [electrified railway system] y la subestación de alimentación [supply substation] (CEI/57 30–10–030).

return channel   *(Telecom)* canal de vuelta. CF. **go channel.**

return circuit   *(Elec)* circuito de retorno [de vuelta] ∥ *(Tracción eléc)* circuito de retorno. (**1**) Conjunto del circuito eléctrico constituido por los carriles de rodadura, sus conexiones eléctricas y los cables de retorno, destinado a llevar la corriente de los carriles a la subestación de alimentación (CEI/38 30–10–065). (**2**) Conjunto del circuito eléctrico constituido por los carriles de rodadura, sus conexiones eléctricas y las arterias o alimentadores de retorno [return cables], destinados a retornar la corriente a las subestaciones (CEI/57 30–10–025).

return coefficient   v. **return-current coefficient.**

return conductor   conductor de retorno. SIN. **return lead, return line, return wire.** CF. **return cable, return feeder.**

return connection   conexión de retorno.

return current   *(Elec)* corriente de retorno ∥ *(Telecom)* corriente de vuelta [de retorno]; corriente inversa | corriente reflejada. Onda de corriente, atribuible a una irregularidad localizada de impedancia en una vía de transmisión [transmission system], que nace en el punto de irregularidad [point of irregularity] y se propaga hacia el origen (CEI/70 55–05–190). CF. **return voltage.**

return-current coefficient   *(Telecom)* coeficiente de adaptación. Dado un dipolo, activo o pasivo, de impedancia Z, conectado directamente a un receptor de impedancia W, se llama *coeficiente de adaptación* de uno al otro de esos elementos, a la relación compleja [complex ratio] $(W-Z)/(W+Z)$ | *(GB)* coeficiente de equilibrado. Dado un circuito de impedancia Z a determinada frecuencia, y una red de equilibrado [balancing network] cuya impedancia es W a esa frecuencia, se llama *coeficiente de equilibrado* a la expresión $(W-Z)/(W+Z)$. Este concepto sirve para caracterizar la fidelidad de reproducción de la impedancia de un circuito de larga distancia por medio de una red de equilibrado | (a.c. return coefficient) coeficiente de reflexión [de corrientes reflejadas]. v. **reflection coefficient.**

return-current loss   *(Telecom)* *(also* return loss) atenuación de corrientes reflejadas.

return difference   *(Sist con reacción)* diferencia de retorno. Concepto usado para evaluar los efectos cuantitativos de los varios lazos de reacción en determinado punto o en relación con un elemento físico particular del sistema. CF. **return ratio.**

return echo   eco, señal de retorno.

return electron   electrón de rechazo.

return feeder   *(Tracción eléc)* alimentador de retorno. Alimentador unido a los carriles de rodadura de una red electrificada y conectado a la subestación de alimentación (CEI/38 30–10–070) | arteria [alimentador] de retorno. v. **return cable.**

return flat   *(Tv)* segmento de protección. v. **masking piece.**

return interval   *(Tv)* intervalo de retorno. Intervalo de tiempo en el cual el haz explorador retorna al punto inicial después de un barrido horizontal (exploración de una línea) o vertical (exploración de un campo). SIN. **tiempo [período] de retorno** — retrace interval [period, time], return period [time], flyback time.

return key   *(Telef)* llave de devolución.

return lead   *(Elec)* conductor de retorno, conductor [hilo] de vuelta. SIN. **return conductor.**

return light   *(Radiodif)* señal de respuesta. Señal convencional, muchas veces luminosa, enviada en respuesta a una señal de aviso [cue] (CEI/70 60–60–195).

return line   *(Fuentes de alim)* línea de retorno. Conductor que

conecta un lado de la carga al borne o terminal de más bajo potencial de la fuente, o sea, el borne de potencial más próximo a cero respecto al punto de masa o tierra, cualquiera que sea la polaridad ∥ *(Tv)* trazo de retorno. Trazo (normalmente invisible) que produce el haz del cinescopio al retornar del lado derecho al izquierdo (para comenzar la próxima línea de exploración) o del lado inferior al superior de la pantalla (para iniciar la exploración o barrido del próximo campo). SIN. **retrace line** ∥ *(Telef)* línea de devolución.

return loss   *(Telecom)* pérdida de retorno, atenuación de reflexión. (**1**) Atenuación de la señal entre los terminales de transmisión y los de recepción de un acoplador diferencial [hybrid], causada por desadaptación entre la red de equilibrado [balancing network] y la línea de transmisión. La medida de dicha atenuación indica el grado de equilibrio entre la línea y la red. (**2**) Pérdida entre dos segmentos o trayectos de una línea de transmisión. (**3**) Medida de la ganancia que puede ser introducida en un sistema o vía de transmisión antes de que se produzca canto [singing]. CF. **through loss** | pérdida [atenuación] por reflexión. (**1**) Parte de la pérdida de transmisión debida a la reflexión de energía en una discontinuidad. (**2**) En un sistema de transmisión, diferencia entre la potencia incidente sobre una discontinuidad y la potencia reflejada por la misma. (**3**) Razón (expresada en decibelios) de la potencia incidente sobre una discontinuidad, a la potencia reflejada por la misma. SIN. **reflection loss** | atenuación de corrientes reflejadas. Expresión en unidades de transmisión [transmission units] de la relación $(Z_b+Z_a)/(Z_b-Z_a)$, en la cual Z_a y Z_b simbolizan dos impedancias imperfectamente adaptadas | atenuación de adaptación. (**1**) Expresión en unidades de transmisión de la relación $|(W+Z)/(W-Z)|$, en la cual W y Z tienen el significado establecido en la definición del coeficiente de adaptación (v. **return-current coefficient**). (**2**) Módulo de la inversa del coeficiente de reflexión [reflection coefficient] relativo a la corriente (CEI/70 55–05–195) | atenuación de equilibrado. Expresión en unidades de transmisión de la relación $|(W+Z)/(W-Z)|$, en la cual W y Z tienen el significado establecido en la definición del coeficiente de equilibrado (v. **return-current coefficient**). SIN. **balance return loss** *(GB)* | *(i.e.* return loss between a line and an apparatus) atenuación de [por] adaptación; atenuación sin reflexión. SIN. **nonreflection attenuation** | *(i.e.* return-current loss) atenuación de corrientes reflejadas.

return-loss measuring set   *(Telecom)* equilibrómetro, medidor de equilibrio. Aparato para la medida de la atenuación de equilibrado. Consiste en un transformador diferencial [differential transformer] que se acopla a un oscilador, al circuito o línea cuya atenuación de equilibrado se quiere determinar, y a la red de equilibrado [balancing network] de dicho circuito o línea. SIN. **impedance-unbalance measuring set** *(GB)*.

return measuring set   *(Telecom)* reflectómetro. SIN. **reflection measuring set.**

return medium   medio de retorno; conductor de retorno.

return oil   aceite de retorno [de recuperación].

return period   *(Mat)* período de retorno. Intervalo de tiempo esperado antes de que una serie temporal [time-series] retorne a un valor estipulado (p.ej. cero) o a un valor extremo; con mayor generalidad, intervalo de tiempo esperado antes de que la serie alcance o sobrepase cierto límite ∥ *(Tv)* período de retorno. v. **return interval.**

return pole-piece   *(Relés)* culata.

return propulsion current conductor   *(Tracción eléc)* conductor de retorno (de corriente). v. **return cable, return feeder.**

return propulsion current rail   *(Tracción eléc)* riel de retorno. Riel (carril) utilizado como conductor de retorno.

return ratio   *(Sist con reacción)* relación de retorno. CF. **return difference.**

return siding   *(Ferroc)* vía de retorno, vía de entrega. Vía destinada a los vagones de retorno, o sea, los que regresan a la dirección principal de llegada.

return signal   señal de retorno ‖ (*Respondedores de radar*) señal de respuesta.

return signal intensity   intensidad de la señal de retorno.

return speed   velocidad de retroceso.

return spring   muelle [resorte] de retorno; muelle retractor [de retroceso]; muelle reactivo [reactor]; muelle recuperador [de llamada] ‖ (*Relés, &*) muelle [resorte] antagonista. SIN. **restoring spring.**

return tape   cinta de retorno.

return time   (*Tv*) tiempo de retorno. V. **retrace [return] interval.**

return to bias   (*Cinta mag*) retorno a la condición de polarización. Magnetización de la cinta al punto de saturación en un sentido convencionalmente designado negativo, y que representa el cero binario; la magnetización en el sentido opuesto representa el uno binario.

return to neutral   retorno a la posición neutra.

return-to-zero recording   registro con vuelta a cero. Registro (y lectura) de datos en cinta magnética o en línea de retardo magnetostrictiva, en el cual la señal tiene que volver al cero después de almacenado cada elemento de información, estando el uno y el cero binarios representados por magnetizaciones de sentidos opuestos. CF. **nonreturn-to-zero recording.**

return trace   (*TRC/Tv*) retorno (del punto); trazo de retorno. Retorno del punto explorador [scanning spot] a su posición inicial. Trazo o línea que describe el punto durante el intervalo de retorno [return interval]. SIN. **flyback, kickback, retrace.**

return-trace blanking circuit   circuito de borrado del trazo de retorno. SIN. **retrace suppression circuit.** CF. **retrace blanking.**

return transfer function   (*Sist con reacción*) función de transferencia regresiva [de retorno]. Función que liga la señal de retorno de un lazo de control con reacción, y la correspondiente señal de entrada al lazo.

return transmission (of a message)   (*Teleg*) colación (de un mensaje).

return trip   viaje de regreso [de vuelta] ‖ (*i.e.* round trip) viaje de ida y vuelta.

return voltage   (*Telecom*) tensión reflejada. Onda de tensión, atribuible a una irregularidad localizada de impedancia en una vía de transmisión, que nace en el punto de irregularidad y se propaga hacia el origen (CEI/70 55–05–190). CF. **return current.**

return wave   onda de retorno ‖ (*Explosiones*) onda de depresión.

return wire   (*Elec/Elecn*) hilo de retorno [de vuelta]. SIN. **return conductor, return lead, return line.**

REURLET   (*Teleg*) Abrev. de re your letter [refiérome a su carta].

REURRAD   (*Teleg*) Abrev. de re your radiogram [refiérome a su radiograma].

REURTEL   (*Teleg*) Abrev. de re your telegram [refiérome a su telegrama].

reusable   *adj:* reutilizable.

reutilization   reutilización.

rev   Abrev. de revolution; reverse.

rev up   *verbo:* (*Mot*) acelerar(se), embalar(se).

reveille   (*Mús*) (toque de) diana, alborada.

revenue   ingresos; renta; entrada, ingreso, rédito.

revenue passenger-kilometer   (*Avia*) pasajero-kilómetro de pago.

revenue passenger load factor   (*Avia*) coeficiente de carga de pasajeros de pago.

revenue passenger-mile   (*Avia*) pasajero-milla de pago.

revenue-producing space   espacio rentable.

revenue-producing traffic   (*Telecom*) tráfico tasable [cobrable].

revenue-producing-traffic channel   (*Telecom*) canal de tráfico tasable [cobrable]. Dícese en oposición a los canales que son necesarios para la coordinación, atención y funcionamiento de una red (canales de órdenes, de señalización, de supervisión), pero que no se utilizan para dar curso a tráfico cobrable.

revenue ton-kilometer   (*Avia*) (*GB:* revenue tonne-kilometre) tonelada-kilómetro de pago.

revenue ton-kilometer performed   (*Avia*) tonelada-kilómetro de pago efectuada.

revenue weight load factor   (*Avia*) coeficiente de carga del peso de pago.

reverberant   *adj:* reverberante; retumbante, resonante; repercusivo.

reverberant room   (*Acús*) sala [habitación] reverberante.

reverberant sound   sonido reverberante; sonido retumbante.

reverberant testing (of acoustic properties of materials)   ensayos por reverberación (de las propiedades acústicas de materiales).

reverberate   *verbo:* reverberar; retumbar, resonar; repercutir.

reverberation   (*Acús*) reverberación. (**1**) Reflexión repetida del sonido en las superficies que limitan un recinto, como las paredes de una sala. (**2**) Persistencia de un sonido en un espacio cerrado o semicerrado después de interrumpida la emisión de una fuente acústica (CEI/70 60–62–040). AFINES: eco, repercusión, ecoico, reverberante.

reverberation absorption coefficient   coeficiente de absorción de sonido reverberante. Coeficiente de absorción acústica en el caso particular en que es completamente aleatoria la distribución del sonido incidente.

reverberation absorption factor   coeficiente específico de absorción de sonido reverberante. Coeficiente específico de absorción en el caso particular en que es completamente aleatoria la distribución del sonido incidente.

reverberation chamber   cámara reverberante. Recinto cuyas superficies internas se han hecho reflectoras del sonido en el mayor grado posible, y que se utiliza para ciertas medidas acústicas. SIN. **reverberation room.**

reverberation chamber with polycylindrical walls   cámara de reverberación de paredes policilíndricas.

reverberation-controlled   *adj:* regulado por (la) reverberación.

reverberation-controlled gain circuit [RCG circuit]   circuito de ganancia regulada por la reverberación. En los sondadores subacuáticos ultrasonoros, circuito que regula la ganancia del amplificador de recepción en función de las reverberaciones perjudiciales que acompañan el eco útil.

reverberation period   período [tiempo] de reverberación. V. **reverberation time.**

reverberation reflection coefficient   coeficiente de reflexión de sonido reverberante. Coeficiente de reflexión acústica en el caso particular en que es completamente aleatoria la distribución del sonido incidente.

reverberation reflector factor   coeficiente específico de reflexión de sonido reverberante. Coeficiente específico de reflexión en el caso particular en que es completamente aleatoria la distribución del sonido incidente.

reverberation response   respuesta de reverberación.

reverberation room   sala reverberante [de reverberación], cámara reverberante. V. **reverberation chamber.**

reverberation strength   intensidad de reverberación.

reverberation time   tiempo [período] de reverberación. Tiempo en segundos necesario para que la energía acústica en un recinto se reduzca a un millonésimo de su valor inicial, a partir del instante en que se interrumpe la emisión del sonido; esa reducción corresponde a un decremento de 60 dB. SIN. **reverberation period.**

reverberation-time meter   reverberómetro, medidor del tiempo de reverberación.

reverberation transmission coefficient   coeficiente de transmisión de sonido reverberante. Coeficiente de transmisión acústica en el caso particular en que es completamente aleatoria la distribución del sonido incidente.

reverberation transmission factor   V. **reverberation transmission coefficient.**

reverberation unit   dispositivo de reverberación artificial. Dispositivo que, intercalado en un circuito, genera señales de audiofrecuencia con cierto retardo que simulan la escucha en una sala con ecos y reverberaciones.

reverberator   reverberador; reverbero; reflector.

reverberatory   *adj:* reverberatorio.

reverberatory stereophonism   estereofonismo reverberatorio. Dícese cuando el efecto estereofónico se reduce o se anula por excesiva reverberación durante la toma o la reproducción. CF. **reflective stereophonism.**

reversal   inversión; permutación; inversión de marcha; inversión de polaridad; inversión del viento || *(Acum)* inversión. Cambio de la polaridad normal de un elemento o de una batería de acumuladores (CEI/60 50–20–290) || *(Teleg)* v. **reversals** || *(Tv)* v. **edge effect** || v. **reversal of. . .**

reversal film   *(Fotog)* película reversible. Tipo de película fotográfica que permite la inversión de positivo a negativo, y viceversa.

reversal finder   visor enderezador.

reversal of current   inversión de corriente.

reversal of damping   desamortiguamiento.

reversal of polarity   inversión de polaridad.

reversal of stresses   inversión de esfuerzos.

reversal positive   *(Fotog)* positiva por inversión.

reversal stage   *(Elecn)* etapa inversora, paso de inversión.

reversal tube   *(Elecn)* tubo inversor.

reversal zone   *(Radionaveg)* zona de inversión.

reversals   *(Teleg)* alternancias. En telegrafía Morse equivale a la emisión de una serie continua de puntos | rodadura. Serie continua de elementos de trabajo [marking signal elements] y de reposo [spacing signal elements], todos de la misma duración (CEI/70 55–70–150).

reversals-transmission panel   *(Teleg)* panel emisor de alternancias. CF. **dotter.**

reverse   inversión, reversión; contramarcha, marcha atrás; lo inverso, lo opuesto, lo contrario; dorso, reverso, respaldo; verso (de hoja); envés, revés (de tela); revés, contratiempo /// *adj:* inverso, invertido, contrario, opuesto /// *verbo:* invertir(se); permutar; trastocar; trastornar; invertir la marcha, dar contramarcha, dar marcha atrás || *(Avia)* invertir el paso de la hélice || *(Locomotoras, Máq)* dar contravapor; dar máquina atrás.

reverse-acting back-pressure regulating valve   válvula reguladora de contrapresión de acción inversa.

reverse-acting setting   ajuste de acción inversa. Ajuste de un sistema de control en el cual un aumento de la magnitud de control, causa una disminución en la magnitud regulada. CF. **direct-acting setting.**

reverse action   acción inversa || *(Cine) (i.e.* projection of film from end to start) marcha [proyección] retrógrada.

reverse arm   *(Elec)* cruceta atravesada || *(Telef/Teleg)* cruceta para invertir los hilos. CF. **transposition.**

reverse avalanche   *(Tiristores)* avalancha inversa [en sentido inverso].

reverse-avalanche mode   modo de avalancha inversa.

reverse-avalanche region   región de avalancha inversa.

reverse-battery metering   *(Telef)* medida por inversión de batería [de corriente].

reverse bias   polarización inversa. En el caso de un diodo o una unión de semiconductor, tensión aplicada con polaridad que anula o reduce a un valor muy pequeño el paso de la corriente. SIN. **back bias.** CF. **forward bias.**

reverse-biased junction   *(Semicond)* unión con polarización inversa.

reverse breakdown   *(Semicond)* disrupción [acción disruptiva] en sentido inverso. Aumento rápido en la corriente inversa sin aumento sensible en la tensión.

reverse-breakdown voltage   tensión de disrupción en sentido inverso.

reverse calculating switch   *(Informática)* interruptor inversor de cálculo.

reverse-charge call   *(Telef)* llamada pagadera en destino, comunicación a cobrar en el destino. SIN. **collect call.**

reverse clutch   *(Autos)* embrague de contramarcha, embrague (cónico) de marcha atrás. SIN. **reverse cone (clutch).**

reverse compatibility   compatibilidad inversa.

reverse complex transfer function   función compleja de transferencia inversa.

reverse cone (clutch)   v. **reverse clutch.**

reverse contact   *(Elec)* contacto de inversión.

reverse counting   cómputo regresivo. CF. **forward counting, reversible counter.**

reverse coupler   *(Microondas)* acoplador direccional utilizado para tomar muestra de la energía reflejada.

reverse current   contracorriente, corriente inversa || *(Diodos, Rect)* corriente inversa. Pequeña corriente continua que atraviesa un diodo semiconductor o un rectificador metálico cuando tiene aplicada una polarización inversa [reverse bias]. SIN. **back current** | corriente inversa [de fuga]. Pequeña corriente que fluye durante el semiciclo en que idealmente la corriente es cero. SIN. **(reverse) leakage current.** CF. **forward current** || *(Telef)* inversión de corriente. SIN. **back [inverse] current.**

reverse-current automatic switch   interruptor automático de contracorriente [de corriente inversa].

reverse-current circuit breaker   disyuntor de contracorriente. TB. disyuntor direccional.

reverse-current cleaning   *(Galvanoplastia)* desengrase anódico. Desengrase electrolítico [electrolytic cleaning] en el cual el metal que se desengrasa es el ánodo. SIN. **anodic cleaning** (CEI/60 50–30–175).

reverse-current coil   *(Disyuntores)* bobina de contracorriente. LOCALISMO: bobina de reverso.

reverse-current protection   *(Elec)* protección contra corriente inversa [contra inversión de corriente].

reverse current ratio   razón inversa de corrientes.

reverse-current relay   *(Elec)* relé [relevador] de corriente inversa | relé de inversión de corriente. Relé de corriente [current relay] que funciona cuando una corriente continua toma un sentido opuesto a su sentido normal (CEI/56 16–30–010).

reverse-current release   *(Elec)* escape de inversión de corriente | aparato de retorno de corriente. Aparato que funciona cuando la corriente continua que la atraviesa toma un sentido opuesto a su sentido normal (CEI/57 15–20–100).

reverse curve   *(Avia, Carreteras, Ferroc)* contracurva, curva inversa, curva en S || *(Topog)* curva doble [reversa].

reverse direction   *(Diodos, Rect)* sentido inverso. Sentido que ofrece la mayor resistencia al paso de la corriente; sentido de conducción difícil. SIN. **inverse direction.**

reverse drive   contramarcha, marcha atrás.

reverse emission   *(Elecn)* emisión inversa. Flujo de electrones del ánodo al cátodo de un tubo al vacío durante el semiciclo en que el ánodo es negativo respecto al cátodo. SIN. **back emission.** CF. **arcback.**

reverse feedback   contrarreacción, reacción negativa [degenerativa]. SIN. **inverse [negative, degenerative] feedback.**

reverse-feedback amplifier   amplificador con contrarreacción [reacción negativa].

reverse-field detector   detector de campo retardador. SIN. **retarding-field detector.**

reverse-forward resistance ratio   *(Diodos, Rect)* razón de resistencia inversa a resistencia directa.

reverse grid current   *(Elecn)* corriente inversa de rejilla. Componente continua de la corriente que alcanza la rejilla (CEI/38 60–25–120).

reverse grid potential   *(Elecn)* potencial inverso de rejilla.

reverse grid voltage   *(Elecn)* tensión inversa de rejilla.

reverse impulse   *(Telef)* impulso inverso [de salida]. SIN. **reverting impulse.**

reverse key   *(Elec)* v. **reversing key.**

reverse lay   *(Cables)* colchado inverso.

reverse leakage current   *(Diodos, Rect)* corriente inversa de fuga. SIN. (inverse) leakage current, reverse current.

reverse line-feed mechanism   *(Teleimpr)* mecanismo de avance de renglón invertido.

reverse loss   *(Circuladores y desacopladores)* atenuación en sentido inverso.

reverse motion   movimiento inverso; marcha inversa [atrás], contramarcha | rearrollado, rebobinado. V.TB. **rewind**.

reverse operation   *(Cine)* proyección en contramarcha; marcha [proyección] retrógrada. SIN. **reverse action**.

reverse-phase current relay   relé de inversión de fases. Relé que funciona cuando las corrientes de un sistema polifásico [polyphase system] están invertidas en cuanto a su secuencia de fases. CF. **phase-balance current relay**.

reverse pitch   *(Hélices)* paso inverso [invertido].

reverse-polarity arc   *(Elec)* arco de polaridad invertida.

reverse-polarity protection   protección contra inversión de polaridad.

reverse-polarity silicon diode   diodo de silicio de polaridad invertida. Diodo de silicio en el cual están permutadas las conexiones que van a la base [base] y a la espiga [pin], siendo la construcción interna y las características eléctricas iguales a las de los diodos de silicio ordinarios. En estos últimos, el cristal va conectado a la base.

reverse position   posición invertida. En las vías férreas, posición que tiene transitoriamente un cambio, una señal, o un dispositivo de vía.

reverse-power protection   *(Elec)* protección de retorno de energía. Sistema de protección selectivo que funciona en caso de inversión del sentido de propagación de la energía eléctrica (CEI/38 25–05–085) | dispositivo de protección por inversión de potencia. Dispositivo de protección direccional vatimétrico [directional power protection] que funciona cuando el signo de la potencia es el inverso del normal (CEI/56 16–60–075).

reverse-power relay   relé de inversión de potencia. CF. **reverse-current relay**.

reverse-power tripping   desconexión por inversión de potencia. CF. **reverse-current release**.

reverse pumping   bombeo inverso.

reverse reaction   *(Elecn/Radio)* contrarreacción, reacción negativa [degenerativa]. SIN. **reverse feedback**.

reverse recovery time   *(Diodos semicond)* tiempo de recuperación en sentido inverso. Tiempo necesario para que la tensión o la corriente alcance un estado especificado después de haber sido conmutada instantáneamente entre dos condiciones especificadas, la primera con corriente en sentido directo [forward current] y la segunda con polarización inversa [reverse bias].

reverse resistance   *(Diodos semicond, Rect met)* resistencia inversa. Resistencia eléctrica medida a un valor especificado de tensión o de corriente inversas.

reserve running   marcha atrás, contramarcha.

reverse saturation current   *(Semicond)* corriente de saturación inversa. Corriente inversa resultante de una tensión inversa especificada.

reverse side   verso (de una hoja); envés, revés (de una tela); reverso (de una medalla); lado oculto (de la luna).

reverse slope   contrapendiente.

reverse sluicing action   acción inversa de compuerta.

reverse speed   velocidad de retroceso.

reverse thrust   *(Avia)* empuje negativo, tracción negativa; empuje retardador.

reverse-thrust propeller braking   *(Avia)* frenado con hélice con el paso invertido. CF. **reverse pitch**.

reverse transadmittance   transadmitancia inversa.

reverse transfer function   función de transferencia inversa. CF. **forward transfer function**.

reverse transfer voltage ratio   relación de tensión de transferencia inversa.

reverse transimpedance   transimpedancia inversa.

reverse turbine action   funcionamiento inverso como turbina.

reverse voltage   *(Diodos, Rect)* tensión inversa. Tensión de polaridad inversa a la normal; tensión de sentido contrario al de conducción normal. SIN. **back voltage**

reverse-voltage characteristics   características de tensión inversa.

reverse voltage limit   tensión inversa límite.

reverse voltage ratio   razón inversa de tensiones.

reverse voltage transfer ratio   *(Transistores)* razón de transferencia inversa de tensión.

reversed   *adj:* invertido, inverso; opuesto, contrario.

reversed-charge call   *(Telef)* V. **reverse-charge call**.

reversed contrast   *(Tv)* contraste invertido; imagen negativa. V. **negative picture**.

reversed controls   *(Avia)* inversión de los mandos.

reversed curve   V. **reverse curve**.

reversed-feedback amplifier   V. **reverse-feedback amplifier**.

reversed flow   flujo invertido.

reversed-frequency operation   *(Radiocom)* explotación con permutación de frecuencias. Explotación en dos frecuencias [two-frequency operation] en la cual una estación terrestre es utilizada como relé o repetidor entre una estación y las otras estaciones, asignándose a esta estación y a esas otras estaciones las mismas frecuencias portadoras respectivas de emisión y de recepción, frecuencias que son invertidas en la estación terrestre [base station] (CEI/70 60–00–075).

reversed image   *(Tv)* imagen invertida [negativa]. SIN. **negative image, reversed picture**.

reversed keying   *(Teleg)* manipulación inversa.

reversed negative   *(Fotog)* negativo invertido.

reversed picture   *(Tv)* imagen invertida [negativa]. SIN. **negative [reversed] image**.

reversed polarity   polaridad invertida.

reversed-polarity rectifier   rectificador de polaridad invertida.

reversed Rankine cycle   *(Fís)* ciclo de Rankine inverso.

reverser   invertidor; inversor, volcador; inversor de marcha ‖ *(Elec)* inversor (de corriente), conmutador inversor ‖ *(Tracción eléc)* inversor del sentido de marcha. Grupo de interruptores o contactores que tiene por objeto modificar las conexiones interiores para obtener el sentido deseado de marcha (CEI/38 30–20–075) | inversor. Combinador de inversión [reversing switchgroup] (CEI/57 30–15–655). CF. **power switchgroup** ‖ *(Ferroc)* contravapor. Forma de frenar una locomotora invirtiendo la entrada del vapor en los cilindros.

reversibility   reversibilidad.

reversibility of the somatic effects   reversibilidad de los efectos somáticos.

reversible   *adj:* reversible, invertible ‖ *(Telas, Prendas de vestir)* sin revés, de dos caras.

reversible binary counter   contador binario reversible.

reversible booster   *(Elec)* elevador-reductor. Máquina auxiliar dispuesta de manera que su fuerza electromotriz puede sumarse o restarse de la tensión suministrada por otra fuente eléctrica (CEI/56 10–10–060) | generador regulador. CF. **negative booster, positive booster**.

reversible capacitance   capacitancia reversible.

reversible capacitance characteristic   característica de capacitancia reversible.

reversible cartridge diode   diodo de cartucho reversible.

reversible cell   pila reversible. Pila que puede ser regenerada a su estado primitivo, después de la descarga, haciendo pasar una corriente llamada *corriente de carga*, de sentido opuesto a la de descarga (CEI/38 50–10–035).

reversible circuit   *(Telecom)* circuito reversible. Circuito en el cual puede invertirse el sentido de la transmisión. CF. **nonreversible circuit**.

reversible claw   trinquete reversible.

reversible compression   *(Fís)* compresión reversible.

reversible counter   contador reversible. Contador que puede disponerse para cómputo progresivo [forward counting] o para cómputo regresivo [reverse counting].

reversible counting decade   década contadora reversible. v. **reversible counter**.

reversible cycle   ciclo reversible.

reversible electrolytic process   reacción electrolítica reversible.

reversible-flow pump   bomba de flujo reversible.

reversible motion   movimiento recíproco.

reversible motor   motor con dos sentidos de rotación, motor con inversión de marcha. Motor cuyo sentido de rotación puede invertirse mediante un conmutador que modifica las conexiones de aquél. CF. **reverser, reversing switch**.

reversible motorcoach train   tren automotor reversible, composición automotriz reversible. v. **reversible self-propelled train**.

reversible path   *(Telecom)* vía de transmisión reversible. CF. **reversible circuit**.

reversible pendulum   *(Fís)* péndulo reversible. Péndulo utilizado para determinaciones exactas de la aceleración debida a la gravedad, midiendo el período correspondiente a dos longitudes de suspensión diferentes.

reversible permeability   permeabilidad reversible. Nombre que se le da a la permeabilidad incremental [incremental permeability] cuando la variación de la inducción magnética [magnetic induction] tiende a cero.

reversible-pitch airscrew   *(Avia)* v. **reversible-pitch propeller**.

reversible-pitch propeller   *(Avia)* hélice de paso reversible.

reversible process   *(Fís)* proceso reversible ‖ *(Electroquím)* reacción reversible. Reacción electroquímica [electrochemical process] que se produce a la tensión de equilibrio del electrodo [equilibrium electrode potential] (CEI/60 50–05–315). CF. **irreversible process**.

reversible propeller   *(Avia)* v. **reversible-pitch propeller**.

reversible ratchet   matraca invertible, trinquete reversible.

reversible rotation   rotación invertible.

reversible-rotation stepping motor   motor paso a paso bidireccional, motor paso a paso que puede girar en uno u otro sentido. SIN. **bidirectional stepping motor**.

reversible self-propelled train   tren automotor reversible, composición automotriz reversible. Grupo de vehículos constituido por una o varias unidades automotoras [motor train units] y cuya conducción puede efectuarse indistintamente en los dos sentidos de marcha, sin que sea necesario, en las extremidades del recorrido, proceder a cambiar la orientación o la posición relativa de esos vehículos. SIN. **reversible motorcoach train** (CEI/57 30–15–065).

reversible sound program   transmisión radiofónica reversible.

reversible susceptibility   *(Mag)* susceptibilidad reversible. CF. **reversible permeability**.

reversible television channel   canal reversible de televisión. CF. **reversible circuit**.

reversible transducer   transductor reversible. (**1**) Transductor cuya pérdida (v. **transducer loss**) es independiente del sentido de la transmisión. (**2**) Transductor capaz de efectuar la transformación de la energía eléctrica en mecánica (o acústica) indistintamente en los dos sentidos y en condiciones idénticas (CEI/60 08–10–025). SIN. **bilateral transducer**.

reversing   inversión; media vuelta; contramarcha, retroceso, inversión [cambio] de marcha ⫽ adj: reversible; inversor; de inversión; de cambio de marcha, de retroceso.

reversing charging switch   conmutador de carga.

reversing contact   contacto inversor.

reversing contactor   contactor inversor [de cambio de marcha].

reversing facility   *(Proy cine)* medios de inversión de marcha; dispositivo de proyección retrógrada.

reversing gear   mecanismo de inversión [de retroceso, de cambio

de marcha].

reversing handle   *(Tracción eléc)* manivela de cambio de marcha. Manivela, en general movible, con objeto de proporcionar diversas condiciones de seguridad, y por cuyo intermedio el combinador realiza las conexiones de marcha hacia adelante y hacia atrás y de puesta fuera de circuito (CEI/38 30–20–070).

reversing key   *(Elec)* (a.c. reverse key) inversor, llave de inversión de corriente; conmutador de polaridad, llave inversora de polaridad. SIN. **reversing switch** ‖ *(Teleg)* manipulador inversor.

reversing lever   palanca de cambio de marcha ‖ *(Teleimpr)* palanca de inversión.

reversing lamp (*GB*)   luz de marcha atrás. Dispositivo empleado en los vehículos motorizados para iluminar la zona inmediata a la parte posterior del vehículo durante la marcha atrás; no puede ser utilizada más que en marcha atrás. SIN. **backup light** (*EU*) (CEI/70 45–60–305).

reversing motion   retroceso, marcha atrás.

reversing motor   motor de inversión rápida de marcha. Motor eléctrico cuyo sentido de rotación puede invertirse (mediante cambios de conexiones o por otros medios) mientras el mismo está en plena marcha. Al efectuar la maniobra de inversión de marcha, el motor baja rápidamente de velocidad, se detiene, invierte el sentido de rotación, y recupera rápidamente la velocidad de plena marcha. CF. **reversible motor**.

reversing pole   *(Elec)* polo de conmutación.

reversing prism   *(Opt)* prisma inversor [enderezador] (de imágenes).

reversing rod   *(Máq de vapor)* barra de cambio de marcha. Forma parte del distribuidor. CF. **reversing shaft**.

reversing shaft   *(Ferroc)* cambio de marcha. Mecanismo para invertir el sentido de marcha o para hacer variar el grado de admisión en las locomotoras de vapor. CF. **reversing rod**.

reversing speed   *(Máq herr)* velocidad de retorno.

reversing starter   control de inversión de marcha; reostato de cambio de marcha.

reversing station   *(Ferroc)* estación de retroceso. Estación ubicada en un punto intermedio de una línea y que obliga a movimientos de retroceso para los trenes.

reversing switch   *(Elec)* (conmutador) inversor, conmutador de polos [de polaridad], inversor de corriente; conmutador para cambio de marcha. SIN. **reversing key** ⎩ inversor. Aparato destinado a invertir las conexiones de una parte del circuito (CEI/38 15–10–035) ‖ inversor, conmutador inversor. Conmutador destinado a invertir las dos conexiones de extremidad de una parte del circuito (CEI/57 15–30–100).

reversing triangle   *(Ferroc)* raqueta, triángulo de vía para inversión de marcha [para invertir el sentido de la marcha].

reversing valve   válvula de cambio de marcha ‖ *(Refrig)* válvula de inversión.

reversion   reversión, restitución (de una cosa) a su primer estado; inversión; devolución, restitución; retroceso; retrogradación ‖ *(Fotog, Mat)* inversión ‖ *(Genética)* salto atrás, atavismo. SIN. **atavism** ‖ *(Quím)* retorno al estado anterior. CF. **reversible process**.

reversion of a series   *(Mat)* inversión de una serie.

reversion of lines   *(Nucl)* inversión de líneas.

reversive control   mando reversivo. CF. **revertive control**.

revert   revertir, restituir (una cosa) a su primer estado; revertir, recudir, devolver, restituir; invertir ‖ *(Biol, Genética)* saltar atrás ‖ *(Fotog)* invertir ‖ *(Derecho)* revertir.

reverting call   *(Telef)* llamada reversible [revertida, recíproca] ⎸ (*i.e.* call made to a party on the same line as the calling party) comunicación entre dos estaciones unidas a una misma línea.

reverting impulse   *(Telecom)* impulso inverso, impulsión inversa. SIN. **reverse impulse**.

reverting-impulse system   sistema de impulsos inversos [de impulsiones inversas].

revertive blocking   *(Telecom)* bloqueo inverso.

revertive control   *(Telecom)* mando [control] por impulsos inversos, mando [control] por impulsiones inversas.

revertive control system   *(Telecom)* sistema de control por impulsos reenviados. En conmutación automática, sistema de control por registrador [register-controlled system] tal que un selector, una vez que ha sido puesto en movimiento por una señal procedente de un registrador, reenvía señales de progresión [progress signals] que permiten al registrador determinar el momento en que el selector ha alcanzado la posición deseada (CEI/70 55–105–390) | sistema de control por impulsiones inversas.

revertive impulse   *(Telecom)* impulso inverso, impulsión inversa. SIN. **revertive pulse.**

revertive-impulse circuit   circuito de impulsos inversos [de impulsiones inversas].

revertive-impulse relay   *(Telecom)* relé [relai] de impulsos inversos.

revertive pulse   *(Telecom)* impulso inverso, impulsión inversa. SIN. **reverting [revertive] impulse.**

revertive-pulse system   sistema de impulsos inversos [de impulsiones inversas]. SIN. **reverting-pulse system.**

revertive-pulsing circuit   *(Telecom)* circuito de impulsos inversos [de impulsiones inversas].

revertive-pulsing system   *(Telecom)* sistema de impulsos inversos [de impulsiones inversas]. SIN. **revertive-pulse system.**

revetment   revestimiento (de protección); revestimiento (como de mampostería) para sostener un terraplén; muro de sostenimiento de tierras; barricada contra explosivos; murete (de tierra, de sacos de arena) para proteger un emplazamiento.

review   examen, inspección, análisis; revisión, repaso; examen general; examen del pasado, análisis retrospectivo; evaluación; reconsideración; reseña, juicio crítico, recensión, evaluación crítica (de una obra) || *(Estudios)* repaso. Estudio renovado de una materia ya estudiada || *(Mil)* revista || *(Procesos judiciales)* revisión || *(Publicaciones)* revista /// *verbo:* examinar, inspeccionar, analizar; revisar, repasar; evaluar; reconsiderar; reseñar.

revise   revisión || *(Tipog)* prueba posterior a la primera /// *verbo:* revisar.

revision   revisión; corrección, enmienda, modificación (de un escrito, de un dibujo, de un plano).

revision of accounts   revisión de las cuentas.

revision pit   *(Ferroc)* zanja de inspección. Fosa destinada a la revisión y limpieza y para picar el fuego. SIN. **zanja cenicera —— ashpit.**

revolution   revolución; giro, vuelta || *(Mat)* revolución || *(Satélites artificiales)* circunvalación, vuelta (alrededor de la Tierra). Indicada por el paso del satélite dos veces sucesivas por un mismo meridiano.

revolution counter   cuentarrevoluciones. (1) Aparato destinado a dar el número total de revoluciones efectuadas por un órgano giratorio en un tiempo determinado (CEI/38 20–25–115). (2) Aparato destinado a dar el número de vueltas efectuadas por un órgano giratorio (CEI/58 20–25–145) | contador de vueltas.

revolution speed   velocidad de rotación [de giro].

revolutions per minute [r/min, rpm]   revoluciones por minuto. La abrev. normalizada es la primera.

revolutions per second [r/s, rps]   revoluciones por segundo. La abrev. normalizada es la primera.

revolve   *verbo:* revolver, girar, dar vueltas; revolverse; hacer girar; rodar || *(Mat)* abatir, hacer girar. Hacer girar un plano alrededor de una de sus trazas (o sea, una recta de intersección con otro plano).

revolving   *adj:* giratorio, rotativo, rotatorio.

revolving antenna   antena giratoria.

revolving armature   *(Máq eléc)* inducido giratorio [móvil].

revolving-armature alternator   alternador de inducido rotativo. Alternador semejante a un generador de corriente continua, en el sentido de que posee un campo magnético estacionario (o sea, fijo)

en el cual gira el inducido, es decir, los arrollamientos de corriente alterna; la corriente alterna se toma por medio de anillos colectores y escobillas.

revolving barrier   *(Ferroc)* barrera giratoria. Barrera constituida por portones que giran alrededor de un poste o un pivote | *(i.e. gate-type revolving barrier)* barrera de portones de corredera sobre ruedas. Valla que por medio de ruedas corre entre guías a través de un paso a nivel.

revolving beacon   faro giratorio; radiofaro giratorio.

revolving bridge   puente giratorio.

revolving crane   grúa de pivote.

revolving door   puerta giratoria.

revolving field   *(Elec)* campo giratorio [rotativo], inductor giratorio.

revolving-field alternator   alternador de campo rotativo .[de inductor giratorio], alternador de inducido fijo. Alternador consistente en un inducido estacionario (fijo) dentro del cual gira el campo magnético. Sólo utiliza anillos colectores y escobillas para conducir la corriente de baja tensión con que se excita el campo. Los alternadores de esta clase se construyen en dos tipos: el *de polos salientes,* y el *de arrollamiento de campo distribuido.* El primero tiene proyecciones radiales definidas alrededor de las cuales se dispone el arrollamiento de campo. El segundo tiene en el rotor ranuras en las cuales se aloja el arrollamiento de campo, el cual queda así distribuido en toda la periferia del rotor.

revolving-field generator   generador de campo rotativo.

revolving fund   *(Com)* fondo rotativo [circulante].

revolving gun turret   torreta giratoria de ametralladora.

revolving-iron synchronous motor   *(Elec)* motor sincrónico de hierro giratorio.

revolving light   luz giratoria || *(Faros)* luz giratoria, fanal giratorio.

revolving light beacon   faro giratorio.

revolving radiobeacon   radiofaro giratorio.

revolving saw   sierra circular.

revolving stage   *(Microscopios)* platina giratoria || *(Teatros)* escenario [tablado] giratorio.

revolving storm   *(Meteor)* tormenta giratoria; ciclón; tifón; huracán; baguío.

revolving table   *(Máq herr)* mesa rotativa.

revolving universal ball-roller guide   guía rotatoria universal del tipo de rodillo de bola. Accessorio para la instalación de cables.

revolving-vane anemometer   anemómetro de molinete [de rotación]. Anemómetro de uso generalizado en meteorología, consistente esencialmente en cuatro aspas hemisféricas, y que gira con velocidad proporcional a la del viento. Su árbol acciona un tacómetro cuya aguja da directamente la velocidad del viento en la esfera especialmente graduada del indicador.

rewind   *(Cine)* rearrollamiento, rebobinado | *(a.c. rewinder)* rearrollador (de película) || *(Magnetófonos)* (dispositivo de) rearrollamiento, rebobinado (rápido) /// *verbo:* rearrollar, rebobinar, redevanar || *(Magnetófonos)* rearrollar, rebobinar. Retornar la cinta a su posición inicial || *(Máq de coser)* recanillar || *(Relojes)* volver a dar cuerda.

rewind button   *(Magnetófonos)* botón de rebobinado (rápido). v. **rewind control.**

rewind control   *(Magnetófonos)* control de rebobinado (rápido). Dispositivo de mando (botón, tecla, palanca) que permite iniciar el movimiento rápido de la cinta, del carrete o bobina de arrollamiento al de desarrollo, o sea, en sentido contrario al de funcionamiento normal. CF. **fast forward control.**

rewind handle   *(Cine)* manivela de rebobinado.

rewind reel   carrete de rearrollamiento [rebobinado].

rewind time   tiempo de rearrollamiento [rebobinado].

rewinder   *(Cine)* rebobinador, rearrollador (de película); bobinadora, enrolladora, rebobinadora.

rewinding   *(Cine)* rebobinado, rearrollamiento.

rewinding key   *(Magnetófonos)* tecla de rebobinado (rápido). v.

rewind control ‖ *(Fotog)* v. **rewinding knob.**

rewinding knob *(Magnetófonos)* botón de rebobinado (rápido). v. **rewind control** ‖ *(Fotog)* perilla de rebobinado. Perilla que sirve para rearrollar la película después de expuesta.

rewinding speed velocidad de rebobinado.

rewinding speed ratio relación de velocidad de rebobinado.

rewirable *(Elec)* realambrable; reemplazable.

rewire *verbo:* realambrar. Renovar o modificar el alambrado de un aparato | renovar una instalación eléctrica; rehacer una instalación eléctrica.

rework reelaboración; reinstalación ⫽ *verbo:* reelaborar; reinstalar.

rewrite *(Informática)* reinscripción, repetición de escritura | reposición de información. Acción y efecto de reponer información después de la lectura en un dispositivo almacenador en el cual la lectura causa la desaparición de aquélla. SIN. **regeneration** ⫽ *verbo:* reescribir ‖ *(Informática)* reinscribir, repetir la escritura; reponer información.

Reynolds analogy *(Fís)* analogía de Reynolds.

Reynolds equation *(Fís)* ecuación de Reynolds.

Reynolds number *(Fís)* número de Reynolds.

Reynolds stresses *(Fís)* tensiones de Reynolds.

REYRLET *(Teleg)* Abrev. de re your letter [refiérome a su carta].

REYRRAD *(Teleg)* Abrev. de re your radiogram [refiérome a su radiograma].

REYRTEL *(Teleg)* Abrev. de re your telegram [refiérome a su telegrama].

RF *(also* R.F., rf, r-f). Abrev. de radio frequency, radio-frequency, radiofrequency. NOTA: Las definiciones se dan preferentemente en el artículo con *radio-frequency*, en vez de en el sinónimo con *RF* ‖ *(Telecom)* Abrev. de Compagnie Radio France.

RF/AF signal generator generador de señales de RF y AF.

RF alternator alternador de RF.

RF amplification amplificación de RF, amplificación en RF [en alta frecuencia].

RF amplifier amplificador de RF [de alta frecuencia].

RF-amplifier noise ruido del amplificador de RF | soplido. Manifestación acústica del ruido originado en el amplificador de radiofrecuencia de un receptor.

RF antenna lighting choke reactor de RF para iluminación de antena. Reactor intercalado en el circuito de iluminación de una torre o un mástil de antena, para impedir que circulen por él corrientes de radiofrecuencia inducidas por la radiación de la antena emisora. SIN. **tower lighting isolation coil.**

RF bandwidth ancho de banda de RF. Banda de radiofrecuencias de una emisión que comprende 99 por ciento de la potencia radiada total, extendida de modo de comprender cualquier frecuencia discreta en la cual la potencia llega a o sobrepasa de 0,25 por ciento de la potencia radiada total.

RF cable cable de RF. Cable ideado principalmente para la conducción de energía de radiofrecuencia, con pocas pérdidas.

RF cavity preselector cavidad sintonizable utilizada como preselector, presintonizador con cavidad resonante. v. **preselector, resonant cavity.**

RF choke [RFC] bobina de inducción para RF, reactor de RF.

RF coil bobina de RF.

RF component componente de RF.

RF-confined plasma plasma confinado por RF.

RF converter convertidor de RF, fuente de energía de RF.

RF current corriente de RF, corriente radiofrecuente.

RF energy energía radioeléctrica [de alta frecuencia].

RF envelope indicator indicador de envolvente de RF. Indicador catódico [cathode-ray tube indicator] que da la envolvente de la señal de frecuencias radioeléctricas emitida por un radar de impulsos [pulse radar] (CEI/70 60–72–360).

RF gain ganancia en RF. En un radiorreceptor, la ganancia de radiofrecuencia es la que esencialmente determina la sensibilidad del aparato. CF. **AF gain.**

RF generator generador de energía de RF. Generador que suministra energía de radiofrecuencia para aplicaciones de calentamiento dieléctrico [dielectric heating] o por inducción [induction heating] | *(i.e.* radio-frequency signal generator) generador de señales de RF.

RF grid current corriente de RF de rejilla.

RF harmonic armónica de RF, armónica de frecuencia radioeléctrica [de alta frecuencia]; armónica de la frecuencia portadora.

RF head cabeza de RF. Parte de un radar que comprende el conjunto, a menudo separado, de los órganos que funcionan a las frecuencias radioeléctricas de las ondas emitidas o recibidas (CEI/70 60–72–385). CF. **radar head.**

RF heating caldeo por radiofrecuencia, caldeo (industrial) por altas frecuencias, caldeo por corrientes inducidas de RF. SIN. **electronic heating.**

RF high-voltage power supply fuente de alta tensión alimentada por radiofrecuencia; alimentación de alta tensión del tipo de RF. v. **RF power supply.**

RF indicator indicador de RF. Dispositivo que acusa la presencia de energía radioeléctrica.

RF interference [RFI] interferencia radioeléctrica; interferencia producida por RF; perturbaciones radioeléctricas [de RF]; emisiones interferentes de RF.

RF-interference-shield ground tierra de los blindajes contra perturbaciones radioeléctricas.

RF intermodulation distortion *(Rec)* distorsión por intermodulación en las etapas de RF.

RF leak fuga (de corrientes) de RF, escape de RF [de alta frecuencia].

RF leak detector detector de escapes de RF.

RF line línea (de transmisión) de RF.

RF link eslabón de RF; radioenlace.

RF load (elemento de) carga de RF ‖ *(Tr)* antena ficticia. SIN. **dummy antenna.**

RF monitor monitor de RF.

RF-monitor meter-relay relé supersensible del monitor de RF.

RF noise ruido de RF, perturbación radioeléctrica. CF. **RF interference.**

RF null meter *(Puentes, Radiogoniómetros)* instrumento indicador de señal nula de RF.

RF oscillator oscilador de RF [de alta frecuencia].

RF output salida de RF.

RF output limiter limitador de salida [potencia] de RF.

RF PA Abrev. de RF power amplifier.

RF path trayectoria radioeléctrica.

RF pattern *(Tv)* perturbación de RF en esqueleto de pescado. v. **herringbone pattern.**

RF pentode pentodo para RF [para altas frecuencias]. Pentodo construido de manera de reducir al mínimo el acoplamiento electrostático entre el ánodo y la rejilla de mando y evitar así realimentaciones indeseables. La rejilla pantalla [screen grid] se extiende hasta más allá del ánodo.

RF pickup captación de RF; recepción por radio.

RF pickup loop bucle colector de RF.

RF plumbing *(slang)* instalación de guías de ondas.

RF power amplifier [RF PA] amplificador de potencia [amplificador final] de RF.

RF power probe sonda de energía de RF. Sonda utilizada para extraer energía de radiofrecuencia de un sistema de transmisión.

RF power supply fuente (de alta tensión) alimentada por radiofrecuencia, fuente de alimentación (de alta tensión) del tipo de RF. Fuente en la cual la salida de un oscilador de RF se eleva al valor necesario de alta tensión, mediante un transformador apropiado, y luego se rectifica; se utiliza generalmente para alimentar el segundo ánodo de un tubo de rayos catódicos. SIN. **RF high-voltage power supply.**

RF preselector *(Rec)* preselector de RF. Filtro pasabanda de radiofrecuencia utilizado para mejorar la selectividad por supresión o atenuación de las frecuencias indeseadas en la etapa de entrada (primera etapa de RF).

RF probe   sonda de RF. Conductor utilizado para extraer o inyectar energía electromagnética en una cavidad resonante o una guía de ondas | (a.c. radio-frequency probe detector) sonda (detectora) de RF. Elemento sensible que en combinación con un voltímetro electrónico, sirve para medir tensiones de radiofrecuencia.

RF pulse   impulso de RF; portadora de RF modulada en amplitud por un impulso.

RF-quiet area   zona [campo] libre de perturbaciones radioeléctricas.

RF resistance   resistencia en RF, resistencia a las altas frecuencias.

RF response   (Rec) respuesta de RF. Respuesta a las señales de radiofrecuencia comprendidas en el canal que se recibe o ajenas a éste.

RF shift   corrimiento [deriva] de RF || (Teleg) desplazamiento [desviación] de RF. v. **frequency-shift keying**.

RF signal   señal de RF.

RF signal generator   generador de señales de RF.

RF spectrometer   espectrómetro de RF.

RF spectrum   espectro de RF, espectro de las frecuencias radioeléctricas. SIN. **radio spectrum**.

RF stage   etapa [paso] de RF; etapa amplificadora de RF.

RF test set   aparato de prueba en RF.

RF-to-IF response   (Rec) respuesta de RF a FI.

RF tolerance   tolerancia (del organismo) a la energía radioeléctrica. Valor de la energía de frecuencia radioeléctrica que puede recibir el organismo humano sin sufrir lesión.

RF transformer   transformador de RF [de alta frecuencia].

RF transistor   transistor de RF. Transistor adecuado para funcionar a frecuencias radioeléctricas.

RF transmission line   línea de transmisión de RF.

RF transmission study   estudio de transmisión radioeléctrica.

RF wave   onda radioeléctrica.

RF wireless remote control   telemando inalámbrico por ondas de RF, radiotelemando.

RFC   Abrev. de RF choke.

RFE   Abrev. de Radio Free Europe.

RFG   Abrev. de RF gain.

RFI   Abrev. de RF interference.

RFI meter   medidor de interferencia radioeléctrica [de RF].

RFP   Abrev. de reference frame pulse.

RFR   (Teleg) Abrev. de refer; reference [refiérase, sírvase referir(se); referencia].

RFYC   (Teleg) Abrev. de repeat from your copy [sírvase repetir según aparece en su copia]. Se usa en telegramas de servicio sobre correcciones o aclaraciones de telegramas y cursados.

RGB   (Tvc) Abrev. de red-green-blue [rojo-verde-azul].

RGB chromaticity diagram   diagrama tricromático rojo-verde-azul. CF. **XYZ chromaticity diagram**.

RGDEDONORTE   (Teleg) Abrev. de Río Grande do Norte (Brasil).

RGDEDOSUL   (Teleg) Abrev. de Río Grande do Sul (Brasil).

RGDS   (Teleg) Abrev. de regards [saludos, recuerdos].

rH   Símbolo del potencial óxido-reducción.

Rh   Símbolo del rodio [rhodium].

RH   Abrev. de relative humidity; right hand.

rH isotope holder   portaisótopo rH.

rhapsody   (Mús) rapsodia.

RHB   Abrev. de round head brass.

rhenium   renio. Elemento metálico de número atómico 75. Símbolo: Re.

rheo   Abrev. de rheostat /// Prefijo reo; del griego rheos, corriente.

rheobase   (Electrobiol) reobase. Intensidad de corriente permanente de cátodo [intensity of the steady cathodal current] de duración apropiada, aplicada súbitamente, que es justamente

suficiente para excitar un tejido (CEI/59 70–10–220) /// adj: reobásico.

rheobase strength   intensidad reobásica.

rheocardiography   reocardiografía.

rheoelectric   adj: reoeléctrico.

rheoelectricity   reoelectricidad.

rheoelectroencephalograph   reoelectroencefalógrafo.

rheoelectroencephalography   reoelectroencefalografía.

rheograph   reógrafo. (1) Aparato que sirve para registrar las variaciones de intensidad de una corriente. (2) Sinónimo anticuado de oscilógrafo [oscillograph].

rheograph (of Abraham)   reógrafo (de Abraham). Aparato destinado a registrar una curva de corriente o de tensión, en el cual la inercia y el amortiguamiento del elemento móvil están compensados con ayuda de circuitos eléctricos (CEI/38 20–20–045).

rheographic   adj: reográfico.

rheographic cell   cuba reográfica.

rheographic curve   curva reográfica.

rheography   reografía.

rheologic   adj: reológico.

rheology   reología. Estudio de la deformación y el flujo de la materia, en particular la plasticidad y la viscosidad.

rheometer   reómetro. (1) Aparato que sirve para medir las variaciones que experimenta una vena fluida en función de la presión. (2) Sinónimo anticuado de galvanómetro [galvanometer].

rheophore   (Elec) reóforo. (1) Conductor que establece la comunicación entre un aparato y una fuente de corriente. (2) Sinónimo anticuado de borne o borna [binding post].

rheostat   (Elec) reóstato, resistencia variable. Resistencia cuyo valor puede ser variado a voluntad y fácilmente, con el objeto de regular la corriente en un circuito sin necesidad de abrir éste. La variación de resistencia se efectúa mediante una perilla que pone en movimiento el contacto deslizante o rodador que va a uno de los bornes o terminales; el otro borne va unido a uno de los extremos del elemento de resistencia. SIN. **variable resistor**. CF. **potentiometer** | reóstato. (1) Aparato compuesto por resistencias por lo general regulables (CEI/38 05–45–015). (2) Resistencia variable cuya regulación se efectúa sin deshacer ninguna conexión (CEI/57 15–50–140). CF. **field rheostat, load rheostat, potentiometer-type rheostat, rotor rheostat, speed-regulating rheostat, starter rheostat, starting rheostat** /// adj: reostático.

rheostat control   v. **rheostatic control**.

rheostat electrode-holder   portaelectrodo con reóstato.

rheostat starting   v. **rheostatic starting**.

rheostatic   adj: reostático.

rheostatic braking   (Elec) frenado reostático. Método de frenado aplicable a un conjunto de aparatos accionados por un motor eléctrico y que se basa en la utilización de la energía disponible para hacer funcionar el motor como generatriz conectado a un reostato apropiado (CEI/38 35–05–060) || (Tracción eléc) v. **rheostatic (electric) braking**.

rheostatic control   (a.c. rheostat control) regulación reostática [por reostato] | regulación reostática. Procedimiento de regulación de la velocidad de motores eléctricos, consistente en el empleo de resistencias variables en serie con los inducidos [armatures] de los motores (CEI/57 30–15–385).

rheostatic (electric) braking   (Tracción eléc) frenado (eléctrico) reostático. Método de frenado en el cual los motores de tracción, arrastrados por el tren, funcionan como generatrices y alimentan a un reostato (CEI/57 30–05–475). V.TB. **rheostatic braking**. SIN. **resistance braking**.

rheostatic regulator   regulador reostático.

rheostatic starter   arrancador reostático.

rheostatic starting   (a.c. rheostat starting) arranque reostático [con reostato] | arranque reostático. Arranque de un motor eléctrico por medio de un reostato insertado en serie en uno de los circuitos del motor y destinado a limitar la corriente o a ajustar el par [torque] (CEI/58 35-05-080).

rheostatically   *adv:* reostáticamente.

rheostatically controlled   regulado [gobernado] reostáticamente.

rheostriction   *(Elec, Fís, Nucl)* reostricción. v. **pinch effect.**

rheotaxial   *adj:* reotaxial.

rheotaxial film   *(Semicond)* película reotaxial.

rheotaxial growth   *(Semicond)* crecimiento reotaxial. Técnica de deposición química en fase vapor empleada para obtener diodos y transistores de silicio sobre una capa fluida de gran movilidad superficial.

rheotome   *(Elec)* reotomo. (1) Aparato que sirve para cortar periódicamente una corriente. (2) Sinónimo anticuado de *interruptor* o *ruptor* [interrupter, breaker].

rheotron   reotrón. Sinónimo ya desusado de *betatrón* (v. **betatron**).

rheotrope   *(Elec)* reotropo. Sinónimo anticuado de *inversor* o *conmutador de inversión* [reversing switch].

rheotropic   *adj:* reotrópico.

rheotropically   *adv:* reotrópicamente.

RHI   *(Radar)* Abrev. de range-height indicator.

RHI display   *(Radar)* indicador de altura y distancia, presentación (visual) tipo RHI. v. **range-height indicator display.**

rhm   Abrev. de roentgen-per-hour-at-one-meter.

rho   rho. Nombre de la decimoséptima letra del alfabeto griego (ρ), que corresponde a la *erre* del nuestro.

RHO   *(Esquemas)* Abrev. de rhombic antenna.

rho meson   *(Nucl)* mesón rho. Nombre que se daba a un mesón detenido en una emulsión nuclear sin aparente fenómeno alguno de desintegración o interacción nuclear. Hoy se sabe que la mayoría de los mesones rho eran mesones mu y que los fenómenos de desintegración eran inobservables por insuficiente sensibilidad de la emulsión.

rho-theta   *(Radionaveg)* v. **rho-theta system.**

rho-theta aid   *(Radionaveg)* auxiliar rho-theta.

rho-theta navigation   *(Radionaveg)* navegación rho-theta, radionavegación con coordenadas polares y telémetro. v. **omnibearing-distance navigation.**

rho-theta navigation system   sistema de navegación rho-theta.

rho-theta system   sistema rho-theta, sistema de radionavegación con coordenadas polares y telémetro.

rhodium   rodio. Elemento químico metálico, de número atómico 45 y peso atómico 102,91. Símbolo: Rh /// *verbo:* rodiar.

rhodium coating   capa de rodio.

rhodium plate   *verbo:* rodiar.

rhodium-plated   *adj:* rodiado.

rhodium-plated contact   contacto rodiado.

rhodium-plated platinum   platino rodiado.

rhodium-plated tungsten filament   filamento de volframio [tungsteno] rodiado.

rhomb   *(Mat)* rombo || *(Cristalog)* romboedro /// *adj:* rómbico; romboédrico.

rhombic   *(i.e.* rhombic antenna) (antena) rómbica /// *adj:* rómbico, rombal, en losange.

rhombic aerial   *(Radiocom)* antena rómbica. Antena directiva simétrica, de onda progresiva, en forma de losange (rombo) generalmente horizontal, alimentada en uno de sus vértices y cerrada en el vértice opuesto sobre una impedancia apropiada (CEI/70 60-34-105) | antena en rombo. v.tb. **rhombic antenna.** cf. **progressive-wave aerial.**

rhombic antenna   antena rómbica [en rombo, en losange]. menos usado: antena romboidal. Antena direccional en forma de rombo horizontal, que es excitada por uno de los vértices y que en el vértice opuesto termina en una impedancia o resistencia de carga. La radiación ocurre por el extremo opuesto al de alimentación o excitación. Las características de directividad están determinadas por las dimensiones de los lados del rombo, el ángulo entre éstos, la elevación de la antena, y la terminación. sin. **rhombic aerial** *(GB),* **diamond [diamond-shaped] antenna.**

rhombic lattice   *(Nucl)* celosía rómbica.

rhombohedral   *adj:* romboédrico. De figura de romboedro.

rhombohedral system   sistema romboédrico.

rhombohedron   *(Mat)* romboedro. Prisma cuyas caras son todas rombos. Paralelepípedo oblicuo de aristas iguales y anguloides congruentes o suplementarios /// *adj:* romboédrico.

rhomboid   *(Mat)* romboide. Paralelogramo de ángulos y lados iguales de dos en dos /// *adj:* romboidal.

rhombus   *(Mat)* rombo. Paralelogramo equilátero.

rhometal   rhometal. Aleación magnética de alta resistividad. Su permeabilidad inicial oscila entre 200 y 2 000.

RHS   Abrev. de round head steel.

rhumb   *(Naveg)* rumbo. sin. **rhumb line** | rumbo. Uno de los puntos de la rosa de los vientos.

rhumb line   *(Cartog, Naveg)* línea de rumbo; loxodromia; línea [curva] loxodrómica.

rhumb-line route   *(Naveg)* derrota loxodrómica.

rhumb-line track   *(Aeronaveg)* derrota loxodrómica.

rhumbatron   rumbatrón. Resonador en forma de toro utilizado en los klistrones (CEI/56 07-30-365). sin. **resonant cavity, cavity resonator.**

rhumbatron cavity   cavidad rumbatrón. sin. **rhumbatron resonating chamber.**

rhyme   *(also* rime) rima, consonancia, consonante; poesía; verso.

rhythm   ritmo, cadencia; periodicidad; armonía. cf. **tempo, rate.**

rhythmic   *adj:* rítmico.

rhythmic light   luz rítmica. Luz que aparece intermitentemente, con periodicidad regular [regular periodicity] (CEI/70 45-60-030).

rhythmic pulsing   pulsación rítmica.

rhythmic two-condition modulation   modulación bivalente rítmica.

RI   Abrev. de radio inspector.

RIAA   Siglas de Recording Industry Association of America.

RIAA curve   *(Fonog)* curva RIAA. (1) Curva normalizada de grabación fonográfica aprobada para los discos de larga duración ("LP") por la Asociación Estadounidense de la Industria del Disco. (2) Curva correspondiente de compensación para la reproducción de los discos grabados de acuerdo con dicha curva normalizada de grabación. v. **equalization, equalization curve.**

rib   costilla; resalte, saliente, pestaña, reborde; arco; aleta; caballón, lomo; listón (de peine); varilla (de abanico, de paraguas) || *(Anat, Zool)* costilla || *(Arq)* arista; moldura; nervio, nervadura, nervura || *(Constr)* nervio; puntal; vigueta de piso || *(Estr)* nervio, nervadura, costilla. localismo: nervura | pestaña || *(Aviones)* costilla; montante || *(Buques)* cuaderna || *(Costura)* vivo; bordón || *(Geol)* dique || *(Herr)* costilla, lomo, nervio || *(Mús)* aro, costado. Costado de ciertos instrumentos de cuerda de la familia del violín.

rib splicing   *(Aviones)* empalme de costilla.

ribbed   *adj:* acostillado; nervado; con nervaduras (de refuerzo); con aletas; rayado; estriado; acanalado.

ribbed heat sink   disipador de calor con aletas.

ribbed-surface machine   *(Elec)* máquina de nervaduras no ventiladas. Máquina cerrada [totally enclosed machine] sin canalización de aire en la cual la carcasa [frame], enfriada por convección natural [natural convection], está provista de nervaduras destinadas a aumentar su superficie de contacto con el aire de enfriamiento exterior (CEI/56 10-05-265).

ribbon   cinta, banda, tira, faja; cinta tejida; galón || *(Carp)* cinta, larguero, carrera, cepo || *(Elecn)* cinta de interconexión || *(Máq escribir, Teleimpr)* cinta. A veces se dice *cinta entintada,* para distinguirla de la cinta de papel de los teleimpresores. cf. **tape.**

ribbon cable   *(Telecom)* cable cinta, cable plano. cf. **flat cable.**

ribbon carrier   *(Máq escribir)* portacinta.

ribbon connector   *(Elec)* cinta conectora.

ribbon control   *(Máq escribir, Teleimpr)* control de la cinta.

ribbon drive arm   *(Teleimpr)* brazo de mando de la cinta (entintada).

ribbon element   *(Elec)* elemento de cinta. Elemento de calefacción [heating element] constituido por una resistencia de calefacción [heating resistor] de sección rectangular (CEI/60 40–10–120).

ribbon feed   *(Máq escribir, Teleimpr)* (mecanismo de) alimentación [avance] de la cinta (entintada).

ribbon-feed-and-shift mechanism   mecanismo de alimentación [avance] y cambio de color de la cinta.

ribbon-feed mechanism   mecanismo de alimentación [avance] de la cinta (entintada). Mecanismo que hace correr la cinta entintada entre la caja de tipos [typebox] y el papel cada vez que se imprime un carácter; al vaciarse uno de los carretes de la cinta, el mecanismo invierte automáticamente el sentido del movimiento de ésta. cf. **ribbon-feed-and-shift mechanism**.

ribbon-feed operating fork   horquilla operadora de la alimentación de cinta.

ribbon-feed operating link   vástago operador de la alimentación de cinta.

ribbon-feed roller   *(Teleimpr)* rodillo de avance de la cinta (entintada).

ribbon feeding   alimentación [avance] de la cinta (entintada).

ribbon filament   *(Lámparas)* filamento acintado [de cinta].

ribbon-filament lamp   lámpara de filamento de cinta.

ribbon guide   *(Máq escribir, Teleimpr)* guía de la cinta (entintada).

ribbon guide bar   barra guía de cinta.

ribbon lamp   lámpara de filamento de cinta. Lámpara incandescente cuyo cuerpo luminoso (filamento) está constituido por una cinta. sin. **ribbon-filament lamp**.

ribbon loudspeaker   altavoz [altoparlante] de cinta. Altavoz o altoparlante de conductor móvil [moving-conductor loudspeaker] cuyo conductor está constituido por una cinta o tira metálica delgada que también desempeña la función de diafragma. cf. **ribbon microphone**.

ribbon mechanism   *(Teleimpr)* mecanismo de la cinta (entintada).

ribbon microphone   micrófono de cinta. (**1**) Micrófono electrodinámico del tipo de conductor móvil, en el cual este último consiste en una cinta flexible (generalmente una tira delgada de aluminio con ondulaciones) montada entre los polos de un imán y que tiene también la función de diafragma. Impulsada por las ondas sonoras incidentes, esta cinta vibra en el seno del campo magnético del imán y genera así tensiones eléctricas que son una réplica de las ondas sonoras. Este es el tipo corriente de los micrófonos llamados *de velocidad* [velocity microphone—véase]. (**2**) Micrófono de conductor móvil [moving-conductor microphone] en el cual el conductor tiene la forma de una cinta delgada sometida a la acción directa de las ondas acústicas [sound waves] (CEI/60 08–15–060).

ribbon oscillating lever   *(Teleimpr)* palanca oscilante de la cinta.

ribbon parachute   *(Avia)* paracaídas de bandas circulares. Se utiliza para frenado durante el aterrizaje.

ribbon reversing   *(Máq escribir, Teleimpr)* inversión de la cinta (entintada). Inversión del movimiento de la cinta entintada para rearrollarla cuando se ha vaciado uno de los carretes. v.tb. **ribbon-feed mechanism**. cf. **ribbon shift**.

ribbon-reversing arm   brazo inversor [de inversión] de la cinta.

ribbon rewind   *(Máq escribir, Teleimpr)* rebobinado [rearrollado] de la cinta.

ribbon saw   *(Máq herr)* sierra de cinta.

ribbon shield   *(Máq escribir, Teleimpr)* protector de la cinta.

ribbon shift   *(Máq escribir, Teleimpr)* cambio de color de la cinta. cf. **ribbon reversing**.

ribbon spool   *(Máq escribir, Teleimpr)* carrete de cinta.

ribonucleic   *adj*: ribonucleico.

ribonucleic acid [RNA]   ácido ribonucleico [ARN]. Uno de un grupo de ácidos de estructura muy compleja que se encuentran en el citoplasma y el núcleo de las células vivientes. Estos ácidos desempeñan importante papel en la síntesis de las proteínas y en la reproducción de las numerosas clases de células que constituyen el organismo.

Riccati   Jacopo Riccati: matemático (analista) italiano (1676–1754) a quien se debe la ecuación diferencial que lleva su nombre | Giordano Riccati: matemático italiano (1709–1790), hijo de Jacopo | Vincenzo Riccati: matemático italiano (1707–1775), hijo de Jacopo, que fue el primero en definir las funciones hiperbólicas y establecer las relaciones que las ligan con la exponencial.

Riccati equation   *(Mat)* ecuación de Riccati. Ecuación diferencial ordinaria de primer orden de la forma: $y' = My^2 + Ny + P$, siendo M, N, y P tres funciones de x.

Ricci   Gregorio Ricci Curbastro: matemático italiano (1853–1925) que en 1895 dio a conocer el descubrimiento de las derivadas invariante y contravariante e inventó el cálculo tensorial (v. **Ricci calculus**). Posteriormente, con su discípulo Levi-Civita, puso los cimientos del cálculo diferencial absoluto, cuyos métodos expusieron en una memoria publicada en 1900 | Michelangelo Ricci: matemático (geómetra) italiano (1619–1682) | Ostilio Ricci: matemático italiano (fines del siglo XVI).

Ricci calculus   cálculo de Ricci, cálculo tensorial. El cálculo tensorial o de Ricci permite distinguir las componentes covariantes y contravariantes de los vectores, y pasar de sistemas de coordenadas rectangulares a sistemas de coordenadas oblicuas.

Ricci identity   *(Mat)* identidad de Ricci.

Ricci lemma   *(Mat)* lema de Ricci. v. **Ricci's theorem**.

Ricci tensor   *(Mat)* tensor de Ricci.

Ricci's theorem   *(Mat)* teorema de Ricci. La derivada covariante de cualquiera de los tensores fundamentales o métricos [fundamental tensors, metric tensors] es cero. sin. **Ricci lemma**.

Rice neutralizing circuit   circuito neutralizador de Rice. Circuito amplificador de radiofrecuencia que neutraliza la capacitancia de rejilla a ánodo del tubo amplificador.

rich best power   *(Mot)* régimen óptimo con riqueza máxima.

rich mixture   *(Mot)* mezcla rica ‖ *(Hormigón)* mezcla grasa.

rich soil   tierra [terreno] fértil.

Richardson-Dushmann equation   *(Elecn)* ecuación de Richardson-Dushmann | ley de Richardson-Dushmann. Ley de variación de la densidad de la corriente de saturación [saturation current] de un cátodo termoelectrónico metálico [metallic thermionic cathode] en función de su temperatura. Está representada por la relación:

$$J = A_o(1-r)\,T^2 \exp(-b/T)$$

donde:

J   designa la densidad de corriente de saturación;

T   la temperatura absoluta;

A_o una constante universal igual a 120A/cm $(°K)^2$;

b   la temperatura absoluta equivalente al trabajo de extracción [work function — véase];

r   un factor de reflexión que tiene en cuenta las irregularidades de la superficie, a veces despreciable en relación con la unidad (CEI/56 07–21–035).

Richardson effect   efecto Richardson. Emisión de electrones por un cuerpo caliente. sin. **efecto Edison, emisión termoiónica, desprendimiento termoiónico —— Edison effect, thermionic emission**.

Richardson equation   ecuación de Richardson. v. **Richardson-Dushmann equation**.

Richardson number   *(Fís)* número de Richardson.

Richardson plot   *(Elecn)* gráfica de Richardson. Recta que representa el logaritmo de la corriente termoiónica por kelvin al cuadrado, en función de la inversa de la temperatura absoluta. La pendiente de la recta da una medida de la energía de activación [activation energy] que interviene en el fenómeno (v. **Richardson-Dushmann equation**).

RICORADIO   Dirección telegráfica de Radio Corporation of Puerto Rico.

RID   Abrev. de Radio Intelligence Division. Nombre de una antigua división de la Comisión Federal de Comunicaciones (FCC)

ride gain   *verbo:* (*also* ride the gain control) ajustar el control de ganancia según las fluctuaciones de la señal; regular la ganancia guiándose por el indicador de volumen. Hacer avanzar o retroceder el control de ganancia para compensar las fluctuaciones de intensidad de la señal que se controla. Regular la gama de volumen de un circuito de audio mientras se observan las indicaciones de un "vumetro" [VU meter].

ride the gain control   v. **ride gain.**

rider   *(Potenciómetros, Reostatos)* cursor ‖ *(Telecom)* conexión en U, "cabalgador". SIN. **U link.**

ridge   *(Guías de ondas)* resalte, resalto, reentrante, proyección longitudinal interior ‖ *(Meteor)* (*i.e.* ridge of high pressure) dorsal (barométrica), cresta de alta presión. Cresta constituida por las altas presiones en un mapa isobárico (v. **isobar**) ‖ *(Riego)* caballete, camellón ‖ *(Techos, Tejados)* caballete, cumbrera, lomo, hilera ‖ *(Topog, Orografía)* estribo, estribación | loma, serranía, filo, lomo. LOCALISMOS: camellón, cuchilla, lomada, crestería | cerro, colina, loma; cordillera, cadena de montañas.

ridge iron   *(Elec)* cumbrera de poste.

ridge waveguide   guíaondas con resalte(s) internos, guía (de ondas) con reentrante(s), guía de ondas con resaltes [resaltos] longitudinales internos. Guía de ondas de sección rectangular o circular con uno o más resaltos o proyecciones longitudinales interiores, que tienen por efecto principal ampliar la gama de frecuencias de la guía; si la guía es de sección rectangular, los resaltes están en contacto con las paredes mayores | guía de ondas con resaltes interiores. Guía de ondas con uno o dos resaltes o reentrantes que se extienden a todo lo largo y en contacto con las paredes internas de la guía (CEI/61 62–10–020).

ridge-waveguide termination   terminación de guía con resaltes interiores. Componente que, conectado en la extremidad de una guía de ondas con resaltes interiores, presenta a ésta una carga de impedancia nula que no produce reflexiones de energía.

riding lamp   v. **riding light.**

riding light   *(Náutica)* luz de fondeo; luz de situación.

riding surface   *(Carreteras)* superficie de rodaje ‖ *(Cojinetes, Pivotes)* superficie de trabajo.

Rieke diagram   diagrama de Rieke. Gráfica en coordenadas polares [graph in polar coordinates] que traduce el comportamiento de ciertos osciladores, en particular los magnetrones, en función de la impedancia de carga. Incluye, por ejemplo, las familias de curvas a frecuencia constante, a potencia constante, o a rendimiento constante (CEI/56 07–27–115).

Riemann   Georg Friedrich Bernhard Riemann: geómetra alemán (1826–1866), a quien se debe la idea fundamental (expuesta en 1854) de que la propiedad de ser ilimitado el espacio no implica que sea infinito. A él se deben también los cimientos de la topología, el estudio de las funciones de variable compleja por medio de la ecuación de Laplace, y la función zeta [zeta function].

Riemann-Cristoffel tensor   tensor de Riemann-Cristoffel. SIN. **Riemann-Cristoffel tensor of the first kind, covariant curvature tensor.**

Riemann integral   *(Mat)* integral de Riemann.

Riemann mapping theorem   *(Mat)* teorema de representación de Riemann.

Riemann method   *(Mat)* método de Riemann. Método de solución del problema de Cauchy para ecuaciones diferenciales parciales hiperbólicas.

Riemann-Papperitz equation   *(Mat)* ecuación de Riemann-Papperitz.

Riemann sphere   *(Mat)* esfera de Riemann. Esfera sobre la cual se ha representado el plano complejo por proyección estereográfica.

Riemann-Stieltjes integral   *(Mat)* integral de Riemann-Stieltjes.

Riemann surface   *(Mat)* superficie de Riemann. Superficie definida por la expresión $w = \sqrt{(z-a_1)(z-a_2)\dots(z-a_n)}$. Se usa en la representación de funciones multivalentes o multiformes de la variable compleja.

Riemann zeta function   *(Mat)* función zeta de Riemann.

RIFI   Abrev. de radio-interference field intensity.

RIFI meter   medidor de intensidad de campo de interferencia radioeléctrica.

rifling   *(Armas de fuego)* rayado (en espiral).

rig   equipo, instalación; instrumento; instalación de pruebas (de estructuras, de motores); aparejo de pesca; cabria; mecanismo de maniobra ‖ *(Buques)* aparejo ‖ *(Petr, Sondeos)* cabria, aparejo [torre] de perforación; equipo [instalación] para quemar petróleo; mecanismo de maniobra; tren de sondeo; sondeadora (de pozos petrolíferos) ‖ *(Textiles)* plegado ⫫ *verbo:* aparejar, enjarciar, guarnir, equipar ‖ *(Avia)* aparejar; reglar y montar ‖ *(Buques)* aparejar, enjarciar ‖ *(Máq)* montar, instalar.

rigger   aparejador, instalador de cables, cablero ‖ *(Avia)* montador (aeronáutico); montador reglador ‖ *(Astilleros)* obrero montador ‖ *(Constr)* andamio de protección. Andamio destinado a detener objetos que puedan caerse y lesionar a los peatones durante la erección de un edificio ‖ *(Marina)* gaviero; el que coloca jarcias o guarne aparejos ‖ *(Mec)* polea de mando; polea de transmisión.

rigging   equipo; aparejos, enjarciaduras, cordelería, cabuyería, soguería; avíos; mecanismo de sondeo ‖ *(Ant)* montaje ‖ *(Avia)* reglaje; reglaje y montaje ‖ *(Globos)* aparejo. Cordaje de distribución de la carga ‖ *(Máq)* montaje ‖ *(Marina)* aparejo (de poleas) | equipo de arrastre (de trozas). Se llama *troza* a la combinación de dos pedazos de cabo grueso ‖ *(Mec)* mecanismo de maniobra; varillaje de maniobra.

rigging lines   *(Aeron)* tirantes de reglaje; aparejo, cordaje.

rigging position   *(Avia)* posición de montaje; posición de reglaje.

Righi-Leduc effect   efecto Righi-Leduc. Fenómeno por el cual aparece una diferencia de potencial entre los bordes opuestos de una tira metálica por la cual fluye calor en dirección longitudinal mientras el plano de la cinta es atravesado perpendicularmente por las líneas de fuerza de un campo magnético.

right   (mano) derecha; derecho ‖ *(Boxeo)* derechazo ‖ *(Política)* derecha ⫫ *adj:* derecho, recto; de la (mano) derecha; exacto; correcto; verdadero; conveniente, apropiado, favorable; normal, sano ⫫ *verbo:* enderezar(se); corregir, rectificar ‖ *(Náutica)* adrizar(se) ⫫ *adv:* derechamente; correctamente; exactamente; convenientemente, apropiadamente, favorablemente; a [hacia] la derecha.

right angle   *(Mat)* ángulo recto.

right-angle coaxial connector   conector coaxil de ángulo recto.

right-angle connection   *(Cordones de interconexión)* conductor en ángulo recto con la clavija. CF. **straight-through connection.**

right-angle crossing   *(Ferroc)* cruzamiento recto. Intersección de dos vías férreas con ángulo de 90°.

right-angle drive   *(Mot eléc)* accionamiento en ángulo recto.

right-angle plug   *(Elecn)* clavija acodada.

right-angle projection   proyección ortogonal.

right ascension   *(Aeronaveg, Astr)* ascensión recta.

right channel   *(Sist estereofónicos)* canal de la derecha. SIN. **B channel.**

right cone   *(Geom)* cono recto.

right eccentric assembly   *(Teleimpr)* conjunto de excéntricas derechas.

right hand   (mano) derecha.

right-hand   *adj:* derecho, de la (mano) derecha; con la mano derecha; para la mano derecha; de movimiento, rotación, giro, funcionamiento, etc., hacia la derecha; dextrorso, dextrorsum; dextrógiro. v. **right-handed.**

right-hand contact   *(Telef)* contacto de la derecha.

right-hand counter   *(Informática)* contador del lado derecho.

right-hand engine   motor de rotación a derechas. Motor cuyo cigüeñal gira en el sentido de las agujas del reloj estando el observador en la parte posterior del motor | motor con el volante a la derecha. CF. **right-side engine.**

right-hand helix hélice dextrorsa ‖ *(Teleg)* hélice a derecha.

right-hand lay v. **right-handed lay.**

right-hand logarithmic taper *(Potenciómetros)* ley logarítmica derecha. Ley de variación que en la práctica puede suponerse que existe cuando la primera mitad de la rotación del eje abarca 9/10 de la resistencia total. v. **taper.**

right-hand polarized wave onda de polarización elíptica dextrorsa. Onda electromagnética transversal de polarización elíptica en la cual la rotación del vector del campo eléctrico es hacia la derecha respecto a un observador que mira en la dirección y sentido de la propagación de la onda. SIN. **clockwise polarized wave** ‖ onda polarizada elípticamente [circularmente] dextrógira. Onda electromagnética polarizada elíptica o circularmente, en la cual, para un observador que mira en el sentido de la propagación, el vector de desplazamiento eléctrico gira en función del tiempo, en un plano fijo cualquiera normal a la dirección de propagación, en el sentido dextrorso, es decir, en el sentido de las agujas del reloj. NOTA: En el caso de las ondas planas polarizadas circularmente dextrorsas, las extremidades de los vectores unidos a los diferentes puntos de una recta cualquiera normal a los planos que constituyen las superficies de onda, forman, en un instante dado cualquiera, una hélice sinistrorsa [left-hand helix]. SIN. **clockwise polarized wave** (CEI/70 60–20–025). CF. **left-hand polarized wave.**

right-hand rule *(Elec)* regla de la mano derecha, regla de los tres dedos. Son dos las reglas que llevan este nombre, ambas basadas en el sentido clásico de circulación de la corriente [conventional current flow], y no en el sentido de circulación de los electrones [electron flow]: (a) En el caso de un conductor recorrido por una corriente: Si se agarra el conductor con la mano derecha de modo que el pulgar indique el sentido de circulación de la corriente, los demás dedos indican el sentido del campo magnético producido por la corriente. (b) En el caso de un conductor que se mueve en un campo magnético: Si se disponen el dedo mayor, el índice y el pulgar de la mano derecha mutuamente perpendiculares y el dedor mayor indica el sentido de circulación de la corriente y el índice señala el sentido de las líneas de fuerza magnética, entonces el pulgar apunta en el sentido del movimiento del conductor. La misma regla (b) se aplica si, en vez del conductor recorrido por una corriente, se tiene un haz electrónico. SIN. **regla de Fleming —— Fleming's rule.** CF. **left-hand rule.**

right-hand semilogarithmic taper *(Potenciómetros)* ley semilogarítmica derecha. Ley de variación que en la práctica se conoce porque la primera mitad de la rotación del eje de control corresponde a 8/10 de la resistencia total. v. **taper.**

right-hand side lado [costado] derecho ‖ *(Ecuaciones)* segundo miembro. Miembro que se encuentra a la derecha del signo de igualdad.

right-hand single normal switch *(Ferroc)* cambio sencillo normal derecho. Cambio que desvía hacia la derecha del alineamiento recto.

right-hand taper *(Potenciómetros)* ley derecha. Ley de variación tal que en la práctica se conoce porque la primera mitad de la rotación del eje corresponde a menos de 5/10 de la resistencia total; o, dicho de otro modo, es mayor la resistencia de la mitad de la derecha que la de la mitad de la izquierda de la rotación del eje. v. **taper.**

right-hand twist torsión de izquierda a derecha. CF. **right-handed lay.**

right-handed adj: *(Fís, Mat)* dextrorso, dextrorsum. A derechas; que se mueve hacia la derecha ‖ dextrógiro. Que gira hacia la derecha ‖ *(Bot)* dextrorso ‖ *(Hélices, Tornillos)* a derechas. Que avanza cuando, visto por detrás, gira como las manecillas del reloj ‖ *(Herr)* para la mano derecha ‖ *(Personas)* derecho (en oposición a zurdo).

right-handed coordinate system *(Mat)* sistema de coordenadas dextrorsum.

right-handed elliptically polarized wave onda polarizada elípticamente dextrógira. v. **right-hand polarized wave.**

right-handed lay *(Cables)* (a.c. right-hand lay, right lay) colchado [colchadura, torcido, trama] a la derecha; torsión de izquierda a derecha. SIN. **right-hand twist.**

right lay v. **right-handed lay.**

right of way, right-of-way *(i.e. right of passage over another's ground; right to pass over property owned by another)* servidumbre de paso [de vía], derecho de paso [de vía]. Derecho que se posee para transitar a través de un terreno ajeno; derecho legal de atravesar un predio ajeno ‖ *(i.e. path or thoroughfare on which such passage is made)* camino de paso legal ‖ *(i.e. strip of land over which certain facilities are built)* zona de camino (zona de terreno destinada a una carretera y sus instalaciones anexas); zona de vía, zona [faja] expropiada (faja de terreno que ocupa una vía férrea y sus instalaciones anexas); zona de vía, zona de paso (faja de terreno destinada a los postes de una línea telefónica, telegráfica o de energía eléctrica, o a las torres de un sistema de comunicación por microondas) ‖ *(i.e. customary or legal right of a vehicle, vessel or aircraft to pass in front of another, or of traffic to take precedence over all other)* prioridad [preferencia] de paso; derecho a la vía.

right output connecting rod *(Teleimpr)* biela de salida derecha.

right-polarized electron electrón dextrógiro. SIN. **clockwise rotating electron.**

right roller *(Teleimpr)* rodillo derecho.

right rotation *(Mandos)* rotación a [hacia] la derecha ‖ *(Fís)* movimiento dextrógiro.

right rotation stop *(Mandos)* tope de rotación hacia la derecha.

right rule v. **right-hand rule.**

right-side engine *(Avia)* motor del lado derecho. CF. **right-hand engine.**

right signal *(Emisiones y grabaciones estereofónicas)* señal de la derecha. CF. **right channel.**

right switch *(Ferroc)* cambio a la derecha.

right triangle *(Mat)* triángulo rectángulo. Triángulo que tiene un ángulo recto.

right turn *(Avia)* viraje hacia la derecha ‖ *(Caminos)* vuelta [giro] a la derecha.

right wing *(Avia)* ala derecha, plano derecho.

rigid *(Aeron)* *(i.e. rigid airship)* dirigible rígido ‖‖ adj: rígido; inflexible; riguroso, severo.

rigid air line línea rígida con dieléctrico de aire. V.TB. **air line.**

rigid airship dirigible rígido; aeronave rígida.

rigid balloon *(Aeron)* globo rígido.

rigid-base section *(Mástiles y torres)* plancha rígida de asiento.

rigid body *(Autos)* carrocería rígida ‖ *(Máq)* bastidor rígido ‖ *(Fís)* cuerpo rígido.

rigid bracing arriostramiento rígido.

rigid check of switch blade *(Ferroc)* verificador de cuchilla de aguja conducido. Verificador de cuchilla de aguja cuya maniobra está ligada rígidamente y de manera continua a la de la cuchilla de aguja (CEI/59 31–05–240).

rigid coupler acoplador rígido ‖ *(Ferroc)* enganche rígido. Dispositivo de unión rígida entre dos vehículos.

rigid coupling acoplamiento rígido.

rigid cylinder cilindro rígido.

rigid fastening *(Tracción eléc)* fijación rígida. Modo de fijación de una línea aérea de contacto [overhead contact system], en el cual el hilo o cable está fijado rígidamente a sus soportes (CEI/57 30–10–260). v. **rigid suspension.**

rigid frame cuadro rígido; marco rígido, pórtico; bastidor rígido ‖ *(Mec)* estructura rígida. SIN. **continuous frame.**

rigid hanger *(Líneas de tr)* soporte de suspensión rígido.

rigid-jointed frame estructura porticada [de nudos rígidos].

rigid-jointed framework v. **rigid-jointed frame.**

rigid metal conduit *(Elec)* tubo-conducto rígido. SIN. **rigid steel conduit.**

rigid meter bar　*(Contadores de gas)* barra rígida de alineamiento de las conexiones del contador.

rigid pavement　pavimento rígido.

rigid repeater　*(Cables submarinos)* repetidor rígido.

rigid sphere　*(Teoría de los gases)* esfera rígida.

rigid stay　riostra rígida.

rigid steel conduit　*(Elec)* tubo-conducto rígido. SIN. **rigid metal conduit**.

rigid support　soporte rígido ‖ *(Elec)* postecillo, palomilla. Soporte de conductores eléctricos fijado a los edificios (CEI/38 25–30–060).

rigid suspension　*(Tracción eléc)* suspensión rígida. (**1**) Modo de suspensión de una línea aérea de contacto, en el cual el hilo está fijado a sus soportes sin interposición de órganos flexibles (CEI/38 30–40–015). (**2**) Término abandonado y reemplazado por el de *fijación rígida* [rigid fastening] (CEI/57 30–10–265).

rigidity　rigidez; inflexibilidad. CF. **compliance, flexibility**.

rigidity modulus　*(Mec)* módulo de rigidez.

rigidity parameter　parámetro de la rigidez.

rim　margen, orilla; cerco, reborde, pestaña; cerquillo; ceja; saliente, labio; limbo; aro ‖ *(i.e.* edge) canto, borde ‖ *(Autos)* llanta, aro, pestaña, cerco, anillo, corona ‖ *(Poleas)* llanta ‖ *(Ruedas)* llanta, aro ‖ *(Ruedas de engranajes)* corona ‖ *(Platos giradiscos)* reborde ‖ *(Meteor)* *(i.e.* rim of the rain gage) círculo (del pluviómetro) ‖‖ *verbo:* proveer de canto, borde, etc. ‖ *(Poleas, Ruedas)* enllantar.

rim drive　*(Fonog)* arrastre por el reborde del plato, transmisión (del movimiento) por la periferia (del plato). En los tocadiscos, sistema en el cual el plato es arrastrado por una polea loca [idler wheel] que se apoya por un lado contra el eje motor, y por el otro contra el interior del reborde del plato. En algunos casos se prescinde de la polea loca, y el eje del motor es solidario de una pequeña rueda con llanta de goma [puck] que se apoya directamente contra el reborde del plato. SIN. **impulsión por fricción**. CF. **gear drive** ‖ *(Mec)* arrastre por rodillo; arrastre por correa; accionamiento por corona dentada.

rim lighting　*(Cám tv)* iluminación interna de corrección.

rim magnet　*(Cinescopios)* imán neutralizador de campo. v. **field-neutralizing magnet**.

rim ray　*(Opt)* rayo marginal.

rim speed　velocidad periférica.

rimband　*(Cinescopios)* banda de reborde. Es parte del conjunto de protección contra implosiones [implosion protection].

rime　*(Meteor)* escarcha; cenceñada; niebla helada ‖ v. **rhyme**.

rime ice　*(Meteor)* cencellada blanca, hielo blanco; hielo cristalizado.

rimlock　cerradura recercada [de caja, de arrimar]. LOCALISMO: cerradura de aplicar.

Rimlock series　*(Elecn)* serie Rimlock.

Rimlock tube　*(Elecn)* tubo Rimlock.

ring　anillo, aro; anilla; argolla, vilorta, virola (abrazadera de metal); arandela; zuncho; círculo; aureola (p.ej. de la Luna) ‖ *(Acús)* repique de campanas; campanilleo, toque de campanilla; tintineo; timbrazo; sonido metálico; entonación, timbre (de la voz); rumor, clamor, estruendo; juego de campanas ‖ *(Comput)* anillo, aro, círculo ‖ *(Mat)* anillo, toro ‖ *(Fís del átomo)* capa, piso. SIN. **shell** ‖ *(Quím)* cadena cerrada ‖ *(Mot)* segmento, aro (de pistón) ‖ *(Herr)* calibre de anillo ‖ *(Turbinas)* corona ‖ *(Telecom)* anillo. En las clavijas de tres contactos, contacto circular que se encuentra entre la punta y el cuerpo de la clavija ‖ (hilo de) anillo. Conductor de una línea bifilar conectado al anillo o contacto circular de una clavija ‖ llamada ‖ *(i.e.* ring of plug) collar de (la) clavija ‖ *(Telef)* anillo (de clavija); hilo de anillo, hilo B, hilo de batería ‖ *(Teleg)* corona ‖ *(Anclas)* arganeo ‖ *(Altos hornos)* pegotes en anillo ‖ *(Cúpulas)* cornisa de asiento ‖ *(Embutición en frío)* anillo hembra ‖ *(Hileras de estirar desgastadas)* surco circular próximo a donde toca el alambre ‖ *(Continuas de hilar)* anillo, aro ‖ *(Dib, Diseños)* círculo ‖‖ adj:

anular, en anillo, de forma [estructura] anular; circular; toroidal ‖‖ *verbo:* anillar, poner anillo (a); argollar; zunchar; circundar; formar círculo alrededor (de); cortar en rodajas; subir en espiral (el humo); tocar, tañer, repicar (campanas); tocar (un timbre, una campanilla); tintinear; resonar, retumbar; zumbar (los oídos); vibrar; anunciar [celebrar, proclamar] con campanas; llamar [convocar] con campana ‖ *(Circ resonantes)* oscilar transitoriamente ‖ *(Telecom)* llamar (haciendo sonar un timbre); dar timbre, repicar, hacer sonar un timbre [una campanilla eléctrica]; sonar, tocar. SIN. **call**.

ring anode　ánodo anular [de anillo].

ring antenna　antena en anillo.

ring armature　*(Elec)* inducido de anillo. Tipo de inducido ya anticuado, del que son variantes el de Gramme [Gramme ring] y el de Pacinotti [Pacinotti ring].

ring-around　*(Radar)* disparo falso de un respondedor por su propio emisor; disparo de un respondedor en todas direcciones (dando en el indicador PPI una imagen circular).

ring back　*(Telef)* retorno de llamada; señal de llamada.

ring-back apparatus　*(Telef)* aparato telefónico mixto. SIN. **call-back apparatus**.

ring-back key　*(Telef)* llave de llamada del abonado.

ring-back signal　*(Telef)* señal de llamada de la telefonista al peticionario. Señal hacia atrás [backward signal] destinada a un abonado peticionario [calling subscriber] mantenido por una operadora (CEI/70 55–115–215). CF. **ring-forward signal**.

ring-back telephone apparatus　v. **ring-back apparatus**.

ring-bar circuit　*(TOP)* circuito de anillo y barra. SIN. **counterwound helix**.

ring binder　carpeta de argollas.

ring body　*(Geom)* toro.

ring bridge　puente en anillo.

ring bus　*(Elec)* barra colectora en anillo.

ring cable system　cable anular [en anillo].

ring circuit　*(Elec)* anillo. Circuito conectado en sus dos extremidades a la misma fuente de alimentación o a dos fuentes de alimentación diferentes y que sirve a lo largo de su trayecto puntos de consumo conectados de tal manera que la energía les puede ser suministrada indistintamente de una u otra de las dos direcciones del circuito (CEI/65 25–15–070) ‖ *(Hiperfrec)* circuito en anillo. T híbrida (v. **hybrid T**) de configuración física anular con ramas radiales.

ring coil　bobina toroidal.

ring connection　*(Elec)* conexión en bucle [en polígono]. CF. **ring circuit**.

ring connector　anillo conector.

ring core　núcleo anular.

ring counter　contador anular [en anillo]. Circuito contador constituido por un anillo de elementos biestables (p.ej. basculadores) dispuestos de tal modo que en un instante dado cualquiera, todos se encuentran en estado normal o de reposo, menos uno, que se encuentra en estado activo ("on"); con la llegada de cada nuevo impulso de entrada (impulso gatillador), la posición del elemento en estado activo avanza un paso alrededor del anillo.

ring counting circuit　circuito contador en anillo.

ring counting unit　unidad contadora en anillo. v. **ring counter**.

ring cowl　v. **ring cowling**.

ring cowling　*(Avia)* *(also* ring cowl) cubierta anular.

ring current　corriente anular [circular].

ring demodulator　desmodulador en anillo. v. **ring modulator**.

ring-down　*(Telecom)* v. **ringdown**.

ring filter　*(Guías de ondas)* filtro de modo en anillo. v. **ring mode filter**.

ring-forward signal　*(Telef)* señal de llamada de la telefonista al abonado llamado. En un sistema de señalización por frecuencias vocales, señal hacia adelante [forward signal] emitida por una operadora o automáticamente, para llamar al abonado llamado después que el mismo ha colgado, por ejemplo seguidamente después de una intromisión [intrusion] (CEI/70 55–115–210). CF. **ring-back signal.**

ring-frame *(Aeron)* cuaderna ‖ *(Tejeduría)* continua de hilar (de anillo), telar de anillo.

ring gage anillo calibrador; calibre anular [de anillo], vitola; calibre para anillos.

ring gasket empaquetadura circular.

ring gear corona (dentada), aro [anillo] dentado, engranaje anular.

ring geometry geometría anular.

ring head *(Registro mag)* (a.c. ring-type head) cabeza (magnética) anular, cabeza en anillo. Cabeza de registro magnético en la cual el material magnético forma un cuerpo cerrado con uno o más entrehierros. El elemento portador del registro (cinta, hilo) salva la distancia que separa las piezas polares de uno y otro lado del entrehierro.

ring hook armella.

ring joint *(Fontanería)* junta de anillo.

ring louver *(Ilum)* celosía anular. Celosía constituida por elementos en forma de anillo dispuestos concéntricamente. SIN. **spill ring** *(GB)* (CEI/70 45–55–255).

ring magnet imán anular. Imán en anillo cuya longitud axil no es mayor que el espesor de la pared, siendo este último no menor que cierto porcentaje (p.ej. 15 %) del diámetro exterior. En algunos altavoces se usa un imán anular para establecer el campo de excitación.

ring main *(Elec)* cable anular [en anillo]; canalización circular ‖ conductor en anillo. Conductor cuyas dos extremidades están conectadas a la misma fuente de energía (CEI/38 25–20–070). CF. **ring circuit.**

ring-main distribution *(Elec)* distribución en anillo.

ring manually *(Telef)* llamar manualmente.

ring method *(Ensayos de materiales mag)* método del anillo, método de Rowland. Método en el cual el material en ensayo se utiliza en forma de núcleo anular de un transformador. SIN. **Rowland method.**

ring microphone micrófono de cuadrilátero. Micrófono instalado encima del cuadrilátero en funciones de boxeo o de lucha, para captar las instrucciones del árbitro y los sonidos que se producen en el cuadrilátero.

ring mike v. **ring microphone.**

ring mode filter *(Hiperfrec)* filtro de modo en anillo. Filtro de modo constituido por uno o más anillos metálicos resonantes. SIN. **ring filter** (CEI/61 62–15–115).

ring modulator modulador anular [en anillo]. Modulador consistente en cuatro diodos conectados en serie formando un anillo por el cual la corriente circula fácilmente en un sentido, estando las conexiones de entrada y de salida hechas a los cuatro puntos nodales [nodal points] del anillo. El mismo circuito se utiliza como detector de fase, desmodulador, o modulador equilibrado.

ring-of-ten circuit circuito (contador) en anillo de diez.

ring-of-ten counting system sistema contador en anillo de diez.

ring-off drop *(Telef)* indicador de fin de conversación.

ring-operated network *(Elec)* red de explotación en anillos. Red de anillos [ringed network] todos cuyos aparatos de corte [switching devices] están normalmente cerrados, de tal manera que la totalidad o la mayor parte de los puntos que han de ser alimentados son servidos cada uno en forma permanente por más de una vía, o red cuya estructura es la de una red de mallas [meshed network], pero que es explotada de tal manera que la totalidad o la mayor parte de los puntos que han de ser alimentados son servidos cada uno por más de una vía, estando los enlaces con otras fuentes de alimentación establecidos solamente por el cierre de dispositivos de conmutación [switching devices] que están normalmente abiertos (CEI/65 25–15–080).

ring oscillator oscilador en anillo. Circuito constituido por dos o más pares de tubos electrónicos trabajando como osciladores en contrafase alrededor de un anillo. Por lo común los pares sucesivos

alternos de rejillas y ánodos van conectados a circuitos tanque; los tubos adyacentes alrededor del anillo están en oposición de fase, y la carga va conectada a los circuitos de ánodo.

ring-plane circuit *(Hiperfrec)* circuito de anillo y plano. Estructura de ondas lentas [slow-wave structure] consistente en anillos circulares o tubos ranurados soportados por planos radiales.

ring recording head *(Registro mag)* cabeza de registro en anillo. v. **ring head.**

ring retard *(Relés)* anillo de retardo. Conductor grueso dispuesto de manera de retardar el establecimiento o la desaparición del flujo magnético. SIN. **slug retard.**

ring rheostat reostato de anillo.

ring scaler escala en anillo, circuito de escalímetro anular.

ring scaling circuit circuito de escala en anillo ‖ escala en anillo. Circuito de escala multiestable [multistable scaling circuit] que comprende un número cualquiera de etapas igual al factor de escala [scaling factor] deseado y dispuesto en anillo de manera tal que cada etapa se encuentra en un estado particular y cada impulso de entrada provoca la transferencia de ese estado a la etapa siguiente a lo largo del anillo (CEI/68 66–15–275). v. **scaling circuit.**

ring seal cierre anular, anillo estancador [obturador].

ring-seal tube *(Elec)* tubo (electrónico) de cierre anular. (**1**) Tubo electrónico cuya ampolla de vidrio se forma uniendo por fusión sus dos mitades; la unión adquiere la forma de un anillo diametral a través del cual o cerca del cual salen al exterior las conexiones de los electrodos o elementos internos. CF. **disk-seal tube.** (**2**) Tubo electrónico cuyo ánodo y rejilla son simétricos en dirección radial, y en el cual la segunda va conectada a un anillo metálico embutido en la ampolla de vidrio y que sirve de contacto exterior. Esta configuración constructiva permite incorporar el tubo en una cámara coaxil, con la rejilla conectada al cilindro exterior y el ánodo al conductor interior, para hacerlo funcionar como amplificador con rejilla a tierra.

ring-shaped *adj*: anular, en forma de anillo; circular. SIN. **annular.**

ring-shaped segment *(Conmut rotativos)* segmento anular.

ring sight *(Armamento)* alza circular; alza de parrilla.

ring sign *(Ferroc)* indicador para campaneo.

ring splice *(Cables)* ayuste de anillo.

ring spring (a.c. ring-type spring) muelle anular ‖ *(Jacks)* resorte largo. CF. **tip spring.**

ring switch *(Hiperfrec)* conmutador de anillo. Conmutador de guía de ondas [waveguide switch] que comprende uno o más anillos metálicos resonantes (CEI/61 62–15–185).

ring system v. **ring cable system.**

ring tension tensión circunferencial.

ring the bell *(Telef)* accionar el timbre.

ring time v. **ringing time.**

ring transformer *(Elec)* transformador toroidal. v. **toroidal transformer.**

ring-type head v. **ring head.**

ring-type spring v. **ring spring.**

ring winding *(Elec)* devanado en anillo, arrollamiento anular [en anillo], devanado toroidal ‖ devanado en anillo. Devanado formado por espiras enrolladas en torno a un núcleo magnético en forma de anillo, de manera que un costado de cada espira pase por el interior del anillo (CEI/38 10–05–110, CEI/56 10–35–080).

ring wire *(Telef)* hilo de llamada ‖ (a.c. R wire) hilo de nuca. Hilo asociado a la nuca de una clavija [plug] o al punto correspondiente de un jack (CEI/70 55–95–010). SIN. **B wire.**

ringdown *(Telecom)* señalización [llamada] manual, señalización por llave. (**1**) Señalización consistente en la emisión de una corriente de llamada (CA o CC) mediante el accionamiento de una llave o palanca. (**2**) Señalización de abonados o de telefonistas mediante una corriente alterna que puede ser de 20 Hz, de 135 Hz, o de 1 000 Hz interrumpida a razón de 20 veces por segundo. (**3**) Método de señalización en el cual se emite por la línea una corriente de repique [ringing current] que acciona un indicador visual de llamada [drop] o un conjunto de relé autoenclavador y lámpara [self-locking relay and lamp]. (**4**) Método en que tanto la señalización como la vigilancia [supervision] están controladas por una corriente de repique. SIN. **ringdown signaling.** CF. **dial signaling.**

ringdown circuit   *(Telecom)* circuito de señalización manual. Circuito en el cual la señalización se efectúa por aplicación manual de una corriente de repique de determinada frecuencia: 16, 20, 135, ó 1 000 Hz.

ringdown operation   *(Telef)* servicio con llamada por llave; servicio con llamada previa.

ringdown operation on a no-delay basis   *(Telef)* servicio sin espera con llamada por llave.

ringdown operation on demand basis   *(Telef)* servicio sin espera con llamada por llave.

ringdown signaling   señalización manual [por llave]. SIN. **ringdown.**

ringdown trunk   *(Telef)* enlace magneto.

ringed network   *(Elec)* red de anillos. Red, o parte de red, constituida enteramente o principalmente por anillos |ring circuits] cuya totalidad o cuya mayor parte están conectados individualmente, en sus extremidades, a la misma fuente de alimentación [source of supply] (CEI/65 25–15–075). CF. **meshed network.**

ringer   campanero; campanillero; timbre de corriente alterna; martinete pequeño || *(Minas)* maceta || *(Telef)* timbre; llamador, dispositivo de llamada. Timbre eléctrico asociado a un aparato telefónico y destinado a indicar las llamadas dirigidas a ese aparato. SIN. **bell set** *(GB)*, **subscriber's ringer, telephone ringer** | señalador, panel de señalización | señalizador, repetidor de llamada. Dispositivo que recibe corriente de una frecuencia y emite corriente de otra frecuencia al circuito siguiente. SIN. **ringing converter** | generador (de corriente) de llamada. SIN. **ringing machine.**

ringer button   botón de llamada [de repique], botón llamador. CF. **ringing key.**

ringer coil   bobina para campanilla.

ringer striker   macillo de timbre.

ringer test   *(Telef)* prueba de señaladores.

ringing   *(Acús)* campaneo, campanilleo, sonido de campanilla; repique, sonido de timbre || *(Electroacús)* oscilaciones transitorias (de alta frecuencia). Fenómeno que se produce en un audioamplificador cuando, por rotación de fase en los circuitos, la reacción negativa tiende a hacerse positiva en la región de las altas frecuencias (notas agudas). En estas condiciones el amplificador se hace inestable y entra en oscilación transitoria cuando recibe señales fuertes o de ataque rápido || *(Altavoces)* oscilación libre transitoria. Oscilación del sistema móvil producida generalmente por una nota o señal fuerte (especialmente si es de ataque rápido, como la de los instrumentos de percusión). Este es un efecto indeseable que se reduce aumentando la amortiguación mecánica del sistema móvil, la amortiguación eléctrica del amplificador, o la intensidad del campo magnético de excitación del altavoz. SIN. **hangover** || *(Circ resonantes)* oscilaciones amortiguadas. Oscilaciones de amplitud decreciente iniciadas por un impulso excitador de corriente; la duración de cada tren de oscilaciones aumenta con el Q del circuito resonante. Estas oscilaciones son a veces causa de inconvenientes en los circuitos de yugo (v. **yoke**) de los televisores || *(Elecn, Telecom)* oscilaciones transitorias; sobreoscilación. Oscilaciones transitorias producidas en la salida de un sistema por efecto de un cambio brusco en la excitación de entrada | oscilación transitoria. Oscilación amortiguada que se presenta en una red como consecuencia de un cambio súbito de la señal de entrada o de los elementos del circuito (CEI/70 55–35–195) | CF. **overshoot** || *(Tv)* oscilación transitoria, oscilaciones (transitorias); postoscilaciones; duplicación (de imágenes); franjas. (**1**) Oscilaciones transitorias que por efectos de resonancia se producen en los

circuitos de barrido o desviación, con el resultado de que se observan, hacia el lado de la izquierda de la pantalla, franjas verticales blancas. (**2**) Oscilaciones transitorias en el sistema de videofrecuencia que dan lugar a la aparición de imágenes repetidas próximas entre sí (defecto que se nota en particular en la reproducción de objetos fijos que exigen componentes frecuenciales próximas a la frecuencia de corte del sistema), o que pueden producir la aparición de una raya negra inmediatamente hacia la derecha de un objeto blanco | sobreoscilación. Defecto análogo al arrastre corto (v. **streaking**), en el cual la perturbación de la luminancia presenta un carácter oscilatorio que se traduce en franjas que bordean los contornos de contraste fuerte (CEI/70 60–64–470) || *(Telecom)* llamada (de timbre), repique. Acción o efecto de llamar o de dar timbre. Señalización consistente en la emisión de corrientes o de tensiones que accionan un timbre (u otro dispositivo avisador) en la estación llamada. Se utilizan p.ej. tensiones intermitentes de 20 ó 30 Hz. En telefonía, si hay más de una estación en una misma línea, puede utilizarse un sistema de repique codificado (distintas combinaciones de repiques cortos y largos), para que sólo suene el timbre del abonado llamado. En este caso la clave de repique es seleccionada automáticamente al marcar una de las cifras del número llamado [ringing digit], generalmente la última | llamada. Señalización audible o visual que invita a un abonado o una operadora a entrar en comunicación. SIN. **calling** *(GB)* | llamada. En un sistema automático [automatic system], maniobra efectuada por un abonado peticionario [calling party] para ponerse en comunicación con una estación llamada y, por extensión, conjunto de operaciones provocadas por esa maniobra. SIN. **call** | llamada. Envío de una corriente de señalización alterna destinada a producir en la estación del abonado una señal audible o visible (CEI/70 55–105–115) | CF. **interrupted ringing, keyless ringing, machine ringing, manual ringing, power ringing, immediate ringing, harmonic ringing, selective ringing** || *(Fab de alambre)* anillamiento. Formación de un anillo en la hilera o máquina de estirar, con el resultado de que se forman estrías longitudinales en el alambre || *(Empaques)* zunchamiento, zunchado || *(Quím.)* anillación /// *adj:* sonoro, resonante; oscilante || *(Telecom)* de llamada, de repique; de timbre.

ringing amplifier   amplificador oscilante.

ringing battery [RB]   *(Telecom)* batería de llamada.

ringing changeover switch   *(Telecom)* conmutador de timbre.

ringing choke circuit   vibrador electrónico.

ringing circuit   *(Telef)* circuito de llamada. SIN. **signal circuit.**

ringing converter   *(Telecom)* señalizador, repetidor de llamada. Dispositivo de señalización que recibe una señal de una frecuencia y emite otra de distinta frecuencia. En el caso de la traducción sobre una unidad terminal de voz [voice terminal unit], la primera frecuencia es típicamente de 20 Hz, y la segunda de 1 000 Hz interrumpida 20 veces por segundo. SIN. **ringer.**

ringing current   *(Telef)* corriente de llamada [de repique]. Corriente alterna de llamada que a veces se superpone a una corriente continua.

ringing-current circuit   *(Telef)* circuito de corriente de llamada.

ringing-current impulses   impulsos de corriente de llamada [de repique].

ringing cycle   *(Telef)* periodicidad de la llamada. SIN. **ringing periodicity.**

ringing difficulty   *(Telef)* dificultad de llamada.

ringing dynamometer   *(Telecom)* dinamómetro de repique.

ringing frequency   *(Telef)* frecuencia de llamada. SIN. **signaling frequency.**

ringing guard signal   *(Telef)* señal de conexión establecida. SIN. **ringing tone.**

ringing impulses   *(Telef)* impulsos de llamada [de repique].

ringing key   *(Telef)* llave de llamada [de repique]. Llave cuya maniobra provoca la emisión de una corriente de llamada o repique [ringing current]. CF. **ringdown, ringer button.**

ringing machine   *(Telef)* máquina de llamada [de llamar, de repique], generador (de corriente) de llamada. SIN. **ringer.**

ringing noise   ruido de "campanilleo". Ruido característico que se escucha por el altavoz cuando en el amplificador que lo excita hay una válvula (tubo electrónico) con elementos internos flojos.

ringing-off signal   *(Telef)* señal de fin de comunicación.

ringing oscillator   *(Elecn)* oscilador excitado por choque [por impulsión, por impacto]. SIN. **shock-excited (ringing) oscillator** (véase).

ringing periodicity   *(Telef)* periodicidad de la llamada. SIN. **ringing cycle.**

ringing pilot   *(Telef)* piloto de llamada.

ringing pilot lamp   *(Telef)* lámpara piloto de llamada.

ringing position   *(Telef)* posición de llamada (p.ej. de una llave).

ringing pulse   impulso oscilante.

ringing relay   *(Telef)* relé de llamada; relé de timbre. A VECES: relé de línea. SIN. **calling relay.**

ringing repeater   *(Telef)* repetidor de llamada; señalador de baja frecuencia. Dispositivo que evita que las corrientes de señalización de baja frecuencia [low-frequency ringing currents] tengan acceso a los amplificadores de un repetidor, y asegura el envío por la línea, en la dirección deseada, de corrientes de señalización regeneradas. CF. **ringing converter, voice-frequency signaling relay set.**

ringing set   *(Telecom)* indicador acústico ‖ *(Telef)* señalador de frecuencia vocal. CF. **low-frequency ringing set.**

ringing signal   *(Telecom)* señal de llamada [de repique].

ringing supply   *(Telecom)* fuente de corriente de llamada [de repique]. CF. **ringing machine.**

ringing test   *(Elecn)* prueba por excitación de oscilaciones transitorias. Se usa p.ej. para probar ciertos componentes inductivos de un televisor, tales como el yugo de desviación, el transformador de salida horizontal, y la bobina economizadora [efficiency coil] ‖ *(Telef)* v. **ringer test.**

ringing time   *(Circ osc)* tiempo de resonancia. Tiempo necesario para que la salida del circuito baje a un nivel determinado a partir del instante en que se corte la alimentación de entrada ‖ *(Radar)* duración de respuesta. Tiempo contado a partir del fin de un impulso emitido por un radar, durante el cual la energía devuelta por un resonador de ecos [echo box] se mantiene por encima del valor mínimo necesario para producir una señal visible en la pantalla del indicador [display] (CEI/70 60–72–655). SIN. **ring time.**

ringing tone   *(Telef)* señal [zumbido] de llamada; señal de repique ‖ señal de llamada audible. SIN. **audible ringing signal** ‖ tono para marcar. SIN. **audible ringing signal** ‖ tono de control de llamada. SIN. **buzzer tone** ‖ señal de conexión establecida. SIN. **audible ringing signal, ringing guard signal** ‖ tono de llamada. Señal audible [audible signal] que indica al abonado que llama [calling party] que la comunicación ha sido establecida y que el abonado deseado está siendo llamado [the called party is being rung] (CEI/70 55–105–200).

ringing tone signal   *(Telef)* señal [tono] de llamada. Señal transmitida hacia la central de salida [outgoing exchange] para indicar que el abonado deseado está siendo llamado [the wanted number is being rung]. v.TB. **ringing tone.**

ringing trip   *(Telef)* corte [interrupción] de llamada.

ringing-trip circuit   circuito de corte de llamada.

ringing-trip relay   relé de corte [interrupción] de llamada. SIN. **tripping relay.**

ringing-type ultrasonic delay line   línea de retardo ultrasónica del tipo resonante.

riometer   riómetro, medidor de la opacidad ionosférica relativa. Aparato que sirve para medir las variaciones de la absorción ionosférica de las ondas electromagnéticas; se funda en la determinación y el registro del nivel de ruido radioeléctrico de origen cósmico, o sea, de origen extraterrestre. El nombre viene de *relative ionospheric opacity meter.*

rip   rasgadura, rasgón, desgarrón, desgarro, raja ‖ *(Mar)* cabrilleo (formación de olas pequeñas) ‖ *(Ríos)* burbujeo; zona de agua agitada /// *verbo:* rasgar(se), desgarrar(se); rajarse, henderse, romperse ‖ *(Carp)* aserrar con corte longitudinal, aserrar a lo largo, cortar al hilo, aserrar en la dirección de la fibra; hender (p.ej. con el hacha) ‖ *(Terrenos)* romper, rasgar, desfondar.

rip-cord   v. **ripcord.**

rip panel   *(Globos)* banda de desgarre.

rip-saw   v. **ripsaw.**

ripcord   *(Paracaídas)* cuerda de apertura. TB. extractor, disparador. Cuerda que sirve para abrir el paracaídas tirando de ella ‖ *(Globos)* cuerda [cabo] de desgarre.

ripple   ondulación, undulación; serie de ondas; onda, rizo (del agua); escarceo (movimiento en la superficie del agua, con pequeñas olas ampolladas); murmullo (de un riachuelo o arroyo) ‖ *(Elec/Elecn/Telecom)* ondulación (residual), rizado. Fluctuación periódica (componente alterna) presente en la corriente suministrada por una fuente de corriente continua que es alimentada con corriente alterna, y que se debe a filtraje imperfecto de la corriente rectificada. En los radiorreceptores y los sistemas amplificadores de sonido es causa de *zumbido* [hum], y en los televisores da origen a perturbaciones en la imagen. Generalmente se mide por el cociente, expresado en tanto por ciento, de su valor efectivo [effective value] por el valor medio de la tensión total. SIN. **componente alterna residual, remanente de CA** ‖ fluctuación, variación pequeña de tensión ‖ ondulación (de una corriente unidireccional). Componente alterna presente en una corriente unidireccional, procedente generalmente de la fuente de alimentación (CEI/70 55–10–155).

ripple-carry counter   contador de transporte ondulante.

ripple component   componente ondulatoria, componente alterna (de la corriente rectificada), componente alterna residual. Residuo de CA en forma de ondulaciones, debido a filtraje imperfecto de la corriente rectificada. SIN. **ripple.**

ripple content   componente ondulatoria [alterna]. SIN. **ripple.**

ripple counter   *(i.e.* ripple-carry counter) contador de transporte ondulante.

ripple current   corriente ondulatoria (residual), componente ondulatoria [alterna] (de la corriente rectificada). SIN. **ripple** ‖ corriente unidireccional con fluctuaciones, corriente continua ondulada.

ripple-current rating   *(Capacitores)* valor efectivo de la componente alterna.

ripple factor   factor de ondulación [de rizado]. (**1**) Cociente del valor efectivo [effective value] de la componente alterna de una tensión (o corriente) por el valor medio de la tensión (o la corriente). (**2**) En un rectificador, cociente entre la tensión eficaz de ondulación y la tensión continua de salida. Si se quiere expresar el factor de ondulación en tanto por ciento, se multiplica el resultado del cálculo por 100.

ripple filter   filtro de ondulación, filtro de [para] pulsaciones, filtro contra el zumbido. Filtro de paso bajo [low-pass filter] destinado a reducir la ondulación (v. **ripple**) y al propio tiempo dar paso libre a la corriente continua procedente de un rectificador o de un generador de corriente continua.

ripple frequency   frecuencia de ondulación [de rizado], frecuencia de la componente alterna residual, frecuencia del residuo de CA; frecuencia del zumbido.

ripple noises   ruidos de alimentación; oscilaciones residuales (por filtrado insuficiente).

ripple quantity   componente alterna de una magnitud pulsante. La expresión implica que la componente alterna es pequeña en relación con la componente continua.

ripple ratio   relación de rizado [de ondulación residual]. Fracción que tiene por numerador la diferencia entre los valores máximo y mínimo de la componente alterna de una magnitud pulsante [ripple quantity], y por denominador el valor medio de dicha componente ‖ factor de ondulación [de rizado]. v. **ripple factor.**

ripple-through carry   *(Informática)* transporte ondulante.

ripple voltage   tensión de ondulación (residual), tensión de la componente alterna. Componente alterna de una tensión unidireccional | tensión de ondulación. Componente alterna de la tensión en el lado de corriente continua de un rectificador (CEI/56 11–20–200) | tensión ondulatoria, voltaje ondulado, voltaje continuo con pequeñas variaciones cíclicas, tensión continua con pequeñas fluctuaciones periódicas.

rippled enamel finish   acabado de esmalte rugoso.

riprap   escollerado, pedraplén, escollera de defensa, encachado, enrajonado, enrocamiento; revestimiento de talud, zampeado, losas de defensa || *(Geol)* rocalla /// *verbo:* escollerar, pedraplenar; zampear, revestir de piedra.

riprap protection on slope of bank   *(Ferroc)* revestimiento en seco. Obra hecha con piedra suelta para evitar el desmoronamiento del terreno.

ripsaw   sierra de cortar al hilo [de cortar a lo largo] /// *verbo:* aserrar a lo largo [al hilo, en la dirección de la fibra]. SIN. **rip**.

RISAFMONE code   *(Telecom)* código RISAFMONE. Código utilizado para informar sobre las características de las señales telegráficas recibidas.

rise   ascensión, elevación; ascenso; levantamiento; auge; desarrollo, crecimiento; rampa; inclinación, pendiente; salida (de un astro) || *(Arcos, Bóvedas, Constr)* flecha, montea, peralte || *(Escalones)* peralte, altura; contrahuella || *(Barómetros)* alza, subida || *(Mareas)* flujo, creciente || *(Ríos)* crecida, creciente; nacimiento || *(Mat)* pendiente (de una curva); elevación || *(Minería)* chimenea, coladero, realce; pozo de monta || *(Precios)* alza, aumento, subida || *(Temperatura)* subida, elevación, alza || *(Topog)* cuesta, subida; elevación, eminencia, altura, colina /// *verbo:* ascender, elevarse; levantarse; crecer; salir (un astro) || *(Mareas)* crecer, subir || *(Ríos)* crecer, subir; nacer, brotar, salir || *(Precios)* subir, aumentar.

rise-and-fall pendant   *(Ilum)* luminaria suspendida de altura regulable. Luminaria suspendida [pendant fitting, pendant luminaire, suspended luminaire] de altura regulable por medio de una suspensión de polea, contrapesos, etc. (CEI/70 45–55–090) | aparato de contrapeso.

rise cable   cable ascendente. Dícese en particular de un tramo de cable de recorrido vertical entre distintos pisos de un edificio. CF. **rising main**.

rise time   tiempo de subida. (1) Tiempo que necesita un impulso de señal para pasar del 10 al 90 por ciento de su amplitud estable final; es una medida de la pendiente del frente de onda. (2) Recíproca de la rapidez de reacción de un dispositivo; en electroacústica, esta rapidez es la que determina la aptitud del dispositivo de reproducir con exactitud la señal aplicada durante los primeros microsegundos del intervalo de ataque de un instrumento musical u otra fuente sonora. SIN. **tiempo de desarrollo** [establecimiento, formación, crecimiento, transición], intervalo de ascenso [elevación, ataque, desarrollo, establecimiento, formación] —— **building-up** [buildup] **time, transition**. CF. **decay** [fall] **time** | *(of a pulse)* tiempo [intervalo] de establecimiento. Intervalo de tiempo entre los instantes a los cuales el valor instantáneo de un impulso o de su envolvente (si se trata de un impulso de onda portadora) alcanza por primera vez los límites inferiores y superiores dados, los que, salvo indicación en contrario, son 10 % y 90 % de la amplitud (CEI/70 55–35–110) | *(of a receiver or an amplifier)* tiempo de subida (de la respuesta a un escalón). Tiempo transcurrido entre los instantes en que son alcanzadas dos fracciones especificadas, por ejemplo 10 % y 90 %, del valor alcanzado en régimen estable por la respuesta a un escalón [step function]. SIN. **building-up** [buildup] **time** (CEI/70 60–10–050) || *(i.e. growth time)* tiempo [duración] de crecimiento.

risetime   v. rise time.

rising-and-cross lens-front   *(Fotog)* portaobjetivo de descentramiento vertical o lateral.

rising characteristic   característica (de respuesta) ascendente. (1)

Característica de un dispositivo cuya amplitud de salida aumenta con la frecuencia. (2) Característica de un dispositivo o una máquina eléctrica cuya tensión aumenta cuando aumenta la corriente, como en el caso de la generatriz con excitación hipercompuesta [overcompounded generator]. CF. **falling characteristic**.

rising dust   *(Meteor)* polvo que levanta el viento; polvareda levantada por el viento. AFINES: tolvanera, remolino de polvo, nube de polvo. CF. **rising sand**.

rising edge   *(Impulsos)* flanco ascendente [de subida]. CF. **falling edge**.

rising main   conducto [canalización, tubería] ascendente || *(Elec)* línea de subida. Circuito principal que corre de un piso a otro en un edificio. CF. **rise cable** | columna ascendente. Línea tendida verticalmente en el interior de un edificio de múltiples pisos, y de la cual parten las acometidas [service lines] a los diferentes pisos (CEI/65 25–20–025).

rising sand   *(Meteor)* arena que levanta el viento; arena [polvareda] levantada por el viento. CF. **rising dust**.

rising straight line   recta ascendente.

rising sun   sol naciente.

rising-sun anode block   *(Magnetrones)* ánodo macizo con sistema de cavidades de "sol naciente".

rising-sun magnetron   magnetrón de "sol naciente". Magnetrón multicavidad [multicavity magnetron] cuyas cavidades (de sección trapezoidal) son de dos tamaños distintos alternados. Las cavidades de distinto tamaño resuenan a frecuencias diferentes, y sirven para la separación de modos. Las cavidades se practican en un bloque anódico [anode block] mediante cortes radiales cortos y largos a partir del perímetro interior del bloque, de modo que el conjunto recuerda por su aspecto los rayos del sol.

rising-sun resonator   *(Magnetrones)* resonador de "sol naciente", estructura anódica multicavidad de "sol naciente". SIN. **rising-sun anode block**.

risk   riesgo, peligro || *(Seguros)* riesgo.

risk area   zona de peligro || *(Radar)* zona de sombra. SIN. **blind area**.

risk function   función de riesgo. Función que un inversionista prudente trata de minimizar (o que un jugador trata de maximizar) mediante su comportamiento económico.

RIT   Siglas de Red Interamericana de Telecomunicaciones [Inter-American Telecommunications Network].

Ritter's method   *(Mec)* método de Ritter.

Ritz   Walter Ritz: analista inglés (1878–1909).

Ritz formula   *(Mat)* fórmula de Ritz.

Ritz method   *(Mat)* método de Ritz.

river   río /// *adj:* fluvial.

river-borne   *adj:* transportado por río [por vía fluvial].

river-borne silt   aluviones fluviales.

river-stage forecasting   *(Meteor)* pronóstico del caudal de los ríos.

river system   sistema fluvial.

river transportation   transporte [acarreo] fluvial.

riverside   ribera [margen, orilla] del río.

riverside station   *(Ferroc)* estación fluvial. Estación destinada a los servicios de navegación interior o vías fluviales.

rivet   remache, roblón; clavo para remachar /// *verbo:* remachar, roblonar, roblar; coser (chapas).

rivet gage   distancia entre las filas de remaches.

rivet gun   remachador neumático.

rivet hammer   martillo de remachar.

rivet head   cabeza de remache.

rivet holder   *(Remachado)* entibador.

rivet-holding tool   contrarremachador, sufridera, contrabuterola.

rivet pitch   paso del remachado. CF. **rivet gage**.

rivet set   *(Herr)* embutidor de remaches; boterola.

rivet shank   fuste [cuerpo, caña] del remache.

rivet squeezer   remachadora de compresión [de presión], prensa remachadora.

rivet tongs　tenazas de remache.

riveted joint　junta [costura] remachada.

riveting tongs　tenazas de remachar.

rivetless　*adj:* sin remaches; no remachado.

RL　Símbolo de resistance-inductance; resistor-inductor.

RLS　*(Teleg)* Abrev. de release.

RLSD　*(Teleg)* Abrev. de released.

RLSG　*(Teleg)* Abrev. de releasing.

RLT　Abrev. de radio letter; letter-telegram via radio.

RM　*(Telecom)* Abrev. de route manager.

RMA　Siglas de Radio Manufacturers Association [Asociación de Fabricantes de Radio]. Actualmente se llama *Electronic Industries Association.*

RMA color code　código de colores RMA. Actualmente se denomina *EIA color code.*

RMC　Siglas de Radio Monte-Carlo (Mónaco).

RMCA　Siglas de Radiomarine Corporation of America.

RMI　Abrev. de radio magnetic indicator.

RMKS　*(Teleg)* Abrev. de remarks.

Rmm, rmm　Abrev. de roentgen-per-minute-at-one-meter.

RMM　*(Informática)* Abrev. de read-mostly memory.

RMS, rms　Abrev. de root mean square.

RMS acceleration　aceleración eficaz. Valor cuadrático medio de la aceleración; dícese, por ejemplo, en relación con los movimientos sinusoidales.

RMS amperes　amperios efectivos [eficaces].

RMS amplitude　amplitud eficaz. SIN. **effective value, RMS value** (véase).

RMS current　corriente efectiva [eficaz]. v. **RMS value.**

RMS indication　indicación cuadrática media.

RMS inverse voltage rating　*(Rect)* valor eficaz de la tensión anódica inversa.

RMS magnitude　magnitud eficaz. SIN. **RMS value** (véase).

RMS-reading meter　instrumento indicador de valores eficaces [efectivos], aparato indicador de valores cuadráticos medios.

RMS scale　escala de valores eficaces.

RMS sound pressure　presión acústica eficaz.

RMS value　valor eficaz [efectivo], valor cuadrático medio. Raíz cuadrada de la media de los cuadrados de los valores instantáneos de una magnitud periódica durante un período completo. En el caso de las magnitudes sinusoidales, como p.ej. las corrientes y las tensiones alternas, esta definición corresponde al *valor efectivo* o *eficaz* [effective value]. v.TB. **root-mean-square value.**

RMS velocity　velocidad eficaz. Valor cuadrático medio de la velocidad; dícese p.ej. en relación con los movimientos sinusoidales.

RMS voltage　tensión eficaz [efectiva]. v. **RMS value.**

RMS volts　voltios eficaces [efectivos].

Rn　Símbolo químico del radón [radon].

RN　*(Telecom)* Abrev. de reference noise.

RNG　*(Radionaveg)* Abrev. de radio range || *(Teleg)* Abrev. de running.

RO　*(Teleimpr)* Abrev. de receive only.

RO set　*(Teleimpr)* equipo de recepción solamente.

roach　*(Hidroaviones)* estela || *(Entomología)* cucaracha || *(Ictiología)* leucisco.

road　camino; carretera; calle. Vía pública destinada al tránsito general, y que incluye el área total entre líneas frontales de propiedad. En las zonas urbanas se usa el término *calle* [highway, street]; en las zonas rurales se usa *camino* o *carretera* [highway, road]. LOCALISMOS: jirón (calle — Perú); ruta (término general — Paraguay). CF. **right of way** || *(Ferroc)* vía || *(Náutica)* rada. Lugar abrigado para fondear. SIN. **roadstead** /// *adj:* caminero.

road patrol　patrulla caminera, patrulladora. LOCALISMO: autopatrullera | (*i.e.* motor grader) motoconservadora, motoniveladora. Máquina niveladora autopropulsada, de reducida potencia, destinada exclusivamente a trabajos de conservación de caminos.

road roller　aplanadora, motocompactadora, apisonadora, cilindradora, cilindro de caminos, rodillo aplanador [compresor]. Máquina con rodillos pesados para apisonar suelos y pavimentos. Máquina autopropulsada provista de rodillos, destinada a compactar y aplanar suelos y otros materiales.

roadbed　*(Carreteras, Ferroc)* explanación, lecho de la vía, plataforma, terreno de asiento; firme, piso del camino. LOCALISMOS: afirmado, apisonado, banco del camino, plantilla || *(Carreteras)* lecho del camino, infraestructura, caja del firme. Parte de la zona del camino sobre la cual están construidas la capa de base, la capa superficial, las bermas, y la faja divisoria central || *(Ferroc)* plataforma de vía, infraestructura, terraplén. Superficie plana sobre la cual se asienta el balasto y la vía propiamente dicha.

roadside　*(Caminos)* zona lateral del camino. Faja de la zona de vía que queda fuera del afirmado. Area del camino adyacente a los bordes exteriores de la plataforma [roadway]. También puede ser considerada zona lateral, una superficie amplia entre las plataformas de una carretera con calzadas separadas [divided highway].

roadway　*(Carreteras)* calzada; camino | plataforma del camino. Parte de la carretera, incluso las bermas [shoulders], destinada al tránsito de los vehículos. Una carretera con calzadas separadas [divided highway] tiene dos (o más) plataformas | *(Especificaciones de constr)* parte de la carretera comprendida entre los límites de la construcción || *(Ferroc)* vía; lecho de la vía || *(Minas)* galería || *(Puentes)* tablero.

roaring　rugido | bramido. SINONIMO POETICO: frémito.

roaring forties　latitudes australes; zona tormentosa del Atlántico (entre los 40 y los 50 grados de latitud).

Robinson-Adcock direction finder　radiogoniómetro Robinson-Adcock. v. **Robinson direction finder.**

Robinson bridge　puente de Robinson.

Robinson direction finder　radiogoniómetro Robinson. Radiogoniómetro de antena orientable [rotating-aerial direction finder] constituida por un cuadro principal y un cuadro auxiliar ortogonal, conectados en serie, ajustándose la orientación de los dos cuadros hasta que la señal recibida no cambie cuando se invierten las conexiones del cuadro auxiliar [auxiliary loop] (CEI/70 60–71–430).

robot　robot, autómata. Nombre que se da a un dispositivo, aparato o máquina completamente automático. Por ejemplo, el mecanismo de sintonización que recorre la banda de sintonía y se detiene automáticamente cuando el receptor ha quedado sintonizado con una señal suficientemente fuerte /// *adj:* autómata, automático.

robot pilot　*(Avia)* piloto automático. SIN. **autopilot.**

robot subscriber　*(Telef)* (*i.e.* machine for locating faults) abonado autómata.

robot traffic-light　semáforo automático.

robotyper　*(Informática)* máquina eléctrica para reproducción automática.

Roche limit　*(Astr)* límite de Roche. Si un satélite se aproxima a su primario hasta que sólo lo separa cierta distancia crítica, las fuerzas de marea lo fragmentan. Esa distancia crítica se denomina *límite de Roche* y es igual a 2,44 radios contados a partir del centro del primario.

Rochelle copper plating　cobreado con sal de la Rochela.

Rochelle salt　sal de la Rochela. Químicamente es el *tartrato sódico potásico* [sodium potassium tartrate]. También recibe el nombre de *sal de Seignette* [Seignette salt], y a veces se usa asimismo el de *sal de la Rochelle* (versión francesa del nombre propio). Se usa para la fabricación de cristales piezoeléctricos, utilizables en fonocaptores y micrófonos.

Rochelle-salt crystal　cristal de sal de la Rochela.

Rochelle-salt-crystal microphone　micrófono de cristal de sal de la Rochela.

Rochelle-salt-crystal pickup　fonocaptor de cristal de sal de la Rochela.

rock　piedra; roca; peña, peñón, peñasco; laja; guijarro; escollo || (*Geol*) roca || (*Mec*) oscilación, movimiento oscilante /// *adj*: rocoso, roqueño; peñascoso /// *verbo*: oscilar; bascular; bambolear.

rock anchor   ancla para roca.

rock asphalt   roca asfáltica, piedra de asfalto, asfalto mineral [en roca]. Roca de textura granular (usualmente caliza o arenisca) que en estado natural contiene betún [bitumen] disperso en su masa, íntimamente ligado con ella.

rock crystal   (*Miner*) cristal de roca.

rock fill   escollera, enrocado, enrocamiento. LOCALISMOS: escollerado, pedraplén.

rock-fill dam   dique cimentado sobre rocas; presa de escollera. LOCALISMOS: cortina de enrocamiento, presa de roca suelta, tranque de escollera.

rock-filled dam   v. rock-fill dam.

rock outcrop   afloramiento (rocoso). Manto rocoso [bedrock] que aparece en la superficie del terreno.

rock salt   sal gema, sal pedrés, sal de mina [de piedra, de roca], halita.

rock-steady   *adj*: firme como una roca. Frase que se usa a veces para significar que el aparato aludido posee un alto grado de estabilidad funcional o estructural.

rock wool   lana de roca, lana mineral [pétrea].

rocker   (*Lenguaje ordinario*) cuna, mecedora; cosa que se mece || (*Mec*) balancín; balanceador, oscilador; eje oscilante; segmento oscilante || (*Puentes*) pedestal de oscilación.

rocker arm   balancín, brazo [palanca] oscilante, basculador, palanca de vaivén || (*Portaescobillas*) balancín || (*Teleimpr*) brazo oscilante || (*Mot*) balancín (empujaválvulas).

rocker-arm bearing   (*Mot*) cojinete del balancín.

rocker-arm depressor   (*Mot*) vástago del balancín.

rocker-arm hub   (*Mot*) cubo del balancín.

rocker-arm roller   (*Mot*) rodillo del balancín.

rocker-arm shaft   eje del balancín.

rocker bail   (*Teleimpr*) fiador oscilante.

rocker-bail assembly   conjunto del fiador oscilante.

rocker-bail shaft   eje del fiador oscilante.

rocker bearing   (*Estr*) apoyo de oscilación.

rocker box   caja de balancín.

rocker shaft   eje de balancín.

rocker switch   conmutador basculante; interruptor oscilante. CF. slide switch.

rocket   cohete; bomba cohete, bomba volante | cohete. Aeronave o astronave capaz de ser dirigida a su destino sin necesidad de tripulantes /// *adj*: cohético, cohetero.

rocket aircraft   avión cohete.

rocket airplane   avión cohete, avión de propulsión cohética, avión propulsado por reacción directa.

rocket-assisted   *adj*: ayudado por cohete; acelerado por cohete.

rocket-assisted takeoff   (*Avia*) despegue acelerado por cohete.

rocket blastoff   disparo de cohete.

rocket bomb   bomba cohete.

rocket booster   cohete auxiliar; acelerador cohético.

rocket drive   (*Avia*) propulsión por reacción directa.

rocket-driven airplane   avión cohete; avión propulsado por cohete.

rocket-driven plane   v. rocket-driven airplane.

rocket engine   motor cohete [cohético].

rocket firing   disparo [lanzamiento] de un cohete.

rocket-firing aircraft   avión lanzacohetes.

rocket flight   vuelo cohético; vuelo por propulsión de reacción directa.

rocket instrumentation   instrumental cohético [de cohetes].

rocket missile   proyectil cohético.

rocket motor   motor cohético; propulsor de cohete.

rocket-propelled   *adj*: propulsado [impulsado] por cohetes, de propulsión cohética.

rocket-propelled vehicle   vehículo impulsado por cohetes.

rocket propulsion   propulsión por cohete; propulsión por reac-

ción directa.

rocket test stand   banco de prueba de cohetes.

rocket vehicle   cohete portador.

rocketry   cohetería, técnica de los cohetes; empleo de cohetes.

rocking   balanceo, oscilación, basculación, movimiento de vaivén; balance, cuneo || (*Mandos rotativos*) accionamiento alternativo, rotación alternativa. EJEMPLOS: (a) Se hace girar alternativamente hacia la derecha y hacia la izquierda un mando de sincronismo, hasta los puntos críticos (sincronismo precario) en uno y otro sentido, y luego se deja el mando en el punto medio entre los críticos; se obtiene así el mayor margen posible de estabilidad de sincronismo. (b) Se le imprime un movimiento alternativo al mando de sintonía de un receptor superheterodino, al mismo tiempo que se ajusta el compensador o "padder" del oscilador (v. **padder**) cerca de la extremidad de baja de frecuencia del cuadrante, para obtener un alineamiento más exacto de los circuitos resonantes || (*Ferroc*) galope, cabeceo; movimiento de lazo. Oscilación vertical de los vehículos alrededor de su eje transversal /// *adj*: oscilante, basculante.

rocking arc furnace   horno basculante de arco. Horno de arco indirecto [indirect-arc furnace], que puede oscilar durante su funcionamiento alrededor del eje común a sus dos electrodos (CEI/60 40-10-065).

rocking furnace   horno basculante [de balanceo].

rocking grate   parrilla oscilante [basculante]. Parrilla articulada en su centro || (*Ferroc*) parrilla oscilante. Conjunto de barrotes con dientes que giran en torno de su propio eje y destinado a librar a la parrilla de los residuos de combustión adheridos a la misma.

rocking of the wings   (*Avia*) balanceo de las alas.

rockoon   combinación globo-cohete. Combinación de un globo que lleva suspendido un cohete que es disparado cuando aquél llega a su altura máxima. El cohete tiene por fin efectuar sondeos atmosféricos de gran altura. El nombre en inglés viene de *rock*et-bal*loon*.

Rockwell hardness test   prueba de dureza (por el método) Rockwell.

Rocky Point effect   efecto Rocky Point. (1) Aumento repentino en la emisión de un tubo termoelectrónico al vacío (válvula termiónica) debido a irregularidades en la superficie catódica. (2) Descargas transitorias intensas entre los electrodos de un tubo electrónico de alta tensión. SIN. **flash arc**.

ROCMI   Abrev. de Red Oficial de Comunicaciones por Microondas (Cuba).

rod   varilla; vara, pértiga; barra | (*i.e.* metal rod) barra, varilla; cabilla | (*i.e.* fishing rod) caña de pescar | (*i.e.* leveling rod) niveleta, mira de nivelar || (*Ferroc*) barra de tracción (debajo de un vagón de carga) || (*Hiperfrec*) guíaondas cilíndrico || (*Laseres*) barra || (*Mat*) barra, vara, varilla. Cuerpo de pequeña sección limitado por una superficie tubular || (*Medidas*) vara de medir | pértiga. Medida de longitud igual a 16,5 pies = 5,5 yardas = 5,03 metros. SIN. **pole, perch** (*GB*) || (*Elec*) lightning rod) pararrayos de barra || (*Niveles*) jalón de mira, mira de corredera || (*Topog*) mira || (*Tránsitos*) jalón, baliza. LOCALISMO: báculo || (*Nucl*) barra. Cuerpo relativamente largo y de poco diámetro, que puede contener combustible, un absorbente, un material fértil, u otro material cuya activación o transmutación se quiere efectuar. SIN. **bar** || (*Opt*) bastoncillo, bastoncito. Elemento de ciertas células de la retina | **rods**: bastones. (1) Elementos receptores particulares de la retina, o sus extremidades en forma de bastoncillos, a los cuales se les atribuye la función principal en la transmisión de las impresiones visuales, cuando el ojo está adaptado a la obscuridad. Los bastones probablemente no intervienen en la distinción de los colores (CEI/58 45-25-015). (2) Elementos receptores particulares de la retina a los cuales se les atribuye la función principal en la percepción de los estímulos luminosos [light stimuli], cuando el ojo está adaptado a la obscuridad. NOTA: Los bastones probablemente no intervienen en la distinción de los estímulos de color [color stimuli] (v. **scotopic**

vision) (CEI/70 45–25–030) ‖ *(Util de yesero)* escantillón, regla /// *verbo:* varillar; varear; desatascar ‖ *(Elec)* poner pararrayos (en un edificio); trabajar con las varillas tiracables (en una canalización) ‖ *(Albañilería, Constr)* maestrear; varillar, apisonar con varillas [con redondos].

rod aerial *(GB)*   antena de varilla. SIN. **rod antenna.**

rod anode   *(Tubos de rayos X)* ánodo tubular.

rod antenna   antena de varilla. Antena constituida por una varilla metálica. SIN. **rod aerial** *(GB)*. CF. **ferrite-rod aerial.**

rod assembly   *(Nucl)* conjunto de barras ‖ *(Mot)* conjunto pistón-biela.

rod drive   *(Nucl)* accionamiento de la barra ‖ *(Tracción eléc)* impulsión por barra de acoplamiento | transmisión por bielas. Transmisión constituida por sistemas biela-manivela [rod-and-crank systems] simples o múltiples (CEI/57 30–15–480).

rod electrode   electrodo de varilla.

rod gap   *(Elec)* distancia entre varillas; espinterómetro de barra | explosor de varillas. Explosor [spark-gap] cuyos electrodos están constituidos por varillas metálicas coaxiles.

rod insulator   aislador de barra.

rod lattice   *(Nucl)* celosía espacial de barras.

rod level   *(Agrimensura, Levantamiento de planos)* nivel de mira [para jalón].

rod mirror   *(Hiperfrec)* espejo [reflector] de varillas. v. **rod reflector.**

rod reflector   *(Hiperfrec)* reflector de varillas. Conjunto de varillas de dimensiones y espaciamiento tales que actúa efectivamente como si fuera una superficie reflectora continua (CEI/61 62–25–105). SIN. **espejo de varillas —— rod mirror.**

rod-shaped   *adj:* en forma de varilla [de bastoncillo]; en forma de barra.

rod support   *(Tracción eléc)* biela de suspensión, péndola de catenaria. Organo destinado a suspender un hilo de contacto de un cable sustentador, o un cable sustentador secundario de un cable sustentador primario. SIN. **catenary hanger** (CEI/38 30–40–010).

rod-type thermistor   termistor tipo barra.

rod-type thermostat   termostato de varilla.

rod wavemeter   ondámetro de varilla.

Rodrigues formula   *(Mat)* fórmula de Rodrigues.

Roentgen   Wilhelm Konrad Roentgen (o Röntgen): físico alemán (1845–1923) que descubrió y estudió los rayos X.

roentgen, röntgen   *(Radiol)* roentgen, röntgen. Símbolo: r, R. (**1**) Unidad de cantidad de rayos X (o dosis) que produce una unidad electrostática de carga, en las condiciones determinadas por la conferencia de radiología de Estocolmo (CEI/38 65–25–115). (**2**) Cantidad de radiación X o gamma tal que la emisión corpuscular asociada, por 0,001 293 gramo de aire seco, produce, en el aire, iones portadores de una unidad electrostática de cantidad de electricidad [electrostatic unit of quantity of electricity] de cada signo. OBSERVACIÓN: No debe usarse nunca el nombre "unidad r"; el símbolo debe escribirse siempre en minúscula y sin punto (CEI/64 65–15–125). (**3**) Unidad especial de exposición [exposure]: $1 R = 2{,}58 \times 10^{-4}$ C/kg. NOTA: Esta unidad es en valor numérico idéntica a la antigua unidad definida como 1 unidad electrostática de cantidad de electricidad por 0,001 293 g de aire. C es el símbolo de culombio o coulomb (CEI/68 66–05–045). NOTA: De las tres definiciones anotadas arriba, las dos primeras dan el símbolo en minúscula, y la tercera lo da en mayúscula. Esta última forma (R) es la que está acorde con la normalización actual, que recomienda letra romana mayúscula para los símbolos de unidades derivadas de nombres propios. En el VEI la forma preferida del nombre es *röntgen*.

Roentgen apparatus   aparato de rayos X. (a) Conjunto de dispositivos eléctricos destinados a producir rayos X, incluso el tubo de rayos X. (b) Conjunto descrito arriba, con exclusión del tubo de rayos X (CEI/64 65–30–005).

Roentgen cinematography   cinematografía de rayos X, radioci-

nematografía, cinerradiografía. Cinematografía por radiofotografía [photofluorography] o radiografía [radiography]. SIN. **cineradiography, X-ray movies** *(desaconsejado)*, **radio-cinematography** *(desaconsejado)* (CEI/64 65–05–080).

roentgen equivalent   equivalente del roentgen.

roentgen equivalent man   v. **rem.**

roentgen equivalent physical   v. **rep.**

roentgen/hour   roentgen por hora, R/h.

Roentgen machine   equipo de rayos X. SIN. **X-ray machine.**

roentgen meter   roentgenómetro. Aparato que sirve para medir la cantidad acumulativa de rayos X o rayos gamma, sin referencia al tiempo. SIN. **roentgenometer.**

roentgen-per-hour-at-one-meter, rhm   roentgen por hora a un metro, r/h a 1 m. Unidad de cantidad de una fuente de rayos gamma, en condiciones determinadas de protección, tal que, a la distancia de 1 metro en el aire, esos rayos gamma producen una dosis de exposición por unidad de tiempo [exposure dose rate] de 1 roentgen por hora (CEI/64 65–15–200).

roentgen-per-minute-at-one-meter, rmm   roentgen por minuto a un metro, r/m a 1 m. Unidad de cantidad de una fuente de rayos gamma, en condiciones determinadas de protección, tal que, a la distancia de 1 metro en el aire, esos rayos producen una dosis de exposición por unidad de tiempo de 1 R/h.

roentgen-rate meter   medidor de roentgens por unidad de tiempo. Aparato medidor de radiactividad calibrado en roentgens por unidad de tiempo.

Roentgen ray   rayo X, rayo de Roentgen. v. **Roentgen rays.**

Roentgen-ray technician   técnico en rayos X. Ayudante técnico en las aplicaciones prácticas de los rayos X: médicas (roentgen-diagnóstico o roentgenoterapia), o industriales o analíticas. SIN. **Roentgen technician, X-ray technician** (CEI/64 65–05–170). CF. **diagnostic roentgenology, Roentgen therapy.**

Roentgen rays   rayos X, rayos de Roentgen. (**1**) Radiación electromagnética que resulta del bombardeo de una substancia por rayos catódicos y cuya longitud de onda está comprendida entre 10^{-10} cm y 2×10^{-6} cm (entre 0,01 y 200 unidades angstrom, aproximadamente). SIN. **X rays** (CEI/38 65–05–085). (**2**) Radiaciones electromagnéticas penetrantes [penetrating electromagnetic radiations], con longitudes de onda mucho más cortas que las de la luz visible. Generalmente son obtenidas por bombardeo, en un vacío profundo, de un blanco metálico [metallic target] con electrones rápidos. En relación con las reacciones nucleares [nuclear reactions], se acostumbra a llamar *rayos gamma* a los fotones que se originan en el núcleo, y *rayos X* a los que tienen su origen en la parte extranuclear del átomo. Estos rayos fueron llamados *rayos X* por Roentgen, que los descubrió. SIN. **X rays** (CEI/64 65–10–055).

Roentgen technician   técnico en rayos X. v. **Roentgen-ray technician.**

Roentgen therapy   roentgenoterapia, terapia por rayos X. Tratamiento de enfermedades por los rayos X. SIN. **X-ray therapy** *(GB)* (CEI/64 65–05–095). CF. **radiation therapy.**

roentgen unit   roentgen, röntgen. v. **roentgen.**

roentgenization   roentgenización. Alteración del color del vidrio después de su irradiación prolongada con rayos X.

roentgenogram   roentgenograma, radiografía, fotografía por rayos X. SIN. **radiograph, X-ray photograph** | radiograma. v. **radiograph.**

roentgenography   radiografía | roentgenografía. Radiografía por medio de rayos X (CEI/64 65–05–040).

roentgenology   roentgenología. Parte de la radiología [radiology] que trata de los rayos X (CEI/64 65–05–025).

roentgenometer   roentgenómetro. v. **roentgen meter.**

roentgenoscope   aparato de radioscopía. Aparato que comprende una pantalla fluorescente y un tubo de rayos X montados de manera apropiada para permitir el examen sobre la pantalla de imágenes debidas a los rayos X cuando se interpone el cuerpo que se quiere examinar entre el tubo y la pantalla. SIN. **fluoroscope**

(CEI/64 65–30–315).

roentgenoscopy   roentgenoscopía; fluoroscopía. SIN. **fluoroscopy**.

roentgenotherapy   roentgenoterapia, radioterapia. Aplicaciones terapéuticas de los rayos X. SIN. **radiotherapy** (CEI/38 65–20–005). V.TB. **Roentgen therapy**.

ROGER   *(Fraseología radiotelef.)* "Recibido y comprendido". Expresión que indica que se ha recibido y comprendido el mensaje que acaba de ser transmitido por el corresponsal | "Conforme". Expresión que indica conformidad con lo que acaba de expresar el corresponsal.

rogersite   *(Miner)* rogersita.

Roget spiral   hélice de Roget. Hélice formada por un hilo conductor, que se acorta cuando es recorrida por una corriente, en virtud de la atracción mutua entre las espiras adyacentes.

ROK   *(Teleg)* Abrev. de received OK [recibido bien].

roll   rollo; rollete; rodillo; cilindro; bobina; lista, nómina, relación, rol, estado, planilla; balanceo, bamboleo ǁ *(Avia)* *(i.e. acrobatic flight)* tonel. Maniobra de vuelo acrobático consistente en una vuelta completa alrededor del eje longitudinal del avión ǁ *(Aviones, Buques)* balanceo, balance. CF. **pitch, yaw** ǁ *(Cine)* rollo (de cinta, de película) ǁ *(Fotog)* rollo (de película) ǁ *(Registro mag)* rollo (de cinta) ǁ *(Fontanería)* junta cilíndrica ǁ *(Marina)* rol ǁ *(Mec)* rodillo, cilindro ǁ *(Met)* laminador ǁ *(Mús)* redoble (de tambores) ǁ *(Soldadura)* reborde ǁ *(Trapiches, Trituradoras)* maza ǁ *(Tv)* corrimiento vertical (de la imagen). Movimiento vertical lento de la imagen, en su conjunto, debido a falta de sincronismo de barrido vertical en el receptor. También se usa en inglés el sinónimo *flip-flop,* particularmente cuando el movimiento descrito es intermitente. CF. **hunting** ⫽ *verbo:* enrollar; (hacer) rodar; arrollarse; volver, voltear, dar la vuelta; balancearse, bambolearse; dar bandazos; envolver, fajar; moler (arena) ǁ *(Aviones)* rodar (sobre la pista), moverse por la pista sobre sus ruedas ǁ *(Aviones, Buques)* balancearse ǁ *(Carreteras)* cilindrar, allanar, apisonar, rodillar ǁ *(Obras de tierra)* cilindrar, consolidar con cilindradora ǁ *(Met)* laminar ǁ *(Mús)* redoblar (el tambor).

roll-and-pitch control   *(Aviones)* control de balanceo y cabeceo. Dispositivo que comprende un giroscopio y que suministra señales utilizables para gobernar los movimientos del avión alrededor de sus ejes lateral y longitudinal, y/o para dar al piloto una indicación visual de la orientación de la nave en el aire [attitude].

roll-call   v. **rollcall**.

roll chart   *(Probadores de tubos)* tabla arrollable [rotativa], tabla de cilindro [tambor] rotativo.

roll cloud   *(Meteor)* nube rollo.

roll cumulus   *(Meteor)* rollocúmulo.

roll film   *(Fotog)* película en rollo [en bobina, en carrete].

roll-film camera   *(Fotog)* cámara para película en rollo.

roll-film dryer   *(Fotog)* secadora de película en rollos.

Roll it!   *(Tv)* Indicación para que se ponga en marcha el proyector de telecine.

roll-off   v. **rolloff**.

roll out   *verbo:* sacar rodando, rodar hacia afuera ǁ *(Avia)* salir de un viraje, restablecer ǁ *(Informática)* leer del contenido de un almacenador aumentando simultáneamente en 1 el valor del dígito de cada columna.

roll-out   v. **rollout**.

roll-over   v. **rollover**.

roll paper   papel en rollo.

roll rate   velocidad de balanceo.

roll to left   *(Avia)* inclinarse hacia la izquierda; efectuar un tonel a izquierdas.

roll to right   *(Avia)* inclinarse hacia la derecha; efectuar un tonel a derechas.

rollabout base   base rodante.

rollabout stand   soporte rodante.

rollback   *(Informática)* v. **rerun**.

rollcall   *(also* roll-call, roll call) lista; pase de lista, acto de pasar

lista; toque de asamblea.

Rolle   Michel Rolle: algebrista francés (1652-1719) que hizo importantes aportaciones a la teoría de ecuaciones.

Rolle theorem   *(Mat)* teorema de Rolle. Si una función admite derivada en todo un intervalo y son iguales sus valores en los extremos del intervalo, hay al menos un punto interior que anula la derivada de la función.

rolled brass   latón laminado.

rolled metal   metal laminado.

rolled paper   papel arrollado; papel en rollo.

rolled section   v. **rolled steel section**.

rolled-steel section   (a.c. rolled section) hierro laminado, perfil laminado (de hierro).

rolled-steel single beam   *(Tracción eléc)* pórtico rígido de suspensión. Soporte constituido por una viga transversal [cross beam] que descansa sobre dos postes enterrados a un lado y otro de las vías, estando los esfuerzos transversales [transverse forces] de cada línea de contacto [contact wire] equilibrados, bien por medio de dispositivos contra el balanceo [registration arms] independientes, bien por medio de transversales de equilibrio [cross-span registration] (CEI/57 30–10–245).

roller   rodillo; rollete; rulo; cilindro, tambor; polea; polea de guía; roldana; aparato enrollador; rompiente, ola que avanza ǁ *(Cine)* rodillo liso ǁ *(Hidr)* onda; remolino ǁ *(Obras de tierra, Carreteras)* aplanadora, apisonadora, cilindradora, rodillo aplanador, cilindro compresor. V.TB. **road roller** ǁ *(Telecom)* tambor (para arrollar cables) ǁ *(Teleimpr)* rodillo.

roller bearing   cojinete de rodillos, cojinete de rulemán [de rolletes], chumacera de rodillos, descanso de rodamiento, rodamiento de rodillos. LOCALISMO: balero de rodillos ǁ *(Puentes)* soporte [apoyo] de rodillos, asiento de expansión, carro de dilatación.

roller chart   v. **roll chart**.

roller electrode   electrodo de roldana.

roller fading   *(Radar a bordo de buques)* desvanecimiento (de la señal) por balanceo (del buque).

roller squeegee   *(Fotog)* rodillo para pegar pruebas.

rolling   rodadura, rodamiento; arrollamiento, enrollamiento; cilindraje, cilindreo; molienda ǁ *(Aviones, Buques)* (a.c. roll) balanceo, balance, rolido ǁ *(Ferroc)* balanceo, rolido. Oscilación vertical alrededor del eje longitudinal de un vehículo ǁ *(Tv)* v. **roll**, **rollover** ǁ *(Met)* laminado, laminación ǁ *(Mecanografía)* *(i.e.* rolling of keys) digitación rápida ǁ *(Mús)* redoble (de tambor).

rolling amplitude   *(Aviones, Buques)* amplitud de balanceo.

rolling bearing   cojinete de bolas | cojinete de rodillos. V.TB. **roller bearing**.

rolling circle   *(Engranajes)* círculo primitivo [de contacto]. SIN. **pitch circle [line]** ǁ *(Geom)* círculo generador [de rodadura]. Círculo generador de ciertas curvas geométricas, en particular la cicloide. SIN. **generating circle** ǁ *(Ruedas de paletas)* círculo de rodadura. Círculo descrito por un punto de la rueda cuya velocidad rotacional es igual a la velocidad lineal del barco.

rolling contact   *(Elec)* contacto rodante | **rolling contacts:** contacto rodante. Contacto en el cual uno de los elementos rueda sobre el otro (CEI/57 15–15–075). CF. **sliding contact**.

rolling friction   rozamiento [frotamiento] de rodadura, fricción de rodamiento, roce verdadero.

rolling friction coefficient   *(Tracción eléc)* coeficiente de rodadura. Relación del esfuerzo resistente de rodadura al peso del vehículo (CEI/38 30–05–065).

rolling furnace   horno basculante.

rolling ground   terreno ondulado.

rolling gyro   giroscopio de balanceo.

rolling ladder   escalera corrediza [rodante].

rolling moment   *(Aviones, Buques)* momento de balanceo.

rolling resistance   *(Mec)* resistencia al rodamiento [a la rodadura] ǁ *(Ferroc)* resistencia de rodamiento. Resistencia debida al frotamiento entre llantas, pestañas y rieles.

rolling stability   *(Aviones, Buques)* estabilidad transversal. SIN. transverse stability.

rolling steel door   v. rolling steel shutter.

rolling steel shutter   cortina de acero, cortina metálica de enrollar, cortina-puerta, puerta de cortina articulada, puerta arrolladiza de acero, puerta de acero enrollable. SIN. rolling steel door.

rolling stock   *(Ferroc)* material rodante [móvil]. LOCALISMOS: equipo [tren] rodante. Conjunto de vehículos de transporte y de tracción.

rolling title   *(Cine)* título rodante [ascendente].

rolling transposition   *(Líneas aéreas)* transposición (de conductores) en espiral.

rolloff   atenuación progresiva; disminución progresiva de respuesta. (**1**) Disminución progresiva de la amplitud de salida de un dispositivo o un sistema en función de la frecuencia hacia uno de los extremos de la banda pasante, sea por aumento de la atenuación, sea por disminución de la amplificación. (**2**) Aumento gradual de la atenuación (disminución progresiva de la amplitud) cuando la frecuencia va más allá de los límites de la parte plana de la característica de respuesta amplitud/frecuencia [amplitude/frequency response characteristic] de un dispositivo o sistema; la variación de la frecuencia puede ser por encima del límite superior o por debajo del límite inferior de dicha parte plana. (**3**) En relación con los sistemas audiomusicales, se refiere con mayor frecuencia a la *atenuación progresiva de altos* que intencionalmente se introduce para reducir gradualmente la respuesta a las notas agudas durante la reproducción, compensando así la acentuación que las mismas reciben durante la grabación. Esta acentuación tiene por objeto sobreponerse al ruido de alta frecuencia que produce el estilete grabador en el registro original; análogamente, la atenuación de altos durante la reproducción tiene el efecto de reducir el ruido de aguja o púa. CF. turnover, equalization.

rolloff characteristic   característica de atenuación progresiva.

rolloff choke   *(Tr)* reactor de atenuación progresiva de agudos.

rollout   *(Avia)* primera exposición pública de un nuevo prototipo de avión. La expresión se deriva de la acción de rodar el aparato para sacarlo del hangar o taller ∥∥ v. roll out.

rollout drawer-type construction   *(Elecn)* construcción a base de chasis deslizables sobre carriles.

rollout shelf   *(Refrig)* anaquel deslizable. TB. parrilla deslizable.

rollover   *(Tv)* desplazamiento sucesivo de la imagen. SIN. picture roll.

ROM   *(Informática)* Abrev. de read-only memory.

roman, Roman   *(Tipog)* v. roman type.

Roman numeral   número [numeral] romano. v. number.

roman type   *(Tipog)* (a.c. roman, Roman) letra romana, tipo romano [redondo].

romance   romance; cuento, novela; fábula, ficción ∥ *(Mús)* romanza.

romotor   *(Radionaveg)* sistema romotor.

RON   *(Radioafic)* Abrev. de radio officers net [red de oficiales de radio].

rondo   *(Mús)* rondó.

röntgen   v. roentgen.

Röntgen   v. Roentgen.

roof   techo, techado, techumbre; tejado; azotea, terraza; cubierta; cielo. CF. roofing, ceiling | casa, habitación; límite superior ∥ *(Andenes)* marquesina ∥ *(Hornos, Túneles)* bóveda ∥ *(Minas)* techo; roca del techo ∥∥ *verbo:* techar, entechar; tejar; cubrir aguas; abrigar, alojar.

roof aerial   antena de techo.

roof antenna   antena de techo.

roof bracket   *(Telecom)* (i.e. special roof bracket of subscriber's circuits) caballete.

roof filter   *(Telecom)* filtro techador, filtro pasabajos para limitar la banda de transmisión. Filtro pasabajos [low-pass filter] empleado para imponer un límite superior o "techo" a la gama de frecuencias transmitidas o recibidas, con el objeto de excluir las componentes de alta frecuencia innecesarias para la comunicación. Con este filtro se suprimen también señales perturbadoras inducidas por otros circuitos, se reduce el canto [singing] de alta frecuencia, y se atenúa la diafonía entre repetidores [runaround crosstalk].

roof filtering   *(Telecom)* filtraje techador, filtraje pasabajos para limitar la banda de transmisión.

roof hatch   escotilla de techo.

roof platform   *(Telecom)* (i.e. platform erected on roof for workmen) plataforma (para apoyo sobre el techo).

roof slab   losa de azotea; placa de azotea; losa para techos.

roof standard   *(Telecom)* apoyo sobre tejado; torrecilla; poste sobre tejado.

roof-top   v. rooftop.

roofed area   *(Edif)* superficie cubierta.

roofing   techo, techado, techumbre; cubierta del tejado; material para techos; colocación del techo; albergue ∥ *(Estr hidr)* socavón, avería por asiento local; ahuecamiento (debajo de una presa).

roofing bandwidth   *(Telecom)* banda de transmisión con filtraje techador. Banda de transmisión limitada por un filtro pasabajos destinado a suprimir las componentes indeseables de alta frecuencia. v. roof filter.

roofing filter   v. roof filter.

rooftop   azotea; techo; cumbrera; lo más alto del techo.

rooftop antenna   antena de techo, antena exterior ∥ *(Estaciones móviles)* antena montada en el techo (del vehículo); antena para techo.

rooftop heliport   *(Avia)* helipuerto de azotea.

room   cuarto, sala, habitación, pieza, cámara, aposento; local; espacio, campo, sitio; compartimiento ∥ *(Minas)* anchurón, cámara, sala, salón.

room acoustic treatment   tratamiento acústico de salas, insonorización de locales.

room acoustics   acústica de salas [de locales]; acústica de la sala [la habitación, la pieza]. AFINES: acústica arquitectónica, características fónicas del ambiente, sala de conciertos, salón de música. v.TB. room tone.

room air   aire ambiente.

room air-conditioner   climatizador para habitaciones, climatizador [acondicionador de aire] para una (sola) habitación.

room ambient   condiciones ambiente ordinarias.

room cavity ratio   *(Ilum)* v. room index.

room constant   *(Acús)* constante del local. Cantidad definida por una fracción cuyo numerador es el producto aS y cuyo denominador es la diferencia $(1-a)$, siendo a el valor medio del coeficiente de absorción acústica [sound absorption coefficient] y S el area total de las superficies que limitan el local.

room cooler   enfriador de habitaciones. CF. room air-conditioner.

room index   *(Ilum)* índice del local. Dato numérico, característico de la geometría de un local, que sirve para el cálculo del factor de utilización [utilization factor] o de la utilancia [utilance].
Nota 1: Salvo indicación en contrario, el índice del local está dado por la fórmula $lb/h(l+b)$, donde l es el largo del local, b su ancho, y h la distancia de las luminarias [lighting fittings] al plano de trabajo [working plane].
Nota 2: En la práctica británica, el *ceiling cavity index* se calcula a partir de la misma fórmula, salvo que h es la distancia del cielo raso a las luminarias.
Nota 3: En los Estados Unidos de América se usa corrientemente el término *room cavity ratio,* que es igual a cinco veces la inversa del índice del local definido por la fórmula dada arriba. Otros dos términos también usados son: *ceiling cavity ratio* y *floor cavity ratio,* que se distinguen solamente del *room cavity ratio* por el valor de h, que es la distancia del cielo raso [ceiling] a las luminarias para el primer término, y la distancia del piso al plano de trabajo para el segundo (CEI/70 45-50-205).

room light   luz ambiente. SIN. **ambient light.**

room noise   *(Acús)* ruido ambiente. Ruido de fondo en un local, recinto o habitación. La evaluación del ruido en los talleres y habitaciones se hace en función de parámetros tales como el confort acústico, la posible pérdida de audición [loss of hearing], y las posibilidades de escucha e inteligibilidad de la palabra. CF. **room tone** ‖ *(Telecom)* ruido ambiente [de sala, del local], ruido acústico (en oposición al eléctrico). Ruido existente en la sala o el local y que perturba la audición del usuario del teléfono. CF. **electric noise, radio noise.**

room noise sidetone   *(Telef)* efecto local por los ruidos de sala.

room resonance   *(Acús)* resonancia de ambiente [de la sala, del local]. V. **room tone.**

room temperature   temperatura ambiente.

room thermostat   termostato de (temperatura) ambiente, termostato para recintos.

room tone   *(Acús)* tonalidad propia de la sala [del local], efecto [característica] tonal de la sala. Efecto característico que una sala, local o pieza tiene sobre la tonalidad de los sonidos musicales producidos en ella. SIN. **ambience.** CF. **eigentones** ‖ ruidos propios del local desocupado. Ruidos de fondo que existen normalmente en un local cuando está desocupado, o sea, en ausencia de actividad en él. V. **room-tone sound track.** CF. **room noise.**

room-tone sound track   registro de los ruidos propios del local desocupado. Se utiliza este registro durante las pausas de un diálogo registrado propiamente en el mismo local (estudio), para que el silencio relativo durante aquéllas sea el que naturalmente corresponde a la acústica y otras condiciones intrínsecas del local. V. **room tone.**

room utilization factor   *(Ilum)* factor de utilización del local. V. **utilance.**

root   raíz ‖ *(i.e.* root of thread) fondo (de la rosca) ‖ *(i.e.* root of weld) fondo (de la soldadura) ‖ *(Bot)* raíz ‖ *(Mat)* raíz. (1) En aritmética, base de una potencia, o sea, número que elevado a cierta potencia, reproduce el número dado. (2) En álgebra, cada una de las soluciones de una ecuación ‖ *(Mús)* base, nota [sonido] fundamental (de un acorde) ‖ *(Avia)* *(i.e.* root of wing) encastre (del ala) ‖‖ *adj:* radical.

root mean square [RMS]   media cuadrática, raíz cuadrada de la media de los cuadrados. (1) Raíz cuadrada de la media de los cuadrados de los valores instantáneos de una magnitud variable. (2) Dadas las fluctuaciones de una magnitud, raíz cuadrada del cociente de dividir la suma de los cuadrados de las fluctuaciones, por el número de las mismas.

root-mean-square arc current   *(Elec)* corriente eficaz del arco.

root-mean-square current   *(Elec)* corriente efectiva. SIN. **effective current.**

root-mean-square deviation   desviación media cuadrática, desviación normal [característica, típica]. SIN. **standard deviation.**

root-mean-square distance   distancia media cuadrática.

root-mean-square fluctuation   fluctuación media cuadrática.

root-mean-square particle velocity   velocidad efectiva de partícula. SIN. **effective particle velocity** (véase).

root-mean-square rating   *(Elec)* potencia efectiva.

root-mean-square sound pressure   presión sonora eficaz, presión sónica efectiva. SIN. **effective sound pressure** (véase).

root-mean-square symmetrical breaking current   *(Elec)* corriente de ruptura simétrica eficaz.

root-mean-square value [RMS value]   valor medio cuadrático, raíz cuadrada de la media de los cuadrados; valor eficaz [efectivo]. (1) En general, raíz cuadrada del valor medio de los cuadrados de una serie de valores correlacionados. (2) Cuando se trata de una magnitud sinusoidal, se llama *valor eficaz* o *efectivo* [effective value], y es igual a la media cuadrática (raíz cuadrada de la media de los cuadrados) de los valores que toma la variable durante un período, resultando ser equivalente al valor máximo dividido por $\sqrt{2}$. (3) En el caso de las corrientes alternas se aplica la definición

precedente, por ser las mismas sinusoidales, siendo el valor eficaz igual al valor de una corriente continua que produzca el mismo efecto térmico que la corriente alterna considerada. Se calcula multiplicando el valor de cresta (valor instantáneo máximo) por 0,7071 (inversa de $\sqrt{2}$). A menos que se indique otra cosa, cuando se dan valores de corriente y de tensión alternas, se entiende que se trata de valores eficaces. No se confunda con el valor *medio* (v. **average value**).

root-mean-square velocity   velocidad media cuadrática.

root-mean-square wind speed   velocidad media cuadrática del viento.

root-sum-square value [RSS value]   valor cuadrático resultante, raíz cuadrada de la suma de los cuadrados. Raíz cuadrada de la suma de los cuadrados de una serie de valores correlacionados. Se usa con frecuencia para expresar la distorsión total por armónicas [total harmonic distortion]. CF. **root-mean-square value.**

rooter amplifier   amplificador de salida proporcional a la raíz de la amplitud de entrada. Amplificador en el cual la amplitud de salida es proporcional a la raíz (cuadrada, cúbica, etc.) de la amplitud de entrada. Se usa p.ej. para compensar la característica de respuesta de un tubo tomavistas.

Roots-type supercharger   *(Avia)* sobrealimentador tipo Roots.

rope   cuerda, cordel, soga, cabo, jarcia, maroma, cable; calabrote (cabo hecho de tres cordeles trenzados) ‖ v. **wire cable** ‖ *(Radar)* cintas metálicas antirradar. Cintas largas de papel metálico que se dispersan a gran altura para causar reflexiones que confundan al radar del adversario; a veces se cuelgan de minúsculos paracaídas para hacer más lento su descenso a tierra. Son más largas que las llamadas en inglés *chaff* (véase). V.TB. **confusion reflector** ‖ *(Tv)* "cuerdas", rayas blancas. Forma de perturbación de la imagen, caracterizada por rayas blancas que parecen cuerdas ‖‖ *verbo:* ensogar; atar, amarrar (con cuerda); enlazar, coger con lazo.

rope clamp   grapa para cable.

rope core   *(Cables eléc)* núcleo de cuerda.

rope drive   transmisión [accionamiento] por cable, transmisión por maroma.

rope-driven machine   máquina accionada por cable.

rope drum   tambor de cable.

rope grab   amarra de cable.

rope grease   grasa [compuesto] para cables (metálicos).

rope gripper   sujetador para cable.

rope-lay cable   *(Elec)* cable de conductores trenzados, cable acalabrotado; cable de conductores cableados alrededor de un alma central. Cable consistente en una o varias capas de conductores cableados en hélice alrededor de un alma o núcleo central. SIN. **rope-lay conductor.**

rope-lay conductor   v. **rope-lay cable.**

rope layer   colchadora, máquina de colchar.

rope lubricant   v. **rope grease.**

rope railway   teleférico, cable aéreo de transporte. SIN. **ropeway.**

rope side   ramal del cable.

rope socket   casquillo sujetacable [terminal de cable].

rope stranded conductor   *(Elec)* conductor cableado.

rope thimble   guardacabo.

ropeway   teleférico, cable carril, transbordador aéreo, cable aéreo de transporte, vía aérea de cable, cablevía, andarivel, funivía, funicular aéreo.

ropewinder   *(Tracción eléc)* *(i.e.* device for taking up slack in the trolley rope) enrollador de cuerda. Dispositivo que recoge el seno o flecha de la cuerda de trole (CEI/57 30–15–870).

rose   rosa; roseta; rosetón ‖ *(Fontanería)* regadera; ducha ‖ *(Cerraduras)* escudilla ‖ *(Mat)* (a.c. rosette) rosa. Curva cuya ecuación polar es $\rho = a$ sen $m\theta$ donde m es usualmente racional. La curva se asemeja a una rosa cuyo número de pétalos depende de m.

rosebud   *(Radar)* Baliza de radar aerotransportada que se usa en sistemas de control e identificación.

rosette   florón, rosetón ‖ *(Bot)* roseta, rosetón ‖ *(Elec)* roseta ‖ *(Tracción eléc)* rosetón. Órgano unido a una construcción fija y al cual se amarran los transversales y los tirantes (CEI/38 30–40–050) ‖ *(Mat)* v. **rose** ‖ *(Mec)* roseta. Galga de deformaciones de tracción en un punto o una región pequeña, según tres o más ejes o direcciones.

rosette box *(GB)*   *(Elec)* caja terminal. SIN. **junction box.**

rosette gage   galga de roseta. v. **rosette.**

rosette plate   *(Acum)* placa de rosetas. Placa de gran superficie, obtenida por la introducción de bandas de plomo dulce nervuradas y arrolladas en espiral, en los alveolos de un soporte de plomo duro. SIN. **Manchester plate** (CEI/38 50–15–080).

rosin   resina, abetinote, pez griega; resina de trementina, colofonia, pez rubia; gomorresina; resina de pino; resina, colofonia común. SIN. **colophony.**

rosin connection   conexión [unión] de resina. v. **rosin joint.**

rosin-core radio solder   soldadura tipo radio con alma de resina.

rosin-core radio-type solder   soldadura tipo radio con alma de resina.

rosin-core solder   soldadura con núcleo de resina. Soldadura en forma de varilla o alambre huecos, con el espacio interior lleno de resina fundente [rosin flux] para mejorar la eficacia de las conexiones eléctricas soldadas.

rosin joint   conexión [unión] de resina, soldadura falsa. Conexión defectuosa que parece estar firmemente hecha, pero en la cual los conductores están unidos solamente por la resina fundente que ha quedado sin quemar. SIN. **rosin connection.**

Rossby number   *(Fís)* número de Rossby.

Rossby wave   *(Fís)* onda de Rossby.

ROT   Abrev. de rate of turn.

rotary   *(Carreteras)* *(i.e.* rotary intersection) intersección rotatoria. Intersección canalizadora mediante la cual los vehículos se mueven en sentido contrario al de las manecillas del reloj alrededor de un islote central de tamaño conveniente para encauzarlos en un movimiento que facilite las maniobras de entrecruzamiento, evitando la intersección directa de las trayectorias | plaza de circulación, glorieta ⫻ *adj:* giratorio, rotativo, rotatorio. CF. **rotating, rotational, rotative, rotatory.**

rotary action   acción rotativa; accionamiento rotativo.

rotary-action relay   relé [relevador] de acción rotativa.

rotary-action switch   conmutador de accionamiento rotativo. CF. **switch action.**

rotary actuator   accionador rotativo, actuador giratorio. Dispositivo destinado a ejercer una fuerza rotatomotriz [rotatomotive force], y que típicamente consiste en un electromotor, una caja de engranajes, e interruptores de fin de carrera [limit switches].

rotary amplifier   amplificador (magnético) rotativo. v. **rotative magnetic amplifier.**

rotary antenna   (a.c. rotating antenna) antena rotativa [giratoria]. En el servicio de radiodifusión, para tener la opción de irradiar en cualquier dirección elegida (arco de 360°), se utilizan distintos métodos, entre ellos los siguientes: (a) dipolos apilados soportados por una estructura de tres mástiles que corre sobre un riel circular; (b) dipolos apilados de elementos múltiples, dispuestos en rectángulo y soportados por una torre giratoria; (c) grupos de antenas en V dispuestas en círculo y conmutadas de acuerdo con la dirección en que se desea irradiar.

rotary attenuator   *(Hiperfrec)* atenuador rotativo. Atenuador de absorción variable [variably absorptive attenuator] constituido por elementos sucesivos de guía circular que comprenden cada uno una placa absorbente fija según un plano diametral de la guía, obteniéndose la variación de atenuación por rotación de uno de los elementos (CEI/61 62–20–135). CF. **resistive attenuator.**

rotary beam aerial   v. **rotary beam antenna.**

rotary beam antenna, rotary beam aerial *(GB)*   *(i.e.* rotary beam-antenna) antena de haz (dirigido) rotativa. Antena de haz dirigido (v. **beam antenna**) que puede hacerse girar, sea a mano, sea con la ayuda de un motor, para orientarla como convenga. CF. **rotary antenna** | *(i.e.* rotary-beam antenna) antena de haz giratorio. Red o alineamiento de antenas [antenna array] que

radía un haz giratorio.

rotary blower   ventilador.

rotary capacitor   *(Elec)* capacitor [condensador] rotativo. v. **rotary condenser.**

rotary card-file   fichero rotativo.

rotary condenser   *(Elec)* condensador rotatorio [sincrónico]. Nombre que a veces se le da a un motor sincrónico que se hace funcionar para absorber una corriente adelantada [leading current] (como la de un condensador), con el fin de mejorar el factor de potencia [power factor]. SIN. **rotary capacitor.**

rotary control   control rotativo.

rotary converter, rotary convertor   *(Elec)* conmutatriz (giratoria), convertidor giratorio [rotativo, rotatorio, sincrónico], convertidor de potencia rotativo, grupo convertidor (rotativo), convertidor | conmutatriz. Máquina de un solo devanado inducido [armature winding] giratorio, provista de un colector [commutator] y de anillos [slip-rings], y destinada a transformar corriente alterna en continua, o viceversa (CEI/38 10–20–020, CEI/56 10–20–025) | CF. **converter** *(Conversión de corriente),* **dynamotor, motor converter, phase converter.**

rotary convertor   v. **rotary converter.**

rotary correcting lever   *(Teleimpr)* palanca de corrección radial.

rotary coupler   *(Guías de ondas)* v. **rotating joint.**

rotary current   *(Elec)* corriente trifásica.

rotary dial instrument   *(Telef)* aparato de selección por disco, teléfono de disco selector. CF. **tone-dialing instrument.**

rotary discharger   *(Radiocom)* descargador [explosor] giratorio. v. **rotary spark-gap.**

rotary dispersion   *(Opt)* v. **rotatory dispersion.**

rotary displacement meter   contador rotativo de desplazamiento.

rotary drum   tambor rotativo.

rotary electrostatic generator   generador electrostático giratorio.

rotary engine   máquina rotativa; motor rotativo.

rotary field   *(Elec/Mag)* campo giratorio. Campo magnético que puede ser representado por un vector intensidad magnética giratorio, como p.ej. el campo de un motor eléctrico de inducción. CF. **rotating field** | inductor giratorio.

rotary gap   *(Radiocom)* v. **rotary spark-gap.**

rotary generator   *(Elec)* generador rotativo ‖ *(Caldeo por inducción)* alternador.

rotary hunting   *(Telecom)* selección rotatoria sobre un solo nivel.

rotary-hunting connector   *(Telef)* selector rotatorio para abonados a varias líneas agrupadas. SIN. **PBX final selector.**

rotary inertia   inercia rotacional.

rotary injection transformer   transformador rotativo de inyección.

rotary interrupter   *(Telecom)* interruptor rotatorio [giratorio].

rotary interrupter contact   *(Telecom)* contacto del interruptor rotatorio [giratorio]; contacto de reposo del electroimán de rotación.

rotary intersection   *(Carreteras)* (a.c. rotary) intersección rotatoria; plaza de circulación, encrucijada con glorieta.

rotary joint   *(Guías de ondas)* v. **rotating joint.**

rotary line   *(Petr)* cable de equipo rotatorio [de perforadora rotatoria].

rotary line-switch   *(Telecom)* preselector rotatorio; uniselector.

rotary machine   máquina rotativa ‖ *(Tipog)* rotativa.

rotary magnet   *(Telecom)* electroimán de rotación.

rotary magnetic disk   *(Informática)* disco magnético rotativo.

rotary mast   *(Ant)* mástil giratorio [rotativo].

rotary motion   movimiento rotativo.

rotary nut setter   *(Herr)* atornillador de tuercas automático. Herramienta que se usa en las fábricas y que sirve para apretar tuercas con rapidez y precisión; puede ser de accionamiento neumático.

rotary on/off contacts   *(Telecom)* contactos de rotación [de eje].

rotary phase changer   *(Hiperfrec)* desfasador rotativo. Desfasador que modifica la fase de una onda transmitida, proporcionalmente al ángulo de rotación de una de sus secciones de guía de ondas. SIN. **rotary phase shifter** (CEI/61 62–20–095) | desfasador giratorio.

rotary phase converter   *(Elec)* convertidor de fase rotativo. v. **phase converter.**

rotary phase shifter   *(Hiperfrec)* desfasador rotativo [giratorio]. v. **rotary phase changer.**

rotary plunger relay   relé de núcleo buzo de acción rotativa. Relé de núcleo buzo (relé de solenoide) en el cual el movimiento rectilíneo del núcleo se transforma mediante un dispositivo mecánico en movimiento de rotación intermitente. SIN. **rotary solenoid relay.**

rotary pole changer   *(Elec)* cambiapolos rotativo.

rotary positioning   posicionamiento rotativo.

rotary positioning mechanism   mecanismo de posicionamiento rotativo || *(Teleimpr)* mecanismo de posicionamiento radial.

rotary power   *(Opt)* v. **rotatory power.**

rotary press   prensa rotativa [revólver] || *(Tipog)* rotativa. SIN. **rotary machine.**

rotary pump   bomba rotativa [rotatoria]. Bomba de rotor que gira en su caja. CF. **gear pump.**

rotary relay   relé rotativo [rotatorio]. Relé en el cual la armadura gira para salvar la distancia entre dos o más caras polares [pole faces] | relé de progresión. v. **stepping relay** | v. **rotary solenoid relay.**

rotary repeater   *(Telecom)* repetidor giratorio.

rotary rig   *(Petr)* perforadora rotatoria.

rotary search   *(Telecom)* selección rotatoria.

rotary search on one level   *(Telecom)* selección rotatoria sobre un solo nivel. SIN. **rotary hunting.**

rotary search on several levels   *(Telecom)* selección rotatoria sobre varios niveles. SIN. **level hunting.**

rotary selector bank   *(Telecom)* campo de selección rotatoria [radial].

rotary self-drive hunting   *(Telecom—PBX)* rotación automática.

rotary shaft seal   obturador para eje en rotación.

rotary shutter   obturador giratorio [rotativo] || *(Cine)* v. **rotating-disk shutter.**

rotary solenoid   solenoide [electroimán] de acción rotativa. Solenoide o electroimán que al ser excitado por impulsos produce, con la ayuda de un mecanismo de escape, un movimiento de rotación intermitente. CF. **rotary solenoid relay.**

rotary solenoid relay   relé de solenoide de acción rotativa. SIN. **rotary plunger relay.** CF. **rotary solenoid.**

rotary spark-gap   *(Radiocom)* (a.c. rotary gap) explosor [descargador, chispero] giratorio. Explosor en el cual las chispas saltan entre uno o varios electrodos fijos y electrodos en forma de resaltos o proyecciones dispuestos en la periferia de un disco metálico que gira impulsado por un pequeño motor. Se utilizó extensamente en los tiempos de los radioemisores de chispa [spark-type transmitters]. SIN. **rotary discharger, rotating spark-gap.**

rotary stage   *(Microscopios)* platina.

rotary standing-wave detector   indicador de ondas estacionarias (con acoplador) rotativo.

rotary step   *(Telecom)* paso de rotación.

rotary stepping relay   relé de progresión. v. **stepping relay.**

rotary stepping switch   conmutador de progresión. v. **stepping switch.**

rotary substation   *(Elec)* subestación de grupos rotativos. Subestación destinada a transformar la energía eléctrica mediante máquinas rotativas (CEI/38 25–10–025).

rotary switch   *(Elec/Elecn/Telecom)* (i.e. switch operated by rotating its shaft) conmutador rotativo [rotatorio, giratorio]. Conmutador que es accionado por rotación de un eje de mando mediante una perilla o manija. SIN. **contactor rotativo, conjuntor rotatorio, interruptor rotativo [giratorio]; llave (conmutadora), llave (selectora) rotativa.** NOTA: El primer grupo de sinónimos es

aplicable a dispositivos cuya función es simplemente de cierre o apertura; el segundo es utilizable cuando hay selección entre dos o más circuitos. CF. **band switch, gang switch, selector switch, contactor** | conmutador rotatorio. Conmutador accionado por una manija capaz de rodar en un sentido solamente | conmutador, interruptor rotativo. Conmutador o interruptor cuyos elementos de contacto móviles [movable contact members] efectúan un desplazamiento circular (CEI/57 15–30–110) || *(Telecom)* conmutador rotatorio, selector de un solo movimiento. Conmutador de escobillas y bancos de contactos [bank-and-wiper switch], en el cual las escobillas se desplazan únicamente a lo largo de un arco de círculo. SIN. **uniselector** *(GB).*

rotary synchroscope   sincronoscopio de índice rotativo. Sincronoscopio que sirve para determinar cuando entran en sincronismo una línea de energía eléctrica alterna y un alternador que se quiere conectar a ella. El aparato tiene dos devanados, uno que se conecta a la línea, y otro que se conecta al alternador, y un índice que gira lentamente en uno u otro sentido, según que la máquina esté girando a mayor o menor velocidad que la de sincronismo, o que permanece estacionario cuando existe sincronismo y pueden efectuarse las maniobras para la conexión del alternador a la línea.

rotary system   sistema giratorio || *(Telef)* sistema conmutador rotatorio | sistema automático de conmutadores rotativos. Sistema de conmutación automática [automatic switching system] cuyas características generales son las siguientes: (a) Los órganos de selección [selecting mechanisms] son conmutadores rotativos [rotary switches]. (b) Los impulsos de selección [switching pulses] son recibidos y registrados [stored] por órganos de mando [controlling mechanisms] que gobiernan las operaciones subsiguientes necesarias para el establecimiento de una comunicación.

rotary traffic   *(Carreteras)* circulación giratoria. Circulación que sigue el tránsito en una intersección rotatoria [rotary (intersection)]. Tráfico unidireccional por una glorieta.

rotary transformer   *(Elec)* (a.c. rotating transformer) transformador rotativo [giratorio]. Máquina rotativa que transforma corriente continua de una tensión en corriente continua de otra tensión | v. **rotary converter.**

rotary-tuned magnetron   magnetrón de barrido por disco giratorio. Magnetrón cuya frecuencia se barre entre amplios límites mediante un disco giratorio provisto de ranuras dispuesto en la parte superior del bloque anódico. Las ranuras hacen variar la inductancia y la capacitancia del ánodo, siendo la amplitud del barrido de frecuencia, en hertzios, igual a la velocidad de giro del disco multiplicada por el número de cavidades del magnetrón. Se utiliza en tácticas de guerra electrónica.

rotary-vane attenuator   *(Hiperfrec)* atenuador de aleta rotativa. Dispositivo que introduce atenuación en una guía de ondas mediante una aleta o lámina de material resistivo cuya posición angular se hace variar para modificar el valor de la atenuación. CF. **rotary attenuator, vane attenuator.**

rotary voltmeter   voltímetro rotativo [generador]. Voltímetro en el cual se utiliza un condensador variable conectado a los puntos cuya diferencia de potencial (tensión) se desea medir. Cuando se hace girar el condensador, varía cíclicamente su capacitancia, y circula por él una corriente que, una vez rectificada, se utiliza como medida de la tensión. SIN. **generating voltmeter.**

rotary wafer switch   conmutador rotativo de galletas.

rotatable   *adj:* giratorio, girable, que puede (hacerse) girar; orientable.

rotatable antenna   antena giratoria [orientable].

rotatable loop   *(Radiocom)* cuadro giratorio [orientable].

rotatable loop antenna   antena de cuadro giratoria [orientable].

rotatable-loop compass   v. **rotatable-loop radio compass.**

rotatable-loop radio compass   radiocompás de antena orientable. CF. **rotating-aerial direction finder.**

rotatable mount   base de montaje giratoria.

rotatable phase-adjusting transformer   *(Elec)* transformador girable de ajuste de fase. Transformador en el cual la fase de la tensión secundaria puede ajustarse a voluntad en relación con la de la tensión primaria, haciendo girar mecánicamente el devanado secundario respecto al primario. CF. **phase-shifting transformer**.

rotatable-tip blade   pala con extremidades giratorias.

rotatable transformer   *(Elec)* transformador girable. (**1**) Transformador rotativo semejante a un motor con un devanado de rotor monofásico de polos salientes [single-phase salient-pole rotor winding] y un devanado de estator bifásico bipolar [two-phase two-pole stator winding] de alta impedancia, cuyo voltaje de salida puede variarse entre cero y cierto valor máximo, modificando la posición del rotor respecto a la del estator. (**2**) V. **rotatable phase-adjusting transformer**.

rotate   *verbo:* rotar, girar, dar vueltas; hacer girar; orientar.

rotating   *adj:* rotativo, giratorio; rotador. V.TB. **rotary, rotational, rotative, rotatory**.

rotating aerial   antena rotativa [orientable].

rotating-aerial direction finder   radiogoniómetro de antena orientable. Radiogoniómetro con el cual se determina el azimut por orientación de una antena (CEI/70 60–71–335).

rotating airfoil   *(Avia)* plano aerodinámico giratorio.

rotating amplifier   amplificador (magnético) rotativo. V. **rotating magnetic amplifier**.

rotating anode   ánodo giratorio.

rotating-anode tube   *(Radiol)* tubo de ánodo giratorio. Tubo de rayos X [roentgen tube] en el cual el ánodo gira, presentando así al haz de electrones una parte de su superficie que cambia constantemente, y que permite así una densidad de carga mucho más elevada sobre la mancha focal [focal spot, target] (CEI/64 65–30–380).

rotating-anode X-ray tube   tubo de rayos X de ánodo giratorio.

rotating antenna   antena rotativa [giratoria]. SIN. **rotating aerial, rotary beam, rotary beam antenna**.

rotating assembly   conjunto giratorio.

rotating beacon   baliza de destellos ‖ *(Naveg)* fanal rotatorio, faro giratorio ‖ *(Radionaveg)* radiofaro giratorio. Radiofaro cuya superficie característica de radiación [radiation pattern] gira alrededor de un eje vertical (CEI/70 60–74–070).

rotating-beacon transmitter   transmisor de radiofaro giratorio.

rotating beam   haz giratorio; radiofaro giratorio.

rotating coil   bobina giratoria.

rotating color disk   *(Tv)* disco cromático giratorio.

rotating coordinate system   *(Mat)* sistema de coordenadas rotativo.

rotating coupler   *(Guías de ondas)* V. **rotating joint**.

rotating crystal   *(Radiol)* cristal giratorio. Aparato de análisis espectral de los rayos X que utiliza el movimiento de rotación continuo de un cristal. CF. **oscillating crystal** (CEI/38 65–15–040).

rotating-crystal method   *(Radiol)* método del cristal giratorio. Método para el análisis de la estructura de un cristal por medio de rayos X monocromáticos. El cristal se hace girar mientras es irradiado y los haces reflejados inciden sobre una placa fotográfica, donde quedan registrados en forma de puntos o manchas cuyo estudio da la información buscada.

rotating dial   *(Telef)* disco selector [de llamada]. V.TB. **dial**.

rotating direction finder   *(Radionaveg)* radiogoniómetro de antena orientable [giratoria], radiogoniómetro de cuadro móvil. V. **rotating-aerial direction finder**.

rotating disk   disco giratorio [rotatorio] ‖ *(Ferroc)* disco giratorio. Disco de señalamiento susceptible de ocupar dos posiciones, suministrando así otras tantas indicaciones ‖ *(Informática)* disco giratorio (de registro magnético) ‖ *(Tv)* V. **scanning disk**.

rotating-disk generator   generador de disco giratorio.

rotating-disk shutter   *(Cine)* obturador de disco giratorio [rotativo].

rotating electric generator   electrogenerador giratorio.

rotating element   elemento rotativo ‖ *(Aparatos de medida)* elemento giratorio, rotor. CF. **moving element**.

rotating feeder   (a.c. rotary feeder) alimentador rotatorio.

rotating field   *(Elec)* campo giratorio. (**1**) Campo cuyo vector característico tiene un movimiento de rotación (CEI/38 05–05–035). (**2**) Campo invariable respecto a un cierto sistema de referencia giratorio [rotating system of reference] (CEI/56 10–40–020). CF. **rotary field, rotational field** ‖ campo rotativo.

rotating-field aerial   antena de campo giratorio.

rotating-field antenna   antena de campo giratorio.

rotating-field instrument   *(Aparatos de medida)* aparato de campo giratorio. Aparato de inducción en el cual el órgano móvil [moving element] está sometido a varios campos alternos que presentan diferencias de fase entre ellos y que dan lugar a un campo giratorio (CEI/38 20–05–060, CEI/58 20–05–070).

rotating-field transformer   *(Elec)* transformador de campo giratorio. Transformador polifásico [polyphase transformer] en el cual los devanados están dispuestos de modo que produzcan campos magnéticos giratorios [rotating magnetic fields], cuando son recorridos por corrientes apropiadas (CEI/56 10–25–045).

rotating grating   rejilla giratoria.

rotating-grating monochromator   monocromador de rejilla giratoria.

rotating "H" Adcock direction finder   radiogoniómetro Adcock en H orientable. Radiogoniómetro Adcock en H con dos dobletes dispuestos en las extremidades de un brazo orientable [rotating arm] (CEI/70 60–71–400).

rotating head   cabezal giratorio.

rotating hook   gancho giratorio.

rotating impeller   impulsor rotativo.

rotating interrupter   V. **rotary interrupter**.

rotating joint   *(Guías de ondas)* (a.c. rotary joint) junta [conexión, unión] giratoria, acoplador giratorio, acoplamiento giratorio [rotativo]. Acoplador para la transmisión de energía electromagnética entre dos secciones o elementos de guía, destinado a permitir la rotación mecánica de una de las secciones o elementos respecto al otro. SIN. **rotary [rotating] coupler** ‖ junta rotativa. Junta entre dos guías de onda con un eje común de rotación tal que la rotación relativa ilimitada de uno de los elementos respecto al otro tiene un efecto despreciable sobre el flujo de energía transmitida (GL — V. la NOTA "62–05–000" en el art. *waveguide*) (CEI/61 62–15–125).

rotating-leaf shutter   *(Fotog)* obturador de laminillas giratorias.

rotating loop   *(Radiocom)* cuadro giratorio [orientable].

rotating loop aerial   antena de cuadro giratoria.

rotating loop antenna   antena de cuadro giratoria.

rotating-loop direction finder   radiogoniómetro de cuadro. Radiogoniómetro con el cual la determinación de azimut se efectúa por orientación de un cuadro [loop aerial, frame aerial] (CEI/70 60–71–340). CF. **rotating-aerial direction finder, rotating space-loop direction finder**.

rotating-loop radio transmitter   radioemisor de cuadro giratorio.

rotating magnet   imán giratorio.

rotating-magnet magneto   magneto de imán giratorio.

rotating magnetic amplifier   amplificador magnético rotativo. Consiste en un generador de corriente continua cuya salida puede ser mandada mediante pequeñas potencias de entrada en forma de campo magnético, y se utiliza para excitar p.ej. los motores de accionamiento de grandes antenas de radar. Son ejemplos el amplidino [amplidyne] y el metadinamo [metadyne]. SIN. **rotary [rotating] amplifier**.

rotating memory   *(Informática)* memoria rotativa. Incluye como casos particulares la de *tambor magnético* [magnetic drum] y la de *disco magnético* [magnetic disk].

rotating mirror   espejo giratorio [rotativo]. Se utilizan espejos giratorios o rotativos en ciertos sistemas de televisión (exploración mecánica), y en ciertos sistemas de almacenamiento fotográfico de información.

rotating mounting ring   *(Cám tv)* anillo de montaje giratorio.

rotating plasma   plasma rotatorio.

rotating-plasma device   dispositivo de plasma rotatorio.

rotating pole   polo giratorio.

rotating-pole synchronous motor-generator   *(Elec)* motor- generador sincrónico de polos giratorios.

rotating prism   prisma giratorio.

rotating-prism camera   cámara de prisma giratorio.

rotating pump   v. **rotary pump.**

rotating rack   bastidor giratorio.

rotating radio beacon   radiofaro giratorio. v. **rotating beacon.**

rotating rectifier   *(Elec)* rectificador giratorio.

rotating rectifier system   *(Gen eléc)* sistema de rectificador giratorio [rotatorio]. SIN. **brushless excitation system.**

rotating scanner   explorador rotativo.

rotating scanning disk   *(Tv)* disco explorador rotativo.

rotating scanning sonar   sonar explorador del tipo rotativo.

rotating seal   obturador rotativo.

rotating shaft   eje rotativo. CF. **angular displacement.**

rotating shutter   *(Cine)* obturador giratorio [rotativo].

rotating soldering machine   *(Fab tubos elecn)* máquina de soldar giratoria.

rotating spaced-loop direction finder   radiogoniómetro de doble cuadro. Radiogoniómetro de antenas espaciadas [spaced-aerial direction finder] constituidas por dos cuadros idénticos dispuestos en las extremidades de un brazo orientable (CEI/70 60–71–365). CF. **spaced-loop direction finder.**

rotating spark-gap   *(Radiocom)* explosor giratorio. Explosor en el cual un electrodo simple o múltiple gira delante de uno o varios electrodos fijos (CEI/38 60–10–015). SIN. **rotary spark-gap.**

rotating stator field   *(Elec)* campo estatórico giratorio. v. **rotating field.**

rotating transformer   *(Elec)* v. **rotary transformer.**

rotating turntable   *(Fonog)* plato giratorio.

rotating-type scanning sonar   sonar explorador del tipo rotativo.

rotating vector   vector giratorio. SIN. **phasor.**

rotating wing   *(Aeron)* ala [superficie sustentadora] giratoria. SIN. **rotary wing.**

rotating wiper contact   *(Elec)* contacto deslizante rotativo.

rotation   rotación, giro; orientación (p.ej. de una antena) ‖ *(Agric)* riego por turnos ‖ *(Astr)* rotación ‖ *(Mat)* rotación, giro. El valor de una rotación está determinado por el ángulo que forma una semirrecta del plano móvil y su posición después del giro (ángulo de giro). En toda rotación se cumple que un punto cualquiera conserva constantemente su distancia al centro, y las rectas que pasan por él giran ángulos iguales ‖ **(of a given vector)** rotacional (de un vector dado). Vector cuyo flujo a través de una superficie infinitamente pequeña es igual a la circulación [circulation] del vector dado a lo largo del contorno de la superficie. SIN. **curl** CEI/38 05–05–085). Abreviatura: rot ‖ *(Telecom)* (*i.e.* transposition by rotation) (transposición por) rotación. v. **rotations** ∭ *adj:* rotativo, rotatorio, giratorio, rotacional.

rotation analyzer   analizador de rotación. Dispositivo destinado al estudio de fenómenos ligados al movimiento de rotación.

rotation angle   ángulo de rotación [de giro] ‖ *(Ilum)* ángulo de rotación. Angulo en que puede hacerse girar el retrorreflector [retroreflector] alrededor del eje de referencia [reference axis] a partir de una posición particular para los ensayos fotométricos. Símbolo: ϵ (CEI/70 45–60–415).

rotation axis   *(Mat)* eje de rotación. Recta fija alrededor de la cual se efectúa un giro.

rotation capacity   *(Mec)* capacidad de rotación.

rotation diagram   *(Radiol)* v. **rotation photograph.**

rotation group   *(Mat)* grupo de rotaciones. Grupo constituido por todas las matrices unitarias reales con determinante igual a +1.

rotation interlocking   *(Ferroc)* enclavamiento de no reiteración. Enclavamiento que se opone a la reiteración de una maniobra de una palanca [second operation of a lever] antes de haberse

efectuado otra maniobra (CEI/59 31–10–035).

rotation-inversion axis   *(Cristalog)* eje de rotación e inversión. El cristal se pone en autocoincidencia por rotación alrededor del eje seguida de inversión.

rotation isolator   *(Hiperfrec)* aislador de rotación Faraday. CF. **Faraday rotation.**

rotation locking   *(Ferroc)* enclavamiento de continuidad. Enclavamiento que impide que un tren sea detenido por una señal cuando la señal precedente que comanda el itinerario se halla vía libre.

rotation photograph   *(Radiol)* fotografía de rotación. Registro fotográfico de los haces difractados cuando un haz delgado de rayos X incide sobre un monocristal giratorio. v. **rotating crystal.**

rotation-reflection axis   *(Cristalog)* eje de rotación y reflexión. El cristal se pone en autocoincidencia por rotación y reflexión en un plano normal al eje de rotación.

rotation spectrum   *(Radiol)* espectro de rotación. Diagrama de difracción o espectral obtenido atravesando un cristal giratorio (v. **rotating crystal**) con un rayo X.

rotation speed   *(Avia)* velocidad rotatoria [de encabritamiento inicial]. CF. **rotational speed.**

rotation stop   tope de rotación.

rotation symmetry   simetría de rotación.

rotation therapy   *(Radiol)* cicloterapia. Terapia por radiación [radiation therapy] en el curso de la cual, o el paciente está animado de un movimiento de rotación frente a la fuente de radiación, o la fuente gira en torno al paciente. v. **convergent-beam therapy, moving-beam therapy** (CEI/64 65–05–110) ‖ rototerapia.

rotation vibration   vibración de rotación.

rotation-vibration interaction   acción recíproca rotación-vibración.

rotation-vibration spectrum (of molecules)   *(Fís)* espectro de rotación-vibración (de las moléculas).

rotation wave   v. **rotational wave.**

rotational   *(Mat)* rotacional. Nombre de la operación vectorial [∇, v] ∭ *adj:* rotacional, rotativo, de rotación, de torsión, de revolución. CF. **rotary, rotating, rotatory.**

rotational absorption line   *(Fís)* raya [línea] de absorción rotacional.

rotational analyzer   v. **rotation analyzer.**

rotational band   banda de rotación.

rotational constant (of a molecule)   constante rotacional (de una molécula).

rotational elasticity   elasticidad de torsión.

rotational electromotive force (in a commutator machine)   fuerza electromotriz dinámica (en una máquina de colector). Fuerza electromotriz producida en el devanado de un inducido [armature] por su desplazamiento en un campo magnético (CEI/56 10–40–035).

rotational energy   energía de rotación.

rotational energy level (of a molecule)   nivel energético rotacional (de una molécula).

rotational fault   *(Geol)* falla girada [giratoria].

rotational field   *(Elec)* campo rotacional. Campo en el cual la circulación puede adquirir, por lo menos en algunos puntos, valores distintos a cero (CEI/38 05–05–095). CF. **irrotational field, rotating field.**

rotational hysteresis   histéresis giratoria.

rotational inertia coefficient   *(Tracción eléc)* coeficiente de masas en giro, coeficiente de aumento de la masa del tren. Coeficiente mayor que la unidad, aplicado a la masa del tren o del vehículo para tomar en cuenta la inercia de las masas en giro ligadas al movimiento del tren (juegos de ruedas, inducidos, etc.) (CEI/57 30–05–450).

rotational isolator   *(Hiperfrec)* desacoplador de rotación (de Faraday). v. **Faraday rotation isolator.**

rotational level   nivel de rotación.

rotational life   vida rotacional. En los ensayos de duración de los potenciómetros, número de rotaciones (barridos del contacto deslizante) que soporta el elemento, a determinada velocidad de rotación, antes de dar señales de deterioro o desgaste o antes de quedar inutilizado.

rotational line   (*Fís*) raya [línea] de rotación.

rotational motion   movimiento rotativo [de rotación]. SIN. **giro, rotación.**

rotational number   número rotacional.

rotational partition function   (*Fís mat*) función de partición rotacional.

rotational quantum number   (*Fís*) número cuántico rotacional. Número que determina la cantidad de movimiento angular total [total angular momentum] de una molécula, con exclusión del espín nuclear. Símbolos: J (cuando incluye el espín del electrón), K (cuando excluye el espín del electrón).

rotational spectrum   (*Nucl*) espectro rotacional.

rotational speed   velocidad rotacional [de rotación].

rotational sum rule   (*Fís*) regla de la suma rotacional.

rotational symmetry   simetría de revolución.

rotational transform   (*i.e.* of magnetic line of force) transformación rotacional.

rotational velocity   velocidad rotacional [de rotación].

rotational wave   (a.c. rotation wave) onda de torsión. SIN. **shear wave** (véase).

rotationally   *adv:* rotacionalmente.

rotations   (*Telecom*) rotaciones, transposiciones por rotación. Tipo de transposiciones según el cual los conductores de un mismo grupo combinable, dispuestos de modo que sus trazas sobre un plano normal formen los vértices de un cuadrado, pasen sucesivamente de una posición en el plano de armadura, a la posición vecina en un sentido determinado. SIN. **twist (transposition) system.**

rotative   *adj:* rotativo, rotacional, de rotación. CF. **rotary, rotating, rotational, rotatory.**

rotative speed   v. **rotational speed.**

rotatomotive   *adj:* rotatomotor, rotatomotriz.

rotatomotive force   fuerza rotatomotriz. SIN. **torque.**

rotator   rotador, posicionador rotativo | (*i.e.* antenna rotator) rotador de antena. v. **antenna rotor** | (*i.e.* rotor antenna) antena orientable ‖ (*Elec*) rotor ‖ (*Fís mat*) rotador ‖ (*Guías de ondas*) (*i.e.* device that rotates the plane of polarization) rotador (del plano de polarización). CF. **twist.**

rotatory   *adj:* rotatorio. CF. **rotary, rotating, rotational, rotative.**

rotatory condenser   (*Elec*) v. **rotary condenser.**

rotatory dispersion   (*Opt*) dispersión rotatoria. La debida a que el plano de polarización de la luz de diferentes longitudes de onda, gira a diferentes velocidades por efecto de su transmisión a través de substancias ópticamente activas. v. **rotatory power.**

rotatory inertia   inercia rotacional [de rotación]. v. **rotational inertia coefficient.**

rotatory power   (*Opt*) poder rotatorio, actividad óptica. Propiedad que tienen algunas substancias de hacer girar el plano de vibración cuando son atravesadas por la luz polarizada; esas substancias se llaman *ópticamente activas* [optically active substances]. Las que hacen girar el plano de vibración hacia la *derecha* del observador se llaman *dextrógiras*, y las que lo hacen girar hacia la *izquierda* se denominan *levógiras*. La actividad óptica se debe a la estructura molecular de las substancias. Cuantitativamente, el poder rotatorio es igual al ángulo de rotación del plano de vibración (grados) dividido por el espesor de la lámina atravesada por la luz (decímetros). En las soluciones de substancias activas, el poder rotatorio es proporcional a la concentración, resultado en que se fundan los *polarímetros* y *sacarímetros* [saccharimeters]. SIN. **optical activity.**

rotochute   paracaídas giratorio [con aspas giratorias].

rotoflector   (*Radar*) reflector giratorio. Reflector giratorio de

forma elíptica que radía horizontalmente un haz de ondas dirigido verticalmente.

rotometer   rotómetro, curvímetro.

rotor   rotor, rodete; pieza giratoria | rotor. Parte rotativa de un dispositivo o aparato, como p.ej. el inducido de un motor eléctrico, las placas móviles de un condensador variable, el conjunto que gira cuando se acciona un conmutador rotativo ‖ (*Elec*) rotor. Parte giratoria de una máquina eléctrica (CEI/38 10–05–190, CEI/56 10–30–010) | inducido ‖ (*Aparatos de medida*) rotor. SIN. **rotating element, moving element** ‖ (*Helicópteros*) rotor ‖ (*Radiocom*) **(of a radiogoniometer)** rotor (de un buscador radiogoniométrico). Organo giratorio de un buscador radiogoniométrico [goniometer assembly] (CEI/70 60–71–470) ‖ (*Turbinas*) rotor; rueda móvil ‖‖ *adj:* rotórico.

rotor blade   (*Aeron, Turbinas*) pala [paleta] de rotor, álabe de rotor.

rotor cloud   (*Meteor*) nube turbillonaria.

rotor coil   (*Elec*) bobina giratoria.

rotor contact lug   (*Conmut rotativos*) contacto de rotor.

rotor current   (*Elec*) corriente rotórica; corriente del inducido.

rotor diameter   (*Elec*) diámetro del rotor; diámetro del inducido.

rotor disk   disco descrito por las palas de un rotor ‖ (*Elec*) disco del rotor; disco del inducido.

rotor-excited   *adj:* (*Elec*) excitado por el rotor; excitado por el inducido.

rotor field winding   (*Elec*) devanado de campo rotórico.

rotor inertia   inercia del rotor.

rotor mast   (*Helicópteros*) mástil del rotor; mástil para soportar el rotor.

rotor plane   autogiro; helicóptero.

rotor plate   (*Cond*) placa móvil. Placa de las varias que giran en un condensador variable; placa del rotor.

rotor pylon   (*Helicópteros*) pirámide de rotor, mástil que soporta el rotor ‖ (*Gen eólicos*) mástil de soporte del rotor.

rotor reactance   (*Elec*) reactancia rotórica.

rotor resistance   (*Elec*) resistencia rotórica.

rotor-resistance starter   (*Elec*) arrancador rotórico de resistencias. Arrancador para motores de corriente alterna que inserta momentáneamente una o varias resistencias en serie con el devanado rotórico, y que las elimina sucesivamente (CEI/57 15–50–045).

rotor rheostat   (*Elec*) reostato rotórico. Reostato conectado a los devanados rotóricos [rotor windings] de un motor (CEI/57 15–50–165).

rotor shaft   eje de rotor.

rotor shoe   (*Conmut rotativos*) zapata de rotor.

rotor slot   (*Máq eléc*) ranura [muesca] del rotor.

rotor speed   (*Elec*) velocidad del rotor; velocidad del inducido.

rotor takeoff   (*Conmut rotativos*) toma del rotor.

rotor winding   (*Máq eléc*) devanado rotórico; devanado del inducido.

rotorcraft   giroavión, aeronave [aerodino] de alas giratorias.

ROTR   (*Teleimpr*) Abrev. de receive-only typing reperforator set.

rough   estado bruto [tosco]; terreno accidentado [escabroso]; piedra (preciosa) sin tallar ‖‖ *adj:* bruto, tosco, grosero; mal acabado; preliminar; en bruto, sin acabar, sin terminar ‖ (*Ajustes, Cálculos*) aproximado, basto, grosero; en primera aproximación. Se opone a *exacto, fino, de precisión* ‖ (*Madera*) sin labrar; sin cepillar ‖ (*Mar*) agitado, alborotado, duro, fuerte ‖ (*Viento*) fuerte ‖ (*Superficies*) áspero; rugoso ‖ (*Tejidos, Telas*) basto, tosco; con superficie áspera (defecto) ‖ (*Terrenos*) escabroso, accidentado, barrancoso, fragoso, desigual.

rough adjustment   ajuste [reglaje] aproximado, ajuste grosero.

rough air   (*Meteor*) aire turbulento [movido].

rough analysis   análisis aproximado.

rough atomic weight   peso atómico aproximado.

rough concrete   (*Constr*) hormigón bruto.

rough cut   (*Limas*) talla basta, picadura basta [gruesa] ‖ (*Cine*) v. **rough cutting.**

rough cutting   *(Cine)* montaje preliminar [de prueba], edición preliminar.

rough edge   rebaba || *(Fab discos fonog)* borde áspero. Borde del disco que se considera defectuoso por ser rugoso o tosco a la vista o al tacto. CF. **bad edge.**

rough estimate   presupuesto aproximado; estimación aproximada. LOCALISMOS: estimación grosera [tosca] | tasación aproximada.

rough file   *(Herr)* lima basta [gruesa].

rough finish   acabado áspero [basto] || *(Telas)* apresto áspero.

rough ground   terreno escabroso [accidentado]; terreno inculto.

rough landing   *(Avia)* aterrizaje violento.

rough lumber   madera tosca [sin labrar], madera en rollo.

rough measurement   medida aproximada [grosera].

rough method   método aproximado [grosero].

rough operation   *(Mot)* funcionamiento irregular.

rough out   *verbo:* bosquejar; concebir (un proyecto) en primera aproximación [en líneas generales].

rough proof   *(Tipog)* galerada.

rough quartz   cuarzo en bruto.

rough sea   *(Meteor)* mar gruesa.

rough-service lamp   *(Ilum)* lámpara reforzada. (**1**) Lámpara incandescente construida para resistir choques mecánicos violentos (CEI/58 45–40–055). (**2**) Lámpara incandescente construida para resistir choques mecánicos y vibraciones. NOTA: En los Estados Unidos de América, el término *vibration-service incandescent lamp* designa una lámpara construida para resistir vibraciones durante su funcionamiento (CEI/70 45–40–035).

rough sketch   bosquejo, croquis preliminar [aproximativo].

rough stone   *(Constr)* piedra bruta.

rough surface   superficie áspera; superficie rugosa; superficie irregular.

rough terrain   terreno escabroso [accidentado].

rough timber   madera sin labrar, madera en rollos. SIN. **rough lumber.**

rough tool   herramienta gruesa. EJEMPLOS: pala, mandarria, hacha.

rough tuning   sintonización aproximada [grosera]. CF. **fine tuning.**

rough vacuum   vacío preliminar, primer vacío.

rough value   valor aproximado.

rough weight   peso aproximado. CF. **gross weight.**

rough wind   viento fuerte; viento borrascoso.

rough wood   madera repelosa. Madera que tiene muchas líneas torcidas en la veta | madera sin cepillar.

roughness   aspereza, rudeza, tosquedad; estado bruto [tosco]; dureza, severidad || *(Mar)* estado agitado || *(Meteor)* tormenta, tempestad; inclemencia (del tiempo) || *(Terrenos)* aspereza, escabrosidad, fragosidad || *(Superficies)* aspereza; rugosidad; irregularidad; anfractuosidades || *(Carreteras)* desigualdades, resaltos || *(Radioayudas)* desigualdades (de un rumbo).

roughness meter   rugómetro, rugosímetro. SIN. **roughness tester.**

roughness tester   v. **roughness meter.**

round   barra redonda; moldura redonda, mediacaña; círculo; orbe; redondez; giro, vuelta, revolución; rodeo; recorrido; ruta, camino; rutina; serie; tanda, turno, suerte; baile, danza; canción; rodaja (de carne); salva de aplausos || *(Armas, Artillería)* asalto; andanada, descarga, salva; disparo; munición, cartucho con bala || *(Mil)* ronda || *(Altos hornos)* carga completa (de mineral, coque y castina) || *(Máq)* ciclo de operaciones || *(Escaleras de mano, Escalas)* travesaño; barrote [escalón, peldaño] redondo || *(Deportes)* tanda || *(Naipes)* mano || *(Mús)* canon, contrapunto || *(Redes)* primera fila de mallas || *(Tejido de punto)* vuelta || *(Voladuras)* pega, serie [juego] de barrenos, serie de taladros /// *adj:* redondo; circular; lleno; rotundo; cabal; grande; cuantioso; liberal, amplio; sonoro; vivo, veloz; fácil //// *verbo:* redondear(se); contornear; dar vueltas; rondar; desarrollarse, perfeccionarse || *(Cabos)* doblar, montar || *(Encuadernación)* enlomar || *(Vehículos)* tomar una vuel-

ta || *(Números aproximados)* redondear | **to round up:** redondear en más [por exceso] | **to round down:** redondear en menos [por defecto] //// *prep:* por todas partes, por todos lados, alrededor, en derredor; a la redonda; alrededor de; a la vuelta de.

round cable   cable redondo. CF. **flat cable.**

round chart   *(Aparatos registradores)* gráfica circular.

round-chart recorder   registrador de gráfica circular.

round conductor   *(Elec)* conductor redondo.

round file   lima redonda [cilíndrica], limatón. CF. **rattail file.**

round head   cabeza redonda.

round-head rivet   remache de cabeza semiesférica.

round-head screw   tornillo de cabeza semiesférica; tornillo con cabeza gota de cebo.

round iron   hierro redondo; cabilla. CF. **rod.**

round-nose chisel   cincel de pico redondo.

round number   número redondo.

round nut   tuerca cilíndrica.

round of ammunition   cartucho, tiro; disparo completo.

round off   *verbo:* redondear, descantear (esquinas) || *(Arit)* redondear (una cifra, un número). Suprimir de un número ciertas cifras de las menos significativas y aplicar determinadas reglas para cambiar (o dejar inalterado) el dígito menos significativo retenido.

round-off   redondeo (de un número). v. **rounding.**

round-off convention   *(Arit)* convención para redondear (números o cifras).

round-off error   v. **rounding error.**

round robin   *(Avia)* *(slang)* vuelo sin escala con retorno al punto de despegue || *(Tv)* *(slang)* circuito de transmisión con retorno al punto de origen. Circuito interurbano de transmisión de programas que retorna al punto de origen. Este tipo de circuito de distribución de programas permite comprobar, en la estación cabecera que da origen a aquéllos, la calidad de transmisión de la imagen y el sonido correspondiente.

round single-dial clock   reloj de esfera redonda única.

round switchboard cable   *(Telecom)* cable redondo (para cuadros conmutadores).

round-the-clock service   servicio permanente [en permanencia], servicio durante las 24 horas del día.

round-the clock work   trabajo continuo [seguido] durante las 24 horas del día.

round-the-world echo   *(Radiocom)* eco de circunvalación terrestre. Señal radioeléctrica que llega al punto de recepción después de haber recorrido más de medio círculo máximo alrededor de la Tierra por una propagación en la que intervienen reflexiones sucesivas entre la ionósfera y el suelo. NOTA: Se llama *eco* a esta señal por el hecho de que la misma se recibe después que la señal directa procedente del emisor (CEI/70 60–24–315). CF. **forward round-the-world echo.**

round top   cresta redonda; extremo (superior) redondo, punta redondeada; parte alta redondeada; tapa circular.

round-top pulse   (a.c. rounded-top pulse) impulso de cresta [cúspide] redondeada.

round-trip echo   *(Radar)* eco secundario, eco de segunda vuelta. Sucede a veces que el impulso devuelto por un objetivo es tan intenso que al llegar a la antena, se refleja en ella y retorna al objetivo, el cual lo devuelve por segunda vez. Cuando es devuelto por segunda vez el impulso se llama *eco secundario* o *de segunda vuelta.*

rounded-top pulse   v. **round-top pulse.**

roundhouse   *(Buques)* toldilla; beque de proa; caseta a popa || *(Ferroc)* depósito de locomotoras, casa de máquinas, cocherón, rotonda. LOCALISMO: casa redonda. Según la forma de la planta, se clasifican en *circulares* [circular-type]; *nido de abeja* [honeycomb-type]; *mixtos* [horseshoe-type]; y *anulares* [semicircular-type].

rounding   redondeo, redondeamiento || *(Arit)* redondeo (de un número). Acción de redondear un número o cifra (v. **round off**) || *(Cabos)* forro de defensa || *(Encuadernación)* enlomado (de un libro) || *(Elecn)* redondeamiento de las transiciones (de una onda).

Dícese cuando se redondean las esquinas de un impulso rectangular, o sea, que se hacen graduales las transiciones entre los flancos y la parte horizontal.

rounding error   *(Arit)* (a.c. round-off error, rounding-off error) error de redondeo [por redondeo]. Error que se comete al redondear un número (v. **round off**).

rounding-off   *(Arit)* redondeo (de un número). v. **rounding.**

rounding-off error   v. **rounding error.**

Rousseau diagram   *(Ilum)* diagrama de Rousseau. Representación gráfica con la ayuda de la cual puede calcularse el flujo luminoso [luminous flux] y la intensidad esférica media [mean spherical luminous intensity] de una fuente (puntual) de simetría axil, cuando se conoce la intensidad luminosa en un cierto número de direcciones en un plano meridiano [meridian plane]. Las coordenadas son proporcionales en una dirección a las intensidades luminosas y en la otra a los ángulos sólidos (CEI/70 45–50–115).

route   ruta, camino, vía; recorrido, trazado, línea; carretera ‖ *(Avia)* ruta, itinerario; línea aérea ‖ *(Transm de energía eléc)* línea, arteria ‖ *(Telecom)* ruta; arteria; línea; vía; trayecto, trayectoria; trazado; itinerario │ **use of two groups of lines on the same route:** empleo de dos grupos de circuitos sobre el mismo itinerario [sobre la misma ruta] ‖ *(Telef)* vía de encaminamiento. Circuitos destinados a ser utilizados para el encaminamiento del tráfico telefónico internacional en una relación determinada. Se distinguen las siguientes:

(a) *Vía normal* [normal route]: Conjunto de los circuitos destinados a ser utilizados indistintamente como preferentes [first-choice circuits] entre dos centros internacionales [international exchanges] determinados.

(b) *Vía de desbordamiento* [overflow route]: Circuito o circuitos destinados a ser utilizados entre dos centros internacionales determinados cuando la vía normal está congestionada.

(c) *Vía de socorro* [emergency route]: Circuito o circuitos destinados a ser utilizados entre dos centros internacionales determinados en caso de interrupción total [complete interruption] o de avería importante [major breakdown] de las vías normales y de las vías de desbordamiento.

(d) *Vía primaria* [primary route]: Circuito o circuitos destinados a ser utilizados normalmente en el servicio telefónico intercontinental [intercontinental telephone service].

(e) *Vía secundaria* [secondary route]: Circuito o circuitos destinados a ser utilizados en el servicio telefónico intercontinental cuando la vía primaria está congestionada, o cuando la calidad de transmisión [performance] por la vía primaria es insuficiente, o cuando la comunicación ocurre fuera de las horas de servicio por la vía primaria.

‖ *(Teleg)* (vía de) encaminamiento. v. **routing** ⫽ *verbo:* encaminar, dar curso; trazar; mandar; hacer un itinerario.

route chart   carta de ruta, carta itineraria.

route connection   *(Telef)* conexión de vía.

route description   *(Avia)* descripción de ruta.

route distribution   distribución en ruta.

route diversity   *(Telecom por microondas)* diversidad de ruta.

route familiarization   familiarización con la ruta.

route familiarization flight   *(Avia)* vuelo de familiarización con la ruta.

route followed by a telegram   vía seguida por un telegrama.

route forecast   *(Meteor)* pronóstico de ruta.

route guide   derrotero.

route indication   *(Teleg)* indicación de vía. v. **routing.**

route indicator   *(Ferroc)* indicador de ruta [de itinerario]. Señal que indica para qué ruta han sido dispuestos los cambios.

route interlock   *(Ferroc)* v. **route locking.**

route lever   *(Ferroc)* palanca de itinerario.

route locking   *(Ferroc)* enclavamiento de itinerario; enclavamiento de trazado │ enclavamientos múltiples [condicionales]. Solidaridad establecida entre tres o más palancas │ (*i.e.* after the signal

has been passed) enclavamiento de tránsito. Enclavamiento que se opone a la modificación de la posición de las agujas de un itinerario [points of a route] y de sus agujas de protección si un tren ocupa ese itinerario (CEI/59 31–10–165) │ (*i.e.* before the signal has been passed) enclavamiento de itinerario marcado. Enclavamiento que se opone a la modificación de la posición de las agujas de un itinerario y de sus agujas de protección después que el itinerario ha sido trazado o después que la señal ha sido abierta [cleared] (CEI/59 31–10–160) │ CF. **sectional release route locking, through route locking, special locking.**

route manager [RM]   *(Teleg)* jefe de encaminamiento. v. **routing.**

route map   mapa de ruta, mapa itinerario.

route marker   *(Carreteras)* señal de ruta.

route-miles   *(Telecom)* millas-ruta, millas de ruta. v. **channel-miles.**

route of a call   *(Telef)* vía de encaminamiento de una llamada [de una comunicación].

route of a line   *(Telecom)* trazado de la línea.

route pattern   red de caminos.

route restriction   *(Telecom)* restricción de ruta.

route segment   *(Avia)* tramo de ruta.

route selection   *(Ferroc)* selección [trazado] de itinerario ‖ *(Telecom)* selección de ruta.

route setting   *(Ferroc)* fijación [trazado] del itinerario.

route stage   *(Avia)* etapa.

route surveying   levantamiento de ruta. Reconocimiento, levantamiento preliminar, y trazado definitivo de una ruta de carretera, vía férrea, canal, oleoducto, gasoducto, línea de transporte eléctrico, línea de telecomunicación, etc. AFINES: topografía (del camino, del proyecto), diseño, cálculos, planificación, construcción, elementos constructivos, ingeniería civil, ingeniería de sistemas.

Routh criterion   *(Mec)* criterio de Routh.

Routh rule of inertia   *(Mec)* regla de la inercia de Routh. Ecuación del momento de inercia alrededor de un eje de simetría, que se usa como criterio de la estabilidad de un sistema.

routine   rutina, costumbre, hábito ‖ *(Informática)* rutina. (**1**) Método habitual de procesar un problema. (**2**) Serie, sucesión o secuencia de instrucciones de máquina, destinada a ejecutar determinado programa. (**3**) Conjunto de instrucciones convenientemente ordenadas para hacer que una computadora lleve a cabo un proceso particular. En este sentido el término *rutina* es algo más preciso que el término (más general y más común) *programa* [program]. SIN. **master routine.** CF. **check routine, compiling routine, diagnostic routine, executive routine, interpretative routine, loading routine, minimum-access routine, optimum routine, photographic routine, post-mortem routine, sequence-checking routine, service routine, simulation routine, snapshot routine, supervisor routine, test routine, tracing routine, subroutine** ‖ *(Telecom)* **as a matter of routine:** de servicio, de oficio ‖ *(Tv)* acto ensayado; número especial ‖ **on a routine basis:** sistemáticamente ⫽ *adj:* rutinario; normal, corriente, habitual; de oficio; periódico.

routine broadcast   *(Telecom)* emisión [radiodifusión] regular.

routine inspection   inspección periódica.

routine maintenance   mantenimiento [atención técnica] de rutina; mantenimiento [entretenimiento] preventivo ‖ *(Telecom)* mantenimiento periódico. Conjunto de operaciones preventivas que permiten mantener en buen estado de funcionamiento una línea, un equipo o un aparato ya puestos en servicio; las operaciones pueden incluir ajustes.

routine maintenance work   reparaciones preventivas; reparaciones de rutina, trabajos normales de mantenimiento [conservación].

routine measuring point   *(Telecom)* punto para medidas de rutina.

routine observation   *(Meteor)* observación ordinaria.

routine repair   reparación preventiva; reparación corriente.

routine repetition   *(Telecom)* repetición de oficio.

routine retransmission   *(Telecom)* retransmisión de oficio.

routine stoppage   *(Máq)* parada durante el funcionamiento normal.

routine tape   *(Informática)* cinta de programa.

routine test   prueba corriente [rutinaria] ‖ *(Telecom)* prueba periódica [rutinaria, sistemática], ensayo periódico ‖ *(Elec)* **routine tests**: ensayos rasos. Ensayos de la calidad [prototype tests] que se efectúan sobre todos los aparatos de una partida [consignment] (CEI/56 10–40–350).

routine tester   *(Telecom)* aparato de pruebas.

routiner   *(Telef)* aparato [instalación] de pruebas sistemáticas, dispositivo [instalación] de ensayos sistemáticos | equipo de pruebas rutinarias. En telefonía automática, equipo destinado a la prueba sistemática de aparatos o de circuitos (CEI/70 55–95–185).

routing   camino, curso, marcha, itinerario, trayecto, recorrido, ruta ‖ *(Telecom)* vía; línea; arteria; trazado (de rutas) | *(i.e. through selectors)* encaminamiento, orientación ‖ *(Teleg)* despacho, curso (de un mensaje) | (a.c. route) (vía de) encaminamiento. (1) Itinerario seguido o marcado para la transmisión de un telegrama o el establecimiento de una comunicación. (2) Naturaleza de los medios de transmisión (hilo, cable, radio) utilizados o destinados a ser utilizados para la transmisión de un telegrama o el establecimiento de una comunicación ‖ *(Fáb)* circulación de los materiales.

routing-and-switching unit   *(Telecom)* pupitre [consola] de encaminamiento y conmutación.

routing bulletin   *(Telecom)* boletín de encaminamiento (de las comunicaciones) ‖ *(Telef)* cartas de ruta.

routing channel   *(Telecom)* vía de encaminamiento.

routing chart   *(Telecom)* cuadro de encaminamiento (de las comunicaciones) ‖ *(Telef)* cartas de ruta.

routing clerk   *(Teleg)* encargado de la asignación de rutas, encargado de encaminamiento del tráfico. Empleado del departamento de tráfico que, siguiendo instrucciones generales, asigna a cada telegrama la ruta o vía de transmisión correspondiente, o sea, el circuito por el cual debe cursarse el despacho, según su destino y otras circunstancias.

routing code   *(Telef)* indicativo (de encaminamiento). Combinación de una o varias cifras (o cifras y letras) destinada a encaminar una llamada hacia una zona predeterminada.

routing digit   *(Telef)* cifra de encaminamiento | **routing digits**: dígitos de recorrido. Dígitos que provocan la selección del encaminamiento hacia la central o el servicio deseado (CEI/70 55–110–300).

routing directory   *(Telecom)* guía de encaminamiento [de indicadores de vía]. SIN. **routing guide**.

routing form   *(Telecom)* hoja [planilla] de encaminamiento, hoja de rutas.

routing guide   *(Telecom)* guía de encaminamiento [de indicadores de ruta]. SIN. **routing list [directory]**.

routing indicator [RI]   *(Telecom)* indicador de encaminamiento [de vía, de ruta].

routing information   *(Telecom)* información de ruta.

routing inspector   *(Ferroc)* inspector de ruta.

routing line   *(Teleg)* línea de vía.

routing list   *(Telecom)* lista de encaminamiento [de indicadores de vía]. SIN. **routing guide**.

routing of traffic   *(Telecom)* encaminamiento del tráfico | curso [despacho] del tráfico. SIN. **forwarding of traffic**.

routing plan   *(Telef)* cartas de ruta. SIN. **routing chart [bulletin]**.

routing (through selectors)   *(Telecom)* encaminamiento, orientación.

routing time   *(Telecom)* duración de encaminamiento.

roving plug   clavija móvil.

row   fila, hilera, ringlera; serie; alineación, línea ‖ *(Mat)* fila, recta horizontal | fila. En las matrices, hilera horizontal de elementos; las hileras verticales se llaman *columnas* ‖ *(Telecom)* fila, serie.

row of lights   *(Aeropuertos)* fila de luces.

row parity check   *(Informática)* comprobación de paridad por filas transversales. En las cintas magnéticas y en las perforadas, comprobación de paridad que se efectúa en cada fila transversal de bitios. SIN. **lateral parity check**.

Rowland ring   *(Ensayos de materiales mag)* anillo de Rowland. Anillo utilizado en el método de Rowland (v. **ring method**).

Rowland's method   método de Rowland, método del anillo. v. **ring method**.

r_p *(Elecn)* Símbolo de *resistencia de placa* [plate resistance].

RP   *(Teleg)* Prefijo de respuesta pagada [reply paid]. Prefijo internacional que, incluido en el preámbulo o antepuesto a la dirección de un telegrama, significa que el expedidor ha pagado por la respuesta; puede ir acompañado de una indicación de la cantidad abonada ‖ *(Tv)* Abrev. de rear projection.

RP voucher   *(Teleg)* cupón "RP", cupón de respuesta pagada. Cupón de crédito que la oficina de destino entrega al destinatario de un telegrama con respuesta pagada, y que es redimido al ser presentado junto con el telegrama de respuesta.

RPI   *(Informática)* Abrev. de rows per inch [hileras de bitios por pulgada]. Se usa para expresar la densidad de información en una cinta magnética.

rpm   Abrev. de revolutions per minute.

rpm indicator   taquímetro, tacómetro, cuentarrevoluciones.

rps   Abrev. de revolutions per second.

RPT   *(Teleg)* Abrev. de repeat [repito; repita, sírvase repetir].

RPTG   *(Teleg)* Abrev. de repeating [repitiendo; repetición].

RPTN   *(Teleg)* Abrev. de repetition [repetición].

RPTR   *(Esquemas)* Abrev. de repeater.

RQ   *(Teleg)* RQ. Indicativo de un aviso o nota de servicio; en particular, de una petición de aclaración sobre tráfico ya cursado. La respuesta a un RQ, es un BQ.

RQ message   *(Teleg)* mensaje RQ.

RR   Abrev. de railroad ‖ *(Telecom)* Abrev. de Radio Regulations.

RR signals   señales ferroviarias; señalización ferroviaria.

RRAC   *(Telecom)* Abrev. de Radio Regulations (Atlantic City).

RRL   Abrev. de Radio Research Laboratory (Tokio, Japón).

RRS   Abrev. de Radio Research Station (Slough, Inglaterra).

RSP   *(Radionaveg)* Abrev. de responder beacon.

RSS   Abrev. de root sum square.

RSS value   valor cuadrático resultante.

RST   *(Teleg)* Abrev. de reply to paid service [respuesta a servicio pagado] | Abrev. de reply to a paid service notice [respuesta a un aviso de servicio pagado].

RSVP   Abrev. de répondez s'il vous plaît [sírvase contestar]. La abreviatura es de uso común en los telegramas cursados en francés. La correspondiente expresión en inglés es *please reply* o *reply if you please*.

RT   Abrev. de receiver/transmitter; radiotelephone; radiotelephony.

RT box   *(Radar)* v. **ATR tube**.

RT switch   *(Radar)* v. **ATR tube**.

RTB   Abrev. de Radiodiffusion-Télévision Belge.

RTCA   Abrev. de Radio Technical Committee for Aeronautics.

RTD   *(Teleg)* Abrev. de report time of delivery [sírvase informar la hora de entrega]. Se usa en telegramas de servicio.

RTE   *(Teleg)* Abrev. de route.

RTF   Abrev. de Radiodiffusion-télévision française ‖ *(Telecom)* Abrev. de radiotelephone; radiotelephony.

RTG   *(Telecom)* Abrev. de radiotelegraph; radiotelegraphy; routing.

RTG CLK   Abrev. de routing clerk.

RTL   Abrev. de resistor-transistor logic.

RTLP   *(Telecom)* Abrev. de reference transmission-level point.

RTMA   Abrev. de Radio-Television Manufacturers Association.

RTN   Abrev. de return | Abrev. de Red Telegráfica Nacional.

RTPB   Abrev. de Radio Technical Planning Board.

RTT   *(Telecom)* Abrev. de radioteletype.

rub   frote, frotadura; roce, rozadura ⫼ *verbo:* frotar; refregar, restregar; rozar, ludir, raer, raspar.

rubber   goma (elástica); caucho. LOCALISMO: hule. Término general usado p.ej. para designar los materiales aislantes hechos a base de elastómeros termoendurecibles [thermosetting elastomers], tales como el caucho (natural o sintético), el neopreno, la goma butílica [butyl rubber], etc.

rubber band   banda de goma [de caucho], cinta elástica, elástico.

rubber boat   bote de caucho.

rubber cable   v. **rubber-covered cable.**

rubber-covered   *adj:* forrado con caucho, recubierto de caucho; aislado con caucho ‖ *(Ejes)* encamisado con caucho.

rubber-covered cable   cable bajo caucho, cable recubierto [revestido, forrado] de caucho.

rubber-covered lead-in   *(Telecom)* línea de entrada aislada con caucho.

rubber-covered wire   hilo aislado con caucho, alambre con forro de goma, hilo con cubierta de goma.

rubber ferrite   ferrita en polvo aglomerada con ligante de caucho.

rubber-filled tape   cinta impregnada de caucho.

rubber gasket   junta de caucho, empaque de goma; arandela de goma; guarnición de caucho.

rubber grommet   *(Elec/Elecn)* ojal [pasahilos] de caucho, arandela protectora de goma, arandela aislante de caucho, arandela aisladora de goma.

rubber hose   manguera [tubo] de caucho.

rubber-insulated cable   cable aislado con caucho [con goma], cable con aislamiento de caucho.

rubber insulation   aislamiento de caucho, aislante de caucho [de goma].

rubber-jacketed cable   cable forrado de caucho, cable con forro exterior de caucho.

rubber-lined pipe   tubo forrado de caucho; tubería forrada de caucho.

rubber membrane   membrana de caucho.

rubber-mounted   *adj:* montado en caucho; montado sobre tacos de caucho.

rubber nipple   *(Bujías de encendido)* protector de caucho.

rubber pad   almohadilla de caucho; rodete de caucho ‖ *(Ferroc)* almohadilla de goma. Chapa de goma especial que se coloca entre el riel y los durmientes.

rubber plug   *(Telecom)* clavija de caucho.

rubber shock absorber   amortiguador de caucho.

rubber solution   solución de caucho.

rubber stop   tope de caucho.

rubber suspension   suspensión elástica mediante piezas [tacos] de caucho.

rubber tape   cinta cauchotada ‖ *(Elec)* cinta de caucho (para aislación de empalmes).

rubber tire   llanta de goma. En los tocadiscos, banda de goma que cubre el borde o periferia de contacto de la polea loca, y que tiene por fin aumentar la fricción entre ésta y el reborde del plato. CF. **rim drive** ‖ *(Autos)* neumático, cubierta.

rubber-tired   *adj:* con llanta de goma; con neumáticos, de neumáticos.

rubber-tired wheel   rueda con llanta de caucho; rueda neumática, rueda con neumático.

rubber tubing   tubo de caucho; tubería de caucho. CF. **rubber-lined pipe, rubber hose.**

rubber washer   arandela de caucho. CF. **rubber grommet.**

rubber wheel   rueda de caucho. CF. **rubber-tired wheel** ‖ *(Máq herr)* rueda abrasiva ligada con caucho.

rubbered   *adj:* cauchotado.

rubbered tape   (a.c. rubber tape) cinta cauchotada.

rubberize   *verbo:* cauchotar, impregnar de caucho, engomar.

rubberized   *adj:* cauchotado, impregnado de caucho, engomado.

rubberized fiber pad   taco de fibra engomada. Se usa p.ej. como amortiguador en el empaque de aparatos.

rubbing   frotamiento, frotación, frote, frotadura; rozamiento, roce, rozadura; fricción.

rubbing contact   *(Telecom)* cursor. SIN. **rubbing cursor** | contacto deslizante. SIN. **sliding contact.**

rubbing cursor   *(Telecom)* cursor. SIN. **rubbing contact.**

rubbing oil   *(Ebanistería)* aceite para borrar marcas.

rubbing surface   superficie de frotamiento [de rozamiento], superficie frotante ‖ *(Escobillas)* superficie de contacto.

rubidium   rubidio. Elemento metálico fotosensible de número atómico 37 y peso atómico 85,48. Símbolo: Rb.

rubidium gas cell   célula gaseosa de rubidio. Se utiliza en ciertos patrones de frecuencia.

rubidium magnetometer   magnetómetro de rubidio.

rubidium standard   patrón (de frecuencia) de rubidio.

rubidium vapor   vapor de rubidio.

rubidium-vapor frequency standard   patrón de frecuencia de vapor de rubidio. Patrón de frecuencia atómico cuyo elemento esencial (determinante de la frecuencia) es una célula gaseosa que contiene vapor de rubidio y un gas neutro compensador.

ruby   rubí.

ruby laser   laser de rubí.

ruby maser   maser de rubí.

rudder   *(Aeron)* timón de dirección ‖ *(Buques)* timón ‖ *(Gen eólicos, Molinos de viento)* aleta [cola] de orientación.

rudder angle   recorrido angular del timón de dirección.

rudder area   área del timón de dirección.

rudder bar   palonier; barra del timón de dirección.

rudder cable   cable del timón de dirección.

rudder control   *(Avia)* mando de dirección.

rudder horn   mangueta del timón de dirección.

rudder pedal   pedal del timón de dirección.

rudder stop   tope del timón de dirección.

rudder tab   aleta compensadora [de compensación] del timón de dirección.

rudder torque   momento de torsión del timón de dirección.

rudderpost   *(Aeron)* eje del timón de dirección.

rugged   *adj:* fuerte, robusto, sólido, resistente, de construcción reforzada. Dícese de las máquinas, los aparatos o los elementos constructivos capaces de soportar sacudidas y vibraciones fuertes o prolongadas.

ruggedization   reforzamiento (mecánico); acción de reforzar o hacer mecánicamente fuerte (un aparato, etc.); hacer robusto, sólido, resistente, etc.

ruggedized   *adj:* reforzado, de construcción robusta [recia], mecánicamente fuerte, resistente.

ruggedized construction   construcción reforzada [fuerte, robusta, recia].

ruggedized tube   *(Elecn)* tubo reforzado, válvula reforzada.

ruggedness   robustez (mecánica), resistencia (mecánica), solidez (de construcción).

Ruhmkorff coil   *(Elec)* bobina de Ruhmkorff, bobina de inducción. v. **induction coil.**

rule   regla; norma, precepto; costumbre, uso; estatuto, orden; precepto de ley, disposición legal; mando, poder, dominio; autoridad, gobierno; auto, fallo (de un tribunal) ‖ *(Medidas)* regla (graduada), cartabón, medida ‖ *(Tipog)* raya, guión; filete, pleca; corondel ‖ **rules:** reglamento ⫼ *verbo:* rayar, reglar; regular; decidir, disponer, ordenar, determinar; dirigir, guiar, establecer reglas; prevalecer, ser de costumbre; dominar, gobernar, regir, mandar; fallar, dictaminar (un tribunal).

rule of false position   *(Mat)* regla de falsa posición. Regla de las aritméticas del siglo XVII que ya no se explica en ningún texto, porque no sirve para nada; se encuentra en algunas obras a título de curiosidad histórica.

rule of three   *(Arit)* regla de tres. Procedimiento aritmético para resolver problemas que dependen de una o varias proporciones. Puede ser *simple* o *compuesta, directa* o *inversa*.

rule of thumb   regla práctica (aproximada), regla de tipo práctico; regla empírica; aproximación.

rule-of-thumb method   método práctico; método aproximado.

ruled paper   papel rayado.

ruled surface   *(Mat)* superficie reglada. Superficie engendrada por el movimiento de una recta que se llama *generatriz* [generator] de aquélla.

ruler   regla (de dibujo); dirigente, gobernante.

rules and regulations   (estatutos y) reglamento.

rules of procedure   reglas de procedimiento; reglamento (de régimen) interior.

rules of the air   *(Avia)* reglamento del aire.

ruling   precepto de ley, disposición legal; decisión, fallo (de un juez); gobierno; acción de dirigir o mandar ‖ *(Dib, Mapas)* rayado. CF. **cross ruling, hachures, hatching, single ruling.**

ruling grade   *(Ing civil)* pendiente [rampa] máxima admitida, pendiente determinante [reguladora, dominante]. LOCALISMO: rasante dominante ‖ *(Ferroc)* pendiente determinante. Inclinación de la línea que fija el peso máximo de un tren cuando éste la recorre en sentido ascendente.

ruling gradient   *(Ferroc)* pendiente límite de adherencia. Pendiente máxima que puede salvar un vehículo de tracción con adherencia natural. SIN. **limiting gradient.**

ruling pen   *(Dib)* tiralíneas.

rumble   rumor, ruido sordo (y prolongado); estruendo, fragor, estampido ‖ *(Electroacús)* ruido mecánico (de fondo), rumor de fondo (de origen mecánico), ruido de motor, ruido de origen mecánico. Ruido de baja frecuencia, especie de rumor sordo, causado por vibraciones mecánicas del motor y del mecanismo que arrastra el plato giratorio de un aparato de reproducción fonográfica. Esas vibraciones, que se transmiten hasta la aguja del fonocaptor, se producen por imperfecciones de alineamiento y de equilibrio en las piezas móviles, irregularidades en las superficies transmisoras de movimiento, y variaciones en la velocidad del motor. SIN. **mechanical noise, turntable rumble.** CF. **wow, hum, flutter** ‖ *(Medicina)* ruido de roce; ruido de tripas, borborigmo (ruido que producen los gases encerrados en el abdomen) ‖ *(Vehículos)* v. **rumble seat** ⫻ *verbo:* retumbar, rugir; hacer estruendo; hacer retumbar; avanzar con estruendo.

rumble filter   *(Electroacús)* filtro contra ruido de fondo (del tocadiscos), filtro contra ruidos de origen mecánico, filtro contra ruido de vibración mecánica.

rumble-filter switch   conmutador de filtro contra ruido de fondo (del tocadiscos). Conmutador o interruptor que permite intercalar o eliminar el filtro del circuito, según se desee.

rumble seat   *(Vehículos)* asiento trasero [de zaga, de cola]; asiento trasero descubierto; pescante situado detrás del vehículo.

rumbling   vibraciones.

rumbling vibration   vibración de baja frecuencia.

Rumford photometer   fotómetro de Rumford [de sombra]. SIN. **shadow photometer.**

run   carrera; curso, marcha; recorrido, travesía; línea de navegación; serie, sucesión; ciclo (de trabajo); período de marcha continua; pasada (de una herramienta); serie (de producción), lote (de fabricación); pasada (de un avión) ‖ *(Cables, Líneas, Canalizaciones)* recorrido, tramo, trozo, sección; travesía; tendido; distancia ‖ *(Ferroc)* trayecto, recorrido ‖ *(Estadística)* runfla. Serie de elementos o cosas de la misma especie. Serie de experimentos de la misma naturaleza ‖ *(Informática)* pasada (de tarjetas por una máquina); ejecución (de un programa, de una rutina); ejecución (de un proceso determinado con un conjunto dado de datos) ‖ *(Mús)* escala ‖ *(Tipog)* tirada, tiraje.

run-back of equipment   v. **runback of equipment.**

run book   *(Informática)* v. **run manual.**

run down   *(Bat)* descargar(se), agotar(se).

run in   añadir (un líquido) ‖ *(Máq, Mot, Engranajes)* rodar;

asentar; estrenar.

run-in   *(Informática)* ciclo de entrada, iniciación de pasada.

run in multiple   *(Máq eléc)* marchar en paralelo.

run in pipe   *(Cables eléc)* tender en tubos.

run-in tape   *(Registro mag)* cabeza de cinta. SIN. **first-feed tape, leader tape.**

run manual   *(Informática)* manual de ejecución. Manual de instrucciones sobre el sistema de elaboración, la lógica y las modificaciones del programa, el manejo de la máquina, y otros detalles relacionados con la ejecución de una rutina o un proceso determinados. SIN. **run book.**

run motor   *(Facsímile)* motor de arrastre. Motor que anima el mecanismo explorador o registrador, según el caso, y cuya velocidad es regulada por un motor sincrónico auxiliar.

run-of-river power plant   *(Elec)* v. **run-of-river power station.**

run-of-river power station   central eléctrica [hidroeléctrica] de agua fluyente, estación de fuerza sin almacenamiento. SIN. **run-of-river power plant** ‖ central hidroeléctrica de agua fluyente. Central hidroeléctrica que carece de embalse regulador [regulating reservoir] (CEI/65 25–10–025). CF. **power station with reservoir.**

run of wiring   *(Elec)* tendido (de conductores).

run off the track   *(Ferroc)* descarrilarse.

run open   *(Cables)* tender al aire.

run-out   *(Informática)* descarga, pasada sin procesar.

run-out key   *(Informática)* tecla de descarga ‖ *(Teleimpr)* tecla de progresión continua (de la cinta). Tecla que mientras se mantenga oprimida hace salir (avanzar) la cinta continuamente, sin más perforaciones que las de progresión.

run under load   funcionar [marchar] en carga.

run-up   *(Mot)* embalamiento; prueba.

run-up area   *(Avia)* zona de prueba de motores.

runaround   desviación del tráfico.

runaround crosstalk   *(Telecom)* diafonía entre repetidores. Diafonía resultante del acoplamiento entre el lado de alto nivel de un repetidor y el de bajo nivel de otro, a veces por intermedio de una línea o de un tercer repetidor. CF. **interaction crosstalk.**

runaway   *(Elecn)* (*i.e.* thermal runaway) embalamiento térmico ‖ *(Mot)* embalamiento ⫻ adj: *(Nucl)* (*i.e.* out of control) fuera de control.

runaway electron   electrón de aumento continuo de energía. Electrón en un gas ionizado que aumenta continuamente de energía, por ser sus pérdidas de energía debidas a choques con otras partículas contenidas en el gas, menores que las ganancias por efecto de un campo eléctrico aplicado.

runaway propeller   *(Avia)* hélice embalada.

runaway speed   velocidad de embalamiento ‖ *(Máq eléc)* velocidad de disparada. En el caso de un motor de característica serie [series-characteristic motor], velocidad alcanzada en vacío a la tensión nominal. En el caso de un grupo compuesto de un motor primario [prime mover] y de una generatriz, velocidad máxima alcanzada por el grupo después de la supresión de la carga plena de la generatriz si el regulador de velocidad [speed regulator] no funciona (CEI/56 10–40–180).

runaway vehicle   *(Ferroc)* vehículo cortado de un tren ‖ vehículo alzado. Vehículo que se mueve sin control sobre la vía, generalmente a impulso del viento.

runback   retroceso; reculada.

runback of equipment   *(Tracción eléc)* (of a camshaft) retroceso del equipo (de un árbol de levas). Sentido de funcionamiento correspondiente a la regresión [notching back] del manipulador [master controller] (CEI/57 30–15–165). CF. **progression of equipment.**

Runge-Kutta method   *(Mat)* método de Runge-Kutta. Método para hallar la solución numérica de una ecuación diferencial ordinaria.

runner   corredor; mandadero, recadero ‖ *(Avia)* patín (de aterrizaje) ‖ *(Bot)* serpa, jerpa; estolón, zarcillo ‖ *(Ferroc)* larguero, longrina. Apoyo longitudinal de los rieles. SIN. **walling** ‖ *(Fundición/Moldeado)* bebedero, piquera, canal [agujero] de colada, vaciadero, reguera ‖ *(Máq)* maquinista, operador ‖ *(Mec)* corredera; patín, zapata; rueda; rotor; anillo móvil; rodillo de rodadura; guía de resbalamiento; polea guía; polea fija; cuaderna móvil; aparejo de motón movible; rueda intermedia, rueda parásita ‖ *(Bombas, Turbinas)* rodete, rotor, rueda (móvil), miembro giratorio, impulsor ‖ *(Trineos)* patín ‖ *(Tuberías)* burlete ‖ *(Cajones de mueble)* resbaladera ‖ *(Entibación)* tablestaca metálica ‖ *(Elec)* cursor.

runner plate *(Cine)* guía de la película.

runner resistance *(Elec)* resistencia del cursor.

running funcionamiento; marcha, circulación; carrera, curso, corrida; corrimiento; movimiento; derrame ‖ *(Mec)* accionamiento; rodaje.

running amperes *(Mot eléc)* amperios en marcha normal. CF. **locked-rotor amperes.**

running board *(Edif)* larguero, carrera ‖ *(Ferroc)* pasadera, piso de unión entre la locomotora y el ténder ‖ *(Vehículos)* estribo.

running-board aerial V. **running-board antenna.**

running-board antenna antena bajo el estribo. Antena montada bajo el estribo de un vehículo. SIN. **running-board aerial** *(GB)*.

running cable cable portante.

running charges gastos de explotación. Gastos totales exigidos para el funcionamiento de una instalación durante un tiempo determinado (CEI/38 25–05–020).

running circuit-breaker *(Elec)* disyuntor de marcha. Disyuntor que sirve para conectar una máquina a su fuente de tensión de marcha normal, después de que la misma ha alcanzado suficiente velocidad con la conexión de arranque.

running commentary *(Cine, Radio)* narración.

running current *(Mot eléc)* corriente en marcha normal. CF. **locked-rotor current.**

running cycle ciclo de funcionamiento.

running direction *(Ferroc)* sentido de marcha.

running fit ajuste corredizo [deslizante, de deslizamiento], ajuste suelto [de rotación libre].

running fix *(Naveg)* posición determinada por dos marcaciones.

running interval *(Carreteras)* intervalo de marcha. Distancia entre la parte delantera más saliente de un vehículo y la parte posterior de aquel que le precede en el mismo carril de tránsito [traffic lane].

running life duración funcional.

running light *(Máq)* luz de marcha, luz indicadora de funcionamiento. Luz que en un cuadro de maniobra indica que una máquina se encuentra funcionando ‖ *(Naveg)* luz de navegación, luz de situación.

running line *(Ferroc)* (a.c. main line) vía principal, vía general. Vía de las más importantes de un ferrocarril y destinada a la recepción, circulación y expedición de trenes.

running off fuga; desenrollamiento ‖ *(Tracción eléc)* desacoplamiento (del aparato de toma de corriente). CF. **trailing ramp.**

running on *(Tracción eléc)* acoplamiento (del aparato de toma de corriente). CF. **leading ramp.**

running protection protección en funcionamiento.

running rabbits *(Radar)* parásitos de interferencias locales. Puntos de aparición aleatoria que se desplazan a través de la pantalla y que se deben a interferencia de radares vecinos.

running rail *(Ferroc)* riel de recorrido, carril maestro [de la vía] ‖ *(Tracción eléc)* carril de rodadura ‖ *(Puentes grúa)* carril de traslación.

running road *(Ferroc)* vía de circulación. Vía de las que vinculan los haces principales de clasificación.

running series serie consecutiva.

running series of numbers numeración consecutiva [continua].

running spares *(Elecn/Telecom)* (a.c. field spares, as opposed to *heavy* or *depot spares*) repuestos menores.

running speed velocidad de marcha ‖ *(Carreteras)* velocidad media de marcha. Velocidad en un determinado trecho de camino,

que se obtiene dividiendo la distancia por el tiempo de marcha [running time]. El promedio para todo el tránsito o para una determinada parte de los vehículos que lo constituyen, está dado por la suma de distancias dividida por la suma de los tiempos de marcha.

running speed of film *(Cine)* velocidad de la película.

running speed of tape *(Registro mag)* velocidad de la cinta.

running temperature temperatura de funcionamiento.

running time tiempo de funcionamiento [de marcha, de utilización] ‖ *(Cine)* duración (de la película, de proyección) ‖ *(Registro mag)* duración (de la cinta, del carrete) ‖ *(Carreteras)* tiempo de marcha. Período de tiempo durante el cual el vehículo se encuentra en movimiento.

running-time meter totalizador de tiempo de funcionamiento. Dispositivo que registra el total de horas de funcionamiento de una máquina o un aparato.

running torque *(Mot)* par motor en funcionamiento normal. Fuerza rotatomotriz [rotatomotive force, turning power] cuando el motor funciona a su velocidad especificada o de régimen.

running track *(Deportes)* pista ‖ *(Ferroc)* vía principal, vía de recorrido, vía en la cual no se detienen los trenes; vía central (de un haz de vías).

running voltage tensión de funcionamiento ‖ *(Ilum)* tensión de servicio. V. **operating voltage** ‖ *(Mot eléc)* tensión [voltaje] de marcha normal.

running water agua corriente; agua viva | to **clean under running water:** limpiar bajo un chorro de agua.

running winding *(Mot eléc)* devanado de marcha, arrollamiento de trabajo. CF. **starting winding.**

runout *(Calefacción)* derivación [ramal de acometida] al calorífero ‖ *(Cine)* cola, fin de cinta ‖ *(Máq)* carrera, alcance ‖ *(Elementos rotativos)* (error de) excentricidad ‖ *(Ejes)* descentramiento ‖ *(Rollos de cinta, de alambre)* desigualdad del diámetro.

runout of shaft (error de) descentramiento [excentricidad] del eje. En el caso de un potenciómetro, máxima diferencia entre las indicaciones alta y baja de un indicador de cuadrante de modo que permite medir la excentricidad del diámetro piloto. Para este ensayo el eje de accionamiento se fija al tornillo de banco y, para efectuar las medidas, se hace girar el cuerpo del potenciómetro. CF. **lateral runout.**

runover area *(Avia)* zona para sobrerrecorrido (de aterrizaje).

runway *(Avia)* pista (de aterrizaje, de despegue) ‖ *(Dirigibles)* corredor ‖ *(Tecn espacial)* pista de lanzamiento ‖ *(Edif)* pasadizo ‖ *(Grúas)* carrilera.

runway air temperature *(Avia)* temperatura del aire en la pista.

runway alignment *(Avia)* alineación [alineamiento, enfilamiento] de pista.

runway alignment beacon faro de enfilamiento de pista. Faro aeronáutico [aeronautical beacon] que indica una posición en la dirección de aproximación de una pista particular de un aeródromo (CEI/70 45–60–155).

runway alignment indicator *(Avia)* indicador de alineación de pista.

runway approach end extremo de aproximación de la pista.

runway bump resalto de la pista.

runway center line eje de la pista.

runway center-line lights luces de eje de pista. V. **runway lights.**

runway designation identificación de pista.

runway designation marker señal de identificación de pista.

runway edge lights luces de borde de pista. V. **runway lights.**

runway edge marking señal de borde de pista.

runway end lights luces de extremo de pista.

runway floodlight proyector de pista.

runway floodlight system sistema de iluminación de pista.

runway lights luces de pista. Luces aeronáuticas de superficie [aeronautical ground lights] dispuestas a todo lo largo de la parte utilizable de una pista. NOTA: Se distingue entre las *luces de borde de* *pista* [runway edge lights] y las *luces de eje de pista* [runway center-line lights], según que las luces indiquen los límites laterales o la línea axil de una pista, respectivamente (CEI/70 45–60–180). CF. **runway surface lights.**

runway localizer   (radiofaro) localizador de pista.

runway localizer beam   haz de localizador de pista.

runway localizer receiver   receptor de localizador de pista.

runway localizer transmitter   transmisor de localizador de pista.

runway localizing beacon   (radio)faro localizador de pista, (radio)baliza localizadora de pista. SIN. **runway localizer.** CF. **boundary marker, glide-path localizer, middle marker, outer marker, marker beacon.**

runway marker   marcador [radiobaliza marcadora] de pista.

runway occupancy   ocupación de la pista.

runway occupancy time   tiempo de ocupación de la pista.

runway overshooting   sobrerrecorrido de la pista.

runway pavement   pavimento de la pista.

runway profile   perfil de la pista.

runway selected basic length   longitud básica escogida para la pista.

runway smoothness   lisura de la pista.

runway strength   resistencia de (la) pista.

runway surface   superficie de la pista.

runway surface lights   luces empotradas de pista. Luces empotradas [blister lights] dispuestas de manera de ayudar al piloto de una aeronave a discernir la superficie de la pista y a mantener su enfilamiento con ella (CEI/70 45–60–225). v. **runway lights.**

runway surface loading   carga sobre la superficie de la pista.

runway threshold   umbral de pista.

runway threshold identification   identificación de umbral de pista.

runway threshold identification lights   luces de identificación de umbral de pista.

runway threshold marking   señal de umbral de pista.

runway visual range   alcance visual en la pista.

rupture   ruptura; rompimiento, rotura, fractura; desgarramiento, desgarro; reventón, reventazón; separación ‖ *(Elec)* ruptura, corte, interrupción (de un circuito, de una corriente); separación (de contactos); descebado (de un arco) ‖ *(Ensayos de materiales)* rotura ‖ *(Medicina)* hernia.

rupture capacity   *(Elec)* capacidad interruptora [de desconexión]. (1) Valor máximo de corriente que puede cortar un par de contactos sin sufrir fusión en su superficie. (2) Valor máximo de corriente que puede interrumpir un dispositivo de protección. SIN. **interrupting capacity.**

rupture disk   disco de seguridad [de apertura disruptiva]. En los sistemas compresores de refrigeración, en cárteres de motor, etc., disco que se rompe a determinada presión. Es un artificio de seguridad o protección comparable en función a un fusible en un circuito eléctrico. SIN. **frangible disk.**

rupture line   línea de ruptura.

rupture-line theory   *(Mec)* teoría de la línea de ruptura.

rural   *adj:* rural; campestre, campesino; rústico.

rural automatic exchange [RAX]   *(Telef)* central automática rural.

rural carrier amplifier   *(Telef)* amplificador para sistema rural de corrientes portadoras.

rural center exchange   *(Telef)* centro rural.

rural cord circuit   *(Telef)* cordón rural.

rural line   *(Telef)* línea rural. Línea utilizada para establecer un enlace entre las arterias secundarias de una red y los núcleos urbanos de pequeño tráfico, generalmente alejados de otras vías de comunicación.

rural main exchange   *(Telef)* centro rural principal.

rural network   red (eléctrica) rural.

rural party line   *(Telef)* línea rural compartida [colectiva] ‖ v. **party line.**

rural radio service   servicio de radiocomunicación rural. Servicio

de radiocomunicación para el intercambio de mensajes entre un centro y abonados residentes en zonas rurales en las cuales el volumen de tráfico no justifica el tendido de líneas físicas.

rural subcenter   *(Telef)* subcentro rural.

rural subscriber's line   *(Telef)* línea rural.

rural telephone line   línea telefónica rural.

rural telephone network   red telefónica rural; agrupación [grupo] de líneas telefónicas rurales.

rush-box   *(Radiocom)* (slang for *superregenerative receiver*) receptor superregenerativo.

rush message   mensaje urgente.

rush print   *(Cine)* copia rápida.

rush reply   respuesta urgente [rápida].

Russel angles   *(Ilum)* ángulos de Russel. Angulos escogidos, a los cuales corresponden ángulos iguales, de manera que la integración que determina el flujo luminoso a partir de la distribución espacial de la intensidad (de una fuente de distribución simétrica), se reduce a una media aritmética (CEI/58 45–50–075).

Russell-Saunders coupling   *(Fís at)* acoplamiento Russell-Saunders. SIN. **(L, S) coupling, spin-orbit coupling.**

rust   herrumbre, óxido, oxidación, moho, orín; mástique de hierro [de fundición]; añubio, tizón; hongo que produce el añubio o tizón ⫽ aherrumbrarse, oxidarse, enmohecerse. LOCALISMO: azumagarse.

rust-inhibiting   *adj:* (*also* rust-inhibitive) antioxidante, antiherrumbroso.

rust-inhibitive   v. **rust-inhibiting.**

rust-preventing   *adj:* (*also* rust-preventive) antioxidante, antiherrumbroso.

rust-preventive   v. **rust-preventing.**

rust-resisting   *adj:* resistente a la herrumbre; inoxidable, antiherrumbroso.

rustic silo   *(Estaciones ferrocarril)* troja. Espacio limitado por tabiques para guardar frutos o cereales.

rustling effect   *(Micrófonos)* ruido causado por el viento.

rustproof   *adj:* inoxidable.

ruthenium   rutenio. Elemento metálico de número atómico 44. Símbolo: Ru.

rutherford [rd]   *(Radiol)* rutherford [rd]. Unidad propuesta de actividad, definida como la cantidad de cualquier núclido radiactivo [radioactive nuclide] que se desintegra a razón de 10^6 desintegraciones por segundo: 1 rd = 0,027 mC. NOTA: Es término caído en desuso (CEI/64 65–15–175).

Rutherford   Lord Ernest Rutherford: físico inglés (1871–1937) que con la ayuda de Frederick Soddy (v. **Soddy**) elaboró la teoría de la desintegración espontánea de los elementos radiactivos; y con la colaboración de Niels Bohr (v. **Bohr**) estableció como estructura del átomo la de un núcleo positivo rodeado por electrones negativos orbitales (átomo de Rutherford-Bohr).

Rutherford-Bohr atom   (a.c. Bohr atom) átomo de Rutherford-Bohr.

Rutherford scattering   dispersión de Rutherford. Dispersión de partículas en movimiento que ocurre a diversos ángulos, debida a la interacción de las mismas con los átomos de un cuerpo sólido.

Rutherford scattering law   ley de la dispersión de Rutherford.

rutherfordite   *(Miner)* rutherfordita.

RVA   *(Teleg)* Abrev. de re votre A [en relación con su servicio]. NOTA: Es abreviatura del francés, en la cual "A" es indicativo de (*mensaje de*) *servicio.*

RX   *(Esquemas)* Abrev. de receiver.

RY   *(Teleg)* Este grupo de letras se usa repetidamente, sin espacios (RYRYRYRY...), para probar los circuitos y las máquinas teleimpresoras ‖ Abrev. de re your.

RYCAB   *(Teleg)* Abrev. de re your cable [en relación con su cable, nos referimos a su cable].

Rydberg constant   *(Fís at)* constante de Rydberg.

Rydberg correction   *(Fís at)* corrección de Rydberg.

Rydberg equation   *(Fís at)* ecuación de Rydberg.

Rydberg series   *(Fís at)* serie (de niveles energéticos) de Rydberg.

RYLET   *(Teleg)* Abrev. de re your letter [en relación con su carta, nos referimos a su carta].

ryotron   riotrón. (1) Inductor electrónico variable del tipo criogénico. (2) Elemento inductivo de película delgada, del tipo

superconductor. (3) Dispositivo capaz de una variación de inductancia superior a tres órdenes de magnitud, que se utiliza como conmutador inductivo.

RYTEL   *(Teleg)* Abrev. de re your telegram [en relación con su telegrama, nos referimos a su telegrama].

RZ   Abrev. de return to zero; return-to-zero recording.

S

s   Abrev. o símbolo de second | Símbolo de series, como en L$_s$.

S   Abrev. o símbolo de secondary (winding). Se usa en los esquemas de circuitos || *(Teleg)* Abrev. de see; supervisor | Indicación de preámbulo en telegramas oficiales, para pedir prioridad de transmisión.

S$_N$ *(Fís)* método S$_N$. Método de análisis utilizado en la teoría del transporte de neutrones.

S/B   *(Teleg)* Abrev. de southbound.

S/B traffic   *(Teleg)* tráfico hacia el sur.

S band   banda S. Banda de frecuencias radioeléctricas que se extiende de 1 550 a 5 200 MHz, límites correspondientes a 19,37 y 5,77 cm, respectivamente. Se subdivide en las siguientes 13 subbandas:

Designación (orden alfabético)	Límites de frecuencia en MHz
S$_a$	3 100–3 400
S$_b$	1 650–1 850
S$_c$	2 000–2 400
S$_d$	4 200–5 200
S$_e$	1 550–1 650
S$_g$	2 700–2 900
S$_h$	3 700–3 900
S$_q$	2 400–2 600
S$_s$	2 900–3 100
S$_t$	1 850–2 000
S$_w$	3 400–3 700
S$_y$	2 600–2 700
S$_z$	3 900–4 200

En orden de frecuencia ascendente se dan como sigue: S$_e$, S$_b$, S$_t$, S$_c$, S$_q$, S$_y$, S$_g$, S$_s$, S$_a$, S$_w$, S$_h$, S$_z$, S$_d$. Puede comprobarse que estas subbandas cubren sin solución de continuidad la banda S. CF. **K band, L band, Q band.**

S-band airborne beacon   radiobaliza de avión en banda S.

S-band resonant-cavity filter   filtro de cavidad resonante para la banda S.

S-band telemetry   telemedida en banda S.

S curve   curva en S, curva inversa; curvatura doble.

S/D   *(Teleg)* Abrev. de shut down. Se usa para anunciar al operador corresponsal que se va a apagar el transmisor y/o el receptor.

S distortion   *(Tv)* distorsión en S, efecto bandera. Efecto de ondulación que presenta la imagen y que semeja una bandera que ondea al viento | v. **spiral distortion.**

S-matrix   *(Fís)* matriz S.

S meter   *(Rec)* medidor de "S", medidor en unidades "S", medidor de intensidad de señal. v. **signal-strength meter.**

s/n ratio   Abrev. de signal/noise ratio.

S-N unit   *(Radiol)* unidad S-N, Sabouraud-Noiré. v. **Sabouraud-Noiré.**

S pole   *(Telecom)* poste "S". Poste situado en el extremo de una sección de transposición de una línea aérea.

s-quad   v. **simple quad.**

S/R   *(Telecom)* Abrev. de send/receive; sender/receiver.

S-state   *(Fís)* estado S, estado de cantidad de movimiento angular orbital nula.

S turn   *(Avia)* S horizontal, virajes en forma de S. Maniobra con la cual se describe una S en un plano horizontal.

S-type negative resistance   *(Elecn)* resistencia negativa tipo S. Resistencia negativa estable respecto a la tensión, en la cual un valor dado de corriente perteneciente a la gama de funcionamiento puede corresponder a tres valores diferentes posibles de tensión entre sus terminales.

s-w   Abrev. de short-wave.

S wave   *(Electrobiol)* onda S. Véase **P wave** || *(Sismología)* (*i.e.* shear wave) onda transversal.

SA   Abrev. de Sociedad Anónima || *(Aficionados radioteleg)* Abrev. de say [decir; diga].

sabin   *(Acús)* sabinio. Unidad de absorción acústica igual a la absorción de una superficie perfectamente absorbente de un pie cuadrado (0,092 9 m²). SIN. **square-foot unit of absorption.**

Sabine   Wallace Clement Ware Sabine: físico norteamericano (1868–1919) a quien se considera fundador de la acústica arquitectónica, y de cuyo nombre se deriva el *sabinio* (v. **sabin**).

Sabine absorption   *(Acús)* absorción de Sabine. Absorción acústica tal que el tiempo de reverberación [reverberation time], en segundos, es igual a 0,049 (*V/A*), donde *V* es el volumen de la sala o local en pies cúbicos, y *A* la absorción total en sabinios (v. **sabin**).

Sabine coefficient   coeficiente de Sabine. Coeficiente igual a la *absorción de Sabine* correspondiente a una superficie dada, dividida por el área de esa superficie.

Sabine's law   *(Acús)* ley de Sabine.

sable   marta cebellina. Mamífero carnívoro del Asia y el norte de Europa, de piel obscura, suave, muy apreciada; el mismo nombre se aplica a la piel.

sable brush   brocha de pelo de marta cebellina. Se usa para limpiar el polvo y las pelusas que se depositan en la superficie de los discos fonográficos.

Sabouraud-Noiré   *(Radiol)* (a.c. S-N unit) Sabouraud-Noiré, unidad S-N. Unidad de medida de rayos X basada en el cambio de coloración del platinocianuro de bario [barium platinocyanide] bajo la influencia de los rayos X. 1 S-N (dosis de eritema) = 5 unidades H (CEI/64 65–20–075). v. **Holzknecht unit, Kienboeck.**

SAC   Abrev. de Strategic Air Command.

saccharimeter   sacarímetro. Polarímetro utilizado para determinar la proporción de azúcar contenido por un líquido. v. **rotatory power.**

SACD   Abrev. de Société des Auteurs et Compositeurs Dramatiques [Sociedad de Autores y Compositores Dramáticos].

sackbut   *(Mús)* (old synonym for trombone) trombón.

Saclay spectrometer   espectrómetro de Saclay.

sacrificial anode   ánodo enterrado; ánodo protector fungible, ánodo sacrificatorio.

sacrificial-anode cathodic protection   protección catódica por ánodo sacrificatorio.

sacrificial protection   protección sacrificial. Protección de un revestimiento, un metal, etc. que se obtiene a costa de la destrucción de otro elemento.

saddle   montura, silla (de montar); asiento, soporte; zapata; cincha (de arnés) || *(Bicicletas)* sillín || *(Elec)* abrazadera; aislamiento colocado debajo de un empalme || *(Telecom)* capacete para poste || *(Tv)* caída en hondonada de la curva de respuesta || *(Topog)* portezuela, portillo. Depresión del terreno, en las divisorias de las aguas, que facilita su cruce | ensillada; depresión, hondonada; paso, puerto (garganta o boquete que da paso entre montañas) || *(Meteor)* collado barométrico || *(Mec)* silla, silleta, caballete || *(Puertas)* umbral || *(Mat)* silla de montar, cuello, puerto. Parte de una superficie (p.ej. un paraboloide hiperbólico) que tiene forma parecida a una silla de montar, o a un cuello o puerto (garganta que da paso entre montañas). v.TB. **saddle point.**

saddle coil   *(Tv)* bobina de desviación. Bobina de desviación del cinescopio en forma parecida a una silla de montar.

saddle key   *(Mec)* chaveta cóncava [hueca, de fricción].

saddle-mounting socket   zócalo [portaválvula] con soporte de montaje. Zócalo o portaválvula con una pieza metálica que permite montarlo por el lado inferior del chasis.

saddle point   *(Mat)* punto de ensilladura. Punto de una superficie en el cual no hay máximo ni mínimo, y cuyo entorno se llama *silla de montar* (v. **saddle**).

saddle-point deformation   *(Nucl)* deformación del punto de ensilladura.

saddle-point method   *(Mat)* método del punto de ensilladura. Método para obtener una aproximación asintótica de ciertas funciones integrales. SIN. **method of steepest descent.**

saddle-point of energy   *(Nucl)* punto de ensilladura de la energía.

saddle warpage   alabeo en forma de silla de montar. Deformación de un disco fonográfico cuyo borde o cuya superficie grabada sube y baja al girar el disco; puede causar mal seguimiento del surco por la aguja [mistracking].

SAE   Abrev. de Society of Automotive Engineers.

safe   caja fuerte [de caudales, de seguridad]. LOCALISMO: tesoro de seguridad | arca || *(Armas)* seguro || *(Fontanería)* recogegotas; vaciadero alto /// *adj:* seguro; inocuo, no peligroso, sin peligro; ileso, salvo, intacto.

safe edge   *(Fotog)* ocultador || *(Herr)* canto liso.

safe-edge file   lima de canto(s) liso(s).

safe landing   *(Avia)* aterrizaje seguro.

safe-life   (duración de) vida segura.

safe load   carga admisible [límite, de seguridad].

safe overload   sobrecarga admisible [límite, tolerable].

safe terrain clearance   *(Avia)* margen de seguridad sobre el terreno.

safe value   valor límite (de seguridad) | to limit the current to a safe value: limitar la corriente a un valor no perjudicial.

safe working pressure   presión límite de trabajo.

safeguarding against overload   protección contra (las) sobrecargas.

safelight   *(Fotog)* luz segura, (lámpara de) luz inactínica para revelar.

safelight filter   *(Fotog)* filtro inactínico. Filtro utilizado en el cuarto obscuro [darkroom] para suprimir los rayos actínicos [actinic rays].

safelight lamp   *(Fotog)* lámpara de luz inactínica (para revelar).

safety   seguridad; protección; ausencia de peligro; ausencia de daño [de perjuicio] || *(Armas)* (a.c. safe) seguro /// *verbo: (Avia)* frenar con alambre; fijar con alambre || *(Tuercas)* frenar, inmovilizar.

safety angle   *(Avia)* ángulo de seguridad.

safety at sea   seguridad de la vida humana en el mar.

safety base   *(Cine)* soporte de seguridad, soporte ininflamable. SIN. **soporte de acetato —— acetate base.** CF. **safety film.**

safety belt   *(Avia)* cinturón de seguridad || *(Telecom)* cinturón de seguridad. LOCALISMO: cincha de seguridad. Cinturón que se usa para el trabajo en los postes telefónicos y telegráficos || *(Bosques, Plantaciones)* zona de protección contra el fuego.

safety bolt   *(Armas)* seguro.

safety cage   *(Torres de ant)* jaula de seguridad.

safety channel   *(Nucl)* canal de seguridad. Parte del sistema de control electrónico de un reactor nuclear.

safety clutch   embrague de seguridad; garra de seguridad || *(Ascensores)* paracaídas.

safety communication   *(Telecom)* comunicación relativa a la seguridad [relacionada con la seguridad].

safety communications equipment   equipo de comunicaciones para servicios de seguridad. Equipo radiotelefónico para servicios de seguridad pública (policía, bomberos, etc.).

safety control   *(Nucl)* control de seguridad.

Safety Convention   Forma abreviada de referirse al Convenio Internacional para la Seguridad de la Vida Humana en el Mar [International Convention for the Safety of Life at Sea] y el reglamento correspondiente.

safety cover   tapa de seguridad.

safety cutout   *(Elec)* cortacircuito (automático) de fusible, dispositivo protector contra sobrecarga.

safety cutout switch   *(Elec)* disyuntor de seguridad.

safety device   dispositivo de seguridad; aparato protector [de

seguridad] || *(Ascensores)* paracaídas || *(Telecom)* órgano de seguridad; instalación protectora.

safety factor   factor [coeficiente] de seguridad. Sobrecarga (carga por encima del valor normal especificado) que un aparato o dispositivo puede tolerar sin falla | v. **safety factor for dropout, safety factor for holding, safety factor for pickup.**

safety factor for dropout   *(Relés)* factor de seguridad para la puesta en reposo. Razón del valor de puesta en reposo [dropout value] del relé, al valor presente de la magnitud de influencia [actuating quantity] (CEI/56 16–40–055). CF. **safety factor.**

safety factor for holding   *(Relés)* factor de seguridad para el mantenimiento. Razón del valor presente de la magnitud de influencia, al valor de puesta en reposo del relé (CEI/56 16–40–060). CF. **safety factor.**

safety factor for pickup   *(Relés)* factor de seguridad para la puesta en trabajo. Razón del valor presente de la magnitud de influencia [actuating quantity], al valor de puesta en trabajo [pickup value] del relé (CEI/56 16–40–045). CF. **safety factor.**

safety film   *(Cine)* película de seguridad, película ininflamable. SIN. **película de acetato —— acetate film.** CF. **safety base.**

safety firetrap   *(Cine)* cortafuegos automático.

safety flywheel clutch   *(Proy cine)* embrague de seguridad del volante.

safety fuel   combustible de seguridad.

safety fuse   *(Elec)* fusible (de seguridad), cortacircuito (de seguridad) || *(Voladuras)* mecha de seguridad || *(Nucl)* fusible de seguridad.

safety glass   vidrio inastillable, cristal de seguridad || *(Tv)* vidrio protector [de seguridad]. Vidrio grueso que protege contra la ruptura (implosión) del tubo-pantalla o cinescopio. SIN. **safety glass plate.**

safety glass plate   *(Tv)* v. **safety glass.**

safety goggles   antiparras de seguridad. Anteojos especiales para la protección de la vista.

safety in flight   *(Avia)* seguridad durante el vuelo.

safety lamp   lámpara de seguridad. Lámpara utilizada en las minas para evitar incendios o explosiones por inflamación del grisú. Se emplean dos clases, la eléctrica y la de gasolina. La segunda se llama *davina, davy* o *lámpara de Davy* (fue inventada en 1815 por sir Humphry Davy).

safety latch   cierre de seguridad.

safety lock   cerradura [cierre] de seguridad; dispositivo de seguridad.

safety margin   margen de seguridad. CF. **safety factor.**

safety member   *(Nucl)* elemento de seguridad. Elemento de control [control element, control member] que, solo o en concierto con otros, proporciona una reserva de reactividad negativa [negative reactivity] para el caso de una parada de emergencia [emergency shutdown, scram] de un reactor (CEI/68 26–15–405).

safety message   *(Telecom)* mensaje relativo a la seguridad.

safety nut   tuerca de seguridad, contratuerca.

safety of life at sea   seguridad de la vida humana en el mar.

safety outlet   *(Elec)* tomacorriente (puesto) a tierra.

safety pin   imperdible, alfiler de seguridad || *(Mec)* pasador [clavija] de seguridad.

safety rod   *(Mec)* varilla de seguridad || *(Nucl)* barra de seguridad. Barra de control [control rod] capaz de detener rápidamente un reactor en caso de falla del sistema de control ordinario. SIN. **scram rod.** CF. **safety member.**

safety service   servicio de seguridad. Servicio de radiocomunicación cuyo funcionamiento está directamente relacionado, de manera permanente o temporal, con la seguridad de la vida humana o con la salvaguardia de bienes [safeguarding of property].

safety shunt   *(Voladuras)* derivador de seguridad.

safety shutoff valve   válvula de cierre de seguridad.

safety signal   *(Telecom)* señal de seguridad. CF. **alarm signal.**

safety slip clutch   embrague deslizante de seguridad.

safety spring   muelle [resorte] de seguridad.

safety switch   interruptor de seguridad; conmutador de seguridad.

safety thermostat   termostato de seguridad.

safety traffic   (*Telecom*) tráfico de seguridad.

safety valve   válvula de seguridad; válvula de alivio [de desahogo] ‖ (*Máq de vapor*) válvula de seguridad. Válvula destinada a dar salida al vapor contenido en la caldera cuando la presión del mismo sobrepasa el límite fijado.

safety window   (*Tv*) vidrio [ventana] de seguridad. SIN. **safety glass**.

safety wire   (*Avia*) alambre freno [de seguridad].

sag   (*Cables, Líneas aéreas*) flecha, seno | flecha aparente. Distancia vertical máxima entre el conductor suspendido y la recta que une los puntos de suspensión (CEI/38 25-30-085) | flecha. Distancia vertical máxima, en un vano [span] de una línea aérea, entre un conductor y la recta que une los puntos de suspensión del conductor (CEI/65 25-25-040) | **sag at the center:** flecha ‖ (*Estr*) flecha, flambeo, comba, pandeo ‖ (*Muros*) pandeo ‖ (*Techos*) flexión, hundimiento ‖ (*Obras de tierra*) desprendimiento ‖ (*Terraplenes*) asiento ‖ (*Bolsa*) baja (de valores) ‖ (*Comercio*) baja (de precios).

sag gage, sag gauge   (*Telecom*) mira para determinar la flecha de los hilos.

SAGE   sistema de defensa aérea SAGE. El inglés se deriva de Semi-Automatic Ground Environment.

sagging   hundimiento (del piso, del suelo); alabeo; flexión; caída (de una puerta); flecha (de un cable, una cuerda, una línea aérea); corrimiento (de una capa de pintura); baja (de valores, de precios) ‖ (*Buques*) arrufo.

sagitta   (*Geom*) sagita, flecha. En una circunferencia, parte del radio comprendida entre el punto medio de un arco y la cuerda subtendida por éste; o lo que es lo mismo, porción de recta comprendida entre el punto medio de un arco de círculo y el de su cuerda.

sagittal   *adj:* sagital.

sagittal focal line   (*Opt*) línea focal sagital.

sagittal focus   (*Opt*) foco sagital.

sagittal plane   (*Opt*) plano sagital.

Saha equilibrium formula   (*Fís*) fórmula de equilibrio de Saha.

sail   vela; velero; barco [buque] de vela; paseo en velero; viaje en barco de vela ‖ (*Molinos de viento*) aspa; brazo; ala.

sailing flight   (*Avia*) vuelo a vela.

sailplane   velero. Aeroplano para vuelos a vela.

sailplane pilot   piloto de velero.

Saint Elmo's fire   (*Meteor*) fuego de San Telmo, fuego de Santelmo. Penacho luminoso que se observa en la punta de los pararrayos o en el extremo de los mástiles y otras estructuras metálicas, cuando existe una gran diferencia de potencial eléctrico entre la estructura y la atmósfera. CF. **corona**.

Saint Venant-Mises material   (*Fís*) material de Saint-Venant-Mises. Material rígido perfectamente plástico.

sal ammoniac   sal amoniaco, almohatre, muriato amónico. Nombres comunes del *cloruro amónico* [ammonium chloride]. *Almohatre* viene del árabe *anoxáder*.

sal ammoniac cell   (*Electroquím*) pila de sal de amoniaco. Pila en la cual el electrólito está constituido principalmente por una solución de cloruro de amonio (CEI/60 50-15-025).

sal soda   sal sosa, carbonato sódico.

sale   venta; liquidación, venta de reclamo.

saleite   (*Miner*) saleíta.

sales agent   agente vendedor.

sales check   comprobante, boleta (de venta).

sales distribution   análisis de ventas.

sales forecast   pronóstico de ventas.

sales manager   jefe de ventas, director comercial.

sales representative   representante de ventas.

salicylic acid   ácido salicílico.

salient   saliente, resalto ‖‖ *adj:* saliente, sobresaliente, saledizo; prominente, notorio.

salient pole   (*Máq eléc*) polo saliente. (**1**) Conjunto de un núcleo y una pieza polar en saliente sobre la parte que constituye la culata magnética (CEI/38 10-40-020). (**2**) Conjunto de un núcleo y una expansión polar [pole shoe] en saliente sobre la culata magnética, o sobre el núcleo (CEI/56 10-30-075).

salient-pole generator   (*Elec*) generador de polos salientes.

saline   *adj:* salino; salado.

saline mist   niebla salina.

Salisbury darkbox   cámara obscura de Salisbury. Cámara o caja cuya paredes internas están constituidas de modo que absorban toda la energía de hiperfrecuencia (microondas) que incida en ella a cierta frecuencia. Se emplea para ensayos de radares.

salt   sal ‖‖ *adj:* salino; salado; salobre; curado [conservado] en sal.

salt-and-pepper pattern   (*Tv*) (*slang*) efecto de "sal y pimienta". Perturbación característica de la imagen. CF. **noise**.

salt bath   baño de sal(es), baño salino.

salt-bath furnace   horno de baño salino [de sales]. v. **heat-bath treatment**.

salt-cooled valve   (*Mot*) válvula refrigerada por sal.

salt fog   niebla salina.

salt-fog chamber   cámara de niebla salina. Cámara de ensayos para simular la exposición al aire salino; se utiliza p.ej. para ensayar aparatos destinados a ser instalados en buques o cerca del mar.

salt solution   solución salina.

salt spray   niebla [neblina] salina; rocío salino.

salt-spray test   ensayo de niebla salina [de rocío salino], ensayo en cámara de niebla salina. Prueba destinada a comprobar la protección de un aparato contra el aire salino.

salt water   agua salada [salobre]; agua salina; agua de mar.

salted   *adj:* salado ‖ (*Análisis de minerales*) falseado.

salted weapon   arma nuclear con aditivos destinados a aumentar su producción de desechos radiactivos al estallar.

salting agent   agente salino.

salting strength   (*Soluciones salinas*) poder de precipitación.

saltworks   salina; refinería de sal.

salvage   salvamento; recuperación; objetos salvados ‖‖ *verbo:* salvar; recuperar.

salvage material   material de recuperación.

salvage value   valor de recuperación; valor de salvamento; valor residuario [como chatarra].

salvo   (*Artillería*) salva, descarga ‖‖ *verbo:* (*Artillería*) disparar por salvas ‖ (*Bombardeo aéreo*) lanzar (bombas) simultáneamente [por salvas].

salvo release   (*Bombardeo aéreo*) lanzamiento simultáneo [por salvas].

SAM   Abrev. de Society for the Advancement of Management.

samarium   samario. Elemento del grupo de las tierras raras, de número atómico 62. Símbolo: Sm.

samarskite   (*Miner*) samarskita.

samiresite   samiresita. Mineral de uranio, variedad de betafita.

Samos   Samos. Satélite artificial de reconocimiento militar.

sample   muestra; testigo; modelo, ejemplar, muestra; prueba; patrón ‖ (*Estadística*) muestra. Conjunto parcial de elementos de una población ‖ (*Control de la calidad*) muestra. Espécimen de un producto seleccionado para representar, a los fines de inspección, todas las unidades de un lote | muestra aleatoria. Una o varias unidades entresacadas al azar de un lote ‖ (*Microscopios*) muestra, espécimen ‖‖ *adj:* muestral, de muestra; de prueba ‖‖ *verbo:* muestrear, tomar muestras; explorar; dar [enviar] muestras; probar, catar, catear.

sample-and-hold circuit   (*Elecn*) circuito de muestreo y retención. Circuito utilizado para reconstituir una señal analógica a partir de su muestreo, y para conservar una señal analógica durante una conversión analógica-digital [analog-to-digital conversion].

sample-and-hold voltmeter   voltímetro digital de retención (de lectura). Voltímetro digital o numérico que mide tensiones variables, indicando el valor presente en determinado instante, sin que la indicación sea afectada por las variaciones que ocurran mientras se hace la medida. SIN. **clam-and-hold digital voltmeter.**

sample holder   portamuestras.

sample point   *(Diagramas de cromaticidad)* muestra puntual. Punto que representa la cromaticidad de la muestra.

sample pulse   impulso de muestreo. SIN. **strobe pulse.**

sample size   tamaño de la muestra. Número de unidades o elementos que constituyen una muestra.

sample space   espacio muestral. Espacio abstracto en el cual se representan los resultados de un experimento.

sampled data   *(Automática)* datos intermitentes. Señales de mando o de error que llegan a intervalos discretos; dícese en oposición a las que llegan en forma continua. SIN. **señales discontinuas.**

sampled-data control   control con datos intermitentes [con señales discontinuas].

sampled-data (control) system   sistema (de control) de datos intermitentes. CF. **continuous-data system.**

sampler   modelo, tipo; muestreador; sacamuestras, tomamuestras; probador, catador ‖ *(Elecn)* conmutador electrónico ǀ circuito de muestreo. v. **boxcar detector, sampling circuit** ‖ *(Tv)* conmutador (electrónico) de colores; discriminador [separador] cromático. v. **sampling.**

sampling   muestra; muestrario; modelo; escandallo, ensayo, prueba; muestreo, toma de muestras ‖ *(Elecn/Telecom)* conmutación electrónica ǀ *(of a signal)* muestreo (de una señal). Representación aproximada de una señal continua por la serie de sus valores tomados en instantes sucesivos, en general regularmente espaciados (CEI/70 55–35–05) ‖ *(Tv)* conmutación (electrónica) de colores; discriminación (selectiva) cromática, separación cromática. Proceso de selección progresiva mediante el cual se transmiten en tiempos sucesivos, por un mismo canal, las señales correspondientes a tres colores simultáneos. Proceso inverso para separar las señales así transmitidas para reconstituirlas en su forma original.

sampling action   acción de muestreo. En automática, acción de control en la cual la diferencia entre el punto de consigna [set point] y la variable controlada sólo se mide y utiliza para la corrección, a intervalos. CF. **sampled data.**

sampling chamber   *(Nucl)* cámara de muestreo.

sampling circuit   *(Elecn)* circuito de muestreo [de toma de muestras]. Circuito cuya salida está constituida por una serie de valores de una señal continua tomados en instantes sucesivos; la serie de valores discontinuos o discretos representa aproximadamente la señal continua. SIN. **sampler.**

sampling coil   bobina de muestra [de prueba].

sampling distribution   *(Estadística)* distribución de muestreo.

sampling frequency   frecuencia [ritmo] de muestreo. SIN. **sampling rate.**

sampling gate   *(Elecn)* compuerta de muestreo. Circuito de compuerta que toma información de la señal entrante solamente cuando es activado por un impulso selector.

sampling loop   espira de muestra. Se usa en ciertas medidas radioeléctricas. En las emisoras radioeléctricas se utiliza para captar una muestra del campo radiado; p.ej. para comprobar la relación de fase de la radiación entre distintos elementos del sistema de antena.

sampling method of checking   *(Telecom)* método de control mediante pruebas determinadas al azar.

sampling multiplier   multiplicador muestreador. Multiplicador aritmético cuya salida es función discreta de las variables de entrada muestreadas a intervalos definidos y promediadas. SIN. **averaging multiplier.**

sampling observations   *(Telecom)* prueba por muestras escogidas

al azar. SIN. **snap check.**

sampling oscilloscope   osciloscopio muestreador. Osciloscopio utilizado para analizar señales recurrentes muy rápidas. La técnica consiste en tomar una muestra instantánea de la amplitud de la señal cada vez que aparece ésta, ensancharla o "estirarla", amplificarla, y presentarla en forma de un punto brillante en la pantalla del tubo catódico. El proceso se repite cada vez que ocurre la señal, pero tomando cada vez la muestra un instante más tarde, de modo que el punto aparezca a continuación del anterior y corresponda a una parte adyacente de la señal. Se obtiene así, después de muchas muestras, una reproducción de la señal en trazo de puntos o pequeños segmentos.

sampling phase detector   detector de fase del tipo de muestreo. SIN. **keyed phase detector.**

sampling plan   plan de aceptación de lotes. Plan para la inspección (control de calidad) de lotes de unidades, en el cual se especifica el tamaño de las muestras, y los criterios para la aprobación, rechazo, o repetición de cada una de ellas.

sampling pulse   impulso de muestra.

sampling-pulse generator   *(Tv)* generador de impulsos de conmutación (electrónica) de colores; generador de impulsos de discriminación [separación] cromática.

sampling rate   frecuencia [ritmo, régimen] de muestreo. En telemedida, número de veces por segundo que se toma la muestra de determinado canal de datos. SIN. **sampling frequency.**

sampling recorder   registrador muestreador.

sampling sequence   *(Tv)* secuencia de conmutación (de los colores).

sampling servo   servo(mecanismo) de datos intermitentes.

sampling servo system   servosistema de datos intermitentes.

sampling speed   velocidad de muestreo.

sampling switch   conmutador de muestreo. SIN. **commutator switch.**

sampling system   sistema de muestreo.

sampling technique   técnica de muestreo [de análisis periódico].

sampling test   prueba de muestreo ǀ ensayos de muestreo. Ensayos efectuados sobre un pequeño número de muestras tomadas al azar de un lote (CEI/56 10–40–355). CF. **routine test, prototype test, type test.**

sampling theorem   *(Teoría de la información)* teorema del muestreo. Teorema según el cual, para caracterizar completamente una señal de banda limitada, es necesario que la frecuencia de muestreo sea por lo menos el duplo de la componente frecuencial más alta de la señal. En la práctica se acostumbra utilizar una frecuencia de muestreo entre cinco y diez veces la frecuencia componente más elevada.

sampling theory   teoría del muestreo.

sampling time interval   intervalo de muestreo.

sanaphant   sanafán. Circuito de retardo lineal parecido al sanatrón [sanatron], del que difiere principalmente en cuanto a las conexiones entre los pentodos. El término viene de *sana*trón+*phan*tastron.

sanatron   sanatrón. Circuito de retardo variable que comprende dos pentodos y dos diodos.

sand   arena. Material granular resultante de la desintegración, molienda o trituración de la roca, y cuyas partículas oscilan en tamaño entre 0,074 y 2,0 mm ⫻ *adj*: arenoso, arenáceo ⫻ *verbo*: arenar, enarenar; extender arena (sobre algo); añadir arena (a algo); llenarse de arena; limpiar con arena; lijar.

sand-and-dust-bearing wind   *(Meteor)* viento de arena y polvo. EJEMPLOS: siroco [scirocco], simún [simoon], khamsin [khamsin], harmattan [harmattan], haboob [haboob], chergui [chergui].

sand-and-dust test chamber   cámara para ensayos de resistencia a la arena y el polvo.

sand ballast   *(Avia)* lastre de arena.

sand-blast   v. **sandblast.**

sand-blasting   v. **sandblasting.**

sand deposit   *(Ferroc)* depósito de arena. Galpón destinado al almacenamiento de arena.

sand devil *(Meteor)* remolino de arena. SIN. **sand whirl.**

sand dryer *(also* sand drier) secador de arena; máquina para secar arena; secadero de arena.

sand-filled panel panel relleno de arena. Panel constituido por una doble pared de madera, con el espacio intermedio lleno de arena bien seca, y que se utiliza en ciertos muebles acústicos (cajas acústicas para altavoces), para evitar las vibraciones y resonancias espurias. Se dice que uno de estos paneles amortigua las vibraciones con mayor eficacia que una pared maciza de igual espesor, aunque esté hecha de un material más pesado, porque si la pared interna del panel vibra ligeramente, los granos de arena se desplazan y rozan unos contra otros, con la consiguiente absorción de energía acústica; el resultado es que no se transmite suficiente energía para hacer vibrar la pared externa del panel.

sand haze *(Meteor)* calina de arena.

sand load *(Hiperfrec)* carga [atenuador] de arena. Elemento utilizado como sección terminal disipadora de energía en una línea de transmisión coaxil o una guía de ondas. Está constituido por un elemento de línea o de guía cuyo espacio dieléctrico está lleno de una mezcla de arena y grafito en la cual se produce la disipación de energía.

sand pillar *(Meteor)* tolvanera; tromba [remolino] de arena.

sand whirl *(Meteor)* remolino de arena. SIN. **sand devil.**

sandbag saco de arena; saco terrero ‖ *(Globos)* saco de lastre.

sandblast chorro de arena, soplete [soplo] de arena. LOCALISMO: chiflón de arena ‖ *(Meteor)* tempestad de arena ⫽ *verbo:* limpiar por chorro de arena; chorrear con arena.

sandblasting chorro de arena; proyección de arena; limpieza por chorro de arena.

sanded surface superficie lijada.

sanding enarenado; limpieza con arena [por chorro de arena]; lijado (de la madera).

sandpaper (papel de) lija; papel abrasivo ⫽ *verbo:* lijar, alijar.

sandstone arenisca, piedra arenisca [de arena]; gres.

sandstorm *(Meteor)* tempestad de arena. Viento fuerte que arrastra nubes de arena por el aire, cerca del suelo.

sandwich conjunto de elementos diferentes alternados ‖ *(Cocina)* emparedado, sandwich; bocadillo, bocadito ‖ *(Constr)* chapa compuesta de distintos materiales; placa de elementos en colmena, placa con alma de elementos celulares; estructura interlaminar ‖ *(Elecn)* construcción emparedada. Técnica constructiva en la cual los elementos o componentes van colocados entre tableros o capas de material superpuestas ⫽ *verbo:* emparedar; intercalar, insertar; colocar [apretar] entre dos capas; formar chapas con distintos materiales.

sandwich coil winding devanado de bobinas superpuestas. CF. **sandwich windings.**

sandwich film *(Fotog)* película de doble capa sensible.

sandwich plate placa "sandwich", placa de emparedado.

sandwich-type conveyor transportador de doble correa. Transportador de papeles en el cual éstos quedan aprisionados entre las dos correas durante el traslado.

sandwich windings (of a transformer) *(Elec)* devanados alternados (de un transformador) | transformador de devanados alternados. Disposición de devanados de un transformador en la cual el primario y el secundario, y eventualmente el terciario [tertiary winding], están subdivididos en galletas alternadas sobre el mismo núcleo (CEI/56 10–25–100).

sandy *adj:* arenoso, arenáceo, arenisco, arenífero; enarenado; silíceo ‖ *(Color)* rufo, rojizo, rojo pálido.

sandy soil terreno arenáceo.

SANFRAN *(Teleg)* Abrev. de San Francisco.

sanitary *adj:* sanitario, higiénico.

sanitary control control sanitario, vigilancia higiénica.

sanitary laboratory laboratorio de vigilancia higiénica.

sanitary precaution precaución sanitaria [higiénica].

Santa Ana *(Meteor)* viento caliente del sur de California.

sap savia; albura.

SAP *(Teleg)* Abrev. de (as) soon as possible [a la mayor brevedad, tan pronto como sea posible].

sapphire zafiro. Piedra preciosa muy dura (corindón cristalino) que se encuentra en la naturaleza y que también se obtiene artificialmente. Se utiliza p.ej. en la punta de los estiletes de grabación y de las agujas de reproducción fonográfica.

sapphire needle *(Fonog)* aguja de zafiro.

sapphire stylus *(Fonog)* estilete (grabador) de zafiro; aguja (reproductora) de zafiro.

sapphire substrate *(Elecn)* substrato de zafiro. En ciertos dispositivos de estado sólido (tal como el transistor de efecto de campo del tipo llamado de silicio sobre safiro), base aislante pasiva sobre la cual se cultiva el silicio y luego se suprime selectivamente por medios químicos para formar el dispositivo.

SAR Abrev. de search and rescue.

SARA Abrev. de Sociedad Anónima Radio Argentina.

sarah sarah. Sistema de radio destinado a facilitar el salvamento cuando un avión cae al agua o después del amarizaje de un vehículo espacial, y que consiste en una pequeña radiobaliza que emite una señal codificada, y el correspondiente receptor instalado en las embarcaciones de salvamento; la radiobaliza va fija a un chaleco salvavidas.

saran saran. Material termoplástico [thermoplastic material] de buenas propiedades de aislación eléctrica.

sarcoma *(Medicina)* sarcoma.

sarcosine *(Quím)* sarcosina.

Sargent curve curva de Sargent. Curva que representa las constantes de desintegración [decay constants] de varios materiales radiactivos en función de la energía de partícula máxima.

sarong cathode *(Elecn)* cátodo de cinta envolvente. Cátodo constituido por un manguito alrededor del cual va envuelta una cinta muy fina de material catódico (substancias emisoras de electrones). Normalmente los manguitos de cátodo van recubiertos directamente por la capa catódica o emisora. El método de la cinta envolvente provee mejor control de la densidad y uniformidad superficial del material catódico.

Saros *(Astr)* Saros. Ciclo de que se valían los astrónomos caldeos para predecir los eclipses.

sarrusophone *(Mús)* sarrusófono. Instrumento de lengüeta doble clasificado como madera, aunque se fabrica de metal. Debe su nombre a que fue inventado (en 1856) por un director francés llamado Sarrus.

sash line *(Telecom)* cuerda; cordón.

sat. Abrev. de satellite.

Sat. Abrev. de Saturday [sábado].

satar satar. Laboratorio orbital portado durante el lanzamiento por un acelerador, pero que lleva su propio sistema propulsor para colocarse en órbita después de la separación de aquél; una vez en órbita efectúa diversas medidas de investigación científica y transmite a tierra los datos correspondientes. El nombre viene de *sat*ellite for *a*erospace *r*esearch.

satellite *(Astr)* satélite. Planeta secundario que gira alrededor de uno primario ‖ *(Tecn espacial)* satélite (artificial). Vehículo colocado en órbita alrededor de la Tierra, la Luna, u otro cuerpo celeste. SIN. **artificial satellite** ‖ *(Radio/Tv)* estación repetidora, emisora satélite. Estación que comprende un receptor que capta la señal de la estación principal, y un emisor de potencia relativamente pequeña que la retransmite para reforzar su intensidad en ciertas zonas locales ‖ *(Engranajes)* satélite ⫽ *adj:* satelital, satelitario; satélite, auxiliar.

satellite airport aeropuerto satélite.

satellite antenna antena de satélite artificial.

satellite base base auxiliar.

satellite-borne instrument instrumento instalado en [transportado por] un satélite (artificial).

satellite-carrying rocket cohete portasatélite.

satellite channel *(Telecom)* circuito por satélite.

satellite communications   telecomunicaciones por satélite, comunicaciones mediante satélites (artificiales), radiotransmisión por medio de satélites. Telecomunicaciones con la ayuda de satélites artificiales de la Tierra utilizados como reflectores o como estaciones repetidoras radioeléctricas.

satellite communications link   enlace de telecomunicaciones por satélite.

satellite earth station   estación terrena de telecomunicación por satélite, estación terrestre de comunicación con satélites.

satellite exchange   *(Telef)* central satélite [auxiliar]; oficina satélite, sucursal.

satellite ground station   v. **satellite earth station.**

satellite link   enlace (de telecomunicaciones) por satélite.

satellite observatory   observatorio satelital.

satellite office   *(Telef)* v. **satellite exchange.**

satellite orbit   órbita satelitaria.

satellite reconnaissance   reconocimiento mediante satélite (artificial).

satellite relay   relé satélite.

satellite-satellite communications service   servicio de comunicación entre satélites.

satellite station   estación satélite; reemisor, repetidor.

satellite system   sistema de satélites.

satellite tracking   seguimiento de satélites.

satellite-tracking antenna   antena de seguimiento de satélites.

satellite transmitter   *(Radio/Tv)* emisor satélite [auxiliar].

satellite vehicle   vehículo satelital.

satellite workshop   taller auxiliar.

satelloid   sateloide. Vehículo capaz de girar en órbita como satélite de la Tierra, y luego retornar a ésta como aeroplano.

satin   raso (de seda) ‖ *(Bot)* lunaria ⫽ *adj:* satinado ⫽ *verbo:* satinar.

satin-chrome plated brass   latón con baño de cromo satinado.

satin-etched bulb   *(Ilum)* ampolla mateada interiormente. Ampolla tratada interiormente para darle una ligera difusión a la luz (CEI/58 45–45–035).

satin finish   acabado satinado [semimate].

satin paper   papel satinado.

satin spar   espato satinado [lustroso].

satisfy   satisfacer; recompensar; esclarecer (una duda); convencer; cancelar, liquidar (una deuda); cumplir, ejecutar (una promesa) ‖ *(Mat)* satisfacer(se) (una expresión, una ecuación). Se *satisface* una expresión literal cuando, al darle ciertos valores a sus letras, se convierte en identidad; se dice entonces que esos valores *satisfacen* la expresión.

saturable   *adj:* saturable.

saturable choke   choque [bobina de reactancia] saturable.

saturable core   núcleo saturable.

saturable-core constant-voltage transformer   transformador de tensión constante de núcleo saturable.

saturable-core magnetometer   magnetómetro de núcleo saturable. Magnetómetro fundado en la variación de permeabilidad que en un núcleo ferromagnético produce el campo magnético que se mide.

saturable-core oscillator   oscilador (de relajación) de núcleo saturable.

saturable-core reactor   reactor de núcleo saturable. SIN. **saturable reactor.**

saturable reactance   reactancia (de núcleo) saturable; reactancia de impedancia variable.

saturable reactor   reactor (de núcleo) saturable, inductancia saturable. Bobina de reactancia con núcleo ferromagnético provista de un devanado adicional de control por el cual circula una corriente continua de valor ajustable de modo de variar el grado de saturación del núcleo, y, por consiguiente, el valor de reactancia de la bobina. Dotándolo de circuitos apropiados de control externo, el dispositivo puede funcionar como amplificador magnético. SIN. transductor —— **saturable-core reactor, transductor.** CF. **satu-**

rable transformer.

saturable-reactor-controlled oscillator   oscilador controlado por reactor [inductancia] saturable. Oscilador cuya frecuencia es controlada por un reactor saturable intercalado en su circuito resonante.

saturable-reactor switch   conmutador de reactor saturable. v. **ferroresonator.**

saturable transformer   transformador saturable. Reactor saturable (v. **saturable reactor**) provisto de devanados adicionales destinados a elevar o reducir la tensión de la fuente de alimentación, o a aislar ésta.

saturant   (substancia) saturante, saturador; impregnante; material de impregnación ⫽ *adj:* saturante; impregnante.

saturate   *verbo:* saturar; impregnar, embeber; empapar ‖ *(Quím)* saturar (una solución).

saturated activity   *(Nucl)* actividad de saturación. Máxima actividad que es posible obtener por activación en un flujo definido.

saturated adiabatic   adiabática saturada.

saturated adiabatic lapse rate   gradiente adiabático saturado.

saturated air   aire saturado.

saturated color   color saturado. Color puro, o sea, que no contiene blanco.

saturated core   *(Mag)* núcleo saturado.

saturated-core magnetometer   v. **saturable-core magnetometer.**

saturated-core transformer   v. **saturable transformer.**

saturated diode   *(Elecn)* diodo saturado. Diodo en conducción máxima, de manera que no puede incrementarse la corriente que lo atraviesa por mucho que se aumente la tensión aplicada.

saturated-diode operation   funcionamiento como diodo saturado.

saturated gain   *(TOP)* ganancia en régimen de saturación.

saturated hue   matiz saturado. CF. **saturated color.**

saturated logic   *(Elecn)* lógica de transistores saturados. Configuración o esquema lógico en el cual se permite que los transistores se saturen en condiciones normales. Pertenecen a esta clase las lógicas DTL y TTL.

saturated recovery time   *(Relés térmicos)* tiempo de restablecimiento postsaturación. Tiempo de restablecimiento determinado cuando se corta la alimentación del relé después de que el mismo ha alcanzado su estado de saturación (equilibrio) de temperatura.

saturated reoperate time   *(Relés térmicos)* tiempo de liberación postsaturación. Tiempo de liberación determinado cuando se corta la alimentación del relé después de que el mismo ha alcanzado su estado de saturación de temperatura. CF. **saturated recovery time.**

saturated soil   terreno empapado [saturado]; terreno mojado.

saturated solution   solución saturada.

saturated steam   vapor saturado.

saturated transistor switch   conmutador de transistor saturado.

saturated vapor   vapor saturado. El que se encuentra en equilibrio con su líquido a una temperatura dada.

saturated-vapor pressure   presión de vapor saturado.

saturated water   agua saturada. Agua a la temperatura de ebullición.

saturated water-vapor pressure   presión de vapor de agua saturado.

saturating   saturación ⫽ *adj:* saturante, de saturación.

saturating reactor   *(Elec)* reactor de saturación. Reactor apto para trabajar en la región de saturación sin la intervención de medios de control independientes. CF. **saturable reactor.**

saturating signal   *(Elecn)* señal saturante. Señal cuya amplitud es mayor que la gama dinámica del dispositivo al cual se aplica; en el caso de un radar, mayor que la gama dinámica del sistema receptor.

saturating winding   *(Elec)* devanado de saturación. CF. **saturable reactor.**

saturation   saturación, impregnación ‖ *(Automática)* saturación.

Efecto por el cual la magnitud de salida conserva un valor límite (límite superior o límite inferior) invariable cuando la magnitud de entrada toma un valor cualquiera superior a un valor crítico (umbral superior) o inferior a otro valor crítico (umbral inferior) (CEI/66 37–40–035) ‖ *(Elec)* saturación. Condición existente en un circuito cuando un incremento en la magnitud actuante no produce un nuevo incremento en el efecto de ésta ‖ *(Fís)* saturación. (**1**) Máxima impregnación posible de una substancia; máxima impregnación de un sólido por un líquido. (**2**) Máxima cantidad de vapor de agua que puede contener un volumen dado de aire a determinada temperatura ‖ *(Mag)* saturación. (**1**) Máxima densidad posible de un campo magnético. (**2**) Condición límite hacia la cual tiende el estado de un cuerpo ferromagnético cuando el campo magnetizante crece indefinidamente (CEI/38 05–25–120). (**3**) Condición de un material magnético o un dispositivo magnético en la cual la magnitud de la inducción intrínseca [intrinsic induction] alcanza su valor límite ‖ *(Elecn)* saturación. (**1**) Corriente máxima de ánodo que se alcanza al aumentar indefinidamente la tensión de ánodo, la tensión polarizadora positiva de rejilla, o la temperatura del cátodo de un tubo electrónico. (**2**) Condición existente cuando circula la corriente máxima por el circuito de cátodo de un tubo. (**3**) Fenómeno por el cual la corriente electrónica que atraviesa un espacio gaseoso ionizado es tal que todas las partículas electrizadas libres alcanzan los electrodos (CEI/38 65–35–075). v. **temperature saturation, voltage saturation** *(Transistores)* saturación. Estado de un transistor cuando se polarizan en sentido directo, simultáneamente, sus dos uniones. En esas condiciones la corriente de base es superior a la necesaria para sostener la corriente de colector, produciéndose un cierto retardo en la conmutación mientras se extrae la corriente excedente ‖ *(Ilum)* saturación. Atributo de la sensación visual [visual sensation] que permite estimar la proporción de sensación cromáticamente pura contenida en la sensación total. NOTA: Este atributo es el correspondiente sicosensorial aproximado de la magnitud colorimétrica *pureza* [purity] (CEI/70 45–25–220) ‖ *(Tv)* (**of colors**) saturación (de los colores). Grado de pureza de los colores (ausencia de luz blanca o neutra); los colores *fuertes* o *vivos* son de mucha saturación, en tanto que los colores *claros* o *pastel* son de poca saturación. SIN. **chromatic purity.**

saturation absorption *(Elecn)* absorción de saturación.

saturation activity *(Nucl)* actividad de saturación.

saturation backscattering retrodispersión de saturación.

saturation bombing bombardeo (aéreo) de saturación.

saturation characteristic *(Elecn)* característica de saturación.

saturation control *(Tv)* control de saturación. Control que regula la amplitud de la señal de crominancia [chrominance signal], e, indirectamente, la saturación cromática (v. **chromatic saturation**).

saturation current corriente de saturación. (**1**) Corriente máxima que puede hacerse circular por un dispositivo cuando se aumenta indefinidamente la tensión aplicada al mismo. V.TB. **saturation** *(Elec, Elecn)*. (**2**) Valor de la corriente en régimen de saturación [saturation state] (CEI/56 07–21–075). (**3**) En una cámara de ionización [ionization chamber], valor de la corriente eléctrica cuando la tensión aplicada es suficiente para colectar todos los iones (CEI/64 65–10–560). (**4**) En un tubo de rayos X, corriente eléctrica del tubo cuando todos los electrones emitidos alcanzan el ánodo (en la práctica se habla de *temperatura de saturación*) (CEI/64 65–10–560). (**5**) En un diodo semiconductor, parte de la corriente inversa en régimen permanente [steady-state reverse current] que fluye como resultado del transporte a través de la unión, de portadores de carga minoritarios generados térmicamente en las regiones próximas a la unión ‖ (**of a current ionization chamber**) corriente de saturación (de una cámara de ionización de corriente). Corriente de ionización obtenida cuando la tensión aplicada es lo suficientemente elevada para que sean colectados todos los iones (sin alcanzar la fase de multiplicación

debida al gas) (CEI/68 66–10–140).

saturation current density densidad de corriente de saturación.

saturation curve curva de saturación. En general, curva que pone en evidencia la manera en que una magnitud (corriente eléctrica, flujo magnético, etc.) alcanza el valor de saturación ‖ (**of a current ionization chamber**) curva de saturación (de una cámara de ionización de corriente). Curva que representa las variaciones de la corriente de salida de la cámara en función de la tensión aplicada, y que permite determinar la tensión y la corriente de saturación (CEI/68 66–10–135).

saturation effect efecto de saturación.

saturation emission emisión de saturación.

saturation factor factor de saturación.

saturation field (intensidad de) campo de saturación.

saturation flux density densidad de flujo de saturación. SIN. **saturation induction.**

saturation index *(Técnica sanitaria)* índice de saturación.

saturation inductance *(Transductores mag)* inductancia de saturación. Valor de la inductancia propia de un devanado de potencia [power winding], medida para pequeñas variaciones de flujo, en la parte saturada de la curva de imanación [saturated range of the magnetizing curve] (CEI/55 12–10–065). CF. **saturation reactance.**

saturation induction *(Mag)* inducción de saturación. Valor máximo posible de la inducción intrínseca [intrinsic induction] en una substancia dada. SIN. **saturation flux density.**

saturation intensity intensidad de saturación.

saturation interval *(Dispositivos de núcleo saturable)* intervalo saturado. Porción del ciclo de alimentación de corriente alterna durante la cual está saturado el núcleo.

saturation level nivel de saturación.

saturation limit límite de saturación.

saturation limiting *(Elecn)* limitación por saturación. Establecimiento de un límite inferior para la tensión de salida de un tubo haciéndolo trabajar en la región saturada de la corriente de ánodo.

saturation magnetization magnetización saturante, imantación [imanación] de saturación.

saturation magnetostriction magnetostricción de saturación. Valor al cual tiende la magnetostricción cuando se incrementa indefinidamente la fuerza magnetizante aplicada.

saturation noise *(Registro mag)* ruido de cinta saturada. Ruido que se produce al reproducir una cinta que ha sido uniformemente saturada, y que se debe en su mayor parte a imperfecta dispersión de las partículas magnéticas; este ruido es considerablemente mayor que el que produce la misma cinta después de haber sido borrada en conjunto (v. **bulk eraser**).

saturation point punto de saturación. CF. **dewpoint.**

saturation reactance *(Ampl mag, Transductores mag)* reactancia de saturación. (**1**) Reactancia del devanado de compuerta [gate winding] durante el intervalo de saturación [saturation interval]. (**2**) Reactancia correspondiente a la inducción de saturación [saturation inductance] a la frecuencia de la fuente de alimentación [alternating-current power source] (CEI/55 12–10–070).

saturation region región saturada [de saturación].

saturation resistance resistencia de saturación. Cociente de la tensión por la corriente en un dispositivo semiconductor saturado.

saturation stage fase [estado] de saturación.

saturation state estado de saturación ‖ régimen de saturación. Régimen de funcionamiento de un tubo electrónico en el cual la corriente está limitada por el poder emisivo del cátodo (CEI/56 07–21–060).

saturation temperature temperatura de saturación. SIN. **dewpoint.**

saturation value valor de saturación.

saturation vapor pressure tensión de vapor saturante.

saturation voltage tensión de saturación. (**1**) Valor mínimo del potencial aplicado [applied potential] necesario para producir la corriente de saturación [saturation current] (CEI/64 65–10–565).

(**2**) Excursión de la tensión excitadora a la cual un circuito alcanza un límite de respuesta. (**3**) Caída de tensión [voltage drop] que se produce en un semiconductor en estado de plena conducción. (**4**) Para una corriente dada de entrada de base, se llama *tensión de saturación de colector a emisor,* a la tensión mínima necesaria para mantener el transistor en estado de plena conducción, o sea, en la región saturada [saturation region]. En las condiciones de saturación, un aumento en la polarización directa [forward bias] no produce un aumento correspondiente en la corriente de colector | (**of a current ionization chamber**) tensión de saturación (de una cámara de ionización de corriente). Valor mínimo de la tensión necesaria para obtener la corriente de saturación en una cámara de ionización. NOTA: En la práctica se usan expresiones como "tensión de saturación de 95 %, de 90 %" (es decir, la tensión necesaria para obtener una corriente igual al 95 %, al 90 % de la corriente de saturación) (CEI/68 66–10–145).

saturator   saturador.

Saturn   Saturno. (**1**) El segundo de los planetas gigantes, que se distingue por su singular sistema de anillos. (**2**) Acelerador cohético para el lanzamiento de grandes vehículos espaciales.

Saurel's theorem   (*Fís mat*) teorema de Saurel.

sausage   salchicha; salchichón; chorizo; longaniza; embutido.

sausage aerial   antena de jaula, antena tipo salchicha. Antena consistente en cierto número de conductores conectados eléctricamente en paralelo y sostenidos físicamente paralelos entre sí fijándolos alrededor de la circunferencia de varios separadores circulares [circular spreaders]. SIN. **cage aerial.**

Sauty bridge   puente de Sauty.

Save the lights!   (*Tv*) ¡Apaguen las luces! Orden de apagar las luces en un estudio de emisión en directa [live studio]. En los estudios de cine la orden equivalente es "Douse it!".

saw   (*Herr*) sierra, serrucho /// *verbo:* serrar, aserrar, serruchar.

saw blade   hoja de sierra.

saw bow   bastidor de sierra de mano.

saw file   lima para sierra(s). Lima triangular especial para afilar dientes de sierra | limadora.

saw frame   bastidor [marco] de sierra, marco portasierra.

saw set   (*Herr*) triscador; tenazas de triscar. LOCALISMO: trabador /// *verbo:* triscar.

saw-setting machine   triscadora, máquina de triscar.

saw-tooth   v. **sawtooth.**

saw vise   tornillo (de banco) para afilar sierras, prensa para afilar sierras; tornillo para serrucho; tornillo para triscar sierras.

saw yard   aserradero.

sawdust   serrín, aserrín, aserraduras.

sawmill   aserradero, serrería (mecánica), taller de aserrar. LOCALISMO: aserrío | aserradero. Parte de una carpintería destinada al corte de las maderas.

sawtooth   diente de sierra || (*Elecn*) (*i.e.* sawtooth wave) (onda en) diente de sierra.

sawtooth amplifier   amplificador de onda en diente de sierra.

sawtooth arrester   (*Elec*) descargador de puntas.

sawtooth current   corriente en diente de sierra. Onda de corriente en diente de sierra.

sawtooth frequency   frecuencia de onda en diente de sierra.

sawtooth generation   generación de dientes de sierra [de ondas en diente de sierra].

sawtooth generator   generador de diente(s) de sierra [de ondas en diente de sierra]. SIN. **ramp [sawtooth-wave] generator** | (*i.e.* sawtooth-current generator) generador de corriente en diente de sierra | (*i.e.* sawtooth-voltage generator) generador de tensión en diente de sierra | generador de diente de sierra. Oscilador que produce oscilaciones en las que cada ciclo comprende un intervalo de tiempo en el cual la magnitud característica, corriente o tensión en general, varía de una manera sensiblemente proporcional al tiempo, seguido de un intervalo de tiempo en el cual esa magnitud retorna, en general bruscamente, a su valor inicial (CEI/70 60–18–040). CF. **time-base generator.**

sawtooth keyboard   (*Teleg*) teclado de acción directa. En el caso de un teclado de barras de combinación [combination bars], teclado en el cual la fuerza motriz necesaria para hacer que esas barras tomen las posiciones correspondientes a la tecla oprimida, es suministrada por el operador. Cuando es oprimida, la tecla arrastra dientes tallados en las barras de combinación y desplaza éstas en un sentido o en el otro (CEI/70 55–75–025). CF. **motorized keyboard.**

sawtooth oscillation   oscilación en diente de sierra.

sawtooth oscillator   oscilador de onda en diente de sierra. SIN. **sawtooth generator.**

sawtooth pulser   generador de impulsos en diente de sierra.

sawtooth scanning   (*Elecn*) exploración con onda en diente de sierra. SIN. **sawtooth sweep.**

sawtooth-shaped   *adj:* en diente de sierra, en (forma de) dientes de sierra.

sawtooth sweep   (*Elecn*) barrido con onda en diente de sierra. SIN. **sawtooth scanning.**

sawtooth sweep generator   generador de barrido de onda en diente de sierra. V. **sweep generator.**

sawtooth sweep oscillator   oscilador de barrido de onda en diente de sierra. V. **sweep oscillator.**

sawtooth sweep voltage   tensión de barrido en diente de sierra.

sawtooth voltage   tensión en diente de sierra. Onda de tensión en diente de sierra. CF. **serrated vertical pulses.**

sawtooth wave   onda en diente de sierra. Corriente o tensión de variación periódica, cuyo ciclo comprende un intervalo de variación lineal en función del tiempo (variación proporcional al tiempo), y un intervalo, más corto, en el cual la corriente o la tensión retorna a su valor inicial. SIN. **sawtooth oscillation.**

sawtooth-wave current   corriente en diente de sierra.

sawtooth-wave generator   generador de diente de sierra, generador de ondas [oscilaciones] en diente de sierra. V. **sawtooth generator.**

sawtooth waveform   onda en diente de sierra. SIN. **ramp waveform.**

sawtooth-waveform voltage   tensión en diente de sierra.

sawtoothed   *adj:* en (forma de) diente de sierra.

sawtoothed wave   v. **sawtooth wave.**

saxophone   (*Mús*) saxofón, saxófono || (*Radio*) (a.c. saxophone antenna) antena de radiación en cosecante cuadrada. Red lineal de antena cuyo diagrama de radiación es el de la cosecante al cuadrado [cosecant-squared radiation pattern].

saxophone antenna   v. **saxophone.**

Sb   Símbolo químico del antimonio o estibio [antimony].

SB   Abrev. de simultaneous broadcast; southbound.

SBA   Abrev. de standard beam approach.

SBDT   Abrev. de surface-barrier diffused transistor.

SBR   Designación de un copolímero de estireno [styrene] y butadieno [butadiene], de uso muy común; es un tipo de caucho sintético. SIN. **Buna, GR-S.**

SBS   Abrev. de silicon bilateral switch.

SBT   Abrev. de surface-barrier transistor.

Sc   Símbolo químico del escandio [scandium].

SC   (*Teleg*) Abrev. de service code.

SCA   Abrev. de Subsidiary Communications Authorization.

SCA operation   (*Radiodif*) servicio "SCA", servicio de canales subsidiarios.

scaffold   andamio, castillete, castillejo. LOCALISMOS: balancín (colgante), percha | estrado; tribuna para espectadores; cadalso, patíbulo /// *verbo:* andamiar.

scaffolder   andamiero, andamiador.

scaffolding   andamiaje, andamiada.

scalar   (*Mat*) (*i.e.* scalar quantity) escalar, magnitud escalar /// *adj:* escalar.

scalar curvature   (*Mat*) curvatura escalar.

scalar density   densidad escalar. Escalar de peso unitario.

scalar field   campo escalar. Conjunto de valores de una magnitud escalar (v. **scalar quantity**) que posee un valor definido en cada punto de una región dada del espacio.

scalar function   función escalar. Magnitud escalar (v. **scalar quantity**) que posee uno o más valores definidos por cada valor (dentro de límites definidos) de una magnitud escalar variable.

scalar invariant   invariante escalar.

scalar meson   mesón escalar.

scalar potential   potencial escalar.

scalar potential field   campo escalar de potencial. En el caso de un campo vectorial aperiódico [noncircuital vector field], campo escalar tal que el negativo del gradiente en cada punto es el valor del campo vectorial en ese punto.

scalar product   producto escalar [interior]. De dos vectores, producto de sus módulos por el coseno del ángulo que ellos forman. Notación: Dados los vectores $\vec{V}_1$ y $\vec{V}_2$, su *producto escalar* o *interior* es $\vec{V}_1 \cdot \vec{V}_2 = \vec{V}_2 \cdot \vec{V}_1 = \cos V_1 \wedge V_2$. SIN. **dot product** | producto escalar. Producto de los módulos de dos vectores por el coseno del ángulo comprendido entre ellos (CEI/38 05–05–120). CF. **vector product**.

scalar quantity   magnitud escalar. (**1**) Magnitud que puede ser completamente caracterizada por un solo parámetro, es decir, por su valor numérico referido a la unidad de medida correspondiente (CEI/38 05–05–005). (**2**) Magnitud que solo interviene con sus modalidades de valor y signo; se distingue de las magnitudes vectoriales, que no sólo intervienen con su valor y signo, sino también con su dirección. Son magnitudes escalares, por ejemplo, la temperatura, la resistencia eléctrica, el tiempo, la masa, el volumen, el peso específico, la conductibilidad, la energía. CF. **vector quantity**.

scalar ratio   razón [relación] escalar.

scalar value   valor escalar.

scale   escala; báscula, balanza, romana; platillo de balanza; sucesión, serie (de números); cuadrante graduado; regla graduada [dividida]; graduación, división; envergadura, proporción; tarifa; cascarilla; incrustación; costra, rebaba; escama; capona, charretera || *(Acús)* escala | mensura. Relación entre la longitud y el diámetro de un tubo de órgano || *(Mús)* escala, gama || *(Dib, Fotog)* escala || *(Medidas)* escala, regla || *(Aparatos de medida)* escala. (**1**) Parte de un instrumento de medida, ya sea adherida al instrumento o separada de él (como en los instrumentos de reflexión), sobre la cual está marcada la graduación (CEI/38 20–35–020). (**2**) Conjunto de la graduación [scale marks] y de su soporte material (CEI/58 20–35–045) || *(Comput, Contadores)* escala | **x-decade scale:** escala de *x* décadas | **scale-of-x:** escala de *x* || *(Calderas)* incrustación, costras, escamas || *(Sist de refrig)* escamas, cascarilla || *(Met)* cascarilla, laminilla; batiduras de forja || *(Orín)* escama, concha, costra (de óxido), oxidación, capa de óxido, capa oxidada; cascarilla de óxido de hierro || *(Cañones)* alza || *(Resortes)* tara || *(Bot, Zool)* escama; tricoma, pelo; gluma (cubierta floral de las gramíneas) || *(Tv)* escala, proporción. Relación de dimensiones entre objetos yuxtapuestos /// *verbo:* pesar (en báscula o balanza); tener un peso (de); igualar; ser conmensurable, tener una escala común; cubicar (rollizos); desescamar; descortezar; pelar; raspar; desconchar; desoxidar; decapar; exfoliar(se); escamarse; descamarse; descascarar(se), descostrar(se) || *Calderas)* incrustarse; desincrustar || *(Met)* desconchar || *(Instr, Resortes)* tarar || *(Dib)* escalar, medir con escala; trazar a escala || *(Voladuras)* taquear, fragmentar bloques grandes (de piedra) || *(Explot forestal)* medir, cubicar (árboles en pie).

scale correction   corrección de escala.

scale dial   cuadrante graduado.

scale distortion   *(Acús)* distorsión de escala. Cambio aparente en la calidad de los sonidos que ocurre cuando en un sistema de reproducción se varía la sonoridad [loudness]. CF. **Fletcher-Munson effect**.

scale division   división de escala. Parte de la escala comprendida entre dos marcas o trazos de ella.

scale down   *verbo:* reducir a escala.

scale drawing   dibujo a escala.

scale drum   *(Sist de sintonía)* cilindro de (las) escalas.

scale factor   factor de escala [de proporción, de proporcionalidad]; factor de semejanza; factor de desmultiplicación || *(Comput)* factor de escala. (**1**) Factor mediante el cual se efectúa un cambio de escala; en general es una potencia de la base de numeración. (**2**) Número usado como factor para llevar una o varias cantidades a determinado intervalo de valores, sin cambiar la relación entre ellas. EJEMPLO: Se tienen los valores 91; 54,2; −7; −88,6 y se quieren "trasladar" de manera que caigan entre los límites de +1 y −1. En ese caso puede utilizarse el *factor de escala* 1/100 ó 1:100, y los valores dados quedarían convertidos en 0,91; 0,542; −0,07; −0,886; respectivamente || *(Fotog)* factor de escala.

scale formation   formación de incrustaciones.

scale fraction   relación de escala.

scale length   *(Aparatos de medida)* longitud de (la) escala. Longitud de la trayectoria descrita por la punta de la aguja o índice al pasar de una extremidad a la otra de la escala | longitud de una escala [una graduación]. Longitud del arco (o del segmento de recta) que pasa por el medio de los trazos o marcas más cortos de la graduación [scale marks] (CEI/58 20–40–115). CF. **scale numbering**.

scale mark   *(Aparatos de medida)* trazo [marca] de (la) escala | **scale marks:** graduación. Conjunto de los trazos o marcas que permiten identificar la posición del sistema móvil [moving system] de un aparato (CEI/58 20–40–005).

scale marking   *(Aparatos de medida)* trazo [marca] de (la) escala. v. **scale mark**.

scale model   modelo a escala (reducida), maqueta.

scale numbering   *(Aparatos de medida)* numeración. Conjunto de las cifras marcadas sobre la graduación [scale marks] (CEI/58 20–40–010).

scale-of-eight   escala de ocho.

scale-of-eight circuit   circuito de escala de ocho. Circuito contador que comienza un nuevo ciclo después de cada octavo impulso recibido.

scale-of-five   escala de cinco.

scale of hardness   escala de dureza.

scale-of-one-hundred   escala de cien.

scale-of-one-hundred circuit   circuito de escala de cien. Circuito de escala [scaling circuit] cuyo factor de escala [scaling factor] es 100 (CEI/68 66–15–270).

scale-of-one-thousand   escala de mil.

scale-of-one-thousand circuit   circuito de escala de mil. Circuito de escala cuyo factor de escala es 1 000 (CEI/68 66–15–270).

scale-of-sixteen   escala de dieciséis.

scale-of-ten   escala de diez.

scale-of-ten circuit   circuito de escala de diez. Circuito de escala [scaling circuit] cuyo factor de escala es 10 (CEI/68 66–15–270). SIN. **decade scaler**.

scale of turbulence   *(Radiocom)* escala de turbulencia. Longitud que caracteriza la dimensión media de las irregularidades, debidas a la turbulencia, de una magnitud característica de un medio. NOTA: El valor numérico de esta longitud puede ser definido de diferentes maneras, por ejemplo: a) por $\ell = \int_0^\infty R(x)dx$, siendo $R(x)$ la función de autocorrelación [autocorrelation function] de la magnitud considerada entre dos puntos separados por una distancia x en una dirección especificada; b) por la distancia a la cual $R(x)$ varía en una relación dada, por ejemplo $1/e$ (CEI/70 60–20–125).

scale-of-two   escala de dos.

scale-of-two circuit   circuito de escala de dos [de escala binaria]. Circuito que emite un impulso por cada dos que recibe. En inglés se le llamó también *scaling couple,* debido a que comprendía un par de tubos electrónicos | circuito de escala de dos. Circuito de escala [scaling circuit] cuyo factor de escala [scaling factor] es 2 (CEI/68 66–15–270). SIN. **binary scaler**.

scale-of-two counter   contador binario [de base dos], divisor binario. Báscula biestable con una entrada [single-control bistable trigger circuit], cuyas dos basculaciones son mandadas por impulsos idénticos, dando a la salida un solo impulso por cada dos impulsos de entrada sucesivos. Excitado por una serie de impulsos con frecuencia de repetición dada, el dispositivo da a la salida una serie de impulsos cuya frecuencia de repetición es la mitad de la primera. SIN. **binary counter [divider]**. NOTA: En inglés, el *binary divider* [divisor binario] puede no ser una *báscula biestable* [bistable trigger circuit]; cualquier divisor que dé un impulso de salida por cada par de impulsos de entrada sucesivos es un *divisor binario* (CEI/70 60–18–070).

scale of wind force   (*Meteor*) escala anemométrica.

scale protractor   (*Dib*) transportador de escala.

scale remover   quitacostra | desincrustante. Solvente destinado a reducir la dureza de las aguas constituida por sales de calcio y magnesio.

scale selector   selector de escala.

scale span   extensión de (la) escala. Diferencia algebraica entre los valores de la magnitud de influencia correspondientes a las extremidades de la escala.

scale track   (*Ferroc*) vía de (la) báscula.

scale up   *verbo:* aumentar a escala.

scaled design   diseño a escala.

scaled dimension   dimensión a escala.

scaled-down   *adj:* en escala reducida.

scaled radiation detector   (*Nucl*) detector de radiaciones con desmultiplicación. CF. **scaler**.

scalene   *adj:* (*Geom*) escaleno.

scalene triangle   triángulo escaleno. Triángulo que tiene sus tres lados desiguales.

scaler   escala (de conteo), contador desmultiplicador [de reducción]; contador preliminar, precontador; circuito [dispositivo] desmultiplicador de impulsos; escalímetro; integrador. Dispositivo que suministra un impulso de salida por cada *n* impulsos que recibe, siendo *n* un número fijo o elegible a voluntad. Generalmente, al registrar dicho número predeterminado de impulsos, transmite un impulso a un contador de tipo ordinario que totaliza el cómputo. La *escala electrónica* consiste en un circuito con *n* estados de equilibrio, por los cuales pasa sucesivamente conforme va recibiendo pulsaciones (impulsos) externas consecutivas. Estos estados de equilibrio forman un ciclo cerrado; o sea, que después de alcanzado el último, el sistema pasa automáticamente al primero. Es normal utilizar *n*=2, *n*=3, *n*=5, y *n*=10, y combinación de esos números, de modo que puede p.ej. obtenerse una *reducción* o *desmultiplicación* de 8 asociando tres escalas de 2, o una reducción de 1 000 asociando tres escalas de 10. El número *n* se llama *factor de reducción* o *de desmultiplicación* o *de escala* [scaling factor]. Cuando el factor de reducción es igual a 2, la escala recibe el nombre particular de *escala binaria* y constituye el *divisor de impulsos* más elemental, que da un impulso por cada dos que recibe; si se ponen en cascada p.ej. seis escalas binarias, se obtiene un *factor desmulplicador* total de 64. SIN. **scale, scaling circuit**. CF. **counter, interpolator** | contador de escalas. Subconjunto de conteo de impulsos eléctricos que comprende uno o varios circuitos de escala [scaling circuits] (CEI/68 66–15–315) || (*Explot forestal*) medidor de troncos || (*Herr*) descamador (de pescado); rascador; raspador; picador, desincrustador (de calderas).

scaler chain   (*Elecn*) cadena de escala.

scaler circuit   v. **scaling circuit**.

scaling   escalada; escamadura, escamación; descamado, descamación (del pescado); escala, graduación; dibujo a escala; medida a escala; desmultiplicación (de la escala); conteo, cómputo (con escala); desincrustación; desconchado (de una pieza fundida) | (*i.e.* deposit of scale) incrustación; formación de incrustaciones | (undesirable effect) oxidación | (intentional action) desoxidación || (*Acum*) desprendimiento de materia activa || (*Acús*) ajuste || (*Estadística*) escalamiento || (*Resortes, Aparatos de medida*) tarado.

scaling circuit   (circuito de) escala; circuito desmultiplicador [de desmultiplicación] (de impulsos); circuito integrador. V.TB. **scaler** | escala, circuito de escala. Circuito electrónico que produce un impulso de salida cada vez que ha recibido a la entrada un número determinado de impulsos (CEI/68 66–15–265). CF. **scale-of-one-hundred circuit, scale-of-one-thousand circuit, scale-of-ten circuit, scale-of-two circuit** | contador de escalas. Dispositivo electrónico que indica o que registra una unidad cada vez que le son alimentados *n* impulsos, siendo *n* el factor de recuento [scaling factor] predeterminado y previsto en el reglaje (CEI/64 65–30–300). CF. **scaler**.

scaling couple   v. **scale-of-two-circuit**.

scaling factor   (*Equipos contadores*) factor de escala [de recuento, de desmultiplicación]. Número de impulsos de entrada por impulso de salida en una escala o circuito de escala [scaler, scaling circuit]. SIN. **scaling ratio** | factor de escala. Factor que tiene por valor el número de impulsos necesarios a la entrada de un circuito de escala, para provocar un impulso de salida (CEI/68 66–10–370).

scaling ratio   v. **scaling factor**.

scaling unit   v. **scaler**.

scallop   (*Costura*) festón, onda, recorte /// *verbo:* festonear, ondear.

scalloping   festoneado || (*Radionaveg*) (**of a course**) ondeo (de un rumbo) || (*Tv*) efecto de festón.

scalloping distortion   (*Tv*) distorsión en festón. Distorsión de la imagen registrada en cinta magnética, caracterizada por una serie de pequeñas curvas verticales, y causada por desigualdades de estiramiento de la cinta en sentido transversal.

scalper   máquina de despelusar; quebrantadora preliminar para partir piedra || (*Mot*) separador preliminar (para la limpieza del aire de entrada).

scan   (*Facsímile, Radar, Tv*) exploración, barrido. v. **scanning** || (*Tv*) traza, barrido. Movimiento de barrido del mosaico en un tubo tomavistas (análisis de la imagen) o de la pantalla en un cinescopio (reconstitución de la imagen). SIN. **trace** /// *verbo:* examinar, escudriñar, escrutar; recorrer con la vista; ojear, echar una ojeada || (*Comput*) barrer. Explorar un bloque de información, en la memoria, para un fin determinado || (*Facsímile, Tv*) explorar, analizar. Analizar sistemáticamente los elementos de imagen para convertir sus valores de luz (y color, en el caso de la televisión policroma) en señales eléctricas correspondientes || (*Radar*) explorar, barrer. Recorrer sistemáticamente una zona o una región del espacio, haciendo variar la dirección del haz radioeléctrico.

scan antenna   v. **scanning antenna**.

scan axis   (*Radar, Sonar*) eje de exploración, eje de referencia (para especificar el desplazamiento del objetivo).

scan-coded tracking system   (*Radar*) sistema de seguimiento de exploración codificada. v. **monopulse radar**.

scan conversion   transformación de exploración.

scan-conversion equipment   equipo transformador de exploración.

scan-conversion tube   tubo transformador [conversor] de exploración. Tubo electrónico que permite la transformación continua de la base de tiempo empleada en la reproducción de imágenes de radar, y pasar, por ejemplo, de una presentación panorámica (PPI) a una señal reproducida en un aparato televisor. Así pueden obtenerse imágenes de gran tamaño, definición y brillo, de fácil observación en locales muy iluminados. Se emplea p.ej. en centros de control de tráfico aéreo | v. **scan-converter tube**.

scan converter   transformador [convertidor] de exploración.

scan-converter tube   tubo transformador [conversor] de exploración. Dispositivo formado por el acoplamiento, bajo una misma ampolla, "cara con cara", de un tubo de rayos catódicos y un vidicón imaginador [imaging vidicon] | v. **scan-conversion tube**.

scan period   período de exploración || (*Tubos de memoria*) período de regeneración. v. **regeneration period**.

scan rate   (a.c. scanning rate) velocidad de exploración [de barrido, de análisis]. (1) Velocidad con que una computadora comprueba periódicamente el valor de una cantidad controlada.

(2) Velocidad angular (revoluciones por minuto) de un haz radárico. SIN. **ritmo de exploración.**

scan size *(Tv)* amplitud de (la) exploración; tamaño de la trama.

scandium escandio. Elemento químico de número atómico 21 y peso atómico 45,10. Símbolo: Sc.

scanistor escanistor. Analizador de imágenes de estado sólido. Su salida es una señal analógica que representa el valor y la posición de la luz incidente sobre su superficie.

scanned area *(Radar)* cobertura, región barrida. SIN. **coverage.**

scanned material *(Facsímile)* original, documento explorado.

scanner explorador, dispositivo de exploración ‖ *(Automática)* instrumento explorador. Instrumento que automáticamente, mediante conmutación, toma lecturas en determinado número de puntos e indica cuáles de ellas se apartan demasiado del valor deseado ‖ *(Facsímile, Tv)* explorador, analizador, dispositivo explorador. Elemento que sistemáticamente traduce las densidades o los valores de luz del original o la imagen que se transmite, en señales eléctricas correspondientes ‖ *(Radar)* explorador, unidad exploradora, (sistema de) antena exploradora, antena (direccional) giratoria. SIN. **spinner.**

scanner amplifier *(Facsímile)* amplificador del explorador. Amplificador por el cual pasa la señal del explorador del aparato transmisor.

scanner control control de exploración.

scanner switch conmutador de exploración.

scanner tower *(Radar)* torre exploradora.

scanner unit unidad exploradora.

scanning examen, escudriñamiento, escrutación; observación ‖ *(Comput)* barrido, exploración ‖ *(Facsímile)* exploración. (a) En un emisor, proceso de descomposición de la imagen que se desea reproducir, en elementos representados, uno después del otro, por el valor de una característica de una señal eléctrica que depende de las características luminosas del elemento considerado. Este proceso se llama también *análisis*. (b) En un receptor, proceso de formación de la imagen por medio de elementos reconstituidos, uno después del otro, a partir de las señales recibidas. Este proceso se llama también *síntesis* (CEI/70 55–80–005) ‖ *(Tv)* exploración. Análisis progresivo y sistemático de los valores de luz de los elementos sucesivos de la imagen transmitida. SIN. **barrido, análisis [disección] (de imágenes)** — sweep, image dissection | exploración. (1) En transmisión, operación consistente en explorar un objeto, o una imagen de él, y producir una señal eléctrica representativa a cada instante de las características luminosas útiles del punto correspondiente del objeto (CEI/70 60–64–060). (2) En recepción, transformación en imagen visible de la señal eléctrica resultante del análisis (exploración en transmisión), por formación sobre la pantalla de un receptor de televisión de un punto cuyas características luminosas son función a cada instante de las características útiles de esa señal, y que se desplaza de modo de ocupar a cada instante el punto de la pantalla correspondiente al punto homólogo del objeto (CEI/70 60–64–065) ‖ *(Radar)* exploración, barrido. Recorrido sistemático de una zona o una región del espacio por variación de la dirección del haz de ondas | exploración sistemática. Busca sistemática de objetivos por un desplazamiento de la superficie característica de radiación de la antena de un radar (CEI/70 60–72–095). CF. **mechanical scanning.**

scanning amplifier *(Tv)* amplificador de barrido.

scanning angle *(Radar)* ángulo de exploración.

scanning antenna *(Radar)* (a.c. scan antenna) antena exploradora [de exploración]. SIN. **scanner.**

scanning antenna mount *(Radar)* soporte de antena exploradora. Estructura que, además de soportar la antena, tiene los mecanismos que dan a ésta los movimientos necesarios para la exploración de la región deseada y para el seguimiento de objetivos ya localizados, así como medios de suministrar señales utilizables para funciones de indicación y control.

scanning aperture *(Tv)* abertura [perforación] de exploración.

scanning area *(Cine)* campo de lectura ‖ *(Nucl)* campo de lectura [de exploración].

scanning arrangement *(Tv)* disposición de exploración [de análisis].

scanning beam haz explorador [de exploración]. Puede ser luminoso, electrónico o radioeléctrico, según el caso. SIN. **rayo de exploración.**

scanning-beam illumination test film *(Cine)* película de prueba para ajuste de iluminación del haz explorador. Película de prueba utilizada para corregir las irregularidades de intensidad lumínica entre los distintos puntos del campo explorado por el haz del sistema optoacústico. Las de tipo normalizado (como las de la SMPTE) llevan un registro sonoro de 1 000 Hz, a nivel constante, que se desplaza regularmente entre los extremos laterales de la pista sonora. Teóricamente, la salida del sistema, es decir, la señal eléctrica representativa del sonido, debe ser constante, pero en la práctica existen siempre variaciones causadas por las inevitables diferencias de iluminación entre las distintas partes de la pista. Con la película de prueba se reducen estas variaciones al menor valor posible.

scanning circuit circuito de exploración. SIN. **sweep circuit** | circuito analizador.

scanning coil *(Tv)* bobina de exploración. Conjunto de bobinas utilizado para controlar la trayectoria del haz electrónico de exploración.

scanning current *(Tv)* corriente de exploración.

scanning cycle ciclo de exploración.

scanning cylinder cilindro de exploración [de análisis].

scanning density densidad [finura] de exploración.

scanning disk *(Tv)* disco explorador [de exploración]. (1) Disco opaco con una o varias hileras en espiral de agujeros (a veces provistos de lentes) próximas a la periferia, utilizado en los primitivos sistemas de exploración mecánica; en la transmisión, para descomponer la escena en elementos de imagen (*disco analizador*); en la recepción, para reconstituir la imagen a partir de las señales recibidas representativas de dichos elementos (*disco sintetizador*). SIN. **Nipkow disk.** (2) Disco tricolor giratorio empleado en ciertos sistemas de televisión policroma de campos monocromos sucesivos [field-sequential color television], de exploración cromática mecánica; en la transmisión, interpuesto entre la cámara y la escena; en la recepción, entre el cinescopio y el observador.

scanning distortion distorsión de exploración.

scanning drum *(Facsímile)* tambor [cilindro] de exploración.

scanning electron microscope microscopio electrónico con barrido.

scanning electron microscopy microscopía electrónica con barrido. Microscopía cuyo principio consiste esencialmente en hacer corresponder, punto por punto y de manera biunívoca, por un procedimiento electrónico, la pantalla fluorescente de un tubo catódico y la superficie de la muestra. El procedimiento es análogo al de la televisión: el método secuencial. Para obtener la imagen se modula la luminosidad del tubo catódico, para lo cual es necesario que la muestra tenga una propiedad característica, variable según el punto considerado, y fácilmente convertible en señal eléctrica. En televisión se utiliza para excitar el objeto la luz que lo ilumina, siendo la propiedad característica utilizada el factor de reflexión, convertido en señal eléctrica por intermedio de la luz reflejada. En microscopía electrónica con barrido, el procedimiento es el mismo, pero se utiliza para la excitación un haz de electrones. No obstante, se presenta una diferencia importante: el número y la variedad de las propiedades de la muestra utilizables para la obtención de la imagen. Como es lógico pensar, las diversas imágenes, resultantes de propiedades distintas, no son idénticas. Por lo tanto, las técnicas y los aparatos difieren notablemente según las propiedades características utilizadas, entre las cuales se encuentran las siguientes: reemisión de electrones; penetración de electrones primarios; electrones primarios retrodifundidos; electrones secundarios verdaderos.

scanning equipment   (*Tv*) (*i.e.* equipment for scanning in transmission) equipo explorador [analizador] | (*i.e.* equipment for scanning in reception) equipo explorador [sintetizador] | equipo explorador. Conjunto de órganos utilizados para el análisis o la síntesis de una imagen (CEI/70 60–64–635).

scanning field   campo de exploración || (*Facsímile*) campo explorado. Superficie del documento explorado por el órgano explorador [scanning apparatus] en la extremidad de emisión o en la extremidad de recepción (CEI/70 55–80–010).

scanning frequency   (*Tv*) frecuencia de exploración. Número de cuadros por segundo; número de líneas por cuadro || (*Facsímile*) frecuencia de exploración. Número de veces por minuto que una recta fija, normal a la dirección de exploración, es cruzada en determinado sentido por el punto explorador [scanning spot, recording spot]. SIN. **scanning line frequency, stroke speed.**

scanning gate   (*Cine*) ventanilla de exploración. Forma parte del sistema de reproducción sonora.

scanning generator   (*Tv*) generador de exploración [de barrido]. SIN. **sweep generator.**

scanning head   proyector de exploración || (*Sist de control*) cabeza de exploración (fotoeléctrica).

scanning helix   hélice de exploración.

scanning hole   (*Nucl*) abertura de observación || (*Tv*) abertura [agujero] de exploración. Agujero del disco de exploración (v. **scanning disk**).

scanning lamp   lámpara de exploración.

scanning light-spot   punto (de luz) explorador.

scanning line   línea de exploración. (1) En facsímile: Superficie barrida por el punto explorador [scanning spot] durante una vuelta del tambor [drum] (CEI/70 55–80–015). (2) En televisión: Segmento de recta recorrido por el punto explorador en un análisis línea por línea horizontal (CEI/70 60–64–145).

scanning-line frequency   (*Facsímile*) frecuencia de líneas de exploración. SIN. **scanning frequency, stroke speed.**

scanning-line length   (*Facsímile*) longitud de la línea de exploración. Se determina dividiendo la velocidad del punto explorador por la frecuencia de líneas de exploración.

scanning linearity   (*Tv*) linealidad de exploración. (1) Linealidad del movimiento de exploración. (2) Uniformidad de la velocidad con que se recorre una línea de exploración; o sea, de la velocidad del punto explorador durante el intervalo de trazo de la línea [trace interval].

scanning loss   (*Radar*) pérdida (de sensibilidad) por exploración. La sensibilidad de un radar es mayor cuando el haz está dirigido constantemente al objetivo o blanco, que cuando éste es explorado con un barrido periódico del haz; se llama *pérdida por exploración* a la diferencia entre las dos sensibilidades.

scanning method   método de exploración.

scanning microscopy   microscopía con barrido, microscopía explorativa. v. **scanning electron microscopy.**

scanning motion   movimiento de exploración.

scanning pattern   esquema de exploración | v. **raster.**

scanning pitch   (*Facsímile*) paso de exploración. Distancia entre los ejes de dos líneas de exploración consecutivas (CEI/70 55–80–080).

scanning point   (*Facsímile*) v. **scanning spot.**

scanning position   (*Informática*) posición de observación.

scanning radar   radar explorador [de barrido].

scanning range   (*Radar*) alcance de exploración.

scanning raster   (*Tv*) v. **raster.**

scanning rate   v. **scan rate.**

scanning receiver   (*Radiocom*) receptor de exploración, receptor panorámico. v. **panoramic receiver.**

scanning sensitivity   sensibilidad de exploración.

scanning separation   (*Facsímile*) paso de exploración. v. **scanning pitch.**

scanning sequence   ciclo de exploración.

scanning slit   (*Cine*) rendija de exploración [de análisis]. Forma parte del sistema de reproducción sonora (registro fotográfico).

scanning slot   rendija [hendidura] de exploración.

scanning sonar   sonar explorador [de barrido], sonar panorámico. Sonar en cuya pantalla aparecen simultáneamente todos los blancos captados a su alrededor. Puede funcionar de dos maneras: el impulso acústico se transmite en todas direcciones simultáneamente y es captado por un transductor giratorio; o el impulso se emite y recibe en una sola dirección cada vez, mediante un transductor explorador.

scanning speed   velocidad de exploración. (1) En televisión: Velocidad de dezplazamiento de un punto explorador (punto analizador o punto sintetizador) cuando barre una imagen (CEI/70 60–64–110). (2) En facsímile: Velocidad lineal del punto explorador en su desplazamiento sobre el documento original en el aparato emisor (CEI/70 55–80–090). SIN. **velocidad de barrido** —— scanning rate, spot speed.

scanning spot   punto explorador. (1) Superficie de impacto de un haz luminoso o electrónico utilizado para el análisis o la síntesis de una imagen (CEI/70 60–64–105). (2) En facsímile o fototelegrafía, zona iluminada efectivamente utilizada para explorar el documento que se transmite, o para impresionar, en el aparato receptor, el medio sensible [light-sensitive recording medium]. SIN. **punto (luminoso) de exploración, punto [elemento] de imagen** —— (exploring) spot, exploring [scanning] point. CF. **picture element.**

scanning stage   (*Tv*) etapa de exploración.

scanning switch   (*Telemedidas*) conmutador explorador. SIN. **commutator [sampling] switch.**

scanning system   sistema explorador [de exploración].

scanning transducer   (*Sonar*) transductor explorador. Transductor de múltiples elementos dispuestos en círculo y electrónicamente conmutados en sucesión, para obtener el efecto de un barrido circular sin necesidad de movimiento mecánico. CF. **scanning sonar.**

scanning traverse   dirección de exploración || (*Facsímile*) traslación de exploración. Traslación longitudinal [longitudinal translation] del órgano o dispositivo explorador [scanning device] respecto al tambor durante la exploración.

scanning tube   tubo analizador.

scanning unit   dispositivo [elemento] explorador.

scanning voltage   (*Tv*) tensión de exploración [de barrido]. SIN. **sweep voltage.**

scanning yoke   (*TRC*) yugo de exploración [de desviación]. SIN. **deflection yoke.**

scansion   (*Teleg, Tv*) exploración, barrido. SIN. **scanning.**

scarf cloud   nube rasgada.

scarifier   escarificador || (*Carreteras*) escarificadora. Máquina remolcada, montada sobre un bastidor provisto de ruedas, que posee uno o más dientes de acero accionables, para remover suelos, pavimentos, raíces, etc.

scatter   dispersión, difusión; esparcimiento. v.TB. **scattering** /// *verbo:* dispersar(se), difundir(se); esparcir; desparramar; derramar; diseminar; disipar(se); desperdigar; desbandarse.

scatter circuit   (*Radiocom*) enlace por dispersión, enlace transhorizonte. SIN. **over-the-horizon link.**

scatter coefficient   v. **scattering coefficient.**

scatter effect   efecto de dispersión. En la propagación de ondas radioeléctricas, dispersión de la energía recibida por irregularidades en la superficie terrestre.

scatter link   (*Radiocom*) enlace por dispersión, enlace transhorizonte. SIN. **over-the-horizon link.**

scatter propagation   (*Radiocom*) propagación por dispersión (dirigida), propagación por difusión (hacia adelante); propagación transhorizonte [sobre el horizonte, más allá del horizonte]. Transmisión de señales radioeléctricas de microonda a distancias muy superiores a las de alcance óptico, mediante la dispersión troposférica (v. **tropospheric scatter**) o ionosférica (v. **iono-**

spheric scatter). Se utilizan con esta técnica grandes potencias de emisión y antenas transmisoras y receptoras de grandes dimensiones dirigidas hacia la misma región de la troposfera o de la ionósfera, según el caso. La antena receptora capta parte de la pequeña cantidad de energía que se dispersa en dicha región en virtud de diversos mecanismos. SIN. **forward-scatter propagation.** CF. **beyond-the-horizon communication, over-the-horizon communications, scatter radio communication.**

scatter radio communication   radiocomunicación por dispersión (dirigida). v. **scatter propagation.**

scatter radio link   radioenlace transhorizonte, enlace hertziano por difusión. SIN. **over-the-horizon link.**

scatter read   (*Informática*) lectura de información dispersa.

scatter technique   (*Radiocom*) técnica de los enlaces por dispersión. v. **scatter propagation.**

scatter transmission   (*Radiocom*) transmisión por dispersión (dirigida), transmisión por difusión (hacia adelante); transmisión transhorizonte [más allá del horizonte]. SIN. **over-the-horizon transmission.**

scatter write   (*Informática*) escritura de información dispersa.

scatterband   (*Sist de interrogación*) banda de dispersión. Banda ocupada por las señales recibidas de varios interrogadores con portadoras de radiofrecuencia nominalmente coincidentes; la dispersión proviene de las desviaciones de las portadoras individuales respecto a la frecuencia nominal.

scattered beam   haz difuso, haz disperso.

scattered clouds   (*Meteor*) nubes dispersas.

scattered electrons   electrones dispersos.

scattered field   campo difuso.

scattered light   luz difusa.

scattered neutrons   neutrones dispersos [difusos].

scattered noise   ruido difuso.

scattered particles   partículas dispersas.

scattered radiation   rayos difusos. Rayos que resultan del fenómeno de la difusión (CEI/38 65–05–100) | radiación difusa. Radiación cuya dirección ha sido desviada a su paso a través de una substancia (CEI/64 65–10–150).

scattered rays   rayos difusos. v. **scattered radiation.**

scattered reflections   reflexiones dispersas.

scattered Roentgen rays   rayos de Roentgen difusos, rayos X difusos. v. **scattered radiation.**

scattered wave   onda dispersa.

scatterer   dispersor ‖ (*Nucl*) difusor. SIN. **diffuser** ‖ (*Radiocom*) centro dispersor.

scattering   desparramo, desparramamiento; esparcimiento; diseminación ‖ (*Fís, &*) dispersión, difusión. (**1**) Cambio en la dirección de un fotón o una partícula por efecto de un choque con otra partícula o con un sistema de partículas. (**2**) Producción de ondas de distinta dirección, polarización o frecuencia cuando las ondas radioeléctricas encuentran materia en su paso. (**3**) Cambio desordenado o aleatorio que en su dirección de propagación experimentan las ondas electromagnéticas al incidir sobre un cuerpo material. (**4**) En un haz o chorro de electrones, divergencia de las trayectorias de los electrones debida a la repulsión mutua entre ellos; ensanchamiento o pérdida de concentración del haz por causa de esa divergencia. (**5**) Difusión de las ondas acústicas por causa de inhomogeneidades en el medio de propagación. SIN. **dispersion, diffusion, spread.** CF. **multiple scattering, plural scattering, single scattering** | difusión. (**1**) Proceso en el cual se produce un cambio de dirección o de energía de una partícula incidente, por causa del choque de esa partícula con una partícula o un sistema de partículas (CEI/68 26–05–485). (**2**) Fenómeno que produce un cambio de dirección de un fotón o de una partícula al ocurrir interacciones con la materia; por ejemplo, *difusión simple* [unmodified scattering], difusión Compton [Compton scattering], etc. CF. **scattered radiation** (CEI/64 65–10–485). (**3**) En la propagación de las ondas radioeléctricas: Separación de un rayo de una onda electromagnética en numerosas direcciones diferentes en un medio cuyas inhomogeneidades tienen dimensiones del orden de magnitud de la longitud de onda (CEI/70 60–20–120). CF. **forward scattering, scatter propagation, incoherent scattering, inelastic scattering** | rerradiación ‖ *adj:* difusor, dispersor, dispersivo.

scattering amplitude   (*Fís*) amplitud de dispersión.

scattering angle   (*Fís*) ángulo de dispersión. Angulo que forman la dirección de incidencia y la dirección final del movimiento de una partícula que ha sufrido difusión o dispersión.

scattering aperture   abertura de rerradiación.

scattering area   (*Nucl*) área de difusión.

scattering attenuation coefficient   (*Radiol*) coeficiente de atenuación de difusión. Parte del coeficiente de atenuación total [total attenuation coefficient] atribuible al efecto Compton [Compton effect]. Símbolo: (σ). Unidad: cm^{-1} (CEI/64 65–15–080). v. **linear attenuation coefficient.**

scattering circle   círculo de dispersión.

scattering coefficient   coeficiente de dispersión.

scattering-coefficient meter   instrumento de medida del coeficiente de dispersión.

scattering cone   cono de dispersión [de difusión].

scattering cross-section   (*Nucl*) sección eficaz de dispersión. (**1**) Sección eficaz relativa a la dispersión elástica [elastic scattering] con conservación de energía cinética, más la sección eficaz relativa a la dispersión elástica con absorción seguida de la emisión de un neutrón de energía menor; es numéricamente igual a 0,657 barnio [barn] por electrón. (**2**) Sección eficaz relativa al proceso de difusión (dispersión) (CEI/68 26–05–650). SIN. **classical scattering cross-section, Thomson cross-section.**

scattering curve   curva de dispersión.

scattering factor   (*Radiol*) factor de dispersión. SIN. **S value.**

scattering frequency   (*Elecn*) frecuencia de dispersión.

scattering kernel   (*Nucl*) núcleo de dispersión.

scattering layer   capa dispersora [difundente].

scattering loss   (*Acús*) pérdida por dispersión. Parte de la pérdida de transmisión [transmission loss] debida a dispersión en el medio de propagación, o a rugosidades en la superficie reflectora.

scattering matrix   matriz de dispersión. Matriz cuadrada cuyos elementos son los coeficientes de transmisión y de reflexión de un elemento de guía de ondas.

scattering mean free path   (*Nucl*) recorrido libre medio de dispersión.

scattering medium   medio dispersor [difundente].

scattering of electrons   dispersión de electrones.

scattering of light   dispersión de la luz.

scattering of neutrons   dispersión de neutrones.

scattering of radiation   difusión de la radiación.

scattering phase-shift   cambio de fase por dispersión.

scattering phenomenon   fenómeno de dispersión [de difusión].

scattering principle   principio de la dispersión [de la difusión].

scattering surface   superficie de dispersión, superficie difundente.

scavenge   (*Mot*) barrido (de gases del cilindro) ‖ (*Met*) desoxidación ‖ *verbo:* (*Mot*) evacuar, expulsar, barrer (gases quemados); recuperar ‖ (*Met*) desoxidar; depurar, eliminar.

scavenge pump   (*Mot*) (a.c. scavenger pump) bomba de barrido; bomba de recuperación.

scavenger pump   v. **scavenge pump.**

scavenger valve   v. **scavenging valve.**

scavenging   (*Mot*) expulsión, barrido (de gases quemados) ‖ (*Nucl*) depuración (por coprecipitación). Empleo de un precipitado no específico para extraer de una solución, por adsorción o coprecipitación, una fracción de uno o más radionúclidos indeseables.

scavenging stroke   (*Mot*) carrera de expulsión, (carrera de) barrido.

scavenging valve   (*Mot*) (a.c. scavenger valve) válvula de barrido.

SCC   Abrev. de single-cotton-covered.

SCC wire   hilo forrado con una capa de algodón.

SCE   Abrev. de single-cotton-covered enameled.

SCE wire   hilo esmaltado con una capa de algodón.

scenario   bosquejo de una serie hipotética de acciones; bosquejo de la trama de una obra dramática o literaria || *(Cine)* v. **screenplay** || *(Teatro)* extracto del libreto con anotaciones.

scene   vista, paisaje || *(Cine, Teatro, Tv)* escena.

scene dock   *(Tv)* *(i.e.* storage room for flats) almacén de bastidores.

scene painter   escenógrafo.

scene shifter   tramoyista.

scenery   vista, paisaje || *(Cine/Tv/Teatro)* decorado, decoraciones. SIN. **properties** | presentación, puesta en escena. SIN. **setting.**

scenery decoration   *(Cine/Tv/Teatro)* decorado, decoraciones.

scenic   *adj:* pintoresco; gráfico || *(Cine/Tv/Teatro)* escénico, perteneciente a la escena.

scenic effect   efecto artístico.

scenic element   *(Tv)* elemento escénico [estructural]. SIN. **construction unit.**

scenic film   película de paisajes [vistas naturales].

SCFH   Abrev. de standard cubic feet per hour.

SCFM   Abrev. de subcarrier frequency modulation.

schedule   programa, plan; plan-calendario; calendario de ejecución [de trabajo]; lista, relación; inventario; planilla; (documento) anexo || *(Aviones, Buques, Trenes)* horario, itinerario, guía, cuadro de servicio. SIN. **timetable** || *(Telecom)* horario (de servicio) || V.TB. **schedule of...** /// *verbo:* programar, planear (una serie de actividades); incluir (una actividad) en un programa o plan; fijar plazos, determinar fechas (para la ejecución de una obra).

schedule forecast   pronóstico de programa (de fabricación).

schedule milestone   punto [evento] clave del calendario (de trabajo).

schedule of charges   lista de gastos; tarifa.

schedule of hours   *(Telecom)* horario; curva del personal.

schedule of parts   lista de piezas.

schedule of periodic tests   *(Telecom)* programa de medidas periódicas.

schedule of prices   lista de precios; tarifa de precios || *(Proyectos)* cuadro [estado] de precios.

schedule of rates   tarifa.

schedule of work   programa de trabajo; calendario de trabajo.

schedule plan   plan-calendario; calendario de trabajo.

schedule requirement   requisito del calendario (de trabajo).

schedule speed   *(Trenes, Tracción eléc)* velocidad indicada por el horario | velocidad comercial. Cociente de la distancia entre dos paradas, por el tiempo tomado para efectuar el recorrido entre ellas, incluidos los tiempos de estacionamiento [stopping time] (CEI/57 30–05–045). CF. **maximum speed (of a vehicle), speed limit (over a section of track).**

scheduled   *adj:* programado, planeado; previsto || *(Aviones, Buques, Trenes)* de horario [servicio] regular.

scheduled date   *(PERT)* fecha impuesta. Fecha fijada por la Dirección de la Obra para alcanzar un suceso; se da p.ej. en semanas a partir del suceso inicial de la red. SIN. **scheduled event time.**

scheduled event time   *(PERT)* fecha impuesta.

scheduled flight   *(Avia)* vuelo regular.

scheduled frequency   *(Radiocom)* frecuencia prevista en el horario, frecuencia según el horario.

scheduled international air service   servicio aéreo internacional regular.

scheduled operation   *(Telecom)* servicio a horas fijas.

scheduled performance   rendimiento calculado || *(Avia)* performance consignada [estipulada].

scheduled production   producción calculada.

scheduled sailing   *(Buques)* salida a fecha fija.

scheduled service   servicio a horas fijas; servicio regular [de horario fijo].

scheduled test operation   servicio de prueba a horas fijas; programa de ensayos.

scheduled time   hora indicada.

scheduled watch   *(Telecom)* escucha a horas fijas.

scheduling   programación, planeamiento, planificación; fijación de plazos [de fechas] (para la ejecución de un plan) || *(PERT)* asignación de fechas (al plan de ejecución de un proyecto).

scheduling method   método sistemático; método programado.

schema   bosquejo; representación sumaria [esquemática] (de algo). PLURAL INGLES: schemata.

schemata   Plural de schema.

schematic   esquema. v. **schematic diagram, schematic drawing** /// *adj:* esquemático.

schematic circuit diagram   diagrama esquemático del circuito, esquema del circuito. v. **schematic diagram.**

schematic diagram   diagrama esquemático, esquema [diagrama esquemático] del circuito, esquema (de montaje, de conexiones). Representación gráfica de un circuito en la cual los diversos dispositivos o elementos aparecen en forma de símbolos y las conexiones en forma de líneas. SIN. **diagrama, plano, circuito —— schematic, diagram, circuit diagram, schematic circuit diagram.**

schematic drawing   dibujo esquemático; plano esquemático.

scheme   disposición, arreglo, artificio, sistema, combinación; esquema, diagrama, diseño, traza, bosquejo; proyecto, programa, plan; designio, idea; disposición, orden; ardid, artificio, treta /// *verbo:* proyectar, planear; diseñar, trazar; idear, concebir; discurrir; tramar, urdir.

Scherbius system   *(Elec)* sistema Scherbius. Sistema que permite hacer variar la velocidad de un motor de inducción polifásico [polyphase induction motor] sin pérdidas apreciables utilizando, sea una máquina trifásica de colector (regulatriz de Scherbius) [three-phase collector machine (Scherbius regulating machine)], sea una conmutatriz [converter] y un motor de corriente continua en serie con las fases secundarias [secondary phases] del motor principal (CEI/58 35–15–020). CF. **Krämer system.**

Schering and Callender bridge   *(Elec)* puente de Schering y Callender.

Schering bridge   *(Elec)* puente de Schering. Dispositivo destinado a la medida de capacidades (capacitancias) y del ángulo de pérdidas [loss angle] de aislantes, y formado de condensadores y resistencias montados en puente [in bridge connection] (CEI/58 20–30–075).

Schläfli formula   *(Mat)* fórmula de Schläfli.

Schlieren method   estrioscopia.

Schlieren photograph   estriograma.

Schlieren photography   estrioscopia. Sistema óptico o procedimiento para fotografiar las variaciones de densidad provocadas en un gas por las ondas acústicas, las ondas de choque, o la turbulencia en un túnel aerodinámico.

Schlieren setup   montaje (óptico) estrioscópico.

Schmidt camera   cámara de Schmidt. Telescopio reflector de distancia focal pequeña y con una lente en la extremidad del tubo, que se utiliza para fotografiar el cielo.

Schmidt-Hilbert method   *(Mat)* método de Schmidt-Hilbert. Método para la solución de ecuaciones integrales con núcleos simétricos.

Schmidt line   *(Nucl)* línea de Schmidt. SIN. **Schmidt limit.**

Schmidt model (of nuclei)   *(Nucl)* modelo (de los núcleos) de Schmidt.

Schmidt (optical) system   sistema (óptico) de Schmidt. Sistema de óptica de proyección utilizado para proyectar sobre una pantalla, ampliándola, una imagen de televisión pequeña pero brillante producida por un cinescopio especial para ese fin. SIN. **Schmidt optics.**

Schmidt optics   óptica de Schmidt. Principio de proyección óptica utilizado en ciertos receptores de televisión del tipo proyector (v. **projection television receiver**). SIN. **Schmidt**

(optical) system.

Schmidt system   sistema (óptico) de Schmidt.

Schmidt-type projector   proyector tipo Schmidt.

Schmitt circuit   *(Elecn)* circuito Schmitt. v. **Schmitt trigger.**

Schmitt limiter   *(Elecn)* limitador Schmitt. v. **Schmitt trigger.**

Schmitt trigger   *(Elecn)* gatillador [disparador] Schmitt, basculador de Schmitt. Circuito biestable que transforma una señal alterna (entrada) en una señal de onda rectangular (salida) mediante conmutación gatillada en un punto predeterminado de cada excursión positiva o negativa de la primera señal. SIN. **Schmitt circuit [limiter], Schmitt trigger circuit.**

Schmitt trigger circuit   circuito gatillador [de disparo] Schmitt. v. **Schmitt trigger.**

schoepite   *(Miner)* schoepita.

Schönflies crystal symbols   *(Cristalog)* símbolos cristalográficos de Schönflies.

school   escuela; academia, instituto ‖ *(Universidades)* facultad, escuela ‖ *(Oceanog)* cardumen, banco de peces ⫽ *adj:* escolar, académico, universitario; docente.

school aeroplane   avión escuela.

school age   edad escolar.

school broadcast   emisión radioescolar.

school-broadcast listening   recepción radioescolar, escucha de emisiones radioescolares.

school broadcasting   radiodifusión escolar.

school laboratory   laboratorio docente.

school listening   v. **school-broadcast listening.**

Schottky diode   diodo Schottky. v. **hot-carrier diode.**

Schottky effect   *(Tubos elecn)* efecto Schottky. (1) Incremento de la corriente de saturación [saturation current] bajo la acción de campos elevados (CEI/56 07–21–085). (2) Incremento en la corriente de ánodo hasta valores superiores al previsto por la ecuación de Richardson, debido a una reducción en la función trabajo [work function] del cátodo cuando el ánodo produce un campo eléctrico en la superficie del cátodo.

Schottky noise   *(Tubos elecn)* ruido Schottky. v. **shot noise** ‖ efecto de ruido Schottky. Fluctuaciones de la corriente de salida resultante de la emisión aleatoria del cátodo en régimen de saturación (CEI/56 07–28–195).

Schrage motor   *(Elec)* motor Schrage, motor polifásico de colector con característica shunt y doble juego de escobillas. Motor polifásico de colector, con característica shunt, cuyo rotor lleva dos devanados, uno que recibe la corriente de la red por intermedio de anillos, y otro, de colector, que lleva dos juegos de escobillas de posiciones ajustables, suministra al estator, de fases separadas, tensiones regulables al objeto de obtener una variación de velocidad. SIN. **shunt-characteristic polyphase commutator motor with double set of brushes** (CEI/56 10–15–170).

Schrödinger   Erwin Schrödinger: físico y filósofo austriaco (1887–1961).

Schrödinger equation   *(Fís)* ecuación de Schrödinger. Ecuación fundamental de la mecánica ondulatoria [wave mechanics], que liga la función de onda, la masa de una partícula, la energía total, la energía potencial, y la constante de Planck.

Schrödinger picture   *(Fís)* cuadro de Schrödinger. En mecánica cuántica, estado de un sistema en un instante dado, definido por el vector estado [state vector].

Schrödinger representation   *(Fís)* representación de Schrödinger.

Schrödinger wave function   *(Fís)* función de onda de Schrödinger. Función de onda que define el estado de un sistema y que satisface la ecuación de Schrödinger.

schroeckingerite   *(Miner)* schroeckingerita.

Schuler tube   *(Elecn)* tubo de Schuler. Tubo al vacío con cátodo hueco.

Schumann region   *(Radiaciones ultravioleta)* región de Schumann.

Schwarz-Christoffel transformation   *(Mat)* transformación de Schwarz-Christoffel.

Schwarz inequality   *(Mat)* desigualdad de Schwarz. SIN. **Buniakovski [Cauchy, Cauchy-Schwarz] inequality.**

Schwarz vacuum thermopile   pila termoeléctrica al vacío de Schwarz.

Schwarzschild-Kohlschütter formula   *(Opt)* fórmula de Schwarzschild-Kohlschütter.

science   ciencia; conocimiento, sabiduría; facultad, pericia ⫽ *adj:* científico.

SCIENCESERVC   *(Teleg)* Firma que llevan los mensajes de la URSI.

scientific   *adj:* científico.

scientific approach   enfoque científico.

scientific discipline   disciplina científica.

scientific electric measuring instrument   • aparato científico de medida eléctrica.

scientific instrument   instrumento científico.

scientific measuring instrument   aparato de medida científico.

scientific method   método científico.

scientific notation   notación científica. En matemática, notación en la cual todos los números o cantidades se expresan en forma de un producto de dos partes, de las cuales la primera, llamada *mantissa* [mantissa], es una fracción decimal entre 1 y 10, y la segunda, llamada *característica* [characteristic] es una potencia de 10. EJEMPLOS:

Número en notación ordinaria	El mismo número en notación científica
421,8	$4{,}218 \times 10^2$
0,002 70	$2{,}70 \times 10^{-3}$
6 000	$6{,}0 \times 10^3$

El número 6 000 se ha supuesto con dos cifras significativas. En notación científica se toman como significativas todas las cifras dadas. La notación científica facilita mucho los cálculos con la ayuda de la tabla de logaritmos o de la regla de cálculo [slide rule]. Existe una notación científica para los números binarios y para los de cualquier base.

scientific payload   *(Tecn espacial)* carga útil científica.

scientific radio   radioelectricidad científica.

scientific station   estación de estudios científicos [de observaciones científicas].

scientifically   *adv:* científicamente.

scientist   científico, hombre de ciencia.

scintillating   centelleo, escintilación. v. **scintillation** ⫽ *adj:* centelleante, escintilante.

scintillating material   material centelleante. Todo material susceptible de emitir por centelleo [scintillation] una radiación luminosa [luminous radiation] bajo la acción de una radiación ionizante [ionizing radiation] (CEI/68 66–10–250).

scintillation   centelleo, titilación ‖ *(Elecn)* centelleo. Luminiscencia cuasipuntual de pequeña duración (de alrededor de 10^{-6} segundo o menos) provocada por el impacto de una partícula de gran energía, tal como una partícula alfa [alpha particle] (CEI/56 07–10–040) ‖ *(Estrellas)* parpadeo ‖ *(Meteor)* centelleo ‖ *(Nucl, Radiaciones ionizantes)* centelleo, escintilación ‖ *(Radiocom)* centelleo. (1) Fluctuaciones indeseables, momentáneas y rápidas, de la frecuencia portadora o característica de un emisor radioeléctrico, debidas a causas diversas tales como variaciones importantes y bruscas del nivel medio de la señal modulante, variaciones o filtraje imperfecto de las alimentaciones, vibraciones mecánicas, e irregularidad del funcionamiento de tubos osciladores al vacío (CEI/70 60–42–305). (2) Fluctuaciones aleatorias del valor medio de un campo radioeléctrico en el punto de recepción, con desviaciones relativamente pequeñas, debidas por lo general a cambios esporádicos de las características de propagación del medio ‖ *(Radar)* centelleo. Rápidos desplazamientos de la imagen o indicación del blanco en la pantalla, alrededor de una posición media, atribuible, entre otras causas, a cambios esporádicos de los puntos de más efectiva reflexión del blanco. SIN. **target glint [scintillation], wander.** CF. **angular scintillation.**

scintillation camera   *(Nucl)* cámara de centelleo. Cámara que proporciona una imagen de la distribución de radionúclidos en una zona determinada del organismo mediante una sola exposición. v.tb. **gamma-ray camera, positron camera.**

scintillation conversion efficiency   *(Centelleadores)* rendimiento de centelleo. Cociente de la energía de los fotones ópticos emitidos, por la energía de las partículas o los fotones incidentes de una radiación ionizante.

scintillation counter   contador de escintilación [de centelleo], contador de partículas del tipo de destellos. SIN. **escintilómetro** —— **scintillation meter** | contador de centelleos. (1) Instrumento destinado a revelar o medir una radiación ionizante, y que comprende una substancia fluorescente [fluorescent material], un tubo fotomultiplicador [photomultiplier tube], y un circuito contador [counting circuit] (CEI/64 65–30–305). (2) Contador de radiación [radiation counter] que utiliza un detector de centelleos [scintillation detector] (CEI/68 66–15–365).

scintillation-counter cesium resolution   resolución (energética) para el cesio de un contador de centelleos. Resolución energética de un contador de centelleos, respecto a los rayos gamma o los electrones de conversión (v. **conversion electron**) emitidos por el cesio 137.

scintillation-counter energy resolution   resolución energética de un contador de centelleos. Medida de la más pequeña diferencia de energía entre dos partículas o fotones de una radiación ionizante, que es capaz de discriminar o resolver el contador. CF. **scintillation-counter time discrimination.**

scintillation-counter energy-resolution constant   constante de resolución energética de un contador de centelleos.

scintillation-counter head   cabeza de contador de centelleos. Contador de centelleos con exclusión del circuito contador.

scintillation-counter time discrimination   resolución temporal de un contador de centelleos. Medida del más pequeño intervalo de tiempo que puede existir entre dos sucesos para que éstos puedan ser acusados individualmente por el contador. CF. scintillation-counter energy resolution.

scintillation counting   recuento de destellos [escintilaciones].

scintillation counting system   sistema contador de centelleos.

scintillation decay time   tiempo de declinación de un centellador. Tiempo necesario para que la tasa de emisión de fotones resultante de una excitación única [single excitation] decrezca del 90 % al 10 % de su valor máximo (CEI/68 66–10–280). CF. **scintillation rise time.**

scintillation detector   detector de centelleos. Detector de radiación [radiation counter] que utiliza un medio en el cual se produce una luminiscencia sobre la trayectoria de una partícula ionizante [along the path of an ionizing particle] (CEI/68 66–15–180). CF. **scintillator.**

scintillation duration   duración de un centelleo. Intervalo de tiempo que transcurre entre el instante en que ha sido emitido el 10 % y el instante en que ha sido emitido el 90 % de los fotones del centelleo (CEI/68 66–10–285). CF. **scintillation decay time, scintillation rise time.**

scintillation layer   capa de centelleo.

scintillation meter   centellómetro, escintilómetro, detector [contador] de centelleo. v. **scintillation counter.**

scintillation probe   sonda de centelleos [escintilaciones].

scintillation radiation counter   v. **scintillation counter.**

scintillation rise time   tiempo de respuesta de un centellador. Tiempo necesario para que la tasa de emisión de fotones resultante de una excitación única crezca del 10 % al 90 % de su valor máximo (CEI/68 66–10–275). CF. **scintillation decay time.**

scintillation spectrometer   espectrómetro de centelleos. Conjunto de medida que comprende un detector de centelleos [scintillation detector] y un analizador de amplitud [amplitude analyzer], y destinado a determinar la distribución de energía [energy spectrum] de ciertos tipos de radiación (CEI/68 66–15–385) | espectrómetro de escintilación.

scintillator   centelleador. Cantidad limitada de material centelleante [scintillating material] destinado a ser el elemento sensible a la radiación en un dispositivo de detección de centelleo (CEI/68 66–15–175) | centelleador, escintilador.

scintillator conversion efficiency   rendimiento de un centelleador. v. **scintillation conversion efficiency.**

scintillator crystal   cristal centelleador [escintilador].

scintillator material   material centelleante. v. **scintillating material.**

scintillator-material total-conversion efficiency   rendimiento de conversión total de un material centelleante.

scintillator-photomultiplier assembly   conjunto de centelleador y fotomultiplicador.

scintillator photon distribution   distribución de fotones de un centelleador.

scintillometer   centellómetro, escintilómetro, contador de centelleo. v. **scintillation counter.**

scintiphoto   centellograma. Fotografía de la imagen osciloscópica obtenida con la ayuda de una cámara de centelleo [scintillation camera].

scissors   tijeras || *(Ferroc)* cruzadas [travesías] de unión. Cambios y accesorios para conectar dos vías paralelas en doble sentido.

SCIT   Siglas de Subcomisión Internacional de Clasificación de Telecomunicaciones [International Sub-Commission on the Classification of Telecommunications].

sclerograph   esclerógrafo /// *adj:* esclerográfico.

sclerographic   *adj:* esclerográfico.

sclerometer   esclerómetro. Aparato para medir la dureza de los cuerpos según la fuerza necesaria para rayarlos con una punta normalizada /// *adj:* esclerométrico.

sclerometric   *adj:* esclerométrico.

scleroscope   escleroscopio, escleróscopo. Aparato para medir la dureza de los cuerpos según el rebote en ellos de una bola normalizada que se deja caer desde una altura fija. CF. **scleroscope** /// *adj:* escleroscópico.

scleroscope hardness   dureza escleroscópica [medida con el escleroscopio].

scleroscope number   dureza escleroscópica.

scleroscopic   *adj:* escleroscópico.

scleroscopic test   prueba escleroscópica.

SCM   Abrev. de section communications manager.

SCMRE   Siglas de Subcomisión de Métodos Rápidos de Explotación [Sub-Committee on Rapid Operating Methods].

scoop   cuchara, cucharón; pala de mano; paleta; cangilón; pala carbonera; cubo para carbón; excavación, cavidad, hueco || *(Mot)* cucharilla de lubricación || *(Tv)* reflector cóncavo [elipsoidal]. Aparato de luz utilizado en el estudio para obtener un haz luminoso ancho y uniforme.

SCOP   Siglas de Secretaría de Comunicaciones y Obras Públicas (Méjico).

¹**scope**   alcance, extensión; campo de acción; campo [esfera] de aplicación; ámbito, dominio || *(Proyectos)* delineamiento general; objeto, fin.

²**scope**   *(slang)* microscopio; osciloscopio; radariscopio, pantalla de radar. v. **microscope, oscilloscope, radarscope.**

Scophony television system   sistema de televisión Scophony. Primitivo sistema de televisión en gran pantalla inventado en Inglaterra, en el cual se empleaba un espejo giratorio y una célula de Kerr.

score   veintena; muesca, incisión, entalladura, estría; señal, referencia; asunto, punto; puntuación, puntos, puntaje, cuenta, calificación (de acuerdo a una escala) || *(Mec)* raya, arañazo (p.ej. en un cojinete o un cilindro); troquelado; garganta (de una polea) || *(Deportes)* tanto || *(Mús)* partitura; instrumentación, orquestación || *(Cine)* música compuesta para una película /// *verbo:* rayar, arañar, rasguñar, marcar; hacer una muesca, estriar; burilar; hacer una señal; anotar, apuntar, registrar, asentar; eliminar, tachar || *(Cine)* sonorizar (una película) || *(Mús)* instrumentar, orquestar | **heavily scored:** de instrumentación complicada || *(Mec)* rayar, arañar (p.ej. un cojinete o un cilindro).

score mark   raya de gramil.

scoreboard   pizarrón anotador, cuadro indicador; tablero de resultados; indicador de tantos (en un encuentro deportivo), tanteador, marcador. SIN. **scorekeeper.**

scorecard   anotador.

scorekeeper   v. **scoreboard.**

scoring   muesca, incisión, corte, entalladura, estría, estriación; raya, arañazo; anotación, apunte, registro, asiento, inscripción || *(Cine)* registro sonoro; guión sonoro; sonorización (de una película); grabación de música || *(Mús)* instrumentación, orquestación.

scoring system   *(Cine)* sistema de sonorización [de registro sonoro]; sistema de registro musical (sincronizado con la acción).

scotch block   calzo, cuña (para ruedas) || *(Ferroc)* calzo de detención | paragolpe de vía. Aparato colocado en vías muertas y destinado a detener los trenes o los vehículos | detentor. Dispositivo destinado a detener vehículos alzados. SIN. **rail scotch.**

Scotch mist   *(Meteor)* llovizna muy fina.

Scotch tape   Marca registrada de una cinta adhesiva de celulosa transparente.

scotch tape   cinta adhesiva.

scotophor   escotóforo. Cuerpo que presenta el fenómeno de obscurecimiento y blanqueamiento reversibles llamado *tenebrescencia* (v. **tenebrescence**). Se utiliza en ciertos tubos de rayos catódicos que reciben en inglés los nombres de *color-center tube, dark-trace tube,* y *skiatron.* SIN. **cathodochromic material.**

scotopic   *adj:* escotópico.

scotopic relative luminous efficiency   eficacia luminosa relativa escotópica.

scotopic vision   visión escotópica. (1) Visión en la cual intervienen esencial o exclusivamente los bastones. Corresponde en general a la adaptación [adaptation] a niveles de luminancia inferiores a algunas centésimas de candela por metro cuadrado (CEI/58 45–25–025). (2) Visión del ojo normal cuando está adaptado a niveles de luminancia inferiores a algunas centésimas de candela por metro cuadrado. NOTA: Se considera que los bastones [rods] de la retina intervienen principalmente en esas condiciones. El espectro aparece incoloro y la eficacia luminosa relativa espectral máxima [maximum spectral luminous efficiency] se sitúa a una longitud de onda más corta que en la visión fotópica [photopic vision] (CEI/70 45–25–060). CF. **mesopic vision.**

scotoscope   escotoscopio. Aparato intensificador de imágenes visuales.

Scott connection   *(Elec)* conexión Scott. Conjunto de dos transformadores monofásicos que permite transformar un sistema de tensiones trifásico en un sistema bifásico, o a la inversa (CEI/56 10–25–035) | conexión en T.

Scott system   *(Elec)* sistema Scott. Conjunto de dos transformadores monofásicos que permite transformar un sistema de tensiones trifásico en un sistema bifásico, o viceversa (CEI/38 10–25–090). SIN. **Scott connection.**

scout   exploración; reconocimiento; explorador; prospector cateador | v. **scout airplane** /// *verbo:* explorar.

scout airplane   (a.c. scout, scout plane, scouting plane) avión de reconocimiento.

scout bomber   avión de reconocimiento y bombardeo.

scout plane   v. **scout airplane.**

scouting   exploración; reconocimiento.

scouting plane   v. **scout airplane.**

SCP   Abrev. de spherical candlepower; storage-command pulse.

SCR   Abrev. de silicon controlled rectifier.

scram   *(Nucl)* parada de emergencia, interrupción instantánea [de urgencia], paro brusco, paralización rápida. Parada repentina de un reactor, comúnmente por caída de las barras de seguridad [safety rods], cuando se presenta una condición peligrosa | parada

de emergencia. Acción de parar bruscamente un reactor para prevenir o minimizar una condición peligrosa. SIN. **emergency shutdown** (CEI/68 26–15–395) /// *verbo:* *(Nucl)* parar bruscamente [rápidamente] (un reactor), interrumpir bruscamente (la reacción). CF. **safety member, reactor safety fuse.**

scram button   *(Nucl)* botón de parada de emergencia, botón de apagado rápido.

scram rod   *(Nucl)* barra de seguridad. v. **safety rod.**

scram signal   *(Nucl)* señal de peligro.

scram switch   *(Nucl)* conmutador de parada de emergencia [de parada instantánea].

scram time   *(Nucl)* tiempo de parada de emergencia [de interrupción de urgencia].

scramble   *(Avia de guerra)* despegue (de cazas o interceptores) en tiempo mínimo /// *verbo:* revolver, mezclar || *(Avia de guerra)* despegar (cazas o interceptores) en tiempo mínimo || *(Criptografía)* mezclar (al azar o casi al azar) || *(Telecom)* codificar (una señal para hacer secreta la comunicación). (1) Codificar una señal para hacerla inaprovechable o ininteligible para los que utilicen aparatos receptores no dotados del correspondiente descodificador. (2) Transponer y/o invertir en frecuencia segmentos de la banda de transmisión, en el punto de transmisión, según un esquema convenido con el corresponsal, para hacer la comunicación secreta, o, en el caso de la telefonía, ininteligible para los que intercepten la conversación.

scrambled speech   *(Radiotelef)* comunicación codificada [secreta], conversación ininteligible (por inversión de frecuencias). Comunicación hablada que se ha hecho ininteligible (para fines de transmisión secreta), usualmente por inversión de las frecuencias vocales; en el punto de recepción se somete la señal a un proceso inverso que le devuelve su inteligibilidad. SIN. **inverted speech.**

scrambled-speech system   *(Radiotelef)* sistema de comunicación codificada [secreta], radiotelefonía secreta, telefonía secreta (por inversión de frecuencias). Radiotelefonía en la cual la comunicación se hace ininteligible para todo el que la intercepte sin el dispositivo especial que devuelva la señal vocal a su condición normal. El sistema más corriente (hay otros más complejos y difíciles de descifrar) es el de *inversión de la voz* (v. **speech inversion**). SIN. **inverted-speech system.**

scrambler   *(Telecom)* codificador, dispositivo de transmisión secreta. v. **scramble** || *(Radiotelef)* codificador, escamoteador, dispositivo de comunicación secreta. Dispositivo de comunicación secreta por transposición e inversión de las frecuencias de varias subbandas en que previamente se ha dividido la banda vocal mediante filtros; en el punto de recepción se utilizan dispositivos semejantes que restauran las frecuencias a su distribución normal y recombinan las subbandas. V.TB. **scramble** || *(Bot)* (planta) trepadora || *(Deportes)* subidas a campo traviesa (en motocicleta).

scrambler circuit   *(Telecom)* circuito codificador [de transmisión secreta]; circuito escamoteador [de comunicación secreta]. SIN. **speech scrambler.** CF. **speech inverter.**

scrambling net   *(Avia)* red de salvamento.

scrap   fragmento, trozo; pedacito; recorte(s); desperdicio || *(Met)* chatarra, metal viejo; rebaba || *(Nucl)* desechos. SIN. **waste** /// *verbo:* desechar, descartar, echar a la basura; arrumbar, abandonar; desmontar, desmantelar; eliminar.

scrap anode   ánodo de chatarra.

scrap bin   cajón para la chatarra, depósito de hierro viejo, buzón de metralla.

scrap-handling magnet   electroimán para la maniobra de chatarra.

scrap iron   chatarra (de hierro), hierro viejo, desechos [despojos] de hierro, hierro de desperdicio [de metralla].

scrap-lifting magnet   electroimán (elevador) para la maniobra de chatarra [hierro viejo]. v. **lifting magnet,**

scrap metal   chatarra (de metal), metal viejo.

scrap wire   recortes de alambre, trozos inservibles de hilo. SIN. **scraps of wire.**

scrape   raspado, raspadura; roedura; rasguño, arañazo; ruido de raspar [de arrastrar] /// *verbo:* raspar, rascar; rasguñar, arañar; raer; rasquetear; restregar, limpiar; decapar; recoger, amontonar; pasar raspando [rozando] (con algo).

scrape flutter   *(Magnetófonos)* tremolación de raspado.

scraper   raspador, raedor, rascador, rasqueta; limpiador; escarbador; escariador; azadilla; raedera; pala rascadora [transportadora], pala [cucharón] de arrastre, trɛílla, excavadora acarreadora [de cable, de cucharón de arrastre] || *(Calderas)* limpiatubos, raspatubos || *(Carreteras)* traílla. Máquina remolcada consistente en una caja metálica con mecanismo de accionamiento para excavar, cargar, transportar y desparramar suelos y materiales sueltos || *(Minas)* sacabarro, cuchara, limpiador de barrenos; cuchara de arrastre.

scraper ring   *(Mot)* aro [segmento] rascador (de aceite), aro rascaceite, anillo restregador.

scratch   rasguño, arañazo; raya; rascadura; grieta; estría, estriación; ruido de roce || *(Discos fonog)* raya, rayadura. Mutilación de la superficie grabada, como p.ej. una ligera incisión, una marca penetrante, o una fisura. CF. **scuff marks** /// *verbo:* arañar, rasguñar; rayar; rascar, raspar; escarbar; estriar.

scratch filter   *(Fonog)* filtro de ruido de aguja, ruido para discos ruidosos. Filtro pasabajos [low-pass filter] utilizado en la reproducción fonográfica para reducir el ruido característico de los discos gastados o rayados, ruido cuyas componentes son principalmente de alta frecuencia. SIN. **filtro de aguja [de chasquidos, de ruidos de alta frecuencia], filtro contra el rascado de la aguja**. CF. **needle scratch**.

scratch pad   cuadernillo de notas [de apuntes].

scratch-pad memory   *(Informática)* memoria de "apuntes". Dispositivo almacenador de información relacionado directamente con el procesador central de una computadora, caracterizado por su rapidez de funcionamiento y su relativamente pequeña capacidad. Su función es la de suministrar a dicho procesador los datos que intervienen en un cómputo inmediato, sin las demoras que ocurrirían si los datos son extraídos directamente de la memoria principal.

scratch stick   *(Ebanistería)* lápiz para tapar rayaduras.

screen   pantalla; persiana; mampara; biombo; puerta de tela metálica; ventana de tela metálica; criba, cedazo, colador, tamiz, zaranda; cuadrícula; cerca; abrigo, defensa || *(Batanes)* tambor de tela metálica || *(Coladores)* malla, criba || *(Estampado de telas)* estarcido, plantilla-tamiz || *(Servicio de agua)* filtro. Pieza terminal de la cañería de una perforación, destinada a impedir la entrada de arena || *(Meteor)* abrigo || *(Cine)* pantalla (de proyección). Superficie sobre la cual se proyectan las imágenes. SIN. **projection screen** || *(Tv/TRC)* pantalla. Superficie tratada químicamente, sobre la cual se forman las imágenes en el aparato receptor. SIN. **pantalla fluorescente, pantalla cinescópica [de imágenes]** —— **fluorescent [viewing] screen** || *(Elec/Telecom)* pantalla. (1) Envoltura o pared destinada a proteger una región del espacio contra ciertas acciones (eléctricas, magnéticas, etc.) (CEI/38 15–20–030). (2) Materia dispuesta de tal manera respecto a un campo, que la misma reduce la penetración del campo en una región determinada (CEI/70 55–25–355) | **electric screen:** pantalla eléctrica. TB. pantalla .electrostática *(término desaconsejado)*. Pantalla conductora que reduce la penetración de los campos eléctricos en una región determinada. SIN. **electrostatic screen** *(término desaconsejado)* (CEI/70 55–25–370) | **magnetic screen:** pantalla magnética. Pantalla que posee cierta permeabilidad magnética que reduce la penetración de los campos magnéticos en una región determinada (CEI/70 55–25–360) | **electromagnetic screen:** pantalla electromagnética. Pantalla conductora y que puede también poseer cierta permeabilidad magnética, que reduce la penetración en el interior de una región determinada, de campos eléctricos y/o magnéticos (CEI/70 55–25–365) | blindaje, apantallamiento. SIN. **shield** || *(Teleg)* red, trama. SIN. **mesh** || *(Elecn)* *(i.e.* screen grid) pantalla, rejilla

pantalla [auxiliar] || v.TB. **antiarcing screen, antidiffusing [de Bucky] screen, fluorescent screen, intensifying screen, protective screen** /// *verbo:* poner una pantalla, una persiana, un biombo, etc.; ocultar, encubrir; cubrir con tela metálica; cribar, cerner, tamizar; colar; filtrar; proteger, defender; abrigar; seleccionar, someter a una prueba de selección || *(Cine)* proyectar; poner en pantalla; hacer una película; inspeccionar una película (antes de proyectarla para el público) || *(Elec/Elecn/Radio/Telecom)* apantallar, blindar, faradizar. SIN. **shield**.

screen analysis   análisis granulométrico; granulometría; análisis de tamices [de cedazos]; análisis del producto triturado.

screen angle   *(Radar)* ángulo de pantalla. Angulo en un plano vertical formado por una recta de la antena al horizonte y la recta horizontal que pasa por la antena, tomando el radio de la Tierra con un valor igual a 4/3 del real. CF. **screening elevation**.

screen antenna   antena con pantalla.

screen area   *(Coladores)* superficie [área] activa.

screen battery   *(Radio/Elecn)* batería de pantalla.

screen brightness   *(Tv/TRC)* brillo de pantalla || *(Cine)* brillo [luminancia] de pantalla.

screen burning   *(Tv/TRC)* quemadura de la pantalla. Se quema o "envenena" la pantalla fluorescente si el haz queda estacionario e incide en un punto fijo de aquélla.

screen classifier   clasificador de criba [de cedazo].

screen control   *(Elecn)* control de pantalla. Control que ajusta la tensión de una rejilla pantalla. En los televisores policromos, el cinescopio tiene tres de estos controles, por ser tres las rejillas pantalla.

screen credit   *(Cine)* v. **credit**.

screen dissipation   *(Elecn)* disipación de (rejilla) pantalla. Potencia que se disipa en forma de calor en la rejilla pantalla por efecto del bombardeo electrónico.

screen door   puerta mosquitera [de tela metálica]; contrapuerta de tela metálica.

screen dropping resistor   *(Elecn)* resistencia reductora (para tensión) de rejilla pantalla. Resistencia utilizada en serie con la alimentación de rejilla pantalla para rebajar la tensión, generalmente tomada de la alimentación de ánodo, al valor apropiado.

screen effect   efecto de pantalla; efecto de blindaje.

screen enclosure   jaula pantalla [de Faraday].

screen factor (of a grid)   *(Elecn)* factor de pantalla (de una rejilla). Relación del área real de la rejilla, al área de la superficie que la contiene (CEI/56 07–26–135).

screen film   *(Radiol)* película radiográfica con pantalla. Película cuya emulsión está especialmente ideada para que sea sensible a la luz de fluorescencia [fluorescent light] de las pantallas intensificadoras [intensifying screens] (CEI/64 65–30–415). CF. **nonscreen film, fluorographic screen, radiographic film**.

screen grid   *(Elecn)* (a.c. screen) rejilla pantalla, rejilla-pantalla. TB. rejilla auxiliar [aceleradora, de blindaje]. PLURAL: rejillas pantalla. ABREVIADAMENTE: pantalla. LOCALISMO: reja pantalla. Símbolo (esquemas en inglés): SG. En los tetrodos y pentodos al vacío, rejilla interpuesta entre la de control [control grid] y el ánodo (placa), y que normalmente se mantiene a un potencial positivo fijo. Tiene el efecto de acelerar los electrones que se dirigen hacia el ánodo, y de reducir la influencia electrostática de éste. Así se impide que el ánodo reaccione sobre la rejilla de control, y que se agrupen los electrones en el espacio entre el cátodo y la rejilla pantalla | rejilla pantalla. (1) Electrodo interpuesto entre otros y sometido en general a una tensión adecuada para compensar o disminuir los efectos de capacitancia entre ellos (CEI/38 60–25–070). (2) Rejilla colocada entre una rejilla de control (de mando) y un ánodo y generalmente mantenida a un potencial positivo fijo, y cuya función es la de reducir el efecto electrostático del ánodo en el espacio situado entre la rejilla pantalla y el cátodo (CEI/56 07–26–145).

screen-grid bypass capacitor   condensador de desacoplamiento de la rejilla pantalla.

screen-grid current   corriente de rejilla pantalla.

screen-grid modulation   modulación por rejilla pantalla. Modulación de la portadora presente en un tubo multirrejilla, aplicando la señal moduladora al circuito de rejilla pantalla.

screen-grid potential   potencial [tensión] de rejilla pantalla.

screen-grid regeneration   reacción positiva de rejilla pantalla.

screen-grid tube   *(Elecn)* tubo con rejilla pantalla, válvula con rejilla de blindaje. v. **pentode, tetrode**.

screen-grid vacuum tube   *(Elecn)* tubo [válvula] al vacío con rejilla pantalla.

screen-grid voltage   tensión de rejilla pantalla. Tensión continua aplicada a la rejilla pantalla y que la hace positiva respecto al cátodo. Normalmente tiene un valor menor que la tensión de ánodo.

screen hit   *(Cine) (slang)* película taquillera [de taquilla], éxito de taquilla. Dícese cuando una película atrae mucho público.

screen-holder   v. **screenholder**.

screen image   *(Tv)* imagen observable en la pantalla.

screen on   *verbo:* imprimir por estarcido.

screen picture   *(Tv)* imagen observable en la pantalla ‖ *(Cine)* imagen proyectada.

screen-play   v. **screenplay**.

screen potential   *(Elecn)* potencial [tensión] de rejilla pantalla.

screen-print   *verbo:* estampar con estarcido.

screen projection   proyección sobre pantalla.

screen-protected   *adj:* protegido con rejilla, enrejillado.

screen-protected machine   *(Elec)* máquina enrejillada [protegida]. Máquina semiprotegida en la cual los orificios necesarios para la ventilación están obturados por dispositivos calados; las partes bajo tensión o en movimiento están sustraídas del contacto involuntario de personas, y los cuerpos sólidos por encima de cierta dimensión no pueden penetrar, cualquiera que sea la dirección en que vengan; no se toma ninguna precaución contra la penetración del agua (CEI/56 10–05–170). CF. **dripproof machine, dripproof screen-protected machine, splashproof machine**.

screen reflector   *(Ant)* reflector de cortina. SIN. **curtain reflector**.

screen resistor   *(Elecn)* resistencia de rejilla pantalla, resistor de pantalla.

screen room   *(Radio/Elecn)* cuarto [recinto] apantallado, caseta apantallada. Recinto o caseta en cuyo interior pueden efectuarse pruebas y ajustes delicados al abrigo de perturbaciones radioeléctricas exteriores, por estar rodeado de una pantalla apropiada. SIN. **jaula de Faraday** —— **Faraday cage, screened [shielded] room** ‖ *(Fáb de harina)* local para la limpieza del trigo.

screen-room filter   filtro para cuarto apantallado. Filtro utilizado para llevar energía eléctrica (alterna o continua) al interior de un cuarto apantallado o un laboratorio protegido contra perturbaciones radioeléctricas, y bloquear, al propio tiempo, las radiofrecuencias. Puede emplearse igualmente para alimentar equipos de caldeo por inducción de alta frecuencia, con el fin de atenuar la perturbación de alta frecuencia que, emanada del equipo, tiende a propagarse por la red. La atenuación es generalmente del orden de 100 dB.

screen strainer   colador de tela metálica.

screen sweep   *(Tv/TRC)* barrido de la pantalla ‖ *(Radar)* haz explorador de la pantalla.

screen voltage   *(Elecn)* tensión de rejilla pantalla, voltaje de pantalla.

screen-wall counter   *(Nucl)* contador de pared-pantalla.

screen width   *(Cine, Tv, TRC)* ancho de la pantalla.

screen writer   v. **screenwriter**.

screened aerial   v. **screened antenna**.

screened antenna   antena blindada; antena antiparásita. SIN. **screened aerial**.

screened apparatus   *(Elec)* aparato protegido contra los contactos accidentales. v. **partially enclosed apparatus**. CF. **screen-protected machine**.

screened cable   cable blindado | cable apantallado. Cable en el

cual el aislamiento de cada conductor está recubierto de una capa conductora, con el fin de que el campo se distribuya radialmente en el aislamiento de cada conductor (CEI/65 25–30–075).

screened-cable circuit   circuito en cable blindado.

screened circuit   *(Cables)* circuito blindado [apantallado].

screened downlead   *(Ant)* bajada apantallada.

screened ignition   *(Mot)* encendido blindado [apantallado].

screened ignition system   sistema de encendido apantallado.

screened loop aerial   *(Radiocom)* antena en cuadro apantallado. Antena en cuadro provista de una pantalla electrostática tubular que la rodea completamente, salvo en un intervalo de muy pequeña longitud. SIN. **shielded loop antenna** (CEI/70 60–34–235).

screened magneto   magneto blindada.

screened pair   *(Telecom)* par apantallado. Par rodeado de una pantalla metálica. SIN. **shielded pair** (CEI/70 55–30–060).

screened room   v. **screen room**.

screened sparkplug   *(Mot)* bujía blindada.

screened-type electromagnet   *(Telecom)* electroimán blindado. SIN. **shielded electromagnet**.

screened valve *(GB)*   *(Elecn)* válvula blindada [apantallada].

screened wire   *(Telecom)* conductor apantallado. CF. **screened cable**.

screenholder   portapantalla ‖ *(Fotomecánica)* portarretículas, portatrama.

screening   cribado, cernido, tamizado, zarandeo; selección (de personal); ocultación; disimulación (de faltas, de defectos); apantallamiento; protección (contra algo); efecto de pantalla [de máscara]; filtrado, filtraje (p.ej. de radiaciones) ‖ *(Ant)* compensación; apantallamiento ‖ *(Cine/Tv)* proyección (sobre pantalla grande) ‖ *(Rayos X)* tamizado; radioscopía ‖ *(Radio/Elecn/Telecom)* apantallamiento, pantallado, pantalleado, blindaje; faradización; pantalla de blindaje; pantalla protectora; coraza. SIN. **shield (ing)** ‖ *(Nucl)* apantallado, blindaje. Reducción del campo eléctrico alrededor de un núcleo por efecto de la carga de espacio creada por los electrones que rodean aquél /// *adj:* cribador, cernedor, tamizador, zarandeador; selectivo; disimulador; filtrante; apantallador; protector.

screening box   *(Telecom)* pantalla (de blindaje). SIN. **screening shield, screening**.

screening cage   pantalla; jaula de Faraday. SIN. **screening**. CF. **screen room, screening box**.

screening can   (a.c. can) caja de blindaje. SIN. **shield**.

screening constant   *(Nucl)* constante de apantallado. Diferencia entre el número atómico de un elemento y el número atómico aparente con el cual interviene efectivamente en un proceso dado.

screening distance   *(Nucl)* v. **screening length**.

screening effect   efecto de pantalla [de blindaje].

screening elevation   *(Radar)* ángulo de elevación de apantallado. Angulo de elevación de la antena a la cresta que apantalla el radar. CF. **screen angle**.

screening factor   *(Telecom)* factor de apantallamiento, coeficiente de apantallado, factor de reducción (debido al efecto de pantalla o blindaje). Cuando en las proximidades de una línea inductora [disturbing line] o de una línea inducida [disturbed line] existen circuitos o masas conductoras en los cuales pueden desarrollarse, por inducción magnética, corrientes cuyos efectos compensan en parte los efectos directos de la línea inductora, se llama *factor de apantallamiento o de reducción* de esos elementos compensadores, a la razón de la fuerza electromotriz resultante que se manifiesta en las condiciones descritas, por la fuerza electromotriz que se manifestaría de no existir o no intervenir dichos circuitos o masas conductoras.

screening length   *(Nucl)* radio de acción del efecto de apantallado [blindaje]. SIN. **screening distance, Debye length**.

screening shield   *(Telecom)* pantalla (de blindaje). SIN. **screening box, screening**.

screening sphere   *(Nucl)* esfera de apantallado [de blindaje]. SIN.

Debye sphere.

screenings cerniduras; residuo de cribado, desperdicios del cribado, granza, grancilla, granzón (pedazo de mineral que no pasa por la criba), granzones (nudos de la paja que quedan al cribar), granzas (residuos que quedan de las semillas cuando se acriban, desechos que salen del yeso al cernirlo), *(a veces)* recebo.

screenplay *(Cine)* cinedrama; adaptación cinematográfica (de una novela) | *(i.e.* script for a motion picture) guión. SIN. **scenario,** (shooting) **script.**

screenwriter *(Cine)* libretista, guionista. SIN. **scriptwriter.**

screw tornillo; tornillo sin fin, husillo; rosca, vuelta de tornillo ‖ *(Aviones, Buques)* hélice. SIN. **propeller** ‖ *(Guías de ondas)* tornillo. v. **miscellaneous matching and tuning devices** ⫽ *adj:* roscado, de rosca, de tornillo; para tornillos ⫽ *verbo:* atornillar; fijar con tornillos; roscar, enroscar; torcer, retorcer; oprimir, comprimir; forzar, apretar, estrechar; retorcerse, dar vueltas (una cosa) en forma de rosca o espiral | to **screw down:** atornillar, fijar con tornillo(s) | to **screw in:** hacer entrar (una cosa entre otra) dándole vueltas como a un tornillo | to **screw off:** destornillar, desatornillar, desenroscar.

screw axis eje de tornillo. Elemento de simetría que poseen ciertos grupos espaciales [space groups], en el cual la red cristalina permanece inalterada después de una rotación alrededor del eje y de una traslación simultánea a lo largo de éste. v. **symmetry element.**

screw base *(Lámparas)* casquillo de rosca. Casquillo (tipo E) en forma de rosca [screw thread]. SIN. **screwcap** (CEI/70 45–45–105).

screw-cap v. **screwcap.**

screw conveyor transportador de tornillo sin fin [de tornillo helicoidal], conductor espiral [de gusano].

screw coupling manguito roscado ‖ *(Ferroc)* enganche a tornillo. Dispositivo con tornillo de doble rosca para enganchar vehículos ‖ *(Grúas)* amantillado por husillo.

screw-driver v. **screwdriver.**

screw extractor *(Herr)* sacatornillos, extractor de tornillos.

screw eye armella roscada, cáncamo roscado; pitón.

screw gear rueda dentada; engranaje de tornillo sin fin; engranaje de rueda dentada y tornillo sin fin; mecanismo de tornillo sin fin; engranaje helicoidal; herramental para roscar.

screw-in mount montura a tornillo.

screw jack gato de tornillo [de husillo, de gusano, de rosca], cric (de tornillo), gato.

screw machine máquina de hacer tornillos; roscadora; torno de roscar.

screw machinery maquinaria para hacer tornillos [para la fabricación de tornillos].

screw nail tornillo para madera; clavo-tornillo, clavo de rosca.

screw-on *adj:* atornillado, de rosca.

screw-on connector conector de rosca.

screw pitch paso de tornillo ‖ *(Aviones, Buques)* paso de la hélice.

screw plate terraja, placa para roscar; hilera; cojinete de roscar, portahembra.

screw plug tapón roscado.

screw stock macho de aterrajar [de terraja, de tornillo]; macho de roscar tuercas.

screw terminal *(Elec)* borne [terminal] de tornillo.

screw-terminal board tablilla de conexiones de tornillo.

screw thread filete de tornillo, rosca (de tornillo).

screw wheel rueda (dentada) helicoidal, rueda de dientes helicoidales; engranaje helicoidal.

screw wrench llave inglesa; llave de tuercas; llave de atornillar.

screwcap tapa roscada, tapón roscado [de tuerca] ‖ *(Lámparas)* casquillo de rosca. v. **screw base.**

screwdriver destornillador. TB. desatornillador, atornillador. LO-CALISMOS: tornillador, desarmador.

screwdriver adjustment ajuste por destornillador; control de ajuste por destornillador.

screwdriver-operated switch conmutador maniobrado con destornillador. Conmutador semifijo que se cambia de posición con la ayuda de un destornillador.

screwed *adj:* atornillado, enroscado; roscado; aterrajado, fileteado.

screwed contact *(Elec)* contacto de rosca.

screwed fitting *(Plomería)* accesorio roscado [de tornillo].

screwed flange brida roscada, platina atornillada. LOCALISMO: platillo con rosca.

screwed lamp socket *(Elec)* portalámparas de rosca. Portalámparas destinado a recibir un casquillo de lámpara de rosca. SIN. **Edison, screwed lampholder** (CEI/57 15–45–055).

screwed lampholder portalámparas de rosca. v. **screwed lamp-socket.**

screwed-on flange brida atornillada.

screwhead cabeza de tornillo.

scriber gramil, punta de trazar [de marcar]; aguja de marcar, punzón de trazar; broca de tres puntas.

scribing trazado (de una línea); acción de marcar líneas; ajuste ‖ *(Fab de circ elecn)* rayado. Acción de hacer rayaduras rectilíneas en un substrato quebradizo (como alúmina o silicio), para luego romper el material a lo largo de las rayaduras y obtener las lasquitas [chips] para los circuitos integrados.

scrim tejido ligero de algodón o lino: cambray, lienzo delgado, cañamazo ligero, gasa ‖ *(Cine)* (a.c. scrim diffuser) gasa difusora, pantalla translúcida difusora. (1) Pedazo de material difusor, como tela o gasa, que reduce la cantidad de luz. (2) Difusor-reductor de luz hecho de un material translúcido.

scrim diffuser *(Cine)* v. **scrim.**

script manuscrito; documento original; escritura; plumilla inglesa ‖ *(Cine)* libreto, guión, libro cinematográfico. Descripción escrita de una película cinematográfica, en todos sus detalles, dividida en escenas o secuencias numeradas. SIN. **screenplay, scenario, shooting script** | adaptación cinematográfica ‖ *(Radio/Tv)* libreto, manuscrito. (1) Texto del cual se leen las partes habladas de un programa radiofónico. (2) Texto mecanografiado con las partes de audio y de video de una producción televisiva, incluso las instrucciones para la presentación del programa ‖ *(Tipog)* letra cursiva, tipo que imita la escritura a mano.

script clerk *(Cine/Tv)* v. **script girl.**

script girl *(Cine/Tv)* ayudante [adjunto] del realizador, secretaria [coordinadora] del guión, secretaria del director. (1) En el cine, empleado (por lo general una mujer) que ayuda al director durante la filmación de la obra, y que toma nota de datos diversos, incluso las alteraciones hechas en el guión, y se ocupa de una gran diversidad de detalles. (2) En televisión, ayudante del director en cuestiones relacionadas con el libreto (redacción, aprobación, correcciones), que hace de apuntador [prompter] en los ensayos. SIN. **script clerk.**

script writer v. **scriptwriter.**

Scriptron Marca registrada (Machlett Laboratories) de un tubo de rayos catódicos que produce imágenes en forma de caracteres (letras y números).

scriptwriter *(Cine/Tv)* libretista. El que escribe los guiones o libretos. SIN. **screenwriter.**

scroll espiral, caracol, voluta; rollo (p.ej. de papel); pergamino ‖ *(Facsímile)* hélice (de impresión). v. **helix** ‖ *(Mús)* (part of a string instrument) voluta.

scrub column *(Nucl)* (a.c. scrubber, scrubbing tower) columna depuradora [de depuración].

scrubber depurador, lavador, limpiador; lavadora; limpiasuelos, limpiapisos; purificador; separador por lavado ‖ *(Nucl)* v. **scrub column** ‖ *(Quím)* frasco lavador.

scrubbing tower torre depuradora; torre de lavado de gases ‖ *(Nucl)* v. **scrub column.**

SCS Abrev. de silicon controlled switch; single-channel simplex.

SCTL Abrev. de stabistor-coupled transistor logic.

SCTL circuit circuito SCTL, circuito lógico de transistor acoplador por estabistor. Circuito lógico de transistor en el cual se utilizan estabistores (v. **stabistor**) en los acoplamientos, para evitar el gatillamiento errático [erratic triggering] que el ruido (en particular el que llega por el sistema de tierra) produce en los circuitos equivalentes de acoplamiento directo [DCTL], debido al pequeño intervalo de tensión [voltage span] que en éstos separa los estados de conducción [ON] y de corte [OFF].

SCTT   Siglas de Societé canadienne des télécommunications transmarines [Canadian Overseas Telecommunication Corporation].

scud   (*Meteor*) (nubes) correos, celaje; nubes rápidas.

scuff   *verbo:* frotar; rozar; rasguñar; rayarse, desgastarse, ponerse áspera (una superficie).

scuff marks   rasguños, rasguñaduras. En los discos fonográficos, conjunto de pequeñas rayaduras localizadas en determinada zona de la superficie del disco. CF. **scratch**.

scuffing   desgaste superficial; desgaste abrasivo; frotamiento; rozamiento ‖ (*Neumáticos*) desgaste; arrastre.

scuffproof   *adj:* a prueba de rasguños [rasguñaduras].

scupper   (*Marina*) imbornal, embornal.

scythe   guadaña. Herramienta para segar a ras de tierra.

SDR   Abrev. de Suddeutscher Rundfunk, Stuttgart (Alemania) ‖ (*Teleg*) Abrev. de sender.

Se   Símbolo químico del selenio [selenium].

SE   Abrev. de single end.

sea   mar; marejada, oleada, oleaje, ola grande, golpe de mar ⫴ *adj:* marítimo, marino, oceánico, naval.

sea anchor   ancla flotante [de capa, de manga cónica].

sea-based station   (*Fuentes de energía*) central marina.

sea breeze   brisa marina.

sea clutter   (*Radar*) reflejos del mar, ecos (parásitos) del mar, eco marino [del mar], reflexión marina [del mar], emborronamiento debido al mar. Ecos parásitos debidos a reflexiones en la superficie del mar. SIN. **sea return, wave clutter** ‖ reflejos del mar. Reflejos producidos por reflexión en las olas del mar (CEI/70 60–72–530).

sea disturbance   (*Meteor*) agitación del mar.

sea fog   bruma; niebla marina [del mar].

sea ice   hielo de mar, hielo en el mar.

sea lane   ruta [vía] marítima.

sea length   (*Cables submarinos*) longitud sumergida.

sea level   nivel del mar.

sea-level atmospheric conditions   condiciones atmosféricas al nivel del mar.

sea-level barometric pressure   presión barométrica al nivel del mar.

sea-level rating   (*Mot*) capacidad nominal (de potencia) al nivel del mar.

sea-level takeoff   (*Avia*) despegue al nivel del mar.

sea marker   baliza marítima; tinte marcador usado en el mar.

sea mobile service   (*Radiocom*) servicio móvil marítimo.

sea navigation   navegación marítima [de altura].

sea of clouds   mar de nubes.

sea return   (*Radar*) v. **sea returns**.

sea-return suppressor   (*Radar*) supresor de eco [reflejo] del mar. Supresor de ecos causados por el mar; supresor de señales perturbadoras originadas por reflexiones en la superficie del mar.

sea returns   (*Radar*) (a.c. sea return) ecos [reflejos] del mar, ecos espurios por reflexión en el mar. SIN. **sea clutter** ‖ eco de mar. Eco producido por reflexión en el mar (CEI/70 60–72–480).

sea water   agua de mar; agua salada. CF. **brackish water**.

sea wave   ola marina.

sea-wave clutter   (*Radar*) reflejos del mar. v. **sea clutter**.

seaborne   *adj:* transportado por mar [por barco, por buque]; embarcado.

seaborne radar   radar de barco; radar de a bordo.

seacoast   costa marítima, litoral (marítimo); marina (terreno próximo al mar).

seadrome   aeródromo flotante; zona para estacionamiento de

hidroaviones.

seadrome buoy   boya de balizaje.

seadrome light   boya luminosa.

seal   cierre, obturación; obturador, retenedor; líquido obturador; junta estanca [de estanquidad]; dispositivo de estanquidad; ocluidor ‖ junta hermética. Se refiere a menudo a una junta hermética entre dos piezas de vidrio o entre una pieza de vidrio o de cerámica y una de metal ‖ sello, timbre ‖ (*Guías de ondas*) cierre ‖ ventana estanca. Membrana transparente a la energía electromagnética y estanca a los gases y la humedad (GL — V. la NOTA "62–05–000" en el art. *waveguide*) (CEI/61 62–15–060) ‖ (*Hidr*) cierre, sello ⫼ *verbo:* cerrar, obturar, sellar; ocluir; tapar; hacer estanco [hermético]; taponar; impermeabilizar; cerrar herméticamente; precintar; poner el sello, estampar.

seal coat   (*Carreteras*) capa final [sellante, de sellado] ‖ riego de sellado. Película obtenida por extensión de un ligante en estado líquido sobre la calzada, a veces complementada por un engravillado o enarenado ‖ (*Mampostería*) capa impermeable ‖ capa (de barniz) de sellado.

seal course   capa de sellado.

seal in   *verbo:* (*Elec*) cerrarse (los contactos).

seal land   (*Cinescopios*) superficie de unión entre el "embudo" [funnel] y la placa frontal [faceplate] de la ampolla.

seal plate   placa de unión hermética.

seal ring   anillo de estancamiento.

seal wire   (*GB*)   (*Ilum*) hilo dumet. Hilo o cinta metálica, que forma parte de una entrada de corriente [lead-in wire], que es sellado en el pellizco [pinch] y cuya dilatabilidad es en lo posible próxima a la del vidrio del pellizco o de la ampolla. SIN. **press lead** (*EU*) (CEI/70 45–45–200).

sealable   *adj:* cerrable, obturable, sellable; precintable.

sealant   sellador, tapador, obturador; substancia taponadora; líquido para obturar.

sealed   *adj:* cerrado, obturado, hermético, bajo cubierta hermética; sellado; lacrado; precintado ‖ **sealed against foreign matter:** cerrado a la entrada de materias extrañas ‖ (*Mot*) blindado.

sealed beam   (*Avia*) haz fijo concentrado.

sealed-beam headlight   (*Autos*) (a.c. sealed-beam headlamp) faro sellado [de reflector contenido].

sealed-beam light   (*Avia*) faro integral.

sealed chamber terminal   (*Telecom*) cabeza de cable.

sealed circuit   (*Elecn*) circuito (impreso) sellado. Circuito impreso [printed circuit] protegido contra la humedad y los roces mecánicos, mediante una capa o un encapsulado de material aislante.

sealed-contact relay   relé de contactos bajo cubierta hermética.

sealed contacts   (*Relés*) contactos bajo cubierta hermética.

sealed crystal unit   cristal (piezoeléctrico) sellado. Cristal de cuarzo sellado en su montura, usualmente por medio de una junta a presión, para protegerlo contra la humedad o contra una atmósfera perjudicial.

sealed-gage pressure transducer   transductor de presión con elemento sensible sellado. Transductor de presión cuyo elemento se ha colocado a la presión ambiente en una caja hermética; el procedimiento de cierre de la caja permite mantener la presión interna original por largos períodos de tiempo.

sealed-in atmosphere   atmósfera (artificial) controlada.

sealed-in fuel unit   (*Nucl*) unidad de combustible encamisada.

sealed-in-glass crystal unit   cristal (piezoeléctrico) con envolvente hermética de vidrio, cristal bajo cubierta sellada de vidrio.

sealed meter   instrumento de medida de construcción hermética. Instrumento o aparato de medida cuya construcción lo hace impenetrable a la humedad y los vapores.

sealed rectifier   (*Elec*) rectificador de cierre hermético ‖ válvula cerrada a la lámpara. Válvula sellada herméticamente después de su formación [degassing] (CEI/56 11–15–070). CF. **pumped rectifier**.

sealed relay   relé hermético, relevador bajo cubierta hermética.

SIN. **hermetically sealed relay**.

sealed source   *(Nucl)* fuente hermética. Fuente radiactiva [radioactive source] sellada en una caja o provista de una cubierta solidaria, presentando la caja o cubierta una resistencia mecánica suficiente para impedir el contacto con la materia radiactiva [radioactive material] y la dispersión de la misma, en las condiciones de empleo para las cuales ha sido concebida la fuente (CEI/68 26–15–250).

sealed steel-tank mercury-arc rectifier   rectificador de arco de mercurio en cuba hermética de acero.

sealed tank   tanque hermético; cuba hermética.

sealed tender   propuesta en pliego cerrado; oferta sellada [en pliego cerrado].

sealed tube   tubo (electrónico) de cierre hermético, válvula (electrónica) cerrada a la lámpara. CF. **sealed rectifier**.

sealer   sellador; cerrador; compuesto obturante; verificador de pesas y medidas.

sealing   cierre (hermético); obturación; sellado, tapado; hermetización; hermetismo, estanquidad; precintado, precinto; fijación, sujeción ‖ *(Carreteras)* sellado; material de cobertura. CF. **seal coat** ‖ *(Revestimientos galvánicos)* (proceso para el) tapado de poros ‖ *(Telecom)* (of end of cable) obturación (del cable) ⫼ *adj:* hermético, hermetizante, obturador, obturante, sellante.

sealing box   *(Elec)* caja presaestopas.

sealing bushing   guarnición obturante, pieza de hermetización.

sealing compound   composición obturadora [obturante], compuesto ocluidor [de cierre]; mástique para juntas ‖ *(Elec)* pasta de cierre, pasta [composición] aislante para obturación, compuesto de obturación, compuesto de sellar. Se emplea para impedir la entrada del aire y la humedad en elementos tales como pilas, transformadores, bloques de capacitores, etc.

sealing cover   tapa sellante.

sealing current   *(Elec)* corriente de cierre [de asentamiento, de retención]. SIN. **holding current**.

sealing end   *(Elec)* caja de extremidad. Caja cerrada a la cual se hacen llegar los cables con el objeto de permitir su unión con conductores exteriores (CEI/38 25–30–035) | caja de terminal. Caja a la cual se hacen llegar los cables con el objeto de permitir su unión con conductores exteriores. SIN. **cable terminal** (CEI/57 15–65–040) | terminal de cable.

sealing gasket   junta obturadora [de estanquidad] ‖ *(Refrig/Cong)* junta de cierre ‖ *(Elec)* guarnición de sellar.

sealing-in   cierre, obturación, oclusión, acción de tapar; cierre hermético ‖ *(Telecom)* corte.

sealing-in machine   *(Fab de tubos elecn)* máquina de cerrar.

sealing lip   saliente obturador, reborde de hermetización.

sealing liquid   líquido obturador [de cierre]; junta líquida.

sealing machine   *(Fab tubos elecn)* máquina de cerrar [para cierre automático].

sealing material   *(Carreteras)* material de sellado. Elemento utilizado para sellar las juntas con el fin de impedir la entrada de agua u otros materiales extraños.

sealing medium   substancia para cerrar herméticamente. CF. **sealing compound**, **sealing liquid**, **sealing material**.

sealing off   sellado. Cierre hermético final de la ampolla de un tubo electrónico o de una lámpara incandescente después de hecho el vacío en su interior. V.TB. **sealing-off burner**.

sealing-off burner   mechero [soplete] cortador, soplete de corte. Para el sellado de un tubo electrónico al vacío o de una lámpara incandescente, se aplica el *soplete de corte* al tubo de vidrio que conecta la ampolla con la bomba de vacío, en punto lo más cerca posible de la ampolla, hasta que el vidrio se derrite, con lo cual la ampolla queda cerrada herméticamente y separada del sistema de evacuación. SIN. **sealing-off torch**.

sealing-off torch   soplete cortador [de corte], mechero cortador. V. **sealing-off burner**.

sealing press   *(Fab de transistores)* máquina de cerrar [para cierre hermético].

sealing ring   anillo obturador [de cierre, de estanquidad], anillo de cierre hermético.

sealing screw   tornillo de obturación.

sealing voltage   *(Elec)* tensión de asentamiento [de retención]. SIN. **holding voltage** | voltaje de excitación.

sealing wax   lacre.

seam   unión, junta, juntura; costura; línea de unión; grieta, hendedura; rebaba.

seam-welded   *adj:* con soldadura de costura.

seam welding   soldadura de costura.

seamed tube   tubo con costura, tubo soldado longitudinalmente.

seamed tubing   tubería con costura, tubería soldada longitudinalmente.

seamless tube   tubo sin costura.

seamless tubing   tubería sin costura (de unión), tubería sin soldadura; tubos enterizos [de acero sin costura], fluses de acero enterizo.

seaplane   hidroavión, hidroplano. ABREVIADAMENTE: hidro.

seaplane anchor   ancla de hidroavión.

seaplane anchorage   fondeadero de hidroaviones.

seaplane base   base [apostadero] de hidroaviones. SIN. **sea-drome**.

seaplane dolly   carretón para hidroaviones.

seaplane float   flotador de hidroavión.

seaplane hull   casco de hidroavión.

seaplane pilot   piloto de hidroavión.

seaplane raft   balsa de acceso para hidroaviones.

seaplane tank   estanque para experimentación.

seaport   puerto marítimo [de mar].

seaport radar   radar de control del tráfico en puertos marítimos. CF. **harbor supervision radar**.

seaquake   maremoto, sismo marino.

sear   *(Armas de fuego)* fiador; gacheta; nuez (del disparador).

sear notch   muesca del fiador.

sear spring   resorte del fiador.

search   busca, búsqueda; exploración; registro, reconocimiento, visita; indagación, investigación, pesquisa, averiguación ‖ *(Informática)* escrutinio, análisis. Examen sistemático de la información existente en un campo definido ‖ *(Salvamentos)* búsqueda, exploración ‖ *(Telecom)* exploración; busca. CF. **hunting** ‖ *(Radar)* exploración. Examen de una región del espacio con el fin de obtener información sobre los objetivos que en ella puedan encontrarse (CEI/70 60–72–085). CF. **scanning** ⫼ *verbo:* buscar; explorar; registrar; indagar, investigar, escudriñar, inquirir ‖ *(Informática)* escrutar, analizar. Examinar información almacenada; examinar un conjunto de elementos de información para localizar los que posean una propiedad determinada ‖ *(Radar)* explorar.

search aircraft   aeronave de búsqueda.

search and rescue   búsqueda y salvamento.

search-and-rescue area   área de búsqueda y salvamento. Area en la cual las operaciones de búsqueda y salvamento están a cargo de un centro coordinador único.

search-and-rescue service   servicio de búsqueda y salvamento.

search antenna   *(Radar)* antena de exploración.

search coil   bobina exploradora, sonda magnética. Bobina utilizada con un galvanómetro balístico [ballistic galvanometer] o un flujómetro [fluxmeter] para medir la densidad de flujo de un campo magnético. SIN. **exploration [exploring] coil**, **magnetic probe**, **magnetic test coil** | bobina exploratriz. Bobina, asociada a otro aparato, que sirve para determinar la posición o la dirección de una fuente de campo electromagnético o magnético (CEI/70 55–25–375) | bobina exploradora. Rotor de buscador radiogoniométrico [rotor of a radiogoniometer] constituido por una bobina móvil acoplada inductivamente al estator [stator] y generalmente conectada a un receptor radioeléctrico [radio receiver] (CEI/70 60–71–465).

search condition   condición de exploración. Estado o condición de un radiogoniómetro cuya antena, por una modificación de las conexiones, se hace omnidireccional (CEI/70 60–71–320).

search frequency   frecuencia de exploración.

search gate   v. **searching gate.**

search radar   radar explorador [de exploración], radar detector [de detección], radar de búsqueda [de avistamiento, de vigilancia]. Radar cuya finalidad principal es descubrir la presencia de un objetivo en cuanto éste penetra en su zona o región de cobertura.

search range   alcance de exploración.

search receiver   receptor de exploración. v. **intercept receiver.**

search-tracking antenna   antena de exploración y seguimiento [de vigilancia y rastreo].

search-tracking radar   radar de exploración y seguimiento.

searcher   buscador; explorador; registrador; indagador, investigador, escudriñador; fiscalizador; inspector; sonda exploradora.

searching   busca, búsqueda; exploración; etc. v. **search.**

searching gate   (a.c. search gate) impulso de compuerta explorador.

searching liquid   líquido penetrante.

searchlight   proyector, faro, reflector || (Avia) proyector (de exploración) || (Ferroc) unidad luminosa de pantalla móvil. v. **movable roundel light unit.**

searchlight beam   haz de proyector.

searchlight company   (Artillería antiaérea) compañía de proyectores.

searchlight-control radar [SLC]   (Artillería antiaérea) radar director de proyectores.

searchlight sonar   sonar tipo proyector, sonar de haz explorador. Sonar en el cual la energía acústica se emite en forma de haz estrecho de dirección variable; el acimut del objetivo o blanco se determina apuntando el haz de modo de recibir el eco con máxima intensidad.

searchlighting   (Radar) seguimiento automático. Acción de mantener el haz radárico sobre el blanco, siguiéndolo en todos sus movimientos, en vez de explorar la región del espacio donde se encuentra o se presume que se encuentra el blanco. SIN. **automatic following [tracking].** CF. **scanning.**

season   estación (del año); época del año; período, tiempo, temporada /// adj: estacional /// verbo: condimentar, sazonar; aliñar; sazonar, madurar || (Maderas) secar, desecar; curar.

seasonal   adj: estacional.

seasonal conditions   (Radiocom) condiciones estacionales.

seasonal effect   efecto estacional.

seasonal factor   (Radiocom) (a.c. seasonal variation factor) factor (de variación) estacional. Cada uno de los factores aplicados para ajustar los datos relativos a la absorción de la onda celeste [sky-wave absorption] según las variaciones estacionales; éstas se deben principalmente a las fluctuaciones de altura de las capas ionosféricas.

seasonal forecast   (Meteor) previsión [pronóstico] a largo plazo.

seasonal schedule   (Radio/Tv) horario estacional.

seasonal tariff   tarifa estacional | tarifa de estación. Sistema de tarifa con precios de venta de la energía que difieren según las distintas épocas del año (CEI/38 25–25–065).

seasonal variation factor   factor de variación estacional. v. **seasonal factor.**

seasoning   sazonamiento, maduración; curado, sazonamiento; curado (del papel) || (Cocina) condimentación, sazonamiento; condimento, salsa || (Mec) estabilización de tensiones internas || (Elecn) (período de) estabilización [curado]. Estabilización de las características de un elemento o componente que al ser puesto en servicio por primera vez presenta inestabilidades de comportamiento o efectos perturbadores temporales; período durante el cual ocurre esa estabilización. En el caso particular de los magnetrones se usa también el término rodaje, CF. **aging** || (Maderas) secado, desecación | curado. Tratamiento de las maderas para prolongar su vida y/o mejorar sus características respecto

a la aplicación prevista.

seat   emplazamiento; foco (de un mal) || (Mueble para sentarse) asiento; silla; butaca; banco; banqueta; asiento (de silla) || (Aviones, Trenes) asiento || (Bicicletas) sillín || (Estr) asiento; superficie de apoyo [de contacto] || (Vál) asiento /// verbo: sentarse; colocar en asientos; poner asiento; asentar.

seat adjuster   ajustador de asiento.

seat adjustment   ajuste del asiento.

seat filler   (Cine) (slang) éxito de taquilla, película taquillera [de taquilla]. SIN. **screen hit.**

seat-kilometer   (Avia) asiento-kilómetro.

seat-mile   (Avia) asiento-milla.

seat-pack parachute   (Avia) paracaídas de asiento.

seating   acción de sentarse; asiento, base, basamento; asiento, asentamiento (de escobillas, de válvulas); asentamiento (acción o efecto de quedar asentado) /// adj: asentador.

seating time   tiempo de asentamiento. Intervalo transcurrido entre el instante en que un relé es excitado y el instante en que la armadura queda asentada (firme) en la posición de trabajo.

seaway   ruta marítima; canal marítimo; mar gruesa.

seaworthiness   navegabilidad, calidad de marinero.

seaworthy   adj: navegable, marinero.

sec   Abrev. de secondary; secant; second.

SEC   Abrev. de secondary-electron conduction.

SECAM   SECAM. Nombre del sistema francés de televisión en colores, inventado por Henry de France, y que es contracción o abreviatura de séquentiel à mémoire [secuencial con memoria]. Se denomina memoria a un circuito de retardo en el cual la información de color es retenida durante 64 μs, que es el tiempo correspondiente a una línea de exploración. En el sistema PAL se integra la información de color de dos líneas consecutivas. En el SECAM se va aún más lejos, pues sólo se transmite una información de color por cada línea. Es decir, se separa la doble información de matiz y saturación y se transmiten sucesivamente, para ser recombinadas en el receptor, reteniendo en la memoria la información de matiz hasta que llegue la de saturación, y haciendo que coincidan en el tiempo ambas informaciones.

SECAM system   sistema SECAM.

secant   (Mat) secante. (1) En geometría, recta que corta a otra, a una curva o a una superficie. (2) En trigonometría, función inversa del coseno [cosine], siendo éste la razón de la abscisa del extremo de un arco al radio de la circunferencia con centro en el origen de coordenadas.

secant law   ley de la secante.

SECO   Abrev. de sequential control.

SECO primary station   (Teleimpr) estación SECO primaria.

SECO secondary station   (Teleimpr) estación SECO secundaria.

secohm   (Elec) Antiguo nombre de la unidad práctica de inductancia que hoy se llama henrio [henry].

second   segundo || (Autos) segunda (velocidad) || (Boxeo) segundante || (Desafíos) padrino || (Comercio) artículo de segunda calidad || (Fechas) (i.e. second day of the month) dos || (Mús) segunda || (Medidas angulares) segundo. Unidad de ángulo igual a 1/3 600 de grado || (Medidas de tiempo) segundo. Unidad de tiempo igual a 1/3 600 de hora. Antes se definía como igual a 1/86 400 de día solar medio [mean solar day]. Modernamente (por acuerdo de la XII Conferencia General de Pesas y Medidas) se define como igual a 9 192 631 770 períodos de la radiación correspondiente a la transición entre dos niveles hiperfinos [hyperfine levels] del estado fundamental [ground state] del átomo de cesio 133 /// adj: segundo. Que ocupa el último lugar en una serie ordenada de dos elementos | secundario, subordinado; inferior, de segunda /// verbo: apoyar, sostener; ayudar; favorecer; secundar (una moción, una proposición); apadrinar.

second adjacent channel   (Radiocom) canal lateral secundario.

second anode   segundo ánodo. En los tubos de rayos catódicos (incluidos los cinescopios), electrodo que se mantiene a un elevado potencial positivo constante, y que sirve para acelerar el haz. SIN.

ultor.

second-anode potential   potencial de segundo ánodo.

second breakdown   v. **secondary breakdown.**

second-channel attenuation   *(Radiocom)* selectancia. v. **select-ance.**

second-channel frequency   *(Radiocom)* frecuencia imagen. En un receptor superheterodino (heterodino), frecuencia simétrica de la frecuencia de sintonización con respecto a la frecuencia del oscilador local (oscilador de batido). SIN. **image frequency** (CEI/70 60–44–055).

second-channel interference   *(Radiocom)* interferencia de segundo canal. Interferencia que tiene su origen en un canal que sigue al adyacente. Es decir, dada una serie de canales ordenados por frecuencia ascendente A, B, C, D, E, F..., se llama interferencia de segundo canal en el C, a la que proviene del A o del E. SIN. **alternate-channel interference.** CF. **common-channel interference.**

second-choice route   *(Telef)* vía de segunda preferencia. v. **route.**

second-class radiotelegraph operator's certificate   certificado de radiotelegrafista de segunda clase.

second-cut file   *(Herr)* lima entrefina [de finura mediana, de segundo corte], lima normal; lima (de picadura) semidulce.

second derivative   *(Mat)* segunda derivada, derivada segunda. Derivada de la derivada.

second-derivative action   *(Automática)* acción derivada segunda. Modo de acción por el cual la amplitud de la variación de la señal de salida es proporcional a la derivada segunda, respecto al tiempo, de la señal de entrada (CEI/66 37–20–115).

second detector   segundo detector. En los receptores superheterodinos, etapa que separa la información útil (señal de audio, de video, etc.) de la portadora modulada de frecuencia intermedia. SIN. **demodulator.** CF. **first detector.**

second difference   segunda diferencia, diferencia de diferencias.

second digit   *(Telef)* segunda cifra.

second-from-last   *adj:* antepenúltimo.

second-from-last stage   antepenúltima etapa.

second generation   segunda generación.

second-generation tape   cinta de segunda generación. Cinta magnética cuyo registro tuvo por señal de entrada la obtenida por reproducción de otra cinta en que se había hecho un primer registro. CF. **third-generation tape.**

second group   segundo grupo.

second group selector   *(Telef)* segundo selector.

second group switch   *(Telef)* segundo selector.

second group toll switch   *(Telef)* segundo selector interurbano.

second hand   *(Relojes)* segundero. Manecilla que marca los segundos.

second-hand clock   reloj con segundero.

second-hand time clock   reloj marcador con segundero.

second harmonic   segunda armónica.

second-harmonic distortion   *(Elecn/Telecom)* distorsión de [por] segunda armónica. Distorsión causada por la presencia de componentes espurias de segunda armónica. v. **harmonic distortion.**

second-harmonic magnetic modulator   modulador magnético de segunda armónica. Modulador magnético cuya frecuencia de salida es el duplo de la de entrada.

second law of thermodynamics   segunda ley de la termodinámica.

second limit theorem   *(Mat)* segundo teorema de límite.

second line-finder   *(Telecom)* buscador secundario. SIN. **secondary line-switch.**

second-order   *adj:* de segundo orden.

second-order effect   efecto de segundo orden.

second-order equation   *(Mat)* ecuación de segundo grado.

second-order transition temperature   temperatura de transición de segundo orden.

second pilot   *(Avia)* segundo piloto.

second quantization   segunda cuantificación.

second quantum number   v. **secondary quantum number.**

second sound   segundo sonido. Ondas calóricas que se generan interrumpiendo periódicamente una fuente de calor. Estas ondas transportan energía, pero se propagan a una velocidad muy próxima a las de las ondas acústicas.

second speed   *(Autos)* segunda velocidad, segunda marcha.

second-time-around echo   *(Radar/Sonar)* eco de segunda vuelta. Eco recibido después de transcurrido un intervalo de tiempo superior al de recurrencia de los impulsos.

second Townsend discharge   *(Descargas eléc en los gases)* segunda descarga de Townsend. Descarga semiautónoma [semi-self-maintained discharge] en la cual la ionización suplementaria se debe a los electrones secundarios [secondary electrons] emitidos por el cátodo bajo la acción del bombardeo por los iones positivos formados en el gas (CEI/56 07–13–025). CF. **first Townsend discharge.**

second-trace echo   *(Radar)* eco secundario, eco de traza secundaria. Eco recibido de un blanco muy alejado y que llega al indicador de distancia después de haber comenzado el próximo impulso. CF. **second-time-around echo.**

second video detector   *(Tv)* segundo detector de video.

secondary   *(Elec)* *(i.e.* secondary winding) secundario, devanado [arrollamiento] secundario ‖ *(Redes de distribución de energía)* circuito secundario; conductores de baja tensión ⫽ *adj:* secundario; subalterno, subordinado; auxiliar, accesorio, suplementario; resultante; subsecuente.

secondary area   *(Radio/Tv)* v. **secondary service area.**

secondary assignment   asignación secundaria.

secondary axis   eje secundario.

secondary battery   *(Elementos y bat eléc)* batería secundaria. Conjunto de dos o más elementos [cells] conectados para suministrar energía eléctrica (CEI/60 50–10–015). CF. **primary battery** ‖ *(Acum)* acumulador | batería de acumuladores. Véase arriba la def. CEI/60 50–10–015. SIN. **storage battery, accumulator** *(GB)* (CEI/60 50–20–010).

secondary breakdown   *(Transistores)* (a.c. second breakdown) disrupción secundaria. TB. perforación, secundaria [de punto caliente, por punto hipercaliente]. (1) Fenómeno que se manifiesta por un cambio abrupto, a veces permanente, en las características de salida de un transistor, como resultado de una excesiva concentración de corriente que da origen a un punto hipercaliente [localized hot spot]. (2) Fenómeno potencialmente destructivo que ocurre en los transistores como resultado de la formación de puntos hipercalientes, provocados por excesivas concentraciones de corriente, y que se caracteriza por una caída abrupta en la tensión de colector a emisor y un aumento simultáneo en la corriente de colector. La resultante combinación de altos valores de corriente y tensión destruye el transistor, a menos que se tomen medidas para limitar la corriente. (3) En los transistores de potencia de gran área activa, mecanismo destructivo, eléctrica y térmicamente regenerativo, en el cual la corriente se concentra en un área localizada sumamente pequeña (diámetro del orden del de un cabello humano); la gran densidad de corriente produce un punto hipercaliente, el cual, junto con la tensión aplicada al dispositivo, produce por fusión un pequeñísimo agujero entre el colector y el emisor, y causa así un cortocircuito. Este proceso regenerativo no se inicia a menos que coincidan, durante períodos finitos, altos valores de tensión y de corriente. CF. **primary breakdown, thermal runaway.**

secondary brush   *(Informática)* escobilla secundaria.

secondary calibration   calibración secundaria. Calibración en la cual un transductor es intencionalmente desequilibrado eléctricamente, con el objeto de cambiar una de sus magnitudes de salida (tensión, corriente, impedancia); para ello se utiliza casi siempre un resistor de calibración que se conecta temporalmente en paralelo con una de las ramas del puente. SIN. **sense step.**

secondary capacitor   condensador [capacitor] secundario.

secondary card   *(Informática)* tarjeta secundaria.

secondary-card lever   palanca de tarjetas secundarias.

secondary cell   pila secundaria [acumuladora], elemento de acumulador. SIN. **storage cell, accumulator cell** *(GB)* | acumulador, elemento secundario. Elemento electrolítico que puede sucesivamente pasar del estado cargado al estado descargado, e inversamente, por circulación de corrientes eléctricas de sentido inverso. SIN. **accumulator** *(GB),* **storage cell.**

secondary character   *(Teleimpr)* carácter secundario. Cualquiera de los números y los signos auxiliares que se transmiten cuando se cambia a cifras. v. **figures shift, secondary of J.**

secondary circuit   *(Elec)* circuito secundario; circuito inducido || *(Radiocom)* circuito secundario.

secondary clock   reloj secundario. Reloj de una distribución [distribution system] mantenido en funcionamiento y regulado a distancia por el reloj principal [master clock] cuyas indicaciones no hace más que repetir. SIN. **slave clock** (CEI/58 35–35–030).

secondary cold front   *(Meteor)* frente frío secundario.

secondary color   *(Tv)* color secundario. Color compuesto de proporciones iguales de dos colores primarios.

secondary coolant circuit   *(Nucl)* circuito secundario de refrigeración. Sistema de circulación de fluido refrigerante utilizado para extraer el calor del circuito primario de refrigeración [primary coolant circuit] (CEI/68 26–15–201).

secondary cosmic rays   rayos cósmicos secundarios. Radiación originada cuando penetran en la atmósfera rayos cósmicos primarios [primary cosmic rays] y chocan con núcleos atómicos. El término se aplica a toda la cadena de fenómenos que comienza con la escisión de una o las dos partículas que chocan inicialmente y los choques subsecuentes entre los fragmentos, los cuales producen a su vez nuevas fragmentaciones o partículas rápidas (electrones, protones, mesones, neutrones, fotones).

secondary current   *(Elec)* corriente secundaria; corriente inducida.

secondary cyclone   *(Meteor)* ciclón secundario.

secondary depression   *(Meteor)* depresión secundaria.

secondary effect   efecto secundario.

secondary electron   electrón secundario. (1) Electrón emitido por un cuerpo al ser bombardeado por electrones o iones de origen externo. (2) Electrón arrancado de una superficie durante una emisión secundaria por el choque de un electrón incidente (CEI/56 07–22–010). (3) Electrón desalojado de un átomo a consecuencia de una cualquiera de numerosos tipos de interacción de la radiación primaria [primary radiation] con la materia (CEI/64 65–10–570). CF. **secondary emission.**

secondary-electron conduction [SEC]   conducción por electrones secundarios. Transporte de cargas eléctricas bajo la influencia de un campo de origen externo en un cuerpo de estructura poco densa, por electrones secundarios libres que se desplazan en los espacios entre partículas.

secondary-electron counter   *(Nucl)* contador de electrones secundarios.

secondary (electron) emission   emisión (electrónica) secundaria. Emisión electrónica resultante del bombardeo de una superficie por electrones o por iones (CEI/70 45–30–220).

secondary-electron gap loading   carga de espacio de interacción por electrones secundarios. Admitancia electrónica del espacio de interacción por efecto de los electrones secundarios que atraviesan dicho espacio después de originarse en el mismo.

secondary-electron multiplier   multiplicador de electrones secundarios. v. **electron multiplier.**

secondary emission   emisión secundaria; desprendimiento secundario; radiación secundaria. En el sentido más amplio, resultado de uno cualquiera de varios procesos diferentes, en cada uno de los cuales una emisión, llamada *primaria,* al encontrar a su paso alguna forma de la materia, da origen a otra emisión de igual o diferente naturaleza. SIN. **secondary radiation** || *(Elecn)* emisión

secundaria. (1) Emisión de electrones por un metal bajo la influencia de un bombardeo electrónico (CEI/38 60–25–185). (2) Liberación de electrones de un elemento interno de un tubo electrónico, otro que el cátodo, debido al impacto de electrones que se dirigen del cátodo a otro elemento a un potencial más alto. Puede constituir un fenómeno perjudicial que se contrarresta en los pentodos mediante la rejilla secundaria o supresora (v. **suppressor grid**); o puede constituir un fenómeno deseable o útil, como en el caso del multiplicador electrónico (v. **electron multiplier**) o el oscilador dinatrón (v. **dynatron oscillator**). SIN. **emisión de electrones secundarios** | emisión (electrónica) secundaria. Emisión electrónica resultante del bombardeo de una superficie por electrones o por iones. Este término se usa a veces para designar el conjunto de los electrones secundarios [secondary electrons] y los electrones incidentes reflejados (CEI/56 07–20–030). CF. **primary emission.**

secondary-emission characteristic   *(Elecn)* característica de emisión secundaria | (of a surface) característica de emisión secundaria (de una superficie). Curva generalmente obtenida por vía experimental, que expresa la relación entre el tanto de emisión secundaria de una superficie [secondary-emission rate of a surface] y la diferencia de potencial entre la superficie y el cátodo (CEI/56 07–22–025) | (of a luminescent screen) característica de emisión secundaria (de una pantalla luminiscente) (CEI/56 07–30–240).

secondary-emission coefficient   coeficiente de emisión secundaria. SIN. **secondary-emission rate.**

secondary-emission noise   ruido de emisión secundaria.

secondary-emission photocell   célula fotoeléctrica de emisión secundaria. Célula fotoemisiva [photoemissive cell] en la cual el flujo eléctrico es amplificado, siendo los electrones liberados por la luz dirigidos sobre una segunda superficie metálica donde provocan una emisión de electrones secundarios [emission of secondary electrons] (CEI/58 45–30–115).

secondary-emission rate   *(Elecn)* (of a surface) tanto de emisión secundaria (de una superficie). Número de electrones secundarios [secondary electrons] desprendidos de una superficie por el choque de un electrón primario [incident electrons] (CEI/56 07–22–015).

secondary-emission ratio   coeficiente [tanto] de emisión secundaria. Razón del número de electrones secundarios al número de electrones primarios; cuando esta razón es mayor que la unidad se dice que hay multiplicación de electrones. SIN. **secondary-emission coefficient [rate].**

secondary-emission tube   *(Elecn)* tubo [válvula] de emisión secundaria. Tubo en el cual se aprovecha el fenómeno de la emisión electrónica secundaria.

secondary emitter   *(Elecn)* emisor secundario [de electrones secundarios].

secondary energy   energía secundaria; energía provisional [provisoria].

secondary exchange   *(Telef)* central secundaria; estación [oficina] nodal; centro de sector.

secondary failure   falla secundaria. Falla de una pieza o elemento circuital provocada por la falla previa de otra pieza u otro elemento.

secondary fault   falla secundaria.

secondary feed   alimentación secundaria; alimentador secundario.

secondary-feed hopper   *(Informática)* almacén de alimentación secundaria.

secondary-feed roll   *(Informática)* rodillo de alimentación secundaria.

secondary filter   *(Radiol)* filtro secundario. Filtro empleado para eliminar la radiación secundaria [secondary radiation] emitida por un primer filtro (CEI/64 65–30–180).

secondary finder   *(Telef)* buscador secundario.

secondary flow   *(Fís)* flujo secundario.

secondary frequency *(Radiocom)* frecuencia secundaria.

secondary frequency standard   patrón secundario de frecuencia.

secondary front *(Meteor)* frente secundario.

secondary fusion reaction *(Nucl)* reacción de fusión secundaria.

secondary grid emission *(Tubos elecn)* emisión (electrónica) secundaria de rejilla. Emisión electrónica secundaria que se produce en una rejilla.

secondary group *(Telecom)* grupo secundario (de canales).

secondary-group modulation   modulación de grupo secundario.

secondary guide   guía secundaria.

secondary heat exchanger *(Nucl)* intercambiador de calor secundario. CF. **secondary coolant circuit.**

secondary ion   ion secundario. v. **secondary emission.**

secondary light source   fuente secundaria de luz. Superficie u objeto sin emisión propia, que recibe luz y la restituye, al menos parcialmente, por reflexión o por transmisión (CEI/70 45–35–010).

secondary line *(Elec)* línea secundaria. Conductores que van del secundario de un transformador de distribución, a la acometida de un consumidor o abonado al servicio ǁ *(Ferroc)* línea secundaria.

secondary-line railcar *(Ferroc)* automotor para líneas secundarias.

secondary-line switch *(Telecom)* conmutador secundario de líneas; buscador secundario.

secondary lobe *(Ant)* lóbulo secundario. SIN. **minor lobe** (véase).

secondary mineral   mineral secundario.

secondary modulus of elasticity   módulo secundario de elasticidad.

secondary network *(Elec)* red secundaria; red urbana ǁ *(Telecom)* red secundaria.

secondary neutron   neutrón secundario. v. **secondary emission.**

secondary of D *(Teleimpr)* cifra D.

"secondary of D" signal   señal "cifra D".

secondary of J *(Teleimpr)* cifra J. Número o signo auxiliar correspondiente a la tecla de la letra "J", y que se transmite cuando se cambia a cifras. v.TB. **secondary character.**

"secondary of J" signal   señal "cifra J".

secondary ore   mineral secundario; mineral de acarreo. SIN. **secondary mineral.**

secondary parameter   parámetro secundario. Parámetro o característica técnica de un elemento o dispositivo (como p.ej. el coeficiente de temperatura) que sirve para evaluar su funcionamiento o comportamiento cuando se exceden ciertos límites normales.

secondary pattern   diagrama secundario.

secondary photometric standard   patrón fotométrico secundario. Fuente luminosa constante y reproducible, cuya intensidad luminosa, flujo luminoso, o brillo, han sido determinados por comparación con el patrón primario (CEI/38 45–05–140). CF. **primary luminous standard, working photometric standard.**

secondary pile *(Nucl)* pila secundaria. v. **power reactor.**

secondary power   energía secundaria; energía provisional.

secondary power supply   fuente secundaria de energía, fuente de energía secundaria.

secondary protection barrier *(Radiol)* v. **secondary protective barrier.**

secondary protective barrier *(Radiol)* barrera secundaria de radioprotección. Pantalla que reduce la radiación parásita [stray radiation] a la tasa de dosis máxima admisible (CEI/64 65–35–080). CF. **primary protective barrier, protective barrier.**

secondary quantum number   número cuántico secundario.

secondary radar   radar secundario, detección electromagnética secundaria. Detección electromagnética que utiliza una retransmisión automática en la misma frecuencia radioeléctrica o en una frecuencia distinta (RR Atlantic City, 1947) ǁ radar secundario. Sistema de radiolocalización [radiolocation] fundado en la compa-

ración entre señales de referencia y señales radioeléctricas retransmitidas a partir de la posición que se busca determinar (RR Ginebra 1959) (CEI/70 1959). CF. **primary radar.**

secondary radiation   radiación secundaria. Rerradiación de ondas electromagnéticas ǁ *(Radiol)* rayos secundarios. Rayos emitidos a consecuencia de la absorción de una radiación incidente (CEI/38 60–05–090) ǁ radiación secundaria. Radiación emitida por una substancia cualquiera al ser irradiada por una radiación electromagnética [electromagnetic radiation] o corpuscular [particulate radiation] (CEI/64 65–10–145).

secondary radiator *(Ant)* elemento secundario [pasivo]. v. **parasitic radiator.**

secondary radionuclide   radionúclido secundario. Radionúclido que es un producto de desintegración de radionúclidos primarios naturales, y se caracteriza por su corta vida geológica.

secondary reaction *(Electroquím/Electromet)* reacción secundaria. Reacción química o electroquímica resultante de la interacción de los productos de reacción de electrodos [electrode reaction products], sea entre ellos, sea con los constituyentes de los electrodos o del electrólito (CEI/60 50–05–055).

secondary reactor *(Nucl)* reactor secundario.

secondary reading brush *(Informática)* escobilla de lectura secundaria.

secondary reflection *(Tv)* reflejo secundario.

secondary relay   relé secundario. Relé en el cual los devanados son alimentados por la tensión o la corriente de un transformador de medida [instrument transformer] o por un shunt (CEI/56 16–35–010). CF. **primary relay** ǁ relé indirecto.

secondary Roentgen rays   rayos Roentgen secundarios. SIN. **secondary X rays.** CF. **secondary radiation.**

secondary route *(Telef)* vía [ruta] secundaria. v. **route.**

secondary selector   selector secundario.

secondary selector magnet   electroimán de selección secundaria.

secondary service area *(Radio/Tv)* área de servicio secundario. Parte del área de servicio [service area] de un emisor de radiodifusión [broadcasting transmitter] en la cual el campo de la onda u ondas indirectas es tal que la recepción es satisfactoria (CEI/70 60–60–100). CF. **primary service area** ǁ zona (de servicio) primaria. Zona servida por la onda de cielo u onda indirecta [sky wave] de un emisor, y no sujeta a perturbaciones inconvenientes, aunque la señal es susceptible de sufrir variaciones intermitentes de intensidad.

secondary shaft *(Autos, Teleimpr)* eje secundario.

secondary shoe *(Teleimpr)* zapata secundaria.

secondary source   fuente secundaria ǁ *(Ilum)* fuente luminosa secundaria. Superficie u objeto sin emisión propia, que recibe luz y la restituye, al menos parcialmente, por reflexión o por transmisión (CEI/58 45–35–010). SIN. **fuente secundaria de luz — secondary light source.**

secondary stall *(Avia acrobática)* entrada en pérdida secundaria, pérdida de velocidad secundaria.

secondary standard   patrón secundario. Elemento o aparato para la medida de cualquier magnitud física (peso, longitud, resistencia eléctrica) que se conserva para la contrastación de otros elementos o aparatos, pero que a su vez se calibra o verifica contra un patrón primario [primary standard]. CF. **transfer standard, master gage** ǁ unidad secundaria [derivada]. Unidad de medida definida en términos de una unidad primaria o fundamental [primary standard]; como p.ej. el decámetro, que es un múltiplo del metro ǁ *(Ilum)* lámpara patrón secundario, patrón luminoso secundario. v. **secondary standard of light.**

secondary standard of light   patrón secundario luminoso. Fuente luminosa constante y reproducible, que sirve para efectuar medidas fotométricas, y cuya intensidad luminosa (o flujo luminoso, o luminancia) ha sido determinada por comparación directa o indirecta con el patrón primario [primary standard] (CEI/70 45–30–010).

secondary station *(Ferroc)* estación secundaria [de segundo orden]. Estación de mediana importancia con relación al tráfico ‖ *(Radiodif)* estación secundaria.

secondary storage   *(Informática)* almacenador secundario, memoria secundaria. (**1**) Almacenador que complementa el almacenador interno primario [primary internal storage] de una computadora. (**2**) Almacenador o memoria que no forma parte integrante de la computadora o calculadora, pero que está relacionada directamente con la computadora y es controlado por ella. SIN. **auxiliary storage.**

secondary stresses   esfuerzos secundarios, tensiones secundarias.

secondary surveillance radar [SSR]   radar secundario de vigilancia.

secondary target   *(Bombardeo aéreo)* blanco secundario [de segunda prioridad].

secondary tone   *(Acús/Mús)* tono secundario.

secondary transmitter   emisor secundario.

secondary-type glider   *(Avia)* planeador de entrenamiento secundario.

secondary vacuum   vacío secundario.

secondary ventilation   ventilación auxiliar.

secondary voltage   tensión secundaria. Tensión que aparece entre los bornes o terminales del devanado secundario [secondary winding] de un transformador o una máquina de inducción.

secondary warm front   *(Meteor)* frente cálido secundario.

secondary winding   *(Elec)* (a.c. secondary) devanado [arrollamiento] secundario. ABREVIADAMENTE: secundario. Devanado o arrollamiento de salida de un transformador. Abreviatura: sec. Símbolo: S ‖ devanado secundario. Devanado a cuyas bornas se conecta el circuito de utilización (CEI/38 10–25–070) ‖ (**of a transformer**) devanado secundario (de un transformador). Devanado a cuyos bornes se conecta un circuito de utilización. En el caso de los transformadores polifásicos, este término se aplica al conjunto de las fases secundarias. Un transformador puede tener varios devanados secundarios (CEI/56 10–25–090). CF. **primary winding, tertiary winding** ‖ (**of an induction machine**) devanado secundario (de una máquina de inducción). Devanado no conectado a la red [supply network] (CEI/56 10–35–065). CF. **primary winding.**

secondary workshop   *(Ferroc)* taller secundario. Todo taller destinado a reparaciones corrientes del material rodante.

secondary X rays   rayos X secundarios. SIN. **secondary Roentgen rays.** CF. **secondary radiation.**

seconds beat contact   contacto de pulsación de segundos.

seconds counter   cuentasegundos. Aparato que sirve para medir pequeños intervalos de tiempo en segundos y minutos (CEI/38 20–25–110, CEI/58 20–25–150).

seconds-counter chronograph   cronógrafo cuentasegundos.

secrecy   secreto; reserva; sigilo, silencio; clandestinidad ‖ *(Telecom)* secreto (de una comunicación).

secrecy of telecommunications   secreto de las telecomunicaciones.

secrecy relay   *(Telef)* relé de secreto.

secrecy system   *(Telecom)* sistema de comunicación secreta, (radio)telefonía secreta. V. **scrambled-speech system, scrambler.**

SECREQ   *(Teleg)* Abrev. de second request [segunda petición]. Se usa en los telegramas de servicio al reiterar una petición no contestada.

secret   secreto; clave; sigilo /// adj: secreto; reservado, callado; clandestino; oculto, escondido.

secret language   *(Telecom)* lenguaje secreto. Lenguaje que no es claro. V. **plain language.**

secret-language telegram   telegrama en lenguaje secreto.

secret telephone installation   dispositivo de secreto de conversación, equipo para comunicación (telefónica) secreta.

secret transmission   *(Telecom)* transmisión secreta.

section   sección; segmento; sección, división; corte; compartimiento; parte, porción, pedazo, trozo; sección, departamento, negociado; barrio, barriada; lote (de terreno); elemento, parte (de un equipo, de una instalación) ‖ *(Cables)* tramo, trozo ‖ *(Caminos, Vías férreas)* tramo, trayecto ‖ *(Dib)* corte, sección; perfil ‖ *(Microscopía)* placa delgada ‖ *(Mús)* sección, agrupación (de instrumentos) ‖ *(Elec)* (**of a commutator winding**) sección (de un devanado con colector). La más pequeña parte del devanado cuyas extremidades están conectadas a dos láminas de colector (CEI/56 10–35–140) ‖ *(Electroafino)* batería (serie), sistema múltiple. SIN. **multiple system, net** (véase) ‖ *(Redes eléc)* (**of a recurrent structure**) cuadripolo elemental. Cuadripolo [four-terminal network] que no puede ser descompuesto en dos cuadripolos más sencillos conectados en cascada ‖ *(Conmut rotativos)* sección, piso. SIN. **wafer** ‖ *(Líneas aéreas)* tramo, sección, trozo | vano. Distancia entre dos postes consecutivos ‖ *(Telecom)* (**of circuit or line**) trozo, sección (de circuito, de línea) ‖ *(Radioenlaces)* vano, salto. Trayecto de transmisión entre dos estaciones consecutivas; el número de vanos o saltos es igual a $(n+1)$, siendo n el número de estaciones repetidoras del sistema. SIN. **hop, span.**

section blocking   *(Ferroc)* enclavamiento de sección. SIN. **section locking.**

section circuit-breaker   *(Elec)* disyuntor auxiliar ‖ *(Tracción eléc)* interruptor de sección. Interruptor que permite la conexión o desconexión eléctrica de dos secciones adyacentes de una línea de contacto (CEI/38 30–40–100).

section communications manager   director de comunicaciones de sección.

section display   *(Radar)* presentación de información limitada a un sector.

section drawing   dibujo en corte.

section foreman   *(Ferroc)* capataz de tramo.

section gang   *(Ferroc)* cuadrilla de tramo, brigada de sección.

section insulator   *(Elec)* aislador seccionador [de sección] ‖ *(Tracción eléc)* aislador de sección. (**1**) Aislador utilizado para separar dos secciones consecutivas de una línea de contacto y que permite el paso del órgano captador de corriente (CEI/38 30–40–095). (**2**) Dispositivo utilizado para efectuar un seccionamiento puramente eléctrico [purely electrical sectioning] cuando no se utiliza seccionamiento de lámina de aire [air-gap overlap span] (CEI/57 30–10–315). V. **sectioning.**

section lineman   *(Telecom)* celador.

section locking   *(Ferroc)* enclavamiento de sección. SIN. **section blocking.**

section modulus   *(Mec)* módulo de sección.

section of earth works   perfil de movimiento de tierras. Gráfico en el cual se muestra la ubicación de los diferentes volúmenes parciales de tierra que se proyecta mover.

section of line   *(Telecom)* sección [tramo] de línea.

section of multiple   *(Telecom)* sección de múltiple (en una central telefónica).

section of x words   *(Teleg)* hoja de *x* palabras.

section scanning   *(Radar)* exploración de sector.

section showing areas   *(Movimiento de tierras)* perfil de las áreas. Perfil longitudinal de una línea férrea que indica las áreas de las secciones transversales en cada punto.

section side   *(Devanados eléc)* lado de sección [de bobina]. Cada una de las dos partes, colocadas en una ranura [slot], de una sección (o bobina). SIN. **coil side** (CEI/56 10–35–170).

section support   *(Elec)* apoyo de anclaje. Apoyo de línea destinado a resistir un esfuerzo longitudinal. SIN. **anchor support** (CEI/65 25–25–120).

section switch   *(Elec)* interruptor seccionador. CF. **section circuit-breaker.**

section wire   alambre perfilado, alambre no redondo, alambre de sección no circular.

sectional   adj: seccional, seccionado, en secciones; dividido en compartimientos; no enterizo; desmontable; regional, local; en corte, en perfil ‖ *(Hierros, Alambres)* perfilado.

sectional aeronautical chart   carta aeronáutica local.

sectional area   área de la sección; superficie de la sección.

sectional chart   carta local.

sectional copper   cobre perfilado.

sectional dimensions   dimensiones de la sección.

sectional elevation   alzado [alzada] en corte, corte vertical.

sectional-release route locking   *(Ferroc)* enclavamiento de tránsito elástico. Enclavamiento de tránsito (v. **route locking**) cuya acción cesa de aplicarse a las agujas que han sido franqueadas por el tren, y a las agujas de protección [protecting points] correspondientes (CEI/59 31–10–175). CF. **through route locking**.

sectional view   corte, vista seccional [en corte].

sectionalize   *verbo:* seccionar.

sectionalized construction   construcción por secciones.

sectionalized spherical cavity   *(Hiperfrec)* cavidad esférica seccionada.

sectionalized vertical aerial   v. **sectionalized vertical antenna**.

sectionalized vertical antenna   antena vertical subdividida [dividida en secciones]. Antena vertical con solución de continuidad en uno o más puntos, en cada uno de los cuales se intercala un elemento de reactancia o se aplica una tensión alimentadora. SIN. sectionalized vertical aerial *(GB)*.

sectionalizing box   *(Elec)* caja de seccionamiento.

sectionalizing breaker   *(Elec)* disyuntor seccionador. CF. **section switch**.

sectionalizing fuse   *(Elec)* fusible de seccionamiento.

sectionalizing switch   (interruptor) seccionador. SIN. **section switch**.

sectioning   *(Tracción eléc)* seccionamiento. (**1**) División de una línea de contacto en secciones aisladas eléctricamente entre sí (CEI/38 30–40–090). (**2**) Disposición que asegura la división de una línea de contacto [contact system] en dos secciones que pueden estar aisladas eléctricamente la una de la otra, y que permite no obstante el paso del órgano captador de corriente [current collector] (CEI/57 30–10–305). CF. **phase break, section insulator** ||| *adj:* seccionador, de seccionamiento.

sector   sector. (**1**) Parte o división de algo. (**2**) En lenguaje militar, división de una posición defensiva u ofensiva, de la cual es responsable determinada unidad; zona de acción || *(Informática)* *(i.e.* location in a mass memory) sector || *(Geom)* sector. v. **sector of a circle, sector of a sphere** || *(Teleg)* sector. En telegrafía múltiple, conjunto de órganos permanentemente asociados a uno de los canales establecidos temporalmente por medio de un múltiplex por división de tiempo [time-division multiplex] ||| *adj:* sectorial, de sector.

sector cable   *(Elec)* cable de conductores de sección sectorial. Cable en el cual cada conductor tiene una sección semejante a un sector de elipse o de círculo.

sector characteristic curve   *(Telecom)* curva característica de sector.

sector display   *(Radar)* presentación sectorial. Indicador panorámico sobre la pantalla del cual la presentación está limitada a un sector angosto seleccionado a voluntad (CEI/70 60–72–325).

sector gear   sector dentado.

sector light   luz de sector.

sector of a circle   *(Geom)* sector circular. Parte del círculo comprendida entre un arco de circunferencia y los radios que pasan por los extremos del arco.

sector of a sphere   *(Geom)* sector esférico. Cuerpo engendrado por la rotación, alrededor de un diámetro, de un sector circular (v. **sector of a circle**) comprendido en un ángulo convexo.

sector point   *(Rutas de transporte aéreo)* punto de bifurcación.

sector scan   v. **sector scanning**.

sector scanning   *(Radar)* exploración sectorial. Exploración limitada a un ángulo dado en un plano (CEI/70 60–72–110) | exploración por sectores.

sector-scanning beacon   *(Radionaveg)* radiofaro de barrido sectorial. Radiofaro cuya superficie característica de radiación [radiation pattern] oscila alrededor de un eje generalmente vertical (CEI/70 60–74–075). CF. **rotating beacon**.

sector switch   *(Elec)* interruptor de sector.

sector transfer   *(Informática)* transferencia de sector.

sectoral   *adj:* sectorial; seccionado; repartido.

sectoral horn   *(Ant hiperfrec)* bocina sectorial [de sector], bocina aplanada, antena de embudo sectorial. Bocina de sección transversal rectangular con dos lados paralelos y dos divergentes | bocina sectorial. Bocina de sección transversal rectangular, y de caras planas, dos de las cuales son paralelas y tienen la forma de un trapecio isósceles [isosceles trapezium] (CEI/70 60–36–060).

sectorial   *adj:* sectorial.

sectoring   sectorización; formación de sectores.

sectorized coverage   *(Radar)* cobertura sectorial [en forma de sector]. v. **sector scanning**.

secular   *adj:* secular.

secular determinant   *(Mat)* determinante secular. Determinante de la ecuación característica [characteristic equation] de una matriz.

secular effect   efecto secular. Variación lenta, con el transcurso del tiempo, de la frecuencia de resonancia de un circuito sintonizado, aún cuando se mantienen constantes la temperatura y otras condiciones. Existe siempre, en mayor o menor grado, cualesquiera que sean el circuito y los elementos activos (tubos o transistores) utilizados, pero puede reducirse al mínimo mediante la selección de materiales intrínsecamente estables. SIN. **aging**.

secular equation   *(Nucl)* ecuación secular.

secular equilibrium   *(Nucl/Radiol)* equilibrio secular. Equilibrio entre las actividades de los núclidos de una serie radiactiva derivados de un padre nuclear de largo período, alcanzado en un intervalo de tiempo relativamente largo respecto a los períodos radiactivos de los productos de filiación (CEI/64 65–10–280). CF. **radioactive equilibrium**.

secular trend   *(Meteor)* tendencia secular.

secular variation   variación secular. Variación lenta de la intensidad del campo magnético terrestre. CF. **secular effect**.

secure communication   telecomunicación secreta.

secure voice   mensaje telefónico secreto. Mensaje telefónico codificado de modo que sea ininteligible a menos que se utilicen los dispositivos descodificadores apropiados.

secureness   fijación, trabadura; seguridad; firmeza; certidumbre, indudabilidad; ausencia de riesgos; inexpugnabilidad || *(Telecom)* condición de secreto.

security   seguridad; protección, defensa, firmeza, solidez; afianzamiento; aseguramiento; resguardo; salvaguardia || *(Comercio)* aval; caución, fianza, garantía || *(Telecom)* condición de secreto; seguridad de secreto (de las transmisiones).

security guard rail   *(Ferroc)* contrarriel de seguridad. Trozos de rieles colocados frente al corazón y al lado del riel continuo para guiar las ruedas.

security provisions   medidas de seguridad.

security surveillance   vigilancia protectiva.

SED   *(Aficionados radioteleg)* Abrev. de said (pretérito y participio pasado de *say,* decir).

sediment   sedimento, poso, asiento, borra, hez, depósito, residuo || *(Electroquím)* depósito. Materia depositada en el fondo de los recipientes a consecuencia de la disgregación de la materia activa (CEI/38 50–30–115) ||| *verbo:* sedimentar.

sediment chamber   cámara de sedimentación.

sediment well   colector de sedimentos.

sedimentary   *adj:* sedimentario.

sedimentation   sedimentación.

sedimentation potential   potencial de sedimentación. Gradiente de potencial electrocinético [electrokinetic potential gradient] resultante de la velocidad unidad [unit velocity] de una materia coloidal o suspendida obligada a desplazarse en un electrólito líquido por fuerzas de gravitación o centrífugas (CEI/59 70–10–045).

Seebeck   Tomás Juan Seebeck: físico alemán (1770–1831) que en 1821 descubrió el efecto que lleva su nombre (v. **Seebeck effect**).

Seebeck coefficient (of a couple)   coeficiente de Seebeck (de un par).

Seebeck effect   efecto Seebeck, efecto termoeléctrico. Producción de una fuerza electromotriz debida a la diferencia de temperaturas entre dos uniones de metales o aleaciones diferentes que forman parte de un mismo circuito. SIN. **thermoelectric effect** (CEI/56 05–20–195).

Seebeck electromotive force   fuerza electromotriz de Seebeck. La producida por el efecto Seebeck. SIN. **thermal electromotive force.**

seed   semilla, simiente; semilla, pepita; germen; semen ‖ *(Plásticos, Vidrio)* burbuja pequeña ‖ *(Nucl)* semen; medio activo ‖ *(Obtención de monocristales)* germen (inicial), germen de condensación, simiente. Núcleo o germen utilizado para la formación de un monocristal grande por la técnica de Czochralski /// *adj:* seminal, germinal /// *verbo:* sembrar, echar semilla; despepitar, quitar(le) las semillas (a una fruta) ‖ *(Quím/Met)* nuclear.

seed and blanket core   *(Nucl)* zona activa con medio activo y envoltura fértil. SIN. **seed core.**

seed area   v. **seeded area.**

seed blanket   *(Nucl)* capa [envoltura] fértil.

seed core   *(Nucl)* v. **seed and blanket core.**

seed crystal   cristal germen [seminal, iniciador]. Cristal utilizado para la formación de un monocristal grande o para iniciar la cristalización en una solución sobresaturada.

seed fuel plate   *(Nucl)* placa de combustible germen.

seed unit   *(Nucl)* unidad-germen; unidad de germen.

seeded area   *(Nucl)* (a.c. seed area) zona fértil [enriquecida].

seeding   siembra; germinación; semillación, granazón (de los cereales); despepitado (de una fruta) ‖ *(Galvanoplastia)* sensibilización preliminar (de la superficie) ‖ *(Tanques digestores de aguas cloacales)* inoculación con organismos vivos; contaminación con organismos vivos ‖ *(Meteor)* v. **seeding of clouds** ‖ *(Descargas eléc en los gases)* inyección de átomos de bajo potencial de ionización (en un gas caliente) para aumentar la conductividad eléctrica.

seeding of clouds   siembra de nubes; espolvoreo de nubes. Procedimiento destinado a provocar lluvia artificialmente.

seeing   visión; visibilidad.

seek   *verbo:* buscar.

seek access time   *(Informática)* tiempo de acceso para búsqueda.

seeker   buscador; selector ‖ proyectil buscador del blanco. Proyectil que se dirige al blanco guiado por alguna emanación o radiación de éste: calor, luz, ondas acústicas o radioeléctricas, etc.

seepage   escape, fuga, goteo; filtración, infiltración, percolación; permeación; penetración; pérdida por infiltración.

seepage of atmospheric gases   *(Sist al vacío)* penetración de gases atmosféricos.

seesaw   balance, vaivén; oscilación, vibración; balancín de sube y baja ‖ *(Elecn)* v. **seesaw circuit** /// *adj:* de balance, de vaivén; oscilante; basculante /// *verbo:* balancear; oscilar; bascular.

seesaw circuit   *(Elecn)* (a.c. seesaw gear) circuito (amplificador) de cátodo a masa, circuito de carga anódica ‖ inversor de polaridad por contrarreacción. Amplificador aperiódico de contrarreacción por resistencia en el cual las tensiones de entrada y de salida son de signo contrario y proporcionales. El factor de proporcionalidad es constante y depende de la resistencia de contrarreacción y la resistencia interna de la fuente.

seesaw motion   movimiento de vaivén; basculación.

segment   segmento; gajo (de naranja) ‖ *(Bot)* segmento ‖ *(Zool)* segmento; somito, metámero ‖ *(Informática)* segmento (de rutina). Parte de una rutina lo bastante corta para que pueda ser almacenada íntegra en el almacenador interno de la calculadora, pero que, no obstante, contiene la codificación necesaria para pasar automáticamente a otros segmentos ‖ *(Mat)* segmento, parte de una figura geométrica ‖ *(Máq eléc)* delga, barra, segmento ‖ *(Conmut rotativos)* segmento, contacto móvil ‖ *(Potenciómetros)* segmento. Parte del elemento de resistencia entre dos tomas o derivaciones contiguas; el término se usa generalmente con

relación a los potenciómetros alineales [nonlinear potentiometers] ‖ *(Teleg)* contacto /// *adj:* segmental, segmentario /// *verbo:* segmentar(se) ‖ *(Informática)* segmentar (un programa, una rutina). Dividir un programa o una rutina en partes lo suficientemente cortas para que puedan ser almacenadas completamente en la memoria interna de la calculadora.

segment gear   *(Mec)* sector dentado ‖ v. **segment rack.**

segment of cable   tramo de cable.

segment pitch   *(Máq eléc)* paso de delgas. Distancia periférica [peripheral distance] entre los puntos correspondientes a dos delgas vecinas (CEI/56 10–30–165).

segment rack   (a.c. segment gear) cremallera en segmento.

segmental   *adj:* segmental, segmentario. SIN. **segmentary.**

segmental conductor   *(Elec)* conductor segmental [de segmento] ‖ conductor segmentado. Conductor circular constituido por segmentos cuya sección recta [cross-section] es aproximadamente un sector (CEI/65 25–20–060).

segmental rack   sector [arco] dentado.

segmental voltmeter   voltímetro segmentario [sin cero en la escala]. SIN. **suppressed-zero voltmeter.**

segmentally   *adv:* segmentalmente, segmentariamente, por segmentos.

segmentary   *adj:* segmentario, segmental. SIN. **segmental.**

segmentation   segmentación; división en segmentos [en partes].

segmented   *adj:* segmentado; no enterizo, formado por varias piezas, dividido en partes.

segmented thermoelectric arm   *(Dispositivos termoeléc)* rama con partes de diferentes composiciones.

segmenting   segmentación; división en segmentos [en partes] ‖ *(Informática)* segmentación (de un programa, de una rutina). SIN. **partitioning.**

segregation   segregación, separación; descomposición, disgregación; aislamiento ‖ segregación. Separación indeseable de ciertas fracciones de un material ‖ *(Met)* segregación, descohesión.

segregator   separador.

Seidel aberration   *(Opt)* aberración de Seidel.

Seidel method   *(Mat)* método de Seidel.

Seignette salt   sal de Seignette. v. **Rochelle salt.**

seism   sismo, seísmo. Sacudida o movimiento brusco, o sucesión de vibraciones, de la corteza terrestre. SIN. **terremoto, temblor de tierra —— earthquake** /// *adj:* sísmico, seísmico.

seismic activity   actividad sísmica.

seismic detector   detector sísmico. Transductor utilizado para registrar ondas acústicas propagadas a través de la corteza terrestre. SIN. **geophone.**

seismic effect   *(Barrenos)* efecto sísmico.

seismic exploration   exploración sísmica.

seismic mass   *(Acelerómetros)* masa sísmica.

seismic-mass accelerometer   acelerómetro de masa sísmica.

seismic noise   ruido sísmico.

seismic prospecting   *(Geofís)* prospección [exploración] sísmica. SIN. **seismic exploration [survey].**

seismic recording   registro sísmico.

seismic run   recorrido de prospección sísmica.

seismic shooter   *(Geofís)* dinamitero sísmico.

seismic survey   prospección sísmica; estudio sísmico.

seismicity   sismicidad, seismicidad. Intensidad y frecuencia de los sismos que ocurren en una zona o región determinada. AFINES: sismismo (conjunto de los fenómenos sísmicos), sismólogo, catálogo de terremotos [sismos], intensidad macrosísmica, investigación sísmica, determinación de magnitudes, curva de calibración, corrección de profundidad y de estación, información sismológica, energía sísmica liberada, coordenadas del epicentro, profundidad y clase del foco.

seismicrophone   sismomicrófono. Micrófono especial para captar ondas acústicas propagadas a través de la corteza terrestre. SIN. **seismic detector, geophone.**

seismism   sismismo, seismismo.

seismograph   sismógrafo. Aparato que registra la hora, la dirección y la intensidad de los sismos o de las sacudidas de la corteza terrestre producidas por las explosiones de dinamita durante una exploración o prospección geofísica. /// *adj:* sismográfico.

seismographic   *adj:* sismográfico.

seismometer   sismómetro. Aparato que mide la intensidad de los sismos y de los efectos sísmicos de las explosiones bajo tierra /// *adj:* sismométrico.

seismometric   *adj:* sismométrico.

seismophone   sismófono, geófono. SIN. **geophone.**

seismoscope   sismoscopio.

seismotectonic   *adj:* sismotectónico.

Seitz breakdown theory   *(Semicond)* teoría de Seitz sobre la disrupción. Teoría según la cual la disrupción se produce cuando se alcanza una magnitud de avalancha crítica que da lugar a la formación de un camino conductor.

seize   *verbo:* coger, asir, tomar, agarrar, capturar || *(Mec)* aferrarse, agarrotarse, agarrarse. Quedar inmovilizado un mecanismo o una máquina, por producirse una unión rígida entre dos de sus piezas || *(Cables)* abarbetar, barbetar; aforrar; trincar || *(Telef)* tomar.

seizing   toma, captura, apresamiento; liga, amarre, amarradura, trinca || *(Cables)* barbeta || *(Mec)* aferramiento, agarrotamiento, aprieto, adhesión || *(Telef)* toma | captación, enganche. En telefonía automática, apoderamiento, por parte de un aparato de una cadena de conmutación [switching train], de un aparato libre [free apparatus] de la etapa siguiente, para su utilización posterior (CEI/70 55–105–420).

seizing signal   *(Telef)* señal de toma (de línea). v. **seizure signal** | señal preventiva. Señal emitida por la extremidad de salida [outgoing end] de un circuito al comienzo de una llamada y destinada esencialmente a preparar el aparato de la extremidad de entrada [incoming end] para la recepción de las señales subsiguientes. NOTA: La señal preventiva puede tener funciones auxiliares tales como la de conmutación, la selección de un registrador libre, y la puesta en "ocupado" de la extremidad de entrada de un circuito explotado en los dos sentidos [both-way circuit] (CEI/70 55–115–135).

seizure   toma, captura, apresamiento; retención; apoderamiento || *(Mec)* aferramiento, agarrotamiento, agarre || *(Telef)* toma. Establecimiento de una conexión eléctrica mediante el accionamiento del primer conmutador. SIN. **seizing.**

seizure signal   *(Telef)* señal de toma (de línea); señal preventiva. (**1**) En el servicio semiautomático o automático, señal transmitida al comienzo de la llamada para poner el circuito en la posición de trabajo en su extremidad de entrada. (**2**) Señal que se envía sobre la línea internacional para preparar el aparato receptor, bien para encaminar la llamada hacia la red nacional (*señal de toma terminal* — terminal seizing signal), bien para seleccionar otra línea internacional (*señal de toma de tránsito* — transit seizing signal). SIN. **seizing signal.**

SEL   *(Esquemas)* Abrev. de selector.

SELCAL   *(Telecom)* Abrev. de selective calling; selective-call device.

SELCAL device   dispositivo de llamada selectiva, dispositivo SELCAL.

SELCAL system   sistema de llamada selectiva, sistema SELCAL.

select   *adj:* selecto, escogido /// *verbo:* seleccionar, elegir, escoger; entresacar; optar (por) || *(Telef)* seleccionar, componer (un número). CF. **dial.**

select a number   *(Telef)* (on a keyset) componer un número. CF. **dial a number.**

select lines   *(Informática)* líneas selectoras. Hilos que pasan por los toroides de una memoria magnética matricial [magnetic-core matrix memory] y que conducen las corrientes que seleccionan el toroide o núcleo magnético en el cual se intersectan (toroide de intersección).

select mode   *(Informática)* modalidad selectiva.

selectable   *adj:* seleccionable, elegible.

selectable-single-sideband communications equipment   equipo de (radio)comunicación por banda lateral (única) seleccionable.

selectable-single-sideband receiver   receptor de banda lateral (única) seleccionable.

selectance   *(Radiocom)* selectancia. Inversa del cociente de la sensibilidad de un receptor para el canal al cual está sintonizado, por la sensibilidad para otro canal separado del primero por un número especificado de canales intermedios. El cociente de sensibilidades puede substituirse por el de las tensiones o las intensidades de campo correspondientes. SIN. **adjacent-channel attenuation, second-channel attenuation** | selectividad. V. **selectivity.**

selected frequency   frecuencia seleccionada.

selected mode   *(Codificadores, Informática)* modalidad seleccionada.

selected primaries   *(Informática)* primarias seleccionadas.

selected reproducing   *(Informática)* reproducción seleccionada.

selected ship station   *(Meteor)* buque-estación determinado.

selected special meteorological report   informe meteorológico especial seleccionado.

selecting   selección, escogimiento /// *adj:* selector.

selecting bar   *(Telecom)* barra selectora. Forma parte de los sistemas de barras cruzadas [crossbar systems].

selecting circuit   circuito selector [de selección].

selecting cam-clutch   *(Teleimpr)* embrague y leva de selección.

selecting cam-clutch assembly   conjunto del embrague y leva de selección.

selecting clutch   *(Teleimpr)* embrague del selector.

selecting commutator   *(Informática)* conmutador de selección.

selecting finger   *(Telecom)* dedo selector.

selecting lever   *(Teleimpr)* palanca selectora.

selecting magnet   *(Telecom)* electroimán selector. ABREVIADAMENTE: electro selector.

selecting mechanism   *(Telecom)* órgano de selección || *(Teleimpr)* mecanismo selector.

selecting shunt commutator   *(Informática)* conmutador en paralelo del selector.

selecting stage   *(Telecom)* etapa de selección.

selection   selección, escogimiento, elección; variedad, surtido, colección || *(Informática, Mat)* selección || *(Telecom)* selección. v. **step-by-step selection** || *(Teleg)* selección (en la recepción). Operación primaria de la traducción [primary operation of translation], por la cual la señal por imprimir o transcribir, o la función por ser gobernada, es seleccionada (automáticamente o de otro modo) a partir de la señal restituida [restituted signal].

selection check   *(Informática)* prueba de selección. Prueba (usualmente automática) destinada a determinar si se ha seleccionado el registro o el dispositivo correcto para la ejecución de una instrucción.

selection circuit   *(Informática)* circuito de selección.

selection-circuit breaker   interruptor de circuito de selección.

selection-circuit control cam   excéntrica de control del circuito de selección.

selection counter   contador de selección.

selection dial   *(Informática)* selector de clasificación.

selection key   *(Informática)* tecla de selección.

selection level   *(Telecom)* nivel de selección.

selection ratio   *(Informática)* cociente de selección. En relación con el órgano de almacenamiento de información de una calculadora numérica (computadora digital), cociente E_s/E_m, donde E_s es la fuerza electromotriz utilizada para seleccionar una celda magnética, y E_m es la máxima fuerza electromotriz utilizada que no tiene por finalidad seleccionar una celda.

selection rule   *(Nucl)* regla de selección. Una cualquiera de un conjunto de reglas que permite clasificar las transiciones nucleares en función de los números cuánticos de los estados inicial y final de los sistemas que en aquéllas intervienen, de tal manera que las transiciones de un orden dado de probabilidad inherente quedan agrupadas. Se denominan *permitidas* las transiciones del grupo de las que tienen la mayor probabilidad de ocurrir en la unidad de tiempo, y *prohibidas* todas las demás.

selection stage *(Telecom)* etapa de selección.

selection switch *(Informática)* interruptor de selección.

selective *adj:* selectivo; escogedor ‖ *(Radio/Elecn)* selectivo. Que tiene la propiedad de responder a determinada frecuencia, o banda de frecuencias, en mayor grado que a las demás.

selective absorber *(Nucl)* absorbente selectivo.

selective absorption *(Nucl)* absorción selectiva.

selective amplifier amplificador selectivo.

selective-call coder codificador de llamada selectiva.

selective-call device dispositivo de llamada selectiva.

selective-call paging system sistema de busca de personas por llamadas selectivas.

selective calling llamada selectiva. (**1**) Sistema por el cual una estación puede llamar exclusivamente la estación deseada de una red radioeléctrica, o a un grupo de tales estaciones, por medio de una señal codificada (CEI/70 60–00–085). (**2**) En telegrafía, método de control de la transmisión de tráfico, por el cual los mensajes se dirigen únicamente a los equipos teleimpresores de destino. A cada equipo de la red se le asigna un código de identificación (un carácter o un grupo de ellos) que es "reconocido" por la caja de funciones (v. **stunt box**) del equipo de la estación llamada ‖ *(i.e.* selective calling device) dispositivo de llamada selectiva ‖ *(i.e.* selective calling system) sistema de llamada selectiva ‖ *(Telef)* discaje selectivo.

selective-calling code código de llamada selectiva.

selective-calling code allocation asignación de códigos de llamada selectiva.

selective-calling decoder descodificador de llamadas selectivas.

selective calling device dispositivo de llamada selectiva.

selective calling system sistema de llamada selectiva.

selective corrosion corrosión selectiva.

selective detector *(Puentes de medida)* detector selectivo.

selective diffuser difusor selectivo.

selective diffusion difusión selectiva. En la fabricación de circuitos electrónicos integrados, impurificación [doping] de regiones aisladas y bien definidas de un material semiconductor; constituye la base de diferenciación entre los diversos componentes de un circuito integrado de silicio.

selective dump *(Informática)* vaciado selectivo (de información). Vaciado de la información contenida en una zona seleccionada del almacenador interno.

selective electrodeposition electrodeposición selectiva.

selective emitter emisor selectivo. Superficie cuya emisividad monocromática [monochromatic emissivity] varía con la longitud de onda de la energía radiante.

selective erase *(Registro mag)* borrado selectivo. SIN. **spot erase.**

selective-erase head cabeza de borrado selectivo.

selective fading *(Radiocom)* desvanecimiento selectivo. (**1**) Desvanecimiento desigual para las diferentes frecuencias comprendidas en el canal de transmisión, o sea, en la banda ocupada por la onda modulada, con lo cual se produce distorsión variable de instante en instante; se distingue del *desvanecimiento espectral,* que afecta por igual a todas las frecuencias del espectro. (**2**) Desvanecimiento que afecta desigualmente las frecuencias componentes espectrales de una onda modulada (CEI/70 60–20–160).

selective filter filtro selectivo [coloreado]. Cuerpo utilizado para modificar por transmisión la composición de una radiación. SIN. **colored filter** (CEI/58 45–20–105). CF. **neutral filter.**

selective flotation *(Met)* flotación selectiva.

selective freezing *(Met)* solidificación selectiva.

selective fusion fusión selectiva.

selective heating calentamiento selectivo.

selective identification feature *(Radar)* dispositivo selectivo de identificación.

selective information información selectiva.

selective information content contenido de información selectiva. CF. **structural information content.**

selective inspection inspección selectiva.

selective interference *(Radiocom)* interferencia selectiva. Interferencia cuya energía está contenida en una angosta banda de frecuencias. CF. **selective fading.**

selective jamming *(Radiocom)* interferencia intencional selectiva. Interferencia o perturbación intencional en un solo canal de radio.

selective line printing *(Informática)* impresión en renglones seleccionados.

selective list control *(Informática)* control de listado selectivo.

selective localization localización selectiva. (**1**) Acumulación de un isótopo particular en grado sensiblemente mayor en ciertas células o tejidos que en otros. (**2**) En el empleo de núclidos radiactivos, acumulación de un núclido dado en grado particularmente grande en ciertas células o en ciertos tejidos (CEI/64 65–10–765). CF. **differential absorption ratio.**

selective network *(Radio/Elecn)* red selectiva. Red que al ser intercalada en un circuito, produce en éste una pérdida de inserción y/o una rotación de fase que son funciones de la frecuencia.

selective oxidation oxidación selectiva.

selective paging system sistema selectivo de busca de personas, sistema de busca de personas por llamada selectiva. SIN. **selective-call paging system.** CF. **selective radio paging system.**

selective photoelectric cell celda fotoeléctrica selectiva.

selective protection *(Elec)* protección selectiva. (**1**) Sistema de protección destinado a aislar de un circuito una parte determinada, en la cual haya ocurrido un defecto (CEI/38 25–05–075). (**2**) Dispositivo de protección que tiene por efecto separar del circuito una parte determinada en la cual ha ocurrido un defecto, y esta parte solamente. La protección es *selectiva independiente* [absolute selectivity] si el dispositivo de protección funciona solamente por defectos en la parte que el mismo protege, y *selectiva dependiente* [relative selectivity] si la selectividad se obtiene por escalonamiento (en el tiempo, en los valores de reglaje, etc.) de diferentes dispositivos de protección correspondientes a varias partes de la instalación (CEI/56 16–45–035). CF. **selectivity characteristic.**

selective radiation radiación selectiva. Radiación que ocurre en una gama limitada de frecuencias o de longitudes de onda. V.TB. **selective radiator.**

selective radiator radiador selectivo. (**1**) Radiador cuyo poder emisivo espectral [spectral emissivity] depende (en la región visible) de la longitud de onda (CEI/58 45–05–170). (**2**) Radiador cuya emisividad espectral [spectral emissivity] depende de la longitud de onda en la región espectral considerada (CEI/70 45–05–245). CF. **nonselective radiator.**

selective radio paging system sistema selectivo de transmisión inalámbrica de busca de personas, sistema inalámbrico de busca de personas por llamada selectiva, sistema selectivo de busca de personas por radio.

selective receiver receptor selectivo.

selective reflection reflexión selectiva. Reflexión de ondas o radiaciones que ocurre solamente para cierta gama de frecuencias o longitudes de onda.

selective response curve curva de respuesta selectiva.

selective ringer *(Telecom)* llamador selectivo, unidad de repique selectivo.

selective-ringer code wheel rueda de código de llamador selectivo.

selective ringing *(Telecom)* llamada selectiva [diferenciada], repique selectivo. (**1**) En ciertas redes, sistema de llamadas en el cual la señal de llamada (acústica o visual) sólo se produce en la estación objeto de la llamada. CF. **party-line ringing.** (**2**) En telefonía, sistema de llamadas en el cual únicamente el abonado llamado recibe señales de timbre, aunque haya otros en la línea: llamada sobre una línea compartida [party line] que no hace funcionar más que el timbre o dispositivo de llamada de la estación deseada.

selective-ringing decoder descodificador de llamada selectiva.

selective routing *(Ferroc)* itinerario selectivo.

selective sequence *(Informática)* secuencia selectiva.

selective squelch *(Radiocom)* silenciador selectivo. Silenciador que es activado por una señal con características de modulación especiales.

selective stacking *(Informática)* descarga selectiva.

selective system sistema selectivo.

selective tabulation tabulación selectiva.

selective thermostatic charges *(Climatiz)* cargas termostáticas seleccionables.

selective transmission transmisión selectiva. Transmisión de energía electromagnética a ciertas longitudes de onda solamente, por ser absorbida o reflejada la energía de otras longitudes de onda ‖ *(Autos)* transmisión selectiva de velocidades.

selective tuning sintonización selectiva.

selective voice control mando selectivo por la voz, mando vocal selectivo.

selective wireless paging system sistema inalámbrico de busca de personas por llamada selectiva, sistema de localización de personas por llamada inalámbrica selectiva. SIN. **selective radio paging system.**

selectively *adj:* selectivamente.

selectively reflecting surface superficie de reflexión selectiva.

selectivity *(Radiocom)* selectividad. (**1**) Aptitud mayor o menor de un radiorreceptor de captar las señales de una emisora y, al mismo tiempo, bloquear las de otras emisoras que transmitan en canales adyacentes. (**2**) Característica de un receptor que determina el grado en el cual el mismo es capaz de diferenciar entre la señal deseada y las señales indeseadas o perturbaciones de frecuencias diferentes. (**3**) Propiedad de un sistema receptor que permite separar, entre ciertos límites, las emisiones de frecuencias diferentes (CEI/38 60-05-050). (**4**) Aptitud de un receptor de separar una señal útil de una señal perturbadora, valiéndose de la posición relativa o las distribuciones de sus componentes sobre la escala de frecuencias (CEI/70 60-44-100). CF. **selectance** ‖ **selectivity at 6 dB points:** selectividad entre los puntos a 6 dB.

selectivity characteristic *(Radiocom)* característica de selectividad ‖ *(Elec)* característica de selección. Diagrama o cuadro que indica los tiempos de funcionamiento [operating times] y los valores correspondientes de la magnitud de influencia [actuating quantity] o las posiciones de falta [fault positions] para las protecciones selectivas [selective protections] de una red (CEI/56 16-45-040).

selectivity control *(Rec)* control de selectividad. Control que sirve para ajustar la selectividad.

selectivity curve *(Radiocom)* curva de selectividad.

selectivity discrimination selectividad, poder separador de frecuencias.

selectivity of a receiver selectividad de un receptor.

selector seleccionador, escogedor, el que selecciona o escoge ‖ *(Autos)* selector, cambio de velocidades ‖ *(Ferroc)* selector. Aparato que permite manejar dos señales distintas con una sola palanca ‖ *(Mec)* selector ‖ *(Elec)* selector, conmutador. v. **selector relay, selector switch** ‖ selector, distribuidor, conmutador secuencial. Conmutador secuencial, por lo general de múltiples contactos y accionado por un motor. SIN. **distributor, sequence switch** ‖ *(Informática)* selector. En una máquina de tarjetas perforadas, mecanismo que, en respuesta a ciertas condiciones, provoca la selección de una tarjeta o la ejecución de una operación ‖ *(Telecom)* selector ‖ **selector with repeater:** selector repetidor ‖ *(i.e.* pulse-controlled selector) selector (paso a paso) ‖ *(Telef)* selector. (**1**) Dispositivo de conmutación asociado a un circuito y que permite efectuar las operaciones siguientes: (a) seleccionar una línea o un grupo de líneas de conformidad con las señales recibidas por ese circuito (selección mandada); (b) en el caso de una selección previa de un grupo de líneas, seleccionar en ese

grupo una línea libre (selección libre); (c) conectar la línea seleccionada al circuito asociado a ese selector. (**2**) Mecanismo de conmutación asociado a un circuito y cuyo objeto es escoger un grupo particular de líneas conforme a las señales recibidas en el circuito asociado a este selector y escoger luego en ese grupo una libre para conectarla a dicho circuito (CEI/38 55-20-070). (**3**) En telefonía automática, dispositivo que, bajo la acción de señales de control [control signals] apropiadas, conecta una línea de entrada al dispositivo, con una de las líneas de salida; o dispositivo que conecta una de las líneas de entrada, con una línea de salida (CEI/70 55-95-070) ‖ **500-point selector:** selector de 500 puntos. Selector electromecánico con dos movimientos, el primero circular y el segundo radial (CEI/70 55-95-080) ‖ CF. **Strowger [two-motion] selector, group selector, code selector, final selector, PBX final selector, A-digit selector, digit-absorbing selector, discriminating selector, uniselector, preselector, (line) finder, hunter.**

selector arc *(Telecom)* arco de selectores. SIN. **banco de selectores, campo (de selección) radial —— (rotary) selector bank.**

selector armature *(Teleimpr)* armadura selectora.

selector bank *(Telecom)* banco de selectores; campo de selección radial; arco de selectores. SIN. **(rotary) selector bank.**

selector-bank arrangement campo radial de selección.

selector bay *(Telecom)* bastidor de selectores.

selector cam *(Teleimpr)* leva selectora.

selector carrying capacity *(Telecom)* carga de un selector.

selector channel canal selector. En las calculadoras electrónicas de ciertos sistemas, canal de entrada y salida que permite la transferencia de datos con origen o destino en un solo dispositivo periférico cada vez. CF. **multiplexer channel.**

selector circuit circuito selector.

selector clutch *(Teleimpr)* embrague del selector.

selector-clutch magnet electroimán de embrague del selector.

selector control hub *(Informática)* boca de control de selector.

selector control unit *(Informática)* unidad de control de selección.

selector-controlled feed avance regulado por selector.

selector hunting time *(Telef)* tiempo de selección libre. SIN. **interdigit hunting time.**

selector installation *(Telef)* instalación con selectores. SIN. **intercommunicating system.**

selector keyboard teclado selector; botonera de llamada selectiva.

selector line *(Telecom)* línea de selectores.

selector magnet *(Teleimpr)* electroimán selector. ABREVIADAMENTE: electro selector.

selector magnet driver impulsor del electroimán selector.

selector mechanism *(Teleimpr)* mecanismo selector.

selector pickup hub *(Informática)* boca de "pickup" del selector.

selector plug clavija de selector.

selector pulse impulso selector. Impulso que identifica, para su selección, determinado suceso o evento en una serie de ellos.

selector rack *(Telecom)* armazón de selectores.

selector relay relé selector. Relé que automáticamente selecciona uno o más circuitos de un grupo.

selector-repeater *(Telecom)* conmutador discriminador [selector]; selector repetidor; selector auxiliar. SIN. **discriminating selector, switching selector-repeater.**

selector reset reposición del selector.

selector reset bail *(Teleimpr)* fiador de reposición del selector.

selector rod *(Telecom)* portaescobillas; árbol [eje] portaescobillas.

selector shaft *(Telecom)* árbol conmutador; árbol accionador de contactos. SIN. **interrupter shaft.**

selector-shaft guide *(Telecom)* abertura-guía.

selector shelf montura de selectores.

selector stage *(Telecom)* selector ‖ v. **selection stage.**

selector switch *(Elec)* conmutador, selector, conmutador selector [de selección]. Dispositivo que permite conectar uno o más conductores a uno cualquiera de un grupo de conductores. SIN. **multiple-contact switch, multiposition switch, selector** | conmutador. Aparato destinado a modificar las conexiones de dos o más circuitos (CEI/57 15-30-095) || *(Informática)* interruptor del conmutador.

selector tube   tubo selector, válvula (electrónica) conmutadora.

selector unit   *(Telecom)* elemento selector; equipo de selectores.

selector valve   válvula selectora.

selector with repeater   *(Telecom)* selector repetidor.

selectron   selectrón. Tubo electrónico utilizable como dispositivo de memoria en una calculadora, en el cual un haz electrónico sólo puede tocar uno de cierto número de elementos (generalmente 256), definidos por los potenciales aplicados a dos juegos de varillas metálicas ortogonales.

selenide   *(Quím)* seleniuro.

selenite   selenita (supuesto habitante de la luna) || *(Geol)* selenita || *(Miner)* selenita, espejuelo, yeso especular || *(Quím)* selenito. Sal del ácido selenioso.

selenium   selenio. Elemento no metálico de número atómico 34. Posee propiedades de fotosensibilidad: su resistencia eléctrica varía inversamente con la iluminación. Se usa también como capa rectificadora en rectificadores metálicos. Símbolo: Se.

selenium amplifier   amplificador de células de selenio. Amplificador de señales recibidas por cable submarino. Consiste esencialmente en un galvanómetro de espejo al cual se aplican las señales, y un puente de Wheatstone con una célula de selenio en cada una de dos ramas opuestas. Los movimientos del espejo hacen mover un pincel luminoso entre las dos células, haciendo así variar sus resistencias relativas, y causando desequilibrios en el puente. Estos desequilibrios constituyen la señal amplificada.

selenium cell   célula de selenio. Célula fotoconductora [photoconductive cell] cuyo elemento sensible es una película delgada de selenio colocada entre dos electrodos. La resistencia eléctrica entre los electrodos varía inversamente con la iluminación.

selenium dioxide   dióxido de selenio.

selenium dioxide fumes   vapores de dióxido de selenio. Vapores tóxicos producidos p.ej. si se aplica tensión a un rectificador de selenio cuyas conexiones han sido invertidas.

selenium dry-plate rectifier   rectificador seco de selenio.

selenium dry rectifier   rectificador seco de selenio.

selenium layer   *(Rect secos)* capa de selenio.

selenium photocell   célula fotoeléctrica de selenio.

selenium photovoltaic cell   célula fotovoltaica de selenio.

selenium rectifier   rectificador de selenio. Rectificador metálico [metallic rectifier] consistente en una delgada capa de selenio depositada sobre una placa de aluminio que constituye uno de los electrodos; el otro electrodo es una capa conductora metálica depositada sobre el selenio. La acción rectificadora se debe a que los electrones fluyen con mayor facilidad en el sentido de la capa metálica hacia la capa de selenio, que en el sentido opuesto (conducción asimétrica).

selenium rectifier bridge   puente rectificador de elementos de selenio, rectificador de elementos de selenio en puente. Bloque de rectificadores de selenio conectados en puente.

selenium relay   relé fotoeléctrico de selenio. Relé en el cual la corriente de influencia [actuating current] circula por una lámpara cuya luz incide en una célula de selenio [selenium cell]; así las variaciones de dicha corriente se traducen en modificaciones de iluminación que causan variaciones mucho más grandes en la corriente que circula por la célula. CF. **selenium amplifier.**

selenodesy   selenodesia. Ciencia que trata de la forma y dimensiones de la Luna, y de las medidas, observaciones, y determinaciones de posición efectuadas sobre su superficie /// *adj:* selenodésico.

selenography   selenografía. Descripción de la Luna, en particular su superficie /// *adj:* selenográfico.

selenoid   selenoide, satélite lunar /// *adj:* selenoide.

selenoid satellite   satélite selenoide [lunar].

selenology   selenología. Rama de la astronomía que se ocupa de la Luna /// *adj:* selenológico.

self   yo, sí mismo, uno mismo; el yo, la personalidad || *(Elec)* bobina de choque [de impedancia], self /// *adj:* mismo; uniforme, igual; propio || *(Colores)* puro, sin mezcla, no mezclado.

self-   auto. Prefijo reflexivo con los significados de *propio, uno mismo, por sí mismo, de sí mismo, a sí mismo, en sí mismo.* El prefijo inglés se usa siempre con guión; el español es inseparable. CF. **auto, eigen.**

self-absorption   autoabsorción. Absorción de la radiación emitida por átomos radiactivos [radiating atoms], por el emisor mismo (CEI/64 65-10-810).

self-absorption curve   curva de autoabsorción.

self-acting   *adj:* autoactuador, autoactivador; automotor; automático, de acción automática.

self-adaptive   *adj:* autoadaptable, autoadaptivo.

self-adaptive system   *(Automática)* sistema autoadaptable. Sistema que presenta características de autoorganización o "aprendizaje". CF. **self-organizing machine.**

self-addressing message equipment   *(Teleg)* equipo de autoencaminamiento de despachos, aparatos de encaminamiento automático del tráfico. CF. **self-routing indicator.**

self-adjustable   *adj:* autorregulable, autoajustable.

self-adjusting   *adj:* autorregulador, autoajustador, de ajuste propio.

self-air-cooled   *adj:* de enfriamiento propio por aire [al aire].

self-alarm receiver   v. **autoalarm.**

self-aligning   autoalineación, autoalineamiento /// *adj:* autoalineante, autoalineador, autoalineable, de alineación propia.

self-aligning bearing   cojinete corrector de holgura.

self-aligning contacts   *(Conectores multicontacto, Relés)* contactos autoalineantes.

self-baking   autococción, autocochura.

self-baking electrode   *(Aplicaciones electrotérmicas)* electrodo de autococción. Electrodo continuo [continuous electrode] constituido principalmente por una cubierta generalmente metálica rellena de un compuesto plástico de carbono [plastic carbonacious compound] que se aglomera por el calor del horno. EJEMPLO: electrodo Söderberg (CEI/60 40-10-090).

self-balanced   *adj:* autoequilibrado.

self-balanced bridge   puente autoequilibrado.

self-balanced potentiometer   potenciómetro autoequilibrado.

self-balancing   autoequilibrio /// *adj:* autoequilibrado(r), autoquilibrante, de equilibrio automático; autocompensado; autoestabilizado; automático.

self-balancing bridge   *(Elec)* puente autoequilibrado [equilibrador, de equilibrio automático]. SIN. **automatic-balancing bridge.**

self-balancing mounting   montura autoequilibradora; autoequilibrador.

self-balancing recorder   registrador autoequilibrador. Aparato registrador que utiliza el principio de los servomecanismos.

self-bias   *(Elecn)* autopolarización. Tensión polarizadora de la rejilla de control que se desarrolla entre los extremos de una resistencia intercalada en el circuito de rejilla o de cátodo de un tubo electrónico. La autopolarización evita la necesidad de una fuente independiente de tensión polarizadora. SIN. **polarización automática de rejilla, polarización (por resistencia) catódica — automatic C bias, automatic grid bias, cathode bias.** CF. **cathode resistor, cathode-bypass capacitor.**

self-bias gun   *(Microscopios elecn)* cañón electrónico autopolarizado.

self-bias resistor   resistor [resistencia] de autopolarización. SIN. **cathode-bias resistor.**

self-biased   *adj:* autopolarizado, de polarización automática; de polarización interna.

self-biased grid   *(Elecn)* rejilla autopolarizada.

self-biasing   *adj:* autopolarizante, de polarización automática.

self-biasing network   red autopolarizante, circuito de autopolarización.

self-biasing resistor   resistor [resistencia] de autopolarización.

self-calibrating   autocalibración /// *adj:* autocalibrado(r).

self-calibrating feature   característica de autocalibración.

self-calibrating instrument   instrumento autocalibrado.

self-calibration   autocalibración.

self-capacitance   (a.c. self-capacity) autocapacitancia, autocapacidad, capacitancia propia [distribuida, repartida]. v. **distributed capacitance.**

self-capacity   v. **self-capacitance.**

self-centered   *adj:* autocentrado.

self-centering   autocentrado /// *adj:* autocentrador, autocentrante, de centrado [centraje] propio.

self-check   autocomprobación, autoverificación.

self-check operation   funcionamiento autocomprobado.

self-checking   autocomprobación, autoverificación.

self-checking code   código con autoverificación, código de verificación automática. (1) Código en el cual se usan expresiones tales que la presencia de un error en una de ellas, acarrea la formación de una expresión prohibida. (2) Código utilizado para la detección o la corrección automática de errores en la comunicación telegráfica. SIN. **error-detecting code.**

self-checking instrument   instrumento autocontrastado.

self-checking number device   (*Informática*) dispositivo de números autoverificadores.

self-checking number punch elimination device   dispositivo de eliminación de perforación de números autoverificadores.

self-cleaning   *adj:* autolimpiador, autolimpiante.

self-cleaning contact   contacto autolimpiante. Contacto eléctrico que se cierra con un movimiento de frotamiento que tiende a mantenerlo limpio. SIN. **wiping contact.**

self-cleaning strainer   colador autolimpiador.

self-closing   *adj:* autocerrador, de cierre automático.

self-closing circuit breaker   (*Elec*) disyuntor de cierre automático, disyuntor-conjuntor.

self-collision   (*Nucl*) autocolisión.

self-collision time   tiempo [período] de autocolisión.

self-colored   *adj:* de color propio [natural, puro, sin mezcla].

self-compensated   *adj:* autocompensado.

self-compensated motor (with primary rotor)   motor autocompensado. Motor polifásico de colector [polyphase commutator motor] cuyo rotor tiene dos devanados, uno que recibe la corriente de la red por intermedio de anillos [sliprings], en tanto que el otro, de colector, alimenta al estator la corriente de excitación [exciting current] necesaria para llevar el factor de potencia [power factor] a aproximadamente el valor unitario [unity] (CEI/56 10–15–165).

self-complementing code   (*Informática*) código autocomplementario. Lenguaje de máquina en el cual se cumple que el *código del complemento* de todo dígito, es el *complemento del código* del mismo dígito.

self-computing chart   nomograma. SIN. **nomogram.**

self-computing level rod   mira de cómputo automático.

self-congruent   *adj:* autocongruente.

self-congruent field   (*Nucl*) campo autocongruente.

self-conjugate   *adj:* (*Mat*) autoconjugado. Conjugado de sí mismo; que une en sí dos figuras conjugadas cada uno de cuyos lados es la polar (respecto a cierta cónica) del vértice opuesto.

self-conjugate operation   (*Mat*) (of a group) operación autoconjugada. Operación idéntica a todas sus conjugadas.

self-conjugate subgroup   (*Mat*) subgrupo autoconjugado [invariante]. Subgrupo que coincide con todos sus conjugados. SIN. **invariant subgroup.**

self-conjugate triangle   (*Mat*) (with respect to a conic) triángulo autoconjugado (respecto a una cónica). Triángulo que tiene por lados las polares [polar lines] de los vértices opuestos respecto a una cónica dada. SIN. **self-polar triangle.**

self-conjugation   (*Mat*) autoconjugación. Condición de ser autoconjugado.

self-consistent   *adj:* autoconsistente; autocoherente; autónomo.

self-consistent field   (*Fís, Nucl*) campo autoconsistente.

self-consistent superposition   (*Fís, Nucl*) superposición autoconsistente.

self-constricted plasma   plasma autoestrictivo [autoestrechado]. SIN. **self-pinched plasma.**

self-constricting   *adj:* autoconstrictor, autoconstrictivo.

self-constricting current   corriente autoconstrictora.

self-constriction   autoconstricción. SIN. **autoconstriction.**

self-contacting cables   cables de autocontacto.

self-contained   *adj:* autónomo, independiente, completo (en sí mismo); de construcción integral; incorporado; enterizo; que forma un todo completo; completo e independiente.

self-contained aid   (*Radionaveg*) ayuda autónoma.

self-contained battery operation   alimentación autónoma por pilas; alimentación autónoma por acumuladores.

self-contained instrument   instrumento autónomo [completo en sí mismo]. Instrumento que incorpora en su caja o estuche todos los elementos necesarios para su funcionamiento.

self-contained landing forecast   (*Avia*) pronóstico (meteorológico) de aterrizaje completo.

self-contained mobile unit   unidad móvil autónoma; grupo móvil autónomo.

self-contained power supply   alimentación propia.

self-contained read brush   (*Informática*) escobilla integral de lectura.

self-contained station   estación autónoma.

self-contained unit   unidad autónoma; unidad independiente.

self-control   autocontrol, autorregulación.

self-controlled   *adj:* autocontrolado, autorregulado.

self-cooled   *adj:* autoenfriado, autorrefrigerado, de enfriamiento automático, enfriado automáticamente, con enfriamiento natural.

self-cooled machine   (*Elec*) máquina autorrefrigerada. Máquina que se refrigera por sus propios medios, sin intervención de ninguna fuerza motriz que no sea la tomada del árbol de la máquina, ni ningún fluido procedente del exterior que no sea aire (CEI/56 10–05–235). CF. **machine with natural cooling, separately cooled machine.**

self-cooled transformer   (*Elec*) transformador de enfriamiento automático, transformador enfriado por circulación natural de aire.

self-cooling   autoenfriamiento, autorrefrigeración, enfriamiento automático [natural].

self-corrected   *adj:* autocorregido, de corrección automática.

self-corrected (telegraph) system   sistema (telegráfico) con corrección automática de errores.

self-correcting   autocorrección, corrección automática /// *adj:* autocorrector, de corrección automática.

self-demagnetization   desmagnetización espontánea.

self-developed bias   (*Diodos de cristal*) autopolarización. CF. **self-bias.**

self-diffusion   autodifusión.

self-discharge   (*Elementos y bat eléc*) descarga espontánea [en circuito abierto], autodescarga | descarga espontánea, acciones locales. Pérdida de energía debida a corrientes espontáneas originadas en un elemento o una batería en ausencia de toda conexión con un circuito exterior [external circuit] (CEI/60 50–10–055).

self-discharger   descargador automático.

self-discharging   descarga espontánea [en circuito abierto], autodescarga; descarga automática.

self-drive circuit   (*Telecom*) circuito de avance automático.

self-driven   *adj:* automático; de accionamiento propio.

self-driven selector   selector automático.

self-electrification   electrización espontánea.

self-electrostatic filter   filtro autoelectrostático.

self-energized   *adj:* con energía propia.

self-energizing brake   freno automultiplicador de la fuerza a él aplicada, freno de automultiplicación de fuerza; freno automático.

self-energy   energía propia. Energía equivalente de la masa en reposo de una partícula; la del electrón vale 0,511 MeV.

self-equalizing   autoigualación, autocompensación /// *adj:* autoigualador, autocompensador.

self-evident   *adj:* evidente de por sí, autoexplicativo.

self-evident message (form)   (forma de) mensaje autoexplicativo, (forma de) mensaje evidente por sí mismo.

self-excitation   autoexcitación, excitación propia | autoexcitación. (**1**) Propiedad de las máquinas o los sistemas autoexcitados [self-exciting machines or systems]; acción correspondiente (CEI/56 10–05–105). (**2**) Procedimiento por el cual el valor de una magnitud de salida [output quantity] influye en la excitación de un transductor (CEI/55 12–15–010). CF. **separate excitation.**

self-excitation winding   devanado de autoexcitación. Devanado de excitación [excitation winding] con la ayuda del cual puede efectuarse una autoexcitación (CEI/55 12–05–030).

self-excite   *verbo:* autoexcitar.

self-excited   *adj:* autoexcitado, de excitación propia. Que funciona o puede funcionar sin excitación exterior.

self-excited alternating-current generator   *(Elec)* alternador autoexcitado.

self-excited alternating-current generator with revolving armature   alternador autoexcitado con inducido giratorio. Alternador que produce su propia excitación por intermedio de un colector [commutator] montado en su inducido giratorio (CEI/56 10–10–040).

self-excited alternator   *(Elec)* alternador autoexcitado.

self-excited compensated alternator   alternador autoexcitado compensado.

self-excited generator   *(Elec)* generador autoexcitado, generatriz autoexcitatriz.

self-excited machine   *(Elec)* máquina autoexcitada | máquina autoexcitatriz. Máquina que produce su propia excitación (CEI/38 10–35–015, CEI/56 10–05–100). CF. **machine with inherent self-excitation.**

self-excited oscillator   *(Radio/Elecn)* oscilador autoexcitado. Oscilador en el cual las oscilaciones se inician y la frecuencia de éstas se determina sin más excitación externa que las tensiones continuas de alimentación aplicadas a los electrodos del tubo, transistor, u otro dispositivo utilizado con circuitos resonantes apropiados.

self-excited transmitter   *(Radiocom)* emisor autoexcitado. Emisor radioeléctrico en el cual el oscilador que determina la frecuencia portadora [carrier frequency] produce también toda la energía suministrada a la antena (CEI/70 60–42–050).

self-exciter   autoexcitador, autoexcitatriz /// *adj:* autoexcitador, autoexcitatriz.

self-exciting   autoexcitación, excitación propia /// *adj:* autoexcitador, autoexcitatriz; autoexcitatorio.

self-exciting sender   *(Radiocom)* emisor [transmisor] autoexcitado. SIN. **self-oscillating sender, self-excited transmitter.**

self-exciting system   sistema autoexcitado(r).

self-extinguishing   *adj:* autoextinguible; autoextintor; de extinción automática; incombustible.

self-extinguishing material   material autoextintor. Material que se enciende y quema mientras tenga aplicada una llama o esté expuesto a una temperatura elevada, pero que se apaga solo tan pronto como se retira la llama o desaparece la alta temperatura.

self-extinguishing thyratron   tiratrón autoextintor.

self-feeding   *adj:* autoalimentador; de avance automático.

self-field   (from separation of charges) campo autogenerado.

self-focus gun   *(Elecn)* cañón autoenfocador.

self-focus teletron   teletrón autoenfocador. Cinescopio ideado por Allen B. du Mont Laboratories, Inc. para reducir el desenfoque. Es del tipo de enfoque electrostático.

self-focused picture tube   cinescopio [tubo de imagen] autoenfocador, cinescopio de enfoque (electrostático) automático.

self-focusing picture tube   v. **self-focused picture tube.**

self-generated distortion   distorsión propia. Dícese p.ej. en relación con los filtros.

self-generating barrier-layer cell   célula fotovoltaica de capa barrera.

self-generating cell   célula fotovoltaica.

self-generating transducer   transductor autoexcitado [de excitación propia]. Transductor que funciona sin necesidad de una fuente exterior de excitación.

self-generative   *adj:* autogenerativo, autogenerador, autogeneratriz.

self-governing   *adj:* autorregulado; autónomo; automático.

self-guided   *adj:* autoguiado.

self-guided missile   proyectil autoguiado.

self-healing   *adj:* autocicatrizante, autorregenerable.

self-healing capacitor   capacitor autorregenerativo [autocicatrizante], condensador autoobturante. Capacitor o condensador que se repara solo; es decir, que se repone por sí mismo después de una disrupción del dieléctrico (cortocircuito interno) debida a tensión excesiva. Poseen esta propiedad autocicatrizante los capacitores de aire [air capacitors], los de papel metalizado [metalized paper capacitors], ciertos capacitores con dieléctrico de aceite, y algunos capacitores electrolíticos húmedos [wet electrolytic capacitors].

self-healing dielectric   dieléctrico que se repara solo. Dieléctrico que no sufre daño permanente por efecto de la aplicación de una tensión igual o superior a la de ruptura, como p.ej. los dieléctricos líquidos y gaseosos.

self-heated   *adj:* autocalentado, de calentamiento propio.

self-heated thermistor   termistor autocalentado. Termistor que durante su funcionamiento normal adquiere una temperatura de cuerpo bastante superior a la del medio ambiente, como resultado de la energía disipada en él.

self-heating   autocalentamiento, calentamiento propio /// *adj:* autocalentable, autocalentado.

self-heterodyne   *adj:* *(Radio)* autodino, autoheterodino. SIN. **autodyne.**

self-heterodyne receiver   receptor autodino. v. **autodyne reception.**

self-holding contact   contacto de autoalimentación. Contacto de un relé por el cual éste es alimentado para el mantenimiento [holding] (CEI/56 15–40–040) | contacto de mantenimiento.

self-ignition   autoencendido, encendido espontáneo, autoignición.

self-impedance   autoimpedancia, impedancia propia. En una red eléctrica, cociente de la tensión aplicada a cualquier par de bornes, por la corriente resultante en ese mismo par de bornes o terminales, estando en circuito abierto todos los demás bornes. CF. **one-port.**

self-incrementing   *adj:* autoincremental, autoincrementador.

self-incrementing automatic address modifier   *(Teleg)* modificador automático autoincremental de dirección.

self-indicating   *adj:* autoindicador; autográfico.

self-inductance   *(Elec)* autoinductancia, inductancia propia, coeficiente de autoinducción [de inducción propia]. Propiedad de la cual depende el valor de la fuerza electromotriz inducida en un circuito cuando varía la corriente que circula por él | inductancia propia, coeficiente de autoinducción. (a) Para un circuito cerrado: Cociente del flujo de inducción magnética total concatenado con las espiras del circuito, por la corriente que lo atraviesa. (b) Para cualquier circuito: Cociente de la energía magnética debida a la corriente, por la mitad del cuadrado de la intensidad de corriente que lo atraviesa. SIN. **coefficient of self-induction** (CEI/38 05–30–095) | inductancia propia, coeficiente de inducción propia. Para un circuito cerrado, cociente, por la corriente que lo atraviesa, del flujo magnético total debido a esa corriente y concatenado con el circuito; o cociente de la energía magnética debida al circuito por la mitad del cuadrado de la corriente que lo atraviesa. SIN. **coefficient of self-induction** (CEI/56 05–30–100). CF. **self-induction.**

self-inductance coefficient   v. **self-inductance.**

self-inductance coil   bobina autoinductora [de autoinducción]. SIN. **choke.**

self-induction   *(Elec)* autoinducción, inducción propia. Producción de una fuerza electromotriz en un circuito por la variación de la corriente que circula por el mismo circuito (CEI/38 05-30-090, CEI/56 05-30-095). CF. **self-inductance.**

self-inductive   *adj:* autoinductivo.

self-inductive coupling   acoplamiento autoinductivo.

self-inductor   autoinductor, inductor [inductancia] de regulación. Inductor utilizado para regular la autoinducción de un circuito /// *adj:* autoinductor.

self-inking   entintado automático.

self-instructed carry   *(Informática)* transporte [pase] automático. Transporte o pase en el cual la información se desplaza a lugares sucesivos automáticamente, según se va generando la misma.

self-insurance   autoseguro.

self-insurer   autoasegurador.

self-interference   *(Nucl)* autointerferencia.

self-interrupted   *adj:* autointerrumpido.

self-interrupted circuit   circuito autointerrumpido.

self-interrupter   autointerruptor.

self-latching   autoenganche; autoenclavamiento /// *adj:* autoenganchador, de autoenganche; autoenclavador, de enclavamiento automático.

self-latching relay   relé autoenganchador. Relé cuya armadura queda mecánicamente trabada en la posición de trabajo, hasta que la misma es liberada intencionalmente. SIN. **locking relay.**

self-latching switch   conmutador autoenganchador.

self-limiting   *adj:* autolimitador, autolimitante || *(Nucl)* automoderador, automoderante, automoderatriz.

self-limiting chain reaction   *(Nucl)* reacción en cadena automoderada.

self-limiting detector   detector autolimitador.

self-locking   autoenclavamiento; cierre automático; parada automática || *(Relés)* autoenclavamiento /// *adj:* autoenclavador; autocerrador, de cierre automático; autotrabante, autotrabador, autosujetador, autotrincador; autobloqueante; de encerrojamiento automático.

self-locking coupling   acoplamiento de cierre automático.

self-locking nut   tuerca autotrabante. Tuerca de acción trabante propia, de modo que no se afloja fácilmente con las vibraciones.

self-locking relay   relé autoenclavador [autoenganchador]. SIN. **locking relay.**

self-lubricated   *adj:* autolubricado.

self-lubricating   autolubricación, autoengrase /// *adj:* autolubricante, autolubricador, autoengrasador.

self-lubricating bearing   cojinete autolubricado.

self-lubricating contact shoe   *(Reóstatos)* zapata de contacto autolubricada.

self-lubrication   autolubricación, lubricación automática, autoengrase, engrase automático.

self-luminous   *adj:* autoluminoso.

self-mailer   v. **self-mailing piece.**

self-mailing piece   (a.c. self-mailer) impreso que se envía (por correo) sin sobre. Impreso (folleto, volante, circular, catálogo) que se envía por correo sin ponerlo en sobre. Simplemente se pliega sobre sí mismo, o se le sujetan las páginas con una presilla o una tira de papel engomado, según el caso, y sobre el mismo se pone la dirección y se fija el franqueo.

self-maintained   *adj:* automantenido; autoentretenido; autónomo.

self-maintained discharge   *(Descargas eléc en los gases)* descarga autónoma. Descarga caracterizada por el hecho de que se mantiene a sí misma después de suprimido el agente ionizante exterior [external ionizing agent] (CEI/56 07-13-035). CF. **nonself-maintained discharge, semiself-maintained discharge.**

self-maintained nuclear chain reaction   reacción nuclear en cadena automantenida.

self-maintaining   automantenimiento; autoentretenimiento /// *adj:* automantenido; autoentretenido. SIN. **self-sustaining.**

self-maintaining nuclear chain reaction   reacción nuclear en cadena automantenida.

self-modulated   *adj:* automodulado.

self-modulated amplifier   amplificador automodulado. Tubo amplificador de microondas modulado por la potencia excitadora de RF, y que, por tanto, no necesita de modulador aparte.

self-moving   *adj:* automóvil, automotor, autopropulsor, locomotor; automático.

self-multiplying   *adj:* automultiplicado(r); autopropagante.

self-multiplying chain reaction   *(Nucl)* reacción en cadena automultiplicada.

self-noise   ruido propio [interno]. Ruido que no proviene del exterior, sino que tiene su origen en el propio dispositivo considerado. Dícese p.ej. en relación con un micrófono.

self-nucleation   *(Quím)* autonucleación.

self-oiling   autolubricación /// *adj:* autolubricante, autolubricador; autolubricable.

self-operated   *adj:* autoaccionado; automático.

self-operated control   *(Automática)* control automático, control directo. Modo de control que no exige aporte de energía exterior (CEI/66 37-25-040). CF. **power-assisted control.**

self-operated measuring unit   medidor directo. Detector [detecting element] que constituye, por sí mismo, un transmisor de medida [measuring unit]; su señal de salida es utilizada directamente sin la intervención de amplificador o de convertidor de señal [signal converter] (CEI/66 37-30-015).

self-operated regulator   regulador autoaccionado; regulador automático.

self-operating   *adj:* autoactuante; automático.

self-organizing machine   máquina con características de autoorganización. Máquina (teórica y experimental, más que práctica) capaz de identificar cierta clase de "estímulos" (caracteres, figuras, sonidos) y modificar su comportamiento según la "experiencia" adquirida. CF. **self-adaptive system.**

self-orienting   autoorientación, orientación automática /// *adj:* autoorientado(r), autoorientable.

self-orienting mechanism   mecanismo autoorientador.

self-oscillating   autooscilación /// *adj:* autooscilante, autooscilador.

self-oscillating sender   *(Radiocom)* emisor autooscilante. SIN. **self-exciting sender.**

self-oscillating tube   tubo (electrónico) oscilador, válvula (electrónica) osciladora. TB. lámpara osciladora [generadora de oscilaciones].

self-oscillation   autooscilación, oscilación propia | oscilaciones internas espontáneas. Oscilaciones que se producen espontáneamente en el interior de un amplificador, a consecuencia de un acoplamiento parásito [stray coupling] entre el circuito de salida y el de entrada, o entre dos etapas o circuitos de la cadena amplificadora.

self-oscillator   autooscilador.

self-phased array   *(Ant)* red de elementos autoenfasados. Red de antenas en la cual cada uno de los elementos se pone en fase independientemente, de acuerdo con información contenida en las señales de entrada. SIN. **adaptive array.**

self-pinched plasma   plasma autoestrechado [autoestrictivo]. SIN. **self-constricted plasma.**

self-powered   *adj:* autoalimentado, de alimentación autónoma, con alimentación propia; con autonomía eléctrica; automático; automóvil, automotriz. Que contiene su propia fuente de energía o alimentación; que posee motor propio.

self-powered control   control autoalimentado. Dispositivo de control o regulación que no necesita de suministro de energía externa.

self-powered equipment equipo con alimentación propia. Equipo que contiene su propia fuente de alimentación.

self-powered station *(Telecom)* estación autoalimentada. En oposición a la estación *telealimentada* [remotely supplied station], estación de repetidores que recibe su alimentación directamente de una red de distribución o de una fuente local de energía.

self-powered (tape) recorder magnetófono de batería [de pilas], magnetófono alimentado por batería.

self-priming autocebadura, autocebado, cebado automático; purgado automático.

self-propagating *adj:* autopropagante ‖ *(Nucl)* automantenido; autopropagante. SIN. **self-maintaining, self-sustaining.**

self-propagating chain reaction *(Nucl)* reacción en cadena automantenida.

self-propagating reaction *(Nucl)* reacción automantenida.

self-propagating release of energy liberación de energía autopropagada.

self-propagation autopropagación.

self-propelled *adj:* automotor, automotriz, automóvil, motorizado, autopropulsado, de propulsión propia [autónoma]. SIN. **self-propelling.**

self-propelling v. **self-propelled.**

self-proportioning autodosificación, dosificación automática ‖‖ *adj:* autodosificador, autodosificante.

self-propulsion autopropulsión, propulsión propia [autónoma].

self-protected *adj:* autoprotegido, autoprotector.

self-protected transformer transformador autoprotegido.

self-protected tube *(Radiol)* tubo autoprotegido, tubo con protección propia. v. **protection.**

self-protected winding devanado autoprotegido.

self-protection autoprotección, protección propia [integral].

self-pulse modulation modulación por impulso interno. Modulación de un oscilador por un impulso generado internamente. CF. **blocking oscillator.**

self-pulsing autopulsación ‖‖ *adj:* autopulsante; autointerrumpido.

self-pulsing blocking oscillator oscilador de bloqueo autopulsante. Oscilador que genera impulsos de radiofrecuencia (RF), y que puede considerarse que trabaja a dos frecuencias simultáneamente: la frecuencia de oscilación del tanque LC (RF) y la de pulsación (ritmo de recurrencia de los impulsos de RF).

self-quench v. **self-quenching.**

self-quenched *adj:* autoextintor, de autoextinción ‖ *(Radio)* autointerruptor, autoextintor ‖ *(Met)* autotemplado.

self-quenched counter contador autoextintor. v. **self-quenched counter tube.**

self-quenched counter tube (a.c. self-quenched counter) tubo contador autoextintor. ABREVIADAMENTE: contador autoextintor. Tubo contador de Geiger-Mueller que contiene una mezcla gaseosa que permite obtener una interrupción de la descarga sin ayuda de ningún otro dispositivo (CEI/68 66–15–140). CF. **halogen-quenched counter tube, organic-quenched counter tube.**

self-quenched detector detector superregenerativo autointerruptor. Detector superregenerativo [superregenerative detector] cuya constante de tiempo RC de rejilla (resistencia de escape y condensador de acoplamiento de la rejilla de control) es de suficiente valor para producir oscilaciones intermitentes a frecuencia ultrasónica. Estas tienen el efecto de interrumpir la regeneración antes de que el circuito rompa a aullar (v. **squealing**).

self-quenched oscillator oscilador autointerruptor; oscilador de superreacción monovalvular.

self-quenching autoextinción ‖ *(Radio)* autointerrupción, autoextinción ‖ *(Met)* (a.c. self-quench) autotemplado. Templado en el cual la superficie del metal y la capa inmediatamente debajo de ella se calientan rápidamente por inducción (v. **induction heating**) y se enfrían también rápidamente por conducción del calor hacia el interior, frío, de la pieza.

self-quenching counter (tube) (tubo) contador autoextintor [de autoextinción]. v. **self-quenched counter tube.**

self-quenching Geiger-Mueller counter (tube) (tubo) contador de Geiger-Mueller autoextintor [de autoextinción]. v. **self-quenched counter tube.**

self-quenching oscillator oscilador autointerruptor [autoextintor]. SIN. **self-quenched oscillator** | oscilador de extinciones. Generador de cortos trenes de oscilaciones, separados por intervalos de reposo provocados por la acumulación en un condensador de cargas obtenidas por rectificación de las oscilaciones. SIN. **squegger, squegging oscillator** (CEI/70 60–18–005). CF. **blocking oscillator.**

self-radiating autorradiación ‖‖ *adj:* autorradiante, autoirradiante.

self-radiation autorradiación, autoirradiación.

self-radiator autorradiador, autoirradiador.

self-reactance reactancia propia.

self-reacting autorreacción ‖‖ *adj:* autorreaccionante; con autorreacción; que funciona en respuesta a una influencia del medio ambiente.

self-reacting plasma plasma con autorreacción.

self-reciprocal *adj:* autorrecíproco.

self-reciprocity autorreciprocidad.

self-reciprocity calibration calibración de autorreciprocidad. En electroacústica, calibración de un transductor en función de la respuesta a su propio eco colocando el dispositivo y una superficie reflectora rígida en un espacio anecoico.

self-recording autorregistro ‖‖ *adj:* autorregistrador.

self-recording barometer barómetro registrador, barógrafo.

self-recording device autorregistrador, registrador automático.

self-recording hygrometer higrómetro registrador, higrógrafo.

self-recording instrument aparato [instrumento] registrador; instrumento autorregistrador.

self-recording thermometer termómetro registrador, termógrafo.

self-rectification autorrectificación. Rectificación efectuada por un tubo electrónico para obtener su propia corriente continua de alimentación.

self-rectifier *adj:* autorrectificador.

self-rectifying *adj:* autorrectificador.

self-rectifying device dispositivo autorrectificador.

self-rectifying tube *(Radiol)* tubo autorrectificador. Tubo de rayos X de cátodo incandescente [hot-cathode Roentgen tube], que no deja pasar la corriente más que en un solo sentido, cuando el ánodo se mantiene frío (CEI/64 65–30–090).

self-regulating autorregulación, regulación automática ‖‖ *adj:* autorregulador, de regulación automática.

self-regulating arc-welding transformer transformador autorregulador para soldadura por arco. Transformador de soldadura por arco cuya caída de tensión aumenta rápidamente con la corriente suministrada (CEI/60 40–15–095).

self-regulating DC welding generator generador autorregulador para soldadura por arco. Generador de soldadura por arco cuya caída de tensión crece rápidamente con la corriente suministrada (CEI/60 40–15–110).

self-regulating recorder registrador autorregulador.

self-regulation autorregulación. Tendencia de un dispositivo o un sistema a oponerse a las modificaciones de su régimen de funcionamiento ‖ *(Nucl)* autorregulación, control intrínseco. Tendencia inherente de un reactor, en ciertas condiciones, a funcionar a un nivel constante de potencia a consecuencia del efecto sobre la reactividad [reactivity] de una variación de potencia (CEI/68 26–15–350).

self-repeating timer temporizador de autociclado. Circuito de retardo que comprende un relé con contactos que reinician el intervalo de retardo cada vez que el mismo llega a su fin (reposición automática inmediata).

self-reset v. **self-resetting.**

self-resetting (a.c. self-reset) autorreposición, reposición automática; reconexión automática, reenganche automático. Vuelta a la posición original al normalizarse las condiciones en un circuito; el término se usa principalmente en relación con los disyuntores y los relés.

self-resetting circuit breaker disyuntor de reposición [reconexión] automática.

self-resetting relay relé de reposición automática, relé de autorreposición.

self-resistance resistencia propia.

self-resonance resonancia propia, autorresonancia.

self-resonant adj: autorresonante.

self-resonant circuit circuito autorresonante.

self-resonant frequency frecuencia de autorresonancia.

self-restoring reposición automática, restablecimiento automático.

self-restoring drop (Telef) v. self-restoring indicator.

self-restoring indicator (Telef) (a.c. self-restoring drop) placa de reposición automática.

self-restoring relay relé de reposición automática.

self-reversal inversión automática; cambio automático (del sentido de marcha).

self-reversing motion movimiento con inversión automática de sentido.

self-reversing synchronous motor motor sincrónico de inversión automática (de marcha). Motor que invierte su sentido de marcha cada vez que encuentra resistencia mecánica a la rotación. Se usa p.ej. en los accionadores automáticos de cuadrante. v. **dial drive, motor drive.**

self-rotating adj: autorrotativo.

self-rotation autorrotación, rotación propia.

self-routing encaminamiento automático. CF. **self-addressing message equipment.**

self-routing air-tube carrier system sistema transportador de tubo neumático de encaminamiento automático.

self-routing indicator (Teleg) indicativo de encaminamiento automático, autoindicador de vía.

self-saturating autosaturación, saturación propia /// adj: autosaturante.

self-saturating circuit (Transductores mag) circuito autosaturante. Circuito en el cual se utiliza un rectificador en serie con el devanado de salida, con objeto de aumentar la ganancia y la rapidez de respuesta. SIN. **reactor-rectifier amplifier, self-saturating magnetic amplifier.**

self-saturating magnetic amplifier amplificador magnético autosaturante. SIN. **self-saturating circuit.**

self-saturating rectifier v. self-saturation rectifier.

self-saturation (Transductores mag) autosaturación. Saturación obtenida en un amplificador magnético rectificando la corriente de salida de un reactor saturable | autoexcitación directa. Procedimiento por el cual se obtiene la autoexcitación [self-excitation] por intermedio de los devanados de potencia [power windings], en función de la corriente de salida. SIN. **autoself-excitation** (CEI/55 12–15–015).

self-saturation rectifier (Transductores mag) (a.c. self-saturating rectifier) rectificador de autosaturación. Rectificador intercalado en serie con el devanado de salida de un amplificador magnético, para obtener la autosaturación de éste.

self-scattering autodispersión, autodifusión. Dispersión o difusión de una radiación por la propia substancia que la emite. Si la autodispersión supera a la autoabsorción [self-absorption], aumenta la actividad medida sobre la esperada para una muestra sin peso [weightless sample].

self-screening (Nucl) autoblindaje, autoapantallamiento, autoprotección. SIN. **self-shielding.**

self-screening range (Radar) alcance respecto a un blanco protegido por señales perturbadoras antirradar.

self-sealing adj: autosellador, de cierre propio; de cierre automá-

tico; autosoldable; autoobturante.

self-sealing coupling (Tuberías) acoplamiento [empalme, conectador] autoobturante.

self-sealing fuel tank depósito de combustible de obturación automática.

self-selecting autoselección, selección automática /// adj: autoselector, autoselectivo.

self-setting autofraguado; autorreposición, reposición automática /// adj: autofraguable; de reposición propia [automática].

self-setting shutter (Fotog) obturador de reposición automática, obturador automático. SIN. **automatic shutter.** CF. **self-timer.**

self-shielding (Nucl) autoblindaje. Blindaje de la parte interna del combustible de un reactor, por la parte exterior del propio combustible. SIN. **self-screening.**

self-shielding factor (Nucl) factor de autoblindaje.

self-soldering autosoldadura /// adj: autosoldable, autosoldante.

self-soldering heat coil bobina térmica autosoldable.

self-stabilization autoestabilización.

self-stabilizing autoestabilización /// adj: autoestabilizado(r), autoestabilizante.

self-stabilizing drooping characteristic (Elec) característica autoestabilizadora de caída de tensión.

self-stabilizing reactor (Nucl) reactor autoestabilizado.

self-starter arrancador (automático), autoarrancador; puesta en marcha automática.

self-starting arranque automático.

self-starting motor motor de arranque automático.

self-starting oscillator oscilador de arranque automático.

self-starting synchronous motor motor sincrónico de arranque automático. Electromotor sincrónico provisto del equivalente de un devanado en jaula de ardilla, de manera que arranque como motor de inducción.

self-stopping parada automática.

self-supporting adj: autosustentador, autoportante, de sostén propio; autoestable; aislado.

self-supporting aerial cable (Tracción eléc) cable autosustentador. Cable aéreo de resistencia mecánica suficiente para permitir su soporte o suspensión de puntos relativamente alejados (CEI/65 25–30–170). CF. **catenary aerial cable.**

self-supporting aerial mast v. self-supporting antenna tower.

self-supporting antenna tower (a.c. self-supporting aerial mast) torre [mástil] autoestable de antena. Torre o mástil de antena que no necesita vientos o tirantes para su estabilización.

self-supporting mast mástil [torre] autoestable.

self-supporting stand soporte [base] autoestable. Soporte o base de equilibrio estable sin necesidad de apoyos ajenos a su propia estructura.

self-supporting tower torre [mástil] autoestable.

self-surge impedance (Elec) impedancia de onda. v. **surge impedance.**

self-sustained oscillations oscilaciones autosostenidas [autosustentadas, autoentretenidas]. Oscilaciones sustentadas por reacción positiva (v. positive **feedback**).

self-sustaining autosustentación; automantenimiento; autoentretenimiento /// adj: automantenido, autosustentado, autoentretenido, autosostenido; autónomo. SIN. **self-maintaining.**

self-sustaining chain reaction (Nucl) reacción en cadena automantenida.

self-sustaining fission reaction (Nucl) reacción de fisión automantenida.

self-sustaining fusion reaction (Nucl) reacción de fusión automantenida.

self-sustaining nuclear chain reaction reacción nuclear en cadena automantenida.

self-synchronizing sincronización automática, autosincronización /// adj: autosincronizador, de sincronización automática.

self-synchronous adj: autosincrónico.

self-synchronous device dispositivo autosincrónico. SIN. **syn-**

chro.

self-synchronous instrument   instrumento autosincrónico.

self-tapping screw   tornillo autorroscante. Tornillo para metal que agranda su agujero inicial y se mantiene apretado en él, sin necesidad de tuerca. SIN. **P-K screw.**

self-test   autoverificación, autocomprobación.

self-test circuit   circuito de autoverificación.

self-testing   autoverificación, autocomprobación /// *adj:* autocomprobador, autocomprobante, de comprobación [verificación] automática.

self-testing equipment   equipo de autocomprobación automática. Equipo capaz de verificar automáticamente el buen funcionamiento de sus diversos elementos y subsistemas.

self-testing safety system   sistema de seguridad con autoverificación.

self-threading reel   carrete de colocación rápida de la cinta. Carrete para cinta magnética con medios especiales que evitan la necesidad de anclar la extremidad de la cinta para la primera vuelta de la cinta.

self-timer   *(Fotog)* autodisparador, disparador automático, disparador con retardo [de acción diferida]. SIN. **automatic release, delayed-action release.** CF. **self-setting shutter.**

self-toning paper   *(Fotog)* papel autovirante.

self-tracking   *(Radar)* autoseguimiento, seguimiento automático /// *adj:* autoseguidor, de seguimiento automático.

self-triggering   autodisparo, autogatillado, disparo [gatillado] automático.

self-tuned   *adj: (Radio)* autosintonizado.

self-tuned system   sistema autosintonizado.

self-tuning   *(Radio)* autosintonización /// *adj:* autosintonizado, de autosintonización.

self-tuning circuit   circuito de autosintonización.

self-tuning feature   (característica de) autosintonización.

self-ventilated   *adj:* autoventilado(r), con ventilación propia. CF. **self-cooled.**

self-ventilated machine   máquina autoventilada. CF. **self-cooled machine.**

self-ventilated motor   motor autoventilado. Motor ventilado provisto de los dispositivos necesarios para asegurar su propia ventilación (CEI/57 30–15–410).

self-ventilation   autoventilación, ventilación propia. CF. **self-cooling.**

self-verifying   autoverificación, autocomprobación. SIN. **self-checking.**

self-whistle   *(Rec)* autosilbido, silbido de autobatido. En un receptor superheterodino, y cómo resultado de una selección desacertada del valor de la frecuencia intermedia, silbidos producidos por batido o heterodinaje entre la señal del oscilador local, o sus armónicas, y las armónicas de la señal de radiofrecuencia deseada.

self-winding   arrollamiento automático || *(Relojes)* cuerda automática.

self-wiping   *adj:* autolimpiante, autolimpiador, autolimpiable.

self-wiping contact   *(Elec)* contacto autolimpiante. v. **self-cleaning contact.**

selloff   *(Propuestas)* aceptación.

sellout   *(Comercio)* agotamiento de las existencias.

selsyn   "selsyn", sincro, sistema autosíncrono [de transmisión síncrona]. Fue originalmente marca registrada de la General Electric, derivada de *self-synchronous.* SIN. ıutosyn, mag-slip, synchro, motor-torque generator. NOTA: La denominación más universal es *synchro* (véase).

selsyn generator   generador "selsyn", sincrotransmisor. v. synchro transmitter.

selsyn motor   motor "selsyn", sincrorreceptor. SIN. **synchro receiver.**

selsyn system   sistema "selsyn", sincrosistema, sistema de transmisión autosincrónico. v. **synchro system.**

selsyn transmitter   transmisor "selsyn", sincrotransmisor. v. synchro transmitter.

SEM   Siglas de Société d'Electricité et de Mécanique (Bélgica) || *(Teleg)* Indicativo internacional (UIT) de los mensajes semafóricos [semaphore messages].

semanteme   semantema. Unidad lingüística irreducible de significado.

semaphore   *(Telecom)* semáforo || *(Ferroc)* semáforo. Se distinguen tres casos: (a) *Semáforo sencillo* — Conjunto de mástil y señales destinadas a indicar la ruta de un tren y colocadas una debajo de otra. (b) *Semáforo con plataforma* — Cuando entre las señales colocadas a uno y otro lado del mástil se coloca una plataforma. (c) *Semáforo sobre puente* — Cuando las señales son colocadas sobre un puente para gobernar varias vías paralelas || *(Marina)* telégrafo de banderas, señalización con banderas /// *adj:* semafórico.

semaphore blade   *(Ferroc)* brazo [aleta[de semáforo.

semaphore message   mensaje semafórico.

semaphore office   oficina semafórica. NOTA: Estas oficinas llevan la notación "S" en el nomenclátor oficial de oficinas telegráficas.

semaphore signal   *(Ferroc)* semáforo. Aparato de señalización formado por un poste con un brazo superior, que puede tener dos o tres posiciones | señal semafórica. Señal cuyas indicaciones están dadas durante el día por la posición de un brazo semafórico y durante la noche por una o varias luces de color (CEI/38 30–30–100).

semaphore station   estación semafórica.

semaphore telegram   telegrama semafórico. NOTA: Estos telegramas llevan el prefijo "SEM".

semateme   *(Telecom)* (*i.e.* signal-train) sematema.

semation   *(Telecom)* semación. Formación de un sematema.

semator   *(Telecom)* semator | (*i.e.* outgoing semator) semator (de partida). Organo apropiado del aparato emisor que, al adoptar sucesivamente estados definidos, forma una modulación telegráfica [telegraph modulation] | (*i.e.* incoming semator) semator (de llegada). Organo apropiado del aparato receptor que, al adoptar sucesivamente estados definidos, forma una restitución telegráfica [telegraph restitution].

semi-   semi. Prefijo con los significados de *en parte, parcialmente; mitad de; que ocurre dos veces en un período de tiempo dado.* Entra en la formación de numerosos compuestos, uniéndose normalmente al segundo elemento sin espacio ni guión. Las excepciones comunes ocurren en inglés cuando el segundo elemento del compuesto empieza con *i* (ejemplo, *semi-infinite*) o con mayúscula (ejemplo, *semi-Americanized*).

semi-air-spaced cable   cable semiaéreo.

semi-B position   *(Telef)* posición semi-B.

semi-immersed liquid-quenched fuse   *(Elec)* fusible semisumergido con líquido extintor.

semi-indirect   *adj:* semiindirecto.

semi-indirect lighting   alumbrado semidirector [mixto]. Sistema de alumbrado que combina el alumbrado directo y el indirecto (CEI/38 45–35–015) | alumbrado semiindirecto. Alumbrado por medio de aparatos de luz o luminarios [fittings] que no dirigen más que una fracción del 10 al 40 % de su flujo luminoso directamente hacia el plano que se ilumina (supuesto indefinido) (CEI/58 45–50–030).

semiabsolute volt   voltio [volt] semiabsoluto.

semiabsorption layer   capa de semiabsorción.

semiactive homing   *(Cohetes)* guía semiactiva (hacia el blanco). Guía en la cual el emisor que ilumina el blanco no va montado en el proyectil; éste solamente lleva el receptor que capta la energía reflejada por el blanco y pasa la señal correspondiente al sistema guiador || *(Naveg)* guía semiactiva (hacia la base de destino).

semiactive repeater   *(Telecom)* repetidor semiactivo [semipasivo]. En la comunicación por satélites, repetidor con un mínimo de dispositivos electrónicos que recibe un haz radioeléctrico con la señal modulada y transfiere la modulación (información) a un haz no modulado, de diferente frecuencia, emitido por la estación receptora.

semiactive tracking system   sistema de seguimiento [rastreo] semiactivo. (**1**) Sistema de seguimiento de una fuente de señal que normalmente es portada por el blanco para otros fines. (**2**) Sistema de seguimiento en el cual se emplea un emisor fijo para iluminar el blanco, pero que no necesita de dispositivos especiales a bordo del proyectil. CF. **semiactive homing.**

semiadjustable   *adj:* semiajustable, semifijo.

semiadjustable control   control semiajustable.

semiadjustable potentiometer   potenciómetro semifijo. Potenciómetro que después de su ajuste inicial se deja normalmente como divisor fijo de tensión. Por lo común es de eje corto con ranura en el extremo para ser accionado por medio de un destornillador. CF. **input level control.**

semiangle   semiángulo.

semiangular   *adj:* semiangular.

semiannual   *adj:* semestral. Que ocurre dos veces por año.

semiannular   *adj:* semianular.

semiarticulated concentrator   *(Fuentes de energía)* concentrador semiarticulado.

semiattended machine   máquina semiautomática. Máquina que no exige la presencia continua de un operario.

semiattended station   *(Radiocom)* estación semiatendida. Estación normalmente sin personal, pero a la cual acude personal inmediatamente en caso de necesidad (CEI/70 60–60–070). CF. **attended station, unattended station.**

semiautomatic code-sending key   *(Teleg)* manipulador semiautomático.

semiautomatic code-transmitting key   *(Teleg)* manipulador semiautomático. V. **bug.**

semiautomatic electroplating   galvanoplastia semiautomática. Operación galvanoplástica en la cual sólo el paso de los cátodos por una cuba de depósito [plating tank] se efectúa automáticamente (CEI/60 50–30–305). CF. **full automatic electroplating, mechanical electroplating.**

semiautomatic exchange   *(Telef)* central semiautomática. Central que funciona en explotación semiautomática [semiautomatic working] (CEI/70 55–90–025).

semiautomatic height finder   radar altimétrico semiautomático. El operador maniobra un conmutador para registrar los datos de altura y acimut en la memoria de una computadora.

semiautomatic installation   *(Telecom)* instalación semiautomática. SIN. **semiautomatic plant.**

semiautomatic operation   funcionamiento semiautomático ‖ *(Telef)* servicio semiautomático, explotación semiautomática. Servicio o explotación en el cual la operadora puede establecer comunicación con cualquier abonado sin más que maniobrar un juego de llaves [keyset]. SIN. **semiautomatic working.**

semiautomatic plant   *(Telef)* instalación semiautomática. SIN. **semimechanical installation.**

semiautomatic plating   galvanoplastia [electrodeposición] semiautomática. V. **semiautomatic electroplating.**

semiautomatic rapid service   *(Telef)* servicio rápido semiautomático. V. **rapid service.**

semiautomatic relay installation   *(Teleg)* instalación de retransmisión semiautomática. Instalación de teleimpresores en la cual, después de la intervención inicial de un operador para establecer las conexiones necesarias para una retransmisión, ésta se efectúa automáticamente.

semiautomatic reperforator switching   *(Teleg)* conmutación semiautomática con retransmisión por cinta perforada. V. **pushbutton switching.** CF. **semiautomatic switching system.**

semiautomatic ringing   *(Telef)* llamada semiautomática.

semiautomatic signal   *(Ferroc)* señal semiautomática. Sistema automático que puede también ser manejado desde un puesto local.

semiautomatic starter   *(Elec)* arrancador semiautomático.

Arrancador cuyo funcionamiento automático puede ser limitado a una fracción más o menos grande de las operaciones de arranque, según la voluntad del operador (CEI/57 15–50–015).

semiautomatic substation   *(Elec)* subestación semiautomática. Subestación en la cual la sucesión de operaciones de arranque se efectúa automáticamente, pero es iniciada por telemando.

semiautomatic switching   *(Teleg)* conmutación semiautomática. SIN. **pushbutton switching.**

semiautomatic switching system   *(Telecom)* sistema de conmutación semiautomática. Sistema de conmutación telegráfica [telegraph switching system] en el cual las indicaciones del peticionario son dadas a una operadora de conmutador manual que obtiene la conexión por medio de selectores mandados a distancia [remotely controlled selectors] (CEI/70 55–55–085).

semiautomatic system   *(Telef)* sistema semiautomático [de telefonía semiautomática]. Sistema que incluye la intervención de una operadora para recibir el pedido de comunicación, y en el cual las operaciones de conmutación se efectúan a continuación automáticamente por mando de esa operadora. SIN. **semimechanical system** ‖ sistema semiautomático. Sistema telefónico en el cual interviene una persona para recibir el pedido de comunicación, y las operaciones de conmutación se ejecutan automáticamente por esa persona mediante el funcionamiento de órganos mecánicos (CEI/38 55–20–015).

semiautomatic tape relay   *(Teleg)* retransmisión semiautomática por cinta, escala semiautomática por cinta perforada. CF. **semiautomatic relay installation, torn-tape relay.**

semiautomatic telephone system   sistema telefónico semiautomático, sistema de telefonía automática. V. **semiautomatic system.**

semiautomatic traffic   *(Telef)* tráfico semiautomático.

semiautomatic working   *(Telef)* servicio semiautomático, explotación semiautomática. SIN. **semiautomatic operation.** CF. **automatic working, full automatic working** ‖ operación (telefónica) semiautomática. Operación telefónica en la cual todo pedido de comunicación llega a una operadora que establece ésta con la ayuda de selectores mandados a distancia (CEI/70 55–105–050). V.TB. **semiautomatic system.**

semiaxial   *adj:* semiaxil, semiaxial.

semiaxis   semieje.

semiaxle   semieje.

semibastard file   *(Herr)* lima semibastarda.

semibreve   *(Mús)* semibreve.

semibutterfly circuit   circuito mariposa asimétrico.

semicantilever   semiménsula, semicantilever.

semicantilever wing   *(Aeron)* ala semiménsula, ala semicantilever.

Semicap   Semicap. Nombre comercial de un semiconductor de capacitancia variable con la tensión a él aplicada. SIN. **Varicap.**

semichord   semicuerda.

semicircle   *(Mat)* semicírculo ‖ *(Instr)* semicírculo, grafómetro ‖‖ *adj:* semicircular.

semicircular   *adj:* semicircular.

semicircular arch   *(Ing civil)* arco de medio punto.

semicircular component of error   *(Radiogoniometría)* componente de error semicircular ‖ componente semicircular de error. Componente sinusoidal de una curva de error de un radiogoniómetro, que se anula dos veces por vuelta (CEI/70 60–71–125). CF. **octantal component of error, quadrantal component of error.**

semicircular error   *(Radiogoniometría)* error semicircular. Error de instalación [resultant of the instrumental and site errors] que se anula dos veces por vuelta de un radiogoniómetro orientable o de un indicador de ángulo (CEI/70 60–71–120). CF. **octantal error, quadrantal error.**

semicircular path   trayectoria semicircular.

semicircular-type roundhouse   *(Ferroc)* depósito de locomotoras anular. Galpón con planta en forma de anillo, corona o sector.

semicircumference   *(Mat)* semicircunferencia ‖‖ *adj:* semicircunferencial.

semicircumferential   *adj:* semicircunferencial.

semicloverleaf intersection   *(Carreteras)* intercambio a medio trébol, cruce de caminos por dos cuadrantes.

semicoated electrode   *(Soldadura)* electrodo semirrevestido.

semicolon   punto y coma (;).

semicolumnar magnet   imán de estructura semicolumnar.

semicon   Abrev. de semiconductor.

semiconductible   *adj:* semiconductible, semiconductor.

semiconducting   *adj: (Elecn)* semiconductor.

semiconducting bead   perla semiconductora. SIN. **thermistor.**

semiconducting ceramic   cerámica semiconductora.

semiconducting diamond   diamante semiconductor.

semiconducting element   elemento semiconductor.

semiconducting material   material semiconductor.

semiconducting region   región semiconductora.

semiconductor   semiconductor. Cuerpo sólido cuya resistividad está comprendida entre la de los conductores (metales) y la de los aislantes (llamados también, respectivamente, *buenos conductores* y *buenos aislantes*). Algunos de los semiconductores son sales u óxidos en los cuales la conducción es iónica, pero éstos son de escasa importancia en electrónica. Los de mayor importancia, y a ellos se refiere lo que sigue, son óxidos o elementos metalóidicos en los cuales la conducción es electrónica, y en los cuales la concentración de los portadores de carga eléctrica aumenta con la temperatura dentro de cierto intervalo de ésta; es decir, que existe un margen de temperaturas en el cual (al contrario de lo que sucede con los conductores) la resistividad disminuye con la temperatura. También afectan la resistividad de los semiconductores la luz, los campos eléctricos, los campos magnéticos, y, muy en particular, la presencia de ciertas impurezas en cantidades ínfimas (v. **impurity, doping**). Según las impurezas presentes, la conducción se efectúa: (a) por movimiento de electrones (cargas negativas), cuando hay exceso de ellos *(conducción tipo N)*, o (b) por traslado de *huecos* o *agujeros* (cargas positivas ficticias), cuando hay defecto de electrones *(conducción tipo P)*. Con frecuencia existen ambas clases de portadores de carga en un mismo semiconductor, y, en consecuencia, ambos mecanismos de conducción. Los llamados *huecos* (v. **hole**) no son sino cargas negativas ausentes (o sea, ausencias de electrón) que se comportan como cargas positivas. Son ejemplos de semiconductor: el *óxido de cobre* (Cu_2O) [copper oxide], utilizado desde 1926 en la construcción de rectificadores; el *sulfuro de plomo* (PbS) [lead sulfide], conocido por *galena,* empleado desde antes de 1920 para la detección de señales de radio; el *teluro de plomo* (PbTe) [lead telluride]; el *germanio* [germanium]; el *selenio* [selenium]; el *silicio* [silicon]; y el *carburo de silicio* [silicon carbide]. Los semiconductores se emplean como electrones [nonmetallic conductor of electrons]. Se distinguen electrónicos de estado sólido (transistores, diodos, fotocélulas, termistores, etc.), así como circuitos electrónicos integrados (v. **integrated circuit**) | semiconductor. Conductor no metálico de electrones [nonmetallic conductor of electrons]. Se distinguen diversas categorías de semiconductores: electrónicos intrínsecos, electrónicos extrínsecos, tipo P, tipo N, iónicos, mixtos (CEI/56 05-15-065). v. **intrinsic semiconductor, extrinsic semiconductor, N-type semiconductor, P-type semiconductor, ionic semiconductor, mixed semiconductor** | (*i.e.* semiconductor device) dispositivo semiconductor. CF. **diode, transistor, phototube, thermistor** /// *adj:* semiconductor. SIN. **semiconducting** /// AFINES: tecnología de los semiconductores, física del estado sólido, física electrónica, electrones positivos (positones o positrones), electrones periféricos [satélites, de valencia], portadores de corriente, par electrón-hueco, metal de conducción por huecos [agujeros], metal de conducción por electrones, dosificación de impurezas, átomo extraño, inclusión extraña, banda saturada [completa], banda de valencia, banda prohibida, banda permitida, banda de conducción, banda de conducción incompleta, banda de conducción vacía, nivel electrónico, nivel energético,

nivel de Fermi, banda de energía.

semiconductor amplifier   amplificador semiconductorizado [con dispositivos semiconductores].

semiconductor chip   lasca [lasquita] semiconductora.

semiconductor degeneracy   degeneración del semiconductor.

semiconductor detector   detector semiconductor. (1) Detector de señales de radio constituido por un dispositivo semiconductor. (2) Detector de partículas nucleares en el cual el elemento sensible es un material semiconductor.

semiconductor device   dispositivo (de) semiconductor. Dispositivo electrónico en el cual la conducción tiene lugar en un cuerpo semiconductor.

semiconductor diffusion furnace   horno de difusión de semiconductores.

semiconductor diode   diodo semiconductor. Dispositivo semiconductor de dos electrodos. SIN. **crystal diode [rectifier].** CF. **tunnel diode, varactor diode, light-emitting diode.**

semiconductor-diode parametric amplifier   amplificador paramétrico de diodo semiconductor, amplificador paramétrico de varactor.

semiconductor furnace   horno para el tratamiento de semiconductores.

semiconductor integrated circuit   circuito de semiconductores integrado. Circuito constituido por elementos de circuito realizados en uno o más bloques de material semiconductor, con sus correspondientes interconexiones. SIN. **integrated circuit.** CF. **microelectronics.**

semiconductor intrinsic property   propiedad intrínseca de un semiconductor.

semiconductor junction   unión entre semiconductores. Región de transición entre materiales semiconductores de diferentes propiedades eléctricas. CF. **NP junction, PN junction.**

semiconductor laser   laser de semiconductor. Laser en el cual la longitud de onda del haz está determinada por un compuesto semiconductor. v.TB. **diode laser.**

semiconductor maser   maser de semiconductor.

semiconductor material   material semiconductor.

semiconductor microphone   micrófono de semiconductor. Micrófono cuyo funcionamiento se basa en las propiedades piezoeléctricas de una unión de semiconductores, a la cual se transmiten mecánicamente las vibraciones del diafragma.

semiconductor mount   montura de semiconductor.

semiconductor nuclear diode   diodo semiconductor detector de partículas nucleares. Dispositivo funcionalmente asimilable a una cámara de ionización [ionization chamber], capaz de detectar partículas alfa y beta, protones, fragmentos de fisión nuclear, iones pesados, rayos gamma, y neutrones. La "cámara de ionización" consiste en la región de enrarecimiento de barrera [barrier depletion region] de una unión PN formada inmediatamente debajo de la superficie de una pequeña oblea de silicio monocristalino tipo P de gran pureza. La partícula que interesa detectar entra en la región enrarecida del detector y allí produce pares electrón-hueco, cada uno de los cuales tiene una energía de 3,5 electrón-voltios. El número de pares electrón-hueco producidos aumenta linealmente con la energía de la partícula incidente, por lo cual la salida del dispositivo aumenta linealmente en función de la energía de las partículas. CF. **semiconductor detector.**

semiconductor optical maser   maser óptico de semiconductor.

semiconductor physics   física de los semiconductores.

semiconductor power rectifier   rectificador de potencia de semiconductor.

semiconductor power supply   fuente de alimentación de elementos semiconductores, fuente de poder con rectificadores de semiconductor.

semiconductor rectification   rectificación por medio de elementos semiconductores.

semiconductor rectifier   rectificador de semiconductor. SIN. **metallic rectifier** | válvula de semiconductor. Válvula eléctrica en la cual se utiliza la conductibilidad asimétrica del contacto de dos materias sólidas, de las cuales una es un semiconductor. SIN. **metal rectifier** (*término desaconsejado*) (CEI/56 11–05–035).

semiconductor relay   relé (electrónico) de semiconductor.

semiconductor strain gage   galga deformimétrica de semiconductor.

semiconductor strain-gage transducer   transductor deformimétrico de semiconductor. Transductor deformimétrico cuya base de funcionamiento es la relación entre el esfuerzo aplicado a un cuerpo semiconductor y el flujo electrónico que en éste produce la deformación resultante.

semiconductor switch   conmutador (electrónico) de semiconductor.

semiconductor technology   tecnología de los semiconductores.

semiconductor thermogenerator   termogenerador de semiconductor.

semiconductorization   semiconductorización. CF. **transistorization.**

semiconductorized   *adj:* semiconductorizado. Construido a base de elementos semiconductores, en vez de tubos electrónicos. CF. **transistorized.**

semicontinuous   *adj:* semicontinuo.

semicrystalline   *adj:* semicristalino.

semicubical   *adj:* semicúbico.

semicycle   semiciclo; semiperíodo.

semicylindrical   *adj:* semicilíndrico.

semidarkness   semiobscuridad.

semidetailed   *adj:* semidetallado.

semidetailed block diagram   diagrama por etapas en detalle parcial.

semidiameter   semidiámetro.

semidirect lighting   alumbrado semidirecto. Alumbrado por medio de aparatos de luz o luminarios que dirigen una fracción del 60 al 90 % de su flujo luminoso directamente hacia el plano que se ilumina (supuesto indefinido) (CEI/58 45–50–015). CF. **semi-indirect lighting, direct lighting.**

semidirectional   *adj:* semidireccional, semidirectivo.

semidirectional microphone   micrófono semidireccional. Micrófono direccional respecto a una fracción de la gama de frecuencias solamente.

semiduplex   (*Telecom*) (sistema) semidúplex. CF. **half-duplex** | (*i.e.* semiduplex operation) explotación semidúplex | (*i.e.* semiduplex method of operation) modo de explotación semidúplex ||| *adj:* semidúplex.

semiduplex circuit   circuito semidúplex.

semiduplex communication   comunicación semidúplex, comunicación bilateral alternada.

semiduplex method of operation   modo de explotación semidúplex. v. **semiduplex operation.**

semiduplex operation   (*Telecom*) explotación semidúplex. TB. servicio [funcionamiento] semidúplex, trabajo en semidúplex. Modo de explotación símplex en un extremo del enlace y dúplex en el otro. La explotación semidúplex (como la dúplex) exige el empleo de dos frecuencias portadoras; en cambio, la explotación símplex puede efectuarse con una o con dos frecuencias. CF. **half-duplex operation.**

semiduplex public correspondence system   sistema semidúplex de correspondencia pública.

semielliptic(al)   *adj:* semielíptico.

semiempirical   *adj:* semiempírico.

semiempirical mass formula   (*Fís*) fórmula semiempírica de la masa.

semienclosed   *adj:* semicerrado, semiencerrado || (*Elec*) semicerrado. Se dice de una máquina o de un aparato en el cual ninguna parte bajo tensión o en movimiento es directamente accesible, estando constituidas las aberturas necesarias para la ventilación por celosías (CEI/38 10–35–070). CF. **enclosed, semiprotected.**

semienclosed apparatus   (*Elec*) aparato semicerrado.

semienclosed fuse   (*Elec*) cortacircuito de fusión semiencerrada. Cortacircuito en el cual el desarrollo del arco, la emisión de los gases, y la proyección de llamas o partículas metálicas provocados por la fusión, son controlados de manera de limitar los peligros de lesión a las personas (CEI/57 15–40–055). CF. **fuse with enclosed fuse element, open-wire fuse, expulsion fuse.**

semienclosed machine   (*Elec*) máquina semicerrada.

semienclosed motor   (*Elec*) motor semicerrado.

semifinished   *adj:* semiacabado, semielaborado.

semifireproof   *adj:* semiincombustible.

semifixed   *adj:* semifijo.

semifixed beam   viga semiempotrada.

semifixed control panel   (*Informática*) panel de control de conexiones semifijas.

semifloating   *adj:* semiflotante.

semifloating axle   eje semiflotante, eje semiportante.

semifluid   *adj:* semifluido; semidenso.

semiflush   *adj:* semiembutido, semirrasante, que sobresale poco.

semiflush light   (*Avia*) luz semirrasante.

semigroup   (*Mat*) semigrupo.

semihard   *adj:* semiduro.

semihard rubber   caucho semiduro. LOCALISMO: hule semiduro.

semiindirect   v. **semi-indirect.**

semilethal   *adj:* semiletal.

semilog   Abrev. de semilogarithmic.

semilogarithmic   *adj:* semilogarítmico.

semilogarithmic (coordinate) paper   papel semilogarítmico.

semimagnetic controller   (*Elec*) combinador semielectromagnético. Combinador en el cual sólo una parte de las funciones básicas están gobernadas por electroimanes.

semimat   *adj:* semimate, semibrillante.

semimechanical   *adj:* semimecánico; semimecanizado.

semimechanical central office   (*Telef*) central semiautomática.

semimechanical installation   (*Telef*) instalación semiautomática. SIN. **semiautomatic plant.**

semimechanical position   (*Telef*) posición con teclado. SIN. **key-pulsing [key-sending] position.**

semimechanical system   (*Telef*) sistema de telefonía semiautomática. SIN. **semiautomatic system.**

semimechanical telephone system   sistema de telefonía semiautomática. SIN. **semiautomatic system.**

semimechanization   semimecanización.

semimetal   metaloide. Cuerpo con propiedades intermedias entre las de los metales y las de los semiconductores. SIN. **metaloid.**

semimetallic   *adj:* semimetálico || (*Quím*) metaloideo, metalóidico.

semimetallic packing   empaquetadura semimetálica.

semimonocoque   *adj:* semimonocasco.

semimonocoque fuselage   fuselaje monocasco.

semimonthly   *adj:* quincenal, que ocurre dos veces al mes.

seminar   seminario; sesión de estudio; ciclo de sesiones de estudio.

semiperimeter   semiperímetro.

semipermeable membrane   (*Electroquím*) membrana [diafragma, pared] semipermeable. Diafragma que permite el paso del disolvente, pero que impide el paso de substancias disueltas. SIN. **semipermeable partition** (CEI/38 50–05–150).

semipermeable partition   (*Electroquím*) membrana [diafragma, pared] semipermeable. v. **semipermeable membrane.**

semiportable   *adj:* semiportátil, semifijo.

semiproportional   *adj:* semiproporcional.

semiproportional counter   contador semiproporcional.

semiprotected   *adj:* semiprotegido, parcialmente protegido || (*Elec*) semiprotegido. Se dice de una máquina cuyos devanados están protegidos contra los choques por la disposición del armazón y de los soportes (CEI/38 10–35–055). CF. **protected.**

semiprotected machine   (*Elec*) máquina semiprotegida. Máquina cuyos devanados están protegidos contra los choques por la disposición del armazón [frame] y de los soportes [bearing

supports] (CEI/56 10–05–160). NOTA: La definición precedente no tiene término inglés en el correspondiente vocabulario. CF. open-type machine.

semiprotected motor (*Elec*) motor semiprotegido.

semiquaver (*Mús*) semicorchea.

semiremote-cutoff pentode (*Elecn*) pentodo de corte semialejado.

semiresonant *adj:* semirresonante.

semiresonant propagating circuit (*Tubos de microondas*) circuito de propagación semirresonante.

semiresonant transmission line línea de transmisión semirresonante.

semirigid *adj:* semirrígido.

semirigid airship aeronave semirrígida; dirigible semirrígido.

semirigid cable cable semirrígido.

semiselective *adj:* semiselectivo.

semiselective ringing (*Telef*) llamada semiselectiva; llamada por código.

semiself-maintained discharge (*Descargas eléc en los gases*) descarga semiautónoma. Descarga caracterizada por el hecho de que los portadores de carga producidos por un agente ionizante exterior [external ionizing agent] adquieren una velocidad suficiente para ionizar a su vez el gas, pero insuficiente para mantener la descarga cuando cesa la acción del agente exterior (CEI/56 07–13–015). CF. nonself-maintained discharge, self-maintained discharge, first Townsend discharge, second Townsend discharge.

semisilvered *adj:* semiplateado.

semisilvered prism prisma semiplateado.

semiskilled *adj:* semidiestro.

semiskilled labor mano de obra semiespecializada.

semispan semiluz ‖ (*Aviones*) semienvergadura.

semispherical *adj:* semiesférico.

semistable *adj:* semiestable.

semistall (*Avia*) entrada en pérdida parcial, pérdida de velocidad parcial.

semistatic *adj:* semiestático; semipermanente.

semisteel semiacero, hierro acerado, fundición acerada.

semistor (*i.e.* semiconductor resistor) resistor de material semiconductor.

semitone (*Mús*) semitono. Intervalo entre dos sonidos cuyas frecuencias fundamentales están en relación aproximadamente igual a $\sqrt[12]{2}$. SIN. half-step. CF. octave.

semitransparent *adj:* semitransparente.

semitransparent photocathode fotocátodo semitransparente. Fotocátodo en el cual se produce una emisión fotoeléctrica en una cara cuando sobre la cara opuesta incide un flujo radiante.

semiuniversal *adj:* semiuniversal.

semiuniversal cord-circuit (*Telef*) cordón semiuniversal.

semivitrified *adj:* semivitrificado.

semivitrified resistor resistor semivitrificado.

semiwide-angle lens lente semigranangular.

senary (*Mat*) senario. Compuesto de seis elementos, guarismos o unidades.

send *verbo:* enviar, remitir, mandar; despachar, expedir; emitir, lanzar, arrojar ‖ (*Telecom*) enviar, transmitir.

send adjustment (*Telecom*) ajuste de transmisión; ajuste del nivel de transmisión.

send by radio transmitir por radio.

send by wire transmitir por hilo.

send leg (*Telecom*) ramal de transmisión. CF. receive leg.

send loop (*Telecom*) bucle de transmisión.

send out *verbo:* emitir; transmitir; difundir.

send-receive key (*Telecom*) conmutador de emisión-recepción.

send-receive keyboard (*Teleimpr*) teclado emisor-receptor.

send-receive relay relé de emisión-recepción.

send-receive switch conmutador de emisión-recepción.

sender (*Telecom*) emisor, transmisor (de señales); traductor;

transductor ‖ (*Radiocom*) emisor, transmisor. SIN. emitter, transmitter ‖ (*Radiotelef*) originador de una comunicación ‖ (*Telef*) emisor de impulsos. SIN. impulse machine, key sender | registrador | registrador de partida. En telefonía automática, dispositivo accesible a un cierto número de circuitos entrantes, que recibe y registra las informaciones relativas a un número de abonado o a un servicio solicitado, y puede a continuación mandar el establecimiento de la totalidad o de una parte de la conexión deseada. SIN. register (CEI/70 55–95–300) | director. Dispositivo utilizado en el sistema Strowger de telefonía automática ‖ (*Teleg*) manipulador. Órgano de accionamiento manual que produce el funcionamiento adecuado de los contactores para la emisión de señales telegráficas. SIN. sending key (CEI/38 55–15–070) | manipulador (telegráfico). SIN. (telegraph) key | CF. automatic sender, key sender, keyboard sender | (*i.e.* sender of a telegram) remitente, impositor, expedidor (de un telegrama). CF. addressee.

sender circuit (*Telef*) circuito emisor. SIN. register circuit.

sender selection (*Telecom*) preselección. SIN. preselection.

sender selector (*Telecom*) buscador de registrador [de emisor]. SIN. register chooser [finder, selector].

sender's correction (*Teleg*) corrección del expedidor.

sending envío, remisión; despacho, expedición; emisión, lanzamiento ‖ (*Telecom*) transmisión, envío (de señales, de telegramas).

sending aerial antena transmisora [de transmisión], antena de emisión. SIN. transmitting antenna.

sending amplifier (*Telecom*) amplificador de emisión. SIN. transmitting amplifier.

sending antenna antena transmisora [de transmisión]. SIN. transmitting antenna.

sending code código telegráfico.

sending console (*Telecom*) consola emisora.

sending end (*Telecom*) extremo de transmisión ‖ (*Líneas de tr*) extremidad de entrada [de alimentación, de excitación, de ataque], extremo transmisor.

sending-end impedance (*Líneas de tr*) impedancia de entrada [de alimentación], impedancia en el extremo transmisor. Es igual al cociente entre la tensión aplicada y la corriente resultante en el mismo extremo, y coincide con la impedancia característica [characteristic impedance] en el caso de una línea uniforme de longitud infinita. SIN. driving-point impedance.

sending-end termination terminación para línea de transmisión.

sending-end termination output salida con terminación para línea de transmisión. Circuito de salida con terminación de impedancia apropiada para que puedan conectarse a él líneas de transmisión (cables largos) sin que ocurran reflexiones.

sending-end voltage tensión de entrada [de alimentación].

sending filter (*Telecom*) filtro de transmisión [de emisión]. Filtro empleado en la terminal transmisora, generalmente con el objeto de limitar la banda de frecuencias transmitidas.

sending inlet (*Transportadores*) boca de expedición.

sending installation (*Telecom*) instalación transmisora [emisora, de emisión].

sending instrument (*Telecom*) aparato emisor.

sending key (*Telecom*) llave; pulsador ‖ (*Teleg*) manipulador telegráfico. SIN. (telegraph) key | manipulador. Órgano de accionamiento manual que produce el funcionamiento adecuado de los contactores para la emisión de señales telegráficas. SIN. sender (CEI/38 55–15–070).

sending leg (*Telecom*) (a.c. send leg) ramal de transmisión, rama transmisora local. Circuito local de CC utilizado para manipular un canal telegráfico de onda portadora, y que comprende un relé y otros elementos.

sending office (*Telecom*) centro transmisor. SIN. forwarding office.

sending oscillator (*Sist de corriente portadora*) oscilador de transmisión.

sending phototelegraph station estación fototelegráfica transmisora.

sending-receiving typing reperforator   *(Teleimpr)* reperforador impresor de transmisión y recepción.

sending register   *(Telef)* registrador de partida [de salida]. SIN. **outgoing register, sender.**

sending slip   *(Teleg)* cinta de transmisión.

sending stage   *(Telef)* fase de emisión.

sending station   *(Telecom)* estación emisora [transmisora].

sending telegraph operator   telegrafista transmisor.

sending telegraphist   telegrafista transmisor.

sending unit   dispositivo emisor; dependencia remitente.

sending wave   *(Radiocom)* onda de trabajo. SIN. **working wave.**

senior commercial pilot   *(Avia)* piloto comercial de primera clase.

senior engineer   ingeniero de primera; ingeniero superior; ingeniero más antiguo (de un departamento o de una empresa). CF. **junior engineer** ‖ *(Buques)* jefe de máquinas.

senior pilot   *(Avia)* piloto de primera clase.

senior technician   técnico de primera; técnico especializado.

senior traffic officer   *(Avia)* jefe de pista.

seniority   antigüedad (de servicio). Lugar que ocupa un empleado en el escalafón de antigüedad de una empresa o un organismo.

SENS   *(Esquemas)* Abrev. de sensitivity.

sensation level   *(Acús)* nivel de sensación, nivel sobre el umbral de sensación. v. **level above threshold.**

sense   sentido, significado, interpretación; sentido, dirección; signo ‖ *(Mat)* sentido ‖ *(Radionaveg)* sentido. Relación de una variación en la indicación dada por un aparato, con la variación del parámetro indicado ‖ v. **sense of. . .** ‖‖ *verbo:* detectar, determinar (una condición particular, la posición de un dispositivo, el valor o el signo de una magnitud) ‖ *(Informática)* leer (una tarjeta o una cinta perforadas); determinar el estado informático (de un dispositivo almacenador); captar (impulsos) ‖ *(Radionaveg)* resolver una ambigüedad de 180° (en la indicación de un aparato). V.TB. **sense finding.**

sense aerial   v. **sense antenna.**

sense amplifier   *(Informática)* amplificador de salida. Amplificador que detecta y amplifica la salida de un dispositivo de memoria (dispositivo almacenador de información).

sense antenna   (a.c. sensing antenna) antena (determinadora) de sentido, antena para determinar el sentido. (1) En general, antena auxiliar utilizada con una antena receptora direccional para resolver ambigüedades de 180° en la indicación de dirección de llegada de las señales. (2) Antena auxiliar que, utilizada en combinación con la antena de cuadro de un radiogoniómetro, hace que la anulación de la señal ocurra sólo en uno de los dos sentidos de la línea de rumbo, de modo que éste quede determinado sin ambigüedad. SIN. **sense aerial.** V.TB. **sense finding.**

sense determination   determinación de sentido.

sense finder   *(Radiocom)* supresor de ambigüedad; indicador de sentido; determinador de sentido, aparato para determinar el sentido, orientador. Parte de un radiogoniómetro que sirve para determinar en cuál de los dos sentidos opuestos llegan las señales observadas. SIN. **sense antenna.**

sense finding   *(Radiocom)* supresión de ambigüedad; indicación de sentido; determinación de sentido ‖ supresión de ambigüedad. Operación que suprime la incertidumbre de 180° en los ángulos de rumbo suministrados por ciertos tipos de radiogoniómetros (CEI/70 60-71-285).

sense indicator register   *(Informática)* registro indicador.

sense of a vector   *(Mat)* sentido de un vector. Orden de los puntos extremos del vector.

sense of an inequality   *(Mat)* sentido de una desigualdad. Una desigualdad tiene un sentido (indicado por el signo >) cuando el primer miembro es mayor que el segundo, y el opuesto (indicado por el signo <) en caso contrario.

sense research   v. **sense finding.**

sense-reversing reflectivity   reflectividad inversora de sentido. Propiedad de un reflector de invertir el sentido de propagación de un rayo incidente.

sense step   *(Transductores)* calibración secundaria. v. **secondary calibration.**

sense winding   *(Informática)* devanado de salida. Devanado de un dispositivo de memoria en el cual se genera la señal de salida. CF. **sense amplifier.**

sensibility   sensibilidad. v. **sensitiveness, sensitivity** ‖ *(Instr)* sensibilidad; precisión.

sensible   *adj:* sensitivo; sensible, perceptible; sensato; cuerdo, razonable, juicioso.

sensible atmosphere   *(Meteor)* atmósfera sensible.

sensible heat   *(Fís, Refrig)* calor sensible.

sensible horizon   *(Astr)* horizonte sensible [visible].

sensible note   *(Mús)* (a.c. sensible tone) nota sensible [séptima].

sensible tone   v. **sensible note.**

sensing   detección, determinación (de una condición, un estado, una posición, un valor, un signo de una magnitud); muestreo (p.ej. de una tensión) ‖ *(Informática)* lectura (de marcas sensibles, de perforaciones en una tarjeta o una cinta); captación (de impulsos); captación de datos (de un dispositivo almacenador de información) ‖ *(Artillería)* apreciación [observación] (del sentido) de los desvíos ‖ *(Instr)* desviación de la aguja; determinación del sentido (de una indicación) ‖‖ *adj:* detector; sensible; palpador, sensor; lector.

sensing aerial   v. **sense antenna.**

sensing antenna   v. **sense antenna.**

sensing bar   *(Informática)* barra lectora.

sensing circuit   circuito sensible [detector].

sensing device   dispositivo sensible. Dispositivo o elemento que genera una señal relativa a una condición o una variable que se desea detectar o medir (generalmente una magnitud física como temperatura, presión, nivel hidráulico, gasto, humedad, luz, color, acidez, basicidad, etc.). SIN. **elemento sensible [primario], órgano detector [de detección], transductor —— sensing [sensitive, primary] element, sensor, transducer, pickup.**

sensing element   elemento sensible. TB. elemento sensor [sensorio]. SIN. **primary detector, sensing device, sensor.**

sensing finger   *(Teleimpr)* dedo sensor.

sensing head   *(Aparatos de inspección)* cabezal sensible.

sensing pin   punta palpadora ‖ *(Informática)* perno de lectura ‖ *(Teleimpr)* espiga sensora.

sensing probe   sonda detectora.

sensing relay   relé detector.

sensing time   tiempo de detección ‖ tiempo de reconocimiento. CF. **switching time.**

sensing tip   punta palpadora ‖ *(Det de fugas)* sonda.

sensing transistor   transistor detector.

sensing unit   unidad sensible, dispositivo [elemento] sensible. SIN. **sensing device [element]** ‖ palpador.

sensing wire   *(Informática)* hilo sensor [de lectura]. Hilo por el cual se toma el impulso de salida en una memoria de núcleos magnéticos.

Sensistor   Sensistor. Marca registrada (Texas Instruments) de un resistor de silicio cuya resistencia varía con la temperatura, la potencia, y el tiempo; se utiliza en circuitos electrónicos para la compensación de temperatura.

sensitise *(GB)*   v. **sensitize.**

sensitive   *adj:* sensible; sensitivo; sensible, impresionable; susceptible, vulnerable; delicado ‖ *(Aparatos, Instr)* sensible; de precisión ‖ *(Fotog)* sensible, sensibilizado.

sensitive AC relay   relé [relevador] sensible de CA.

sensitive altimeter   altímetro de precisión. En aviación se refiere a un altímetro de suficiente precisión para su utilización en vuelos por instrumentos [instrument flying].

sensitive DC relay   relé [relevador] sensible de CC.

sensitive element   v. **sensing element.**

sensitive film   *(Fotog)* película sensible.

sensitive gate   *(Triacs)* compuerta sensible, electrodo de control.

sensitive layer   *(Fotog)* capa sensible, emulsión.

sensitive lining   *(Cám de ionización)* revestimiento sensible. Substancia aplicada en forma de revestimiento o depósito en el interior de ciertas cámaras de ionización [ionization chambers], y cuya reacción con neutrones da origen a partículas cargadas ionizantes [charged ionizing particles]. NOTA: El término *partículas* se emplea aquí en su sentido más general, y comprende, entre otros, los fragmentos de fisión (CEI/68 66–10–160).

sensitive magnetic relay   relé [relevador] magnético sensible.

sensitive plate   *(Fotog)* placa sensible.

sensitive receiver   receptor sensible.

sensitive relay   relé [relevador] sensible. Relé o relevador capaz de responder a la aplicación de potencias excitadoras pequeñas (del orden del milivatio) o a corrientes muy débiles (del orden del miliamperio).

sensitive response   respuesta sensitiva; respuesta de precisión.

sensitive spot   punto sensible.

sensitive switch   conmutador sensible; interruptor sensible. SIN. snap-action switch (véase).

sensitive time   *(Nucl)* tiempo de funcionamiento ‖ *(Cám de expansión)* tiempo de sensibilidad. Duración del estado sensible [sensitive state] apropiado para la formación de una traza [track] en una cámara de expansión (CEI/68 66–10–340).

sensitive to power   sensible a la potencia (disipada).

sensitive to temperature   sensible a la temperatura.

sensitive to voltage   sensible a la tensión (aplicada).

sensitive volume   volumen útil. Parte de un instrumento utilizada para la medida o la detección de una radiación (CEI/64 65–10–685) | volumen útil [sensible]. Parte de un detector de radiación susceptible de ser el origen de una señal de salida (CEI/68 66–10–090).

sensitiveness   sensibilidad; sensitividad; susceptibilidad; delicadeza, finura ‖ *(Aparatos, Instr)* sensibilidad; precisión. v. **sensitivity**.

sensitivity   sensibilidad. (1) Aptitud de un dispositivo de responder satisfactoriamente cuando la excitación es débil. (2) Cuantitativamente, cifra de mérito que expresa el grado en que un dispositivo responde a la magnitud de entrada o excitación. EJEMPLOS: (a) microvoltios de señal de entrada para una potencia de audio determinada (radiorreceptores); (b) tensión de la señal de entrada necesaria para alcanzar la potencia máxima nominal de salida (audioamplificadores); (c) divisiones por voltio u ohmios por voltio (instrumentos de medida); (d) desplazamiento lineal (p.ej. en centímetros) del punto móvil por voltio aplicado a las placas de desviación o por amperio de corriente en la bobina de desviación (osciloscopios); (e) corriente de salida por unidad de radiación incidente (dispositivos fotoeléctricos); (f) salida relativa de un sistema comparada con un nivel especificado de entrada. (3) De un transductor de presión del tipo deformimétrico [strain-gage pressure transducer], cociente de la salida en milivoltios, a la presión especificada, por el nivel de excitación en voltios; o bien, pendiente de la curva de la señal de salida en milivoltios sobre la gama de presiones, con una excitación constante ‖ *(Equipos de medida)* sensibilidad. Cociente del valor de la respuesta del equipo de medida, por el valor de la magnitud medida (CEI/68 66–10–385) ‖ *(Electroacús)* rendimiento. v. **response** ‖ *(Fotog)* sensibilidad; rapidez (de una emulsión). Rapidez con que el material fotográfico para negativos es capaz de formar una imagen visible al ser expuesto a la luz o a los rayos actínicos. SIN. **speed** ‖ *(Telecom)* **(of an echo suppressor)** sensibilidad (de un supresor de eco). La sensibilidad está expresada por un número de neperios o de decibelios con el mismo valor que el nivel de funcionamiento [operate level], pero de signo contrario. La *sensibilidad local* [local sensitivity] y la *sensibilidad referida al nivel relativo cero* [sensitivity referred to zero relative level] corresponden al nivel local de funcionamiento [local operate level] y al nivel de funcionamiento referido al nivel relativo cero [operate level referred to relative level], respectivamente (CEI/70 55–05–

475) ‖ *(Radiocom)* **(of a radio receiver)** sensibilidad (de un receptor radioeléctrico). (a) Aptitud de un receptor radioeléctrico de suministrar una señal de salida fácilmente utilizable a partir de una señal débil de entrada, o de una señal incidente débil. (b) Valor de la señal más débil que, aplicada a la entrada de un receptor radioeléctrico, suministra una señal de salida de características especificadas (CEI/70 60–44–095) ‖ *(Tv)* **(of a camera tube)** sensibilidad (de un tubo analizador de televisión). Cociente de la corriente suministrada por un tubo analizador de televisión, por el flujo energético incidente [incident radiant energy] uniformemente distribuido sobre el fotocátodo [photocathode] (CEI/56 07–30–320) ‖ CF. **absolute sensitivity, relative sensitivity, free-field current sensitivity, free-field voltage sensitivity, luminous sensitivity, response, sensibility, sensitiveness, sensitivity of...**

sensitivity adjustment   ajuste [reglaje] de sensibilidad. SIN. **span adjustment**.

sensitivity characteristic of the ear   característica [curva] de sensibilidad del oído.

sensitivity coefficient   coeficiente de sensibilidad. En telecomunicaciones, coeficiente utilizado en el cálculo de las componentes de la fuerza electromotriz sofométrica [psophometric electromotive force] desarrollada en un circuito, y que tiene su origen en la asimetría del circuito respecto a la tierra y respecto a los conductores vecinos.

sensitivity control   control [mando] de sensibilidad. En un radiorreceptor, control o mando que permite ajustar la amplificación de las etapas de radiofrecuencia. CF. **volume control** | regulación de (la) sensibilidad.

sensitivity decrease   decremento [disminución] de sensibilidad.

sensitivity loss   pérdida [disminución] de sensibilidad.

sensitivity of compass   sensibilidad de la brújula.

sensitivity of fuze [fuse]   sensibilidad de la espoleta.

sensitivity range   gama de sensibilidades. CF. **sensitivity adjustment**.

sensitivity referred to zero relative level   *(Telecom)* sensibilidad referida al nivel relativo cero. (1) De un supresor de eco de acción continua [rectifier- or valve-type echo suppressor], valor en unidades de transmisión [transmission units] (neperios o decibelios) de la atenuación que hay que introducir entre un generador normal y el origen del circuito (punto de nivel relativo cero) para que el supresor de eco conectado al circuito en las condiciones normales de utilización, introduzca una atenuación de 0,7 neperio = 6,1 decibelios en la vía de retorno [return channel]. (2) De un supresor de eco de acción discontinua [relay-type echo suppressor], valor en unidades de transmisión (neperios o decibelios) de la atenuación que, introducida entre un generador normal y el origen del circuito (punto de nivel relativo cero), es apenas suficiente para que el supresor de eco conectado al circuito en las condiciones normales de utilización, introduzca la atenuación de bloqueo [blocking attenuation]. CF. **local sensitivity**.

sensitivity regulator   regulador de sensibilidad.

sensitivity test   prueba de sensibilidad.

sensitivity-time control [STC]   control en tiempo de la sensibilidad, control de sensibilidad en el tiempo. TB. sistema STC, regulador de sensibilidad en función del tiempo. (1) Circuito de control automático que modifica la ganancia de un receptor a intervalos regulares, con el fin de obtener niveles de salida relativos convenientes al llegar al aparato señales sucesivas desiguales. En los receptores de lorán sirve para mantener sensiblemente constante la amplitud de la señal de salida al pasar la sintonía del aparato de una señal a otra de intensidad diferente. (2) En radar, circuito que regula la sensibilidad del receptor en función del tiempo que tardan los impulsos emitidos en regresar a la antena. Como ese tiempo varía según la distancia al blanco u objetivo, se obtiene así una regulación de sensibilidad en función de la distancia recorrida por las señales. El circuito reduce la ganancia inmediatamente después de la emisión de un impulso, para evitar que los ecos de objetos próximos sobrecarguen los circuitos, y luego la restablece gradualmente hasta el valor máximo necesario para detectar objetos a mayores distancias. SIN. **control compensador de amplitud, control diferencial de ganancia, control de ganancia antisobrecarga [contra emborronamiento], control de ganancia temporal [en el tiempo, variable en el tiempo]** — amplitude balance control, differential [anticlutter, temporal, time-varied] gain control, gain-time [swept-gain, suppression] control.

sensitization   (*Fotog, Met*) sensibilización ‖ (*Elecn*) activación. SIN. **activation** | sensibilización. v. **sensitizer**.

sensitization susceptibility   susceptibilidad a la sensibilización.

sensitization treatment   tratamiento de sensibilización.

sensitize   *verbo:* sensibilizar; activar.

sensitized   *adj:* sensibilizado; sensible.

sensitized paper   (*Teleg*) papel sensible.

sensitized plate   (*Teleg*) placa sensible.

sensitized surface   superficie sensibilizada.

sensitizer   (*Elecn*) activador. Agente utilizado para la activación de un tubo tomavistas de televisión. SIN. **activator** | sensibilizador. Impureza o átomo desplazado que modifica la distribución espectral de la absorción y de la exciiación de una substancia luminiscente [luminescent material] (CEI/56 07–10–060).

sensitizing   sensibilización; activación ‖‖ *adj:* sensibilizador; activador.

sensitizing pulse   (*TRC*) impulso sensibilizador. SIN. **gate**.

sensitometer   sensitómetro, medidor de fotosensibilidad.

sensitometric   *adj:* sensitométrico.

sensitometric strip   (*Cine*) tira sensitométrica.

sensitometric wedge   (*Cine*) cuña sensitométrica.

sensitometry   sensitometría. Técnica de la medida de las características de respuesta a la luz de las películas fotográficas, en particular su sensibilidad o rapidez (v. **sensitivity**) ‖‖ *adj:* sensitométrico.

sensor   sensor, elemento sensible; detector; captador; transductor. Dispositivo que en respuesta a las variaciones de una magnitud (luz, energía acústica, energía radioeléctrica, presión, temperatura, etc.) produce una señal eléctrica útil para fines de medida, de recopilación de información, de control, etc. SIN. **sensing element, primary detector [element], pickup, transducer** ‖‖ *adj:* sensor; sensible; sensorio.

sensor head   v. **sensing head**.

sensorial   *adj:* sensorio.

sensory   sensorio. SIN. **sensorium** ‖‖ *adj:* sensorio.

sensory data   datos sensorios [captados por los sentidos].

sentence   sentencia; oración (gramatical); frase ‖ (*Mat*) enunciado ‖‖ *verbo:* sentenciar.

sentence articulation   (*Acús/Telef*) nitidez para las frases. De un sistema utilizado para la transmisión o la reproducción de la palabra, tanto por ciento de las frases de un texto cualquiera que son correctamente recibidas.

sentence pattern   (*Gram*) estructura de la oración; modelo de oración.

sentential   *adj:* relativo a la sentencia ‖ (*Gram*) oracional ‖ (*Mat*) enunciativo; dependiente del enunciado.

sentinel   centinela; observador; avisador ‖ (*Informática*) centinela. Símbolo que indica el fin o el principio de un elemento o una unidad de información (ítem, campo, bloque, cinta, archivo, etc.). SIN. **tag**.

SEP   (*Esquemas*) Abrev. de separator.

separability   separabilidad.

separable   *adj:* separable.

separable component part   (*Circ impresos*) parte componente separable. Parte componente reemplazable, cuyo cuerpo no está químicamente ligado al tablero de circuitos impresos, excluidos los efectos de la soldadura, los revestimientos protectores, y las substancias encapsulantes.

separable graph   (*Mat*) grafo separable.

separable space   (*Mat*) espacio separable.

separate   pieza separada ‖ (*Publicaciones*) separata, reproducción de un artículo; tirada especial. SIN. **offprint** ‖‖ *adj:* separado, aparte, independiente; distinto, diferente; desunido, inconexo, segregado, suelto ‖‖ *verbo:* separar; segregar, disgregar; alejar, apartar; dividir, partir; disociar; disolver; eliminar; extraer; separarse; apartarse; desunirse ‖ (*Mat*) to separate the variables: separar las variables ‖ (*Quím*) to separate by filtering: extraer por filtración.

separate excitation   (*Máq eléc*) excitación independiente. Excitación producida por una fuente separada (CEI/56 10–05–110). CF. **self-excitation, separate self-excitation**.

separate-luminance camera   (*Tv*) cámara de "luminancia separada", cámara tomavistas con canal de luminancia independiente. Cámara tomavistas de televisión en colores, en la cual la señal de luminancia se obtiene mediante un tubo independiente, en vez de por combinación de las señales de los canales cromáticos; se utilizan, por tanto, cuatro tubos tomavistas: uno para cada color primario, y el de luminancia.

separate part   (*Redes*) parte inconexa.

separate secondaries not selected   (*Informática*) secundarias separadas no seleccionadas.

separate self-excitation   (*Transductores mag*) autoexcitación indirecta. Procedimiento por el cual la autoexcitación se obtiene por medio de un devanado especial (CEI/55 12–15–020).

separate signaling system   (*Telecom*) sistema con canal de señalización independiente.

separated-orbit cyclotron   ciclotrón de órbitas separadas, ciclotrón de dos etapas separadas.

separately   *adv:* separadamente, por separado; aparte, de por sí; uno a uno; independientemente.

separately available synchronizing pulse   (*Tv*) impulso de sincronización utilizable independientemente.

separately cooled machine   (*Elec*) máquina de enfriamiento separado. Máquina cuyo enfriamiento se obtiene por medio de una fuerza motriz [motive force] no tomada de su árbol, o por medio de un fluido de procedencia exterior que no es aire (CEI/56 10–05–245). CF. **self-cooled machine**.

separately excited device   dispositivo de excitación separada.

separately excited machine   (*Elec*) máquina de excitación separada. CF. **self-excited machine**.

separately instructed carry   (*Informática*) transporte [pase] por instrucción separada. Transporte o pase que ocurre solamente cuando se recibe la señal correspondiente.

separately leaded [SL] cable   (*Elec*) cable de conductores emplomados. Cable constituido por múltiples conductores aislados revestidos cada uno por una vaina de plomo individual (CEI/65 25–30–130).

separately wired equipment   equipo con circuito [línea] independiente.

separating   v. **separation** ‖‖ *adj:* separador; segregador, disgregador; divisor; disociador; eliminador; extractor; decantador.

separating amplifier   amplificador separador.

separating calorimeter   calorímetro de separación.

separating capacitor   capacitor [condensador] separador.

separating filter   v. **separation filter**.

separating tube   tubo (electrónico) separador, válvula (electrónica) separadora.

separating unit   (*Nucl*) unidad de separación.

separation   separación; segregación, disgregación; desprendimiento; alejamiento; apartamiento; división, partición; disociación; disolución; eliminación; extracción; desunión; decantación; separación, espaciado ‖ (*Aerodinámica*) desprendimiento de (los) filetes de aire ‖ (*Tv*) (*i.e.* of synchronizing pulses) separación (de los impulsos de sincronismo ‖ v. **separation between...**, **separation of...**

separation between a telecommunication line and an electric line   espaciamiento entre una línea de telecomunicación y una línea eléctrica. En un emplazamiento considerado, distancia entre las verticales que pasan por los ejes de las dos líneas y situadas en un plano normal al eje de la línea eléctrica. Si el terreno es particularmente accidentado, esa distancia no se mide horizontalmente, sino según la recta que une las trazas sobre el suelo de las mencionadas verticales.

separation between an earth-connected point and a line espaciamiento entre una puesta a tierra y una línea. Distancia perpendicular entre el punto de puesta a tierra y el plano vertical que pasa por el eje de la línea (eléctrica o de telecomunicación). SIN. **separation between an earthing point and a line.**

separation between an earthing point and a line espaciamiento entre una puesta a tierra y una línea.

separation between frequencies espaciamiento entre frecuencias.

separation circuit circuito separador. Circuito utilizado para separar unas señales de otras, discriminándolas por sus amplitudes, frecuencias, u otras características.

separation column *(Nucl)* columna [torre] de separación.

separation distance distancia de separación. En el emplazamiento de estaciones terrenas de comunicación vía satélites, distancia mínima necesaria entre la estación terrena y las estaciones de los sistemas de radioenlace terrestres de la región, para que las interferencias mutuas entre unas y otras estaciones se mantengan por debajo de ciertos valores límites (generalmente los especificados por el CCIR). CF. **coordination distance.**

separation energy *(Fís)* energía de enlace. SIN. **binding energy.**

separation factor *(Nucl)* factor de separación. Relación de abundancia [abundance ratio] de dos isótopos después de un proceso determinado, dividida por la relación de abundancia existente antes de ese proceso. SIN. **enrichment factor.**

separation filter (a.c. separating filter) filtro de separación (de banda). Filtro (o, más precisamente, combinación de filtros) que se utiliza para separar una banda de frecuencias de otra. Se refiere a menudo al utilizado en un sistema de telecomunicación para separar la portadora y las frecuencias de voz para su transmisión por vías individuales.

separation loss *(Registro mag)* pérdida (de señal) por separación entre la cabeza y la cinta. Cuando se pierde el contacto entre la cabeza magnética reproductora y la cinta, ocurre una pérdida en la amplitud de la señal que, expresada en decibelios, es igual a $54,6 \times (S/\lambda)$, donde S es la separación entre la cabeza y la cinta, y λ es la longitud de onda de la señal que se reproduce.

separation of boundary layer *(Fís)* separación de la capa límite (de un fluido). CF. **separation point.**

separation of frequencies separación de frecuencias.

separation of isotopes separación isotópica [de isótopos].

separation of synchronizing pulses separación de los impulsos de sincronismo [de los impulsos sincronizadores]. v. **synchronizing-pulse separation.**

separation of variables *(Mat)* separación de variables. (**1**) Dada una ecuación diferencial ordinaria $y' = F(x, y)$, operación de pasar para el primer miembro todos los términos con y, y para el segundo todos los términos con x. (**2**) Método de hallar una solución particular de una ecuación diferencial parcial lineal, separándola en varias ecuaciones diferenciales ordinarias que puedan ser resueltas por los métodos usuales.

separation panel panel de separación. Panel utilizado para proveer espacio libre entre dos unidades montadas en un mismo bastidor, p.ej. cuando dichas unidades, o una de ellas, generan mucho calor. CF. **blank panel.**

separation plant *(Nucl)* instalación para separación isotópica [de isótopos].

separation point *(Aerodinámica)* punto de desprendimiento de los filetes de aire.

separation product producto de separación.

separative *adj:* separativo, separador.

separative element *(Nucl)* elemento separador. Unidad separa-

dora de isótopos considerada como elemento fundamental de un sistema que comprende muchas unidades semejantes.

separative power *(Nucl)* poder separador. Medida de la separación útil de isótopos efectuada en la unidad de tiempo por un elemento separador.

separative signal *(Telecom)* señal de separación. SIN. **spacing signal.**

separator *(Acum)* separador. Pieza aislante interpuesta entre las placas para mantener su separación e impedir los cortocircuitos interiores (CEI/38 50–25–060) | separación. Conjunto o dispositivo destinado a mantener las placas separadas y a impedir todo contacto metálico entre las placas de polaridad opuesta (CEI/60 50–20–135). CF. **separator diaphragm** || *(Elec, Mec)* separador || *(Estr)* separador, espaciador || *(Minería)* separador, escogedor || *(Tuberías)* separador, colector de agua (condensada) || *(Cables eléc)* capa separadora. Capa de material aislante (p.ej. tela, papel, Mylar) interpuesta entre un conductor y su dieléctrico, entre el forro exterior y los componentes cubiertos por él, o entre los varios componentes de un cable de múltiples conductores, y que tiene por finalidad mejorar ciertas cualidades del cable (facilidad de desforre, flexibilidad) y/o darle protección eléctrica o mecánica adicionales a los componentes que ella separa || *(Elecn)* separador. Circuito que separa ciertas señales de otras, por cercenamiento o recorte [clipping], diferenciación, integración, o filtraje. SIN. **separator circuit.** CF. **separation filter** || *(Tv)* (*i.e.* sync separator) separador (de sincronismo) || *(Electroacús)* (*i.e.* frequency separator) separador (de frecuencias). SIN. **crossover network** || *(Cond)* separador aislante. Material aislante utilizado en la construcción de ciertos condensadores o capacitores arrollados sobre sí mismos || *(Informática)* separador. Símbolo que sirve para separar y organizar elementos o unidades de información. SIN. **sentinel, tag** | delimitador. Carácter que limita una sucesión de caracteres sin pertenecer a ella. SIN. **delimiter.**

separator character *(Informática)* carácter separador. Carácter de control que sirve para separar unidades de datos o información. SIN. **sentinel, separator, tag.**

separator circuit *(Elecn)* circuito separador. v. **separation circuit** || *(Tv)* circuito separador (de sincronismo). v. **sync separator, synchronizing-pulse clipper.**

separator diaphragm *(Electroquím)* diafragma separador. Pieza que constituye a la vez un separador y un diafragma (CEI/38 50–25–070). CF. **separator.**

separator tube tubo separador, tubo (electrónico) de separación.

sepia sepia. Tinta o pigmento carmelita obscuro que solía prepararse con la secreción de la sepia o jibia [cuttlefish], y que se emplea en pintura || *(Pintura)* (dibujo a la) sepia | sepia. Pintura carmelita obscuro o pardo rojizo; este color || *(Fotog)* fotografía en sepia, foto en tinte carmelita /// *adj:* de sepia; en sepia; de color sepia.

sepia print *(Fotog)* copia en sepia, impresión sepia.

sepia switch conmutador para imagen en sepia. En ciertos televisores policromos, conmutador que en una de sus posiciones hace que las imágenes monocromas aparezcan en sepia, en vez de blanco y negro.

septa Plural de *septum.*

septal *adj:* septal. Relativo a un septo. v. **septum.**

septate *adj:* tabicado, que tiene tabiques. v. **septum.**

septate coaxial cavity cavidad coaxil tabicada.

septate waveguide guíaondas tabicado (longitudinalmente), guía de ondas con aleta radial | guía de ondas tabicada. Guía de ondas formada por dos cilindros metálicos coaxiles unidos a todo lo largo por un tabique radial metálico (CEI/61 62–10–025). CF. **ridge waveguide.**

septenary septena, septenario. Conjunto o grupo de siete elementos; el número siete; período de siete días, semana; período de siete semanas | septenio, septenado. Período de siete años /// *adj:* septenario. Relativo al número siete; que forma un grupo de siete o está basado en el número siete.

septenary number   número septenario. Número de un sistema de numeración cuya base es 7. v. **positional notation.**

septet   septena ‖ *(Mús)* septeto.

septic   *adj:* séptico.

septic tank   pozo [tanque] séptico, fosa [cámara] séptica.

septicity   septicidad.

septicization   septización.

septum   tabique, pared [membrana] separadora. PLURAL INGLES: septa ‖ *(Anat)* septo, séptum, tabique ‖ *(Bot)* septo ‖ *(Cromatógrafos)* tabique, septo ‖ *(Fotog)* septo. En las cámaras con división de haces luminosos, pieza separadora que tiene por fin evitar la interferencia de dos haces debida a la contigüidad de las lentes ‖ *(Geol)* flanco medio (de un pliegue acostado) ‖ *(Guías de ondas, TOP)* tabique, diafragma, septo. Placa metálica fija a las paredes de la guía mediante uniones de gran conductividad y, por lo común, provista de una o varias ventanillas o perforaciones destinadas a darle características inductivas, capacitivas o resistivas ⫼ *adj:* tabicado; septal.

sequence   secuencia, sucesión, serie. Conjunto ordenado de cantidades o de operaciones tales que cada una de ellas determina la siguiente, según determinada ley o regla | combinación; orden ‖ *(Mús)* secuencia ⫼ *adj:* secuencial, sucesivo; cíclico, periódico.

sequence action   acción secuencial; acción escalonada.

sequence brush   *(Informática)* escobilla de secuencia.

sequence calling   *(Telef)* petición de comunicación en serie.

sequence calls   *(Telef)* petición de comunicación en serie.

sequence chart   cuadro [gráfico, planilla] de secuencia; esquema secuencial.

sequence checking   verificación de secuencia; comprobación de ordenamiento.

sequence-checking routine   *(Informática)* rutina verificadora de secuencia. Rutina de prueba que registra datos específicos, considerando las operaciones resultantes de cada instrucción. Ejemplo, rutina de depuración que resulta en la impresión de los resultados intermedios.

sequence contacts   *(Elec, Telecom)* contactos escalonados.

sequence control   control secuencial. Control automático de una serie de operaciones en un orden preestablecido ‖ *(Informática)* control de secuencia.

sequence-control unit   *(Informática)* unidad de control de secuencia.

sequence-controlled calculator   calculadora de secuencia controlada.

sequence-controlled calculator   calculadora de secuencia controlada.

sequence-controlled contacts   *(Elec)* contactos de secuencia ordenada. Contactos dispuestos de modo que funcionen en un orden determinado (CEI/56 16–35–080).

sequence controller   control secuencial; control de secuencia.

sequence-interlocked   *adj:* de secuencia impuesta.

sequence interlocks   enclavamientos secuenciales.

sequence list   *(Telef)* lista de pedidos de comunicaciones en serie. SIN. **batch booking.**

sequence number   número de orden; número de colocación (en una fila).

sequence of operation   *(Elec)* secuencia de maniobra. Orden establecido en el cual se efectúa un conjunto de maniobras (CEI/57 15–05–020).

sequence of operations   secuencia [sucesión] de operaciones; orden de las operaciones.

sequence of program instructions   *(Informática)* secuencia [sucesión] de instrucciones del programa; orden de las instrucciones del programa.

sequence-operated   *adj:* accionado secuencialmente; de accionamiento escalonado.

sequence register   *(Informática)* registrador de secuencias. Dispo-

---

sitivo consistente típicamente en un contador que se hace volver al cero (mediante una señal de mando) en cuanto ha ejecutado la instrucción de formar una nueva dirección, la cual localiza la instrucción siguiente.

sequence relay   relé secuencial, relé de contactos de secuencia ordenada.

sequence signal   señal cíclica [periódica]; señal de mando de secuencia ‖ *(Telecom)* señal en secuencia. Señal que comprende más de un elemento [sign component], pero sin elemento constituido por un espacio (CEI/70 55–115–140).

seq.   Abrev. de sequence; sequential.

seq. sw.   Abrev. de sequence switch.

sequence switch   *(Telecom)* conmutador secuencial; combinador. Conmutador destinado a establecer o suprimir un cierto número de enlaces eléctricos [electrical paths] en un orden predeterminado (CEI/70 55–95–165).

sequence-switch cam   *(Telef)* llave de combinador.

sequence-switch controlling relay   *(Telef)* relé [relais] de control de combinador.

sequence switch interlocking   *(Ferroc)* enclavamiento secuencial de agujas.

sequence table   cuadro [planilla] de secuencia ‖ *(Tracción eléc)* cuadro. Cuadro o esquema que muestra el orden en el cual funcionan los aparatos de corte [switches] de un equipo de control (CEI/57 30–15–700).

sequence tape   *(Informática)* cinta de secuencia.

sequence timer   temporizador secuencial; dispositivo de retardos sucesivos. Dispositivo con una sucesión de circuitos de retardo dispuestos de tal manera que al terminar el ciclo de retardo de un circuito, se inicia el del circuito siguiente | distribuidor cronométrico secuencial.

sequence timing   temporización secuencial; cronometraje secuencial.

sequence timing device   v. **sequence timer.**

sequence unit   *(Informática)* unidad de secuencia.

sequence weld   soldadura secuencial.

sequence weld timer   temporizador de secuencia de soldadura. Dispositivo que controla el orden y la duración de cada parte de un ciclo de soldadura por resistencia.

sequence welding   soldadura secuencial.

sequenced   *adj:* temporizado; en secuencia; en orden predeterminado [preestablecido].

sequenced operations   operaciones temporizadas; operaciones en orden preestablecido; operaciones correlativas.

sequencer   secuenciador, dispositivo de secuencia; reloj. (**1**) Dispositivo que ejecuta funciones en un orden cronológico predeterminado. (**2**) Dispositivo que determina el orden de ejecución de una serie de operaciones. (**3**) Dispositivo que puede disponerse para que inicie una serie de eventos, o para que los eventos ocurran en determinado orden. SIN. **clock** ‖ *(Informática)* ordenador de secuencia.

sequencing   control secuencial; escalonamiento; encadenamiento (de una serie de operaciones).

sequencing equipment   equipo de control secuencial; equipo de sucesión.

sequency   v. **sequence.**

sequential   *adj:* secuencial, secuente, sucesivo, sucesional, serial; cíclico, periódico; combinatorial; ordinal.

sequential access   *(Informática)* acceso secuencial.

sequential-access storage   almacenador de acceso secuencial. (**1**) Almacenador en el cual los elementos de información almacenados son accesibles únicamente en sucesión; es decir, que para llegar a uno de ellos hay que pasar sucesivamente por todos los anteriores, aunque no se necesiten éstos. (**2**) Sistema de almacenamiento caracterizado por el hecho de que el tiempo de acceso a una dirección depende del orden en que se solicite el acceso.

sequential analysis   análisis sucesional [serial]. Análisis cuyos datos se obtienen tomando una muestra cuyo tamaño (número de observaciones) no está determinado *a priori,* sino que depende hasta cierto grado de los resultados intermedios del propio muestreo.

sequential analyzer   analizador secuencial [serial].

sequential asynchronous logic   lógica secuencial asíncrona.

sequential circuit   circuito secuencial. En las técnicas de cálculo digital electrónico, circuito que comprende circuitos de conmutación lógica y circuitos de memoria.

sequential coding   codificación secuencial.

sequential coding network   red de codificación secuencial.

sequential color system   *(Tv)* sistema de sucesión de colores. v. sequential color television.

sequential color television   (sistema de) televisión de sucesión de colores. Sistema de televisión policroma en el cual los colores primarios se transmiten en sucesión (es decir, uno después del otro), sea por puntos, por líneas, o por campos. v. **dot-sequential color television, line-sequential color television, field-sequential color television.** SIN. **sequential (color) system.**

sequential control [SECO]   *(Informática)* control secuencial. Control de una computadora digital de modo que ésta recibe las instrucciones en determinado orden mientras funciona para resolver un problema ‖ *(Teleimpr)* control (de transmisión) secuencial. Sistema de control de una red de teleimpresores que permite a una estación primaria o central iniciar la transmisión automática, por turnos, del tráfico almacenado en forma de cinta perforada en las estaciones secundarias. Cuando la central desea recibir el tráfico de determinada estación, transmite a ésta su correspondiente combinación clave de letras, y determina así el comienzo de la transmisión de los despachos pendientes en esa estación.

sequential-control line   línea de control secuencial.

sequential counting   conteo secuencial.

sequential decoding   descodificación secuencial.

sequential discharge tube   tubo de descarga secuencial.

sequential element   elemento secuencial. Dispositivo con una salida y una o varias entradas, caracterizadas tanto aquélla como éstas por estados discretos, y concebido de manera que el estado de cada salida es determinado por los estados previos de las entradas.

sequential interlace   *(Tv)* entrelazamiento secuencial. Entrelazamiento en el cual las líneas de exploración de un campo dado ocupan el lugar inmediatamente más abajo que el de las correspondientes líneas del campo precedente.

sequential interlocking   *(Ferroc)* enclavamiento de orden. Enclavamiento que impone un cierto orden de sucesión en la maniobra de las palancas (CEI/59 31–10–030).

sequential lobing   conmutación secuencial de lóbulo. Determinación de direcciones utilizando las señales de lóbulos traslapados coexistentes.

sequential machine   *(Informática)* máquina de funcionamiento continuo.

sequential monitoring   *(Radio/Tv)* control secuencial. Control de varios programas de radiodifusión difundidos simultáneamente, por muestreo sucesivo de cada uno de ellos (CEI/70 60–60–175).

sequential output   *(Teleimpr)* salida secuencial.

sequential probability   probabilidad sucesional.

sequential processing   *(Informática)* (same as batch processing) sistematización por tandas, elaboración por grupos.

sequential pulse distributor   distribuidor secuencial de impulsos.

sequential relay   (a.c. sequence relay) relé secuencial, relé de contactos de secuencia ordenada. Relé cuyos contactos funcionan en un orden predeterminado.

sequential relay circuit   circuito de relé secuencial.

sequential sampling   muestreo sucesional [serial]. Muestreo sucesivo de unidades, para fines de inspección. Al examinar cada unidad se decide si corresponde aceptar o rechazar el lote, o examinar la unidad siguiente.

sequential scanning   *(Tv)* exploración secuencial [consecutiva, progresiva, continua], exploración por líneas sucesivas (sin entrelazamiento). SIN. **progressive scanning** | exploración secuencial. Exploración por líneas horizontales en la cual, durante un período de imagen el barrido se efectúa según una sola trama (CEI/70 60–64–140). CF. **interlaced scanning.**

sequential signal   *(Teleimpr)* señal secuencial. v. **sequential transmission.** CF. **sequence signal.**

sequential starter   arrancador secuencial.

sequential switching   conmutación secuencial.

sequential switching function   función de conmutación secuencial.

sequential synchronization   sincronización secuencial.

sequential system   *(Tv)* sistema secuencial [de sucesión de colores, de colores en sucesión]. Sistema de televisión policroma en el cual las señales correspondientes a los colores primarios (usualmente verde, rojo y azul) se transmiten en sucesión. Se distingue del sistema simultáneo [simultaneous system]. v.TB. **sequential color television.**

sequential timer   temporizador secuencial; dispositivo determinador de intervalos sucesivos. Dispositivo que, mediante circuitos de retardo o mecanismos de relojería, determina una serie de intervalos sucesivos, todos los cuales pueden ser independientemente ajustables. SIN. **sequence timer.**

sequential-to-parallel converter   v. **serial-to-simultaneous converter.**

sequential transmission   *(Teleg)* transmisión secuencial, transmisión de elementos (de código) sucesivos. En un sistema de elementos de código de duración uniforme [equal-length code system], transmisión en la cual los elementos de código de una misma señal son emitidos sucesivamente en el tiempo por un mismo canal o un mismo hilo. Si, por lo contrario, los elementos son emitidos al mismo tiempo, utilizando para ello múltiples canales o un cable de múltiples conductores, la transmisión se llama *simultánea* o *de elementos (de código) simultáneos* [coincident transmission]. SIN. **serial transmission.**

sequentially   *adv:* secuencialmente, sucesivamente, sucesionalmente, en sucesión, en serie. SIN. **serially.**

sequentially operated   accionado secuencialmente.

sequin   lentejuela, adorno reluciente (para vestidos); cequí (moneda).

ser-sim converter   Abrev. de serial-to-simultaneous converter.

SERAI   Abrev. de Société d'Etudes, de Recherches et d'Applications pour l'Industrie.

Serber-Wilson method   *(Teoría del transporte de neutrones)* método de Serber-Wilson.

serenade   *(Mús)* serenata.

serial   serie ‖ *(Cine/Radio/Tv)* serial: película en episodios; novela en episodios; comedia en episodios ‖‖ *adj:* de serie, de orden, que forma serie; serial; seriado; en serie, dispuesto [ordenado] en serie; sucesivo, en sucesión, consecutivo ‖ *(Informática, Teleg, Tr de datos)* serial, en serie, secuencial, consecutivo. **(1)** Ejecutado sucesivamente. **(2)** Que transmite, procesa, manipula, registra o extrae elementos o unidades de información (bitios, elementos de señal, caracteres, palabras) uno después del otro. v.TB. **serial by . . .** SIN. **sequential.** CF. **parallel.**

serial access   *(Informática)* acceso serial [en serie]. SIN. **sequential access.**

serial-access storage   almacenador de acceso en serie. SIN. **sequential-access storage.** CF. **random-access storage.**

serial arithmetic unit   *(Informática)* unidad aritmética serial. Unidad aritmética (computadoras) en la cual las operaciones con los dígitos se efectúan en sucesión. CF. **parallel arithmetic unit.**

serial by bit   serial [en serie] por bitios. CF. **parallel by bit.**

serial-by-bit storage   almacenador serial por bitios. Almacenador de información en el cual los bitios que forman una palabra de computadora aparecen sucesivamente en el tiempo.

serial by character   serial [en serie] por caracteres. CF. **parallel**

by character.

serial-by-character storage   almacenador serial por caracteres. Almacenador de información en el cual los caracteres correspondientes a números no binarios aparecen sucesivamente en el tiempo.

serial by word   serial [en serie] por palabras. CF. **parallel by word.**

serial-by-word storage   almacenador serial por palabras. Almacenador de información en el cual las palabras de un mismo grupo aparecen sucesivamente en el tiempo.

serial code   *(Teleimpr)* código secuencial [en serie].

serial correlation   correlación serial.

serial decoding   descodificación secuencial [en serie].

serial digital adder   sumador digital serial.

serial digital computer   computadora digital [calculador aritmético] en serie. Computadora digital o numérica cuya unidad aritmética trabaja en serie (v. **serial arithmetic unit**). Es decir, que los dígitos se manipulan en serie, aunque los bitios que forman un dígito pueden ser manipulados en serie o en paralelo. CF. **parallel digital computer.**

serial elements   *(Teleg)* elementos sucesivos. Elementos de señal transmitidos en sucesión. V.TB. **sequential transmission.**

serial film   *(Cine)* película [film] en episodios.

serial matrix storage   almacenador matricial serial.

serial number   número de serie; número de fabricación; número de orden || *(Informática)* número de identificación individual || *(Telef)* **(of a call)** número de orden (de una petición [solicitud] de comunicación) || *(Teleg)* **(of a telegram)** número de serie, número de orden de transmisión (de un telegrama).

serial-number generator   generador de números de serie.

serial numbering   numeración en serie.

serial operation   *(Informática)* operación en serie. Dícese cuando los elementos de información (bitios, dígitos, caracteres, palabras) pasan a la computadora o pasan por ella sucesivamente, uno por uno. CF. **parallel operation.**

serial-parallel   *adj:* *(Informática)* serial-paralelo, secuencial-simultáneo. Parcialmente en serie y parcialmente en paralelo; como p.ej. cuando los caracteres se manipulan en serie, pero los bitios de cada carácter se manipulan en paralelo.

serial printer   impresor (de caracteres) en serie. Aparato (como una máquina de escribir o un teleimpresor) que imprime los caracteres uno por uno, formando renglones. CF. **line printer.**

serial programing   *(Informática)* programación en serie. Programación de una calculadora aritmética de manera que las operaciones aritméticas o lógicas se ejecuten una por una.

serial radiography   radiografías en serie. Dícese cuando se toman sucesivamente varias radiografías del mismo sujeto.

serial storage   *(Informática)* almacenador serial. (1) Almacenador de información en el cual el tiempo es una de las coordenadas que intervienen en la localización de los bitios, caracteres o palabras. (2) V. **serial-by-bit storage**, **serial-by-character storage**, **serial-by-word storage.** SIN. **memoria de registro en serie.** CF. **parallel storage.**

serial-to-simultaneous converter   convertidor de elementos sucesivos en elementos simultáneos. Dispositivo que convierte la transmisión telegráfica de elementos de código sucesivos en transmisión de elementos simultáneos. SIN. **sequential-to-parallel converter.** V.TB. **sequential transmission.** CF. **parallel-to-serial converter.**

serial transfer   *(Informática)* transferencia en serie. Transferencia de datos en la cual los elementos de información se transmiten, sucesivamente, por una línea única. CF. **parallel transfer.**

serial transmission   transmisión serial [en serie]. (1) Transmisión de información en la cual los caracteres de cada palabra se transmiten sucesivamente por una misma línea. (2) Transmisión en intervalos de tiempo sucesivos de los elementos de señal [signal elements] que componen una misma señal telegráfica o de datos. SIN. **sequential transmission.** CF. **parallel transmission.**

serializer   el que escribe o publica "seriales", el que escribe o publica (novelas, dramas radiofónicos o para la televisión) por episodios; serializador, registrador en serie.

serially   *adv:* en serie, en sucesión, consecutivamente. SIN. **sequentially.**

series   serie; cadena, sucesión; ciclo || *(Geol)* formación || *(Mat)* serie. (1) Sucesión; conjunto ordenado de términos que obedecen a una cierta ley. (2) Suma indicada de los términos de una sucesión | progresión. Sucesión de números; conjunto de números que se deducen unos de otros según una cierta ley. v. **sequence** || *(Elec)* **in series:** en serie. v. **series connection (of circuits)** || v. **series of...** |||| *adj:* *(Elec)* (en) serie. CF. **parallel, shunt.**

series aiding   *(Elec)* en serie aditiva. CF. **series opposing.**

series arc regulator   *(Ilum)* regulador serie. Aparato en el cual la regulación del arco se efectúa por dispositivos electromagnéticos en serie (CEI/58 45-45-135). CF. **differential arc regulator, shunt arc regulator.**

series arc welding   soldadura por arco en serie.

series arrangement   disposición [montaje] en serie; acoplamiento [conexión] en serie.

series capacitor   capacitor en serie || *(Aparatos de medida)* capacidad adicional. Capacidad conectada en serie con un voltímetro o con el circuito de tensión [voltage circuit] de un aparato de medida, en particular para modificar su alcance en tensión [voltage range] (v. **rating**) (CEI/58 20-35-110).

series cascode connection   *(Elecn)* conexión cascodo en serie.

series characteristic   *(Electromotores)* característica serie.

series circuit   *(Elec)* circuito en serie | circuito en serie, circuito de corriente. Parte de un contador o de un aparato de medida, recorrida por la corriente del circuito que aquél mide, o por una corriente proporcional suministrada por un transformador de intensidad [current transformer], o derivada sobre un shunt, etc. SIN. **current circuit** (CEI/58 20-35-205) | v. **series circuits.**

series circuits   *(Elec)* circuitos en serie. Circuitos conectados de manera que sean atravesados por la misma corriente (CEI/56 05-20-110).

series coil   bobina en serie. En una máquina eléctrica rotativa u otro aparato eléctrico, bobina recorrida por la corriente principal. CF. **shunt coil.**

series compensating windings   *(Elec)* devanados compensadores en serie.

series component (of impedance)   componente (de impedancia) en serie.

series condenser   condensador en serie. v. **series capacitor.**

series-connected   *adj:* conectado [acoplado] en serie.

series-connected station   *(Telef)* aparato (telefónico) en serie.

series connection   *(Elec)* conexión [acoplamiento, montaje] en serie. Conexión o acoplamiento que forma un circuito en serie [series circuit]; conexión o montaje en el cual la misma corriente atraviesa sucesivamente todos los elementos en él incluidos | montaje en serie. Montaje en el cual las pilas que constituyen una batería están unidas de tal suerte que el borne positivo de cada una de ellas está unido al borne negativo de la siguiente (CEI/60 50-15-135). CF. **parallel connection, series-parallel connection, connections of circuits** || *(Tracción eléc)* acoplamiento en serie. Regulación de la velocidad de un tren eléctrico mediante la unión en serie de sus motores de tracción.

series copies   *(Registro mag)* copias en serie. Múltiples copias de un registro magnetofónico obtenidas simultáneamente utilizando una batería de máquinas grabadoras.

series decay   *(Nucl)* serie de desintegraciones. SIN. **radioactive series** | desintegración en cadena. SIN. **chain decay [disintegration].**

series-delta-connected stator windings   *(Máq eléc)* devanados estatóricos conectados en serie-triángulo.

series detector   detector en serie. Detector diódico conectado en serie con la carga. CF. **shunt detector.**

series disintegration   desintegración en serie [en cadena]. Transformaciones radiactivas sucesivas en una serie o familia radiactiva [radioactive series]. SIN. **chain decay [disintegration]**.

series dropping resistor   resistor de caída (de tensión) en serie.

series dynamo   *(Elec)* dinamo [máquina dinamoeléctrica] excitada en serie.

series edge   límite de (la) serie.

series efficiency diode   *(Tv)* diodo reforzador, diodo economizador [de recuperación] (en serie), diodo de ganancia en serie. SIN. **booster diode**.

series element   *(Elec)* elemento en serie. Elemento de dos bornes conectado de modo de completar el único camino existente entre dos nudos de una red.

series equalizer   *(Telecom)* igualador [compensador, corrector] en serie.

series excitation   *(Máq eléc)* excitación en serie. Excitación producida por la corriente del inducido, o una fracción de ésta (CEI/56 10–05–120). CF. **shunt excitation**.

series exciter   *(Elec)* excitatriz en serie.

series expansion   *(Mat)* desarrollo en serie. Se llama *desarrollo en serie* de una función de variable real, a una expresión de la función como suma de una serie infinita que puede ser válida únicamente para ciertos valores de la variable. SIN. **expansion [development] in series**.

series-fed   *adj:* alimentado [de alimentación] en serie.

series-fed vertical aerial   v. **series-fed vertical antenna**.

series-fed vertical antenna   antena vertical alimentada en serie. Antena vertical aislada de tierra y alimentada por la base. SIN. **end-fed vertical antenna**.

series feed   alimentación en serie. En el caso de un tubo electrónico, alimentación de tensión continua a un ánodo o una rejilla por vía de la misma impedancia por la cual circula la corriente alterna o de señal. CF. **shunt feed**.

series feed system   sistema de alimentación en serie.

series field   *(Máq eléc)* campo debido al devanado en serie. Porción del flujo magnético total que se debe al devanado en serie [series winding].

series-gate noise limiter   *(Rec)* limitador de ruidos del tipo de compuerta en serie.

series-governed motor   motor regulado [de regulación] en serie.

series impedance   *(Elec)* impedancia en serie.

series impedance component   componente de impedancia en serie.

series integration   *(Mat)* integración de series. Si los términos de una serie son funciones continuas y positivas cuya suma es integrable, la serie puede integrarse término a término en todo intervalo, sea éste finito o infinito. Así, cuando una integral no puede ser evaluada en términos de funciones conocidas, puede desarrollarse en serie el integrando, e integrar entonces la serie (finita o infinita) término a término.

series lamp   lámpara en serie | lámpara para conexión en serie. Lámpara construida para ser utilizada en grupo con conexión en serie. NOTA: Las lámparas para conexión en serie están sujetas a tolerancias más estrechas en cuanto a sus características eléctricas, que las lámparas construidas para las tensiones normales y conexión en paralelo (CEI/58 45–40–060). OBSERVACION: La definición precedente no tiene término correspondiente en español en el VEI.

series loaded aerial   antena con carga en serie. Antena, por ejemplo vertical, que comprende una inductancia en serie destinada a modificar la distribución de corriente (CEI/70 60–34–350).

series loading   carga en serie. Carga mediante reactancias en serie con los conductores.

series loss   *(Cond)* pérdidas (óhmicas) de los elementos en serie.

series magnetic pulse amplifier   amplificador magnético de impulsos de carga en serie con el núcleo emisor.

series modulation   *(Radio)* modulación en serie, modulación a tensión constante | modulación serie. Modulación de amplitud por el ánodo, en la cual los tubos modulador y modulado son alimentados en serie por la misma fuente anódica, manteniéndose constante la suma de las tensiones anódicas de los dos tubos (CEI/70 60–42–110). CF. **constant-current modulation**.

series motor   *(Elec)* motor devanado [arrollado] en serie, motor con arrollamientos en serie, motor (excitado en) serie. Motor con colector [commutator], en el cual los devanados del inducido [armature] y los de excitación están conectados en serie; se caracteriza por su elevado par de arranque, por variar de velocidad con la carga, y por alcanzar velocidades peligrosas en ausencia de carga. Este tipo de motor, cuando es pequeño, con armazón polar laminada [laminated field frame], tiene características de funcionamiento parecidas si es alimentado con corriente continua o alterna indistintamente, y entonces se le llama también *motor universal* [universal motor]. SIN. **series-wound motor** | *(i.e.* motor with series excitation) motor serie. Motor de excitación en serie (CEI/57 30–15–275).

series-multiple circuit   circuito múltiple-serie.

series of elements in accordance with electrochemical potentials   *(Electroquím)* serie de elementos según los potenciales electroquímicos. Serie de elementos dispuestos en un orden tal que cada elemento presenta un potencial positivo respecto al que lo sigue, cuando se encuentran en contacto o sumergidos en una solución de concentración unitaria de sus propios iones (CEI/38 50–05–205).

series of measurements   serie de medidas. SIN. **set of measurements**.

series operation   funcionamiento en serie. Funcionamiento de dos o más dispositivos conectados en serie. Por ejemplo, se conectan así dos fuentes de alimentación para obtener una tensión igual a la suma de sus tensiones individuales; en esas condiciones ambas fuentes son atravesadas por la misma corriente.

series opposing   *(Elec)* en serie opositiva [substractiva]. CF. **series aiding**.

series-parallel   *adj:* (en) serie-paralelo, (en) serie-derivación.

series-parallel arrangement   disposición [montaje] en serie-paralelo; acoplamiento [conexión] en serie-derivación.

series-parallel change   transición serie-paralelo. v. **series-parallel transition**.

series-parallel change by opening the circuits in the network   *(Tracción eléc)* transición serie-paralelo por corte de derivaciones de la red. Cambio de conexiones efectuado después de la puesta fuera de circuito de los motores (CEI/38 30–20–105). v. **series-parallel transition**.

series-parallel circuit   circuito serie-paralelo, circuito mixto.

series-parallel connection   *(Elec)* conexión [acoplamiento] en serie-paralelo, montaje en serie-derivación || *(Pilas y bat)* montaje en serie paralelo. Montaje obtenido uniendo en paralelo dos o más grupos montados en serie (CEI/60 50–15–145). v. **parallel connection, series connection** || *(Tracción eléc)* acoplamiento en serie-paralelo. Unión en derivación de grupos de motores eléctricos en serie.

series-parallel control   *(Elec)* control en serie-paralelo || *(Tracción eléc)* regulación serie paralelo. Método de regulación de los motores o grupos de motores por medio de su conexión, a voluntad, en serie o en paralelo (CEI/38 30–05–080) | regulación por acoplamiento de motores. v. **motor combination** (CEI/57 30–15–365).

series-parallel network   red en serie-paralelo.

series-parallel shunt transition   *(Tracción eléc)* transición serie-paralelo por resistencia. Transición serie-paralelo efectuada conectando una resistencia en paralelo con uno de los motores o grupos de motores, con objeto de mantener en circuito los otros motores o grupos de motores durante la transición (CEI/38 30–20–110). v. **series-parallel transition**.

series-parallel switch   *(Elec)* conmutador serie-paralelo. Conmutador utilizado para conectar dos elementos, a voluntad, en serie o en paralelo || *(Tracción eléc)* combinador; conmutador de transición serie-paralelo. v. **series-parallel transition**.

series-parallel transition   *(Tracción eléc)* transición serie-paralelo. Paso de la conexión en serie de varios motores o grupos de motor, a la conexión en paralelo, y viceversa (CEI/38 30–20–100). CF. **bridge transition, series-parallel change by opening the circuits in the network, series-parallel shunt transition.**

series-parallel winding   devanado serie-derivación, devanado mixto ‖ *(Máq eléc)* devanado (en) serie paralelo. Devanado de más de dos circuitos en el cual el paso en el colector es aproximadamente igual al doble del paso polar [pole pitch]. SIN. **multiplex-wave winding** (CEI/38 10–05–155, CEI/56 10–35–295). CF. **series winding.**

series-passing tube   *(Elecn)* tubo [válvula] de conducción en serie. En una fuente de alimentación estabilizada, tubo electrónico cuyo circuito ánodo-cátodo da paso a la corriente de carga, y cuya rejilla de mando recibe la tensión reguladora que modifica la resistencia interna del tubo al efecto de estabilizar la tensión de salida de la fuente.

series peaking   *(Tv)* agudización [corrección de respuesta] por bobina y resistencia en serie. Corrección o compensación de la respuesta de frecuencia de un videoamplificador mediante una bobina y una resistencia conectadas en serie como carga del amplificador. Los valores de estos elementos se calculan de modo de obtener un pico de respuesta a determinada frecuencia de la banda pasante, con el fin de compensar la pérdida de ganancia en el extremo alto de la banda en etapas anteriores. V.TB. **peaking circuit, peaking coil.**

series peaking arrangement   *(Tv)* red agudizadora [correctora de respuesta] de bobina y resistencia en serie.

series peaking coil   *(Tv)* bobina agudizadora en serie, bobina de corrección (de respuesta) conectada en serie.

series polyphase motor   *(Elec)* motor polifásico (excitado en) serie. V. **series motor.**

series reactor   *(Elec)* reactor en serie ‖ *(Aparatos de medida)* reactancia adicional. Reactancia conectada en serie con un voltímetro o con el circuito de tensión [voltage circuit] de un aparato de medida, en particular para modificar su alcance en tensión [voltage range] (v. **rating**) (CEI/58 20–35–110) ‖ *(Telecom)* bobina de absorción.

series rectifier circuit   circuito de rectificadores (conectados) en serie, montaje en serie de rectificadores. Circuito que comprende dos o más rectificadores cuyas tensiones de salida se suman y cuyas conmutaciones coinciden.

series regulator   *(Elec)* regulador serie. En una fuente de alimentación estabilizada, dispositivo (tubo al vacío, transistor) que regula la tensión de suministro y se halla en serie con ella ‖ *(Alumbrado)* regulador serie. Aparato en el cual la regulación de un arco se asegura por dispositivos electromagnéticos en serie (CEI/38 45–25–025). CF. **differential regulator, shunt regulator.**

series resistance   *(Elec)* resistencia en serie ‖ *(Aparatos de medida)* resistencia adicional. V. **series resistor.**

series-resistance bridge   puente de resistencia en serie.

series resistor   *(Elec)* resistor en serie ‖ *(Aparatos de medida)* resistencia adicional. Resistencia conectada en serie con un voltímetro o con el circuito de tensión de un aparato de medida, en particular para modificar su alcance en tensión (v. **rating**) (CEI/58 20–35–110). CF. **series capacitor, series reactor.**

series resonance   resonancia serie. Resonancia en un circuito que comprende una capacitancia (capacitor) y una inductancia (bobina) en serie, y que ocurre cuando son de igual valor absoluto las reactancias capacitiva e inductiva a la frecuencia de la tensión alterna aplicada. Como estas reactancias son de signo contrario, su suma es igual a cero, y la impedancia resultante se reduce al valor mínimo, puramente resistivo, de la resistencia óhmica de los conductores del circuito. La corriente alterna circulante es entonces máxima, y la tensión alterna desarrollada entre los terminales de la capacitancia o de la inductancia puede ser muchas veces mayor que la tensión aplicada entre los extremos del circuito. Cuando la frecuencia se aparta de la de resonancia, la impedancia del circuito aumenta, por aumentar la componente de reactancia; esta última es negativa para frecuencias inferiores a la de resonancia, y positiva para frecuencias superiores a la de resonancia.

series-resonance bridge   puente de resonancia (en) serie.

series-resonance circuit   v. **series-resonant circuit.**

series-resonant circuit   (a.c. series-resonance circuit) circuito de resonancia (en) serie.

series-resonant crystal   cristal (piezoeléctrico) de resonancia (en) serie.

series-resonant trap   trampa de resonancia (en serie).

series screen resistor   resistor de pantalla en serie. Resistor conectado entre un punto al potencial +B y la rejilla pantalla de una válvula electrónica, con el fin de que ese electrodo reciba el valor de potencial deseado.

series-shunt   *adj:* (en) serie-derivación, (en) serie-paralelo, (en) serie-shunt. SIN. **series-parallel.**

series-shunt circuit   circuito serie-derivación, circuito mixto. SIN. **series-parallel circuit.**

series-shunt network   red en serie-derivación. SIN. **series-parallel network** ‖ red de secciones en tándem. SIN. **ladder network** (véase).

series-shunt peaking   *(Tv)* agudización [corrección de respuesta] serie-derivación. CF. **series peaking.**

series spot welding   soldadura por puntos en serie.

series-star-connected stator windings   *(Máq eléc)* devanados estatóricos conectados en serie-estrella.

series-string receiver   receptor de filamentos en serie, radiorreceptor sin transformador de fuerza. Receptor de radio sin transformador de fuerza, en el cual todos los filamentos de las válvulas electrónicas están conectados en serie; los extremos de la serie van conectados a la red, ya directamente, ya por intermedio de una resistencia rebajadora de tensión. CF. **filament dropping resistor.**

series system   *(Elec)* sistema (en) serie ‖ *(Electroquím/Electromet)* sistema serie. Disposición de una celda electrolítica multielectrodo [multielectrode electrolytic cell] en la cual, en cada celda un ánodo conectado a la barra general positiva [positive busbar] está colocado en una extremidad y un cátodo conectado a la barra general negativa [negative busbar] está colocado en la otra extremidad, funcionando como electrodos bipolares [bipolar electrodes] los electrodos intermedios (CEI/60 50–40–020). CF. **multiple system** ‖ v. **series system of distribution.**

series system of distribution   *(Elec)* sistema de distribución en serie. v. **connections of circuits** (CEI/38 25–15–070) ‖ red de corriente constante. Red de distribución en la cual todos los aparatos receptores [consuming devices], conectados en serie, son recorridos por la misma corriente (CEI/65 25–15–015). CF. **parallel system of distribution.**

series T   (a.c. series tee junction) T en serie, unión en T serie. SIN. **E-plane T junction** ‖ unión en T serie. Unión en T para la cual las impedancias de los dos brazos de la guía de ondas principal son aproximadamente aditivas, cuando son vistas desde el brazo lateral [sidearm]. En el caso de las guías rectangulares de la misma sección recta [cross-section], el brazo lateral es perpendicular a una cara mayor [broad face] de la guía principal, y las caras menores [narrow faces] de una y otra guía están ambas en un mismo plano (CEI/61 62–15–135). CF. **shunt T.**

series tee junction   v. **series T.**

series transductor   *(Transductores mag)* transductor de acoplamiento en serie. Transductor en el cual los devanados de potencia [power windings] que se corresponden en los diferentes elementos, y que pertenecen a una misma fase, están conectados en serie (CEI/55 12–20–005). CF. **parallel transductor.**

series transformer   transformador en serie.

series-triggered blocking oscillator   *(Elecn)* oscilador de bloqueo gatillado en serie [gatillado por la rejilla]. Oscilador de bloqueo gatillado en el cual el impulso gatillador [trigger pulse] se aplica a la rejilla del tubo (en vez de al ánodo).

series tripping *(Dispositivos de protección)* disparo por bobina en serie. Método en el cual el dispositivo de protección alimenta la bobina de disparo del disyuntor [circuit-breaker trip coil] con una corriente que depende de la corriente en el circuito protegido (CEI/56 16–55–075). CF. **shunt tripping.**

series-tube regulator regulador (de voltaje) de válvula en serie. v. **series regulator.**

series-tuned circuit circuito sintonizado serie, circuito de resonancia (en) serie. v. **series-resonant circuit.**

series two-terminal-pair networks cuadripolos en serie. Cuadripolos cuyos terminales de salida o cuyos terminales de entrada están en serie, entendiéndose por cuadripolo una red con dos pares de terminales distintos.

series-type attenuation equalizer *(Telecom)* igualador en serie, compensador (de atenuación) en serie.

series ventilation *(Tracción eléc)* ventilación serie [sencilla]. Sistema de ventilación en el cual el aire, después de pasar longitudinalmente por el rotor, circula a continuación en sentido inverso por el estator (o viceversa). SIN. **simple ventilation** (CEI/57 30–15–425). CF. **double ventilation.**

series voltage-dropping resistor resistor de caída de tensión en serie.

series welding soldadura en serie.

series winding *(Elec)* devanado [arrollamiento] en serie ‖ *(Máq eléc)* devanado (en) serie. Devanado de dos circuitos cuyo paso en el colector es aproximadamente igual al doble del paso polar [pole pitch]. SIN. **simple-wave winding** (CEI/38 10–05–150, CEI/56 10–35–290).

series-wound *adj: (Elec)* devanado [arrollado] en serie ‖ v. **series-wound machine.**

series-wound dynamo dinamo serie, máquina dinamoeléctrica excitada en serie. v. **series-wound machine.**

series-wound generator *(Elec)* generador (excitado en) serie. v. **series-wound machine.**

series-wound induction coil *(Elec)* bobina de inducción devanada en serie.

series-wound machine *(Elec)* máquina (excitada en) serie. Máquina eléctrica en la cual el devanado inducido [armature] y el devanado inductor o de excitación [field winding] están en serie; máquina de excitación en serie [series excitation].

series-wound motor *(Elec)* motor (excitado en) serie. Motor de excitación en serie. v.TB. **series-wound machine, series motor.**

serious injury lesión grave.

serology *(Biol)* serología.

serpent serpiente, sierpe ‖ *(Aeron)* cable corto de arrastre, sonda corta. CF. **trail rope** ‖ *(Mús)* serpentón. Instrumento de viento de cuerpo ondulado ‖ *(Pirotecnia)* buscapiés, carretilla. Tipo particular de cohete.

serpentine serpentina (de papel) ‖ *(Miner, Geol)* serpentina ‖‖‖ *adj:* serpentino(so); ondulado; caracoleado.

serpentine curve *(Mat)* serpentina. Curva cuya ecuación cartesiana es $x^2y + b^2y - a^2x = 0$.

serrasoid modulator modulador serrasoide. Modulador que produce el disparo, variable en el tiempo, en un oscilador de bloqueo. Comprende un oscilador de onda en diente de sierra [sawtooth oscillator] estabilizado por cristal piezoeléctrico que funciona con una tensión moduladora de baja frecuencia.

serrated *adj:* estriado; dentellado; dentado; acanalado; enmuescado; en diente de sierra.

serrated adjusting wheel *(Mandos)* rueda de ajuste estriada.

serrated pulse *(Elecn)* impulso fraccionado; impulso con serraciones. Impulso con ranuraciones o con indentaciones en diente de sierra. v. **serrated vertical pulse.**

serrated-ridge waveguide guíaondas con resalto interior dentellado.

serrated rotor plate *(Cond)* placa de rotor con muescas. v.

slotted rotor plate.

serrated vertical pulse *(Tv)* impulso fraccionado de sincronismo vertical, impulso vertical fraccionado. Impulso de sincronismo vertical, de relativamente larga duración, que se fracciona o divide mediante cinco muescas que penetran hasta el nivel del negro. Se obtienen así seis subimpulsos (cada uno con duración aproximada de 4/10 de línea de exploración) que sirven para mantener el sincronismo horizontal durante el intervalo del impulso de sincronismo vertical. Es decir, que en todo momento se mantiene el control simultáneo de ambos osciladores de sincronización: el del barrido vertical y el del barrido horizontal. SIN. **serrated vertical synchronizing pulse.**

serrated vertical synchronizing pulse impulso fraccionado de sincronismo vertical. v. **serrated vertical pulse.**

serration serración; estría ‖ *(Bot, Zool)* serración ‖ *(Tv)* líneas perturbadoras de la imagen en forma de diente de sierra.

Serret Joseph-Alfred Serret: matemático francés (1819-1885), continuador de la teoría de grupos [group theory] de Galois, y autor de varias memorias sobre rectificación de curvas; ejerció gran influencia en la enseñanza del álgebra superior.

Serret-Frenet formulas *(Mat)* (a.c. Frenet formulas) fórmulas de Serret-Frenet. Fórmulas aplicables al estudio de las curvas matemáticas.

serrodyne *(Elecn)* serrodino. (**1**) Modulador de fase en el cual se usa la modulación de tiempo de tránsito [transit-time modulation] de un klistrón o de un tubo de ondas progresivas. (**2**) Traslator o conversor de frecuencia cuyo funcionamiento se funda en la modulación en diente de sierra lineal de un desplazamiento de fase o de un retardo.

serve *(Cables eléc)* capa separadora en contacto con los conductores. Capa separadora (v. **separator**) aplicada directamente sobre el conductor o los conductores ‖‖‖ *verbo:* servir a; servir en; servir de; servir para; dar servicio a; estar al servicio de; servir (la mesa, la comida); escanciar (vino); manejar, maniobrar, hacer funcionar (una pieza de artillería, etc.); abastecer, suplir, surtir ‖ *(Lenguaje forense)* entregar (una citación, un requerimiento); cumplir (una condena) ‖ *(Cabos, Cables)* aforrar, forrar; amarrar; abarbetar, barbetar.

service servicio; ayuda, auxilio; servidumbre; utilidad, uso; desempeño; oficio; servicio de mesa, vajilla; juego (p.ej. de café) ‖ servicio. Término general que en contexto puede ser substituido por expresiones de significado particularizado y explícito, como: servicio técnico; atención técnica; atención mecánica; servicio de reparaciones y conservación; entretenimiento (de máquinas); servicio de limpieza; servicio de engrase; servicio meteorológico; servicio telefónico; etc. ‖ *(Canalizaciones)* acometida ‖ *(Elec)* acometida. v. **service line** ‖ servicio. Sucesión en el tiempo de los regímenes a los cuales está sometido un aparato teniendo en cuenta su duración (CEI/38 35–30–010). CF. **continuous service, intermittent service, periodic service, temporary service** ‖ *(Teleg)* servicio, telegrama [mensaje] de servicio ‖‖‖ *adj:* de servicio; reglamentario ‖‖‖ *verbo:* dar [prestar] servicio (de); poner en servicio; reparar (máquinas, motores).

service abbreviation *(Teleg)* abreviatura de servicio; abreviatura reglamentaria.

service adjustment *(Elecn)* ajuste semipermanente. Ajuste o reglaje que sólo se efectúa al poner un aparato en servicio o después de ciertas reparaciones, y que no se modifica durante la utilización normal del aparato.

service advice *(Teleg)* aviso de servicio.

service agreement convenio de servicio; contrato de trabajo.

service application solicitud de servicio ‖ *(Telecom)* firma de contrato. SIN. **application for service.**

service apron *(Avia)* faja (de estacionamiento) para servicio de aviones.

service area *(Radio/Tv)* zona [área] de servicio; zona útil [de acción]; cobertura efectiva. Zona en la cual las señales de una emisora se reciben con resultados satisfactorios mediante receptores de tipo medio. SIN. (service) coverage | área de servicio. Región en la cual la emisión de un emisor de radiodifusión se recibe normalmente en condiciones satisfactorias (CEI/70 60–60–085). CF. **primary service area, secondary service area**.

service area diagram   diagrama del área de servicio. Diagrama que indica los límites de la región en la cual la emisión de un emisor de radiodifusión se recibe en condiciones satisfactorias (CEI/70 60–60–090).

service band   *(Radiocom)* banda de servicio. (**1**) Gama o margen de frecuencias asignada oficialmente a determinado servicio o grupo de servicios. (**2**) Intervalo de frecuencias asignado a uno o más servicios de radiocomunicaciones por una reglamentación nacional o internacional (CEI/70 60–02–040).

service box   *(Canalizaciones de agua)* caja de llave de servicio || *(Elec)* caja de servicio [de abonado]; tomacorriente.

service bureau   buró de servicio || *(Informática)* departamento de servicio de contabilidad.

service cable   *(Elec)* cable de acometida; cable de derivación particular; cable de alimentación primaria.

service call   *(Telef)* llamada de servicio; conversación [conferencia] de servicio. Conversación relativa a la prestación del servicio telefónico internacional, incluso el establecimiento y mantenimiento de circuitos de otros servicios efectuados con la intervención del servicio telefónico internacional || *(Reparaciones)* llamada de servicio técnico; visita de servicio técnico.

service capacity   capacidad de servicio; capacidad útil [en servicio].

service ceiling   *(Avia)* techo práctico. TB. techo de servicio.

service channel   canal de servicio. En las redes o sistemas de telecomunicaciones, banda de frecuencias (que normalmente comprende un canal telefónico) destinado a la teleindicación de fallas y la coordinación de las pruebas y medidas de mantenimiento técnico. SIN. **vía de servicio, canal de órdenes —— order wire**. CF. **service unit**.

service-channel bridge   puente para el canal de servicio. En los enlaces multicanal de microondas (ondas portadoras), dispositivo utilizado para el acceso al canal de servicio en las estaciones repetidoras. SIN. **service-channel bridging unit**.

service-channel bridging unit   puente para el canal de servicio, unidad derivante de canal de servicio.

service-channel demodulator   desmodulador del canal de servicio.

service channel facility   circuito del canal de servicio; función del canal de servicio.

service-channel modulator   modulador del canal de servicio.

service circuit   *(Telecom)* circuito de servicio || *(Telef)* (used by traffic personnel e.g. between trunk exchanges) línea de servicio (p.ej. entre centrales interurbanas).

service code   *(Telef/Teleg)* indicativo de acceso (a un servicio determinado). Indicativo utilizado para obtener acceso al punto donde es cursado el tráfico relativo a un servicio particular (CEI/70 55–110–290) || *(Explotación teleg)* clave de servicio. Clave usada en los telegramas de servicio.

service code book   *(Teleg)* libro de claves de servicio. Libro que contiene palabras, oraciones y frases en clave para usar en los mensajes de servicio.

service conditions   *(Elec)* condiciones (externas) de funcionamiento. Factores exteriores (altitud, temperatura del aire ambiente, variaciones de tensión, etc.) que pueden influir en el funcionamiento de una máquina o de un aparato (CEI/56 05–41–050, CEI/56 10–05–335). CF. **operating conditions**.

service conductor   *(Elec)* conductor de servicio; conductor de acometida [de entrada]. CF. **service cable, service wires**.

service conduit   conducto de acometida; conducto para servicios.

service connection   *(Canalizaciones de agua, gas, etc.)* acometida, conexión domiciliaria [de entrada], arranque domiciliario, derivación [toma] particular. LOCALISMOS: empotramiento, enlace, pluma || *(Alcantarillado)* acometida, atarjea doméstica || *(Elec)* acome-

tida (al abonado), derivación de abonado [de servicio], enlace domiciliario.

service connector   *(Elec)* conector de servicio.

service corrosion   *(Pilas eléc)* corrosión en servicio, corrosión normal (del polo negativo).

service data   *(Reparaciones)* datos de mantenimiento (para técnicos). CF. **service notes**.

service department   departamento de servicio; departamento de servicios generales.

service dependability   seguridad de servicio; seguridad de funcionamiento. CF. **reliability**.

service distortion   *(Teleg)* distorsión [deformación] de servicio.

service drop   *(Elec)* ramal de acometida, colgante de servicio. Conductores que van del poste a la casa del abonado al servicio. CF. **service line**.

service duct   *(Canalizaciones de agua, gas, luz, etc.)* galería de servicios; conducto para servicios; conducto de acometida.

service engineer   ingeniero de mantenimiento y reparaciones.

service entrance   *(Elec)* acometida.

service entrance cable   *(Elec)* cable de acometida, cable de entrada del servicio [suministro] eléctrico.

service equipment   equipo de entretenimiento || *(Elec)* dispositivos de servicio.

service error   *(Teleg)* error de servicio.

service facilities   posibilidades de servicio.

service factor   *(Elec)* factor de servicio || *(Mot)* porcentaje de sobrecarga.

service failure   avería en servicio [en funcionamiento]; falla de servicio.

service fuse   *(Elec)* fusible de acometida.

service ground   *(Elec)* toma de tierra del consumidor [del abonado].

service handbook   manual de servicio. SIN. **service manual**.

service head   *(Elec)* acometida; terminal de derivación; cabezal del conducto de servicio.

service incident   *(Telecom)* incidente [incidencia] de servicio.

service inspection   inspección de servicio.

service installations   *(Ferroc)* instalaciones de explotación. Instalaciones destinadas al servicio interno de la empresa.

service instruction   *(Telecom)* circular (para reglas de servicio) | **service instructions**: instrucciones de servicio.

service instrument   instrumento de medida; aparato de prueba.

service interception   *(Telef)* reenvío de servicio. Reenvío hacia una posición de control o de información de las comunicaciones destinadas a un abonado (CEI/70 55–105–355).

service irregularity   *(Telecom)* irregularidad de servicio; incidente [incidencia] de servicio.

service lead   *(Elec)* conductor [hilo] de acometida (para abonado). CF. **service conductor, service line**.

service life   duración de servicio, duración (de vida) útil || *(Pilas y bat)* duración de la descarga. Duración de un ensayo de descarga en condiciones dadas (CEI/60 50–15–230) | duración. Tiempo durante el cual una batería puede asegurar un servicio definido en ciertas condiciones, y al fin del cual la capacidad ha bajado de un cierto porcentaje de la capacidad nominal en el régimen considerado (CEI/60 50–20–350).

service line   derivación; toma; bifurcación | acometida. (**1**) Canalización que une la instalación de un consumidor con una red (CEI/38 25–20–240). (**2**) Derivación destinada a unir una instalación de utilización a la red de distribución. SIN. **service** (CEI/65 25–20–020) || *(Telecom)* línea de servicio.

service load   carga de servicio.

service manual   manual de servicio; manual técnico, manual de reparaciones [de mantenimiento], manual del reparador. SIN. **service handbook**.

service message   *(Telecom)* mensaje de servicio.

service meter   *(Elec)* contador de servicio [de consumo, de abonado] || *(Telef)* contador de servicio [de llamadas], contador.

SIN. **message register.**

service mistake   *(Teleg)* error de servicio.

service notes   notas de servicio, instrucciones de mantenimiento [manutención], instrucciones técnicas (del fabricante), instrucciones (del fabricante) para ajustes y reparaciones. CF. **service manual.**

service observation   *(Telef)* observación de servicio | servicio de vigilancia. SIN. **supervisory work.**

service observation line   *(Telef)* línea de observación. SIN. **observing line.**

service observation summary   *(Telecom)* registro de control. SIN. **service observing summary.**

service observing board   *(Telef)* mesa de control. SIN. **service observing desk.**

service observing desk   *(Telef)* mesa de control.

service observing summary   *(Telecom)* registro de control. SIN. **service observation summary** ‖ *(Telef)* libro registro de la mesa de control.

service oscillator   *(Radio/Elecn)* oscilador de prueba. Generador de señales de radiofrecuencia para fines de prueba y alineamiento de aparatos de radio y electrónicos. SIN. **radio-frequency signal generator.**

service output   capacidad útil. Noción que caracteriza el servicio útil [useful service] de una pila en condiciones definidas. Puede expresarse en vatiohoras, en amperiohoras, o en duración (CEI/60 50–15–235).

service parts   repuestos, piezas de recambio, piezas para reparaciones. SIN. **service spares [spare parts].**

service performance   comportamiento en servicio.

service period   período de servicio.

service pit   *(Avia)* foso de servicio.

service platform   *(Avia)* plataforma de trabajo.

service position   posición de marcha ‖ *(Telecom)* puesto de servicio.

service power   potencia en servicio.

service power margin   margen de potencia en servicio.

service practices   *(Radio/Elecn)* técnicas de reparación.

service qualification period   *(Personal)* período de prueba (para ser admitido a un cargo); período de preparación, interinidad.

service range   *(Radiocom)* alcance de servicio; alcance efectivo. CF. **service area.**

service record   hoja de servicios; historial.

service regulations   reglamento de servicio; reglamentación del servicio.

service riser   *(Elec)* columna ascendente. Canalización, colocada generalmente en posición vertical en el edificio, sobre la cual se conectan las ramificaciones para los abonados (CEI/38 25–30–040). CF. **rising main.**

service routine   *(Comput)* rutina de servicio, rutina auxiliar. Rutina auxiliar en el funcionamiento de una computadora; por ejemplo, para efectuar correcciones, localizar bloques de información, o comparar cintas.

service set   *(Telef)* aparato de servicio.

service spare parts   v. **service spares.**

service spares   (a.c. service spare parts) repuestos (para reparaciones), piezas de repuesto (para reparaciones), piezas de recambio. SIN. **service parts.**

service station   estación [puesto, taller] de servicio, taller de reparaciones y venta de accesorios.

service switch   *(Elec)* interruptor general [de acometida]; interruptor de derivación particular. Interruptor (por lo común alojado en una caja) que sirve par desconectar la acometida [service line] de los circuitos por ella servidos.

service tank   *(Avia)* depósito de servicio.

service telegram   telegrama de servicio. Telegrama cursado entre administraciones, entre empresas privadas reconocidas de explotación, entre administraciones y empresas privadas reconocidas de explotación, y entre empresas o administraciones por una parte y el secretario general de la UIT por la otra, y relacionado con las telecomunicaciones internacionales o con asuntos de interés público determinados de común acuerdo entre las administraciones y/o las empresas interesadas. SIN. **telegrama oficial.**

service telephone   aparato de servicio.

service telephone call   v. **service call.**

service telex call   comunicación telex de servicio.

service test   prueba de servicio; prueba en carga [en condiciones de servicio] ‖ *(Pilas y bat)* ensayo de descarga. Ensayo destinado a medir la cantidad de electricidad o la energía que puede suministrar una pila o una batería en condiciones dadas (CEI/60 50–15–225). CF. **service life, service output.**

service tool   herramienta de servicio.

service traffic   *(Telecom)* tráfico de servicio. SIN. **official traffic.**

service-type parachute   *(Avia)* paracaídas reglamentario.

service unit   *(Mil)* unidad de servicios ‖ *(Telecom)* unidad de servicio. En los sistemas de telecomunicación por microondas, elemento de equipo que sirve para establecer el canal de servicio (v. **service channel**) ‖ *(Telef)* unidad de conversación. SIN. **call unit.**

service valve   *(Refrig)* válvula de servicio.

service voltage   tensión de servicio. En el caso de las líneas de corriente alterna, sean monofásicas o trifásicas, tensión eficaz [RMS voltage] existente, en condiciones de servicio normal, entre los conductores de fase [phase conductors].

service wires   *(Elec)* conductores de acometida, acometida eléctrica. CF. **service conductor, service connection, service line.**

service with advance preparation   *(Telef)* servicio (internacional) con preparación.

service workshop   taller de reparaciones. SIN. **maintenance depot.** CF. **service station.**

serviceability   utilidad; posibilidad de utilización; estado de funcionamiento; calidad de servicio; grado de eficiencia; esperanza de duración (útil); facilidad de mantenimiento técnico.

serviceman   reparador. SIN. **técnico (de reparaciones), técnico mecánico, radiorreparador, técnico de radio y televisión.**

servicing   reparación (de averías); entretenimiento y reparaciones; (servicio de) ajustes y reparaciones; mantenimiento menor.

servicing circuit   v. **service circuit.**

servicing van   camión de reparaciones, taller rodante, camión taller. SIN. **repair truck.**

serving   revestimiento, envuelta; revestimiento aislante; revestimiento protector (de bobina, de devanado) | **(of jute)** revestimiento (de yute) ‖ *(Cables)* forro, aforro; cinta aislante; amarraje; barbeta | v. **serve** | almohadillado. Parte no metálica que constituye la capa externa del revestimiento de un cable y está destinada a asegurar la protección de éste (CEI/65 25–30–100). CF. **bedding, separator** ‖‖ *adj:* de aforrar; de amarrar; de abarbetar; sirviente; ministrante.

servo   servo | *(i.e. servomechanism)* servomecanismo | *(i.e. servomotor)* servomotor | *(i.e. servosystem)* servosistema, sistema servo ‖‖ servo. Prefijo que entra en la composición del nombre de dispositivos subordinados a otros. Del latín *servus,* que significa *siervo, esclavo.*

servo altimeter   servoaltímetro.

servo amplifier   v. **servoamplifier.**

servo brake   servofreno.

servo circuit   servocircuito.

servo control   v. **servocontrol.**

servo cylinder   servocilindro.

servo equipment   servomecanismo. v. **servomechanism.**

servo loop   servobucle, bucle de servo; servocircuito, circuito de servo [de servomando, de servomecanismo]; servosistema.

servo mechanism   v. **servomechanism.**

servo motor   v. **servomotor.**

servo multiplier   servomultiplicador. Multiplicador analógico en el cual una de las variables se usa para posicionar un potenciómetro o un grupo de potenciómetros en tándem a los cuales se aplican las demás tensiones variables.

servo noise   irregularidad (de funcionamiento) del servomecanismo. Irregularidad del funcionamiento de un servomecanismo debida p.ej. a juego en los engranajes y a desplazamientos en los ejes y los elementos de soporte o montaje. v. **servo oscillation.**

servo-operated   *adj:* servoaccionado, accionado por servomecanismo.

servo-operated electric recorder   registrador eléctrico accionado por servomecanismo.

servo-operated potentiometer   servopotenciómetro.

servo oscillation   oscilación del servomecanismo. Irregularidad de funcionamiento (v. **servo noise**) consistente en una oscilación o "pendulación" de la carga alrededor de la posición deseada.

servo practice   técnica de los servomecanismos.

servo readout   servoindicación.

servo system   v. **servosystem.**

servo-tab   *(Aeron)* servoaleta, "servo-tab", aleta compensadora auxiliar.

servo techniques   técnicas de los servomecanismos.

servo-type motor   motor del tipo utilizado en servomecanismos.

servoactuated   *adj:* servoaccionado, accionado por servomecanismo.

servoactuator   servoaccionador, servomando.

servoamplifier   servoamplificador. Amplificador que forma parte de un servosistema o servomecanismo.

servoanalyzer   servoanalizador.

servoassistance   servoayuda.

servoassisted   *adj:* servoayudado; con servomotor.

servocontrol   servocontrol, servomando.

servocontrol mechanism   servomecanismo.

servocontrol system   servosistema.

servocontrol valve   válvula de servomando.

servocontrolled   *adj:* servomandado, de gobierno por servomecanismo.

servocontroller   servocontrolador; servorregulador.

servodriven   *adj:* servoaccionado, servomandado, servogobernado.

servodriven phase-locked oscillator   oscilador servomandado de fase sincronizada.

servodriven potentiometer   servopotenciómetro, potenciómetro servogobernado.

servogovernor   servorregulador.

servomanipulator   servomanipulador, manipulador servomandado.

servomechanical engineer   ingeniero en servomecánica.

servomechanics   servomecánica, técnica de los servomecanismos.

servomechanism   servomecanismo. (1) Sistema consistente esencialmente en un generador eléctrico y un motor eléctrico cuyo rotor sigue sincrónicamente las rotaciones del eje del primero, con la ayuda de un circuito de comparación y corrección; se utiliza para funciones de telemando mecánico, regulación, y control automático. (2) Sistema de control automático con reacción en el cual una de las variables es un movimiento mecánico. SIN. servomando, servorregulador, servosistema.

servomechanism transfer function   función de transferencia del servomecanismo.

servometer   servoindicador de medida. Indicador de medida de aguja y cuadrante, en el cual la aguja es movida por un servomotor de muy pequeñas dimensiones.

servomodulator   servomodulador.

servomotor   servomotor. Motor (eléctrico, hidráulico, neumático, etc.) que constituye el órgano de control final [final controlling element] de un servomecanismo (v. **servomechanism**). SIN. servo /// *adj:* servomotor, servomotriz; servomotórico.

servomotor amplifier   amplificador de servomotor.

servomotor-operated   *adj:* accionado [mandado, gobernado] por servomotor, servoaccionado, servomandado, servogobernado; servomotorizado.

servomotor-operated controller   *(Tracción eléc)* equipo de servomotores y combinadores. Equipo en el cual el combinador es accionado por un servomotor (CEI/38 30–20–050).

servomotorized   *adj:* servomotorizado.

servopotentiometer   servopotenciómetro. SIN. **servo-operated [servodriven] potentiometer.**

servopowered   *adj:* servoaccionado.

servoprobe   servosonda.

servoregulator   servorregulador.

servosystem   servosistema, servomecanismo; sistema de control automático con reacción. SIN. **servo, servomechanism, automatic feedback control system.**

servosystem techniques   servotecnia.

servounit   servo; servomotor.

servovalve   servoválvula. Válvula de control de flujo hidráulico, de regulación continua, mandada eléctricamente.

sesqui-   sesqui. Prefijo que significa *uno y medio*.

sesquisideband transmission   *(Radiocom)* transmisión con una banda lateral y la mitad de la otra. CF. **single-sideband transmission, double-sideband transmission.**

sesquiplane   *(Avia)* avión sesquiplano.

set   juego; conjunto; lote; partida; tanda; colección, serie; grupo; aparato; equipo; instrumento; estabilidad, firmeza; curso, movimiento; dirección, tendencia; deformación | *(i.e. boiler set)* equipo de calderas; batería de calderas | **set of drawings:** juego de planos | **set [series] of measurements:** serie de medidas | **set of values:** serie de valores || *(Cine/Tv)* decorado (de fondo), construcción escénica, set, plató | **set of scenery:** escenario || *(Comput)* conjunto || *(Constr)* endurecimiento; adoquín; capa final (de un enlucido) || *(Cemento)* fraguado || *(Pilotaje)* penetración (de un pilote); falso pilote || *(Elec)* calaje; grupo | *(i.e. power generating set)* grupo electrógeno | *(i.e. motor-generator set)* grupo motogenerador || *(Elecn/Telecom)* **set and reset:** disposición y reposición | **set of phones [headphones]:** (par de) audífonos, (par de) auriculares. v. **headphones** | **set of frequency-determining parts:** juego de elementos determinadores de la frecuencia | **set of plate-characteristic curves:** familia de características de placa | **set of staggered frequencies:** juego de frecuencias escalonadas || *(Telecom)* aparato; equipo receptor. CF. **handset, desk set, transmission measuring set** || *(Radio/Tv)* aparato, receptor || *(Tv)* **set of color image tubes:** v. **trinoscope** || *(Herr)* embutidor (de cabezas de clavo); herramienta para acabado final (de los agujeros en hileras de estirar); triscador (sirve para torcer a uno y otro lado los dientes de las sierras para que corten bien); cortador de bisel único || *(Impr)* anchura (de tipo); número de letras por línea || *(Mareas)* sentido || *(Mat)* conjunto, agregado | **set of curves:** familia de curvas || *(Met)* orificio de colada; cuajado, solidificación (de lingotes); superficie (cóncava o convexa) libremente solidificada (galápagos de cobre) || *(Estr, Organos mec, Ensayos de elasticidad)* flecha; deformación permanente || *(Minería)* marco (de mina, de entibación); instalación de extracción || *(Resortes)* flecha, flexión || *(Sierras)* triscado || *(Túneles)* marco, cuadro, cerco, nervadura /// *adj:* inflexible, inadaptable; fijo, invariable; establecido, determinado, prescrito; ajustado, arreglado; colocado, puesto, sentado; armado, construido, hecho, fabricado, trabajado; inmóvil, fijo; yerto, rígido; regular; formal; estudiado, meditado; resuelto, determinado || *(Joyería)* montado, engarzado, engastado || *(Mec)* armado /// *verbo:* determinar, señalar; destinar, señalar; poner, disponer, arreglar, preparar; posicionar; fijar, establecer; ajustar, regular, reglar; poner, colocar, asentar; montar; plantar; instalar, establecer; colocar, erigir; fijar, inmovilizar, paralizar; alojar; embutir; cambiar, alterarse, deformarse; moverse; correr, fluir; empezar a crecer [a desarrollarse]; recalcar; endurecerse, congelarse, coagularse; ponerse (un astro); inclinarse, tender || *(Elecn)* disponer; fijar (en el sentido de ajustar a determinado valor o nivel) | **to set and reset:** disponer y reponer || *(Comput)* posicionar, establecer, fijar, ajustar; colocar (un dispositivo de registro) en determinado estado || *(Contadores)* **to**

set to zero: poner en cero, llevar [volver] a cero || (*Instr*) ajustar, graduar || (*Cám*) enfocar || (*Constr*) asentar, colocar (ladrillos); fraguar (el cemento) || (*Joyería*) montar, engarzar, engastar || (*Espoletas*) graduar || (*Frenos*) apretar || (*Herr*) repasar, afilar, repasar filos || (*Sierras*) triscar || (*Lentes*) montar || (*Máq*) montar; regular || (*Marina*) soltar y extender (velas) || (*Met*) empezar a solidificarse [a cuajarse] (el metal líquido) (en el molde) || (*Planos*) orientar || (*Tejeduría*) hacer la cuenta (de la urdimbre).

set against   *verbo:* contrastar contra | **the oscillator can be set against WWV:** el oscilador puede contrastarse [ser contrastado] contra la WWV.

set analizer   (a.c. analyzer) analizador (de aparatos, de receptores). Aparato de prueba al cual se extienden, mediante un cable y diversos conectores y adaptadores, los puntos de prueba y medida de un aparato de radio o electrónico, para medir tensiones y corrientes o efectuar comprobaciones de continuidad, de resistencia, etc.

set and reset input connections   (*Elecn*) conexiones de entrada de disposición y reposición. CF. **upset.**

set course   *verbo:* (*Naveg*) poner a rumbo.

set design   (*Cine/Tv*) escenografía.

set for read   *verbo:* (*Informática*) ajustar para lectura.

set for write   *verbo:* (*Informática*) ajustar para lectura.

set lighting   (*Tv*) alumbrado [iluminación] del estudio.

set lights   (*Tv*) alumbrado [iluminación] del estudio; luces de estudio. SIN. **studio lights.**

set limit   límite establecido (por el reglaje).

set noise   (*Elecn/Telecom*) ruido propio [interno, inherente] (de un aparato); ruido de fondo (de un aparato). Ruido siempre presente en un aparato (p.ej. un amplificador o un receptor), causado por corrientes de origen térmico en los resistores, variaciones aleatorias en las corrientes de emisión de las válvulas al vacío, y otras causas | (*i.e.* amplifier noise) ruido del amplificador. Ruido con origen en el interior de un amplificador (CEI/70 60–44–115) | (*i.e.* receiver noise) ruido del receptor. Ruido con origen en el interior de un receptor radioeléctrico (CEI/70 60–44–115).

set nut   contratuerca, tuerca fiadora [inmovilizadora, de sujeción].

set point   temperatura de rocío; punto de referencia || (*Automática*) valor de consigna, valor prescrito [predeterminado, prefijado], punto de control. (**1**) Valor de la magnitud regulada que un dispositivo automático tiende a alcanzar y/o mantener. (**2**) Valor de la magnitud regulada al cual se ajusta el mecanismo de control automático. (**3**) Valor seleccionado para que sea mantenido por un regulador automático. Como caso particular: temperatura prescrita | ajuste de consigna. Ajuste correspondiente al valor prescrito de la magnitud regulada.

set-point dial   cuadrante para fijar el punto de control.

set-point knob   perilla para fijar el punto de control.

set pulse   impulso de posicionamiento || (*Comput*) impulso de disposición (de una celda magnética).

set/reset   posicionamiento/reposicionamiento; disposición/ reposición. CF. **upset.**

set/reset bistable circuit   circuito biestable de disposición/reposición.

set/reset flip-flop   (*Elecn*) basculador de disposición/reposición. Basculador con una entrada de disposición y otra de reposición, y tal que si ambas entradas están al mismo tiempo en el estado "1", aquél adopta un estado prescrito.

set screw   v. **setscrew.**

set square   (*Dib*) escuadra; cartabón.

set terminal   (*Basculadores*) terminal de disposición.

set theory   (*Mat*) teoría de los conjuntos.

set up   *verbo:* arreglar, preparar; armar, instalar, montar, poner (un aparato) en condiciones de servicio; fijar, sujetar; tesar; empinar, levantar verticalmente; sentar, levantar (p.ej. una tienda de campaña); constituir, instituir, erigir, fundar; exponer (p.ej. una teoría); causar, determinar, producir || (*Tv*) poner un decora-

do; montar elementos escénicos; instalar equipos portátiles para una emisión || (*Medidas*) preparar (el instrumento) para efectuar una medida || (*Talleres*) disponer (los útiles) para determinado trabajo || (*Topog*) poner en estación /// v. **setup.**

set up a call   *verbo:* (*Telef*) establecer una comunicación. SIN. **put through a call, establish a connection.**

set up a circuit   *verbo:* (*Telecom*) establecer un circuito.

set up a number   *verbo:* (*Telef*) marcar, formar [componer] un número (con el disco marcador). SIN. **dial a number.**

set up a number on a keyset   *verbo:* (*Telef*) formar [componer] un número en el teclado.

set-up   v. **setup.**

set value   valor predeterminado [de consigna]. V.TB. **set point** | valor consignado. (a) Para un control por realimentación con abatimiento [offset behavior], valor prescrito seleccionado, en condiciones determinadas, para el ajuste del regulador. (b) Para un control por realimentación sin abatimiento, el valor consignado se confunde con el valor deseado [desired value] (CEI/66 37–10–085).

set voltage   tensión de disposición. v. **switching circuit.**

set zero control   mando de puesta a cero; control de vuelta al cero.

setback   contratiempo, contrariedad, revés, obstáculo, impedimento, tropiezo; retraso; contracorriente; retroceso (por inercia) || (*Aparatos*) vuelta al cero || (*Avia, Levantamientos*) retroceso || (*Edif*) retallo.

setscrew   prisionero, tornillo prisionero [opresor, de apriete, de presión, de fijación, de retención, de sujeción]; tornillo fijador de posición | tornillo de ajuste. SIN. **adjusting screw.**

settability   precisión | v. **resettability.**

setting   ajuste, calibración, regulación, reglaje; calaje, reglaje; graduación; posición; valor; determinación; establecimiento; preparación; disposición; fijación, sujeción; solidificación, endurecimiento; colocación, erección, instalación, montaje, montadura; cuadro, marco, armadura, guarnición; apoyo || (*Astr*) ocaso, puesta (de un astro) || (*Cine/Tv/Teatro*) ambiente | presentación, puesta en escena. SIN. **scenery** | decoraciones. SIN. **properties.** v. **property** || (*Contadores*) lectura, cómputo (en el momento de la observación); ajuste de cómputo inicial (normalmente cero) || (*Controles*) posición de ajuste; posición del índice (en un aparato de regulación) || (*Albañilería*) asentado, colocación (de ladrillos); fraguado, fragüe (del hormigón o el cemento); endurecimiento (del hormigón) || (*Instr*) ajuste, arreglo; calibración, tarado; lectura || (*Joyería*) engarce, engaste, montura || (*Tipog*) composición || (*Sierras*) triscadura || (*Relés*) regulación. Valor actual de la magnitud de influencia [actuating quantity] al cual está ajustado un relé (CEI/56 16–20–015) | orientación (de un relé direccional) || (*Dispositivos varios*) **setting and resetting:** disposición y reposición; posicionamiento y reposicionamiento.

setting error   (*Relojes*) error de regulación inicial.

setting gage   calibre comprobador [de comprobación]; galga de ajuste [de calibración].

setting index   índice de regulación.

setting knob   perilla [botón] de regulación.

setting lever   palanca de ajuste; palanca seleccionadora.

setting mark   referencia de regulación.

setting mechanism   mecanismo regulador.

setting out   replanteo; trazado; jalonamiento || (*Ferroc*) replanteo. Trazado sobre el terreno del eje de la vía colocando estacas a distancias convenientes.

setting point   punto de regulación || (*Aceites*) temperatura a la cual el aceite pierde su fluidez || (*Petr*) punto [temperatura] de congelación || (*Quím*) punto [temperatura] de solidificación || CF. **set point.**

setting range   (*Relés*) intervalo de reglaje | límites de regulación. Conjunto de todos los valores de regulación posibles para un relé (CEI/56 16–20–010).

setting regulator   regulador de ajuste.

setting stop   tope ajustable.

setting to time   *(Relojes)* puesta en hora.

setting-up delay   *(Telef)* v. **setting-up time.**

setting up of a call   *(Telef)* establecimiento de una comunicación.

setting up of a connection (between two stations)   *(Telecom)* establecimiento de un enlace (entre dos estaciones).

setting-up time   *(Telef)* duración de las operaciones. v. **operating time** | (a.c. setting-up delay) tiempo de espera, demora de establecimiento (de una comunicación internacional).

settlement   colonia; colonización; campamento; factoría; poblado, pueblo; establecimiento; ajuste, convenio, arreglo, acuerdo; liquidación, cancelación, pago (de cuentas); saldo, liquidación; sedimentación || *(Obras de tierra)* asiento, asentamiento (del terreno). Movimiento de descenso de la superficie del terreno o de un terraplén independiente de la compactación [mechanical compaction].

settlement of accounts   liquidación, cancelación, pago (de cuentas) || *(Telecom)* liquidación de cuentas. SIN. **liquidation of accounts.**

settlement of an embankment   asiento [hundimiento] de un terraplén. Hundimiento, descenso o rebaja de un terraplén, debido a descensos del terreno sobre el cual se asienta aquél, o debido a la compresión natural de las tierras bajo su propio peso. SIN. **subsidence [shrinkage] of an embankment.**

settlement of the ground   asiento del terreno, hundimiento de las tierras. Hundimiento, descenso o rebaje del terreno o de las tierras, por diversas causas. SIN. **subsidence of the ground.** V.TB. **settlement.**

settling   arreglo, ajuste; colonización; establecimiento; instalación; estabilización; asiento (del terreno, de un terraplén, de un apoyo); depósito, sedimento; sedimentación; decantación || *(Geol)* hundimiento || *(Met)* procedimiento de extracción del hierro de aleaciones líquidas de magnesio manteniendo el caldo a baja temperatura después de añadir manganeso || *(Quím)* asentamiento. Sedimentación por gravedad de una suspensión sólida en un líquido || *(Elecn)* estabilización || *(Automática)* establecimiento, asentamiento, corrección.

settling time   *(Elecn)* tiempo de estabilización. Tiempo necesario para que se estabilice la salida de un dispositivo (p.ej. un amplificador) después de la aplicación de una señal en escalón a la entrada || *(Automática)* tiempo de establecimiento [de asentamiento, de corrección]. En un sistema de control, tiempo necesario para que el valor absoluto de la diferencia entre la salida y el valor final deseado, se reduzca a un valor inferior al especificado y permanezca inferior a este último, después de aplicada a la entrada un "salto" de la magnitud excitadora. SIN. **correction time** | tiempo de establecimiento. Intervalo de tiempo después del comienzo de una perturbación sostenida [sustained disturbance] hasta el instante en que la variación correlativa de la magnitud de salida (después de suficiente amortiguación) alcance su valor final con una tolerancia especificada (CEI/66 37–40–055). CF. **response time.**

settling velocity   velocidad (límite) de sedimentación.

setup   equipo, conjunto, montaje, sistema, instalación; dispositivo de montaje, sistema de fijación; esquema; disposición; colocación; estructura, organización; procedimiento; ajuste general, ajuste inicial; preparación, arreglo previo || *(Cine)* posición de cámara || *(Tv)* fijación del nivel de CC [del nivel de pedestal]. SIN. **clamping** | velo. Diferencia entre el nivel de la videoseñal correspondiente a la zona más obscura de la imagen y el nivel del negro correspondiente a la extinción o supresión. SIN. **fog** | razón de niveles de referencia. Razón entre el nivel del negro de referencia [reference black level] y el del blanco de referencia [reference white level], ambos con relación al nivel de extinción o supresión [blanking level]; la razón se expresa habitualmente en forma de tanto por ciento || *(Cám tv)* ajuste inicial [preliminar]; ajuste básico [general]; preparación inicial /// *verbo:* v. **set up.**

setup adjustment   ajuste inicial. Ajuste realizado al instalar

inicialmente un aparato o equipo, o cuando cambian sus condiciones generales de funcionamiento, a distinción de los ajustes, más frecuentes, efectuados en la maniobra o utilización normal del aparato o equipo || *(Tv)* ajuste del nivel de pedestal (respecto al de extinción). V.TB. **setup.**

setup armature   *(Informática)* armadura de preparación.

setup-armature knockoff bail   varilla del separador de la armadura de preparación.

setup bail   *(Informática)* varilla de preparación.

setup card   *(Informática)* tarjeta de registro.

setup change switch   conmutador de cambio de función.

setup charge   gastos de instalación.

setup circuit   *(Informática)* circuito de preparación.

setup control   control preparador; control de ajuste preliminar; control de ajuste semifijo || *(Tv)* control de fijación del nivel de pedestal.

setup impulse   *(Informática)* impulso de preparación.

setup pawl   *(Informática)* trinquete de preparación.

setup-pawl reset cam   excéntrica para restaurar los trinquetes de preparación.

setup procedure   procedimiento preparatorio; preparativos necesarios (p.ej. antes de comenzar una fase de fabricación); puesta en servicio, instalación inicial (de un aparato).

setup switch   conmutador de preparación; interruptor de preparación.

setup time   tiempo de establecimiento | tiempo de conmutación. En el caso de una compuerta electrónica de capacitor y diodo, tiempo necesario para que la misma se abra o se cierre después de ocurrir un cambio en el nivel de entrada; el tiempo se empieza a contar a partir del instante en que ha ocurrido el 10 por ciento de dicho cambio || *(Informática)* tiempo de preparación. Intervalo transcurrido entre dos operaciones de una máquina y dedicado a maniobras preparatorias: cambio de carretes de cinta, reemplazo de tarjetas y formularios, etc.

seven-unit code   *(Teleg)* código de siete elementos [unidades].

seven-unit printer   *(Teleg)* impresor de señales de siete elementos.

seven-unit telegraph code   código telegráfico de siete elementos.

seven-unit teleprinter code   código de teleimpresor de siete elementos. Código de teleimpresor (telegrafía impresora) en el cual se usan cinco elementos para representar los caracteres (números, letras y signos de puntuación) y para controlar diversas funciones mecánicas, entre ellas: alimentación de renglón [line feed], retorno del carro [carriage return], paso a caja alta [upshift], paso a caja baja [downshift]. En los *aparatos arrítmicos* [start-stop apparatus] se usa un sexto elemento, que es siempre *de reposo* ["space"], para el arranque, y el séptimo, que es siempre *de trabajo* ["mark"], para la parada; estos dos elementos indican, respectivamente, el comienzo y el fin de la señal correspondiente a un carácter o una función mecánica o auxiliar. SIN. **teletype code.**

seventh   séptimo, la séptima parte || *(Mús)* séptima. Intervalo (armónico o melódico) que comprende siete sonidos sucesivos de la escala (mayor o menor) /// *adj:* séptimo, sétimo.

73   *(Aficionados radioteleg)* Abreviatura convencional de "best regards" [mis mejores saludos; recuerdos].

severe duststorm   *(Meteor)* tolvanera fuerte.

severe earthquake   *(Geofís)* sismo intenso, temblor de tierra fuerte [violento].

severe line squall   *(Meteor)* línea de turbonada fuerte.

severe sandstorm   *(Meteor)* tempestad de arena fuerte.

sew   *verbo:* coser.

sewage   aguas cloacales [negras, residuales, servidas, inmundas, de alcantarilla]. LOCALISMOS: albañal, aguas excluidas | alcantarillado, alcantarillaje.

sewage disposal   disposición de las aguas de cloaca. LOCALISMOS: eliminación [utilización] de aguas negras, disposición del albañal.

sewage-disposal plant   instalación depuradora de aguas negras, estación depuradora de aguas cloacales.

sewer pipe   tubo de albañal, caño de cloaca. LOCALISMO: canal de desagüe | tubo de barro [de arcilla vitrificada]. LOCALISMOS: tubo de gres, caño de barro gres.

sewing machine   máquina de coser.

sewing-machine oil   aceite para máquina de coser.

sex   sexo /// *adj:* sexual.

sex chromosome   *(Biol)* cromosoma sexual.

sex linkage   *(Biol)* herencia ligada al sexo.

sex-linked mutation   *(Biol)* mutación ligada al sexo.

sex-ratio   *(Biol)* coeficiente de masculinidad.

sexadecimal   *adj:* sexadecimal.

sexadecimal notation   notación sexadecimal. Notación numérica de base 16.

sexadecimal number system   sistema de numeración sexadecimal. Sistema de numeración de base 16, o sea, basado en las potencias sucesivas de 16.

sexagesimal   *adj:* sexagesimal.

sextant   *(Mat, Naveg)* sextante.

sextant telescope   anteojo del sextante.

sextet, sextette   grupo de seis elementos || *(Mús)* sexteto.

sextic   *(Mat)* séxtica. Ecuación o cuántica de sexto grado. Curva de sexto orden /// *adj:* séxtico. De sexto grado u orden.

sextic curve   *(Mat)* séxtica, curva de sexto orden.

sextic equation   *(Mat)* séxtica, ecuación séxtica [de sexto grado].

sextic quantic   *(Mat)* séxtica, cuántica de sexto grado.

sextolet   *(Mús)* v. **sextuplet.**

sextuplet   grupo de seis; uno de seis nacidos a un tiempo || *(Mús)* (a.c. sextolet) seisillo. TB. sextolet. Grupo de seis sonidos, o de sonidos y silencios, de igual duración, escrito en lugar de un grupo de cuatro u otro número de figuras.

sexuated   *adj:* sexuado.

sexuated chromatin   cromátina sexuada.

SEZ   *(Aficionados radioteleg)* Abrev. de says [dice].

SF   *(Teleg)* Abrev. de San Francisco (California).

SFB   Siglas de Sender Freies Berlin (Alemania).

SFC   Abrev. de slant flight control.

sferics   *(i.e.* atmospherics) atmosféricos, estática, perturbaciones de origen atmosférico, ruido de descargas atmosféricas. SIN. **atmospheric interference.**

sferics receiver   v. **sferics set.**

sferics set   analizador de perturbaciones atmosféricas. Sistema utilizado para analizar las perturbaciones electromagnéticas con origen en fenómenos atmosféricos, determinando direcciones de llegada, intensidades, ritmo de ocurrencia, zona de origen, etc. Puede incluir antenas direccionales, medidores de intensidad de campo, osciloscopios, registradores gráficos, detectores especiales, etc. SIN. **lightning recorder, sferics receiver.**

SFERT   *(Telecom)* Abreviatura de uso internacional que corresponde a la expresión francesa *système fondamental européen de référence pour la transmission téléphonique* [español, *sistema patrón europeo de referencia para la transmisión telefónica;* inglés, *European master telephone-transmission reference system*]. CF. **master telephone-transmission reference system.**

SFERT laboratory   laboratorio del SFERT.

SFERT speech level meter   volúmetro [indicador de volumen] del SFERT. Volúmetro o indicador de volumen cuyas características esenciales se estipulan en las especificaciones del SFERT.

SG   *(Esquemas)* Símbolo o abreviatura de screen grid.

SGD   *(Teleg)* Abrev. de signed [firmado].

SGW   Abrev. de standard wire gage.

shackle   grillete, argolla, grillete, esposas || *(Ballestas)* gemela || *(Ferroc)* enganche (de coches) | collera. Parte del enganche a tornillo que entra en el gancho de tracción || *(Marina)* grillete || *(Telecom)* gancho.

shackle bolt   perno [pasador] de grillete; perno de horquilla.

shade   sombra; umbría; visillo, cortinilla de ventana; toldo, sombrajo; visera || *(Alumbrado)* pantalla, reflector | pantalla. Elemento hecho de materias diversas, opacas o difusoras, y destinado

a ocultar la lámpara respecto a la visión directa (CEI/58 45–55–080). CF. **louver, reflector** || *(Colores)* matiz, tinte, tono || *(Instr)* pantalla /// *verbo:* sombrear; dar sombra; obscurecer; resguardar de la luz || *(Baños colorantes)* matizar, graduar || *(Colores)* matizar, casar; sombrear || *(Quím)* dosificar (un producto) || *(Dib)* rayar.

shade carrier   *(Alumbrado)* portapantalla, portarreflector.

shade holder   *(Alumbrado)* portapantalla, portarreflector.

shade temperature   *(Meteor)* temperatura a la sombra.

shaded area   *(Dib)* área [zona] rayada.

shaded memory   *(Informática)* memoria para datos de entrada y salida. Parte de la memoria principal de un procesador, reservada para los datos de entrada y de salida, y que, por tanto, no puede ser utilizada por el programador.

shaded pole   *(Elec)* polo sombreado [blindado, con devanado en cortocircuito]; polo estatórico asimétrico.

shaded-pole induction motor   v. **shaded-pole motor.**

shaded-pole instrument   *(Elec)* instrumento de polo blindado. Instrumento indicador del tipo de inducción en el cual un polo del sistema de imán está rodeado por un anillo de cobre.

shaded-pole motor   motor de polo sombreado, motor (de inducción) de polos protegidos, motor de flujo desplazado [de devanado en cortocircuito]. Motor monofásico de inducción provisto de uno o más devanados estatóricos auxiliares en cortocircuito magnéticamente desplazados respecto al devanado principal; esos devanados consisten usualmente en anillos de cobre embutidos en una cara polar, y tienen el efecto de proporcionar el campo giratorio [rotating field] necesario para el arranque. SIN. **shaded-pole induction motor.**

shaded-pole relay   relé [relevador] de polo sombreado. v. **shading ring.**

shades of gray   matices de gris. En televisión, gradaciones entre el blanco y el negro de la imagen. CF. **gray scale.**

shading   sombreado; obscurecimiento; acción de dar sombra; acción de resguardar de la luz || *(Colores)* (a.c. shade) matiz, tinte, tono | sombreado; matizado, acción de casar || *(Baños colorantes)* matizado, graduación || *(Quím)* dosificación (de un producto) || *(Dib, Mapas)* sombreado; rayado; rasgueo || *(Electroacús)* corrección de la directividad (de un transductor) || *(Tubos de memoria para radar)* sombra. Desigualdad de señales entre el centro y los bordes, debida principalmente a una ligera desconcentración de los haces sobre los bordes del blanco, a la utilización del cañón de inscripción en una parte alineal de su característica, o a colecta incompleta de los electrones secundarios || *(Tv — Defectos de la imagen)* sombra, mancha obscura. (1) Zona obscura causada por desigualdades del campo entre diferentes partes del mosaico y el colector del tubo de cámara o analizador. (2) Disminución perjudicial de la iluminación de fondo, causada por el retorno de electrones secundarios al mosaico de un tubo de cámara. Estos electrones, producidos por el impacto del haz explorador sobre el mosaico, pueden retornar a otros glóbulos de éste y reducir la carga electrostática de las correspondientes capacitancias. SIN. **shadow, spurious shading, black [dark] spot** | sombra. (1) Gradiente de brillo no presente en la escena original, y que tiene su causa en el tubo tomavistas o de cámara. (2) Desigualdad de brillo entre diferentes partes de la imagen, debida a señales espurias generadas en el tubo tomavistas durante los intervalos de retorno del haz explorador. Dichas señales son por lo común causadas por una redistribución de los electrones secundarios sobre el mosaico del tubo analizador, y varían de una escena a otra con los cambios de la iluminación de fondo || *(Tv)* (*i.e.* shading correction) corrección de sombra. (1) Corrección o compensación del defecto de *sombra* (véanse las definiciones de arriba) por superposición de una onda que neutralice las señales espurias que dan origen a aquél. (2) Compensación de la distorsión de amplitud de una señal de imagen [picture signal] por la superposición de una señal de origen exterior. SIN. **shading correction** (CEI/70 60–64–565).

shading bar pattern   *(Tv)* imagen patrón de franjas de sombreado.

shading coil *(Mot)* bobina de sombra. v. **shading ring.**

shading compensation *(Tv)* compensación [corrección] de sombra. SIN. **shading (correction).**

shading-compensation signal señal de compensación de sombra, onda correctora de sombra.

shading correction *(Tv)* corrección de sombra. Compensación de la distorsión de amplitud de una señal de imagen por la superposición de una señal de origen exterior. SIN. **shading** (CEI/70 60–64–565).

shading generator *(Tv)* generador de ondas [señales] correctoras de sombra. Generador de ondas iguales pero de polaridad opuesta a las de las señales espurias causantes del defecto de sombra. El dispositivo está provisto de diversos mandos que se ajustan hasta obtener un brillo esencialmente uniforme en toda la escena reproducida.

shading insertion *(Tv)* inserción de la señal correctora de sombra, inyección de la onda correctora de sombra.

shading ring anillo de sombra. (1) Espira en cortocircuito (anillo de cobre) utilizado en un motor de polo sombreado para retardar la variación del flujo magnético en una parte del polo y obtener así el campo giratorio necesario para el arranque. v.TB. **shaded-pole motor.** (2) Anillo grueso de cobre que se coloca alrededor de la pieza polar central [central pole piece] de un altavoz electrodinámico para que (actuando como espira en cortocircuito) suprima la tensión de zumbido producida por la bobina de excitación [field coil]. (3) Anillo o espira cerrada de cobre colocada alrededor de una parte del núcleo de un relé de CA para impedir la vibración de los contactos. SIN. **shading coil.**

shading signal *(Tv)* señal [onda] correctora de sombra. SIN. **shading-compensation signal.**

shading voltage *(Tv)* tensión correctora de sombra.

shading waveform *(Tv)* onda correctora de sombra.

shadow sombra; obscuridad; sombra arrojada; sombreado; zona resguardada de la luz u otra radiación || *(Comparadores ópticos)* perfil. Imagen observada en la pantalla.

shadow angle *(Indicadores catódicos)* ángulo del sector de sombra.

shadow area *(Elecn, Radiocom, Tv)* zona de sombra || *(Radar)* zona de sombra. SIN. **blind [risk] area, shadow region.**

shadow attenuation *(Radiocom)* atenuación de sombra. Valor en el cual la atenuación de las ondas radioeléctricas que se propagan sobre una esfera sobrepasa la atenuación sobre un plano, cuando la distancia recorrida por las ondas y otros factores son iguales. CF. **shadow factor.**

shadow caster proyector de sombra, sombrógrafo; comparador óptico de perfiles || *(Microscopía elecn)* acentuador de contrastes.

shadow chart *(Radio/Tv)* mapa de sombras.

shadow-column instrument *(Aparatos de medida)* aparato de columna de sombra. Aparato en el cual las indicaciones son dadas por una columna de sombra sobre una escala iluminada que forma parte del aparato (CEI/58 20–05–125).

shadow comparator comparador óptico de perfiles.

shadow factor *(Radiocom)* factor de sombra [de difracción]. Relación de los valores de una magnitud del campo de la onda de tierra [ground wave] a una misma distancia de un emisor radioeléctrico, sobre una Tierra supuesta esférica y una Tierra supuesta plana, pero de las mismas características eléctricas (CEI/70 60–22–030). CF. **shadow attenuation.**

shadow loss *(Radiocom)* pérdida por sombra, pérdida de sombra. Atenuación, aparte de la de espacio libre, que sufre un haz radioeléctrico en la zona situada detrás de un obstáculo (cuerpo radioeléctricamente opaco); dicha zona se llama también *región de altura libre negativa.*

shadow mask *(Tv)* máscara de sombra, máscara [placa] perforada. v. **aperture mask.**

shadow-mask (color) picture tube *(Tv)* cinescopio (tricolor) de máscara de sombra, tubo de imagen (policroma) de placa perforada.

shadow-mask (picture) tube *(Tv)* tubo (de imagen) de máscara de sombra, cinescopio de placa perforada.

shadow photometer fotómetro de sombra [de Rumford]. SIN. **Rumford photometer.**

shadow region *(Radiocom)* región de sombra. (1) Región en la cual la intensidad de campo de la onda incidente es tan pequeña, por efecto de un obstáculo en la trayectoria de propagación, que es prácticamente imposible una recepción satisfactoria o la detección o localización de objetos mediante el radar. (2) Región substraída a la acción de un radar por obstáculos naturales o artificiales (CEI/70 60–72–575). SIN. **región de silencio, zona de sombra —— shadow area.**

shadow scratch *(Cine)* rayadura óptica. Defecto de la reproducción sonora debido a una imperfección mecánica o la presencia de suciedad en la ranura del sistema óptico de la cabeza de sonido. SIN. **optical scratch.**

shadow tuning indicator indicador de sintonía por sombra. Dispositivo que mediante una sombra de área variable indica la exactitud con que está sintonizada una emisora en un radiorreceptor. En tipos ya prácticamente desusados consistía en un mecanismo de instrumento de medida cuya aguja, en forma de aleta, reducía al moverse el ancho de una sombra proyectada sobre una pantalla translúcida. Modernamente consiste en un tubo electrónico de tipo especial cuya corriente electrónica produce una sombra variable en una pequeña pantalla fluorescente. v. **cathode-ray tuning indicator.**

shadow zone zona de sombra. SIN. **shadow area.**

shadowgraph imagen de sombras; fotografía por sombras; esquiagrama; imagen ultrasónica; radiografía | sombrógrafo, siluetógrafo, comparador [verificador] óptico de perfiles. SIN. **optical [shadow] comparator** | registrador de sombras.

shadowgraph tuning indicator v. **shadow tuning indicator.**

shadowgraphing comparación [verificación] óptica de perfiles.

shadowing *(Galvanoplastia)* efecto de pantalla. Modificación, por un obstáculo, de la distribución uniforme de la corriente sobre el cátodo. SIN. **shielding** (CEI/60 50–30–345).

shadowless *adj:* sin sombras.

shadowless lamp lámpara sin sombras, lámpara escialítica. Lámpara que no proyecta sombras, gracias al empleo de un número considerable de espejos para la reflexión de la luz. Se utiliza particularmente para alumbrar las mesas de cirugía.

shadowproof *adj:* inanubable.

shaft eje; mango largo; vástago; flecha, dardo; lanza || *(Arq)* columna, obelisco; aguja (de torre); fuste, cañón, cuerpo, caña (de columna) || *(Ascensores)* caja, pozo || *(Cajones)* chimenea || *(Minas, Túneles)* pozo. TB. tiro, pique, tronera, cuadro, lumbrera || *(Minas)* pozo; chimenea || *(Carruajes)* vara, lanza; limonera, limón || *(Herr)* mango || *(Máq herr)* barra, barrón || *(Mec, Máq)* eje, árbol || *(Turbinas de vapor)* cilindro, cuerpo || *(Potenciómetros, Reostatos, Conmut rotativos)* eje, miembro axial de mando.

shaft alignment alineación del eje.

shaft angle ángulo de rotación del eje. CF. **angular displacement** | ángulo de rotación del árbol.

shaft bushing casquillo del eje.

shaft contact *(Telecom)* contacto de eje. SIN. **normal post contact.**

shaft-contact spring *(Telecom)* muelle de contacto de eje.

shaft coupling acoplamiento del eje; acoplamiento de los ejes.

shaft current *(Máq eléc)* corriente inducida en el eje.

shaft disk plato del eje.

shaft distortion deformación del eje.

shaft-driven *adj:* accionado por eje.

shaft end extremidad del eje.

shaft extension prolongación del eje.

shaft failure alarm *(Telecom)* alarma de parada de eje.

shaft flat *(Mandos)* parte plana [lado plano] del eje.

shaft governor regulador axil [de árbol].

shaft horsepower caballos al eje.

shaft key   chaveta del eje.

shaft liner   camisa del eje.

shaft misalignment   desalineación del eje.

shaft output   potencia al eje [en el eje].

shaft position   posición del eje.

shaft-position analog-to-digital converter   convertidor analógico-digital de posición de eje, convertidor analógico-numérico de desplazamiento angular de eje. SIN. **shaft-position encoder.**

shaft-position encoder   codificador de posición de eje, traductor de desplazamiento angular de eje. Dispositivo que traduce la posición (desplazamiento angular) de un eje, u otra magnitud analógica proporcional a ella, en una magnitud digital, generalmente binaria. SIN. **shaft-position analog-to-digital converter.**

shaft-position indicator   indicador de posición [desplazamiento angular] de eje.

shaft-position transducer   transductor de posición de eje.

shaft seal   sello [obturador] del eje.

shaft speed   velocidad (angular) del eje, revoluciones del eje.

shaft torque   momento torsional del eje. Da la medida de la fuerza que es necesario ejercer p.ej. para accionar el eje de sintonía de un receptor; en este caso particular se mediría en gramos-centímetro (o en onzas-pulgada).

shafting   sistema de ejes; transmisión, conjunto de ejes de transmisión.

shake   sacudida, sacudimiento; temblor, trepidación; vibración ‖ *(Engranajes, Ejes, Pivotes)* huelgo ‖ *(Mús)* trino ⫼ *verbo:* vibrar; sacudir; agitar, menear; temblar, trepidar, bambolearse; estremecerse ‖ *(Mús)* trinar.

shake table   v. **shaking table.**

shake test   ensayo de trepidación, prueba de trepidación [de vibración, de sacudidas]. SIN. **shaking-table test.**

shake up   agitar, sacudir.

shakedown   fase de funcionamiento de prueba en condiciones de servicio; fase de observación minuciosa después de una reparación importante.

shakedown flight   *(Avia)* vuelo de prueba.

shakedown inspection   inspección minuciosa.

shakeproof   *adj:* a prueba de sacudidas; a prueba de vibraciones; inaflojable; antivibratorio.

shaker   agitador, batidor; criba oscilante [de sacudidas] ‖ sacudidor, sacudidora. Dispositivo electromecánico o máquina que sirve para someter una muestra a aceleraciones vibratorias regulables conocidas. SIN. **shaking table, vibrator.**

shaker screen   criba oscilante [de sacudidas, vibradora, de vaivén]; tamiz oscilante; reja sacudidora, zaranda vibratoria.

shaker table   v. **shaking table.**

shaketable   v. **shaking table.**

shaking   sacudida, sacudimiento; temblor, trepidación; vibración; agitación, meneo; bamboleo; estremecimiento ⫼ *adj:* sacudidor; trepidante; vibrante, oscilante, vibratorio, oscilatorio.

shaking table   (a.c. shake, shaker, shaker table, shaketable) mesa vibrante [sacudidora, oscilatoria, trepidante], mesa de sacudidas. v. **shaker.**

shaking-table test   v. **shake test.**

shallow   bajo, poco profundo, de poco fondo; vadoso; bajo, de pequeña altura; delgado, de poco espesor; superficial, somero.

shallow fog   *(Meteor)* niebla baja.

shallow impurities   impurezas poco profundas.

shallow layer   capa delgada.

shallow nut   tuerca delgada.

shallow penetration   poca penetración, penetración poco profunda.

shallow water   agua poco profunda, agua de poca profundidad.

shallow-water repeater   *(Cables submarinos)* repetidor para poco fondo.

shallow-water submarine cable   cable submarino para (aguas de) poco fondo.

shamal   *(Meteor)* shamal.

shank   espiga, vástago, espárrago; cuerpo, fuste; astil, mango; varilla, vástago ‖ *(Anclas)* asta, caña; fuste ‖ *(Barrenas)* espiga, cola, mango, rabo ‖ *(Herr)* espiga ‖ *(Llaves)* caña, cañón; tija ‖ *(Sierras)* media luna ‖ *(Pernos, Tornillos)* cuerpo, fuste ‖ *(Remaches)* cuerpo, fuste, caña, vástago, husillo ‖ *(Remos)* caña ‖ *(Fonog)* espiga de sujeción. Parte de la aguja de reproducción o del estilete de grabación que se asegura en posición en el fonocaptor o la cabeza cortadora, según el caso ‖ *(Elec)* parte cilíndrica o en forma de varilla de un conector o un contacto.

shannon   shannon. Unidad de cantidad de información, igual a la cantidad de información que resulta de escoger entre dos posibilidades que se excluyen una a la otra y que tienen cada una una probabilidad de realización igual a $\frac{1}{2}$ (CEI/70 55-35-285).

Shannon   Claude Elwood Shannon: matemático norteamericano (nacido en 1916), precursor de la teoría de la información [information theory].

Shannon limit   límite de Shannon. Valor máximo de la mejora de relación señal a ruido alcanzable utilizando la técnica de modulación óptima, de acuerdo con el teorema de Shannon relativo a dicha relación y a la capacidad del canal considerado.

shape   forma, figura; horma; molde; plantilla; modelo; cuerpo, hechura; manera, modo; condición, estado │ **shape of a curve:** forma de una curva │ CF. **waveform, waveshape** ‖ *(Dientes de engranaje)* perfil ‖ *(Elementos estructurales)* perfil, perfilado; perfil laminado [estirado] ‖ *(Marina)* objeto de forma variada (izado por un buque) ⫼ *verbo:* formar, dar forma, conformar, modelar, amoldar; limar; embutir; forjar; recortar; adaptar; dirigir; regular; arreglar, disponer; determinar ‖ *(Naveg)* ponerse a rumbo.

shape cross-section   *(Nucl)* v. **shape elastic cross-section.**

shape cutting   corte con plantilla; configuración por cortes.

shape-cutting machine   máquina de cortar con plantilla, cortadora a plantilla.

shape elastic cross-section   *(Nucl)* sección elástica de forma.

shape elastic scattering   *(Nucl)* difusión elástica de forma.

shape factor   factor de forma. (1) En los cálculos de inductancia, valor o cantidad que toma en cuenta la forma física de la bobina. (2) Razón (por lo común la máxima) que, en relación con los filtros, sirve para comparar dos anchos de banda correspondientes a un alto valor y a un bajo valor de la atenuación. SIN. **form factor.**

shaped beam   haz perfilado, haz configurado.

shaped-beam antenna   antena de haz perfilado. Antena cuyo diagrama de directividad en cierto intervalo angular tiene una forma especial adoptada para una aplicación particular. SIN. **phase-shaped antenna.**

shaped-beam cathode-ray tube   tubo de rayos catódicos de haz perfilado.

shaped-beam display tube   tubo de rayos catódicos de haz perfilado.

shaped-beam tube   tubo (electrónico) de haz perfilado.

shaped conductor   *(Elec)* conductor perfilado. Conductor cuya sección recta no es circular (CEI/65 25-20-055).

shaped-conductor cable   cable de conductores perfilados, cable eléctrico de conductores no circulares.

shaped plate   chapa configurada [de figura], chapa no rectangular.

shaped wire   alambre perfilado [de sección recta no circular].

shapeless   *adj:* amorfo, sin forma; disforme, informe, mal hecho, sin forma ni proporción.

shaper   (circuito) formador [conformador, modelador] (de onda, de impulsos) │ *(i.e.* pulse shaper*)* formador de impulsos ‖ *(Caminos)* conformadora, abovedadora ‖ *(Máq herr)* (máquina) limadora; cepillo limador; perfilador; conformadora, máquina de conformar; troquel; estampa de forja; prensa de embutir; cepilladora; máquina de tallar engranajes ‖ *(Trabajo de la madera)* tupí, fresadora, trompo.

shaping   formación, conformación, modelado, moldeo; embutición; perfilado; perfil recortado ‖ *(Caminos)* perfilado. Operación general consistente en dar forma a una superficie según un perfil o contorno determinado. SIN. **finishing** || *(Radar)* conformación de diagrama (de un indicador panorámico).

shaping circuit   circuito formador [conformador, modelador] (de onda, de impulsos). CF. **pulse-shaping circuit, waveshaping circuit, shaping network.**

shaping machine   v. **shaper.**

shaping network   red correctora. v. **corrective network, equalizing network** | red conformadora, red modeladora. v. **waveshaping network.**

shaping of pulses   formación [conformación] de impulsos.

shaping system   sistema de conformación.

shared band   *(Telecom)* banda compartida.

shared channel   *(Radiocom)* canal compartido.

shared-channel broadcasting   radiodifusión en canal compartido.

shared-channel interference   *(Radiocom)* interferencia en canal compartido [en el canal propio]. v. **cochannel interference.**

shared line   *(Telef)* línea compartida.

shared-pair electron bond   enlace electrónico homopolar.

shared service   *(Telecom)* servicio compartido.

shared-service connection   *(Telecom)* conexión de servicio compartido; estación de línea compartida.

shared-service line   *(Telef)* línea compartida en dos sentidos. Línea de abonado que da servicio no simultáneo a dos estaciones telefónicas de abonado con números de llamada distintos (CEI/70 55–85–090). CF. **party line.**

shared use   uso compartido, uso en común.

shared voice/record communications   comunicaciones telefónicas/telegráficas alternadas. Comunicaciones telefónicas (voz) y telegráficas (teleimpresor, transmisión de datos) mediante un circuito que sólo funciona en una de las dos modalidades cada vez.

shared wave   onda compartida. CF. **shared channel.**

sharing   *(Radiocom)* compartimiento, asignación múltiple.

sharing conditions   *(Radiocom)* condiciones de compartimiento [repetición]. CF. **duplication [repetition] of frequencies.**

sharing of frequencies   *(Radiocom)* compartimiento [compartición] de frecuencias.

sharing rules   reglas de compartimiento [compartición] (de frecuencias).

sharp   *(Mús)* sostenido (#) |||| *adj:* brusco, repentino; penetrante; acre, agrio; distinto, claro, bien definido, bien delineado; crítico; agudo; afilado, cortante; aguzado, puntiagudo || *(Acús)* agudo, de tono alto; fino de oído || *(Mús)* sostenido || *(Pendientes)* abrupta, fuerte, pronunciada, parada || *(Herr)* afilado, aguzado; cortante; puntiagudo || *(Arena, Fragmentos)* anguloso, angular, de aristas vivas.

sharp angle   ángulo agudo [cerrado]. CF. **acute angle.**

sharp bandpass filter   filtro pasabanda de corte rápido; filtro pasabanda de selectividad aguda.

sharp bend   *(Alambres)* dobladura aguda || *(Tuberías)* codo agudo.

sharp blister   ampolla abrupta. En un disco fonográfico, ampolla que presenta una irregularidad o un contorno muy definidos.

sharp blow   golpe seco.

sharp-boundary model   *(Nucl)* modelo (del núcleo) con bordes delimitados.

sharp cant   canto vivo, arista viva.

sharp corner   canto vivo, esquina viva.

sharp curve   curva cerrada [pronunciada, abrupta, brusca, fuerte, forzada, de pequeño radio].

sharp cutoff   *(Elecn)* corte agudo [rápido].

sharp-cutoff filter   filtro de corte rápido [agudo].

sharp-cutoff pentode   *(Elecn)* pentodo de corte rápido [neto], pentodo de pendiente constante. v. **sharp-cutoff tube.**

sharp-cutoff tube   *(Elecn)* tubo de corte rápido, válvula de corte rápido [neto]. Tubo o válvula de pendiente constante, característica que en la práctica se obtiene con un espaciamiento uniforme de las espiras de la rejilla de mando. Como resultado, la corriente disminuye con rapidez constante hasta llegar al corte, o sea, a la

anulación completa de la conducción anódica. CF. **remote-cutoff tube.**

sharp dropoff   *(Curvas gráficas)* caída brusca [abrupta].

sharp edge   arista afilada [viva], canto vivo; borde afilado; filo agudo || *(Fab discos fonog)* borde afilado. Borde defectuoso de un disco, por no haber sido suficientemente suavizado en la operación de acabado, y que se siente agudo o vivo al tacto. CF. **bad edge.**

sharp-edged gust   *(Meteor)* ráfaga instantánea.

sharp effect   efecto crítico; efecto pronunciado.

sharp elbow   *(Tuberías)* codo agudo.

sharp fire   llama oxidante.

sharp front   *(Impulsos)* frente abrupto.

sharp image   (a.c. sharp picture) imagen nítida [bien definida], imagen de alta definición; imagen de contornos bien definidos.

sharp knee   *(Curvas gráficas)* codo agudo, codo de inflexión rápida.

sharp leading edge   *(Impulsos)* borde de ataque abrupto, transición anterior rápida.

sharp motion   movimiento brusco.

sharp noise   ruido seco. Ruido brusco y corto.

sharp picture   v. **sharp image.**

sharp-pointed   *adj:* puntiagudo, de punta aguda; alesnado; acicular.

sharp resonance   resonancia aguda.

sharp series   *(Fís)* serie nítida (de rayas espectrales).

sharp tuning   sintonía [sintonización] aguda, sintonización precisa [crítica]. Sintonización mediante circuitos de gran selectividad.

sharp turn   *(Vehículos)* viraje rápido.

sharp-wavefront pulse   impulso de frente abrupto [de subida rápida]. CF. **sharp leading edge.**

sharpening stone   piedra de afilar.

sharpening wheel   muela (abrasiva) de afilar.

sharpite   *(Miner)* sharpita.

sharply bounded   *adj:* de límites bien definidos, bien delimitado.

sharply focused   *adj:* enfocado con precisión.

sharply peaked waveform   onda muy apuntada.

sharply rising wave   onda de subida rápida.

sharply selective   *adj:* de selectividad aguda.

sharply selective amplifier   amplificador de selectividad aguda.

sharply selective receiver   receptor de selectividad [sintonía] aguda.

sharpness   brusquedad; acritud; claridad, definición; agudeza; aguzamiento; acuidad; precisión || *(Cine/Fotog/Tv)* nitidez, definición; delineación de contornos || *(Pendientes)* grado || calidad de repentino; de penetrante; de distinto; de crítico; etc. (véase **sharp**). v.TB. **sharpness of . . .**

sharpness limit   *(Cine/Tv)* límite de nitidez.

sharpness of course   *(Radionaveg)* agudeza de rumbo (de una radioayuda).

sharpness of resonance   agudeza de resonancia.

sharpness of tuning   agudeza de sintonía [de sintonización], precisión de sintonización; agudeza de selectividad.

shatterproof   *adj:* inastillable; irrompible, infracturable, a prueba de fractura, infrangible.

shatterproof glass   cristal inastillable, vidrio (laminado) de seguridad.

shave-hook   v. **shavehook.**

shavehook   rascador; rasqueta; raspador de pintor; raspador de plomero; escofina para chaflanes.

shaving   afeitado; raspadura; rasqueteado; rasurado || *(Electroacús)* afeitado. Acción de remover material de la superficie de un medio de registro en disco, para obtener una nueva superficie de grabación mecánica. SIN. **alisado, borrado, cepillado, limpiado** || v. **shavings.**

shavings   virutas, alisaduras, raeduras, raspaduras, acepilladuras.

shawm   *(Mús)* caramillo; chirimía.

SHD   *(Teleg)* Abrev. de should.

sheaf   gavilla, atado; haz || *(Mat)* haz (de rectas, de rayos, de superficies, de curvas, de planos).

sheaf of planes   *(Mat)* haz [radiación] de planos. Conjunto de todos los planos que pasan por una recta; los planos se llaman *rayos* del haz, y la recta se denomina *arista* del mismo. SIN. **bundle of planes.**

shear   corte, cortadura, cizallamiento, cizalladura, cizalleo; esfuerzo cortante; fuerza tangencial; movimiento lateral; deslizamiento (de capas geológicas) | **(of magnetic field)** cizallamiento [cizalladura] (del campo magnético) ‖ *(Máq herr)* cizalla, tijera (mecánica) ⫽ *verbo:* cizallar, recortar; someter a esfuerzo cortante; cortar; tonsurar; trasquilar, esquilar.

shear beam   *(Avia)* larguero de esfuerzo cortante.

shear center   centro de deslizamiento.

shear flow   flujo de deslizamiento; flujo cizallante [de cizallamiento]; corriente tangencial [transversal].

shear force   fuerza tangencial; fuerza de corte [de cizallamiento, de cisión].

shear mode   *(Oscilaciones y vibraciones)* modo de cizalla.

shear modulus   coeficiente de rigidez. SIN. **rigidity** | módulo de corte.

shear nut   tuerca de esfuerzo cortante.

shear resistance   resistencia al esfuerzo cortante.

shear strain   deformación por esfuerzo cortante.

shear strength   resistencia al esfuerzo cortante.

shear stress   esfuerzo cortante; (esfuerzo de) cizallamiento.

shear wave   onda rotacional [de rotación, de torsión]; onda transversal. En un medio elástico, onda que modifica la forma de un elemento del medio sin modificar su volumen. Onda en la cual el desplazamiento de las partículas ocurre en ángulos rectos con la dirección de propagación. La denominación de *onda transversal* [transverse wave] es aplicable cuando el medio (además de elástico) es isótropo. SIN. **rotation(al) wave.**

shearer tube   tubo de rayos X con ampolla metálica y aislación de porcelana alrededor de las conexiones a los electrodos.

shearing   corte, cortadura, cizallamiento; tronchadura, fractura por esfuerzo cortante; deslizamiento; esquileo, trasquiladura; tundido, tundición (de pieles); acción de cortar (chapas) según medidas ‖ *(Minas)* entalladura vertical ⫽ *adj:* cortante, cizallante; de deslizamiento; trasquilador, esquilador.

shearing force   v. **shear force.**

shears   tijeras (grandes), cizalla(s); máquina de cizallar ‖ *(Constr)* machina, grúa de tijeras; cabria.

sheath   (a.c. sheathing) vaina; forro, revestimiento, envoltura; funda, estuche ‖ *(Cables eléc)* vaina, funda, envoltura | vaina. Capa tubular continua y uniforme destinada a proteger el aislamiento, sobre todo contra la humedad, o a proteger una pantalla metálica interior [inner metallic sheath] o una armadura [armor] contra la corrosión (CEI/65 25–30–105). CF. **bedding, serving** ‖ *(Líneas de tr blindadas)* blindaje externo ‖ *(Guías de ondas)* pared metálica ‖ *(Radio)* hoja (conductora) ‖ *(Tubos de descarga gaseosa)* vaina. Región de carga de espacio debida a una acumulación de electrones o de iones. v. **electron sheath, ion sheath** ⫽ *verbo:* envainar; forrar, revestir, envolver; encofrar, entarimar, entablar ‖ *(Cables eléc)* envainar.

sheath-reshaping converter   transformador de onda por modificación estructural. Guía de ondas en la cual, mediante modificación gradual de la estructura envolvente y el empleo de hojas conductoras montadas longitudinalmente, se obtiene a la salida una onda de tipo distinto al de la onda incidente o de entrada. CF. **wave converter.**

sheathed cable   cable (eléctrico) con vaina.

sheathing   revestimiento, forro; camisa, envuelta, guarnición ‖ *(Aviones)* refuerzos metálicos ‖ *(Buques de madera)* forro metálico (cobre o cinc) ‖ *(Carp)* encofrado, tablado, tablazón, entablado, entarimado ‖ *(Cables eléc)* envainado; vaina.

sheave   polea (acanalada), polea de garganta, roldana, garrucha ‖ *(Cableros)* polea.

shed   galpón, cobertizo, tinglado; cabaña, barraca; colgadizo, chozo, sotechado, tejadillo; separación; vertiente ‖ *(Aisladores)*

campana ‖ *(Dirigibles)* hangar, cobertizo ‖ *(Ferroc)* galpón. Edificio destinado al depósito de mercaderías, etc. | v. **shed with...** ⫽ *verbo:* arrojar de sí, quitarse, largar, desprenderse de; dejar caer, esparcir; mudar (la piel); soltar (pelo); caerse (las hojas, etc.).

shed insulator   aislador de campana.

shed line   *(Geog fís)* vertiente, divisoria (de las aguas).

shed roof   cubierta a una agua, techo de un agua, tejadillo.

shed tracks   *(Ferroc)* vías de galpón. Vías destinadas al servicio de cargas en depósitos.

shed with ordinary bays   *(Ferroc)* depósito denticular. Galpón con planta en forma de diente.

shed with staggered bays   *(Ferroc)* galpón diente de sierra.

shed with terraced floor   *(Ferroc)* depósito escalonado. Galpón con planta en forma de escalones.

sheep-foot roller   v. **sheepsfoot roller.**

sheepsfoot roller   *(i.e.* towed steel cylinder with protruding elements used to pack down soils; a.c. sheep-foot roller) compactadora pata de cabra, aplanadora de pie de cabra, rodillo pata de cabra, rodillo con patas de carnero, apisonadora de patitas de carnero, rodillo de pata de oveja, aplanadora de pezuña. Máquina remolcable consistente en uno o más cilindros montados en un bastidor común, estando la periferia de éstos provista de salientes radiales que tienen el propósito de que el peso total se concentre en pequeñas superficies (gran carga unitaria de apisonado), para producir elevada compactación de suelos. SIN. **sheepsfoot tamper.**

sheepsfoot tamper   v. **sheepsfoot roller.**

sheet   hoja; planilla; pliego, hoja (de papel); pliego escrito con determinado número de palabras; lámina; sábana; extensión de agua; capa de hielo ‖ *(Acero)* hoja, chapa, plancha, lámina ‖ *(Dib)* hoja ‖ *(Geol)* capa, banco, intercalación ‖ *(Velas)* escota, escotín ⫽ *verbo:* extenderse en láminas u hojas; blindar; ensabanar, envolver en sábanas; amortajar ‖ *(Excavaciones)* tablestacar, forrar ‖ *(Zanjas)* entibar.

sheet beam   haz laminar. CF. **shaped beam.**

sheet cavitation   cavitación laminar.

sheet copper   cobre en hojas [en planchas].

sheet duralumin   duraluminio en planchas.

sheet electron beam   haz electrónico laminar.

sheet floater   separador magnético de chapas apiladas.

sheet glass   vidrio laminado [en láminas]; vidrio común [de cilindro, para ventanas]; vidrio plano, hoja de vidrio.

sheet grating   *(Guías de ondas)* rejilla de hojas (para la supresión de modos indeseados), filtro supresor de modos del tipo de rejilla de hojas. Rejilla constituida por hojas metálicas delgadas que se extienden longitudinalmente por el interior de la guía, sobre un trecho igual a aproximadamente una longitud de onda, y que sirven para suprimir modos de propagación indeseados.

sheet ice   capa de hielo, hielo formado en el sitio, extensión de terreno cubierta de hielo.

sheet iron   chapa de hierro, palastro.

sheet layout   *(Mapas)* disposición de las hojas.

sheet lead   plancha de plomo; plomo en planchas [en hojas].

sheet length   longitud de hoja.

sheet-length control arm   *(Informática)* brazo de control de longitud de hoja.

sheet line   *(Mapas, planos)* límite de hoja.

sheet metal   chapa (metálica), hoja [plancha] metálica, lámina, (chapa de) palastro. CF. **sheet copper, sheet duralumin, sheet iron, sheet lead, sheet steel.**

sheet-metal and wire gage   calibrador para chapas metálicas y alambres.

sheet-metal gage   calibrador para chapas metálicas.

sheet-metal screw   tornillo autorroscante. SIN. **self-tapping screw.**

sheet of a surface   *(Mat)* hoja de una superficie. Se llama *hoja* a cada una de las partes de ciertas superficies, como p.ej. la cónica y la hiperbólica.

sheet resistivity   resistividad laminar, ohmios por cuadrado. v. **ohms per square.** CF. **volume resistivity.**

sheet steel   acero en planchas.

sheeting   hojas; revestimiento; estratificación; acción de cortar en hojas; (tela para) sábanas ‖ (*Zanjas*) revestimiento, forros; tabla de entibar.

shelf   repisa, anaquel, estante; estantería; pieza de asiento ‖ (*Buques*) larguero asiento de los baos. Se llama *bao* a cada uno de los maderos transversales que cierran y sujetan las cuadernas por arriba y sostienen la cubierta del barco ‖ (*Botadura de buques*) conjunto de consolas remachadas al forro para apoyar el buque sobre los gigantones de proa ‖ (*Canteras*) escombro ‖ (*Fab de ladrillos*) rejal ‖ (*Geog*) bajío, banco de arena; plataforma continental (porción de lecho marino que bordea un continente) ‖ (*Geol*) capa horizontal de roca saliente; roca subyacente; cama de roca ‖ (*Telecom*) estante, caja de montaje. Estante o caja para el montaje de las unidades de un equipo ‖ (*Telef*) estante, montura. Organo de montaje que a su vez va montado en un bastidor o un armario metálico. CF. **finder shelf, selector shelf** | (*En cuadros*) tablero | (*En repartidores*) fila.

shelf angle   (*Estr*) angular [ángulo] de asiento.

shelf assembly   (*Telecom*) conjunto de caja (de montaje). Caja de montaje con sus correspondientes elementos de equipo.

shelf corrosion   (*Pilas*) corrosión en almacén. Consumo del electrodo negativo de una pila seca aunque ésta esté en desuso, y que se debe a acción local [local action].

shelf depreciation   (*Acum*) depreciación de desuso. Disminución que se produce normalmente en la capacidad útil [service capacity] de un acumulador mientras permanece en desuso. SIN. **storage depreciation.**

shelf life   vida de estante, duración en estantería; duración almacenado [en almacenaje, en almacén], duración de conservación. Período de tiempo durante el cual un elemento o un material conserva su utilidad en condiciones especificadas fuera de servicio. SIN. **storage life.** CF. **load life, service life.**

shelf stand   estante.

shelf temperature   temperatura de almacenamiento.

shelf test   (*Pilas y bat*) prueba de desuso [de duración en circuito abierto] | ensayo de conservación. Ensayo destinado a verificar que una batería conserva sus cualidades en condiciones determinadas de almacenamiento. SIN. **storage test** (CEI/60 50–15–245).

shell   envuelta, revestimiento, forro; armazón, esqueleto; concha; corteza; cáscara (p.ej. de huevo, de nuez); copa (pieza embutida); casquillo; cartucho (de caza); granada, bomba, proyectil ‖ (*Elec*) boquilla; casco ‖ (*Aisladores*) campana, casco ‖ (*Micrófonos, Transistores, Resistores de composición*) cubierta ‖ (*Transf eléc*) coraza, concha ‖ (*TRC*) cono ‖ (*Electroquím*) cuba. Recipiente en el cual se efectúa la electrólisis de un electrólito fundido (CEI/60 50–65–035) ‖ (*Electroformación*) shell (**electrotyping**): coquilla (electrotipia). Capa de metal (usualmente cobre o níquel) depositada sobre un molde y separada de él (CEI/60 50–35–060) ‖ (*Hiperboloides*) hoja ‖ (*Fís*) capa, piso. Grupo de electrones planetarios; conjunto de electrones con el mismo nivel energético o con el mismo número cuántico. SIN. **ring** ‖ (*Calderas*) cuerpo (cilíndrico) ‖ (*Hornos*) revestimiento ‖ (*Refrig, Cong*) caja. SIN. **cabinet** ‖ (*Mec*) coraza; casco, cáscara; cárter ‖ (*Motones/Poleas*) cuerpo, caja, cepo ‖ (*Tuberías*) pared, casco ‖ (*Aceros*) película metálica delgada imperfectamente unida a la superficie, soja (sopladura en el metal) ‖ (*Buques*) casco, forro exterior (de chapa) ‖ (*Pozos de petróleo*) torpedo ‖ (*Sondeos*) capa de roca dura ‖ (*Bot*) silicua ‖ (*Legumbres*) vaina ‖ (*Zool*) concha; carapacho, caparazón ‖ (*Constr/Estr*) bóveda delgada, bóveda-membrana (de hormigón); placa curva | Miembro transversal que soporta carga, limitado por dos superficies esencialmente paralelas, cuya superficie central es curva y cuyo espesor es pequeño en relación con sus dimensiones generales | (*A veces*) membrana (p.ej. de esfera inflada) ‖ *verbo:* descascarar; pelar; desvainar; desgranar; descascararse; exfoliar-

se; cañonear, bombardear.

shell circuit   (*Hiperfrec*) resonador bivalvo, circuito resonante en concha.

shell condenser   (*Refrig*) condensador acorazado.

shell file   lima curva de chapista.

shell model   (*Fís*) modelo (nuclear) de capas, modelo nuclear estratificado [por capas]. v. **independent-particle model.**

shell roof   (*Arq*) (a.c. shell) techo de cascarón [de bóveda laminar], bóveda-membrana, cubierta laminar; placa curva.

shell star   (*Astr*) estrella con atmósfera extendida.

shell structure   (*Arq*) estructura laminar ‖ (*Fís*) (of nucleus) estructura nuclear estratiforme. V.TB. **shell model.**

shell transformer   (*Elec*) v. **shell-type transformer.**

shell-type transformer   (*Elec*) transformador acorazado. (**1**) Transformador cuyos devanados están rodeados por hierro en su mayor parte (CEI/38 10–25–015). (**2**) Transformador en el cual el paquete de chapas [laminations] que constituye el núcleo, rodea los devanados y los encierra, por lo general casi completamente (CEI/56 10–25–015).

shellac   laca, goma laca. Resina de laca purificada que encuentra variados usos en la composición de materiales aislantes, barnices, ceras sellantes, y piezas moldeadas. Constituía el ingrediente principal de los antiguos discos fonográficos, cuando la velocidad normal era la de 78 vueltas por minuto. CF. **lac.**

shellac record   (*Fonog*) disco de (goma) laca. Disco hecho con una mezcla de laca y materiales abrasivos que se endurece al ser comprimida en caliente. Este tipo de disco es ya anticuado.

shelter   abrigo, refugio; protector ‖ (*Meteor*) abrigo; caseta, garita ‖ (*Telecom*) (*i.e.* for equipment housing) caseta. Caseta (a veces portátil) para el resguardo de equipos.

shelter aisle   (*Ferroc*) nave del cobertizo. Espacio entre muros o filas de arcadas que se extiende a lo largo de un edificio.

shelve   *verbo:* poner en repisa, en anaquel, en estante; proveer de anaqueles, de estantes; poner a un lado (un asunto).

shelves   Plural de **shelf.**

shelving   anaquelería, estantería; acción de poner a un lado (un asunto).

Sheppard's correction   (*Estadística*) corrección de Sheppard.

SHF   Abrev. de superhigh frequency.

shield   amparo, defensa, resguardo; escudo, broquel (escudo pequeño); rodela; escudo de armas; égida; protector, defensor; coraza ‖ (*Elecn/Telecom*) (a.c. shielding) blindaje, pantalla. Cubierta metálica que encierra un circuito o un elemento y que tiene por objeto impedir que los campos eléctricos o magnéticos penetren en regiones del espacio definidas o se propaguen fuera de ellas. SIN. **screen(ing).** V.TB. **electric shield, magnetic shield.** CF. **braid** | apantallado, apantallamiento, pantalla de protección ‖ (*Túneles*) escudo ‖ (*Nucl*) (a.c. shielding) blindaje (de un reactor) | blindaje. Material destinado a reducir la intensidad de la radiación que penetra en una región (CEI/68 26–15–210). CF. **biological shield, reactor containment, thermal shield** ‖ *verbo:* amparar, defender, resguardar; escudar; proteger, defender; acorazar; blindar ‖ (*Elecn/Telecom*) blindar, apantallar; faradizar (*sólo cuando se trata de blindaje electrostático*).

shield base   (*Tubos elecn*) portablindaje, portapantalla.

shield cap   capuchón de blindaje.

shield coverage   superficie blindada, extensión del blindaje. SIN. **shield percentage.**

shield effectiveness   efectividad del blindaje. Aptitud relativa de un blindaje de detener los campos o las radiaciones indeseadas. CF. **shield percentage, shield factor.**

shield factor   (*Telecom*) factor de reducción (de ruido) debido al efecto de blindaje. Cociente del ruido (tensión o corriente perturbadoras inducidas) en un circuito cuando hay presente un efecto de blindaje, por el ruido en ausencia de ese efecto.

shield grid   (*Elecn*) rejilla de protección. Rejilla destinada a proteger el electrodo de mando [control electrode] de un tubo de gas [gas-filled tube] contra la radiación térmica del ánodo o del cátodo, y contra el depósito de substancias susceptibles de activar la emisión termoelectrónica. Puede asimismo reducir el efecto electrostático [electrostatic influence] del ánodo o, eventualmente, funcionar como electrodo de mando (CEI/56 07–40–105).

shield-grid thyratron   tiratrón con rejilla de protección.

shield percentage   porcentaje de blindaje. Area cubierta por el material de blindaje, expresada en tanto por ciento. SIN. **shield coverage.**

shield wire   v. **shielded wire.**

shielded   *adj:* amparado, resguardado, protegido; encerrado; acorazado ‖ *(Elec/Elecn/Telecom)* blindado, apantallado; faradizado ‖ *(Soldadura)* cubierto, protegido, en atmósfera inerte. v. **shielded-arc welding.**

shielded and balanced line   línea apantallada y equilibrada.

shielded antenna   antena antiparásitos.

shielded arc   *(Soldadura)* arco cubierto [protegido].

shielded-arc welding   soldadura de arco cubierto [en gas inerte]. v. **shielded inert-gas welding.**

shielded ball bearing   cojinete de bolas blindado.

shielded building   edificio blindado. Edificio con blindaje incorporado en su construcción original, para impedir la entrada o la emisión de energía electromagnética o radioeléctrica. CF. **shielded enclosure.**

shielded cable   cable blindado [apantallado]. Cable de uno o más conductores aislados, rodeados de una cubierta conductora. Dicha cubierta (el blindaje o pantalla) está constituida por una malla metálica o por una cinta metálica arrollada. v. **braided shield.**

shielded-conductor cable   cable blindado [apantallado]. v. **shielded cable.**

shielded electromagnet   electroimán blindado.

shielded electroscope   electroscopio blindado.

shielded enclosure   recinto blindado [apantallado]. CF. **shielded room.**

shielded galvanometer   galvanómetro acorazado. Galvanómetro provisto de una pantalla magnética [magnetic screen] que lo protege contra la acción de los campos magnéticos exteriores (CEI/38 20–15–070, CEI/58 20–15–075).

shielded ignition   *(Mot)* (sistema de) encendido blindado. Sistema de encendido en el cual todos los conductores están blindados y los blindajes están conectados a la masa del vehículo (motor y chasis) a intervalos frecuentes, para suprimir la emisión de señales radioeléctricas perturbadoras.

shielded inert-gas welding   soldadura en gas inerte. Soldadura en la cual el arco o el electrodo se mantiene en una atmósfera de gas inerte.

shielded joint   *(Elec)* empalme blindado.

shielded line   línea (de transmisión) blindada.

shielded loop   *(Radiocom)* cuadro blindado [apantallado].

shielded loop aerial   antena en cuadro apantallado. v. **screened loop aerial.**

shielded nuclide   núclido blindado. Núclido cuya carga sobrepasa en una unidad la carga de un núclido estable de igual número de masa.

shielded pair   par blindado [apantallado], cable bifilar blindado [apantallado], línea bifilar blindada [apantallada]. Cable o línea de transmisión de dos conductores, cubierto por una malla o vaina metálica. Se utiliza p.ej. para conexiones de audiofrecuencia susceptibles de captar zumbido; conexiones de CA capaces de inducir zumbidos en otros circuitos; bajadas de antena cuando es alto el nivel de ruido radioeléctrico local; etc. ‖ *(i.e.* pair surrounded by a metallic screen) par apantallado. Par rodeado de una pantalla metálica. SIN. **screened pair** (CEI/70 55–30–060).

shielded probe   sonda blindada.

shielded quad   *(Telecom)* cuadrete blindado.

shielded room   cuarto blindado [apantallado], cabina blindada, jaula de Faraday. SIN. **Faraday cage, shielded enclosure, screen room** (véase). CF. **shielded building.**

shielded solid conductor   *(Elec)* conductor macizo blindado.

shielded terminal   borne blindado.

shielded transmission line   línea de transmisión blindada [apantallada]. Línea de transmisión constituida por un cable o un par blindado. v. **shielded cable, shielded pair.**

shielded tube mount   *(Elecn)* montura de tubo blindada, montura blindada para válvula electrónica.

shielded wire   alambre blindado [apantallado]. Conductor aislado cubierto por una pantalla metálica (usualmente una malla de hilos de cobre estañados). CF. **shielded pair.**

shielded X-ray tube   tubo de rayos X blindado. Tubo de rayos X encerrado en una cubierta metálica puesta a tierra y que sólo tiene una pequeña abertura (ventanilla) por la cual salen los rayos X útiles.

shielding   amparo, defensa, resguardo; blindaje, protección; acorazamiento; cubierta protectora ‖ *(Elecn/Telecom, Nucl)* v. **shield** ‖ *(Aeropuertos)* v. **shielding of obstruction** ‖ *(Galvanoplastia)* efecto de pantalla. v. **shadowing** ‖ *(Soldadura)* protección. v. **shielded.**

shielding against lightning   protección contra los rayos.

shielding against radiation   blindaje contra la radiación.

shielding braid   malla de blindaje, tejido (metálico) de apantallamiento. Consiste en un tejido o malla de hilos metálicos utilizado para el blindaje o apantallamiento de conductores y cables, sin que éstos pierdan flexibilidad. CF. **braided shield.**

shielding effect   efecto de blindaje. SIN. **screening effect.**

shielding factor   coeficiente de protección eléctrica ‖ *(Telecom)* v. **shield factor** ‖ *(Enlaces de comunicación por satélites)* factor de blindaje. Factor que en los cálculos toma en cuenta el efecto de obstáculos naturales que se encuentran en la trayectoria de una radiación interferente.

shielding for hum rejection   blindaje antizumbido.

shielding from external heat   protección contra el calor externo.

shielding gas   *(Soldadura)* gas protector.

shielding harness   conjunto de blindaje (para sistema de encendido). v. **shielded ignition.**

shielding metal   metal para blindaje [apantallamiento]. Metal con buenas propiedades para aplicaciones de blindaje electromagnético y/o electrostático.

shielding of obstruction   *(Aeropuertos)* (a.c. screening of obstruction) apantallamiento (de un obstáculo).

shieldless   *adj:* sin blindaje, desprovisto de blindaje; etc. v. **shield.**

shift   desvío, desviación; desplazamiento, corrimiento; paso de una posición a otra; cambio, alteración, variación (de una magnitud, de un valor); turno (de trabajo) ‖ *(Informática)* corrimiento. Corrimiento o desplazamiento de un conjunto ordenado de caracteres [ordered set of characters] uno o más lugares hacia la derecha o hacia la izquierda; si los caracteres son los dígitos de una expresión numérica, el corrimiento equivale a multiplicar por una potencia de la base ‖ *(Radionaveg)* v. **shift of course** ‖ *(Teleimpr)* (*i.e.* case shift) cambio de caja, inversión. Paso del mecanismo de traducción [translating mechanism] de un receptor de telegrafía impresora [printing telegraph receiving machine] de la posición de impresión de la serie de letras [letters-case] a la de impresión de la serie de cifras [figures-case], o viceversa. Los cambios o inversiones se efectúan al ser recibidas las respectivas señales. Se usa la siguiente terminología:

a) **letters-shift signal, downshift signal:** señal de cambio a letras, señal de paso a caja baja;

b) **figures-shift signal, upshift signal:** señal de cambio a cifras, señal de paso a caja alta.

‖ *(Máq de escribir)* cambio de caja | **shift to upper case:** paso a mayúsculas [a la posición de mayúsculas] | **shift to lower case:** paso a minúsculas [a la posición de minúsculas] ‖‖ *verbo:* desviar(se); desplazar(se), correr(se); pasar de una posición a otra; cambiar, alterar(se), variar; mudar; trasladar(se); maniobrar (p.ej. una palanca); cambiar velocidades (en un automóvil) ‖ *(Teleimpr, Máq de escribir)* cambiar de caja.

shift angle   ángulo de desplazamiento.

shift bar   *(Teleimpr)* barra de cambio de caja.

shift counter   *(Informática)* contador de corrimiento. Registro de corrimiento [shift register] en el cual la primera etapa (mediante realimentación lógica) produce una combinación de unos y ceros que depende del estado de las demás etapas del dispositivo, y que recibe el nombre de *código en anillo* [ring code].

shift in frequency   desplazamiento en frecuencia; corrimiento de frecuencia. v. **frequency shift.**

shift in time   desplazamiento en el tiempo.

shift key   *(Máq de escribir)* tecla de mayúsculas ‖ *(Teleimpr)* tecla de inversión [de cambio de caja]. Tecla para pasar a *caracteres superiores* [upper characters] o *caja alta* [upper case], o para pasar a *caracteres inferiores* [lower characters] o *caja baja* [lower case]. En el primer caso la tecla lleva la identificación "FIG" (cifras), y en el segundo la de "LTR" (letras), cuando la máquina está rotulada en inglés.

shift lever   *(Teleimpr)* palanca de inversión [de cambio de caja].

shift-lock   *(Máq de escribir)* fija-mayúsculas, fijador de mayúsculas ‖ *(Teleimpr)* seguro de inversión [de cambio].

shift-lock key   *(Máq de escribir)* tecla fija-mayúsculas, tecla fijadora de mayúsculas. Tecla para trabar el mecanismo de cambio en la posición de mayúsculas.

shift-lock keyboard   *(Teleg)* teclado con seguro de cambio | teclado con seguro de inversión. Teclado que comprende un dispositivo para impedir que una tecla sea bajada, a menos que la correspondiente tecla de inversión [shift key] haya sido oprimida primero (CEI/70 55–75–035).

shift mechanism   *(Teleg)* mecanismo de cambio (de caja), mecanismo de inversión.

shift of course   *(Radionaveg)* variación de un rumbo (en una radioayuda).

shift of the points   *(Ferroc)* cambio de la aguja.

shift of the wind   cambio del viento.

shift operators   *(Fáb)* operarios de turno ‖ *(Telecom)* operadores de turno ‖ *(Telef)* telefonistas [operadoras] de turno.

shift out   *(Informática)* correr (datos) hacia afuera. Correr los dígitos hacia un extremo de un registrador, de manera que a medida que aquéllos van "saliendo" por ese extremo, "entran" ceros por el otro extremo.

shift pulse   *(Informática)* impulso de corrimiento. Impulso que inicia el corrimiento de caracteres en un registro. v. **shift register.**

shift register   *(Informática)* registro [registrador] de corrimiento, registro de desplazamiento, registro móvil [paso a paso]. (1) Registro que permite operaciones de desplazamiento; registrador en el cual los números por él contenidos pueden correrse o desplazarse en forma cíclica. (2) Circuito capaz de almacenar un número determinado de bitios correspondiente a la longitud del registro. Al recibir un *impulso de mando* [command pulse] o *de corrimiento* [shift pulse], los datos se corren un lugar hacia la derecha o hacia la izquierda. Este circuito es útil como línea de retardo [delay line] que suministra una sucesión de bitios para operación en serie (v. **serial operation**). (3) Circuito que transforma una sucesión de señales de entrada en un número binario en paralelo [parallel binary number], o a la inversa, por corrimiento de caracteres almacenados, hacia la derecha o hacia la izquierda. SIN. **shifter.**

shift unit   *(Informática)* unidad de desplazamiento.

shift working   trabajo por turnos.

shiftable   *adj.* desviable; desplazable; cambiable, alterable, variable; mudable; trasladable; maniobrable; invertible; decalable.

shifter   desviador; desplazador; cambiador, variador; traslator; inversor; decalador; desfasador ‖ *(Informática)* v. **shift register.**

shifter handle   *(Informática)* manivela de cambio.

shifting   desvío, desviación; desplazamiento, corrimiento; cambio, alteración, variación; deslizamiento, decalaje; desfase, desfasamiento; traslación; cambio, inversión; deriva, migración; acarreo,

transporte ⫿ *adj.:* corredizo, móvil, movedizo; desviador; cambiante, variable; desplazable; volante, volandero; migratorio.

shifting element   *(Informática)* elemento de desplazamiento temporal. Elemento funcional que suministra salidas idénticas a las entradas, pero desplazadas en el tiempo por un dispositivo de almacenamiento de intervalo fijo [delay storage].

shifting of a line   *(Telecom)* desvío del trazado.

shifting of camera   *(Cine/Tv)* cambio rápido de plano.

shifting of image   *(Cine/Tv)* desplazamiento [corrimiento] de la imagen.

shifting plate   *(Instr)* placa de centrar.

shifting ring   anillo desviador ‖ *(Turbinas)* anillo regulador.

shifting sand   arena volandera; arena acarreadiza.

shifts of wind   cambios [saltos] del viento.

shim   calzo, calza, calce, cuña; plancha [chapa] de relleno; suplemento (de ajuste); planchita, laminita; chuleta, tira (de madera); espaciador; frisa (tira de cuero, goma, paño, etc. con que se hace perfecto el ajuste entre dos piezas) ‖ *(Guías de ondas)* frisa. Tira o lámina de un metal blando con que se hace perfecto el ajuste entre dos secciones de guía, manteniendo al propio tiempo la continuidad eléctrica ‖ *(Nucl)* compensación, ajuste, corrección ⫿ *verbo:* calzar, acuñar; suplementar (con una plancha o chapa delgada); enchuletar; frisar.

shim element   *(Nucl)* elemento de compensación. Elemento de control [control element, control member] utilizado para compensar los efectos a largo plazo que obran sobre la reactividad [reactivity] y la distribución del flujo en un reactor. SIN. **shim member** (CEI/68 26–15–390).

shim member   *(Nucl)* elemento de compensación. v. **shim element.**

shim rod   *(Nucl)* barra de compensación. Barra para ajuste aproximado de la reactividad. Barra de control [control rod] destinada a efectuar ajustes gruesos ocasionales de la reactividad de un reactor.

shim-safety rod   *(Nucl)* barra de compensación y seguridad.

shim stock   material para laminitas, material delgado (para suplementos o rellenos).

shim washer   arandela separadora [de separación].

shimming   acuñamiento, acción de calzar o acuñar; acción de suplementar (con una laminita u otra pieza delgada); enchuletamiento ‖ *(Nucl)* compensación ‖ *(Mag)* (*i.e.* adjustment of magnetic field) ajuste del campo magnético. Ajuste de la intensidad de un campo magnético mediante espaciadores delgados, suplementos de hierro dulce, o bobinas compensadoras.

shimmy   *(Autos)* "shimmy", abaniqueo, baile, zigzagueo, bamboleo, vibración, oscilación (de las ruedas) ⫿ *verbo:* bailar, zigzaguear, bambolear, oscilar (las ruedas).

shimmy damper   amortiguador de "shimmy", amortiguador de vibraciones [oscilaciones].

ship   barco, buque, embarcación, nave, navío; vapor | (*i.e.* airship) dirigible. SIN. **dirigible** | (colloquial for *airplane*) avión ⫿ *verbo:* embarcar, despachar, enviar, mandar, expedir.

ship canal   canal navegable (para buques de alta mar), canal marítimo.

ship channel   canal navegable [de navegación, de paso].

ship charges   *(Radiocom)* tasa de a bordo.

ship construction   construcción naval.

ship day working   *(Radiocom)* comunicación diurna [servicio diurno] con barcos.

ship error   *(Radiogoniometría)* error de reflexión local debido a las masas metálicas de un barco. v. **reradiation error.**

ship frequency   *(Radiocom)* frecuencia de estación de barco.

ship-heading marker   indicador de rumbo del barco.

ship lighting   alumbrado de buques; alumbrado del buque.

ship lighting fitting   luminaria para barco; aparato de iluminación para barco; accesorio para alumbrado de buque.

ship log   *(Radiocom)* diario de a bordo.

ship night working   *(Radiocom)* comunicación nocturna [servicio nocturno] con barcos.

ship plane   avión de a bordo.

ship positioning   determinación de la posición de un buque.

ship radiotelegraph band   banda para servicio radiotelegráfico con estaciones de barco.

ship radiotelegraph calling band   banda de llamada de estaciones radiotelegráficas de barco.

ship radiotelegraph station   estación radiotelegráfica de barco.

ship radiotelephone station   estación radiotelefónica de barco.

ship railway   vía de carena.

ship receive frequency   *(Radiocom)* frecuencia de recepción de estación de barco.

ship service   *(Radiocom)* servicio (de radiocomunicación) con estaciones de barco.

ship station   *(Radiocom)* estación de barco. Estación móvil del servicio móvil marítimo [maritime mobile service] instalada a bordo de un barco no amarrado de manera permanente | estación de a bordo.

ship surveyor   arqueador; inspector [perito] de buques.

ship telegraph station   *(Radiocom)* estación radiotelegráfica de barco.

ship telephone station   *(Radiocom)* estación radiotelefónica de barco.

ship-to-ship communication   comunicación entre barcos.

ship-to-shore communication   radiocomunicación barco-tierra.

ship-to-shore direction (of transmission)   *(Radiocom)* sentido (de transmisión) barco-tierra.

ship-to-shore radiotelephone system   sistema radiotelefónico barco-tierra.

ship-to-shore radiotelephony   radiotelefonía barco-tierra.

ship-to-shore service telephone   teléfono de servicio barco-muelle.

ship-to-shore VHF set   equipo para comunicaciones barco-tierra por VHF (ondas métricas).

ship-to-shore way (of transmission)   sentido (de transmisión) barco-tierra [barco-costera].

ship-to-shore wireless   servicio inalámbrico barco-tierra.

ship-to-shore wireless telegraph   (servicio de) radiotelegrafía barco-tierra.

ship-to-shore wireless telephone   (servicio de) radiotelefonía barco-tierra.

ship-to-shore working frequency   *(Radiocom)* frecuencia de trabajo barco-tierra [barco-costera].

ship wiring cable   cable eléctrico para buques, cable para instalaciones eléctricas de barco.

shipboard   bordo | **on shipboard:** a bordo.

shipboard aerial   antena de barco.

shipboard antenna   antena de barco. Antena (emisora o receptora) instalada a bordo de un barco; antena de estación de barco.

shipboard equipment   equipo de barco; equipo de a bordo.

shipboard radar   radar de barco; radar para buques; radar de a bordo.

shipborne   *adj:* de a bordo; llevado [transportado] a bordo, transportado por barco, transportado por un buque.

shipborne equipment   equipo de a bordo; equipo de barco.

shipborne radar   radar de a bordo. SIN. **shipboard radar.**

shipping   embarque; transporte; despacho, envío, expedición; flota, buques; marina; navegación /// *adj:* de embarque; marítimo, naval, naviero.

shipping broker   embarcador; agente expedidor; corredor marítimo.

shipping canal   canal navegable.

shipping container   envase [caja] de embarque; receptáculo para transporte.

shipping dimensions   dimensiones de embarque [del embalaje].

shipping expenses   gastos de flete [de carga, de embarque].

shipping forecast   *(Meteor)* pronóstico para la navegación marítima.

shipping marks   marcas de embarque.

shipping plug   *(Mot)* tapón de transporte.

shipping unit   unidad de despacho.

shipping weight   peso de embarque.

ship's emergency transmitter   *(Radiocom)* transmisor de emergencia de a bordo.

ship's mains   canalización eléctrica del buque.

ship's radar   radar de a bordo. SIN. **shipborne radar.**

ship's telescope   anteojo de buque.

ship's wiring   instalación eléctrica del barco [del buque], cablería del buque.

shipwreck   naufragio.

SHM   Abrev. de simple harmonic motion.

shoal   bajo, bajío, alfaque, bajo fondo, banco (de arena); barra de río, encalladero; banco (de peces), cardume(n) /// *adj:* bajo, vadoso, poco profundo, de poco fondo /// *verbo:* disminuir en profundidad.

shock   choque, golpe, impacto; conmoción | sacudida. Aceleración brusca; aceleración transitoria breve de ocurrencia no repetitiva | *(i.e.* shock motion) movimiento por choque; impulsión mecánica | *(i.e.* shock wave) onda de choque | *(i.e.* thermal shock) choque [impacto] térmico, cambio brusco de temperatura | *(i.e.* electric shock) sacudida (eléctrica), electrochoque, electrocución || *(Medicina)* shock, choque; postración nerviosa || *(Terremotos)* sacudida.

shock absorber   amortiguador. SIN. **damper** || *(Nucl)* amortiguador (para las barras).

shock-absorbing bearing   cojinete elástico.

shock-absorbing bumper   tope amortiguador.

shock-absorbing mounting   montaje antivibratorio, suspensión elástica [amortiguadora]. SIN. **shock mount.**

shock-absorbing supporting block   bloque elástico de soporte.

shock and vibration pickup   captor (para medida) de sacudidas y vibraciones.

shock annoyance   pase de corriente. Expresión con la cual se describe la sensación molesta, aunque inofensiva, que se experimenta al tocar la caja metálica de un aparato eléctrico, y causada por una corriente de fuga de pequeña magnitud que pasa a tierra a través del cuerpo; esa corriente se debe a alguna imperfección en el aislamiento del aparato o al hecho de haberse desconectado la toma de tierra que normalmente la derivaría a tierra sin causar molestias.

shock cord   cordón amortiguador || *(Avia)* sandow, cuerda elástica.

shock-cord launching   lanzamiento por sandow [por cuerda elástica].

shock excitation   excitación por choque [por impulso, por impulsión]. SIN. **impact [impulse, pulse] excitation** | excitación por choque. Producción de oscilaciones libres en un sistema a consecuencia del aporte súbito de energía procedente del exterior (CEI/70 60–04–070).

shock-excite   *verbo:* excitar por choque [por impulso, por impulsión].

shock-excited oscillations   oscilaciones excitadas por choque. SIN. **free oscillations.**

shock-excited oscillator   oscilador excitado por choque [por impulsión]. Oscilador que en su forma típica consiste en un tubo o válvula electrónica al vacío con un circuito resonante LC en serie con el ánodo. Al aplicar impulsos negativos a la rejilla de mando, la corriente anódica se corta bruscamente, dando lugar a que se produzcan oscilaciones libres en el circuito resonante o tanque. SIN. **ringing oscillator.**

shock-excited peaking oscillator (circuit)   (circuito) oscilador excitado por choque para la generación de impulsos agudos, (circuito) oscilador agudizador excitado por choque. Circuito conformador de onda utilizado para obtener ondas muy apuntadas, es decir, con picos afilados.

shock-excited ringing oscillator (circuit)   (circuito) oscilador excitado por choques para la generación de oscilaciones sinusoidales amortiguadas, (circuito) oscilador de onda sinusoidal amortiguada excitado por choque.

shock hazard   (*Elec*) peligro de electrocución, peligro de recibir sacudidas eléctricas.

shock heating   caldeo por ondas de choque | caldeo por choque. Calentamiento de un gas mediante descargas eléctricas abruptas, o mediante incrementos repentinos en la intensidad del campo magnético utilizado para contener un plasma.

shock hydrodynamic effect   efecto hidrodinámico de choque.

shock-isolating   *adj:* antivibratorio, amortiguador (de vibraciones y sacudidas).

shock isolator   montaje antivibratorio, suspensión amortiguadora (de sacudidas). SIN. **shock mount.**

shock loading   (*Ensayo de materiales*) carga de choque.

shock measurements   medidas de choque.

shock motion   (a.c. shock) impulsión mecánica, movimiento por choque. Movimiento mecánico transitorio abrupto con desplazamientos importantes.

shock mount   montaje [soporte] amortiguador, montaje antivibratorio, montura [suspensión] antivibratoria, montura amortiguadora (de sacudidas). SIN. **shock-absorbing mounting, shock isolator.**

shock pulse   impulso excitador, impulsión excitadora.

shock reception   (*Radiocom*) recepción debida a la excitación por choque de los circuitos resonantes. Ocurre cuando el receptor está cerca de una emisora potente, aunque el aparato esté sintonizado a una frecuencia otra que la de la emisora.

shock-resistant   *adj:* resistente a los choques [a los golpes]; resistente a las sacudidas.

shock-resistant relay   relé [relevador] resistente a las sacudidas.

shock stress   esfuerzo debido al choque.

shock strut   (*Avia*) montante amortiguador.

shock tensile strength   (*Cintas mag*) resistencia a la tensión repentina, resistencia a los tirones. SIN. **impact strength.**

shock test   prueba [ensayo] de choque; ensayo de golpe.

shock tester   aparato para ensayos de choque.

shock therapy   (*i.e.* electric shock therapy) electronarcosis, terapia de electrochoque. v. **electroshock therapy.**

shock wave   onda de choque. Onda acústica que tiene su origen en un cambio repentino en la presión y en la velocidad de las partículas del medio (v. **particle velocity**); su velocidad de propagación puede ser superior a la del sonido.

Shockley   William Bradford Shockley: físico inglés nacido en 1910 y naturalizado en los EE.UU., que con J. Bardeen y W. H. Brattain descubrió el efecto transistor.

Shockley diode   diodo Shockley. Conmutador controlado PNPN de silicio capaz de funcionar como conmutador diódico unidireccional.

shockover capacitor   (*Tiratrones*) (*i.e.* capacitor to prevent premature firing) capacitor contra encendido prematuro. Va conectado entre la rejilla y el cátodo.

shockproof   *adj:* antichoque, a prueba de choque; a prueba de golpes; antivibratorio, a prueba de vibraciones; a prueba de sacudidas || (*Elec*) a prueba de sacudidas (eléctricas), a prueba de choques eléctricos. Dícese de un aparato ideado de modo de impedir los choques eléctricos. Se emplean para ello distintas técnicas, como la de cubrir contra el acceso involuntario las partes bajo tensión, la de aislar todos los circuitos alimentándolos por intermedio de un transformador de aislación [isolation transformer], y la de aislar los circuitos y poner a tierra la masa del aparato (cubierta metálica y armazón o chasis).

shockproof case   estuche antichoque.

shockproof tube   (*Radiol*) tubo (de rayos X) con envuelta contra choques eléctricos.

shockproof tube housing   (*Radiol*) envuelta del tubo contra choques eléctricos. Envuelta para el tubo de rayos X, con una superficie externa metálica puesta a tierra, empleada para

eliminar el riesgo de choque eléctrico del personal; la envuelta incorpora barreras protectoras [protective barriers] (CEI/64 65-35-135).

shodop   shodop. Sistema de corto alcance para la medida de trayectorias de cohetes balísticos. El inglés viene de *short-range doppler.*

shoe   zapato, calzado; bota; herradura || (*Buques*) zapata (de ancla); corbata (de mamparo) || (*Cine*) patín (de cruceta) || (*Climatiz, Calefacción*) accesorio de transición | acoplador de retorno, accesorio de retorno del aire frío (acoplado al cuerpo de la caldera). SIN. **boot** || (*Carros*) llanta (de rueda); zapata (de freno), pieza que apoya contra la rueda || (*Trineos*) suela || (*Mec*) patín (de pistón) || (*Autos*) cubierta, llanta || (*Frenos*) zapata || (*Neumáticos*) cubierta, zapatón || (*Bocartes*) caja, zapato. Parte sobre la cual cae el mazo o pilón || (*Minas*) abrazadera (de jaula) || (*Sondeos*) anillo cortante || (*Elec*) zapata (de contacto) || (*Tracción eléc*) zapata; frotador; patín | zapata. Pieza del frotador [shoegear] que se apoya contra el carril de contacto [contact rail] (CEI/57 30-15-915) || (*Conmut rotativos*) zapata, saliente de contacto, contacto móvil || (*Orugas*) zapata || (*Estr*) calzo, calza, zapata; pedestal; soporte || (*Pilotaje*) azuche. Cono metálico fijado en la punta de un pilote de madera para evitar su astillamiento y para que se hinque más fácilmente /// *verbo:* calzar; herrar (un caballo); poner llanta (a una rueda); calzar, poner(le) neumáticos (a un automóvil) || (*Estr*) calzar, poner zapata || (*Pilotaje*) azuchar, poner azuche.

shoe-button tube   (*Elecn*) v. **acorn tube.**

shoe-gear   v. **shoegear.**

shoegear   (*Frenos*) mecanismo de la zapata || (*Tracción eléc*) frotador. (a) Conjunto de piezas que permite la captación de corriente del carril de contacto [contact rail]. (b) Otra designación de la *zapata de contacto* [contact slipper] (CEI/57 30-15-910).

shoot   (*Bot*) brote, yema, retoño, renuevo; escapo, vástago || (*Minería*) chimenea, columna rica de mineral, bonanza, clavo || (*Ríos*) ravión, avenida, raudal, recial; rápido /// *verbo:* tirar, disparar; lanzar; herir con arma de fuego; fusilar, pasar por las armas; tirar una fotografía, fotografiar; filmar, rodar (las cámaras); brotar, nacer, salir (un retoño) || (*Voladuras*) disparar, volar, tronar, hacer saltar || (*Barrenos*) tirar, pegar.

shoot a beam   proyectar un haz.

shoot a film   (*Cine*) rodar una película, filmar.

shoot into light   (*Cine/Tv*) tomar (una escena) a contraluz.

shooting   (*Cine*) filmación, rodaje (de una película) || (*Cine/Tv*) toma de vistas.

shooting angle   (*Cine/Tv*) ángulo de toma.

shooting camera   (*Cine/Tv*) cámara tomavistas.

shooting off-over   (*Cine/Tv*) toma fuera de límites. Toma de vista más allá de los límites horizontales o verticales establecidos de un escenario o un ambiente delimitado.

shooting range   (*Cine/Tv*) campo de vista [de visión].

shooting schedule   (*Cine*) plan de filmación, horario de producción [de trabajo].

shooting script   (*Cine/Tv*) libro, libreto, guión, manuscrito. (**1**) Versión escrita del contenido de una película en todos sus detalles, y dividido en escenas numeradas. (**2**) Versión final del libreto, incluidas todas las tomas y apuntes. SIN. **screenplay.**

shooting-script writer   libretista, guionista. SIN. **screenwriter, scriptwriter.**

shooting star   (*Astr*) estrella fugaz.

shooting-star rain   lluvia de estrellas fugaces.

shooting trick   (*Cine*) truco cinematográfico, truco de toma.

shooting truck   (*Investigaciones geofísicas*) camión de disparo.

shop   taller. LOCALISMOS: maestranza, obrador | taller de reparaciones | tienda, almacén, establecimiento comercial | fábrica /// *verbo:* ir de compras, ir de tiendas, hacer compras.

shop alignment   (*Radio/Elecn*) alineamiento en el taller.

shop-assembled   *adj:* montado en el taller; armado en el taller.

shop drawing   dibujo de taller [de construcción en fábrica].

shop-made   *adj:* hecho en el taller.

shop number   número de serie [de fábrica, de fabricación]; número de almacén.

shop test   prueba en el taller, ensayo de taller; ensayo de fábrica.

shop window   vidriera, escaparate (de tienda).

shoran   shorán. Sistema de radiolocalización de corto alcance utilizado para la determinación exacta de la posición de buques y aviones. Sistema de radionavegación radárico de precisión, para cortas distancias. El nombre viene de *short-range navigation* o de *short-range aid to navigation* | shorán. Sistema de radionavegación tipo "H" [H radar navigation system] para distancias relativamente cortas, que permite la determinación precisa de la posición del móvil. NOTA: El término *shoran* viene de "short-range navigation" (CEI/70 60–74–170).

shoran bombing   bombardeo con shorán. Bombardeo aéreo en el cual se utiliza el shorán para poner el avión en la posición de soltar las bombas.

shore   costa, litoral, orilla, ribera, playa || *(Constr)* puntal (inclinado), codal, escora, asnilla, apoyadero, entibo, tentemozo || *(Marina, Diques secos)* escora || *(Minas)* ademe, edeme, entibo /// *adj:* litoral, costero, de la costa /// *verbo:* llevar a tierra [a la orilla] || *(Constr)* apuntalar. acodalar, escorar, entibar, apear || *(Marina, Diques secos)* escorar || *(Minas)* ademar, entibar.

shore-based   *adj:* costero, con base en tierra [en la costa].

shore-based radar   radar costero; radar portuario. Radar instalado en la costa o en las inmediaciones de un puerto, y destinado a ayudar en el control del tráfico marítimo.

shore drift   corriente litoral.

shore effect   refracción costera. Encurvamiento de las ondas radioeléctricas cuando se propagan sobre el agua cerca del litoral, y que se debe a que la velocidad de las ondas es ligeramente mayor sobre el agua que sobre tierra; es un fenómeno de refracción que puede ser causa de errores en las indicaciones radiogoniométricas. CF. refraction error.

shore end (of submarine cable)   *(Telecom)* (punto de) amarre; cable (submarino) costero [de costa]; segmento de cable que va de la costa a la estación de repetidores.

shore prop   puntal, escora, entibo.

shore protection   protección de costas [de riberas], defensa de orillas.

shore radar station   estación de radar costera. Estación costera de radionavegación que utiliza equipos de radar para determinar la distancia y dirección de los barcos (respecto a la estación) durante la noche o en condiciones de mala visibilidad. CF. shore-based radar.

shore receiving station   *(Radiocom)* estación receptora costera.

shore station   *(Radiocom)* estación costera.

shore-to-ship circuit   *(Radiocom)* circuito tierra-barco.

shore-to-ship communication   comunicación tierra-barco. Radiocomunicación entre una estación costera y una estación de barco [ship station].

shore transmitting station   *(Radiocom)* estación transmisora costera.

shoreline   litoral; contorno (de playa, de ribera).

shoring   apuntalamiento, acodalamiento, escoraje, entibamiento, ademado, apeo(s); puntalería; madera para apeos; plancha de entibar; tabla para revestimiento de trinchera. CF. shore.

short   compendio, resumen; abreviatura | short for: abreviatura [forma abreviada] de || *(Cine)* película corta [de corto metraje], film de corta duración. Dícese en oposición a las *películas de largo metraje* || *(Comercio)* déficit || *(Elec)* (*i.e.* short-circuit) cortocircuito || *(Prosodia)* sílaba breve; vocal breve /// *adj:* corto; breve; pequeño, reducido, diminuto; falto, escaso, deficiente, insuficiente; breve, conciso, resumido, compendiado; brusco, seco; cercano, próximo; bajo [corto] de estatura | friable, desmenuzable, que se desmenuza fácilmente. SIN. friable || *(Met)* quebradizo, agrio || *(Embarques)* falto || *(Pesos)* falto, deficiente /// *verbo:* (*Elec*) (*i.e.* short-circuit) cortocircuitar(se), poner(se) en cortocircuito; esta-

blecer [hacer] un cortocircuito /// *adv:* breve(mente).

short- and long-break impulse dial   *(Telef)* disco de impulsos de período largo y corto.

short arc   *(Mat)* arco menor. V. minor arc.

short base-line system   sistema (medidor de trayectorias) con línea de base corta (en relación con la distancia al móvil).

short beam   viga corta.

short break   interrupción breve [corta].

short-circuit   *(Elec)* (a.c. short) cortocircuito. Conexión de baja resistencia entre los bornes o polos de una fuente de tensión, o entre los dos lados o conductores de un circuito o de una línea; en el común de los casos ocurre por accidente o por falsa maniobra y es causa de fuerte corriente, capaz de causar daños en el circuito o en los aparatos a él conectados | cortocircuito. (**1**) Conexión establecida entre dos puntos de un circuito por medio de un conductor de impedancia muy pequeña en comparación con la del resto del circuito (CEI/38 05–40–145). (**2**) Conexión voluntaria o accidental de dos puntos de un circuito por medio de una impedancia despreciable [negligible impedance]. El término se aplica a menudo al conjunto de fenómenos que acompañan una puesta en cortocircuito de puntos a potenciales diferentes (CEI/56 05–40–225, CEI/65 25–40–020) || *(Telecom)* cruce, cortocircuito. Contacto entre hilos o conductores de un mismo circuito /// *verbo:* cortocircuitar(se), poner(se) en cortocircuito; hacer [establecer] un cortocircuito. CF. bypass.

short-circuit admittance   admitancia en cortocircuito. Inversa de la impedancia en cortocircuito [short-circuit impedance] (CEI/70 55–20–110). CF. open-circuit admittance.

short-circuit brake   freno de cortocircuito.

short-circuit breakdown voltage   *(Transistores)* tensión disruptiva en cortocircuito. CF. open-circuit breakdown voltage.

short-circuit characteristic   *(Elec)* (of a synchronous machine) característica en cortocircuito (de una máquina sincrónica). Curva que representa la corriente en el inducido puesto en cortocircuito [short-circuited armature] en función de la corriente de excitación [exciting current] (CEI/56 10–40–330).

short-circuit collector cutoff (reverse) current   *(Transistores)* corriente (inversa) residual del colector en cortocircuito. Corriente del colector cuando está polarizado en sentido inverso (sentido de alta resistencia) en relación con el borne de referencia, estando el otro o los otros bornes en cortocircuito respecto a la corriente continua, en relación con el borne de referencia.

short-circuit conductance   conductancia en cortocircuito.

short-circuit current   corriente de cortocircuito. V. flash current.

short-circuit current to earth   *(GB)* corriente de cortocircuito a tierra.

short-circuit current to ground   corriente de cortocircuito a tierra.

short-circuit detector   detector de cortocircuitos. SIN. short-circuit finder.

short-circuit driving-point admittance   admitancia de entrada en cortocircuito. De una red de múltiples bornes (terminales), admitancia entre el borne considerado y el de referencia cuando no existen componentes de tensión alterna entre los demás bornes y el punto de referencia.

short-circuit feedback admittance   admitancia de realimentación en cortocircuito. De un transductor de tubo electrónico, transadmitancia en cortocircuito [short-circuit transadmittance] de los bornes de salida a los de entrada de un zócalo, los filtros asociados, y el dispositivo electrónico (entendiéndose que dichos bornes son físicamente accesibles).

short-circuit finder   detector de cortocircuitos. SIN. short-circuit detector.

short-circuit forward admittance   admitancia directa en cortocircuito. De un transductor de tubo electrónico, transadmitancia en cortocircuito [short-circuit transadmittance] de los bornes de entrada a los de salida de un zócalo especificado, los filtros asociados y el dispositivo electrónico (entendiéndose que dichos bornes son físicamente accesibles).

short-circuit impedance   impedancia en cortocircuito. (**1**) Impedancia de entrada de una línea cuando su extremidad distante está en cortocircuito. (**2**) De un cuadripolo, impedancia de entrada en un par de bornes cuando el otro par de bornes está en cortocircuito (CEI/70 55–20–105) ‖ *(Electroacús)* impedancia en cortocircuito, impedancia libre. De un transductor electromecánico, impedancia eléctrica [electrical impedance] medida a la entrada, cuando la impedancia mecánica [mechanical impedance] de carga es nula (caso de vibración libre). SIN. **free impedance** (CEI/60 08–10–135) ‖ CF. **open-circuit impedance.**

short-circuit input admittance   admitancia de entrada en cortocircuito.

short-circuit input capacitance   capacitancia de entrada en cortocircuito.

short-circuit interrupting capacity   *(Fusibles)* capacidad de interrupción de cortocircuito.

short-circuit key   llave de cortocircuito.

short-circuit micrometer head   cabeza micrométrica de cortocircuito.

short-circuit output admittance   admitancia de salida en cortocircuito.

short-circuit output capacitance   capacitancia de salida en cortocircuito.

short-circuit parameter   *(Transistores)* parámetro en cortocircuito. CF. **open-circuit parameter.**

short-circuit-proof   v. **short-circuitproof.**

short-circuit protection   *(i.e.* automatic short-circuit protection) protección (automática) contra cortocircuitos | dispositivo de protección contra (los) cortocircuitos. Dispositivo de protección que funciona en caso de cortocircuitos entre conductores o entre dos o tres fases y la tierra, o en caso de simple puesta a tierra en las redes con neutro puesto directamente a tierra [systems with solidly earthed neutral] (CEI/56 16–65–010). CF. **protection for inter-turn short-circuits.**

short-circuit protective fuse   fusible de protección contra cortocircuitos.

short-circuit ratio   *(Máq sincrónicas)* razón de cortocircuito. Razón de la corriente de excitación [excitation current] que produce la tensión nominal en vacío [no-load voltage] por la corriente de excitación que produce la corriente nominal [rated current] cuando la máquina está puesta en cortocircuito permanente en todas sus fases (CEI/56 10–45–130). Véase la NOTA "10–45–000" en el artículo *synchronous machine.*

short-circuit reactance   *(Cables)* reactancia en cortocircuito. CF. **open-circuit reactance.**

short-circuit resistance   *(Cables)* resistencia en cortocircuito. CF. **open-circuit resistance.**

short-circuit response   respuesta en cortocircuito.

short-circuit response curve   curva de respuesta en cortocircuito.

short-circuit stability   estabilidad en cortocircuito.

short-circuit stub   *(Líneas de tr)* sección equilibradora de impedancia en cortocircuito; tocón cortocircuitado. CF. **open-circuit stub.**

short-circuit termination   terminación de cortocircuito. CF. **open-circuit termination.**

short-circuit test   prueba en cortocircuito.

short-circuit to earth (*GB*)   cortocircuito a tierra.

short-circuit to ground   cortocircuito a tierra.

short-circuit transadmittance   transadmitancia en cortocircuito. Admitancia de transferencia [transfer admittance] existente cuando todos los bornes o terminales, salvo el considerado, están exentos de componentes alternas complejas de tensión [complex alternating components of voltage] respecto al punto de referencia. SIN. **short-circuit transfer admittance.**

short-circuit transfer admittance   admitancia de transferencia en cortocircuito. v. **short-circuit transadmittance.**

short-circuit transfer capacitance   capacitancia de transferencia en cortocircuito. De un tubo electrónico, capacitancia efectiva determinada en función de la transadmitancia en cortocircuito [short-circuit transadmittance].

short-circuit transition   *(Tracción eléc)* transición por derivación. TB. transición por shunt [por cortocircuito]. v. **shunt transition.**

short-circuit voltage   tensión en cortocircuito, tensión [voltaje] de cortocircuito.

short-circuit welding   soldadura [soldeo] por cortocircuito.

short-circuitable   *adj:* cortocircuitable.

short-circuited   *adj:* cortocircuitado, en cortocircuito.

short-circuited line   línea cortocircuitada [en cortocircuito].

short-circuited sliprings   *(Máq eléc)* anillos (colectores) cortocircuitados.

short-circuited stub   v. **short-circuit stub.**

short-circuited transformer   transformador en cortocircuito.

short-circuited winding   devanado [arrollamiento] en cortocircuito.

short-circuiter   cortocircuitador, dispositivo de cortocircuito, dispositivo para cortocircuitar; conmutador cortocircuitador [de puesta en cortocircuito]. v. **short-circuiting device.**

short-circuiting   cortocircuitado, puesta en cortocircuito ⫽ *adj:* cortocircuitador, cortocircuitante, de cortocircuito. v.TB. **shorting.**

short-circuiting bar   barra cortocircuitadora [cortocircuitante]. v.TB. **shorting bar.**

short-circuiting contactor   contactor de cortocircuito. v. **short-circuiting device.**

short-circuiting device   (a.c. short-circuiter) dispositivo de cortocircuito [para cortocircuitar]. Dispositivo que, maniobrado por medios manuales o automáticos, sirve para cortocircuitar o poner a tierra un circuito. SIN. **grounding device.**

short-circuiting link   eslabón cortocircuitante. v. **shorting link.**

short-circuiting section   *(Conmut)* sección cortocircuitante.

short-circuiting spring   *(Telecom)* resorte de cortocircuito.

short-circuiting switch   conmutador cortocircuitador [de puesta en cortocircuito], contactor de cortocircuito. v. **short-circuiting device.**

short-circuiting test   prueba de cortocircuito.

short-circuitproof   *adj:* a prueba de cortocircuitos; autoprotegido contra cortocircuitos.

short color film   película de corto metraje en colores, película corta en colores.

short-contact switch   v. **shorting-contact switch.**

short course   *(i.e.* of instruction) cursillo.

short-decay-time noise   ruido de extinción rápida.

short dipole   dipolo corto.

short-distance backscatter   *(Radiocom)* retrodifusión directa. Retorno directo de señales hacia la antena emisora por una reflexión difusa. SIN. **direct backscatter** (CEI/70 60–20–140).

short-distance circuit   *(Telecom)* circuito de corta distancia. SIN. **short-haul circuit.** CF. **long-distance circuit.**

short-distance navigation aid   ayuda de corto alcance para la navegación. Ayuda para la navegación cuya utilidad mayor está limitada al horizonte radioeléctrico, aunque el alcance puede ser hasta de 300 km, aproximadamente.

short-distance radio aid   radioayuda de corto alcance (para la navegación).

short-distance radio aid to air navigation   radioayuda de corto alcance para la navegación aérea.

short-distance transport   transporte a corta distancia. SIN. **short-haul transportation.**

short division   *(Mat)* división abreviada. En la división normal se utiliza un procedimiento en el cual el cociente se va formando por una reiteración de ciertos pasos; cuando el divisor es sencillo, el procedimiento se abrevia, y la división se llama entonces *abreviada.*

short-duration current pulse   impulso breve de corriente.

short-duration pulse   impulso breve [de corta duración].

short-duration voltage pulse   impulso breve de tensión.

short elbow   (*Tuberías*) codo cerrado.

short feature   (*Cine*) v. **short film**.

short film   (*Cine*) película corta [de corto metraje]. SIN. **short-length film, short subject**.

short flight   (*Avia*) vuelo corto.

short-focal-distance objective   (*Opt*) objetivo de corta distancia focal.

short-focal-distance therapy   (*Radiol*) radioterapia [roentgenoterapia] de contacto, plesioterapia. Roentgenoterapia que utiliza tubos especialmente construidos para que la distancia entre el anticátodo [target] y la piel sea muy corta (generalmente inferior a 5 cm). SIN. **contact roentgen therapy** (CEI/64 65–25–005).

short-focus objective   v. **short-focal-distance objective**.

short-fused   *adj:* con espoleta de poco retardo.

short-gap head   (*Registro mag*) cabeza de entrehierro corto. En un aparato de registro magnético, cabeza grabadora o reproductora con poca longitud de entrehierro, y apta, en consecuencia, para frecuencias más elevadas (en igualdad de velocidad de la cinta) que las posibles con las cabezas ordinarias.

short-haul air transportation   transporte aéreo a cortas distancias.

short-haul carrier system   sistema de corriente portadora para pequeñas distancias, sistema de telefonía superpuesta para distancias cortas.

short-haul carrier telephone system   sistema telefónico por corrientes portadoras para cortas distancias, sistema de telefonía superpuesta para distancias cortas.

short-haul circuit   (*Telecom*) circuito de corta distancia [de corto alcance]. SIN. **short-distance circuit**.

short-haul communications system   sistema de telecomunicaciones de corta distancia; red de telecomunicaciones regionales.

short-haul flight   (*Avia*) vuelo de corta distancia.

short-haul high-density route   ruta corta de tráfico denso.

short-haul service   (*Avia*) servicio de corta distancia.

short-haul system   (*Telecom*) sistema para cortas distancias; enlace de corta distancia.

short-haul toll circuit   (*Telef*) circuito regional [suburbano].

short hop   trayecto corto.

short indicator   (*Probadores de tubos*) indicador de cortocircuitos. SIN. **short-circuit detector**.

short interval   intervalo [período] corto.

short-interval fading   (*Radiocom*) desvanecimiento de período corto. SIN. **short-period fading**.

short iron   hierro quebradizo [agrio].

short-lay protective tape   (*Cables*) cinta protectora arrollada en hélice de paso corto.

short-lay rope   cuerda de colchado corto.

short-length sound film   (*Cine*) película sonora de corto metraje.

short-link chain   cadena de eslabones cortos.

short-lived   *adj:* de vida corta, de corta duración, efímero, fugaz, transitorio, pasajero ‖ (*Nucl*) de vida corta; de período corto; efímero.

short-lived fission product   (*Nucl*) producto de fisión de vida corta.

short-lived gamma rays   rayos gamma de período corto.

short-lived isotope   isótopo efímero.

short-lived meson   mesón de período corto.

short-lived radiation   radiación de vida corta.

short-lived radioactive substance   substancia radiactiva de vida corta.

short mortar   (*Constr*) mortero árido. Mortero con mucha arena en relación con la cantidad de cal o cemento. También se califican los morteros de *magros* o de *grasos,* según tengan menos o más cal o cemento, respectivamente, en relación con la cantidad de arena.

short-nose pliers   alicates de pico corto.

short out   *verbo:* eliminar por cortocircuito. Eliminar p.ej. una señal poniendo en cortocircuito la fuente.

short path   camino corto, trayectoria corta.

short-path bearing   (*Radiogoniometría*) azimut de arco pequeño. Azimut directo del semiplano vertical que contiene el arco menor del arco de círculo máximo terrestre que pasa por el dispositivo localizador y el objeto localizado; este azimut es el inverso del *azimut de arco grande* [long-path bearing] (CEI/70 60–71–020).

short period   período [intervalo] corto; plazo corto.

short-period fading   (*Radiocom*) desvanecimiento de período corto. SIN. **short-interval [short-term] fading**.

short-period frequency instability   inestabilidad de frecuencia de período corto. SIN. **FM noise, residual frequency modulation**. CF. **residual frequency instability**.

short period of rise   (*Nucl*) período corto.

short-period overload   sobrecarga breve.

short pitch   (*Hélices, Roscas,* &) paso pequeño [corto].

short-pitch chain   cadena de paso corto.

short-pitch winding   (*Máq eléc*) devanado de paso corto. Devanado en el cual el paso medio en la bobina [average coil pitch] es inferior al número de ranuras por polo (CEI/56 10–35–240). CF. **full-pitch winding** ‖ devanado [arrollamiento] de cuerdas, devanado por cuerdas.

short plug   (*Elecn/Telecom*) v. **shorting plug**.

short plunger   v. **shorting plunger**.

short pulse   impulso corto [breve, de poca duración], pulsación corta.

short radius   radio corto.

short-radius bend   (*Tuberías*) curva cerrada; codo cerrado.

short-radius curve   curva cerrada [de poco radio].

short range   corta [pequeña] distancia; corto [pequeño] alcance; corto radio de acción.

short-range attractive force   fuerza de atracción de corto alcance.

short-range collisional interaction   (*Nucl*) interacción de choque a corta distancia.

short-range communication   comunicación a corta distancia.

short-range force   fuerza de corto alcance.

short-range forecast   (*Meteor*) previsión [pronóstico] a corto plazo.

short-range interaction   (*Nucl*) interacción de corto alcance.

short-range navigation system   sistema de (radio)navegación de corto alcance. v. **shoran**.

short-range order   (*Fís*) orden de corto alcance. Orden tal que la probabilidad de que una clase dada de átomos tenga a su alrededor átomos de otra clase determinada, es mayor que la probabilidad esperable en circunstancias puramente aleatorias.

short-range particle   (*Fís*) partícula de corto alcance.

short-range radar   radar de corto alcance. Radar cuyo alcance máximo en línea recta, para un blanco con superficie reflectora normal al haz de un metro cuadrado, es de 240 km, aproximadamente.

short-range radiobeacon   radiofaro de poco alcance.

short-range rocket   cohete de corto alcance.

short-range search aircraft   aeronave de búsqueda de corto radio de acción.

short-range weather forecast   previsión meteorológica [pronóstico meteorológico] a corto plazo.

short response time   tiempo corto de respuesta.

short-response-time meter   medidor de respuesta rápida.

short rise time   tiempo corto de subida.

short-rise-time pulse   impulso de subida rápida. SIN. **fast-rise pulse**.

short round   cartucho corto; disparo corto.

short route   ruta corta.

short run   trayecto [recorrido] corto; carrera corta ‖ (*Fáb*) lote pequeño, serie corta.

short-run construction   construcción en pequeños lotes.

short-run-duty motor   motor para servicio a intervalos cortos, motor de funcionamiento discontinuo con períodos de trabajo cortos. CF. **duty cycle.**

short shunt   *(Elec)* derivación corta.

short side   *(Rectángulos)* lado menor.

short-slot coupler   *(Guías de ondas)* acoplador de ranura corta.

short-span bridge   puente de poca luz.

short stroke   *(Botes de remos)* bogada corta ‖ *(Mot)* carrera corta [pequeña].

short subject   *(Cine)* película de corto metraje. SIN. **short film.**

short sweep   *(Tuberías)* curva cerrada; codo cerrado.

short takeoff and landing aircraft [STOL aircraft]   avión de despegue y aterrizaje cortos.

short telephone relay   relé [relevador] del tipo telefónico corto.

short term   plazo corto.

short-term fading   *(Radiocom)* desvanecimiento de período corto. SIN. **short-period fading.**

short-term forecasting   *(Meteor)* previsión [pronóstico] a corto plazo.

short-term loading   carga breve.

short-term stability   estabilidad a corto plazo, estabilidad de período corto [para períodos breves]. CF. **long-term stability.**

short time   tiempo corto; plazo corto.

short time constant   constante de tiempo corta.

short-time current   *(Elec)* **(of a switching device)** corriente de corta duración admisible (de un aparato). Valor eficaz de la corriente que el aparato puede soportar en su posición completamente cerrada [fully closed position] durante un tiempo especificado, en las condiciones prescritas de empleo y de funcionamiento (CEI/57 15–25–035).

short-time duty   *(Elec)* servicio de corta duración, trabajo de tiempo corto | servicio temporal. Servicio a régimen constante [constant-load duty] durante un tiempo determinado, menor que el necesario para alcanzar el equilibrio térmico en servicio permanente a ese régimen [continuous service at the same load], seguido de un reposo de una duración suficiente para restablecer la igualdad de temperatura con el medio refrigerante [cooling medium] (CEI/56 05–41–040, CEI/56 10–05–355). CF. **types of duty.**

short-time interval meter   contador de intervalos (de tiempo) cortos.

short-time memory device   dispositivo de memoria para períodos cortos.

short-time operation   funcionamiento con períodos activos breves. CF. **duty cycle.**

short-time overload   sobrecarga breve [de corta duración].

short-time overload capacity   capacidad de sobrecarga breve.

short-time rating   capacidad de carga breve. Carga admisible por un período corto especificado.

short-time spectrum   *(Fonetógrafos)* espectro de corto plazo.

short-time stability   estabilidad a corto plazo. V.TB. **short-term stability.**

short ton   tonelada corta [neta]. Unidad de peso igual a 2 000 libras (907,18 kg). SIN. **net ton.**

short-trunk call   *(Telef)* llamada interurbana. SIN. **trunk call.**

short turn   vuelta cerrada.

short vowel   *(Fonética)* vocal breve.

short-wave [SW]   onda corta. Onda radioeléctrica con longitud comprendida entre los límites aproximados de 200 y 10 metros; onda de radio de frecuencia superior a 1 600 kHz, aproximadamente. V. **nomenclature of frequency and wavelength bands.**

short-wave adapter   adaptador de ondas cortas. V. **short-wave converter.**

short-wave aerial   antena de onda corta [para ondas cortas].

short-wave antenna   antena de onda corta [para ondas cortas].

short-wave band   banda de ondas cortas.

short-wave broadcasting   radiodifusión por ondas cortas.

short-wave broadcasting station   difusora [emisora] de onda corta, estación radiodifusora [de radiodifusión] de onda corta.

short-wave converter   adaptador [convertidor] de ondas cortas.

Dispositivo que se intercala entre un radiorreceptor y su sistema de antena con el fin de recibir frecuencias más altas (ondas más cortas) que aquellas para las cuales se construyó originalmente el receptor. Se utiliza para recibir ondas cortas con un aparato de ondas medias, o para extender el alcance de un receptor de ondas cortas. El adaptador o convertidor consiste esencialmente en una combinación de oscilador local [local oscillator] y etapa mezcladora [mixer stage] que transforma la RF procedente de la antena en una RF más baja que caiga dentro de la banda que normalmente puede sintonizar el receptor. SIN. **short-wave adapter.** CF. **frequency converter.**

short-wave diathermy   diatermia de onda corta. Diatermia con frecuencias entre los límites aproximados de 20 y 75 MHz.

short-wave directional antenna   antena direccional de onda corta.

short-wave listener [SWL]   escucha de onda corta, aficionado a la onda corta [a la escucha de ondas cortas], radioescucha internacional. Persona que gusta de sintonizar estaciones de onda corta. CF. **broadcast listener, radio amateur.**

short-wave oscillator   oscilador de onda corta.

short-wave radiotelephone circuit   circuito radiotelefónico por onda corta.

short-wave radiotelephony   radiotelefonía por ondas cortas.

short-wave range   gama de las ondas cortas; alcance en ondas cortas.

short-wave receiver   receptor de ondas cortas.

short-wave scattering   dispersión [difusión] de las ondas cortas.

short-wave spectrum   espectro de las ondas cortas.

short-wave telegraphy   telegrafía por ondas cortas.

short-wave telephony   telefonía por ondas cortas.

short-wave transmitter   transmisor de ondas cortas.

shortable   *adj:* *(Elec)* cortocircuitable.

shortable amplifier   amplificador cortocircuitable. Amplificador con salida de corriente constante y, por lo tanto, limitada; admite cargas de muy baja impedancia, incluso un cortocircuito, sin que se corten o "aplasten" los picos de la señal.

shortcut   atajo; método abreviado.

shorted   *adj:* cortocircuitado, en cortocircuito.

shorted-end (transmission) line   línea (de transmisión) cortocircuitada [con la extremidad en cortocircuito]. CF. **open-ended transmission line.**

shorted-out   *adj:* eliminado mediante un cortocircuito, puesto fuera de circuito mediante un puente cortocircuitante. Se halla en esas condiciones p.ej. una resistencia entre cuyos terminales se ha conectado un trozo corto de alambre grueso.

shorted phone plug   clavija de auricular cortocircuitada.

shorted tube   *(Elecn)* tubo con cortocircuito interno, válvula electrónica con cortocircuito interno [entre elementos].

shorten   *verbo:* acortar(se), hacer(se) más corto; recortar; encoger(se); abreviar (un procedimiento); compendiar, resumir (un texto).

shortening capacitor   capacitor [condensador] de acortamiento. Capacitor conectado en serie en un sistema de antena y que tiene el efecto de reducir su longitud eléctrica. SIN. **shortening condenser.**

shortening condenser   v. **shortening capacitor.**

shortest connection network   *(Telecom)* red de interconexión de longitud mínima.

shorting   cortocircuitado, acción de cortocircuitar o poner en cortocircuito ‖‖ *adj:* cortocircuitante, cortocircuitador, de cortocircuito. V.TB. **short-circuiting.**

shorting bar   *(Elec)* barra de cortocircuito [de cortocircuitar], barra cortocircuitadora [de poner en cortocircuito]. Se usa p.ej. en ciertas líneas de antena para efectuar adaptaciones de impedancia. SIN. **short-circuiting bar.**

shorting contact   contacto de cortocircuito.

shorting-contact switch   (a.c. shorting switch) conmutador de contacto cortocircuitante. Conmutador cuyo contacto móvil es más ancho que la distancia entre los contactos fijos, de tal manera que al desplazarse aquél sobre éstos, se establece el nuevo circuito antes de romper el anterior. Esta característica, que puede no convenir en ciertas aplicaciones, tiene en otras la ventaja de evitar los ruidos eléctricos de la conmutación. SIN. **make-before-break switch.**

shorting link   eslabón cortocircuitante [cortocircuitador]. Conductor corto, de muy baja resistencia, utilizado para establecer un cortocircuito p.ej. entre dos bornes o terminales. SIN. **short-circuiting link.**

shorting noise   (*Transductores potenciométricos*) ruido de corriente de cortocircuito. Se produce aunque no se esté tomando corriente del dispositivo, y se debe al cortocircuito móvil entre espiras adyacentes (elemento bobinado) cuando el cursor se desplaza sobre ellas; la corriente de cortocircuito que circula por el cursor es la que aparece como ruido eléctrico.

shorting plug   clavija cortocircuitadora. Clavija que al ser insertada en un jack, conecta entre sí los resortes de éste, es decir, que establece un cortocircuito entre ellos.

shorting plunger   (*Guías de ondas*) pistón de cortocircuito. v. **plunger.**

shorting relay   relé cortocircuitador, relevador de puesta en cortocircuito. Se usa p.ej. para descargar los condensadores de filtro de una fuente de alta tensión.

shorting ring   (*Conmut*) segmento de cortocircuito.

shorting segment   (*Conmut*) segmento de cortocircuito.

shorting strip   tira cortocircuitadora.

shorting switch   v. **shorting-contact switch.**

shorting terminal   terminal [borne] de cortocircuito.

shorting to earth (*GB*)   cortocircuito (por conexión) a tierra.

shorting to ground   cortocircuito (por conexión) a tierra.

shot   bala; proyectil; perdigón; disparo, tiro; balazo; escopetazo; impacto (de proyectil); tirador || (*Cond almacenadores de energía*) descarga muy breve (del orden del milisegundo o del nanosegundo) || (*Cine*) plano; toma de vistas || (*Fotog*) instantánea; foto || (*Medicina*) (*slang*) inyección (hipodérmica) || (*Minas*) barreno || (*Voladuras*) tiro, voladura || (*Sondas*) municiones.

shot-blast   chorro de municiones [de perdigones, de granalla] /// *verbo:* lanzar municiones con aire comprimido, chorrear con granalla, granallar; limpiar con chorro de perdigones [con municiones lanzadas por aire comprimido]. NOTA: Se llama *granalla* al metal en granos menudos.

shot effect   (*Elecn*) efecto de granalla. TB. efecto granular [ametralladora]. Ruido de fondo o variaciones perturbadoras en la corriente de salida de un tubo o válvula electrónicos, y que impone un límite a la amplificación que puede obtenerse. Se debe a la naturaleza granular de los electrones (es decir, al hecho de que la corriente anódica está constituida por el movimiento de cargas discretas de electricidad); a fluctuaciones aleatorias en la emisión termoiónica del cátodo; y a variaciones instantáneas aleatorias en el reparto del flujo electrónico entre los electrodos. SIN. **ruido Schottky [de granalla, de impacto, de fritura], ruido de emisión (termoiónica), ruido de emisión discontinua [irregular]** —— Schottky [shot] noise | efecto de granalla. (1) Ruido de fondo producido en los amplificadores y debido a las fluctuaciones en la emisión termoiónica de las lámparas (CEI/38 60–25–175). (2) Fluctuaciones de la corriente de salida de un tubo electrónico debidas a: (*a*) emisión discontinua del cátodo; (*b*) fluctuaciones instantáneas en el reparto del flujo electrónico entre los electrodos (CEI/56 07–28–180).

shot noise   (*Elecn*) ruido de granalla. TB. ruido granular [de descarga]. (1) Ruido que tiene su origen en la variación de la corriente causada por los cambios de velocidad en el movimiento de los electrones de cátodo a ánodo. (2) Perturbaciones causadas por el movimiento de los electrones debido a diferencias de temperatura. (3) Ruido debido al efecto de granalla [shot effect]. (4) Ruido aleatorio debido a la emisión de los electrones en los cátodos de los tubos electrónicos; ruido de fondo producido en los

amplificadores y debido a las fluctuaciones de la emisión termoiónica de los tubos al vacío. SIN. **ruido Schottky [de lámpara, de origen térmico, de agitación térmica, de emisión termoiónica]** —— **fluctuation [thermal agitation] noise, Johnson [Schottky] noise** || (*Semicond*) ruido de granalla, ruido (de origen) térmico.

shot-peen   *verbo:* granallar, chorrear con granalla; picar con chorro de perdigones.

shot-peening   chorro de perdigones; granallado, chorreo con perdigones; picado con chorro de perdigones.

shoulder   reborde, resalto, saliente, proyección, pestaña; soporte saliente; apoyo, soporte, sostén; retallo || (*Anat*) hombro || (*Aeropuertos*) margen lateral (de pista); berma, faja de seguridad || (*Carp, Mec*) hombro, espaldón || (*Carreteras*) berma lateral, banqueta, espaldón, respaldo; arcén, andén lateral || (*Mat*) (*i.e.* inflection in a curve) resalte (de una curva) || (*Soldadura*) cara de la raíz, hombro.

shoulder harness   (*Avia*) tirantes de sujeción || (*Paracaídas*) arnés de seguridad.

shoulder washer   arandela con reborde [con resalto, con pestaña].

shoulder wing   (*Avia*) ala semialta.

shoulders   hombros. Arista o reborde superior de una campana; el que separa la cabeza de los flancos o costados.

shovel   pala; pala mecánica || (*Telecom*) pala | (spoon form) cazo | (for cleaning-out pipes) pala para limpiar tubos.

shovel packing   (*Ferroc*) levante calibrado. Procedimiento para corregir desniveles de la vía midiendo el volumen de gravilla que debe introducirse debajo de cada durmiente.

show   exhibición, exposición, feria (de muestras), salón. SIN. **exhibit, fair.** AFINES: demostración, presentación, muestras, muestrario (de productos), caseta, estante, "stand", modelo, maqueta, reproducción (a escala) || (*Cine*) función; exhibición (de una película) || (*Teatro*) función, espectáculo, representación /// *verbo:* mostrar; indicar, señalar; demostrar, poner en evidencia.

shower   aguacero, chaparrón; chubasco; lluvia | v. **cosmic-ray shower.**

shower cloud   (*Meteor*) nube de verano.

shower condenser   (*Climatiz*) condensador de rocío.

shower head   regadera, boquilla de ducha.

shower-head injector   inyector pulverizador; inyector de cabezal rociador.

shower of cold precipitation   chaparrón de primavera.

shower particle   (*Nucl*) partícula de chaparrón.

shower unit   (*Nucl*) recorrido medio [trayectoria media] de chaparrón.

showing   (*Cine*) función; exhibición, proyección (de una película).

shrink   encogimiento; contracción; acortamiento; consolidación (de un terraplén); arruga /// *verbo:* encoger(se); contraer(se); acortar(se); arrugar(se); mermar; consolidarse (un terraplén).

shrink fit   ajuste (empotrado) en caliente, ajuste por contracción; embutido en caliente.

shrinkable   *adj:* contraíble, encogible; arrugable.

shrinkable polyethylene   polietileno encogible.

shrinkage   contracción, encogimiento; disminución, merma, pérdida, reducción; disminución de volumen; disminución de área; disminución de longitud; arrugamiento; aprieto; retracción || (*Obras de tierra*) asiento, hundimiento, consolidación. v. **settlement of the embankment.**

shrinkage cavity   cavidad de contracción; cavidad por contracción || (*Met*) bolsa de contracción; rechupe.

shrinkage factor   factor de encogimiento [de contracción] || (*Tierras*) coeficiente de consolidación.

shroud   gualdera, guardera; recubrimiento || (*Mec*) aro [anillo] de refuerzo; corona (de rueda); refuerzo (de álabe, de diente) || (*Buques*) obenque.

shroud lines   (*Paracaídas*) cuerdas [cordaje] de suspensión.

shrouded   recubierto, cubierto, encerrado || (*Mec*) reforzado; protegido (por cárter); amortajado; oculto; interno; encerrado en cárter.

shrouded antenna   antena con "visera" circular. Antena de microondas provista de una especie de pantalla circular, recubierta de material absorbente de las radiaciones electromagnéticas, que tiene por finalidad reducir los lóbulos laterales y los de sentido contrario al de radiación normal.

shrouded gear   engranaje encerrado en cárter.

shrouded impeller   (*Bombas, Compresores*) impulsor encerrado.

shrouded pinion   piñón con bridas [con gualderas].

shrouded transformer   transformador blindado.

shrunk-on   *adj:* zunchado; puesto en caliente.

shrunken raster   (*Tv*) imagen encogida; encogimiento de la imagen. Condición anormal en la cual la imagen aparece en la pantalla con dimensiones reducidas en sentido horizontal, en sentido vertical, o en ambos sentidos.

shunt   desvío, desviación; vía apartadero ‖ (*Elec*) derivación, shunt, resistencia derivante [derivadora], derivador, resistencia en derivación. A VECES: sunt. (**1**) Elemento conectado en paralelo con otro. Por ejemplo, cuando se conectan varios filamentos de válvulas en serie, resistor conectado en paralelo con uno de ellos que requiere menos corriente que los demás, para derivar la diferencia. (**2**) Resistor que se conecta en paralelo con un instrumento de medida para reducir la intensidad de corriente que lo atraviesa; por ejemplo, resistor conectado entre los bornes de un amperímetro para que sólo circule por él una fracción conocida de la corriente medida, con lo cual se aumenta el alcance de lectura del instrumento | shunt. Resistencia conectada en paralelo con un aparato para reducir la intensidad de corriente que lo atraviesa. Esta resistencia se escoge a menudo de modo que la reducción se efectúe en una relación conocida (CEI/38 30-35-055, CEI/58 20-35-090). CF. **resonant shunt, universal shunt** ‖ (*i.e.* magnetic shunt) derivación magnética, shunt magnético. Pieza de hierro que establece un camino en paralelo para el flujo magnético que atraviesa un entrehierro [air gap]. V.TB. **magnetic shunt** ‖ (*Tuberías*) derivación ‖‖ *adj:* (en) derivación, (en) shunt, (en) paralelo, derivante, derivador. CF. **parallel** ‖‖ *verbo:* desviar(se); apartar(se); cambiar de vía. CF. **bypass** ‖ (*Elec*) derivar, shuntar, poner [acoplar] en derivación, conectar en derivación [en paralelo] ‖ (*Ferroc*) maniobrar, clasificar ‖ (*Tuberías*) derivar.

shunt apparatus   aparato (puesto) en derivación.

shunt arc regulator   (*Ilum*) regulador shunt. Aparato en el cual la regulación del arco se efectúa por dispositivos electromagnéticos en derivación (CEI/58 45-45-135). CF. **differential arc regulator, series arc regulator.**

shunt attachment   dispositivo derivador.

shunt box   (*Elec*) caja de shunts; caja de resistencias en derivación. CF. **resistance box.**

shunt calibration   calibración mediante shunt. Procedimiento utilizado cuando se necesita que p.ej. un transductor de presión dé una señal de salida en ausencia de presión aplicada. Para ello se coloca un resistor en derivación con uno de los elementos del puente, para provocar un desequilibrio eléctrico intencional que puede hacerse equivalente a un valor deseado de presión por selección apropiada del valor y tolerancia del shunt o resistor de calibración. Esos datos aparecen en la hoja de calibración del dispositivo como factor en unidades de presión o en milivoltios.

shunt capacitance   (a.c. shunt capacity) capacitancia en derivación, capacidad en derivación [en paralelo].

shunt capacitor   (a.c. shunt condenser) capacitor en derivación, condensador en derivación [en paralelo].

shunt capacity   v. **shunt capacitance.**

shunt-characteristic motor   (*Elec*) motor de característica shunt.

shunt-characteristic polyphase commutator motor with double set of brushes   motor Schrage, motor polifásico de colector con característica shunt y doble juego de escobillas. v. **Schrage motor.**

shunt circuit   circuito derivado [en derivación] ‖ (*Aparatos de*

medida) circuito en derivación, circuito de tensión. Parte de un contador o de un aparato de medida, alimentado por la tensión del circuito que aquél mide, o por una tensión proporcional suministrada por un transformador o un reductor de tensión [voltage divider]. SIN. **voltage circuit** (CEI/58 20-35-210). CF. **series circuit.**

shunt coil   bobina en derivación, carrete en shunt. En una máquina eléctrica rotativa u otro aparato eléctrico, bobina conectada en paralelo con la línea principal y que por lo general sólo toma una pequeña corriente. CF. **series coil.**

shunt commutator motor   (*Elec*) motor de colector excitado en shunt. v. **shunt excitation.**

shunt condenser   v. **shunt capacitor.**

shunt-connected   *adj:* derivado, conectado en derivación, acoplado en shunt [en paralelo].

shunt-connecting   *adj:* derivado, derivante, de conexión shunt.

shunt-connecting cord   (*Telef*) cordón de unión shunt.

shunt connection   conexión en derivación, conexión shunt.

shunt current   corriente derivada.

shunt detector   (*Rec*) detector en paralelo. Detector diódico conectado entre los terminales de la carga, en lugar de estar en serie con ésta. Es de muy escaso uso práctico, porque carga el circuito previo mucho más que el detector en serie [series detector].

shunt dynamo   (*Elec*) dinamo [máquina dinamoeléctrica] excitada en derivación, dinamo con excitación en derivación. v. **shunt excitation.**

shunt efficiency diode   (*Tv*) diodo reforzador, diodo economizador [de recuperación] (en shunt), diodo de ganancia en shunt. CF. **series efficiency diode.**

shunt excitation   (*Máq eléc*) excitación en derivación. Excitación producida por una corriente derivada entre las bornas principales de la máquina (CEI/38 10-35-025, CEI/56 10-05-115). CF. **self-excitation, separate excitation, series excitation.**

shunt-excited   *adj:* excitado en derivación, con excitación en derivación.

shunt-fed   *adj:* alimentado en derivación [en paralelo].

shunt-fed oscillator   oscilador alimentado en derivación, oscilador con alimentación shunt.

shunt-fed vertical aerial   v. **shunt-fed vertical antenna.**

shunt-fed vertical antenna   antena vertical con alimentación en derivación [en paralelo]. Antena vertical puesta a tierra en la base y alimentada por un punto conveniente distinto al de toma de tierra. SIN. **shunt-fed vertical aerial** (*GB*). CF. **series-fed vertical antenna.**

shunt feed   alimentación en derivación [en paralelo]. Alimentación de tensión continua de un electrodo de válvula electrónica a través de una bobina de choque en derivación con el circuito de señal. SIN. **parallel feed.** CF. **series feed.**

shunt-feed amplifier   amplificador con alimentación en paralelo.

shunt field   (*Máq eléc*) campo debido al devanado en derivación. Parte del flujo magnético producida por el devanado en derivación, o sea, el conectado en paralelo con la fuente de tensión. CF. **series field.**

shunt field coil   bobina de campo (inductor) en derivación.

shunt-field relay   relé de campo derivado, relé con reductor [escape, shunt] magnético, relé con derivación magnética, relé con circuito magnético derivado. Relé electromagnético cuyo flujo magnético puede ser derivado fuera de la armadura, de tal manera que ésta sea insuficientemente atraída | relé polarizado con bobinas en lados opuestos de un circuito magnético cerrado y que sólo funciona cuando ambos devanados son recorridos por corrientes de igual sentido.

shunt filter   filtro en derivación [en shunt].

shunt impedance   impedancia en paralelo.

shunt leads   conductores en derivación ‖ (*Aparatos de medida*) conductores del shunt. Par de conductores que conectan el circuito de corriente del aparato con un shunt o derivador. Estos conductores no deben acortarse ni alargarse, ni deben ser substituidos por otros de distinto valor de resistencia, so pena de alterar la calibración del aparato.

shunt line *(Elec)* línea en derivación ‖ *(Ferroc)* apartadero.

shunt loading *(Telecom)* carga por bobinas en paralelo. Carga en la cual se conectan bobinas de reactancia entre los conductores de un circuito o línea de transmisión. CF. **series loading.**

shunt modulator modulador en paralelo [en shunt].

shunt motor *(Elec)* motor en derivación [en shunt].

shunt neutralization neutralización shunt. Acción y efecto de establecer un camino externo entre el ánodo y la rejilla de un tubo amplificador de radiofrecuencia, para neutralizar o compensar los efectos de la capacitancia entre dichos electrodos. El camino o circuito externo puede incluir un capacitor variable con una bobina inductora en serie. SIN. **inductive neutralization.**

shunt out *verbo:* derivar, poner en derivación; eliminar (del circuito) con un shunt [con una derivación]. CF. **short out.**

shunt-peaked amplifier amplificador con elementos de compensación en paralelo.

shunt peaking *(Elecn)* corrección paralela [shunt], corrección (de frecuencia) en paralelo [en derivación]. Empleo de una bobina agudizadora o de corrección de respuesta [peaking coil] en un circuito derivado que conecta la carga de salida de una etapa con la carga de entrada de la etapa siguiente. El objeto es el de compensar las pérdidas de alta frecuencia debidas a la capacitancia distribuida de las dos etapas. CF. **series peaking.**

shunt-peaking coil bobina de corrección en derivación [en paralelo], bobina de corrección (de frecuencia) conectada en derivación. CF. **series-peaking coil.**

shunt reactor reactor en derivación.

shunt rectifier circuit v. **parallel rectifier circuit.**

shunt-regulated *adj:* regulado por derivación.

shunt-regulated impedance impedancia regulada por derivación.

shunt-regulated output stage etapa de salida regulada en derivación.

shunt regulator regulador shunt, regulador (de tensión) en derivación [en shunt]. Regulador de tensión en el cual se emplea un dispositivo (p.ej. un tubo electrónico) en derivación con la fuente de alimentación, para mantener una carga constante sobre ésta y estabilizar así la tensión ‖ *(Arcos)* regulador shunt. Aparato en el cual la regulación del arco se asegura por dispositivos electromagnéticos en shunt o derivación (CEI/38 45–25–025). CF. **differential regulator, series regulator.**

shunt resistance resistencia en derivación.

shunt resistor resistor derivador.

shunt-series compensation compensación shunt-serie.

shunt-series peaked stage etapa compensada en shunt-serie [en serie-paralelo].

shunt signal *(Ferroc)* señal de maniobra. Señal en cuyo brazo se coloca una letra "M".

shunt-stabilized voltage tensión estabilizada [voltaje estabilizado] por resistencia en derivación.

shunt switch *(Elec)* conmutador en derivación ‖ *(Ferroc)* v. **shunting switch.**

shunt system of distribution *(Elec)* sistema de distribución en derivación [en paralelo]; red de tensión constante. v. **parallel system of distribution.**

shunt T (a.c. shunt tee junction) T en paralelo, unión T paralelo. SIN. **H-plane T junction** ‖ unión en T paralelo. Unión en T para la cual las admitancias de dos brazos de la guía de ondas principal son aproximadamente aditivas, cuando son vistas desde el brazo lateral [sidearm]. En el caso de las guías rectangulares de la misma sección recta [cross-section], el brazo lateral es perpendicular a una cara mayor [broad face] de la guía principal, y las caras menores [narrow faces] de una y otra guía están ambas en un mismo plano (CEI/61 62–15–140). CF. **series T.**

shunt tee junction v. **shunt T.**

shunt transformer transformador en derivación.

shunt transistor transistor en paralelo.

shunt transition *(Tracción eléc)* (a.c. short-circuit transition) transición por derivación. TB. transición por shunt [por cortocircuito]. Transición durante una de cuyas fases se utiliza una derivación para mantener en circuito cierto número de motores mientras se suprime la corriente en los otros motores (CEI/57 30–15–180).

shunt trip coil *(Elec)* bobina de disparo [desconexión] en derivación.

shunt tripping *(Elec)* disparo por bobina en derivación. Método en el cual se aplica una tensión conveniente a la bobina de disparo del disyuntor [circuit-breaker trip coil] por el dispositivo de protección. Esta bobina puede ser alimentada, bien por la red protegida, bien por una fuente independiente (CEI/56 16–55–070). CF. **series tripping.**

shunt-tuned choke reactancia sintonizada en derivación.

shunt-type attenuation equalizer *(Telecom)* igualador [compensador] (de atenuación) en derivación. CF. **series-type attenuation equalizer.**

shunt-wound *adj:* *(Elec)* devanado [arrollado] en derivación, de arrollamiento en derivación ‖ v. **shunt-wound machine.**

shunt-wound constant-voltage generator generador de tensión [voltage] constante excitado en derivación. v. **shunt-wound machine.**

shunt-wound DC generator generador de CC excitado en derivación. v. **shunt-wound machine.**

shunt-wound generator generador excitado en derivación. v. **shunt-wound machine.**

shunt-wound induction coil bobina de inducción en derivación [en shunt].

shunt-wound machine *(Elec)* máquina excitada en derivación [en shunt], máquina con excitación en derivación. Máquina eléctrica cuyo devanado inductor o de excitación [field winding] está en paralelo con el devanado inducido [armature winding]. v.TB. **shunt excitation.** CF. **shunt-wound generator, shunt-wound motor.**

shunt-wound motor motor excitado en derivación [en shunt], motor con excitación en derivación. v. **shunt-wound machine.**

shunted *adj:* shuntado, derivado, en derivación, en paralelo. A VECES: suntado.

shunted condenser condensador derivado (por una resistencia).

shunted galvanometer galvanómetro con shunt [resistencia en derivación]. v. **shunted instrument.**

shunted instrument aparato con shunt. Conjunto formado por un aparato de medida y un shunt separado (CEI/58 20–05–180).

shunted monochrome signal *(Tv)* señal monocroma derivada. Señal monocroma o de luminancia (señal Y) que se alimenta separadamente sin pasar por el modulador o el desmodulador de crominancia. SIN. **bypassed monochrome signal** *(término desaconsejado).*

shunter *(Elec)* derivador ‖ *(Ferroc)* enganchador de vagones, empleado (del servicio) de maniobras; guardaagujas ‖ *(i.e. shunting locomotive)* locomotora de maniobras.

shunter hut *(Ferroc)* casilla cambista. Edificio destinado al personal de cambistas en las playas de maniobras o estaciones, durante el servicio.

shunting *(Elec)* derivación, shuntado, acción de poner en derivación o shunt ‖ *(Ferroc)* maniobras; clasificación de vagones ⫽ *adj:* *(Elec)* derivante, derivador, en derivación, en paralelo ‖ *(Ferroc)* de clasificación, de maniobras.

shunting capacitance (a.c. shunting capacity) capacitancia en derivación, capacidad en derivación [en paralelo].

shunting capacitor (a.c. shunting condenser) capacitor en derivación, condensador en paralelo.

shunting capacity v. **shunting capacitance.**

shunting condenser v. **shunting capacitor.**

shunting effect efecto derivante [derivador], efecto de shunt.

Reducción en la amplitud de una señal por la carga impuesta a la fuente al conectar en derivación con ésta un aparato de medida o el circuito de entrada de un amplificador u otro dispositivo.

shunting engine   *(Ferroc)* v. **shunting locomotive.**

shunting hump   *(Ferroc)* lomo de asno. Loma constituida por diversos planos inclinados y destinada a proporcionar a los vehículos la energía necesaria para vencer las resistencias que se oponen a la marcha.

shunting locomotive   *(Ferroc)* (a.c. shunter, shunting engine) locomotora de maniobras. Locomotora destinada al movimiento de vagones y la formación de trenes en las playas de estaciones, zonas portuarias, etc. | locomotora de maniobras. Locomotora especializada para el servicio de maniobras [shunting service] (CEI/57 30–15–085). CF. **hump locomotive.**

shunting resistance   resistencia derivadora ‖ *(Tracción eléc)* resistencia de shuntado, shunt óhmico. Resistencia intercalada en el circuito de derivación [diverting circuit]. SIN. **noninductive shunt** (CEI/57 30–15–325). CF. **inductive shunt.**

shunting resistor   resistor de derivación, resistencia derivadora. SIN. **shunt.**

shunting road   *(Ferroc)* vía de maniobras. Vía destinada a facilitar las maniobras de los trenes.

shunting siding   *(Ferroc)* vía de maniobras; apartadero.

shunting springs   *(Telef)* resortes de cortocircuito (del disco).

shunting switch   *(Elec)* interruptor de derivación. Interruptor que sirve para abrir o cerrar un circuito derivante. Si el dispositivo derivado es un condensador y la finalidad es descargar éste cuando así convenga, al interruptor se le llama también *interruptor de descarga* [discharge switch] ‖ *(Ferroc)* aguja de maniobras.

shunting track   *(Ferroc)* vía de maniobras, vía auxiliar. SIN. **shunting road.**

shunting turns   *(Ferroc)* modalidad del trabajo diario. Característica del trabajo de clasificación: un turno, 8 horas; dos turnos, 16 horas; tres turnos, 24 horas.

shunting yard   *(Ferroc)* estación de clasificación; patio de maniobras.

shut   *verbo:* cerrar; encerrar.

shut down   *verbo:* cerrar; parar, paralizar; cesar (el trabajo); apagar (un aparato, un transmisor) /// v. **shutdown.**

shut off   *verbo:* apagar, extinguir; interceptar, impedir la entrada; cortar, interrumpir (la circulación de agua, de vapor); desconectar (un motor eléctrico); apagar (un receptor u otro aparato); enmudecer, silenciar (un altavoz) /// v. **shutoff.**

shutdown   paro, parada, paralización; interrupción; cierre ‖ *(Nucl)* parada, interrupción (de un reactor); interrupción (de una reacción en cadena) ‖ *(Radiocom)* acción de apagar (un transmisor, un receptor, una estación) /// v. **shut down.**

shutdown amplifier   *(Nucl)* amplificador de parada; amplificador de seguridad.

shutdown channel   *(Nucl)* canal de parada.

shutdown device   dispositivo de cierre ‖ *(Ascensores)* dispositivo de interrupción automática.

shutdown loop   *(Nucl)* circuito de parada (de un reactor).

shutdown mechanism   *(Nucl)* mecanismo de paralización.

shutdown period   *(Radiocom)* período de reposo. Período en que permanece apagado un transmisor o una estación.

shutoff   cierre; oclusión; interruptor; compuerta (de una esclusa) /// v. **shut off.**

shutoff cock   llave de paso [de cierre].

shutoff rod   *(Nucl)* barra de interrupción; barra de seguridad; barra de control.

shutoff time   tiempo de cierre; tiempo de interrupción | v. **turn-off time.**

shutoff valve   válvula de cierre [de incomunicación, de interrupción]; válvula de parada.

shutoff voltage   *(Transistores)* tensión de anulación. CF. **cutoff voltage, pinch-off voltage.**

shutter   registro ‖ *(Cine/Fotog/Tv)* obturador. Dispositivo que im-

pide el paso de la luz, excepto durante los intervalos de exposición deseados ‖ *(Autos)* persiana, enrejado ‖ *(Mot)* persiana ‖ *(Constr)* contraventana, sobrevidriera, persiana, postigo; cerradura; andamio; elemento de encofrado ‖ *(Cargas explosivas)* portacebo; charnela portacebo ‖ *(Presas)* alza, compuerta, tablero ‖ *(Nucl)* obturador. Placa movible de material absorbente utilizada en un reactor para tapar una ventanilla o un canal experimental [beam hole] cuando no se desea la irradiación, o para cortar un flujo de neutrones lentos ‖ *(Telecom)* (*i.e.* of a drop indicator) tapa (de un indicador de llamada).

shutter actuator   *(Fotog)* disparador (del obturador).

shutter aperture   *(Cine/Fotog)* abertura del obturador.

shutter axis   *(Cine/Fotog)* eje del obturador.

shutter blade   *(Cine)* pala [aspa] del obturador.

shutter cutoff frequency   *(Cine)* frecuencia de obturación, frecuencia de cortes [interrupciones] de luz. Normalmente es de 48 obturaciones o cortes por segundo.

shutter frequency   *(Cine)* v. **shutter cutoff frequency.**

shutter housing   caja del obturador.

shutter opening   abertura del obturador.

shutter release   *(Fotog)* disparador (del obturador). SIN. **shutter actuator.**

shutter speed   *(Fotog)* velocidad del obturador; velocidad de obturación. Velocidad de funcionamiento del sistema obturador.

shutter speed adjustment   ajuste de la velocidad de obturación.

shutter tensioning   *(Fotog)* armado del obturador.

shutter time marking   *(Fotog)* marca de tiempo de exposición.

shuttered opening   abertura con obturador.

shuttle   *(Cine)* (*i.e.* part of film-perforating machine) lanzadera ‖ *(Telares)* lanzadera ‖ *(Nucl)* v. **rabbit.**

shuttle armature   *(Elec)* inducido Siemens [de doble T].

shuttle conveyor   transportador (corto) reversible.

shuttle hole   *(Nucl)* orificio neumático de vaivén. CF. **rabbit.**

shuttle valve   válvula de lanzadera.

Si   Símbolo químico del silicio [silicon].

sib mating   *(Genética)* acoplamiento de consanguinidad. EJEMPLOS: acoplamiento padre-hija, acoplamiento hermano-hermana.

Siberian Meteorite   Meteorito Siberiano. Gran meteorito que cayó en Siberia el 30 del mes de junio de 1908.

SiC   Fórmula química del carburo de silicio [silicon carbide].

SICE   Abrev. de standard interface control electronics.

sickle   hoz /// *adj:* falciforme (de figura de hoz), en hoz.

sickle bend   curva en hoz ‖ *(Tuberías)* codo en hoz.

sickle cell   *(Medicina)* hematíe falciforme. Eritrocito anormal en forma de hoz; se encuentra en ciertas formas de anemia.

sickle-cell anemia   anemia falciforme. SIN. **sicklemia.**

sicklemia   v. **sickle-cell anemia.**

SID   Abrev. de sudden ionospheric disturbance.

side   lado, costado, flanco ‖ *(Discos fonog)* lado, cara ‖ *(Chapas)* cara ‖ *(Cerros, Montañas)* ladera, flanco; vertiente ‖ *(Ríos)* margen, orilla ‖ *(Explotación forestal)* cuadrilla ‖ *(Buques)* bando, banda, borda, costado ‖ *(Mat)* lado. Elemento geométrico de los que forman el contorno de una figura. Si la figura es un triángulo rectángulo [right triangle], se le da el nombre particular de *cateto* a cada uno de los lados que forman el ángulo recto, y el de *hipotenusa* [hypotenuse] al lado opuesto a ese ángulo | cara. Plano de los que limitan un poliedro | miembro. Cada una de las dos partes de una ecuación [equation], una igualdad [equality], una identidad [identity], o una desigualdad [inequality], que están separadas por el signo correspondiente. La parte del lado de la izquierda del signo se llama *primer miembro*, y la del lado de la derecha, *segundo miembro* /// *adj:* lateral, de lado; incidental; secundario.

side-arm   v. **sidearm.**

side armature   *(Relés)* armadura lateral. Armadura que gira alrededor de un eje paralelo al del núcleo; la cara polar [pole face] se encuentra en una superficie lateral del núcleo.

side-armature relay   relé de armadura lateral.

side-band   *(Telecom)* v. **sideband.**

side benching   (*Movimiento de tierra*) desmonte lateral [en ladera, a media ladera]. Corte, rebaja o excavación del terreno de un solo lado del plano de formación || (*Ferroc*) perfil [sección] transversal a media ladera. Corte transversal al eje de la vía, parte en terraplén. SIN. **cutting on hill side** || (*Minas*) método a través.

side-break switch   (*Elec*) disyuntor de cuchilla horizontal.

side-by-side arrangement   (*Ant acopladas*) disposición colateral. CF. **collinear arrangement**.

side cap   (*Elecn*) casquillo lateral. Casquillo de conexión de ánodo que tienen algunas válvulas electrónicas. CF. **side contact** || (*Pilotaje*) cepo lateral.

side circuit   (*Telecom*) circuito real [combinante]. TB. circuito físico [lateral, componente, constituyente], línea real. Uno cualquiera de los dos circuitos físicos utilizados en la formación de un circuito fantasma [phantom circuit] | circuito real [combinante]. Circuito cuyos conductores se utilizan para constituir uno de los conductores de un circuito fantasma (CEI/38 55–25–025) | circuito real. Circuito formado por los dos conductores de un par convenientemente dispuesto respecto a los dos conductores de un par de igual especificación para constituir un circuito superpuesto [superposed circuit] (CEI/70 55–30–140). CF. **four-wire side circuit, two-wire side circuit**.

side-circuit loading coil   (*Telecom*) bobina de carga para circuitos reales. TB. bobina de carga para circuito físico [lateral].

side clearance   (*Ferroc*) franqueo [espacio libre] lateral; gálibo de carga || (*Mec*) huelgo lateral; huelgo entre dientes (de engranaje) || (*Máq herr*) despeje [espacio libre] lateral || (*Telecom*) gálibo.

side component   componente lateral.

side conductor rail   (*Tracción eléc*) carril lateral de contacto. Carril de contacto colocado a un costado o al otro de la vía férrea (CEI/57 30–10–160). SIN. **side contact rail**.

side contact   (*Elec*) contacto lateral || (*Elecn*) capacete, terminal externo. Apéndice fijo a la ampolla de un tubo electrónico y que sirve para conectar separadamente un electrodo a un circuito exterior. SIN. **top cap** (CEI/56 07–26–030). CF. **side cap**.

side contact rail   (*Tracción eléc*) carril lateral de contacto. Carril de contacto colocado a uno u otro lado de la vía férrea (CEI/38 30–10–030). SIN. **side conductor rail**.

side cutting   (*Alicates*) corte lateral || (*Obras de tierra*) sección en desmonte; zanja de préstamos | (*i.e.* taking earth from borrow pits) préstamos de tierras. Operaciones consistentes en sacar tierra de un lugar para emplearla en la ejecución de terraplenes.

side-cutting pliers   alicates de corte lateral. LOCALISMOS: alicate con cortafrío, tenazas de corte lateral, pinzas de corte al costado.

side-ditch   (*Obras de tierra*) cuneta del talud. Cuneta colectora de agua al pie del talud. SIN. **ditch, drain, gutter**.

side-driven drum   (*Teleg*) tambor de accionamiento lateral.

side echo   (*Radar*) eco lateral. Eco parásito debido a la existencia de lóbulos secundarios de la antena del radar (CEI/70 60–72–500).

side elevation   (*Dib*) vista de costado; elevación lateral, alzado lateral [de costado].

side emission   (*Magnetrones*) v. **stray emission**.

side file   (*Herr*) lima de canto(s) liso(s) || (*Sierras*) lima lateral.

side fire   (*Calderas, Hornos*) combustión lateral; caldeo por el costado || (*Ant*) radiación transversal.

side-fire helix antenna   (a.c. side-firing helical antenna) antena helicoidal de radiación transversal.

side-firing helical antenna   v. **side-fire helix antenna**.

side float   (*Hidroaviones*) flotador lateral.

side frequency   (*Telecom*) frecuencia lateral. Frecuencia de una componente espectral de una banda lateral [sideband] (CEI/70 55–05–430).

side-jerk table   mesa de sacudidas laterales. CF. **shaking table**.

side light   (*Alumbrado de tráfico y señalización*) luz de posición. Luz emitida por un dispositivo luminoso que señala la presencia de un vehículo visto por el frente, y que sirve a veces para indicar su anchura (CEI/58 45–60–115) | luz lateral. Luz auxiliar de que

está provista una señal luminosa de color para dar una indicación al tren cuando está parado delante de la señal y a corta distancia de ella (CEI/59 31–05–070) | CF. **rear light, parking light** || (*Buques*) luz de situación; portillo de luz.

side loading neck (for cattle)   (*Ferroc*) corral [brete] lateral. Permite efectuar la carga de hacienda por los costados de los vagones.

side lobe   (*Ant*) lóbulo lateral [secundario]. A VECES: pétalo secundario. SIN. **minor lobe**. CF. **main [major] lobe** | lóbulo lateral [secundario]. Lóbulo de radiación otro que el lóbulo principal [main lobe] o el lóbulo posterior [back lobe] de la antena (CEI/70 60–32–165).

side-lobe blanking   anulación de (los) lóbulos secundarios. SIN. **side-lobe suppression**.

side-lobe echo   (*Radar*) v. **side echo**.

side-lobe suppression   supresión de (los) lóbulos secundarios [laterales]. SIN. **side-lobe blanking**.

side-looking radar   radar (de avión) con antenas dirigidas hacia los lados. Radar de avión con antenas dirigidas hacia la izquierda y la derecha de la trayectoria de vuelo.

side of a potential hill   flanco de una colina de potencial.

side panel   panel lateral.

side piling   (*Carreteras, Vías férreas*) caballeros, excedentes de desmontes. Tierras sobrantes de desmontes no empleadas en terraplenes y depositadas dentro de la zona de vía.

side-plate   v. **sideplate**.

side play   juego lateral; huelgo lateral.

side road   carretera secundaria; carretera lateral [transversal].

side rod   (*Locomotoras*) biela de acoplamiento. TB. biela paralela. Barra que une las ruedas motrices.

side shot   (*Topog*) visual auxiliar [desviada].

side show   (*Cine/Teatro*) espectáculo secundario; complemento del programa principal.

side-slip   v. **sideslip**.

side-slope   (*Obras de tierra*) talud (lateral). Inclinación del paramento de un terraplén, de un desmonte, o de un muro. SIN. **bank, slope** || (*Carreteras*) talud interior.

side spray   (*Municiones*) haz lateral.

side-stable relay   relé de dos posiciones (estables). Relé polarizado [polarized relay] cuya armadura no tiene posición neutra o posición preferente central, y que al funcionar pasa por tales cambios en su condición de equilibrio, que la armadura se mantiene en su nueva posición mientras no sea desplazada de ella (CEI/70 55–75–215).

side stream   (*Nucl*) corriente de extracción lateral || (*Torres de destilación*) corriente tomada de un punto cualquiera de la altura.

side-telescope transit   tránsito [teodolito] de anteojo lateral.

side thrust   (*Fonog*) fuerza lateral. Componente radial de la fuerza ejercida sobre un brazo fonocaptor por efecto de la fricción entre la aguja reproductora y la superficie del surco [stylus drag].

side-to-phantom crosstalk   (*Telecom*) diafonía entre real y fantasma.

side-to-phantom far-end crosstalk   telediafonía entre (circuito) real y fantasma.

side-to-side crosstalk   (*Telecom*) diafonía entre real y real.

side-to-side far-end crosstalk   telediafonía entre (circuito) real y real.

side-tone   (*Telecom*) v. **sidetone**.

side view   vista lateral [de costado, de lado].

sidearm   (*Telecom*). cruceta desequilibrada. SIN. **extension arm** || (*Guías de ondas*) brazo lateral.

sideband   (*Telecom*) banda lateral. TB. banda de modulación, banda resultante de la modulación. Una de las dos bandas de frecuencias, una a cada lado de la frecuencia portadora, dentro de las cuales quedan comprendidas las frecuencias de la onda producida por el proceso de modulación; componentes de onda comprendidas en una de esas bandas. En la modulación de amplitud de una portadora sinusoidal [sine-wave carrier], la banda lateral superior [upper sideband] incluye las frecuencias suma (frecuencia portadora más frecuencias moduladoras), y la banda lateral inferior incluye las frecuencias diferencia (frecuencia portadora menos las frecuencias moduladoras) | banda lateral. (**1**) Banda de frecuencias producida a cada lado de la onda portadora por efecto de la modulación (CEI/38 60–35–055). (**2**) Conjunto de componentes espectrales de una oscilación (onda) modulada, de frecuencias superiores (banda lateral superior) o inferiores (banda lateral inferior) a la frecuencia portadora (CEI/70 55–05–420, CEI/70 60–06–025). CF. **side frequency, vestigial sideband, single sideband.**

sideband asymmetry   asimetría de bandas laterales. CF. **vestigial sideband.**

sideband attenuation   atenuación de banda lateral. Dícese cuando la amplitud relativa transmitida de alguna componente de la onda modulada, es menor que la producida en el proceso de modulación. SIN. **sideband cutting.**

sideband component   componente (espectral) de banda lateral.

sideband cutoff   supresión de banda lateral.

sideband cutting   atenuación de banda lateral. V. **sideband attenuation.**

sideband filter   filtro de bandas laterales.

sideband frequency   frecuencia (de banda) lateral. CF. **side frequency.**

sideband interference   interferencia debida a una banda lateral. (a) En la transmisión por línea, ruido debido a una atenuación imperfecta de una banda lateral no deseada. (b) En radiocomunicación, perturbación de una emisión radioeléctrica debida a la superposición sobre esta última de una banda lateral de una emisión por una frecuencia asignada vecina (CEI/70 55–10–105). SIN. **adjacent-channel interference.**

sideband power   potencia de bandas laterales. Potencia contenida en las bandas laterales de una onda modulada; a ella, y no a la potencia de la portadora, responde el receptor.

sideband response analyzer   analizador de respuesta a las bandas laterales.

sideband selector   selector de bandas laterales.

sideband splash   *(Radiocom)* interferencia de canal adyacente. SIN. **adjacent-channel interference, sideband interference.**

sideband splashing   V. **sideband splash.**

sideband splatter   *(Tr)* emisiones espurias de banda lateral.

sideband suppression   supresión de banda lateral. SIN. **sideband cutoff.** CF. **sideband attenuation.**

sidebands   *(Telecom)* bandas laterales. V. **sideband.**

sidecar   *(Dirigibles)* barquilla lateral || *(Motocicletas)* sidecar. Cochecillo apoyado en una rueda suplementaria y acoplado a la motocicleta de modo que aquél y ésta corren paralelamente.

sideplate   placa lateral || *(Cañones)* gualdera; gualderín || *(Constr)* gualdera; cartela || *(Locomotoras de vapor)* pared lateral, costado de la caja de fuego.

sidereal   *adj: (Astr)* sidéreo, sideral.

sidereal day   día sidéreo.

sidereal hour angle   ángulo horario sidéreo.

sidereal period   período sidéreo.

sidereal space   espacio sideral.

sidereal time   tiempo sidéreo, hora sidérea.

sideromagnetic   *adj:* sideromagnético.

siderurgical   *adj:* siderúrgico.

siderurgy   siderurgia.

sideslip   *(Autos)* patinazo. GALICISMO: derrape || *(Avia)* resbalamiento (lateral) || *(Ferroc)* deslizamiento lateral (de un terraplén). Movimiento de un terraplén en dirección transversal al eje de la vía /// *verbo:* patinar; resbalar lateralmente.

sideslipping   patinazo (lateral); resbalamiento lateral; deslizamiento lateral.

sideswiper   *(Teleg) (slang)* manipulador de movimiento lateral.

sidetone   *(Telef)* efecto local. TB. tono [sonido] local, señal de efecto local, autopercepción. Presencia de la voz de la persona que

habla en su propio auricular. Transmisión y reproducción de los sonidos por un acoplamiento local entre el micrófono y el auricular o receptor de una misma estación telefónica | efecto local. Reproducción, por el auricular de un aparato telefónico, de los sonidos captados por el micrófono del mismo aparato y transmitidos del uno al otro por intermedio de los circuitos eléctricos. NOTA: El efecto local producido por la voz de la persona que habla se denomina *efecto local por la palabra* [speech sidetone]; el efecto local producido por los ruidos de sala se denomina *efecto local por los ruidos de la sala* [noise sidetone] (CEI/70 55–40–060).

sidetone oscillator   *(Rec)* oscilador de tono local.

sidetone reference equivalent   *(Telef)* equivalente de referencia de efecto local.

sidetone telephone set   *(Telef)* aparato telefónico con efecto local. Aparato telefónico en el cual no se emplean medios especiales (p.ej. una red equilibradora) para suprimir o reducir el efecto local.

sidetrack   *(Ferroc)* apartadero, desvío, vía apartadera [derivada, lateral, muerta]; /// *verbo:* apartar, desviar, meter en apartadero.

sidetracking switch turnout   *(Ferroc)* cambio de desviación. Cambio que separa la vía ascendente de la descendente, cuando una vía simple se convierte en doble.

sidewalk   acera, vereda. LOCALISMOS: alar, andén, banqueta. Parte de la vía urbana o de una obra de arte destinada exclusivamente al tránsito de peatones. CF. **pathway.**

sidewalk manhole   cámara [caja] bajo la acera.

sidewalk vault   bóveda bajo la acera, sótano bajo la vereda.

siding   *(Carp)* tablas de chilla [de forro], tingladillos, traslapos; costaneras; entablado de paredes || *(Carp met)* chapas para (forro de) paredes || *(Ferroc)* apartadero, desvío (lateral), desviadero. LOCALISMOS: chucho, espuela, ladero | vía de carga, vía muerta; vía [ramal] de servicio; cambio de vía.

siding signal   *(Ferroc)* señal de apartamiento.

siding turnout   *(Ferroc)* cambio de apartadero. Cambio para desviar el tráfico de carga de las vías principales.

Siegbahn unit   *(Radiol)* (a.c. X unit) unidad Siegbahn, unidad X. Unidad de longitud igual a 10^{-11} cm; se usa para expresar longitudes de onda de rayos X.

siemens   siemens. Unidad de conductancia (y de admitancia) en el Sistema Internacional de Unidades (SI); es igual a la conductancia de un conductor en el cual circula una corriente de 1 amperio cuando entre sus extremos se aplica una tensión constante de 1 voltio. Símbolo: S. SIN. **mho, reciprocal ohm, ampere per volt** | siemens. Nombre que hace muchos años se propuso para una unidad de energía igual a 1 Wh.

Siemens   Siemens. Marca registrada de la casa Siemens and Halske para su renglón de sincros (v. **synchro**).

Siemens electrodynamometer   electrodinamómetro Siemens.

Siemens instrument   aparato Siemens.

Siemens rapid printer   impresor rápido Siemens.

Siemens standard   patrón Siemens.

Siemens unit   unidad Siemens. Unidad absoluta de resistencia eléctrica propuesta en Alemania en 1860. Era igual a la resistencia de una columna de mercurio de 1 metro de altura y 1 centímetro cuadrado de sección a la temperatura de cero centígrado, y equivalente a 0,9407 ohm internacional.

sieve   cedazo, tamiz, criba, cernedor, zaranda || *(Mat)* criba. Nombre que dio Eratóstenes a un método de su invención para hallar números primos /// *verbo:* tamizar, cribar, cerner, cernir, zarandar.

sieve analysis   análisis de cedazo [de tamices]; análisis granulométrico.

sieve plate   *(Nucl)* placa de criba.

sieve shaker   vibradora de tamices, sacudidor para cedazos.

Sievert chamber   *(Radiol)* cámara de Sievert, microcámara. Tipo de cámara de ionización de condensador [condenser ionization chamber] de muy pequeñas dimensiones (CEI/64 65–30–265).

Sievert unit   *(Radiol)* unidad Sievert.

SIF *(Esquemas)* Abrev. de sound intermediate frequency.

SIG *(Esquemas)* Abrev. de signal(s) ‖ *(Teleg)* Abrev. de signal; signature.

sight vista; ojo; visión, perspectiva; cuadro, escena, espectáculo; aspecto; agujero [abertura] para mirar; puntería | visor. CF. **viewfinder** ‖ *(Armas de fuego)* mira, punto, alza; aparato de puntería. CF. **aiming device, aiming [fire-control] radar** ‖ *(Brújulas, Instr)* pínula ‖ *(Opt)* colimador ‖ *(Levantamientos)* mira, visual ‖‖‖ *verbo:* ver, descubrir (con la vista, con un instrumento), avistar, divisar; alcanzar con la vista; apuntar, dirigir (una visual); alinear con visual.

sight-and-sound tape (for television replay) cinta magnética de registro de imágenes y sonido (para retransmisiones de televisión).

sight check *(Informática)* verificación visual. Verificación de la perforación de tarjetas o de la clasificación de éstas por inspección visual de los agujeros (perforaciones).

sight clinometer clinómetro de puntería.

sight distance distancia de visibilidad; alcance de la vista.

sight effects *(Tv)* efectos visuales; trucos ópticos.

sight field campo óptico.

sight gage indicador visual de nivel.

sight glass tubo indicador, vidrio de nivel; ventanilla indicadora.

sighting avistamiento; acción de descubrir (con la vista, con un instrumento); acción de divisar; etc. v. **sight** ‖ *(Artillería, Fotog)* puntería ‖ *(Bombardeos aéreos)* visada ‖ *(Topog)* puntería, visación.

sighting angle *(Bombardeos aéreos)* ángulo de visada.

sighting collimator colimador de puntería.

sighting hole mirilla.

sighting system sistema de puntería.

sighting technique técnica de puntería.

sighting telescope *(Artillería)* anteojo de puntería [de alza] ‖ *(Fotog)* anteojo de puntería.

sigma sigma. Nombre de la decimooctava letra del alfabeto griego (minúscula σ, mayúscula Σ), que corresponde a la *ese* del nuestro.

sigma meson mesón sigma. Nombre dado a los mesones que producen una estrella nuclear [nuclear star] antes de que fueran identificados como *mesones pi* [pi mesons].

sigma particle partícula sigma. Hiperón sumamente efímero (vida de alrededor de 0,1 ns), con carga negativa o positiva. v. **hyperon.**

sigma pi wave function [(σ, π) wave function] función sigma pi, función (σ, π).

sigma pile *(Nucl)* pila sigma. Conjunto de moderador que contiene una fuente neutrónica, y que se utiliza para estudiar ciertas propiedades del moderador [moderator].

sigmatron sigmatron. Conjunto de ciclotrón [cyclotron] y betatrón [betatron] trabajando en tándem para la obtención de rayos X del orden de un millón de kilovoltios.

SIGMET information *(Meteor)* información SIGMET. Información relativa a uno o varios de los fenómenos siguientes:

- área de tormenta activa [active thunderstorm area];
- tormenta giratoria tropical [tropical revolving storm];
- línea de turbonada fuerte [severe line squall];
- granizo fuerte [heavy hail];
- turbulencia fuerte [severe turbulence];
- engelamiento fuerte [severe icing];
- ondas orográficas marcadas [marked mountain waves];
- tempestades extensas de arena o polvo [widespread sandstorm or duststorm].

SIGMET information message mensaje de información SIGMET.

sigmoid *adj:* sigmoide(s), sigmoideo. De forma parecida a la sigma.

sigmoid curve curva sigmoide.

sigmoidal *adj:* sigmoide(s), sigmoideo.

sign señal, letrero, rótulo; indicador; signo, señal, indicio; huella, rastro, vestigio ‖ *(Mat)* signo ‖‖‖ *verbo:* firmar.

SIGN *(Teleg)* Abrev. de signature.

sign bit *(Informática)* bitio de signo. Bitio utilizado en un computador electrónico para indicar si un número es positivo o negativo, y que comúnmente se coloca al lado del dígito más significativo; generalmente se usa el 0 para los números positivos $(+)$ y el 1 para los negativos $(-)$.

sign code *(Informática)* código de signo.

sign control *(Informática)* control de signo.

sign conversion *(Informática)* conversión de signo.

sign digit *(Informática)* dígito de signo. Carácter que sirve para indicar el signo algebraico de los números, y que consiste generalmente en un solo bitio (v. **sign bit**).

sign of aggregation *(Mat)* signo de agrupación.

sign off *verbo:* *(Radio/Tv)* anunciar el fin de las emisiones.

sign-off *(Radio/Tv)* anuncio del fin de las emisiones. Anuncio de una estación de haber terminado sus emisiones.

sign on *verbo:* *(Radio/Tv)* anunciar el comienzo de las emisiones.

sign-on *(Radio/Tv)* anuncio del comienzo de las emisiones. Anuncio de una estación de que va a dar comienzo a sus emisiones.

sign position posición del signo. Posición en la que va colocado el signo de un número.

signal seña, señal; aviso, señal ‖ *(Elec/Elecn, Telecom, Señalización)* señal. (1) Término general aplicado a la información, mensaje o efecto que se transmite o transfiere en un sistema eléctrico, electrónico, óptico, de telecomunicación, etc. (2) En sentido general, conjunto de ondas que se propagan por una vía de transmisión y que se destinan a actuar sobre un aparato u órgano receptor. (3) Impulsos eléctricos portadores de información de cualquier clase. (4) Magnitud, función del tiempo, que caracteriza un fenómeno físico y que representa informaciones (CEI/70 60–04–035). (5) En un sistema de señalización por frecuencias vocales [AC signaling], frecuencia o combinación de frecuencias transmitidas por un circuito según un código (CEI/70 55–115–185) | *(i.e.* signal wave) onda de señal | visor. Medio de señalización óptica que consiste en una pieza cuya posición o aspecto se modifica bajo la acción de una corriente eléctrica, para llamar la atención (CEI/38 35–25–020) ‖ *(Señalización ferroviaria)* señal. (1) Elemento para poner en comunicación a los agentes de la vía, de las estaciones y de los trenes, con indicaciones que interesan la seguridad y regularidad de la marcha de los trenes. (2) Indicación convencional concerniente en general a los movimientos de vehículos ferroviarios, transmitida a los agentes encargados de observarla. Una señal puede ser óptica y/o acústica, según que la misma impresione el órgano de la vista y/o del oído. La expresión *señal* sin calificativo particular se emplea, de manera general, para designar las señales ópticas. Por extensión, el nombre *señal* se da también al aparato con el cual se efectúa la señal convencional si ésta es óptica (CEI/59 31–05–005) ‖ *(Automática)* señal. (1) Información transmitida de un punto del sistema de control a otro. (2) Magnitud física utilizada para transmitir una información o para efectuar un control. Una señal puede ser momentánea, intermitente, o continua (CEI/66 37–15–030) ‖ CF. **absolute block signal, call signal, color-light signal, disk [board] signal, distress signal, electric signal, electric lamp signal, signal indicating the position of the points, level-crossing signal, luminous signal, permissive [slowing-down] signal, semaphore signal, shunt signal, telegraphic signal, traffic signal, signaling** ‖‖‖ *adj:* señalizador, de señalización; avisador; señalado, insigne; precursor ‖‖‖ *verbo:* señalar, señalizar; comunicar por señales, enviar señales; dar una señal.

signal aggregate *(Telecom)* agregado de señales, señal compuesta.

signal amplitude amplitud de (la) señal.

signal analyzer analizador de señales. CF. **signal averaging, spectrum analyzer.**

signal and control line línea de control y señalización.

signal anode *(Elecn)* ánodo de señal(es).

signal area *(Aeropuertos)* área de señales (terrestres).

signal aspect *(Señalización)* aspecto del visor ‖ *(Señalización ferrov)* aspecto de la señal.

signal attenuation   atenuación de (la) señal [de (las) señales].

signal averaging   promediación de señal. Técnica de análisis de señal utilizada para la recuperación de señales repetitivas mezcladas con ruido. SIN. **signal recovery.**

signal backlight   *(Señalización ferrov)* *(i.e.* of a light signal) luz posterior de la señal. Luz producida por una señal luminosa [light signal] y que indica, por la parte posterior, que la lámpara está encendida (CEI/59 31–05–075) | *(i.e.* of a mechanical signal) luz trasera de señal. Luz visible por la parte trasera de una lámpara de señal y que indica la posición del brazo y/o que la lámpara está encendida (CEI/59 31–05–015).

signal battalion   *(Mil)* batallón de transmisiones. CF. **Signal Corps.**

signal bearing   acimut de la señal.

signal bell   *(Teleimpr)* campanilla de señal, campanilla señalizadora.

signal-bell contact   contacto de la campanilla de señal.

signal-bell mechanism   mecanismo de la campanilla señalizadora. Generalmente es activado por la tecla de la "S" en posición de cifras (caja alta). CF. **shift** *(Teleimpr)*.

signal bias   *(Elecn)* polarización de señal. SIN. **grid-leak bias** || *(Teleimpr)* v. **bias distortion.**

signal board   cuadro de señales.

signal bomb   *(Avia)* bomba de señales.

signal box   v. **signalbox.**

signal bridge   *(Ferroc)* puente de [para] señales. Puente colocado sobre varias vías para sostener las señales correspondientes a cada una de ellas. SIN. **(signal) gantry.**

signal buoy   boya de señales.

signal buzzer   zumbador de señalización.

signal cable   cable de señalización; cable de telecomunicación || *(Fonog)* cable que lleva la señal, cable de señal.

signal calibrator   calibrador de señales.

signal cancellation   cancelación de (la) señal.

signal card   *(Informática)* tarjeta señaladora.

signal-carrier frequency-modulation recording   registro de portadora de señal modulada en frecuencia. Procedimiento de registro magnético en el cual la señal que se quiere registrar modula en frecuencia una portadora; la portadora modulada se registra entonces a nivel de saturación y sin utilizar polarización magnética en una pista única.

signal cartridge   cartucho de señales.

signal check   verificación de las señales.

signal circuit   circuito de señal || *(Ampl paramétricos)* circuito de señal. Circuito por el que pasa la frecuencia de señal [signal frequency]. SIN. **circuito de amplificación —— amplifying circuit.** CF. **pumping circuit, idler [idling] circuit** || *(Telecom)* circuito de señalización. Parte de un receptor de señales a frecuencias vocales [AC signaling receiver] que responde a las frecuencias de señalización (CEI/70 55–115–015).

signal-circuit controller   *(Señalización ferrov)* conmutador de señal. Conmutador de circuitos eléctricos [electric circuit controller] cuya posición depende de la señal óptica de una señal mecánica. Sirve para comprobar esa señal (CEI/59 31–05–210).

signal-circuit distribution panel   *(Informática)* panel de distribución de circuito de señales.

signal clamp   *(Elecn)* fijador de nivel de señal.

signal code   *(Telecom)* código de señales | código de señalización. En un sistema de señalización por frecuencias vocales [AC signaling], plan de representación de cada una de las informaciones cuya transmisión, como una señal determinada, pueda ser útil (CEI/70 55–115–020).

signal communications equipment   equipo de transmisiones.

signal comparator   *(Radioteleg)* comparador de señales. Dispositivo receptor que permite la comparación automática de la señal a la entrada de un emisor radioeléctrico con su homólogo a la salida, y que acciona un avisador en caso de que sean sobrepasadas las tolerancias fijadas (CEI/70 60–50–025). CF. **radio monitor.**

signal comparison   comparación de señales.

signal-comparison tracking   *(Radionaveg)* seguimiento por comparación de señal. Radioalineación [track guidance system] de dos emisiones en las cuales una característica varía con la dirección según dos leyes distintas, teniendo esta característica, para las dos señales, el mismo valor sobre la superficie de radioalineación y valores desiguales a uno y otro lado de ésta. EJEMPLOS: seguimiento por comparación de campos, seguimiento por comparación de modulaciones, seguimiento por comparación de fases (CEI/70 60–74–035).

signal complex   señal compleja; señal compuesta. CF. **composite signal, signal aggregate.**

signal component   *(Elecn/Telecom)* componente de señal || *(Telecom)* componente [elemento] de señal. Parte de una señal que conserva un carácter uniforme en toda su duración. En el caso de una señal de varios elementos con espacio entre los impulsos, un espacio puede ser considerado como un elemento de señal (CEI/70 55–115–025).

signal conditioner   acondicionador de señales. Circuito destinado a adaptar una señal según su aplicación. V.TB. **signal conditioning.**

signal conditioning   acondicionamiento de señales. Proceso a que se someten las señales y que puede incluir una o varias de las operaciones siguientes: limitación de picos, modificación de la forma de onda, traducción a forma digital (v. **digitize**), linealización (v. **linearize**), etc. El objeto es el de hacerlas inteligibles, hacerlas compatibles con las características de determinado dispositivo, adaptarlas para su transmisión por una línea de características dadas, etc.

signal contact   *(Teleimpr)* contacto de señal.

signal contrast   contraste de señales. En facsímile, razón expresada en decibelios, entre la señal correspondiente al blanco y la correspondiente al negro.

signal-control elevator   ascensor de parada automática.

signal conversion   *(Elecn/Telecom)* conversión de señales.

signal-conversion equipment   equipo de conversión de señales. En telecomunicaciones, parte de la instalación de una vía de transmisión de datos, que comprende, al menos, un modulador o un desmodulador, y que tiene por finalidad efectuar la modulación, de acuerdo con las señales por transmitir, y/o la desmodulación de las señales recibidas. El equipo de conversión puede utilizarse para la transmisión de otras informaciones (señales de servicio, repeticiones, etc.), y puede incluir (además de los elementos mencionados) generadores de ritmo [clocks] y regeneradores de señales [signal regenerators], pero no los equipos de protección contra errores. CF. **signal converter.**

signal converter   convertidor de señales. Circuito que (mediante filtrado, rectificación, etc.) adapta las señales incidentes a los niveles lógicos de un sistema dado. V.TB. **logic-level converter** | v. **signal-conversion equipment** | convertidor. Elemento en el cual la señal de entrada y la señal de salida constituyen dos representaciones diferentes de una misma magnitud física (por ejemplo, una representación analógica y una representación numérica, respectivamente) (CEI/66 37–30–035) | *(Acepción anticuada)* tubo generador de tensiones de barrido; tubo generador de base de tiempos. Tubo ideado en Inglaterra en 1943 y que servía para generar tensiones de barrido (base de tiempos) para cinescopios (tubos de imagen para receptores de televisión).

signal cord   cuerda de señales.

Signal Corps   *(Mil)* Cuerpo de Transmisiones, Cuerpo de Señales, Cuerpo de Comunicaciones. CF. **signal battalion, signal detachment.**

signal current   corriente de señal.

signal currents   corrientes de señal | (as opposed to power currents) corrientes débiles [de señal].

signal data converter   convertidor de señales de datos. Circuito o dispositivo que cambia la forma de una señal modulada por datos.

CF. **signal conversion equipment, signal converter.**

signal delay   tiempo de propagación de la señal (en un medio); tiempo de transmisión de la señal (a través de una red).

signal detachment   *(Mil)* destacamento de transmisiones. CF. Signal Corps.

signal device   dispositivo de señales; dispositivo de señalización. SIN. **signaling device.**

signal distance   *(Informática)* Nombre que se da al número de posiciones de dígito en que difieren los dígitos correspondientes de dos palabras binarias de igual largo.

signal distortion   distorsión de señal. TB. deformación de señal | distorsión de señal. Diferencia entre la duración de la señal a la salida de un receptor de señales, y la duración de la correspondiente señal de entrada (CEI/70 55–115–050).

signal-distortion generator   generador de distorsiones de señal. Aparato destinado a aplicar distorsiones a una señal. Se utiliza p.ej. para el ajuste de teleimpresores y para determinar los límites de distorsión entre los cuales funciona satisfactoriamente una máquina receptora (receptor teletipográfico). También puede servir para mejorar la inteligibilidad de una señal corrigiendo la distorsión ya presente en ella.

signal-distortion rate   grado de distorsión de señal. En conmutación automática [automatic switching], cociente por la duración de la señal emitida, de la diferencia entre esa misma duración y la de la señal reconstituida a la salida del receptor de señales [signaling receiver].

signal-distortion test set   equipo para pruebas de distorsión de señal.

signal edge   transición (de amplitud) de la señal. Variación de mucha pendiente en la amplitud de una señal. CF. **pulse edge, wavefront.**

signal electrode   *(Elecn)* electrodo de señal ‖ *(Tubos analizadores de televisión)* electrodo de señal (de imagen) | electrodo de señal de visión. Electrodo que suministra la señal de visión (CEI/56 07–30–315).

signal element   *(Teleg)* elemento de señal, intervalo unitario [elemental]. En un sistema que utilice un código de momentos [equal-length code], o en un sistema que emplee modulación isócrona [isochronous modulation], intervalo de tiempo tal que las duraciones teóricas de los intervalos significativos [significant intervals] de una modulación o de una restitución [restitution] son todas múltiples enteros de ese intervalo. SIN. **unit interval** | elemento de señal. Parte de una señal telegráfica que se distingue de las otras partes asociadas, por una o varias de sus particularidades, tales como su posición relativa, su duración, o el valor de otra magnitud característica (CEI/70 55–65–010). v. **telegraph signal.**

signal enhancer   circuito para mejorar las señales. Circuito destinado a mejorar las señales, mediante amplificación, filtrado, etc. CF. **signal conditioner.**

signal envelope   envolvente (de onda) de la señal. CF. **modulation envelope.**

signal fading   *(Radiocom)* desvanecimiento de las señales.

signal field   *(Radiocom)* campo útil.

signal flag   banderín (de señales), bandera de señales.

signal flare   bengala de señales; cohete de señales.

signal flasher   lámpara de señales. Lámpara de señales por destellos.

signal flow   circulación de señales; fluencia de señal; dirección de la señal.

signal-flow chart   diagrama de circulación de señales; diagrama de fluencia de señal | diagrama de flujos. En el análisis y síntesis de sistemas de control con realimentación, herramienta matemática que permite representar las ecuaciones que caracterizan el sistema por una red con ramas o brazos dirigidos conectados en nodos. Los diagramas de flujos pueden interpretarse como sistemas idealizados de transmisión de señales, en los cuales cada nodo es una estación retransmisora que recibe señales por todas las ramas que

convergen hacia el nodo, combinan la información de estas señales de cierta manera, y luego la retransmiten mediante las ramas que salen del nodo | diagrama de tráfico (de las señales). Caso particular del diagrama funcional [block diagram], que muestra principalmente las vías de circulación de las señales y las relaciones entre ellas (CEI/66 37–15–010).

signal-flow diagram   esquema funcional [de conjunto] | v. **signal-flow chart.**

signal-flow lines   líneas indicadoras de la circulación de las señales. Líneas que en un esquema indican los caminos de circulación de las señales en un aparato eléctrico o electrónico; a veces se inscriben esas líneas en el propio chasis del aparato, para facilitar el diagnóstico de averías y otros fines.

signal flux   flujo de la señal.

signal form   forma (de onda) de la señal. SIN. **waveform.**

signal forward junction working   *(Telef)* método de llamada directa por líneas auxiliares.

signal frequency   frecuencia de (la) señal.

signal-frequency amplifier   preamplificador, amplificador previo.

signal-frequency anode current   corriente anódica a la frecuencia de señal.

signal frequency range   gama de frecuencias de (la) señal.

signal frequency shift   desplazamiento de frecuencia de señal. En un sistema de facsímile por desplazamiento de frecuencia, diferencia entre la frecuencia correspondiente al blanco y la correspondiente al negro. CF. **signal contrast.**

signal fuse light   luz indicadora de fusible.

signal gantry   *(Ferroc)* puente de [para] señales. v. **signal bridge.**

signal gate   compuerta de señal. Circuito que en un radiorreceptor tiene el fin de reducir los ruidos.

signal generator   generador [fuente] de señales. Aparato que produce señales de características conocidas. Ejemplo, el que suministra señales de frecuencia y amplitud conocidas para la prueba de aparatos de radio y de televisión y amplificadores, y que puede disponerse para generar una onda de RF sin modular o modulada por un tono de audiofrecuencia. CF. **all-wave signal generator, all-wave oscillator, (test) oscillator** | generador de señales. Aparato para la producción de señales eléctricas de forma de onda y de amplitud dadas, a una frecuencia asignada (CEI/70 55–25–085) ‖ *(Medidas)* generador de señal patrón. Aparato que suministra una tensión alterna normalizada, de amplitud, frecuencia, y forma de onda conocidas, para fines de medida. SIN. **standard voltage generator** ‖ *(Acús)* generador de tono patrón. SIN. **tone generator** ‖ *(Teleimpr)* generador de señales.

signal-generator contact   *(Teleimpr)* contacto del generador de señales.

signal-generator mechanism   *(Teleimpr)* mecanismo del generador de señales.

signal ground   retorno de tierra del circuito de señal.

signal halyard   *(Marina)* driza de señales. SIN. **signal cord.**

signal-handling capability   amplitud máxima admisible. Dícese p.ej. en relación con un detector.

signal horn   *(Ferroc)* corneta ‖ *(Marina)* bocina de señales ‖ *(Mús)* corneta, bugle. SIN. **bugle.**

signal imitation   *(Telecom)* señal aparente, falsa señal | falsa señalización. En un sistema de señalización por frecuencias vocales [AC signaling], funcionamiento intempestivo de un receptor de señales bajo la acción de corrientes que no son corrientes de señalización (CEI/70 55–115–055).

signal imitation by speech currents   falsa señalización por corrientes vocales.

signal indicating the position of the points   *(Ferroc)* señal indicadora de posición de aguja. Señal que indica la dirección para la cual está dispuesta una aguja. (CEI/38 30–30–080).

signal indicator   *(Ferroc)* comprobador de señal. Aparato que repite en el puesto de enclavamiento la indicación dada por la posición de una señal (CEI/38 30–35–045).

signal injection   inyección de señal.

signal-injection test   prueba de inyección de señal. Prueba de tipo dinámico en la cual se aplican señales a las distintas etapas de un receptor u otro aparato al mismo tiempo que se observa la señal de salida, para determinar cuál es la etapa defectuosa. CF. **signal tracing.**

signal injector   inyector de señal(es). Fuente de señales para pruebas de inyección. V. **signal-injection test.**

signal injector probe   sonda inyectora [de inyección] de señales.

signal injector switch   conmutador inyector de señales.

signal input   entrada de señal; señal de entrada.

signal integration   integración de señales. Integración de una sucesión de señales; una de las técnicas empleadas es la de inscribir las señales en el mismo punto de la superficie almacenadora de un tubo de memoria (v. **storage tube**).

signal intelligence   información.

signal/interference ratio   relación señal a interferencia. Relación entre la amplitud de la señal útil y la de la interferencia que estorba su aprovechamiento. CF. **signal/noise ratio.**

signal interlocking   enclavamiento de (la) señal.

signal interval   (*Teleg*) intervalo unitario. En un sistema que utilice un código de momentos [equal-length code], o en un sistema de modulación isócrona [isochronous modulation], intervalo de tiempo mayor del que son múltiplos enteros las duraciones teóricas de los intervalos significativos de una modulación o de una restitución telegráfica. SIN. **unit interval** (CEI/70 55–70–130).

signal lamp   lámpara de señal; farol de señal || (*Elecn, Telecom*) lámpara indicadora. Lámpara que al encenderse o apagarse indica ciertos cambios en las condiciones de un circuito. SIN. **pilot lamp** || (*Telecom*) lámpara de señales | lámpara de señalización. SIN. **signaling lamp** | lámpara de señalamiento. Lámpara cuyo encendido o extinción están determinados por las maniobras efectuadas en el curso de la explotación de un circuito de comunicación y cuya observación permite saber la naturaleza de las conexiones y desconexiones realizadas (CEI/38 55–10–070).

signal-lamp relay   relé de lámpara de señalamiento.

signal lead   conductor de señal.

signal leakage   fuga de señal || (*Magnetófonos*) diafonía entre canales de grabación y reproducción. En ocasiones se graba en una pista de una cinta magnética al mismo tiempo que se reproduce lo antes grabado en otra pista de la misma cinta (utilizando, desde luego, cabezas diferentes); puede ocurrir entonces que la señal que se graba perturbe la señal reproducida, y en eso consiste la diafonía entre canales de grabación y reproducción. CF. **crosstalk.**

signal level   nivel de señal. v. **level** (*Electroacús, Telecom*).

signal-level indicator   indicador de nivel de señal.

signal-level test film   (*Cine*) película para pruebas de nivel de señal. Película que suministra una señal sonora patrón, para el ajuste de amplificación del sistema electroacústico de conformidad con el rendimiento del *lector de sonido* del proyector.

signal light   luz indicadora, luz [ojo] de señalización. SIN. **indicator light, pilot [signal] lamp** | lámpara de señales. Lámpara destinada a la transmisión telegráfica mediante cortes u ocultamientos del haz luminoso según el código Morse, con un manipulador que produce éstos por medios eléctricos o mecánicos. Se trata, por lo tanto, de un dispositivo de *telegrafía óptica* [optical telegraphy]. CF. **heliograph** | linterna avisadora | v. **signal lights.**

signal-light cover   tapa de luz indicadora.

signal light proving   (*Ferroc*) comprobación de encendido de señal. Comprobación que da la indicación del encendido de las luces de una señal mecánica o luminosa (CEI/59 31–05–200). CF. **signal proving.**

signal-light relay   relé de luz de señalización.

signal lights   señales luminosas | v. **signal light.**

signal limiter   limitador de (la) señal.

signal line   (*Telecom*) línea de señal.

signal-line break mechanism   (*Teleimpr*) mecanismo de corte de (la) línea de señal.

signal-line break switch   (*Teleimpr*) interruptor de corte de (la) línea de señal.

signal-line current   corriente de (la) línea de señal.

signal-line limiting resistance   resistencia limitadora de la línea de señal. Resistencia destinada a limitar la corriente en una línea de señal.

signal machine   (*Telef*) máquina de señalización. CF. **ringing machine** || (*Señalización ferrov*) motor de señal. Conjunto, encerrado en un cárter, de órganos destinados a la maniobra de una señal bajo la acción de una fuente de energía (en general eléctrica) (CEI/59 31–05–120). v. **signal machine with disengager.**

signal machine with disengager   (*Señalización ferrov*) motor de señal con desenganche. Motor de señal en el cual la transmisión puede interrumpirse bajo la acción de un dispositivo de desenganche [disengager] (CEI/59 31–05–125).

signal meter   instrumento indicador de señal.

signal mixer   mezclador de señales.

signal mutilation   (*Teleg*) mutilación de la señal. v. **mutilation.**

signal-muting switch   (*Fonog*) conmutador de enmudecimiento. Conmutador que durante el ciclo de cambio de los discos deriva a tierra la señal del fonocaptor, para evitar los ruidos que de otro modo se escucharían por el altavoz.

signal-noise ratio   v. **signal-to-noise ratio.**

signal/noise ratio   v. **signal-to-noise ratio.**

signal of distress   (*Radiocom*) v. **distress signal.**

signal-operated   adj. accionado por la señal, actuado (automáticamente) por la señal; mandado por señales (eléctricas); telemandado.

signal operation   señalización; maniobra de señales || (*Ascensores*) manejo por señales eléctricas; manejo con parada automática.

signal out of use   (*Señalización ferrov*) señal fuera de servicio. Semáforo en cuyo brazo se coloca una Cruz de San Andrés para indicar que sus indicaciones no deben tomarse en cuenta.

signal output   salida de (la) señal; señal de salida.

signal output current   corriente de señal de salida. En el caso particular de un fototubo o un tubo tomavistas, valor absoluto de la diferencia entre la corriente con excitación, y la corriente sin excitación (v. **dark current**).

signal output electrode   electrodo de salida de señal. CF. **signal plate.**

signal overlapping   solapado de señales.

signal panel   (*Mil*) painel de señales. CF. **signal board.**

signal path   camino [curso] de la señal; camino de circulación de las señales.

signal peak   cresta [pico] de (la) señal.

signal pedal   (*Ferroc*) pedal de señal. Pedal accionado por el paso de un tren y que manda el funcionamiento de una o varias señales p.ej. por medio de una transmisión eléctrica (CEI/38 30–30–110).

signal pistol   pistola de señales.

signal plate   (*Tv*) placa de señal, placa colectora. En ciertos tipos de tubos tomavistas de televisión, placa metálica puesta detrás de la hoja de mica que contiene el mosaico y que sirve de electrodo común de salida de los elementos fotosensibles del mosaico (v. **mosaic**). La capacitancia existente entre la placa de señal y cada uno de estos elementos es explorada por el haz electrónico para generar una señal de imagen | ánodo colector. Anodo sobre el cual se recoge la señal de análisis en un tubo analizador del tipo acumulador (CEI/70 60–64–700). CF. **target.**

signal plug   (*Telef*) clavija tapón. Clavija colocada en el conjuntor (jack) de un abonado transferido, suspendido, etc. SIN. **multiple peg.**

signal plus noise and distortion   (*Rec*) señal más ruido y distorsión. v. **SINAD.**

signal-plus-noise input   entrada de señal y ruido.

signal post   puesto de señales. CF. **signalbox.**

signal power   potencia de la señal.

signal preparatory to traffic   (*Telecom*) señal preparatoria para tráfico.

signal processor   procesador de señales. Aparato para someter señales a diversos procesos para mejorar su utilidad según la aplicación que interese: promediación, amplificación, filtrado, etc. CF. **signal averaging, signal enhancer.**

signal proving   *(Ferroc)* comprobación de señal. Comprobación del aspecto o el control de una señal (CEI/59 31–05–185). CF. **off and on signal proving, on signal proving, signal light proving.**

signal pulse   impulso de señal.

signal pulse repeater   *(Telecom)* repetidor de impulsos de señal.

signal pushbutton   (botón) pulsador de señalización.

signal receiver   *(Telecom)* receptor de señales. Aparato mandado por las corrientes de señalización [signaling currents] que le llegan por la línea, y que por lo general se utiliza para la emisión de nuevas señales. CF. **signal pulse repeater, signal regenerator** | receptor de señales de llamada.

signal recording   registro de señal.

signal-recording telegraphy   telegrafía por registro de señales (sin traducción automática), telegrafía de señales registradas (para traducción posterior); telegrafía no impresora. Dícese en oposición a la telegrafía impresora o a la telegrafía Morse de traducción auditiva | telegrafía por registro de señales. Método de explotación telegráfica según el cual los elementos de las señales recibidas son registrados automáticamente para su traducción ulterior por un operador (CEI/70 55–55–025). CF. **printing telegraphy.**

signal recovery   recuperación de la señal | recuperación de señales (repetitivas). V. **signal averaging.**

signal rectifier   rectificador de señales; rectificador para corrientes débiles. CF. **power rectifier.**

signal regenerator   *(Teleg)* regenerador de señal. CF. **signal receiver.**

signal relay   *(Elec/Telecom)* relé de señalización. Relé de todo o nada [all-or-nothing relay] especialmente ideado para mandar señales visibles o audibles, y por lo común provisto de un dispositivo de supresión de la señalización [signal-cancellation device] (CEI/56 16–15–060) ǁ *(Tracción eléc)* relé de señal. Relé por cuyo intermedio se accionan los contactos de las luces o de los motores de las señales con el objeto de reducir la intensidad de la corriente que atraviesa los contactos del relé de seccionamiento (CEI/38 30–30–150).

signal reliability   confiabilidad de la señal.

signal reset key   *(Informática)* tecla de restauración de luz indicadora.

signal resistance   resistencia de señal. Resistencia recorrida por una señal; resistencia entre cuyos extremos se desarrolla una tensión de señal.

signal restitution   *(Teleg)* restitución de señales. V. **restitution.**

signal return   *(Radar)* eco, señal de retorno.

signal return intensity   intensidad del eco [de la señal de retorno].

signal rocket   cohete de señales. CF. **signal pistol.**

signal selector   *(Automática)* selector (de señales) | selector. Aparato que recibe las señales de diferentes circuitos de información o de control, y que puede transmitir una cualquiera de aquéllas a un circuito de salida (CEI/66 37–30–030).

signal separation   separación de señales. CF. **synchronizing-signal separation.**

signal-separation filter   filtro de separación de señales. Filtro pasabanda utilizado para seleccionar determinada señal o subportadora contenida en una señal compleja. CF. **separation filter.**

signal separator   separador de señales. CF. **sync separator.**

signal shaping   formación de la señal; corrección de forma de onda (de la señal).

signal-shaping network   red de formación de (la) señal; red correctora de forma (de onda) de la señal | red correctora de distorsión. Red eléctrica insertada en un circuito telegráfico, generalmente en la extremidad receptora, con el fin de corregir la distorsión de amplitud y de fase de las señales (CEI/70 55–75–155).

signal-shield ground   tierra de los blindajes de los circuitos de señal.

signal shifter   oscilador (maestro) de frecuencia variable. Oscilador electrónico utilizado como oscilador maestro en transmisores de radio, que permite desplazar la frecuencia de emisión según convenga (para eludir interferencias, etc.) dentro de determinada banda. SIN. **variable-frequency oscillator.**

signal source   fuente de señales, (elemento) fuente de señal, manantial de señales. SIN. **generador de señales —— signal generator.**

signal splitter   divisor de señal.

signal steering   encaminamiento de señales. Acción de dirigir señales por diversos caminos o circuitos mediante un conmutador de dos o más vías. CF. **signal selector.**

signal storage   almacenamiento [acumulación] de señales. CF. **signal recording.**

signal-storage tube   tubo almacenador [acumulador] de señales. SIN. **tubo acumulador de información, tubo de memoria, tubo nemónico —— information-storage tube, memory tube.**

signal strength   intensidad de (la) señal. Cuando se trata de una señal radioeléctrica se mide en microvoltios o milivoltios por metro, o sea, el valor en microvoltios o en milivoltios de la fuerza electromotriz inducida por la señal por metro de longitud efectiva de la antena empleada. SIN. **signal intensity.** CF. **field intensity.**

signal-strength meter   *(Rec)* medidor de intensidad de señal. Indicador de medida que da la intensidad de la señal recibida, en decibelios o en unidades "S". Normalmente va conectado al circuito de control automático de volumen del receptor. SIN. **S meter, S-unit meter.** CF. **field-strength meter.**

signal-to-crosstalk ratio   *(Telecom)* relación diafónica | relación señal/diafonía. La relación señal/diafonía se define en un punto de una vía de transmisión perturbada, respecto a una sola vía de transmisión perturbadora. Es la expresión, en unidades de transmisión [transmission units], de la relación P_1/P_2, donde P_1 representa la potencia aparente [apparent power] de las corrientes útiles, en el punto considerado, cuando, sobre la vía perturbada [disturbed channel], la potencia aparente tiene un valor determinado P en el punto de nivel relativo cero [point of zero relative level]; P_2 representa la potencia aparente desarrollada por diafonía en el punto considerado cuando, sobre la vía perturbadora [disturbing channel], la potencia aparente tiene igualmente el valor P en el punto de nivel relativo cero (CEI/70 55–10–120). CF. **signal-to-noise ratio.**

signal-to-dead-groove-noise ratio   *(Fonog)* relación de señal a ruido del surco sin modulación. CF. **signal-to-noise ratio.**

signal-to-interference ratio   *(Radiocom)* relación señal/interferencia, razón de señal útil [señal deseada] a interferencia. CF. **signal-to-noise ratio.**

signal-to-noise ratio   *(also* signal/noise ratio, signal-noise ratio) relación señal/ruido, relación señal a ruido. TB. relación señal: ruido [de señal a ruido], razón señal/ruido [de señal a ruido]. (**1**) En general, razón (relación o cociente) entre la amplitud de la señal útil y la amplitud del ruido (señales perturbadoras); la razón se expresa casi siempre en decibelios. (**2**) Cociente de la señal por el ruido en una banda especificada de frecuencias; se trata en realidad de una relación de potencias, pero es común expresarla por la relación de la tensión de señal a la tensión de ruido en la banda de interés del sistema considerado y para un valor especificado de distorsión. (**3**) En radio, razón de la intensidad de campo de una onda radioeléctrica, a la intensidad de campo del ruido radioeléctrico presente en el punto considerado. (**4**) En telecomunicaciones, razón de la potencia de la señal a la potencia total de ruido en un punto especificado del circuito o sistema. Normalmente se consideran los valores de cresta cuando el ruido es de tipo impulsivo [pulse noise], y los valores eficaces [RMS values] cuando el ruido es de naturaleza errática [random noise] | **ratio of peak-to-peak amplitude of the video signal to RMS weighted random noise in the 10 kHz to 4 MHz band:** relación de la amplitud pico a pico de la señal de video sobre el valor eficaz ponderado del ruido aleatorio o errático en la banda de 10 kHz a 4 MHz | (*also* signal/noise ratio) relación señal-ruido. Relación de la potencia de la señal útil en un punto especificado de la vía de transmisión, a la potencia del ruido (señal perturbadora) medida en el mismo punto en condiciones de funcionamiento especificadas. NOTAS: (a) El nivel del ruido superpuesto a la señal útil [coexistent noise] puede diferir del nivel de ruido en ausencia de toda señal útil [noise when the input is reduced to zero]. (b) Esta relación se expresa a menudo en decibelios (CEI/70 60–08–050) | (*also* signal/noise ratio) relación señal/ruido. En la transmisión por línea, relación entre el valor de la señal y el del ruido. Esta relación se expresa a menudo en decibelios [decibels] o en neperios [nepers]. NOTA: Esta relación se evalúa de diferentes maneras; por ejemplo, en función de los valores de cresta en el caso de ruidos de carácter impulsivo [impulse noise], y en función de los valores eficaces en el caso del ruido errático, suponiendo la señal sinusoidal. En casos especiales, y siempre que sean claramente expuestos, pueden utilizarse otros valores de la señal (CEI/70 55–10–055) | CF. **signal-to-crosstalk ratio, signal-to-dead-groove-noise ratio, signal-to-interference ratio, signal/tube-residual-noise ratio, background noise, noise figure, noise grade, noise level, SINAD.**

signal tone (*Telecom*) tono de señalización.

signal tower (*Ferroc*) torre [garita] de señales. CF. **signalbox.**

signal trace (*TRC*) trazo de señal /// v. **signal-trace.**

signal-trace *verbo:* (*Rec*) rastrear la señal, hacer un análisis dinámico (de los circuitos). v. **signal tracer.**

signal tracer rastreador de señales, analizador dinámico (de circuitos), analizador de señal [de circuitos], comprobador de señales. Aparato para la localización de averías en receptores, por análisis de la señal a la entrada y la salida de cada etapa o elemento que le da paso. Se trata, en el caso típico, de un receptor aperiódico con un detector de entrada (corrientemente un diodo colocado en la sonda que forma parte del equipo) seguido de un amplificador de audiofrecuencia que excita un auricular o un altavoz. Para obtener indicaciones visuales puede ir provisto de un medidor de salida, o de un indicador de rayos catódicos ("ojo mágico"). El aparato se utiliza siguiendo la marcha de las señales en el receptor que se esté analizando, para lo cual se comprueba la existencia y calidad de la señal a la entrada y a la salida de cada etapa o elemento del circuito por donde pasa la señal. SIN. **signal-tracing equipment [instrument].** V.TB. **signal tracing.**

signal-tracer probe sonda [punta exploradora] de investigación de señal, sonda rastreadora de señales, sonda detectora. (**1**) Sonda que forma parte del equipo rastreador de señales (v. **signal tracer**). (**2**) Sonda detectora adaptada a las características de un voltímetro, para permitir comprobaciones de tensión en un receptor de radio o televisión, en particular en los circuitos de oscilador local, FI, detector de imagen, videoamplificador, oscilador de sincronismo horizontal, barrido, amortiguador, etc. CF. **demodulator probe, detector probe.**

signal tracing rastreo [seguimiento] de señales, análisis dinámico (de averías), análisis por investigación de la señal, análisis punto por punto para la localización de averías. Técnica de análisis de averías en receptores, amplificadores y otros aparatos electrónicos, consistente en comprobar la presencia, amplitud e incluso calidad de la señal etapa por etapa, hasta determinar en cuál de ellas se encuentra el defecto. SIN. **análisis de circuitos por inyección y extracción de señal.** V.TB. **signal tracer.**

signal-tracing equipment v. **signal tracer.**

signal-tracing instrument v. **signal tracer.**

signal/tube-residual-noise ratio relación de señal a ruido residual de válvula. CF. **signal-to-noise ratio.**

signal unit (*Teleg*) elemento de señal. SIN. **signal element.**

signal voltage tensión de señal. A menos que se indique otra cosa, se entiende que se trata del *valor efectivo* [root-mean-square value] de la tensión de señal. CF. **carrier voltage, noise voltage** | v. **signal voltages** || (*Telecom*) tensión de señalización.

signal voltages tensiones de señal, tensiones débiles. CF. **signal currents.**

signal wave (*Telecom*) onda de señal. Onda que permite la transmisión de información o de algún efecto. SIN. **signal** || (*Radiocom*) onda de trabajo. Onda por la cual se transmiten las señales o las comunicaciones (CEI/38 60–35–020) | onda de tráfico | CF. **answering wave, calling wave, marking wave, spacing wave, working wave.**

signal-wave envelope envolvente de la onda de señal. Contorno de onda de una portadora modulada. SIN. **signal envelope.** CF. **modulation envelope.**

signal whistle silbato de señales. CF. **alarm whistle.**

signal winding (*Reactores saturables*) devanado de señal [de control]. Devanado al cual se aplican las señales de control (variable independiente). SIN. **devanado de entrada —— input winding.**

signal wire hilo de señales; hilo de señalización. CF. **signaling lead.**

signal wiring alambrado de señalización; circuito de señalización.

signal without dialing (*Telef*) señal sin numeración.

signal working (*Telef*) servicio con llamada previa.

signalbox (*Ferroc*) (*also* signal box) puesto (de señalización); caseta de señales. CF. **signal post, signal tower.**

signaler operador, señalero; señalizador; avisador (sónico); aparato de señales automáticas (p.ej. para la regulación del tránsito). CF. **signalman.**

signaling, signalling (*Telecom*) señalización; transmisión de señales | emisión. Acción de enviar señales (CEI/38 55–05–010) | señalización. Acción de avisar al corresponsal o la estación distante que se desea transmitir información o establecer una comunicación bilateral. SIN. **llamada** || (*Telef*) llamada (por disco) | **to test the signaling [the ringing]:** probar la llamada.

signaling battery (*Telecom*) batería de señalización [de señales]. Batería destinada a encender lámparas, excitar relés progresivos, indicar el curso de una llamada, etc.

signaling bell timbre de señalización; campana de señalización.

signaling bus conductor ómnibus [colectivo] de señalización.

signaling button botón de señalización.

signaling buzzer zumbador de señalización.

signaling channel (*Telecom*) canal de señalización, canal (de tono) para señalización.

signaling code código de señalización.

signaling communication (*Radiocom*) señalización; comunicación unilateral (con una estación móvil).

signaling control desk pupitre de mando de (la) señalización.

signaling device dispositivo de señalización; dispositivo de señales. SIN. **signal device.**

signaling equipment equipo de señales || (*Telecom*) (*i.e.* ringing repeater) repetidor de llamada; señalador de baja frecuencia, receptor de señales de baja frecuencia | (*i.e.* voice-frequency relay set) señalador de frecuencia vocal, receptor de señales de frecuencia vocal | señaladores, equipo de llamada.

signaling fault (*Telef*) avería en los dispositivos de llamada. SIN. **signaling trouble.**

signaling frequency (*Telecom*) frecuencia de señalización || (*Telef*) frecuencia de llamada. SIN. **ringing frequency.**

signaling impulses (*Telef*) impulsos de llamada; impulsos de conmutación.

signaling key manipulador (telegráfico). SIN. **telegraph key.**

signaling lamp (*Aeron*) luz de señales; proyector de señales || (*Elecn*) lamparita [ojo] de señalización || (*Telecom*) lámpara de señalización. SIN. **signal lamp.**

signaling lead (*Telecom*) conductor [hilo] de señalización. Los conductores de señalización utilizados en los equipos de conmutación de telefonía automática, y generalmente también en los equipos de señalización de los sistemas de onda portadora empleados para la transmisión de impulsos de selección por disco, se designan convencionalmente con las letras E, M, F y N.

signaling method   *(Telecom)* método de señalización.

signaling mirror   espejo de señales. CF. **heliograph.**

signaling on speech channel   *(Telecom)* señalización en la banda de frecuencias vocales, transmisión de señales por la banda de corrientes vocales. SIN. **in-band [voice-frequency] signaling.**

signaling option   *(Telecom)* método de señalización.

signaling oscillator   oscilador de señalización. En los sistemas de corriente portadora con señalización selectiva, oscilador que es manipulado por los impulsos de CC procedentes del disco selector o dactilar. El oscilador de señalización emite entonces una serie equivalente de impulsos de audiofrecuencia (frecuencia musical) que son transmitidos por el mismo canal de portadora que lleva la voz durante la conversación telefónica, o las señales telegráficas, según el caso. En la estación de destino estos impulsos de AF se reconvierten (mediante rectificación y filtraje) en impulsos de CC que completan el circuito de comunicación y accionan el dispositivo indicador de llamada (timbre o campanilla, lamparilla, etc.).

signaling panel   *(Mil)* painel de señales. SIN. **signal panel** ‖ *(Telecom)* panel [tablero] de señalización. CF. **signal board.**

signaling position   *(Telef)* posición "libre".

signaling relay   relé de señalización.

signaling relay set   *(Telecom)* (*i.e.* voice-frequency relay set) equipo de llamada de frecuencia vocal; señalador de frecuencia vocal, receptor de señales de frecuencia vocal. CF. **signaling equipment.**

signaling set   *(Telef)* señalador de frecuencia vocal. CF. **signaling equipment.**

signaling telegraph speed   v. telegraph signaling speed.

signaling test   *(Telef)* prueba de señalización.

signaling tone   tono de señalización.

signaling tone impulses   impulsos de tono de señalización.

signaling trouble   *(Telef)* avería en los dispositivos de llamada. SIN. **signaling fault.**

signaling unit   *(Telecom)* unidad de señalización; señalador, señalizador ‖ *(Teleg)* unidad de control. Dispositivo adjunto o asociado a un aparato teleimpresor arrítmico, y que contiene los elementos de equipo suplementarios necesarios para la utilización de dicho aparato en una red con conmutación [switching network]. SIN. **control [dialing] unit.**

signalling   v. signaling.

signalman   *(Avia)* señalero, señalador ‖ *(Ferroc)* guardavía.

signalman's console   pupitre del señalero.

signalman's desk   pupitre del señalero.

signatory to an agreement (for telephone service)   abonado (al teléfono, al servicio telefónico).

signature   firma ‖ *(Buques)* característica magnética, curva de magnetismo propio ‖ *(Mús, Tipog)* signatura ‖ *(Radiodif)* firma musical, indicativo [señal] musical (de identificación); tema musical ‖ *(Detección y clasificación de blancos)* diagrama característico.

signature group   *(Teleg)* grupo de firma.

signature tune   *(Radiodif)* firma musical, indicativo [señal] musical (de identificación); tema musical. Melodía o pieza musical corta que una estación transmite regularmente al principio o al final de ciertos programas, o al comenzar o terminar las emisiones del día.

signed   *adj:* firmado ‖ *(Mat)* con signo; dirigido, orientado, con sentido asignado.

signed number   número orientado [con signo].

signed number system   sistema de números orientados, (sistema de) numeración con signos.

significance, significancy   significación; significado.

significance test   *(Mat)* prueba de significación.

significant   *adj:* significativo, significante ‖ *(Mat)* significativo.

significant condition   estado significativo. v. **significant conditions.**

significant conditions   *(Teleg)* estados significativos | (of a modulation, of a restitution) estados significativos (de una modulación, de una restitución) | Cuando la modulación y restitución son bivalentes, son dos los estados significativos, y se distinguen por los siguientes pares de nombres:

Español	Inglés	Francés	CCIT*
trabajo,	mark,	travail,	estado A,
reposo;	space;	repos	estado Z;
marca,	marking,		posición A,
espacio	spacing		posición Z

*Recomendación 1.4.B

Es importante hacer notar que las terminologías inglesa y francesa no se corresponden; vale decir, que p.ej. el término *mark (marking)* se traduce por *travail* o por *repos,* según la modalidad de telegrafía y el alfabeto telegráfico utilizados. Por lo tanto, la *correspondencia literal* de los nombres entre uno de estos dos idiomas y un tercer idioma (p.ej. entre el francés y el español) no quiere decir que necesariamente coincidan los *estados físicos* (presencia o ausencia de una perforación en una cinta de transmisión, presencia o ausencia de corriente en una línea, elemento de señal positivo o negativo, etc.). El que coincidan o no los estados físicos nombrados depende de si en ese tercer idioma (e incluso en el país de que se trate) se sigue la terminología inglesa o la francesa. Por ello el Comité Consultivo Internacional Telegráfico [International Telegraph Consultative Committee] ha recomendado (Rec. 1.4.B) que se abandonen los nombres de las tres primeras columnas del cuadro anterior (y sus equivalentes en otros idiomas) y se usen las letras A y Z para representar los dos estados significativos en los esquemas telegráficos. v. **positions A and Z.**

significant conditions of a channel   *(Teleg)* estados significativos de un canal.

significant conditions of a modulation   *(Teleg)* estados significativos de una modulación. Se llama *estado significativo de una modulación* al estado del dispositivo apropiado correspondiente a cada uno de los valores cuantificados de la característica (o de las características) escogidos para formar la modulación telegráfica [telegraph modulation]. EJEMPLO: En una modulación bivalente [two-condition modulation] se tienen dos estados significativos, designados en general por *estado A, estado Z (estado 0, estado 1)* (CEI/70 55–70–105). CF. **significant instants of a modulation.**

significant conditions of a restitution   *(Teleg)* estados significativos de una restitución. CF. **significant instants of a restitution.**

significant digit   *(Mat)* dígito significativo, cifra significativa. v. **significant figure.**

significant figure   *(Mat)* cifra significativa, dígito significativo. (1) Son cifras significativas de un número aproximado, aquellas con las cuales está escrito, prescindiendo de los ceros que pueda haber a la izquierda y a la derecha. Las cifras significativas del número 0,0054, por ejemplo, son 5 y 4; y las de 0,706 son 7, 0 y 6. Cuando se dice p.ej. que una distancia es de 280 000 km, las cifras significativas de este número son 2 y 8; los ceros a la derecha substituyen las cifras o dígitos que no se conocen o que se desprecian. (2) Cifra o dígito que aparece en la *mantisa* o *coeficiente* cuando se escribe un número en notación científica (v. **scientific notation**). SIN. **significant digit.**

significant instant   instante significativo. v. **significant instants of a modulation, significant instants of a restitution.**

significant instants of a modulation   *(Teleg)* instantes significativos de una modulación. Instantes en que comienzan los intervalos significativos [significant intervals] tomados sucesivamente por el dispositivo apropiado (CEI/70 55–70–110).

significant instants of a restitution   *(Teleg)* instantes significativos de una restitución. Instantes en que comienzan los intervalos significativos tomados sucesivamente por el dispositivo apropiado (CEI/70 55–70–110).

significant interval   *(Teleg)* intervalo significativo. **(1)** Intervalo de tiempo comprendido entre dos instantes significativos consecutivos [consecutive significant instants] (CEI/70 55–70–115). **(2)** Intervalo de tiempo durante el cual se mantiene, o debe mantenerse, un estado significativo [significant condition] determinado, según el código utilizado y la señal que se transmite.

significant modulation elements   *(Teleg)* elementos significativos de la modulación.

significant obstruction   *(Naveg)* obstáculo destacado.

significant turn   *(Aeron)* viraje significativo.

significant weather   condiciones meteorológicas significativas.

significant weather chart   carta de condiciones meteorológicas significativas.

signum   *(Mat)* signo.

signum function   *(Mat)* función signo. Por ejemplo, la función signo de x (que se escribe sig x, sgn x, o sg x) vale 0 para $x=0$; -1 para $x<0$; y 1 para $x>0$.

SIGUE   *(Teleg)* v. **MORE.**

SII   *(Teleg)* Abrev. de say if incorrect [sírvase informar si está incorrecto]. Se usa en los despachos de servicio para hacer aclaraciones de telegramas ya cursados.

SIL   Abrev. de speech interference level.

silence   silencio; quietud; secreto, sigilo /// *verbo:* silenciar; aquietar; imponer silencio.

silence cone   *(Radionaveg)* cono de silencio. v. **cone of silence.**

silence period   *(Radiocom)* período de silencio. v. **silent period.**

silencer   silenciador, amortiguador de ruido; sordina.

silencing   silenciamiento, amortiguación de ruido. CF. **muting, quieting, squelching.**

silent   *adj:* silente, silencioso; de silencio; mudo.

silent arc   *(Telecom)* sector de silencio.

silent area   *(Radiocom)* área de silencio; zona de silencio.

silent discharge   *(Elec)* descarga silenciosa [sin ruido]. Descarga de electricidad, gradual y non disruptiva, de un conductor a la atmósfera; puede ir acompañada de la producción de ozono [ozone].

silent film   *(Cine)* película silente [muda].

silent interval   intervalo de silencio.

silent period   *(Telecom)* intervalo de silencio. Intervalo durante el cual no debe haber emisión de señales, y que precede o sigue al envío de una señal a frecuencias vocales [AC signal] (CEI/70 55–115–120) || *(Radiocom)* período de silencio. Período de cada hora durante el cual las estaciones de barco [ship stations] y costeras [shore stations] tienen la obligación de silenciar sus emisores y ponerse a la escucha de posibles llamadas de socorro [distress calls].

silent speed   *(Cine)* velocidad de película muda. Velocidad con que se filmaban las películas mudas; velocidad con que se pasan las películas mudas por el proyector. En ambos casos es de 16 cuadros por segundo.

silent tuning system   sistema de sintonía silenciosa. Sistema de sintonía que enmudece el receptor mientras se pasa de una estación a otra. Se utiliza en los aparatos de sintonía automática y en los de modulación de frecuencia de alta calidad. CF. **muting switch.**

silent zone   *(Radiocom)* zona de silencio. Parte de la zona saltada [skip area] situada más allá del área de propagación de la onda de tierra [ground-wave propagation area] que rodea al emisor radioeléctrico; existe a menudo una señal residual en la zona de silencio, debida a modos de propagación particulares. SIN. **skip zone** (CEI/70 60–24–175).

silex   *(Miner)* sílice, pedernal.

silica   *(Miner)* sílice, óxido de silicio /// *adj:* silíceo.

silica gel   gel de sílice, sílice gelatinada [gelatinosa]. Forma de sílice hidratada [hydrated silica], químicamente inerte y suma-

mente higroscópica, que se utiliza como agente secante y deshumidificante, así como para absorber los vapores de solventes en equipos electrónicos. También se emplea como catalizador y vehículo de catalizadores, en cromatografía, en la fabricación de cosméticos, etc.

silica sand   arena silícea [de sílice].

silicate   *(Quím, Miner)* silicato /// *verbo:* silicatar.

silicate of lime   silicato de cal.

silicate of soda   silicato de sodio [de sosa].

silicated   *adj:* silicatado.

silication   silicación; silicificación.

silicon   silicio. Metaloide que en estado amorfo es de color pardo, y cristalizado es gris de plomo. En forma pura es el principal semiconductor utilizado en la fabricación de transistores, diodos, y circuitos integrados monolíticos [monolithic integrated circuits]. Se mezcla con el hierro y el acero destinados a la fabricación de núcleos de transformadores, durante la fusión de esos metales, para mejorar las propiedades magnéticas de dichos núcleos. En combinación con el oxígeno forma la *sílice* [silica], y con un metal forma el correspondiente *siliciuro* (ejemplo, siliciuro de hierro). Número atómico, 14. Símbolo: Si.

silicon-boron photocell   fotocélula [célula fotoeléctrica] de silicio y boro.

silicon bridge rectifier   rectificador en puente de diodos de silicio.

silicon capacitor   capacitor de silicio. Capacitor (condensador) cuyo dieléctrico está formado por una placa de cristal de silicio puro, y que se caracteriza por sus elevados valores de Q a frecuencias hasta de 5 GHz en circuitos de baja tensión.

silicon carbide   carburo de silicio. Semiconductor con una banda prohibida o reservada [forbidden band] de 3,3 eV. Cuando se lo utiliza en dispositivos como rectificadores y transistores soporta temperaturas de funcionamiento hasta de 1 200 ó 1 300° C. Fórmula: SiC. SIN. **carborundum.**

silicon carbide rectifier   rectificador de carburo de silicio.

silicon carbide transistor   transistor de carburo de silicio.

silicon-chromium steel   acero al cromio-silicio.

silicon-coated solar cell   pila solar de silicio.

silicon controlled rectifier [SCR]   rectificador de silicio controlado, rectificador mandado de silicio. Rectificador de silicio (v. **silicon rectifier**) que puede ser controlado o mandado. Se trata de un dispositivo semiconductor bipolar PNPN: cuatro capas alternadas de material de silicio obtenidas por difusión, que sirven de ánodo, base, compuerta, y cátodo, respectivamente. Los electrodos son el ánodo, el cátodo y la compuerta [gate], que es el electrodo de control [control electrode]. Al igual que todos los rectificadores, es un dispositivo de conducción esencialmente unidireccional, pero difiere de los rectificadores comunes y corrientes por el hecho de que no da paso a una corriente importante en sentido directo [forward direction] hasta que la tensión de ánodo pasa de cierto valor crítico llamado *tensión de transición conductiva directa* [forward breakover voltage], con la particularidad de que ese valor puede ser variado, es decir, controlado, por la aplicación de una señal externa a la compuerta. Estas características hacen al rectificador de silicio controlado especialmente útil en funciones de conmutación y de control de potencias considerables. En la práctica se comporta como un aislador (circuito abierto) respecto a la tensión alterna aplicada entre los terminales de ánodo y cátodo, mientras se encuentra en *estado de corte* ("off"), que es uno de sus dos únicos estados estables. Al polarizar en sentido directo la capa P interna, mediante la aplicación de la señal de control o gatilladora al terminal de compuerta, pasa bruscamente al *estado de conducción* ("on"), que es su segundo estado estable, y a partir de entonces se comporta como un rectificador clásico. Internacionalmente se ha adoptado el término genérico *tiristor* [thyristor] para los dispositivos semiconductores que poseen características de control semejantes a las de los tiratrones [thyratrons]. Por lo que se ha explicado es evidente que el rectificador de silicio controlado pertenece a la clase de los tiristores, siendo, en términos más específicos, un *tiristor triodo de bloqueo inverso* [reverse-blocking triode thyristor]. CF. **semiconductor rectifier, Triac.**

silicon controlled switch [SCS]   conmutador de silicio controlado, conmutador mandado de silicio. Dispositivo semiconductor de cuatro capas o regiones (estructura PNPN) con terminales de acceso a todas ellas. Es muy flexible en cuanto a sus aplicaciones, pues puede utilizarse como rectificador normal, rectificador controlado complementario, o interruptor controlado por compuerta [gate-turnoff switch].

silicon crystal   cristal de silicio.

silicon-crystal detector   detector de cristal de silicio.

silicon-crystal rectifier   rectificador de cristal de silicio.

silicon detector   detector (de cristal) de silicio. Detector consistente en un diodo de silicio (v. **silicon diode**); es de uso muy generalizado en las gamas de ondas decimétricas (UHF) y centimétricas (SHF).

silicon diffused epitaxial mesa transistor   transistor de silicio epitaxial de difusión tipo meseta. Se caracteriza por admitir elevadas tensiones y potencias de trabajo, con pequeños valores de tiempo de almacenamiento de portadores [storage time] y de tensión de saturación [saturation voltage].

silicon diffused power transistor   transistor de potencia de silicio de difusión.

silicon diode   diodo de silicio. (**1**) Rectificador de contacto [contact rectifier] en el cual el semiconductor es silicio. (**2**) Detector de cristal [crystal detector] que consiste esencialmente en un contacto metálico apoyado contra una pieza de silicio en un estado cristalino particular. SIN. **silicon detector.**

silicon diode rectifier   diodo rectificador de silicio.

silicon dioxide   óxido de silicio, sílice. Se utiliza p.ej. en la fabricación de circuitos integrados monolíticos [monolithic integrated circuits]. SIN. **silica.**

silicon double-base diode   diodo de silicio de dos bases, transistor uniunión de silicio. v. **unijunction transistor.**

silicon electric steel   acero (eléctrico) al silicio. CF. **electric steel.**

silicon epitaxial growth   crecimiento epitaxial [cultivo epitáxico] del silicio.

silicon epitaxial planar transistor   transistor epitaxial planar de silicio.

silicon epitaxial transistor   transistor epitaxial [epitáxico] de silicio.

silicon gate-controlled alternating-current switch   conmutador de silicio para CA controlado por compuerta.

silicon iron   ferrosilicio. Aleación de hierro y silicio que se utiliza para adicionar silicio al hierro o acero. SIN. **ferrosilicon.** CF. **silicon steel.**

silicon-iron crystal   cristal de ferrosilicio.

silicon junction diode   diodo de unión de silicio. v. **junction diode.**

silicon junction transistor   transistor de uniones de silicio. v. **junction transistor.**

silicon microwave diode   diodo de silicio para microondas.

silicon nitride   (*Quím*) nitruro de silicio. Compuesto de silicio que se deposita en la superficie de los circuitos integrados monolíticos de silicio [silicon monolithic integrated circuits] con el objeto de mejorar su estabilidad. Es relativamente impenetrable a algunos iones que penetran el óxido de silicio [silicon dioxide], en combinación con el cual se utiliza para obtener máxima estabilidad. Se han logrado dispositivos de memoria con tiempos de retención sumamente largos utilizando el almacenamiento de cargas en la superficie de contacto entre el nitruro de silicio y la capa de óxido de silicio.

silicon-on-sapphire field-effect transistor   transistor de efecto de campo de silicio sobre zafiro. El zafiro se utiliza como substrato o material de soporte [substrate].

silicon oxide   óxido de silicio. En la fabricación de circuitos integrados de silicio se utiliza como substancia aislante entre pasadas de una metalización de múltiples niveles [multilevel metallization].

silicon planar transistor   transistor planar de silicio. Transistor de silicio fabricado por el proceso planar. v. **planar process.**

silicon PN junction alloy diode   diodo de unión PN a base de aleación de silicio.

silicon power controlled rectifier   v. silicon controlled rectifier.

silicon precision alloy transistor   transistor de silicio de aleación de precisión.

silicon rectifier   rectificador de silicio. (**1**) Diodo semiconductor consistente esencialmente en una simple unión PN [PN junction]. (**2**) Rectificador metálico [metallic rectifier] en el cual la rectificación ocurre en virtud de una unión aleada obtenida en una placa de silicio de gran pureza.

silicon resistor   resistor de silicio, elemento de resistencia de silicio. Tiene la característica de un coeficiente positivo de temperatura para la resistencia, que no varía apreciablemente con la temperatura. Se utiliza como elemento termosensible o elemento sensible a la temperatura [temperature-sensing element].

silicon solar battery   batería solar de silicio.

silicon solar cell   pila solar de silicio. Pila solar consistente en capas de silicio P y N colocadas una encima de la otra de modo de formar una unión en la cual la energía radiante se transforma en electricidad, con un rendimiento teórico máximo de 22 por ciento.

silicon steel   acero al silicio. TB. acero silicioso. Aleación de acero con silicio en proporción del 3 al 5 por ciento. Es de particular interés en electricidad por sus buenas cualidades magnéticas para núcleos de transformadores y otros dispositivos que funcionan con corriente alterna.

silicon-steel laminated core   núcleo de laminación de acero al silicio.

silicon transistor   transistor de silicio. Transistor en el cual el semiconductor es silicio.

silicon unijunction transistor   transistor uniunión de silicio.

silicon voltage regulator   regulador de voltaje de silicio. SIN. **Zener diode.**

silicon Zener voltage regulator   regulador de voltaje Zener de silicio. SIN. **Zener diode.**

silicone   silicona. Comprenden las siliconas una gran variedad de polímeros formados por una estructura de átomos de silicio y oxígeno alternados con varios grupos orgánicos unidos a las valencias no saturadas de los átomos de silicio. Las siliconas pueden variar mucho en sus propiedades y composición. Se producen en forma de fluidos, compuestos, grasas, resinas y elastómeros [elastomers], y se caracterizan por su resistencia al calor y a la oxidación, por su repelencia al agua, y por sus propiedades dieléctricas. Usos: dieléctricos líquidos, materiales de aislamiento eléctrico, líquidos impregnantes a altas temperaturas, lubricantes, caucho sintético resistente a elevadas temperaturas, fluidos hidráulicos y amortiguadores, aceites para bombas difusoras de alto vacío, agentes desmoldeantes, etc. ∥ *adj*: silicónico.

silicone glass   vidrio silicónico.

silicone-glass insulation   aislamiento de vidrio silicónico.

silicone grease   grasa silicónica [de silicona].

silicone jelly   gelatina de silicona.

silicone resin   resina silicónica.

silicone rubber   caucho silicónico, goma silicónica.

silk   seda ∥ (*Cine*) (*i.e.* silk screen) difusor [pantalla] de seda ∥ *adj*: sedero, de seda.

silk- and cotton-covered cable   (*Elec*) cable con aislamiento de seda y algodón.

silk- and cotton-covered wire   hilo aislado con seda y algodón.

silk cloth screen   (*Cine*) v. **silk screen** ∥ (*Electroacús*) tela protectora de seda. Tejido de seda que resguarda un micrófono contra el polvo y otras materias extrañas. CF. **microphone blanket,**

microphone shield, windscreen.

silk-covered   *adj:* cubierto [recubierto, forrado] de seda; aislado con seda, con aislamiento de seda.

silk-covered copper wire   hilo de cobre recubierto de seda.

silk-covered wire   hilo aislado con seda, alambre forrado de seda.

silk covering   capa [cubierta, forro, revestimiento] de seda.

silk floss   cadarzo.

silk-insulated   *adj:* (*Elec*) aislado con seda, con aislamiento de seda.

silk-insulated cable   cable aislado con seda.

silk-insulated wire   hilo aislado con seda.

silk parachute   (*Avia*) paracaídas de seda.

silk screen   (*Artes gráficas*) tejido de seda (para estarcido). v. silk-screen printing ‖ (*Cine*) (*i.e.* silk screen to diffuse light) difusor [pantalla] de seda. CF. **scrim**.

silk-screen printing   serigrafía; impresión por estarcido, impresión con estarcido de seda. Procedimiento de impresión y estampado que viene a ser una aplicación de la técnica del estarcido.

silk-screened   *adj:* serigrafiado; impreso mediante estarcido de seda.

silk-screened diagram   diagrama serigrafiado.

silk sieve   tamiz de seda.

silks   (*Cine*) v. silk.

silky   *adj:* sedoso, sedeño, de seda o parecido a ella; blando, suave.

sill   (*Arq/Constr*) durmiente, solera (inferior); umbral; base, soporte; carrera, larguero ‖ (*Diques secos, Hidr*) busco, umbral, reborde; banqueta ‖ (*Esclusas*) busco ‖ (*Grúas*) larguero ‖ (*Geol*) solera; capa [lámina] intrusiva ‖ (*Minas*) piso; fondo de filón ‖ (*Ríos*) fondo ‖ (*Puertas*) umbral ‖ (*Ventanas*) umbral, peana, repisa, solera ‖ (*Vagones*) larguero.

sill course   (*Edif*) cordón al nivel del umbral; hilada al nivel de la repisa.

silo   silo, silero ‖ (*Cohetes de guerra*) silo. Refugio subterráneo fuertemente protegido donde se conservan cohetes bélicos. Estos pueden ser lanzados desde el interior del silo, o bien se izan a la superficie del terreno para su lanzamiento ‖ (*Ferroc*) silo. Lugar subterráneo seco en donde se guarda trigo u otros granos o forrajes.

Silsbee effect   efecto Silsbee. Fenómeno en el cual una corriente eléctrica da término al estado de superconductividad mediante el campo magnético por ella generado, sin elevar la temperatura criogénica. El fenómeno obedece a la llamada *regla de Silsbee* [Silsbee rule], que dice que un alambre circular largo no puede ser recorrido por una supercorriente [supercurrent] mayor que $aH_c/2$, donde a es el radio del alambre y H_c el *campo crítico* [critical field] del material, pues al pasar de dicho valor, la propia corriente anula la superconductividad [superconductivity].

Silsbee rule   (*Fís*) regla de Silsbee. v. **Silsbee effect.**

silt   cieno, limo, tarquín, barro, fango, lama, légamo; sedimento(s), azolve, acarreo [depósito] fluvial; residuos de lavado (de carbones) ‖ (*Geol*) (lodos de) aluvión ⫽ *verbo:* encenagar; entarquinarse; enarenar; obstruirse con sedimentos; alegamar, aterrarse (un puerto); infiltrarse.

silty   *adj:* barroso, limoso, fangoso, con cieno.

silty water   agua turbia.

silver   plata. Metal precioso de conductividad mayor que la del cobre, y resistente a la corrosión. Se utiliza para contactos eléctricos en conmutadores, relés, manipuladores telegráficos, etc. Número atómico, 47. Símbolo: Ag ‖ plata, monedas de plata; vajilla de plata ⫽ *adj:* plateado; de plata; argentino; argentífero; argéntico ⫽ *verbo:* platear.

silver-activated   *adj:* activado con plata.

silver-activated glass   vidrio activado con plata. CF. **fluorod**.

silver-activated screen   pantalla activada con plata.

silver alloy   aleación de plata.

silver-alloy brazing   soldadura de aleación de plata.

silver amalgam   amalgama de plata; pella.

silver-bearing   *adj:* argentífero. Dícese de los minerales que contienen plata ‖ (*Aleaciones*) con plata, que contiene plata.

silver-bearing alloy   aleación con plata.

silver-bonded   *adj:* unido [soldado] con plata.

silver-braze   *verbo:* soldar con plata.

silver-brazed   *adj:* soldado con plata.

silver brazing   soldadura de plata, soldeo con plata.

silver bronze   bronce plata, bronce blanco.

silver bullet   (*Cables coaxiles*) contacto plateado tipo bala, conectador cónico plateado. Elemento de contacto en forma de bala plateada que va unido al conductor central de un cable coaxil, y que encaja en una pieza hembra apropiada unida al conductor central de otro cable coaxil. Se empalman así los dos cables, con la ayuda de elementos que acoplan mecánica y eléctricamente los conductores exteriores y mantienen un contacto firme entre los conductores interiores.

silver bullion   plata en barras [en lingotes].

silver-cadmium storage battery   acumulador de plata-cadmio. Combina varias de las características deseables del acumulador de níquel-cadmio [nickel-cadmium battery] y del acumulador de plata-cinc [silver-zinc battery].

silver-ceramic capacitor   v. silvered-ceramic capacitor.

silver chloride   (*Quím*) cloruro de plata. En mineralogía recibe el nombre de *cerargirita* o *cerargira* [cerargyrite, horn silver, native silver chloride].

silver chloride cell   (*Electroquím*) pila de cloruro de plata. Pila cuyo despolarizador [depolarizer] es cloruro de plata (CEI/60 50–15–065). CF. silver oxide cell.

silver chromate   (*Quím*) cromato de plata.

silver citrate   (*Quím*) citrato de plata.

silver cyanid(e)   (*Quím*) cianuro de plata.

silver diarsenol   (*Quím*) diarsenol de plata.

silver dichromate   (*Quím*) dicromato de plata.

silver film   película de plata.

silver-fish   v. silverfish.

silver fluoride   (*Quím*) fluoruro de plata.

silver foil   hoja de plata. CF. silver leaf.

silver gelatose   (*Quím*) plata gelatinizada.

silver glance   (*Miner*) plata agria, argentita, argirosa, plata vítrea.

silver halide   (*Quím*) haluro de plata.

silver haloid   (*Quím*) haluro de plata.

silver ichthyol   (*Quím*) ictiol de plata.

silver iodate   (*Quím*) yodato de plata.

silver iodide   (*Quím*) yoduro de plata. En mineralogía se le llama *yodirita*.

silver lactate   (*Quím*) lactato de plata.

silver lead   plomo argentífero; plomo de obra.

silver leaf   hoja de plata; pan de plata. CF. silver foil.

silver-line   *verbo:* platear.

silver-lined   *adj:* plateado.

silver-mercury iodide   (*Quím*) yoduro de plata y mercurio.

silver-mica capacitor   v. silvered-mica capacitor.

silver migration   migración de la plata. Desplazamiento iónico de plata metálica en un medio aislante.

silver nitrate   (*Quím*) nitrato de plata.

silver nitrite   (*Quím*) nitrito de plata.

silver nucleinate   (*Quím*) nucleinato de plata.

silver ore   mena de plata; mineral de plata.

silver-overlaid   *adj:* plateado.

silver-overlaid contact   (*Elec/Elecn*) contacto plateado.

silver-overlaid contact stud   saliente de contacto plateado. CF. silver bullet.

silver overlay   plateado, recubrimiento de plata. Lo llevan p.ej. algunos contactos eléctricos.

silver oxide   óxido de plata.

silver oxide cell   (*Electroquím*) pila de óxido de plata. Pila que contiene óxido de plata como despolarizador, un electrólito constituido por una solución de hidróxido de potasio [potassium hydroxide], y un electrodo de cinc (CEI/60 50–15–050). CF. **silver chloride cell.**

silver paint   pintura de plata. Pintura que contiene plata y que se utiliza p.ej. para obtener superficies conductoras por rociadura. CF. **silver spraying.**

silver paper   papel plateado; papel (de seda) para envolver artículos de plata ‖ *(Fotog)* papel sensibilizado con solución de sales de plata. CF. **silver sensitization.**

silver permanganate   *(Quím)* permanganato de plata.

silver phenolsulfonate   *(Quím)* fenolsulfonato de plata.

silver phosphate   *(Quím)* fosfato de plata.

silver picrate   *(Quím)* picrato de plata.

silver-plate   *verbo:* platear, recubrir con plata.

silver-plated   *adj:* plateado, recubierto con plata.

silver-plated aluminum   aluminio plateado.

silver-plated aluminum busbar   *(Elec)* barra ómnibus [colectora] de aluminio plateado.

silver-plated aluminum conductor   *(Elec)* conductor de aluminio plateado.

silver-plated contact   *(Elec)* contacto plateado [recubierto con plata].

silver-plated copper   cobre plateado.

silver-plated copper strap   *(Elec)* cinta de cobre plateada.

silver plater   plateador, persona encargada de platear.

silver plating   plateado, plateadura. Acción o efecto de platear.

silver-potassium cyanide   *(Quím)* cianuro de plata y potasio.

silver protalbin   *(Quím)* protalbina de plata.

silver protein   *(Quím)* proteína argéntica.

silver proteinate   *(Quím)* proteinato de plata.

silver quinaseptolate   *(Quím)* quinaseptolato de plata.

silver salt   *(Quím)* sal plateada.

silver salvarsan   *(Quím)* salvarsán de plata.

silver sensitization   *(Fotog)* sensibilización con plata. Incremento de sensibilidad de una superficie fotosensible obtenido depositando sobre ésta, durante su formación, una delgada capa de plata.

silver-silver chloride electrode   *(Electroquím)* electrodo de plata y cloruro de plata.

silver-sodium chloride   *(Quím)* cloruro de plata y sodio.

silver-sodium thiosulfate   *(Quím)* tiosulfato de plata y sodio.

silver solder   soldadura de plata ‖ soldante de plata. Material para soldadura compuesto de plata, cobre y cinc. Su temperatura de fusión es menor que la de la plata, pero más alta que la del soldante de plomo y estaño [lead-tin solder] ⫻ v. **silver-solder.**

silver-solder   *verbo:* soldar con plata.

silver-soldered   *adj:* soldado con plata; soldado con soldante de plata.

silver spraying   plateado por rociadura. Metalizado de una superficie mediante una doble boquilla de rociado en el cual se combinan nitrato amoniacal de plata [ammoniated silver nitrate] y un reductor [reducer] de tal manera que la plata metálica se precipita sobre la superficie. El procedimiento se emplea p.ej. para metalizar la superficie del disco maestro original de una grabación fonográfica. SIN. **silvering.** CF. **silver paint.**

silver stain test   prueba de la mancha de plata. Se usa para probar muestras de caucho.

silver storage battery   *(Electroquím)* acumulador de plata. Acumulador alcalino [alkaline storage battery] cuya materia activa positiva está constituida por óxidos de plata [silver oxides], y la materia activa negativa por cinc o cadmio (CEI/60 50–20–035).

silver sulfate   *(Quím)* sulfato de plata.

silver sulfide   *(Quím)* sulfuro de plata.

silver sulfocarbonate   *(Quím)* sulfocarbonato de plata.

silver sulfophenylate   *(Quím)* sulfofenilato de plata.

silver surface   superficie plateada.

silver telluride   *(Quím)* telururo de plata.

silver-thallium nitrate   *(Quím)* nitrato de plata y talio.

silver thaw   *(Meteor)* hielo transparente; escarcha; lluvia helada.

silver-to-silver contact   *(Elec)* contacto de plata contra plata.

silver vitellin   *(Quím)* vitelinato de plata.

silver white   *(Quím)* blanco de plata.

silver works   fundería de plata.

silver-zinc primary cell   *(Electroquím)* pila primaria de plata-cinc. Es del tipo almacenable en estado inactivo (v. **reserve cell**); se activa casi instantáneamente al agregarle el líquido apropiado, y posee, además, las ventajas de permitir descargas de baja o de alta intensidad, y de mantener la tensión esencialmente constante durante la descarga.

silver-zinc storage battery   *(Electroquím)* acumulador de plata-cinc.

silvered   *adj:* plateado.

silvered-ceramic capacitor   capacitor [condensador] de cerámica plateada. v. **ceramic capacitor.** CF. **silvered-mica capacitor.**

silvered-mica capacitor   (a.c. silver-mica capacitor) capacitor [condensador] de mica plateada. Capacitor o condensador con dieléctrico de mica y placas constituidas por películas de plata depositadas directamente sobre las hojas de mica, en vez de hojas metálicas separadas, como en el capacitor de mica normal (v. **mica capacitor**).

silvered-mica dielectric   dieléctrico de mica plateada.

silvered-mica film   película de mica plateada.

silverer   plateador, persona encargada de platear.

silverfish   *(Entomología)* lepisma. Insecto sin alas y de cuerpo plateado (*Lepisma saccharina*) que roe el cuero, el papel, las ropas almidonadas, el azúcar, etc. ‖ *(Ictiología)* pez de plata. Pez con escamas plateadas, como el tarpón ‖ *(Tv)* "pez de plata". Perturbación de la imagen en forma de manchas o dibujos largos con anchura de tres líneas de exploración.

silvering   plateado, plateadura, acción de platear; baño [capa, revestimiento] de plata; metalización con plata; azogamiento ‖ plateado por rociadura. v. **silver spraying** ‖ *(Vidrio)* plateado ‖ *(Electrotipia)* plateado. Aplicación de una delgada película conductora de plata por reducción química [chemical reduction] sobre una matriz en cera o en materia plástica [wax or plastic matrix] (CEI/60 50–35–035). CF. **electrotyping.**

silversmith   platero. El que trabaja la plata; el que hace o repara artículos de plata ‖ argentador, argentario; orfebre.

Silverstat   *(Elec)* bloque de contactores "Silverstat".

Silverstat regulator   *(Elec)* regulador "Silverstat".

silvery   *adj:* plateado; argénteo, argentado.

silviculture   silvicultura.

silviculturist   silvicultor.

similar   *adj:* similar, semejante, análogo, parecido, símil; igual, idéntico ‖ *(Geom)* semejante. Dícese de las figuras iguales, pero de tamaño diferente ⫻ AFINES: afín, correlativo, uniforme, congruente, homogéneo, homológico, homólogo, homeomorfo, homotético; parecer(se), igualar, comparar, asimilar, aparejar, hacer pareja, hacer juego. V.TB. **similarity.**

similarity   similitud, semejanza, analogía, parecido; igualdad, identidad; conformidad; uniformidad ‖ *(Geom)* semejanza. **(1)** Estudio de las figuras semejantes y las relaciones entre ellas. **(2)** Homografía en la que las distancias homólogas están en una razón constante ⫻ AFINES: afinidad, correlatividad, congruencia, homogeneidad, homología, asimilación, aparejamiento, comparación, homotecia. V.TB. **similar.**

similarity of turbulence   *(Fís)* semejanza de turbulencia.

similarity theorem   *(Fís)* teorema de semejanza.

similarity transformation   *(Mat)* transformación colineal. SIN. **collineatory transformation** ‖ transformación de similitud. SIN. **equiform [similitude] transformation.**

similitude   similitud, semejanza. SIN. **similarity.**

similitude transformation   *(Mat)* transformación de similitud. SIN. **equiform [similarity] transformation.**

simmer   *verbo:* hervir a fuego lento.

simmering   acción de hervir a fuego lento ‖ (*i.e.* simmering or boiling sound) borboteo, gorgoteo.

simmering point   temperatura de hervir.

simoom, simoon   *(Meteor)* simún. Viento fuerte caliente, cargado de arena, de los desiertos de Arabia y del Sahara.

simple   *adj:* simple, sencillo; puro; rudimentario; único.

simple approach lighting system   *(Avia)* sistema sencillo de iluminación de aproximación.

simple arc   *(Mat)* arco simple.

simple barrier   *(Ferroc)* barrera simple [de travesaño levadizo]. Barrera constituida por una pieza que gira alrededor de uno de sus extremos y se baja al aproximarse un tren.

simple beam   viga simple; viga simplemente apoyada; viga apoyada en los extremos.

simple circular curve   *(Ferroc)* curva circular simple. Curva formada por un solo arco.

simple closed curve   *(Mat)* curva (cerrada) simple. Curva cerrada que no se cruza, y, por tanto, divide el plano en dos regiones: una interior [inside region] y otra exterior [outside region] a la curva. Es la imagen topológica de una circunferencia.

simple curve   curva simple; curva de radio constante.

simple-curve scanning   exploración de curva única. SIN. single-curve scanning.

simple electrode   *(Electroquím/Electromet)* electrodo sencillo. Electrodo en el cual tiene lugar una reacción de electrodo [electrode reaction] única (CEI/60 50–05–040). CF. multiple electrode.

simple engine   v. simple-expansion (steam) engine.

simple equation   *(Mat)* ecuación sencilla; ecuación de primer grado.

simple-expansion double-acting (steam) engine   máquina (de vapor) de doble efecto de simple expansión.

simple-expansion (steam) engine   máquina de vapor de simple expansión.

simple-expansion (steam) locomotive   locomotora (de vapor) de simple expansión. Locomotora de vapor que trabaja de la misma manera en todos los cilindros.

simple expression   *(Mat)* expresión simple.

simple fraction   *(Arit)* fracción [quebrado] común. Fracción cuyo numerador y denominador son enteros ‖ *(Alg)* fracción simple. Fracción cuyo numerador y denominador son polinomios [polynomials].

simple governor   regulador (centrífugo) de bolas.

simple harmonic current   *(Elec)* corriente sinusoidal. SIN. sinusoidal current.

simple harmonic electromotive force   fuerza electromotriz sinusoidal. SIN. sinusoidal electromotive force.

simple harmonic motion [SHM]   *(Fís)* movimiento armónico simple. Movimiento cuya representación gráfica es una onda sinusoidal. EJEMPLOS: el movimiento pendular, la vibración sinusoidal.

simple harmonic wave   onda sinusoidal. Onda cuya amplitud en todo punto es función armónica simple del tiempo.

simple lap joint   junta solapada.

simple lay   colchado simple.

simple lens   *(Opt)* lente sencilla.

simple parallel winding   *(Máq eléc)* devanado (en) paralelo simple. Devanado en el cual el paso en el colector [armature] es igual a la unidad. SIN. simplex lap (CEI/38 10–05–140, CEI/56 10–35–280).

simple pendulum   *(Fís)* péndulo simple. Péndulo consistente en una masa de dimensiones muy pequeñas, o sea, una partícula, suspendida de un punto fijo mediante un hilo inextensible y sin peso.

simple periodic signal   señal periódica simple.

simple pinch effect   efecto de apretamiento simple. CF. quasi-stationary pinch effect.

simple point   *(Curvas mat)* punto simple [ordinario].

simple process factor   *(Nucl)* factor de separación de un procedimiento de una sola etapa.

simple quad   cuadrete simple. Configuración de dos caminos paralelos, cada uno de los cuales comprende dos elementos en serie.

simple-ratio channels   *(Telecom)* canales múltiples de partición de tiempo en proporciones simples. Múltiplex de partición de tiempo [time-division multiplex system], tal que los intervalos de tiempo asignados sucesivamente a las diversas señales independientes, son desiguales pero conservan relaciones sencillas (CEI/70 55–70–080).

simple rectifier   rectificador simple.

simple root   *(Mat)* raíz simple. Raíz de una ecuación que no se repite (la raíz sólo ocurre una vez). Dícese en oposición a la *raíz múltiple* [multiple root, repeated root], que ocurre más de una vez.

simple sampling   muestreo sencillo.

simple scanning   exploración simple. En facsímile, exploración en la cual interviene un solo punto explorador cada vez. CF. multiple scanning.

simple signal   *(Telecom)* señal sencilla. En un sistema de señalización por frecuencias vocales [AC signaling], señal que se compone de una sola frecuencia (CEI/70 55–115–030). CF. single-component signal.

simple sound   sonido puro. v. simple tone.

simple-sound source   *(i.e.* source of simple sounds) fuente de sonidos puros.

simple sound source   *(i.e.* simple source of sound) fuente isótropa [omnidireccional] de sonido; fuente sonora puntual, generador sonoro puntual. (**1**) Fuente que en condiciones de campo libre (v. free field) radía sonido uniformemente en todas direcciones. (**2**) Superficie vibrante única de dimensiones despreciables en relación con la longitud de onda del sonido radiado, y cuyos desplazamientos tienen la misma fase en todos los puntos; ejemplo: una esfera pulsante de diámetro pequeño respecto a la longitud de onda.

simple source of sound   v. simple sound source.

simple steady-state vibration   *(Fís)* vibración estacionaria simple, movimiento periódico representado por una sola sinusoide.

simple stress   esfuerzo simple.

simple target   blanco simple. Blanco radárico cuya superficie reflectora produce una señal reflejada de amplitud que no varía cuando el blanco gira sobre sí mismo o se le observa desde distintos ángulos; ejemplo: una esfera metálica o un globo esférico de superficie metalizada.

simple tone   sonido [tono] puro. (**1**) Onda acústica cuya presión instantánea es función sinusoidal simple del tiempo. (**2**) Sensación sonora caracterizada por poseer una altura única. SIN. pure tone. v. musical tone.

simple transposition   *(Líneas telef/teleg)* transposición sencilla.

simple-transposition pin   soporte de transposición sencilla.

simple truss   *(Mec)* armadura simple.

simple-tuned   *adj:* de sintonización sencilla.

simple-tuned transformer   *(Rec)* transformador de sintonización sencilla.

simple ventilation   *(Tracción eléc)* ventilación sencilla [serie]. v. series ventilation.

simple wave   *(Fís)* onda simple.

simplest   Forma superlativa de *simple*.

simplest form   *(Expresiones mat)* expresión más simple, forma más sencilla, mínima expresión. Por ejemplo, *se reduce* una fracción a su *mínima expresión* cuando se dividen sus términos por su máximo común divisor, como cuando en el quebrado o expresión fraccionaria 4/12 se divide el numerador y el denominador por 4 y se obtiene la expresión 1/3; esta última es una *fracción irreductible*, porque no puede ser simplificada.

simplex   *(Telecom)* símplex ‖ *(Topología)* símplex. PLURAL INGLES: simplices. PLURAL CASTELLANO: símplices. Se usa la siguiente terminología para los elementos más sencillos, con los cuales se elaboran configuraciones más complejas:

● *Símplex 0* [0-simplex]: un punto;
● *Símplex 1* [1-simplex]: un segmento de recta [line segment];
● *Símplex 2* [2-simplex]: un triángulo y su interior;
● *Símplex 3* [3-simplex]: un tetraedro [tetrahedron] o pirámide

triangular y su interior; etc.

El *símplex n* [n-simplex] es la figura geométrica más elemental concebida en un espacio de *n* dimensiones (pero no en uno de menor número de dimensiones). Por ejemplo, el triángulo es la figura más sencilla en un plano (espacio bidimensional). Llámase *esqueleto* [skeleton] al conjunto de todos los vértices de un símplex /// *adj: (Elec)* simple ‖ *(Telecom)* símplex, simple | símplex. Que permite la transmisión de señales en los dos sentidos, pero no simultáneamente (CEI/70 55–55–155). **cf. diplex, duplex, multiplex, two-way simplex system** ‖ *(Mat, Topología)* simple; simplicial.

simplex apparatus   *(Telecom)* aparato símplex.

simplex channel   canal símplex [de transmisión unidireccional].

simplex circuit   circuito símplex [de funcionamiento en símplex], circuito explotado en alternativa. Circuito que permite la transmisión de señales en los dos sentidos, pero no simultáneamente | v. **simplexed circuit.**

simplex coil   transformador de adaptación para telegrafía y telefonía simultáneas. Transformador o bobina repetidora [repeating coil] utilizado en una línea de dos hilos o conductores para obtener un circuito de telegrafía y telefonía simultáneas (v. **simplexed circuit**).

simplex communication   comunicación (en) símplex, comunicación simple [en sencillo]; enlace simple.

simplex communications link   enlace de comunicaciones símplex. Enlace de telecomunicaciones capaz de transmitir información o señales en un solo sentido cada vez.

simplex lap   *(Máq eléc)* devanado (en) paralelo simple. v. **simple parallel winding.**

simplex line   *(Telecom)* línea símplex.

simplex method   *(Mat)* método simple. Método de resolver el problema de la programación lineal [linear programing] ‖ *(Telecom)* v. **simplex method of operation.**

simplex method of operation   *(Telecom)* modo de explotación símplex, método de funcionamiento en símplex. Modo de explotación de un circuito de telecomunicación en el cual cada extremidad puede ser receptora o transmisora, pero no simultáneamente. En radiotelefonía, es el método usualmente llamado de "oprimir para hablar" (v. **press-to-talk operation**). Los circuitos de radiocomunicación son siempre símplex cuando se utiliza una sola frecuencia portadora. **v.tb. simplex operation.**

simplex multiple apparatus   aparato múltiple símplex.

simplex operation   *(Telecom)* (a.c. simplex) trabajo [funcionamiento, explotación] en símplex, explotación [operación] símplex, trabajo en alternativa, funcionamiento en sencillo *(p.us.)*. (**1**) Método de explotación en el cual la comunicación entre dos estaciones se efectúa en un solo sentido cada vez. (**2**) Modo de explotación que permite transmitir alternativamente en los dos sentidos del enlace, mediante conmutaciones que pueden ser manuales o automáticas. (**3**) Explotación telefónica en la que los interlocutores hablan y escuchan alternativamente, haciendo una conmutación simultánea ambos cuando el que está hablando avisa que va a pasar a la escucha. **v.tb. simplex mode of operation** | explotación en símplex. Modo de explotación según el cual la transmisión se hace posible alternadamente en los dos sentidos de la vía de telecomunicación, por ejemplo mediante un sistema de mando manual. **nota:** El modo de explotación en símplex de una vía de radiocomunicación puede efectuarse con una o con dos frecuencias (CEI/70 60–00–095) | operación símplex. Explotación según la cual la transmisión de mensajes entre dos aparatos telegráficos [telegraph sets] no puede efectuarse más que en un sentido a la vez (CEI/70 55–60–015) | **operated on a simplex basis:** explotado [utilizado, trabajado] en símplex | **cf. diplex operation, duplex operation, half-duplex operation, automatic voice operation, press-to-talk operation, transmit-receive operation, voice-operated switch, voice-operated keyer.**

simplex press-to-talk operation   explotación en símplex con botón para hablar; telefonía símplex con conmutación mediante

botón pulsador para hablar. **v.tb. press-to-talk operation, simplex operation.**

simplex radiotelephony   radiotelefonía símplex.

simplex system   sistema símplex, sistema de funcionamiento en símplex. Sistema de transmisión de información que, en un sentido u otro, da paso, en cada momento, a un solo mensaje.

simplex telegraphy   telegrafía símplex [unidireccional] | telegrafía simple. Sistema de telegrafía en el cual sólo un mensaje puede ser emitido o recibido a la vez, en uno de los puestos conectados a los extremos de una misma línea (CEI/38 55–15–010).

simplex telephony   telefonía símplex.

simplex winding   *(Elec)* devanado simple; devanado de circuito único [de un solo circuito].

simplexed circuit   circuito para telefonía y telegrafía simultáneas, circuito adaptado [apropiado, aprovechable, utilizable] para telefonía y telegrafía simultáneas, circuito mixto. Circuito metálico de dos conductores utilizados normalmente para telefonía, y que se hace utilizable simultáneamente para telegrafía por corrientes continuas. La técnica consiste en emplear los dos conductores en paralelo (respecto a la continua) para la corriente de ida y la tierra para la corriente de retorno del circuito telegráfico (o de señalización), con la ayuda de un transformador o bobina repetidora en cada extremidad del circuito | v. **simplex circuit.**

simplexes   Plural de *simplex.*

simplices   Plural de *simplex.*

simplicial   *adj: (Mat)* simplicial. v. **simplex.**

simplicity   simplicidad; sencillez.

simplification   simplificación.

simplified   *adj:* simplificado.

simplified circuit   circuito simplificado. **cf. equivalent circuit.**

simplified diagram   diagrama [esquema] simplificado. **cf. block diagram.**

simplify   *verbo:* simplificar.

simply   *adv:* simplemente; sencillamente; solamente, únicamente.

simply connected   simplemente conectado ‖ *(Topología)* simplemente conexo.

simply connected region   *(Topología)* región simplemente conexa.

simply connected set (of points)   *(Topología)* conjunto (de puntos) simplemente conexo.

simply supported beam   viga (simplemente) sostenida, viga (simplemente) apoyada en los extremos, viga simplemente [libremente] apoyada. Viga que descansa libremente en dos soportes, uno en cada extremo, sobre los cuales puede rotar. Se contrapone a la *viga empotrada, encastrada* o *fija* [fixed beam, fixed-ended beam], cuyas extremidades están de tal modo inmovilizadas, que no pueden rotar. **sin. simple beam.**

Simpson   Thomas Simpson: matemático inglés (1710–1761) que estudió profundamente la teoría de las fluxiones, sobre las cuales publicó un tratado en 1737; posteriormente publicó otra obra con la que contribuyó al progreso del cálculo de probabilidades. A él se debe también una fórmula para la determinación aproximada de áreas, que lleva su nombre (v. **Simpson's formula**).

Simpson's formula   *(Mat)* fórmula de Simpson. Fórmula

$$S = \frac{h}{3}(E + 4I + 2P)$$

donde

S = área aproximada de un recinto limitado por una curva, el eje OX, y dos ordenadas extremas correspondientes a las abscisas a y b;

h = distancia entre una serie de n ordenadas equidistantes con las cuales se divide el recinto ($h = [b-a]/n$);

E = suma de las ordenadas extremas;

I = suma de las ordenadas impares;

P = suma de las ordenadas pares.

Simpson's rule   *(Mat)* regla de Simpson. En cálculo integral [integral calculus], procedimiento para obtener el valor aproximado de una integral definida [definite integral] reemplazando arcos cortos de una curva por arcos de parábola.

SIMUL   *(Esquemas)* Abrev. de simultaneous.

simulate   *verbo:* simular; fingir; imitar.

simulated   *adj:* simulado; fingido; artificial; de imitación.

simulated bombing   bombardeo simulado.

simulated contract   contrato simulado.

simulated flight conditions   condiciones de vuelo simuladas.

simulated forced landing   *(Avia)* aterrizaje forzoso simulado.

simulated leather   cuero artificial [de imitación].

simulated-leather case   caja [estuche] de cuero artificial.

simulating   simulación ||| *adj:* simulativo, simulador, de simulación.

simulating technique   técnica simulativa.

simulation   simulación; fingimiento; imitación | simulación; representación matemática (de un sistema físico); reproducción de laboratorio (de un fenómeno). Representación de un sistema físico y de los fenómenos que en él intervienen, mediante circuitos analógicos, modelos, computadoras, u otros medios.

simulation study   estudio simulativo.

simulative   *adj:* simulativo, de simulación.

simulative test   prueba simulativa, ensayo simulativo.

simulator   simulador. **(1)** Dispositivo que simula un sistema o los fenómenos que en él tienen lugar, o en el cual pueden estudiarse los efectos de diversas variables. Ejemplo, el *simulador de vuelo* [flight simulator]. **(2)** Calculadora (generalmente analógica) ideada de manera de establecer una correspondencia directa entre los elementos y los enlaces del sistema estudiado, por una parte, y los elementos y enlaces de la calculadora por la otra (CEI/66 37–30–065) || *(Nucl)* (*i.e.* reactor simulator) simulador (de reactor) ||| *adj:* simulador, simulativo, de simulación.

simulator relay   *(Telef)* relé simulador, relevador de reproducción. Relé o relevador que, a los efectos de ciertas pruebas, representa o simula determinado circuito o enlace real.

simulator unit   (dispositivo) simulador, unidad simuladora. v. **simulator**.

simulcast   *(Radio/Tv)* transmisión simultánea (por emisoras de distinta clase). Transmisión simultánea de un mismo programa por emisoras de distinta clase; por ejemplo, por una emisora de televisión y una de radio, o por dos radioemisoras, una de modulación de amplitud y la otra de modulación de frecuencia | v. **simultaneous broadcast** ||| *verbo:* transmitir simultáneamente (por emisoras de distinta clase).

simulcasting   *(Radio/Tv)* transmisión simultánea (por emisoras de distinta clase); emisiones simultáneas (del mismo programa). v. **simulcast**.

simultaneity   simultaneidad.

simultaneity factor   *(Elec)* factor de simultaneidad. Relación entre la potencia maxima suministrada por una central generadora y la suma de las potencias máximas individuales conectadas a ella (CEI/38 25–25–035).

simultaneous   *adj:* simultáneo.

simultaneous broadcast [SB]   *(Radio/Tv)* transmisión simultánea. Radiodifusión por un conjunto de emisores que difunden simultáneamente un mismo programa | v. **simulcast**.

simultaneous calls   *(Telef)* llamadas simultáneas.

simultaneous color television   televisión policroma de colores simultáneos. Sistema de televisión policroma según el cual los fósforos correspondientes a los colores primarios [primary colors] son excitados al mismo tiempo, y no en sucesión.

simultaneous contrast   contraste simultáneo.

simultaneous equations   *(Mat)* ecuaciones simultáneas. Sistema compatible de ecuaciones; ecuaciones que admiten una o varias raíces en común. SIN. **system of equations.**

simultaneous frequency sharing   *(Radiocom)* compartimiento

simultáneo de frecuencia; asignación múltiple de frecuencia.

simultaneous lobing   *(Radar)* radiación de lóbulos parcialmente superpuestos; radar monoimpulsional [de monoimpulsos]. v. **monopulse radar.**

simultaneous messages   *(Telecom)* despachos simultáneos; comunicaciones simultáneas. CF. **multiplex.**

simultaneous mode   *(Informática)* modo simultáneo.

simultaneous multiplication and checking   *(Informática)* multiplicación y verificación simultáneas.

simultaneous overland telegraphy   telegrafía sumultánea por tierra.

simultaneous playback   *(Registro mag)* reproducción simultánea.

simultaneous-playback head   cabeza de reproducción simultánea. En un aparato de registro magnético, cabeza que capta la señal que va quedando grabada en la cinta, hilo u otro medio, para fines de comprobación.

simultaneous playback on recording   reproducción simultánea con el registro.

simultaneous reception   recepción simultánea (de varias ondas, señales, o mensajes). En una guía de ondas, recepción y detección de dos o más ondas que se propagan simultáneamente y que se diferencian en tipo, en frecuencia, o en la orientación de sus campos.

simultaneous scanning   exploración simultánea.

simultaneous system (of color television)   sistema simultáneo (de televisión policroma), sistema (de televisión) de colores simultáneos. Sistema de televisión policroma en el cual las señales correspondientes a los colores primarios (usualmente tres: rojo, verde y azul) se hallan presentes simultáneamente en todo instante. V.TB. **simultaneous color television.** CF. **sequential system.**

simultaneous telegraphy and telephony   telegrafía y telefonía simultáneas. SIN. **intraband telegraphy** (véase), **speech plus telegraphy.** CF. **multiplexed circuit.**

simultaneous transmission   transmisión simultánea (de varias ondas, señales, o mensajes). v. **simultaneous reception** || *(Radio/Tv)* v. **simultaneous broadcast** || *(Tvc)* transmisión simultánea (de los colores primarios). v. **simultaneous system (of color television).**

simultaneously   *adv:* simultáneamente; a la vez.

simultaneously measurable quantities   *(Fís)* magnitudes simultáneamente mensurables.

simultaneousness   simultaneidad; sincronismo.

sin   *(Mat)* Abrev. de sine.

SINAD   SINAD. Expresión que viene de SIgnal plus Noise And Distortion, y que se usa para especificar que la medida de la sensibilidad de un receptor está expresada por la relación (señal + ruido y distorsión) : (ruido y distorsión), o sea, el cociente entre la señal más el ruido y la distorsión como primer término de la fracción, y el ruido y la distorsión como segundo término, para determinada potencia de salida. El valor de este cociente se expresa normalmente en decibelios (dB). Este método de medida, muy utilizado en relación con los receptores radiotelefónicos, ha sido normalizado por la Asociación de Industrias Electrónicas (Electronics Industries Association — EIA). Al efectuar esta medida se aplica a la entrada del receptor una señal de 1 000 Hz ajustada para obtener 2/3 de la desviación máxima, y se ajusta la relación indicada arriba al valor de 12 dB (relación de tensiones igual a 4:1). Esta señal debe producir 50 por ciento de la potencia nominal de salida del receptor; de lo contrario se aumenta la amplitud de la señal hasta obtener dicho nivel de salida (50 %). El número de microvoltios (μV) aplicados al llegar a estas condiciones, se denomina *sensibilidad útil, sensibilidad SINAD de 12 dB*, o *sensibilidad EIA-SINAD* [usable sensitivity, 12-dB SINAD sensitivity, EIA-SINAD sensitivity, respectivamente]. NOTA: Lo explicado arriba presupone que la modulación es de frecuencia.

sine   *(Mat)* seno. Una de las funciones trigonométricas [trigonometric functions]. Puede definirse diciendo que es la razón de la ordenada del extremo de un arco al radio de la circunferencia de centro en el origen. En el caso particular de que este radio es la unidad, el seno es la longitud de la perpendicular trazada desde el extremo del arco al radio que pasa por el origen. Abreviatura en castellano: *sen*. Desarrollo en serie (válido para todos los valores reales o complejos de *x*):

$$\operatorname{sen} x = \frac{x}{1!} - \frac{x^3}{3!} + \frac{x^5}{5!} - \cdots$$

/// *adj:* senoidal, sinusoidal.

sine condition   *(Opt)* ley de los senos. SIN. **Abbe sine condition.**

sine-cosine angular position encoder   codificador de posición angular en seno o coseno. Codificador de posición angular de un eje, consistente típicamente en un disco de código que traduce los valores de ángulo en una señal que es una representación binaria de los correspondientes valores del seno, o del coseno, puesto que ambas funciones pasan por los mismos valores, aunque con una diferencia de fase de un cuarto de período ($\pi/2$).

sine-cosine generator   generador de onda de seno o coseno; resolutor. v. **resolver.**

sine current   *(Elec)* corriente sinusoidal.

sine curve   *(Mat)* sinusoide. Gráfica de la función $y = \operatorname{sen} x$, en la cual *x* se mide en radianes e *y* toma periódicamente todos los valores reales del intervalo $(-1, +1)$ /// *adj:* sinusoidal.

sine function   *(Mat)* función del seno.

sine galvanometer   brújula de senos. Galvanómetro de imán móvil dispuesto de tal modo que el seno del ángulo de desviación sea proporcional a la corriente que se mide (CEI/38 20-15-030, CEI/58 20-15-035). CF. **moving-magnet galvanometer, tangent galvanometer.**

sine law   *(Fís)* ley del seno. La intensidad de radiación de una fuente lineal [linear source] varía en proporción al seno del ángulo entre la dirección y el eje de la fuente.

sine line   línea sinusoidal, sinusoide. v. **sine curve.**

sine of phase difference   seno del (ángulo de) desfase.

sine potentiometer   potenciómetro de ley sinusoidal. Potenciómetro cuya tensión de salida es proporcional al seno del ángulo de rotación del eje de mando. Puede, por tanto, utilizarse como *resolutor* (v. **resolver).**

sine² pulse   v. **sine-squared pulse.**

sine/square-wave audio (signal) generator   generador de audio(señales) de onda sinusoidal y rectangular, generador de ondas sinusoidales y rectangulares de audiofrecuencia.

sine-squared impulse   v. **sine-squared pulse.**

sine-squared pulse   *(i.e.* sine² pulse) impulso en seno cuadrado [de seno cuadrado] | impulso seno cuadrado. Impulso unidireccional [unidirectional pulse] definido por las expresiones

$$y = K \operatorname{sen}^2 (\pi t/2T) \quad \text{para } 0 \leq t \leq 2T$$
$$y = 0 \qquad\qquad\quad \text{para } t > 0 \ \text{ y } \ t < 2T$$

donde

K   es la amplitud máxima;

2T   es la duración del impulso (*T* es el intervalo durante el cual la magnitud característica del impulso es superior a $K/2$);

t   es el tiempo

(CEI/70 55-35-095).

sine-squared window test pattern   patrón [imagen] de prueba de ventana de seno cuadrado. CF. **window** *(Tv).*

sine wave   onda sinusoidal [senoidal], sinusoide. (1) Representación gráfica de un movimiento armónico simple [simple harmonic motion]; es la forma de onda de una corriente alterna pura, es decir, libre de armónicas. (2) Onda cuya amplitud varía como el seno de una función lineal del tiempo o del espacio. SIN. **sine curve, sinusoid, sinusoidal wave** /// *adj:* sinusoidal, senoidal.

sine-wave   *adj:* sinusoidal, senoidal. SIN. **sinusoidal.**

sine-wave AC breakdown test   ensayo de aislación con CA sinusoidal.

sine-wave alternator   alternador de onda sinusoidal.

sine-wave clipper   cercenador de ondas sinusoidales. Circuito limitador de amplitud generalmente destinado a transformar una onda sinusoidal en una onda aproximadamente rectangular.

sine-wave coil   *(Tv)* bobina "sinusoidal", bobina del circuito resonante auxiliar. Bobina que, con un condensador en derivación, forma un circuito resonante paralelo que va intercalado en el circuito de cátodo del oscilador de frecuencia de barrido horizontal de un receptor de televisión, y que se ajusta para que la frecuencia de oscilación libre sea aproximadamente la nominal del barrido; este circuito resonante es distinto del principal.

sine-wave component   componente sinusoidal.

sine-wave current   corriente sinusoidal [senoidal].

sine-wave excitation voltage   tensión de excitación sinusoidal.

sine-wave function   función sinusoidal.

sine-wave generator   generador de ondas [oscilaciones] sinusoidales.

sine-wave modulation   modulación (por onda) sinusoidal. Modulación en que la onda modulatriz es sinusoidal. Modulación en la cual la envolvente de la portadora modulada es una sinusoide.

sine-wave oscillator   oscilador de onda sinusoidal, generador de oscilaciones sinusoidales. CF. **square-wave generator.**

sine-wave output   salida sinusoidal.

sine-wave response   respuesta a la excitación sinusoidal | v. **amplitude-frequency response.**

sine-wave response function   función de respuesta sinusoidal.

sine-wave scanning   exploración sinusoidal; barrido sinusoidal.

sine-wave signal   señal (de onda) sinusoidal, onda sinusoidal.

sine-wave signal voltage   señal [onda] de tensión sinusoidal.

sine-wave supply   alimentación sinusoidal.

sine-wave voltage   tensión sinusoidal, voltaje senoidal.

sing   *verbo: (Lenguaje ordinario)* cantar; gorjear (los pájaros); murmurar (el agua, un arroyo); zumbar (los oídos) || *(Telecom)* cantar. v. **singing.** SIN. **whistle | tendency to sing:** tendencia a cantar [al canto] | **the circuit is singing:** el circuito canta.

sing-along microphone   micrófono de acompañamiento.

singing   *(Lenguaje ordinario)* canto; gorjeo (de los pájaros); murmullo (del agua, del arroyo); zumbido (de los oídos) || *(Telecom)* canto, silbido. TB. canto [cebado, enganche] de oscilaciones, autooscilación indeseada, oscilación parásita. (1) Autooscilaciones perturbadoras que se establecen en un dispositivo o un sistema de transmisión, generalmente por exceso de realimentación positiva. (2) Oscilaciones autoentretenidas que a veces ocurren en un sistema o un dispositivo, a una frecuencia que usualmente cae en la banda normal de transmisión, pero que también puede quedar por encima de ésta. Se debe, en general, a excesiva amplificación o regeneración (reacción positiva). Esta condición recibe el nombre de "campaneo" o *tendencia al canto* [near-singing] cuando el sistema o el dispositivo no alcanza a entrar en franca oscilación, pero se halla al borde de la misma. El canto o el "campaneo" se presentan p.ej. en una estación repetidora telefónica con amplificadores y con un transformador diferencial que se ha desequilibrado por variación de impedancia en las líneas a él conectadas. SIN. **whistling.** CF. **fringe howl** | silbido. En un sistema de transmisión, generación de una oscilación autoentretenida indeseable [unwanted self-sustained oscillation] (CEI/70 55-05-320).

singing arc   *(Elec)* arco cantante, arco (voltaico) sonoro. Arco de corriente continua con un condensador y un inductor conectados en paralelo con aquél, y capaz de producir sonidos musicales por generación de corrientes de audiofrecuencia. SIN. **arco de Duddel —— Duddel arc.** CF. **singing spark.**

singing margin   *(Telecom)* margen de canto [de silbido]. TB. margen de estabilidad [de cebado]. (1) Como definición elemental, aumento de ganancia sobre la normal, que produciría canto o silbido en el circuito considerado. (2) Diferencia de nivel (habitualmente expresada en decibelios) entre el punto de canto [singing point] y la ganancia de funcionamiento normal [operating gain] de un circuito o dispositivo. (3) En el caso de un circuito telefónico, suma de las ganancias suplementarias máximas, en los dos sentidos de transmisión, que pueden añadirse en los repetidores que se encuentren en las condiciones más críticas desde el punto de vista del cebado o enganche de oscilaciones, sin que comiencen a producirse oscilaciones, sean entretenidas o intermitentes; deben especificarse las demás condiciones, tales como las impedancias terminales [terminal impedances], el valor inicial del equivalente del circuito [initial value of the equivalent of the circuit], etc. En términos generales, el margen de canto o silbido es aproximadamente el doble que la *estabilidad* (v. **stability**).

singing path   *(Telecom)* paso [camino] de las corrientes de reacción.

singing point   *(Telecom)* punto de canto [de silbido]. TB. punto de cebado (de oscilaciones), punto de enganche de oscilaciones, punto crítico de regeneración, punto de máxima amplificación. (**1**) En una vía de transmisión, condición en la cual la suma de las ganancias comienza a ser mayor que la suma de las pérdidas o atenuaciones. (**2**) En un sistema dado, punto crítico en que cualquier aumento de ganancia produciría autooscilación. (**3**) Valor mínimo de la ganancia de un sistema, circuito o dispositivo que provoca el canto | umbral de silbido. Dado un circuito de larga distancia [long-distance circuit] y su red de equilibrado, el *umbral de silbido* es la *atenuación de equilibrado* [balance return-loss, hybrid balance *(EU)*] relativo a la frecuencia a la cual es posible provocar oscilaciones efectivamente entretenidas en un circuito de reacción [feedback circuit], de constitución y características especificadas, que comprenda un dispositivo diferencial (puente o terminador) al cual van conectadas la línea y la red de equilibrado [balancing network] (CEI/70 55-05-315). CF. **active singing point, passive singing point.**

singing-point equivalent   *(Telecom)* equivalente del punto de canto [del punto de silbido]. Para determinar el equivalente del punto de canto o silbido en un circuito de dos hilos [2-wire circuit], se procede del modo siguiente: (a) Se provoca un comienzo de silbido (cebado o enganche de oscilaciones) aumentando paso a paso, y simultáneamente en ambos sentidos de transmisión, las ganancias de uno o más de los repetidores, de preferencia los que se encuentran en el medio del circuito. (b) Hecho lo anterior, y sin tocar el ajuste de los repetidores, se suprime la transmisión en el segundo sentido, y se mide el equivalente a 800 Hz del circuito en el primer sentido de transmisión. La cifra obtenida es el *equivalente del punto de silbido en el primer sentido de transmisión*, representado por q_1 en la fórmula de la estabilidad (v. **stability**). (c) A continuación, se suprime la transmisión en el primer sentido y se mide el equivalente del circuito (a la misma frecuencia de 800 Hz) en el segundo sentido de transmisión, obteniéndose el *equivalente del punto de silbido en el segundo sentido de transmisión*, que interviene en la fórmula de la estabilidad con el símbolo q_2. Si el circuito es de cuatro hilos [4-wire circuit], se procede primero a desconectar el supresor o los supresores de eco, si es que los hay, y luego se aplica el procedimiento explicado para el caso del circuito de dos hilos.

singing spark   chispa cantante. En los primitivos transmisores radiotelegráficos de chispa interrumpida [quenched spark], la que se producía a ritmo de frecuencia musical. CF. **singing arc.**

singing-stovepipe effect   *(Radio)* efecto de "cañería cantante". En las inmediaciones de un emisor radioeléctrico de gran potencia, sucede a veces que las señales radiadas por aquél son detectadas y se hacen audibles cuando dos piezas metálicas cualesquiera, en imperfecto contacto eléctrico, se comportan como un diodo, es decir, como un elemento de conducción asimétrica. El caso se presenta con conexiones mecánicamente flojas, secciones de tubería con uniones herrumbradas, soldaduras defectuosas, etc. Como dicho "diodo" es de característica alineal, se producen interferencias por intermodulación entre distintos transmisores, problema que se agrava en los modernos aviones y buques de guerra, que llevan a bordo numerosos emisores de alta potencia. Son esos fenómenos de detección e intermodulación los que reciben el nombre de *efecto de "cañería cantante".*

singing suppressor   *(Telecom)* supresor de canto [de silbidos, de reacción] | supresor de silbidos. Dispositivo mandado por las señales vocales [speech signals], que, en reposo, inserta una atenuación en una sola o en cada una de las dos vías de transmisión asociadas cuyo conjunto es susceptible de oscilaciones propias espontáneas, y que, en estado de trabajo, suprime la atenuación en la primera vía [forward transmission path], e inserta o mantiene la atenuación sobre la otra vía. El supresor de silbidos sirve para reducir o eliminar el eco (CEI/70 55-25-425). CF. **echo suppressor.**

single   billete de un dólar || *(Cine)* toma de un personaje; toma de un objeto. SIN. **one-shot** || *(Deportes)* **singles:** juego sencillo; (juego de) individuales /// *adj:* simple, sencillo (en oposición a doble, triple, etc.); solo, único, singular; particular, individual; puro; soltero /// *verbo:* particularizar; singularizar; separar, retirar (de entre otros), escoger, seleccionar; señalar en particular, señalar con especialidad.

single-acting   *adj:* de simple efecto. CF. **double-acting.**

single-acting engine   motor de simple efecto.

single-action   *adj:* de simple efecto. CF. **double-action.**

single-action condenser   condensador de simple efecto.

single-address code   v. **single-address instruction.**

single-address instruction   *(Informática)* instrucción de dirección única. v. **one-address instruction.**

single amplitude   *(Movimiento vibratorio)* amplitud de cresta. Apartamiento máximo del cuerpo vibrante respecto a su posición media.

single-anode magnetron   magnetrón monoanódico.

single-anode rectifier   *(Elec)* rectificador monoanódico | válvula monoanódica. Válvula que posee un solo ánodo principal (CEI/56 11-05-065). CF. **single-anode tube.**

single-anode tank   *(Elecn)* v. **single-anode tube.**

single-anode tube   *(Elecn)* tubo monoanódico. Tubo con un solo ánodo principal. El término en inglés se usa principalmente en relación con los tubos de cátodo líquido (v. **pool tube**). SIN. **single-anode tank.**

single autonomous mutable gene   *(Genética)* gene único autónomo mutable.

single-axis   *adj:* uniaxil, uniaxial, de un eje, con un solo eje.

single-axis gyroscope   giroscopio uniaxil, giróscopo uniaxial.

single-balance counter   *(Informática)* contador de saldo directo.

single barrier   *(Ferroc)* barrera de corredera simple. Pieza de madera que se desliza entre dos o más postes. CF. **simple barrier.**

single battery switch   *(Acum)* reductor de carga; reductor de descarga. Conmutador que sirve para modificar el número de elementos en carga o en descarga (CEI/60 50-20-195).

single-beam oscilloscope   osciloscopio de haz único. Dícese por oposición al osciloscopio de doble haz (v. **dual-beam oscilloscope**). CF. **single-gun tube.**

single-blade propeller   *(Avia)* hélice de una pala. CF. **double-blade propeller.**

single-blade shutter   *(Cine)* obturador de pala sencilla, obturador de una sola pala [aspa]. Es el obturador elemental; los obturadores prácticos son de dos o de tres palas o aspas.

single block   *(Mec)* motón sencillo [simple]. AFINES: aparejo, polipasto, polea, cuadernal, trocla, tróculo. v.TB. **double block.**

single braid   *(Elec)* trenza sencilla [simple]; forro sencillo.

single-braid wire   alambre de forro sencillo, hilo con forro de trenza simple. CF. **double-braid rubber-covered wire.**

single break   *(Elec)* ruptura única, corte único.

single-break circuit breaker   *(Elec)* disyuntor de ruptura única.

single-break switch   *(Elec)* interruptor de ruptura única [de corte único]. Interruptor que posee un solo par de contactos principales. CF. **double-break switch.**

single-button carbon handset   *(Telecom)* microteléfono con micrófono de carbón de un solo botón [de una sola pastilla]. v. **single-button carbon microphone.**

single-button carbon microphone   micrófono de carbón de un solo botón [de pastilla única]. Dícese en oposición al micrófono de carbón de doble botón (doble cápsula). v. **double-button carbon microphone.**

single-button microphone   micrófono de un solo botón [de pastilla única, de una sola pastilla].

single cable   cable sencillo; cable monofilar ‖ *(Telecom)* **(in a cable network)** malla (de una red de cables).

single-cable control   mando por un cable [por cable único].

single call   *(Telecom)* llamada simple.

single-capacity lag   retardo de capacidad única.

single card   *(Informática)* tarjeta única [individual].

single-card checking device   *(Informática)* dispositivo de verificación individual de tarjetas.

single-card total-suppression device   *(Informática)* dispositivo para supresión total en tarjeta única.

single-carrier frequency-modulation recording   registro de portadora única modulada en frecuencia. Registro magnético en el cual la señal modula en frecuencia una portadora única; la portadora modulada se registra entonces en una sola pista, a nivel de saturación, y sin polarización [bias].

single case   *(Máq)* envoltura simple ‖ *(Máq de escribir)* caja única. Dícese cuando la máquina sólo tiene posición de mayúsculas.

single casing   *(Máq)* envoltura sencilla. cf. **double-casing machine.**

single catenary suspension   *(Tracción eléc)* suspensión (de) catenaria sencilla. cf. **double catenary suspension.**

single-chamber gage   galga de cámara única.

single-channel   *adj:* monocanal, de un solo canal.

single-channel amplifier   amplificador monocanal [de un solo canal]. cf. **dual-channel amplifier.**

single-channel amplitude-modulated carrier (wave)   (onda) portadora monocanal modulada en amplitud.

single-channel analyzer   *(Nucl)* analizador de canal único.

single-channel carrier   *(Telecom)* enlace monocanal por corriente portadora. cf. **multiple-channel carrier system.**

single-channel modulation   modulación sencilla.

single-channel monopulse tracking system   sistema de seguimiento monoimpulsional monocanal. cf. **monopulse radar.**

single-channel operation   *(Telecom)* funcionamiento por canal único. cf. **single-frequency operation.**

single-channel pulse-height analyzer   analizador monocanal de alturas de impulsos, analizador de amplitud de impulsos de un solo canal. cf. **pulse-height analyzer.**

single-channel radio-communications equipment   equipo de radiocomunicaciones monocanal.

single-channel receiver   receptor monocanal.

single-channel simplex   *(Radiocom)* símplex de canal único. Sistema de comunicación símplex en que se emplea la misma frecuencia en ambos sentidos. cf. **single-frequency simplex, single-frequency operation.**

single-channel stereo(phonic) broadcasting   radiodifusión [emisión] estereofónica por canal único. Radiodifusión estereofónica con una sola portadora principal y una o más subportadoras (técnica de multiplexión).

single-channel telegraph system   sistema telegráfico monocanal.

single-channel telephone network   red telefónica de una vía.

single circuit   circuito simple; circuito sencillo ‖ *(Teleg)* circuito símplex. v. **simplex circuit.**

single-circuit line   *(Elec)* línea de circuito único | línea simple. Línea aérea que comprende un solo circuito (CEI/65 25–25–005). cf. **double-circuit line.**

single-circuit transformer   *(Elec)* transformador de un solo circuito; autotransformador.

single-coated film   *(Radiol)* película de capa [emulsión] única. Película radiográfica recubierta de emulsión por una sola cara. sin. **single-emulsion film** (CEI/64 65–30–405). cf. **double-coated film.**

single-coil filament   *(Alumbrado)* filamento en espiral. Filamento arrollado en forma de hélice (CEI/58 45–45–015). cf. **coiled-coil filament.**

single-coil lamp   *(Alumbrado)* lámpara de filamento en espiral ‖ lámpara de filamento espiralado. Lámpara incandescente [incandescent lamp] con filamento en hélice simple (CEI/58 45–40–020).

single-coil regulation   *(Tracción eléc)* regulación de una inductancia, regulación de dos barras. Dispositivo de regulación de la tensión que utiliza un graduador [tap changer] cuyos contactores de toma [tapping contactors] están unidos alternadamente a dos barras conectadas a una inductancia de paso [transition coil]. sin. **two-busbar regulation** (CEI/57 30–15–805). cf. **four-busbar regulation.**

single-coil relay   relé [relevador] de una bobina. cf. **dual-coil relay.**

single-colored   *adj:* monocromo, unicolor, de un solo color. sin. **monochromatic.**

single-column month listing and summary punch   *(Informática)* dispositivo para listado y perforación sumaria tomando el número del mes desde una sola columna de la tarjeta.

single-commutation direct-current signaling [SCDC signaling]   señalización por inversión de corriente continua. Señalización por corriente continua [direct-current signaling] que emplea señales de doble corriente [double-current signals], y en la cual el cambio de sentido de la corriente es controlado por un inversor [change-over contact] que actúa sobre una batería única (CEI/70 55–105–310).

single-compensating polariscope   polariscopio de simple compensación.

single-component signal   *(Telecom)* señal de componente única | señal de una componente. En un sistema de señalización por frecuencias vocales [AC signaling], señal constituida por un solo elemento o componente (CEI/70 55–115–040). cf. **signal component, simple signal.**

single-conductor cable   cable monofilar [monoconductor, de un solo conductor]. cf. **multiconductor cable.**

single cone above earth   cono radiante en presencia de tierra.

single contact   *(Elec)* contacto simple. Contacto en el cual el contacto se efectúa sobre una sola superficie (CEI/56 16–35–085). cf. **dual contact, multiple contact, twin contact.**

single-contact base   *(Lámparas)* casquillo de un contacto [de contacto central].

single-contact system   *(Tracción eléc)* línea de contacto sencilla. Línea constituida por un solo hilo de contacto [contact wire] (CEI/57 30–10–050). cf. **double-contact wire system.**

single control   control [mando] único; ajuste único, regulación única; dirección única. cf. **multiple control.**

single-control bistable trigger circuit   báscula [disparador] biestable con una entrada. Báscula biestable en la cual los basculamientos sucesivos son mandados por excitaciones (del mismo sentido o de sentidos opuestos) aplicadas a una entrada única (CEI/70 60–18–065).

single-control tuning   sintonía de mando único. sin. **single-knob tuning.**

single copy   copia única; ejemplar único ‖ *(Periódicos)* ejemplar [número] suelto ‖ cf. **multiple copies.**

single cord   cordón sencillo ‖ *(Telecom)* monocordio. cf. **double cord.**

single-cord circuit   *(Telecom)* circuito monocordio. cf. **double-cord circuit.**

single-cord switchboard   *(Telecom)* conmutador manual monocordio. Conmutador manual en el cual las líneas entrantes terminan en cordones con clavija en el extremo (CEI/70 55–90–250).

single-core cable   *(Elec)* cable monoconductor [monofilar] | cable unipolar. Cable con un solo conductor aislado (CEI/65 25–30–050). cf. **multicore cable.**

single-core magnetic amplifier .amplificador magnético de un solo núcleo.

single-cotton-covered wire *(Elec)* hilo forrado con una capa de algodón. CF. **double-cotton-covered wire**.

single-cotton double-silk-covered wire hilo forrado con una capa de algodón y dos capas de seda.

single-cotton single-silk-covered wire hilo forrado con una capa de algodón y una capa de seda.

single crank manivela sencilla, cigüeña.

single crystal *(Cristalog)* monocristal. Cristal (por lo común de cultivo artificial) cuyas partes tienen todas la misma orientación cristalina. SIN. **monocrystal** |||| *adj:* monocristalino.

single-crystal camera cámara (de rayos X) para el examen de monocristales.

single-crystal germanium ingot lingote de germanio monocristalino.

single-crystal growing formación de monocristales; cultivo de monocristales.

single-crystal growth formación de monocristales.

single-crystal seed germen monocristalino.

single-crystal semiconductor semiconductor monocristalino.

single-crystal state estado monocristalino.

single-crystallized *adj:* monocristalizado.

single current *(Telecom)* corriente simple.

single-current system *(Teleg)* sistema de corriente simple [de corriente unidireccional].

single-current transmission transmisión por corriente simple. Transmisión telegráfica que se efectúa por medio de corrientes del mismo sentido (CEI/70 55–70–030) | transmisión por corriente de una polaridad. CF. **double-current transmission**.

single-current working *(Teleg)* explotación por corriente simple. CF. **double-current working**.

single-curve scanning exploración de curva única. SIN. **simple-curve scanning**.

single-cut file lima de picadura sencilla [de corte sencillo, de talla simple], lima musa. CF. **double-cut file**.

single-cutting drill broca de un corte.

single cycle ciclo único; ciclo individual.

single-cycle *adj:* de ciclo único; uniciclo; monocíclico.

single-cycle multivibrator *(Elecn)* multivibrador monoestable. SIN. **flip-flop, one-cycle [one-shot, start-stop] multivibrator**.

single-cycle reactor (system) *(Nucl)* reactor de ciclo único. SIN. **direct-cycle reactor (system)**. CF. **dual-cycle boiling-water reactor**.

single-cylinder *adj:* monocilíndrico, de un solo cilindro.

single-deck *adj:* *(Conmut rotativos)* de un solo piso, de una sola sección || *(Autobuses, Tranvías)* de un (solo) piso || *(Buques)* de una cubierta; de un puente. CF. **multideck ship** || *(Puentes)* de un tablero || *(Conectores)* de una hilera [fila] de contactos. CF. **multideck connector**.

single defruit *(Sist de baliza radárica)* supresión de señales de retorno asíncronas por comparación de las videoseñales de dos barridos sucesivos. CF. **defruiting**.

single-degree-of-freedom gyro(scopic) system sistema giroscópico de un solo grado de libertad.

single-degree-of-freedom system sistema de un solo grado de libertad. (1) Sistema dinámico cuya configuración puede ser definida con una sola coordenada. (2) Sistema termodinámico con una sola variable independiente.

single-dial control monocontrol, mando de cuadrante único. Mando o control de varios dispositivos o circuitos por medio de una sola perilla, como en el caso de los condensadores en tándem [gang capacitor]. CF. **single-knob tuning**.

single-diffused transistor transistor de difusión única. CF. **double-diffused transistor**.

single diffusion stage *(Nucl)* etapa única de difusión.

single diode diodo sencillo. CF. **double diode**.

single-diode loop [SD loop] bucle de acoplamiento por diodo único. Bucle de transferencia de un amplificador magnético de impulsos con carga en paralelo [parallel magnetic pulse amplifier transfer loop], en el cual el acoplamiento entre el devanado de salida del núcleo de transmisión [transmitting core] y el devanado de entrada del núcleo de recepción [receiving core], se efectúa por medio de un diodo.

single-direction *adj:* unidireccional, de una sola dirección || *(Cojinetes)* de efecto simple.

single-directional *adj:* unidireccional, de una sola dirección.

single-domain particle partícula (ferromagnética) de dominio único.

single-duct conduit *(Elec)* canalización de un solo conducto; conducto simple [de vía única] || *(Telecom)* conducto unitario.

single-duty machine máquina especializada [de servicio simple].

single earphone *(Telecom)* auricular monocasco.

single-emulsion film *(Radiol)* película de emulsión [capa] única. v. **single-coated film**.

single-enclosure (multipolar) switch *(Elec)* interruptor (multipolar) de cuba única. Interruptor multipolar que comprende un solo vaso, en el cual se encuentran los elementos afectados a todos los polos (CEI/38 15–25–020).

single-ended *adj:* *(Elecn/Telecom)* asimétrico, desequilibrado. Dícese de los circuitos y de las líneas de transmisión cuando uno de sus lados está conectado a tierra o masa. SIN. **unbalanced**.

single-ended amplifier amplificador asimétrico [de salida a masa]; amplificador de etapas monoválvula. Amplificador en cada una de cuyas etapas se utiliza una sola válvula, de modo que el circuito es asimétrico respecto a masa. CF. **push-pull amplifier**.

single-ended cable grip *(Telecom)* amarre de cable; manga de malla para izar cables.

single-ended cord circuit *(Telecom)* monocordio. Cordón de conmutación (cordón de conexión) con clavija en uno solo de sus extremos. SIN. **monocord**. CF. **double-ended cord circuit**.

single-ended filter filtro de tres conexiones. CF. **double-ended filter**.

single-ended mixer *(Elecn)* mezclador asimétrico.

single-ended pentode *(Elecn)* pentodo con todas las conexiones por la base. V.TB. **single-ended tube**.

single-ended push-pull amplifier amplificador simétrico-asimétrico, amplificador con entrada simétrica y salida asimétrica. SIN. **single-ended push-pull configuration** (véase).

single-ended push-pull configuration configuración simétrica-asimétrica; amplificador simétrico-asimétrico; amplificador [etapa amplificadora] con entrada simétrica y salida asimétrica. Circuito amplificador de dos válvulas, con entrada simétrica (en contrafase) y con carga anódica en una válvula y carga catódica en la otra. En términos más generales, amplificador con dos canales complementarios dispuestos de modo que provean una sola salida desequilibrada o asimétrica. El circuito funciona en contrafase sin necesitar transformador de salida; de utilizarlo, éste no necesita tener punto medio. SIN. **single-ended push-pull amplifier**.

single-ended spanner *(Herr)* llave inglesa de horquilla. CF. **double-ended spanner**.

single-ended stage etapa asimétrica; etapa monoválvula [de un solo tubo]. CF. **single-ended amplifier**.

single-ended transistor transistor de salida sencilla. CF. **double-ended stud package**.

single-ended tube *(Elecn)* tubo sin copilla de conexión, tubo [válvula] con todas las conexiones por la base. Válvula electrónica en la que todas las conexiones a los electrodos tienen acceso por la base, y que, por tanto, está desprovista de copilla de conexión en la parte superior [cap, top pin].

single-ended ultrasonic delay line línea de retardo ultrasónica de una sola cabeza.

single-ended wrench *(Herr)* llave sencilla para tuercas, llave de una boca. CF. **double-ended wrench**.

single-engine *adj:* monomotor, de un solo motor. CF. **double-**

engine, multiengine.

single-engine aircraft   monomotor, avión de un solo motor.

single-engine flight   vuelo en monomotor.

single-engine pilot   piloto de monomotor.

single-engine plane   monomotor, avión monomotor [de un solo motor].

single-engine supersonic fighter   avión de caza supersónico monomotor, monomotor cazador supersónico.

single-engine two-seat helicopter   helicóptero biplaza monomotor.

single-engined   *adj:* v. **single-engine.**

single-entry   *adj: (Contabilidad)* por partida sencilla [simple] || *(Bombas centrífugas)* de aspiración única || *(Compresores rotativos)* de una cara activa, con álabes en un solo lado || *(Minas)* de entrada [galería] única, de acceso por galería única.

single-expansion (steam) engine   v. **simple-expansion (steam) engine.**

single exposure   *(Fotog.)* exposición única. CF. **double exposure, multiple exposure.**

single-face clock   reloj de una esfera.

single-face corrugated cardboard   cartón ondulado en una cara.

single-face shelving   estantería de una cara.

single fare   billete de ida (solamente).

single-fee metering   *(Telef)* cómputo sencillo. Operación de cómputo de una comunicación, que no provoca más que una sola progresión del contador de abonado [subscriber's meter], y que entraña así la tasación de una sola unidad (CEI/70 55–105–285). CF. **time-and-distance metering.**

single-flanged   *adj: (Bobinas)* de un plato; de una guarda || *(Ruedas)* de una pestaña.

single-float seaplane   hidroavión de flotador central.

single-flow   *adj:* de flujo sencillo; de circulación sencilla || *(Cond)* de un paso || *(Turbinas)* de efecto simple.

single frame   *(Cine)* cuadro único, vista única || *(Fotog)* vista única.

single-frame exposure   *(Cine)* exposición cuadro por cuadro [vista por vista].

single-frame projection   *(Cine)* proyección de cuadro único; detención de la película.

single frequency   frecuencia única. CF. **discrete frequency, spot frequency.**

single-frequency   *adj:* monofrecuencia, monofrecuencial, de frecuencia única, de una (sola) frecuencia.

single-frequency channel   *(Telecom)* canal monofrecuencia [de una frecuencia].

single-frequency device   dispositivo monofrecuencial [de frecuencia única].

single-frequency duplex   dúplex por frecuencia única. Nombre algo arbitrario que se aplica a una comunicación telefónica por canal de portadora de una sola frecuencia, y que en realidad es símplex (la transmisión no ocurre nunca en ambos sentidos simultáneamente), pero en el cual el sentido de transmisión es gobernado automáticamente por la voz de los interlocutores; podría, por tanto, llamársele *símplex monofrecuencia de inversión automática* o *símplex con conmutación controlada por la voz.* CF. **half-duplex operation, simplex, single-channel simplex.**

single-frequency noise figure   cifra de ruido monofrecuencia, índice de ruido de una sola frecuencia.

single-frequency operation   *(Radiocom)* explotación en una frecuencia. Modo de explotación de un servicio radioeléctrico en el cual la frecuencia portadora utilizada es la misma para los dos sentidos de transmisión (CEI/70 60–00–065). CF. **two-frequency operation.**

single-frequency oscillator   oscilador de frecuencia única.

single-frequency phase-shifting network   red desfasadora monofrecuencia, red desplazadora de fase de frecuencia única.

single-frequency radio compass   radiocompás monofrecuencia.

single-frequency signaling   *(Telecom)* señalización con una fre-

cuencia. Sistema de señalización en el cual se utilizan señales de frecuencia vocal [AC signaling] comprendidas en la banda de frecuencias telefónicas [telephone frequency range] y en el cual los elementos de señal utilizados conforme al código de señalización [signal code] adoptado, tienen la misma frecuencia (CEI/70 55–115–145). CF. **two-frequency signaling, multifrequency signaling, simple signal.**

single-frequency simplex   símplex por frecuencia única. Comunicación por canal de portadora de una sola frecuencia y en la cual el paso de transmisión a recepción, y viceversa, se efectúa manualmente; podría, por consiguiente, llamársele *símplex monofrecuencia de inversión manual* o *símplex con conmutación controlada manualmente.* CF. **single-frequency duplex.**

single-frequency sound   sonido de frecuencia única. CF. **complex sound, simple sound.**

single-frequency spectrum component   componente espectral de frecuencia única, componente de frecuencia única del espectro.

single-gang faceplate   *(Elec)* chapa de salida simple. CF. **multigang faceplate.**

single-gang selector (switch)   selector monopolar, conmutador de una sola sección. Conmutador con un contacto móvil que recorre una serie de contactos fijos; se usa p.ej. para seleccionar una entre una serie de tomas o derivaciones.

single-gap output cavity   *(Tubos de microondas)* cavidad de salida de una sola abertura.

single grade   *(Ferroc)* pendiente uniforme. Pendiente obtenida dividiendo el desnivel entre dos puntos por su distancia horizontal.

single-green-silk-covered wire   hilo forrado con una capa de seda verde.

single-grid tube   *(Elecn)* válvula monorrejilla, tubo (electrónico) de una sola rejilla. SIN. **single-grid valve** *(GB)*. CF. **multigrid tube.**

single-grid valve *(GB)*   *(Elecn)* válvula monorrejilla. A VECES: lámpara monorrejilla. V.TB. **single-grid tube.**

single-grid wiring   *(Elec)* canalización de red simple.

single-groove   *adj: (Discos fonog)* monosurco, de un solo surco || *(Poleas)* de una garganta || *(Soldadura)* de ranura sencilla.

single-groove record   *(Fonog)* disco monosurco [de un solo surco]. Disco en el cual se utiliza un solo surco (una sola espiral modulada) para inscribir los distintos canales de un sistema estereofónico. Este es el tipo universal de los discos actuales. La expresión se utilizó en oposición a ciertos discos experimentales que surgieron al principio de los sistemas estereofónicos, en los cuales se empleaban dos surcos paralelos, cada uno de ellos modulado por la señal de un canal. Para la reproducción se necesitaban dos fonocaptores (uno para cada surco) cuyo perfecto paralelismo era muy difícil de mantener; aparte de que la doble espiral ocupaba demasiado espacio en la cara del disco. Luego se normalizó el surco único de doble modulación, una lateral u horizontal y la otra vertical, que fue reemplazado en poco tiempo por el sistema definitivo, en el cual las modulaciones de los dos canales (el de la izquierda y el de la derecha) siguen estando en ángulo de 90° una respecto a la otra, pero rotadas de manera que cada una de ellas está a un ángulo de 45° respecto a la superficie del disco. En otras palabras, las paredes del surco tienen modulaciones independientes, están a 90° entre sí, y a 45° respecto al plano horizontal. Este es el sistema llamado "45°/45°" o *sistema Westrex,* que se sigue utilizando para las grabaciones estereofónicas de cuatro canales, con la adición de otras técnicas para los dos canales suplementarios (matrizaje o portadoras ultrasónicas). CF. **carrier-frequency stereo disk, CBS stereo disk, dual-groove record, quadraphony.**

single-groove stereo   v. **single-groove stereophonic recording.**

single-groove stereophonic disk record   disco estereofónico monosurco. v. **single-groove record.**

single-groove stereophonic recording   disco estereofónico monosurco. SIN. **monogroove stereophonic recording.** v. **single-**

groove record.

single-gun chromatron (tube)   cromatrón. v. **chromatron**.

single-gun color (television) tube   tubo de televisión en colores de un solo cañón, cinescopio de colores de cañón único.

single-gun tricolor tube   *(Tv)* tubo tricolor de un solo cañón, cinescopio tricolor monocañón.

single-gun tube   *(Elecn)* tubo monocañón [de cañón único]. CF. **multigun tube**, **single-beam oscilloscope**.

single-harmonic distortion   distorsión por armónica única.

single hit   *(Nucl)* impacto simple [único]. CF. **double hit**.

single-hit event   fenómeno de impacto único.

single hop   *(Radiocom)* salto único. En los sistemas de microondas, vano o trayectoria de propagación entre dos estaciones que se comunican sin repetidor intermedio | salto único, reflexión única. En la propagación de ondas cortas o por intermedio de satélites, trayectoria con una sola reflexión en la ionósfera o en el satélite, según el caso.

single-hop microwave link   radioenlace de microondas de un solo salto [vano].

single-hop path   *(Radiocom)* trayectoria de un solo salto.

single-hop propagation   *(Radiocom)* propagación por un salto; transmisión mediante una sola reflexión (en la ionósfera).

single-hop radio relay   radioenlace [enlace hertziano] de un solo salto.

single-hop range   *(Radiocom)* alcance mediante una sola reflexión en la ionósfera.

single ignition   *(Mot)* encendido sencillo.

single image   imagen única.

single-image photogrammetry   fotogrametría por imagen única.

single inductive shunt   *(Tracción eléc)* shunt inductivo simple. Shunt inductivo que comprende una sola bobina sobre un núcleo, insertada en un circuito de derivación [diverting circuit] (CEI/57 30–15–330).

single isolated wheel load [SIWL]   *(Avia)* carga de rueda simple aislada.

single-item eject   *(Informática)* expulsión de ítem por ítem.

single-item eject switch   interruptor de expulsión de ítem por ítem.

single J insulator spindle   *(Líneas aéreas)* soporte simple en J.

single journey   *(Avia)* viaje de ida. SIN. **single trip**.

single junction   *(Semicond)* unión única.

single-junction   *adj: (Semicond)* uniunión, de unión única.

single-junction photosensitive semiconductor   v. **unijunction photosensitive semiconductor**.

single-junction transistor   v. **unijunction transistor**.

single-knob tuning   sintonía monocontrol [con un solo mando], sintonía por medio de un solo botón, sintonización mediante una sola perilla. SIN. **single-control tuning**. CF. **single-dial control**.

single-lane road   camino de una sola vía.

single layer   capa única; estrato único.

single-layer coil   bobina de una capa.

single lens   lente única; objetivo único.

single-lens camera   cámara simple.

single-lens reflex camera   cámara reflex de un objetivo. v. **reflex camera**.

single light   luz única.

single light unit   *(Ferroc)* unidad luminosa simple. Unidad luminosa que no puede presentar más que una luz de un solo color (CEI/59 31–05–040).

single line   línea única || *(Ferroc, Túneles)* vía única || *(Cucharones de grúa)* cable único.

single-line   *adj:* de línea única || *(Cucharones de grúa)* monocable, de cable único, de un solo cable || *(Diagramas)* unilineal, unifilar || *(Ferroc, Túneles)* de vía única, de una vía.

single-line contact   *(Elec)* contacto sencillo.

single-line diagram   diagrama unilineal, esquema unilineal [unifilar]. Diagrama o esquema en el cual los enlaces entre componentes o elementos están representados por una línea sencilla, aunque

en el circuito real necesiten dos o más conductores; son de esta clase los diagramas en bloques (v. **block diagram**). SIN. **single-line drawing**, **single-line schematic diagram**.

single-line drawing   *(Elec/Elecn)* plano unilineal. v. **single-line diagram**.

single-line of ducts   *(Telecom)* conducto unitario. SIN. **single-duct conduit**.

single-line schematic diagram   *(Elec/Elecn)* esquema unilineal [unifilar]. v. **single-line diagram**.

single-line subscriber   *(Telef)* abonado a una sola línea; abonado con una sola línea.

single-loop feedback   realimentación por bucle único, reacción que sólo puede ocurrir por un camino eléctrico.

single motion   movimiento único.

single-motion switch   *(Telecom)* conmutador de un movimiento. CF. **two-motion selector**.

single-needle system   *(Teleg)* telégrafo de aguja. Sistema telegráfico en el cual los elementos de señal Morse son indicados por la desviación hacia la derecha y hacia la izquierda de una aguja vertical.

single-node   *adj:* uninodal, de un (solo) nodo.

single-node vibration   vibración uninodal.

single normal switch   *(Ferroc)* cambio sencillo normal. Cambio que se halla intercalado en un alineamiento recto.

single operation   operación única || *(Informática)* operación individual || *(Telecom)* v. **simplex operation**.

single-operation key   *(Informática)* tecla de operación individual; tecla que ejecuta una sola instrucción.

single-operator   *adj: (Máq)* de un solo operario, de un solo operador || *(Telecom)* con un solo operador.

single-operator ship   buque con un solo operador [radiotelegrafista].

single-particle model   *(Nucl)* modelo de partículas independientes. v. **independent-particle model**.

single-perforated film   *(Cine)* película de perforación sencilla [de una sola hilera de perforaciones].

single-petticoat insulator   *(Telecom)* aislador de simple campana [de campana sencilla, de una sola campana]. SIN. **single-shed insulator**.

single-phase   *adj:* monofásico. De una sola fase; que posee, comprende o utiliza una sola fase (v. **phase**). CF. **polyphase** || *(Elec)* monofásico. (**1**) Alimentado por una tensión alterna simple; que produce una tensión alterna simple. (**2**) Que produce, utiliza o transforma corriente monofásica || *(Met)* monofásico.

single-phase alloy   *(Met)* aleación monofásica.

single-phase alternator   *(Elec)* alternador monofásico.

single-phase armature   *(Elec)* inducido monofásico.

single-phase bridge rectifier   rectificador monofásico en puente.

single-phase circuit   *(Elec)* circuito monofásico.

single-phase commutator motor   *(Elec)* motor monofásico de colector. CF. **polyphase commutator motor**.

single-phase commutator motor with self-excitation (Latour)   motor monofásico de colector con excitación interna (Latour). Motor monofásico de colector con dos juegos de escobillas [sets of brushes]; las escobillas de un juego están en cortocircuito, y las del otro están en serie *(motor en serie)* o en derivación *(motor en shunt)* con el devanado inductor [primary winding], sea directamente, sea por intermedio de un transformador (CEI/56 10–15–125).

single-phase commutator motor with series compensating winding   motor monofásico de colector con devanado compensador en serie. Motor monofásico de colector en serie con un devanado de compensación en serie con los devanados principales [main windings] (CEI/56 10–15–130).

single-phase current   corriente monofásica.

single-phase-current locomotive   locomotora de corriente monofásica. Locomotora de tracción eléctrica que utiliza corriente monofásica para alimentar los motores de tracción.

single-phase-current system   sistema de corriente monofásica. CF. **single-phase system.**

single-phase full-wave bridge rectifier   rectificador monofásico de onda completa en puente.

single-phase full-wave rectifier   rectificador monofásico de onda completa.

single-phase half-wave rectifier   rectificador monofásico de media onda.

single-phase machine   *(Elec)* máquina monofásica. Expresión empleada en el lenguaje técnico corriente para designar una máquina que produce, transforma o utiliza corriente monofásica (CEI/56 10–05–085). CF. **polyphase machine.**

single-phase mains   red (de CA) monofásica, sector monofásico.

single-phase motor   *(Elec)* motor monofásico.

single-phase overhead line   *(Elec)* línea aérea monofásica.

single-phase sampling   muestreo monofásico.

single-phase series commutator motor   *(Elec)* motor monofásico en serie con colector. CF. **polyphase series commutator motor.**

single-phase series commutator motor with short-circuited compensating winding   motor monofásico en serie con colector y compensado en cortocircuito. Motor monofásico en serie con colector que comprende un devanado de compensación cerrado en cortocircuito sobre sí mismo [short-circuited on itself] (CEI/56 10–15–135).

single-phase series motor   motor monofásico en serie.

singe-phase shunt motor   motor monofásico en shunt.

single-phase synchronous generator   generador sincrónico monofásico.

single-phase synchronous motor   motor sincrónico monofásico.

single-phase system   *(Elec)* sistema monofásico. Sistema alimentado por una tensión alterna simple [single alternating voltage] (CEI/56 05–40–075). CF. **polyphase system.**

single-phase transformer   *(Elec)* transformador monofásico. Expresión empleada en el lenguaje técnico corriente para designar un transformador que produce, transforma o utiliza corriente monofásica (CEI/56 10–05–085). CF. **polyphase transformer.**

single-phaser   dispositivo monofásico; máquina monofásica.

single phasing   *(Líneas trifásicas)* puesta a una fase (avería) ‖ *(Mot trifásicos)* funcionamiento con una sola fase.

single-picture device   *(Cine)* dispositivo para tomas cuadro por cuadro [para toma de vistas individuales].

single-picture movement   *(Cine)* proyección cuadro por cuadro, proyección de vistas individuales.

single-piece   *adj:* enterizo, de una pieza; monobloque.

single-pitch roof   techo a una agua, techo de agua simple, techo a simple vertiente; cubierta a una agua, cubierta de una vertiente.

single-plane winding   devanado en una capa.

single-plate clutch   embrague monodisco [de platillo único].

single-plug patch cord   cordón de interconexión de clavija sencilla.

single-ply cardboard   cartón de una hoja.

single-point boring tool   herramienta de barrenar de una (sola) punta.

single-point cutting tool   herramienta de cortar de una (sola) punta.

single-point grounding   *(Elec/Elecn)* puesta a tierra de punto único.

single-point recorder   registrador de punto único [de una sola traza].

single-point thermostat   termostato de acción simple.

single-point tool   herramienta de una (sola) punta, herramienta de punta única [simple].

single-polarity   *adj:* unipolar, monopolar.

single-polarity pulse   impulso unidireccional. v. **unidirectional pulse.**

single-polarity pulse train   tren de impulsos unidireccionales. v. **unidirectional pulse train.**

single-polarized   *adj:* de polarización única.

single-polarized antenna   antena de polarización única.

single-pole   *adj:* unipolar, monopolar, de un (solo) polo ‖ *(Líneas aéreas)* de postes sencillos, sobre apoyos sencillos.

single-pole battery-regulating switch   *(Elec, Telecom)* reductor sencillo [de una polaridad].

single-pole changeover switch   *(Elec)* conmutador [inversor] unipolar.

single-pole double-throw knife switch   conmutador unipolar de cuchilla de dos vías [dos direcciones].

single-pole double-throw mercury switch   conmutador unipolar de mercurio de dos vías [dos direcciones].

single-pole double-throw relay   relé unipolar de dos vías, relé de un circuito y dos direcciones. v.TB. **single-pole double-throw switch.**

single-pole double-throw switch   *(Elec)* conmutador unipolar [monopolar] de dos vías, conmutador de un polo y dos vías, conmutador de un circuito y dos direcciones, conmutador de simple polo doble tiro. v. **switch.**

single-pole fuse   *(Elec)* fusible unipolar.

single-pole head   *(Registro mag)* cabeza unipolar | v. **single-pole-piece (magnetic) head.**

single-pole knife switch   *(Elec)* conmutador unipolar de cuchilla; interruptor unipolar de palanca.

single-pole line   *(Telef/Teleg)* línea sobre apoyos sencillos.

single-pole overload circuit breaker   *(Elec)* disyuntor de máxima unipolar, (interruptor) automático unipolar de sobreintensidad, disyuntor [interruptor automático] unipolar de sobrecarga.

single-pole-piece (magnetic) head   *(Registro mag)* cabeza (magnética) unipolar. Cabeza magnética con una sola pieza polar de un lado del medio o vehículo de registro.

single-pole relay   relé unipolar, relé de un solo circuito. v.TB. **single-pole switch.**

single-pole single-throw knife switch   conmutador unipolar de cuchilla de una vía [una dirección]; interruptor unipolar de cuchilla.

single-pole single-throw mercury switch   conmutador unipolar de mercurio de una vía [una dirección]; interruptor unipolar de mercurio.

single-pole single-throw switch   conmutador unipolar de una vía, conmutador de un polo y una vía, conmutador de simple polo simple tiro; interruptor unipolar.

single-pole switch   *(Elec)* conmutador unipolar [monopolar, de un polo]. Conmutador con un solo elemento de contacto móvil y un número cualquiera de contactos fijos; su accionamiento puede ser de palanca, rotativo, etc.

single-pole three-position switch   conmutador de un polo y tres posiciones, conmutador unipolar de tres posiciones.

single-ported slide valve   *(Locomotoras de vapor)* distribución plana simple. Distribución que tiene los orificios de admisión y de escape sobre una superficie plana.

single prism   *(Opt)* prisma sencillo.

single projector horn   bocina con un solo proyector.

single pulse   impulso único.

single-pulse trigger   *(Elecn)* disparador de impulso único.

single quartz crystal   monocristal de cuarzo.

single-range   *adj:* *(Aparatos)* de escala única, de una (sola) escala; de alcance único, de un (solo) alcance.

single-range shunt   *(Aparatos de medida)* shunt de alcance (de medida) único.

single-record turntable   *(Fonog)* tocadiscos manual.

single-reduction gear   (a.c. single-reduction gearing) engranaje de reducción simple, engranaje de simple reducción, engranaje con reducción sencilla ‖ *(Tracción eléc)* engranaje con reducción sencilla. Engranaje que establece la relación de la velocidad del inducido a la del eje en una sola etapa de reducción [stage of reduction] (CEI/57 30–15–520). CF. **double-reduction gear.**

single-reduction gearing   v. **single-reduction gear.**

single-rod lattice   *(Nucl)* celosía de barra simple.

single-rotation   *adj:* unidireccional, de sentido único, irreversible.

single-rotation propeller   hélice irreversible.

single-rotation stepping motor   motor paso a paso unidireccional [de sentido único]. Motor paso a paso que gira en un solo sentido. SIN. **unidirectional stepping motor.**

single-row   *adj:* de una fila, de una hilera, de fila [hilera] única.

single-row ball bearing   cojinete de bolas de fila única.

single-row engine   motor de una fila [hilera] de cilindros.

single ruling   *(Dib)* rayado simple.

single-run negative   *(Cine)* negativo único.

single-runaround wiring   *(Elec)* canalización de simple circunvalación.

single sampling   muestreo único.

single scattering   dispersión única. Desviación de una partícula respecto a su trayectoria original, debida a un encuentro con un solo centro dispersor en la substancia atravesada por la partícula. CF. **multiple scattering, plural scattering.**

single-seat   *adj:* monoplaza, de un solo asiento, con asiento para una (sola) persona ‖ *(Aviones)* monoplaza.

single-seater   *(Avia)* monoplaza.

single-section filter   *(Elec)* filtro de célula única [de una sola sección].

single-section low-pass filter   filtro pasabajos de célula única.

single shear   *(Mec)* esfuerzo cortante simple [sencillo]; esfuerzo cortante en un solo lado; cortadura simple.

single-sheave block   monopasto, motón sencillo; cuadernal de una roldana.

single-shed insulator   *(Telecom)* aislador de simple campana. SIN. **single-petticoat insulator.**

single-sheet stop   *(Informática)* parada por hoja única.

single shift   jornada única [simple], turno único, una sola jornada.

single shot   disparo único ‖ *(Minas)* barreno aislado.

single-shot blocking oscillator   *(Elecn)* oscilador de bloqueo uniciclo [de ciclo simple]. Oscilador de bloqueo adaptado o modificado de modo que funcione como circuito de disparo uniciclo [single-cycle trigger circuit, single-shot trigger circuit] ‖ multivibrador monoestable. SIN. **one-cycle [one-shot, start-stop] multivibrator, flip-flop.**

single-shot dropout   *(Elec)* caída de un solo tiro.

single-shot multivibrator   *(Elecn)* multivibrador uniciclo, multivibrador de ciclo [período] simple. Multivibrador adaptado o modificado de modo que funcione como circuito de disparo uniciclo [single-cycle trigger circuit, single-shot trigger circuit]. SIN. **one-cycle [one-shot, start-stop, single-trip] multivibrator** ‖ multivibrador monoestable. v. **monostable multivibrator.**

single-shot trigger circuit   *(Elecn)* circuito de disparo uniciclo [de ciclo simple, de período simple]. Circuito de disparo que al recibir el impulso gatillador [triggering pulse] da comienzo a un ciclo de estados o condiciones que termina en un estado estable. SIN. **single-trip trigger circuit.**

single-side rack   *(Elecn/Telecom)* bastidor de una sola cara.

single sideband [SSB]   *(Telecom)* banda lateral única [BLU]. v. **single-sideband transmission.**

single-sideband carrier system   sistema de (corrientes) portadoras de banda lateral única.

single-sideband communication   comunicación por banda lateral única. v. **single-sideband transmission.**

single-sideband converter   *(Rec)* adaptador de banda lateral única, convertidor para recepción de banda lateral única. Aparato que, conectado a la salida del amplificador de frecuencia intermedia de un receptor de modulación de amplitud, permite utilizar éste para la recepción de señales de banda lateral única. CF. **single-sideband receiver.**

single-sideband distortion   distorsión de banda lateral única.

single-sideband equipment   equipo de banda lateral única.

single-sideband filter   filtro de banda lateral única. Filtro utilizado para suprimir una de las bandas laterales (y a veces también la portadora) de una señal modulada. Se trata de un filtro pasabanda de característica asimétrica, es decir, que la pendiente de su curva de respuesta es más pronunciada de un lado que del otro. CF. **vestigial-sideband filter.**

single-sideband frequency-division multiplexing   multiplexión por división de frecuencia de banda lateral única. Sistema de multiplexión por división de frecuencia y transmisión de banda lateral única (v. **single-sideband transmission**).

single-sideband keyed tone   *(Teleg)* tono de banda lateral única manipulado.

single-sideband modulation   modulación de banda lateral única. v. **single-sideband transmission.**

single-sideband modulator   modulador de banda lateral única.

single-sideband radiotelephony   radiotelefonía de banda lateral única.

single-sideband receiver   receptor de banda lateral única. Receptor apto para la recepción de transmisiones de banda lateral única (v. **single-sideband transmission**); por lo general cuenta con medios de reinsertar localmente la onda portadora que puede haber sido suprimida en el punto de origen de la transmisión. CF. **single-sideband converter.**

single-sideband suppressed-carrier modulation   modulación de banda lateral única con supresión de la portadora [con portadora suprimida]. v. **single-sideband transmission.**

single-sideband system   sistema de banda lateral única.

single-sideband transmission   *(Telecom)* transmisión [emisión] de banda lateral única, transmisión por una banda lateral, transmisión con una sola banda lateral, emisión con banda lateral única. Transmisión en la cual (después de la modulación) se suprime una de las bandas laterales y se transmite la otra, que contiene toda la información; la frecuencia portadora puede ser transmitida o suprimida total o parcialmente. El sistema de transmisión de banda lateral única ocupa menos espacio en el espectro de frecuencias, lo cual tiene varias ventajas: la potencia de emisión puede ser menor para una intensidad de señal dada a la salida del detector (receptor); las posibilidades de interferencia con otras emisiones disminuye grandemente; y la señal está mucho menos sujeta a desvanecimientos selectivos [selective fading]. La banda lateral suprimida puede ser la inferior [lower sideband] o la superior [upper sideband] ‖ transmisión de banda lateral única. Método de utilización de una vía, según el cual sólo se transmite la banda lateral superior o la banda lateral inferior resultantes de una modulación. NOTA: En la práctica, la portadora es parcial o completamente suprimida (CEI/70 55–15–020) ‖ emisión de banda lateral única. Emisión en la cual se transmite una sola de las bandas laterales, siendo la otra suprimida o muy atenuada; por lo tanto, las emisiones de banda lateral única son a menudo, también, de portadora reducida o suprimida (CEI/70 60–06–045) ‖ CF. **double-sideband transmission, independent-sideband transmission, suppressed-carrier transmission, vestigial-sideband transmission.**

single-sideband transmitter   transmisor [emisor] de banda lateral única.

single-sideband working   v. **single-sideband transmission.**

single-sided   *adj:* unilateral ‖ *(Bastidores)* de una sola cara ‖ *(Pliegos)* escrito por un solo lado ‖ *(Puertas)* de una hoja ‖ *(Rotores)* con una (sola) cara activa.

single signal   *(Radiocom)* monoseñal, señal única.

single-signal receiver   receptor monoseñal. Receptor superheterodino de gran selectividad, con un filtro de cristal piezoeléctrico en el amplificador de frecuencia intermedia; se destina a la recepción de señales telegráficas.

single-signal reception   recepción monoseñal. Recepción mediante un receptor monoseñal.

single-signal selectivity   selectividad monoseñal. Selectividad propia del receptor monoseñal.

single-signal superhet   v. single-signal superheterodyne receiver.

single-signal superheterodyne receiver   receptor superheterodino monoseñal. v. single-signal receiver.

single-silk-covered copper wire   hilo de cobre cubierto de seda [con forro sencillo de seda].

single-silk-covered wire   hilo cubierto de seda, hilo con forro sencillo de seda.

single slip switch   *(Ferroc)* travesía de unión sencilla, cambio inglés simple. Combinación o conjunto de travesías ordinarias y cambios que permiten establecer enlaces entre las vías de un solo lado de la travesía.

single sound track   *(Electroacús)* pista sonora sencilla.

single-speed   *adj:* de velocidad única, de una (sola) velocidad.

single-speed floating action   *(Automática)* acción flotante de velocidad única. Acción flotante en la cual interviene un órgano de control final [final controlling element] que se mueve a una sola velocidad.

single-stage   *adj:* monoetápico, monoetapa, de etapa única, de una (sola) etapa; de paso único, de un paso; de un grado; de un escalón; de una fase.

single-stage amplifier   amplificador de una etapa.

single-stage diffusion pump   bomba difusora monoetápica [de etapa única].

single-stage diffusion unit   *(Nucl)* unidad difusora de etapa única.

single-stage process   procedimiento de una sola etapa.

single-stage pump   bomba monoetápica [de etapa única].

single-stage recycle   *(Nucl)* recirculación de etapa única.

single-stage regulator   regulador monoetápico.

single-stage repeater   *(Telecom)* repetidor de una etapa.

single-stage rocket   *(Tecn espacial)* cohete de un cuerpo; cohete de una fase de impulsión.

single-stage sampling   muestreo monoetápico.

single-stage separator   *(Nucl)* separador de una etapa.

single-stage supercharger   *(Mot)* sobrealimentador de un solo paso.

single-stage turbine   turbina de expansión simple [de una expansión, de un escalón, de grado único], turbina monoetápica.

single-station assembly machine   *(Fáb)* máquina de ensamblado de estación única, máquina de armado (de aparatos) en la que todas las piezas llegan al mismo puesto.

single steel-wire armoring   *(Cables)* armadura simple de alambres de acero.

single-step rocket   v. single-stage rocket.

single-stroke bell   *(Telecom)* timbre de golpe sencillo; timbre intermitente.

single-stroke chime   carillón de un solo toque.

single-stub transformer   *(Líneas coaxiles)* transformador de un brazo. Trozo de línea coaxil en cortocircuito que va conectado a la línea principal, cerca de una discontinuidad, para obtener adaptación de impedancias en esta última.

single-stub tuner   sintonizador de un brazo. Dispositivo consistente en un trozo de línea de transmisión terminado en un pistón de cortocircuito móvil [movable short-circuiting plunger], y que va unido a una línea principal para fines de adaptación de impedancias.

single-sweep operating mode   *(Osciloscopios)* funcionamiento de barrido único. v. single-sweep operation.

single-sweep operation   *(Osciloscopios)* funcionamiento de barrido único. Modalidad de funcionamiento de un osciloscopio de barrido mandado por señal exterior, en el que es necesario reponer los circuitos después de cada ciclo, con lo cual se evitan los osciolgramas múltiples indeseados. Después de la reposición y mientras no sea disparado el próximo ciclo de barrido, se dice que el osciloscopio está *armado* [armed].

single-swing blocking oscillator   oscilador de bloqueo monocíclico [de una sola oscilación]. Oscilador de bloqueo que se corta al terminar o antes de terminar un ciclo de funcionamiento, debido a la acumulación de una carga negativa en el capacitor de rejilla. CF. single-shot blocking oscillator.

single-switch call   *(Telecom)* comunicación de simple tránsito; communicación de tránsito con una (sola) conexión.

single-switching electric control   control eléctrico de conmutación sencilla.

single-tank circuit breaker   *(Elec)* interruptor de cuba única. Interruptor multipolar [multipole circuit breaker, multipole switch] en baño de aceite que no comprende más que una cuba, en la cual se encuentran reunidos los elementos correspondientes a todos los polos. SIN. single-tank switch (CEI/57 15-10-010) | disyuntor de cuba única.

single-tank oil breaker   *(Elec)* interruptor [disyuntor] en aceite de cuba única.

single-tank oil circuit breaker   interruptor [disyuntor] en aceite de cuba única.

single-tank switch   interruptor de cuba única. v. single-tank circuit breaker.

single-tapped   *adj: (Elec)* con una toma, con una derivación.

single-tapped resistor   resistor con una toma.

single-target radar   radar de objetivo [blanco] único.

single test   prueba única; prueba individual.

single thread   rosca simple [sencilla], filete sencillo; hilo (de un cabo).

single-thread screw   tornillo de rosca simple [sencilla].

single-throw   *adj: (Cerradura)* de una vuelta || *(Cigüeñales)* simple, de un codo || *(Conmut)* de una vía, de una dirección, (de) simple tiro, de una posición activa.

single-throw circuit breaker   disyuntor de una vía; interruptor.

single-throw double-pole switch   conmutador bipolar de una vía [una dirección]; interruptor bipolar.

single-throw switch   conmutador de una vía [una dirección], conmutador de una sola posición activa [de simple tiro]; interruptor. NOTA: En el artículo *switch* se da la terminología básica usada en la designación de los conmutadores en general.

single-tone keying   *(Teleg)* manipulación de tono único. Manipulación bivalente [two-condition keying] en la que uno de los dos estados o condiciones corresponde a la modulación de la portadora por un tono único, y el otro estado corresponde a la ausencia de toda modulación.

single-trace   *adj:* de una sola traza; de trazo sencillo || *(Aparatos registradores)* monocurva, de una sola curva.

single track   vía única; pista única || *(Electroacús)* pista sencilla (de registro magnético) | pista sencilla [normal] (de registro fotográfico). Pista de registro fotográfico del sonido, de densidad variable o de área variable, en la cual la mitad positiva y la mitad negativa de la señal son registradas linealmente. v. variable-density track, variable-area track.

single-track   *adj:* de vía única, de una vía; de pista única, de una (sola) pista, de pista sencilla, monopista.

single-track bridge   puente de una vía.

single-track line   *(Ferroc)* vía simple, vía sencilla. Línea constituida por una vía. CF. double-track line, quadruple track line.

single-track magnetic system   sistema de registro magnético de una sola pista.

single-track magnetic-tape recording   registro monopista en cinta magnética.

single-track recorder   registrador (magnético) monopista, registrador magnético de una sola pista.

single traction   *(Ferroc)* tracción simple. Traslación mediante un solo vehículo de tracción.

single trip   *(Avia)* viaje de ida. SIN. single journey.

single-trip multivibrator   *(Elecn)* multivibrador uniciclo [de ciclo simple]. v. single-shot multivibrator.

single-trip trigger circuit   *(Elecn)* circuito de disparo uniciclo [de ciclo simple]. v. single-shot trigger circuit.

single-tube   *adj:* monotubo, monotubular, de tubo único, de un solo tubo.

single-tube arrangement   *(Elecn)* configuración monotubo, montaje monoválvula.

single-tube boiler   caldera monotubular.

single-tube injector   inyector de tubo único.

single-tuned amplifier   amplificador resonante a una frecuencia, amplificador con resonancia a frecuencia única.

single-tuned circuit   circuito resonante simple; circuito sintonizado simple, circuito de un solo elemento sintonizado.

single turn   vuelta única; espira única.

single-turn coil   bobina monoespira [de una sola espira, de una sola vuelta]. SIN. **loop.**

single-turn loop   *(Ant)* cuadro de una espira.

single-turn potentiometer   potenciómetro monovuelta [de una vuelta]. Potenciómetro cuyo contacto móvil recorre todo el elemento resistivo con una sola vuelta del eje de mando. CF. **multiturn potentiometer.**

single-turnout switch   *(Ferroc)* cambio sencillo. Cambio destinado a una sola desviación.

single U insulator spindle   *(Telef/Teleg)* soporte simple en U.

single-unit   *adj:* de una sola unidad, de un solo elemento; monounidad.

single-unit construction   construcción monounidad.

single-unit semiconductor device   dispositivo semiconductor sencillo. Dispositivo semiconductor con un solo conjunto de electrodos asociados a una misma corriente de portadores de carga.

single-unit spacing signal   *(Teleg)* señal de espacio unitario. Espacio o período de reposo cuya duración es igual a la de un solo elemento de señal. En telegrafía Morse, espacio de un punto entre los elementos de una misma letra u otro carácter; el espacio entre letras sucesivas es de tres puntos, y entre palabras sucesivas, de cinco puntos (mínimo).

single-valued correspondence   correspondencia unívoca. Correspondencia entre los elementos de dos conjuntos cuando a cada elemento del primero corresponde inequívocamente un solo elemento del segundo.

single-valued function   *(Mat)* función unívoca [monovalente, de simple valuación], función uniforme. Función que toma un valor único para todo sistema de valores de las variables.

single-vertical-wire antenna   antena de conductor vertical, antena monofilar vertical.

single-wave   *adj:* monoonda, de una onda; monofásico; de una alternancia.

single-way   *adj:* de una vía; de una dirección.

single-way connection   *(Elec)* acoplamiento de una sola dirección. Modo de conexión de un convertidor estático [static converter] en el que cada uno de los bornes de fase [phase terminals] del circuito de corriente alterna no está unido más que a ánodos o a cátodos (CEI/56 11-20-005). CF. **double-way connection.**

single-way radio link   *(Telecom)* radioenlace unidireccional, enlace hertziano unilateral.

single-wedge polariscope   polariscopio de cuña simple.

single-welded   *adj:* de soldadura simple.

single-welded lap joint   junta solapada de soldadura simple; junta solapada soldada por un solo canto.

single winding   bobinado [encanillado] sencillo ‖ *(Elec)* devanado sencillo; devanado de circuito único.

single wire   hilo único ‖ *(Telecom)* circuito unifilar; línea unifilar.

single-wire   *adj:* unifilar, monofilar, de un solo hilo; unipolar.

single-wire aerial   v. **single-wire antenna.**

single-wire antenna   antena monofilar [unifilar, de un solo hilo]. Antena consistente en un solo hilo o conductor. SIN. **single-wire aerial.**

single-wire circuit   *(Elec)* circuito monofilar ‖ circuito unifilar. Circuito compuesto de un solo hilo, cerrado por medio de la tierra o la masa (CEI/38 05-40-040, CEI/56 05-40-055) ‖ *(Telecom)*

circuito unifilar [monofilar, de un solo conductor], circuito con retorno por tierra. SIN. **ground-return [earth-return] circuit.**

single-wire connection   conexión unifilar.

single-wire dialing   *(Telecom)* acción de marcar por un solo hilo (con vuelta por tierra). CF. **loop dialing.**

single-wire end-fed antenna   antena monofilar alimentada por un extremo, antena monofilar de carga [excitación] por una extremidad. SIN. **antena monofilar en L.**

single-wire-fed antenna   antena de alimentación unifilar.

single-wire line   línea unifilar [monofilar, de un solo conductor] ‖ v. **single-wire circuit.**

single-wire rhombic antenna   antena rómbica unifilar.

single-wire route   *(Telecom)* línea unifilar. SIN. **single-wire line** ‖ v. **single-wire circuit.**

single-wire transmission line   (a.c. single-wire line) línea de transmisión unifilar [monofilar, de un solo conductor] ‖ *(Microondas)* guíaondas cilíndrico. SIN. **rod** ‖ línea "G", hilo Goubau. v. **G line** ‖ guía [guíaondas, guía de ondas] unifilar. v. **guide wire.**

single-wired   *adj:* unifilar, monofilar.

single-wound   *adj:* devanado en capa única [en una sola capa]. Dícese de una bobina con una sola capa de espiras; dícese de un resistor con una sola capa de hilo o de cinta de resistencia.

single-wrap splice   *(Cables)* empalme de enrollado simple. CF. **multiple-wrap splice.**

singlet   *(Fís)* singulete. Raya del espectro que sigue observándose como raya única por grande que sea el poder separador de los aparatos utilizados; dícese por oposición a *multiplete* [multiplet].

singly   *adv:* individualmente, separadamente, de uno en uno.

singly charged ion   ion de carga única.

singly curved surface   *(Mat)* superficie de una sola curvatura.

singular   *(Gram)* número singular ‖‖ *adj:* singular, único; extraordinario; simple, sencillo; aparte, aislado; extraño, raro ‖ *(Mat)* singular.

singular curve   *(Mat)* curva singular. Curva de una superfie tal que todo punto de la primera es punto singular [singular point] de la segunda.

singular point   *(Mat)* punto singular. Punto de una curva en el cual deja de ser regular la función que la representa; es decir, que en ese punto la función no tiene derivada.

singular solution   *(Mat)* solución singular. Solución de una ecuación diferencial [differential equation] que no constituye un caso particular de la solución general.

singular transformation   *(Mat)* transformación singular.

singular value   *(Mat)* valor singular.

singularities   singularidades ‖ *(Mat)* puntos singulares. v. **singular point.**

singularity   singularidad.

sinistrorsal   v. **sinistrorse.**

sinistrorse, sinistrorsal   *adj:* *(Bot, Zool)* sinistrorso. Que se tuerce o enrosca hacia la izquierda. Torcido en espiral de derecha a izquierda.

sinistrorsum   *adj:* sinistrórsum. Que va de derecha a izquierda. Lo contrario de *dextrorso.*

sink   *(Elecn/Telecom)* carga; dispositivo consumidor (de energía); absorbedor [sumidero] de energía ‖ sima. Región del diagrama de Rieke (v. **Rieke diagram**) donde se pone de manifiesto la máxima variación de frecuencia respecto a la fase del coeficiente de reflexión [reflection coefficient] ‖ (*i.e.* heat sink) sumidero térmico, disipador de calor ‖ *(Mec de los fluidos)* sumidero, punto en que muere un flujo ‖ *(Buques)* sentina ‖ *(Constr, Ing sanitaria)* cavidad; pileta, fregadero; sumidero, sentina; vertedero; albañal ‖ *(Hidr)* receptor ‖ *(Geofís)* fosa ‖ *(Geol)* depresión; dolina (depresión o sima que se forma en los terrenos calcáreos) ‖ *(Topog)* depresión, sima; hoyada, hondonada, terreno bajo ‖‖ *verbo:* ahondar; hundir(se); sumir(se); disminuir, rebajar; decaer, declinar, menguar; introducirse, penetrar; clavar en la tierra ‖ *(Buques)* hundir, echar a pique; hundirse, irse a pique, naufragar; anegarse ‖ *(Cajones)* bajar, calar, hundir ‖ *(Cimientos, Terrenos)* asentarse, hundirse ‖ *(Pozos)* abrir, cavar; ahondar, profundizar.

sinker   *(Transistores integrados)* región de penetración. Región N+ inmediata a la de contacto del colector y que penetra hasta la *isla N+* [N+ island] que se encuentra por debajo de dicho electrodo; tiene por objeto reducir la resistencia de colector ‖ *(Petr)* barra de sobrecarga. Barra que se le pone a una herramienta de perforación para aumentar su peso.

sinker bar   *(Petr)* barra de sondeo; barra perforadora [maestra, de percusión], barra de hinca; barra unida al cable. Barra utilizada en el sondeo por percusión.

sinking   ahondamiento; hundimiento; disminución, rebaja; decaimiento, declinación, mengua; introducción, penetración; acción de clavar en la tierra ‖ *(Buques)* hundimiento; naufragio ‖ *(Cajones)* bajada, hundimiento ‖ *(Cimientos, Terrenos)* asentamiento, hundimiento ‖ *(Pozos)* ahondamiento, profundización.

sinking speed   velocidad de hundimiento [de inmersión, de descenso vertical] ‖ *(Avia)* componente vertical de descenso.

sinoidal   *adj:* senoidal, sinusoidal. v. **sinusoidal.**

SINPFEMO code   *(Radiocom)* código SINPFEMO. v. **SINPO code.**

SINPO code   *(Radiocom)* código SINPO. El Comité Consultivo Internacional de Radio ha recomendado (Rec. No. 141, Londres, 1953) el empleo de los códigos SINPFEMO y SINPO para reportar la bondad de las señales recibidas (en reemplazo de códigos más antiguos: Q, FRAME, RAFISBENQO, RISAFMONE). El reporte consiste en la palabra SINPO o SINPFEMO seguida de un grupo de 5 o de 8 cifras, respectivamente, que designan la bondad de otras tantas características de la señal, en escala de 5 a 1 (el 5 indica el grado óptimo). Ambos códigos pueden utilizarse en telefonía o en telegrafía.

sins   *(Naveg)* sins. Sistema de navegación marítima por inercia, utilizado en particular por los submarinos de propulsión nuclear. Se basa en el empleo de una plataforma estabilizada por giroscopio y de aparatos de sonar, y proporciona automáticamente la posición de la nave, su velocidad verdadera respecto al fondo del mar, y el norte verdadero. El término viene de *s*hip's *i*nertial *n*avigation *s*ystem.

sinter   *(Cerámica, Met, Quím)* concreción, aglutinación, aglomeración (por calor, por vitrificación); fritado, fritaje; sinterizado; masa formada por sinterización | sínter. Coalescencia en una masa única, sin licuación efectiva, bajo la influencia del calor | v.TB. **sintering** ‖ *(Geol, Miner)* toba, geiserita. Depósito concrecionario de sílice opalina | toba. Corteza o sedimento químico (como de sílice porosa) depositado por una corriente de aguas minerales /// *verbo:* concrecionar; aglutinarse; aglomerar(se) (por calor, por vitrificación); fritar | sinterizar. (**1**) Soldar entre sí (p.ej. las partículas de un polvo metálico) parcialmente y sin fusión. (**2**) Formar una masa homogénea por calentamiento sin fusión. v.TB. **sintering.**

sintered   *adj:* sinterizado; fritado; aglutinado, aglomerado.

sintered aluminum powder   polvo de aluminio sinterizado.

sintered-bronze bearing   cojinete de bronce sinterizado.

sintered carbide   carburo sinterizado.

sintered cathode   cátodo sinterizado.

sintered compact   comprimido sinterizado; pastilla sinterizada.

sintered conductor   conductor sinterizado. Conductor eléctrico que se obtiene aplicando el metal en forma de polvo a una base apropiada y sometiéndolo a una combinació de alta temperatura y presión mediante troqueles calientes; se obtienen así intrincadas configuraciones o redes de conductores sólidos.

sintered glass   vidrio sinterizado.

sintered iron   hierro sinterizado.

sintered magnetic material   material magnético sinterizado.

sintered metal   metal sinterizado.

sintered metallic powder   polvo metálico sinterizado.

sintered plate   placa sinterizada. Placa de acumulador alcalino [alkaline storage battery] cuyo soporte se obtiene por sinterización de polvo metálico y en el cual se impregnan las materias activas

[active materials] (CEI/60 50–20–100).

sintered-plate storage battery   acumulador de placas sinterizadas.

sintered powder   polvo sinterizado.

sintered powder-metal magnetic alloy   aleación magnética [para imanes] de pulvimetal sinterizado.

sintered steel   acero sinterizado.

sintering   *(Cerámica, Met, Quím)* concreción, aglutinación, aglomeración (por calor y presión); fritado, fritaje | sinterización. (**1**) Proceso de aglutinación o aglomeración de un polvo metálico o de otra clase; primero se le somete a compresión en frío, para darle la forma deseada, y luego se le aplica calor para obtener un cuerpo fuerte de buena cohesividad. (**2**) Proceso de reunir en un cuerpo compacto partículas metálicas separadas, que generalmente es ayudado por el aumento de la presión y la temperatura; puesto que la velocidad de sinterización es mayor con partículas pequeñas que con grandes, el proceso es más importante con polvos (como en la metalurgia de polvos y en la calcinación de óxidos cerámicos) /// *adj:* sinterizante, de sinterización.

sinterization   sinterización; etc. v. **sintering.**

sinterize   *verbo:* sinterizar; etc. v. **sinter.**

sinterizing   sinterización; etc. v. **sintering.**

sinusoid   *(Mat)* sinusoide. Gráfica del seno (v. **sine**). SIN. **sine curve** /// *adj:* sinusoidal, senoidal.

sinusoidal   *adj:* sinusoidal, senoidal. (**1**) De forma semejante o parecida a la de la sinusoide [sinusoid, sine curve]. (**2**) Dícese de los fenómenos o las magnitudes cuyas variaciones en función del tiempo o del espacio son representadas gráficamente por una sinusoide. (**3**) Que varía en proporción al seno (v. **sine**).

sinusoidal amplitude modulation   modulación de amplitud sinusoidal.

sinusoidal carrier wave   onda portadora sinusoidal.

sinusoidal component   componente sinusoidal.

sinusoidal current   corriente sinusoidal [senoidal]. SIN. **sine-wave current, simple harmonic current.**

sinusoidal distribution   distribución sinusoidal.

sinusoidal electromagnetic wave   onda electromagnética sinusoidal.

sinusoidal electromotive force   fuerza electromotriz sinusoidal.

sinusoidal field   campo sinusoidal. Campo que varía según una función sinusoidal del tiempo o del espacio (CEI/38 05–05–040).

sinusoidal generator   generador de ondas [oscilaciones] sinusoidales; generador de tensión sinusoidal.

sinusoidal input   señal de entrada sinusoidal.

sinusoidal input signal   señal de entrada sinusoidal.

sinusoidal input voltage   tensión de entrada sinusoidal.

sinusoidal limit theorem   *(Mat)* teorema del límite sinusoidal.

sinusoidal modulation   modulación sinusoidal. Modulación en que la onda moduladora es sinusoidal.

sinusoidal oscillation   oscilación sinusoidal.

sinusoidal oscillator   oscilador de onda sinusoidal.

sinusoidal plane wave   onda plana sinusoidal.

sinusoidal quantity   magnitud sinusoidal. Magnitud que varía según una función sinusoidal de la variable independiente (CEI/38 05–05–155, CEI/56 05–02–030). CF. **periodic quantity.**

sinusoidal signal   señal sinusoidal. SIN. **sine-wave signal.**

sinusoidal-signal generator   generador de señales sinusoidales.

sinusoidal therapy   terapia por corrientes sinusoidales.

sinusoidal tone   tono sinusoidal; señal sinusoidal.

sinusoidal vibration   vibración sinusoidal.

sinusoidal voltage   tensión sinusoidal, voltaje senoidal.

sinusoidal wave   onda sinusoidal. v. **sine wave.**

sinusoidal-wave generator   generador de ondas sinusoidales.

sinusoidal-wave oscillator   oscilador de onda sinusoidal.

sinusoidal waveform   sinusoide, onda sinusoidal; señal sinusoidal. v. **sine wave.**

siphon, syphon   sifón. Tubo encorvado con el cual pueden trasvasarse líquidos de un recipiente o vaso a otro de nivel inferior, por efecto de la presión atmosférica. En el mismo principio se basa el empleo de un trozo de manguera para descargar un líquido de un recipiente; después de cebado (llenado) aquél, el líquido sigue fluyendo mientras la extremidad de descarga esté a nivel inferior al del líquido ‖ *(Obras de arte)* sifón. Conducto construido a través de un terraplén y que permite pasar el agua por un punto inferior a sus dos extremos ‖‖ *adj:* sifonal, sifónico, de sifón ‖‖‖ *verbo:* sifonar.

siphon barometer   barómetro de sifón.

siphon primer   cebador de sifón, cebasifón.

siphon recorder   *(Teleg)* sifón registrador, registrador [ondulador] de sifón ‖ registrador de sifón. (**1**) Aparato receptor utilizado en telegrafía submarina para trazar, sobre una banda de papel y por medio de un sifón lleno de tinta, una curva sinuosa que registra con suficiente exactitud la intensidad y el sentido de la corriente recibida (CEI/38 55-15-110). (**2**) Registrador sensible sobre cinta o banda [sensitive tape recorder], en el cual un pequeño sifón lleno de tinta registra la forma de las señales sobre un papel en movimiento continuo, bajo el mando de una corriente que recorre un sistema galvanométrico (CEI/70 55-75-140). CF. **ink recorder, undulator.**

siphonage   sifonaje.

siphonic   *adj:* sifónico.

siphoning   sifonamiento, sifonaje.

siren   sirena.

siren rotor   rotor de sirena.

siren-tone generator   generador de tono de sirena. Dispositivo electrónico que genera un sonido que semeja el de una sirena. Como ejemplo puede citarse un modelo de fabricación comercial en el cual (mediante una lámpara neón) se genera una onda en diente de sierra con frecuencia que varía entre 225 y 550 Hz. Se utiliza un multivibrador temporizador que controla la subida (intervalo de 5 segundos) y la bajada (intervalo de 7 segundos) del tono, entre los límites de frecuencia citados, obteniéndose de ese modo el sonido característico de la sirena, con la ayuda de un amplificador y los altavoces apropiados. El amplificador lleva, desde luego, su control de volumen.

sirocco   *(Meteor)* siroco.

sisal   henequén, sisal. LOCALISMO: pita.

sisal kraft paper   papel kraft de henequén.

sisal rope   soga de sisal, cuerda [cable] de henequén; cabuya.

SITA   Abrev. de Société internationale de télécommunications aéronautiques. La abreviatura es de uso internacional. El nombre en español es *Sociedad Internacional de Telecomunicaciones Aeronáuticas,* y en inglés *International Aeronautical Telecommunications Company.*

site   sitio, lugar; asiento, (lugar de) asentamiento; solar ‖ situación, ubicación, emplazamiento (de una obra); sitio de instalación, lugar de instalación [de emplazamiento, de (la) construcción]; terreno para las instalaciones. Lugar destinado a determinadas instalaciones (como p.ej. una estación de microondas) u ocupado por éstas; lugar donde se levanta una obra ‖ **at the installation site:** al pie de la obra ‖‖‖ *verbo:* ubicar, emplazar; trazar (una obra); seleccionar el sitio [el lugar] para las instalaciones, elegir un emplazamiento.

site angle   *(Topog)* ángulo vertical.

site condition   condición de emplazamiento.

site development   acondicionamiento del terreno (para las instalaciones).

site engineer   ingeniero de obras.

site error   *(Radionaveg)* error local [de emplazamiento]. Error debido a distorsión del campo radiado, por la presencia de objetos o de masas conductoras en las proximidades de la instalación ‖ error local. Error radiogoniométrico debido a irregularidades de forma, de naturaliza o del estado físico del terreno sobre el cual está instalado un radiogoniómetro, o masas conductoras vecinas (CEI/70 60-71-085). CF. **field alignment error, reradiation error.**

site error susceptibility   *(Radionaveg)* sensibilidad al error local. Expresión del poder de reducción del error local que poseen ciertos

tipos de radiogoniómetros, en razón de las dimensiones de su antena y de la forma de su diagrama de directividad; este poder de reducción puede ser expresado cuantitativamente respecto a un tipo especificado de aparato de referencia (CEI/70 60-71-090).

site interference   *(Radiocom)* interferencia [perturbación] debida al emplazamiento.

site monitoring   vigilancia local ‖ *(Radiol)* prospección local. Medida permanente o periódica de la variación con el tiempo de la dosis ambiente [local dose rate] (CEI/64 65-35-020). CF. **personnel monitoring.**

site noise   *(Radiocom)* ruido (radioeléctrico) local. Ruido radioeléctrico presente o predominante en el lugar de instalación de una estación receptora.

site noise figure   factor de ruido (radioeléctrico) local.

site noise level   nivel de ruido (radioeléctrico) local.

site reflections   *(Radiocom)* reflexiones locales [del emplazamiento].

site selection   selección del emplazamiento; elección de emplazamientos, selección de lugares [sitios] para las instalaciones. SIN. **siting.**

site survey   exploración de emplazamiento; reconocimiento del sitio de obra; estudios (prácticos) en el terreno.

site surveyor   inspector residente a pie de obra.

site test   prueba en el lugar de las instalaciones; prueba *in situ* [en obra].

site work   trabajo local; trabajo a pie de obra.

siting   emplazamiento, ubicación, situación, localización; selección del emplazamiento; estudio y elección de emplazamientos (p.ej. para las instalaciones de una red de microondas). V.TB. **site.**

siting data   datos de localización.

SITN   *(Teleg)* Abrev. de situation.

situation   situación; posición, ubicación, localización; colocación, plaza, puesto, empleo; circunstancias; incidente ‖ *(Arq)* orientación. TB. exposición. Dirección o posición de un edificio u otra construcción respecto a los puntos cardinales; se indica diciendo p.ej. que *la fachada da al sur* o que *el edificio presenta la fachada al este* ‖ *(Teleg)* situación. Refiérese generalmente a un informe que se da o se pide a la estación corresponsal, y que contiene los siguientes datos: números del último telegrama transmitido y recibido; tráfico pendiente de transmisión; números de los telegramas cuya recepción está pendiente; etc. ‖ V. **situation of proximity** ‖‖‖ *adj:* situacional.

situation-display tube   tubo (de rayos catódicos) de presentación de datos de la situación. Tubo de rayos catódicos de pantalla grande utilizado para presentar datos de actualidad (cuadros, diagramas, mensajes) en un centro militar.

situation of proximity   *(Telecom)* distancia (entre una línea de telecomunicación y una línea de energía). SIN. **exposure.**

situation report   informe de la situación.

situational   *adj:* situacional.

Sivicon   Sivicon. Marca registrada (N.V. Philips of Holland) de un tubo tomavistas de televisión del tipo de red de diodos de silicio.

six-angled   *adj:* hexagonal, exagonal.

six-digit dialing   *(Telef)* selección con seis cifras, marcación con seis dígitos [seis números].

six-electrode tube   *(Elecn)* hexodo, tubo de seis electrodos. V. **hexode.**

six-phase   *adj:* hexafásico, exafásico, de seis fases.

six-phase circuit   *(Elec)* circuito hexafásico.

six-phase converter   convertidor hexafásico.

six-phase double-star rectifier configuration   circuito rectificador hexafásico en doble estrella.

six-phase grid-controlled mercury arc rectifier   rectificador hexafásico de arco de mercurio controlado por rejilla.

six-phase half-wave rectifier   rectificador hexafásico de media onda.

six-phase parallel rectifier   rectificador hexafásico en paralelo.

six-phase ring connection   conexión hexafásica en anillo.

six-phase star connection   conexión hexafásica en estrella.

six-phase system   sistema hexafásico. v. **polyphase system.**

six-pole   *adj:* hexapolar, exapolar, de seis polos.

six-pole bandpass filter   filtro pasabanda hexapolar.

six-pole device   dispositivo hexapolar [de seis polos], hexapolo. SIN. **three-port device.**

six-pole direct-current motor   *(Elec)* motor hexapolar de corriente continua.

six-pole three-phase alternator   *(Elec)* alternador trifásico hexapolar.

six-pole tunable filter   filtro sintonizable hexapolar.

six-prong tube   tubo (electrónico) de seis patillas, válvula (electrónica) de seis patas.

six-sided   *adj:* hexagonal, exagonal, de seis lados.

six-tube receiver   *(Radio)* receptor de seis tubos [válvulas].

six-wire open transmission line   línea de transmisión hexafilar aérea. Línea de transmisión de seis hilos, apoyada en postes, que se usa para la alimentación de antenas.

sixfold   *adj:* séxtuplo; seis veces (más); de seis clases.

sixpenny nail   clavo de 2 pulgadas [50,8 mm].

16-mm black-and-white film   *(Cine)* película en blanco y negro de 16 mm.

16-mm film   película [cinta] de 16 mm.

16-mm optical-sound film projector   proyector (de cine) para película de 16 mm con sonido de registro fotográfico [óptico].

16-mm projector   proyector (cinematográfico) de 16 mm.

sixtypenny nail   clavo de 6 pulgadas [15,2 cm].

¹size   tamaño; medida, dimensión; dimensiones; magnitud, extensión; cabida, capacidad; volumen; diámetro; cantidad especificada; tipo de medida; formato; proporciones físicas; cantidad, extensión o medidas considerables || *(Alambres)* diámetro, calibre || *(Cables, Remaches, Tubos)* diámetro || *(Cabos)* grueso, mena; perímetro || *(Guías de ondas)* sección, dimensiones || *(Resistores)* valor (de resistencia); capacidad (de disipación) /// *verbo:* clasificar, disponer, agrupar o distribuir por tamaños o dimensiones; dimensionar, dar el tamaño apropiado; hacer, cortar, formar, rebajar o reducir al tamaño deseado o especificado; labrar (piezas) a tamaño; maquinar (piezas) a medidas finales; tomar las medidas, medir el tamaño (de un cuerpo u objeto); calibrar; cribar; evaluar, valuar, valorar, justipreciar, fijar valor | v. **size up** || *(Madera)* dimensionar, igualar, labrar; calibrar.

²size   v. **²sizing** /// *verbo:* aparejar, estofar; sisar || *(Papel, Telas, Pintura)* aparejar, aprestar, encolar, plastecer. Tratar o cubrir con barniz, cola, plaste, u otra substancia semejante (v. **²sizing**). CF. **prime.**

size control   *(Tv)* control de dimensionado (de la imagen). Uno de los controles manuales que permiten regular las dimensiones de la imagen reproducida en la pantalla; son dos: una para la regulación en dirección horizontal y el otro para el ajuste en dirección vertical. v. **width [horizontal-size] control, height [vertical-size] control.**

size effect   efecto del tamaño. Efecto que en los resultados del ensayo de un material tiene el tamaño de la muestra estudiada.

size limits   tolerancias dimensionales.

size margin   tolerancia dimensional.

size of a route   *(Telecom)* capacidad de una ruta.

size of picture   *(Tv)* tamaño de la imagen. v. **size control.**

size tolerance   tolerancia dimensional.

size up   *verbo:* juzgar, estimar, justipreciar; formar opinión; satisfacer ciertas especificaciones o requisitos.

¹sizing   clasificación, disposición, agrupación o distribución por tamaños o dimensiones; medida, medición, determinación del tamaño; clasificación volumétrica; calibración, calibrado, calibradura; cribado; granulometría; dimensionamiento; corte, hechura, formación o reducción al tamaño deseado o especificado; labrado (de piezas) a tamaño; maquinado (de piezas) a medidas finales || *(Madera)* dimensionamiento, igualación, labrado; calibración.

²sizing   (a.c. ²size) aderezo, aparejo, estofo || *(Papel, Telas, Pintura)* aparejo, barniz (de apresto), cola, plaste. Cualquiera de diversas substancias gelatinosas o glutinosas (generalmente hechas de arcilla, cola o cera) y utilizadas como barniz o tapaporos para materiales porosos como papel y tejidos, y para superficies por pintar. CF. **primer** | plaste. Masa de yeso y cola que sirve para preparar las superficies que se han de pintar | aparejo, sellaporos, tapaporos. SIN. **filler** | barniz, esmalte, substancia para vidriar o satinar. SIN. **glaze** | aparejo, apresto, encolado, engomado; barnizado, esmaltado, vidriado, satinado. Tratamiento de materiales o superficies con cualquiera de las substancias mencionadas arriba. CF. **priming.**

sizzle   sonido como de soplido o siseo; ruido como de fritura; calor intenso /// *verbo:* hacer ruido como de fritura; quemar(se), chamuscar(se) produciendo ruido; chisporrotear.

SJ   *(Teleg)* Abrev. de San Juan.

SJPR   *(Teleg)* Abrev. de San Juan, Puerto Rico.

skate   patín; roldana || *(Elec)* colector de corriente || *(Ferroc)* patín de frenaje [de frenado].

skating   *(Fonocaptores)* empuje lateral.

SKD   *(Teleg)* Abrev. de schedule.

SKED   *(Teleg)* Abrev. de schedule.

skeletal   *adj:* esquelético, de esqueleto, del esqueleto; primario.

skeleton   esquema, esbozo || *(Anat)* esqueleto, osamenta, osambre || *(Estr)* esqueleto, armazón, armadura || *(Geodesia)* red geodésica || *(Topología)* esqueleto. Conjunto de todos los vértices de un símplex (v. **simplex**) /// *adj:* en esqueleto, en armazón; abreviado, sumario; elemental; incompleto.

skeleton car   carro sin caja.

skeleton chain   *(Estocástica)* cadena esqueleto.

skeleton chart   *(Mapas)* carta esquemática.

skeleton construction   construcción esquelética.

skeleton crew   equipo mínimo; tripulación en cuadro.

skeleton fan   ventilador sin cubierta.

skeleton key   llave maestra; ganzúa.

sketch   bosquejo, esbozo, boceto, croquis, esquema; descripción sumaria [a grandes rasgos] || *(Teatro)* drama corto; pieza corta || v. **sketch plate** /// *verbo:* bosquejar, esbozar, bocetar.

sketch plate   (a.c. sketch) plancha [chapa] cortada según croquis, chapa de figura.

skew   oblicuidad; sesgo, sesgadura; inclinación; esviaje; movimiento [curso] oblicuo; posición oblicua || *(Fab de películas mag delgadas)* desviación del eje de fácil magnetización || *(Facsímile)* error de rectangularidad (de la imagen). Desviación de la imagen recibida de la forma rectangular, debida a errores de sincronismo entre el explorador y el registrador; esta desviación se mide directamente (p.ej. en milímetros) o por la tangente del ángulo correspondiente. SIN. **distorsión (geométrica) por errores de sincronismo** || *(Registro mag)* (*i.e.* tape skew) sesgo, oblicuidad, error angular [de ángulo]. (1) Error angular de la cinta en movimiento, respecto a la cabeza de registro o de lectura. (2) En el registro de datos binarios, error consistente en que los bitios de un carácter registrado en la cinta magnética no quedan en sus posiciones ideales o nominales, es decir, no quedan en hilera perfectamente perpendicular al borde de la cinta. El *sesgo estático* [static skew] está por lo común relacionado con un encurvamiento de la cinta [tape curvature] y no varía a lo largo de la cinta. El *sesgo dinámico* [dynamic skew] tiene su origen en encurvamiento de la cinta o en mal funcionamiento del mecanismo de arrastre [transport malfunction] y varía (generalmente en forma periódica) a lo largo de la cinta. (3) Error de sincronismo (grado de asincronismo) de bitios ideal o nominalmente paralelos, cuando se leen caracteres codificados en bitios y registrados en cinta magnética || *(Arq)* esviaje, viaje. Oblicuidad de un muro o del eje de una bóveda || *(Carp)* espera. Escopleadura que empieza en una de las aristas de la cara del madero y no llega a la opuesta /// *adj:* oblicuo; sesgado; inclinado; torcido || *(Mat)* alabeado, no coplanario /// *verbo:* oblicuar; sesgar; inclinar; esviar; moverse oblicuamente; ponerse en posición oblicua; moverse sesgadamente; andar sesgadamente.

skew aileron   *(Aeron)* alerón oblicuo.

skew angle   *(Estr)* ángulo de esviaje ‖ *(Devanados de espiras oblicuas)* ángulo de oblicuidad.

skew arch   *(Arq)* arco oblicuo [sesgado, esviajado, en esviaje].

skew arrangement   *(Ant acopladas)* disposición oblicua. CF. **coupled antennas.**

skew bridge   puente oblicuo [sesgado, en esviaje].

skew control   *(Cám tomavistas)* control de oblicuidad.

skew curve   *(Mat)* curva alabeada. Curva cuyos puntos no están todos en un mismo plano.

skew distortion   *(Telecom)* distorsión oblicua.

skew factor   *(Elec)* factor de inclinación. Parte del factor de bobinado [winding factor] que toma en cuenta la inclinación de las ranuras [slot skewing] (CEI/56 10–35–340).

skew lines   *(Mat)* rectas alabeadas [cruzadas]. Rectas no coplanarias; por definición no pueden cortarse ni ser paralelas. Entre todos los segmentos de recta que unen puntos de dos rectas alabeadas o cruzadas, existe uno solo que es normal a ambas; ese segmento, el más corto de todos, es por definición la *distancia* entre las rectas.

skew product   *(Mat)* producto alabeado.

skew quadrilateral   *(Mat)* cuadrilátero alabeado. Cuadrilátero de vértices no coplanarios.

skew ray   *(Opt)* rayo alabeado. Rayo luminoso no situado en un plano. En los sistemas de simetría axil, son alabeados todos los rayos no coplanarios con el eje.

skew shell   *(Arq)* bóveda laminar oblicua.

skew structure   estructura sesgada [esconzada].

skew surface   *(Mat)* superficie alabeada. (**1**) Superficie que no puede ser extendida sobre un plano sin arrugarla. (**2**) Superficie reglada [ruled surface] no desarrollable. SIN. **scroll.**

skew-symmetric   *adj:* *(Mat)* antisimétrico.

skew-symmetric matrix   *(Mat)* matriz antisimétrica. Parte imaginaria de una matriz hermitiana [Hermitian matrix].

skew-symmetric tensor   *(Mat)* tensor antisimétrico. SIN. **antisymmetric tensor.**

skew tape   *(Registro mag)* cinta patrón sin sesgo. Cinta maestra con registro de precisión libre de sesgo (v. **skew**), y que sirve para corregir el alineamiento de las cabezas y del mecanismo de arrastre.

skewed   *adj:* oblicuo; sesgado; inclinado; torcido ‖ *(Estadística)* asimétrico, disimétrico.

skewed distribution   *(Estadística)* distribución asimétrica. Distribución de frecuencia de un fenómeno que tiene por uno de sus límites cero o infinito.

skewed histogram   *(Estadística)* histograma asimétrico.

skewed slot   *(Elec)* ranura inclinada [oblicua].

skewed turns   *(Devanados)* espiras oblicuas.

skewed winding   devanado oblicuo, bobinado de espiras oblicuas.

skewing   oblicuidad; sesgo, sesgadura; inclinación; esviaje; torcimiento ‖ *(Tv)* efecto de persiana. SIN. **Venetian-blind effect.**

skewness   *(Estadística)* asimetría, disimetría. Falta de simetría de una distribución de frecuencia.

ski   esquí.

ski-plane   *(Avia)* v. **skiplane.**

skiagram   *(i.e.* X-ray photograph) radiografía, radiograma.

skiagraph   *(i.e.* X-ray photograph) radiografía, radiograma. SIN. **radiograph, radiogram.**

skiatron   *(Elecn)* eskiatrón, tubo catódico de pantalla absorbente [de trazo obscuro, de traza obscura]. SIN. **cathodochromic [color-center, dark-trace] tube.** CF. **tenebrescence** ‖ tubo osciloscópico de trazo obscuro. SIN. **dark-trace oscilloscope tube** ‖ *(i.e.* skiatron display) indicador de trazo obscuro ‖ eskiatrón, tubo catódico de pantalla absorbente. Tubo catódico [cathode-ray tube] con pantalla especial no necesariamente luminiscente, pero

que cambia de color por efecto del impacto electrónico [electron impact] y que presenta, por ejemplo, un trazo obscuro sobre fondo claro. SIN. **dark-trace tube** (CEI/56 07–30–110) ‖ tubo de traza obscura. Tubo catódico cuya pantalla posee la propiedad de dar una traza obscura al impacto del haz electrónico [electron beam]; la persistencia de esta traza depende de la temperatura y puede por tanto ser modificada por irradiación de la pantalla con una luz de longitud de onda apropiada (CEI/70 60–72–345).

skiatron display   (a.c. skiatron) indicador de trazo obscuro ‖ indicador de traza obscura. Indicador que utiliza un tubo de traza obscura (CEI/70 60–72–350).

skid   polín, rodillo (de madera) ‖ *(Autos, Aviones)* patinazo, patinada. GALICISMO: derrapada ‖ *(Aviones)* patín (de aterrizaje), zapata de aterrizaje ‖ *(Constr)* corredera, patín, larguero (de asiento), viga de asiento, ménsula de repisa ‖ *(Explotación forestal)* corredera, deslizadera; madero inclinado de deslizamiento; arrastradero (camino para el arrastre de maderas) ‖ *(Marina)* varadera; varadero ⫽ *verbo:* escurrirse, resbalar; mover deslizando ‖ *(Autos, Aviones)* patinar. GALICISMO: derrapar ‖ *(Explotación forestal)* arrastrar (maderas).

skid fin   *(Avia)* plano de deriva.

skid hoist   grúa de corredera; malacate de patines, malacate sobre correderas.

skid resistance   *(Autos, Aviones)* resistencia al patinaje.

skid road   *(Explotación forestal)* (a.c. skid) arrastradero, camino de arrastre [de saca]. Camino para el arrastre de maderas.

skidding   *(Autos, Aviones)* patinazo, patinada. GALICISMO: derrape ‖ patinazo centrífugo ‖ *(Explotación forestal)* arrastre (de maderas, de troncos).

skidding distance   *(Vehículos)* distancia de patinaje. Distancia recorrida por un vehículo medida desde el instante en que sus ruedas dejan de girar, definitivamente, debido a la aplicación de los frenos, hasta su detención completa.

skiddometer   *(Avia)* deslizómetro.

skill   destreza, pericia.

skilled labor   mano de obra especializada; trabajo experto [de artesano].

skin   piel, tegumento; cutis; piel, cuero; pellejo, ollejo, cáscara; capa exterior [superficial]; película, capa delgada [fina]; forro, piel, revestimiento; odre, pellejo (p.ej. para vino) ‖ *(Aviones)* forro, revestimiento (metálico) (del fuselaje y las alas) ‖ *(Buques)* forro ‖ *(Vehículos espaciales)* revestimiento ‖ *(Velas aferradas)* parte que cubre el resto ‖ *(Enlucidos)* capa final ‖ *(Fundición)* costra. Capa superficial dura que se forma en las piezas de fundición cuando se enfría rápidamente el molde ‖ *(Productos de papel o cartón)* acabado duro; papel ligero para empapelar ⫽ *adj:* cutáneo, tegumentario; exterior, superficial; pelicular ⫽ *verbo:* desollar, despellejar; pelar; descascarar; cubrir con piel; cubrirse de piel; cubrir superficialmente; cicatrizar ‖ *(Fundición)* descostrar.

skin antenna   *(Aviones)* antena de montaje al ras. Antena que queda al ras con la superficie de la nave y que se forma aislando eléctricamente una parte del revestimiento metálico del fuselaje o de las alas.

skin depth   profundidad de penetración. Cuando un conductor está sometido a la acción de ondas electromagnéticas, circula por él una corriente cuya densidad disminuye con la distancia hacia el interior, a partir de la superficie del conductor. Se llama *profundidad de penetración,* a determinada frecuencia de dichas ondas, a la distancia hacia el interior del conductor correspondiente a una reducción de un neperio en la densidad de corriente respecto a la densidad en la superficie del conductor.

skin dose   *(Radiol)* dosis cutánea [en la piel] ‖ dosis en la piel. Dosis de radiación en un punto de la piel, incluso la dosis debida a la radiación difusa [scattered radiation] y la dosis de salida [exit dose], de haberlas (CEI/64 65–10–650).

skin drag   *(Avia)* resistencia al avance por rozamiento superficial.

skin effect   *(Elec)* efecto pelicular [superficial], efecto Kelvin. Concentración de las corrientes eléctricas alternas o variables cerca de la superficie del conductor por el cual circulan. Este fenómeno, que aumenta la resistencia efectiva del conductor, y que se observa particularmente en radiofrecuencias, pues el mismo se acentúa con la frecuencia, es causado por las fuerzas electromotrices generadas en el interior del conductor; dichas FEM se oponen a la circulación de la corriente y, por tanto, aumentan la densidad de corriente cerca de la superficie. CF. **skin depth** | efecto pelicular, efecto Kelvin. (**1**) Distribución no uniforme de las corrientes variables en los conductores, debida a la variación de los flujos magnéticos interiores (CEI/38 05–20–180). (**2**) Distribución desigual de las corrientes en los conductores macizos con aumento de la densidad de la corriente cerca de la superficie. SIN. **Kelvin effect** (CEI/56 05–20–215).

skin friction *(Avia)* fricción superficial; rozamiento superficial, resistencia de fricción ‖ *(Mec de los fluidos)* fricción superficial. CF. **skin friction stress** ‖ *(Pilotes)* rozamiento superficial ‖ *(Buques)* rozamiento del forro.

skin friction stress *(Mec de los fluidos)* esfuerzo de fricción superficial.

skin patch *(Carreteras)* bacheo superficial.

skin plate chapa de forro, placa [cara] de forro.

skin resistance *(Aviones, Buques)* resistencia friccional; resistencia del forro.

skin splice *(Aviones)* empalme de revestimiento.

skin temperature *(Vehículos espaciales)* temperatura del revestimiento.

skin tone *(Tv)* tono facial, tono del cutis.

skin unit (McKee) *(Radiol)* unidad de piel (McKee). Unidad de medida de rayos X. La referencia de base indica que se obtiene un eritema distinto [definite erythema] en la piel humana por una exposición de 5 minutos con 64 kV 3 mA, sin filtro, a una distancia foco a piel [focal skin distance] de 20 cm. Valor medio dado por McKee, 300 r. CF. **HED** (CEI/64 65–20–055). CF. **Holzknecht unit.**

Skinderviken button Nombre ya desusado de la cápsula microfónica de carbon [carbon button]. V.TB. **carbon-granule microphone.**

skinner desollador, despellejador; pelador; descascarador; descostrador ‖ *(Pesca)* limpiador de la piel ‖ *(Telef)* ramificación de forma de cable ‖ "skinner". Parte de un hilo aislado comprendida entre una forma de cable atada [laced cable form] y el punto de conexión del hilo (CEI/70 55–95–260).

skinning desolladura, acción de desollar o despellejar; pelado, pelada, acción y efecto de pelar; descortezamiento, acción de arrancar la corteza (a una cosa); descostrado, desincrustación ‖ *(Elec)* acción de quitarle el forro a un hilo aislado.

skioscopy *(Radiol)* radioscopía, roentgenoscopía. v. **radioscopy.**

skip salto, brinco; omisión, acción de pasar por alto; cesta, cesto, cestón ‖ *(Constr)* espuerta ‖ *(Excavaciones, Minería)* cajón, cucharón. LOCALISMOS: bote, chalupa, concha, esquife, vasija | cubo de grúa; caja guiada, "eskip" ‖ *(Carp)* zona sin cepillar ‖ *(Informática)* instrucción en blanco; instrucción de pasar a la próxima instrucción; salto ‖ *(Radiocom)* (efecto de) salto, reflexión en la ionosfera. CF. **hop** /// *verbo:* saltar, brincar; saltar, omitir, pasar por alto.

skip area *(Radiocom)* zona saltada. Zona barrida por un radio vector con origen en un emisor radioeléctrico y cuya longitud es la distancia de salto [skip distance] (CEI/70 60–24–170). CF. **silent zone** | v. **skip zone.**

skip bar *(Informática)* barra de salto.

skip-bar interlock intercierre de la barra de salto.

skip bombing *(Avia de guerra)* bombardeo de rebote.

skip distance *(Radiocom)* distancia de salto. TB. salto, distancia de silencio, (anchura de la) zona de silencio, límite exterior de la zona de silencio, distancia de mala recepción. Distancia mínima a la cual pueden recibirse las ondas cortas por reflexión en las capas ionosféricas normales. Esa distancia varía con la frecuencia de emisión y con la altura de las capas ionosféricas; esta última varía, a su vez, con la hora del día. SIN. **skipped distance.** CF. **skip**

zone | distancia de salto. Distancia mínima a la cual las ondas radioeléctricas de una frecuencia dada, emitidas por un emisor dado, pueden recibirse en una dirección dada, en la superficie de la tierra, por reflexión en una capa ionosférica normal (CEI/70 60–24–165).

skip effect *(Radiocom)* efecto de salto; reflexión en la ionósfera. Fenómeno por el cual no se reciben las ondas cortas en una zona determinada de la superficie de la tierra, y sí a distancias mayores del emisor. v. **skip zone.**

skip fading *(Radiocom)* desvanecimiento por variación de la distancia de salto. ABREVIADAMENTE: desvanecimiento de [por] salto. Desvanecimiento causado por variaciones en la intensidad de ionización o en la altura de las capas que reflejan las ondas radioeléctricas, de modo que se desplaza alternativamente el punto en que éstas retornan a la superficie de la tierra; esto equivale a decir que varía la *distancia de salto* (v. **skip distance**). Ocurre esta clase de desvanecimiento alrededor del alba y del ocaso, y se caracteriza porque llega un momento, en inglés, "going into skip") en que la ionósfera cambia al grado de que la onda reflejada llega a tierra en un punto más allá del de recepción. Entonces la intensidad de las señales recibidas cae sensiblemente (a un centésimo o menos de la intensidad normal) para normalizarse, más o menos bruscamente, después de un momento. Este fenómeno indica que la ionósfera está cambiando y que debe cambiarse de la frecuencia nocturna a la diurna, o viceversa, según el caso. A veces se utiliza temporalmente una frecuencia de transición [transition frequency], más alta que la nocturna [night frequency] pero inferior a la diurna [day frequency].

skip key *(Informática)* tecla de salto.

skip keying *(Radar)* desmultiplicación de la frecuencia de repetición de impulsos, división de la frecuencia de recurrencia de impulsos. Reducción de la frecuencia de repetición o recurrencia de los impulsos emitidos, a un submúltiplo de la frecuencia normal, sea para evitar interferencias temporales con otros radares, sea para otros fines.

skip lifter *(Informática)* cola de X, elevador de garra de la cremallera.

skip-lifter jig calibre para la cola de X.

skip-lifter link vástago de unión de la cola de X.

skip numbering numeración discontinua.

skip out *(Informática)* descarga de la tarjeta, salto total con descarga.

skip start *(Informática)* inicio de salto.

skip stop *(Informática)* parada de salto.

skip-stop insert tope de parada de salto.

skip welding soldadura alterna [salteada], soldeo de cordón discontinuo [de paso peregrino].

skip zone *(Radiocom)* zona de silencio. En las comunicaciones por ondas cortas, zona anular, dentro de la región de alcance general de un emisor, en la cual las señales de éste no se reciben o se reciben mal; el límite exterior de esta zona está determinado por la llamada *distancia de salto* (v. **skip distance**), y el interior es el de máximo alcance de la onda de tierra [ground wave]. SIN. **silent zone** (véase), **zone of silence.**

skip-zone chart carta de zonas de silencio.

skiplane *(Avia)* avión con esquíes.

skipped distance *(Radiocom)* distancia de salto. v. **skip distance.**

skipping acción de saltar o brincar; acción de omitir o pasar por alto ‖ *(Hidroaviones)* despegue [salida] intermitente ‖ *(Fonog)* salto de surco. Defecto de un disco consistente en que la aguja reproductora es obligada en determinado punto del surco modulado a salir de éste para volver a entrar en otro punto, generalmente más hacia el centro del disco, con la correspondiente solución de continuidad en la reproducción.

skirt borde, margen, orilla; cenefa, borde, ribete, orla; falda, saya; enagua(s) ‖ *(Ant)* faldón ‖ *(Curvas de resonancia)* falda, parte lateral inferior. Parte inferior de las ramas laterales de una curva de resonancia o selectividad ‖ *(Guías de ondas)* bisel, borde. Borde exterior afilado de la abertura practicada en la pared de una guía o de un cornete | collarín (de una ranura). Pared exterior delgada de una ranura [ditch, groove] alrededor de la extremidad de una guía de ondas o de una bocina [horn], destinada a impedir una radiación indeseable (CEI/61 62–15–045) ‖ *(Autos)* costado ´[faldón] (de guardabarros) ‖ *(Embolos)* faldilla, falda, faldón ‖ *(Paracaídas)* parte inferior del velamen ‖ *(Sillas de montar)* faldón ‖ *(Tejados)* faldón, vertiente triangular ‖ *(Buques)* cenefa ⫴ *verbo:* bordear; poner borde, margen, cenefa, etc.; seguir la orilla (de algo) ‖ *(Marina)* costear (navegar sin perder de vista la costa); barajar (navegar con rumbo paralelo y muy cercano a la costa).

skirt selectivity   *(Rec)* selectividad de falda.

skirted insulator   *(Elec, Telecom)* aislador de campana.

skirting   faldas o enaguas (consideradas como géneros), material para faldas o enaguas ‖ *(Arq/Carp)* tablas de zócalo; guarnición de pozo de escalera | (a.c. skirting board) friso, rodapié. CF. **baseboard**.

skirting board   *(Arq/Carp)* rodapié de madera; tabla de rodapié | (a.c. skirting) friso, rodapié. CF. **baseboard**.

skirting ducting   conducto en el rodapié.

skirting heater   calefactor de rodapié, calefactor en forma de rodapié.

sklodowskite   *(Miner)* sklodowskita.

skotograph   escotografía. Imagen producida en una emulsión fotográfica por radiación en la obscuridad.

Skrivanoff cell   *(Electroquím)* pila de Skrivanoff. Pila primaria con electrodos de cinc y plata y electrólito de potasa cáustica [caustic potash]; como despolarizador lleva cloruro de plata [silver chloride] en el polo positivo.

skull   *(Zool)* cráneo ‖ *(Funderías)* fondo de cuchara (de colada). Película de metal que queda en la cuchara después de vertido el metal fundido | película de metal solidificado próxima a las paredes de la lingotera ‖ *(Nucl)* depósito, residuo. Depósito o residuo que queda en un crisol después de un proceso de refinamiento.

skull reclamation process   *(Nucl)* proceso de recuperación de residuos (del crisol). Proceso de recuperación y purificación de depósitos o residuos (v. **skull**) mediante oxidación (para convertirlos en polvo) y tratamiento químico.

sky   cielo. SIN. firmamento | espacio aéreo ⫴ *adj:* celeste; aéreo.

sky background (noise)   ruido de fondo de origen celeste. Ruido radioeléctrico de fondo procedente del espacio celeste.

sky backing   *(Cine)* fondo celeste. Decorado de fondo con detalles de nubes o estrellas.

sky condition   condición del cielo.

sky error   *(Radionaveg)* error ionosférico. v. **ionospheric error**.

sky factor   *(Ilum)* factor de cielo.

sky-hook   v. **skyhook**.

sky-line   v. **skyline**.

sky noise   ruido de origen celeste, ruido (radioeléctrico) de procedencia estelar.

sky radiation   radiación celeste [difusa].

sky-rocket   v. **skyrocket**.

sky screen   *(Cohetes balísticos)* dispositivo indicador de desviación de la trayectoria preestablecida.

sky wave   v. **skywave**.

skyhook   *(Meteor) (slang)* globo libre de observación meteorológica ‖ *(Radioafic) (slang)* antena.

skylight   claraboya, tragaluz, lucernario, luceta, lumbrera. LOCALISMOS: aojada, buhardilla, luz cenital ‖ *(Buques)* lumbrera. Escotillón con cubierta de cristales para dar luz a las cámaras.

skyline   horizonte; silueta ‖ *(Explotación forestal)* cable portante [aéreo].

skyscraper   rascacielos (edificio moderno muy alto).

skywave   *(Radiocom)* onda celeste [de cielo], onda espacial [de espacio]; onda indirecta [reflejada, ionosférica], rayo indirecto. Onda radioeléctrica que se propaga hacia el espacio y que puede o

no retornar a la superficie terrestre por reflexión en la ionósfera. SIN. indirect [ionospheric] wave. CF. space wave.

skywave communication   comunicación por ondas espaciales.

skywave correction   *(Radionaveg)* corrección del error ionosférico. v. **ionospheric error**.

skywave curve   curva de onda reflejada.

skywave error   *(Radionaveg)* error ionosférico. v. **ionospheric error**.

skywave field   campo de la onda de espacio [de la onda reflejada].

skywave field intensity   intensidad de campo de la onda de espacio [de la onda reflejada].

skywave interference   interferencia por la onda reflejada.

skywave range   alcance de la onda reflejada.

skywave signal   señal de onda reflejada.

skywave station error   *(Lorán)* error de sincronización (de la estación) debido al error ionosférico. v. **ionospheric error**.

skywave synchronization   *(Lorán)* sincronización por onda ionosférica.

skywave-synchronized loran [SS loran]   lorán de sincronización por onda ionosférica.

skywave transmission   transmisión por ondas reflejadas.

skywave transmission delay   retardo de transmisión por ondas reflejadas. Intervalo en que el tiempo de propagación por reflexión ionosférica (capa E) supera el tiempo de propagación por onda terrestre.

skyway   *(Avia)* (*i.e.* air lane; airline route) aerovía, ruta aérea ‖ *(Carreteras)* (*i.e.* elevated highway) carretera elevada ‖ *(Radiocom)* (*i.e.* radio link) radioenlace, enlace radioeléctrico.

skywriting   *(Avia)* escritura en el espacio. Escritura en el espacio con un avión o avioneta que deja una estela de humo o de un vapor visible.

SL cable   Abrev. de separately leaded cable.

SLA   *(Tr de datos)* Abrev. de synchronous line adapter.

slab   tajada gruesa; laja, lancha, piedra plana ‖ *(Arq, Constr)* losa, placa. LOCALISMOS: carpeta, dala, platabanda. Estructura monolítica de dimensiones preponderantes en sentidos longitudinal y transversal, y espesor relativamente pequeño | baldosa, ladrillo para pavimentar | (*i.e.* marble slab) losa (de mármol) ‖ *(Carp)* tabla, tablón, plancha (de madera); costero, costanera (madera inmediata a la corteza del rollizo); laja (pieza exterior cortada al escuadrar un madero rollizo) ‖ *(Estr)* plancha, palastro ‖ *(Met)* zamarra; desbaste plano, petaca ‖ *(Cristales piezoeléc)* laja, pieza de primera talla. De esta pieza se obtienen, por cortes transversales, los *cristales en blanco* [blanks] ⫴ *verbo:* sacar tajadas gruesas; sacar losas; etc. ‖ *(Carp)* quitar los costeros; sacar lajas; escuadrar.

slab coil   *(Radio/Elecn)* bobina plana [chata, extraplana] SIN. **pancake coil**.

slab floor   (a.c. slab flooring) piso de baldosas; piso de losas, enlosado; piso de losa [de placa de hormigón].

slab flooring   v. **slab floor**.

slab lattice   *(Nucl)* celosía espacial de placas.

slab reactor   *(Nucl)* reactor plano; reactor de bloque.

slack   flojedad, falta de tirantez; juego, huelgo (entre piezas); desgaste (de una pieza); repunte (de la marea); cisco, finos (de carbón), carbón menudo ‖ *(Cables y cuerdas)* seno, flojedad, parte no sometida a esfuerzo ‖ *(Telecom)* seno. Sobrante que se deja en un alambre o conductor para poder renovar su terminación en caso de que ocurra una ruptura en la parte donde se ha retirado el aislamiento ‖ *(PERT)* holgura. (1) De un suceso [event], diferencia entre la fecha más alta tolerable y la fecha prevista más baja. La holgura indica los tiempos entre los cuales pueden fijarse los comienzos de las actividades que parten de él sin que se retrase el plazo de ejecución de la obra, y puede ser nula, positiva, o negativa, según vaya conforme, adelantado, o atrasado, respecto del inicial. (2) Tiempo en que puede demorarse una actividad [activity] sin afectar el tiempo de ejecución del proyecto. SIN. **float** ⫴ *adj:* flojo, suelto, laxo; débil, poco firme; lento, tardo ‖ *(Cables)* flojo ‖ *(Cal)* apagada ‖ *(Hilos)* de poca torsión ‖ *(Mec)* flojo, desapretado, holgado ‖ (*Movimientos*) lento ‖ (*Negocios*) flojo, desanimado ⫻ *verbo:* aflojar; disminuir; retardar; apagar (la cal); desmenuzarse (el carbón) ‖ (*Marina*) aflojar, amollar, arriar, lascar (ir aflojando poco a poco un cabo).

slack-cable switch (*Ascensores*) disyuntor [interruptor automático] para cable flojo. Disyuntor de seguridad que funciona en caso de quedar flojo el cable.

slack hours (*Telecom*) período de poco tráfico, horas de menos tráfico.

slack path (*PERT*) camino holgado. Secuencia de actividades y sucesos que no se encuentran en el camino crítico [critical path].

slack puller tensor de riostra [de retenida, de viento]. SIN. **stay tightener.**

slack traffic hour (*Telecom*) hora de poco tráfico. CF. **busy hour.**

slag escoria(s) ⫻ *verbo:* escorificar; escoriar(se); aglutinar.

slant oblicuidad, sesgo; inclinación, pendiente; declive; plano inclinado; tubo biselado ‖ (*Alcantarillas*) bifurcación ⫻ *adj:* oblicuo, sesgado; inclinado, en pendiente, en declive; terciado; de soslayo; diagonal ⫻ *verbo:* oblicuar; inclinar(se); sesgar(se).

slant course (*Radionaveg*) alineación oblicua.

slant distance (*Geom, Radar*) distancia verdadera [real], distancia oblicua [inclinada]. Distancia entre dos puntos de distinta elevación. SIN. **slant height [range], true distance.**

slant flight control [SFC] control de vuelo con trayectoria inclinada.

slant height altura inclinada | v. **slant distance.**

slant range v. **slant distance.**

slant-range distortion (*Radar*) distorsión de oblicuidad.

slant visibility (*Meteor*) visibilidad oblicua.

slant visual range (*Meteor*) alcance visual oblicuo.

slanting *adj:* oblicuo, sesgado, terciado; inclinado, en pendiente, en declive; de soslayo; en bisel. CF. **slant.**

slantingly *adv:* sesgadamente, oblicuamente, de través, al través, al sesgo, de soslayo, al soslayo, de costado. SIN. **slantwise.**

slantwise v. **slantingly.**

slat (*Aeron*) aleta de ranura; aletón; aletilla, borde movible de ala ‖ (*Carp*) tablilla, listón, tira delgada de madera; tableta.

slat door puerta persiana [romanilla, de rejilla, de persianas].

slate (*Geol*) pizarra. SIN. **esquisto.** AFINES: pizarral (lugar poblado de pizarra), pizarrero (artífice que labra pizarras), pizarreño (parecido a la pizarra), pizarroso (abundante en pizarra o parecido a ella) ‖ pizarra. Trozo de pizarra para escribir. SIN. **pizarrón, encerado, tablero.** AFINES: pizarrín (lápiz para escribir en la pizarra) ‖ (*Cine*) (a.c. slate board) claqueta. Pizarra en la cual se escribe con tiza la información pertinente y que se fotografía al comienzo y/o al final de cada toma, para fines de identificación, y para la sincronización de los sonidos correspondientes. La claqueta tiene una pieza articulada por una charnela, que al ser accionada (o sea, al ser cerrada con movimiento rápido) produce un chasquido que es captado por el aparato de registro sonoro. Al revelar el rollo de película se cortan y ordenan las escenas rodadas valiéndose de la imagen de la claqueta, y la misma operación se efectúa con la banda sonora, utilizando los chasquidos como señal de referencia para la exacta sincronización de las imágenes y los sonidos de la película. SIN. **clap-board, clapper (board)** ⫻ *verbo:* empizarrar, apizarrar.

slate board (*Cine*) v. **slate.**

slate roof empizarrado, techo de pizarra. SIN. **slating.**

slater pizarrero. Artífice que labra pizarras | pizarrero, techador, retejador. El que pone o repara techos de pizarra.

Slater determinant determinante de Slater. Determinante que describe un tipo sencillo de función de onda antisimétrica correspondiente a un sistema de fermiones (v. **fermion**).

Slater sum (*Mat*) suma de Slater. Cantidad que juega un papel importante en estadística cuántica.

slater's hammer martillo de pizarrero; martillo de techador [de retejador].

slater's tool herramienta de pizarrero; herramienta de techador

[de retejador].

slating empizarrado, cubierta [techo] de pizarra ‖ (*Radio/Tv*) titulación; intercalación de títulos o instrucciones (en un programa).

slating nail clavo de pizarrero, abismal de tejar.

slaty *adj:* pizarroso, pizarreño. Abundante en pizarra o parecido a ella. SIN. **esquistoso** | foliado, lamelar.

slaughter yard (*Ferroc*) tablada. Lugar donde se reúne el ganado destinado al matadero.

slaughterhouse matadero.

slave esclavo ⫻ *adj:* esclavo, cautivo; secundario, satélite, subordinado; telemandado; servomandado; controlado; repetidor.

slave antenna antena servomandada. Antena dirigida (en acimut o elevación) mediante un servosistema.

slave circuit circuito esclavo.

slave clock reloj telemandado | reloj secundario. V. **secondary clock.**

slave drive v. **slave driver.**

slave driver (a.c. slave drive) excitador secundario. SIN. **follower driver.** CF. **master driver.**

slave facsimile recorder registrador de facsímile esclavo.

slave oscillator oscilador esclavo [cautivo]. v. **captive oscillator.**

slave relay relé auxiliar. Relé controlado por otro relé y que sirve para mandar circuitos secundarios. SIN. **auxiliary relay.**

slave signal señal de estación esclava [controlada].

slave station (*Telecom*) estación esclava [controlada, mandada]; estación satélite [secundaria, subordinada]. CF. **master station** ‖ (*Radionaveg*) estación controlada. Estación emisora de radionavegación, ciertas características de emisión de la cual son impuestas por una estación maestra [master station] (CEI/70 60-74-205).

slave sweep (*TRC*) barrido telemandado; barrido gatillado [cronizado] por señal externa. CF. **slave time base.**

slave telegraphy station estación telegráfica corregida. CF. **master telegraphy station.**

slave time base (*TRC*) base de tiempos telemandada; base de tiempos gatillada [cronizada] por señal externa. CF. **slave sweep.**

slave transmitter emisor [transmisor] esclavo. V.TB. **repeater transmitter.**

slaved gyromagnetic compass brújula giromagnética cuyo giroscopio estabilizador está sincronizado con una fuerza magnética.

slaving acción de esclavizar o mantener cautivo; acción de telemandar, servomandar, controlar, etc.; acción de someter (un sistema) a una señal de referencia, gatillado, o cronización externa.

SLC Abrev. de straight-line capacitance; searchlight-control radar.

sled trineo; narria, rastra, carro fuerte para grandes pesos; corredera, guía ⫻ *verbo:* montar en trineo; viajar en trineo; transportar en trineo [en narria, en rastra].

sledge hammer mandarria, acotillo, macho; marra, almádena, maza; martillo grande [de dos manos]; marrón, macho de fragua, martillo grande de herrero. LOCALISMOS: combo, marro.

sleep sueño ⫻ *verbo:* dormir.

sleep switch interruptor para dormirse con música. En algunos radio-relojes para mesa de noche, interruptor automático que apaga el aparato de radio después de transcurrido un intervalo seleccionado a voluntad, y que permite conciliar el sueño mientras se escucha música u otro programa.

sleeper durmiente, persona dormida; animal aletargado ‖ (*Carp/Constr*) durmiente; travesaño, traviesa; corredera empotrada; viga maestra; plantilla (de piso) | durmiente. Madero horizontal que sostiene un poste o puntal y distribuye la carga sobre el suelo ‖ (*Ferroc*) durmiente (de vía), traviesa. (**1**) Apoyo transversal de los rieles, generalmente de madera; viga que pasa transversalmente por debajo de los rieles, sosteniéndolos e impidiendo su separación. (**2**) Traviesa de las que arriostran los rieles, manteniendo la vía en trocha y repartiendo sobre el balasto las cargas del tren rodante. SIN. tie | v. sleeper train, sleeping car.

sleeper airplane   avión cama.

sleeper beam   *(Carreteras)* viga de junta. Viga de hormigón que sirve de apoyo para los extremos de las losas [slabs] en una junta de dilatación [expansion joint].

sleeper train   (a.c. sleeper) tren de coches dormitorio, tren de coches cama.

sleeping cabin   *(Avia)* camarote.

sleeping car   *(Ferroc)* (a.c. sleeper) coche dormitorio, coche cama.

sleeping sickness   *(Medicina)* enfermedad del sueño, encefalitis letárgica || *(Elecn)* "enfermedad del sueño". (1) En un tubo al vacío, *resistencia entre la base y el recubrimiento del cátodo* [cathode interface resistance]. (2) En un transistor, *fuga de aparición gradual* [gradual appearance of leakage].

sleeping table   *(Met)* mesa durmiente [de escoba] || *(Minería)* mesa durmiente, gamella fija.

sleeping top   *(Fís)* trompo "dormido". Trompo que gira con velocidad angular constante alrededor de su eje, en posición vertical, y sin precesión [precession] ni nutación [nutation].

sleet   *(Meteor)* aguanieve, cellisca, nieve fundida; granizo; hielo.

sleet locomotive   *(Ferroc)* locomotora rompehielo.

sleet melter   *(Ant)* dispositivo para impedir la formación de hielo. SIN. deicer.

sleeve   manga || *(Mec, Máq, Mot)* manga; manguito; camisa; collar; manguera || *(Elecn/Telecom)* hembra de conjuntor. SIN. **socket** | cuerpo. (1) En las clavijas terminales, contacto habitualmente conectado a tierra o a un tercer conductor de línea. (2) En una clavija tipo telefónico, contacto cilíndrico más alejado de la punta | *(i.e. of a plug)* manguito, canutillo, base, cuerpo. Parte metálica cilíndrica de contacto contigua a la punta de la clavija | *(i.e. of a jack)* casquillo | *(i.e. sleeve wire)* hilo de cuerpo (en jacks de 2 hilos); hilo C, hilo de canutillo, hilo de tercer muelle, tercer hilo (en jacks de 3 hilos y circuitos en general) | *(i.e. insulating sleeve used over a wire; a.c. sleeving)* manguito aislante, espagueti. SIN. **spaghetti** || *(Guías de ondas)* manguito || *(TRC)* cubierta [camisa] aislante. Cubierta de material aislante que se coloca sobre la ampolla metálica de algunos tubos || *(Elec)* núcleo envolvente. Núcleo ferromagnético, generalmente en forma de cilindro hueco de pared delgada, que rodea a un inductor y que sirve de blindaje electromagnético | v. **sleeve of commutator** || *(Cables subfluviales)* manguito protector.

sleeve antenna   antena de manguito, antena con manguito [con unipolo semicubierto]. Antena vertical de media onda cuya mitad inferior está constituida por un manguito metálico por el cual pasa la línea de alimentación, que es del tipo coaxil; la parte superior, o sea, la parte radiante, tiene una longitud igual a un cuarto de onda y va conectada al centro de la línea. CF. **sleeve dipole.**

sleeve bearing   *(Mec)* cojinete de manguito (interior); cojinete liso; chumacera de camisa; cojinete de bronce.

sleeve control   *(Telef)* control por tercer hilo.

sleeve-control cord circuit   *(Telef)* cordón de conexión con tercer hilo. Cordón de conexión que comprende un tercer hilo [sleeve wire] que sirve para el mando de las señales de supervisión [supervisory signals] por los órganos que se encuentran en la extremidad de la línea (CEI/70 55-95-050) | circuito de cordones simplificados.

sleeve-control supervision   *(Telef)* supervisión por tercer hilo. CF. **bridge-control supervision.**

sleeve-control switchboard   *(Telef)* conmutador manual de supervisión por el tercer hilo. Conmutador manual [manual switchboard] en el que las señales de supervisión son transmitidas por el equipo de líneas sobre el tercer hilo del cordón de conexión, estando este cordón desprovisto de puente de transmisión [transmission bridge] (CEI/70 55-90-235).

sleeve coupling   acoplamiento [junta, unión] de manguito.

sleeve dipole   *(Radiocom)* dipolo semicubierto [con tubo coaxil]. v. **sleeve dipole antenna** | antena coaxil. v. **quarter-wave skirt dipole** | CF. **sleeve antenna.**

sleeve dipole antenna   antena de dipolo semicubierto, antena dipolo con tubo coaxil. Antena de dipolo parcialmente cubierto; antena dipolo con un tubo coaxil alrededor del centro. SIN. **sleeve dipole.**

sleeve of commutator   *(Elec)* manguito de colector. Manguito fijado sobre el árbol o sobre el manguito de inducido de una máquina y que lleva el conjunto de delgas (o segmentos) de un colector con sus aislantes y sus dispositivos de retención (CEI/38 10-40-095).

sleeve stub   v. sleeve-stub antenna.

sleeve-stub antenna   (a.c. sleeve stub) semidipolo con tetón adaptador coaxil. Antena constituida por la mitad de una antena de dipolo semicubierto [sleeve dipole antenna] que se proyecta de una superficie conductora de gran extensión. SIN. **half-dipole with coaxial stub.**

sleeve target   *(Avia)* manga [cono] de tiro. Manga o cono que un avión remolca para ser utilizado como blanco.

sleeve twisters   *(Telecom)* alicate de empalmador.

sleeve wire   *(Elecn/Telecom)* hilo C (de la clavija), hilo de punta; hilo [conductor] de prueba. SIN. **C wire, test wire** | tercer hilo. SIN. **P wire, private wire** | *(i.e. third conductor associated with a pair)* tercer hilo | *(i.e. wire that connects to the sleeve of a plug or a jack)* hilo de casquillo [de canutillo]. Hilo que conecta con el casquillo o canutillo de una clavija o un jack; por extensión, hilo de función o disposición análoga, aunque no existan clavijas o jacks | (a.c. S wire) hilo de casquillo [de cuerpo], tercer hilo. Hilo asociado al casquillo de una clavija o al punto correspondiente de un jack (CEI/70 55-95-015) | *(in a 2-wire jack)* hilo de cuerpo | *(in a 3-wire jack)* hilo C, hilo de canutillo [de tercer muelle], tercer hilo.

sleeving   *(Elec/Elecn/Telecom)* manguito; revestimiento (de alambre, de cable) | manguito aislante, espagueti. SIN. **spaghetti** | cubierta [camisa] aislante.

slender   *adj:* delgado; esbelto; fino, ligero, sutil; delicado; escaso, insuficiente; pequeño.

slender-body theory   *(Aerodinámica)* teoría del cuerpo delgado.

slenderness   delgadez; esbeltez; ligereza, sutileza; delicadeza; escasez, insuficiencia; pequeñez.

slenderness ratio   *(Columnas)* relación [módulo] de esbeltez, razón de delgadez.

slew   agua poco profunda; terreno pantanoso; gran número, gran cantidad || *(Ant de radar, Dirección de tiro, Grúas)* giro horizontal /// *verbo: (Ant de radar)* girar rápidamente || *(Dirección de tiro)* girar rápidamente; apuntar en acimut [en dirección] || *(Buques)* balancearse de banda a banda.

slew range   *(Mot paso a paso)* gama de rotación rápida. Gama de altas velocidades de rotación que el motor puede sostener indefinidamente, pero a expensas de perder pasos cada vez que para, arranca, o invierte su sentido de marcha.

slew rate   *(Ampl)* (a.c. slewing rate) rapidez de respuesta; pendiente máxima de la tensión de salida. (1) Rapidez con que cambia la tensión de salida en función de la tensión de entrada. (2) Rapidez con que puede hacerse variar la salida entre sus valores límites, en condiciones de sobreexcitación [overdrive conditions]. (3) Variación de tensión por unidad de tiempo. SIN. **rate limit, voltage velocity limit, time rate of voltage change** || *(Mot paso a paso)* velocidad de progresión (pasos por segundo).

slewing   giro, rotación || *(Radar, Sonar)* giro rápido. Giro rápido de una antena direccional o de un transductor direccional, según el caso, en un plano horizontal o vertical || *(Mecanismos de dirección de tiro)* giro [movimiento] rápido || *(Elecn)* variación rápida.

slewing motor   *(Dirección de tiro, Grúas)* motor para el giro || *(Radar)* motor para exploración rápida [para seguimiento rápido]. Motor que sirve para mover rápidamente la antena al explorar el espacio o seguir un objetivo.

slewing rate   v. slew rate.

SLF   Abrev. de straight-line frequency.

slice   rebanada, tajada, loncha, lonja; filete (de carne); raja (de melón, sandía, etc.); pala; espátula ‖ *(Constr de barcos)* cuña (de grada); cuñón (de picadero de grada) ‖ *(Semicond)* plaquita, rodaja. Pieza que se obtiene cortando una "rebanada" delgada de un lingote de monocristal. SIN. **wafer** ⫽ *verbo:* rebanar, cortar en rebanadas o tajadas; cortar, tajar; trocear.

slicer rebanador; máquina de cortar rebanadas; desguazador ‖ *(Joyería)* sierra circular ‖ *(Elecn)* rebanador, seccionador (de señal). (**1**) Dispositivo destinado a aislar la parte de una señal comprendida entre dos niveles determinados. (**2**) Transductor que sólo da paso a las partes de la onda de entrada comprendidas entre dos límites de amplitud. SIN. **amplitude gate, clipper-limiter** | rebanador. Dispositivo destinado a no transmitir más que las partes de una señal cuyos valores instantáneos están comprendidos entre dos límites determinados, y a reemplazar las demás partes de la señal por los valores de los dos límites (CEI/70 55–25–130) | recortador de banda. Dispositivo destinado a no transmitir . . . [Def. idéntica a la inmediatamente precedente] (CEI/70 60–18–105). CF. **clipper, limiter, clamp.**

slicked switch *(Elec)* conmutador de mercurio de pequeño ángulo de maniobra y superficie de rodadura tratada con una substancia aceitosa.

slide resbalamiento, deslizamiento ‖ *(Mec)* resbaladera, deslizadera, corredera, colisa; guía (deslizante), guía de deslizamiento; plano inclinado, rampa; cizallamiento | (a.c. slider) cursor‖ *(Bastidores)* muesca, encaje ‖ *(Máq herr)* carro ‖ *(Cine/Tv/Fotog)* vista fija, placa, diapositiva, dianegativa *(p.us.)*. (**1**) Transparencia fotográfica en vidrio o película y destinada a ser proyectada. (**2**) En televisión, título o imagen en un cuadro de película [film frame] y destinado a ser proyectado sobre la cámara tomavistas ‖ *(Fotog)* chasis (para película) ‖ *(Instr)* cursor, colisa ‖ *(Microscopios)* platina, portaobjetos ‖ *(Reglas de cálculo)* reglilla, regleta ‖ *(Microondas)* diafragma (obturador) deslizante. Sirve para regular el grado de acoplamiento entre dos secciones de guíaondas o entre dos cavidades resonantes ‖ *(Mús)* vara (p.ej. de trombón); ligado | deslizamiento de frecuencia, portamento. v. **musical tone** ‖ *(Equipos)* tapa corrediza; puerta corrediza ‖ *(Mec de suelos, Geol)* alud, desmoronamiento; dislocación, derrumbe, desprendimiento (de tierras); deslizamiento, corrimiento (de terrenos); pliegue-falla, superficie de corrimiento; depósito de acarreo (sobre la falda o ladera de una montaña) ‖ *(Minas)* filón; atierre ⫽ *adj:* deslizable, deslizante, corredizo, de corredera. V.TB. **sliding** ⫽ *verbo:* deslizar(se), correr(se); resbalar; hacer resbalar; patinar ‖ *(Mec de suelos, Geol)* desmoronarse; dislocarse, derrumbarse, desprenderse; deslizarse, correrse.

slide-action switch conmutador de accionamiento corredizo. CF. **switch action.**

slide-back v. **slide-back milliammeter, slide-back voltmeter.**

slide-back milliammeter *(Tr)* miliamperímetro de rejilla.

slide-back voltmeter voltímetro de oposición. Voltímetro electrónico (a base de un diodo de estado sólido o de una válvula al vacío) que mide la tensión de interés indirectamente, por ajuste de una fuente de tensión calibrada hasta que la tensión de ésta iguala aquélla.

slide caliper(s) calibrador de cursor [de corredera], pié de rey. TB. calibre [cartabón] corredizo, calibre de colisa, regla de calibrar. Dispositivo para medir calibres y espesores constituido por una regla graduada acodada, con un cursor también acodado. La regla y el cursor forman una boca de abertura regulable en la cual se introduce y ajusta la pieza que se mide. Las dimensiones de ésta se leen en la escala de la regla o en un nonio que permite apreciar hasta quincuagésimas de milímetro. La parte graduada de la regla se llama *regleta;* se denomina *rodillo* una ruedecilla que se hace girar con el pulgar para mover gradualmente el cursor, y *freno* un tornillo moleteado que sirve para fijar el cursor en un ajuste cualquiera. SIN. **slide gage.**

slide carrier portadiapositivas, portaplacas. SIN. **slide holder** | v. **slide projector.**

slide coil *(Elec)* bobina de cursor, bobina con cursor.

slide contact v. **sliding contact.**

slide file cabinet gavetero para guardar diapositivas [vistas fijas].

slide gage calibrador de cursor [de corredera], pie de rey. v. **slide caliper(s).**

slide holder portadiapositivas, portaplacas. SIN. **slide carrier.**

slide-lever switch conmutador de palanquita [botón] deslizante. v. **slide switch.**

slide-out *adj:* deslizable, corredizo. Dícese generalmente de los chasis, módulos y otros elementos de equipo que se deslizan hacia afuera en forma de gaveta.

slide-out chassis chasis deslizable.

slide plate *(Mecanismos sintonizadores de botonera)* placa corrediza.

slide post *(Teleimpr)* pasador de corredera.

slide potentiometer potenciómetro longitudinal. Potenciómetro de accionamiento rectilíneo. Ofrece la ventaja (respecto a los giratorios) de que visualmente se aprecia la posición del cursor, permitiendo la colocación de una escala longitudinal.

slide projection proyección de diapositivas [vistas fijas, imágenes fijas].

slide projector proyector de diapositivas [transparencias, vistas fijas, imágenes fijas], pasaplacas. Aparato de proyección por transparencia de vistas o imágenes fijas (normalmente diapositivas, y rara vez dianegativas). AFINES: epidiáscopo, epidiascopio. V.TB. **diascope, opaque projector.**

slide rail *(Ferroc)* aguja.

slide resistance v. **slide resistor.**

slide resistor (a.c. slide resistance) reostato. CF. **slide wire.**

slide routine *(Informática)* rutina lateral.

slide rule regla de cálculo. En la regla de cálculo los valores matemáticos son definidos por sus análogos gráficos, o sea, longitudes. Fue inventada por los matemáticos J. Napier y J. Buergi (1617–1620), descubridores del sistema logarítmico.

slide-rule dial cuadrante rectilíneo [de escalas rectas]. Cuadrante de sintonía en el cual la aguja indicadora se desplaza en línea recta sobre escalas rectas largas.

slide scanner *(Tv)* explorador [analizador] de diapositivas.

slide-screw tuner *(Microondas)* sintonizador de tornillo deslizante. Transformador de impedancias (transformador de adaptación) consistente en un segmento ranurado [slotted section] de guía de ondas o de línea coaxil, y un tornillo o espiga que penetra en la guía o la línea y puede ser desplazado a lo largo de la ranura.

slide stage *(Microscopios)* (a.c. slide) platina, portaobjetos.

slide switch *(Elec)* (a.c. slide-lever switch, slide-type switch, slider switch, slider-type switch) conmutador corredizo, conmutador (del tipo) deslizante, conmutador de botón [palanquita] deslizante. Conmutador accionado moviendo un botón (generalmente rectangular y de pequeño tamaño) que se desplaza rectilíneamente, distinguiéndose de otros tipos de conmutadores en los que el movimiento es de volquete, de rotación, de presión, etc. El botón o palanquita deslizante recibe en inglés distintos nombres: *bar, button, knob, lever, slide, trigger.* Substituyendo en los equivalentes dados *conmutador* por *interruptor,* se obtienen sinónimos castellanos aplicables al caso particular de que el conmutador sea de SPST (simple polo, simple tiro) [single-pole single-throw slide switch].

slide-switch attenuator atenuador de conmutadores corredizos. Atenuador de varias células en cascada, provisto de conmutadores corredizos o deslizantes que permiten eliminar del circuito un número cualquiera de las células, con el fin de cambiar por pasos el grado de atenuación (atenuación escalonada) entre los bornes de entrada y de salida del dispositivo.

slide track *(Montaje de equipos)* riel de deslizamiento.

slide-type switch v. **slide switch.**

slide valve *(Máq de vapor)* válvula de corredera, corredera (de distribución), distribuidor (plano). TB. válvula corrediza. Dispositivo para regular la entrada y salida del vapor en los cilindros, teniendo, por tanto, función de válvula de admisión y escape | **D slide valve:** corredera en D, corredera [distribuidor] de concha ‖ *(Acús)* corredera. Tapa corrediza con agujeros que forma parte del mecanismo del órgano, y que se mueve para dar aire o quitarlo a la serie deseada de tubos al pulsar una tecla.

slide viewer   visor de diapositivas.

slide wire   *(Elec)* resistencia de cursor [de hilo y cursor]. Resistencia continuamente variable consistente en un hilo de resistencia desnudo sobre el cual se desplaza un cursor (contacto corredizo). CF. **slide resistor.**

slide-wire bridge   *(Elec)* puente de hilo y cursor | puente de hilo. Puente en el cual la totalidad o parte de dos brazos adyacentes [adjacent arms] está constituida por un hilo sobre el cual se desplaza un cursor, de manera de obtener una variación continua de la relación de los brazos (CEI/58 20–30–050).

slide-wire potentiometer   potenciómetro de hilo [de corredera] | potenciómetro de hilo. Potenciómetro formado por resistencias calibradas [calibrated resistors] y un hilo calibrado [calibrated wire] (CEI/58 20–30–095).

slide-wire rheostat   reostato de contacto corredizo. Reostato de contacto corredizo [sliding contact] desplazable sobre una larga bobina monocapa de hilo de resistencia.

slidefilm   diapositiva, vista fija. SIN. **slide.**

slider   resbalador; deslizadora ‖ *(Conmut deslizantes)* (a.c. slide) botón [palanquita] deslizante. v. **slide switch** ‖ *(Mús)* v. **slide** ‖ *(Ciertos instr mus de viento)* registro ‖ *(Mec)* corredera, guía de deslizamiento. V.TB. **slide** ‖ *(Microscopios)* (a.c. slide, slide stage) platina, portaobjetos ‖ *(Reglas de cálculo)* (a.c. slide) reglilla, regleta ‖ *(Resistores ajustables)* brida de ajuste, contacto movible, corredera ‖ *(Resistores variables)* (a.c. slide) cursor, contacto deslizante. SIN. **sliding contact.**

slider autotransformer   (a.c. slider-type autotransformer) autotransformador de cursor.

slider contact   v. **sliding contact.**

slider switch   v. **slide switch.**

slider-type adjustable wire-wound resistor   resistor de alambre ajustable de corredera.

slider-type switch   v. **slide switch.**

sliding   deslizamiento; resbalamiento; desplazamiento; corrimiento; escurrimiento ⫼ *adj:* deslizable, deslizante; resbaladizo; desplazable; corredizo; escurridizo; de corredera.

sliding arm   *(Reostatos, Resistores variables)* brazo móvil. SIN. **sliding-contact arm.**

sliding balance   *(Puentes de medida)* corrimiento del equilibrio, inestabilidad del estado de equilibrio.

sliding bolt   cerrojo.

sliding collector   *(Tracción eléc)* pantógrafo. v. **pantograph.**

sliding contact   *(Elec)* (a.c. slide contact, slider contact, slider) cursor, contacto deslizante [deslizable, corredizo, móvil] | contacto rozante [de frotamiento], contacto autolimpiante. SIN. **wiping [self-wiping] contact, self-cleaning contact** (véase) | frotador | V.TB. **sliding contacts** ‖ *(Telecom)* cursor, contacto deslizante. SIN. **rubbing contact [cursor]** | CF. **brush, wiper.**

sliding-contact arm   *(Reostatos, Resistores variables)* brazo de contacto deslizante. SIN. **sliding arm.**

sliding-contact commutator   conmutador de contacto deslizante.

sliding-contact switch   conmutador de contactos deslizantes. CF. **pressure-contact switch.**

sliding-contact tuner   v. **sliding tuner.**

sliding contacts   *(Elec)* contacto deslizante. Contacto cuyos elementos móviles se desplazan paralelamente a la superficie de contacto (CEI/57 15–15–070). CF. **rolling contacts** | contactos rozantes [de frotamiento], contactos autolimpiantes. v. **self-cleaning contact.**

sliding-current relay   relé [relevador] de excitación gradual. Relé o relevador que responde, o que responde mejor, a una corriente excitadora que aumente gradualmente hasta el valor necesario para accionar la armadura.

sliding door   (a.c. slide) puerta corrediza [de corredera].

sliding electrode   *(Elecn)* electrodo deslizable [deslizante]. Electrodo que puede ser desplazado físicamente en determinada dirección y dentro de ciertos límites.

sliding fastener   cierre de cremallera.

sliding fit   ajuste corredizo, ajuste suave.

sliding gate   *(Ferroc)* barrera corrediza ‖ *(Hidr)* compuerta deslizante [de guillotina].

sliding handgrip   *(Instalación de cables)* mordaza manual corrediza.

sliding knot   nudo corredizo.

sliding leg   *(Trípodes)* pata de corredera. CF. **sliding tripod.**

sliding load   *(Componente de línea coaxil)* carga deslizante.

sliding locking bolt   cerrojo de enclavamiento.

sliding null   *(Puentes de medida)* (punto) cero corredizo, (punto de) equilibrio corredizo. Efecto de deslizamiento del punto de equilibrio.

sliding nut   tuerca de traslación; tuerca móvil; tuerca deslizable [corrediza].

sliding plate   placa corrediza; placa deslizante; placa de deslizamiento.

sliding potential detector   detector de potencial deslizante.

sliding rail   *(Ferroc)* (a.c. slide rail) aguja. SIN. **sliding tongue.**

sliding resistance   *(Elec)* v. **slide wire, slide-wire rheostat.**

sliding short   v. **sliding short circuit.**

sliding short circuit   *(Microondas)* (a.c. sliding short) cortocircuito deslizante; guíaondas de cortocircuito deslizable.

sliding speed   velocidad variable.

sliding stub   *(Guías de ondas, Líneas de tr)* brazo de reactancia deslizante; sección equilibradora (de impedancias) corrediza.

sliding switch   v. **slide switch, sliding-contact switch.**

sliding tap   *(Resistores ajustables, Líneas de retardo ajustable)* cursor, derivación movible, toma deslizante. CF. **slider.**

sliding terminal   *(Resistores ajustables)* terminal movible.

sliding tongue   *(Ferroc)* aguja, punta movible de cambiavía. SIN. **sliding rail.**

sliding tripod   trípode con patas de corredera, trípode de secciones ajustables [telescópicas]. SIN. **adjustable [telescopic] tripod.**

sliding tuner   *(Radio)* (i.e. sliding-contact tuner) sintonizador de contacto corredizo. En los antiguos receptores, circuito de sintonía consistente en un capacitor (que podía ser fijo) y una bobina con un *contacto de cursor* que permitía variar el número de vueltas activas.

sliding voltage   tensión variable [deslizante].

sliding waveguide termination   guíaondas de terminación deslizable.

sliding window   *(Avia)* ventana corrediza.

slight   *adj:* leve, ligero; corto, pequeño, delgado; débil, flojo.

slight sea   *(Meteor)* mar poco agitado.

slim   *adj:* delgado, de poco espesor; angosto, de diámetro reducido; sutil, tenue; escaso, insuficiente.

slim file   *(Herr)* lima delgada.

slime   cieno, fango, lodo, barro, limo, légamo ‖ *(Minería)* lodo, finos, fangos ‖ *(Canalizaciones de agua)* babaza ‖ *(Electroquím/Electromet)* limo. Metal o compuesto insoluble finamente dividido que se forma sobre la superficie de un electrodo o en una solución durante la electrólisis (CEI/60 50–25–030) ⫼ *verbo:* enfangar, enlodar, embarrar, enlegamar ‖ *(Met/Minería)* tratar los fangos.

sling   eslinga, braga; estrobo; cadena de suspensión; cabestrillo; portafusil; charpa; honda ⫼ *verbo:* eslingar, embragar; encabestrillar; tirar (con honda).

sling psychrometer   *(Meteor)* psicrómetro-honda, psicrómetro giratorio.

sling thermometer   *(Meteor)* termómetro-honda.

slinger ring   *(Climatiz)* anillo salpicador ‖ *(Hélices de avión)* anillo de distribución por salpicado.

slinger-ring fan   *(Climatiz)* ventilador del tipo de anillo salpicador. Lanza sobre el serpentín del condensador el agua que se condensa sobre el serpentín del evaporador, acelerando así la disipación del calor en el exterior.

slinging wire   *(Galvanoplastia)* hilo de suspensión. Hilo empleado para suspender y conducir la corriente a uno o varios cátodos en una cuba de galvanoplastia [plating tank] (CEI/60 50–30–335). CF. **plating rack.**

¹slip   deslizamiento; patinamiento; resbalamiento; resbalón; resbaladero; lapsus, error, desliz, equivocación, falta; distracción, inadvertencia; accidente, contratiempo; desviación; derrumbe, desprendimiento (de tierras); refajo, enaguas, saya interior | funda de almohada. SIN. **pillowcase** | *(Aserraderos)* rampa de entrada || *(Astilleros)* v. **slipway** | *(Avia)* resbalamiento. Movimiento deslizante de un avión en vuelo en ciertas posiciones u orientaciones [attitudes] del mismo || *(Bombas)* escape, pérdida || *(Constr)* durmiente empotrado || *(Constr naval)* v. **slipway** || *(Correas)* deslizamiento || *(Elec)* deslizamiento, resbalamiento. Diferencia entre la velocidad sincrónica [synchronous speed] y la velocidad verdadera de una máquina de inducción | (of an asynchronous generator or motor) deslizamiento. (1) Relación de la velocidad relativa del campo y del inducido, a la velocidad del campo de una generatriz o de un motor asincrónico (CEI/38 10–45–075). (2) Relación de la velocidad relativa del campo respecto al rotor, a la velocidad del campo de una generatriz o de un motor asincrónico (CEI/56 10–40–165) || *(Geol)* pequeña falla; desplazamiento || *(Hélices)* resbalamiento, retroceso || *(Mec)* diferencia entre el rendimiento óptimo y el real (de un dispositivo) || *(Mec de los fluidos)* (*i.e.* slip of a fluid along a surface) diferencia de velocidad || *(Met, Cristalog)* deslizamiento, desliz. (1) Deformación de un cristal metálico a lo largo de determinado plano. (2) Proceso por el cual un cristal experimenta deformación plástica cuando un plano atómico se desplaza físicamente sobre otro. (3) Fenómeno que interviene en la deformación plástica de los cristales de un metal, por desplazarse unas partes de los cristales respecto a otras a lo largo de planos cristalográficos || *(Obras portuarias)* (*i.e.* dock, docking place; pier; space between docks or wharves) dársena; embarcadero; arrimadero, muelle de atraque (para transbordadores); espacio entre espigones || *(Petr, Sondeos)* cuña || *(Facsímile)* deformación por patinamiento (del sistema impulsor). Deformación geométrica de la imagen parecida al error de rectangularidad (v. **skew**), pero causada por patinamiento del sistema de impulsión mecánica || v. **slippage, slipping** /// *adj:* deslizante, corredizo; rozante; móvil /// *verbo:* deslizar(se), correr(se); resbalar; patinar; escurrirse; desprenderse; soltar(se); desatar; zafarse; escaparse; dislocarse, salirse de su lugar; atrasarse (un programa de producción); caer en falta o error, errar, equivocarse, cometer un desliz; insertar o sacar suavemente; pasar inadvertido || *(Avia)* resbalar (un avión en vuelo).

²slip   (*i.e.* long narrow piece; strip) tira, pedazo; listón delgado | ficha, papeleta | (*i.e.* sales slip) nota [papeleta] de venta || *(Artes gráficas)* galerada, prueba || *(Teleg)* (*i.e.* perforated tape) cinta (perforada). POCO USADO: cinta deslizante | (*i.e.* undulator tape) cinta (de ondulador).

³slip   *(Cerámica)* suspensión líquida; suspensión acuosa; barbotina, pasta líquida; baño de esmalte; arcilla plástica [arcilla de alfareros] desleída para decorar o cubrir objetos de cerámica.

slip clutch   embrague deslizante. Dispositivo de protección utilizado en algunos trenes de engranajes [gear trains] para desconectar la carga si su valor sobrepasa determinado límite.

slip effect   *(Mec de los fluidos)* efecto de deslizamiento.

slip fit   ajuste de frotamiento suave. CF. **sliding fit.**

slip flow   *(Mec de los fluidos)* flujo deslizante [de deslizamiento].

slip-friction clutch   *(Facsímile)* v. **clutch.**

slip fuel tank   *(Avia)* depósito de combustible lanzable.

slip function   *(Avia)* función [coeficiente] de resbalamiento.

slip joint   junta corrediza [deslizante, resbaladiza, movediza]; junta de dilatación; junta telescópica.

slip-joint plier(s)   pinza ajustable [de articulación movible], pinzas ajustables [de expansión], alicates de expansión [de articulación movible].

slip-knot   v. **slipknot.**

slip line   *(Mec)* línea de deslizamiento. Trayectoria de las direcciones de máximo esfuerzo de cizallamiento en un flujo plástico plano || *(Cristalog)* línea de deslizamiento [de corrimiento, de deformación] || *(Met)* línea (microscópica) de falla incipiente, fisura de rotura incipiente.

slip multiple   *(Telecom)* multiplicación deslizante.

slip-on flange   *(Tuberías)* brida loca [postiza]. LOCALISMO: brida de deslizamiento.

slip-over current transformer   *(Transf eléc de medida)* transformador de cable. Circuito magnético que lleva un devanado y que se monta sobre un cable aislado para constituir un transformador de intensidad [current transformer]. SIN. **cable current transformer** (CEI/58 20–45–040). CF. **instrument transformer, split-core type transformer, winding-type current transformer.**

slip plane   *(Cristalog, Miner, Met, Mec de suelos)* plano de deslizamiento.

slip record   *(Teleg)* cinta de recepción, cinta del ondulador. v. **undulator.**

slip regulator   regulador de deslizamiento [de resbalamiento] || *(Elec)* reostato de resbalamiento | reostato de deslizamiento. Reostato de regulación de velocidad para máquina de inducción (CEI/57 15–50–160). CF. **speed-regulating rheostat.**

slip ring   *(Elec)* (*also* slip-ring, slipring) anillo [aro] colector, anillo rozante [de deslizamiento, de frotamiento]. SIN. **collector ring** | anillo (colector). Anillo conductor fijado a un árbol y destinado a realizar, por medio de escobillas [brushes], la comunicación eléctrica entre un conductor giratorio y un conductor fijo (CEI/38 10–05–200, CEI/56 10–30–160) || *(Grúas)* círculo de rodadura.

slip-ring armature   *(Máq eléc)* inducido [rotor] de anillo.

slip-ring induction motor   *(Elec)* motor de inducción de anillos colectores.

slip-ring motor   *(Elec)* motor de anillos (rozantes), motor de anillo (colector), motor de inducido [rotor] devanado | motor de anillos. (1) Motor de inducción en el cual el devanado del inducido está conectado a anillos colectores (CEI/38 10–15–150). (2) Motor de inducción alimentado por el estator [stator] y cuyo rotor [rotor] lleva un devanado conectado a anillos colectores (CEI/56 10–15–060).

slip stick   *(slang)* regla de cálculo. v. **slide rule.**

slip-stream   v. **slipstream.**

slip tank   *(Avia)* depósito lanzable. CF. **slipper tank.**

slip-washer   v. **slipwasher.**

slip-way   v. **slipway.**

slipknot   nudo corredizo.

slipline   v. **slip line.**

slippage   (a.c. ¹slip) deslizamiento; patinamiento; resbalamiento || *(Avia)* resbalamiento. v. **¹slip** || *(Bombas)* escape, pérdida, goteo || *(Contadores)* gasto no medido || *(Mec)* pérdida, diferencia entre el rendimiento óptimo y el real (de un dispositivo); pérdida de velocidad por resbalamiento || *(Correas)* deslizamiento, resbalamiento || *(Ruedas)* patinaje || *(Elec)* deslizamiento, resbalamiento. v. **¹slip** | desfasaje || *(Fáb)* atraso (en el programa de producción) || *(Fonog)* (*i.e.* record slippage) resbalamiento, patinaje (rotatorio). Ocurre cuando en un tocadiscos automático se colocan dos o más discos || *(Hélices)* resbalamiento, retroceso || *(Mec de suelos)* derrumbe, desprendimiento (de tierras) || v. **slipping.**

slipped banks   *(Telecom)* bancos de contactos salteados. Bancos de contactos agrupados en múltiple de tal manera que el contacto *n* del primer banco está conectado al contacto (*n*+1) del segundo banco, al contacto (*n*+2) del tercer banco, y así sucesivamente (CEI/70 55–110–195). CF. **straight banks.**

slipper tank   *(Avia)* depósito amovible.

slipperiness   *(Aceites y lubricantes)* lubricidad, untuosidad || *(Avia)* resbalabilidad, calidad de resbaloso. v. **¹slip.**

slipping   (a.c. ¹slip) deslizamiento; patinaje, patinamiento; resbalamiento; desplazamiento; desviación; derrumbe, desprendimiento (de tierras); corrimiento (del terreno) || (*Tv*) corrimiento de la imagen. Corrimiento vertical u horizontal de la imagen debido a falla o defecto de los circuitos sincronizadores || v. ¹**slip, slippage** |||| *adj:* deslizante, corredizo; rozante; resbaladizo; móvil.

slipping cam   (*Telef*) leva de retardo.

slipping clutch   embrague deslizante; embrague de fricción.

slipping coupling   acoplamiento deslizante. Acoplamiento que transmite el movimiento de una pieza a otra, pero que permite el resbalamiento o patinamiento si el movimiento de la segunda pieza es impedido o encuentra mucha resistencia. CF. **slip clutch**.

slipping turn   (*Avia*) viraje con resbalamiento.

slipring   v. **slip ring**.

slipstream   (*Avia*) torbellino, estela (de la hélice) || (*Fís*) corriente retrógrada || (*Nucl*) corriente de extracción lateral. SIN. **side stream** || (*Torres de destilación*) corriente tomada a cualquier altura. SIN. **side stream**.

slipstream effect   (*Avia*) efecto de torbellino (de la hélice).

slipwasher   arandela abierta [en herradura].

slipway   (*Astilleros*) (a.c. slip) grada (de construcción, de halaje), varadero, deslizadero.

slit   hendidura, rendija, abertura, ranura; raja, hendidura, grieta; hendedura, tajo; ranura, resquicio, quebradura, abertura; cortadura larga || (*Cine*) ranura; línea del sonido ||| *verbo:* rajar, hender, tajar; cortar en tiras; ranurar; rasgar (un tejido).

slit injector   inyector de hendidura.

slit photometer   fotómetro de rendija.

slit source   (*Nucl*) fuente hendida.

slitting file   (*Herr*) lima-cuchillo, lima-espada, lima de cuchillo [de espada], lima de hender, lima hendedora, lima achaflanada. SIN. **slot file**.

slitting shears   cizalla para chapa (metálica); cizalla mecánica para metal, cortador mecánico para hojalata.

slo-blo fuse   (*Elec*) v. **slow-blow fuse**.

slope   pendiente, declive, bajada; talud; falda, ladera; vertiente; rampa || (*Avia*) inclinación. Proyección de la trayectoria de vuelo en un plano vertical || (*Albañilería*) ladrillo con la cara inclinada || (*Carreteras, Ferroc*) talud. v. **side-slope** | pendiente. Trozo descendente de la rasante. SIN. **decline** || (*Cubiertas*) faldón || (*Curvas gráficas*) pendiente, inclinación. SIN. **steepness** || (*Geol*) buzamiento || (*Herr*) ángulo de salida || (*Minas*) galería inclinada, plano inclinado, chiflón || (*Elecn*) inclinación. Grado o medida en que una parte esencialmente recta de una curva característica se aparta de la horizontal (o de la vertical) | (*i.e. of the emission characteristic*) inclinación (de la característica de rejilla-placa). Cociente de la variación elemental de la corriente que sale del ánodo por la de la relación de rejilla, permaneciendo constantes todas las otras tensiones (CEI/38 60–25–155). SIN. **pendiente (de la característica rejilla-ánodo), transconductancia, conductancia mutua —— transconductance, mutual conductance** || (*Mat*) pendiente, coeficiente angular. (**1**) En el caso de una recta, tangente trigonométrica del ángulo que aquélla forma con la horizontal. (**2**) En el caso de una curva la pendiente no es constante, sino que depende del punto considerado, y es igual a la tangente trigonométrica del ángulo que forma con la horizontal la tangente geométrica de la curva en dicho punto || (*Telecom*) pendiente. Variación lineal de la atenuación en una línea de transmisión, en función de la frecuencia; normalmente la atenuación aumenta con la frecuencia. V.TB. **attenuation** || v. **slope of...** ||| *verbo:* inclinar(se); declinar; formar declive; estar en declive; ataluzar, ataludar, taludar.

slope angle   (*Avia*) ángulo de inclinación, (ángulo de) inclinación longitudinal. Angulo que forma con la horizontal el eje longitudinal de una aeronave. Angulo que forma con la horizontal la trayectoria de vuelo de una aeronave. SIN. **angle of dip [inclination], pitch attitude** | ángulo de declive [de la trayectoria de descenso]. SIN. **glide-slope angle** || (*Mat*) ángulo de pendiente [de inclinación].

slope attenuation   (*Telecom*) atenuación de pendiente.

slope-based linearity   linealidad referida a una recta determinada únicamente en cuanto a su pendiente.

slope compensator   (*Impulsos*) compensador de pendiente.

slope detection   detección por pendiente [flanco] (de la curva de resonancia).

slope detector   detector por pendiente [flanco] (de la curva de resonancia). Discriminador en el cual se utiliza un circuito resonante y un diodo y que responde a diferencias de frecuencia. Trabaja sobre uno de los flancos de la curva de respuesta del circuito resonante (circuito sintonizado). Este discriminador [discriminator] es de rara aplicación práctica en los receptores de modulación de frecuencia, debido a que la parte lineal de la característica de respuesta es muy corta para poner en juego señales de mucha amplitud.

slope deviation   (*Avia*) desviación de inclinación. Diferencia entre la inclinación verdadera y la proyectada, entendiéndose por *inclinación* la proyección de la trayectoria de vuelo sobre un plano vertical.

slope-edged pulse   (*Elecn*) impulso de flanco inclinado [oblicuo].

slope equalization   (*Telecom*) igualación [compensación] de pendiente. CF. **slope attenuation**.

slope equalizer   (*Telecom*) igualador de pendiente. Dispositivo asociado a un amplificador y que tiene por finalidad hacer constante la atenuación de una sección de línea de transmisión en toda la banda de frecuencias de interés.

slope filter   (*Elecn/Telecom*) filtro de pendiente. Filtro cuya respuesta aumenta o disminuye con la frecuencia dentro de ciertos límites de ésta.

slope level   nivel de pendiente, clinómetro, eclímetro, clisímetro. Instrumento para apreciar la pendiente del terreno. SIN. **slope gage**.

slope lift   (*Vuelo a vela*) ascendencia orográfica. SIN. **hill lift**.

slope-lift soaring   vuelo orográfico [en ascendencia orográfica].

slope-line approach lighting system   (*Avia*) sistema de aproximación de hileras luminosas inclinadas.

slope meter   indicador de pendiente(s). CF. **slope level**.

slope of a curve   pendiente [inclinación] de una curva.

slope of descent   pendiente de descenso [de declive] || (*Proyectiles*) pendiente de caída.

slope of fall   (*Proyectiles*) pendiente de caída, tangente del ángulo de caída.

slope of the characteristic curve   pendiente de la curva característica || (*Elecn*) pendiente de la característica dinámica.

slope of the lift curve   (*Avia*) pendiente de la curva de sustentación.

slope protection   protección [defensa] de taludes.

slope ratio   relación del talud || (*Potenciómetros*) relación de pendientes. Cociente entre las pendientes máxima y mínima de la función que representa la tensión de salida.

slope resistance   (*Elecn*) (*i.e. of an electrode*) componente resistiva de la impedancia (de un electrodo); resistencia diferencial (de un electrodo).

sloping   (*Convertidores*) eyección de escoria y metal durante el soplado ||| *adj:* inclinado; en declive, en pendiente; en talud, ataluzado.

sloping position   posición inclinada.

sloping V antenna   antena en V inclinada.

slot   abertura, hendidura, hendija, rendija, ranura, canal, muesca. CF. **slit** | pista, rastro; chavetero; pedazo || (*Carp*) tablilla; tira (de madera); mortaja || (*Cañones: Alojamientos del cierre*) segmentos lisos || (*Elec*) ranura. Vaciado realizado en una pieza metálica para alojar los conductores de un devanado (CEI/38 10–40–075, CEI/56 10–30–130). CF. **tooth** || (*Minas*) roza || (*Telecom*) ranura, hendidura, rendija, abertura | ranura (frecuencial), intervalo (de frecuencia), canal || (*Señalización ferrov*) palanca de combinación. Dispositivo para controlar una misma señal desde dos puestos de señales ||| *verbo:* ranurar, acanalar, enmuescar; escoplear; cepillar verticalmente; amortajar, cajear (encajar una pieza en la caja o el hueco correspondiente).

slot and feather   ranura y lengüeta.

slot antenna   ranura radiante. Elemento radiante constituido por una ranura practicada en una superficie metálica. SIN. **slot radiator** | antena de ranura(s). TB. antena ranurada. Antena constituida por una superficie metálica grande con una o más ranuras, y alimentada por una línea coaxil o una guía de ondas. Si se desea radiación unidireccional, la chapa metálica va "encajonada", o la ranura es excitada directamente por una guía. También puede prescindirse de la chapa metálica y utilizar un trozo de guía con ranuras diagonales a intervalos muy precisos. SIN. **slot array**. CF. **batwing antenna, slotted-cylinder aerial, slotted-guide aerial.**

slot antenna array   v. **slot array.**

slot armor   (Elec) aislador de ranura. Aislador colocado en una ranura. CF. **slot cell, slot insulation.**

slot array   antena de ranuras, grupo de antenas de ranura. SIN. **slot antenna (array)** | red de ranuras radiantes. Red de antenas [aerial array] constituida por ranuras radiantes [slot radiators] (CEI/61 62-25-065) | alineación de ranuras. Antena que comprende una o más ranuras radiantes practicadas en una superficie conductora (CEI/70 60-34-250).

slot bandpass filter   filtro pasabanda del tipo de muesca, filtro de paso de banda angosta. Filtro que da paso a una banda angosta de frecuencias.

slot bandstop filter   filtro supresor de banda del tipo de muesca, filtro de eliminación de banda angosta. Filtro que presenta atenuación a las frecuencias comprendidas en una banda angosta.

slot cell   (Elec) hoja aislante de ranura. Hoja de material aislante colocada en una ranura. CF. **slot armor.**

slot coupling   (Microondas) acoplamiento por ranura. Acoplamiento entre una guía de ondas y un cable coaxil, por medio de dos ranuras coincidentes, una practicada en una de las paredes de la guía, y la otra en el conductor exterior del cable.

slot cutter   cortadora de ranuras; fresa para ranuras, fresa (de disco) para acanalar.

slot-diffuser loudspeaker   altavoz [altoparlante] con difusor de ranura. Altavoz o altoparlante en el cual el sonido se transmite a través de una estrecha abertura.

slot effect   (Gen taquimétricos) efecto de ranura, tensión mínima de arranque.

slot-fed dipole   (Ant) dipolo ranurado. Dipolo alimentado con la ayuda de un balún constituido por la extremidad de una línea coaxil cuyo conductor exterior tiene dos ranuras diametralmente opuestas de longitud próxima a un cuarto de longitud de onda, estando el conductor central [inner conductor] conectado al exterior [outer conductor] en un punto intermedio entre las dos extremidades de las ranuras (CEI/70 60-34-365) | doblete simetrizado por coaxil ranurado.

slot file   v. **slitting file.**

slot flap   (Aeron) (a.c. slotted flap) flap con ranura, flap ranurado.

slot frequency   (Telecom) frecuencia de ranura.

slot insulation   (Elec) aislamiento de ranura. Hoja flexible de material aislante colocada en una ranura. CF. **slot armor.**

slot meter   (Elec) contador de previo pago. v. **prepayment meter.**

slot pitch   (Elec) (of a drum winding) paso en la ranura. Número de dientes que separan las ranuras en que están colocados los dos lados de un devanado en tambor (CEI/38 10-05-095).

slot radiator   (Ant) ranura radiante. Ranura practicada en una guía de ondas o en una placa o superficie conductora, y que se comporta como una antena (CEI/61 62-25-060, CEI/70 60-34-245) | radiador de ranura. CF. **slot antenna.**

slot rail   carril [riel] de ranura, carril partido [de garganta].

slot system   (Tracción eléc) sistema de contacto subterráneo.

slot weld   soldadura de ranura [de muesca, de pie de agujero].

slotted   adj: ranurado, con ranuras; dentado; con hendiduras; con hendijas; con muescas.

slotted aileron   (Aeron) alerón de [con] ranura.

slotted airfoil   (Aeron) perfil de ala ranurado.

slotted armature   (Elec) inducido dentado. Inducido cuyo devanado está colocado en ranuras [slots] (CEI/56 10-30-035).

slotted-cylinder aerial   antena de cilindro ranurado. Antena que comprende una o más ranuras radiantes [slot radiators] practicadas según las generatrices de una superficie conductora cilíndrica (CEI/70 60-34-255). CF. **slotted-guide aerial.**

slotted-cylinder antenna   antena de cilindro ranurado. v. **slotted-cylinder aerial.**

slotted flap   (Aeron) v. **slot flap.**

slotted-guide aerial   antena de guía ranurada. Antena constituida por una guía en cuyas paredes se han practicado una o más ranuras radiantes [slot radiators] alimentadas por la onda que se propaga por la guía (CEI/70 60-34-260). SIN. **slotted-waveguide antenna.**

slotted-head screw   (a.c. slotted screw) tornillo de cabeza ranurada.

slotted hole   agujero oblongo [ovalizado], taladro ovalado.

slotted line   (Microondas) línea [sección] ranurada, línea con ranura; guía (de ondas) ranurada, guíaondas ranurado, guía ranurada de medida. Sección de guía de ondas, de línea coaxil o de línea blindada con una ranura longitudinal en la pared, el conductor exterior o el blindaje, según el caso, que permite utilizar una sonda o detector móvil para observar las ondas estacionarias. SIN. **slotted (measuring) section, slotted waveguide** | guía ranurada de medida. Segmento de guía de ondas en cuya pared se ha practicado una ranura no radiante [nonradiating slot] por la cual puede hacerse deslizar una sonda de medida. SIN. **slotted measuring section** (CEI/61 62-20-060).

slotted-line recorder system   v. **slotted-line recording system.**

slotted-line recording system   sistema registrador de línea ranurada. Sistema que comprende una línea ranurada y un registrador gráfico, y que tiene por objeto registrar la salida de la sonda de la línea, en función de su posición a lo largo de la ranura.

slotted measuring section   (Microondas) v. **slotted line.**

slotted nozzle   tobera ranurada.

slotted nut   tuerca encastillada [almenada].

slotted pin   pasador [clavija] con entallas.

slotted radiator   (Ant) radiador ranurado. CF. **slot antenna.**

slotted rotor plate   (Cond) placa de rotor con muescas. En un condensador variable de radiorreceptor, placa de rotor con muescas radiales que permiten doblar diferentes secciones de la placa hacia uno u otro lado, con el fin de ajustar el valor total de capacitancia del condensador durante el procedimiento de alineación de los circuitos resonantes. SIN. **serrated [split] rotor plate.**

slotted screw   (i.e. slotted-head screw) tornillo de cabeza ranurada.

slotted section   (Microondas) v. **slotted line.**

slotted-shield transformer   transformador con blindaje ranurado.

slotted shutter   (Fotog) obturador focal [de cortinilla]. SIN. **focal-plane shutter.**

slotted SWR measuring device   (Microondas) dispositivo ranurado para medida de relación de ondas estacionarias. v. **slotted line, slotted-line recording system.**

slotted washer   arandela abierta [en herradura].

slotted waveguide   (Microondas) v. **slotted line.**

slotted-waveguide antenna   antena de guíaondas ranurado, antena de guía ranurada. v. **slotted-guide aerial.**

slotted wing   (Aeron) ala con ranura, ala ranurada.

slotted wing flap   (Aeron) flap de ranura.

slotter   (Carp) mortajadora || (Máq herr) ranuradora.

slow   adj: lento; pausado; tardío || (Relojes) atrasado ||| adv: lentamente, despacio.

slow-acting relay   relé [relevador] de acción lenta, relé de acción retardada [diferida], relé retardado [lento]. Relé o relevador en el que es apreciable el intervalo de tiempo entre la excitación (aplicación de corriente a la bobina) y la atracción de la armadura. El retardo puede obtenerse eléctricamente o mediante la colocación de un anillo de cobre macizo sobre el núcleo de la bobina. A veces se usa el mismo término refiriéndose a un *relé de desprendimiento diferido* o *de apertura retardada* (v. **slow-release relay**). SIN. **slow-operating** relay. CF. **time-delay relay, slug** (*Relés*).

slow-action relay   relé de acción lenta. V.TB. **slow-acting [slow-operating] relay** | relé de acción diferida. V.TB. **time-delay relay**.

slow-blow fuse   (*Elec*) fusible con retardo, fusible de fusión lenta [del tipo lento]. SIN. **time-delay fuse**.

slow-burning   *adj:* de combustión lenta.

slow chopper   (*Nucl*) selector lento.

slow-closing   *adj:* de cierre lento.

slow-closing valve   válvula de cierre lento.

slow combustion   combustión lenta.

slow CW   (*Radioteleg*) telegrafía Morse a baja velocidad; emisión telegráfica de ondas continuas de baja velocidad de manipulación.

slow death   (*Transistores*) "muerte lenta", variación gradual de las características. Variación gradual de las características con el transcurso del tiempo, atribuida a la concentración de iones en la superficie del transistor.

slow-decay AGC   CAG de desactivación lenta. SIN. **slow-release AGC**. CF. **fast-attack AGC**.

slow-decay automatic gain control   control automático de ganancia de desactivación lenta.

slow down   *verbo:* desacelerar, disminuir la velocidad; retardar || (*Nucl*) moderar; termalizar (neutrones rápidos). v. **thermalization**.

slow-down   v. **slowdown**.

slow electron   electrón lento.

slow flux   (*Nucl*) flujo lento.

slow flying   vuelo lento.

slow frequency shift   deriva [corrimiento gradual] de (la) frecuencia. SIN. **frequency drift** (véase).

slow idle   (*Mot*) marcha lenta en vacío.

slow interrupter   (*Telecom*) interruptor lento. SIN. **slow-speed interrupter**.

slow landing   (*Avia*) aterrizaje a poca velocidad.

slow landing speed   (*Avia*) poca velocidad de aterrizaje.

slow-leak valve   válvula de descarga lenta.

slow-loading test   prueba con carga aplicada lentamente.

slow loop   (*Acrobacias aéreas*) rizo lento.

slow memory   (*Informática*) memoria de acceso lento.

slow Morse-code transmission   transmisión lenta en código Morse, emisión telegráfica Morse de baja velocidad.

slow motion   movimiento lento || (*Cine*) cámara lenta.

slow-motion adjusting screw   tornillo de ajuste de movimiento lento.

slow-motion dial   cuadrante desmultiplicado [con desmultiplicación].

slow-motion drive   mecanismo [dispositivo] de arrastre lento.

slow-motion effect   (*Cine*) cámara lenta. Proyección en la cual los movimientos de los actores y los objetos aparecen lentos, por haber sido acelerado el mecanismo de la cámara durante la filmación.

slow-motion film   (*Cine*) película de cámara lenta.

slow-motion observation   observación a marcha lenta [en movimiento lento].

slow-motion screw   tornillo de movimiento lento [de paso pequeño], tornillo de aproximación.

slow-moving   *adj:* de movimiento lento.

slow neutron   neutrón lento. (1) Neutrón de poca energía cinética (menos de unos 100 eV). (2) Neutrón cuya velocidad es del orden de magnitud de las velocidades de agitación molecular [molecular agitation] a la temperatura normal (CEI/56 05–10–085) | neutrón térmico. SIN. **thermal neutron**.

slow-neutron capture   captura de neutrones lentos.

slow-neutron chain reaction   reacción en cadena con neutrones lentos [retardados].

slow-neutron detector   detector de neutrones lentos.

slow-neutron fission   fisión por neutrones térmicos. SIN. **thermal-neutron fission**.

slow-neutron flight time   tiempo de vuelo de neutrones lentos.

slow-neutron flight-time selector   selector de tiempos de vuelo de neutrones lentos.

slow-neutron-induced fission   fisión (provocada) por neutrones térmicos. SIN. **thermal-neutron fission**.

slow-neutron-induced fission chain reaction   reacción en cadena de fisión por neutrones térmicos [lentos].

slow-opening valve   válvula de acción lenta.

slow-operate relay   v. **slow-operating relay**.

slow-operating relay   (a.c. **slow-operate relay**) relé de acción lenta [diferida, retardada]. V.TB. **slow-acting relay**.

slow operation   funcionamiento lento; accionamiento lento || (*Relés*) atracción lenta [diferida].

slow reactor   (*Nucl*) reactor de fisión por neutrones lentos. Reactor en el cual la fisión se produce principalmente por neutrones lentos [slow neutrons], como en el caso del reactor térmico [thermal reactor].

slow release   liberación lenta || (*Telecom*) interrupción retardada || (*Relés*) desenganche lento, apertura retardada.

slow-release AGC   CAG de desactivación lenta, control automático de ganancia con característica de desactivación lenta. SIN. **slow-decay AGC**.

slow-release relay   (a.c. **slow-releasing relay**) relé de desprendimiento diferido [de apertura retardada]. Relé o relevador en el que es apreciable el intervalo de tiempo entre la desexcitación (cese de la corriente circulante por la bobina) y el retorno de la armadura a su posición de reposo. SIN. **relé lento** [retardado, de acción retardada] —— **slow-acting** [**slow-operating, time-delay**] relay.

slow-releasing relay   v. **slow-release relay**.

slow roll   (*Aviones, Buques*) balanceo lento || (*Vuelo acrobático*) tonel lento.

slow running   funcionamiento lento, marcha lenta.

slow scan   exploración lenta.

slow-scan (industrial) television   televisión (industrial) de exploración lenta.

slow speed   velocidad baja [pequeña]; marcha lenta.

slow-speed generator   (*Elec*) generador de baja velocidad.

slow-speed interrupter   (*Telecom*) interruptor lento. SIN. **slow interrupter**.

slow-speed interrupter cam   (*Telecom*) leva de interruptor lento.

slow-speed motor   motor de baja velocidad.

slow-speed scan   exploración lenta.

slow-sweep television   televisión de barrido lento [de exploración lenta]. SIN. **slow-scan television**.

slow up   *verbo:* desacelerar, disminuir la velocidad; retardar.

slow wave   onda lenta. Onda electromagnética cuya velocidad de fase es menor que la velocidad de la luz.

slow-wave circuit   (*TOP*) circuito de onda lenta.

slow-wave propagating circuit   (*TOP*) circuito de propagación de onda lenta; circuito de retardo de la onda propagada.

slow-wave structure   (*TOP*) estructura de ondas lentas; estructura de retardo de onda.

slowdown device   (*Ascensores*) dispositivo de retardo al fin de la carrera [al fin del recorrido].

slowdown video   v. **slowed-down video**.

slowed-down video   (a.c. **slowdown video**) conversión de barrido rápido en lento; transmisión de video [datos de radar] por circuitos de banda angosta mediante almacenamiento, muestreo y cuantificación.

slowing-down   frenado; desaceleración; pérdida de velocidad || (*Nucl*) moderación, retardación, decrecimiento energético. Disminución de la energía de una partícula a consecuencia de choques con núcleos atómicos.

slowing-down area   *(Nucl)* área de moderación. Sexta parte de la media de los cuadrados de las distancias recorridas por neutrones en un medio infinito homogéneo [infinite homogeneous medium] desde su punto de origen hasta el punto en que los mismos han sido moderados de la energía inicial a una energía especificada (CEI/68 26–10–015) | área de retardación.

slowing-down density   *(Nucl)* densidad de moderación [de retardación]. Número de neutrones moderados por unidad de volumen y de tiempo.

slowing-down kernel   *(Nucl)* núcleo de moderación [de retardación]. Probabilidad de que un neutrón se desplace de un punto a otro mientras experimenta un decrecimiento energético especificado.

slowing-down length   *(Nucl)* longitud de moderación. Raíz cuadrada del área de moderación [slowing-down area] (CEI/68 26–10–020) | longitud de retardación.

slowing-down power   *(Nucl)* poder de moderación. Para un medio dado, producto del decremento logarítmico medio de la energía [average logarithmic energy decrement] por la sección eficaz macroscópica de difusión neutrónica [macroscopic neutron scattering cross-section] (CEI/68 26–10–055).

slowing-down signal   *(Ferroc)* señal de precaución. SIN. **permissive signal** (véase).

slowing-down time   tiempo de desaceleración || *(Máq)* tiempo de funcionamiento [marcha] por inercia || *(Nucl)* tiempo de moderación [de retardación].

slowly   *adv:* despacio, lentamente; pausadamente; tardíamente.

slowness   lentitud; dilación, retraso, tardanza; pesadez || *(Aeron)* pesadez, lentitud.

sludge   cieno, fango, lodo, barro; sedimento (fangoso) | *(i.e.* finely broken or half-formed ice on a body of water) fragmentos de hielo flotantes; agua (de mar, de río) en proceso de congelación || *(Alcantarillas)* fangos || *(Autos)* cieno, fango, sedimento || *(Ing hidr)* arcilla, barro suelto || *(Ing sanitaria)* cieno (cloacal), barro cloacal, fango (de aguas negras), heces, lodo. LOCALISMO: bahorrina || *(Minería)* lodo; lama, fango mineral || *(Purificación de aguas)* cienos, sedimentos || *(Sist de refrig)* sedimento || *(Sondeos)* lodo (de perforación), barro (de barreno); agua cenagosa || *(Transformadores y disyuntores en baño de aceite)* sedimento.

sludging   formación de lodo; sedimentación. v. **sludge**.

slug   trozo; pedazo (de metal); pieza (de metal) en bruto; disco pequeño y grueso; bala; criba rotatoria, tromel; redondo de polvo (de tungsteno) comprimido; anillo; unidad de masa igual a 32,17 lb = 14,59 kg || *(Forja)* barra corta (suficiente para hacer una pieza pequeña) || *(Soldadura por puntos)* metal adherido a la chapa || *(Tipog)* lingote; línea (de linotipia); interlínea, tira o regleta para separar las líneas || *(Guías de ondas)* manguito [cilindro] de adaptación. Cilindro metálico o dieléctrico que forma parte de una sección transformadora o de adaptación | manguito (de adaptación). Pieza dieléctrica o metálica insertada en una guía de ondas y que forma parte de un tramo de transformación (CEI/61 62–20–020). CF. **miscellaneous matching and tuning devices** || *(Inductores)* núcleo móvil [buzo]. Pieza de hierro que se ajusta en posición a lo largo del eje de una bobina, para variar su inductancia y, por ende, la frecuencia de resonancia del circuito de que forma parte la bobina. V.TB. **slug tuning** || *(Relés)* blindaje de núcleo; anillo [espira] de cortocircuito, devanado en cortocircuito. Cilindro o anillo metálico grueso, o devanado en cortocircuito, colocado sobre el núcleo del relé para obtener un retardo deseado en su funcionamiento; si se coloca en el extremo de la armadura, se hace lento tanto el accionamiento o actuación como el desenganche; si se dispone en el extremo del talón, se hace lento el desenganche [release] sin apenas afectar el tiempo de accionamiento u operación. El blindaje de núcleo tiene el efecto de retardar la velocidad de variación de flujo magnético en el núcleo. CF. **shading ring** (def. 3) || *(Nucl)* lingote combustible. Elemento combustible [fuel element] de forma cilíndrica y de pequeñas

dimensiones (CEI/68 26–15–125) | cartucho || *(Miner)* pepita || *(Petr)* tarugo.

slug burst   *(Nucl)* rotura de cartuchos [de lingotes combustibles].

slug magnet   imán de barra gruesa.

slug-tuned coil   bobina de núcleo móvil [buzo], bobina de sintonía por traslación del núcleo.

slug tuner   *(Guías de ondas)* sintonizador de manguito, sintonizador del tipo de cilindro de adaptación.

slug tuning   sintonía por núcleo buzo [por traslación del núcleo], sintonía por variación de (la) autoinducción, sintonía mediante bobina de núcleo móvil. Variación de la frecuencia de resonancia de un circuito por introducción o desplazamiento de una pieza metálica en el campo eléctrico o el magnético. CF. **permeability tuning**.

slugging   *(Mot)* cortocircuito de frenaje. En los motores eléctricos con inversión de marcha por inversión de la polaridad de alimentación, acción de establecer un cortocircuito entre los terminales del motor (después de desconectada la alimentación) para frenar el motor antes de aplicarle la alimentación con polaridad cambiada.

sluggish   *adj:* lento; despacioso; inerte; débil || *(Mandos)* lento (en reaccionar) || *(Ríos)* despacioso.

sluggish relay   *(Elec)* relé lento.

sluice   *(Ing hidr)* compuerta; canal; dique, muralla; presa; esclusa, canal de descarga, conductor de evacuación, vano de limpieza || *(Minería)* esclusa, canalón, conducto separador (de oro) /// *verbo:* mojar, regar; desfogar; dar paso al agua (abriendo una compuerta); limpiar dejando entrar el agua; mover con una corriente de agua; lanzar (maderos) por una corriente [un canal] de agua || *(Minería)* lavar (el oro); lavar con corriente de agua; disgregar con chorro de agua.

sluice throughput   caudal de alimentación.

slump   *(Comercio/Economía)* flojedad, poca actividad; depresión; baja (de precios) || *(Geol, Mec de suelos)* derrumbe, desprendimiento, desplome, hundimiento; corrimiento (de tierras) || *(Hormigón)* asiento, asentamiento, abatimiento, aplastamiento. LOCALISMO: revenimiento.

slur   *(Impr)* trozo repintado || *(Mús)* ligadura /// *verbo:* *(Impr)* repintar. Señalarse la impresión de una página en la contigua || *(Mús)* ligar (las notas).

slurry   lechada, pasta aguada; suspensión acuosa espesa || *(Albañilería, Quím)* suspensión || *(Albañilería, Constr)* lechada (de cemento); suspensión; mezcla, mortero || *(Fab de cemento)* pasta || *(Fab de papel)* lechada, pasta muy líquida || *(Fab de cinta mag)* pasta (de enduido magnético). Pasta líquida de óxido y aglomerante que se aplica a la cinta para formar la película magnética || *(Minería)* lodos, fangos (de lavado); mezcla de partículas de carbón y pizarra soluble || *(Nucl)* suspensión; material fisionable en suspensión.

slurry reactor   *(Nucl)* reactor de combustible en suspensión. Reactor nuclear que utiliza combustible en forma de partículas en suspensión en un líquido.

slush   barro, fango || *(Máq)* compuesto antiherrumbroso [antioxidante], grasa antioxidante; grasa lubricante || *(Meteor)* nieve fundente; nieve medio fundida, nieve parcialmente derretida; nieve fangosa || *(Petr, Sondeos)* lodo, barro. SIN. **sludge**.

Slutsky-Yle effect   *(Análisis de series mat)* efecto Slutsky-Yle.

SLW   Abrev. de straight-line wavelength.

SM   *(Telecom)* Abrev. de mile of standard cable; service message || *(Tv)* Abrev. de stage manager.

small-beam chopper   *(Nucl)* interruptor periódico de haz pequeño.

small bore   *(Tubos, Cilindros huecos)* pequeño diámetro interior || *(Armas de fuego)* pequeño calibre.

small-bore cannon   cañón de pequeño calibre.

small calorie   caloría pequeña, caloría-gramo. Cantidad de calor necesaria para elevar la temperatura de un gramo de agua de 14,5 a 15,5° C a la presión atmosférica de 760 mm. También se le llama simplemente *caloría.* Símbolo: cal. Equivalencia: 1 cal = 4,185 julios. NOTA: Es de uso común la *kilocaloría* o *caloría grande,* que vale mil calorías-gramo y tiene por símbolo *kcal.*

small camera   *(Fotog)* cámara [aparato] de pequeño formato. Cámara que utiliza película con anchura de 35 mm o menor. SIN. **miniature camera.**

small cap   *(Tipog)* v. **small capital.**

small-capacity cable   *(Telecom)* cable de pequeña [poca] capacidad, cable de pocos hilos. SIN. **small-size cable.** CF. **low-capacity cable.**

small capital   *(Tipog)* (a.c. small cap, small capital letter) versalita, versalilla, mayúscula pequeña.

small capital letter   v. **small capital.**

small circle   *(Geom)* círculo menor. Círculo determinado en una superficie esférica por un plano no diametral, o sea, un plano que no pasa por el centro de la esfera. CF. **great circle.**

small craft   embarcación menor; embarcaciones menores.

small culvert   tajea, atarjea. Alcantarilla pequeña y de poca altura. SIN. **gutter bridge.**

small current   corriente pequeña [débil, de poca intensidad]. CF. **small signal.**

small-current electronics   electrónica de corrientes débiles. CF. **power electronics.**

small-current techniques   técnicas de las corrientes débiles. Técnicas, como las de telecomunicación, en las que se ponen en juego corrientes de poca intensidad, en contraposición a las de fuerza motriz.

small diameter   diámetro pequeño. CF. **small bore** | diámetro menor. En las campanas, diámetro a la altura de la arista superior. CF. **great diameter.**

small end   extremo pequeño || *(Bielas)* pie.

small film   *(Cine)* película estrecha. Película de menos de 35 mm.

small ironware   ferretería menuda, pequeños artículos de ferretería, accesorios pequeños de hierro.

small-oil-volume circuit breaker   *(Elec)* disyuntor en escaso volumen de aceite. Disyuntor de aceite en el cual el aceite que sirve para la extinción del arco [arc extinction] no es utilizado para el aislamiento entre polos y masa. Los recipientes de estos disyuntores están aislados de la masa [ground, earth]. Estos aparatos son siempre de polos separados [phase-separated]. SIN. **live-tank oil circuit breaker** (CEI/57 15–30–050). CF. **bulk-oil circuit breaker, oil circuit breaker.**

small pill diode   *(Semicond)* diodo tipo "pildorita".

small-scale integration [SSI]   *(Elecn)* integración en pequeña escala. Estructuración de un solo circuito funcional (p.ej. un amplificador) en un semiconductor monolítico, generalmente con un solo nivel de metalización. CF. **large-scale integration.**

small-scale map   mapa en escala pequeña.

small-scale model   modelo en pequeña escala, maqueta.

small-scale reactor   *(Nucl)* reactor en pequeña escala.

small screen   pantalla pequeña | the small screen: la pantalla chica. Expresión figurada para referirse a la televisión. *La pantalla chica* se opone al cine, cuya pantalla es grande comparada con la de los televisores.

small shell   conchilla. Material formado principalmente por conchas de moluscos [shells of mollusks] y acumulado en las playas o en depósitos o mantos terrestres. Se utiliza para el revestimiento de calles y carreteras [road surfacing].

small signal   señal débil. (1) Señal de corriente o de tensión alternas cuya amplitud puede doblarse o reducirse a la mitad sin afectar las características de interés del circuito en grado apreciable con los aparatos de medida normales. (2) Señal de corriente o de tensión cuyas excursiones respecto a los puntos de reposo [quiescent points] son tan pequeñas, que puede darse por sentado que es lineal el funcionamiento de los circuitos.

small-signal analysis   análisis (de circuitos) con señal débil, análisis circuital en régimen de señal débil.

small-signal characteristics   características en régimen de señal débil.

small-signal coupling coefficient   *(Elecn)* coeficiente de acoplamiento para señal débil.

small-signal current gain   *(Transistores)* ganancia de corriente para señal débil [en régimen de señal débil].

small-signal current-transfer ratio   *(Transistores)* relación de transferencia de corriente para señal débil [en régimen de señal débil].

small-signal depth of modulation   *(TMV)* profundidad de modulación para señal débil.

small-signal equivalent circuit   *(Elecn)* circuito equivalente para señal débil.

small-signal forward transadmittance   *(Elecn)* transadmitancia [admitancia de transferencia] directa para señal débil.

small-signal input   *(Elecn)* entrada de señal débil, señal débil a la entrada.

small-signal open-circuit forward-transfer impedance   *(Transistores)* impedancia de transferencia directa en circuito abierto para señal débil.

small-signal open-circuit input impedance   *(Transistores)* impedancia de entrada en circuito abierto para señal débil.

small-signal open-circuit output admittance   *(Transistores)* admitancia de salida en circuito abierto para señal débil.

small-signal open-circuit output impedance   *(Transistores)* impedancia de salida en circuito abierto para señal débil.

small-signal open-circuit reverse-transfer impedance   *(Transistores)* impedancia de transferencia inversa en circuito abierto para señal débil.

small-signal open-circuit reverse-voltage transfer ratio   *(Transistores)* relación de transferencia de tensión inversa en circuito abierto para señal débil.

small-signal operation   *(Elecn)* funcionamiento en régimen de señal débil.

small-signal parameter measurements   *(Elecn)* medida de parámetros en régimen de señal débil.

small-signal power gain   *(Transistores)* ganancia de potencia para señal débil.

small-signal short-circuit forward-current transfer ratio   *(Transistores)* relación de transferencia de corriente directa en cortocircuito para señal débil.

small-signal short-circuit forward-transfer admittance   *(Transistores)* admitancia de transferencia directa en cortocircuito para señal débil.

small-signal short-circuit input admittance   *(Transistores)* admitancia de entrada en cortocircuito para señal débil.

small-signal short-circuit input impedance   *(Transistores)* impedancia de entrada en cortocircuito para señal débil.

small-signal short-circuit output admittance   *(Transistores)* admitancia de salida en cortocircuito para señal débil.

small-signal short-circuit reverse-transfer admittance   *(Transistores)* admitancia de transferencia inversa en cortocircuito para señal débil.

small-signal transconductance   *(Transistores)* transconductancia para señal débil.

small-signal value of open-circuit output admittance   *(Transistores)* valor de la admitancia de salida para señal débil con la entrada en circuito abierto.

small-signal value of open-circuit reverse-voltage transfer ratio   *(Transistores)* valor de la relación de transferencia inversa de tensión para señal débil con la entrada en circuito abierto.

small-signal value of short-circuit forward-current transfer ratio   *(Transistores)* valor de la relación de transferencia directa de corriente para señal débil con la salida en cortocircuito.

small-signal value of short-circuit input impedance   *(Transistores)* valor de la impedancia de entrada para señal débil con la salida en cortocircuito.

small-size cable   *(Telecom)* v. **small-capacity cable.**

small station   *(Radio/Tv)* estación pequeña [de poca potencia] ‖ *(Ferroc)* estación de pequeña importancia [de tercer orden]. Estación que por la exigüedad de los servicios que debe prestar tiene reducidas instalaciones. SIN. **wayside station.**

small wire   alambre fino [de pequeño calibre].

small wiring   alambrado fino; conexionado auxiliar.

smash   rotura, destrozo ⫻ *verbo:* romper, destrozar ‖ *(Nucl)* escindir. Romper un núcleo atómico (usualmente mediante bombardeo con neutrones), con la consiguiente liberación de energía | desintegrar (el átomo).

smashboard signal   *(Ferroc)* señal de brazo roto. Señal ideada de modo que su brazo es roto al ser franqueada mientras se encuentra en la posición de parada [stop position].

smear   embarradura, mancha ‖ *(Mec de suelos)* remoldeo (de pozo de arena) ‖ *(Medicina)* frotis, frote, extensión. Extensión de sangre o de secreciones sobre un portaobjeto o platina para el examen microscópico ‖ *(Tv)* (a.c. smearing) borrosidad (de la imagen). Defecto de la imagen en la cual los objetos aparecen borrosos y como "estirados" horizontalmente, por lo común debido a atenuación de las altas frecuencias en las etapas amplificadoras de FI o de RF ⫻ *verbo:* embarrar, manchar; ensuciar, tiznar; untar, ungir.

smear-out   difusión. Difuminidad observada en los fenómenos físicos.

smeared-out phase transition   transición de fase difusa. SIN. **diffuse phase transition.**

smearing   v. **smear.**

Smee cell   pila de Smee. Pila primaria, ya abandonada, con electrodos de cinc y plata platinada en ácido sulfúrico diluido.

smelt   *verbo:* fundir(se), derretir(se); fundir mineral; beneficiar.

smelting   fundición, fusión.

smelting furnace   horno fusor [de fusión, de fundición]; horno de beneficio | horno de reducción. Horno eléctrico destinado a operaciones químicas y metalúrgicas que comprenden la fusión y la transformación de la carga [charge], en particular por reducción a alta temperatura [reduction at high temperature], absorbiendo las reacciones químicas una parte importante de la energía suministrada (CEI/60 40–10–055).

smith   el que trabaja el metal, especialmente cuando está caliente y maleable | *(i.e.* blacksmith) herrero, forjador.

Smith chart   diagrama de Smith. Diagrama especial en coordenadas polares, ideado por P. H. Smith, que sirve para resolver problemas relacionados con las líneas de transmisión y las guías de ondas. Contiene círculos de resistencia constante, de reactancia constante, y de relación constante de ondas estacionarias, y líneas radiales que representan lugares de ángulo lineal constante. SIN. **Smith diagram.**

Smith diagram   diagrama de Smith. v. **Smith chart.**

smith forging   forja con matriz abierta [con troquel abierto], forja a mano; pieza forjada en la fragua, pieza forjada sin estampa.

Smithsonian scale   *(Meteor)* escala smithsoniana.

smock   bata (de laboratorio, de clínica, de taller); bata corta; camisa de mujer.

smock frock   sayo, blusa de obrero.

smog   *(Meteor)* humo y niebla, niebla con humo. Niebla mezclada con humo; mezcla de humo y niebla. El inglés es palabra artificial proveniente de *smoke+*fog.

smoke   humo; sahumerio, sahumo; fumada, acto de fumar ⫻ *verbo:* humear, echar humo; sahumar; ahumar, curar al humo; fumar.

smoke abatement   supresión de humos. Refiérese p.ej. a los procedimientos destinados a combatir la presencia o el exceso de humos en fábricas, etc.

smoke bomb   bomba fumígena [de humo].

smoke concentration   concentración de humos.

smoke-concentration indicator   indicador de concentración de humos.

smoke consumer   fumívoro. Dispositivo destinado a reducir la producción de humo.

smoke density   densidad del humo.

smoke-density alarm   alarma [avisador] de densidad del humo.

smoke deposition   *(i.e.* electrostatic precipitation of smoke) precipitación electrostática de humos.

smoke detector   detector de humo; indicador de humo.

smoke elimination   supresión de humos.

smoke float   flotador fumígeno.

smoke generator   (aparato) fumígeno, generador de humo.

smoke indicator   indicador de humo.

smoke meter   medidor de humo.

smoke pipe   conducto de humo(s); chimenea.

smoke projectile   proyectil fumígeno.

smoke-puff decoy   contramedida contra dispositivos de infrarrojo.

smoke screen   cortina de humo.

smoke tunnel   túnel de humos.

smoke washer   lavador de humo(s).

smokebox   caja de humo(s). Parte de una caldera o una locomotora donde se concentra el humo.

smoked   *adj:* ahumado; sahumado; curado al humo.

smoked glass   vidrio ahumado.

smokeproof   *adj:* a prueba de humo; estanco [hermético] al humo.

smokestack   chimenea. Conducto por el cual se envían a la atmósfera los gases de la combustión ‖ *(Mot)* tubo de escape.

smokestack netting   *(Locomotoras)* chispero. Dispositivo para impedir o reducir la salida de partículas incandescentes por la chimenea.

smooth   *adj:* liso, alisado, pulido; terso; igual, llano, plano; uniforme; suave; fluido ⫻ *verbo:* alisar, pulir; igualar, allanar, aplanar; suavizar ‖ *(Elec)* filtrar, aplanar (fluctuaciones).

smooth air   aire no turbulento, aire en calma.

smooth contour   contorno suave ‖ *(Aeron)* perfil currentilíneo.

smooth-contour tire   *(Avia)* neumático de sección lisa.

smooth curve   curva lisa; curva regular; curva continua; curva suave [de inflexiones suaves, de variación gradual].

smooth cut   *(Limas)* picadura dulce.

smooth-faced roller   compactadora de rodillo. Máquina remolcable, compuesta por uno o más cilindros de acero, destinada a aplanar o compactar suelos y otros materiales.

smooth file   *(Herr)* lima musa [dulce]; lima (de picadura) fina.

smooth function   *(Mat)* función uniforme. Función que toma un valor único para todo sistema de valores de las variables.

smooth-grained   *adj:* de veta lisa; de grano liso; de grano regular.

smooth line   *(Elec)* línea uniforme.

smooth motion   marcha suave [regular]; marcha silenciosa.

smooth operation   marcha suave [regular] ‖ *(Mot)* funcionamiento suave [regular].

smooth potential well   *(Elecn)* pozo de potencial de contorno suavizado.

smooth rasp   *(Herr)* escofina dulce.

smooth response   *(Electroacús)* respuesta (esencialmente) uniforme.

smooth sea   *(Meteor)* mar llana, mar de espejo, mar bella.

smooth skin   *(Aviones)* revestimiento liso.

smooth sound blending   *(Electroacús)* buen equilibrio sonoro.

smooth-sphere diffraction   difracción de esfera lisa. Difracción hipotética de las ondas radioeléctricas alrededor de la superficie terrestre considerando la Tierra como una esfera conductora perfectamente lisa.

smooth traffic   *(Telef)* tráfico regularizado. Tráfico tal que la probabilidad de establecimiento de comunicaciones adicionales disminuye a medida que aumenta el número de *conversaciones en curso* [calls in progress]. Un tráfico regularizado resulta de la ocurrencia de al menos una de las dos circunstancias siguientes: (a) El número de abonados u otras fuentes de tráfico es finito. (b)

El tráfico está repartido en grupos de manera que no corresponde al puro azar (por ejemplo, el reparto en grupos está influido por la existencia de ciertas interconexiones, como en una *interconexión progresiva* [grading]). En este caso el tráfico dentro de cada grupo es más regular, aunque el tráfico del conjunto de los grupos no sea alterado. Con una interconexión conveniente de grupos, el tráfico regularizado resultante se encamina con menos pérdidas que un tráfico puramente aleatorio [pure-chance traffic] de la misma importancia (CEI/70 55–11–020).

smooth washer   arandela lisa.

smoothed bar   barra aplanada.

smoothed current   corriente filtrada. v. **smoothing filter.**

smoothed curve   curva suavizada; curva compensada.

smoothed number   número redondeado.

smoothed output   salida filtrada. v. **smoothing filter.**

smoother   *(Herr)* alisador, espátula; herramienta para alisar; pulidor.

smoothing   alisadura, pulido, pulimento; igualación, nivelación, allanamiento, aplanamiento; suavizado, suavización ‖ *(Elec)* filtrado, filtraje, aplanamiento (de fluctuaciones). v. **smoothing filter** ‖ *(Mat)* suavizado, suavización, regularización (de una curva); aproximación. Substitución de una curva o de una sucesión de puntos en una representación gráfica, por otra curva u otra sucesión de puntos de mayor regularidad, con la menor alteración posible en los valores de las abscisas. Cuando los puntos representan valores determinados por medidas, sus apartamientos de la curva regularizada pueden deberse a errores o causas fortuitas.

smoothing capacitor   (a.c. smoothing condenser) capacitor filtrador [de filtro], capacitor [condensador] de aplanamiento. v. **smoothing filter.**

smoothing choke   choque de aplanamiento, bobina de aplanamiento [de absorción, de filtraje, de reactancia de absorción, de impedancia de filtrado], inductancia de filtraje. Inductor con núcleo de hierro, utilizado como elemento de filtro para suprimir las pulsaciones presentes en la corriente unidireccional suministrada por un rectificador o un generador de corriente continua. v.tb. **smoothing filter.**

smoothing circuit   circuito de filtrado, filtro, circuito estabilizador [nivelador], circuito supresor de (las) ondulaciones residuales. v. **smoothing filter.**

smoothing condenser   (a.c. smoothing capacitor) condensador [capacitor] de aplanamiento, capacitor filtrador [de filtro]. Condensador o capacitor destinado a suavizar las fluctuaciones (componente alterna) de la corriente rectificada o la suministrada por un generador de continua. v.tb. **smoothing filter.**

smoothing factor   factor de filtrado [de aplanamiento]. Factor que expresa la eficacia de un filtro de aplanamiento o filtro de corriente rectificada. v. **smoothing filter.**

smoothing filter   filtro de aplanamiento [de suavización], filtro de corriente rectificada, filtro contra los rizos de la corriente continua. Filtro constituido por elementos de capacitancia y de inductancia (o resistencia) y destinado a suprimir las fluctuaciones o rizos (componentes alternas) presentes en la corriente unidireccional procedente de un rectificador o de un generador de corriente continua ‖ filtro (de corriente rectificada). Dispositivo que comprende elementos pasivos montados del lado de continua de un convertidor con el objeto de reducir la ondulación de la corriente rectificada (CEI/56 11–25–020) ‖ cf. **smoothing capacitor [condenser], smoothing choke, smoothing resistor, smoothing circuit, smoothing factor** ‖ filtro de aplanamiento, filtro suavizador de fluctuaciones. Filtro de paso bajo [low-pass filter] destinado a suavizar las fluctuaciones de amplitud de una señal, y cuya constante de tiempo [time constant] puede ser variable.

smoothing iron   alisador, herramienta para alisar. sin. **smoother.**

smoothing resistor   resistor [resistencia] de aplanamiento, resistor de filtro. v.tb. **smoothing filter.**

smoothly   *adv:* suavemente; uniformemente; regularmente; silenciosamente ‖ to join two conductors smoothly: unir dos conductores en transición suave.

smoothness   lisura; suavidad; regularidad ‖ *(Autos)* suavidad (de marcha, de movimientos) ‖ *(Mot)* suavidad, regularidad (de funcionamiento).

smothered-arc furnace   electrohorno de arco cubierto (por parte de la carga).

SMPE   Abrev. de Society of Motion Picture Engineers.

SMPTE   Abrev. de Society of Motion Picture and Television Engineers.

smudge   tiznón, tiznadura, mancha de tizne; fumigación, humareda ‖ *(Registradores gráficos)* borrón (por corrimiento de la tinta) ‖ *(Tipog)* borrón, mancha, máculo, pastel (por exceso de tinta); remosqueo, sombreado (tinta señalada fuera del contorno de los caracteres).

smudge-free ink   *(Registradores gráficos)* tinta a prueba de borrones, tinta que no se corre.

SN   Abrev. de serial number ‖ *(Teleg)* Abrev. de soon [pronto].

SN ratio   Abrev. de signal-to-noise ratio.

snake   culebra, serpiente ‖ *(Elec)* cinta pescadora, cinta para pasar cables (por tuberías). Cinta de acero templado que se empuja por tuberías o conductos, o por espacios estrechos, para tirar con ella de cables o conductores que se quieren hacer pasar por esos conductos o espacios. sin. **fishing wire.**

snake drill   taladradora con transmisión flexible.

snap   cierre de resorte; quebradura, ruptura brusca; estallido, chasquido ‖ *(Elec)* desconexión rápida, ruptura brusca (de un circuito) ‖ *(Fab de remaches)* boterola, buterola, doile. v. **snap die** ‖ *(Fotog)* (i.e. snapshot) instantánea ‖ *(Tv)* contraste, definición (de la imagen) ‖‖ *adj:* de resorte; rápido, ultrarrápido ‖‖ *verbo:* romper(se) bruscamente; quebrarse; estallar, producir un chasquido; hacer estallar ‖ *(Elec)* desconectar rápidamente, desenganchar bruscamente ‖ *(Fab de remaches)* estampar ‖ *(Fotog)* sacar una instantánea.

SNAP   electrogenerador SNAP. Pequeño generador nuclear de energía eléctrica utilizado en naves espaciales para la alimentación de instrumentos, aparatos de telemedida, etc. El inglés viene de *systems for nuclear auxiliary power.*

snap-acting   *adj:* rápido, ultrarrápido; de acción rápida, de accionamiento rápido ‖ *(Elec)* de desconexión rápida, de corte brusco.

snap-acting switch   v. **snap-action switch.**

snap action   acción rápida [ultrarrápida], accionamiento [funcionamiento] rápido ‖ *(Mecanismos de retén)* acción de escape.

snap-action contact   *(Elec)* contacto de transición brusca. Contacto que permanece en una de dos posiciones de equilibrio durante el movimiento inicial del elemento accionador hasta que se alcanza un punto en que la energía almacenada causa la transición brusca del contacto a la otra posición de equilibrio (apertura rápida o cierre rápido, según el caso) ‖ contacto de escape. Contacto establecido por la acción de un trinquete o mecanismo de escape (CEI/56 16–35–100).

snap-action mechanism   mecanismo de acción rápida; mecanismo con acción de resorte; trinquete, mecanismo de disparo [de escape] ‖ *(Elec)* mecanismo de desconexión rápida, mecanismo de corte [desenganche] brusco.

snap-action relay   relé [relevador] de acción rápida; relé de ruptura brusca [de desenganche rápido].

snap-action switch   (a.c. snap-acting switch, snap switch) conmutador de acción rápida [ultrarrápida]; conmutador de resorte. (1) Conmutador con contactos de transición brusca (v. **snap-action contact**) generalmente por reacción de un resorte puesto en tensión por el elemento accionador (perilla o palanquita). (2) Conmutador que pasa rápida y positivamente de una posición de contactos a la otra en respuesta a un pequeño movimiento del elemento accionador o de maniobra. (3) Conmutador de mercurio [mercury switch] en el que el mercurio se desplaza rápidamente de una posición a la otra. SIN. **microswitch, sensitive switch.**

snap-around ammeter   amperímetro de pinza, pinza amperométrica. Amperímetro de alterna que no necesita ser intercalado en serie con el conductor portador de la corriente que se desea medir. El instrumento está provisto de una pinza con la cual se rodea el conductor y que va conectada al indicador de medida. Este último es excitado por la corriente que el conductor induce en la pinza, sin que en ningún momento se establezca contacto metálico con el conductor. A veces el aparato está provisto también de una escala voltimétrica [volt scale] que permite medir tensiones por el procedimiento común y corriente. SIN. **clamp-on [snap-on] ammeter.**

snap-back stopwatch   v. snapback stopwatch.

snap-catch   presilla; pestillo de resorte.

snap check   (*Telecom*) prueba por muestras tomadas al azar. SIN. sampling observations.

snap-clamp   grapa [broche] de presión.

snap-clamp mounting plate   placa de montaje con grapas [broches] de presión.

snap-clip   presilla de pinza [de resorte].

snap die   (*Fab de remaches*) (a.c. snap) buterola, boterola, doile. Estampa de extremo semiesférico hueco para hacer cabezas de remache ||| *verbo:* estampar (cabezas de remache).

snap fastener   presilla; broche [botón] de presión.

snap-fastener contact   (*Portapilas*) contacto elástico.

snap gage   calibre exterior, calibre de herradura [de horquilla, de mordaza], calibrador de resorte.

snap hole-plug   tapaagujeros de presión.

snap-hook   v. snaphook.

snap-in mounting   montaje de resorte.

snap lid   tapa de resorte.

snap-load cartridge   (*Registro mag*) magazín de colocación rápida.

snap-load cartridge tape   cinta (magnética) en magazín de colocación rápida.

snap lock   cerradura de resorte.

snap magnet   imán para accionamiento rápido (de contactos). Imán que ejerce su influencia sobre una armadura solidaria de un resorte que lleva en su extremo un contacto eléctrico móvil. Cuando ese contacto se acerca lo suficiente al contacto fijo, la armadura es atraída súbitamente, venciendo el resorte, y se produce el cierre rápido del circuito controlado. Los contactos permanecen firmemente cerrados hasta que al efectuarse la maniobra de apertura, se vence la atracción del imán y aquéllos se separan repentinamente, por efecto de la fuerza antagonista del resorte. De ese modo los cierres y las aperturas del circuito controlado ocurren bruscamente, y se evita la formación de chispas perjudiciales.

snap-off cover   tapa de desmontaje rápido.

snap-off diode   diodo de ruptura brusca. Diodo semiconductor que pasa rápidamente al estado de bloqueo [blocking state] cuando, después de hallarse en conducción, se invierte la tensión aplicada.

snap on   *verbo:* encajar a presión (elástica), fijar a presión.

snap-on   *adj:* de encajar a presión (elástica), de fijación instantánea a presión.

snap-on ammeter   amperímetro de pinza, pinza amperométrica. v. snap-around ammeter.

snap-on reflector   (*Alumbrado*) reflector de resorte.

snap plug   v. snap hole-plug.

snap-ring   v. snapring.

snap-roll   v. snaproll.

snap switch   v. snap-action switch.

snap wrench   (*Herr*) llave de agarre automático.

snapback stopwatch   cronómetro de vuelta a cero. Cronómetro con botón para volver las agujas al punto de partida.

snaphook   mosquetón, gancho de mosquetón [de resorte], gancho con resorte.

snapring   aro de resorte, anillo elástico [de resorte], anillo

sujetador [de retención].

snapring ball bearing   cojinete de bolas con anillo de resorte.

snaproll   (*Vuelo acrobático*) tonel rápido. SIN. flip roll.

snapshot   (*Fotog*) exposición instantánea. Exposición de una fracción de segundo. SIN. **instantaneous exposure** | instantánea. Fotografía de exposición rápida, que por lo general se toma sin muchos preparativos y con cámara portátil de pequeño formato || (*Informática*) instantánea. Extracción de datos seleccionados entre los que se encuentran almacenados en una computadora, que se efectúa en puntos o instantes especificados durante la ejecución de un programa.

snapshot camera   (*Fotog*) cámara para instantáneas.

snapshot routine   (*Informática*) rutina de instantánea, rutina fotográfica. SIN. **photographic routine** (véase).

snare drum   (*Mús*) tambor militar, pequeño tambor con cuerdas o tirantes.

snatch block   polea, pasteca, polea pasteca.

SNDR   (*Teleg*) Abrev. de sender.

sneak circuit   (*Telecom*) circuito de fuga [de corriente parásita]. v. sneak current.

sneak commercial   (*Radio/Tv*) anuncio comercial subrepticio. Forma velada del anuncio comercial, consistente en la mención de determinado producto o establecimiento, sin darle el carácter ostensible de propaganda.

sneak current   (*Telecom*) corriente parásita. (1) Corriente de fuga que por aislación imperfecta u otra causa llega a un circuito telefónico y circula por él, procedente de una línea de energía eléctrica. El camino fortuito por el cual circula esa corriente se llama *circuito de fuga* o *de corriente parásita* [sneak circuit]. (2) Corriente perturbadora inducida en un circuito telefónico al cruzarse sus conductores con los de otro circuito. CF. **stray currents.**

Snell's laws   leyes de Snell. Leyes de las relaciones matemáticas entre los rayos incidente y refractado, aplicables a las ondas luminosas y las acústicas. Son dos estas leyes. La primera dice que cuando la onda pasa de un medio a otro, el rayo incidente, el rayo refractado, y la normal a la superficie de separación de los medios en el punto de incidencia, están en un mismo plano, que se llama *plano de incidencia*. La segunda expresa que la razón del seno del ángulo de incidencia por el seno del ángulo de refracción es una constante para los dos mismos medios, y que esa constante depende exclusivamente de la naturaleza de esos medios. CF. **index of refraction, refractive index.**

snifter valve   (*Bombas*) llave roncadora [de alivio]; válvula de desahogo; válvula de entrada y escape de aire. Permite la entrada o el escape de aire y la descarga de agua acumulada.

snip   tijeretada; recorte, pedazo, retazo | v. snips ||| *verbo:* tijeretear, cortar [recortar] con tijeras.

sniperscope   mira de infrarrojo para rifle. Dispositivo de visión nocturna mediante luz infrarroja, que se utiliza como mira telescópica de rifle. Permite observar los movimientos del enemigo y disparar contra él durante la noche o a través de la niebla. CF. **snooperscope.**

snipper   radar de bombardeo aéreo automático desde poca altura. Se utiliza contra blancos relativamente aislados, sobre el agua, y desde alturas que pueden oscilar entre 12 y 120 metros. CF. **sniffer.**

snips   tijera (de mano) para chapa fina; tijeras de hojalatero.

snird   amplificador de luz a frecuencias ópticas, utilizando una radiación como única fuente de energía.

snivet   En los receptores de televisión, perturbación de la imagen consistente en una raya vertical negra (recta, discontinua o de trazo irregular), y que se debe a un defecto del tubo amplificador de desviación horizontal que tiene por resultado una discontinuidad cerca del codo de la curva de corriente de ánodo correspondiente a la polarización cero.

snivet oscillation   (*Tv*) perturbación (de la imagen) en forma de línea ondulada vertical intermitente.

Snook rectifier   *(Equipos de rayos X)* rectificador Snook. Conmutador de rectificación giratorio, de cuatro brazos, impulsado por un motor sincrónico.

snooperscope   linterna de infrarrojo. Especie de linterna de luz infrarroja, utilizada para operaciones militares y para señales secretas durante la noche. El aparato consiste en una fuente de infrarrojo y en un receptor que capta la radiación reflejada y la convierte en una imagen visible en un tubo de pantalla fluorescente. Este aparato se fabrica en una versión especial que permite utilizarlo como mira telescópica nocturna para rifle, y que en inglés se denomina *sniperscope* (véase).

snoot   *(Cine)* *(slang;* a.c. snout) cono, capuchón cónico (para proyector de haz). SIN. **cone.**

snorkel   *(Submarinos)* esnórquel, esnórkel. Aparato que sobresale del agua y permite al submarino permanecer largo tiempo sumergido, aunque funcionen sus motores diesel. El término viene del alemán *Schnorchel* || *(Natación)* tubo para respirar mientras se nada sumergido. Consiste en un tubo largo que se sostiene en la boca por una extremidad y cuya otra extremidad sobresale del agua.

snout   hocico, morro; trompa; tobera || *(Cañones)* embocadura || *(Cine)* v. **snoot** || *(Fuelles)* cañón || *(Mangueras* boquerel, lanza.

snow   *(Meteor)* nieve || *(Radar, Tv)* nieve, lluvia. Nombre que se le da a las pequeñas manchas o rayas blancas que aparecen en la pantalla del receptor cuando la señal recibida no tiene suficiente intensidad para sobreponerse a las perturbaciones eléctricas aleatorias de fondo [background random electric disturbances]; es el equivalente del conocido *soplido* o *ruido de fondo* que se observa en los receptores de radio cuando la señal es débil. También se describe esta perturbación de la imagen con las expresiones de *imagen moteada, manchada* o *nevada,* y la de *confetti multicolor* en el caso de la televisión en colores. SIN. **snow effect.** CF. **grass, salt-and-pepper pattern** || *(Radar)* nieve. Perturbación errática de luminiscencia con el aspecto de manchas aisladas, producida por ecos parásitos o por el ruido de fondo en la pantalla de un indicador del tipo de modulación de intensidad [intensity-modulated display] (CEI/70 60-72-520).

snow clutter   *(Radar)* ecos de nieve, parásitos debidos a la nieve; bloqueo por nieve. v. **rain clutter.**

snow cover   *(Meteor)* manto de nieve.

snow-drift   v. **snowdrift.**

snow effect   *(Radar, Tv)* efecto de nieve [de lluvia]. v. **snow.**

snow-free reception   *(Radar, Tv)* recepción exenta de nieve.

snow gage   *(Meteor)* nivómetro.

snow gallery   *(Ferroc)* (a.c. snowshed) paranieves, túnel artificial, túnel [cobertizo] de protección. Estructura destinada a defender la vía contra las nevadas, aludes y "volcanes". SIN. **avalanche gallery.**

snow landing   *(Avia)* aterrizaje sobre la nieve.

snow-line   *(Meteor)* v. **snowline.**

snow load   carga de nieve, carga debida a la nieve.

snow-load stress   *(Estr)* esfuerzo debido a la carga de nieve.

snow pellets   *(Meteor)* nieve granulada.

snow-plow   v. **snowplow.**

snow-shed   v. **snowshed.**

snow shower   *(Meteor)* chaparrón de nieve.

snow static   *(Radio)* estática debida a la precipitación de nieve. v. **precipitation static.**

snow-storm   v. **snowstorm.**

snow survey(ing)   relevamieno nivométrico; sondeo nivométrico.

snow sweeper   barredora de nieve.

snowdrift   *(Meteor)* ventisca, ventisquero; acumulación de nieve.

snowfall   *(Meteor)* nevada.

snowflake   *(Meteor)* copo de nieve || *(Met)* grieta capilar interna || *(Radar)* *(slang)* cohete de lanzamiento de cintas antirradar. v. **window.**

snowflake transistor   transistor "copo de nieve", transistor con emisor en estrella de seis puntas. CF. **overlay transistor.**

snowline   *(Meteor)* límite de las nieves perpetuas.

snowplow   quitanieve, arado de nieve, arado quitanieves, limpianieve. Arado tractor para remover la nieve de un camino o una vía.

snowshed   guardanieve, cobertizo para nieve; escudo paranieves; escudo contra aludes de nieve || *(Ferroc)* v. **snow gallery.**

snowslide   alud, avalancha de nieve.

snowstorm   *(Meteor)* tormenta [tempestad, temporal] de nieve.

SNR   Abrev. de signal-to-noise ratio.

snubber   apoyo; tambor de frenaje [de frenado]; empaquetadura de fricción || *(Autos)* amortiguador.

snubber roller   *(Proy cine)* rodillo tensor.

snubber valve   válvula amortiguadora.

snug fit   ajuste sin holgura [sin huelgo, sin juego perceptible], ajuste de precisión, ajuste forzado [deslizante], montaje de frotamiento suave.

SO   *(Teleg)* Abrev. de see our [sírvase ver nuestro . . .].

SOA   *(Teleg)* Abrev. de see our service [sírvase ver nuestro servicio].

soak   v. **soaking** /// *verbo:* mojar; remojar(se); estar en remojo; embeber(se); empapar, calar; macerar; impregnar, saturar || *(Acum)* cargar lentamente || *(Fís)* saturar || *(Met)* impregnar térmicamente; mantener a temperatura constante.

soakage   v. **soaking.**

soaking   *(also* soak, soakage) remojo, remojado; imbibición; maceración; impregnación, saturación || *(Met)* impregnación térmica. Fase durante la cual se mantiene la temperatura conveniente hasta que ésta se hace uniforme en toda la masa del metal || *(Relés electromag)* saturación del núcleo.

soaking charge   *(Acum)* carga débil de larga duración, carga poco fuerte de larga duración.

soaking pit   (a.c. soakage pit) pozo [hoyo] de fondo permeable. SIN. **drainage pit** || *(Met)* foso de recalentamiento; horno de resudar [de impregnación térmica].

soaking temperature   *(Acum)* (a.c. soak temperature) temperatura (del electrólito) en carga poco fuerte de larga duración || *(Met)* temperatura de impregnación térmica.

soaking time   *(Acum)* (a.c. soak time) tiempo de absorción (del electrólito). Tiempo necesario, a partir de la activación del acumulador por agregado del electrólito, para que este último sea suficientemente absorbido por las materias activas de las placas || *(Met)* tiempo de impregnación térmica.

soaking timer   *(Met)* (a.c. soak timer) temporizador de impregnación térmica.

soaking value   *(Relés electromag)* (a.c. soak value) valor de saturación del núcleo. Valor de corriente, tensión o potencia que determina la saturación magnética del núcleo.

soap   jabón /// *adj:* jabonoso, saponáceo /// *verbo:* enjabonar.

soap opera   *(Radio/Tv)* novela, serie melodramática.

soapstone   esteatita, saponita, jaboncillo (de sastre), jabón de sastre, piedra de jabón. SIN. **steatite.**

soapy   *adj:* jabonoso, saponáceo.

soapy water   agua jabonosa.

soar   *verbo:* elevarse, remontarse, cernerse, encumbrarse || *(Avia)* volar a vela.

soaring   elevación, remonte; acción de cernerse, encumbrarse, etc. || *(Avia)* v. **soaring flight.**

soaring flight   *(Avia)* (a.c. soaring) vuelo a vela. SIN. **sail flying.**

soaring glider   *(Avia)* velero.

soaring on standing wave   *(Avia)* vuelo en ondulatoria.

soaring on thermal up-currents   *(Avia)* vuelo en ascendencia térmica. SIN. **thermal soaring.**

soaring plane   *(Avia)* planeador.

SOBQ   *(Teleg)* Abrev. de see our BQ [sírvase ver nuestro BQ].

social security   previsión [prevención, seguridad, seguro] social.

Society for the Advancement of Management [SAM]   Sociedad pro Fomento de la Administración de Negocios (EE.UU.).

Society of Automotive Engineers [SAE]   Sociedad de Ingenieros

Automotrices (EE.UU.).

Society of Motion Picture and Television Engineers [SMPTE] Sociedad de Ingenieros de Cinematografía y Televisión (EE.UU.).

Society of Motion Picture Engineers [SMPE] Sociedad de Ingenieros de Cinematografía (EE.UU.).

socket *(Elec/Elecn)* zócalo, receptáculo, enchufe (hembra), base. Dispositivo que tiene por finalidad darle soporte mecánico a un elemento componente y establecer las conexiones eléctricas con el mismo cuando conviene que el elemento pueda ser fácilmente substituido || *(Elec)* enchufe hembra, tomacorriente, toma de corriente; caja de enchufe | *(i.e.* lamp socket) zócalo, portalámpara. SIN. **lampholder** | portalámpara. **(1)** Organo destinado a recibir el casquillo [cap] de una lámpara eléctrica y efectuar su conexión con el circuito eléctrico de alimentación (CEI/58 45–45–110). **(2)** Organo destinado a recibir el casquillo [cap, base] de una lámpara para efectuar la fijación mecánica de ésta y generalmente también su conexión con el circuito eléctrico de alimentación. SIN. **lampholder, holder** (forma abreviada usada en el lenguaje corriente cuando el contexto es evidente) (CEI/70 45–45–140) | terminal. Pieza conductora fijada a la extremidad de un conductor y que sirve para efectuar su conexión. SIN. **thimble** (CEI/38 15–30–010) || *(Elecn)* (*i.e.* tube socket) zócalo, portatubo, portaválvula, portalámpara. SIN. **valve holder** *(GB)* || *(Telecom)* enchufe, hembra de conjuntor. SIN. **sleeve** | conjuntor; base; jack. Dispositivo en el cual los elementos de contacto de una clavija [plug] hacen contacto con los elementos de contacto hembras del dispositivo. SIN. **jack** (CEI/70 55–25–380) || *(Cables)* enchufe, encastre, grillete || *(Herr)* manguito, casquillo estriado; casquillo adaptador || *(Mec)* tejuelo (macho), rangua, quicionera, casquillo, boquilla, cubo, tintero || *(Petr, Sondeos)* enchufe, campana de enchufe [de pesca], pescasondas /// *verbo:* enchufar || *(Cables)* enchufar, encastrar, engrilletar.

socket adapter *(Elecn)* adaptador de zócalo [de portatubo, de portaválvula]. Dispositivo interpuesto entre un zócalo de tubo electrónico y un tubo y que puede tener una de dos finalidades: permitir la utilización del tubo en un zócalo destinado a tubos con diferente disposición de elementos de contacto; o proveer los medios de efectuar medidas de corriente o de tensión mientras el tubo se encuentra en funcionamiento.

socket aerial v. **socket antenna.**

socket antenna antena de red. Dispositivo sencillo que se enchufa en un tomacorriente y sirve para acoplar el borne o terminal de antena de un radiorreceptor, a la red de distribución eléctrica; el acoplamiento se efectúa mediante un condensador que deja pasar las corrientes de radiofrecuencia inducidas en la red, al tiempo que bloquea la corriente alterna de frecuencia industrial (50 ó 60 Hz). SIN. **socket aerial** *(GB).*

socket bushing *(Portalámparas)* manguito aislador.

socket-contact *(Elec)* alveolo. **(1)** Elemento de contacto hembra destinado a casar con un elemento de contacto macho. **(2)** Pieza conductora, rígida o elástica, destinada a recibir un perno [pin] apropiado y a efectuar el contacto eléctrico con él (CEI/57 15–15–100).

socket flange *(Tuberías)* brida de enchufe.

socket head *(Tornillos)* cabeza hueca.

socket-head cap screw tornillo de cabeza hueca; prisionero de cabeza hueca.

socket-head screw tornillo de cabeza hueca.

socket joint enchufe; junta esférica [de rótula]; articulación de encastre.

socket-outlet *(Elec)* enchufe, base, zócalo (de tomacorriente) | base. Parte de una toma de corriente [socket-outlet and plug] destinada a ser conectada eléctricamente, de manera fija, a una canalización fija [permanent wiring] (CEI/57 15–45–010).

socket-outlet adapter *(Elec)* clavija de derivación. Clavija de toma de corriente [socket-outlet and plug] provista de alveolos [socket-contacts] que le permiten recibir una o más clavijas (CEI/57 15–45–020). CF. **plug adapter.**

socket-outlet and plug *(Elec)* toma de corriente. Conjunto de dos piezas destinadas a unir eléctricamente, a voluntad, una o más canalizaciones movibles o separables [movable or detachable conductors] a una canalización fija [permanent wiring] (CEI/57 15–45–005). CF. **inlet-plug and socket.**

socket plug *(Elec)* clavija, conector [enchufe] macho.

socket punch *(Herr)* sacabocado (a golpe); sacabocado para chasis.

socket setscrew prisionero de cabeza hueca; opresor hueco.

socket spanner *(Herr)* llave de cubo [de muletilla, de vaso].

socket washer arandela cóncava.

socket wrench *(Herr)* llave de cubo [de casquillo, de tubo]. LOCALISMO: bocallave.

soda gaseosa, refresco embotellado; refresco de jarabe y sifón || *(Quím)* soda, sosa /// adj: sódico, de soda, de sosa.

soda alum alumbre sódico [de sosa].

soda ash ceniza de soda [de sosa], carbonato sódico (anhidro), sosa comercial.

soda feldspar feldespato sódico, albita.

soda lime cal sodada.

soda-lime glass vidrio de sosa y cal.

soda monohydrate monohidrato sódico [de sosa].

soda niter nitro sódico [de sosa]; nitro de sodio; nitro de Chile, caliche.

soda orthoclase ortoclase [ortosa] sódica.

soda pulp(ing) pulpa a la sosa.

soda saltpeter salitre sódico [de sosa].

soda slag escoria sódica [sodífera].

soda soap jabón de soda.

soda-soap grease grasa de jabón de soda.

sodar sodar. Especie de radar acústico [sound radar] utilizado para observaciones meteorológicas. El aparato proyecta un haz de ondas acústicas en dirección vertical y capta los ecos procedentes de la atmósfera, los cuales son analizados con la ayuda de un osciloscopio.

soddite, soddyite soddita, sodita. Silicato de uranio cuyo contenido de óxido de ese metal puede llegar al 85 %.

Soddy Frederick Soddy: químico inglés (1877–1956) que estudió los fenómenos de la radiactividad y predijo la existencia de los isótopos [isotopes]; premio Nóbel 1921. v. **Rutherford.**

soddyite v. **soddite.**

sodic adj: *(Quím)* sódico.

sodic amide amiduro sódico.

sodium sodio. Elemento metálico de número atómico 11, perteneciente al grupo I de la tabla periódica. Símbolo: Na.

sodium aluminate aluminato sódico [de sodio].

sodium-aluminum chloride cloruro sódico-alumínico.

sodium-aluminum fluoride fluoruro sódico-alumínico.

sodium-aluminum sulfate sulfato sódico-alumínico.

sodium amalgam amalgama de sodio.

sodium-amalgam-oxygen cell pila de amalgama de sodio y oxígeno. Pila de combustible en la cual se consumen en forma continua materias que funcionan simultáneamente como combustible y ánodo.

sodium amide amida sódica.

sodium-ammonium hydrogen phosphate fosfato ácido sódico-amónico.

sodium-ammonium phosphate fosfato sódico-amónico.

sodium-ammonium sulfate sulfato sódico-amónico.

sodium amytal amital sódico.

sodium-aniline arsonate arsonato de sodio y anilina.

sodium-aniline sulfonate sulfonato de sodio y anilina.

sodium antimonate antimoniato sódico.

sodium antimonyl tartrate tartrato sódico antimónico.

sodium arsenate arsenato sódico.

sodium arsenite arsenito sódico.

sodium ascorbate ascorbato sódico.

sodium auribromide auribromuro sódico.

sodium aurichloride   auricloruro sódico.
sodium aurothiosulfate   aurotiosulfato sódico.
sodium benzoate   benzoato sódico.
sodium benzosulfimide   benzosulfimida sódica.
sodium benzosulfoparaminophenylarsenate   benzosulfopara-minofenilarseniato sódico.
sodium benzyl succinate   bencil-succinato sódico.
sodium-beryllium fluoride   fluoruro de sodio y berilio.
sodium bicarbonate   bicarbonato sódico [de soda], carbonato ácido de sodio.
sodium bichromate   bicromato sódico.
sodium bifluoride   bifluoruro sódico.
sodium binoxide   bióxido sódico.
sodium biphosphate   bifosfato sódico.
sodium bismuthate   bismutato sódico.
sodium bisulfate   bisulfato sódico.
sodium bisulfide   bisulfuro sódico.
sodium bisulfite   bisulfito sódico.
sodium bitartrate   bitartrato sódico.
sodium borate   borato sódico.
sodium borate perhydrate   borato sódico perhidratado.
sodium borobenzoate   borobenzoato sódico.
sodium borocitrate   borocitrato sódico.
sodium boroformate   boroformiato sódico.
sodium borohydride   borohidruro sódico.
sodium borosalicylate   borosalicilato sódico.
sodium borotartrate   borotartrato sódico.
sodium bromide   bromuro sódico.
sodium butylbiphenylsulfonate   butilbifenilsulfonato sódico.
sodium cacodylate   cacodilato sódico.
sodium caprylate   caprilato sódico.
sodium carbolate   carbolato sódico.
sodium carbonate   carbonato sódico.
sodium carbonate peroxide   peróxido de carbonato sódico.
sodium carboxymethylcellulose   carboximetilcelulosa sódica.
sodium caseinate   caseinato sódico.
sodium cathode photocell   célula fotoeléctrica de cátodo de sodio.
sodium cellulose glycolate   glicolato celulósico sódico.
sodium chlorate   clorato sodico.
sodium chloraurate, sodium chloroaurate   cloroaurato sódico.
sodium chloride   cloruro sódico [de sodio], sal común.
sodium chloriridate   cloroiridato sódico.
sodium chlorite   clorito sódico.
sodium chloroacetate   cloroacetato sódico.
sodium chloroaurate   v. **sodium chloraurate.**
sodium chloroplatinate   cloroplatinato sódico.
sodium chloroplatinite   cloroplatinito sódico.
sodium cholate   colato de sodio.
sodium chromate   cromato sódico.
sodium cinchophenate   cincofenato sódico.
sodium citrate   citrato sódico.
sodium citrobenzoate   citrobenzoato sódico.
sodium-coerulin sulfate   cerulin-sulfato sódico.
sodium columbate   columbato sódico.
sodium-cooled   *adj:* enfriado [refrigerado] por sodio, enfriado con sodio líquido.
sodium-cooled reactor   *(Nucl)* reactor refrigerado por sodio.
sodium-cooled valve   válvula refrigerada por sodio.
sodium copaivate   copaibato sódico.
sodium copper chloride   cloruro de sodio y cobre.
sodium cyanate   cianato sódico.
sodium cyanide   cianuro sódico.
sodium cyclohexylsulfamate   ciclohexilsulfamato sódico.
sodium decaphosphate   decafosfato sódico.
sodium diarsenol   diarsenol sódico.
sodium dichromate   dicromato sódico.
sodium dihydrogen phosphate   fosfato sódico y de hidrógeno.

sodium dimethylarsenate   dimetilarseniato sódico.
sodium dioxide   dióxido sódico.
sodium discharge lamp   lámpara de luz de sodio [de vapor de sodio]. v. **sodium-vapor lamp.**
sodium dispersion   dispersión de sodio.
sodium dithionate   ditionato sódico.
sodium dithiosalicylate   ditiosalicilato sódico.
sodium diuranate   diuranato sódico.
sodium ethoxide   etóxido sódico.
sodium ethylate   etilato sódico.
sodium ferricyanide   ferricianuro sódico.
sodium ferrocyanide   ferrocianuro sódico.
sodium fluoaluminate   fluoaluminato sódico.
sodium fluoborate   fluoborato sódico.
sodium fluoride   fluoruro sódico.
sodium fluoroacetate   fluoacetato sódico.
sodium fluosilicate   fluosilicato sódico.
sodium formate   formiato sódico.
sodium gentisate   gentisato sódico.
sodium gluconate   gluconato sódico.
sodium glutamate   glutamato sódico.
sodium-graphite reactor   *(Nucl)* reactor de sodio-grafito. Reactor enfriado por sodio líquido y que utiliza grafito como moderador; el combustible es uranio ligeramente enriquecido.
sodium gynocardate   ginocardato sódico.
sodium hydrate   v. **sodium hydroxide.**
sodium hydride   hidruro sódico.
sodium hydrosulfide   hidrosulfuro sódico.
sodium hydrosulfite   hidrosulfito sódico.
sodium hydroxide   hidróxido sódico [de sodio], hidrato sódico, soda cáustica, cáustico blanco, lejía. Fórmula: HONa. sin. **sodium hydrate.**
sodium hypochlorite   hipoclorito sódico.
sodium hypophosphite   hipofosfito sódico.
sodium hyposulfate   hiposulfato sódico.
sodium hyposulfite   hiposulfito sódico [de sodio], hidrosulfito de sodio.
sodium iodate   yodato sódico.
sodium iridichloride   iridicloruro sódico.
sodium isovalerate   isovalerianato sódico.
sodium lactate   lactato sódico.
sodium lamp   lámpara de sodio [de vapor de sodio]. v. **sodium-vapor lamp.**
sodium levothyroxine   levotiroxina sódica.
sodium light   luz de sodio, luz de vapor de sodio. v. **sodium-vapor lamp.**
sodium manganate   manganato sódico.
sodium meconate   meconato sódico.
sodium metanilate   metanilato sódico.
sodium methoxide   metóxido sódico.
sodium molybdate   molibdato sódico.
sodium monoxide   monóxido sódico.
sodium naphthenate   naftenato sódico.
sodium naphthionate   naftionato sódico.
sodium niobate   niobato sódico.
sodium nitrate   nitrato sódico [de sodio, de soda].
sodium nitrite   nitrito sódico.
sodium nitroprusside   nitroprusiato sódico.
sodium nucleate   nucleato sódico.
sodium oleate   oleato sódico.
sodium oxalate   oxalato sódico.
sodium oxide   óxido sódico.
sodium palconate   palconato sódico.
sodium perborate   perborato sódico.
sodium permanganate   permanganato sódico.
sodium peroxide   peróxido sódico.
sodium persulfate   persulfato sódico.

sodium phenalate   fenalato sódico.

sodium phenate   fenato sódico.

sodium phenoacetate   fenoacetato sódico.

sodium phenosulfonate   fenosulfonato sódico.

sodium phosphate   fosfato sódico.

sodium phosphite   fosfito sódico.

sodium photon counter   contador de fotones de sodio.

sodium picramate   picramato sódico.

sodium platinichloride   platinicloruro sódico.

sodium platinochloride   platinocloruro sódico.

sodium plumbate   plumbato sódico.

sodium-potassium alloy   aleación sodio-potasio.

sodium-potassium carbonate   carbonato sódico-potásico.

sodium-potassium phosphate   fosfato sódico-potásico.

sodium-potassium tartrate   tartrato sódico-potásico.

sodium propionate   propionato sódico.

sodium prussiate   prusiato sódico.

sodium pyroborate   piroborato sódico.

sodium reactor   *(Nucl)* reactor refrigerado por sodio. SIN. **sodium-cooled reactor.**

sodium resinate   resinato sódico.

sodium rhodanate   rodanato sódico.

sodium rhodanide   rodanuro sódico.

sodium salicylate   salicilato sódico.

sodium sarcosinate   sarcosinato sódico.

sodium selenate   seleniato sódico.

sodium selenite   selenito sódico.

sodium silicate   silicato sódico [de sodio, de sosa].

sodium soap   jabón sódico.

sodium stannate   estannato sódico.

sodium stearate   estearato sódico.

sodium subsulfite   subsulfito sódico.

sodium succinate   succinato sódico.

sodium sulfate   sulfato sódico.

sodium sulfhydrate   sulfhidrato sódico.

sodium sulfide   sulfuro sódico.

sodium sulfite   sulfito sódico.

sodium sulfocarbolate   sulfocarbolato sódico.

sodium sulfocyanate   sulfocianato sódico.

sodium sulfonate   sulfonato sódico.

sodium suramin   suramina sódica.

sodium tartrate   tartrato sódico.

sodium tellurate   telurato sódico.

sodium tellurite   telurito sódico.

sodium tungstate   tungsto sódico.

sodium uranate   uranato sódico [de sodio].

sodium valerate   valerianato sódico.

sodium vanadate   vanadato sódico.

sodium vapor   vapor de sodio.

sodium-vapor lamp   lámpara de vapor de sodio. Lámpara de descarga [discharge lamp] en la cual la luz es producida en su mayor parte por radiación del sodio [sodium radiation]. SIN. **sodium lamp** (CEI/58 45–40–090).

sodium wolframate   volframato [wolframato] sódico.

sodium zeolite   zeolita sódica.

sofar   sofar. Sistema de localización y telemetría submarina por medio de ondas acústicas. CF. **sonar.**

soffit   intradós, cielo raso, techo (de una habitación).

soft   *adj:* blando; suave; liso; muelle; flexible, maleable; dulce, dúctil; pastoso; plástico; tierno; fofo ‖ *(Colores)* suave, apagado ‖ *(Imágenes fotog y de tv)* poco contrastado, con poco contraste ‖ *(Fonética)* sibilante, sonante ‖ *(Radiaciones)* blando, poco penetrante.

soft annealing   *(Met)* recocido blando.

soft beta radiation   radiación beta poco penetrante.

soft brass   latón blando [recocido].

soft component   componente blando.

soft copper   cobre recocido.

soft copy   *(Informática)* (texto de) presentación transitoria, (datos de) visualización transitoria. Texto o información presentada mediante un sistema electroóptico por un intervalo que puede oscilar entre algunos segundos y algunas horas. Dícese en oposición a la *copia impresa* o al *texto en página* [hard copy, printed page].

soft-drawn copper   cobre estirado recocido.

soft-drawn copper wire   alambre de cobre recocido.

soft-drawn wire   alambre recocido.

soft hail   *(Meteor)* granizo blando; granizo menudo; nieve granulada.

soft iron   hierro dulce [blando]. El hierro dulce se imana fácilmente, pero pierde su magnetismo en cuanto desaparece el campo magnetizante.

soft-iron circuit   circuito (magnético) de hierro dulce.

soft-iron core   núcleo de hierro dulce.

soft-iron oscillograph   oscilógrafo de hierro dulce. Oscilógrafo que utiliza la acción de una bobina sobre una lámina de hierro dulce sometida a la acción directriz de un campo permanente (CEI/38 20–20–020, CEI/58 20–20–020).

soft landing   *(Astronáutica)* aterrizaje suave; descenso suave.

soft-light   v. softlight.

soft lunar landing   alunizaje suave.

soft magnetic material   material magnético suave [de poca energía]. Material ferromagnético que, una vez imanado, puede ser fácilmente desimanado. SIN. **low-energy material.**

soft metal   metal blando.

soft pedal   *(Pianos)* pedal suave.

soft phototube   *(Elecn)* fototubo con gas. SIN. **gas phototube.** CF. **soft tube.**

soft picture   *(Cine/Tv)* imagen débil. Imagen de poco contraste y de contornos poco definidos.

soft radiation   *(Radiol)* radiación blanda [de poca penetración]. CF. **hard radiation.**

soft rays   *(Radiol)* rayos blandos. Rayos poco penetrantes (CEI/38 65–05–105). CF. **hard rays.**

soft rime   *(Meteor)* escarcha blanda.

soft solder   soldadura blanda, soldante blando. Soldadura utilizada de ordinario en los aparatos electrónicos y de radio, consistente por lo general en una combinación, a partes iguales, de estaño y plomo. CF. **hard solder.**

soft soldering   soldadura blanda [con estaño y plomo]. TB. soldadura blanca. CF. **brazing** ‖ (a.c. soldering) soldadura blanda. Soldadura en la cual la temperatura de fusión del metal de aporte [molten filler metal] es inferior a 450° C (CEI/60 40–15–045).

soft steel   acero dulce [suave].

soft-surface runway   *(Avia)* pista de superficie blanda.

soft surround cone   *(Altavoces)* cono de borde muy flexible.

soft temper   *(Met)* temple blando.

soft-tempered steel   acero de temple blando.

soft terrain   terreno blando.

soft tube   *(Elecn)* tubo blando, válvula blanda, tubo gasificado [con vacío imperfecto]. Tubo electrónico (válvula electrónica) en el cual no se ha hecho el vacío completo, o que por causa fortuita contiene una pequeña cantidad de gas. v.TB. **gassy tube** ‖ tubo blando. (1) Tubo electrónico en cuya ampolla se ha introducido una pequeña cantidad de gas con el fin de obtener las características de funcionamiento deseadas. (2) Tubo rectificador o de rayos X cuyo vacío es relativamente pequeño (CEI/64 65–10–125). CF. **hard tube.**

soft valve   *(Elecn)* v. soft tube.

soft water   agua blanda. TB. agua delgada [suave].

soft wood   v. softwood.

soft X rays   rayos X blandos [poco penetrantes].

softening   ablandamiento, reblandecimiento, suavización; blandura, suavidad; ablandamiento (de aguas duras); recocido (del acero) ‖ *(Cine/Tv)* atenuación de contrastes ‖ *(Radiol)* ablandamiento. Aumento de la presión del gas en un tubo, que produce una disminución en la resistencia del tubo (CEI/38 65–35–060). CF. **hardening** ||| *adj:* ablandador, ablandativo, reblandecedor, suavizador || *(Medicina)* emoliente. Ablandativo; que ablanda.

softening point   *(Fís)* punto de reblandecimiento.

softening temperature   temperatura de reblandecimiento.

softlight   proyector difuso. Aparato de alumbrado de dimensiones suficientes para producir un alumbrado difuso con límites de sombra imprecisos [indefinite shadow boundaries] (CEI/70 45–55–315).

software   *(Informática)* técnica; elementos de programación; servicios auxiliares. (**1**) Técnica de utilización de una computadora. (**2**) Conjunto de todos los elementos que intervienen en la programación y utilización de una computadora o calculadora: programas, rutinas, formularios, manuales. (**3**) Servicios y operaciones auxiliares (programación, análisis de problemas, etc.) necesarios para la utilización de la computadora, a distinción de los elementos físicos (dispositivos eléctricos, magnéticos, electrónicos, mecánicos) que componen el sistema. CF. **hardware.**

softwood   madera blanda. LOCALISMO: madera tierna. Madera que ofrece poca resistencia a los esfuerzos y a las alternativas de humedad y sequedad. En las vías férreas es empleada para pegar auxiliares de los durmientes.

SOH   *(Teleg)* Abrev. de still on hand [todavía pendiente de entrega; todavía pendiente de transmisión]. Se usa en mensajes de servicio aclarando la situación respecto a determinado telegrama.

soil   suelo, terreno, tierra; tierra vegetal [negra] ||| *verbo:* ensuciar, manchar; abonar.

soil analysis   análisis de tierras.

soil bearing test   prueba para determinar la carga que puede soportar el terreno.

soil chemistry   química de suelos.

soil compactor   compactadora de suelos.

soil conservationist   conservacionista de suelos.

soil creep   solifluxión, soliflucción, corrimiento del terreno. Deslizamiento lento del suelo cuando el mismo posee cierta viscosidad debida a la presencia de arcilla o de légamos. SIN. **soil flow, solifluction, solifluxion.**

soil densification   densificación del suelo.

soil density   densidad del suelo.

soil dielectric constant   constante dieléctrica del suelo.

soil erosion   erosión del suelo.

soil flow   solifluxión, soliflucción. V. **soil creep.**

soil gas analysis   análisis del gas del suelo.

soil horizon   horizonte de suelo. Capa del suelo aproximadamente paralela a la superficie del terreno, con características más o menos definidas, resultantes del proceso de formación del mismo.

soil mechanics   mecánica de suelos.

soil mixer   pulverizadora-mezcladora. Máquina provista de un sistema de paletas rotativas múltiples que, en la superficie sobre la cual se desplaza, rotura y mezcla el suelo y otros materiales. Se utiliza en obras de construcción y reconstrucción de caminos.

soil moisture   humedad del suelo.

soil physicist   físico de suelos.

soil physics   física de suelos.

soil profile   *(Geol)* perfil del terreno [del suelo], sección del terreno. Sección vertical del terreno [vertical section of the soil], abarcando todos los horizontes existentes, hasta la roca madre o capa de origen [parent material]. CF. **soil horizon.**

soil resistivity   resistividad del suelo.

soil sampler   muestreador de terrenos.

soil sampling   muestreo de terrenos.

soil science   ciencia de los suelos.

soil sniffer   *(Petr)* olfateadora de suelo.

soil stabilizer   estabilizador de suelos [de terrenos].

soil stress   esfuerzo del terreno || *(Petr)* esfuerzo de adhesión (del terreno).

soil survey   estudio [investigación] de suelos.

soil technology   tecnología de suelos.

soil temperature   temperatura del suelo.

soil testing   ensayo de suelos; análisis de suelos.

soil thermometer   geotermómetro.

soils engineer   ingeniero de suelos, ingeniero especializado en mecánica de suelos.

¹sol   *(Mús)* *(also so)* sol.

²sol   *(Quím)* sol, coloide en suspensión; sol, coloide líquido | sol. (**1**) *Solución coloide* o *disolución coloidal* en la cual el sistema es aparentemente líquido. Si la *fase continua* o *dispersiva* [continuous phase] es agua, el sistema se denomina *hidrosol*. (**2**) Medio dispersivo de una solución coloide. (**3**) Líquido que contiene una materia dispersada en su masa, pero cuyas moléculas no se hallan separadas y disueltas en el mismo (en este caso sería una disolución). (**4**) Dispersión coloidal líquida [liquid colloidal dispersion].

SOL   *(Clave URSI)* Clave que en inglés significa *sun spots* [manchas solares].

solano   *(Meteor)* solano.

solar   *adj:* solar. Relativo al Sol.

solar activity   *(Astr)* actividad solar.

solar altitude   altura del Sol.

solar angle   ángulo de elevación del Sol (sobre el horizonte).

solar apex   apex solar. Punto de la esfera celeste hacia el cual se dirige el Sol arrastrando los planetas.

solar asymmetry   asimetría [disimetría] solar.

solar atmosphere   atmósfera solar.

solar attachment   *(Teodolitos)* accesorio solar.

solar battery   batería solar, batería de heliopilas.

solar burst   estallido de energía radioeléctrica solar, estallido (radioeléctrico) solar. Incremento repentino en la energía radioeléctrica radiada por el Sol, que por lo general coincide con la aparición de las erupciones solares (v. **solar flare**). SIN. **solar radio burst** [outburst].

solar cell   pila [célula] solar, heliopila. Célula fotovoltaica de silicio utilizada para la transformación directa de la luz solar en energía eléctrica.

solar-cell plant   instalación (de energía) de células solares.

solar collector   colector (de radiación) solar.

solar compass   *(Topog)* brújula con anteojo solar.

solar concentrator   concentrador de energía solar. Dispositivo óptico que aumenta la intensidad de la energía solar | horno solar.

solar constant   *(Meteor)* constante solar.

solar constant of radiation   constante de radiación solar, constante solar de radiación.

solar conversion device   transformador de energía solar, dispositivo de transformación de la energía solar.

solar converter   transformador de (la) energía solar, convertidor solar.

solar cooker   cocina solar; horno solar.

solar corona   corona solar. Envoltura más exterior del Sol.

solar corpuscle   corpúsculo solar. Partícula emitida por el Sol.

solar corpuscular radiation   radiación corpuscular del Sol.

solar cosmic rays   rayos cósmicos solares.

solar cycle   ciclo de las manchas solares. SIN. **sunspot cycle.**

solar day   día solar.

solar-derived heat   calor de procedencia [origen] solar.

solar direct-conversion power system   sistema de transformación directa de (la) energía solar.

solar distillation   destilación (por energía) solar.

solar drying   secado por energía solar.

solar eclipse   *(Astr)* eclipse solar.

solar energy   energía solar, energía procedente del Sol.

solar-energy collector   colector de energía solar.

solar-energy conversion   transformación [conversión] de (la) energía solar. Transformación de la radiación solar en energía eléctrica o mecánica.

solar-energy converter   transformador [convertidor] de energía solar.

solar-energy engine máquina de energía solar; heliomotor.

solar-energy photovoltaic conversion transformación [conversión] fotovoltaica de (la) energía solar.

solar engine máquina solar; heliomotor.

solar eruption erupción solar. v. **solar flare.**

solar-excited laser laser excitado [bombeado] por luz solar. SIN. **sun-pumped laser.**

solar filaments *(Espectroheliogramas)* filamentos solares.

solar flare erupción [fulguración, llamarada, centelleo, protuberancia] solar, erupción (solar) cromosférica. Brillante erupción de luz de hidrógeno incandescente que se produce en la cromósfera solar, en las inmediaciones de una mancha solar [sunspot], y que va acompañada por la emisión de una inmensa nube de rayos cósmicos. Fue John Howard Dellinger quien primero expuso (1937) una teoría completa sobre este fenómeno, razón por la cual éste se conoce también con el nombre de *efecto Dellinger.* SIN. **solar eruption.**

solar-flare cosmic rays radiación cósmica de erupción solar.

solar-flare disturbance *(Radiocom)* perturbación debida a erupción solar.

solar-flare plasma plasma de erupción solar.

solar-flare proton protón de erupción solar. Protón emitido por el Sol durante una erupción solar.

solar-flare radiation radiación de erupción solar, radiación procedente de una erupción solar.

solar flareup v. **solar flare.**

solar furnace horno solar. Dispositivo que mediante un espejo generalmente parabólico recoge el calor del Sol y lo concentra en un área relativamente pequeña, con la consiguiente elevación de temperatura. Se emplea para la fundición de metales, para la excitación de dispositivos termoeléctricos, etc. CF. **solar collector, solar concentrator, solar cooker.**

solar generator generador helioeléctrico, electrogenerador alimentado por radiación solar.

solar heat calor solar.

solar-heat accumulator acumulador de calor solar.

solar-heat collector colector de calor solar. Reflector utilizado para concentrar la energía radiada por el Sol. CF. **solar furnace.**

solar-heated *adj:* calentado por el sol.

solar heating calentamiento solar.

solar hot-water heater calentador de agua por energía solar.

solar index índice de actividad solar, número de manchas solares. SIN. **sunspot number.**

solar kitchen cocina solar. SIN. **solar cooker.**

solar magnetograph magnetógrafo solar. v. **magnetograph.**

solar microwave radiation radiación solar de microondas.

solar noise v. **solar radio noise.**

solar-operated *adj:* alimentado [accionado] por energía solar.

solar physics física solar.

solar plasma plasma solar.

solar power plant instalación de energía solar; central solar.

solar power station central helioeléctrica | central heliotérmica. Central que produce energía eléctrica a partir de la energía térmica [thermal energy] procedente directamente del Sol (CEI/65 25-10-045).

solar-powered *adj:* alimentado [accionado] por energía solar, de energía solar.

solar-powered transmitter transmisor alimentado por células solares, transmisor que aprovecha la energía solar.

solar probe sonda solar. Vehículo espacial que se lanza hacia el Sol y que mide las radiaciones solares y transmite los datos correspondientes, hasta que es destruido por el calor solar.

solar quiet inactividad solar. CF. **geoalert.**

solar radiation radiación solar.

solar-radiation collector colector de radiación solar.

solar radiation pressure presión de la radiación solar.

solar radio burst estallido radioeléctrico [de energía radioeléctrica] solar. v. **solar burst.**

solar radio noise (a.c. solar noise) ruido radioeléctrico (de origen) solar, parásitos de origen solar. Radiación electromagnética a frecuencias radioeléctricas procedente del Sol. Se nota particularmente en la recepción de ondas cortas, y aumenta mucho en intensidad durante las manchas [sunspots] y las erupciones solares [solar eruptions].

solar radio observation observación radioeléctrica solar.

solar radio outburst estallido radioeléctrico [de energía radioeléctrica] solar, erupción solar radioeléctrica. v. **solar burst.**

solar refrigerator refrigerador solar.

solar satellite satélite del Sol. Satélite artificial que gravita alrededor del Sol. SIN. **sun satellite.**

solar spectrum espectro solar.

solar steam boiler caldera solar.

solar still alambique solar.

solar storm tormenta solar.

solar stove hornillo solar.

solar stream corriente (corpuscular) solar, corriente de corpúsculos solares. CF. **solar corpuscle.**

solar system *(Astr)* sistema solar.

solar telegraph heliógrafo. Aparato de transmisión telegráfica mediante destellos producidos por un espejo móvil que refleja la luz solar. SIN. **heliograph.**

solar telescope telescopio solar ‖ *(Teodolitos)* anteojo solar.

solar thermoelectric generator generador termoeléctrico solar.

solar time hora solar; tiempo solar [aparente, verdadero].

solar tower torre solar.

solar transformer transformador solar.

solar transit teodolito con anteojo solar.

solar-type reaction reacción de tipo solar.

solar water-heater calentador solar de agua.

solar wind (viento) terral. Viento que va de la tierra al mar | viento solar. Corriente de partículas cargadas (protones) emitida por el Sol.

solarigraph solarígrafo.

solarimeter solarímetro. Aparato que sirve para medir la intensidad de las radiaciones solares.

solarization solarización, asoleamiento, asoleo | alteración del color por exposición prolongada a la luz solar o las radiaciones ultravioleta. Cambio de color del vidrio, acompañado de una reducción de transparencia a la luz ultravioleta, por efecto de exposición prolongada a la luz del sol o a las radiaciones ultravioleta. CF. **discoloration** ‖ *(Fotog)* solarización. Inversión de la imagen por exposición excesiva.

solarize *verbo:* solarizar, asolear.

solder soldadura, soldante. Metal o aleación que se funde a una temperatura relativamente baja y que se emplea para unir metales con temperaturas de fusión mucho más altas. Para efectuar conexiones eléctricas y electrónicas se usa casi siempre una aleación de partes aproximadamente iguales de plomo y estaño que se funde a unos 260° C (500° F). SIN. **aleación [estaño] para soldar.** CF. **silver solder** ⫽ *verbo:* soldar. NOTA: El verbo *soldar* se conjuga como *contar* | estañar.

solder-ball connection unión con soldadura de bolita. Unión soldada en la cual el soldante queda formando un cuerpo liso aproximadamente semiesférico. Se busca esta terminación de la soldadura en los circuitos de alta tensión (p.ej. en un televisor), en los que una terminación áspera o puntiaguda propiciaría el efecto corona, generalmente perjudicial para los aislamientos.

solder dipper cuchara soldadora.

solder eye terminal de soldar con ojal (para pasar el hilo).

solder flange brida de soldar.

solder-flange bushing boquilla de brida de soldar.

solder-flange connection conexión de brida de soldar.

solder flux v. **soldering flux.**

solder ground tierra accidental por exceso o goteo de soldadura.

solder gun v. **soldering gun.**

solder joint v. **soldered joint.**

solder-joint fitting *(Tuberías)* accesorio soldable [para soldar].

solder lug v. **soldering lug**.

solder pot (a.c. soldering pot) caldereta de [para] soldar, caldereta [crisol, olla] para soldadura.

solder short cortocircuito accidental por exceso o goteo de soldadura. cf. **solder ground**.

solderability soldabilidad. Aptitud de una superficie metálica o, más particularmente, de la red conductiva de un tablero de circuitos impresos, de ser "mojada" por la soldadura fundida.

solderable *adj*: soldable, que puede ser soldado.

solderable lead hilo [conductor] de conexión soldada, alambre para conexión soldada. Se refiere generalmente a un hilo o conductor estañado en fábrica para facilitar su soldadura al efectuar conexiones eléctricas.

soldered connection conexión soldada, soldadura. sin. **soldered joint**.

soldered joint unión [conexión] soldada, soldadura ‖ *(Telecom)* empalme soldado sin manguito. sin. **Britannia joint**.

soldered splice empalme soldado.

soldering soldadura. Acción de soldar. Operación de unir piezas metálicas por fusión y solidificación de una aleación adherente con temperatura de fusión inferior a unos 450° C. También se le llama *soldadura blanda* o *blanca,* en oposición a la *soldadura fuerte* o *amarilla* [brazing] ‖ soldadura blanda. Soldadura en la cual la temperatura de fusión del metal de aporte es inferior a 450° C. sin. **soft soldering** (CEI/60 40–15–045). cf. **welding**.

soldering aid herramienta auxiliar para soldar. cf. **soldering tool**.

soldering alloy aleación para soldar. v. **solder**.

soldering by induction heating soldadura por calor generado por inducción.

soldering copper soldador (de cobre).

soldering fat pasta [compuesto] para soldar.

soldering flux fundente para soldar [para soldadura]. Substancia que se aplica a las superficies que se van a soldar para disolver los óxidos que pueda haber en ellas. La de mayor uso en el conexionado de circuitos electrónicos y de radio es la *resina fundente* [rosin], por su cualidad de no corroer los metales. cf. **soldering paste**.

soldering furnace hornillo para soldador [hierro de soldar].

soldering gun (a.c. solder gun) pistola de soldar. tb. soldador instantáneo. Soldador eléctrico con mango y aspecto general de pistola, y que se utiliza mucho en radio y electrónica. Por lo común tiene un elemento de resistencia de calentamiento rápido que forma la punta de trabajo, y que funciona con corriente fuerte a baja tensión suministrada por un transformador reductor [step-down transformer] incorporado en el propio mango. La corriente circula mientras se tenga oprimido un interruptor tipo gatillo. cf. **soldering tool**.

soldering iron soldador, cautín, hierro de soldar. Herramienta destinada a aplicar el calor necesario para efectuar soldaduras. El soldador se calienta en un hornillo o mediante un soplete, o, si es eléctrico, mediante un elemento de resistencia [resistance element] incorporado. cf. **soldering tool**.

soldering-iron stand apoyo para el soldador.

soldering lug (a.c. solder lug) terminal [orejeta, oreja] para conexión soldada, orejeta de soldar [de soldadura], terminal soldado. sin. **lug**.

soldering paste pasta [compuesto] para soldar. Fundente para soldar [soldering flux] preparado en forma de pasta.

soldering pencil soldador tipo lápiz. Soldador o cautín de cuerpo y punta finos, apropiado para trabajar en sitios apretados o soldar piezas delicadas. cf. **soldering tool**.

soldering pliers pinzas de soldar. Pinzas para aplicar calor a las piezas que se van a soldar. Sus puntas terminan en electrodos de carbón conectados uno a cada uno de los terminales del secundario de baja tensión y alta capacidad de corriente de un transformador. Después de aprisionar el terminal u otra pieza metálica por soldar, entre dichos electrodos, se hace pasar entre éstos una corriente eléctrica fuerte que produce el calentamiento deseado. cf. **soldering tool**.

soldering pot v. **solder pot**.

soldering spot punto de junta soldada, punto de soldadura.

soldering tag terminal de soldar, terminal soldado. sin. **soldering lug**.

soldering tongs tenazas de soldar. cf. **soldering tool**.

soldering tool implemento para soldar. Util o implemento que sirve para aplicar el calor necesario para hacer soldaduras. v. **soldering copper, soldering gun, soldering iron, soldering pencil, soldering pliers, soldering tongs**. cf. **soldering aid**.

solderless *adj*: sin soldadura, no soldado, de conexión [fijación] sin soldadura.

solderless connection conexión sin soldadura.

solderless connector *(Elec)* conector sin soldadura, conector de presión. Dispositivo de conexión de conductores sin necesidad de soldadura.

solderless contact *(Elec)* contacto de presión. v. **crimp contact**.

solderless flange *(Guías de ondas)* brida de conexión sin soldadura.

solderless plug clavija sin soldadura. Clavija a la cual se conecta la punta de un hilo o conductor sin necesidad de soldadura; la punta desnuda del hilo queda aprisionada en la clavija, obteniéndose así una conexión eléctrica firme.

solderless spring-type connector conector de resorte para conexión sin soldadura.

solderless terminal terminal de fijación sin soldadura. Terminal que se fija a un conductor sin necesidad de soldadura.

solderless wire connector conector para alambre sin soldadura. sin. **wire nut**.

solderless wrap conexión arrollada (sin soldadura). Método de conexión sin soldadura en el cual, mediante una herramienta especial, se arrolla un alambre macizo (conductor) a un terminal de sección rectangular o triangular, de modo que las aristas del terminal muerden el alambre, estableciéndose así un contacto eléctrico firme y estable entre el alambre y el terminal. sin. **solderless wrapped connection, wire wrap, wire-wrap connection**.

solderless wrapped connection conexión arrollada (sin soldadura). v. **solderless wrap**.

sole planta (del pie); base, suela, pie, apoyo; solera ‖ *(Calzado)* suela; plantilla ‖ *(Carp)* planta, cara de labra ‖ *(Minas)* solera; piso ‖ *(Timones de barco)* zapata; talón ‖ *(Andamiajes, Motores marinos)* v. **soleplate** ‖ *(Tubos de microondas)* Electrodo que conduce una corriente destinada a establecer un campo magnético en determinada dirección. Este electrodo no tiene un nombre establecido en castellano, aunque a veces recibe el de *lengüeta*.

sole-plate v. **soleplate**.

solenoid solenoide. (**1**) En las técnicas de radiofrecuencia, *bobina cilíndrica,* en oposición a la *bobina helicoidal* [helix coil] o la *bobina plana* o *chata* [pancake coil]. (**2**) Bobina cilíndrica arrollada según una hélice de paso muy pequeño [spiral of fine pitch] (CEI/56 05–30–075) ‖ **solenoid** (of Ampère): solenoide (de Ampère). Bobina cilíndrica en la cual todas las espiras son consideradas ortogonales al eje y equidistantes entre sí. En la práctica se da también el nombre de *solenoide* a una bobina cilíndrica enrollada según una hélice de paso muy pequeño (CEI/38 05–30–070) ‖ **ideal solenoid**: solenoide de Ampère. Bobina cilíndrica de una sola capa de hilos en la cual todas las espiras son consideradas ortogonales al eje y equidistantes entre sí (CEI/56 05–30–070) ‖ solenoide, electroimán de núcleo móvil [chupón]. Electroimán de bobina cilíndrica (o aproximadamente cilíndrica) que actúa sobre un núcleo ferromagnético móvil que hace de armadura. El núcleo se mueve hacia el interior de la bobina, a lo largo del eje de ésta, ejerciendo una fuerza de tracción considerable ‖‖‖ *adj*: solenoidal.

solenoid-actuated *adj*: accionado [mandado] por solenoide.

solenoid brake　　(*Tracción eléc*) freno electromagnético [de solenoide]. v. **solenoid braking**.

solenoid braking　　(*Tracción eléc*) (*i.e.* electromagnetic solenoid braking) frenado (electromagnético) por solenoide. Sistema de frenado electromagnético [electromagnetic brake system] en el cual un freno mecánico es accionado por solenoides o electroimanes (CEI/57 30–05–495).

solenoid coil　　solenoide; bobina de solenoide; bobina electromagnética.

solenoid contactor　　contactor de solenoide.

solenoid current　　(*Electrobiol*) corriente de solenoide [de d'Arsonval]. Corriente de trenes intermitentes y aislados de oscilaciones fuertemente amortiguadas, de alta frecuencia, alta tensión, e intensidad relativamente pequeña. SIN. **d'Arsonval current**. NOTA: Se aconseja abandonar el uso de estos términos en inglés y sus correspondientes en castellano (CEI/59 70–20–045).

solenoid focusing　　(*Tubos de microondas*) enfoque por solenoide, focalización mediante solenoide.

solenoid-operated　　*adj:* accionado [mandado] por solenoide.

solenoid pilot control　　control piloto por electroimán. (**1**) Dispositivo electromecánico que actúa sobre una válvula, determinando su cierre, apertura, o regulación. (**2**) Gobierno de una válvula por un electroimán tractor o de núcleo chupón [solenoid].

solenoid relay　　relé de solenoide [de núcleo buzo]. Relé cuyo núcleo, que funciona como armadura [armature], está constituido por una pieza ferromagnética que se mueve por el interior de la bobina excitadora. Los contactos van montados en uno o en ambos extremos del núcleo. SIN. **plunger relay**. CF. **solenoid**.

solenoid valve　　válvula de solenoide [de electroimán], válvula accionada [de accionamiento] por electroimán (tractor). Válvula accionada por un solenoide, y generalmente utilizada para el control de la circulación de fluidos (líquidos o gases) por tuberías. CF. **solenoid pilot control**.

solenoidal　　*adj:* solenoidal.

solenoidal coil　　solenoide.

solenoidal field　　campo solenoidal [tubular]. Campo en el cual la divergencia es nula (CEI/38 05–05–070) | campo solenoidal. Campo en el cual la divergencia es nula, con el resultado de que el flujo del vector [flux of the vector] de un campo tal permanece constante a través de secciones de un mismo tubo de campo o tubo de fuerza [tube of force] (CEI/56 05–01–100).

solenoidal vector　　(*Mat*) vector solenoidal. Vector que define un campo solenoidal [solenoidal field], caracterizado por ser su flujo nulo. El concepto de campo solenoidal se debe a lord Kelvin.

solenoidal wave　　onda solenoidal.

solepiece　　zapata; talón; solera (de base), bancada, durmiente.

soleplate　　(*Constr, Estr*) placa de asiento [de cimentación]; placa de solera ‖ (*Andamiajes*) (a.c. sole) solera [placa] de base. Base de madera que sostiene los pies de los puntales oblicuos ‖ (*Carp*) solera inferior ‖ (*Máq*) bancada, bancaza; placa de fundación ‖ (*Motores marinos*) (a.c. sole) bancada | solera [placa] de base. Plancha de asiento asegurada por apoyos al casco del buque ‖ (*Minas*) (a.c. sole) solera (de entibación); piso ‖ (*Timones de barco*) zapata; talón.

solfeggio　　(*Mús*) solfeo. CF. **solmization**.

solid　　(cuerpo) sólido ‖ (*Geom*) sólido, poliedro ‖‖ *adj:* sólido; duro, firme, consistente, compacto; firme, fuerte; macizo; homogéneo, de composición homogénea; cúbico; solidario, unido, inseparable; enterizo, de una (sola) pieza ‖ (*Colores*) entero ‖ (*Metales preciosos*) puro, sin aleación ‖ (*Piezas*) sano.

solid analytic geometry　　geometría analítica del espacio.

solid angle　　ángulo sólido [poliedro]. Cada una de las dos porciones del espacio limitadas por una superficie cónica.

solid anode　　(*Magnetrones*) ánodo macizo.

solid bearing　　(*Mec*) cojinete encerrado; cojinete liso; chumacera enteriza.

solid-borne noise　　ruido transmitido por los sólidos.

solid-borne vibrations　　vibraciones transmitidas por los sólidos,

vibraciones propagadas por cuerpos sólidos.

solid cable　　(*Telecom*) cable compacto.

solid camera　　(*Fotog*) cámara "sólida" [sin fuelle].

solid carbon　　carbón homogéneo. Carbón de composición homogénea (CEI/38 45–30–030).

solid casting　　(*Met*) pieza maciza de fundición.

solid circuit　　(*Elecn*) circuito sólido. Red semiconductora fabricada con una sola pieza de material, mediante técnicas de aleación, difusión, ataque químico, corte, y dosificación de impurezas, y el empleo de hilos de interconexión.

solid coil　　muelle (helicoidal) comprimido (por la carga).

solid color　　color entero.

solid-color　　*adj:* de color entero, de un solo color.

solid conductor　　(*Elec*) conductor sencillo. Conductor constituido por un solo hilo o una sola barra (CEI/65 25–20–040). CF. **strand, stranded conductor** | conductor macizo.

solid-conductor cable　　cable de conductor sencillo [macizo].

solid-copper wire　　hilo sencillo de cobre, alambre de cobre macizo.

solid crankshaft　　(*Mec*) cigüeñal macizo; cigüeñal enterizo [de una sola pieza].

solid-dielectric cable　　cable con dieléctrico sólido. CF. **gas-filled [gaseous-dielectric] cable**.

solid-dielectric coaxial cable　　cable coaxil con dieléctrico sólido.

solid earth (*GB*)　　(*Elec*) v. **solid ground**.

solid electrolyte　　(*Electroquím*) electrólito sólido.

solid-electrolyte capacitor　　capacitor de electrólito sólido.

solid-electrolyte fuel cell　　pila de combustible con electrólito sólido.

solid-electrolyte tantalum capacitor　　(a.c. solid tantalum capacitor) capacitor con ánodo de tántalo y electrólito sólido.

solid fuel　　combustible sólido.

solid geometry　　geometría del espacio, geometría tridimensional. Estudio de las figuras tridimensionales en el espacio.

solid ground　　terreno firme ‖ (*Elec*) conexión directa a tierra. SIN. **solid earth** (*GB*). CF. **solidly grounded system**.

solid height　　(*Muelles helicoidales*) altura comprimido [con las espiras juntas]. CF. **solid coil**.

solid homogeneous reactor　　(*Nucl*) reactor de núcleo sólido homogéneo. Reactor nuclear cuyo núcleo está constituido por una mezcla sólida homogénea de combustible y moderador.

solid injection　　(*Mot diesel*) inyección sin aire, inyección por bomba, inyección sólida, inyección mecánica (del combustible).

solid inner conductor　　(*Cables*) alma conductora sólida.

solid line　　línea sólida ‖ (*Dib*) línea llena, línea continua [de trazo continuo]. CF. **dotted line**.

solid measure　　medida para sólidos.

solid-neutral switch　　(*Elec*) interruptor de neutro sólido.

solid of half-revolution　　sólido de semirrevolución.

solid of revolution　　sólido de revolución. Superficie cerrada engendrada por una línea que gira alrededor de un eje. CF. **surface of revolution**.

solid phase　　(*Quím*) fase sólida.

solid-phase bonding　　enlace de fase sólida.

solid-phase welding　　soldadura por presión. v. **pressure welding**.

solid plasma　　(*Fís*) plasma sólido.

solid platen　　(*Máq de escribir*) rodillo macizo.

solid pole　　(*Máq eléc*) polo sólido. Dícese en oposición al *polo laminado* [laminated pole].

solid-pole machine　　(*Elec*) máquina de polos sólidos.

solid propellant　　(*Vehículos espaciales*) propulsor [propulsante, propergol] sólido.

solid-propellant rocket　　cohete con propulsor sólido, cohete de propulsante sólido.

solid-propellant rocket engine　　propulsor cohético de propulsante sólido.

solid-propellant rocket motor　　propulsor cohético de propulsante sólido.

solid rib   *(Aviones)* costilla de alma llena.

solid-rod lattice   *(Nucl)* celosía con barras macizas.

solid rotor   rotor macizo.

solid shaft   eje macizo. Eje que no es hueco.

solid solubility   solubilidad en el estado sólido.

solid solution   solución sólida. Sólido homogéneo en el cual los átomos (o moléculas) de cierto tipo han sido parcialmente substituidos por otros átomos (o moléculas) sin modificar la estructura cristalina básica del cuerpo.

solid spar   *(Aviones)* larguero macizo [de alma llena]. CF. **solid rib.**

solid state   *(Fís)* estado sólido. Estado de un cuerpo en el cual existe la mayor cohesión entre sus moléculas.

solid-state   *adj: (Fís)* del estado sólido, relativo al estado sólido ‖ *(Elecn)* de estado sólido. Dícese de los elementos electrónicos cuyo funcionamiento depende del control de fenómenos eléctricos o magnéticos en un sólido, en particular un semiconductor. EJEMPLOS: transistores, diodos de cristal, dispositivos de ferrita ǀ de estado sólido, a base de elementos (electrónicos) de estado sólido. Dícese de los circuitos y dispositivos en los cuales se utilizan elementos de estado sólido, en particular elementos semiconductores. SIN. **semiconductorizado, transistorizado — semiconductorized, transistorized.**

solid-state atomic battery   batería atómica de estado sólido.

solid-state circuit   circuito de estado sólido. SIN. **integrated circuit, solid circuit.** CF. **monolithic integrated circuit, integrated electronics, microcircuit, microcircuitry, microelectronic circuit, microelectronics.**

solid-state circuit breaker   interruptor automático de estado sólido. Es capaz de actuar en unos poco microsegundos, y puede utilizarse para disparar un interruptor o disyuntor electromecánico, que es de funcionamiento mucho más lento.

solid-state commutation   conmutación por elementos de estado sólido.

solid-state component   componente [elemento] de estado sólido.

solid-state computer   computadora de estado sólido. Computadora o calculadora electrónica construida principalmente a base de elementos de estado sólido. SIN. **computadora con elementos semiconductores [de estado sólido].**

solid-state device   dispositivo de estado sólido. (1) Dispositivo con elementos activos de estado sólido (p.ej. transistores). (2) Dispositivo basado en la física de los sólidos. (3) Dispositivo que utiliza las propiedades de los cuerpos sólidos, en oposición a los dispositivos al vacío o en atmósfera gaseosa.

solid-state diode   diodo de estado sólido.

solid-state dosimeter   dosímetro de estado sólido. Dosímetro cuyo funcionamiento se basa en variaciones de conductividad eléctrica, radiofotoluminiscencia [radiophotoluminescence], o termoluminiscencia [thermoluminescence]. v. **fluorod.**

solid-state dosimetry   dosimetría por dispositivos de estado sólido.

solid-state electronics   electrónica de estado sólido. Electrónica basada en la física de los sólidos [solid-state physics], en particular las propiedades eléctricas de los semiconductores (v. **semiconductor**).

solid-state integrated circuit   circuito integrado de estado sólido.

solid-state laser   laser de estado sólido.

solid-state maser   maser de estado sólido.

solid-state optical maser   maser óptico de estado sólido.

solid-state phenomena   fenómenos del estado sólido. Fenómenos físicos característicos del estado sólido.

solid-state physical electronics   electrónica basada en la física del estado sólido. v. **solid-state electronics.**

solid-state physics   física del estado sólido, física de los sólidos. Parte de la física que trata de la estructura y las propiedades de los sólidos. CF. **solid-state electronics.**

solid-state power supply   fuente de alimentación de estado sólido, fuente de poder a base de elementos de estado sólido.

solid-state rectifier circuit   circuito rectificador de estado sólido [con elementos de estado sólido].

solid-state relay   relé de estado sólido. Relé electromecánico o relé electrónico semiconductorizado.

solid-state semiconductor   semiconductor. La expresión en inglés es redundante, puesto que todos los semiconductores son sólidos; en cambio, no son semiconductores todos los elementos de estado sólido.

solid-state static alternator   alternador estático de estado sólido. Dispositivo de estado sólido que transforma una corriente de onda rectangular en una tensión alterna monofásica o trifásica.

solid-state switch   conmutador de estado sólido.

solid-state switching device   dispositivo conmutador de estado sólido.

solid-state thyratron   tiratrón de estado sólido. Dispositivo semiconductor de características que se aproximan a las de los tiratrones gaseosos, y del que es ejemplo el rectificador controlado de silicio [silicon controlled rectifier].

solid-state traveling-wave amplifier   amplificador de ondas progresivas de estado sólido. Amplificador de microondas en cuyo funcionamiento intervienen ondas progresivas de carga espacial [traveling space-charge waves].

solid-state triode   triodo de estado sólido.

solid-state tuner   sintonizador de estado sólido. Dispositivo de sintonización eléctrica basado en un semiconductor cuya absorción de energía se hace variar modificando la intensidad de un campo magnético a él aplicado.

solid-state voltmeter   voltímetro electrónico de estado sólido.

solid tantalum capacitor   v. **solid-electrolyte tantalum capacitor.**

solid tire   llanta [goma] maciza, bandaje macizo.

solid web   *(Estr, Vigas)* alma llena.

solid wire   alambre macizo, hilo sencillo. v. **solid conductor.**

solidification   solidificación; consolidación.

solidification point   *(Fís)* punto [temperatura] de solidificación.

solidified   *adj:* solidificado; consolidado.

solidify   *verbo:* solidificar(se); consolidar(se).

solidity   solidez; consistencia, macicez; dureza, firmeza.

solidly   *adv:* sólidamente.

solidly earthed *(GB)*   v. **solidly grounded.**

solidly grounded   directamente a tierra, con conexión directa a tierra. SIN. **directly grounded, solidly earthed** *(GB)*.

solidly grounded neutral   neutro puesto directamente a tierra.

solidly grounded system   *(Elec)* sistema con conexión directa a tierra. Sistema de distribución en el cual la conexión a tierra es de muy baja resistencia.

solids physics   física del sólido [de los sólidos]. v. **solid-state physics.**

solidus   diagonal o raya inclinada (/) que indica opción entre dos palabras (ejemplo, *and/or*), que representa la palabra *per* (ejemplo, *miles/hour*), o que separa los dos términos de una fracción (ejemplos, *a/b, 2/3*). SIN. **slash, virgule.**

solidus curve   *(Quím)* solidus. Curva que representa la temperatura a que empiezan a fundirse los componentes de una mezcla líquida en función de la proporción de los mismos.

solifluction, solifluxion   solifluxión, soliflucción. v. **soil creep.**

solion   solión. Válvula electroquímica que produce amplificación por control de una reacción electroquímica reversible. El inglés viene de *solution ion.*

solion integrator   solión integrador. Solión cuya corriente de salida es proporcional a la integral de la corriente de entrada.

solistor   *(Elecn)* solistor.

solistron   solistrón. Klistrón de estado sólido. El inglés viene de *solid-state klystron.*

solmization   *(Mús)* solmisación. CF. **solfeggio.**

solo   *(Mús)* solo ‖ *(Aeron)* v. **solo flight** ⫽ *verbo:* volar solo. Volar con responsabilidad única y completa, es decir, sin instructor ni copiloto.

solo cabin　cabina monoplaza [unipersonal].

solo flight　*(Aeron)* (a.c. solo) vuelo solo.

solo flight time　tiempo [horas] de vuelo solo.

solo manual　*(Organos)* manual de solo. SIN. **swell manual**.

solo organ　*(Mús)* órgano de solo.

Solomon's unit　*(Radiol)* unidad de Solomon. Unidad de cantidad de rayos X usada en Francia, aproximadamente igual a 2,29 roentgens.

Solovox　Nombre comercial de un órgano electrónico.

solstice　*(Astr)* solsticio. Uno de los dos momentos del año en que el Sol, en su tránsito por la eclíptica [ecliptic], alcanza la distancia máxima al ecuador celeste (máximo de declinación). Dichos momentos ocurren en las fechas aproximadas del 22 de junio (*solsticio de verano* para el hemisferio norte y *de invierno* para el hemisferio sur) y el 22 de diciembre (*solsticio de invierno* para el hemisferio norte y *de verano* para el hemisferio sur) /// *adj:* solsticial.

solubility　solubilidad. Calidad de soluble.

solubilization　solubilización.

solubilize　*verbo:* solubilizar.

solubilizing　solubilización /// *adj:* solubilizante.

soluble　*adj: (Mat)* resoluble. Que tiene solución; susceptible de ser resuelto || *(Quím)* soluble. Susceptible de ser disuelto.

solute　*(Quím)* soluto, cuerpo disuelto, substancia disuelta (en una solución) /// *adj:* soluble.

solution　solución || *(Mat)* solución, resultado || *(Quím)* solución, disolución.

solution chemistry　química de las soluciones.

solution poison　*(Nucl)* veneno soluble. Veneno nuclear soluble que se agrega al refrigerante de un reactor para regular la reactividad.

solvability　*(Mat)* resolubilidad.

solvable　*adj: (Mat)* soluble, resoluble. Susceptible de solución o resolución.

solve　*verbo:* resolver; solucionar; aclarar, desentrañar; desatar, desenredar || *(Mat)* resolver, solucionar | **to solve for:** despejar (una letra, una incógnita) | **solving for x:** despejando la x || *(Quím)* disolver.

solve a problem　resolver un problema. Hallar su solución.

solve a triangle　resolver un triángulo. Determinarlo completamente.

solve an equation　resolver una ecuación. Encontrar sus raíces; integrarla, si se trata de una ecuación diferencial [differential equation].

solve for x　*(Mat)* despejar la x. **(1)** Encontrar su valor numérico. **(2)** Dejarla sola (como término único, con coeficiente +1) en el primer miembro de la ecuación.

solvent　*(Quím)* solvente, disolvente. Líquido que disuelve o es capaz de disolver una substancia || *(Medicina)* disolvente, menstruo, excipiente líquido. Líquido desprovisto de actividad terapéutica que sirve de soporte o vehículo a un medicamento /// *adj:* solvente, disolutivo, diluente, diluyente, diluidor.

solvent cleaning　desengrase por disolvente. Desengrase por medio de solventes orgánicos [organic solvents] (CEI/60 50–30–155).

solvent extraction　*(Quím, Nucl)* extracción por solvente [por disolvente].

solvent extraction process　*(Quím, Nucl)* proceso de extracción por solvente.

SOM　*(Teleg, Informática)* Abrev. de start of message.

somatic　*adj:* somático. Corporal, corpóreo; perteneciente al cuerpo.

somatic cell　*(Biol)* célula somática.

somatic effect of radiation　efecto somático de la radiación.

somatic injury　lesión somática, daño somático.

SOMGE　*(Teleg)* Abrev. de see our message [sírvase ver nuestro mensaje].

Sommerfeld　Arnold Johannes Wilhelm Sommerfeld: físico alemán (1868–1951) que se distinguió en el estudio de los fenómenos electromagnéticos y los espectros atómicos.

Sommerfeld equation　ecuación de Sommerfeld. Ecuación aplicable a la propagación de las ondas de tierra [ground-wave propagation]. La ecuación liga la intensidad de campo en un punto de la superficie de la tierra situado a cualquier distancia de la antena emisora, con la intensidad de campo a la distancia unitaria para un valor dado de la pérdida en el suelo [ground loss].

Sommerfeld fine-structure constant　*(Fís)* constante de Sommerfeld de la estructura fina. Constante sin dimensiones introducida por Sommerfeld en la teoría de la estructura fina del átomo de hidrógeno y los iones hidrogenoides [hydrogen-like ions].

Sommerfeld formula　fórmula de Sommerfeld. Fórmula aproximada aplicable a la propagación radioeléctrica cuando las distancias son lo suficientemente cortas para que pueda considerarse plana la Tierra (es decir, para que sea despreciable la curvatura terrestre).

Sommerfeld ground wave　*(Radio)* onda de tierra de Sommerfeld.

Sommerfeld-Kossel displacement law　ley de desplazamiento de Sommerfeld-Kossel. Ley relativa a los espectros de los átomos ionizados.

Sonalert　Nombre comercial de un dispositivo emisor de tono electrónico.

sonar　sonar. A VECES: ecogoniómetro, localizador [radar] ultrasónico. Sistema de localización subacuática de funcionamiento análogo al radar, pero que utiliza ondas de frecuencias sónicas y ultrasónicas, en vez de ondas radioeléctricas. Se emplea en navegación para descubrir la presencia y fijar la situación de objetos sumergidos (submarinos, barcos hundidos, escollos, etc.). Las ondas son emitidas en forma de impulsos mediante transductores electroacústicos, y los correspondientes ecos (impulsos reflejados por los objetos) se reciben por medio de transductores acustoeléctricos direccionales. Midiendo el tiempo de ida y vuelta de los impulsos y observando el ángulo de llegada de los ecos, se determina la distancia y situación de los objetos. El nombre viene de *sound navigation and ranging* /// *adj:* de sonar, sonárico.

sonar attack plotter　*(Guerra antisubmarina)* trazador sonárico de ataque. Sistema que recibe y coordina la información suministrada por el sonar y otros dispositivos de un buque de guerra, y presenta gráficamente la información necesaria para planear un ataque antisubmarino.

sonar background noise　ruido de fondo del sonar.

sonar beacon　baliza de sonar, faro sonárico. Puede estar provisto de un receptor que le permita ser activado por una fuente exterior.

sonar communication　comunicación sonar, comunicación submarina por ultrasonidos. Comunicación mediante aparatos de sonar, generalmente por manipulación telegráfica de las ondas acústicas emitidas.

sonar data computer　computadora de datos sonáricos. Computadora que efectúa cálculos con los diversos datos relativos a un sistema de sonar: acimut, distancia, profundidad, velocidad de propagación.

sonar depth ranger　batímetro sonárico, ecómetro de profundidad. Aparato de sonar destinado a medir la profundidad del mar y determinar el perfil del fondo. Ecómetro con su traductor montado en la quilla, propio para sondeos de profundidad y exploración del fondo submarino.

sonar-detected obstacle　obstáculo detectado con (el) sonar. Obstáculo descubierto con la ayuda del sonar. El *sonar* o *ecogoniómetro anticolisión* lleva su traductor montado en la misma proa, con el fin de explorar la zona por delante del navío y localizar eventuales obstáculos en su rumbo.

sonar dome　cúpula de sonar. CF. radome.

sonar listening post　puesto de escucha sonárico.

sonar modulator　modulador de sonar. Modulador de un emisor de sonar.

sonar projector　proyector de sonar. Transductor electroacústico (generalmente de cristal o de magnetostricción) que transforma la energía eléctrica suministrada por el emisor, en energía acústica. CF. **sonar transducer.**

sonar projector array   red de proyectores de sonar.

sonar pulse   impulso de sonar, impulso sonárico.

sonar receiver   receptor de sonar.

sonar receiver-transmitter   receptor-transmisor de sonar.

sonar resolver   resolutor de sonar.

sonar set   (equipo de) sonar.

sonar signal simulator   simulador de señales de sonar, generador de ecos sonáricos ficticios. Aparato electrónico cuya salida puede acoplarse a un receptor de sonar o directamente al indicador de éste para obtener en la pantalla indicaciones que simulan las dadas por ecos de sonar en condiciones de funcionamiento normal. CF. **radar signal simulator.**

sonar sounding set   sonar de sondeo. Equipo de sonar que sirve para medir la profundidad del agua (distancia entre el aparato y el fondo del mar) o la distancia vertical entre el aparato y la superficie del agua. CF. **sonar depth ranger.**

sonar target   objetivo de sonar, blanco sonárico.

sonar train mechanism   mecanismo de rotación del transductor [del proyector]. Puede tener los medios para darle la inclinación deseada al transductor o proyector.

sonar trainer   equipo de adiestramiento [enseñanza] de sonar. Equipo ideado o utilizado para el adiestramiento en el empleo del sonar o para la enseñanza de sus principios técnicos.

sonar transducer   transductor de sonar. Transductor electroacústico que es excitado por el emisor (conversión de energía eléctrica en acústica), o transductor acustoeléctrico que excita al receptor (conversión de energía acústica en eléctrica).

sonar transducer scanner   conmutador de transductores de sonar. Conmutador que permite explorar la salida de los elementos o grupos de elementos transductores de ciertos equipos de sonar, para determinar la dirección de llegada de los ecos.

sonar transmitter   transmisor [emisor] de sonar.

sonar window   ventanilla de transmisión. Parte de una cúpula de sonar [sonar dome] o de la cubierta de un transductor de sonar, que da paso a las ondas acústicas.

sonaramic indicator   (*i.e.* sonar panoramic indicator) indicador panorámico de sonar. Aparato que, conectado a un receptor de sonar, permite observar visualmente las señales recibidas dentro de cierta banda de frecuencias con centro en la de sintonía del receptor. CF. **panoramic indicator.**

sonata   (*Mús*) sonata.

sonde   sonda. Globo o cohete portador de instrumentos para investigar las condiciones de la atmósfera superior | sonda. Instrumento portado por un globo o un cohete y que sirve para obtener datos sobre las condiciones atmosféricas durante su ascenso y descenso, datos que son transmitidos a tierra por radio. SIN. **probe.** CF. **radiosonde.**

sonde information   información (meteorológica) obtenida por sonda.

sone   (*Acús*) sonio. Unidad de sonoridad definida por la sonoridad de un sonido de 40 fonios [phons]. Un tono puro de 1 kHz al nivel de 40 dB por encima del umbral de audibilidad de un observador, produce una sonoridad [loudness] de 1 sonio. Si ese mismo observador juzga que un sonido dado cualquiera tiene una sonoridad igual a n veces la del tono descrito, ese sonido tendrá una sonoridad de n sonios. CF. **sonics.**

song   (*Mús*) canción, canto, cantar, cantinela, copla, tonada.

songwriter   cancionista. El que escribe la letra o compone la melodía para canciones.

sonic   *adj*: sónico, sonoro, acústico. Relativo o perteneciente a las ondas sonoras o acústicas, o a la velocidad del sonido; que utiliza ondas acústicas. V.TB. **acoustic, sound.** CF. **hypersonic, subsonic, supersonic, transonic, sonics.**

sonic altimeter   altímetro acústico. Altímetro de avión que funciona por medida del tiempo que tardan las ondas acústicas en propagarse a tierra y de vuelta al avión, y sobre la base de la

velocidad conocida del sonido en el aire. Esta velocidad es de 331,4 m/s a 0° C y aumenta en 0,6 m/s por cada grado de aumento de la temperatura.

sonic applicator   aplicador sónico. Transductor electromecánico utilizado para la aplicación de vibraciones sónicas a los tejidos, con fines terapéuticos.

sonic bang   v. **sonic boom.**

sonic barrier   barrera sónica [transónica], barrera ["muro"] del sonido. Turbulencia que encuentra una aeronave cuando su velocidad se aproxima a la del sonido. SIN. **sound [transonic] barrier.**

sonic boom   (a.c. sonic bang) estampido sónico. Sonido explosivo que se oye cuando llega al oído la onda de choque [shock wave] producida por una aeronave que vuela a velocidad supersónica.

sonic cleaning   limpieza por energía sónica. Limpieza de objetos por efecto de sonidos intensos en el seno de un líquido que cubre los objetos.

sonic delay line   línea de retardo sónica [acústica]. SIN. **acoustic delay line.**

sonic delay-line store   almacenador (de información) [memoria] de línea de retardo sónica.

sonic depth finder   v. **fathometer.**

sonic detector   ecodetector; detector acústico, fonolocalizador.

sonic drilling   corte y conformación por oscilación sónica. Corte y conformación de piezas con una pasta líquida abrasiva y un útil puesto en oscilación a frecuencia sónica por un transductor electromecánico.

sonic echo sounder   sondeador (sónico) por eco(s).

sonic flaw detection   detección de defectos internos por exploración sónica. Procedimiento para descubrir defectos o imperfecciones internas en una pieza observando las reflexiones internas y las variaciones en la transmisión de haces sonoros convenientemente dirigidos.

sonic flow   flujo sónico.

sonic fog dispersal   dispersión sónica de la niebla.

sonic frequency   frecuencia sónica [sonora, audible, musical]. SIN. **audio frequency.**

sonic inspection   inspección sónica.

sonic location   fonolocalización.

sonic locator   fonolocalizador.

sonic mine   mina acústica. SIN. **acoustic mine.**

sonic oscillator   oscilador sónico.

sonic pulse   impulso sónico [acústico]. CF. **sonar pulse.**

sonic soldering   soldadura con decapado sónico. Soldadura en la cual se aplica una vibración mecánica a frecuencia acústica para disolver los óxidos superficiales de las piezas metálicas que van a ser unidas.

sonic sounding   ecosondeo, sondeo sónico.

sonic speed   velocidad sónica [del sonido]. SIN. **speed of sound.**

sonic surgery   cirugía sónica. Empleo de la energía acústica muy concentrada para producir alteraciones precisamente delimitadas en los tejidos.

sonic tester   verificador sónico, aparato de inspección sónica.

sonic testing   verificación [inspección] sónica. SIN. **sonic inspection.** CF. **sonic flaw detection.**

sonic velocity   velocidad sónica.

sonic vibrations   vibraciones sonoras [de frecuencia sónica].

sonic viscometry   viscometría sónica. Determinación del coeficiente de viscosidad [coefficient of viscosity] de líquidos o suspensiones por medida de sus propiedades acústicas respecto a una onda transmitida a su través, o por su reacción sobre un transductor electroacústico.

sonically   *adv*: sónicamente, acústicamente.

sonically induced   inducido acústicamente, provocado por ondas sónicas.

sonics   sónica. Tecnología de las aplicaciones del sonido, con exclusión de la comunicación | sonia. Carácter subjetivo de un sonido que determina la sensación auditiva producida por el sonido. Su unidad es el sonio (v. **sone**).

sonne   sonne. Sistema de radionavegación que establece cierto número de zonas rotativas de señales características, y que permite determinar un rumbo observando el instante en que ocurre la transición de una zona a otra. SIN. **consol.**

sonne system   sistema sonne.

sonobuoy   (a.c. radio sonobuoy) sonoboya, radioboya hidrofónica, boya radiohidrofónica. Boya portadora de un hidrófono o receptor acústico y un emisor de radio. La boya es arrojada por paracaídas desde un avión que luego recibe los ruidos submarinos captados y transmitidos por la boya. Se utiliza para descubrir y localizar submarinos enemigos.

sonobuoy trainer   equipo de instrucción en técnicas de sonoboya.

sonograph   sonógrafo, sonómetro registrador. v. **sonometer.**

sonoluminescence   sonoluminiscencia. (**1**) Fenómeno de la producción de luz en un líquido por cavitación [cavitation] provocada sónicamente. (**2**) Propiedad de algunos líquidos de emitir una luz débil asociada con fenómenos de cavitación, al propagarse por ellos una onda ultrasónica de gran intensidad /// *adj:* sonoluminiscente.

sonoluminescent   *adj:* sonoluminiscente.

sonometer   sonómetro. Instrumento músico (especie de frecuencímetro basado en el fenómeno de resonancia mecánica) que sirve para comparar los sonidos. Está constituido por una caja de resonancia y varias cuerdas de longitud y tensión ajustables. v.TB. **sonometry, monochord.** CF. **sound meter.**

sonometric   *adj:* sonométrico. Perteneciente al sonómetro o a la sonometría.

sonometry   sonometría. Arte o técnica de determinar mediante el sonómetro las relaciones de los intervalos armónicos. v.TB. **sonometer** /// *adj:* sonométrico.

sonoptography   sonoptografía. Técnica de la obtención de imágenes estereoscópicas de objetos con la ayuda de ondas acústicas, sin el empleo de lentes. Es una técnica análoga a la holografía [holography].

soot   hollín; negro de humo.

soot fall   deposición de hollín.

sooty   *adj:* holliniento.

sophisticated   (*Lenguaje ordinario*) sabido, mundano, corrido (de mundo), avezado a las cosas del mundo || (*Lenguaje técnico*) muy especial; de gran refinamiento técnico; complejo, intrincado; que exige conocimientos especiales para su manejo.

sophisticated vocabulary   (*Comput*) vocabulario especial. Conjunto de instrucciones de naturaleza intrincada que permite a la máquina ejecutar operaciones complicadas.

soprano   (*Mús*) soprano, tiple. El tipo más agudo de voz femenina.

soprano singer   soprano, tiple.

soprano voice   voz de soprano.

SORAFOM   Abrev. de Société de radiodiffusion de la France d'outre-mer [French Overseas Territories Broadcasting Society].

sorbent   sorbente; absorbente; adsorbente. v. **sorption.**

sorbite   (*Met*) sorbita. Mezcla de ferrita y cementita en granos finos || (*Quím*) sorbitol.

sorbitic   *adj:* sorbítico.

sordine, sordino   (*Mús*) sordina.

sorption   sorción. Unión de un gas con un sólido (o un líquido) por absorción [absorption], adsorción [adsorption], quimisorción [chemisorption], o una combinación de estos procesos. CF. **sorbent.**

SORQ   (*Teleg*) Abrev. de see our RQ [sírvase ver nuestro RQ].

sort   *verbo:* clasificar, escoger, separar, apartar, segregar || (*Informática*) clasificar, ordenar. (**1**) Separar ítems de un conjunto en dos o más clases, de acuerdo con una característica específica (clave). (**2**) Disponer ítems de información según reglas especificadas || formar juegos (con las copias de dos o más originales poligrafiados).

sort compare   (*Informática*) comparación de clasificación.

sort selection switch   (*Informática*) interruptor para clasificación seleccionada.

sort selector switch   (*Informática*) selector de clasificación.

sort suppression   supresión de clasificación.

sorter   escogedor, separador, operario clasificador; aparato clasificador || (*Informática*) clasificadora. Máquina que clasifica tarjetas perforadas según las perforaciones presentes en una columna especificada de la tarjeta, o, en general, de acuerdo con las indicaciones numéricas o alfanuméricas perforadas en las tarjetas o cartulinas || (*Muelles portuarios*) clasificador de la descarga.

sorter contact   (*Informática*) contacto de clasificación.

sorter-contact roll   rodillo de contacto de clasificación.

sorter-contact roll cover   tapa de rodillo de contacto de clasificación.

sorter pocket   (*Informática*) casilla de clasificación; casilla receptora (de tarjetas).

sortie   (*Avia militar*) salida. Misión por un solo avión || (*Milicia, Marina de guerra*) salida || CF. **mission.**

sorting   clasificación, elección, selección, escogimiento, separación (en grupos), segregación, entresaca || (*Informática*) clasificación, ordenación, ordenamiento.

sorting brush   (*Informática*) escobilla de clasificación.

sorting grid   (*Ferroc*) haz de dirección. Grupo de vías utilizadas para la clasificación de vehículos según su rumbo o destino.

sorting key   (*Informática*) clave de clasificación. v. **sort.**

sorting magnet   (*Informática*) electroimán de clasificación.

sorting pocket   v. **sorter pocket.**

sorting rack   casillero || (*Fotog*) portapelícula de clasificación.

sorting siding   (*Ferroc*) ramal de clasificación (de vagones). CF. **sorting grid.**

sorting suppression   (*Informática*) supresión de clasificación.

sorting-suppression device   dispositivo supresor de clasificación.

sorting track   (*Ferroc*) vía de clasificación; vía de acomodación. CF. **sorting grid.**

sorting tray   (*Informática*) portatarjetas, bandeja [batea] de tarjetas.

sorting yard   (*Ferroc*) patio de clasificación.

SOS   (*Teleg*) Abrev. de see our service [sírvase ver nuestro servicio] || (*Radioteleg*) SOS. Señal internacional de socorro formada por el grupo ·········· transmitido como una sola señal y de tal manera que las rayas se distingan claramente de los puntos. Esta señal significa que el barco, la aeronave o el vehículo de cualquier clase que la transmite, se encuentra en peligro grave e inminente y solicita auxilio inmediato. La *llamada de socorro* (que sólo puede transmitirse por orden del comandante o de la persona responsable del barco, de la aeronave o del vehículo portador de la estación móvil) comprende: (a) la señal de socorro transmitida tres veces; (b) la palabra DE; (c) el distintivo de llamada de la estación móvil que se encuentra en peligro, transmitido tres veces. La llamada de socorro tiene prioridad absoluta sobre todas las demás comunicaciones. Las estaciones que la oigan deben cesar inmediatamente toda transmisión que pueda perturbar el *tráfico de socorro*, y escuchar en la frecuencia de emisión de la llamada de socorro.

SOSVC   (*Teleg*) Abrev. de see our service [sírvase ver nuestro servicio].

SOTELEC   Abrev. de Société Anonyme de Télécommunications (Francia).

soudobrasage   soldadura fuerte. Soldadura en la cual la unión se obtiene paso por paso mediante una técnica operatoria [operating technique] análoga a la de la soldadura autógena por fusión [fusion welding], siendo la temperatura de fusión del metal de aporte [filler metal] superior a 450° C. SIN. **braze welding (including bronze welding)** (*EU*) (CEI/60 40–15–050). CF. **hard soldering, soft soldering, welding.**

¹sound   (*Acús*) sonido. (**1**) Vibraciones de una fuente transmitidas en forma de movimiento ondulatorio (ondas sonoras) a través de un medio material elástico (p.ej. el aire). (**2**) Perturbación vibratoria de la presión y densidad de un fluido, o de la deformación elástica de un sólido, con frecuencia en el margen aproximado de 20 a 20 000 Hz, y capaz de ser percibida por los órganos de la audición. (3) Sensación producida en los órganos de la audición por esa perturbación. (4) Tales sensaciones consideradas colectivamente | sonido. (a) Sensación auditiva engendrada por una vibración acústica [acoustic vibration]. (b) Vibración acústica capaz de estimular una sensación auditiva [sensation of hearing] (CEI/60 08–05–010) | sonido. Articulación del aparato vocal; carácter distintivo de esa articulación | sonido. Parte sonora de un programa de televisión o de una película cinematográfica | **to add sound to a movie:** sonorizar una película | acústica, ciencia del sonido | ruido sin significado | AFINES: sonido puro, sonido complejo, oscilación acústica, tono, voz, canto, tañido, retintín, pitada, rumor, susurro, runrún, murmullo, murmurio, ruido, chirrido, silbido, ronquido, crujido, campanilleo, repique, explosión, detonación, trueno, tronido, estrépito, estruendo, fragor, martilleo, golpeteo, música, alta fidelidad, electroacústica, sonoridad, tonalidad, resonancia, eco, reverberación, retumbo ||| *adj:* sonoro, sónico, fónico, acústico. v.TB. **sonic, acoustic** ||| *verbo:* sonar; hacer sonar; articular; pronunciar; sondear; auscultar.

²**sound**   *(Geog)* boca; brazo de mar, estrecho; cala, ría, fiordo || *(Zool)* (*i.e.* air bladder of fish) vejiga natatoria (de los peces).

³**sound**   *(Marina)* sondaleja. Cordel o cable del escandallo || *(Medicina)* sonda, tienta. Instrumento de cirugía para examinar cavidades o heridas. SIN. **probe** /// *verbo:* (*Lenguaje ordinario*) sondear, investigar, examinar, explorar || (*Lenguaje técnico*) sondear. Medir la profundidad (del agua). SIN. **fathom.**

⁴**sound**   *adj:* sano, ileso, entero, incólume; cabal; puro, ortodoxo; inalterable; cierto, indudable; recto, justo; prudente; bien pensado; correcto, exacto; seguro, confiable; bueno, completo; sano, en buen estado, sin avería, sin defectos; firme, resistente, sólido || *(Comercio/Negocios)* solvente; productivo || *(Aceros, Soldaduras, Vigas)* sano || *(Agregados)* durable, inalterable, resistente (a los efectos de la intemperie) || *(Cemento)* de volumen constante || *(Maderas)* sano, resistente, denso || *(Rocas)* sano, resistente, sólido || *(Terrenos)* sólido.

sound-absorbent   *adj:* absorbente acústico [del sonido], insonorizante.

sound absorber   absorbedor acústico [de sonido], amortiguador del sonido, insonorizador. Material que absorbe una proporción importante de la energía acústica incidente. SIN. **acoustic absorber.**

sound-absorbing   *adj:* insonoro, insonorizante, absorbente del sonido, antiacústico.

sound-absorbing insulation   aislamiento acústico [insonorizante, absorbente del sonido]; material de aislamiento acústico.

sound-absorbing material   material antisonoro [insonoro, absorbente del sonido], material acústicamente absorbente. SIN. **acoustic absorbing material, soundproof material.**

sound-absorbing screen   pantalla insonora, panel insonoro.

sound absorption   absorción del sonido, absorción acústica. Pérdida de energía que experimentan las ondas sonoras al atravesar un medio o chocar contra una superficie. SIN. **acoustic absorption** | insonorización.

sound absorption coefficient   coeficiente de absorción acústica. Razón entre el valor de la energía acústica absorbida por el de la que llega a una superficie o un medio. SIN. **acoustic(al) absorptivity, acoustical absorption coefficient.**

sound absorption factor   factor de absorción acústica, coeficiente de absorción acústica específica. De una superficie o un material, a determinada frecuencia y en condiciones especificadas, valor igual a la unidad menos el factor de reflexión de esa superficie o ese material. SIN. **acoustical absorption factor.**

sound-absorptive   *adj:* v. **sound-absorbing.**

sound aerial   v. **sound antenna.**

sound amplification   amplificación del sonido.

sound amplifier   amplificador del sonido; amplificador de sonido

[de sonorización].

sound analyzer   analizador de sonido. Aparato que permite determinar la composición espectral de un sonido (CEI/60 08–30–065). CF. **sound-level meter.**

sound-and-picture record   *(Cine)* fotofonograma, registro de imágenes y sonidos.

sound-and-vibration analyzer   analizador de sonido y vibración.

sound-and-vision radio link   enlace radioeléctrico de imagen y sonido, radioenlace para la transmisión de la imagen y el sonido (de un programa de televisión).

sound antenna   *(Tv)* antena del (emisor de) sonido. SIN. **sound aerial** *(GB)*.

sound articulation   *(Acús/Telef)* articulación fónica [de sonido], nitidez para los sonidos. Porcentaje de sonidos de vocales o de consonancias correctamente percibidos en relación al número total de sonidos de vocales o de sonidos de consonancias comprendidos en las listas de logátomos [logatoms] transmitidos. v. **logatom.**

sound attenuation   atenuación acústica [sónica, sonora].

sound attenuation factor   factor de atenuación acústica [sonora].

sound band   banda sonora.

sound band pressure level   nivel de presión de banda sonora.

sound bandwidth   anchura de banda de sonido.

sound bar   *(Mús)* barra de armonía || *(Tv)* franja de perturbación por el sonido. Cuando la señal de audiofrecuencia de un receptor llega eventualmente al circuito de entrada del cinescopio, se produce una perturbación de la imagen en forma de franjas horizontales alternadamente brillantes y obscuras.

sound barrier   *(Aeron)* barrera sónica [transónica], barrera del sonido. v. **sonic barrier.**

sound beam   haz sonoro, haz de sonido, haz acústico. SIN. **acoustic beam.**

sound board   *(Acús/Mús)* v. **soundboard.**

sound booth   *(Cine)* cabina insonorizada, cabina de sonido. SIN. **sound box.**

sound bow   *(Campanas)* zona de percusión. Parte gruesa de las campanas de bronce, próxima al labio, donde golpea el badajo.

sound box   caja acústica [sonora]; caja de resonancia | *(Cine)* v. **sound booth** || *(Fonog)* lector ["pickup", captador] acústico, cabeza de reproducción acústica. SIN. **acoustic pickup** | lector acústico. Tipo de lector que transforma directamente las modulaciones del surco [groove modulations] en vibraciones acústicas [acoustic vibrations]. SIN. **acoustic pickup** (CEI/60 08–25–140).

sound broadcast(ing)   radiodifusión (sonora), emisión radiofónica.

sound camera   *(Cine)* cámara sonora, cámara (tomavistas) de cine sonoro, cámara para películas habladas.

sound carrier   portadora de sonido. Portadora modulada por una señal de sonido. En particular, portadora que transporta la parte sonora de un programa de televisión.

sound carrier amplifier   amplificador de portadora de sonido.

sound carrier frequency   frecuencia portadora de sonido. Frecuencia portadora de un emisor de sonido de televisión (CEI/70 60–64–350). CF. **vision (carrier) frequency.**

sound carrier monitor   monitor de la portadora de sonido.

sound carrier wave   onda portadora de sonido.

sound-carrying groove   *(Fonog)* surco modulado.

sound cartoon   *(Cine)* película sonora de dibujos animados, película de dibujos animados con efectos de sonido.

sound cell   célula sonora.

sound-cell microphone   micrófono de célula sonora. Micrófono de cristal de múltiples células bimorfas [bimorph cells], pero sin diafragma.

sound central frequency   *(Tv)* frecuencia central de la portadora de sonido.

sound channel   *(Electroacús)* canal sonoro [de sonido]. Vía de registro, transmisión, amplificación o reproducción del sonido. En los sistemas bifónicos o sistemas estereofónicos de dos canales, el canal de la izquierda se identifica a veces con la letra *A* o el número 1, y el de la derecha con la letra *B* o el número 2 ‖ *(Tv)* canal del sonido. (**1**) Canal que sirve para la transmisión de la parte sonora del programa, en oposición al canal de la imagen. (**2**) En un televisor, cadena de etapas y circuitos por los cuales circula solamente la señal del sonido.

sound circuit   *(Tv)* circuito del sonido.

sound column   *(Electroacús)* columna sonora, columna (difusora) de sonido. TB. columna acústica. Red o conjunto de altavoces montados en columna (hilera vertical), en una caja o pantalla acústica común a todos, y alimentados en fase.

sound concentrator   concentrador acústico. Reflector parabólico de sonido en cuyo foco se coloca un micrófono. El sistema así constituido tiene una característica de captación muy directiva.

sound-conductive   *adj:* conductor del sonido, fonoconductor.

sound control desk   *(Tv)* pupitre [mesa] de control de sonido.

sound corrector   *(Acús)* corrector de tonalidad. CF. **tone control** ‖ corrector acústico. SIN. **acoustic corrector.**

sound cutter   *(Electroacús)* v. **cutter.**

sound damper   amortiguador acústico; amortiguador de ruidos ‖ *(Mús)* sordina. SIN. **sordine, sordino.**

sound damping   amortiguación acústica; amortiguamiento de ruidos, insonorización. SIN. **acoustic damping.**

sound-damping   *adj:* antiacústico, insonorizante, insonoro.

sound deadener   amortiguador acústico; amortiguador de ruidos, insonorizador.

sound deadening   amortiguación acústica, atenuación del sonido; amortiguamiento de ruidos, insonorización.

sound-deadening   *adj:* antiacústico, antisonoro, insonorizante, insonoro. Dícese de los materiales que absorben las ondas acústicas incidentes.

sound decay time   *(Acús)* tiempo de extinción [período de amortiguamiento] de los sonidos.

sound detection   fonolocalización, localización [detección] acústica ‖ *(Tv)* detección de sonido.

sound detector   fonolocalizador, localizador [detector] acústico. SIN. **acoustic detecting apparatus** ‖ *(Tv)* detector de sonido.

sound diffuser   difusor acústico [de sonido].

sound-diffusing   *adj:* fonodifusor, difusor del sonido.

sound diplexer   *(Tv)* diplexor [combinador] de sonido, diplexor de la portadora de sonido.

sound directivity   directividad del sonido.

sound director   *(Cine)* director de sonido. CF. **sound engineer.**

sound discriminator   *(Tv)* discriminador de sonido. Detector del sonido transmitido por modulación de frecuencia.

sound dispersion   *(Acús)* dispersión acústica [del sonido]. SIN. **acoustic dispersion** ‖ *(Altavoces)* distribución [repartición] espacial de la energía acústica radiada.

sound dispersion pattern   *(Altavoces)* diagrama de distribución acústica espacial, diagrama de repartición espacial de la energía acústica radiada.

sound distortion   distorsión del sonido.

sound drum   *(Proy cine)* tambor giratorio [de pista sonora]. Parte del lector de sonido [soundhead].

sound-drum roller   *(Proy cine)* rodillo del tambor giratorio, rodillo del lector de sonido. Rodillo presor que mantiene la película en contacto con el tambor giratorio.

sound effect   efecto sonoro [fónico] ‖ efecto de sonido. v. **sound effects.**

sound-effect filter   v. **sound-effects filter.**

sound effects   *(Cine, Radio)* efectos de sonido, efectos sonoros. POCO USADO: efectos sónicos. Sonidos obtenidos mediante dispositivos mecánicos o electrónicos, o por medio de discos fonográficos o cintas magnetofónicas, y utilizados para conseguir efectos particulares en un programa radiofónico o en una película cinematográfica. También pueden obtenerse los sonidos colocando un micrófono en un sitio donde éstos ocurren normalmente; en esa aplicación el micrófono se llama *para efectos especiales* [effects

microphone] ‖ efecto sonoro. Conjunto de sonidos destinados a producir un efecto particular (CEI/70 60–62–035).

sound-effects filter   filtro para efectos de sonido. Filtro generalmente ajustable que sirve para reducir la banda pasante de un sistema o canal de audiofrecuencia con el fin de obtener efectos especiales o particulares; la reducción de banda puede efectuarse en el extremo de baja frecuencia, en el de alta frecuencia, o en ambos simultáneamente.

sound-emitting   *adj:* emisor de sonido, que produce sonidos.

sound energy   energía acústica [sonora]. Energía existente en un medio por la presencia de ondas acústicas. SIN. **acoustic energy.**

sound-energy density   densidad de energía acústica [sonora], intensidad de energía acústica. Energía acústica por unidad de volumen; por lo general se expresa en ergios por centímetro cúbico.

sound-energy flux   flujo de energía acústica [sonora]. Valor medio del flujo de energía acústica por unidad de tiempo a través de un área determinada; normalmente se mide en ergios por segundo ‖ potencia acústica instantánea a través de un elemento de superficie. v. **instantaneous acoustic power across a surface element.**

sound-energy flux density   densidad de flujo de energía acústica, intensidad sonora. SIN. **sound intensity, flux density.**

sound-energy flux-density level   nivel de densidad de flujo de energía acústica, nivel de intensidad sonora. SIN. **sound intensity level.**

sound engineer   ingeniero en acústica, ingeniero especializado en sonido; técnico en sonido ‖ *(Cine)* ingeniero de sonido; jefe operador de sonido ‖ *(Radio/Tv)* sonidista, técnico del sonido.

¹**sound engineering**   ingeniería acústica.

²**sound engineering**   buena ingeniería; técnica de alto nivel; proyecto bien razonado y conservador, cálculo de buenos fundamentos técnicos.

sound engineering principles   buenos principios de ingeniería; principios de una buena técnica.

sound equalizer   igualador [compensador] de sonido.

sound equipment   equipo de sonido, equipo sonoro. Expresión poco definida que, de acuerdo con el contexto, puede también traducirse por una de las siguientes: *instalación sonora, equipo de sonorización, equipo de captación sonora, equipo de registro de sonido, sistema de reproducción de sonido, equipo de refuerzo acústico,* etc. CF. **sound system.**

sound expert   perito [especialista] en sonido.

sound fading   *(Cine, Radio/Tv)* desvanecimiento [atenuación gradual] del sonido.

sound field   campo acústico [sonoro] ‖ campo acústico. Región del espacio en la que existen vibraciones acústicas [acoustic vibrations] (CEI/60 08–05–065). CF. **free sound field.**

sound film   *(Cine)* película sonora, film sonoro. Película cinematográfica con registro de sonido, es decir, banda sonora [sound track]. SIN. **película hablada —— sound motion picture, talking film.**

sound-film cutting   montaje de película sonora.

sound-film equipment   equipo de sonorización [para la sonorización] de películas.

sound-film industry   industria del cine sonoro.

sound-film lamp   *(Proy cine)* lámpara excitadora. Parte del lector de sonido. SIN. **exciter lamp.**

sound-film library   filmoteca sonora, fonofilmoteca.

sound-film projection   proyección de películas sonoras [films sonoros].

sound-film projection equipment   equipo proyector [de proyección] de películas sonoras.

sound-film projector   proyector sonoro [de películas sonoras].

sound-film recorder   *(Cine)* registrador de sonido en película, aparato de sonorización de películas. Aparato que recibe las señales de sonido (señales eléctricas de audiofrecuencia) y produce un haz luminoso modulado que efectúa el registro fotográfico de esas señales en la película.

sound films   cine sonoro; cinematografía sonora.

sound filmstrip   tira [cinta] de vistas fijas con acompañamiento de sonido. El sonido va registrado en un disco o una cinta magnética separados; la sincronización entre las imágenes y el sonido puede ser manual o automática.

sound filter   *(Acús)* filtro sonoro. CF. **acoustic filter.**

sound fixing and ranging   sonar, radar acústico submarino; localización acústica, fonolocalización, goniometría y telemetría acústicas.

sound flux density   v. **flux density** *(Acús).*

sound focusing   *(Cine)* enfoque del sistema óptico del sonido, enfoque (óptico) del lector de sonido.

sound-focusing (test) film   película de prueba para el enfoque del sistema óptico del sonido, película para pruebas de enfoque del sistema óptico de reproducción sonora.

sound frequency   frecuencia acústica [audible], audiofrecuencia. SIN. **acoustic [audio] frequency** | v. **sound carrier frequency.**

sound gate   *(Proy cine)* ventanilla de lectura del sonido. Dispositivo con una abertura frente a la cual pasa la banda sonora de la película [sound track] y cuyo centro coincide con el eje del sistema óptico del lector de sonido. La luz emanada de la lámpara excitadora pasa por el sistema óptico e incide sobre el registro sonoro de la película en la ventanilla; detrás de la ventanilla se encuentra la célula fotoeléctrica que traduce dicho registro en señales de audiofrecuencia correspondientes, señales que, convenientemente amplificadas, son reproducidas por los altoparlantes.

sound groove   *(Discos fonog)* surco modulado (por el sonido).

sound-head   *(Electroacús)* v. **soundhead.**

sound hole   *(Acús)* abertura acústica, abertura de paso del sonido.

sound IF amplifier   *(Tv)* amplificador de FI del sonido. Etapa de frecuencia intermedia del canal de sonido [sound channel]. SIN. **audio IF amplifier.**

sound image   imagen (fotográfica) del sonido, fonograma. Registro fotográfico del sonido en la pista sonora de una película cinematográfica. v. **sound track.**

sound-insulated   *adj:* insonorizado, aislado acústicamente.

sound-insulating material   material insonorizante [de aislamiento acústico].

sound insulation   insonorización, aislamiento acústico, aislación sonora. SIN. **acoustical insulation.**

sound insulator   aislador acústico, insonorizador. CF. **sound deadener.**

sound intensity   intensidad acústica [sonora], intensidad del sonido. SIN. **(sound-energy) flux density** | intensidad acústica. Valor medio de la potencia acústica por unidad de superficie [instantaneous acoustic power per unit area] (CEI/60 08–05–150).

sound intensity level   nivel de intensidad acústica [sonora]. SIN. **sound-energy flux-density level, specific sound-energy flux level.**

sound interference level   nivel de interferencia acústica.

sound intermediate frequency [SIF]   *(Tv)* frecuencia intermedia del sonido. Frecuencia intermedia del canal de sonido [sound channel]. CF. **sound IF amplifier.**

sound lab   v. **sound laboratory.**

sound laboratory   (a.c. sound lab) laboratorio para pruebas acústicas.

sound lag   retraso del sonido; paralaje acústica.

sound-lag correction   corrección de la paralaje acústica.

sound level   nivel acústico [sonoro]. Nivel de presión acústica compensada [weighted sound pressure level] en un punto de un campo acústico [sound field], medido según determinado método o norma, y expresado en decibelios respecto a un nivel de referencia especificado, como p.ej. el umbral de audibilidad [threshold of audibility].

sound-level calibrator   calibrador de nivel acústico. Dispositivo

de referencia para la calibración de aparatos o sistemas de medida acústica.

sound-level indicator   indicador de nivel acústico [sonoro], medidor de volumen. SIN. **VU meter.** CF. **sound-level meter.**

sound-level meter   sonómetro, medidor de nivel acústico [sonoro]. TB. fonómetro, medidor de nivel del sonido. Aparato de medida del nivel acústico o sonoro; aparato destinado a la medida de intensidades sonoras. Consiste esencialmente en un micrófono, un atenuador calibrado, una red compensadora o de ponderación [weighting network] (o varias de ellas, conmutables a voluntad), un amplificador electrónico, y un indicador de medida calibrado en decibelios respecto al nivel normalizado de referencia [standard reference level] o directamente en unidades de intensidad sonora. SIN. **acusticómetro —— acoustimeter, sound meter.** CF. **audiometer, sonometer, sound-level indicator, sound-survey meter, noise meter, subjective noise meter, volume-unit [VU] meter** | sonómetro normalizado. Aparato que comprende un micrófono, un amplificador, varias redes ponderadoras [frequency weighting networks], y un indicador de nivel, utilizado para la medida de niveles de intensidad acústica de ruidos segun especificaciones determinadas (CEI/60 08–30–010).

sound-level response   respuesta de nivel acústico [de intensidad fónica].

sound-level scale   escala de niveles acústicos [sonoros].

sound location   fonolocalización, localización acústica.

sound locator   fonolocalizador, localizador acústico [de fuente sonora] | localizador acústico. Aparato electroacústico destinado a determinar la posición de una fuente sonora (CEI/60 08–30–080).

sound loudness   v. **loudness.**

sound-man   v. **soundman.**

sound mean frequency   *(Tv)* frecuencia central de la portadora de sonido.

sound measuring   sonometría.

sound-measuring   *adj:* sonométrico.

sound-measuring instrument   sonómetro, instrumento de medida del sonido.

sound-measuring system   sistema sonométrico [de medidas acústicas].

sound meter   sonómetro, medidor de nivel acústico. SIN. **sound-level meter.** CF. **sonometer.**

sound mixer   mezclador de sonido. Dispositivo de audiofrecuencia en el cual se mezclan las señales eléctricas de diversas fuentes tales como micrófonos, magnetófonos, y fonocaptores; generalmente está provisto de conmutadores y potenciómetros que permiten seleccionar las señales deseadas y regular sus intensidades relativas.

sound mixing   mezcla de sonidos. Combinación de las señales de varias fuentes tales como micrófonos, magnetófonos, fonocaptores, etc. v.TB. **sound mixer** | montaje, mezcla de sonidos, combinación de registros sonoros. v. **dubbing.**

sound-mixing equipment   equipo de mezcla de sonidos, equipo mezclador de sonido.

sound-modulated wave   onda modulada por sonido [por señal de frecuencia acústica].

sound modulation   modulación por sonido [por señal de frecuencia acústica]; modulación del sonido [de la intensidad sonora].

sound monitoring   monitoreo del sonido.

sound-monitoring loudspeaker   v. **monitoring loudspeaker.**

sound motion picture   *(Cine)* película sonora. SIN. película hablada —— **sound [talking] film.**

sound motion-picture projector   proyector sonoro. Proyector cinematográfico con dispositivo de lectura de sonido.

sound muffler   silenciador || *(Mús)* sordina || *(Relojes)* sordina. Muelle u otro artificio que sirve para silenciar la campana cuando así se desee.

sound navigation and ranging   v. **sonar.**

sound negative   *(Cine)* negativo sonoro.

sound octave-band pressure level　nivel de presión acústica en una octava. Nivel de presión acústica en una banda de una octava. v. **band pressure level**.

sound-on-disk recording　registro sonoro en disco, grabación fonográfica (en disco). v. **sound recording**.

sound-on-film recording　registro sonoro en película.

sound-on-sound feature　*(Magnetófonos)* registro sobre registro. Posibilidad que ofrece el aparato de reproducir el programa de una pista y simultáneamente grabarlo en otra pista mezclado con una señal de procedencia exterior; al propio tiempo puede escucharse la señal captada de la primera pista, para sincronizarla con la de procedencia exterior. v.TB. **sound-on-sound recording**.

sound-on-sound multiple recording　*(Magnetófonos)* registros múltiples superpuestos.

sound-on-sound recording　*(Magnetófonos)* registro sobre registro. Procedimiento por el cual los sonidos grabados en una pista de una cinta se registran en otra pista al mismo tiempo que se añaden otros sonidos. v.TB. **sound-on-sound feature**.

sound-on-tape recording　registro sonoro en cinta, registro magnetofónico (en cinta).

sound-on-vision　*(Tv)* "sonido sobre imagen", perturbación de la imagen por el sonido. v. **sound bar**.

sound-on-wire recording　registro sonoro en hilo (magnético), registro en hilo magnetofónico. v. **sound recording**.

sound only　*(Cine)* sonido solamente.

sound-operated　*adj:* activado por el sonido; accionado por energía acústica.

sound output　salida sónica, emisión acústica.

sound outside-broadcast vehicle　*(Radio/Tv)* camión de tomas sonoras exteriores, unidad rodante para tomas de sonido. v. **outside broadcast**.

sound overshooting　sobremodulación sonora, exceso de amplitud en un registro sonoro.

sound panel　*(i.e.* panel of sound-absorbing material) panel insonoro [absorbente del sonido] | (*i.e.* hard-surfaced panel used to produce reflections) panel reflector del sonido | panel acústico. SIN. **acoustic panel**.

sound particle velocity　*(Acús)* velocidad acústica, velocidad de una partícula. Derivada geométrica, respecto al tiempo, del desplazamiento de una partícula [particle displacement] (CEI/60 08–05–115). CF. **volume velocity (across a surface element)**.

sound passband　banda pasante [de paso] de sonido.

sound pickup　captación sonora, fonocaptación; toma de sonido || *(Cine)* lectura sonora | lector de sonido, lector fónico. v. **soundhead**.

sound picture　*(Cine)* película sonora, film sonoro. SIN. **película hablada** —— sound [talking] film.

sound-plus-sound　*(Magnetófonos)* superposición de sonidos, registro sobre registro. SIN. **sound-on-sound recording**.

sound-post　*(Violines)* alma.

sound power　potencia acústica [sonora]. La potencia acústica de una fuente es igual a la totalidad de la energía acústica [sound energy] radiada por unidad de tiempo. Se mide en ergios por segundo o en vatios. SIN. **acoustic power**.

sound power density　densidad de potencia acústica [sonora].

sound power level　nivel de potencia acústica. Logaritmo decimal de la relación de una potencia dada a una potencia de referencia. Es una magnitud sin dimensiones, cuya unidad es el *belio* [bel]. Generalmente se usa el *decibelio* [decibel], diez veces menor. CF. **sound pressure level**.

sound power spectrum　espectro de energía acústica.

sound-power telephone　v. **sound-powered telephone**.

sound-powered set　v. **sound-powered telephone**.

sound-powered telephone　(a.c. sound-power telephone, sound-powered set, sound-powered telephone set) teléfono autoalimentado [de autoalimentación], teléfono de energía acústica. (**1**) Teléfono no electrificado en el que la energía necesaria para la transmisión es proporcionada por la propia voz del que habla; es

decir, que el aparato es activado por la energía acústica captada por el micrófono. (**2**) Sistema telefónico sin fuente de alimentación eléctrica exterior, en el cual las corrientes transmitidas por la línea son generadas por la acción de las propias ondas sonoras incidentes sobre el micrófono. SIN. **voice-operated telephone**.

sound-powered telephone set　v. **sound-powered telephone**.

sound pressure　presión acústica [sonora]. Valor cuadrático medio [root-mean-square value] de las presiones acústicas instantáneas [instantaneous sound pressures] durante un intervalo de tiempo determinado (p.ej. un período), en el punto considerado. Se expresa en dinas por centímetro cuadrado. SIN. **acoustic pressure, effective sound pressure, acoustomotive pressure**.

sound pressure level [SPL]　nivel de presión acústica. (**1**) Dos veces el logaritmo decimal de la relación de una presión acústica dada, a una presión de referencia. La unidad es el *belio* (y en ella se basa la definición dada), pero generalmente se usa el *decibelio,* que es diez veces menor. Comúnmente se adopta como presión de referencia para el sonido en el aire el valor de 2×10^{-4} dinas/cm^2. (**2**) Expresado en decibelios, veinte veces el logaritmo decimal de la relación de una presión acústica a la presión de referencia, la cual debe ser especificada (CEI/60 08–05–090). CF. **band pressure level, spectrum pressure level**.

sound pressure measurement　medida de presión acústica.

sound pressure spectrum level　nivel de presión acústica elemental. Nivel de presión acústica efectiva [effective sound pressure level] correspondiente a la energía acústica contenida en una banda con anchura de 1 Hz y centro en una frecuencia especificada. SIN. **spectrum level pressure**.

sound print　*(Cine)* copia sonora.

sound probe　sonda acústica. Dispositivo utilizado para explorar un campo acústico [sound field] sin perturbarlo sensiblemente en la región explorada; puede consistir en un micrófono de pequeñas dimensiones, o en un aditamento tubular acoplado a un micrófono ordinario.

sound-producing　*adj:* sonoro, productor de sonido [de vibraciones audibles].

sound program　programa sonoro.

sound projection　proyección acústica; radiación sonora, emisión de ondas acústicas || *(Cine)* proyección sonora [con sonido].

sound projectionist　*(Cine)* operador (de cabina) encargado del sonido [de la reproducción sonora].

sound projector　proyector acústico; radiador sónico, emisor de ondas acústicas || *(Cine)* proyector sonoro. SIN. **sound motion-picture projector**.

sound-proof　*adj:* v. **soundproof**.

sound-proofed　*adj:* v. **soundproofed**.

sound pulse　impulso sónico.

sound quality　calidad acústica | (*i.e.* quality of sound reproduction) calidad (de reproducción) del sonido | timbre (de un sonido). v. **musical tone**.

sound-quality test film　*(Cine)* película de prueba de la calidad del sonido.

sound radar　radar acústico. CF. **sonar, sound ranging**.

sound radiation　radiación acústica [sonora], emisión de ondas acústicas.

sound ranging　fonolocalización, localización acústica. Determinación de la posición de una fuente sonora por medida del tiempo de propagación del sonido a tres o más micrófonos dispuestos en posiciones conocidas y suficientemente separadas entre sí. CF. **sonar, sound radar**.

sound-ranging altimeter　altímetro acústico.

sound reading　*(Teleg)* recepción auditiva [a oído]. Recepción en la cual el telegrafista transcribe a máquina (o a lápiz) las señales que recibe a oído mediante el *acústico* [sounder] o mediante auriculares telefónicos (radiotelegrafía). SIN. **acoustic reading, aural [ear, sound] reception**.

sound-reading instrument　*(Teleg)* aparato de recepción auditiva.

sound receiver   receptor acústico; fonorreceptor ‖ *(Tv)* receptor de sonido.

sound reception   recepción acústica; fonorrecepción ‖ *(Tv)* recepción del sonido ‖ *(Teleg)* recepción auditiva [a oído]. SIN. **aural [ear] reception, sound [acoustic] reading.**

sound record   registro sonoro ‖ *(Cine)* registro del sonido; pista sonora; fonograma.

sound recorder   registrador de sonido. Aparato electromecánico que permite registrar el sonido en disco, en hilo, o en cinta (CEI/58 35–15–100) │ inscriptor sonoro; técnico del sonido.

sound recording   registro sonoro [de sonido], grabación sonora [de sonido], impresión sonora; captación del sonido │ registro de sonido. (a) Conjunto de las técnicas que permiten fijar una señal acústica en un soporte material al objeto de su conservación y su reproducción a voluntad. (b) Acción por la cual las señales acústicas son fijadas en forma conveniente en un soporte material (CEI/60 08–25–005). CF. **direct recording, rerecording, playback.**

sound-recording equipment   equipo de registro sonoro [de sonido].

sound-recording magnetic tape   cinta magnetofónica, cinta fonomagnética.

sound-recording magnetic-tape cartridge   cartucho de cinta magnetofónica, cartucho fonomagnético.

sound recording on disk   registro sonoro en disco, grabación fonográfica (en disco).

sound recording on film   registro sonoro en película; grabación del sonido en película.

sound recording on magnetic tape   registro sonoro en cinta magnética, grabación magnetofónica en cinta.

sound recording on tape   registro sonoro en cinta, grabación magnetofónica en cinta.

sound-recording system   sistema de registro sonoro [de sonido].

sound-recording unit   registrador de sonido; equipo de registro sonoro; inscriptor sonoro; unidad de registro de sonido.

sound recordist   *(Cine)* técnico [jefe operador] del sonido.

sound reduction   *(Acús)* reducción acústica. SIN. **acoustical reduction.**

sound reduction factor   coeficiente de reducción acústica. Inversa del coeficiente de transmisión del sonido [sound transmission factor].

sound reenforcing system   v. **sound reinforcing system.**

sound reflection   reflexión acústica [sonora]; reflexión del sonido. SIN. **acoustic reflection.**

sound reflection coefficient   coeficiente de reflexión acústica [sonora]. Razón de la energía acústica reflejada por una superficie a la que alcanza esa superficie. SIN. **acoustic reflection coefficient, acoustic reflectivity.**

sound reflection factor   factor [coeficiente específico] de reflexión acústica. SIN. **acoustical reflection factor.**

sound-reinforcing system   sistema de refuerzo acústico [sonoro]. Sistema de sonido del que son ejemplos las instalaciones para audiciones públicas ("public address") y los electromegáfonos. Con mayor precisión, sistema de amplificación de sonido utilizado en un teatro o auditorio para que la densidad de energía acústica [sound-energy density] sea lo más uniforme posible dentro del recinto. CF. **sound system.**

sound rejection   *(Tv)* supresión del sonido [de la portadora de sonido].

sound rejector   *(Tv)* supresor del sonido [de la portadora de sonido].

sound reproducer   reproductor de sonido; transductor electroacústico ‖ *(Cine)* lector de sonido. v. **soundhead.**

sound reproducing   reproducción sonora [del sonido].

sound-reproducing system   sistema de reproducción sonora [de sonido].

sound reproduction   reproducción sonora [del sonido]. SIN.

playback.

sound rhythm   ritmo del sonido.

sound scattering   dispersión acústica [sonora], difusión del sonido. SIN. **acoustic scattering, sound dispersion.**

sound screen   *(Cine)* pantalla "sonora", pantalla permeable al sonido. Pantalla de proyección de buena *permeabilidad sonora,* para permitir la eficaz transmisión del sonido emanado de los altavoces, que van colocados detrás de la pantalla. Las primeras pantallas "sonoras" empleadas fueron de tela blanca con mallas grandes (permeabilidad sonora de un 80 %). Luego se adoptaron las de tejido pintado perforadas con agujeritos de cerca de 1 mm de diámetro y en cantidad de 50 000 a 80 000 por metro cuadrado. Estos agujeritos no se distinguen a simple vista y su superficie total es de solamente un 5 % de la de la pantalla, por lo que apenas afectan el rendimiento luminoso de ésta.

sound section   *(Tv)* sección de sonido.

sound sensation   sensación auditiva, sonido. v. **sound.**

sound service test film   *(Cine)* película de prueba para ajuste general del sistema de sonido.

sound-sight broadcasting   televisión, radiodifusión de imagen y sonido.

sound signal   señal de sonido │ señal acústica [sonora, fónica]. SIN. **acoustic signal** ‖ *(Tv)* señal del sonido.

sound/silent switch   *(Cine)* conmutador "sonoro/mudo".

sound source   fuente sonora [de sonido], fuente acústica, manantial sonoro.

sound spectrogram   espectrograma acústico.

sound spectrum   espectro acústico. Representación de la amplitud (y a veces de la fase) de las componentes de un sonido complejo [complex sound] en función de la frecuencia [as a function of frequency] (CEI/60 08–05–050). CF. **continuous spectrum, line spectrum.**

sound speed   v. **speed of sound** ‖ *(Cine)* velocidad de película sonora. Velocidad normalizada de las películas sonoras: 24 cuadros o fotogramas [frames] por segundo. Esto equivale a 11 metros por minuto si la película es de 16 mm, y a 27,4 metros por minuto si es de 35 mm.

sound stage   *(Cine)* estudio. Sala, por lo general insonorizada, destinada a la producción de películas cinematográficas ‖ *(Tv)* etapa de sonido.

sound-stone   fonolita. Roca de origen volcánico, gris, muy sonora. *Fonolita* viene del griego *phone,* sonido, y *lithos,* piedra.

sound strength   intensidad sonora [del sonido].

sound stripe   *(Cine)* enduido magnético [magnetofónico]. Capa de un compuesto magnético aplicada a lo largo de una película, para el registro magnetofónico (banda sonora magnética). v. **sound track.**

sound studio   estudio de sonido. CF. **recording studio, video studio, sound stage.**

sound-survey meter   sonómetro [fonómetro] de inspección, medidor portátil de niveles de ruido. Aparato semejante al sonómetro (v. **sound-level meter**), pero generalmente menos preciso y de un tamaño que permite sostenerlo con una sola mano. Se utiliza para observar los niveles de ruido en fábricas, oficinas, y otros ambientes.

sound system   sistema sonoro [de sonido]. Expresión general que designa un sistema electroacústico para cualquiera de diversos fines: difusión de música, busca de personas, intercomunicación (por micrófonos y altavoces), anuncios o avisos en lugares públicos (aeropuertos, estaciones ferroviarias, etc.), refuerzo acústico (salas de reuniones y conferencias), sonorización (cines y teatros), difusión por altavoces (en espacios abiertos o en locales cerrados), etc. v. **sound-reproducing system, paging system, announce system, intercommunication system, sound-reinforcing system, public-address system** ‖ *(Gram)* sistema fonético.

sound-system design chart   ábaco para el proyecto de sistemas sonoros.

sound systems engineering   buena ingeniería de sistemas. V.TB.

²**sound engineering.**

sound takeoff *(Tv)* (a.c. takeoff) toma del sonido. (**1**) Separación de la señal de sonido de la de imagen, para su amplificación en FI, desmodulación, y amplificación en AF en un receptor. (**2**) Acoplamiento o conexión mediante el cual se efectúa esa separación; punto del circuito donde se hace ese acoplamiento o conexión. CF. **sound channel.**

sound-takeoff coil *(Tv)* bobina de toma del sonido. En los televisores del sistema de interportadora, bobina conectada a la salida del detector de video, destinada a captar por resonancia la señal de frecuencia intermedia del sonido.

sound tape cinta sonora, cinta (magnética) para registro de sonido, cinta magnetofónica. SIN. **magnetic tape.**

sound test tunnel túnel de ensayos sónicos; túnel para pruebas de insonorización.

sound-to-picture power ratio *(Tv)* relación de potencias entre las señales de imagen y sonido.

sound track *(Registro mag)* pista sonora [de sonido, de registro sonoro]. CF. **magnetic track** ‖ *(Registro óptico)* pista sonora, banda sonora [de registro sonoro]. En las películas cinematográficas sonoras [sound motion pictures], pista a lo largo del borde, o *banda lateral,* en la cual están registrados los sonidos que acompañan las escenas filmadas | traza acústica. Impresión fotográfica producida en una pista de registro por el registro de una señal acústica (CEI/60 08–25–230). CF. **bilateral area track, control track, class A push-pull sound track, class B push-pull sound track, push-pull recording track, multiple sound track, variable-area track, variable-density track** | fonograma.

sound-track negative *(Cine)* negativo de sonido.

sound transmission transmisión sonora [de sonido] | transmisión acústica, transmisión [propagación] del sonido. SIN. **acoustic transmission.**

sound transmission coefficient factor de transmisión acústica. En los aparatos destinados a transmitir los sonidos, razón entre la energía transmitida y la incidente. SIN. **acoustic transmission coefficient, acoustic transmittivity** | índice de atenuación acústica. En los aparatos destinados a transmitir los sonidos, logaritmo decimal de la razón entre la energía que entra y la que sale; se expresa en belios o en decibelios | coeficiente de transmisión de sonido. SIN. **acoustical [sound] transmission factor.**

sound transmission factor v. **sound transmission coefficient.**

sound transmission loss pérdida de transmisión acústica; atenuación acústica.

sound-transmission testing ensayos de transmisión acústica. En la insonorización de locales son importantes las propiedades de transmisión acústica de las paredes, los paneles, los pisos, los conductos de acondicionamiento de aire, etc.

sound transmissivity transmisividad acústica. SIN. **sound transmittivity.**

sound transmitter transmisor acústico; fonoemisor ‖ *(Tv)* transmisor [emisor] del sonido. Transmisor o emisor de la parte audible del programa. SIN. **aural transmitter.** CF. **picture [video] transmitter.**

sound transmittivity transmisividad acústica. SIN. **sound transmissivity, acoustical transmittivity.**

sound trap *(Tv)* trampa para la señal del sonido. Se usa para evitar que la señal de frecuencia intermedia del sonido interfiera con la de la imagen.

sound tuning sintonización del sonido.

sound unit unidad de sonido; bloque sonoro ‖ *(Cine)* lector de sonido. v. **soundhead.**

sound velocity velocidad del sonido. v. **velocity of sound.**

sound vibration vibración sonora [acústica, audible]. SIN. **acoustic vibration.**

sound volume volumen sonoro [acústico], volumen de sonido, intensidad sonora. v. **volume.**

sound wave onda sonora [acústica]. Onda progresiva producida en un medio elástico por una vibración de frecuencia audible. SIN. **acoustic wave** ‖ *(Tv)* onda del sonido.

sound-with-sound feature *(Magnetófonos)* registro de sonido con sonido. Posibilidad que ofrece el aparato de escuchar lo registrado en un canal (pista), cantar en acompañamiento ante un micrófono, y simultáneamente registrar el programa resultante (señal mezcla) en otro canal. CF. **sound-on-sound feature.**

soundboard *(Acús)* tablero sonoro. v. **sounding board** ‖ *(Púlpitos)* tornavoz, sombrero. v. **sounding board** ‖ *(Mús)* tabla de armonía ‖ *(Organos)* cajón; tapa del secreto ‖ *(Instr de cuerda)* tapa. Tapa superior; tapa ubicada directamente debajo de las cuerdas. SIN. **belly** ‖ *(Pianos)* caja armónica. SIN. **belly.**

¹**sounder** *(Teleg)* (receptor) acústico, resonador (telegráfico) | acústico. Aparato receptor telegráfico por medio del cual se pueden leer las señales Morse según el ruido que hace la armadura de un electroimán al golpear sus topes (CEI/38 55–15–105) | receptor acústico. Receptor telegráfico en el cual las señales Morse son traducidas en señales acústicas [sound signals], caracterizadas por los intervalos entre dos sonidos diferentes (CEI/70 55–75–010).

²**sounder** *(Marina)* sondador, sondeador, sondeadora, batímetro.

sounder screen pantalla acústica.

soundhead *(Cine)* lector de sonido, lector fónico, cabeza sonora [de sonido], cabeza fonocaptora. Parte del proyector que comprende el dispositivo explorador de la banda sonora [sound track] y donde se capta el sonido registrado en ésta. AFINES: registro sonoro, pista sonora, fonograma, sistema óptico, lente, condensador, objetivo, microobjetivo, lámpara excitadora, rendija limitadora, cono luminoso que hiere la pista, eje óptico, tambor giratorio [sound drum], trazo lector o explorador [slit, scanning line], ventanilla sonora (fija o giratoria), volante con estabilizador (estabilizador mecánico, de contrapesos, o hidráulico), tambor estabilizador, tren amortiguador, rodillo de guía, rodillo de filtro, célula fotoeléctrica, preamplificador.

soundhead axis *(Cine)* eje del lector de sonido, eje de la cabeza sonora.

¹**sounding** sondeo. Acción de examinar un objeto por el sonido que produce al golpearlo ‖ *(Medicina)* auscultación ⫽ *adj:* sonoro, sonante; resonante; retumbante.

²**sounding** reconocimiento por sondeo. Perforación del subsuelo y toma de muestras de los distintos estratos ‖ *(Marina)* sondeo, sondaje; braceaje; escandallada ‖ *(Meteor)* sondeo ‖ *(Tecn espacial)* sondeo, exploración.

sounding balloon *(Meteor)* globo sonda. Globo libre portador de aparatos de radiosonda. SIN. **radio(sonde) balloon.**

sounding board *(Acús)* tablero sonoro. Reflector de sonido destinado a reforzar la radiación de energía acústica. SIN. **soundboard** ‖ *(Púlpitos)* tornavoz, sombrero. Tablero sonoro destinado a reforzar la voz del que habla. SIN. **soundboard.**

sounding buoy boya sonora.

sounding electrode *(Elecn)* electrodo sonda [de sondeo]. Sonda con ayuda de la cual se efectúan medidas en una descarga gaseosa [gas discharge].

sounding lead *(Marina)* escandallo, plomada, sonda.

sounding line *(Marina)* sondaleza, bolina, sonda. Sonda para medir la profundidad del mar. FRASE: *echar la sondaleza.*

sounding rate *(Sondeadores ultrasónicos)* ritmo de sondeo. Número de impulsos sónicos emitidos por segundo para el sondeo de profundidades o la localización de cardúmenes o bancos de peces.

sounding rocket cohete sonda, cohete de exploración. Cohete utilizado para obtener datos relativos a la alta atmósfera.

sounding telegraph telégrafo acústico. CF. **sounder.**

sounding vehicle *(Meteor)* vehículo de sondeo.

soundman *(Radio/Tv)* técnico (productor) de efectos de sonido. v. **sound effects** | sonidista, técnico de audio. Encargado de la parte sonora del programa.

soundproof *adj:* insonoro, antisonoro, sordo; fonoaislante. SIN. **sound-deadening** | insonorizado; a prueba de ruidos.

soundproof booth cabina antisonora [insonorizada, con aislamiento acústico], cabina fonoaislante; cabina a prueba de ruidos.

soundproof cabinet   armario insonorizado.

soundproof material   material sordo [antisonoro, fonoaislante, de aislamiento acústico]; material a prueba de ruidos. SIN. **sound-absorbing material.**

soundproofed   *adj:* insonorizado, fonoaislado, con aislamiento acústico; a prueba de ruidos.

soundproofing   insonorización; aislamiento acústico, aislación del sonido; amortiguamiento acústico; amortiguamiento de ruidos; revestimiento sordo. SIN. **(acoustic) damping.**

soundproofing material   v. soundproof material.

soundtrack   v. sound track.

soup   sopa || *(Cine/Fotog) (slang)* revelador. SIN. **developer.**

source   fuente; causa, origen, procedencia; nacimiento; fuente (de energía, de señales); foco, manantial (de energía) || *(Análisis vectorial de campos)* fuente || *(Elec)* generador || *(Hidr)* fuente (de agua), manantial, fontanal, fontanar, venero || *(Nucl)* fuente (de radiación). Substancia o material radiactivo contenido y dispuesto en forma apropiada para la utilización industrial o experimental de sus radiaciones || *(Transistores unipolares o de efecto de campo)* cátodo. TB. fuente, surtidor. v. **unipolar field-effect transistor** || V.TB. **source of . . .** /// *adj:* fontal, fontanal (perteneciente a la fuente); original; de origen.

source-assignment switcher   *(Elecn)* conmutador de fuentes.

source card   *(Informática)* tarjeta original.

source-condenser assembly   *(Flash elecn)* conjunto de fuente (de corriente) y condensador.

source data   *(Informática)* datos originales.

source distribution   *(Nucl)* distribución de la emisión.

source error   *(Radiogoniometría)* error de emisor. Error radiogoniométrico, otro que el error de polarización [polarization error], atribuido a las características del emisor, de su antena, del terreno donde está el mismo instalado, y de los objetos circundantes. SIN. **transmitter site error** (CEI/70 60–71–235). CF. **site error.**

source file   archivo de información.

source-film distance   *(Radiol)* distancia fuente-película, distancia de la fuente a la película.

source fission   *(Nucl)* fisión de la fuente.

source follower   *(Elecn)* seguidor de cátodo. Circuito de configuración especial con un transistor de efecto de campo.

source-follower amplifier   amplificador seguidor de cátodo. SIN. **common-drain amplifier.**

source-free medium   *(Fís)* medio solenoidal.

source impedance   *(Elecn)* impedancia de fuente. A VECES: impedancia de origen [de salida]. (1) Impedancia que una fuente de señales presenta a un elemento o circuito de carga. (2) Impedancia que una fuente de energía presenta a los bornes de entrada de un dispositivo a ella conectado. El valor de la impedancia de fuente puede ser diferente del valor recomendado de *impedancia de carga.* La regulación de tensión es tanto mejor cuanto menor es la impedancia de fuente. En los audioamplificadores de potencia, la realimentación negativa o inversa reduce el valor de la impedancia de fuente, dando por resultado un aumento del *amortiguamiento* o *frenado* [damping] del altavoz.

source interlock   *(Nucl)* enclavamiento con la fuente.

source language   *(Traducción de idiomas)* idioma original, lengua fuente. Idioma de origen; idioma del cual se hace o se ha hecho la traducción. SIN. **original language.** CF. **target language** || *(Informática)* lenguaje original [de entrada]. (1) Lenguaje utilizado en la preparación de un problema para su entrada en la calculadora. (2) Lenguaje que constituye una entrada en un proceso de traducción. CF. **object language.**

source level   nivel de la fuente. Intensidad acústica [sound intensity] en un punto sobre el eje de la fuente sonora y a 1 yarda (0,914 m) de ésta, expresada en decibelios respecto a una intensidad de referencia que usualmente corresponde a la presión eficaz de 1 dina/cm². Expresado en decibelios, el nivel de la fuente es igual a diez veces el logaritmo de la relación entre la intensidad en el punto descrito y la intensidad de referencia.

source material   *(Nucl)* materia prima. Designación que en la legislación sobre la energía atómica se le da a todo material nuclear especial que contenga 0,05 % o más de uranio, torio, o una mezcla cualquiera de ellos.

source of calling current   *(Telef)* fuente de corriente de llamada.

source of current   *(Elec)* fuente de corriente; fuente de energía eléctrica.

source of disturbance   fuente perturbadora [de perturbaciones].

source of energy   fuente de energía.

source of error   causa de error.

source of heat   fuente de calor.

source of information   fuente informativa [de información].

source of noise   fuente de ruido.

source of sound   fuente sonora.

source of supply   fuente de suministro || *(Elec)* fuente de alimentación (eléctrica) || *(Servicio de agua)* fuente de aprovisionamiento [abastecimiento]. Origen de donde fluye el agua.

source of test signals   fuente de señales de prueba.

source program   *(Informática)* programa original [de partida]. (1) Programa original formulado para resolver problemas y obtener las soluciones buscadas, en la fraseología del lenguaje sintético [synthetic language]. (2) Programa escrito en un lenguaje original o de entrada [source language]; o sea, escrito p.ej. en COBOL, FORTRAN, o codificación simbólica [symbolic coding] para ingreso en un compilador [compiler] o un codificador de instrucciones de máquina [assembler]. CF. **automatic coding, object program.**

source range   *(Nucl)* intervalo de fuente. Margen de funcionamiento de un reactor en el cual es necesaria una fuente suplementaria de neutrones [supplementary neutron source] para facilitar la medida del flujo de neutrones (CEI/68 26–15–255).

source reference   referencia de origen.

source region   *(Meteor)* región de origen.

source-skin distance   *(Radiol)* distancia fuente-piel, distancia de la fuente a la piel.

source strength   *(Nucl)* intensidad de la fuente.

source term   término fuente, término relativo a la emisión de neutrones.

source voltage   tensión primaria, voltaje de alimentación primaria.

source wire   *(Elec)* hilo alimentador.

sourcing   *(Comercio)* localización de fuentes de abastecimiento || *(Elecn)* modificación (de un equipo) para suprimir las fuentes de perturbación electromagnética.

south   sur, sud /// *adj:* austral, meridional, del sur /// *adv:* al sur.

south magnetic pole   polo sur magnético. Polo magnético terrestre situado en un punto con latitud y longitud geográficas aproximadas de 73° S y 156° E, respectivamente (alrededor de 1 020 millas marinas al norte del Polo Sur). CF. **north magnetic pole.**

south point   *(Brújulas)* punta sur.

south pole   polo sur [negativo]. Polo de un imán por el cual se supone que entran las líneas de fuerza magnética emanantes del polo de nombre contrario (polo norte o positivo). CF. **north pole, north-seeking pole.**

South Pole   Polo Sur. Punto geográfico que coincide con uno de los extremos del eje de rotación de la Tierra; con mayor precisión, uno de los dos puntos donde el eje de rotación de la Tierra corta su superficie. CF. **North Pole.** OBSERVACIONES: Todos los *meridianos geográficos* se encuentran en los *polos geográficos.* Las agujas de las brújulas no apuntan exactamente hacia estos últimos, pues los *polos magnéticos* distan considerablemente de los geográficos. Tampoco coincide el *eje de rotación* de la Tierra con el *eje de simetría* de la misma. La diferencia es causa de una variación en la ubicación precisa de los polos geográficos en ciclos de 432 días, ocurriendo la variación en un entorno de unos 18 metros de diámetro; esta variación tiene por consecuencia cambios en las latitudes de toda la Tierra /// *adj:* austral, antártico.

southbound *adj:* hacia el sur; con rumbo al sur; que va hacia el sur.

southeast sudeste, sureste.

southern *adj:* austral, meridional. Relativo al Sur o Mediodía | sureño, del sur; hacia el sur. CF. **northern.**

Southern Cross Cruz del Sur. Constelación austral; está situada entre el Navío y el Centauro.

Southern Hemisphere Hemisferio Sur, Hemisferio Austral [Meridional].

southern lights *(Geofís)* aurora austral. SIN. **aurora australis.**

southwest sudoeste, suroeste.

southwestern *adj:* sudoccidental, del sudoeste, del suroeste.

sovereign *adj:* soberano.

sovereign state estado soberano.

sovereignty soberanía.

sovereignty in space soberanía del espacio.

sovereignty over celestial bodies soberanía sobre los cuerpos celestes.

SOXQ *(Teleg)* Abrev. de see our XQ [sírvase ver nuestro XQ].

soya (bean) semilla de soya. v. **soybean.**

soya-bean oil aceite de soya.

soybean soya. Planta leguminosa del Asia, de semillas comestibles. Nombre científico: *Glycine max* | (a.c. soya, soya bean) semilla de soya.

sp Abrev. de special; specialist; specific; spelling; species.

SP Abrev. de shore patrol; shore police ‖ *(Teleg)* Abrev. de São Paulo; Southampton; Spain.

sp gr Abrev. de specific gravity.

sp ht Abrev. de specific heat.

space espacio; distancia; extensión, trecho; cabida; lugar; hueco, intersticio; luz, separación; intervalo, período; rato; tiempo, ocasión, oportunidad; espacio extraterrestre [interplanetario]; el universo más allá de la atmósfera terrestre ‖ *(Edif)* espacio, local ‖ *(Mat)* espacio. (1) Conjunto de entes cualesquiera entre los que se establecen ciertos postulados. (2) Conjunto de puntos o elementos que satisfacen ciertos postulados geométricos [geometric postulates] ‖ *(Teleg)* espacio, señal de espacio, impulso de reposo, elemento de pausa, condición [posición] inactiva, condición [posición] de reposo. (1) Espacio entre los elementos de señal. (2) Condición existente o señal transmitida al abrirse los contactos del manipulador o, en el caso de los teleimpresores, los contactos del teclado. CF. **mark, positions A and Z, space signal.** NOTA: Véase lo explicado en el art. *significant conditions* ‖ *(Tipog)* interlínea, regleta ‖‖ *adj:* espacial, del espacio; cósmico, interplanetario, extraterrestre ‖‖ *verbo:* espaciar, distanciar, separar; ensanchar ‖ *(Tipog)* regletear, interlinear.

space adjust lever v. **space adjusting lever.**

space adjusting knob *(Informática)* perilla de ajuste [graduación] de espacios.

space adjusting lever *(Informática)* (a.c. space adjust lever) palanca de ajuste de espacios; palanca de espacios lineales.

space age era espacial, era de la navegación espacial.

space-age *adj:* de la era espacial, de la era de la navegación espacial [cósmica]; modernísimo; de avanzada tecnología.

space attenuation *(Radiocom)* atenuación en el espacio. Pérdida de potencia que sufre una señal al propagarse por el espacio libre. SIN. **free-space attenuation [loss].**

space average promedio espacial. SIN. **spatial average.**

space-averaged density densidad media espacial.

space bar v. **spacing bar.**

space bias v. **spacing bias.**

space biology biología espacial, cosmobiología, astrobiología, exobiología. SIN. **astrobiology, exobiology.**

space bioscience biociencia espacial [cósmica].

space capsule cápsula espacial [cósmica]. Compartimento modular con acondicionamiento de presión, llevado por una nave espacial; en particular cuando está destinado a alojar una tripulación o a ser separado de la nave cuando así convenga.

space channel *(Teleg)* canal de reposo. CF. **spacing frequency.**

space charge *(Elecn, Radiol)* carga espacial [de espacio]. (1) Carga eléctrica distribuida en cierto espacio o volumen; en particular, la carga negativa existente cerca del cátodo de un tubo electrónico al vacío, por la presencia de electrones de emisión catódica. (2) Carga eléctrica positiva o negativa del espacio interior de los tubos, debida a la presencia de iones o de electrones (CEI/38 65-35-035). (3) Carga eléctrica en una región del espacio, debida a la presencia de iones o de electrones (CEI/56 07-21-050, CEI/64 65-10-440).

space-charge balance flow focusing *(TOP)* enfoque de flujo con carga espacial equilibrada.

space-charge debunching *(Elecn)* desagrupamiento por carga espacial, dispersión por carga de espacio. Dispersión de los electrones de un grupo [bunch] debida a acciones recíprocas entre los electrones de la corriente.

space-charge density *(Elecn)* densidad de carga espacial | densidad de carga de espacio. Carga espacial por unidad de volumen (CEI/56 07-21-055).

space-charge distortion *(Elecn)* distorsión de carga espacial.

space-charge distribution distribución de la carga espacial.

space-charge effect efecto de carga espacial [de carga de espacio]. En los tubos termoiónicos al vacío, repulsión de los electrones emitidos por el cátodo debida a la presencia de una carga espacial cerca del cátodo.

space-charge field campo de la carga espacial. Campo eléctrico existente en un plasma debido a la carga espacial neta en la región ocupada por el segundo.

space-charge grid *(Elecn)* rejilla de carga espacial; rejilla de campo. (1) En un tubo al vacío, rejilla colocada cerca del cátodo y polarizada positivamente respecto a éste, con el fin de reducir el efecto limitador de la carga espacial sobre la corriente que atraviesa el tubo. (2) En un tetrodo al vacío, utilización de la primera rejilla con el cátodo, para obtener un cátodo virtual grande; la segunda rejilla se utiliza entonces como rejilla de control | rejilla de carga de espacio. Rejilla cuya función es la de fijar la posición, la superficie, y el potencial de un cátodo virtual [virtual cathode] (CEI/56 07-26-155).

space-charge-grid tube tubo con rejilla de carga espacial; tubo con rejilla de campo.

space-charge law *(Elecn)* ley de la carga espacial. SIN. **Child's law, Child-Langmuir equation** (véase).

space-charge layer *(Semicond)* capa de carga espacial. SIN. **depletion layer.**

space-charge limitation *(Elecn)* limitación por carga espacial [de espacio]. Limitación de la corriente anódica por efecto de la carga espacial.

space-charge-limited cathode current corriente catódica limitada por carga espacial [de espacio].

space-charge-limited current corriente limitada por carga espacial [de espacio].

space-charge-limited-current state régimen de carga espacial | régimen de carga de espacio. Régimen de funcionamiento de un tubo electrónico cuya corriente está limitada por la acción de la carga de espacio (CEI/56 07-21-065). CF. **residual-current state, saturation state.**

space-charge-limited diode diodo en régimen de carga espacial.

space-charge-limited operation *(Elecn)* funcionamiento en régimen de carga espacial ‖ *(Separadores electromag de isótopos)* funcionamiento con desenfoque por carga espacial. Funcionamiento con insuficiente enfoque o concentración del haz de iones debido a la repulsión causada por exceso de cargas de igual signo en el haz.

space-charge neutralization neutralización de la carga espacial.

space-charge region región de carga espacial. En un semiconductor, región en la cual la densidad de carga neta difiere considerablemente de cero; región en la cual la densidad de carga de los portadores móviles es insuficiente para neutralizar la densidad de carga neta de los iones aceptores y donantes fijos.

space-charge repulsion   repulsión de carga espacial.

space-charge tube   v. space-charge-grid tube.

space-charge wave   onda de carga espacial. Onda electrostática que se propaga en un plasma, producida por movimientos oscilantes de cargas eléctricas.

space-charge wave propagation   propagación de onda de carga espacial.

space-cloth   *(Radioelec)* tejido absorbente. Tejido impregnado en carbón y utilizado como elemento de terminación en una guía de ondas | substancia absorbente. Substancia que tiene la propiedad de absorber las ondas radioeléctricas incidentes (CEI/70 60–30–125).

space communication   comunicación espacial; telecomunicación con vehículos espaciales. CF. space service.

space component   *(Teleg)* elemento de espacio (de la señal). v. significant conditions.

space contact   *(Teleg)* contacto de reposo. v. significant conditions.

space control   *(Informática)* control de espaciado; control de espacios.

space-control arm   *(Informática)* brazo de control de espacios.

space cooling   enfriamiento de locales enfriamiento de edificios. CF. space heating.

space coordinate   *(Mat)* coordenada de espacio.

space coordinates   *(Mat)* (sistema de) coordenadas en el espacio, sistema tridimensional de coordenadas. Sistema de localización de puntos en un espacio tridimensional mediante *ternas de valores*. Las *coordenadas en el espacio* pueden ser *cartesianas* [Cartesian coordinates in space], *cilíndricas* [cylindrical coordinates], *esféricas* [spherical coordinates], etc. Las *coordenadas geográficas* [geographical coordinates] son esféricas.

space current   *(Elecn)* corriente espacial [de espacio]. En un tubo termoiónico al vacío [thermionic vacuum tube], corriente constituida por los electrones que parten del cátodo hacia el ánodo o placa y los demás electrodos con potencial positivo (respecto al cátodo). SIN. corriente catódica [de emisión], corriente electrónica [termoiónica] —— cathode current | corriente de espacio. Sinónimo de *corriente catódica* [cathode current] (CEI/56 07–27–060). CF. electrode current ‖ *(Teleg)* v. spacing current.

space curve   *(Mat)* curva espacial, curva en el espacio.

space dehumidification   deshumidificación de locales; deshumidificación de edificios. CF. space heating.

space dependence   dependencia espacial. SIN. spatial dependence.

space-dependent   *adj:* dependiente del espacio [de las variables de espacio].

space-dependent field   campo dependiente [que depende] del espacio. Campo eléctrico o magnético cuya intensidad es función del espacio; p.ej. función de la distancia a lo largo de una línea de transmisión.

space distribution   distribución espacial. SIN. spatial distribution.

space diversity   *(Radiocom)* diversidad espacial [de espacio]. Sistema en *diversidad de trayectorias;* sistema en *diversidad por antenas espaciadas.* SIN. space-diversity system | v. space-diversity reception.

space-diversity combiner   combinador de diversidad espacial.

space-diversity reception   recepción en diversidad de espacio, recepción por diversidad en el espacio, recepción con antenas espaciadas. Recepción en la cual se utilizan las señales captadas por dos o más antenas separadas entre sí por distancias de varias longitudes de onda. V.TB. diversity reception.

space-diversity system   sistema de diversidad espacial [de espacio], sistema en diversidad de trayectorias, sistema en diversidad por antenas espaciadas. V.TB. diversity system, spaced antennas.

space division   división de espacio; división en el espacio.

space-division multiplex   *(Telecom)* múltiplex por división de espacio.

space-division switching   conmutación espacial [en el espacio]. CF. time-division switching.

space docking   atraque espacial, atracada de vehículos espaciales. Operación consistente en acercar dos vehículos espaciales y unirlos entre sí. CF. space rendezvous.

space eject   *(Informática)* "espaciar-expulsar", expulsión por espaciado. Designación de la operación de expulsar un formulario o descargar una tarjeta por espaciado repetido.

space electronics   electrónica espacial, electrónica aplicada a la tecnología espacial.

space environment   ambiente [entorno] espacial.

space exploration   exploración espacial [del espacio], exploración cósmica.

space exploration vehicle   vehículo de exploración del espacio. CF. space probe.

space factor   *(Elec)* factor de espacio [de relleno]. (1) Cociente v/V, en el cual v representa el volumen ocupado por los conductores de un devanado y V el volumen que ocupa el devanado en su conjunto. (2) Cociente s/S, en el cual s es el área de sección ocupada por los conductores y S es el área de sección que ocupa el devanado en su conjunto. (3) Cociente s/S, cuyos términos representan, respectivamente, el espacio ocupado por el hierro y el ocupado por un núcleo en su conjunto.

space flight   vuelo espacial, vuelo cósmico [sideral].

space-flight center   centro de vuelos espaciales [extraterrestres]. CF. spaceport.

space-flight nutrition   nutrición en el espacio, nutrición durante vuelos cósmicos.

space for plugging cable termination   *(Telecom)* espacio libre para ocupar.

space frame   armadura tridimensional [de tres dimensiones], estructura tridimensional [en el espacio].

space-frame structure   (a.c. space structure) estereoestructura, estructura tridimensional [en el espacio].

space frequency   v. spacing frequency.

space-function signal   *(Teleg)* señal espaciadora [de espaciado]. Señal que en telegrafía impresora (teleimpresores) produce el movimiento del carro para el espaciado entre palabras. CF. space signal.

space group   *(Retículos espaciales)* grupo espacial. Los grupos espaciales se clasifican según los elementos de simetría que posean.

space-guidance computer   computadora para la guía de vehículos espaciales.

space harmonic   *(Resolutores)* armónica espacial.

space heater   calentador de locales, aparato de caldeo de locales; calentador de edificios, calentador para espacios grandes; calentador del aire ambiente | calentador unitario, aparato unitario de calefacción. Aparato de calefacción independiente y con radio de acción limitado | estufa, calorífero para piezas [para habitaciones].

space heating   calefacción de locales; calefacción de edificios; calefacción de piezas [de habitaciones]. V.TB. space heater. CF. space cooling, space dehumidification.

space-independent   *adj:* independiente del espacio [de las variables de espacio]. CF. space-dependent.

space junk   desechos [objetos inútiles] en órbita. Expresión que alude a los diversos objetos inútiles que giran en órbita circumterrestre: satélites que ya no prestan ningún servicio, segmentos propulsores finales de cohetes, etc.

space key   v. spacing key.

space lattice   retículo [reticulado] espacial; retículo, red cristalina.

space law   derecho del espacio.

space legislation   legislación espacial; derecho del espacio.

space locus   lugar geométrico en el espacio.

space medical research   investigación medicoespacial [de medicina espacial].

space medicine   medicina espacial. Ciencia médica que estudia esencialmente los factores fisiológicos involucrados en los vuelos espaciales y en ambientes extraterrestres en general, y los problemas médicos planteados por el estado de ingravidez (falta de peso), las grandes aceleraciones durante el lanzamiento y la reentrada en la atmósfera, la falta del día y la noche, las perturbaciones visuales, etc.

space mesh   malla espacial. SIN. **spatial mesh.**

space mining   prospección [busca de minerales] desde el espacio.

space mirror   espejo espacial. Espejo montado en un satélite en órbita, capaz de proyectar la luz solar sobre la Tierra.

space multiplex   *(Telecom)* v. **space-division multiplex.**

space navigation   navegación espacial [cósmica], cosmonáutica, astronáutica.

space navigator   navegante del espacio, cosmonauta, astronauta.

space parallax   *(Acús)* paralaje espacial.

space pattern   *(Acús)* diagrama de espacio, diagrama [característica] direccional en el espacio. Representación gráfica de la radiación acústica de un altavoz, o de la sensibilidad de un micrófono, en función de la dirección en el espacio ‖ *(Tv)* esquema para medidas de distorsión geométrica (de la imagen).

space-periodic   *adj:* periódico en el espacio, de periodicidad espacial.

space-periodic field   campo de periodicidad espacial.

space permeability   permeabilidad en el vacío.

space phase   fase en el espacio, fase espacial.

space phasing   enfase [enfasamiento] espacial; diferencia de fase espacial. CF. **space quadrature.**

space potential   potencial espacial.

space probe   sonda espacial [cósmica], sonda de exploración del espacio extraterrestre, vehículo de exploración cósmica; dispositivo de investigación espacial. CF. **space exploration vehicle.**

space quadrature   cuadratura (de fase) espacial. Dícese cuando existe una diferencia de un cuarto de onda entre las posiciones en el espacio de puntos correspondientes de dos ondas de igual frecuencia.

space quantization   *(Fís)* cuantificación espacial. En física atómica y molecular se aplica a los vectores de impulso angular [angular momentum vectors].

space quieting   *(Acús)* reducción del ruido ambiente; insonorización de locales.

space-quieting investigations   investigaciones encaminadas a reducir el ruido ambiente.

space radio   radiocomunicación; radiocomunicación espacial.

space ray   rayo espacial [de espacio]. CF. **space wave.**

space reflection   reflexión espacial.

space relay station   estación relé espacial, estación relevadora en el espacio. Estación relevadora o repetidora de señales de telecomunicación montada a bordo de un avión, un globo cautivo, o un satélite artificial de la Tierra.

space rendezvous   encuentro orbital. Encuentro de un astro y un vehículo espacial destinado a descender en él o a sobrevolarlo para fotografiarlo o estudiarlo por otros medios | encuentro orbital, reunión espacial [en órbita], reunión cósmica. Acción de encontrarse en el espacio dos satélites artificiales o vehículos espaciales lanzados separadamente. CF. **space docking.**

space research   investigación espacial [del espacio], investigación cósmica.

space resection   *(Topog)* resección de [en] espacio.

space rocketry   cohetería espacial.

space-saving   *adj:* que economiza espacio; de tamaño reducido, de pequeñas dimensiones, de poco volumen.

space science   ciencia del espacio.

space self-shielding   *(Nucl)* autoblindaje espacial. SIN. **spatial self-shielding.**

space service   *(Radiocom)* servicio espacial, servicio (de radiocomunicación) entre estaciones espaciales.

space ship   v. **spaceship.**

space signal   señal del espacio ‖ *(Teleg)* v. **spacing signal.**

space simulation   simulación espacial [de ambientes espaciales]. AFINES: ambiente espacial simulado, estación espacial simulada, simulación de efectos espaciales, contaminación (biológica, óptica, molecular, de cápsulas espaciales), degradación de materiales, fotodegradación de cubiertas orgánicas (polietileno, resinas, polímeros), atmósfera localizada, bajas temperaturas, viento solar (flujo de protones y partículas solares), radiación, vacío térmico, tensiones, ionización, partículas energéticas, comportamiento sicológico y fisiológico de tripulaciones, habitabilidad de estaciones espaciales, aislamiento biológico, sistema de soporte de vida, simulación de los procesos conectivos atmosféricos y de superficie en vehículos espaciales, material ablativo, blindaje térmico ablativo, erosión mecánica de materiales, medio ambiente aerodinámico, dinámica de chorros fluidos, impacto de micrometeoritos, instrumentación, cromatógrafo de gases, microbalanza de cristal de cuarzo, propiedades reflectivas y emisivas ópticas.

space simulator   simulador espacial [de ambientes espaciales]. Cámara para la simulación de ambientes espaciales; cámara de ambientes espaciales simulados. v. **space simulation.**

space station   estación espacial [cósmica].

space structure   v. **space-frame structure.**

space-suit   v. **spacesuit.**

space technology   tecnología espacial [del espacio].

space telegraphy   Sinónimo anticuado de *radiotelegraphy.*

space telephony   Sinónimo anticuado de *radiotelephony.*

space tensor   *(Mat)* tensor espacial. El definido por transformaciones de coordenadas en el espacio.

space-time   espacio-tiempo. Espacio de cuatro dimensiones (la cuarta es el tiempo) que especifican las *coordenadas espaciotemporales* de un objeto o un fenómeno. Fue imaginado por Einstein como base de su teoría unitaria del universo. SIN. **continuum espacio-tiempo** —— **space-time continuum [world]** ⫽ *adj:* espaciotemporal.

space-time continuum   continuum espacio-tiempo. v. **space-time.**

space-time coordinate system   sistema de cordenadas espacio-temporales. Sistema de tres coordenadas espaciales y una temporal.

space-time world   continuum espacio-tiempo. v. **space-time.**

space-to-mark transition   *(Teleg)* transición espacio-marca [reposo-trabajo]. Conmutación del impulso de espacio o reposo al de marca o trabajo. v. **significant conditions.**

space to zero   *verbo: (Informática)* espaciar a cero.

space tracking   seguimiento espacial.

space travel   viajes espaciales [astronáuticos]; navegación espacial.

space vacuum   vacío espacial.

space variable   variable espacial. SIN. **spatial variable.**

space variation   variación espacial [en el espacio]. SIN. **spatial variation.**

space variation of flux   variación espacial de flujo.

space variation of phase   variación espacial de fase. CF. **space phase, space phasing, space quadrature.**

space vector   *(Mat)* vector espacial. CF. **space tensor.**

space vehicle   vehículo espacial [del espacio extraterrestre], vehículo cósmico [interplanetario]; astronave, cosmonave. SIN. **spacecraft.**

space warfare   guerra espacial [en el espacio]; guerra con armas espaciales.

space washer   v. **spacing washer.**

space wave   *(Radiocom)* onda espacial | onda de espacio. Onda radioeléctrica que se propaga entre una antena de emisión y una de recepción situadas por encima del suelo, y que es la suma de la *onda directa* [direct wave] y la *onda reflejada por el suelo* [ground-reflected wave]; cuando las dos antenas están suficientemente alejadas del suelo, la *onda de superficie* [surface wave] correspondiente al suelo es despreciable y solo es necesario considerar, en la práctica, la onda de espacio (CEI/70 60–22–025). CF. **ground wave, spacing wave.**

space-wave field   campo de la onda espacial [de espacio].

space-wave field strength   intensidad de campo de la onda espacial [de espacio].

space winding   bobinado discontinuo.

spacecraft   nave espacial, espacionave, astronave, cosmonave. SIN. **spaceship, space vehicle.**

spaced   *adj:* espaciado, distanciado, alejado, separado.

spaced-aerial direction finder   radiogoniómetro de antenas separadas. Radiogoniómetro cuya antena está constituida por múltiples elementos de antena idénticos y separados que suministran señales cuya comparación permite efectuar la medida deseada (CEI/70 60–71–355).

spaced aerials   V. **spaced antennas.**

spaced-antenna direction finder   radiogoniómetro de antenas separadas.

spaced-antenna system   sistema [red] de antenas espaciadas. V. **spaced antennas.**

spaced antennas   antenas espaciadas. Grupo de dos o más antenas separadas entre sí por distancias considerables y nunca menores de varias longitudes de onda. Se utilizan en sistemas de recepción en diversidad (V. **space-diversity reception**). SIN. **spaced aerials** *(GB).*

spaced-carrier operation   *(Radiocom)* explotación por portadoras distintas. Explotación en la cual dos o más estaciones distantes las unas de las otras transmiten, y reciben, simultáneamente las mismas señales por dos o más frecuencias portadoras [carrier frequencies], con objeto de extender la región efectivamente cubierta por el servicio (CEI/70 60–00–090). CF. **offset carrier.**

spaced cross winding   bobinado cruzado abierto.

spaced-frame direction finder   V. **spaced-loop direction finder.**

spaced-loop direction finder   radiogoniómetro de cuadros separados. Radiogoniómetro de antenas separadas [spaced-aerial direction finder] cuyos elementos están constituidos por cuadros [loop aerials] (CEI/70 60–71–370).

spaceman   astronauta, cosmonauta, navegante del espacio.

spaceport   cosmódromo, base de vuelos espaciales. Instalación para la prueba y el lanzamiento de cosmonaves o naves espaciales. CF. **space-flight center.**

spacer   espaciador, separador, pieza separadora [de separación]; suplemento; anillo separador.

spacer disk   disco espaciador.

spacer plate   placa separadora.

spacer rib   costilla separadora.

spacer ring   anillo separador [espaciador, distanciador].

spaceship   nave espacial [cósmica, interplanetaria], astronave, cosmonave. SIN. **spacecraft.**

spacesuit   traje espacial [astronáutico]. Traje con acondicionamiento de presión y abastecimiento propio de oxígeno, para permitir que el que lo lleva puesto tenga relativa libertad de movimientos en el espacio. La construcción de un traje particular depende hasta cierto punto del lugar donde va a ser usado (en la Luna, en caída libre, etc.). Puede ser flexible o rígido con uniones articuladas. El acondicionamiento de presión es necesario para que los fluidos orgánicos no entren en ebullición. El oxígeno es esencial para la respiración, como lo es un sistema para la purificación y eliminación de los gases exhalados. Otro requisito indispensable es alguna forma de regulación de la temperatura, mediante calefacción o refrigeración, según el caso y las circunstancias. En suma, que el traje espacial viene a ser una habitación portátil, de forma humana, con ambiente interno artificial. AFINES: purificador de gas, extractor de bióxido de carbono, cilindros de almacenamiento de helio y oxígeno, unidades refrigeradora, calefactora, de control de temperatura, extractor de exceso de agua, bomba de circulación de gas, válvulas de descarga

de alta presión, reductora de presión, inyectora de gas recicladc de apertura y cierre.

spacial   *adj:* espacial. V. **spatial.**

spacing   espaciamiento, espaciado, espaciación *(p.us.);* espacio, distancia, separación, intervalo; equidistancia; interlineado, espacio entre líneas | V.TB. **spacing between. . . , spacing of. . .** ‖ *(Ant)* V. **aerial spacing** ‖ *(Bobinados)* paso ‖ *(Cristalog)* distancia interplanar ‖ *(Informática)* espaciado ‖ *(Teleg)* espaciado; espacio ‖ *(Tránsito)* intervalo de distancia longitudinal. Distancia medida entre frente y frente de vehículos consecutivos que se desplazan en un mismo carril y en un mismo sentido. NOTA: Cuando el contexto lo permite, el término castellano puede reducirse a *intervalo de distancia* o simplemente *intervalo* ‖ *(Sist estereofónicos)* separación de micrófonos; separación de altavoces. Distancia entre los micrófonos (grabación) o entre los altavoces (reproducción).

spacing bar   *(Máq de escribir, Teleimpr)* (a.c. space bar) barra espaciadora [de espacios] ‖ *(Refuerzos de acero)* barra espaciadora [repartidora].

spacing between antennas   separación de antenas, distancia entre antenas. CF. **aerial spacing, spaced antennas.**

spacing between frequencies   separación [espaciamiento] entre frecuencias. CF. **spaced-carrier operation.**

spacing bias   *(Teleg)* (a.c. space bias) señal de espacio excesiva; polarización de reposo; exceso de corriente de reposo. Condición anómala en la que resultan alargados los intervalos de espacio o reposo (elementos o impulsos de espacio) y acortados los de marca o trabajo. Distorsión de polarización que afecta las señales en el mismo sentido que la corriente de reposo [spacing current]. NOTA: En algunos sistemas los espacios se corresponden con la corriente de trabajo (V. **significant conditions**). SIN. **light keying.** CF. **marking bias, heavy keying.**

spacing block   bloque distanciador.

spacing chart   *(Informática)* planilla de espaciado, cuadro de espacios.

spacing condition   *(Teleg)* condición [estado] de reposo. CF. **marking condition.** V. **significant conditions.**

spacing-condition signal element   *(Teleg)* elemento de señal de reposo.

spacing-condition unit element   *(Teleg)* elemento unitario de reposo.

spacing contact   *(Teleg)* contacto de espacio.

spacing current   *(Teleg)* corriente de reposo [de espacio].

spacing dividers   compás de división.

spacing element   *(Teleg)* elemento de reposo [de espacio].

spacing end distortion   *(Teleg)* desplazamiento de fin de impulso que alarga el intervalo de reposo, distorsión en la que se alarga el impulso de reposo por adelanto de la transición de trabajo a reposo. V. **end distortion.**

spacing error   *(Radiogoniometría)* error de separación. Error instrumental [instrumental error] ligado al valor de la relación entre la distancia de dos elementos consecutivos de la antena y la longitud de onda de un radiogoniómetro de antena circular (CEI/70 60–71–075). CF. **residual spacing error.**

spacing frequency   *(Teleg)* (a.c. space frequency) frecuencia de espacio [de reposo]; frecuencia de pausa. CF. **significant conditions.**

spacing impulse   *(Teleg)* impulso de espacio [de reposo]; corriente de reposo. NOTA: En algunos sistemas los espacios se corresponden con la corriente de trabajo. V. **significant conditions.**

spacing interval   *(Teleg)* intervalo de reposo. Intervalo correspondiente a la posición de apertura de los contactos de emisión de señales. CF. **marking interval.**

spacing key   *(Informática)* (a.c. space key) tecla espaciadora [de espaciado].

spacing lever   palanca espaciadora.

spacing lock   *(Teleimpr)* enclavamiento de espacio.

spacing-lock lever   palanca de enclavamiento de espacio.

spacing-lock-lever cam   leva de la palanca de enclavamiento de espacio. CF. **marking-lock-lever cam.**

spacing mechanism *(Teleimpr)* mecanismo espaciador [de espaciado]. (**1**) Mecanismo de progresión del carro. (**2**) Mecanismo que mueve la caja de tipos y el mecanismo impresor un carácter a la derecha por vez que se recibe e imprime un carácter gráfico; no hay avance cuando se reciben señales de funciones que no corresponden a impresión. SIN. **carriage-feed mechanism.**

spacing movement *(Máq de escribir, Teleimpr)* (movimiento de) espaciado.

spacing of frequencies espaciado [espaciamiento] de frecuencias. CF. **frequency space.**

spacing pulse *(Teleg)* impulso de espacio [de reposo]; corriente de reposo. SIN. **spacing impulse.**

spacing ring anillo espaciador.

spacing shim suplemento separador. CF. **spacer.**

spacing signal *(Teleg)* (a.c. space signal) señal de espacio [de reposo]. Señal transmitida cuando el manipulador o los contactos del teleimpresor, según el caso, están abiertos. CF. **marking signal, bias.** V. **significant conditions** | V. **space-function signal.**

spacing washer (a.c. space washer) arandela espaciadora [separadora]. CF. **spacer.**

spacing wave *(Radioteleg)* onda de reposo; onda de compensación [de contramanipulación]; onda residual, onda parásita de intervalo. Señal indeseable radiada por un emisor radiotelegráfico durante los intervalos de espacio o reposo [spacing intervals] de la transmisión y durante las pausas de transmisión, debido a desajuste de la neutralización [neutralization] del amplificador de radiofrecuencia. SIN. **backwave, compensating wave, idle radiation** | onda de reposo. Onda producida por el aparato transmisor cuando no se están transmitiendo señales (CEI/38 60-35-025) | señal de reposo. Elemento de señal emitido durante los intervalos de reposo [spacing intervals] de un texto transmitido en código Morse (CEI/70 60-50-055). CF. **marking wave.**

spacious *adj:* espacioso, amplio; extenso, grande.

spaciously *adv:* espaciosamente.

spaciousness espaciosidad, amplitud.

spacistor *(Elecn)* espacistor. Dispositivo semiconductor basado en un principio que conjunta ventajas de las válvulas termoiónicas y de los transistores, y en el cual se emplea carburo de silicio. Sus electrodos son: colector, base, inyector, y modulador. Se trata de un elemento parecido al transistor, con el cual se logra buen rendimiento a altas frecuencias (hasta unos 10 GHz) por inyección de electrones o de huecos en una capa de carga espacial [space-charge layer] que los obliga a dirigirse rápidamente al colector. Sus impedancias de entrada y de salida son muy elevadas, pudiendo llegar a unos 30 MΩ.

spade pala, laya; azada, azadón; paleta (para cemento); palín, garlancha. LOCALISMO: legón || *(Baraja)* espada || *(Piezas de artillería)* arado /// *verbo:* palear; azadonar, azadonear; consolidar (el cemento) con la paleta.

spade bolt tornillo con cabeza de paleta, tornillo tipo "remo". Tornillo utilizado para fijar ciertos componentes (bobinas, condensadores, etc.) a un chasis electrónico o de radio. En lugar de cabeza tiene una pala plana con un agujero que sirve para fijarlo al componente (mediante remache o tornillo pequeño con tuerca); la parte roscada pasa por un agujero del chasis y se asegura a éste mediante tuerca con arandela de seguridad.

spade connector conector de horquilla.

spade-contact connector conector con contactos de horquilla.

spade-handle switch *(Elec)* conmutador de manija [de agarradera en D].

spade lug terminal de horquilla.

spade terminal terminal de horquilla.

spade tip terminal de horquilla. Terminal para hilos o conductores en forma de horquilla plana que es asegurada por el tornillo de un borne.

spade tongue terminal terminal de horquilla plana.

spade tuning sintonización por desplazamiento de una pieza metálica plana sobre la cara de una bobina también plana.

spaghetti manguito [canutillo] aislador, tubillo aislante flexible, macarrón, "espagueti". Manguito o tubillo de material aislante utilizado para aislar o proteger hilos o conductores desnudos, o para dar mayor protección a un grupo de hilos aislados. Se fabrica en diversos diámetros, para un solo conductor o para grupos o mazos de ellos. El material puede ser algún plástico o puede ser un tejido barnizado o una tela impregnada en aceite aislante y luego recocida || *(Cine)* enredo de la película.

spaghetti insulation V. **spaghetti.**

spaghetti tubing V. **spaghetti.**

spallation resquebrajamiento; estallido; lajación || *(Corrosión)* desconchado. Desprendimiento espontáneo de una capa superficial de un cuerpo metálico || *(Nucl)* espalación. Reacción en la cual la energía de las partículas incidentes es tan elevada que cada una provoca el desalojamiento de más de dos o tres partículas del núcleo que recibe el impacto, modificándose los números másico y atómico del mismo.

spallation fragment *(Nucl)* fragmento de espalación.

spallation product *(Nucl)* producto de espalación.

spallation reaction *Nucl)* reacción de espalación.

span espacio; duración; extensión; distancia; longitud; abertura; claro; margen; intervalo (entre dos valores o límites); tirante; eslinga (maroma provista de gancho para levantar pesos) || *(Aviones)* envergadura. Ancho de la nave entre las extremidades de las alas || *(Marina)* braza || *(Medida de longitud)* palmo. Equivale a 0,2286 m || *(Puentes)* luz, claro, ojo, abertura. (**1**) Distancia horizontal entre los paramentos interiores de los apoyos extremos del puente. (**2**) Abertura de un arco del puente | tramo. Estructura del puente comprendida entre dos pilares sucesivos || *(Elec)* vano. Distancia entre dos soportes consecutivos de una línea eléctrica (CEI/38 25-30-080) | vano. Parte de una línea aérea comprendida entre dos soportes consecutivos (CEI/65 25-25-020) | *(i.e.* length of a span) longitud del vano. Distancia horizontal entre dos soportes consecutivos de una línea aérea [overhead line] (CEI/65 25-25-025) || *(Telecom)* sección, tramo (de un cable) | vano. En una línea telefónica o telegráfica, distancia o tramo entre dos postes o apoyos consecutivos || *(Sist de microondas)* vano, salto. Distancia o tramo entre dos estaciones vecinas. SIN. **hop, path** /// *verbo:* salvar, franquear; pontear; tender un puente; extenderse (sobre algo); salvar (una brecha, un vano); recorrer (la distancia entre dos puntos) | **to span the range:** recorrer la gama.

span adjustment V. **sensitivity adjustment.**

span guy *(Elec)* retenida aérea.

span line serie de repetidores regenerativos. La expresión inglesa es típica de la terminología de la modulación por codificación de impulsos [pulse code modulation].

span loading *(Aviones)* carga por unidad de envergadura.

span pad *(Telecom)* atenuador de sección; atenuador complementario. Atenuador que sirve para hacer sensiblemente uniforme la pérdida plana [flat loss] de los diversos tramos o secciones de cable entre repetidores.

spandrel *(Edif)* (pared de) antepecho, pared de relleno || *(Arcos)* embecadura, enjuta; riñón, tímpano.

Spanish Frequency Registry Registro Español de Frecuencias (REF). Oficina española de registro de frecuencias de radiocomunicación.

spanner *(Herr)* llave de (apretar) tuercas; llave fija; llave de gancho [de horquilla, de manguera].

spanner wrench *(Herr)* llave inglesa. SIN. **combination wrench** | llave de arco; llave de media luna; llave fija.

spanwise *adv:* *(Aviones)* a lo largo de la envergadura.

spar *(Aviones)* larguero. SIN. **longeron** || *(Marina)* berlinga, percha; pértiga; mástil, palo | serreta. Pieza a veces utilizada para tapar los imbornales más bajos || *(Miner)* espato.

spar splicing *(Aviones)* empalme de larguero.

spar web   *(Aviones)* alma [núcleo] de larguero.

spare   reserva, repuesto; (pieza de) recambio. v.TB. **spares** /// *adj:* de reserva, de repuesto, de recambio, de respeto; adicional, suplementario; disponible, desocupado; sobrante, de sobra; económico; sobrio; escaso.

spare cable   *(Telecom)* cable de reserva. Dícese en relación con un cable ya tendido [already laid cable].

spare circuit   *(Telecom)* circuito de reserva. CF. **spare conductor.**

spare component   componente de repuesto; conjunto de recambio. v.TB. **spares.**

spare conductor   *(Cables)* conductor vacante [en reserva].

spare contact   *(Telecom)* contacto libre [desocupado]. CF. **vacant terminal.**

spare group-selector level   *(Telecom)* nivel vacante en selector de grupo.

spare lamp   lámpara de repuesto.

spare level   *(Telecom)* nivel muerto [inutilizado]. SIN. **vacant level.**

spare line   *(Telecom)* línea libre; línea de reserva.

spare pair   *(Cables)* par de reserva.

spare parts   piezas de repuesto [de recambio, de reserva]; elementos de repuesto [de reserva]; repuestos. LOCALISMOS: piezas de refacción, refacciones. SIN. **spares.**

spare repeater   *(Telecom)* repetidor de reserva.

spare rigging   *(Marina)* cordaje [pertrechos] de respeto.

spare terminating set   *(Telecom)* terminal de reserva.

spare termination set   *(Telecom)* terminal de reserva.

spare tube   *(Radio/Elecn)* tubo [válvula] de repuesto.

spare wire   *(Telecom)* conductor vacante [en reserva].

spares   repuestos, recambios; piezas de repuesto [de recambio, de respeto]; elementos de repuesto. LOCALISMO: refacciones. SIN. **spare parts.**

spares storage room   depósito de repuestos.

spares store   depósito de repuestos.

spark   chispa; morcella, chispa que salta de una luz || *(Joyería)* chispa, diamante pequeño || *(Elec)* chispa. Descarga eléctrica breve entre dos electrodos | chispa. Fenómeno luminoso ruidoso, de corta duración, que caracteriza la descarga disruptiva [disruptive discharge] (CEI/38 05–15–160, CEI/56 05–21–020). CF. **arc, flashover** /// *verbo:* chispear, echar chispas; chisporrotear.

spark absorber   amortiguador de chispas.

spark advance   *(Mot)* avance del encendido, adelanto de la chispa (de encendido).

spark advance angle   *(Mot)* ángulo de adelanto [avance] de la chispa.

spark arrester   *(Elec)* apagachispas, dispositivo contra chispas, amortiguador de chispas || *(Locomotoras)* chispero, parachispas, guardachispas. LOCALISMO: arrestachispas. SIN. **smokestack netting, spark catcher [consumer, guard].**

spark blowing   *(Elec)* soplado de (las) chispas.

spark-blowing coil   *(Elec)* bobina del soplador de chispas.

spark blowout   *(Elec)* soplado de (las) chispas; soplador de chispas, apagachispas.

spark capacitor   (a.c. spark condenser) capacitor [condensador] antiparásitos; condensador de extinción (de chispas), condensador supresor de chispas. Condensador o capacitor conectado entre un par de contactos para absorber la sobretensión de ruptura que es causa de la chispa cuando el circuito es inductivo; también puede conectarse el condensador entre los terminales de la inductancia. La supresión de las chispas alarga la duración de los contactos, y reduce la posibilidad de perturbaciones radioeléctricas.

spark catcher   *(Locomotoras)* chispero, parachispas. SIN. **spark arrester.**

spark chamber   *(Nucl)* cámara de destellos. Aparato que sirve para hacer visibles las estelas o huellas [tracks] de las partículas nucleares. CF. **bubble chamber, cloud chamber, Wilson chamber.**

spark-chamber spectrometer   espectrómetro con cámara de destellos.

spark coil   bobina de chispa. (**1**) Bobina de inducción utilizada para producir descargas disruptivas [spark discharges]. (**2**) Bobina de inducción [induction coil], bobina o carrete de Ruhmkorff [Ruhmkorff coil], o bobina de Tesla [Tesla coil], utilizada como fuente de alta tensión en un emisor de chispas [spark transmitter] || *(Mot)* bobina de encendido.

spark condenser   v. spark capacitor.

spark consumer   *(Locomotoras)* chispero, parachispas. SIN. **spark arrester.**

spark counter   *(Nucl)* contador de chispas.

spark discharge   descarga disruptiva. SIN. **disruptive discharge.**

spark distributor plug   *(Mot)* contacto (central) del distribuidor de encendido.

spark extinguisher   apagachispas, soplador de chispas. CF. **spark quencher.**

spark-fired   *adj:* *(Mot)* encendido por chispa.

spark frequency   frecuencia de chispa. En un emisor de chispas [spark transmitter], número de chispas que se producen por segundo.

spark-gap   *(Elec, Radio)* abertura de chispas | distancia disruptiva [de salto de la chispa], distancia explosiva (máxima), distancia interelectródica [entre electrodos]. SIN. **spark length, sparking distance** | descargador (de chispa), chispero, saltachispas. (**1**) Dispositivo con dos (o más) electrodos metálicos entre los cuales se producen descargas disruptivas [disruptive discharges], y que se usaba en los antiguos transmisores de chispa [spark transmitters]. (**2**) Dispositivo semejante utilizado en instalaciones de radio y de telecomunicación como protector contra sobretensiones transitorias, tales como las producidas por las descargas de electricidad atmosférica | descargador. Conjunto de dos piezas conductoras, separadas por un dieléctrico líquido o gaseoso, entre las cuales pueden hacerse pasar descargas disruptivas (CEI/70 60–42–220) | descargador a distancia explosiva; chispómetro | espinterómetro. Término general de un dispositivo constituido por dos electrodos entre los cuales puede saltar una chispa eléctrica [electric spark], y utilizado para la medida de altas tensiones, o para ciertas disposiciones de seguridad (CEI/64 65–30–115). CF. **sphere-gap** | explosor. (**1**) Aparato que contiene dos electrodos cuya distancia es regulable, separados por un dieléctrico líquido o gaseoso, y dispuestos en forma tal que salte una chispa entre ellos cuando la diferencia de potencial alcance un determinado valor (CEI/38 20–10–025, CEI/58 20–10–035). (**2**) Aparato que comprende dos electrodos separados por un dieléctrico y entre los cuales salta una chispa cuando la diferencia de potencial alcanza cierto valor (CEI/57 15–55–060). CF. **protective gap** | **coordinating spark-gap :** explosor de coordinación. Explosor de protección [protective gap] utilizado a los fines de la coordinación de aislamiento [coordination of insulation] (CEI/57 15–55–070) | CF. **lightning arrester, multiple spark-gap, musical spark-gap, quenched spark-gap, rotating spark-gap, synchronous spark-gap, asynchronous spark-gap, measuring spark-gap.**

spark-gap discharger   descargador de chispa; descargador a distancia explosiva; pararrayos.

spark-gap generator   (a.c. spark generator, spark-type generator) generador de chispas. Generador de trenes de oscilaciones amortiguadas de alta frecuencia [trains of damped high-frequency oscillations] mediante un condensador que repetidamente se carga a alta tensión para descargarse a continuación sobre un circuito resonante, a través de un explosor. SIN. **spark-gap oscillator.** CF. **spark-gap transmitter.**

spark-gap modulation   modulación por descarga disruptiva. Modulación por impulsos obtenidos mediante las descargas disruptivas controladas de un explosor.

spark-gap modulator   modulador por descarga disruptiva.

spark-gap oscillator   oscilador de chispas. Oscilador consistente, en esencia, en un circuito resonante excitado por las descargas intermitentes de alta tensión de un explosor. SIN. **spark-gap generator**. CF. **spark transmitter**.

spark-gap voltmeter   voltímetro de chispa. CF. **measuring spark-gap**.

spark generator   generador de chispas. V. **spark-gap generator**.

spark guard   *(Locomotoras)* chispero, parachispas, guardachispas. SIN. **spark arrester**.

spark-ignited   *adj: (Mot)* encendido por chispa.

spark-ignited explosion   explosión provocada por chispa.

spark ignition   encendido por chispa. Encendido producido por una chispa eléctrica (CEI/38 40–25–010).

spark killer   *(Elec)* supresor de chispas, apagachispas. SIN. **spark suppressor**.

spark knock   *(Mot)* golpeo [golpeteo] por encendido.

spark lag   *(Elec)* retardo de la chispa. Intervalo transcurrido entre el instante en que la tensión alcanza el valor disruptivo y el instante en que pasa la chispa ‖ *(Mot)* retraso de la chispa [del encendido].

spark length   V. **spark-gap**.

spark lever   *(Mot)* palanca [palanquita, manija] del encendido.

spark metal-working process   proceso metalúrgico por chispa [por electroerosión]. Método de labrado de metales en el cual se establecen chispas periódicamente a través de un dieléctrico líquido [liquid dielectric] en un espacio muy reducido comprendido entre el electrodo modelo (negativo) y la pieza que se trabaja (positivo). El efecto de erosión sobre esta última es provocado principalmente por una volatilización local [local volatilization] del metal de la superficie. SIN. **electroerosion metal-working process** (CEI/60 40–05–060).

spark micrometer   *(Elec)* micrómetro de chispas. Explosor de distancia interelectródica que puede ser ajustada con alto grado de precisión y exactitud. Utilízase para investigar el efecto que sobre la distancia disruptiva tiene la forma de los electrodos y la forma de onda de la tensión. También sirve para la medida aproximada de altas tensiones. V. **spark-gap**.

spark-over   V. **sparkover**.

spark photography   fotografía de chispas. Fotografía de chispas con la ayuda de su propia luz ‖ estroboscopia por chispa. Fotografía de un objeto en movimiento rápido iluminándolo brevemente con la luz de una chispa eléctrica.

spark plate   *(Radiorreceptores de automóvil)* placa capacitiva antiparásitos. Placa conductora aislada del chasis del receptor mediante una delgada hoja de mica, y conectada al cable de alimentación que viene del polo "vivo" del acumulador. La placa y el chasis forman un condensador que por acoplamiento capacitivo deriva a masa las señales de ruido (perturbaciones eléctricas) captadas en el compartimiento del motor por el cableado del acumulador.

spark-plug   V. **sparkplug**.

spark pulse oscillator   oscilador de impulsos del tipo de chispas. CF. **spark-gap oscillator**.

spark-quench   amortiguador de chispas. Red eléctrica [electrical network] generalmente constituida por una capacitancia y una resistencia conectadas en serie entre dos elementos de un dispositivo de contacto, para reducir la chispa entre esos elementos (CEI/70 55–25–290). V.TB. **spark quencher**.

spark quencher   amortiguador [extintor, extinguidor, apagador] de chispas, apagachispas. V.TB. **spark-quench, spark suppressor**.

spark quenching   amortiguación [extinción, apagamiento] de chispas.

spark-quenching device   V. **spark quencher**.

spark radiation   *(Radiol)* raya de chispa. Por analogía con el fenómeno óptico correspondiente dícese de una radiación debida a la ionización múltiple (CEI/38 65–15–035).

spark rate   frecuencia de chispas. V. **spark frequency**.

spark recorder   registrador de chispa. Aparato de registro gráfico en el cual el papel pasa por un descargador (v. **spark-gap**) constituido por una placa metálica y un electrodo terminado en punta fina. La placa queda por el lado inferior y el electrodo

puntiforme por la cara superior del papel, y entre una y otra, y atravesando el papel, saltan las chispas provocadas por la alta tensión intermitente suministrada por una bobina de inducción. Cada descarga disruptiva (chispa) produce por combustión un pequeño agujero en el papel, y la sucesión de esos agujeros constituye la traza del registro.

spark-resistant   *adj:* resistente a las chispas ‖ *(Herr)* antichispeante, que no desprende chispas.

spark sender   *(Radiocom)* emisor [transmisor] de chispa(s). V. **spark transmitter**.

spark spectrum   *(Fís)* espectro de chispa. Espectro obtenido mediante una descarga disruptiva a través de un gas o un vapor. Espectro del vapor metálico [metallic vapor] cuando se provocan descargas disruptivas [disruptive discharges] entre electrodos metálicos.

spark-suppressing capacitor   (a.c. spark-suppression capacitor) capacitor supresor de chispas, capacitor para supresión de chispa. V. **spark suppressor**.

spark-suppressing filter   filtro supresor de chispas. V. **spark suppressor**.

spark suppression   supresión de chispas.

spark-suppression capacitor   V. **spark-suppressing capacitor**.

spark suppressor   supresor de chispas. Diodo semiconductor, condensador, o red (típicamente un condensador y una resistencia en serie) conectados entre un par de contactos para suprimir o reducir la formación de chispas [sparking, arcing] cuando se abren aquéllos. SIN. **spark arrester [killer, quencher], spark-quench, spark-quenching device, arc suppressor**. CF. **spark capacitor, spark-suppressing capacitor, spark-suppressing filter**.

spark test   V. **sparkover test**.

spark therapy   tratamiento terapéutico con chispas eléctricas. SIN. **electrodessication**.

spark transmitter   *(Radiocom)* emisor [transmisor] de chispa(s). SIN. **spark sender** ‖ emisor de chispa. Emisor radioeléctrico de trenes de ondas amortiguadas, producidos por la descarga repetida de un condensador en un circuito que comprende un explosor [spark-gap] (CEI/70 60–42–040) ‖ generador de chispas. Aparato en el cual se producen las oscilaciones por la descarga de un condensador a través de un explosor y una inductancia (CEI/38 60–10–005). CF. **arc transmitter, spark-gap generator**.

spark-type generator   generador de chispas. V. **spark-gap generator**.

spark welding   soldadura por arco. V. **arc welding**.

sparker   *(Elec)* apagachispas. V. **spark quencher** ‖ *(Autos)* encendedor.

sparkgap   V. **spark-gap**.

sparking   *(Elec)* chispa (eléctrica), descarga disruptiva; formación de chispas; chisporroteo. CF. **arcing** ‖ *(Mot)* encendido ‖‖ *adj:* chispeante.

sparking ball   *(Electrobiol)* bola de chispa. Bola metálica colocada en la extremidad de un mango aislante y que sirve para la aplicación de chispas eléctricas (CEI/38 70–20–010). CF. **point electrode**.

sparking coil   V. **spark coil**.

sparking distance   *(Elec, Radio)* distancia disruptiva [de salto de la chispa], distancia explosiva (máxima), distancia interelectródica [entre electrodos]. SIN. **spark-gap, spark length**.

sparking limit   *(Máq eléc)* potencia límite determinada por el chispeo. CF. **sparkless running**.

sparking off   emisión de chispas.

sparking over   V. **sparkover**.

sparking plug   V. **sparkplug**.

sparking point   *(Mot)* punta de chispa.

sparking potential   *(Elec)* potencial disruptivo.

sparking voltage   tensión disruptiva, voltaje disruptivo. Tensión mínima a la cual se produce una descarga disruptiva [spark discharge] entre dos electrodos determinados en cuanto a su forma y separación, en condiciones especificadas.

sparkle   destello, centelleo /// *verbo:* destellar, centellear. Lanzar destellos; despedir centellas.

sparkle dust   *(Tv)* polvo iridiscente.

sparkless   *adj:* sin chispas. CF. **spark-resistant.**

sparkless commutation   *(Elec)* conmutación sin chispas.

sparkless running   *(Máq eléc)* marcha sin chispas. Marcha sin producción de chispas en el colector o las escobillas. CF. **sparking limit.**

sparkover   (a.c. sparking over) descarga disruptiva; salto de chispa; formación de arco. Paso repentino de electricidad entre dos conductores como consecuencia de la perforación o falla de una aislación, o la ionización de un gas o del aire bajo la influencia de una tensión suficientemente elevada entre los conductores. La descarga disruptiva [disruptive discharge] puede tomar la forma de una chispa o de un arco. SIN. **arcing, flashover, spark, sparking.** CF. **spark-gap.**

sparkover test   *(Cables y conductores)* (a.c. spark test) prueba de descarga disruptiva. Tiene por finalidad determinar el grado de ciertos defectos de la aislación, tal como la porosidad del material.

sparkplug   *(Mot)* bujía (de encendido). Dispositivo que da la chispa eléctrica que enciende el gas carburado dentro del cilindro. SIN. **ignition [sparking] plug.**

sparkplug boss   *(Mot)* saliente para la introducción de la bujía.

sparkplug cable   cable de bujía. Cable que conecta la bujía con el distribuidor; en la bujía va unido al borne del electrodo central. SIN. **sparkplug lead.**

sparkplug fouling   sarro [suciedad] de la bujía.

sparkplug gap   separación de los electrodos de la bujía.

sparkplug insert   asiento [engaste] de bujía.

sparkplug lead   cable de bujía. v. **sparkplug cable.**

sparkplug socket   casquillo para bujía.

sparkplug terminal   borne de la bujía. Borne correspondiente al electrodo central de la bujía, al cual llega, por intermedio del distribuidor, la alta tensión de la bobina de inducción. El circuito se cierra sobre la masa metálica del motor.

sparkplug test   prueba de bujías.

sparkplug wrench   llave para bujías.

sparkproof   *adj:* a prueba de chispas. CF. **spark-resistant, sparkless.**

SPASUR   Nombre de un sistema de vigilancia espacial de la Marina de Guerra de los EE.UU. Es contracción de *space surveillance.*

spathic   *adj:* espático. Dícese de los minerales con buen *clivaje* o *crucero,* o sea, con tendencia marcada a dividirse según planos cristalinos definidos y exponiendo superficies lisas.

spathic iron ore   mineral espático de hierro.

spatial   *adj:* (*also* spacial) espacial, de espacio, en el espacio.

spatial average   promedio espacial. SIN. **space average.**

spatial charge   carga espacial. v. **space charge.**

spatial coherence   coherencia espacial [en el espacio]. Correlación instantánea de fase de punto a punto en el espacio. v. **coherence.**

spatial dependence   dependencia espacial. SIN. **space dependence.**

spatial distribution   distribución espacial.

spatial filtering   filtraje espacial.

spatial mesh   malla espacial. SIN. **space mesh.**

spatial partial wave   *(Líneas de retardo de estructura periódica)* onda espacial parcial.

spatial perception   percepción espacial.

spatial scattering   dispersión espacial.

spatial self-shielding   *(Nucl)* autoblindaje espacial. SIN. **space self-shielding.**

spatial variable   variable espacial. SIN. **space variable.**

spatial variation   variación espacial [en el espacio]. SIN. **space variation.**

spatial visualization   visualización espacial.

spatiality   espacialidad.

spatially   *adv:* espacialmente.

spatially variable   *adj:* espacialmente variable.

spatiotemporal   *adj:* espaciotemporal. Relativo o perteneciente al espacio y al tiempo; existente en el espacio y en el tiempo; perteneciente o relativo al espacio-tiempo (v. **space-time**).

spats   *(Avia)* carenado de las ruedas.

spatted wheel   *(Avia)* rueda carenada.

spattle   espátula /// *verbo:* salpicar; rociar. SIN. **spatter, sprinkle** | escupir. SIN. **spit** || *(Cerámica)* motear.

spatula   espátula. (1) Pequeño implemento de hoja ancha y flexible utilizado para untar, esparcir o mezclar crema, yeso, pintura, etc. (2) En farmacia, útil plano obtuso que sirve para extender emplastos y ungüentos. (3) En medicina, implemento (generalmente una pequeña paleta de madera) utilizado para empujar la lengua hacia abajo p.ej. mientras se examina la garganta del enfermo /// *adj:* espatular.

SPCL   *(Teleg)* Abrev. de special.

SPDT   *(Elec)* Abrev. de single-pole double-throw.

speak   *verbo:* hablar || *(Telecom)* comunicar (con un buque a la vista).

speaker   locutor; orador; conferenciante; hablista; persona que habla || *(Electroacús)* altavoz, altoparlante. v. **loudspeaker** || *(Radio/Tv)* locutor, anunciador, presentador. SIN. **announcer** || *(Telef)* persona que habla (ante el micrófono, ante el aparato).

speaker circuit   *(Telecom)* circuito de servicio. Circuito reservado para las comunicaciones relativas a la ejecución del servicio. SIN. **engineering [traffic] circuit** | vía de servicio | CF. **order wire, service channel** || *(Telef)* línea de servicio. Línea utilizada por el personal técnico, p.ej. entre estaciones de repetidores [repeater stations]. SIN. **plant order wire.**

speaker unit   *(Electroacús)* altavoz, altoparlante. v. **loudspeaker.**

speaking   habla; acción de hablar || *(Telecom)* conversación; transmisión de la palabra; transmisión de corrientes vocales; comunicación (con un buque a la vista) /// *adj:* hablante, parlante.

speaking-and-ringing key   *(Telef)* llave de llamada y conversación.

speaking arc   *(Elec)* arco cantante, arco parlante. Arco eléctrico de corriente continua con corrientes de audiofrecuencia superpuestas. Estas hacen variar la intensidad luminosa del arco a ritmo de audiofrecuencia.

speaking circuit   *(Telecom)* circuito de conversación. CF. **speaker circuit.**

speaking clock   reloj parlante [telefónico]. En las centrales telefónicas, reloj que mediante un magnetófono da la hora, por voz, cada 20 segundos. La cinta ha sido registrada previamente por un locutor y va pasando por el lector de sonido en sincronismo con el transcurso del tiempo. Cuando un abonado llama al número de teléfono correspondiente a este reloj, es informado automáticamente de la hora. CF. **speaking machine.**

speaking key   *(Telef)* llave de conversación. SIN. **talking key.** CF. **combined listening and speaking key.**

speaking length   *(Cañones de órgano)* longitud eficaz. De ella depende principalmente la altura del sonido.

speaking machine   máquina parlante. Nombre dado a un magnetófono utilizado para anunciar p.ej. pronósticos meteorológicos previamente grabados. CF. **speaking clock, talking machine.**

speaking pair   *(Telef)* par de conversación. Par de conductores utilizado para transmitir las corrientes vocales. CF. **speaking circuit.**

speaking position   *(Telef)* posición de conversación. SIN. **talking position** | posición de ocupado.

speaking rod   *(Agrimensura)* mira parlante.

speaking test   *(Telecom)* prueba telefonométrica. CF. **calling test.**

speaking tube   tubo acústico. Conducto acústico que sirve para la comunicación hablada a distancias relativamente cortas, p.ej. entre distintas partes de un mismo edificio.

spear   lanza. SIN. **jabalina, venablo** || *(Petr, Sondeos)* arpón (pescador, pescaherramientas), lanza.

spear-point chisel *(Herr)* formón (de) punta de lanza.

special *adj:* especial; particular.

special A position *(Telef)* posición A especial.

Special Administrative Conference for the Northeast Atlantic (Loran) (Geneva, 1949) Conferencia Administrativa Especial del Atlántico Nordeste (Lorán) (Ginebra, 1949).

special air report *(Meteor)* aeronotificación especial.

special card *(Informática)* tarjeta especial.

special character *(Informática)* carácter especial. Carácter que no es una letra ni un guarismo o cifra. Puede ser p.ej. un signo de puntuación [punctuation mark] o un símbolo que representa una función mecánica, como el retorno del carro de una máquina teleimpresora.

special-character device dispositivo de caracteres especiales.

special code selector *(Telecom)* selector auxiliar; conmutador discriminador.

special control *(Informática)* control especial.

special control position *(Telef)* posición especial de vigilancia; cuadro de observación.

special device *(Informática)* dispositivo especial.

special effect efecto especial ∥ *(Cine, Radio/Tv)* v. special effects.

special effects *(Cine, Radio/Tv)* efectos especiales. Imitación o simulación de un fenómeno natural, sonoro o visual, mediante artificios ópticos, eléctricos, o mecánicos. CF. sound effects, visual effects | elementos de efectos especiales.

special-effects amplifier amplificador de efectos especiales.

special-effects light luz de efectos especiales. CF. specific light.

special element *(Informática)* elemento especial. Elemento funcional [functional element] que no es un elemento de desplazamiento temporal [shifting element] ni un elemento lógico [logic element].

special emergency station *(Radiocom)* estación especial para servicio de emergencia.

special events *(Radio/Tv)* (*i.e.* special-events program) programa de actualidades. Programa de interés noticioso, generalmente no previsto en las emisiones regulares, que cubre eventos deportivos, paradas, manifestaciones, etc.

special function *(Mat)* función especial.

special index analyzer *(Informática)* analizador especial de índices.

special locking *(Ferroc)* enclavamiento condicionado [múltiple]. Enclavamiento entre dos órganos móviles [movable parts] condicionado por las posiciones particulares de otros órganos (CEI/59 31-10-025).

special meeting *(Empresas)* junta [sesión] extraordinaria.

special meteorological report informe meteorológico especial.

special nuclear material material nuclear especial. Nombre que en legislación sobre energía atómica se da al plutonio, al uranio-233, y al uranio con más de la proporción natural de uranio-235, así como a todo material artificialmente enriquecido con cualquiera de los elementos citados.

special observation *(Meteor)* observación especial.

special observation post *(Telef)* estación de escucha y corte.

special polynomial *(Mat)* polinomio especial. Polinomio que es función especial.

special position-identification pulse *(Radar)* impulso especial de identificación de posición.

special-purpose *adj:* especializado; de aplicación especial, para fin especial. CF. general-purpose.

special-purpose computer computadora especializada [de uso específico, para usos especiales]. Computadora proyectada para ser utilizada en la resolución de problemas de cierta clase. CF. general-purpose computer.

special-purpose motor motor para uso especial. Motor apropiado para una aplicación particular, en virtud de sus características de funcionamiento o de construcción mecánica.

special-purpose relay relé para uso especial, relevador de aplicación especial.

special quality calidad especial.

special relativity *(Fís)* relatividad restringida. Dícese a distinción de la *relatividad generalizada*.

special roof bracket *(Telecom)* caballete; torrecilla; apoyo sobre tejado.

special service *(Telecom)* servicio especial. En radiocomunicaciones, servicio no definido de otro modo en la reglamentación vigente, y destinado exclusivamente a satisfacer necesidades determinadas de interés general y no abierto a la correspondencia pública.

special stretcher rod *(Ferroc)* barra de transmisión. Barra de hierro por medio de la cual se maneja un dispositivo de vía.

special tolerance tolerancia especial [más rígida que la normal].

special VFR flight *(Avia)* vuelo VFR especial.

specialist especialista.

specialization especialización.

specialization energy *(Nucl)* energía de especialización.

specialized *adj:* especializado; especial.

specialized application aplicación especial.

specialized technician técnico especializado.

specie efectivo, metálico, numerario, dinero en efectivo.

species especie.

species of atom especie de átomo, especie atómica. SIN. atomic species.

specific *adj:* específico; especificado; concreto, definido, determinado; particular; intrínseco; unitario.

specific absorptive index absorbencia específica.

specific acoustic impedance impedancia acústica específica | impedancia acústica intrínseca. En un punto, cociente complejo [complex quotient] de la presión acústica por la velocidad de la partícula [particle velocity] en ese punto. SIN. unit-area acoustic impedance. NOTA: Esta definición no es válida más que para sistemas en estado vibratorio permanente y sinusoidal (CEI/60 08-10-080).

specific acoustic reactance reactancia acústica específica | reactancia acústica intrínseca. Componente imaginaria [imaginary component] de la impedancia acústica intrínseca [specific acoustic impedance]. SIN. unit-area acoustic reactance (CEI/60 08-10-090).

specific acoustic resistance resistencia acústica específica | resistencia acústica intrínseca. Componente real [real component] de la impedancia intrínseca [specific acoustic impedance]. SIN. unit-area acoustic resistance (CEI/60 08-10-085).

specific activity *(Nucl/Radiol)* actividad específica. (**1**) Actividad por unidad de masa (CEI/68 26-05-365). (**2**) Actividad de una fuente radiactiva [radioactive source] por gramo de la substancia tal como exista ésta en la fuente (v. activity, disintegration rate) (CEI/64 65-10-250) | radiactividad específica, actividad másica | specific activity of a compound, of an element, of an isotope: actividad específica de un compuesto, de un elemento, de un isótopo.

specific address *(Informática)* dirección absoluta. v. absolute address.

specific burnup *(Nucl)* grado de quemado específico; nivel de irradiación del combustible. Energía total liberada por unidad de masa en un combustible nuclear. Comúnmente se expresa en megavatio-días por tonelada (métrica) [megawatt-days per tonne]. SIN. fuel irradiation level (CEI/68 26-10-290).

specific capacity *(Bombas)* rendimiento específico ∥ *(Electroquím)* capacidad específica. Capacidad eléctrica por unidad de masa (capacidad de masa) [mass capacity] o por unidad de superficie (capacidad de superficie) [surface capacity] o por unidad de volumen (capacidad de volumen) [volume capacity] del elemento o de los electrodos (CEI/38 50-30-065). CF. specific energy ∥ *(Acum)* capacidad específica. Cantidad de electricidad o de energía eléctrica por unidad de masa (capacidad de masa), por unidad de superficie (capacidad de superficie), o por unidad de volumen (capacidad de volumen) del elemento (CEI/60 50-20-

220).

specific charge   *(Nucl)* carga específica.

specific coding   *(Informática)* codificación específica. Codificación en la que todas las direcciones corresponden a registros y localidades específicas.

specific cohesion   *(Fís)* cohesión específica; constante capilar.

specific conductance   conductancia específica. SIN. **electrolytic conductivity.**

specific conductivity   conductividad específica. Recíproca de la resistividad [resistivity]; poder de conducción eléctrica de un material en siemens por centímetro cúbico.

specific consumption   consumo unitario ‖ *(Avia, Alumbrado, Tracción eléc)* consumo específico. v. **specific consumption of. . .**

specific consumption of a luminous source   consumo específico de una fuente luminosa. Inversa del coeficiente de eficacia luminosa [reciprocal of the luminous efficiency], expresado de preferencia en vatios por lumen (CEI/38 45–05–125).

specific consumption of a thermoelectric vehicle   consumo específico de un vehículo termoeléctrico. Consumo de combustible por unidad de tráfico [traffic unit], según la definición de *specific consumption of an electric vehicle* (CEI/57 30–05–365).

specific consumption of an electric vehicle   consumo específico de un vehículo eléctrico. Consumo de energía reducido a la unidad de tráfico [traffic unit]. El enunciado de un consumo específico debe, para ser completo, incluir no solamente la designación de las unidades respectivas de energía y de tráfico usadas, sino también, en razón de los rendimientos sucesivos de los órganos interesados, la designación del punto o de la localidad donde se ha medido o evaluado la energía (CEI/57 30–05–360).

specific curvature   curvatura específica [escalar].

specific cymomotive force (in a given direction)   *(Ant)* fuerza cimomotriz específica (en una dirección dada). Fuerza cimomotriz de una antena en una dirección dada cuando la potencia suministrada a la antena es de 1 kW (CEI/70 60–32–105). CF. **specific gross cymomotive force, specific net cymomotive force.**

specific damping   *(Aparatos de medida)* amortiguamiento específico [relativo]. v. **relative damping.**

specific damping capacity   *(Mec)* capacidad de amortiguamiento específica.

specific dielectric strength   rigidez dieléctrica específica. Rigidez dieléctrica (v. **dielectric strength**) por milímetro de espesor del material aislante o dieléctrico considerado.

specific dispersivity   *(Fís)* dispersividad específica. Diferencia de refracción específica [specific refraction] a dos longitudes de onda diferentes.

specific electronic charge   carga electrónica específica. Cociente de la carga electrónica por la masa en reposo [rest mass] del electrón.

specific elongation   alargamiento unitario. Alargamiento por unidad de longitud.

specific emission   *(Elecn)* (*i.e.* rate of emission per unit area) poder emisivo específico (de una superficie). Número de electrones emitidos por la superficie por unidad de área y por unidad de tiempo (CEI/56 07–20–040).

specific energy   *(Hidr, Nucl)* energía específica ‖ *(Electroquím)* energía específica. Energía eléctrica por unidad de masa (capacidad de masa) o por unidad de superficie (capacidad de superficie) o por unidad de volumen (capacidad de volumen) del elemento o de los electrodos (CEI/38 50–30–065). CF. **specific capacity.**

specific energy consumption   consumo específico de energía. v. **specific consumption.**

specific fuel consumption   consumo específico [unitario] de combustible.

specific gamma-ray constant (of a gamma-emitting nuclide)   constante específica de radiación (de un núclido emisor gamma). Cociente (Γ) de $l^2(\Delta X/\Delta t)$ por A, siendo ($\Delta X/\Delta t$) la exposición por unidad de tiempo [exposure rate] a una distancia l de una

fuente puntual [point source] de ese núclido con actividad A:

$$\Gamma = \frac{l^2}{A}\frac{\Delta X}{\Delta t}$$

Rm² h⁻¹ C⁻¹, y cualquier múltiplo conveniente de ella, son unidades especiales de la constante específica de radiación gamma (CEI/68 66–05–080).

specific gamma-ray emission   emisión específica de radiación gamma.

specific gravity   peso específico [relativo], densidad. Razón del peso de un cuerpo por el peso de un volumen igual de agua.

specific-gravity balance   balanza hidrostática. Balanza para determinar pesos específicos.

specific-gravity bottle   picnómetro. v. **pycnometer.**

specific-gravity concentration   *(Nucl)* concentración por gravedad.

specific-gravity flask   picnómetro. v. **pycnometer.**

specific-gravity volumeter   volúmetro para determinar pesos específicos.

specific gross cymomotive force   fuerza cimomotriz específica bruta. v. **specific cymomotive force.**

specific heat   *(Fís)* calor específico. Cantidad de calor que es necesario suministrar a la unidad de masa de una substancia para elevar su temperatura un grado.

specific heat consumption   consumo térmico específico.

specific humidity   *(Climatiz, Meteor)* humedad específica.

specific illumination   iluminación específica [unitaria].

specific impulse   *(Cohetes)* impulso específico. CF. **specific thrust.**

specific inductive capacitance   v. **specific inductive capacity.**

specific inductive capacity   (a.c. specific inductive capacitance) poder inductor específico, constante dieléctrica. SIN. **dielectric constant, permittivity** ‖ poder inductor específico. Relación entre la capacidad de un condensador construido con un dieléctrico dado y la que tendría este mismo condensador si se substituyera su dieléctrico por espacio vacío (o prácticamente por aire) (CEI/38 05–15–085).

specific insulation resistance   *(Elec)* resistividad volumétrica.

specific ionization   *(Nucl/Radiol)* ionización específica. Número de pares de iones por unidad de longitud de la trayectoria de una partícula ionizante en un medio (CEI/64 65–10–545). CF. **ionization density** ‖ (at a point) ionización específica (en un punto), ionización lineal (en un punto). v. **linear ionization (at a point).**

specific ionization coefficient   *(Ionización de los gases)* coeficiente específico de ionización. Número medio de pares de iones de signos opuestos producidos por electrones de energía cinética determinada [specified kinetic energy] en un gas sobre un recorrido de longitud unidad, a presión y temperatura especificadas (CEI/56 07–12–055). CF. **ion density, ionization rate.**

specific ionization curve   curva de ionización específica.

specific irradiation   irradiación específica [unitaria].

specific light   *(Tv)* iluminación para crear la ilusión de dimensiones. Empleo de luces y sombras para dar el efecto de dimensiones en la imagen televisada. CF. **visual effects.**

specific luminous intensity   intensidad luminosa específica [unitaria].

specific magnetic resistance   reluctividad, resistencia magnética específica. v. **reluctivity.**

specific magnetic rotation   rotación magnética específica.

specific mass   *(Fís)* masa específica.

specific modulus   *(Hidr)* módulo específico.

specific net cymomotive force   fuerza cimomotiva específica neta. v. **specific cymomotive force.**

specific output   *(Fuentes de energía)* potencia específica; producción específica.

specific permeability   *(Mag)* permeabilidad específica [relativa]. Cantidad escalar sin dimensiones (μ_s) definida por el cociente de la permeabilidad (μ) por la permeabilidad del espacio [permeability of space] (μ_o); o sea, $\mu_\text{s} = \mu/\mu_\text{o}$. SIN. **relative permeability.**

specific permeance   *(Elec)* permeabilidad.

specific photosensitivity   fotosensibilidad específica.

specific power   poder específico ‖ *(Nucl)* potencia específica. Potencia producida por unidad de masa de combustible en un reactor (CEI/68 26–10–295).

specific pressure   presión específica [unitaria].

specific program   *(Comput)* programa específico [para problema específico].

specific propellant consumption   *(Cohetes)* consumo específico de propulsante.

specific radiant intensity   radiancia, intensidad específica de radiación.

specific reaction rate   *(Quím)* constante de velocidad.

specific refraction   refracción específica. Relación que liga el índice de refracción [refractive index] de un medio a una longitud de onda determinada, y su densidad.

specific refractive power   poder de refracción específico; constante de refracción.

specific refractivity   refractividad específica.

specific reluctance   reluctividad, reluctancia específica. v. **reluctivity.**

specific resistance   *(Elec)* resistividad, resistencia específica. v. **resistivity.**

specific retention   *(Riegos)* retención específica.

specific rotary power   *(Opt)* poder rotatorio específico.

specific rotation   *(Opt)* rotación específica. Angulo de rotación del plano de vibración de la luz polarizada al atravesar una substancia ópticamente activa [optically active material], dividido por la longitud del recorrido y la densidad de la substancia.

specific routine   *(Comput)* rutina específica. Rutina formulada en codificación ideada para resolver un problema particular (sea matemático, lógico, o sistematización de datos).

specific sound-energy flux   intensidad sonora, flujo específico de energía acústica. v. **sound intensity.**

specific speed   *(Mec, Tecn espacial)* velocidad específica [característica].

specific strength   resistencia específica.

specific surface   *(Cemento, Microgránulos)* superficie específica.

specific thrust   *(Aeron)* empuje específico; tracción específica.

specific train resistance   *(Tracción eléc)* resistencia específica. Cifra convencional igual a la relación entre el *esfuerzo resistente* de un tren o de un vehículo y el peso de ese tren o ese vehículo. Generalmente se expresa en kg/t, e incluye la *resistencia específica en horizontal y recta* [specific train resistance on level tangent track] y la *resistencia específica debida a las curvas* [specific train resistance due to curves] (CEI/57 30–05–175).

specific train resistance due to curves   *(Tracción eléc)* resistencia específica debida a las curvas. ABREVIADAMENTE: resistencia en curva [curve train resistance] (CEI/57 30–05–185).

specific train resistance on level tangent track   *(Tracción eléc)* resistencia específica en horizontal y recta. ABREVIADAMENTE: resistencia en horizontal [train resistance on the level] (CEI/57 30–05–180).

specific volume   volumen específico.

specific weight   peso específico. CF. **specific gravity.**

specific yield   rendimiento específico ‖ *(Hidrol)* escurrimiento específico.

specifically   *adv:* específicamente; concretamente; en forma definida o determinada; particularmente; intrínsecamente.

specification   especificación; norma, prescripción (técnica); dato de construcción [fabricación] ‖ *(Patentes)* memoria descriptiva ‖ v.TB. **specifications** ⫽ *adj:* especificativo; normativo.

specification documentation   documentación especificativa.

specification requirements   condiciones del pliego.

specification sheet   hoja de especificaciones.

specifications   especificaciones; pliego de condiciones, normas,

prescripciones (técnicas); características (técnicas); datos técnicos (cuantitativos); datos de construción [fabricación].

specified achromatic lights   luces acromáticas patrón.
1. Luz de la misma cromaticidad que la que posee un espectro equienergético [equienergy spectrum].
2. Luz de los patrones colorimétricos [standard illuminants of colorimetry] A, B, y C, cuyas distribuciones espectrales de energía [spectral energy distributions] fueron especificadas por la CIE en 1931 con vistas a diversos usos científicos:
   Patrón A: Lámpara eléctrica incandescente con la temperatura de color 2 854 K;
   Patrón B: Patrón A combinado con un filtro líquido especificado [specified liquid filter], correspondiente a 4 800 K, aproximadamente;
   Patrón C: Patrón A combinado con un filtro líquido especificado, correspondiente a 6 500 K, aproximadamente.
3. Toda otra luz blanca especificada (CEI/58 45–15–060).

specify   *verbo:* especificar; formular especificaciones; incluir en las especificaciones; estipular, prescribir, sentar normas.

specimen   muestra; espécimen, muestra; ejemplar, modelo, muestra ‖ probeta, muestra. Trozo de material sometido a ensayo. Como caso particular: barreta. CF. **bar.**

specimen holder   portamuestra; portaespécimen; portaprobeta.

specimen slide   *(Microscopios)* platina portaespécimen.

speck   *(also speckle)* mancha, manchita, mácula, motita, pinta; veta; grano, partícula, pizca, punto; lunar, peca, señal; nube (en un ojo) ‖ v. **speckle** ⫽ *verbo:* abigarrar, jaspear, motear, manchar, espolvorear.

speckle   Variante o diminutivo de *speck* (véase) ‖ *(Fís)* mácula. **(1)** Variaciones irregulares de brillo en una superficie difusivamente reflectora iluminada por luz coherente (lasérica), resultantes de la interferencia de las ondas difusivamente dispersadas. **(2)** En los dispositivos de visualización por proyección con laser, centelleo o titilación [scintillation] causado por efectos de interferencia de la luz coherente reflejada por una superficie difusora.

speckled   *adj:* manchado, moteado; con lunares, con pecas; veteado, jaspeado; punteado; abigarrado.

speckled background   *(Pantallas radáricas)* fondo punteado.

specs   Abrev. de specifications.

spectacle   espectáculo.

spectacles   espejuelos, anteojos, gafas ‖ *(Semáforos ferrov)* juego de lentes.

spectra   Plural de *spectrum.*

spectral   *adj:* espectral. Perteneciente o relativo al espectro. v. **spectrum.**

spectral absorptance   coeficiente de absorción espectral, factor espectral de absorción.

spectral absorption factor   factor espectral de absorción.

spectral analysis   análisis espectral. SIN. **spectrum analysis.**

spectral band   banda espectral.

spectral characteristic   característica espectral ‖ **(of a luminescent screen)** característica espectral (de una pantalla luminiscente). Curva generalmente obtenida por vía experimental, que expresa la relación entre la longitud de onda y la potencia energética radiada [emitted radiant power] por la pantalla en el intervalo de longitud de onda unidad [unit wavelength interval] (CEI/56 07–30–235).

spectral classification of stars   clasificación espectral de las estrellas.

spectral color   color espectral. Color visible presente en el espectro de la luz blanca. Los colores espectrales básicos son: violeta, azul, verde, amarillo, naranja, y rojo. SIN. **spectral hue.**

spectral component   componente espectral.

spectral concentration   densidad espectral. SIN. **spectral density** ‖ v. **spectral concentration of. . .**

spectral concentration in terms of frequency   densidad espectral en frecuencia.

spectral concentration of a photometric quantity (such as

luminous flux, luminous intensity, etc.)   densidad espectral de una magnitud fotométrica (tal como el flujo luminoso, la intensidad luminosa, etc.). Cociente de esta magnitud tomada en un intervalo infinitamente pequeño que comprenda una longitud de onda dada, por este intervalo. NOTA: Pueden también considerarse las frecuencias, los números de ondas [wave numbers] o sus logaritmos; en caso de ambigüedad conviene precisar mediante la expresión *densidad espectral en frecuencia* [spectral concentration in terms of frequency], etc. (CEI/58 45–10–090).

spectral concentration of a radiometric quantity (such as radiant flux, radiant intensity, etc.)   densidad espectral de una magnitud energética (tal como el flujo, la intensidad, etc.). Cociente de esta magnitud tomada en un intervalo infinitamente pequeño que comprenda una longitud de onda (o una frecuencia) dada, por este intervalo. NOTA: Pueden también considerarse las frecuencias, los números de ondas o sus logaritmos; en caso de ambigüedad conviene precisar mediante la expresión *densidad espectral en frecuencia,* etc. (CEI/58 45–05–135).

spectral contour plotter   espectroanalizador gráfico de contornos tridimensionales.

spectral correction   corrección espectral.

spectral density   densidad espectral. v. **spectral concentration.**

spectral distribution   distribución espectral.

spectral distribution curve   curva de distribución espectral.

spectral emission   emisión espectral.

spectral emissivity   poder emisivo espectral, coeficiente de emisión espectral, emisividad espectral.

spectral emissivity of a thermal radiator   poder emisivo espectral de un radiador térmico. Relación de la densidad espectral de la emitancia de radiación [spectral concentration of radiant emittance] del radiador, por la del cuerpo negro [full radiator] de la misma temperatura (CEI/58 45–05–130).

spectral energy   energía espectral.

spectral energy distribution   distribución espectral de energía.

spectral filtering   filtraje espectral.

spectral function   *(Mat)* función espectral. Se usa en la teoría de los procesos estocásticos estacionarios.

spectral hue   v. **spectral color.**

spectral irradiation   irradiación espectral.

spectral line   raya [línea] espectral. v. **spectrum line.**

spectral line width   anchura de raya espectral.

spectral locus   v. **spectrum locus.**

spectral luminance factor   factor espectral de luminancia; factor espectral de brillo.

spectral luminous efficiency for an individual observer   eficiencia luminosa espectral para un observador particular. Para una radiación monocromática de longitud de onda λ, relación del flujo radiante [radiant flux] de longitud de onda $λ_m$ al flujo de longitud de onda λ, longitudes de onda para las cuales, con la ayuda de un cierto dispositivo experimental, es posible la apreciación de igualdad luminosa, sea por estimación de una equivalencia visual [visual equivalence], sea por la desaparición de un fenómeno que, para otras relaciones, muestra una diferencia. NOTA: La eficiencia luminosa espectral para el observador fotométrico patrón CIE [CIE standard photometric observer], para la visión fotópica [photopic vision] y para la visión escotópica [scotopic vision], está definida en el artículo *spectral luminous efficiency of a monochromatic radiation of wavelength* λ (CEI/70 45–25–070).

spectral luminous efficiency of a monochromatic radiation of wavelength λ   eficiencia luminosa espectral de una radiación monocromática de longitud de onda λ. Relación del flujo radiante de longitud de onda $λ_m$ al flujo de longitud de onda λ, tal que las dos radiaciones produzcan sensaciones luminosas igualmente intensas en las condiciones fotométricas especificadas y eligiendo $λ_m$ de manera que el valor máximo de esta relación sea igual a 1. Símbolos: $V(λ)$ para la visión fotópica; $V'(λ)$ para la visión escotópica (CEI/70 45–10–015).

spectral matrix   *(Mat)* matriz espectral.

spectral norm   *(Matrices)* norma espectral.

spectral operator   *(Mat)* operador espectral.

spectral output   (potencia de) salida espectral.

spectral purity   pureza espectral. Como ejemplo, es de pureza espectral la salida de un oscilador que contiene una frecuencia (o longitud de onda) única.

spectral quantum yield   *(Fotocátodos)* rendimiento cuántico espectral. Número medio de electrones emitidos por fotón incidente de determinada longitud de onda.

spectral radiant intensity   intensidad radiante espectral. Intensidad radiante por intervalo de longitud de onda unidad.

spectral radius   *(Matrices)* radio espectral.

spectral reflectance   factor espectral de reflexión, coeficiente de reflexión espectral | factor de reflexión espectral. Relación de la densidad espectral [spectral concentration] del flujo luminoso reflejado [reflected luminous flux] a la densidad del flujo incidente, para una longitud de onda dada. SIN. **spectral reflection factor** *(GB)* (CEI/58 45–20–035).

spectral reflection factor   factor de reflexión espectral. v. **spectral reflectance.**

spectral response   *(Dispositivos fotoeléc)* respuesta [característica] espectral, característica de respuesta espectral. SIN. **spectral response [sensitivity] characteristic.**

spectral response characteristic   *(Dispositivos fotoeléc)* característica (de respuesta) espectral | característica de respuesta espectral (de un tubo fotoelectrónico o de una célula fotoeléctrica). Curva generalmente obtenida por vía experimental, que expresa la relación entre la sensibilidad y la longitud de onda de una radiación incidente (CEI/56 07–23–070). SIN. **spectral sensitivity characteristic.**

spectral response curve   *(Fotocátodos)* curva de respuesta espectral. Curva que expresa la relación entre el rendimiento cuántico de conversión [quantum conversion efficiency] y la longitud de onda de la radiación incidente [incident radiation] (CEI/68 66–10–305).

spectral selectivity   *(Dispositivos fotoeléc)* selectividad espectral. Variación del efecto fotoeléctrico en función de la longitud de onda de la radiación incidente (CEI/56 07–23–060).

spectral sensitivity   sensibilidad espectral. Respuesta relativa de un dispositivo fotoeléctrico o fotosensible a las distintas frecuencias o longitudes de onda comprendidas en su gama de funcionamiento; por ejemplo, un tubo fotoelectrónico puede ser más sensible en la región del azul que en la del rojo. SIN. **spectral response.**

spectral sensitivity characteristic   *(Dispositivos fotoeléc)* respuesta [característica] espectral, característica de sensibilidad espectral. SIN. **spectral response (characteristic)** ‖ *(Tubos analizadores de tv)* característica espectral. Curva generalmente obtenida por vía experimental, que expresa la relación entre la sensibilidad y la longitud de onda de una radiación incidente (CEI/56 07–30–335).

spectral series   *(Espectrografía)* serie espectral.

spectral shift   *(Fís, Nucl)* corrimiento espectral.

spectral-shift control   *(Nucl)* control por corrimiento espectral. Tipo particular de mando del moderador [moderator control], en el cual se modifica intencionalmente el espectro neutrónico [neutron spectrum] (CEI/68 26–15–305).

spectral-shift-control reactor   *(Nucl)* reactor de control por corrimiento espectral.

spectral-shift reactor   *(Nucl)* reactor de corrimiento espectral. Reactor en el cual, para fines de control u otros, puede ser ajustado el espectro neutrónico, modificando las propiedades o la cantidad del moderador (CEI/68 26–15–075).

spectral term   *(Nucl)* término espectral.

spectral transmission factor   factor de transmisión espectral. v. **spectral transmittance.**

spectral transmittance   transmitancia espectral | factor de transmisión espectral. Relación de la densidad espectral del flujo luminoso transmitido [spectral concentration of the transmitted luminous flux] a la densidad espectral del flujo incidente, para una longitud de onda dada. SIN. **spectral transmission factor** *(GB)* (CEI/58 45–20–070).

spectral voltage density   densidad espectral de tensión. A una frecuencia dada, tensión eficaz correspondiente a la energía contenida en una banda frecuencial de anchura igual a 1 Hz con centro en la frecuencia dada.

spectral wavelength   longitud de onda espectral. CF. **spectral color**.

spectral width   anchura espectral.

spectro-   Prefijo que significa *spectrum* [espectro].

spectroanalysis   espectroanálisis.

spectroanalytical   *adj:* espectroanalítico.

spectroanalyze   *verbo:* espectroanalizar.

spectrobolometer   espectrobolómetro.

spectrobolometric   *adj:* espectrobolométrico.

spectrochemical   *adj:* espectroquímico.

spectrocolorimeter   espectrocolorímetro.

spectrocolorimetric   *adj:* espectrocolorimétrico.

spectrocomparator   espectrocomparador.

spectrodiffractometer   espectrodifractómetro.

spectrodiffractometric   *adj:* espectrodifractométrico.

spectrofluorometer   espectrofluorómetro. Aparato que sirve para detectar y medir la fluorescencia.

spectrofluorometric   *adj:* espectrofluorométrico.

spectrofluorometric analysis   análisis espectrofluorométrico.

spectrofluorometry   espectrofluorometría.

spectrogoniometer   espectrogoniómetro.

spectrogram   *(Radiol)* espectrograma. (1) Imagen espectrométrica [spectrometric image] (CEI/38 65–15–100). (2) Registro o establecimiento de un espectro; imagen espectrográfica [spectrographic image] (CEI/64 65–10–065) ‖ *(Radioelec)* espectrograma. Imagen de un segmento del espectro radioeléctrico obtenida mediante un analizador de espectro [spectrum analyzer] acoplado a un osciloscopio o a un registrador gráfico.

spectrograph   *(Radiol)* espectrógrafo. (1) Aparato para la toma de espectrogramas [spectrograms] (CEI/38 65–15–070). (2) Aparato que permite obtener espectros en forma de registro (CEI/64 65–30–465). CF. **spectrometer, spectroscope, crystal spectrograph, lattice spectrograph, magnetic spectrograph, mass spectrograph, vacuum spectrograph.**

spectrograph tube   tubo de espectrógrafo.

spectrographic   *adj:* espectrográfico.

spectrographically   *adv:* espectrográficamente.

spectrography   espectrografía.

spectroheliocinematograph   espectroheliocinematógrafo.

spectroheliocinematography   espectroheliocinematografía.

spectroheliogram   espectroheliograma.

spectroheliograph   espectroheliógrafo.

spectroheliographic   *adj:* espectroheliográfico.

spectrohelioscope   espectrohelioscopo.

spectrohelioscopic   *adj:* espectrohelioscópico.

spectrology   espectrología.

spectrometallography   espectrometalografía.

spectrometer   espectrómetro. (1) Aparato que sirve para observar el espectro de una radiación (p.ej. luz) con el fin de determinar el índice de refracción de un material dado. (2) Aparato con el cual se dispersa una radiación en sus componentes correspondientes a distintas longitudes de onda, y se mide la magnitud relativa de esas componentes. (3) Aparato para la determinación de curvas espectrométricas [spectrometric curves] (CEI/38 65–15–090). (4) Aparato que permite obtener espectros; el espectrómetro mide magnitudes tales como la longitud de onda y la amplitud relativa de las componentes (CEI/64 65–30–465). CF. **alpha-ray spectrometer, beta-ray spectrometer, gamma-ray spectrometer, spectrograph, spectroscope.**

spectrometric   *adj:* espectrométrico.

spectrometric instrument   aparato espectrométrico.

spectrometric method   método espectrométrico.

spectrometrically   *adv:* espectrométricamente.

spectrometry   espectrometría ‖ *(Radiol)* espectrometría (de rayos X). Determinación del espectro de los rayos X (CEI/38 65–15–095).

spectromicroscope   espectromicroscopio.

spectromicroscopic   *adj:* espectromicroscópico.

spectrophotoelectric   *adj:* espectrofotoeléctrico. Relativo o perteneciente a la variación de los fenómenos fotoeléctricos con la longitud de onda de la radiación incidente.

spectrophotofluorometer   espectrofotofluorómetro.

spectrophotography   espectrofotografía.

spectrophotometer   espectrofotómetro. (1) Aparato que sirve para medir la transmitancia [transmittance] y la reflectancia [reflectance] de superficies y medios en función de la longitud de onda. (2) Aparato que sirve para la comparación de dos radiaciones, longitud de onda por longitud de onda; por extensión, aparato que sirve para determinar las curvas de repartición espectral [curves of spectral distribution] (CEI/38 45–15–025) ‖ espectrofotómetro, espectrorreemisómetro. Aparato destinado a la medida de la relación entre dos magnitudes radiantes espectrales (CEI/70 45–30–040).

spectrophotometer tank   cuba para espectrofotómetro.

spectrophotometric   *adj:* espectrofotométrico.

spectrophotometric analysis   análisis espectrofotométrico. Análisis cuantitativo de una substancia en solución fundado en la repartición de energía en el espectro de absorción de la substancia.

spectropolarimeter   espectropolarímetro.

spectropolarimetric   *adj:* espectropolarimétrico.

spectroradiometer   espectrorradiómetro. (1) Aparato destinado a determinar la distribución espectral de energía de una radiación. (2) Aparato destinado a medir la densidad espectral [spectral concentration] de una magnitud radiante [radiant energy or radiant power] (CEI/70 45–30–035).

spectroradiometric   *adj:* espectrorradiométrico.

spectroscope   espectroscopio. (1) Aparato con el cual se obtiene el espectro de una radiación (p.ej. luz), para determinar su composición. (2) Aparato que permite obtener espectros en forma de imagen visible (CEI/64 65–30–465). CF. **spectrograph, spectrometer.**

spectroscopic   *adj:* espectroscópico.

spectroscopic camera   cámara espectroscópica.

spectroscopic lamp   lámpara espectral.

spectroscopic method   método espectroscópico.

spectroscopic term   *(Fís)* término espectroscópico. Nombre que se le da a la cantidad $T = E/hc$, en la que E representa la energía de un estado atómico o molecular en relación con un valor cero dado, h es la constante de Planck, y c la velocidad de la luz. El número de onda [wave number] de una raya espectral es igual a la diferencia entre los términos espectroscópicos de los niveles de energía que intervienen en la transición. SIN. **term (value).** CF. **spectral term.**

spectroscopically   *adv:* espectroscópicamente.

spectroscopy   espectroscopía. Parte de la física que trata de la medida y el análisis de los espectros de las radiaciones visibles, infrarrojas, ultravioletas, y otras, así como los espectros atómicos, moleculares, estelares, etc. V. **spectrum.**

spectrum   espectro. (1) Serie de energías radiantes ordenadas por frecuencias o por longitudes de onda. (2) Gama completa de las radiaciones electromagnéticas, desde las ondas radioeléctricas más largas hasta los rayos cósmicos de onda más corta; la parte visible del espectro (luz visible) ocupa la región aproximadamente equidistante de los citados extremos. (3) Escala de frecuencias de las radiaciones electromagnéticas; aplícase por extensión a una parte de esta escala, generalmente extensa, dentro de la cual todas las frecuencias poseen alguna propiedad en común. (4) Banda continua de frecuencias, generalmente extensa, en la cual las ondas de cierta naturaleza poseen en común alguna propiedad particular. (5) Conjunto de radiaciones de diferentes frecuencias ordenadas de acuerdo con sus longitudes de onda; puede ser continuo o discontinuo, según que comprenda, en un cierto intervalo, las radiaciones de todas las longitudes de onda o solamente algunas de ellas (CEI/38 45–35–035). (**6**) Componentes de un haz de radiación [beam of radiation] dispuestas por orden de sus longitudes de onda, sus frecuencias, o sus cuantos de energía; para las radiaciones corpusculares [particle radiations] se disponen por orden de sus energías cinéticas [kinetic energies] (CEI/64 65–10–060) | (**of a radiation**) espectro (de una radiación). (a) Imagen producida por la resolución [dispersion] de una radiación en sus radiaciones monocromáticas [monochromatic components]. (b) Composición de una radiación compleja [composition of a complex radiation]. NOTA: Ejemplos del segundo significado: *espectro continuo* [continuous spectrum]; *espectro de rayas* [line spectrum] (CEI/58 45–05–035) | curva espectral, espectro (de una onda). Representación gráfica de la distribución de amplitud (y a veces de fase) de las componentes de una onda en función de la frecuencia. Un espectro de esta naturaleza puede ser continuo o puede no comprender más que puntos correspondientes a ciertos valores discretos | NOTA: El plural de *spectrum* es *spectra* | CF. **infrared spectrum, luminous spectrum, radio spectrum, ultraviolet spectrum, visible spectrum, X-ray spectrum** ⫶⫶⫶ *adj:* espectral. V. **spectral.**

spectrum amount   porción del espectro.

spectrum analysis   análisis espectral. En química, análisis de una substancia por el espectro obtenido calentando la misma hasta el punto de incandescencia. SIN. **spectral analysis** | análisis espectroscópico.

spectrum analyzer   analizador de espectro, analizador [receptor] panorámico, espectroanalizador. (**1**) Receptor radioeléctrico que resuelve el espectro de una señal y presenta la amplitud de sus componentes, en función de la frecuencia, en una pantalla osciloscópica. (**2**) Aparato consistente esencialmente en un radiorreceptor superheterodino de banda angosta con salida acoplada a un tubo de rayos catódicos, y cuya frecuencia de sintonía barre repetidamente determinada gama de frecuencias elegida a voluntad. El punto luminoso del tubo se desvía horizontalmente en sincronismo con el barrido frecuencial del receptor, y verticalmente en proporción a la tensión de salida del propio receptor, de manera que se obtiene un osciloscopio de amplitudes en función de la frecuencia en la banda de interés. SIN. **panoramic analyzer [receiver].** CF. **harmonic analyzer, wave analyzer, panoramic adapter.**

spectrum congestion   *(Radiocom)* congestión del espectro.

spectrum conservation   *(Radiocom)* economía (en la utilización) del espectro, economía en el empleo de las frecuencias de radiocomunicación. SIN. **spectrum economy.**

spectrum crowding   apiñamiento del espectro.

spectrum diagram   diagrama espectral.

spectrum display   espectro; osciloscopio de espectro.

spectrum economy   *(Radiocom)* V. **spectrum conservation.**

spectrum envelope   envolvente del espectro.

spectrum interval   intervalo espectral. Intervalo o banda de una escala de frecuencias o de longitudes de onda.

spectrum level   nivel espectral elemental. De una señal dada, a una frecuencia especificada, nivel en una banda de 1 Hz con centro en esa frecuencia. CF. **spectrum pressure level.**

spectrum light   radiación espectral.

spectrum line   raya [línea] espectral. Raya o línea observada en el espectrógrafo y que representa determinada longitud de onda, masa atómica, etc. SIN. **spectral line** | línea espectral. Imagen — generalmente de una rendija [slit] — producida en un aparato dispersivo [dispersing system] por una radiación monocromática [monochromatic radiation]. NOTA: También se emplea el término con el significado de: Radiación monocromática emitida o absorbida al ocurrir una transición entre dos niveles atómicos o moleculares (CEI/58 45–05–040).

spectrum locus   lugar (geométrico) espectral, lugar (geométrico)

de radiaciones monocromáticas. En un diagrama de cromaticidad [chromaticity diagram], línea que pasa por puntos representativos de colores espectrales puros [pure spectral colors]. SIN. **spectral locus.**

spectrum measurement   medida del espectro; medición espectral.

spectrum occupancy   *(Radiocom)* (grado de) ocupación del espectro.

spectrum of frequencies   espectro de frecuencias.

spectrum of pulse-modulated signal   espectro de señal modulada por impulsos.

spectrum of sun's radiation   espectro de radiación solar.

spectrum of turbulence   *(Fís)* espectro de turbulencia. Representación de las varias escalas de movimiento que constituyen un campo de turbulencia.

spectrum pressure level   nivel espectral elemental. Nivel de presión acústica en una banda de 1 Hz de anchura centrada sobre la frecuencia especificada (CEI/60 08–05–100). V. **band pressure level, spectrum level.**

spectrum recorder   registrador de espectro. CF. **spectrograph.**

spectrum-reducing technique   *(Telecom)* técnica de compresión del espectro.

spectrum-selectivity characteristic   *(Radar)* característica de selectividad espectral.

spectrum signature   *(Radio/Elecn)* característica de radiación parásita. Característica propia de la emisión perturbadora de un aparato emisor o receptor.

spectrum-signature analysis   análisis de características de radiación parásita.

spectrum space   intervalo [porción] del espectro.

spectrum stripping   *(Análisis espectral)* simplificación por substracción de elementos conocidos.

spectrum utilization   *(Radiocom)* utilización del espectro; aprovechamiento del espectro.

spectrum utilization characteristics   características de utilización del espectro (de un emisor o un receptor).

spectrum width   anchura del espectro.

specular   *(Tv)* objeto especular [reflector]; objeto brillante. Objeto capaz de producir reflexiones y destellos | reflejo especular ⫶⫶⫶ *adj:* especular.

specular density   *(Opt)* densidad especular.

specular luminous reflectance   *(Opt)* reflectancia luminosa especular.

specular reflectance   *(Opt)* reflectancia especular.

specular reflection   *(Opt)* reflexión especular [regular, directa]. SIN. **mirror [regular, direct] reflection** | reflexión regular. Reflexión sin difusión que obedece las leyes ópticas válidas para los espejos. SIN. **regular reflection** (CEI/70 45–20–010).

specular reflector   reflector especular.

specular transmission   transmisión especular. Transmisión en la cual sólo es observable la radiación emergente paralela al haz entrante.

specular transmission density   densidad especular. Valor de la densidad fotográfica obtenido cuando el flujo luminoso incide normalmente sobre la muestra y sólo se capta y mide la componente normal del flujo transmitido (flujo emergente).

speculum   espéculo. (**1**) Espejo o placa metálica pulida usado como reflector en un instrumento de óptica. (**2**) Instrumento quirúrgico que sirve para examinar ciertas cavidades del cuerpo.

speculum metal   metal brillante. Aleación de cobre (55 al 67 %) y estaño (33 al 45 %).

speculum plating   electroplastia con metal brillante.

speech   voz, palabra, habla; sonidos articulados [vocales, emitidos por los órganos vocales]; conversación; discurso. AFINES: conductos vocales, cuerdas vocales, sistema del habla, cavidad resonante de la boca, tono de voz, gama tonal de la voz, articulación, pronunciación, fonética, hablante, locutor, orador, telefonía. V.TB. **speaker, voice, voice frequency** ⫶ *(Telecom)* (*i.e.*

speech signal) señal vocal [de frecuencia vocal] ⫻ *adj:* vocal, de frecuencia vocal; audible.

speech amplifier   amplificador microfónico [de micrófono, de la voz]; amplificador de oratoria; amplificador de modulación. (**1**) Audioamplificador de tensión destinado a amplificar las señales de un micrófono. (**2**) Audioamplificador destinado a la amplificación de señales de frecuencia vocal, en particular en los sistemas de oratoria o audiodifusión ("public address"), y en los de transmisión radiotelefónica; generalmente va intercalado entre un micrófono o una línea y un audioamplificador de potencia. SIN. **speech-input amplifier.**

speech audiometer   audiómetro para sonidos vocales. Aparato para medidas de sonidos vocales; éstos pueden haber sido registrados previamente en cinta magnetofónica o ser captados directamente con un micrófono.

speech audiometry   audiometría de la voz.

speech band   banda fónica [de (las) frecuencias vocales].

speech broadcast studio   estudio de radiodifusión de la palabra, estudio para la irradiación de la palabra. Estudio que por sus condiciones acústicas y otras, es apropiado para las emisiones habladas.

speech channel   (*Telecom*) canal (radio)telefónico, vía (radio)telefónica, vía de comunicación (radio)telefónica; enlace telefónico. CF. **voice channel.**

speech circuit   (*Telecom*) circuito telefónico; circuito de conversación.

speech clarifier   (*Radiotelef*) clarificador de voz, aclarador de la voz. En los receptores de banda lateral única [single-sideband receivers], elemento corrector de la frecuencia del oscilador que regenera la portadora. Cuando la frecuencia se corre, la voz recibida se hace ininteligible; al corregir aquélla, la voz se aclara.

speech clipper   limitador de picos [crestas] de modulación (telefónica), limitador de señales vocales, limitador de amplitud de la palabra [de las señales de voz]. TB. cercenador de crestas de audio(frecuencia), recortador de voz, descrestador vocal. Dispositivo electrónico a base de válvulas electrónicas o diodos polarizados, que sirve para limitar las crestas de las señales de frecuencia vocal. Se utiliza en particular en los amplificadores de modulación de los emisores radiotelefónicos, para mantener un nivel medio elevado de modulación. SIN. **speech limiter, audio peak limiter** [chopper].

speech clipping   limitación de los picos [las crestas] de modulación (telefónica), limitación de (las) señales vocales. TB. cercenamiento de la palabra, recorte de las señales vocales. SIN. **speech limiting.**

speech coil (*GB*)   (*Altavoces*) bobina móvil. V. **voice coil.**

speech communication   comunicación vocal [hablada]; conversación; comunicación telefónica. CF. **voice communication.**

speech compressor   (*Radiotelef*) compresor de voz [de la palabra]. CF. **speech clipper.**

speech-controlled   mandado por la voz. SIN. **voice-controlled, voice-operated** | modulado por la voz. SIN. **speech-modulated, voice-modulated.**

speech current   (*Altavoces*) corriente de bobina móvil. SIN. **voice current** ‖ (*Telecom*) corriente microfónica; corriente de conversación.

speech detector   detector de la palabra.

speech filter   filtro vocal [de frecuencias vocales]. Filtro para la transmisión de la palabra; filtro para limitar la banda de frecuencias vocales transmitidas ‖ (*Electroacús*) filtro para la reproducción de la palabra. Filtro con el cual se atenúan las notas graves para hacer más inteligible la palabra.

speech formant   (*Fonética*) formante de la palabra.

speech frequency   frecuencia vocal [de voz], frecuencia telefónica. V. **voice frequency.**

speech-frequency channel   canal de frecuencia vocal [telefónica]. SIN. **voice-frequency channel.**

speech-frequency range   gama de (las) frecuencias vocales, espectro de frecuencias de los sonidos articulados. SIN. **voice-frequency range.**

speech-input amplifier   amplificador microfónico [de voz]; amplificador de modulación. V. **speech amplifier.**

speech-input equipment   (*Radio*) equipo de entrada de audio, equipo de entrada al modulador. Equipo que precede al modulador en los emisores radiotelefónicos y de radiodifusión ‖ (*Telef*) transmisor microfónico.

speech interference   (*Medidas de ruido*) perturbación de la conversación.

speech-interference level [SIL]   nivel de interferencia con la voz, nivel de perturbación de la conversación. Refiérese generalmente al valor medio de la presión acústica en las bandas de una octava de 600–1200, 1200–2400 y 2400–4800 Hz.

speech-interfering noise   ruido que interfiere con la palabra.

speech interpolation   (*Telecom*) interpolación vocal. Técnica por la cual se obtienen dos o más vías de conversación simultáneas por un circuito de frecuencias vocales, asignando a cada interlocutor la vía de transmisión (en el sentido apropiado) solamente durante los intervalos exigidos por su emisión de sonidos articulados | reconstitución de la palabra por interpolación.

speech inversion   (*Telef*) inversión de la voz. (**1**) Inversión del orden natural de las frecuencias de la voz, substituyendo cada una de ellas por su complemento hasta el límite de la banda telefónica (normalmente unos 3 000 Hz), para hacer secreta la comunicación. (**2**) Forma de telefonía secreta en la cual se invierte el espectro frecuencial de la señal transmitida; esto se efectúa modulando la señal con una portadora de baja frecuencia, y descartando luego la portadora y la banda lateral superior [upper sideband]. V.TB. **speech inverter.** CF. **scrambled speech.**

speech inverter   (*Telef*) inversor telefónico [de frecuencias vocales], inversor (de banda) para telefonía secreta. Aparato con el cual las palabras se transmiten con la banda de frecuencias invertida, con el objeto de que sean ininteligibles para toda persona que no sea el corresponsal; este último dispone de un aparato que endereza la banda de frecuencias. V.TB. **speech inversion.** CF. **privacy equipment, scrambler.**

speech level   intensidad de la voz ‖ (*Telef*) nivel de conversación; nivel de las corrientes vocales [de voz].

speech-level meter   (*Telef*) volúmetro. CF. **electric speech-level meter.**

speech limiter   limitador de voz [de señales vocales]. V.TB. **speech clipper.**

speech link   (*Telecom*) enlace telefónico.

speech-modulated   *adj:* modulado por la voz. SIN. **voice-modulated.**

speech modulation   modulación vocal [por la palabra]. SIN. **voice modulation.**

speech multiplex   telefonía múltiplex; múltiplex de canales de voz. SIN. **voice multiplex.**

speech/noise ratio   relación de señal vocal a ruido.

speech oscillation   vibración vocal; oscilación de frecuencia vocal.

speech path   (*Telef*) vía de conversación. Parte de un circuito que transmite la conversación (CEI/70 55–105–230). CF. **record circuit.**

speech pattern   (*Gram*) modelo de dicción.

speech perception   percepción de la palabra.

speech plus duplex [S+D]   (*Telecom*) bivocal.

speech-plus-duplex equipment, (S+D) equipment   equipo bivocal. Equipo para telegrafía y telefonía simultáneas que proporciona una comunicación telegráfica explotable en dúplex mediante el empleo de dos frecuencias portadoras conjugadas para la telegrafía. CF. **speech-plus-simplex equipment.**

speech plus signaling   (*Telecom*) telefonía (combinada) con señalización. Técnica que permite la transmisión simultánea de telefonía (comunicación hablada) y de señalización por una misma banda de frecuencia vocales, es decir, por un mismo canal de voz. CF. **speech plus telegraph**.

speech plus simplex [S+S]   *(Telecom)* univocal.

speech-plus-simplex equipment, (S+S) equipment   equipo univocal. Equipo para telegrafía y telefonía simultáneas que proporciona una comunicación telegráfica símplex mediante el empleo de una sola frecuencia portadora para la telegrafía. CF. **speech-plus-duplex equipment**.

speech plus telegraph   telefonía (combinada) con telegrafía, telefonía y telegrafía simultáneas. Transmisión simultánea de señales telefónicas y telegráficas por una misma banda de frecuencias vocales, o sea, por un mismo canal de voz. CF. **speech plus signaling**.

speech-plus-telegraph unit   dispositivo de telefonía con telegrafía, unidad de voz más telegrafía. Dispositivo que permite agregar un canal telegráfico al canal normal de voz (telefonía).

speech plus telegraphy   telefonía (combinada) con telegrafía, telefonía y telegrafía simultáneas. SIN. **speech plus telegraph, simultaneous telephony and telegraphy**.

speech-plus-telegraphy panel   panel de telefonía con telegrafía, panel de voz más telegrafía.

speech power   potencia vocal. Energía radiada por unidad de tiempo por una fuente de sonidos articulados en un momento determinado (valor instantáneo de la potencia); media de los valores instantáneos en un intervalo de tiempo dado.

speech privacy system   *(Telef)* sistema codificador de la voz, sistema de telefonía secreta. v. **scrambled-speech system**.

speech-quality telephony   telefonía de calidad suficiente para la transmisión de la voz [de las frecuencias vocales]. Dícese para distinguirla de la telefonía que tiene suficiente calidad y anchura de banda para la transmisión de programas musicales.

speech recognizer   fonetógrafo, analizador de voz.

speech recording   registro de la voz, grabación de la palabra.

speech scrambler   codificador de la voz para comunicación secreta, codificador para telefonía secreta, dispositivo de (radio) telefonía secreta, escamoteador. v. **scrambler**.

speech-scrambling equipment   v. **speech scrambler**.

speech sidetone   *(Telef)* efecto local por la palabra. v. **sidetone**.

speech spectrum   espectro fónico [vocal, de la palabra]. Espectro de frecuencias de los sonidos articulados.

speech syllable   *(Gram)* sílaba hablada.

speech synthesizer   sintetizador de sonidos vocales.

speech test   *(Telef)* prueba de conversación [de audición]. CF. **speaking test**.

speech transmission   transmisión telefónica; transmisión de la palabra.

speech transmission test   medida de transmisión telefónica. CF. **speaking test**.

speech voltmeter   voltímetro para frecuencias vocales.

speech volume   volumen vocal [de los sonidos vocales], volumen de habla; intensidad sonora.

speech wave   onda vocal, onda acústica (de frecuencia vocal).

speech waveform   forma de onda vocal.

speed   velocidad, rapidez, celeridad; prontitud, presteza, prisa; andar; cadencia; marcha ‖ *(Fís)* velocidad (escalar). Espacio recorrido por un móvil en la unidad de tiempo. El término *speed* no especifica dirección ni sentido, pues se refiere a la magnitud o valor absoluto (cantidad escalar) de la velocidad. CF. **velocity** ‖ *(Máq rotativas)* velocidad (angular). Velocidad angular, expresada generalmente en revoluciones o vueltas por minuto. Abreviatura: rpm, r/m, vueltas/min. ‖ *(Opt/Fotog)* (*i.e.* speed of a lens) luminosidad, rapidez, abertura relativa. Es igual a la abertura útil [effective aperture] dividida por la distancia focal [focal length]. Cuanto mayor la luminosidad, menor la exposición requerida por una emulsión dada. SIN. **optical speed, rapidity (of a lens)** ‖ sensibilidad, rapidez (de una emulsión). v. **sensitivity** ‖ *(Tracción eléc)* velocidad. v. **speed at...** ‖ v. **speed of...**

speed adjusting   ajuste [cambio, variación] de velocidad.

speed-adjusting knob   *(Informática)* perilla para cambio de velocidad.

speed-adjusting rheostat   reostato de variación de velocidad, reostato para variar la velocidad.

speed adjustment   ajuste [cambio, variación] de velocidad.

speed at continuous rating   *(Tracción eléc)* (a.c. continuous speed) velocidad en régimen continuo. ABREVIADAMENTE: velocidad continua. (a) Velocidad de rotación [rotational speed] de los motores en régimen continuo. (b) Velocidad del tren [speed of train] correspondiente al régimen continuo de los motores de tracción [traction motors] a la tensión nominal y con la excitación considerada. NOTAS: Esta velocidad se entiende para vehículos motores con sus ruedas motrices a medio gastar. Salvo indicación contraria, se sobreentiende que el régimen es a pleno campo [full-field rating] (CEI/57 30–05–070).

speed at end of rheostatic starting period   *(Tracción eléc)* velocidad al final del arranque reostático. Velocidad obtenida con un equipo reostático [rheostatic equipment] al final del arranque reostático efectuado a pleno campo [at full field] y en condiciones dadas (CEI/57 30–05–065).

speed at one-hour rating   *(Tracción eléc)* (a.c. one-hour speed) velocidad en régimen unihorario. (a) Velocidad de rotación de los motores en régimen unihorario. (b) Velocidad del tren correspondiente al régimen unihorario de los motores de tracción a la tensión nominal [rated voltage] y con la excitación considerada. NOTAS: Esta velocidad se entiende para vehículos motores con sus ruedas motrices a medio gastar [half-worn wheels]. Salvo indicación contraria, se sobreentiende que el régimen es a pleno campo (CEI/57 30–05–075).

speed box   *(Mec)* caja de cambio [de velocidades].

speed change   cambio de velocidades; variación de velocidad.

speed-change gears   engranaje cambiador de velocidad [de cambio de velocidades].

speed-change lane   *(Carreteras)* carril [trocha] de cambio de velocidad. Carril auxiliar, que incluye las zonas de empalme [tapered areas], destinado principalmente a la aceleración o desaceleración de los vehículos que pasan a integrar o abandonan el tránsito directo [through traffic]. SIN. **carril [trocha] de aceleración, carril [trocha] de desaceleración**.

speed changer   cambiador de velocidad; correa (de transmisión) de velocidad regulable.

speed changing   cambio de velocidad; variación de velocidad.

speed-changing motor   *(Elec)* motor de velocidad variable.

speed checker   limitador de velocidad; moderador de velocidad.

speed constancy   constancia de (la) velocidad.

speed control   control de velocidad; regulador de velocidad ‖ *(Osciloscopios)* control [mando] de la velocidad de barrido ‖ *(Tv)* v. **hold control**.

speed control rheostat   *(Elec)* reostato de regulación de velocidad.

speed controller   regulador [controlador] de velocidad. SIN. **speed regulator**.

speed counter   tacómetro, contador de revoluciones.

speed deviation   error de velocidad.

speed droop   *(Mot, Turbinas)* caída [disminución] de velocidad.

speed flash   *(Fotog)* destello [flash] electrónico. Aparato de iluminación con una lámpara de tubo de descarga en atmósfera gaseosa, producida por la corriente eléctrica acumulada en un condensador. Los destellos obtenidos son sumamente brillantes y rápidos (del orden de una milésima y hasta una cienmilésima de segundo). SIN. **electronic [multiple] flash, multiflash**.

speed frequency   *(Mot eléc)* velocidad eléctrica.

speed gage   tacómetro, indicador de velocidad.

speed gear   *(Autos)* engranaje de cambio (de velocidad); cambio de velocidades.

speed governor   regulador de velocidad. SIN. **speed regulator** ‖ tacorregulador; regulador del número de revoluciones.

speed increaser   aumentador de velocidad.

speed-increasing gear   engranaje aumentador de velocidad (de giro).

speed indicator   indicador de velocidad; tacómetro, contador de vueltas [de revoluciones].

speed key   *(Teleg)* manipulador rápido.

speed-letter   v. **speedletter.**

speed lever   palanca de velocidades.

speed light   *(Buques)* luz indicadora de velocidad ‖ *(Fotog)* v. **speedlight unit.**

speed limit   límite de velocidad, velocidad límite [admisible] ‖ *(Carreteras)* velocidad límite. Velocidad máxima (o mínima) permitida por la reglamentación del tránsito en determinado tramo y en determinadas condiciones ‖ *(Tracción eléc)* (over a section of track) velocidad límite (en una sección de la línea). Valor máximo autorizado en un recorrido dado. Esta velocidad, propia del recorrido considerado, está limitada por factores tales como el estado de la vía y de la señalización. Puede ocurrir que una sección de línea tenga dos velocidades límites aplicables a categorías diferentes de vehículos (CEI/57 30-05-055).

speed-limit indicator   indicador de velocidad límite [de velocidad admisible].

speed limiter   limitador de velocidad.

speed-limiting device   limitador de velocidad. (**1**) Dispositivo mecánico o eléctrico que tiene por objeto impedir que una máquina o un órgano exceda de cierta velocidad (CEI/38 35-10-025). (**2**) Aparato destinado a impedir que la velocidad de una máquina pase de cierto valor (CEI/58 35-15-030).

speed nut   tuerca de ajuste [apriete] rápido, tuerca rápida.

speed of accommodation   rapidez de acomodación.

speed of action   velocidad de actuación.

speed of airflow   *(Aeron)* velocidad de la corriente del aire.

speed of answer   *(Telef)* demora en la respuesta. SIN. **answering interval** ‖ (on an international circuit) demora en la respuesta (en un circuito internacional), demora de las operadoras en contestar. v. **operator's time to answer.**

speed of completion of call   *(Telef)* (*i.e.* speed with which call is completed) rapidez de establecimiento de la comunicación.

speed of emulsion   *(Fotog)* sensibilidad [rapidez] de la emulsión. v. **sensitivity.**

speed of flight   *(Avia)* velocidad de vuelo.

speed of light   velocidad de la luz. Velocidad o celeridad con que se propagan los rayos de luz en el vacío. El valor adoptado internacionalmente es el de 299 792,5 km/s, con error en más o menos de 0,4 km/s; pero prácticamente se admite que es igual a 300 000 km/s. Símbolo: c.

speed of movement of the spot   *(TRC)* velocidad (de desplazamiento) del punto explorador [del punto móvil, del punto luminoso]. v. **scanning [moving] spot.**

speed of operation   velocidad de funcionamiento; velocidad de operación ‖ *(Registro mag)* (*i.e.* speed of tape) velocidad de la cinta.

speed of paper   *(Registradores gráficos)* velocidad de desarrollo del papel.

speed of rotation   velocidad de rotación.

speed of service   velocidad de servicio.

speed-of-service interval   *(Telef)* tiempo de espera. CF. **overall speed-of-service interval.**

speed of sound   velocidad del sonido. Velocidad de propagación del sonido. Su valor depende del medio transmisor o de propagación y de la temperatura. En el aire, a 0° C, es de 331,4 m/s y aumenta a razón de 0,6 m/s por cada grado suplementario de la temperatura. En el agua, a 8° C, es de 1 435 m/s, siendo mayor en el agua de mar (1 500 m/s en experimentos con ondas ultrasonoras). En los sólidos las vibraciones sonoras alcanzan velocidades entre 3 000 y 6 000 m/s. SIN. **velocidad sónica** — **sonic speed.**

speed of tape (transport)   velocidad (de desplazamiento) de la cinta. v. **tape speed.**

speed of transmission   *(Teleg, Tr de datos)* velocidad de transmisión. Velocidad de transmisión de la información, en palabras por minuto, en baudios, o en caracteres o bitios por segundos. SIN. **rate of transmission** ‖ *(Telegramas)* tiempo de transmisión. Período transcurrido desde el momento en que un telegrama es depositado en la oficina de origen (hora de aceptación o depósito) hasta el momento en que el mismo se recibe en la oficina de destino (hora de recepción), tomando en cuenta la diferencia que pueda haber entre las horas locales de una y otra oficina.

speed per hour   velocidad por hora.

speed-power coefficient   coeficiente velocidad-potencia.

speed range   margen de velocidad; zona de velocidades de trabajo.

speed rating   régimen de velocidad.

speed ratio   relación de velocidades; relación de engranajes ‖ *(Tracción eléc)* amplitud de velocidad. Relación entre la velocidad máxima en servicio [maximum service speed] y la velocidad al régimen nominal a campo máximo [rated speed at full field], para el acoplamiento de motores que proporcione las más altas velocidades (CEI/57 30-15-355) | razón de variación de velocidad.

speed-ratio control   control de relación de velocidades.

speed recorder   registrador de velocidad; registrador de vueltas.

speed reducer   reductor de velocidad.

speed-regulating rheostat   *(Elec)* reostato de regulación de velocidad. Reostato que permite la regulación de la velocidad de un motor (CEI/57 15-50-155). CF. **slip regulator.**

speed regulation   regulación de velocidad.

speed regulator   regulador de velocidad. SIN. **speed governor [controller, compensator].**

speed-regulator resistance   *(Mot eléc)* resistencia reguladora de velocidad.

speed retarding   aminoración [reducción] de velocidad.

speed selection   selección de velocidad.

speed selector   selector de velocidad; variador de velocidad ‖ *(Fotog)* selector de rapidez.

speed-selector knob   botón [perilla] de selección de velocidad.

speed-selector lever   palanca selectora de velocidad.

speed-sensing servo   servo sensible a la velocidad.

speed setting   ajuste [reglaje] de (la) velocidad; regulación de (la) velocidad.

speed-stabilized exciter   *(Elec)* excitatriz estabilizada en velocidad, excitatriz de velocidad estabilizada.

speed surge   aumento brusco de (la) velocidad. CF. **speed droop.**

speed switching   conmutación de velocidad; selección de velocidad.

speed-switching circuit   circuito selector de velocidad.

speed test   prueba de velocidad; verificación de (la) velocidad.

speed-test tape   *(Magnetófonos)* cinta de verificación de velocidad. Cinta especial destinada a la comprobación o verificación de la velocidad de los magnetófonos. Lleva una serie de impulsos audibles o "pips" registrados a intervalos de longitud regulares. Cuando se la pasa por un magnetófono, los impulsos se escuchan a intervalos de tiempo comprobables con un reloj provisto de segundero.

speed-up   v. **speedup.**

speed variation   variación de velocidad | fluctuación [variación anormal] de velocidad. Variación no intencional de velocidad, debida a causas extrañas independientes de los ajustes del sistema regulador de un motor o un mecanismo. En el caso de los aparatos de registro o de reproducción de señales, las variaciones de velocidad son causa de errores en la frecuencia de las señales reproducidas. CF. **drift, flutter, wow.**

speed variator   variador de velocidad.

speedletter   telegrama postal. CF. **Mailgram.**

speedlight unit   *(Fotog)* destellador, flash, sistema electrónico de destellos. Conjunto completo de destellos electrónicos: batería o condensador, lámpara de tubo de descarga en atmósfera gaseosa, reflector, etc. SIN. **flash gun [pistol, unit]**. CF. **speed flash**.

speedometer   tacómetro, taquímetro. En los motores y máquinas rotativas, dispositivo o instrumento que indica las revoluciones por minuto de un eje en rotación. SIN. **cuentarrevoluciones** ‖ (*Autos*) velocímetro, indicador de velocidad. Aparato o instrumento que da la velocidad del vehículo en kilómetros (o millas) por hora. SIN. **speed indicator** | contador kilométrico, cuentakilómetros, cuentamillas ‖ (*Proy cine*) taquímetro, indicador de velocidad (de la cinta). SIN. **film-speed indicator**.

speedup   aceleración, incremento de velocidad. CF. **speed surge** ‖‖‖ *adj:* acelerador, aceleratriz.

speedup capacitor   (*Elecn*) capacitor acelerador. En un circuito de lógica RCT, capacitor destinado a hacer más rápida la conmutación del transistor al estado de conducción, en respuesta a la correspondiente excitación de la entrada.

speedup device   dispositivo acelerador.

spelling   deletreo; ortografía.

spelling alphabet   alfabeto fonético. Abecedario puesto en correspondencia con una serie de palabras seleccionadas por su fácil identificación auditiva, y que se usa para deletrear los nombres y palabras poco comunes y las claves, y, en general, en todos los casos en que pueda haber duda con una voz al dictar o transmitir mensajes por teléfono. Existen varios de estos alfabetos fonéticos. El que sigue se compone de nombres propios muy conocidos en los países de habla española:

A	Antonio	J	José	R	Ramón
B	Baldomero	K	Kentucky	S	Santiago
C	Carlos	L	Luis	T	Tomás
D	Domingo	M	Manuel	U	Urbano
E	Emilio	N	Nicolás	V	Vicente
F	Francisco	Ñ	Ñato	W	Wáshington
G	Gregorio	O	Octavio	X	Equis
H	Habana	P	Pedro	Y	Yucatán
I	Ignacio	Q	Quintín	Z	Zaragoza

Ejemplo: Si se desea deletrear la palabra *Kranz,* se dice: "K de Kentucky, R de Ramón, A de Antonio, N de Nicolás, Z de Zaragoza"; o más sencillamente: "Kentucky Ramón Antonio Nicolás Zaragoza". V.TB. **phonetic alphabet**.

spelling by analogy   (*Telef*) sistema de deletreo; deletreo por alfabeto fonético. SIN. **spelling system**.

spelling system   (*Telef*) sistema de deletreo.

Spencer-Fano method   (*Fís*) método de Spencer-Fano. Método analítico utilizado en la teoría de la penetración de los rayos gamma en la materia, así como en el estudio de la distribución espacioenergética de los neutrones retardados en una atmósfera de hidrógeno.

spent catalyst   (*Quím*) catalizador agotado.

spent fuel   (*Nucl*) combustible agotado [consumido, gastado]. SIN. **depleted fuel**.

spent fuel element   (*Nucl*) elemento combustible agotado.

spent-fuel pit   (*Nucl*) pozo para combustibles agotados.

spent-fuel reprocessing   (*Nucl*) regeneración de combustible agotado.

spent particle   (*Nucl*) partícula consumida. SIN. **consumed particle**.

spent satellite   satélite agotado ["muerto"].

sperm oil   aceite de esperma [de ballena].

spermaceti oil   aceite de esperma [de ballena].

spermatogenesis   (*Fisiol*) espermatogénesis.

sphaerophone, spherophone   esferófono. (**1**) Antiguo instrumento musical eléctrico. (**2**) Término poco usado que designa un aparato electrónico generador de sonidos musicales, en el que la altura del tono (frecuencia) es regulada por un condensador variable.

spheral   *adj:* esferal, esférico. V. **spherical**.

sphere   esfera; globo ‖‖‖ *adj:* esférico; redondo; globoso.

sphere gap   (*Elec*) distancia [espacio] entre dos esferas | explosor

de esferas. Dispositivo constituido por dos esferas de metal pulido dispuestas en el aire, y cuya distancia, ajustable y calibrada, permite, por el salto de chispas, medir la tensión de cresta a ellas aplicada (CEI/64 65–30–120). V. **spark-gap**.

sphere-gap voltmeter   voltímetro de explosor de esferas.

sphere of curvature   (*Geom*) esfera osculatriz [de curvatura]. Límite de la esfera que pasa por un punto de una curva y por otros tres que se acercan al primero indefinidamente. SIN. **osculating sphere**.

sphere of influence   esfera de influencia. Nombre que algunos autores daban antiguamente al campo magnético o eléctrico ‖ (*Nucl*) esfera de protección.

sphere photometer   fotómetro de globo. Fotómetro con una esfera hueca de paredes internas blancas dentro de la cual se coloca la fuente de luz objeto de la medida. La esfera tiene una abertura por la cual emerge la luz reflejada por dichas paredes; la medida de esta luz permite obtener la intensidad luminosa media [spherical candlepower] de la fuente.

spheredop   Tipo particular de sistema seguidor de proyectiles autopropulsados.

spherical   *adj:* (*also* spheral, spheric) esférico. Perteneciente a la esfera; que tiene figura de esfera | redondo; globoso.

spherical aberration   (*Opt*) aberración esférica [de esfericidad]. Defecto de la imagen debido a la esfericidad de una lente o un espejo.

spherical aberration coefficient   coeficiente de aberración esférica [de esfericidad].

spherical angle   (*Geom*) ángulo esférico. Angulo que tiene por lados dos arcos de círculo máximo [arcs of great circles] de una esfera.

spherical antenna   (*Radioelec*) antena esférica. Es de interés mayormente teórico.

spherical balloon   (*Aeron*) globo esférico.

spherical candlepower   (*Ilum*) bujía esférica | intensidad luminosa media. De una fuente de luz dada, intensidad media en todas las direcciones del espacio; es igual al flujo luminoso total [total luminous flux], en lúmenes, dividido por 4π. V. **sphere photometer**.

spherical cavity   (*Microondas*) cavidad esférica.

spherical cone   (*Geom*) cono esférico. Sector esférico engendrado por rotación de un sector menor de círculo [minor sector of a circle] en una revolución completa en el espacio, alrededor de un diámetro que pase por el sector. V. **spherical sector**.

spherical coordinates   (*Mat*) coordenadas esféricas. Sistema de coordenadas polares con origen en el centro de una esfera; todos los puntos quedan en la superficie de la esfera.

spherical degree   (*Geom*) grado esférico. Unidad de área esférica [spherical area] igual a 1/720 de la superficie de una esfera.

spherical diffraction   difracción esférica. CF. **knife-edge diffraction**.

spherical distance   (*Geom*) distancia esférica. Distancia entre dos puntos sobre una esfera, definida por la longitud del menor de los dos arcos de círculo máximo que unen los dos puntos.

spherical dome   cúpula esférica.

spherical earth   tierra esférica, la tierra considerada como una esfera.

spherical-earth attenuation   (*Radioelec*) atenuación por esfericidad [redondez] de la tierra. Atenuación de las ondas radioeléctricas al propagarse sobre la superficie de la tierra (aproximadamente esférica e imperfectamente conductora), menos la atenuación que experimentarían esas mismas ondas al propagarse sobre un plano perfectamente conductor.

spherical-earth factor   (*Radioelec*) factor de esfericidad de la tierra, coeficiente de redondez de la tierra. Cociente de la intensidad de campo eléctrico resultante de la propagación sobre la tierra (esfera de conductividad imperfecta) por la intensidad que resultaría de la propagación sobre un plano perfectamente conductor.

spherical error   error de esfericidad.

spherical excess   *(Geom)* exceso esférico. (**1**) De un triángulo esférico [spherical triangle], diferencia entre la suma de sus tres ángulos, y 180°. (**2**) En general, diferencia entre la suma de los ángulos de un polígono esférico [spherical polygon] y $(n-2)180°$. Si $n=3$ se tiene el caso particular de la primera definición.

spherical faceplate   *(TRC)* vidrio pantalla esférico. Vidrio pantalla cuya superficie coincide con parte de una superficie esférica [spherical surface].

spherical field   *(Nucl)* campo esférico. SIN. **central field.**

spherical geometry   *(Mat)* geometría esférica. Rama de la geometría que trata de las magnitudes esféricas [spherical magnitudes]. Estudio de la esfera, en particular de las circunferencias trazadas sobre ella ‖ *(Nucl)* disposición de geometría esférica. SIN. **spherical symmetry.**

spherical harmonic   *(Mat)* armónica esférica, armónico esférico.

spherical harmonic analysis   *(Mat)* análisis de las armónicas esféricas.

spherical harmonics method   *(Mat)* método de las armónicas esféricas.

spherical indicatrix (of tangent to a curve)   *(Mat)* indicatriz esférica (de la tangente a una curva).

spherical joint   *(Mec)* junta de rótula.

spherical lemniscate   *(Astr)* lemniscata esférica. Lemniscata trazada sobre la esfera celeste [celestial sphere].

spherical lens   *(Opt)* lente esférica.

spherical lune   *(Geom)* huso esférico. Parte de una superficie esférica limitada por dos semicírculos máximos.

spherical magnitude   *(Geom)* magnitud esférica.

spherical mirror   *(Opt)* espejo esférico.

spherical mouthpiece   *(Telef)* embocadura (de micrófono) esférica.

spherical pendulum   *(Fís)* péndulo esférico. (**1**) Péndulo simple [simple pendulum] cuyo peso se mueve sobre la superficie de una esfera cuyo centro se encuentra en el punto de suspensión del péndulo. (**2**) Partícula pesada pulida que se mueve en el interior de una superficie esférica.

spherical polar coordinates   *(Mat)* coordenadas polares esféricas.

spherical polygon   *(Geom)* polígono esférico. Figura semejante a un polígono plano, formado sobre una esfera por arcos de círculos máximos [arcs of great circles].

spherical progressive wave   *(Fís)* onda progresiva esférica. v. **progressive wave, spherical wave.**

spherical pulse   impulsión esférica.

spherical pyranometer   *(Fís)* piranómetro esférico.

spherical-race bearing   *(Mec)* cojinete de anillo esférico.

spherical reduction factor   *(Ilum)* relación de intensidad esférica a la horizontal.

spherical reflector   *(Opt)* reflector esférico.

spherical representation   *(Mat)* representación esférica.

spherical roller bearing   *(Mec)* cojinete de rodillos esféricos.

spherical sector   *(Geom)* sector esférico. Superficie de revolución cerrada engendrada por un sector de círculo que rota una revolución completa alrededor de un diámetro del círculo.

spherical segment   *(Geom)* segmento esférico. Cada una de las partes en que queda dividida una esfera por un plano secante [secant plane].

spherical-shell measurement   *(Nucl)* medida por capas esféricas.

spherical shock wave   onda de choque esférica.

spherical surface   *(Geom)* superficie esférica. Lugar geométrico de los puntos del espacio situados a una distancia dada de un punto dado; éste recibe el nombre de *centro* de la superficie esférica.

spherical triangle   *(Geom)* triángulo esférico. Figura sobre una esfera, formada por tres arcos de círculo máximo que se intersecan mutuamente, y tales que cada uno de ellos sea menor que la suma de los otros dos y la suma de los tres menor que una circunferencia.

spherical trigonometry   *(Mat)* trigonometría esférica. Trigonometría aplicada a los triángulos y polígonos esféricos. v. **spherical polygon, spherical triangle.**

spherical ungula   *(Geom)* cuña esférica. v. **spherical wedge.**

spherical vortex   *(Fís)* vórtice esférico.

spherical wave   onda esférica. Onda cuyas superficies equifase [equiphase surfaces] forman una familia de esferas concéntricas.

spherical wavefront   frente de onda esférico.

spherical wedge   *(Geom)* cuña esférica. Parte de una esfera limitada por dos semiplanos cuya traza es un diámetro de la esfera, o sea, dos semiplanos que se intersecan en un diámetro de la esfera. SIN. **spherical ungula.**

spherical well   *(Nucl)* pozo de potencial.

spherical zone   *(Geom)* casquete esférico. Cada una de las partes en que una superficie esférica [spherical surface] queda dividida por un plano secante no diametral. CF. **spherical segment.**

spherically   *adv:* esféricamente.

spherically symmetric lens   lente de simetría esférica.

spherically symmetric scalar field   campo escalar de simetría esférica.

sphericity   esfericidad.

sphericity tolerance   tolerancia de esfericidad. CF. **spherical error.**

spheroid   *(Geom)* esferoide. Elipsoide achatado; elipsoide engendrado por la rotación de una elipse alrededor de uno de sus ejes.

spheroidal   *adj:* (also spheroidic, spheroidical) esferoidal, en forma de esferoide.

spheroidal coordinates   *(Mat)* coordenadas esferoidales.

spheroidal function   función esferoidal.

spheroidic(al)   *adj:* v. **spheroidal.**

spheroidically   *adv:* esferoidalmente.

spheroidicity   esferoidicidad.

spherometer   esferómetro. Instrumento que sirve para medir la curvatura de ciertos sólidos.

spherophone   esferófono. v. **sphaerophone.**

sphygmo-   esfigmo-. Elemento de compuestos que significa *pulso;* del griego *sphygmós.*

sphygmogram   esfigmograma. Registro de ondas del pulso.

sphygmograph   esfigmógrafo. Instrumento que sirve para registrar los movimientos, fuerza y forma de onda del pulso.

sphygmometer   esfigmómetro. Instrumento que sirve para medir la fuerza y frecuencia del pulso.

sphygmophone   esfigmófono. Aparato para estudiar los sonidos del pulso; consiste esencialmente en un micrófono y un auricular.

spider   araña ‖ *(Altavoces)* araña (de centrado), centrador, membrana flotante del cono. Organo de fijación destinado a impedir que la bobina móvil entre en contacto con las paredes del entrehierro. Consiste en una especie de anillo o arandela de una fibra sumamente flexible que mantiene la bobina móvil [voice coil] centrada respecto a la pieza polar [pole piece], pero que no impide las oscilaciones de dicha bobina en la dirección de su eje, ni las vibraciones del cono o diafragma (solidario con la bobina) ‖ *(Elec)* cepo de manguito. (a) *Cepo de inducido* [armature spider]: Manguito fijado al árbol provisto exteriormente de brazos (o nervaduras) longitudinales sobre los cuales ajustan las chapas del núcleo magnético del inducido. (b) *Cepo de inductor* [field spider] (en el caso de un alternador o inductor giratorio): Manguito fijado sobre el árbol que lleva en su periferia los núcleos polares [field poles] (CEI/38 10-40-085, CEI/56 10-30-145) ‖ *(Mec)* araña, estrella; cruz; cruceta; pieza con brazos radiales; pieza de sujeción en forma de estrella ‖ *(Petr, Sondeos)* cubo de garras (portaherramientas), elevador-anillo ‖ *(Herr)* calibre de triscado (de sierras).

spider and slips   *(Petr, Sondeos)* anillo de cuña de suspensión; anillo de maniobra.

spider template   *(Fotog)* plantilla (mecánica) desarmable.

spider-type fan   ventilador de estrella.

spider web, spider's web   telaraña, tela de araña.

spider-web   v. **spiderweb.**

spider's web coil   v. spiderweb coil.

spiderweb aerial   v. spiderweb antenna.

spiderweb antenna   antena en telaraña. Antena de recepción de toda onda, consistente en varios dobletes de diferentes longitudes conectados a una bajada en común y dispuestos en forma que semeja una tela de araña. SIN. **spiderweb aerial** *(GB)*.

spiderweb coil   bobina en espiral [en fondo de cesta]. Bobina plana devanada en espiral, cuya forma recuerda el fondo de una cesta, y que se utilizaba en los antiguos receptores de radio. SIN. **basket coil**.

Spiegel   *(Met)* fundición [hierro] Spiegel, fundición [hierro] especular.

spigot   canilla, grifo, llave, espiche, espita; tapón de llave [de espita] ‖ *(Tuberías)* espiga, macho, cordón; extremidad (de un tubo).

spike   punta, espiga, púa, diente ‖ *(Carp)* clavo grande, clavo grueso, chillón real, estoperol; perno; alcayata, escarpia ‖ *(Vías férreas)* clavo (de vía, de línea); escarpia, alcayata; tirafondo ‖ *(Elecn)* punta de descarga; punta de tensión; punta de conmutación; impulso afilado [en escarpia] ‖ *(Curvas de respuesta)* pico afilado ‖ *(Impulsos)* pico transitorio parásito. Parte de un impulso que sobrepasa en gran medida su amplitud media ‖ *(Tv)* línea vertical, punta, escarpia, barra [franja] angosta. Se produce en la pantalla con señales de prueba, o puede ser la manifestación de señales interferentes durante la recepción ‖‖ *verbo:* clavar (con clavos), enclavar; empernar; escarpiar; aguzar, hacer puntiagudo.

spike anchor   *(Vías férreas)* clavo de anclaje. Clavo elástico de dos patas y de sección circular.

spike bar   *(Herr)* arrancaescarpias; pata de cabra, palanca de pie de cabra. CF. **spike puller**.

spike discriminator   *(Elecn)* discriminador contra impulsos afilados. En los transpondedores, circuito que sirve para suprimir el efecto perjudicial de impulsos parásitos sumamente breves, como p.ej. los originados por los sistemas de encendido de motores.

spike distribution   distribución en punta. Dícese cuando la concentración de impurezas donoras en un transistor de efecto de campo es mucho mayor en el centro del canal que en los bordes de la juntura metalúrgica.

spike generator   *(Tv)* generador de línea vertical, generador de puntas [de escarpias]. Generador de señales de prueba que produce en la pantalla de un televisor líneas verticales negras.

spike hammer   *(Ferroc)* martillo para clavos de vía. Máquina para hincar los clavos de vía en los durmientes. CF. **spike maul**.

spike leakage   *(Tubos TR y pre-TR)* fuga de punta. Fuga de energía antes de la estabilización del impulso.

spike-leakage energy   *(Tubos TR y pre-TR)* energía de fuga de punta.

spike maul   *(Ferroc)* martillo escarpiador ‖ masa. Herramienta de percusión para hincar clavos de vía. CF. **spike hammer**.

spike noise   *(Elecn)* ruido de impulsos afilados.

spike potential   *(Electrobiol)* potencial de punta ‖ punta de acción. Onda negativa característica de amplitud máxima y de duración mínima observada en los registros del potencial de acción [action potential]. SIN. **action spike** (CEI/59 70–10–105).

spike puller   *(Herr)* arrancaescarpias; arrancapernos. CF. **spike bar** ‖ *(Ferroc)* arrancaescarpias, arrancaalcayatas; extractor de tirafondos ‖ extractor de clavos. Aparato mecánico para extraer clavos de vía.

spike train   *(Electrobiol)* tren de puntas ‖ tren de impulsos, corriente iterativa. Sucesión regular de impulsos de forma, frecuencia, duración y polaridad no especificadas (CEI/59 70–20–035).

spiked core   *(Nucl)* zona activa con "espiga".

spikeless switching   *(Elecn)* conmutación sin puntas de tensión.

spikes   *(Elecn)* puntas (de tensión, de conmutación); tren de impulsos afilados; señales de impulsos. V.TB. **spike**.

spiking   clavadura; escarpiadura ‖ *(Elecn)* puntas (de tensión, de conmutación); aparición de impulsos afilados; aparición de picos transitorios parásitos.

---

spill   derrame, derramamiento, rebose, rebosamiento; escape, fuga ‖ *(Carp)* astilla; lengüeta postiza; cuña (de madera) ‖ *(Met)* astilla; película imperfectamente unida; pedazos embebidos (en la masa metálica) ‖ *(Contadores)* exceso ‖ *(Tubos de memoria por carga)* fuga; pérdida (de información) por redistribución ‖ *(Nucl)* derrame, escape accidental (de líquido radiactivo).

spill-over   v. spillover.

spill ring   *(Ilum)* celosía anular. v. ring louver.

spill shield   *(Ilum)* pantalla antidifusora ‖ pantalla antideslumbrante. v. louver.

spillover   rebose, rebosamiento ‖ *(Telef)* parte desbordante (de una señal) ‖ desbordamiento. En un sistema de señalización por frecuencias vocales por enlaces de múltiples secciones [multilink connections], parte de la señal que pasa de una sección a otra antes de que haya sido cortada la conexión entre las secciones (CEI/70 55–115–160) ‖ *(Teleg)* desbordamiento. Envío de una comunicación o llamada a una posición de un centro de conmutación, con el objeto de permitir la reexpedición del telegrama, cuando no puede conseguirse el establecimiento de la comunicación más allá de ese centro, en general por razones de ocupación. SIN. **overflow**.

spillover echo   *(Radar)* eco esporádico, eco errático, eco caprichoso (por efecto de superrefracción).

spin   giro, rotación; vuelta; patinamiento (de una rueda) ‖ *(Avia)* barrena, tirabuzón ‖ *(Fís)* espín, spin. PLURAL CASTELLANO: espines, spines. Momento angular propio de una partícula elemental. Momento angular total o resultante de un núcleo atómico considerado como una sola partícula, igual a la suma algebraica de los espines de las partículas que lo constituyen. En efecto, ciertas partículas elementales (como el electrón) tienen un movimiento de rotación sobre sí mismas, y al mismo corresponde un momento mecánico que está regido por las leyes de la mecánica cuántica [quantum mechanics], y que, por tanto, sólo puede tener por valor un múltiplo de la mitad de la constante de Planck ‖‖ *verbo:* girar, rotar; dar vueltas; centrifugar; hacer girar; patinar (una rueda de auto); hilar ‖ *(Avia)* entrar en barrena; caer en barrena [en tirabuzón] ‖ *(Met)* centrifugar, colar por centrifugación ‖ *(Torneado de metales)* conformar, embutir, entallar, repujar.

spin-dependent   *adj:* dependiente del espín.

spin-dependent force   fuerza dependiente del espín.

spin dryer   secadora centrífuga [rotativa].

spin echo   eco del espín.

spin effect   efecto de espín.

spin hardening   *(Met)* temple con rotación.

spin invariance   invariancia del espín.

spin-lattice relaxation   *(Substancias ferromag)* relajación de las redes de espín.

spin magnetic moment   momento magnético del espín.

spin magnetic resonance   resonancia magnética del espín.

spin matrix   matriz de espín.

spin movement   rotación propia, movimiento de rotación sobre sí mismo.

spin of electron   espín del electrón.

spin-orbit coupling   acoplamiento espín-orbital. Acción mutua entre los momentos angulares intrínseco y orbital de una partícula.

spin-orbit interaction   interacción [acción mutua] espín-orbital.

spin orientation   orientación del espín.

spin oscillator   oscilador de espín.

spin paramagnetism   paramagnetismo debido al espín.

spin-parity combination   combinación espín-paridad.

spin precession magnetometer   magnetómetro de precesión de espín.

spin quantum number   número cuántico de espín ‖ spin. Número que caracteriza el momento cinético del electrón considerado como una pequeña esfera cargada que gira alrededor de un eje (CEI/56 07–15–090).

spin resonance spectrometer espectrómetro de resonancia de espín.

spin-spin coupling acoplamiento espín-espín. CF. **spin-orbit coupling.**

spin stabilization *(Cohetes)* estabilización por rotación (alrededor del eje longitudinal).

spin vector vector de espín.

spin wave onda de espín. Onda presente en un cuerpo ferrimagnético cuando todos los momentos magnéticos se encuentran en precesión uniforme pero no en fase.

spin-wave amplitude amplitud de onda de espín. Diferencia entre los ángulos de precesión de dos espines.

spin-wave resonance resonancia de la onda de espín.

spindle huso, broca; carretel ‖ *(Arq, Carp)* pilarote; mazorca (de balaustre) ‖ *(Aerometría)* aerómetro (de varilla). Instrumento para medir la densidad del aire ‖ *(Autos)* mangueta. Pieza del extremo del eje delantero que permite el cambio de dirección de la rueda ‖ *(Biol, Citología, Zool)* huso ‖ *(Líneas telef/teleg)* soporte (de aislador) ‖ *(Medidas)* medida de longitud (para hilos de algodón) igual a 15 120 yardas (13 826 m); medida de longitud (para hilos de lino) igual a 14 400 yardas (13 167 m) ‖ *(Mec)* huso, husillo; eje, árbol, peón; pivote; vástago, perno; gorrón, macho, mandril, nabo; aguja, astil, torno ‖ *(Cabrestantes)* mecha ‖ *(Cilindros de laminador)* cuello ‖ *(Fonog)* eje (de los discos). Eje que se proyecta verticalmente hacia arriba y que sirve para colocar el disco o los discos de modo que queden centrados sobre el plato giradiscos ‖ *(Inyectores)* aguja ‖ *(Marina)* pínola ‖ *(Timones)* madre ‖ *(Tornos)* husillo /// *verbo:* ahusar(se); usar el aerómetro (de varilla).

spindle body cuerpo fusiforme.

spindle lightning protector *(Elec)* protector de bobina.

spindle speed velocidad de eje.

spindle wave *(Electrobiol)* onda en huso | onda en punta. Onda puntiaguda, bastante grande, considerada importante desde el punto de vista del diagnóstico en el electroencefalograma [electroencephalogram] (CEI/59 70–10–150].

spine *(Anat)* espinazo, espina (dorsal), raquis, columna vertebral ‖ *(Bot)* espina, aguijón ‖ *(Libros)* lomo ‖ *(Orografía)* aguja.

spinel *(Miner, Joyería)* espinela. Nombre que se le da a varios minerales cristalinos duros de color blanco, negro, azul, verde, naranja, rojo o rosado, de composición $MgAl_2O_4$. Los de color rojo se aprecian como gemas. El nombre viene del italiano *spinella*, diminutivo de *spina* [espina], por sus cristales puntiagudos.

spinet *(Mús)* espineta.

spinless *adj:* *(Fís)* sin espín, sin spin.

spinless particle partícula sin espín.

spinner araña de jardín; hilandero, hilandera; hilador, hiladora; máquina de hilar; operario del torno (de entallar); extractor centrífugo ‖ *(Aviones)* ojiva, cubo perfilado, buje carenado, cono (de la hélice), carenado del cubo de la hélice, fuselado que cubre el núcleo de la hélice y gira con ella ‖ *(Compresores)* rotor ‖ *(Radar)* antena giratoria, antena exploradora rotativa, giroantena. Conjunto rotativo de antena y reflector. SIN. **explorador, unidad exploradora, sistema de antena exploradora** — **scanner** /// *adj:* giratorio, rotativo, de rotación. V.TB. **spinning.**

spinner control knob *(Aparatos)* perilla de mando de giro rápido.

spinner knob *(Aparatos)* perilla de giro rápido.

spinner magnetometer magnetómetro de rotación.

spinner rocket cohete estabilizado por rotación (sobre su eje longitudinal).

spinner's bobbin bobina de hilatura.

spinning giro, rotación; patinaje, patinamiento (de una rueda); hilado, hilatura ‖ *(Trabajo en el torno)* conformación, embutición, repujado, entallado; pieza conformada [entallada] /// *adj:* giratorio, rotativo, de rotación; centrífugo; hilador, de hilatura.

spinning bobbin bobina de hilatura.

spinning casting colada centrífuga.

spinning disk disco giratorio.

spinning electron electrón giratorio [rotatorio, rotante]. V. **spin.**

spinning-fluid gyroscope giroscopio [giróscopo] de fluido en rotación.

spinning gyroscope giroscopio [giróscopo] clásico.

spinning instability *(Avia)* inestabilidad espiral.

spinning mill hilandería.

spinning projectile proyectil giroscopizado [estabilizado por rotación (alrededor de su eje longitudinal)].

spinning reserve *(Centrales eléc)* capacidad de reserva conectada y lista para su utilización.

spinning speed velocidad de rotación.

spinning vortex vórtice giratorio.

spinodal *adj:* cuspidal.

spinodal curve *(Fís)* curva cuspidal.

spinode *(Mat)* cúspide, punto de retroceso.

spinor *(Mat)* espinor /// *adj:* espinorial.

spinor calculus cálculo de espinores.

spinor field campo espinorial.

spinor theory teoría espinorial.

spinthariscope espintariscopio. Aparato que sirve para observar las partículas alfa emitidas por los cuerpos radiactivos.

spinusoidal pulse impulso espiniforme [afilado], impulsión en escarpia. SIN. **spike.**

spiral espiral, espira, caracol ‖ *(Mat)* espiral. (**1**) Curva que da un número infinito de vueltas alrededor de un punto o de otra curva. (**2**) Curva abierta que da vueltas alrededor de un punto (el centro) al mismo tiempo que se aleja cada vez más de él. (**3**) Lugar geométrico del extremo de un segmento cuya longitud varía al girar en torno al vértice. Usualmente se representa analíticamente en coordenadas polares /// *adj:* espiralado, en espiral; espiral (relativo o perteneciente a la espira); espiroidal, espiroideo, espiraloide (parecido o semejante a la espiral); helicoidal, en (forma de) hélice /// *verbo:* *(Avia)* volar en espiral; planear en espiral; ascender [subir] en espiral; descender [bajar] en espiral.

spiral aerial V. **spiral antenna.**

spiral antenna antena espiral. SIN. **spiral aerial** *(GB)*.

spiral arm *(Astr)* brazo espiral (de una galaxia).

spiral binder encuadernador de espiral (de alambre).

spiral binding encuadernación con espiral (de alambre).

spiral cleavage *(Nucl)* escisión espiralada.

spiral coil bobina en espiral. CF. **spiderweb coil.**

spiral-coiled *adj:* arrollado [devanado] en espiral ‖ *(Resortes)* en espiral; helicoidal.

spiral condenser *(Refrig)* condensador de serpentín.

spiral conveyor tornillo transportador, rosca transportadora, transportador de tornillo sin fin, tornillo de Arquímedes.

spiral curve *(Ferroc)* curva [espiral] de transición.

spiral delay line *(Elecn)* línea de retardo en espiral.

spiral development *(Vías férreas)* trazado [desarrollo] sinusoidal. Trazado que utiliza mesetas o planicies para dar a la línea forma de sinusoide | trazado [desarrollo] helicoidal. Desarrollo de la línea formando lazos cerrados, caperales, etc., para salvar desniveles.

spiral-development loop *(Vías férreas)* lazo. Se tienen tres clases:
- *Lazo abierto* [open spiral-development loop] — Trayecto curvo en forma de herradura;
- *Lazo cerrado* [closed spiral-development loop] — Trayecto curvo que se cierra sobre sí mismo, pero a desnivel;
- *Lazo de retorno* [return spiral-development loop] — Trayecto curvo terminal de una línea y que sirve de regreso.

spiral distortion *(Tubos tomavistas, Tubos de imagen)* distorsión espiral. Distorsión en la cual la rotación de la imagen varía con la distancia al eje de simetría del sistema electronóptico del tubo. Es propia de los tubos de enfoque magnético.

spiral dive *(Avia)* picado en espiral.

spiral drill *(Mec)* broca helicoidal.

spiral-eight cable *(Telecom)* cable de pares en estrella.

spiral fission counter *(Nucl)* contador de fisión en espiral.

spiral flow corriente en espiral.

spiral four   v. spiral-four cable.

spiral-four cable   *(Telecom)* (a.c. spiral four) cable en estrella, cuadrete en estrella. SIN. **star-quad cable, spiral quad.**

spiral-four quad   *(Cables)* cuadrete en estrella.

spiral galaxy   *(Astr)* galaxia espiral, espiral nebulosa [galaxia]. SIN. spiral nebula.

spiral gear   engranaje helicoidal, engranaje (de dentadura) espiral.

spiral glide   *(Avia)* planeo en espiral.

spiral grid   *(Tubos elecn)* rejilla en espiral. CF. **mesh grid.**

spiral groove   acanaladura [estría] espiral.

spiral hairspring   *(Relojes)* pelo espiral.

spiral helix   hélice espiral.

spiral instability   *(Avia)* inestabilidad espiral.

spiral path   *(Nucl)* trayectoria espiral. SIN. **helical [helicoidal] orbit.**

spiral pattern   esquema espiraloide.

spiral quad   *(Telecom)* cable [cuadrete] en estrella. Conjunto de cuatro conductores arrollados espiralmente alrededor de un núcleo de soporte en común. SIN. **spiral-four cable.**

spiral-ratchet screwdriver   destornillador helicoidal de trinquete.

spiral reamer   *(Herr)* escariador helicoidal; escariador de acanaladuras en espiral.

spiral revolution   movimiento en espiral.

spiral sand pump   rosca transportadora [tornillo de Arquímedes] para arena.

spiral scale   escala espiral.

spiral scanning   *(Radar)* exploración [barrido] en espiral. Exploración en la cual un punto determinado del haz describe una espiral ‖ *(Tv)* exploración en espiral. Exploración en la cual el barrido se efectúa siguiendo una espiral (CEI/70 60–64–070).

spiral screwdriver   destornillador helicoidal; destornillador automático, destornillador [atornillador] de empuje.

spiral spring   muelle [resorte] en espiral, muelle helicoidal [en hélice cilíndrica] ‖ *(Ferroc)* muelle [resorte] helicoidal. Barra elástica dispuesta en forma de hélice. SIN. **coil spring.**

spiral squall   *(Meteor)* borrasca espiralada.

spiral stair   escalera de caracol.

spiral staircase   escalera de caracol; escalera helicoidal.

spiral stairway   escalera de caracol [de espiral].

spiral structure   estructura espiralada.

spiral sweep   *(Radar, Tv)* barrido [exploración] en espiral. SIN. spiral scanning.

spiral time base   *(Elecn)* base de tiempo en espiral.

spiral tuner   sintonizador de bobinas en espiral. Sintonizador en el cual se utilizan bobinas en espiral [spiral coils] sobre las que se mueven (por la acción de un mecanismo de mando), sendos contactos deslizantes. Con el desplazamiento de los contactos varía la inductancia y, por ende, la frecuencia de resonancia del circuito. SIN. **sintonizador de variación continua —— continuous tuner, inductuner.**

spiral wave winding   *(Elec)* devanado ondulado espiral.

spiral winding   devanado [arrollamiento] espiral; devanado en hélice.

spiraled   *adj:* espiralado; arrollado en espiral.

spiraled-quad cable   v. spiral-quad.

spiraling   espiralado, espiralización.

spiralization   espiralización.

spirally   *adv:* espiralmente, en espiral; helicoidalmente, en hélice.

spirally wound   devanado [arrollado] en espiral; devanado en hélice.

spirally wrapped   forrado en espiral (p.ej. un cable); arrollado en espiral (p.ej. un conductor).

spire   espira (de un devanado); espira, espiral, vuelta.

spirit   *(Lenguaje corriente)* espíritu; licor ‖ **spirits:** licor, bebida alcohólica ‖ *(Lenguaje técnico)* alcohol; tintura alcohólica ‖ *(also spirits)* espíritu, solución alcohólica.

spirit hydrometer   alcoholómetro.

spirit level   nivel de burbuja [de aire], nivel de burbuja de aire, nivel de alcohol.

spirit stain   tinte al alcohol, colorante disuelto en alcohol.

spiroidal   *adj:* espiroidal. v. spiral.

spiroidal scanning   v. spiral scanning.

SPKR   *(Esquemas)* Abrev. de speaker.

SPL   Abrev. de sound pressure level ‖ *(Teleg)* Abrev. de special.

splash   salpique, salpicadura; roción, rociada; chapoteo, barboteo ‖ *(Radar)* mancha ⫶ *verbo:* salpicar; rociar; chapotear.

splash baffle   *(Elecn)* pantalla de desviación (de arco). v. **arc baffle.**

splash-hood baffle   *(Ignitrones)* sombrerete salpicador, salpicadero, casquillo contra salpicaduras.

splash lubrication   lubricación por salpicadura [por salpique, por barboteo].

splash ring   *(Tubos de cátodo de mercurio)* anillo salpicador, pantalla anular. Tiene por objeto impedir que las salpicaduras del mercurio lleguen a otros electrodos.

splashing   salpicadura; rociadura; chapoteo, chapaleo ‖ *(Met)* salpicadura, galleo, proyección ‖ *(Meteor)* chapoteo.

splashproof   *adj:* a prueba de salpicaduras; protegido contra salpicaduras [contra proyecciones laterales de agua]; protegido contra (la penetración de) cuerpos extraños.

splashproof machine   *(Elec)* máquina protegida contra proyecciones laterales de agua. Máquina cuyas aberturas están dispuestas de tal manera que la misma sea protegida contra la penetración de cuerpos sólidos y del agua que caiga verticalmente o que incida en cualquier dirección que no se aparte de la vertical en más de 100 grados (CEI/56 10–05–180). CF. **dripproof machine, watertight machine.**

splashproof motor   *(Elec)* motor protegido contra proyecciones laterales de agua. v. splashproof machine.

¹splat   listón de madera; listón cubrejunta.

²splat   ruido de palmada ⫶ *adv:* con ruido de palmada.

splat cooling   enfriamiento de una aleación fundida lanzándola (mediante un chorro de gas) contra una superficie de cobre.

splatter   *(Radiocom)* radiaciones espurias ⎮ interferencia de canal adyacente. SIN. **adjacent-channel interference** ⎮ distorsión por sobremodulación. Distorsión originada por sobremodulación de un emisor durante los picos de la señal moduladora; viene a ser una forma de interferencia de canal adyacente ‖ *(Soldadura)* salpicaduras (de metal fundido).

splatter filter   *(Radiocom)* filtro contra radiaciones espurias.

splatter suppressor circuit   *(Radiocom)* circuito supresor [eliminador] de radiaciones espurias.

splay   bisel, chaflán ⎮ ensanche, abocinamiento. SIN. flare ‖ *(Ventanas)* alféizar, derrame; mocheta ⫶ *adj:* biselado, achaflanado; ensanchado, abocinado; ancho, extendido, desplegado ⫶ *verbo:* biselar, achaflanar, descantear; ensanchar, abocinar; aboquillar, emboquillar, abocardar.

splice   empalme ‖ *(Carp)* empate, unión ‖ *(Cables)* empalme, ayuste, unión ‖ *(Cine)* empalme. AFINES: prensa de empalmar, cola para empalmes, empalme ancho o de un agujero, empalme estrecho o de medio agujero, empalme de nervio, resalto del empalme, empalme por rotura de la película, empalme por desgarro de la perforación ‖ *(Correas)* amarre, juntura ‖ *(Cintas mag)* empalme; trozo (de cinta) empalmado ‖ *(Elec)* empalme. Conexión de dos conductores o de dos cables de modo que la unión sea mecánicamente resistente y de buena conductividad eléctrica ‖ *(Telecom)* unión, junta; conexión; empalme ‖ *(Estr)* empalme, empate, unión, juntura ‖ *(Vías férreas)* junta, unión ⫶ *verbo:* empalmar ‖ *(Carp)* empatar, unir, empatillar, empalmar ‖ *(Cables)* empalmar, ayustar, unir ‖ *(Cine)* empalmar; unir cintas ‖ *(Cintas mag)* empalmar ‖ *(Elec)* empalmar ‖ *(Telecom)* unir, juntar; conectar; empalmar ‖ *(Correas)* amarrar, empalmar ‖ *(Estr)* empalmar, empatar, unir, juntar ‖ *(Vías férreas)* juntar, unir; eclisar ‖ *(Taladros)* alargar.

splice bar   *(Ferroc)* eclisa, brida; barra angular [de brida].

LOCALISMO: mordaza | cobrejunta de angular.

splice box   *(Cables)* caja de empalmes.

splice case   *(Cables)* caja de empalmes.

splice enclosure   *(Cables)* caja de empalmes.

splice insulation   *(Elec)* aislamiento sobre un empalme.

splice plate   *(Estr)* cubrejunta, tapajunta, sobrejunta, brida, cachete, platabanda, chapa [placa, plancha] de unión.

splicer   *(Cine)* prensa para empalmes, prensa de empalmar. SIN. **splicing unit** | empalmador (de película), montador. Empleado encargado de unir las cintas || *(Cables)* ayustador || *(Elec)* empalmador || *(Telecom)* soldador. SIN. **jointer.**

splicer table   *(Cinta mag)* mesa para empalmes.

splicer's tool bag   *(Telecom)* juego de herramientas de soldador.

splicing   empalme, empate, unión, junta; conexión || *(Cables)* ayuste, empalme || *(Cine, Cintas mag)* empalme; pegadura.

splicing and blooping   *(Cine)* pegaduras y bloqueo de sonido.

splicing block   *(Cinta mag)* prensa de empalmar. Dispositivo que sirve para sostener en posición los extremos de dos cintas que se quieren empalmar.

splicing cement   *(Cine)* cola para empalmes, cola para película. La que se usa para las películas normales (de nitrato de celulosa) es una mezcla de acetona y acetato de amilo; la recomendada para las películas de seguridad (de acetato de celulosa) puede variar de composición, pero también contiene una gran proporción de acetona.

splicing chamber   *(Elec)* cámara [caja, pozo] de empalmes.

splicing clamp   tenaza empalmadora; mordaza de amarrar.

splicing compound   *(Elec)* cinta de empalme, cinta para aislación de empalmes; composición para empalmar.

splicing ear   *(Tracción eléc)* oreja [orejeta] de empalme, orejeta de unión | oreja de empalme. Oreja utilizada para la unión de dos hilos de contacto (CEI/38 30–40–075).

splicing fitting   *(Tracción eléc)* grifa de unión. Pieza de unión utilizada para la unión de dos tramos de hilo de contacto [contact wire]. SIN. **clamp** (CEI/57 30–15–215).

splicing girl   *(Cine)* montadora. Empleada encargada de inspeccionar las cintas y suprimir los segmentos inservibles o indeseables. SIN. **editing girl.**

splicing gum   *(Elec)* goma (aisladora) para empalmes, goma aisladora.

splicing inner conductor   *(Cables coaxiles)* conductor interno para empalme.

splicing kit   equipo para empalmes, juego de herramientas para empalmar.

splicing machine   *(Cine)* empalmadora, máquina de empalmar. Máquina de que se vale el montador [film editor] para unir las distintas escenas o tomas. CF. **splicer, splicing unit.**

splicing sleeve   *(Elec/Telecom)* manguito de empalme [de unión].

splicing tape   *(Cinta mag)* cinta de empalmar. Cinta especial adhesiva, no magnética, que se utiliza para efectuar empalmes en la cinta de registro magnético.

splicing tongs   *(Cables met)* alicates de ayustar. CF. **splicing clamp.**

splicing tool   herramienta de empalmar.

splicing unit   *(Cine)* empalmador, prensa de empalmar. SIN. **film splicer.** CF. **splicing machine.**

splicing wrench   *(Herr)* llave de amarrar alambre.

spline   ranura, estría, acanaladura || *(Carp)* lengüeta postiza, falsa lengüeta || *(Mec)* estría; chavetero; lengüeta postiza || *(Dib)* cercha, regla flexible. Regla plana flexible que sirve para medir y trazar superficies curvas | junquillo de trazar curvas /// *verbo:* ranurar, estriar, acanalar; mortajar || *(Carp, Mec)* fijar con lengüeta postiza || *(Mec)* chavetear (una pieza sobre un eje).

splined shaft   *(Mec)* eje ranurado [estriado, acanalado]; árbol ranurado; árbol con chavetas.

splineway   ranura, estría, acanaladura.

splinter   astilla (de madera, de vidrio, de metal); raja; brizna; fragmento; esquirla, astilla del hueso roto /// *verbo:* astillar(se);

fragmentar(se).

splinterproof   *adj:* inastillable.

splinterproof glass   cristal [vidrio] inastillable.

splinterproof plastic   plástico inastillable.

split   división, subdivisión; hendidura, hendedura, escisión; fragmentación; rompimiento; resquebrajo, grieta, cuarteadura, raja, rajadura || *(Teleg)* laguna, falso espacio, espacio [espaciamiento] falso. Interrupción o corte de un elemento de trabajo de una señal telegráfica, por falla de transmisión, de propagación, etc. En el caso de la telegrafía Morse, los elementos de trabajo son el punto [dot] y la raya [dash] | laguna. En telegrafía Morse, condición de reposo, indeseable y de corta duración, que se produce durante la recepción de la parte "trabajo" de una señal (punto o raya), provocando la mutilación de la señal recibida (CEI/70 55–70–240) || *(Radar)* conmutación del haz. Radiodetección en la cual se obtiene la dirección del objeto por la comparación de señales recibidas sucesivamente con dos posiciones del diagrama de directividad de la antena, para las cuales las direcciones del eje del diagrama difiere ligeramente de la dirección del objeto; el movimiento del eje del diagrama puede ser continuo y periódico, o discontinuo. NOTA: El término inglés recomendado es *beam switching.* Se desaconseja el uso de los siguientes sinónimos: *split, aerial [lobe] switching, lobe swinging, lobing* (CEI/70 60–72–145). CF. **static split** /// *adj:* dividido, subdividido; hendido; partido; fragmentado; agrietado, cuarteado, rajado; fraccionado; en dos partes, en dos piezas, en dos mitades /// *verbo:* dividir(se), subdividir(se); hender(se), rajar(se), resquebrar(se), resquebrajar(se), cuartear(se); estrellar(se); partir; agrietar; separar; desgarrarse, romperse; fraccionar; disociar; desdoblar; estallar; desconchar.

split anode   *(Elecn)* ánodo dividido [partido, hendido]; placa dividida.

split-anode magnetron   *(Elecn)* magnetrón de ánodo dividido | magnetrón de ánodo hendido. Magnetrón con ánodo cilíndrico dividido en dos partes mediante rendijas o ranuras generalmente paralelas al eje (CEI/56 07–29–010). CF. **multisegment magnetron.**

split beam   haz dividido, haz hendido.

split-beam microphotometer   microfotómetro de haz dividido.

split bearing   *(Mec)* cojinete hendido [seccional]; chumacera partida.

split cable grip   manga de malla para cables.

split-cable tap   *(Elec)* derivación de cable partido.

split-can antenna   antena cilíndrica hendida.

split cases   *(Informática)* unidades de despacho fraccionadas.

split channel   *(Radiocom)* canal dividido [compartido]. En el servicio radiotelefónico móvil, canal con separación de 20 kHz respecto a los adyacentes. SIN. **canal angosto** —— **narrow channel.** CF. **wide channel.**

split-channel system   *(Radiocom)* sistema de canal dividido [compartido].

split clamp ring   anillo-abrazadera partido.

split coil   *(Elec)* bobina con tomas [con derivaciones].

split column   *(Informática)* columna dividida.

split-column control   control de división de columnas.

split-column control device   dispositivo de control de división de columnas.

split-column device   dispositivo divisor de columnas.

split-column relay   relé de división de columnas.

split-conductor cable   *(Elec)* cable de conductores divididos. Cable en el cual cada conductor se compone de dos o más hilos aislados que normalmente se utilizan en paralelo, es decir, unidos por los extremos.

split-core current transformer   transformador de intensidad de pinza [de núcleo dividido]. Se usa para acoplar a una línea eléctrica un amperímetro, sin interrumpir el servicio ni establecer contacto metálico con el circuito. CF. **hook-on instrument.**

split-core-type transformer   *(Transf de medida)* transformador de pinza. Transformador sin primario cuyo circuito magnético [magnetic circuit] puede ser abierto y cerrado de manera que rodee un conductor recorrido por la corriente que se quiere medir (CEI/58 20–45–070). CF. **slip-over current transformer.**

split counter   contador dividido.

split courses   *(Radiofaros)* haz múltiple.

split duct   *(Telecom)* caja de empalmes; conducto de enlace.

split electric shield   *(Ant)* blindaje eléctrico hendido.

split-field motor   *(Elec)* motor (monofásico) de campo dividido.

split-field telemeter   telémetro de coincidencia.

split filter   *(Ilum)* filtro dividido [de dos colores].

split fitting   *(Elec)* accesorio partido, guarnición dividida; pieza de unión con charnela. Accesorio o guarnición (como un codo o una T) que está dividido o cortado longitudinalmente, de modo que puede colocarse en un tubo portacables después de insertados en éste los conductores; las dos partes se aprietan luego entre sí, generalmente mediante tornillos.

split flap   *(Aviones)* flap de intradós; flap doble.

split-flow reactor   *(Nucl)* reactor de circulación dividida (de refrigerante).

split focus   *(Fotog/Tv)* enfoque intermedio. Ajuste de foco sobre un punto intermedio entre dos objetos o partes de la escena.

split-frame technique   *(Cine/Tv)* técnica de desdoblamiento de la imagen. CF. **split image.**

split gear   engranaje de dos piezas (para reducir el huelgo). Una de dos ruedas dentadas que engranan está dividida en dos partes y provista de un resorte dispuesto de manera que las dos partes ejercen presión contra ambos lados de los dientes de la otra rueda.

split headphones   par de audífonos eléctricamente independientes. Se usa p.ej. en radiocomunicaciones para vigilar simultáneamente dos señales, especialmente cuando al menos una de ellas no está presente continuamente.

split hydrophone   hidrófono multicelular. Hidrófono direccional en el cual cada transductor suministra una señal separada, o en el cual los transductores se combinan en grupos y cada grupo suministra una señal separada. CF. **split projector.**

split image   *(Tv)* imagen dividida. Técnica y efecto de hacer que aparezcan dos (o más) imágenes contiguas en la pantalla receptora | duplicación [desdoblamiento] de (la) imagen. Defecto por el cual aparecen en la pantalla dos o más imágenes próximas entre sí y de densidad decreciente; se debe a una respuesta oscilatoria amortiguada en un circuito de videofrecuencia ‖ *(Cine)* imagen compuesta. Efecto fotográfico por el cual se combinan dos o más escenas. Con esta técnica puede hacerse aparecer que un actor trabaja frente a sí mismo. También puede combinarse una escena en miniatura con una a escala normal; o puede insertarse en la imagen general una reproducción ampliada de un detalle determinado, llamándose esta última *inserto, detalle,* o *imagen de detalle* [detail image, detail picture]. SIN. **split picture [screen], composite matte.**

split integrator   integrador dividido.

split key   *(Telef)* v. **splitting key.**

split knob   *(Elec)* botón partido, perilla partida.

split-knob insulator   *(Elec)* aislador de botón partido.

split-load circuit   *(Elecn)* inversor de fase de carga dividida. v. **phase splitter.**

split-load phase inverter   *(Elecn)* inversor de fase de carga dividida.

split magnetron   v. **split-anode magnetron.**

split nut   tuerca dividida (en dos partes).

split order-wire   *(Telecom)* línea de órdenes dividida ‖ *(Telef)* sistema de llamada con bloqueo de la posición B; circuito múltiple de enlace entre operadoras.

split phase   *(Elec)* fase dividida [partida, abierta]. Disposición o montaje para cambiar un circuito monofásico en bifásico.

split-phase circuit   *(Elec)* circuito de fase dividida [partida] ‖ *(Elecn)* divisor de fases. v. **phase splitter.**

split-phase current   corriente de fase dividida. Una de las dos fases de corriente obtenidas a partir de un circuito monofásico con

la ayuda de reactancias.

split-phase motor   *(Elec)* motor de fase dividida [partida], motor de (arranque por) fase auxiliar. Motor de inducción monofásico con devanado auxiliar de arranque conectado en paralelo con el devanado principal, pero desplazado magnéticamente respecto al mismo. De esta manera se obtiene el campo magnético giratorio necesario para el arranque del motor. Normalmente el circuito del devanado auxiliar se abre automáticamente cuando el motor ha alcanzado una velocidad predeterminada. V.TB. **split-phase starting.**

split-phase starting   *(Elec)* arranque por fase dividida | arranque por fase auxiliar. Sistema aplicable a los motores de inducción monofásicos [single-phase induction motors] que utilizan una fase auxiliar [auxiliary phase] para crear un par motor [torque] durante el arranque, por ejemplo con la ayuda de un condensador o de una bobina de reactancia. SIN. **capacitor starting** (CEI/58 35–05–095).

split-phase starting system   sistema de arranque por fase dividida [por fase auxiliar].

split picture   *(Cine/Tv)* v. **split image.**

split pin   *(Mec)* pasador hendido [de horquilla, de aletas], chaveta hendida.

split projector   *(Electroacús)* bocina [proyector acústico] multicelular. Proyector acústico direccional en el cual los elementos transductores están divididos en grupos excitados eléctricamente mediante bornes independientes. CF. **split hydrophone.**

split pulse   impulso partido.

split rail   *(Ferroc)* aguja de cambio. EN ESPAÑA: espadín. SIN. **switch blade.**

split reel   *(Cine)* bobina (de película) dividida.

split resistor   *(Elec)* resistencia fraccionada.

split-ring connector   conector de anillo partido.

split rotor plate   *(Cond)* placa de rotor con muescas. v. **slotted rotor plate.**

split S   *(Vuelos acrobáticos)* rizo-tonel invertido.

split screen   *(Cine/Tv)* pantalla dividida. v. **split-screen technique** | imagen dividida; imagen compuesta. v. **split image.**

split-screen display   presentación de pantalla dividida.

split-screen technique   *(Cine/Tv)* técnica de la pantalla dividida. Cuando se emplea esta técnica la pantalla aparece dividida (verticalmente) en dos partes. En cada mitad aparece una escena diferente captada por una cámara distinta. Las cámaras pueden estar lejos una de otra, aun en ciudades distintas. Una de las aplicaciones de esta técnica es mostrar simultáneamente los dos interlocutores de una conversación por teléfono o dos personas que participan en un mismo programa.

split selector   *(Informática)* selector dividido.

split-series motor   *(Elec)* motor (de CC) con un devanado en serie para cada sentido de giro.

split shaft   eje partido [hendido, dividido]; árbol partido.

split shield   *(Ant)* blindaje hendido.

split-sound receiver   *(Tv)* receptor de dos canales de amplificación a frecuencia intermedia, receptor con canal separado de FI para el sonido. V.TB. **split-sound television receiver.** SIN. **dual-channel receiver.** CF. **intercarrier receiver.**

split-sound system   *(Tv)* sistema (de FI) con canales de amplificación separados para la imagen y el sonido.

split-sound television receiver   televisor con canal de sonido independiente, receptor de televisión con portadora de sonido separada. V.TB. **split-sound receiver.** CF. **intercarrier television receiver.**

split-stator capacitor   condensador (variable) de estator fraccionado, capacitor de estator fraccionado. Condensador variable con estator dividido en dos secciones separadas y un rotor común a ambas. SIN. **split-stator condenser, split-stator variable capacitor.**

split-stator condenser   v. **split-stator capacitor.**

split-stator variable capacitor   condensador [capacitor] variable de estator fraccionado. v. **split-stator capacitor.**

split switch   *(Ferroc)* cambio de aguja, cambio (de vía) con agujas. LOCALISMO: chucho de aguja.

split transducer   *(Electroacús)* transductor multicelular. v. **split hydrophone, split projector.**

plit trunk group   *(Telef)* (available for use only on certain outward positions) grupo de enlace particular.

split washer   arandela partida.

split winding   *(Elec/Elecn)* devanado dividido ‖ *(Máq eléc)* devanado en trasbolillo. Devanado en rombo de dos pisos [two-position diamond winding] en el cual las secciones que ocupan la parte superior de una ranura [slot], se reparten en posición inferior en otras dos ranuras. SIN. **stepped winding** (CEI/56 10-35-300)

split-winding loop   *(Elecn)* bucle de devanado dividido. En la técnica de los dispositivos magnéticos digitales, bucle de transferencia [transfer loop] de amplificador magnético de impulsos con cargas en paralelo [parallel magnetic pulse amplifier] en el cual el devanado de entrada está dividido en dos mitades iguales, y el acoplamiento entre el devanado de salida del núcleo emisor y el devanado de entrada del núcleo receptor se efectúa principalmente mediante dos diodos polarizados en sentido directo [forward-biased] en el instante de la transferencia.

split wire   *(Informática)* cable múltiple.

split wiring   *(Informática)* conexión mediante cable múltiple.

split-wound motor   *(Elec)* motor con devanado dividido. CF. **split-field motor, split-series motor.**

splitter   divisor; bifurcador ‖ *(Elecn)* (*i.e.* phase splitter) divisor de fases, desfasador ‖ *(Cirugía dental)* pulicán de garganta. El pulicán es una tenaza para la extracción de muelas y dientes ‖ *(Herr)* hendedor, cuchilla hendedora ‖ *(Lab)* partidor de muestras ‖ *(Mec)* partidor ‖ *(Minería)* partidor (del fango, de minerales) ‖ *(Pies de presa)* disipador de energía ‖ *(Sierras)* placa abridora.

splitter joint   junta aislante.

splitting   descomposición; disociación; separación; exfoliación; desconchado, desconchadura; escisión; partición; corte; hendimiento, hendedura, hendidura; rajadura; desdoblamiento; reflexión; división, subdivisión; resquebrajamiento, cuarteamiento, agrietamiento; desgarramiento, rompimiento; fraccionamiento ‖ *(Nucl)* fisión; partición ‖ *(Quím)* desdoblamiento, hidrólisis ‖ *(Rec)* corte ‖ *(Telef)* seccionamiento, separación, corte; dispositivo de corte ‖ **splittings:** hojuelas de mica; mica exfoliada en laminillas irregulares.

splitting arrangements   *(Telecom)* dispositivos de corte.

splitting key   *(Telef)* llave de seccionamiento, llave separadora [de separación]; llave posicional de separación (de cordones).

splitting of atomic nucleus   fisión del núcleo atómico.

splitting position   *(Telef)* posición de separación.

splitting time   *(Telecom)* tiempo de corte. Tiempo transcurrido entre el momento en que se aplica a un receptor de señales una señal de corriente alterna [AC signal] o de frecuencia vocal [voice-frequency current] y el momento en que se corta el circuito para evitar el riesgo de perturbar un sistema de señalización situado más allá del punto de corte | tiempo de corte (de un receptor de señales). Período que separa el momento en que se aplica una señal de frecuencia vocal a un receptor de señales [signal receiver] y el momento en que es cortada la conexión hacia adelante para evitar los riesgos de mal funcionamiento (CEI/70 55-115-155).

SPLO   *(Teleg)* Abrev. de São Paulo.

spoiler   perturbador; dispositivo utilizado para reducir un efecto ‖ *(Aeron)* expoliador; interceptor; aleta de ranura; deflector aerodinámico; perturbador de filetes (de aire) ‖ *(Ant)* reja de varillas montada en un reflector parabólico para cambiar la radiación de haz fino en radiación con diagrama en cosecante cuadrada.

spoiler resistor   *(Elecn)* resistor elevador de impedancia. Resistor utilizado como medio de aumentar la impedancia de una fuente de

tensión estabilizada o constante, lo suficiente para que la fuente pueda funcionar en paralelo con otra u otras fuentes.

spoiling   perturbación; reducción de un efecto; deterioro de una propiedad ‖ *(Guerra elecn)* contramedida de tipo pasivo destinada a impedir que el adversario utilice una emisión radioeléctrica para fines de navegación.

spoke   rayo (de rueda). /// *verbo:* enrayar (una rueda).

spoken broadcast   *(Radio)* emisión hablada.

spoken commentary   *(Radio/Cine/Tv)* comentario hablado, narración hablada.

spoken digit   dígito [número] hablado, cifra hablada.

spoken numeral   número hablado, cifra hablada.

spoken transmission   *(Radio)* emisión hablada.

spoken word   palabra hablada.

spokeshave   *(Carp)* cepillo de carpintero, garlopa; cuchilla desbastadora [de dos mangos]; bastrén, cepillo [cuchillo] para rayos. LOCALISMOS: cuchilla de halar (para carpintero); raspadera, pulidor de madera. SIN. **drawknife.**

spoking   efecto radial. (1) En radar, defecto de funcionamiento que se manifiesta por la aparición de líneas radiales en la pantalla. (2) En un rollo de cinta magnética, deformación del devanado, debida a irregularidades de tensión de la cinta, que se observa en forma de líneas radiales; las vueltas próximas a la periferia del rollo pueden presentar irregularidades de circularidad.

sponge   esponja ‖ *(Electroquím)* esponja. Depósito electrolítico voluminoso y de naturaleza esponjosa (CEI/60 50-25-025) /// *verbo:* esponjar; embeber; limpiar [lavar] con esponja.

sponge iron   esponja de hierro.

sponge lead   plomo esponjoso.

sponge rubber   goma esponjosa [macrocelular] ‖ *(Dib)* goma esponjosa de borrar.

spongy   *adj:* esponjoso; de naturaleza esponjosa; voluminoso y compresible.

spongy consistency   consistencia esponjosa.

spongy lead   *(Acum)* plomo esponjoso.

sponson   *(Hidroaviones)* aleta [quilla] de balance.

sponsor   padrino, madrina, apadrinador; patrón, comanditario; auspiciador, patrocinador; fomentador, promotor; fiador ‖ *(Radio/Tv)* patrocinador, anunciante. Anunciante que paga un programa total o parcialmente /// *verbo:* apadrinar; patrocinar, auspiciar; fomentar, promover.

sponsored film   *(Cine)* película auspiciada [patrocinada].

sponsored motion picture   *(Cine)* película (cinematográfica) auspiciada [patrocinada].

sponsored program   *(Radio/Tv)* programa patrocinado [auspiciado], programa pagado por un anunciador.

sponsored television   televisión comercial. SIN. **commercial television.**

sponsorship   padrinazgo, padrinaje, patrocinio; fomento, promoción.

spontaneous   *adj:* espontáneo.

spontaneous combustion   combustión espontánea. CF. **spontaneous ignition.**

spontaneous decay   *(Nucl)* desintegración espontánea. SIN. **spontaneous disintegration** | retorno espontáneo (de un átomo excitado) a niveles energéticos inferiores.

spontaneous disintegration   desintegración espontánea. SIN. **spontaneous decay.**

spontaneous emission   *(Nucl)* emisión espontánea. Emisión de energía por radiación cuando un átomo excitado retorna espontáneamente al nivel energético de su estado fundamental [ground state].

spontaneous fission   *(Nucl)* fisión espontánea. Fisión nuclear que se produce sin la intervención de partículas o de fotones de procedencia exterior.

spontaneous-fission half-life   período de semidesintegración espontánea.

spontaneous ignition   ignición espontánea, autoignición | combustión espontánea. SIN. **spontaneous combustion** ‖ *(Mot)* inflamación espontánea (de la mezcla), encendido espontáneo.

spontaneous mutation   *(Genética)* mutación espontánea.

spontaneous nuclear transformation   transformación nuclear espontánea.

spontaneous radioactive disintegration   desintegración radiactiva espontánea.

spoofing   *(Guerra elecn)* táctica destinada a engañar o desorientar al adversario.

spook   Coloquialismo con el significado de *fantasma, espectro, aparecido.*

spook interference   *(Tv)* imagen fantasma. v. **ghost.**

spool   carrete, carretel, bobina; carretel, devanadera ‖ *(Aparatos cine)* bobina, carrete ‖ *(Tejidos)* carrete ‖ *(Máq de coser)* bobina, canilla (carrete que va en la lanzadera) ‖ *(Máq de elevación o extracción)* molinete ‖ *(Turbinas)* rodete ‖ *(Registro mag)* carrete, carretel (de cinta) ‖ v.TB. **spool of. . .** CF. **reel** ⫼ *verbo:* devanar, bobinar, ovillar, encanillar; encarretar, devanar en carrete(s).

spool center   centro del carrete.

spool changing   *(Cine)* cambio de bobina [de carrete].

spool hub   *(Cine)* cubo de bobina [de carrete].

spool insulator   *(Elec)* aislador de carrete, roldana [polea] aisladora.

spool of hookup wire   carrete de alambre para conexiones.

spool of lacing cord   carrete de cordel para cableado.

spool spindle   *(Cine)* eje de bobina [de carrete].

spool-wound resistor   resistor devanado en carrete.

spooling   devanado, bobinado, arrollamiento en bobina o carrete.

spooling process   (proceso de) devanado, bobinado, etc.

spooling speed   *(Cine)* velocidad de arrollamiento.

sporadic   *adj:* (also sporadical) esporádico.

sporadic E layer   *(Radioelec)* (a.c. Es layer) capa E esporádica, capa Es. Ionización esporádica de la región E, de extensión suficiente para formar una capa temporal (CEI/70 60–24–050). v. sporadic ionization.

sporadic E-layer ionization   ionización esporádica de la capa E.

sporadic E-layer propagation   propagación por ionización esporádica de la capa E.

sporadic ionization   *(Radioelec)* ionización esporádica. Ionización anormalmente intensa e irregular en el tiempo, en el espacio, y en densidad, que puede producirse en una región ionosférica dada, principalmente en la región E (CEI/70 60–24–045).

sporadic reflection   *(Radioelec)* reflexión esporádica [anormal]. v. abnormal reflection.

sporadical   v. sporadic.

sport   deporte; pasatiempo; juego; diversión; recrèo; deportista ‖ *(Genética)* mutación. SIN. **mutation.**

sports   *adj:* deportivo.

sports commentary   *(Radio/Tv)* comentario [reportaje] deportivo, narración de juegos deportivos.

sports event   evento deportivo.

sports-finder   *(Fotog)* visor deportivo. Visor apropiado para fotografiar toda clase de eventos deportivos y escenas de mucha acción. SIN. **visor para reportajes — action finder, sports frame-finder, sports-type viewfinder.**

sports frame-finder   *(Fotog)* visor deportivo, visor de cuadro para reportajes. v. **sports-finder.**

sports news   noticias deportivas, crónica deportiva.

sports relay   *(Radio/Tv)* retransmisión deportiva.

sports stadium   estadio.

sports-type viewfinder   *(Fotog)* visor deportivo, visor para eventos deportivos. v. **sports-finder.**

sportscaster   *(Radio/Tv)* narrador deportivo.

spot   emplazamiento, sitio, lugar; paraje; localidad; puesto; mancha, mácula, borrón, tacha; globo observatorio; palo (de la baraja) | (of light) mancha luminosa, punto luminoso ‖ *(Aparatos de medida)* índice luminoso. Imagen luminosa utilizada en los aparatos de espejo (CEI/38 20–40–085) | indicador luminoso. Imagen proyectada sobre la escala y que sirve así de índice [index] (CEI/58 20–35–030) ‖ *(Artillería)* corrección de alcance; pique, impacto en el agua ‖ *(Cine/Tv)* reflector de lente escalonada; proyector de haz; lámpara de alumbrado intenso para efectos. SIN. **spotlight** ‖ *(Radio/Tv)* cuña, anuncio comercial (corto); programa corto ‖ *(Circ impresos)* punto terminal. v. **terminal area** ‖ *(Comercio)* plaza ‖ *(Teleg)* punto de exploración [de imagen]. SIN. **exploring spot, scanning point** ‖ *(TRC)* punto (luminoso), traza (luminosa), punto explorador [de imagen]. A VECES: mancha de exploración, "spot". (**1**) Punto de la pantalla fluorescente sobre el cual incide el pincel electrónico. (**2**) Punto luminoso producido en la pantalla por el haz electrónico o haz catódico | punto luminoso, traza luminosa, spot (en un tubo catódico). Pequeña mancha producida instantáneamente sobre la pantalla por el impacto del haz catódico (CEI/56 07–30–160) ⫼ *verbo:* emplazar; poner en posición; colocar, situar; mover (la carga); manchar, macular, ensuciar; mancharse; salir manchas; abigarrar, motear; marcar, señalar; distinguir; notar, descubrir, observar ‖ *(Artillería)* poner en posición; observar el tiro; observar los piques [impactos en el agua] ‖ *(Aviones y otros vehículos)* situar (adecuadamente) para la carga y descarga ‖ *(Portaaviones)* estacionar (aviones) sobre cubierta ‖ *(Ferroc)* marcar traviesas por renovar o reemplazar.

spot a storm   detectar una tormenta.

spot announcement   *(Radio/Tv)* anuncio relámpago; secuencia corta (normalmente intercalada entre dos actos).

spot board   *(Ferroc)* escantillón indicador de nivel para la vía.

spot brightening   *(TRC)* intensificación del punto luminoso.

spot-brightening pulse   impulso intensificador del punto luminoso.

spot brilliance   *(TRC)* brillo del punto luminoso.

spot brilliancy   brillo del punto luminoso.

spot commercial   *(Radio/Tv)* cuña, anuncio comercial (breve).

spot cooling   enfriamiento localizado; enfriamiento de punto.

spot correlation   correlación discontinua.

spot deflection   *(TRC)* desviación del punto luminoso.

spot diameter   *(TRC)* diámetro del punto explorador [de la mancha luminosa]; ancho [anchura] de línea. SIN. **spot size, strip [line] width.**

spot distortion   *(TRC)* distorsión del punto explorador [de imagen] | distorsión del spot. Defecto de un spot cuya forma no es circular (CEI/56 07–30–285). CF. **blooming, halation.**

spot elevation   *(Mapas, Topog)* punto acotado; elevación acotada.

spot erase   *(Registro mag)* borrado selectivo. SIN. **selective erase.**

spot fineness   *(TRC)* finura del punto luminoso.

spot frequency   frecuencia discreta [puntual], frecuencia única. Dícese en oposición a una banda de frecuencias o a un barrido de frecuencia. SIN. **discrete frequency.**

spot gluing   encolado por puntos [por zonas].

spot height   *(TRC)* altura del punto explorador [de la mancha luminosa]; altura de línea. Si no hay error de circularidad, es igual al diámetro. CF. **spot diameter** ‖ *(Mapas, Topog)* cota, altura de un punto del terreno.

spot intensity   *(TRC)* intensidad del punto explorador [luminoso].

spot jamming   *(Radio)* perturbación de una frecuencia o un canal determinados.

spot landing   *(Avia)* aterrizaje de precisión.

spot motion   *(TRC)* desplazamiento del punto explorador [luminoso].

spot news pickup   *(Radio/Tv)* asuntos noticiosos captados *in situ;* toma de escenas de actualidad fuera de los estudios.

spot news telecasting   *(Tv)* transmisión de actualidades desde fuera de los estudios.

spot noise   *(Radiocom)* ruido discontinuo | ruido puntual. Ruido que es función puntual [point function] de la frecuencia de entrada.

spot-noise factor   factor de ruido puntual. SIN. **spot-noise figure.**

spot-noise figure   cifra de ruido puntual. SIN. **spot-noise factor**.

spot of light   punto luminoso, mancha luminosa.

spot-optimizer magnet   *(TRC)* imán optimizador del punto luminoso. Imán permanente colocado en el cuello de algunos cinescopios de color para ajustar el punto luminoso de modo de obtener la imagen óptima en cuanto a finura de detalles.

spot projection   *(Teleg)* proyección del punto explorador. Sistema en el cual el punto explorador (punto analizador en el transmisor, punto registrador en el receptor) es delineado mediante una abertura dispuesta entre la fuente luminosa y el original o la hoja de registro, según el caso.

spot radiographing   radiografiado por zonas.

spot remover   quitamanchas.

spot report   informe redactado *in situ,* informe formulado en el sitio donde se han recogido los datos o hecho las observaciones ‖ *(Radio/Tv)* reporte desde el lugar de los sucesos.

spot shifting   desplazamiento [corrimiento] del punto explorador.

spot size   *(TRC)* tamaño [diámetro] del punto explorador, tamaño del punto luminoso. Sección del haz sobre la pantalla ‖ *(Tv)* tamaño del punto. Diámetro útil del punto sintetizador. SIN. **aperture** *(término desaconsejado)* (CEI/70 60–64–600). CF. **spot diameter**.

spot-size error   *(Radar)* error (de interpretación de una presentación visual) por excesivo tamaño del punto explorador.

spot speed   *(Teleg/Tv)* velocidad de exploración. Velocidad del punto explorador (punto analizador en el transmisor, punto registrador o sintetizador en el receptor) a lo largo de una línea de exploración. SIN. **scanning speed**.

spot weld   *verbo:* soldar por puntos.

spot welder   soldadora [máquina de soldar] por puntos.

spot-welding   soldadura por puntos. Procedimiento de soldadura por recubrimiento en el cual las piezas son soldadas en puntos consecutivos, muy cercanos, por medio de corrientes intermitentes (CEI/38 40–20–060) ‖ electrosoldadura de punto. Procedimiento de soldadura por resistencia [resistance welding] en el cual la fusión se limita a una parte relativamente pequeña de la superficie de las piezas superpuestas que han de ser unidas.

spot wind   *(Meteor)* viento instantáneo.

spot wobble   *(Tv)* oscilación del punto explorador ‖ vobulación del punto. Movimiento oscilatorio dado a un spot sintetizador, en dirección normal a las líneas, con el objeto de hacer éstas menos visibles (CEI/70 60–64–385).

spotlight   luz concentrada, lámpara proyectora (de haz concentrado) ‖ *(Autos)* faro buscador, faro auxiliar orientable, reflector buscahuellas. LOCALISMOS: faro de banquina, buscachivos ‖ luz de estribo ‖ *(Cine/Tv)* (a.c. spot) reflector de lente escalonada; proyector de haz; lámpara de alumbrado intenso para efectos.

spotlight lamp   lámpara proyectora (de haz concentrado).

spottiness   *(Tv)* moteado, imagen manchada. v. **snow**

spotting   emplazamiento; posicionamiento; colocación; limpieza de manchas; moteado; observación; detección; visualización ‖ *(Artillería)* observación del tiro; observación de impactos; desvíos ‖ *(Fotog)* retoque para suprimir pequeños defectos. CF. **retouching** ‖ *(Galvanoplastia)* pecas. Aparición de pequeñas manchas sobre metales acabados [finished metals] o los metales que han recibido un depósito galvanoplástico [plated metals] (CEI/60 50–30–185). CF. **stain spots**.

spotting out   aparición de manchas, moteado ‖ *(Galvanoplastia)* aparición de pecas ‖ aparición de mohos. v. **stain spots**.

spotting switch   conmutador [llave] para ponerse en frecuencia, conmutador para el control de frecuencia.

spotting winch   malacate situador.

spout   canal, caño, conducto; canalón, gárgola; canilla, espita; canalón de desagüe, tubo de desagüe [de descarga], chorrera; canal de colada; canaleta (para hormigón); chorro, pitón, surtidor; pico (de vasija o recipiente); cuello (de vasija o recipiente) ‖ *(Guías de ondas)* embocadura, boca, abertura (de radiación); tobera. SIN. **nozzle** ‖ boquilla. v. **nozzle** ⫽ *verbo:*

brotar, surgir, correr (a chorros), chorrear; echar, arrojar (un líquido); barbotar, salir con fuerza ‖ *(Vaciado de hormigón)* verter [colocar] por canaletas distribuidoras.

spray   rocío, rociada, rociadura, lluvia; pulverización; nebulización; aerosol; salpicadura; ducha ‖ **cold spray, hot spray:** pulverización en frío, pulverización en caliente ‖ roción (de una ola); espuma (del mar); líquido [mixtura] de rociar; líquido pulverizado, agua pulverizada; chorro pulverizado; rociador; pulverizador; nebulizador; ramaje; ramita ‖ *(Hidroaviones)* roción ⫽⫽ *verbo:* rociar, regar, asperjar; pulverizar; nebulizar; salpicar; pintar con aerosol [con pistola]; barnizar con pistola; metalizar con pistola.

spray arc   *(Soldadura)* arco de rociadura.

spray condenser   *(Nucl)* condensador de lluvia.

spray cooler   enfriador por lluvia; enfriador de mezcla.

spray dome   *(Detonaciones nucleares submarinas)* cono de lluvia.

spray gun   pulverizador, pistola pulverizadora [de pulverización], pistola rociadora, pistolete aspersor [de pulverización].

spray-gun metallization   metalización con pistola [con pistolete pulverizador].

spray head   rociador; boquilla rociadora.

spray mask   estarcido para pintar con pulverizador [con pistola].

spray nozzle   tobera de pulverización; pitón pulverizador; pulverizador de agua; boquilla rociadora [de regar, de regadera], lanza de regadera, pico regador; surtidor; salpicador (de gasolina).

spray-paint   *verbo:* pintar con pistola [con pulverizador].

spray painting   pintado con pistola [con pulverizador], pintura por pulverización.

spray point   *(Gen Van de Graaf)* punta de inducción. Cualquiera de las puntas afiladas dispuestas en hilera, que se polarizan con un elevado potencial eléctrico continuo, y que sirven para cargar y descargar, por efluvios, la correa transportadora del generador. Se llaman *peines* las hileras de puntas de inducción.

spray printing   estampado con pistola pulverizadora.

spray radiation treatment   *(Radiol)* irradiación total. Técnica de radioterapia en la cual es irradiado el cuerpo entero. SIN. **total [whole] body irradiation** (CEI/64 65–25–050). CF. **convergent-beam therapy**.

spray strip   *(Hidroaviones)* desviador de roción.

sprayed cathode   *(Elecn)* cátodo formado por pulverización. Cátodo cuya capa emisora de electrones se deposita por pulverización.

sprayed coating   recubrimiento por rociadura [por aspersión].

sprayed metal   metal rociado, metal chorreado con pistola [con pulverizador].

sprayed printed circuit   circuito [conexionado] impreso formado por rociadura. Circuito o conexionado formado rociando partículas metálicas (metal fundido o en forma de gas) sobre una base aislante.

sprayed resistor   resistencia pelicular obtenida por pulverización.

sprayer   rociador, aspersor, pulverizador; pistola pulverizadora [rociadora] ‖ *(Mot)* difusor (del carburador); inyector (de combustible) ‖ *(Calderas)* quemador.

spraygun   v. **spray gun**.

spraying   rociadura, rociada, roción; aspersión; pulverización; nebulización; salpicadura; barnizado con pistola; recubrimiento por rociadura ‖ metalización por rociadura [por proyección]. En electrónica, rociado de partículas de metal fundido o en forma de gas, sobre una base aislante. CF. **sprayed printed circuit**.

spraying gun   v. **spray gun**.

spraying varnish   barniz de rociar [de chorrear con pistola].

spread   ancho, expansión; extensión, amplitud; alcance; intervalo; desarrollo; diseminación, propagación; dispersión; fuga ‖ *(Aviones)* envergadura ‖ *(Mat, Medidas)* extensión ‖ margen de desviación [de variación], cota. Margen de desviación o de error de una magnitud respecto a determinado valor nominal o ideal ‖ dispersión. Intervalo de variación de una magnitud; intervalo que abarca los distintos valores observados de una magnitud ‖ *(Radio)* dispersión. SIN. **dispersion, scattering** ‖ *(Teleg)* (zona de) desbordamiento. Intervalo de tiempo en torno a un instante ideal de una modulación o de una restitución, en el cual ocurren los instantes significativos [significant instants] reales de la modulación o la restitución. SIN. **displacement (region)** ‖ V.TB. **spread of. . .** ⫻ *verbo:* distribuir; esparcir(se); desparramar; extender, tender, abrir; desplegar(se); desarrollar(se); desenvolver; espaciar; divulgar; diseminar; propalar(se); apartar(se), separar(se); cundir; progresar; largar (velas); untar; exhibir, poner a la vista.

spread factor *(GB)*   *(Máq eléc)* factor de distribución. Parte del factor de bobinaje [winding factor] que toma en cuenta el carácter repartido del devanado [phase spread]. SIN. **distribution factor** *(EU)* (CEI/56 10–35–335) | coeficiente de distribución.

spread groove   *(Fonog)* surco de separación. En un disco fonográfico, surco de paso largo entre dos piezas grabadas consecutivamente, que permite a la aguja pasar de una pieza a la otra con una pausa de silencio.

spread of bearings   *(Radiogoniometría)* gama azimutal. v. **range of bearings.**

spread of flux   dispersión del flujo.

spread of signal flux   dispersión del flujo de la señal.

spread-out histogram   histograma desparramado.

spread reflection   reflexión semidifusa [mixta, irregular]. SIN. **mixed reflection.** v. **reflection.**

spread refraction   refracción irregular.

spread-spectrum transmission   *(Telecom)* transmisión de espectro extendido [de banda ancha]. Transmisión simultánea de numerosas ondas de señal diferentes por una banda extensa de frecuencias.

spreader   propagador; divulgador; diseminador; pieza de separación; substancia dispersiva; untador ‖ *(Ant)* separador. Travesaño aislante que mantiene separados los hilos paralelos ‖ *(Ataguías, Tablestacados)* puntal, tornapunta ‖ *(Calderas)* regulador de la capa de carbón (sobre la parrilla) ‖ *(Constr)* travesaño, balancín, viga cepo [de separación] ‖ *(Constr de caminos y pavimentos)* distribuidor, esparcidor, esparcidora (de arena, de grava, etc.); obrero que extiende el asfalto ‖ *(Explotación forestal o maderera)* estirador, igualador ‖ *(Herrería)* desplegador, repartidor ‖ *(Lab)* extendedor ‖ *(Líneas de tr)* separador. Travesaño aislante que mantiene separados los conductores paralelos ‖ *(Encofrados, Moldes, Tapiales)* separador, codal, aguja; taco; tornapunta ‖ *(Neumáticos)* desplegador, ensanchador ‖ *(Sierras)* cuchilla separadora ‖ *(Telecom)* separador ‖ *(Vál)* partidor.

spreader bar   barra separadora.

spreading   expansión; extensión; desarrollo; diseminación; propagación; dispersión, esparcimiento; difusión; distribución; desparrame; espaciado; divulgación; propalación; desenvolvimiento; apartamiento, separación; exhibición; aplanamiento; ensanche ‖ *(Tv)* extensión [agrandamiento] de una parte de la imagen. Condición anómala que se produce por falta de linealidad en el barrido.

spreading anomaly   anomalía (de propagación) por dispersión del haz.

spreading lens   *(Opt)* lente divergente. SIN. **diverging lens.**

spreading of wavefront   ensanchamiento del frente de onda.

spreading pressure (of a film)   *(Fís)* presión de dispersión, presión superficial (de una película). SIN. **surface pressure.**

spreading rate   *(Pinturas)* extensión específica; superficie cubierta por unidad de cantidad de pintura.

spreading resistance   *(Rect de contacto puntual)* resistencia de dispersión, resistencia serie debida al material semiconductor (con exclusión de la debida a la barrera).

Sprengel pump   bomba (de vacío) Sprengel.

spring   muelle, resorte; ballesta; elasticidad, fuerza elástica; alabeo, combadura, curvatura; fuente, manantial; primavera (estación del año) ‖ *(Mecanismos de relojería)* cuerda ‖ *(Ferroc)* **springs:** suspensión. Parte constituida por resortes y elásticos y que apoya en la caja de engrase de los ejes de un vehículo ⫻ *adj:* elástico; amortiguador; de muelle, de resorte; de cuerda; para

resorte; para ballesta ⫻ *verbo:* armar con resorte(s); soltar (un resorte); asegurar con resorte(s); saltar; sacar de golpe; combar, encorvar, torcer; alabearse, combarse, curvarse, torcerse ‖ *(Líquidos)* brotar, manar, salir.

spring-actuated   *adj:* accionado por muelle, de muelle; de cuerda.

spring-actuated stepping relay   relé de progresión accionado por resorte. Relé de progresión de accionamiento por resorte y armado eléctrico.

spring assembly   montaje del muelle; haz de hojas de ballesta ‖ *(Telecom)* equipo [grupo, bloque] de resortes.

spring back   *verbo:* retornar elásticamente, volver a la posición anterior (por acción antagonista).

spring-back   deformación residual.

spring balance   pesón, balanza de resorte [de muelle, de tensión], romana de muelle | tensor de resorte. CF. **spring counterbalance.**

spring bows   compás de muelle.

spring calipers   compás de resorte; calibre de resorte.

spring catch   pestillo de resorte; retén de resorte; fiador [trinquete] de resorte | mosquetón. Gancho o anilla cerrados por un muelle, que sirve para enganchar objetos rápidamente y evitar que se desenganchen por sí solos. SIN. **spring hook.**

spring clamp   abrazadera de resorte ‖ *(Autos)* brida de la ballesta ‖ *(Lab)* pinzas de resorte ‖ *(Telecom)* alojamiento [cartucho] del resorte. SIN. **spring seat.**

spring clip   presilla; grapa elástica, abrazadera de resorte; soporte antivibratorio ‖ *(Autos)* abrazadera de ballesta.

spring connector   conector elástico.

spring constant   *(Resortes)* constante del resorte, constante elástica [de elasticidad]. Está dada por dF/dx (derivada de F respecto a x), siendo F la fuerza aplicada al resorte y x la extensión o contracción del resorte. SIN. **elastic constant.**

spring contact   *(Elec)* contacto elástico [de resorte]. Contacto montado en una ballesta o lámina elástica, por lo común de bronce fosforado.

spring-contact terminal   terminal de contacto elástico.

spring cotter   pasador hendido; clavija hendida.

spring counterbalance   contrapeso de resorte. Resorte ajustable que llevan los tocadiscos para regular el empuje vertical del brazo fonocaptor, y, por ende, la fuerza de la aguja contra el disco; el nombre viene de que el ajuste de la fuerza vertical se realiza oponiendo la acción del resorte a la del peso del brazo | contratensor de resorte. CF. **spring balance.**

spring curve   *(Relés)* curva de tensión del resorte (en función del movimiento de la armadura).

spring cushion   *(Tocadiscos)* suspensión de resorte.

spring drive-belt   correa de mando de resorte.

spring-drive recorder   (aparato) registrador de cuerda.

spring-driven   *adj:* accionado por muelle; movido por cuerda [por mecanismo de relojería], de cuerda.

spring-driven chart   *(Aparatos registradores)* carta movida por cuerda.

spring finger   dedo elástico, resorte.

spring hanger   *(Líneas de tr)* soporte de suspensión del tipo de resorte.

spring hook   gancho de resorte; engancharresortes | mosquetón, gancho de seguridad. SIN. **spring catch.**

spring leaf   hoja [lámina] de ballesta, hoja de elástico.

spring load   carga por resorte; apriete [presión] por resorte.

spring-loaded   *adj:* de resorte, accionado por resorte; con acción de resorte; con apriete [presión] por resorte; con resorte de compensación; con muelle antagonista.

spring-loaded arm   brazo con muelle antagonista.

spring-loaded button   botón con presión por muelle. Botón que se aprieta para poder abrir una tapa o un panel embisagrado.

spring-loaded clip   presilla ‖ *(Cám tv)* presilla sujetapapeles (para colgar el guión técnico).

spring-loaded drum   tambor de resorte.

spring-loaded foot switch   pedal conmutador de resorte. Conmutador accionado por un pedal con resorte antagonista.

spring-loaded hinge   bisagra con resorte (de compensación).

spring motor   motor de cuerda, mecanismo de relojería.

spring pileup   *(Relés)* grupo de contactos de resorte accionados en conjunto (por una palanca de armadura).

spring plunger   émbolo de resorte.

spring pressure   tensión de resorte.

spring-rail frog   *(Ferroc)* cruzamiento elástico [de resorte]; corazón con carril de muelle [con pata de liebre móvil]. LOCALISMO: sapo con riel de muelle | cruzamiento móvil. Cruzamiento provisto de un fuerte resorte que aprieta la pata de liebre contra la punta del corazón.

spring retainer   retenedor [sujetador] de resorte.

spring return   retroceso [llamada] por muelle.

spring-return rotary switch   conmutador giratorio [rotativo] de retroceso por muelle.

spring-return switch   *(Elec)* conmutador de retorno por muelle [de retorno elástico]; interruptor con muelle antagonista. Conmutador (caso particular: interruptor) que retorna a su posición normal cuando se suelta el botón o la perilla de accionamiento.

spring seat   asiento [zócalo] de resorte, asiento inferior de muelle silla [soporte central] de ballesta || *(Telecom)* alojamiento [cartucho] del resorte. SIN. **spring clamp.**

spring set   juego de resortes.

spring-set   *(Sierras)* trabado.

spring sleeve   manguito de resorte. Pieza que se coloca sobre el eje motor de algunos tocadiscos, para darle el diámetro exacto necesario.

spring snap clip   presilla de resorte [de pinza elástica].

spring spike   *(Vías férreas)* clavo elástico. Clavo laminado elástico de sección cuadrada.

spring steel   acero para resortes.

spring steel clip   *(Vías férreas)* clepe elástico. Grampa o mordaza elástica de sujeción de rieles que presenta cierta elasticidad en sentido vertical.

spring stop   *(Relés)* tope de resorte. Organo que sirve para regular la posición de un resorte pretensado.

spring strip   fleje.

spring stud   *(Relés)* espiga empujacontacto. Pieza aislante que transmite de un contacto a otro del mismo grupo accionado en conjunto [pileup] el movimiento comunicado al primero por la armadura.

spring switch   *(Elec)* interruptor de resorte; conmutador con contactos elásticos [montados en resorte de hoja]. CF. **spring contact** || *(Vías férreas)* cambio automático. CF. **spring-rail frog.**

spring takeup   tensor de resorte.

spring tempered stainless steel   acero para resortes [para ballestas] templado e inoxidable. Se usa p.ej. para la fabricación de antenas tipo látigo.

spring tension   tensión elástica; tensión del resorte [del muelle].

spring tide   *(Oceanog)* marea viva.

spring transmission   *(Tracción eléc)* transmisión por resorte. Transmisión por árbol hueco [quill drive] en la cual el sistema deformable de enlaces elásticos está constituido esencialmente por resortes (CEI/57 30–15–495).

spring-type connector   conector (del tipo) de resorte. Especie de borne de acción elástica que permite hacer conexiones rápidas sin necesidad de soldadura.

spring-type shock absorber   amortiguador de resortes.

spring valve   válvula de resorte.

spring washer   arandela elástica [de presión, de resorte]; arandela del muelle [del resorte] || *(Vías férreas)* arandela elástica. Arandela de resorte para mantener una presión uniforme.

spring-wound drive   dispositivo de arrastre de cuerda, aparato de cuerda [de relojería] (para animar algún mecanismo).

springiness   elasticidad.

springnut   tuerca elástica, tuerca con función combinada de arandela de seguridad.

sprinkler   rociador, aspersor, aparato para rociar o asperjar; regadera, regadora; camión de riego.

sprocket   piñón, rueda [corona] dentada; rueda [polea] de cadena, rueda dentada para cadena, piñón, catalina. Rueda o corona dentada que engrana con otra o con una cadena || *(Cine)* rodillo dentado, rodillo de alimentación [de progresión]. Rodillo con dientes que se acoplan a las perforaciones de la película para hacerla avanzar. SIN. **sprocket wheel** || *(Teleimpr)* espiga; rueda de espigas (para el avance del papel).

sprocket hole   *(Cine)* perforación, taladro, orificio. Uno de los agujeros en que entran los dientes del rodillo de progresión de la película. SIN. **perforation.**

sprocket-hole film   *(Cine)* película con perforado para rodillo dentado.

sprocket hum   *(Cine)* zumbido de las perforaciones. SIN. **sprocket noise.**

sprocket noise   *(Cine)* ruido de las perforaciones. SIN. **sprocket hum.**

sprocket paper feed   *(Teleimpr)* avance del papel por rueda de espigas. CF. **friction paper feed.**

sprocket pulse   *(Informática)* impulso de carácter. Impulso generado por el punto magnetizado asociado a cada uno de los caracteres registrados en una cinta magnética | impulso de agujero de progresión. Impulso generado por el agujero de progresión de una cinta de papel, y utilizado para la cronización de la lectura o la perforación de la cinta.

sprocket shoe   *(Cine)* patín [zapata] del rodillo.

sprocket wheel   *(Mec)* rueda catalina, rueda (dentada) de cadena, piñón para cadena || *(Cine)* rodillo dentado, rodillo de alimentación [de progresión]. SIN. **sprocket** || *(Teleimpr)* rueda de espigas (para el avance del papel). SIN. **sprocket.**

SPST   *(Elec)* Abrev. de single-pole single-throw.

spun   *adj:* hilado; centrifugado; moldeado por centrifugación; entallado (en el torno).

spur   punta; diente; pincho; espiga; uña puntiaguda; espuela; acicate, estímulo; excitación | trepadera, escalador. LOCALISMO: espuela (para subir postes) || *(Anclas)* uña || *(Astilleros/Gradas)* llave, puntal inclinado de quilla || *(Buques)* arbotante. Palo que sobresale del casco y sirve de sostén || *(Bot/Zool)* espolón || *(Carp)* puntal, riostra, tornapunta, codal || *(Cerámica)* soporte || *(Carreteras)* ramal || *(Ferroc)* apartadero, vía muerta, desvío muerto || *(Filones)* ramificación, apófisis || *(Geog/Topog)* contrafuerte, estribo, estribación. Cadena secundaria de montañas; ramal corto de montañas que arranca de una cordillera || *(Líneas aéreas)* zanca. Elemento prefabricado [prefabricated member], plantado en el suelo, destinado a recibir un poste de madera [wooden pole] con el fin de evitar todo contacto con el suelo (CEI/65 25–25–195) || *(Petr/Sondeos)* arpón escariador || *(Telecom)* ramal || *(Telef)* línea auxiliar; (línea de) derivación. SIN. **branch line** | spur of a **circuit:** derivación de un circuito | spur serving a subscriber: derivación que sirve a un abonado.

spur gear   rueda dentada de talla recta, engranaje cilíndrico (de dentadura recta), engranaje recto.

spur line   *(Telef)* (línea de) derivación; línea auxiliar.

spur link   *(Redes de radioenlaces)* enlace lateral [secundario]; subenlace (radioeléctrico).

spur route   *(Telecom)* ramal, ruta secundaria [tributaria].

spur track   *(Ferroc)* apartadero, vía muerta, desvío muerto.

spurious   *(Osc)* componente espuria ||| *adj:* espurio. NOTA: Es incorrecta la grafía *espúreo* | adulterado, falsificado; falso; parásito || *(Piedras)* falso; artificial.

spurious contact   contacto parásito.

spurious count   *(Equipos contadores)* impulso parásito, recuento accidental | **spurious counts:** percusión esporádica. Cuentas producidas por toda acción otra que el paso al interior o al través de un detector de radiación, de fotones o de partículas a las cuales es el mismo sensible (CEI/68 66–10–360).

spurious counting rate   recuento de los neutrones dispersados al azar.

spurious emission   *(Radiocom)* emisión espuria, emisión [radiación] no esencial. SIN. **spurious radiation**. CF. **parasitic emission**.

spurious harmonic   armónica espuria [parásita].

spurious harmonic generation   generación de armónicas espurias. CF. **distortion**.

spurious harmonic radiation   *(Radiocom)* radiación de armónicas parásitas. CF. **spurious radiation**.

spurious indication   indicación falsa.

spurious mode (of vibration)   *(Cristales piezoeléc)* modo espurio [parásito] (de vibración).

spurious modulation   modulación parásita. Modulación de un oscilador que ocurre accidentalmente por vibración mecánica de un componente o por otra causa. CF. **incidental frequency modulation**.

spurious noise   ruido parásito.

spurious output   *(Tr)* componente(s) espuria(s) a la salida, emisión indeseable. CF. **spurious emission**.

spurious pattern   *(Tv)* imagen espuria.

spurious print-through signal   *(Registro mag)* señal calco, señal espuria registrada por contacto, señal falsa por efecto de impresión magnética. V.TB. **print-through, spurious printing**.

spurious printing   *(Registro mag)* falso registro, registro espurio, efecto de eco. V.TB. **print-through** | efecto de impresión magnética. Aparición de una señal parásita en una espira de un soporte magnético (cinta, hilo) arrollado, creada por las señales registradas en las espiras vecinas. SIN. **accidental printing** (CEI/60 08–25–220).

spurious pulse   impulso parásito [falso]. (1) Impulso no generado intencionalmente. (2) En un contador de radiaciones, impulso que no se debe directamente a la radiación ionizante. V.TB. **spurious count**.

spurious pulse mode   modo falso de impulsos. Modo de impulsos (v. **pulse mode**) falso formado por la combinación al azar de dos o más modos verdaderos.

spurious radiation   radiación espuria [parásita], radiación no esencial, emisión de señales espurias. En radiocomunicación, radiación de un emisor en frecuencias ajenas al canal asignado. SIN. **spurious emission**.

spurious response   respuesta espuria. En el caso de un receptor de radio, se dice cuando el aparato responde a una o más frecuencias otras que la de sintonía. SIN. **respuesta no selectiva**.

spurious-response attenuation   atenuación de las respuestas espurias.

spurious-response ratio   relación de respuesta espuria. Relación f'/f en la cual f' es la intensidad de campo a la frecuencia que produce una respuesta espuria y f es la intensidad de campo a la frecuencia deseada (frecuencia de sintonía), aplicándole al receptor los dos campos sucesivamente y de modo de obtener salidas iguales. Esta definición abarca como casos particulares la de *razón de señal a imagen* [image ratio] y la de *relación de respuesta en frecuencia intermedia* [intermediate-frequency response ratio].

spurious shading   *(Tv)* sombra (espuria). v. **shading** *(Tv — Defectos de la imagen)*.

spurious signal   señal espuria [parásita]. Señal perjudicial generada internamente en un dispositivo. CF. **spurious radiation** | señal falsa.

spurious transmitter output   v. **spurious output**.

spurious tube count   v. **spurious count**.

Sputnik   Sputnik. Nombre genérico de los primeros satélites artificiales de la Tierra, lanzados por los rusos. La palabra *sputnik* significa *satélite*. El "Sputnik I" fue el primer objeto satelizado por el hombre; "Sputnik II" el primer satélite portador de seres vivientes; y "Sputnik V" el primero que fue recuperado.

sputter   v. **sputtering** /// *verbo:* chisporrotear; metalizar por bombardeo iónico.

sputter point   *(Rec)* umbral de mejoramiento (en la relación señal

a ruido). En un receptor de modulación por frecuencia, nivel crítico de la señal recibida por encima del cual se suprime el ruido. SIN. **improvement threshold**.

sputtered atom   átomo desalojado [desprendido] por bombardeo iónico.

sputtered film   película obtenida por pulverización.

sputtered material   material pulverizado por bombardeo iónico.

sputtering   (a.c. sputter) chisporroteo; erosión; pulverización; sublimación metálica; espolvoreado iónico; desalojo [desprendimiento] de átomos por bombardeo iónico; desalojamiento [desprendimiento] de átomos por bombardeo de partículas atómicas || *(Elecn)* (i.e. cathode sputtering) pulverización [desintegración, sublimación] catódica | (i.e. anode sputtering) pulverización anódica | sublimación, evaporación catódica. Desprendimiento de partículas por influencia del aflujo catódico. SIN. **cathodic evaporation** (CEI/38 65–35–065) | sublimación. Evaporación catódica [cathode evaporation] bajo la influencia de iones positivos (CEI/64 65–10–170) | deposición electrónica, deposición por sublimación [pulverización] catódica. Procedimiento de deposición en vacío (utilizado p.ej. para la obtención de películas delgadas [thin films]), en el cual la superficie que se quiere cubrir recibe una lluvia de finas partículas desalojadas de un cátodo por bombardeo de iones positivos. El aparato utilizado está constituido por un tubo electrónico al vacío, desarmable, de grandes dimensiones, conectado a una bomba que mantiene el vacío mientras dura el procedimiento. El material que se evapora (material de aporte) se coloca de modo que funcione como cátodo, y el tubo se hace funcionar en condiciones que provoquen el bombardeo del cátodo por iones positivos. Este bombardeo hace que caigan sobre la superficie que se quiere cubrir (que puede ser vidrio, plástico, metal, etc.) partículas sumamente pequeñas de metal derretido; se forma así una película metálica delgada muy uniforme. SIN. **cathode sputtering** || *(Telecom)* chisporroteo.

sputtering apparatus   aparato para la pulverización catódica de metales.

SPVR   *(Teleg)* Abrev. de supervisor.

sq   Abrev. de square.

sq cm   Abrev. de square centimeter.

sq ft   Abrev. de square foot.

sq in   Abrev. de square inch.

sq km   Abrev. de square kilometer.

sq m   Abrev. de square meter.

sq mi   Abrev. de square mile.

sq mil   Abrev. de square mil.

SQM   Abrev. de signal-quality monitor [monitor de calidad de señal].

squad   brigada, cuadrilla.

squad car   automóvil de patrulla (policiaca). Automóvil patrullero de la policía, generalmente equipado con radioteléfono. SIN. **patrol car**.

squadron   *(Mil)* escuadrón || *(Marina de guerra)* escuadra || *(Avia de guerra)* escuadrilla.

squall   *(Meteor)* chubasco, turbonada.

squall cloud   (nube de) chubasco.

squall head   frente de chubasco.

squall line   línea de turbonada.

square   cuadro, cuadrado | Nombre de varias medidas inglesas de superficie || *(Acum)* v. **pasted square** || *(Carp)* escuadra, codal; escuadra, cartabón || *(Ciudades)* plaza; manzana (de casas); cuadra || *(Dib)* escuadra, cartabón || *(Mat)* cuadrado, segunda potencia (de un número) || *(Mil)* cuadro || *(Tableros de ajedrez o de damas)* casilla, escaque || *(Telecom)* cuadrete, grupo de cuatro hilos || *(Techos)* cuadrado || *(Ventanas)* cristal /// *adj:* cuadrado; a escuadra; rectangular; en cuadro | **four meter square:** cuatro metros en cuadro (cuadrado de cuatro metros por lado)=16 m² | **four square meters:** cuatro metros cuadrados (p.ej. cuadrado de dos metros por lado)=4 m² | cuadrático; parabólico || *(Comercio)* saldado, en paz || *(Marina)* en cruz || *(Mat)* (elevado) al cuadrado /// *verbo:* cuadrar, formar un cuadro; escuadrar; medir una superficie, determinar un área; cuadrar, encajar; estar en ángulo recto || *(Bellas Artes, Dib)* cuadricular, trazar una cuadrícula || *(Carp)* esquinar, cuadrar, escuadrar, acodar (madera) || *(Comercio)* saldar, arreglar (cuentas); pasar balance; cuadrar (los libros); ajustar, justificar, conformar, conciliar || *(Marina)* bracear (en cuadro) || *(Mat)* cuadrar, elevar al cuadrado [a la segunda potencia]; calcular áreas || *(Geom)* reducir (una figura) a un cuadrado equivalente, encontrar un cuadrado equivalente (a otra figura).

square bracket　　*(Tipog/Impr)* paréntesis angular [rectangular], corchete.

square cascade　　*(Separación isotópica)* cascada cuadrada [constante]. Cascada en la cual todas las etapas son idénticas.

square centimeter [cm²]　　centímetro cuadrado.

square channel　　hierro (en) U cuadrado.

square-core oscillator　　v. **square-loop-core oscillator.**

square corner　　esquina rectangular; esquina viva; ángulo vivo.

square-corner reflector　　reflector diédrico rectangular.

square-corner screen　　*(Tv)* pantalla de ángulos vivos. Pantalla con las esquinas bien definidas, en lugar de ser redondeadas; permite observar una imagen más completa y de mayor área.

square detector　　v. **square-law detector.**

square edge　　arista viva, canto vivo | borde cuadrado, canto escuadrado. En la industria fonográfica, defecto del disco por haberse llenado el mismo hasta hacer desaparecer la forma ahusada normal del borde. CF. **bad edge.**

square file　　*(Herr)* lima (de sección) cuadrada.

square foot [ft²]　　pie cuadrado. Equivale a 0,0929 m².

square-foot unit of absorption　　*(Acús)* sabinio, unidad de absorción por pie cuadrado. v. **sabin.**

square-head screw　　tornillo de cabeza cuadrada.

square-head setscrew　　(tornillo) prisionero de cabeza cuadrada.

square hysteresis loop　　ciclo [bucle, curva] de histéresis rectangular. Ciclo o curva de histéresis (v. **hysteresis curve, hysteresis loop**) de flancos casi verticales y de partes superior e inferior casi horizontales. SIN. **rectangular hysteresis loop.**

square-hysteresis-loop ferromagnetic material　　material ferromagnético de ciclo de histéresis rectangular.

square inch [in.²]　　pulgada cuadrada. Equivale a 6,4516 cm².

square kilometer [km²]　　kilómetro cuadrado.

square knot　　nudo llano [liso, derecho], nudo de tejedor.

square law　　ley cuadrática.

square-law　　*adj:* de ley [característica] cuadrática, cuadrático.

square-law circuit　　circuito de ley [característica] cuadrática. Circuito cuya salida es proporcional al cuadrado de la entrada; por ejemplo, circuito a base de una válvula electrónica cuya corriente de ánodo es proporcional al cuadrado de la tensión excitadora.

square-law combiner　　*(Rec en diversidad)* combinador de ley cuadrática.

square-law condenser　　condensador de variación cuadrática; condensador de variación proporcional a la longitud de onda [de variación lineal de la longitud de onda].

square-law control characteristic　　característica de control [de regulación] de ley cuadrática.

square-law demodulator　　v. **square-law detector.**

square-law detection　　*(Elecn/Telecom)* detección cuadrática [parabólica]. (**1**) Detección en la cual la intensidad de la corriente unidireccional obtenida a la salida es proporcional al cuadrado de la amplitud de la tensión variable detectada. (**2**) Detección en la cual la señal de salida, dentro de la gama útil del dispositivo, es proporcional al cuadrado de la señal de entrada (CEI/70 55-05-460). (**3**) Detección en la cual la salida es proporcional al cuadrado de la amplitud sinusoidal de entrada | detección [rectificación] parabólica. Rectificación en la cual la corriente rectificada varía como el cuadrado de la tensión sinusoidal aplicada (CEI/56 07-50-060). V.TB. **square-law detector.** CF. **linear detection.**

square-law detector　　*(Elecn/Telecom)* detector cuadrático [parabólico], detector de característica [ley, respuesta] cuadrática. Detector o desmodulador cuya tensión de salida es proporcional al cuadrado de la tensión de entrada (portadora modulada en amplitud). SIN. **square-law demodulator** | detector cuadrático. Detector cuya tensión de salida es proporcional al cuadrado de la amplitud de una portadora no modulada aplicada a la entrada (CEI/70 60-44-230). V.TB. **square-law detection.** CF. **linear detector.**

square-law measuring instrument　　instrumento de medida cuadrático [de ley cuadrática].

square-law operation　　funcionamiento de ley cuadrática.

square-law rectifier　　rectificador cuadrático.

square-law response　　respuesta (de ley) cuadrática.

square-law-scale meter　　instrumento de medida cuadrático [de ley cuadrática]. Instrumento de medida en el cual las desviaciones de la aguja indicadora son proporcionales al cuadrado de la energía aplicada.

square-law voltmeter　　voltímetro cuadrático.

square loop　　*(Radiocom)* antena de cuadro rectangular || *(Mag)* ciclo de histéresis rectangular, bucle [curva] rectangular. v. **square hysteresis loop.**

square-loop antenna　　antena de cuadro rectangular.

square-loop core　　núcleo de ciclo de histéresis rectangular.

square-loop core material　　material para núcleos de ciclo de histéresis rectangular.

square-loop-core oscillator　　oscilador de realimentación por transformador con núcleo de ciclo de histéresis rectangular. Se utiliza para generar impulsos de onda rectangular.

square-loop device　　dispositivo con ciclo de histéresis rectangular.

square-loop ferrite　　ferrita de ciclo de histéresis rectangular, ferrita de bucle rectangular. SIN. **rectangular-loop ferrite.**

square-loop-ferrite core　　núcleo de ferrita de ciclo de histéresis rectangular.

square-loop material　　material (para núcleo magnético) con ciclo de histéresis rectangular, material con curva de histéresis rectangular.

square-loop memory core　　núcleo para memoria (magnética) de ciclo de histéresis rectangular.

square measure　　medida de superficie.

square meter [m²]　　metro cuadrado.

square mil [mil²]　　milipulgada cuadrada. Area equivalente a la de un cuadrado con lados de 0,001 pulgada (0,0254 mm).

square mile [mi²]　　milla cuadrada. Equivale a 2,58999 km².

square-nose pliers　　*(Herr)* alicates de boca cuadrada.

square nut　　tuerca cuadrada.

square panel　　panel cuadrado.

square pulse　　impulso rectangular [cuadrado].

square-pulse generator　　generador de impulsos rectangulares [cuadrados].

square-pulse marker signal　　señal de marca cuadrada, señal marcadora de impulso rectangular.

square pyramid　　*(Geom)* pirámide cuadrangular [de base cuadrada]. Pirámide cuya base es un cuadrilátero.

square root　　*(Mat)* raíz cuadrada.

square-rooting circuit　　circuito de extracción de raíces cuadradas. Circuito utilizado en las calculadoras analógicas para la obtención de raíces cuadradas.

square screw　　tornillo de rosca cuadrada.

square search　　*(Salvamentos)* búsqueda en cuadrado.

square section　　sección cuadrada; sección transversal.

square-shaped pulse　　impulso rectangular [cuadrado]. SIN. **square pulse.**

square signal　　señal (de onda) rectangular, señal cuadrada.

square-signal generator　　generador de señales de onda rectangular [cuadrada]. SIN. **square-wave generator.**

square single-dial clock　　reloj cuadrado de una sola esfera.

square spherical well   *(Nucl)* pozo cuadrado de potencial central, pozo esférico rectangular. CF. **square well.**

square-top waveform   onda de techo rectangular.

square tube   tubo cuadrado.

square wave   *(Elecn/Telecom)* onda rectangular [cuadrada] | onda cuadrada. Onda periódica [periodic wave] que toma sucesivamente, y durante tiempos iguales, dos valores fijos, siendo el tiempo de transición de uno a otro valor despreciable en comparación con el tiempo durante el cual la onda toma cada uno de esos dos valores (CEI/70 55–35–090). CF. **step function.**

square-wave amplifier   amplificador de ondas rectangulares. Amplificador apropiado para la amplificación de ondas rectangulares o cuadradas con mínima distorsión, para lo cual es necesario que dé paso a una banda muy ancha de frecuencias. En efecto, las transiciones bruscas de amplitud exigen buena respuesta a muy altas frecuencias, mientras que la parte horizontal de la onda requiere respuesta a frecuencias muy bajas, incluso a la frecuencia cero. El amplificador es generalmente de acoplamiento directo o por resistencias (v. **direct-coupled amplifier**).

square-wave analysis   análisis mediante ondas rectangulares, análisis de respuesta por la aplicación de ondas cuadradas.

square-wave component   componente de onda cuadrada.

square-wave generator   generador de ondas rectangulares [cuadradas]. POCO USADO: generador de saltos. Generador de señales con forma de onda rectangular. SIN. **rectangular-wave generator, square-wave oscillator**. CF. **staircase generator.**

square-wave modulation   modulación con onda rectangular [cuadrada].

square-wave modulator   modulador en onda rectangular. Modulador que suministra una onda rectangular. En el caso típico ésta es de 1 000 Hz y se utiliza para modular una fuente de oscilaciones de radiofrecuencia como p.ej. un klistrón. V.TB. **square-waver.**

square-wave oscillator   oscilador de ondas cuadradas. SIN. **square-wave generator.**

square-wave output   salida de onda rectangular.

square-wave response   respuesta con onda rectangular [cuadrada]. Respuesta de un dispositivo a una señal de entrada de onda rectangular. En el caso particular de los tubos tomavistas (tubos de cámara), relación por cociente entre la amplitud de señal pico a pico dada por una carta de ensayo consistente en franjas blancas y negras alternadas y de igual anchura, y la diferencia en señal entre áreas blancas y negras grandes con igual iluminación que las franjas de la mencionada carta de ensayo. CF. **step-function response.**

square-wave response characteristic   *(Tubos tomavistas)* característica de respuesta con onda rectangular. Relación entre la respuesta con onda rectangular o cuadrada y la razón de la altura del cuadro iluminado a la anchura de franjas de la carta de ensayos de franjas blancas y negras alternadas.

square-wave signal   señal (de onda) rectangular.

square-wave test signal   señal de prueba de onda cuadrada.

square-wave testing   ensayo con ondas cuadradas, análisis de circuitos por su respuesta a las ondas rectangulares.

square-wave voltage   tensión (de onda) rectangular; onda rectangular de tensión.

square waveform   onda rectangular.

square-waver   modulador en onda rectangular. Dispositivo que modula una onda de radiofrecuencia de modo que la onda resultante de la modulación esté constituida por una onda de RF con variaciones rectangulares de amplitud. Se utiliza para la modulación de klistrones y generadores de señales [signal generators]. La frecuencia de modulación es generalmente de 1 000 Hz, pero puede ser variable entre p.ej. 800 y 1 200 Hz. SIN. **square-wave modulator.**

square well   pozo cuadrado (de potencial). Pozo de potencial de valor negativo constante.

square yard [yd²]   yarda cuadrada. Equivale a 0,836127 m².

squareness   cuadratura; escuadría; cuadradidad, condición de cuadrado; rectangularidad, ortogonalidad, perpendicularidad.

squareness ratio   relación de rectangularidad. (1) En un dispositivo magnético de función digital, razón de la diferencia de flujos remanentes [remanent-flux difference] a la diferencia de flujos máximos [maximum-flux difference]. (2) Razón del flujo remanente [residual flux] al flujo máximo; o de la densidad de flujo remanente [residual flux density] a la densidad de flujo máximo. Se usa como medida del comportamiento de las cintas magnéticas en cuanto al registro de señales binarias, y tiene valores numéricos típicos de 0,75 a 0,80 para cintas modernas de grano orientado.

squarewave   v. **square wave.**

squaring   cuadratura; escuadra; cuadriculación || *(Carp)* escuadreo (de maderas) || *(Elecn)* transformación en señal cuadrada || *(Mat)* acción de elevar al cuadrado.

squaring amplifier   amplificador cuadrador [recuadrador].

squaring circuit   circuito cuadrador [rectangulador, de cuadratura de onda], escuadrador. (1) Circuito que sirve para transformar una onda, generalmente sinusoidal, en una onda rectangular. (2) Circuito para obtener una onda cuadrada [square wave] comenzando con una onda senoidal que se amplifica y de la cual se cortan después los picos positivos y negativos | circuito de característica [respuesta] cuadrática, circuito de cuadratura. v. **square-law circuit.**

squaring shear(s)   cizalla de escuadrar, cizallas de corte a escuadra [para cortar a escuadra]; tijera para recortar chapa.

squaring the circle   *(Geom)* cuadratura del círculo. Problema que preocupó durante siglos a los antiguos matemáticos, consistente en encontrar un cuadrado equivalente (en área) a un círculo dado, mediante construcciones con regla y compás; hoy se sabe que el problema no tiene solución.

squashing   aplicación de una película semiconductora monocristalina a un substrato por presión entre dos rodillos calientes.

squat   *(Embarcaciones)* descenso [asentamiento] de popa (debido a la velocidad) || *(Hidroaviones)* descenso del centro de gravedad /// *adj:* chato, achatado, bajo y ancho.

squatting   *(Embarcaciones, Hidroaviones)* v. **squat.**

squawker   *(Electroacús)* altavoz de registro medio [para las notas medias]. CF. **tweeter, woofer** | alarma.

squeaking   chillido, chirrido /// *adj:* estridente, chirreante.

squeal   *(Registro mag)* chillido. Vibraciones perjudiciales de la cinta, en dirección longitudinal, causadas por irregularidades de fricción entre la cinta y las superficies fijas en contacto con ella (cabezas, guías) || *(Radio)* v. **squealing.**

squealing   *(Radio)* chillido, aullido. Nota aguda que a veces se oye en un receptor, y que se debe a interferencia heterodina [heterodyne interference] entre estaciones, o a oscilaciones espontáneas en algún circuito del aparato || *(Registro mag)* v. **squeal.**

squeegee   escoba [escobilla] de goma (para restregar y enjugar superficies mojadas); barredora [lampazo] de goma, barredera de caucho; enjugador || *(Cine/Fotog)* enjugador, rodillo secador.

squeezable waveguide   v. **squeeze section.**

squeeze box   *(Guías de ondas)* v. **squeeze section.**

squeeze section   *(Guías de ondas)* tramo de sección variable. TB. sección estrechable [alterable, compresible]. SIN. **squeezable waveguide, squeeze box** | tramo de sección variable. Elemento de guía de ondas rectangular [rectangular waveguide] construido de manera que permita, por variación de la anchura de la guía, una variación correlativa de la longitud eléctrica [electrical length] (CEI/61 62–20–090). CF. **line stretcher.**

squeeze time   *(Soldadura por puntos)* intervalo de presión de electrodo (antes de la aplicación inicial de corriente).

squeeze track   *(Registro fotog del sonido)* pista compresible. Pista sonora de densidad variable cuya anchura puede ser variada a voluntad por el técnico de grabación; por ese procedimiento el técnico ejerce un control global sobre la amplitud de la señal reproducida, con el objeto de mejorar la razón de señal a ruido. SIN. **pista sonora de densidad y anchura variables —— matted**

track.

squeeze-type grommet   ojete aislante de presión.

squegger   v. squegging oscillator.

squegger oscillator   v. squegging oscillator.

squegging   *(Osc)* oscilación [fenómeno] de relajación; sobreoscilación, sobregeneración; autobloqueo; automodulación periódica. Inestabilidad de un oscilador que se manifiesta en forma de variaciones de amplitud de las oscilaciones, variaciones que constituyen, en efecto, una modulación de carácter periódico a frecuencias que pueden ser audibles o supraaudibles. En el caso de un oscilador de válvula al vacío, es causada por excesiva amplitud de la tensión de rejilla y por una proporción inadecuada entre los valores de capacitancia y resistencia de rejilla | v. **squegging oscillator.**

squegging oscillator   (a.c. squegger, squegger oscillator) oscilador de extinciones [de extinción, de relajación, de autobloqueo]. SIN. **blocking [self-blocking] oscillator** | oscilador de extinciones. v. **self-quenching oscillator.**

squelch   *(Radio)* silenciador (automático), silenciador de ruido, silenciador en ausencia de señal, reductor de ruido (de fondo), amortiguador de ruidos de fondo, apagador de ruidos, reglaje silencioso. SIN. **squelcher.** V.TB. **squelch circuit, noise suppressor** | silenciamiento. v. **muting** /// *verbo:* silenciar (el ruido), apagar el ruido (de fondo); acallar el receptor; bloquear la audiofrecuencia. Acallar automáticamente un receptor por reducción de su ganancia en respuesta a una característica determinada de su señal de entrada | to open the squelch: desbloquear la audiofrecuencia.

squelch circuit   *(Radio)* circuito silenciador, circuito reductor de ruido (de fondo), circuito de sintonía silenciosa, circuito de regulación silenciosa [de reglaje silencioso]. En ciertos receptores, circuito que reduce el ruido de fondo en ausencia de señal; su acción consiste en el bloqueo de una etapa del receptor cuando la amplitud de señal cae por debajo de cierto nivel crítico (v. **squelch level**). SIN. **squelch, squelcher, muting circuit, noise suppressor.**

squelch control   control de silenciamiento, reglaje silencioso, regulación silenciosa. SIN. **quieting.**

squelch DC amplifier   amplificador de CC del silenciador.

squelch diode   diodo silenciador.

squelch level   nivel silenciador [de silenciamiento]. Nivel crítico de señal por debajo del cual entra en función el circuito silenciador [squelch circuit].

squelch noise amplifier   amplificador de ruido del silenciador.

squelch noise rectifier   rectificador de ruido del silenciador.

squelch system   sistema de sintonía silenciosa. v. **squelch circuit.**

squelch triode   triodo silenciador.

squelch voltage   tensión silenciadora, voltaje silenciador.

squelched   *(Rec)* silenciado, acallado, en condición de silenciamiento.

squelcher   *(Rec)* v. **squelch (circuit).**

squelching   *(Rec)* silenciamiento, acallamiento, reducción de ruido, regulación silenciosa, reglaje silencioso. v. **squelch.** SIN. **muting, noise quieting [reduction].**

squib   detonador, tronador, cebo eléctrico; mecha; carga iniciadora || *(Voladuras)* incendiario, carretilla eléctrica.

squint   *(Ant)* ángulo de conmutación de lóbulo. Angulo entre los ejes de los dos lóbulos principales de una antena de radar de conmutación de lóbulo o haz [lobe switching, beam switching]. SIN. **squint angle** | ángulo de barrido [exploración] horizontal. Angulo entre las posiciones extremas de la derecha y de la izquierda de una antena de radar de exploración cónica [conical scanning]. SIN. **squint angle** | estrabismo, ángulo de desviación. Angulo que forman el eje de radiación máxima de una antena y un eje o línea geométrica de referencia que puede ser el eje del reflector (caso de existir éste) | estrabismo, anomalía angular. Angulo que forman las direcciones teórica y real de la radiación

máxima de una antena (CEI/61 62-25-030) | ángulo de estrabismo, error de directividad. Angulo que forman la dirección teórica y la real del eje del lóbulo principal de una antena. SIN. **squint angle** (CEI/70 60-32-215).

squint angle   *(Ant)* v. **squint.**

squirrel   *(Zool)* ardilla.

squirrel cage   *(Elec)* jaula de ardilla. (**1**) Devanado compuesto de conductores dispuestos según las generatrices de un cilindro y reunidos en sus extremos por anillos conductores que los cierran en cortocircuito (CEI/38 10-05-165). (**2**) Dispositivo constituido por conductores cuyas extremidades están reunidas en cada costado por anillos o placas (CEI/56 10-35-105).

squirrel-cage antenna   antena de jaula de ardilla. Red de dipolos verticales montados sobre una columna.

squirrel-cage fan   ventilador de jaula de ardilla.

squirrel-cage induction motor   *(Elec)* motor de inducción de jaula de ardilla. v. **squirrel-cage motor.**

squirrel-cage magnetron   magnetrón de jaula de ardilla. Magnetrón cuyo ánodo consiste en una serie de barras paralelas al eje del cátodo y dispuestas en círculo concéntrico con él.

squirrel-cage motor   *(Elec)* motor de jaula de ardilla, motor de inducido de barras, motor de inducido de jaula (de ardilla) | motor de jaula (de ardilla). Motor de inducción cuyo devanado inducido tiene la forma de una jaula de ardilla (CEI/38 10-15-45, CEI/56 10-15-050). CF. **double-squirrel-cage motor.**

squirrel-cage rotor   *(Elec)* rotor de barras [de jaula de ardilla].

squirrel-cage winding   *(Elec)* devanado de jaula de ardilla, devanado de barras; devanado en cortocicuito. v. **squirrel cage.**

squirt can   aceitera de presión, aceitera [lubricador] de fondo flexible.

squitter   *(Radar)* disparo [funcionamiento] accidental; funcionamiento sin interrogación. Activación fortuita o accidental del respondedor; activación intencional del respondedor en ausencia de interrogación. CF. **clutter.**

SRAEN   *(Telecom)* Abreviatura de la expresión francesa "système de référence pour la détermination des affaiblissements équivalents pour la netteté", correspondiente al español "sistema de referencia para la determinación de las atenuaciones equivalentes de nitidez", y al inglés "reference system for determining the articulation reference equivalents". Esta abreviatura es de uso internacional. v. **AEN, ARAEN.**

SRC   Abrev. de Société Radio-Canada.

SRE   Abrev. de surveillance radar element.

SRG   Abrev. de Schweizerische Rundspruch-Gesellschaft (Suiza).

SRI   *(Teleg)* Abrev. de sorry.

SRLN   *(Teleg)* Abrev. de serial number.

SRLNR   *(Teleg)* Abrev. de serial number.

SRR   *(Avia)* Abrev. de search and rescue area.

SRS   *(Teleg)* Abrev. de see your service [sírvase ver su servicio].

SRY   *(Teleg)* Abrev. de sorry.

SS   Abrev. de steamship. NOTA: Esta abreviatura aparece en los mensajes telegráficos con origen o destino en una estación de barco || *(Telecom)* Abrev. de single sideband || *(ARRL)* Abrev. de ARRL Sweepstakes Contest.

SS loran   Abrev. de skywave-synchronized loran.

SSB   *(Telecom)* Abrev. de single sideband.

SSC   Abrev. de single-silk-covered wire.

SSE   Abrev. de single silk covering over enamel insulation; single-silk enamel-covered wire.

SSEC   Abrev. de single sideband, exalted carrier.

SSFM   Abrev. de single sideband, frequency modulation. Designa un sistema de multiplexión en el que varias subportadoras de banda lateral única (BLU) modulan en frecuencia una portadora.

SSI   *(Elecn)* Abrev. de small-scale integration.

SSI circuit   *(Elecn)* Abrev. de small-scale integrated circuit [circuito integrado en pequeña escala].

SSPM   Abrev. de single sideband, phase modulation. Designa un sistema de multiplexión en el cual varias subportadoras de banda lateral única (BLU) modulan en fase una portadora.

SSR   Abrev. de Societá Svizzera di Radiodiffusione ‖ Abrev. de secondary surveillance radar.

SSSC   Abrev. de single sideband suppressed carrier.

SST   Abrev. de supersonic transport.

SSTC   *(Teleg)* Abrev. de send subject to correction [sírvase expedirlo sujeto a corrección].

ST   *(Teleg)* Abrev. de street | Indicación oficial de servicio (UIT) que significa "Aviso de servicio tasado" [Paid service advice] ‖ *(Radio/Tv)* Abrev. de studio to transmitter.

ST link   *(Radio/Tv)* enlace estudio-transmisor. Radioenlace por microondas utilizado para transmitir el programa del estudio al transmisor de difusión, y establecer el circuito de comunicación telefónica entre las dos localidades.

stabilidyne   estabilidino. Radiorreceptor ideado de modo de compensar las fluctuaciones de frecuencia del oscilador local [local oscillator].

Stabilite   Marca registrada (RCA Corporation) de un sistema estabilizador de satélites artificiales de la Tierra.

stabilitron   estabilitrón. Amplitrón dispuesto para funcionar como oscilador de gran estabilidad.

stability   estabilidad; firmeza, solidez; constancia, regularidad, fijeza ‖ *(Avia, Estr, Nucl, Quím, &)* estabilidad ‖ *(Elecn/Telecom)* estabilidad. (1) Ausencia de cambios o variaciones indeseables debidos a cualquier causa; en consecuencia, propiedad de mantener constantes ciertas características frente a fluctuaciones de tensión alimentadora, carga, temperatura ambiente, etc. Así, se dice p.ej. que es estable un resistor cuya resistencia no cambia con la temperatura, o un oscilador cuya frecuencia no fluctúa ni se corre. (2) Ausencia de oscilaciones perjudiciales. En este sentido es estable un amplificador o un sistema de transmisión que no tiene tendencia a entrar en oscilación. (3) Propiedad de un sistema que desarrolla fuerzas que contrarresten cualesquiera fuerzas que tiendan a perturbar su equilibrio | stability **after initial warm-up**: estabilidad después de transcurrido el período de calentamiento inicial | stability **under extreme conditions**: estabilidad en condiciones extremadamente desfavorables | stability **with time**: estabilidad en el tiempo | CF. drift, fluctuation, frequency drift, oscillation, ringing, jitter, regulation ‖ *(Telef)* estabilidad. Valor máximo en que puede ser aumentada la ganancia en servicio normal de un circuito sin provocar silbido [singing], o, en el caso de un circuito provisto de supresor de silbidos [singing suppressor], sin provocar una mutilación apreciable de la palabra [perceptible signal mutilation]; esa ganancia suplementaria debe poder ser introducida en cualquier punto y de manera igual y simultánea en los dos sentidos de transmisión (CEI/70 55–05–290) | De conformidad con la definición precedente, la estabilidad de un circuito telefónico está dada por la fórmula $T = q - (q_1+q_2)/2$, siendo q la media de los equivalentes nominales del circuito relativos a cada uno de los dos sentidos de transmisión, cuando el circuito está en las condiciones normales de explotación, y q_1 y q_2 los equivalentes del punto de silbido [singing-point equivalents] medidos para los dos sentidos de transmisión respectivamente ‖ v.TB. stability of. . .

stability area   zona de estabilidad.

stability condition   condición de estabilidad.

stability criterion   *(Sist de control)* criterio de estabilidad.

stability factor   factor de estabilidad. En el caso de un circuito de transistor, razón del cambio en la corriente de colector por el cambio en la corriente continua de colector para corriente nula de emisor. Cuando es considerablemente mayor que la unidad, se producen grandes variaciones en la corriente de colector en función de la temperatura, pues el segundo término de la razón tiene un elevado coeficiente de temperatura (11 por 100 por grado Celsio en el caso del germanio).

stability of a floating body   estabilidad de un cuerpo flotante.

stability of a laminar flow   estabilidad de un flujo laminar.

stability of phases   *(Termodinámica)* estabilidad de fases.

stabilivolt   estabilizador de tensión [de voltaje]. Tubo estabilizador de tensión con electrodos en atmósfera gaseosa.

stabilivolt tube   válvula estabilizadora de tensión, tubo estabilizador de voltaje.

stabilization   estabilización. (1) Acción de obtener estabilidad. (2) Mantenimiento de una orientación determinada a bordo de una nave. (3) Tratamiento de un cuerpo para mejorar la constancia de sus propiedades mecánicas, magnéticas, etc. (4) Tratamiento de un suelo con el fin de hacerlo apto, de manera duradera, para su empleo en caminos o carreteras.

stabilization network   *(Elecn)* red estabilizadora. Red o circuito que se le añade a un amplificador con realimentación negativa [negative feedback], al objeto de prevenir oscilaciones.

stabilization of variance   *(Mat)* estabilización de varianza.

stabilization voltage   tensión estabilizadora.

stabilize   *verbo:* estabilizar.

stabilized against variations in line voltage   estabilizado respecto a (las) variaciones de (la) tensión de línea.

stabilized amplifier   amplificador estabilizado; amplificador de ganancia constante.

stabilized feedback   *(Radio/Elecn)* realimentación estabilizada. SIN. degeneration, inverse [negative] feedback.

stabilized flight   vuelo estabilizado. Vuelo en el cual la información de control se obtiene de dispositivos de referencia estabilizados por inercia, como p.ej. giróscopos.

stabilized-gain amplifier   amplificador de ganancia estabilizada [constante].

stabilized local oscillator [STALO]   oscilador local estabilizado.

stabilized pinch   *(Nucl)* constricción [apretamiento, estrechamiento] estabilizado.

stabilized platform   plataforma estabilizada. Plataforma que se mantiene en posición y orientación estables, a bordo de una nave, en el agua o en el espacio, mediante un sistema de giróscopos y servomecanismos.

stabilized power supply   fuente de alimentación estabilizada.

stabilized shunt-wound motor   *(Elec)* motor devanado en derivación y estabilizado.

stabilized space platform   plataforma espacial estabilizada, plataforma cósmica. v. **stabilized platform**.

stabilizer   estabilizador. En general, dispositivo que mantiene constante una magnitud | estabilizador girostático. (1) En ciertos equipos radáricos o sonáricos de a bordo, dispositivo a base de un giróscopo que mantiene el haz explorador sobre el blanco pese al balanceo del vehículo. (2) v. **gyrostatic stabilizer** ‖ *(Autos)* amortiguador ‖ *(Avia)* estabilizador (horizontal), plano fijo (horizontal) ‖ *(Mec, Quím)* estabilizador ‖ *(Radiol)* estabilizador. Dispositivo que mantiene constante la tensión o la corriente del tubo (CEI/64 65–30–385) ‖‖ *adj:* estabilizador, estabilizante, de estabilización. v.TB. **stabilizing**.

stabilizer arm   *(Fonog)* brazo estabilizador (de discos).

stabilizer mount   montura estabilizadora.

stabilizer stall   *(Avia)* entrada en pérdida de estabilizador.

stabilizer tube   válvula estabilizadora (de tensión), tubo estabilizador (de voltaje).

stabilizer unit   unidad estabilizadora; (elemento) estabilizador.

stabilizing   estabilización ‖‖ *adj:* estabilizador, estabilizante, de estabilización. v.TB. **stabilizer**.

stabilizing amplifier   amplificador estabilizador [de estabilización].

stabilizing choke   choque de estabilización, bobina de reactancia estabilizadora.

stabilizing circuit   circuito estabilizador [de estabilización]. CF. **stabilization network**.

stabilizing feedback   *(Radio/Elecn)* realimentación [retroalimentación] estabilizadora. SIN. **negative feedback**.

stabilizing fin   *(Proyectiles)* aleta estabilizadora.

stabilizing float   *(Hidroaviones)* flotador estabilizador [de estabilización].

stabilizing moment   *(Estr)* momento estabilizador.

stabilizing network   *(Elecn)* red estabilizadora. v. stabilization network.

stabilizing plane   *(Aeron)* plano estabilizador.

stabilizing potential   potencial de estabilización.

stabilizing resistor   resistencia estabilizadora, resistencia [resistor] de estabilización. Elemento resistivo conectado a un circuito para imponerle una carga ficticia que prevenga las oscilaciones parásitas. CF. stabistor.

stabilizing signal   señal estabilizadora.

stabilizing transistor   transistor de estabilización.

stabilizing tube   *(Radio/Elecn)* válvula estabilizadora (de tensión), tubo estabilizador (de voltaje).

stabilizing voltage   tensión estabilizadora, voltaje estabilizador.

stabilizing winding   *(Elec)* devanado estabilizador [terciario]. Devanado auxiliar que se emplea particularmente en transformadores conectados en estrella, con uno de los fines siguientes: estabilizar el punto neutro [neutral point] de la tensión de frecuencia fundamental; proteger el transformador y el sistema en general contra sobretensiones de tercera armónica; prevenir perturbaciones telefónicas causadas por tensiones o corrientes de tercera armónica circulantes por las líneas y la toma de tierra. SIN. tertiary winding | (of a metadyne) devanado estabilizador (de una metadina). Devanado estatórico [stator winding] que al ser recorrido por la corriente de uno o varios juegos de escobillas [sets of brushes], produce en el inducido una fuerza electromotriz opuesta a las variaciones de la corriente (CEI/56 10–35–040).

stabistor   estabistor. Diodo de silicio especial utilizado en el acoplamiento de ciertos circuitos lógicos de transistor (v. **SCTL circuit**). El estabistor, en común con todos los diodos de silicio [silicon diodes], presenta una resistencia directa [forward resistance] relativamente elevada con polarizaciones directas inferiores a 0,7 V; con valores más altos de polarización directa [forward bias], dicha resistencia es prácticamente despreciable. El nombre se deriva probablemente de *stabilizing resistor* [resistor estabilizante], expresión que alude a su función en la aplicación mencionada.

stabistor-coupled circuit   circuito acoplado por estabistor.

stabistor-coupled transistor logic [SCTL]   lógica de transistor acoplado por estabistor. v. **SCTL circuit**.

stable   *adj:* estable; constante.

stable air   *(Meteor)* aire estable [tranquilo].

stable arrangement (of protons and neutrons)   *(Nucl)* disposición [agrupación] estable (de protones y neutrones). Disposición de protones y neutrones incapaz de cambios espontáneos.

stable atomic nucleus   núcleo atómico estable.

stable device   dispositivo estable || *(Ferroc)* dispositivo de apartado.

stable direct-coupled amplifier   *(Elecn)* amplificador estable de acoplamiento directo.

stable element   elemento estable. En navegación, aparato que mantiene la orientación deseada independientemente de los balances y cabezadas del buque o la aeronave.

stable emitter   *(Nucl)* emisor estable.

stable equilibrium   *(Fís)* equilibrio estable. v. neutral equilibrium.

stable flame   llama estable.

stable isotope   isótopo estable. Isótopo no radiactivo y que, por tanto, no sufre desintegración.

stable nucleus   núcleo estable.

stable nuclide   núclido estable, núclido no radiactivo.

stable orbit   órbita estable. En un betatrón o un sincrotrón, trayectoria circular de radio constante seguida por las partículas aceleradas. SIN. órbita de equilibrio —— equilibrium orbit.

stable oscillation   oscilación estable [constante].

stable plasma   *(Fís)* plasma estable.

stable platform   plataforma estable, plataforma estabilizada [giroestabilizada]. SIN. stabilized [gyrostabilized] platform.

stable running   marcha estable.

stable speed   velocidad constante.

stable state   estado estable. CF. quasi-stable state.

stable temperature   temperatura estable. CF. thermal runaway.

stack   montón, pila, rimero || *(Ant)* *(slang for* antenna*)* antena | antena de elementos superpuestos; red de antenas apiladas || *(Avia)* conducto [tubo] de escape || *(Calderas, Petr)* chimenea, torre | *(i.e.* smokestack*)* cañón [fuste] de chimenea || *(Climatiz)* conducto vertical || *(Ing sanitaria)* bajante, tubo vertical de evacuación | *(i.e.* vent stack*)* tubería de escape || *(Elec)* cadena (de aisladores), grupo de unidades aisladoras || *(Relés)* v. pileup || *(Cond)* grupo de placas || *(Nucl)* chimenea. Sirve para dispersar en la atmósfera los gases evacuados por una central nuclear | pila, apilamiento. Conjunto de varias películas de emulsión nuclear [nuclear emulsion] que se exponen "en bloque" para el estudio de las partículas penetrantes [penetrating particles]. CF. bipack, penetrating shower || *(Buques)* equipo de sonar instalado en el cuarto del radar || *(Informática)* memoria de retención temporal | memoria en la cual los elementos de información egresan en orden inverso al de ingreso. SIN. last-in first-out memory /// *verbo:* amontonar, apilar, hacinar, entongar || *(Avia)* escalonar (aviones). Asignar distintas alturas a los aviones que esperan turno para aterrizar en un aeropuerto; las instrucciones se comunican por radio desde la torre de control.

stack gas   gas de la chimenea; gas de combustión. SIN. flue gas.

stack-gas analyzer   analizador de gases de la chimenea.

stackable   *adj:* apilable, amontonable, hacinable, entongable, superponible || *(Telecom)* ampliable por adición progresiva de canales. Dícese de los sistemas de onda portadora cuya capacidad puede aumentarse progresivamente, hasta llegar al máximo previsto, por la simple adición de canales o grupos de canales, y sin necesidad de reestructurar el sistema. A cada etapa de ampliación se añaden los elementos de equipo necesarios, sin desechar ninguno de los ya instalados.

stacked aerial *(GB)*   v. stacked antenna.

stacked antenna   antena de elementos superpuestos [sobrepuestos], antena de múltiples pisos; red de antenas apiladas. SIN. stacked array, stacked-dipole antenna [array].

stacked arrangement   disposición apilada. CF. coupled antennas.

stacked array   *(Ant)* antena de elementos apilados, formación apilada; red de antenas apiladas. Estructura consistente en varios elementos de antena de media onda colocados uno encima de otro. SIN. stacked antenna.

stacked-dipole antenna   antena de dipolos apilados. SIN. stacked antenna.

stacked-dipole array   antena de dipolos apilados. SIN. stacked antenna.

stacked dipoles   *(Ant)* dipolos apilados.

stacked half-wave elements   *(Ant)* elementos de media onda apilados.

stacked heads   *(Magnetófonos)* cabezas apiladas [alineadas verticalmente]. Este es el tipo más corriente de cabeza estereofónica, consistente en dos cabezas, una encima de la otra, con los entrehierros alineados verticalmente. SIN. in-line heads. V.TB. stereophonic tape player. CF. staggered heads.

stacked stereophonic tape   cinta de grabación estereofónica con cabezas apiladas. SIN. in-line stereophonic tape.

stacked-V antenna   antena de elementos en V superpuestos [apilados].

stacked Yagi antenna   antena Yagi de elementos apilados.

stacked Yagi array   sistema (de antena) Yagi de elementos apilados.

stacker   apiladora, amontonadora; hacinador || *(Informática)* depósito receptor [de descarga] || *(Cine/Tv)* plataforma levadiza, plataforma elevadora de cámara. SIN. camera crane.

stacker bedplate   *(Informática)* chapa base del depósito de descarga.

stacker-bedplate release knob   perilla soltadora de la chapa base del depósito de descarga.

stacker fingers   (*Informática*) llevadores de descarga.

stacker key   (*Informática*) tecla de descarga.

stacker magnet   (*Informática*) electroimán del mecanismo de descarga.

stacker overflow stop switch   (*Informática*) interruptor de parada del depósito receptor (por rebosamiento de tarjetas).

stacker rack   (*Informática*) cremallera del mecanismo de descarga.

stacker stop   (*Informática*) parada por casilla colmada [por depósito colmado].

stacking   amontonamiento, apilamiento, hacinamiento, entongamiento, acumulación, superposición || (*Ant*) apilamiento, superposición (de elementos) || (*Avia*) escalonamiento (de aviones en turno para aterrizar). Cuando varios aviones esperan turno para aterrizar en un aeropuerto, la torre de control les va asignando distintas alturas de vuelo, para evitar choques y establecer un orden de descenso y aterrizaje; a esto se le llama *escalonamiento*. La torre les asigna también la trayectoria de vuelo en espera, la cual puede ser circular o de otra forma.

stacking factor   (*Núcleos de hierro laminado*) factor de apilamiento.

stadia   (*Topog*) estadia. Mira graduada que sirve para apreciar las distancias con el estadímetro [stadimeter] | taquémetro, taquímetro. Instrumento, derivado del teodolito, propio para trabajos de agrimensura; consiste en un teodolito provisto de un *estadímetro* y de un *declinatorio* o, en lugar de éste, un *diastimómetro*, y mide, además de distancias, ángulos verticales y horizontales /// Plural de *stadium*.

stadimeter   (*Topog*) estadímetro, estadiómetro. Dispositivo para determinar ópticamente la distancia entre estaciones /// *adj*: estadimétrico.

stadium   estadio, stádium. PLURAL INGLES: *stadia* || (*Medicina*) estadio, período, fase (en la evolución de una enfermedad). SIN. **stage** || (*Metrología*) estadio. Nombre de una antigua medida griega de distancia.

Staeble-Lihotzky condition   (*Opt*) condición de Staeble-Lihotzky.

staff   palo, vara, varilla; vara de medir; vara graduada; percha, pértiga; mango; asta (de bandera, de lanza); báculo, cayado; apoyo, sostén || (*Ferroc*) bastón (piloto) || (*Topog*) jalón, mira || (*Relojería*) árbol, eje || (*Constr*) cartón piedra. Material hecho de una mezcla de yeso y fibra || (*Empresas, Organismos*) personal, empleados; personal organizador; personal de administración; (personal de) plana mayor || (*Ejército*) estado mayor || (*Mús*) pentagrama, pentágrama, pauta. Conjunto de líneas paralelas (usualmente cinco) que sirven para escribir música. SIN. **stave.**

staff costs   (*Telecom*) gastos del personal.

staff curve   (*Telecom*) curva del personal.

staff position   (*Telef*) posición ocupada. SIN. **occupied position.**

staff shop   (*Tv*) taller de modelado. Taller en el cual se confeccionan modelos, molduras, esculturas, etc. con yeso de París [plaster of Paris] y materiales plásticos.

stage   etapa, fase; jornada, etapa; parada, descansadero; situación; estado, grado; escena de acción; entarimado, estrado, plataforma, tablado; andamio; tonga, tongada; diligencia, ómnibus || (*Arq*) escalón, paso de escalera || (*Cine/Teatro/Tv*) escenario, escena || (*Teatro*) escenario, escena, tablas | (*Por extensión o en sentido figurado, refiriéndose al arte y la profesión*) (el) teatro, (las) tablas || (*Mec*) etapa, grado || (*Compresores*) etapa, fase, escalón || (*Servoválvulas*) etapa. Cada etapa está constituida por un amplificador hidráulico [hydraulic amplifier] || (*Turbinas de vapor*) grado; expansión || (*Ventiladores*) cámara || (*Geol*) piso || (*Minas*) piso (de reposo) || (*Medicina*) estadio, período, fase (en la evolución de una enfermedad). SIN. **stadium** || (*Microscopios*) platina; portaobjetos || (*Hidr*) altura de impulsión (de una bomba) || (*Ríos*) estado, altura (del agua) || (*Radio/Elecn*) elemento, etapa | etapa, paso. Circuito que comprende un elemento activo (tubo, transistor); circuito que comprende dos o más elementos activos que desempeñan la función básica de uno de ellos (montajes en

paralelo, en contrafase, etc.). Circuito que desempeña una función determinada en el sistema de que forma parte. v. **amplifying stage, parallel circuit, push-pull circuit, push-push circuit, detector stage, modulator stage, output stage, multiplier stage** || (*Procesos de separación isotópica*) etapa, paso. En una cascada, conjunto de elementos separadores que dan un producto de determinada concentración || (*Radioenlaces*) salto. SIN. **hop** || v. **stage of. . .** /// *verbo*: preparar; presentar, representar; efectuar, ejecutar; viajar en diligencia || (*Cine/Teatro/Tv*) montar, escenificar, poner en escena.

stage brace   (*Cine/Tv*) soporte de bastidor.

stage-by-stage elimination method   (*Radio/Elecn*) método de eliminación etapa por etapa. Método de localización de averías que consiste en comprobar el funcionamiento de las etapas una por una, por inyección de una señal de prueba. SIN. **stage-by-stage troubleshooting.**

stage-by-stage troubleshooting   (*Radio/Elecn*) investigación de averías etapa por etapa. SIN. **stage-by-stage elimination method.**

stage control   control de etapa || (*Microscopios*) mando de desplazamiento del portaobjetos. CF. **stage micrometer.**

stage designer   (*Cine/Tv*) decorador; escenógrafo.

stage dimmer   (*Cine/Teatro/Tv*) regulador de alumbrado escénico.

stage effects   efectos escénicos.

stage efficiency   (*Ampl*) rendimiento de la etapa [del paso]. Razón de la potencia modulada (potencia útil de CA) suministrada a la carga por una etapa, a la potencia de CC absorbida por la misma etapa || (*Compresores*) rendimiento del escalón || (*Turbinas*) rendimiento de la etapa.

stage flat   (*Cine/Tv*) bastidor. v. **flat.**

stage forceps   pinzas para microscopio.

stage furniture   (*Tv*) elementos para armado rápido de decorados.

stage gain   (*Ampl*) ganancia de la etapa [del paso], amplificación etápica; ganancia por etapa [por paso].

stage-hand   v. **stagehand.**

stage left   izquierda del escenario. Izquierda del escenario respecto a un actor que mira hacia el auditorio.

stage lighting   alumbrado escénico [del escenario].

stage loudspeaker   (*Cine*) altavoz de escenario.

stage-loudspeaker volume control   regulador de volumen de los altavoces del escenario.

stage manager [SM]   (*Tv/Teatro*) director de escena.

stage micrometer   (*Microscopios*) micrómetro del portaobjetos. CF. **stage control.**

stage of amplification   etapa [paso] de amplificación; etapa [paso] de amplificador.

stage of flight   (*Avia*) etapa de vuelo.

stage of power   (*Ampl*) v. **power stage.**

stage of preselection   (*Telecom*) etapa [paso] de preselección.

stage of reduction   (*Engranajes*) etapa de reducción.

stage of selection   (*Telecom*) etapa [paso] de selección.

stage right   (*Cine/Tv*) derecha del escenario. Lado del escenario o de la escena que coincide con la derecha de un actor que mira hacia el auditorio.

stage scenery   (*Cine/Tv*) decoración, decorado. SIN. **stage setting.**

stage separation   (*Cohetes*) separación de etapas.

stage setting   (*Cine/Tv*) decoración, decorado. SIN. **stage scenery.**

stage switchboard   (*Tv/Teatro*) cuadro de distribución (eléctrica) de escenarios.

stagehand   (*Tv/Teatro*) tramoyista, metesillas.

stagger   oscilación, vacilación, tambaleo || (*Avia*) escalonamiento; decalaje || (*Facsímile*) oscilación del punto, error periódico de la posición del punto explorador (a lo largo de una línea de registro) || (*Tracción eléc*) (**of contact wire**) disposición en zigzag (del hilo de contacto). Disposición en zigzag horizontal en el montaje de los hilos de contacto para evitar un frotamiento localizado sobre los arcos de los pantógrafos [pantograph bows]

(CEI/57 30–10–135) ∭ *verbo:* oscilar, vacilar, bambolear, tambalearse; alternar, saltear; escalonar, poner al tresbolillo.

stagger formation   *(Avia)* formación escalonada.

stagger time   *(Elec)* tiempo de escalonamiento. Intervalo entre los momentos de accionamiento de dos juegos de contactos.

stagger-tuned amplifier   amplificador de sintonía escalonada. Amplificador (generalmente de frecuencia intermedia o de videofrecuencia) con circuitos o pasos sintonizados a frecuencias distintas que alternan alrededor de una frecuencia central, con el fin de obtener un pasabanda ancho. v.tb. **stagger tuning.**

stagger-tuned circuits   circuitos de sintonía escalonada | red con sintonía solapada. Red que comprende esencialmente una serie de circuitos oscilantes sintonizados a frecuencias diferentes, con el objeto de ensanchar la banda pasante de la red (CEI/70 60–12–020).

stagger-tuned IF amplifier   amplificador de FI con etapas [circuitos resonantes] sintonizados a frecuencias escalonadas.

stagger-tuned IF system   sistema de FI de sintonización escalonada. Sistema de frecuencia intermedia en el que se utilizan transformadores o bobinas sintonizadas en forma escalonada (a distintas frecuencias próximas entre sí) para obtener una respuesta global del ancho de banda deseado. cf. **overcoupled IF system.**

stagger tuning   sintonización escalonada. Método de obtener una respuesta de banda ancha en un amplificador de frecuencia intermedia de varias etapas, consistente en sintonizar pares de circuitos resonantes a frecuencias simétricamente alejadas a uno y otro lado de la frecuencia central de la banda pasante.

stagger wire   *(Avia)* tirante de incidencia.

staggered   *adj:* escalonado; alterno, alternado; salteado; al tresbolillo, en zigzag; descentrado.

staggered antenna   antena de elementos escalonados. cf. **stacked antenna.**

staggered arrangement   *(Ant)* disposición escalonada. cf. **coupled antennas, stacked arrangement.**

staggered array   red (directiva) de antenas escalonadas. cf. **stacked array.**

staggered biplane   *(Avia)* biplano de alas decaladas [de planos escalonados].

staggered circuits   v. **stagger-tuned circuits.**

staggered cylinders   *(Mot)* cilindros alternados [escalonados].

staggered double two-sided slips   *(Vías férreas)* cambio doble bilateral disimétrico. Cambio con una desviación disimétrica a cada lado del alineamiento recto.

staggered formation   v. **stagger formation.**

staggered frequency   frecuencia decalada.

staggered heads   *(Magnetófonos)* cabezas escalonadas [desplazadas horizontalmente]. Cabezas magnéticas desplazadas entre sí en la dirección de la cinta; se utilizaron en los primeros magnetófonos estereofónicos (hoy se utilizan las cabezas apiladas, o sea, alineadas verticalmente). sin. **offset heads, horizontally displaced heads.** cf. **stacked heads, stereophonic tape player.**

staggered joints   *(Ferroc)* juntas alternadas. Juntas de los rieles de una vía que no se colocan a escuadra.

staggered line-frequency allocation   *(Telecom)* asignación escalonada de frecuencias de línea. cf. **staggering.**

staggered scanning   *(Tv)* exploración entrelazada; análisis entrelazado. sin. **interlaced scanning.**

staggered spark   *(Mot)* chispa escalonada.

staggered staff   personal de horarios (de trabajo) escalonados.

staggered stereophonic tape   cinta estereofónica de registros escalonados. Cinta estereofónica registrada con cabezas escalonadas [staggered heads]. cf. **offset stereophonic tape.**

staggered-tuned amplifier   v. **stagger-tuned amplifier.**

staggered tuning   v. **stagger tuning.**

staggered wings   *(Avia)* alas decaladas.

staggering   oscilación, vacilación, tambaleo, bamboleo; alternación; escalonamiento ∥ *(Radio/Elecn)* sintonía escalonada, alinea-

miento escalonado [alternado] de frecuencias (de sintonización). Alineamiento de varias etapas sucesivas de RF o de FI sintonizándolas a frecuencias distintas situadas a uno y otro lado de la frecuencia central del canal, procedimiento éste que tiene por finalidad ensanchar la banda de transmisión global del amplificador; es de uso corriente en los amplificadores de FI de los televisores. v.tb. **stagger tuning.** cf. **tight alignment** ∥ *(Telecom)* escalonamiento de frecuencias. Distribuciones de frecuencias ligeramente diferentes en sistemas de onda portadora contiguos, con la finalidad de disminuir la diafonía inteligible [intelligible crosstalk] entre canales correspondientes. cf. **staggered line-frequency allocation.**

staggering advantage   *(Telecom)* mejora [disminución de diafonía inteligible] por escalonamiento de frecuencias.

staggering of hours   *(Telecom)* escalonamiento de los horarios (de trabajo).

staging   andamio, andamiaje; cadalso; estacionamiento de tránsito ∥ *(Cine/Teatro/Tv)* escenificación, puesta en escena ∥ *(Máq)* graduación.

staging field   *(Avia militar)* campo de aterrizaje de tránsito.

staging plan   *(Cine/Teatro/Tv)* plan de escenificación [de puesta en escena].

stagnancy   v. **stagnation.**

stagnant   *adj:* estancado; quieto, inmóvil; paralizado.

stagnant air   atmósfera quieta.

stagnation   *(also* stagnancy) estancamiento, estancación; quietud, inmovilidad; paralización.

stagnation point   *(Mec de los fluidos)* punto de estancamiento [de remanso], punto neutro. Punto en el cual es nula la velocidad del fluido.

stagnation pressure   presión de estancamiento. Presión en un punto de estancamiento o remanso (velocidad nula) sobre un cuerpo alrededor del cual corre un fluido.

stagnation temperature   temperatura de estancamiento [de remanso]. Temperatura adquirida por un fluido compresible en un punto de estancamiento o remanso de un flujo adiabático.

stagnation thermocouple   termopar de flujo estancado. Termopar en el cual el flujo se estanca en un cierto espacio alrededor de la unión o soldadura, consiguiéndose de este modo una respuesta y una recuperación más rápidas que en los termopares semejantes con la unión al descubierto.

stain   tinte, tintura; solución colorante; mancha, mácula, borrón, descoloración, descoloramiento ∥ *(Tv)* mancha. Defecto de ciertos tubos analizadores [camera tubes] o sintetizadores [picture tubes] que se traduce por una mancha en la imagen visible (CEI/70 60–64–585) ∥ *(Discos fonog)* mancha. Cambio de color de la superficie del disco que deja una línea divisoria perceptible a simple vista entre una zona y otra. Ciertas manchas son originadas por defectos de la matriz [stamper]. cf. **compound stain, wiped-stamper stain** ∭ *verbo:* teñir; colorear; manchar, emborronar, descolorar.

stain remover   quitamanchas. sin. **spot remover.**

stain spot   *(Galvanoplastia)* mohos. Manchas formadas por exudación, por los poros del metal, de compuestos absorbidos o de depósito galvanoplástico (CEI/60 50–30–190) | manchas por exudación (de poros). cf. **spotting, spotting out.**

stainless steel   acero inoxidable [inmanchable]. Acero al cromo poseedor de elevada resistencia a la corrosión.

stainless steel cladding   *(Nucl)* revestimiento de acero inoxidable.

stainless-steel-sheathed cable   cable bajo revestimiento de acero inoxidable.

stair   escalón, peldaño; escalera.

stair-step   v. **stairstep.**

staircase   escalera; escalera con su armazón; escalinata (exterior). sin. **stairway** ∥ *(Elecn)* *(i.e.* staircase signal) señal en escalera.

staircase generator   *(Elecn)* generador de escalera [de onda en escalera]. v. **staircase signal.**

staircase signal   señal de escalera, señal de onda en escalera.

Señal cuya amplitud aumenta en forma de peldaños, presentando en el osciloscopio la forma de una escalera.

staircase waveform   onda escalonada, onda en (forma de) escalera. SIN. **stairstep waveform**.

stairs   escalera.

stairstep   escalón, peldaño.

stairstep generator   *(Elecn)* generador de escalones, generador de onda [señales] en escalera. SIN. **staircase generator**.

stairstep linearity   linealidad medida con una onda en peldaño.

stairstep nonlinearity   desviación de linealidad con onda en peldaño.

stairstep waveform   onda en escalera [en peldaño]. SIN. **staircase waveform**. CF. **step function**.

stairway   v. **staircase**.

stake   estaca, poste; rodrigón ‖ *(Camiones/Carruajes)* telero, estaca, varal, barandilla ‖ *(Herr)* bigornia; bigorneta, tas ‖ *(Levantamientos/Topog)* estaca, estaquilla, piquete. Pieza de madera con punta en un extremo para fijarla en el terreno | jalón. Vara que se clava en el terreno para determinar puntos fijos ⫻ *verbo:* piquetear, estacar, estaquillar, estaquear; jalonar ‖ *(Mec)* granetear.

stake-body truck   camión de teleros [de estacas], camión con caja de teleros [con superestructura de piquetes]; camión con carrocería de bordes altos.

stake out   *verbo: (Levantamientos/Replanteos)* replantear (con piquetes); piquetear, estacar, estaquillar, estaquear; jalonar.

staking (out)   *(Levantamientos/Replanteos)* piqueteado, piquetaje, piqueteo, estacado, estaquillado; trazado con piquetes; replanteo con piquetes; jalonamiento, amojonamiento | replanteo. Demarcación en el terreno de datos del proyecto necesarios para realizar la obra. SIN. **locating**.

stalagmometer   estalagmómetro. Aparato de ensayo que sirve para la medida de tensión superficial [surface tension] por el método del peso en caída libre [drop-weight method].

stall   puesto, tenderete, tabla; tabanco, puesto ambulante; pesebre ‖ *(Avia) (also stalling)* pérdida (de velocidad); pérdida (de sustentación); entrada en pérdida; interrupción del flujo currentilíneo; encabritamiento voluntario para bajar y perder velocidad ‖ *(Compresores, Turbomáquinas) (also stalling)* desprendimiento del flujo, desprendimiento [despegue] de la vena fluida ‖ *(Minas)* cámara, salón, anchurón ⫻ *verbo:* detener(se) ‖ *(Ametralladoras)* atascarse ‖ *(Máq/Mot)* parar(se), calar(se); atascar(se); ahogar(se) ‖ *(Avia)* perder velocidad; perder sustentación; entrar en pérdida.

stall dive   *(Avia)* picado de pérdida.

stall landing   *(Avia)* aterrizaje con velocidad crítica (de desplome).

stall torque   *(Mot)* v. **stalled torque, stalling torque** ‖ *(Servomotores)* par [momento de torsión] a la velocidad crítica. Par desarrollado por el servomotor a velocidad superior a una vuelta por minuto, pero inferior a 0,5 % de la velocidad sincrónica, teniendo ambos devanados aplicadas la tensión y frecuencia nominales y en la correcta relación de fases.

stall velocity   v. **stalling speed**.

stall warning   *(Avia)* advertencia de pérdida.

stall warning device   advertidor de pérdida.

stalled flight   *(Avia)* vuelo en pérdida de velocidad.

stalled glide   planeo con entrada en pérdida.

stalled torque   *(Mot)* (a.c. stall torque) par con el rotor calado, par a velocidad nula, momento de torsión con el rotor inmovilizado | v. **stalling torque**.

stalled-torque control   *(Mot)* control de par a velocidad nula.

stalling   *(Ametralladoras)* atascamiento ‖ *(Máq/Mot)* atascamiento, parada ‖ *(Avia, Compresores, Turbomáquinas)* v. **stall**.

stalling angle   *(Avia)* ángulo de entrada en pérdida [de pérdida de velocidad, de incidencia crítica].

stalling angle of attack   ángulo de ataque de entrada en pérdida, ángulo de incidencia crítica.

stalling moment   *(Avia)* momento de entrada en pérdida.

stalling relay   *(Mot)* relé protector contra pérdida de velocidad por sobrecarga.

stalling speed   *(Avia)* velocidad de (entrada en) pérdida; velocidad crítica (de desplome), velocidad de desplome, velocidad mínima de sustentación ‖ *(Mot)* velocidad mínima.

stalling torque   *(Mot)* par límite, par máximo, momento torsor [de torsión] de parada, par que hace calarse al rotor, par de sobrecarga de parada | v. **stalled torque** ‖ *(Servomotores)* v. **stall torque**.

stalloy   stalloy. Aleación de acero con silicio (alrededor de 2,75 por ciento) y menores cantidades de manganeso, azufre, y fósforo. Se caracteriza por sus bajas pérdidas por histéresis y baja resistividad, propiedades que resultan en bajas pérdidas por corrientes de Foucault cuando se utiliza el material en transformadores y en diafragmas de audífonos.

stalo   oscilador local estable. Oscilador local de gran estabilidad de frecuencia; se refiere en particular al utilizado en los radares de indicación de blancos móviles [moving-target indication radar, MTI radar]. El término inglés viene de *stable local oscillator*.

stalo cavity   *(Klistrones osciladores)* cavidad resonante estabilizadora de frecuencia.

stamp   sello, estampilla (de correos); cuño; marca (de comercio); timbre, sello; marca, impresión; almadeneta, pisón, bocarte; mano de mortero; martinete; estampa (de forja); prensa de estampar | *(i.e.* stamp used for marking accepted material) punzón ‖ *(Met)* cuña, matriz, punzón; troquel ‖ *(Minería)* mazo, pisón ‖ *(i.e.* duty stamp) sello fiscal ⫻ *verbo:* sellar, poner sellos, fijar estampillas; timbrar; imprimir; acuñar; marcar; apisonar; estampar | machacar, triturar, quebrantar. SIN. **crush**.

stamped circuit   *(Elecn)* circuito estampado. v. **stamped printed circuit**.

stamped lamination   lámina [chapa] estampada | chapa magnética. Se usan en mazos para construir núcleos de transformador y de devanados. SIN. **stamping**.

stamped lamp   lámpara calibrada.

stamped metal   metal estampado, chapa estampada.

stamped paper   papel timbrado [sellado].

stamped printed circuit   *(Elecn)* circuito estampado. Circuito formado por estampado a troquel de una hoja o una película metálicas, dejando una red conductiva embutida en una base aislante. v.TB. **stamping**.

stamped thread(ing)   filete troquelado; rosca estampada.

stamper   mano (de almirez, de mortero); mazo; bocarte; triturador; pisón; martillo pilón; martinete (de fragua); punzón (de forja); máquina de estampar; estampa, cuño; matriz, troquel; impresor; (obrero) estampador ‖ *(Fab de discos fonog)* matriz, estampa. Disco metálico negativo (por lo común obtenido por electroformación) que se usa para moldear los discos finales en la prensa.

stamping   estampado, estampación; pieza estampada | lámina [chapa] estampada. SIN. **(stamped) lamination** | chapa magnética (para núcleos de transformador, etc.) | bocarteo; trituración; impresión; marca, letrero; timbre, timbrado ‖ *(Elecn)* estampado. Técnica de fabricación de circuitos impresos por troquelado y corte de hoja o película metálicas. v.TB. **stamped printed circuit**.

stamping die   (matriz de) estampa; troquel estampador.

stamping machine   estampadora, troqueladora; prensa de estampar; máquina de perforar; máquina de marcar.

stamping press   prensa de estampar [de troquelar], prensa estampadora [troqueladora].

stand   puesto, lugar, sitio; estrado, plataforma, tarima; basa, basada, soporte, pedestal, pie; caballete; mostrador; estante; tribuna (de espectadores) ‖ *(Avia)* banco ‖ *(Acum)* tablado. Soporte sobre el cual se instala una batería. SIN. **stillage** (CEI/38 50–25–090) ‖ *(Equipos)* base, consola ‖ *(Fotog)* trípode. SIN. **tripod** ‖ *(Micrófonos)* soporte, pie ‖ *(Exposiciones, Mercados)* puesto ⫻ *verbo:* soportar; resistir; poner derecho [de pie]; estar situado; permanecer; reposar; mantenerse; durar; persistir.

stand by   *verbo:* estar alerta [preparado]; mantenerse listo (para auxiliar o prestar ayuda) ‖ *(Telecom)* estar a la escucha.

Stand by!   *(Radio/Tv)* ¡Alerta! Orden o aviso dado a un artista, un locutor, etc. de que debe estar atento para comenzar su actuación de un instante a otro. Aviso dado a los actores o al personal de estudios que el programa estará en el aire de un momento a otro.

STAND BY!   *(Radiotelef)* ¡Alerta!, ¡Preparado! Pedido de alerta que se hace al corresponsal para que se mantenga en escucha y listo para comenzar o reanudar la recepción de tráfico.

stand-by   v. standby.

stand camera   *(Cine)* cámara de pie ‖ *(Fotog)* cámara de trípode.

stand guard   *(Telecom)* estar en escucha; estar de guardia, vigilar.

stand-in   *(Cine)* doble, *alter ego.* SIN. **double.**

stand-off   v. standoff.

standard   norma, patrón, tipo, marco, standard, elemento-tipo; pauta, modelo, prototipo; calibrador, cartabón; patrón de medida. CF. **primary standard, primary luminous standard, secondary standard, secondary photometric standard, calibration standard, reference standard, transference standard, working standard, working photometric standard, master gage** | grado; clase, calidad; medida; grado de precisión; norma, regla fija; ley (de un metal precioso); tasa; apoyo, soporte, pie; pata; pilar, poste; pie derecho; montante; caballete; columna; estante; bandera, pendón, estandarte ‖ *(Alumbrado público)* poste ornamental ‖ V.TB. **standard of. . .** ‖‖‖ *adj:* normal, normalizado; patrón, tipo, prototipo, standard, estándar, contrastado; de contrastación, de comparación, de calibración, de referencia; magistral; tarador; uniforme; normativo; de norma, reglamentario; legal, de ley; canónico. V.TB. **standards** | normal, corriente, usual, ordinario, de tipo normal, de uso corriente, común y corriente, standard, estándar; clásico; típico.

standard absorber   *(Nucl)* absorbente calibrado [standard].

standard absorption curve   *(Radiol)* curva de atenuación de referencia. Gráfica que da la cantidad de radiación de un haz de rayos X monocromático o policromático [monochromatic or heterochromatic] transmitida por espesores crecientes de material absorbente, tal como aluminio, cobre o plomo, usualmente para voltajes determinados a tensión constante de tubos de rayos X (v. **attenuation curve**) (CEI/64 65–10–455).

standard addition method   *(Análisis químico)* técnica de adición standard.

standard air   *(Avia)* atmósfera standard.

standard allele   *(Nucl)* alelo normal [tipo].

standard altimeter   altímetro patrón.

standard altimeter setting   *(Avia)* reglaje normal de altímetro.

standard ampere   *(Elec)* ampere patrón.

standard antenna   antena patrón. Antena monofilar instalada al aire libre a una altura efectiva de cuatro metros.

standard atmosphere   *(Avia, Industria)* atmósfera tipo [normal, standard] ‖ *(Meteor)* atmósfera típica.

standard atmospheric refraction   refracción atmosférica normal.

standard band   *(Radio)* banda normal.

standard barometer   barómetro patrón [magistral].

standard battery pack   *(Fotog)* (*i.e.* separate, as opposed to incorporated, battery system) sistema de batería normal [no incorporada].

standard beam approach equipment   *(Radionaveg)* equipo normalizado [standard] de haz de aproximación. Consiste en un radiolocalizador y balizas destinadas a facilitar el aterrizaje de las aeronaves.

standard beam approach (system) [SBA]   sistema normalizado de haz de aproximación [de aproximación por haz], instalación normalizada de aproximación por haz, sistema SBA.

standard bridge   puente normalizado [tipo].

standard broadcast band   banda radiofónica normal, banda de radiodifusión normal, banda de difusión de ondas medias. Banda de radiodifusión que se extiende de 535 a 1 605 kHz.

standard broadcast channel   canal de la banda radiofónica normal, canal de radiodifusión normal.

standard broadcast receiver   receptor de radiodifusión de ondas medias.

standard broadcast station   estación radiodifusora de ondas medias, difusora [emisora] de la banda radiofónica normal.

standard cable   *(Telecom)* cable de referencia. Cable de dimensiones y construcción determinadas que se utiliza como referencia en la especificación de pérdidas de transmisión por línea.

standard candle   *(Ilum)* bujía patrón [normal].

standard capacitor   capacitor [condensador] patrón; capacitor standard, condensador de tipo normal.

standard catalog equipment   equipo de fabricación comercial standard, material de manufactura comercial normalizada.

standard cell   *(Electroquím)* pila patrón. (1) Pila que en condiciones determinadas da una fuerza electromotriz conocida, y es empleada como fuente de comparación en la medida de fuerzas electromotrices o diferencias de potencial (CEI/38 50–10–015). (2) Pila utilizada como patrón de fuerza electromotriz [standard of electromotive force] (CEI/60 50–15–090). CF. **Weston normal cell** | elemento patrón.

standard chamber   *(Radiaciones ionizantes)* cámara de ionización patrón. Cámara de ionización [ionization chamber] destinada a la medida absoluta de exposiciones. SIN. **standard ionization chamber** (CEI/68 66–15–110) | cámara patrón.

standard chronometer   cronómetro patrón.

standard clearance zone   *(Avia)* zona normal de espacio despejado.

standard color   color patrón.

standard color code   clave normalizada de colores. Clave de colores utilizada para identificar los valores eléctricos de las resistencias y los condensadores fijos (en las primeras, la resistencia, la tolerancia, y la capacidad de disipación; en los segundos, la capacitancia, la tolerancia, y la tensión de trabajo o servicio). Clave de colores que sirve para identificar los hilos de conexión de transformadores y otros componentes electrónicos.

standard colorimetric observer   observador patrón colorimétrico.

standard colorimetric reference system   sistema de referencia colorimétrico.

standard colorimetric system   sistema de referencia colorimétrico.

standard compass   *(Marina)* compás [aguja] magistral.

standard component   *(Elecn)* elemento patrón; elemento [componente] normal.

standard condenser   condensador patrón. SIN. **standard capacitor.**

standard condition   condición normal.

standard conductance   conductancia patrón, patrón de conductancia.

standard converter   *(Tv)* v. **standards converter.**

standard copper-sulfate reference electrode   electrodo patrón de referencia de sulfato de cobre. CF. **half-cell.**

standard crystal   cristal patrón.

standard cubic feet per hour [SCFH]   pies cúbicos standard por hora.

standard current generator   generador de corriente patrón.

standard deflection   *(Galvanómetros)* desviación standard.

standard deviation   *(Mat)* desviación normal. TB. desviación tipo [típica, característica], desviación standard [estándar], desviación cuadrática media. Media geométrica de las diferencias; raíz cuadrada de la suma de los cuadrados de las diferencias. La fórmula es

$$S = \sqrt{S_1^2 + S_2^2 + S_3^2 + \ldots + S_n^2}$$

donde S es la desviación normal y S_1, S_2, S_3 ... S_n son las desviaciones, errores o diferencias (según el caso) tomados al azar. Se trata de un concepto de estadística que encuentra aplicación frecuente en las telecomunicaciones y en muchos otros campos técnicos y científicos. SIN. **error cuadrático medio, diferencia** normal. CF. deviation, variance.

standard distribution   distribución normal.

standard earphone coupler   (*Electroacús*) oído artificial normalizado.

standard electrode potential   (*Electroquím*) tensión normal de un electrodo. Valor de equilibrio de su tensión relativa cuando los constituyentes disueltos que intervienen en la reacción de electrodo [electrode reaction] están en el estado normal [standard state], los constituyentes sólidos en estado puro y los constituyentes gaseosos a una fugacidad [fugacity] de una atmósfera. En la práctica se asimila generalmente cada constituyente gaseoso a un gas perfecto y su fugacidad a su presión parcial (CEI/60 50–05–135) | potencial electroquímico normal de un electrodo.

standard equipment   equipo normal; equipo que se suministra normalmente (para determinada instalación); material normalizado [standard] || (*Autos*) equipo [accesorios] de norma || (*Máq*) dotación corriente.

standard error   error típico [estándar]; error cuadrático medio. CF. standard deviation.

standard eye   observador de referencia.

standard facility   instalación reglamentaria [normalizada].

standard film   (*Cine*) película normal [standard], película de 35 mm.

standard finish   acabado standard.

standard flash   (*Fotog*) flash ordinario, luz relámpago de tipo clásico. Dícese a distinción de los sistemas electrónicos de iluminación más modernos.

standard form   formulario normal; formulario modelo || (*Meteor*) formulario [clave] uniforme.

standard frequency   frecuencia normal; frecuencia patrón [contrastada].

standard-frequency assembly   conjunto de frecuencia patrón.

standard-frequency broadcast   emisión de frecuencia contrastada.

standard frequency meter   frecuencímetro patrón.

standard-frequency multiplier   multiplicador de frecuencias contrastadas.

standard-frequency oscillator   oscilador de frecuencia patrón.

standard-frequency radio transmission   transmisión radioeléctrica de frecuencias contrastadas.

standard-frequency service   servicio de frecuencias contrastadas, servicio de patrones de frecuencia. Servicio de radiocomunicación que asegura, con alta precisión y exactitud conocida, la emisión de frecuencias contrastadas determinadas, destinadas a la recepción general.

standard-frequency signal   señal de frecuencia contrastada, señal patrón de frecuencia.

standard-frequency station   estación de frecuencias contrastadas [de frecuencias patrón].

standard-frequency transmission   emisión de frecuencias contrastadas, transmisión de patrones de frecuencia.

standard-gain horn   (*Guías de ondas*) bocina de ganancia patrón.

standard grade   calidad normal.

standard groove   surco normal. Surco de los discos fonográficos de 78 rpm, para aguja de 2,5 ó 3 milésimos de pulgada. Esta designación se adoptó con la aparición del *surco fino* o *microsurco* de los discos de 45 y 33⅓ rpm. Con el microsurco se utilizaron originalmente agujas de 1 milésima de pulgada; actualmente se usan de 0,7 y hasta de 0,5 milipulgada.

standard-groove pickup   fonocaptor para surco normal. CF. microgroove [fine-groove] pickup.

standard hydrogen electrode   (*Electroquím*) electrodo normal de hidrógeno. Electrodo reversible de hidrógeno [reversible hydrogen electrode] en el cual los iones hidrógeno [hydrogen ions] están en el estado normal [standard state] y el hidrógeno gaseoso a una fugacidad [fugacity] de una atmósfera. De esto resulta que la tensión normal del electrodo de hidrógeno es igual a cero a cualquier temperatura (CEI/60 50–05–165). CF. standard elec-

trode potential.

standard inductor   (*Elec*) inductor patrón, patrón de inductancia. SIN. inductance standard.

standard instrument   instrumento patrón [tarador] | aparato patrón. Nombre dado con frecuencia a los aparatos de medida de gran precisión que sirven, en particular, para el contraste [calibration] de otros aparatos de medida (CEI/58 20–05–215). CF. precision instrument, substandard instrument.

standard instrumental landing system   (*Radionaveg*) sistema uniforme [standard] de aterrizaje por instrumentos. CF. instrument landing system.

standard insulator   aislador normal.

standard interface control electronics [SICE]   (*Teleg*) controlador electrónico de interconexión normal.

standard international atmosphere   atmósfera standard internacional.

standard ionization chamber   (*Radiol*) cámara de ionización patrón, cámara de ionización de aire libre. Cámara de ionización destinada a la medida absoluta de la unidad de dosis de exposición en roentgens. SIN. free-air ionization chamber (CEI/64 65–30–235) || (*Radiaciones ionizantes*) cámara de ionización patrón. Cámara de ionización destinada a la medida absoluta de exposiciones. SIN. standard chamber (CEI/68 66–15–110).

standard isobaric surface   (*Meteor*) superficie isobárica normal.

standard kilogram   kilogramo patrón.

standard laboratory   v. standards laboratory.

standard lamp   lámpara patrón; lámpara de mesa; lámpara de pie.

standard lens   (*Fotog*) objetivo normal. Objetivo simple que abarca un ángulo parecido al del ojo humano.

standard loran   lorán normal [standard].

standard loudspeaker   altavoz patrón.

standard M-gradient   (*Radioelec*) gradiente normal del módulo de refracción. v. standard refractive modulus gradient.

standard man   (*Radiol*) hombre patrón [standard]. Media del cuerpo humano adulto en cuanto a tamaño, peso y composición química, establecida por la Comisión Internacional de Protección Radiológica y que sirve de referencia o base común en la determinación de las concentraciones máximas admisibles [maximum permissible concentrations].

standard measure   (*Mat*) medida normal [standard].

standard measurement procedures   normas de medida, procedimientos normalizados de medición.

standard microphone   micrófono patrón. Micrófono cuya respuesta es conocida con precisión en las condiciones de funcionamiento especificadas (CEI/60 08–15–120).

standard mismatch   (*Elecn*) desadaptador [elemento de desadaptación] patrón. Se utiliza para la contrastación o calibración de sistemas de medida.

standard mismatcher   v. standard mismatch.

standard model   modelo standard.

standard module   (*Elecn/Telecom*) módulo normalizado.

standard-module frame   caja de montaje para módulos normalizados. La caja se monta a su vez en un bastidor o se coloca sobre un escritorio.

standard moisture   humedad normal.

standard noise factor   (*Elecn*) factor de ruido normalizado. Factor de ruido medido con los bornes de entrada a la temperatura de 290 K, o referido a esas condiciones.

standard noise temperature   temperatura de ruido normal. Temperatura de referencia para medidas normalizadas de ruido; es igual a 290 K.

standard observer   (*Ilum*) observador patrón [de referencia]. CF. standard colorimetric observer.

standard of accuracy   norma de exactitud.

standard of measurement   norma de medida; patrón de medida.

standard of recognition   norma de identificación.

standard ohm   ohmio patrón.

standard output level   nivel de salida normal.

standard output load   *(Elecn/Telecom)* carga de salida normal.

standard oxide   óxido normal.

standard paper   *(Quím)* papel de reactivo.

standard parallel   paralelo de referencia ‖ *(Mapas)* paralelo automecoico.

standard picture   *(Tv)* imagen patrón. SIN. **pattern**.

standard pile   *(Nucl)* pila patrón.

standard pin   *(Líneas telef/teleg)* soporte normal.

standard pitch   *(Hélices)* paso nominal ‖ *(Acús/Mús)* altura de tono normal, altura tonal standard | diapasón normal. Diapasón (adoptado por acuerdo internacional en 1939) en el cual el sonido o nota *la* usado comúnmente para afinar (situado sobre el *do* central), tiene la frecuencia de 440 vibraciones por segundo (440 Hz).

standard practice   norma general, método generalizado, procedimiento común y corriente.

standard pressure limit setting   ajuste de presión límite standard.

standard propagation   propagación normal. Propagación de una onda radioeléctrica sobre una tierra esférica regular [smooth spherical earth], de características eléctricas uniformes, en condiciones de refracción atmósferica normal [standard refraction in the atmosphere] (CEI/70 60–22–130).

standard pulse   *(Elecn)* impulso patrón.

standard-pulse generator   generador de impulsos patrón.

standard radio atmosphere   atmósfera radioeléctrica normal. Para la propagación troposférica [tropospheric propagation], atmósfera con gradiente normal del módulo de refracción [standard refractive modulus gradient] (CEI/70 60–22–105).

standard radio horizon   horizonte radioeléctrico normal. Horizonte radioeléctrico correspondiente a una propagación en la atmósfera radioeléctrica normal [standard radio atmosphere] (CEI/70 60–22–145).

standard radio range   *(Radionaveg)* radiofaro normal, radiofaro direccional de cuatro rumbos, radiofaro tetradireccional, radioguía de cuatro rumbos. v. **four-course radio range**.

standard radio time signal   señal horaria contrastada transmitida por radio.

standard radioactive source   fuente radiactiva normalizada. v. **standard source**.

standard range   *(Radionaveg)* radiofaro normal. V.TB. **standard radio range**.

standard rate   tarifa reglamentaria.

standard rate of turn   *(Avia)* régimen normal de viraje.

standard rating   *(Alumbrado)* serie principal. Escala de valores de tensión y de potencia utilizados de preferencia para las lámparas destinadas al uso general (lámparas para alumbrado general) [NOTA: La definición original no tiene término en español; el término francés es *série principale*] (CEI/58 45–40–065).

standard receiver   receptor normal ‖ *(Telef)* receptor patrón.

standard reel   *(Magnetófonos)* carrete standard.

standard reference level   *(Acús)* nivel normal [normalizado] de referencia.

standard reference temperature   temperatura normal de referencia.

standard refraction   *(Radioelec)* refracción normal. (**1**) Refracción que se produciría en una atmósfera ideal en la cual el índice de refracción [index of refraction] decrece uniformemente cor. la altura a razón de 39×10^{-6} por kilómetro. Puede incluirse la refracción normal en los cálculos relativos a la onda de tierra, usando un radio terrestre efectivo de $8,5 \times 10^6$ metros, o sea, 4/3 del radio geométrico [geometrical radius] de la Tierra. (**2**) Refracción que se produciría en la atmósfera radioeléctrica normal [standard radio atmosphere] (CEI/70 60–22–115).

standard refractive modulus gradient   *(Radioelec)* gradiente normal del módulo de refracción. Variación uniforme del módulo

de refracción en función de la altura respecto al suelo, cuya pendiente se toma como base normal de comparación. El gradiente considerado normal tiene un valor de 0,12 unidad M por metro (3,6 unidades M por 100 pies). SIN. **standard M-gradient** (CEI/70 60–22–100).

standard register   *(Contadores motor)* totalizador standard. Totalizador con cuatro o cinco pequeños cuadrantes circulares divididos en diez partes iguales identificadas con los dígitos del cero al nueve, cada uno de ellos con una aguja indicadora. Las agujas de los cuadrantes contiguos se mueven en sentidos opuestos. SIN. **dial register**. CF. **motor-meter, register of a meter**.

standard resistance   *(Elec)* resistencia normal; resistencia patrón, patrón de resistencia.

standard resistor   resistor [resistencia] normal, resistor de tipo standard | resistor [resistencia] patrón, patrón de resistencia. SIN. **resistance standard, standard resistance**.

standard rod gap   *(Elec)* explosor patrón de varillas. Explosor (v. **spark-gap**) cuyos electrodos están constituidos por dos varillas de sección cuadrada de 2,5 pulgadas (64 mm) por lado, y que se emplea para la medida aproximada de tensiones de cresta [crest voltages]. CF. **standard sphere gap**.

standard sea-water conditions   condiciones normales del agua del mar. Agua del mar en las siguientes condiciones: presión estática [static pressure] de 1 atmósfera; temperatura de 15° C; y salinidad [salinity] tal que la velocidad de propagación del sonido sea exactamente de 1 500 m/s.

standard signal   *(Elecn/Telecom)* señal patrón.

standard-signal generator   generador de señal patrón.

standard-signal oscillator   generador de señal patrón.

standard solution   *(Quím)* solución normal [tipo], solución valorada [volumétrica].

standard sound-level meter   medidor patrón de nivel sonoro.

standard source   fuente patrón. (**1**) En acústica, fuente sonora de precisión utilizada para establecer el nivel de referencia de un sistema sonométrico [sound-measuring system]. (**2**) En nucleónica, muestra de un cuerpo radiactivo, generalmente de período radiactivo largo, cuya radiación facilita el control del funcionamiento de un detector.

standard specification   especificación normalizada [normal], especificación modelo.

standard sphere gap   *(Elec)* explosor patrón de esferas. v. **sphere gap**. CF. **standard rod gap**.

standard state   *(Electroquím)* estado normal.

standard subroutine   *(Informática)* subrutina standard. Subrutina aplicable a determinada clase de problemas.

standard susceptance   *(Elec)* susceptancia patrón, patrón de susceptancia.

standard sweep-frequency generator   generador de frecuencias de barrido patrón.

standard sweeping-frequency signal generator   generador de señales patrón con barrido de frecuencia.

standard telephone relay   relé [relevador] del tipo telefónico normal.

standard television signal   señal de televisión según normas. Señal de televisión que está de conformidad con las normas establecidas.

standard temperature and pressure   temperatura y presión normales. Temperatura de 0° C y presión de 760 mm de mercurio.

standard termination   *(Líneas coaxiles)* terminación patrón.

standard test conditions   condiciones de prueba normalizadas.

standard test frequency   frecuencia patrón de prueba ‖ *(Radiogonómetros)* frecuencia estándar de comprobación [de verificación].

standard test tape   *(Registro mag)* cinta patrón de prueba.

standard test-tone power   *(Elecn/Telecom)* potencia del tono normal de prueba. Potencia de 1 mW (= 0 dBm) del tono de prueba de 1 000 Hz.

standard time   hora normal [oficial]. SIN. **zone time** | hora civil;

hora oficial [del meridiano] | tiempo normal [oficial]; tiempo por husos [por zonas] | (as opposed to daylight saving time) hora normal (en oposición a la hora de verano u hora adelantada) | hora legal [de Greenwich]. SIN. **Greenwich mean time, universal time, Z time.** CF. **local time** || *(Medidas de tiempo)* tiempo patrón [tipo], patrón de tiempo.

standard time belt   huso horario, zona horaria.

standard time signal   señal horaria patrón, señal horaria normalizada [contrastada]; señal de tiempo patrón.

standard time zone   huso horario, zona horaria.

standard tinsel conductor   *(Telecom)* conductor standard de oropel.

standard tone   *(Acús)* tono normal, tono patrón.

standard-tone generator   generador de tono normal [patrón]. CF. **standard source.**

standard track   *(Electroacús)* pista normal [sencilla] (de registro). V. **single track.**

standard transmission   V. **standards transmission.**

standard transmitter   transmisor normal || *(Telef)* micrófono patrón. CF. **standard receiver.**

standard tube base-pin numbering   *(Elecn)* numeración normalizada de los alfileres de contacto de los tubos.

standard turn   *(Avia)* viraje normal.

standard voltage   tensión [voltaje] normal || *(Medidas)* tensión patrón. CF. **signal generator, standard cell.**

standard volume indicator   *(Elecn/Telecom)* indicador de volumen normalizado.

standard-wave error   *(Radiogoniometría)* error tipo de polarización. Error de polarización [polarization error] de un radiogoniómetro que se produce en presencia de una onda plana que llega con un ángulo de elevación de 45° [plane wave incident at an angle of elevation of 45°] y que posee dos componentes de amplitudes iguales, una en el plano horizontal y la otra normal a ésta y a la dirección de propagación; debe en principio ajustarse el desfase entre las dos componentes a un valor tal que sea máximo el error tipo de polarización; en la práctica es a menudo cómodo emplear un desfase nulo (CEI/70 60–71–165). CF. **total polarization error.**

standard weight   peso legal; peso patrón.

standard wire gage   calibrador [calibre, galga] normal para alambres.

standard working system   *(Telef)* sistema patrón de trabajo.

standardization   normalización; unificación, generalización, regularización, uniformización; tipificación; contrastación, calibración; estandarización, estandardización || *(Quím)* valoración.

standardization circuit   circuito de contrastación.

standardization laboratory   laboratorio de normalización. SIN. **standardizing laboratory.**

standardization of transducers   normalización de transductores.

standardize   *verbo:* normalizar; unificar, generalizar, regularizar, uniformar; tipificar; contrastar, calibrar; estandarizar, estandardizar || *(Quím)* valorar || *(Informática)* normalizar. En una calculadora electrónica, ajustar el exponente y el coeficiente de un resultado con punto (coma) flotante, de tal manera que el coeficiente quede en el intervalo normal de la máquina.

standardize against   contrastar contra.

standardized circuit   circuito normalizado.

standardized component   componente normalizado.

standardized dimension   dimensión normalizada.

standardized-parts manufacture   fabricación con piezas normalizadas.

standardized pulses   *(Elecn)* impulsos normalizados. Impulsos de una serie en que todos tienen idénticas características. Impulsos sucesivos que se distinguen por ser constantes una o más de sus características (área, amplitud, duración, forma).

standardized television signal   señal de televisión normalizada.

standardized test distortion   distorsión de prueba normalizada.

standardizer   patrón; elemento de normalización [de contrasta-

ción], elemento tarador. V.TB. **standard.**

standardizing control   control normalizador.

standardizing laboratory   laboratorio de normalización. SIN. **standardization laboratory.**

standardizing resistor   resistor de normalización. Elemento de resistencia puesto en serie con la bobina móvil de un instrumento de medida para llevar la resistencia óhmica de éste a un valor normalizado determinado.

standards   normas | **the highest standards in the field:** las mejores normas del ramo | V.TB. **standard.**

standards conversion center   *(Tv)* centro de conversión de normas.

standards converter   *(Tv)* convertidor de normas. V. **television standards converter.**

standards engineer   ingeniero de normalización.

standards laboratory   laboratorio de normas; laboratorio de patrones [de metrología, de pesas y medidas].

standards of color television   normas de (la) televisión en colores.

standards of reproduction   normas de reproducción.

standards of transmission   *(Telecom)* normas de transmisión.

standards room   sala de patrones de medida, cuarto para el control de aparatos de medida.

standards station   emisora (radioeléctrica) de señales patrón.

standards transmission   emisión (radioeléctrica) de señales patrón.

standby   *(i.e. standby circuit)* circuito de reserva | *(i.e. standby position)* posición de reserva; posición de espera, estado de alerta | *(i.e. standby unit)* unidad de reserva | **at standby:** en escucha, a la escucha, en guardia | **in standby:** en reserva; en pausa | V. **in standby position** || *(Radio/Tv)* material [programa] de reserva. Programa (cinta magnética, película cinematográfica) que se mantiene en reserva para su utilización en casos de emergencia, como p.ej. cuando el programa previsto resulta corto, es decir, termina antes de la hora calculada | substituto. Persona (p.ej. un anunciador) que se mantiene en reserva para el caso eventual de que falte otra persona de las que intervienen en el desarrollo de las emisiones /// *adj:* de reserva, de repuesto, de emergencia, alternativo, de prevención, de protección, de respeto, de socorro /// *verbo:* V. **stand by, Stand by! STAND BY!**

standby baseband unit   *(Telecom)* unidad de banda básica de reserva.

standby battery   batería de reserva.

standby battery control equipment   equipo de control auxiliar de batería.

standby circuit   *(Telecom)* circuito de reserva.

standby emergency lighting   *(Aeropuertos)* iluminación auxiliar.

standby equipment   equipo(s) de reserva [de repuesto, de emergencia], equipo(s) alternativo(s). CF. **main equipment.**

standby facility   *(Avia)* instalación de reserva.

standby loss   *(Elec)* pérdida en vacío [en régimen de reserva]. Potencia consumida en una central eléctrica para mantenerla en condiciones de tomar una carga repentina. SIN. **standby losses** | pérdidas en vacío. Potencia que hay que suministrar a un horno sin carga para mantenerlo continuamente a una temperatura determinada correspondiente al funcionamiento normal (CEI/60 40–10–030).

standby losses   V. **standby loss.**

standby monitoring   *(Telecom)* escucha en pausa de transmisión.

standby operation   servicio de reserva || *(Telecom)* funcionamiento de reserva. Condición en la que el equipo tiene energía aplicada, pero no está en funcionamiento activo en cuanto a la transmisión de comunicaciones (tráfico); el consumo de energía puede en esas condiciones ser menor que en funcionamiento activo normal.

standby position   *(Telecom)* posición de espera, estado de alerta. V. **in standby position.**

standby power   energía de reserva; fuerza auxiliar || *(Radiocom)* consumo (de energía) durante las pausas.

standby radio terminal   (*Telecom*) terminal de radio de reserva.

standby receive switch   (*Rec*) conmutador de pausa.

standby register   (*Informática*) registro de protección. Registro en el cual se almacena información ya verificada o aceptada, como medida de precaución para el caso eventual de que ocurra un error en el programa o una falla de funcionamiento en la computadora.

standby repeater   (*Telecom*) repetidor de reserva.

standby set   (*Elec*) grupo (electrógeno) de reserva [de socorro].

standby station   (*Telecom*) estación auxiliar. CF. **primary station**.

standby switch   (*Radiocom*) conmutador para pausas [para reducir el consumo durante las pausas]; conmutador para silenciar el aparato (sin apagarlo). En un receptor de tráfico, conmutador que por lo general interrumpe el suministro de ánodos, pero que también puede reducir la corriente de filamentos. Así queda el aparato inactivo y se reduce el consumo de corriente, pero se vuelve al funcionamiento normal instantáneamente al remaniobrar el conmutador y quedar normalizadas las tensiones de alimentación. v.TB. **in standby position**.

standby switching panel   (*Telecom*) panel conmutador de equipos de reserva.

standby switching unit   (*Telecom*) unidad de conmutación a elemento de reserva.

standby transmitter   (*Radio/Tv, Telecom*) transmisor de reserva.

standby unit   unidad de recambio ‖ (*Telecom*) unidad de reserva. CF. **main unit**.

standing   (*Aeropuertos*) zona [área] de estacionamiento ⫽ *adj:* erecto, derecho; en pie; levantado, de pie; con pie, con pedestal; fijo, permanente; establecido; constante, duradero, estable; parado; estancado; vigente, en vigor; firme.

standing balance   equilibrio estático.

standing DC component   (*Tv*) componente continua permanente. Componente continua o lentamente variable de una señal que no tiene relación alguna con la luminancia media [mean luminance] de los objetos analizados (CEI/70 60–64–295).

standing direct-current component   (*Tv*) v. **standing DC component**.

standing-on-nines carry   (*Informática*) transporte rápido [de alta velocidad]. v. **high-speed carry**.

standing operating procedure   (*Avia*) reglas permanentes de servicio.

standing rules   reglas permanentes; reglas vigentes, reglamento vigente.

standing striation   (*Descargas eléc*) estría estacionaria.

standing water   agua estancada [encharcada].

standing wave   (*Fís*) onda estacionaria. (**1**) Estado existente cuando dos ondas progresivas, una incidente y otra reflejada, se propagan en sentidos opuestos por un conductor, una guía de ondas, o el espacio, dando por resultado una distribución estacionaria de los puntos de máxima y de mínima corriente y tensión. (**2**) Onda en la cual, para cualquiera de las componentes del campo, la razón de su valor instantáneo en un punto dado por el de cualquier otro punto, no varía con el tiempo. SIN. **stationary wave** ‖ onda estacionaria. Estado vibratorio [state of vibration] en el cual los fenómenos de oscilación en todos los puntos son gobernados por la misma función del tiempo [time function], con la excepción de un factor numérico [numerical factor] variable de un punto a otro. NOTA: En la expresión clásica *onda estacionaria*, la palabra *onda* no puede considerarse aisladamente (CEI/56 05–03–065) ‖ (*Hidr, Obras portuarias*) oscilación del líquido (en un depósito o un estanque); ola estacionaria [fija, de interferencia]; marejada de reflexión.

standing-wave aerial   v. **standing-wave antenna**.

standing-wave amplifier   amplificador de onda estacionaria.

standing-wave antenna   antena de onda estacionaria. Antena en la cual las distribuciones de corriente son producidas por ondas estacionarias de cargas eléctricas.

standing-wave detector   detector de onda estacionaria. v. **standing-wave meter**.

standing-wave indicator   indicador (de relación) de onda estacionaria. v. **standing-wave meter**.

standing-wave loss   pérdidas por ondas estacionarias.

standing-wave loss factor   factor de pérdidas por ondas estacionarias. En una línea de transmisión o una guía de ondas, razón de la pérdida de transmisión cuando la misma no está adaptada en impedancia, a la pérdida cuando la línea o la guía están adaptadas.

standing-wave meter   (*Guías de ondas, Líneas de tr*) medidor [indicador] (de relación) de onda estacionaria, detector de onda estacionaria. Instrumento que sirve para medir la relación de ondas estacionarias [standing-wave ratio] en una guía o en una línea. Puede incluir medios para determinar los nodos [nodes] y antinodos [antinodes]. El elemento detector es usualmente un bolómetro, un termopar, o un diodo de semiconductor. SIN. **standing-wave detector [indicator], standing-wave-ratio indicator [meter]** ‖ indicador [instrumento de medida] de ondas estacionarias. Instrumento que sirve para medir la relación de ondas estacionarias en una guía de ondas (o una línea de transmisión) (CEI/61 62–20–065).

standing-wave pattern   configuración [esquema] de (las) ondas estacionarias; sistema de ondas estacionarias ‖ (*Registradores gráficos*) diagrama de ondas estacionarias.

standing-wave ratio [SWR]   relación de onda estacionaria, relación (de amplitud) de ondas estacionarias [ROE]. Relación de la amplitud de una onda estacionaria en un punto de máxima (vientre) a la amplitud en un punto de mínima (nodo). En una línea de transmisión uniforme está dada por la fórmula $(1 + R_c)/(1 - R_c)$, donde R_c es el coeficiente de reflexión [reflection coefficient]. SIN. **factor [índice] de ondas estacionarias** ‖ relación de ondas estacionarias. Relación de las amplitudes máximas y mínimas de la corriente, de la tensión, o del campo, medidas respectivamente en un vientre [antinode] y un nodo [node] adyacentes, en un régimen que comprenda una onda estacionaria en una línea o en guía de ondas [waveguide] (CEI/70 60–32–235).

standing-wave-ratio bridge   puente indicador de ondas estacionarias. Puente de medida destinado a determinar la relación (razón) de ondas estacionarias en las líneas de transmisión de radiofrecuencia y en las guías de ondas, generalmente para comprobar si la línea o la guía está bien adaptada al sistema de antena u otro sistema de carga. CF. **directional coupler and indicator, standing-wave-ratio meter**.

standing-wave-ratio indication meter   indicador (de relación) de ondas estacionarias. v. **standing-wave meter**.

standing-wave-ratio indicator   indicador de ondas estacionarias. v. **standing-wave meter**.

standing-wave-ratio meter   medidor (de relación) de ondas estacionarias. v. **standing-wave meter**.

standing-wave system   sistema de ondas estacionarias. Sistema de ondas caracterizado por la presencia de nodos [nodes] y antinodos o vientres [antinodes]. v.TB. **standing wave**. SIN. **stationary-wave system**.

standoff   soporte, separador, soporte separador; compensación, neutralización ‖ (*Juegos*) empate, tablas ⫽ *adj:* de montaje vertical; separador.

standoff insulator   (*Elec/Radio*) aislador distanciador [separador]; aislador de apoyo [de soporte, de pie], aislador tipo pilar, columna aisladora. Aislador que soporta un conductor y lo mantiene alejado del cuerpo (pared, poste, superficie horizontal) que sostiene el aislador.

standpipe   tubo vertical; toma de agua ‖ (*Petr/Sondeos*) tubo alimentador de lodo.

standstill   parada, detención, paralización; reposo, descanso; pausa, alto; equilibrio.

standstill torque   (*Electromotores*) v. **stalling torque**.

staple   argolla, aro, armella (anillo metálico con espiga o tornillo); alcayata, escarpia (clavo acodillado); grampa, grapa, grapón; presilla; gancho; cuña de hierro; materia bruta [prima] ‖

(Cerraduras) hembra de cerrojo, picolete (grapa dentro de la cerradura que sostiene el pestillo), cerradero (parte de la cerradura en que penetra el pestillo) ‖ *(Ant, Líneas de tr)* gancho de anclaje, gancho para sujetar la retenida ‖ *(Marina)* cíbica, grampa; corbata de angular ‖ *(Moldería)* soporte sencillo.

stapler   presilladora, engrapadora; aparato de coser con grapas.

star   *(Astr, Elec)* estrella ‖ *(Cine/Teatro/Tv)* astro (cinematográfico), estrella (de la pantalla), actor principal, actriz principal. SIN. **film star, leading actor, leading actress** ‖ *(Mat)* estrella. Plano cortado radialmente a partir de cada punto singular de una función en sentido opuesto al origen ‖ *(Nucl)* (*i.e.* nuclear star) estrella (nuclear) ‖ *(Met)* mancha brillante ‖ *(Tipog)* asterisco ⫻ *adj:* en estrella; estelar; estrellado.

star aerial   antena en estrella.

star antenna   antena en estrella.

star chain   *(Radionaveg)* cadena [red] en estrella. Red de estaciones constituida por una estación maestra [master station] y tres o más estaciones esclavas [slave stations] situadas simétricamente alrededor de la primera.

star chart   *(Naveg)* carta [mapa] celeste.

star circuit   *(Elec)* circuito en estrella. v. **star network.**

star-connected   *adj: (Elec)* conectado [con conexión] en estrella. v. **star connection.**

star-connected circuit   circuito conectado en estrella.

star connection   *(Elec)* conexión [montaje] en estrella. SIN. **wye connection** | red en estrella. v. **star network** | (of polyphase circuits) conexión en estrella (de circuitos polifásicos). Conexión de circuitos polifásicos que consiste en conectar a un punto común una de las extremidades de los devanados, conductores o aparatos correspondientes a cada fase, sirviendo la otra extremidad para ser conectada al correspondiente conductor de la red. En los sistemas trifásicos, esta conexión se llama a veces *conexión en Y* (CEI/38 05–40–070).

star connection equivalent to delta connection   *(Máq sincrónicas)* montaje en estrella equivalente al montaje en triángulo. Montaje en estrella que, para una misma excitación, produce en el circuito exterior, a la misma diferencia de potencial, la misma corriente que el inducido montado en triángulo (CEI/56 10–45–005). Véase la NOTA "10–45–000" en el artículo *synchronous machine.*

star current   *(Elec)* corriente de una fase de la estrella.

star-delta connection   *(Elec)* conexión [montaje] estrella-triángulo, conexión Y-delta.

star-delta starter   *(Elec)* arrancador estrella-triángulo. Conmutador que sirve para arrancar un motor trifásico [three-phase motor] conectando a la red sus tres devanados de fase, primero en estrella y después en triángulo (CEI/56 15–50–055).

star-delta starting   *(Elec)* arranque estrella-triángulo. Modo de arranque aplicable a los motores trifásicos cuyas tres fases son conectadas en triángulo en condiciones de funcionamiento normales, y consistente en conectar momentáneamente las tres fases en estrella en el momento del arranque (CEI/56 10–40–095, CEI/58 35–05–090).

star-delta startor   v. **star-delta starter.**

star-delta switch   *(Elec)* conmutador estrella-triángulo. Conmutador destinado a acoplar, ya en estrella, ya en triángulo, los tres circuitos de un sistema trifásico (CEI/57 15–30–105).

star drill   *(Herr)* cincel (de albañil), pistolete; barrena para mampostería; barrena (con punta) en estrella, barrena de filo cruzado; broca-estrella; punto para marcar agujeros.

star globe   *(Astr)* globo estelar. SIN. **celestial globe.**

star grouping   *(Elec)* montaje en estrella. v. **star connection.**

star network   *(Elec)* red en estrella. Conjunto de tres o más ramas, en el cual cada una de éstas tiene uno de sus terminales conectado a un punto en común. SIN. **star circuit [connection].** CF. **star chain.**

star point   *(Elec)* punto neutro.

star-producing radiation   *(Nucl)* radiación productora de estrellas.

star-quad   *(Telecom)* cuadrete en estrella. Cuadrete resultante del cableado, alrededor de un eje común, del conjunto de cuatro conductores aislados; los pares están constituidos por la asociación de dos conductores no adyacentes.

star-quad cable   *(Telecom)* cable de cuadretes en estrella. Cable que contiene cierto número de cuadretes en estrella. SIN. **quad cable** (CEI/70 55–30–035) | cable en estrella. SIN. **spiral-four cable.**

star reaction   *(Nucl)* reacción productora de estrellas.

star-shaped   *adj:* estrellado, en estrella; asteroideo.

star-star connection   *(Elec)* conexión estrella-estrella; conexión Y-Y.

star-star transformer   *(Elec)* transformador estrella-estrella.

star time   *(Astr)* tiempo sidéreo. SIN. **sidereal time.**

star tracker   dispositivo para seguimiento de estrellas.

star-tracking guidance system   sistema de guiaje para (el) seguimiento de estrellas.

star voltage   tensión de una fase (de la estrella), tensión entre fase y neutro; tensión entre fases.

star wheel   rueda de estrella; rueda de maniguetas ‖ *(Relojería)* rueda estrellada; rueda catalina.

starboard   *(Marina, Aeron)* estribor ⫻ *adj/adv:* a estribor.

starboard side   banda [costado] de estribor.

starboard light   luz de estribor.

starboard watch   guardia de estribor.

starch   almidón; fécula de trigo ⫻ *verbo:* almidonar.

starch-based adhesive   adhesivo con base de almidón.

starch solution   solución de almidón.

Stark broadening   *(Fís)* ensanchamiento de Stark. Ensanchamiento o extensión de una raya espectral sencilla por efecto de campos eléctricos de naturaleza aleatoria debidos a partículas presentes en un plasma.

Stark effect   *(Fís)* efecto de Stark. Fenómeno por el cual la acción de un campo eléctrico sobre las capas electrónicas de un átomo da origen a una modificación de las energías y a la aparición de multipletes en el espectro atómico (desdoblamiento de rayas espectrales).

starlet   *(Astr)* estrella pequeña.

starlight   luz estelar, luz de las estrellas.

starlike   *adj:* estrellado, en estrella, semejante a una estrella.

start   comienzo, principio, inicio; partida, salida ‖ *(Máq/Mot)* arranque, puesta en marcha ⫻ *adj:* inicial, de comienzo; de partida, de salida; de arranque, de puesta en marcha. V.TB. **starting** ⫻ *verbo:* comenzar, principiar, iniciar; partir, salir; arrancar, poner en marcha, echar a andar; activar ‖ *(Osc)* arrancar, romper a oscilar.

start circuit   circuito de arranque.

start command pulse   *(Elecn)* impulso de mando de arranque.

start-dialing signal   *(Telef)* señal para transmitir, señal de invitación a transmitir. En explotación automática o semiautomática, señal transmitida desde la extremidad de llegada de un circuito a continuación de la recepción de una señal preventiva [seizing signal], para indicar que se han establecido las condiciones para recibir las señales de numeración relativas al encaminamiento de la llamada [numerical routing information]. SIN. **start-pulsing signal, proceed-to-send signal** *(GB).*

start element   *(Teleg)* elemento de arranque. v. **start signal.** CF. **stop element.**

start impulse   impulso de arranque [de puesta en marcha].

start key   *(Informática)* tecla de arranque.

start lead   *(Devanados)* terminación interna. SIN. **inside lead.**

start leader   *(Cine)* cola de comienzo (de la película).

start lever   *(Teleimpr)* palanca de arranque.

start magnet   *(Teleimpr)* electroimán de arranque.

start of count   comienzo del cómputo.

start of message [SOM]   *(Informática/Teleg)* comienzo de mensaje.

start-of-message signal   señal de comienzo de mensaje.

start pulse   impulso de arranque [de puesta en marcha].

start-pulsing signal   *(Telef)* señal para transmitir, señal de invitación a transmitir. v. **start-dialing signal**.

start-record signal   *(Facsímile)* señal de comienzo de registro. Señal que da comienzo a la traducción de las señales eléctricas recibidas en la imagen visible sobre el papel.

start relay   relé de arranque [de puesta en marcha].

start signal   *(Telef con señalización multifrecuencia)* v. **end-of-impulsing signal** ‖ *(Teleg arrítmica)* señal de arranque [de puesta en marcha] | señal de puesta en marcha. Primer elemento de una señal telegráfica en un sistema arrítmico [start-stop system]; ese elemento prepara el aparato receptor para la recepción de los elementos de código [code elements] (CEI/70 55–70–155). CF. **stop signal** ‖ *(Facsímile)* señal de comienzo. Señal que hace pasar el aparato de la condición de pausa a la de funcionamiento activo.

start solenoid   *(Elec)* solenoide de arranque.

start-stop   *adj:* de arranque y parada, de arranca y para; intermitente ‖ *(Teleg)* arrítmico.

start-stop apparatus   *(Teleg)* aparato arrítmico. (**1**) Aparato de funcionamiento discontinuo, tal que la emisión de las señales correspondientes a una letra o un signo determina la puesta en marcha del aparato receptor, la traducción de la señal, la impresión sobre papel, y la detención del aparato, que es susceptible de volverse a poner en marcha cuando recibe nuevas señales (CEI/38 55–15–125). (**2**) Aparato telegráfico que funciona según el sistema arrítmico [start-stop system] (CEI/70 55–75–055).

start-stop automatic transmission   *(Teleg)* transmisión automática arrítmica.

start-stop code   *(Teleg)* código arrítmico.

start-stop control   control de arranque y parada. CF. **stop-start contactors** ‖ *(Tr)* control de apagado y encendido.

start-stop data   *(Teleg/Informática)* señales digitales arrítmicas.

start-stop distortion   *(Teleg)* distorsión arrítmica. Desplazamiento de los instantes significativos [significant instants] de una modulación o de una restitución arrítmica a partir de sus posiciones correctas relativas al instante significativo de la señal de puesta en marcha [start signal] que les precede inmediatamente. NOTA 1: Puede expresarse el grado de distorsión [degree of distortion] por $100 \, (A/B)$ %, donde A es el valor absoluto de la diferencia máxima entre los intervalos verdaderos y teóricos que separan cualquier instante significativo del instante significativo del elemento de puesta en marcha [start element] que le precede inmediatamente, y B es la duración del elemento de trabajo [unit element]. NOTA 2: El resultado de la medida debe ser acompañado de la indicación del intervalo de tiempo, generalmente limitado, de la observación. En el caso de una modulación o restitución prolongada, estará indicado considerar la probabilidad de que sea sobrepasado un valor asignado del grado de distorsión (CEI/70 55–70–190).

start-stop distributor   distribuidor de arranque y parada.

start-stop machine   *(Teleg)* máquina arrítmica, aparato arrítmico.

start-stop modulation   *(Teleg)* modulación arrítmica. Modulación propia de la telegrafía arrítmica. v. **start-stop system**.

start-stop multivibrator   *(Elecn)* multivibrador uniciclo [de período simple]. SIN. **one-cycle [one-kick, one-shot, single-shot] multivibrator, monostable [flip-flop] multivibrator**.

start-stop printer   *(Teleg)* impresor arrítmico.

start-stop printing telegraphy   telegrafía impresora arrítmica. v. **start-stop system**.

start-stop pushbutton   pulsador de arranque y parada.

start-stop restitution   *(Teleg)* restitución arrítmica. Restitución propia de la telegrafía arrítmica. v. **start-stop system**.

start-stop signal   *(Teleg)* señal arrítmica.

start-stop station   *(Máq/Mot)* puesto [conmutador] de arranque y parada.

start-stop switch   conmutador de arranque y parada; interruptor de contacto momentáneo.

start-stop system   *(Teleg)* sistema arrítmico | telegrafía arrítmica. Telegrafía en la cual cada grupo de elementos de código [code elements] correspondiente a una señal alfabética [alphabetic signal] está precedido de una señal de puesta en marcha [start signal] que sirve para preparar el aparato receptor para la recepción y el registro de un carácter, y es seguido de una señal de parada [stop signal] que sirve para poner en reposo el aparato receptor y disponerlo para recibir el carácter siguiente (CEI/70 55–55–060).

start-stop telegraph apparatus   aparato telegráfico arrítmico.

start-stop telegraph signals   señales telegráficas arrítmicas. v. **start-stop system**.

start time   tiempo de arranque.

start up   *verbo:* v. **start** ‖ *(Mot térmicos)* lanzar.

start-up   v. **startup**.

startability   *(Máq/Mot)* arrancabilidad, facilidad de arranque [de puesta en marcha].

starter   iniciador; cosa con que se comienza ‖ *(Alumbrado fluorescente)* encendedor, cebador ‖ *(Autos)* arrancador | artefacto de arranque (de automóvil). Dispositivo destinado a hacer arrancar un motor de combustión, constituido en general por un motor eléctrico alimentado por la batería de acumuladores del vehículo. SIN. **car starter** (CEI/58 35–25–005) ‖ *(Albañilería)* primer ladrillo (de una hilada) ‖ *(Máq/Mot)* arrancador, dispositivo de arranque [de puesta en marcha] ‖ *(Bancos de ascensores)* despachador ‖ *(Elec)* reostato de arranque; relé de arranque | arrancador. Aparato destinado a efectuar el arranque de un motor (CEI/38 15–15–005) | arrancador, aparato de arranque. Aparato (o conjunto de aparatos) destinado a efectuar el arranque de una máquina o la puesta en servicio de un aparato eléctrico (CEI/57 15–50–005) | arrancador. Aparato (o conjunto de aparatos) destinado a efectuar el arranque de una máquina o la puesta en servicio de un aparato eléctrico moderando la corriente o ajustando el par al valor deseado durante el período de arranque (CEI/58 35–05–105) | CF. **automatic starter, semiautomatic starter, direct-switching starter, reduced-voltage starter, stator-resistance starter, rotor-resistance starter, transformer starter, star-delta starter, pole-changing starter, starter with...** ‖ *(Perforaciones)* barrena primera [iniciadora] ‖ *(Elecn)* electrodo arrancador [de encendido]. En los tubos de efluvios, electrodo auxiliar que sirve para iniciar la conducción. En los tubos de gas, electrodo de control cuya principal función es la de producir suficiente ionización para reducir la tensión de encendido o cebado [anode breakdown voltage] | v. **starting anode** /// *adj:* iniciador; encendedor, cebador; arrancador, de arranque, de puesta en marcha. V.TB. **starting**.

starter anode   v. **starting anode**.

starter battery   batería de arranque. Batería de acumuladores cuya función esencial es la de arrancar un motor de combustión interna [internal-combustion engine] (CEI/60 50–20–050).

starter breakdown voltage   tensión de encendido [de cebado], voltaje de encendido [de ignición]. En los tubos de gas o de efluvios (cátodo frío), tensión necesaria para provocar la conducción a través del intervalo de encendido [starter gap] estando al potencial del cátodo todos los demás elementos del tubo.

starter circuit   circuito del arrancador.

starter clutch   embrague del arrancador.

starter coupling   acoplamiento del arrancador.

starter dog   garra del arrancador.

starter drive   transmisión del arrancador.

starter flange   brida del arrancador.

starter gap   *(Tubos de gas)* intervalo de encendido [de cebado], espacio de encendido [de ignición] | intervalo de encendido [de iluminación]. Intervalo recorrido por la descarga de cebado entre un electrodo de encendido [starting electrode] y el otro electrodo al cual es aplicada la tensión de encendido [starting voltage] (CEI/56 07–40–140). CF. **main gap**.

starter gear   engranaje del arrancador.

starter jaw   garra [mordaza] del arrancador.

starter pedal   pedal de arranque [de puesta en marcha].

starter resistance   *(Elec)* resistencia de arranque; reostato de arranque.

starter rheostat   *(Elec)* reostato de arranque. Reostato destinado a limitar la corriente absorbida durante el arranque de una máquina o de un aparato y cuyas resistencias son sucesivamente eliminadas (CEI/57 15–50–150). SIN. **starting rheostat.**

starter shaft   eje del arrancador.

starter solenoid   solenoide del arrancador.

starter switch   interruptor del arrancador.

starter voltage   tensión del arrancador ‖ *(Elecn)* tensión de encendido [de cebado], voltaje de encendido [de ignición] | v. **starter breakdown voltage.**

starter voltage drop   *(Tubos de gas)* caída de tensión del electrodo de encendido. Caída de tensión en el intervalo de encendido [starter gap] después de establecida la conducción en él.

starter with automatic cutout   v. **starter with automatic trip device.**

starter with automatic trip device   *(Elec)* arrancador con parada automática | arrancador con puesta de parada automática. Arrancador que, en condiciones determinadas, asegura automáticamente la parada de una máquina. SIN. **starter with automatic cutout** (CEI/57 15–50–020).

starter's panel   *(Ascensores)* panel del despachador.

starting   comienzo, inicio, principio; arrancada, partida, salida ‖ *(Máq/Mot)* arranque, puesta en marcha ‖ *(Máq eléc)* arranque. Paso del estado de reposo a la velocidad de régimen [running speed] (CEI/38 10–45–045, CEI/56 10–40–085) ‖ *(Tracción eléc)* arranque. Comienzo del período de puesta en velocidad [accelerating period] durante el cual el equipo funciona en condiciones particulares aceptables transitoriamente; por ejemplo, arranque reostático [rheostatic starting] de vehículos de corriente continua (CEI/57 30–05–425). CF. **starting up.**

starting air compressor   compresor de aire para el arranque. Compresor de aire que sirve para el arranque de un motor diesel; para comprimir el aire puede emplearse un pequeño motor de gasolina.

starting air receiver   tanque del compresor (de aire) para el arranque.

starting and stopping   arranque y parada, inicio y cese.

starting anode   *(Elecn)* ánodo de encendido [de cebado]. v. **starting electrode.**

starting-anode glow tube   *(Elecn)* tubo de efluvios [de cátodo frío] con ánodo de encendido [de cebado].

starting box   *(Elec)* arrancador, caja de arranque; reostato de arranque. v. **starter, starting rheostat.**

starting capacitor   *(Elec)* condensador [capacitor] de arranque. SIN. **starting condenser** | condensador de arranque. Condensador conectado en serie con el devanado auxiliar de un motor monofásico [single-phase motor], y que tiene por objeto desfasar la corriente en ese devanado con relación a la corriente principal de manera de permitir el arranque del motor (CEI/57 15–50–095).

starting circuit   circuito de arranque.

starting circuit breaker   interruptor de arranque.

starting coil   *(Avia)* bobina reforzadora para la puesta en marcha.

starting compensator   *(Elec)* compensador de arranque; arrancador. v. **starter.**

starting compressor   compresor (de aire) para el arranque, compresor para el aire de arranque. v. **starting air compressor.**

starting condenser   condensador de arranque [de puesta en marcha]. v. **starting capacitor.**

starting crank   *(Mot)* manivela de arranque [de puesta en marcha].

starting current   *(Osc)* corriente de arranque. Valor mínimo de la corriente electrónica para que el oscilador rompa a oscilar y mantenga oscilaciones entretenidas [undamped oscillations] en condiciones determinadas de carga. SIN. **preoscillation current** ‖ *(Tubos de gas)* corriente de arranque [de encendido] ‖ *(Elec)* corriente de arranque [de puesta en marcha].

starting dial   cuadrante [dial] de arranque.

starting-dial detent   tope del cuadrante de arranque.

starting electrode   *(Lámparas)* electrodo de cebado. Electrodo auxiliar que sirve para el cebado de la lámpara (CEI/58 45–45–125). CF. **main electrode** ‖ *(Elecn)* electrodo de arranque [de encendido, de cebado] | electrodo de encendido. Electrodo auxiliar que sirve para iniciar la descarga en un tubo de gas (CEI/56 07–40–095) ‖ *(Convertidores de mercurio)* electrodo de encendido [de cebadura]. Electrodo que sirve para establecer la mancha catódica [cathode spot] (CEI/56 11–15–045). CF. **animating electrode, excitation anode, ignitor.**

starting element   elemento de arranque ‖ *(Elec)* relé de puesta en marcha. Relé que permite el funcionamiento de un dispositivo de protección en caso de defecto o de condiciones de servicio anormales (CEI/56 16–50–005) | relé de arranque. CF. **timing element** ‖ *(Teleg)* elemento de arranque, elemento (de señal) de puesta en marcha. v. **start signal.**

starting instant   *(Teleg)* instante de arranque [de puesta en marcha].

starting key   tecla [botón, pulsador] de arranque; llave de llamada.

starting kick   *(Electromotores)* sobrecorriente de arranque.

starting light   luz de arranque.

starting-line dial   *(Informática)* cuadrante de línea de comienzo, dial de línea de inicio.

starting magnet   *(Avia)* magneto de lanzamiento. CF. **starting-up.**

starting motor   motor de arranque [de puesta en marcha].

starting of oscillations   *(Telecom)* canto, silbido, campaneo, cebado [enganche] de oscilaciones. v. **singing** ‖ *(Osc)* arranque, comienzo de las oscilaciones.

starting power   *(Contadores)* potencia de arranque. Límite inferior de las potencias para las cuales el elemento móvil [moving element] efectúa una vuelta completa (CEI/58 20–40–300).

starting rate   *(Acum)* régimen inicial ‖ *(Empleados)* sueldo inicial; salario inicial.

starting reactor   *(Elec)* reactor de arranque. Reactor para moderar la corriente de arranque de una máquina o un aparato.

starting relay   relé de arranque [de puesta en marcha], relevador [relais] de arranque.

starting resistance   *(Elec)* resistencia de arranque [de puesta en marchà]; reostato de arranque. Resistencia para regular la velocidad de arranque de un motor.

starting rheostat   reostato de arranque. Reostato destinado a moderar la corriente absorbida por un motor durante el período de arranque y de aceleración, pero no a regular la velocidad en régimen normal (CEI/38 15–15–010). SIN. **starter rheostat.**

starting sheet   *(Electroafino)* hoja de partida. Hoja delgada de metal refinado [refined metal] que sirve de cátodo para el depósito del mismo metal refinado (CEI/60 50–40–055).

starting-sheet blank   *(Electroafino)* placa soporte de hoja de partida | placa soporte de hoja de arranque. v. **mother blank.**

starting signal   *(Telecom)* señal de comienzo (de transmisión). Señal utilizada para anunciar el comienzo de la transmisión. En telegrafía Morse: ––·– ‖ *(Señalización ferrov)* señal de salida. Señal que se coloca a la salida de una estación.

starting switch   *(Elec)* interruptor de arranque.

starting system   sistema de arranque [de puesta en marcha].

starting threshold   umbral de arranque.

starting time   *(Telef)* *(i.e.* of a conversation) hora de comienzo (de una conversación).

starting-to-running transition contactor   *(Máq eléc)* conmutador de transición del arranque a la marcha normal.

starting torque   *(Mot)* par [momento de torsión] de arranque | par inicial de arranque. v. **locked-rotor torque.**

starting-up   arranque, puesta en marcha. SIN. **startup** | lanzamiento. Operación consistente en poner un motor térmico a su velocidad de encendido [firing speed]. No debe usarse el término *arranque* [starting] en este sentido particular (CEI/57 30– 05–435).

starting velocity   velocidad de arranque.

starting vibrator   vibrador de arranque [de puesta en marcha].

starting voltage   (*Elec*) tensión de arranque [de puesta en marcha] ‖ (*Elecn*) tensión de encendido [de cebado]. (**1**) En el caso de un tubo de gas regulador de voltaje, tensión mínima necesaria para que el tubo comience a conducir (ionización del gas). (**2**) En un tubo contador, tensión mínima que hay que aplicarle en un momento dado para obtener impulsos.

starting winding   (*Elec*) devanado [arrollamiento] de arranque | arrollamiento de puesta en marcha. Arrollamiento suplementario de excitación en serie de una generatriz principal [main generator], utilizado para hacer funcionar ésta como motor sobre una fuente exterior para lanzar [start up] un motor térmico (CEI/57 30–15–575). v. **starting-up.**

startor   v. **starter.**

startup   comienzo, principio, inicio; arrancada (inicial); arranque, puesta en marcha | v. **starting-up** ‖ (*Nucl*) puesta en marcha.

startup costs   costos de puesta en marcha. Costos correspondientes al período de puesta en marcha de una instalación, en particular una central nuclear.

startup loop   (*Nucl*) circuito de arranque.

startup maintenance   (trabajos de) mantenimiento inicial.

startup period   período de arranque [de puesta en marcha]. En el caso de una central nuclear, período entre el comienzo de la carga del combustible y el momento en que la central queda en condiciones de prestar servicio.

startup procedure   (procedimiento de) arranque, maniobras de arranque [de puesta en marcha]. Secuencia de operaciones necesarias para poner en marcha una central nuclear y llevarla al nivel de potencia deseado.

startup time   período de arranque [de puesta en marcha]. v. **startup period.**

starved amplifier   (*Elecn*) amplificador subalimentado. Amplificador con uno o más tubos subalimentados. v. **starved tube.**

starved circuit   circuito subalimentado.

starved pentode   (*Elec*) pentodo subalimentado. v. **starved tube.**

starved stage   (*Elecn*) etapa subalimentada, paso subalimentado.

starved tube   (*Elecn*) tubo subalimentado, válvula subalimentada. Tubo o válvula que se hace funcionar con tensiones de ánodo y de rejilla auxiliar [screen grid] muy bajas, para obtener ciertas características de comportamiento. En particular, pentodo amplificador con acoplamiento directo que se hace trabajar con tensión de rejilla auxiliar muy baja y resistencia de circuito anódico elevada; así se obtiene alta ganancia, bajo consumo de corriente, y economía en el número de piezas.

stassite   (*Miner*) stasita.

stat-   estato-. Prefijo indicativo de que una magnitud eléctrica está expresada en el sistema electrostático de unidades. Prefijo que identifica las unidades electrostáticas en el sistema cegesimal [CGS system]. v. **statampere, statcoulomb, statfarad, stathenry, statmho, statohm, statvolt.**

statampere   estatamperio, estatoampere. Unidad cegesimal electrostática de corriente eléctrica; es igual a $3,3356 \times 10^{-10}$ amperio.

statcoulomb   estatoculombio, estatocoulomb. Unidad cegesimal electrostática de carga eléctrica; es igual a $3,3356 \times 10^{-10}$ culombio.

state   estado, condición; situación ‖ (*Fís*) estado ‖ (*Geog*) estado ‖ v. **state of. . .** ⫽ *adj:* estatal ⫽ *verbo:* declarar, exponer, formular ‖ (*Mat*) enunciar, plantear.

state agency   dependencia [negociado] estatal; organismo estatal.

state aircraft   aeronave de estado.

state guard station   (*Radiocom*) estación de la guardia estatal.

state of charge   (*Acum*) estado de carga.

state-of-charge tester   (*Acum*) comprobador del estado de carga.

state of energy   nivel energético [de energía].

state of equilibrium   estado de equilibrio.

state of ionization   estado de ionización.

state of registry   (*Avia*) estado de matrícula.

state of sea   (*Meteor*) estado de la mar.

state of the art   v. **art.**

state-of-the-art   *adj:* según el estado actual de la tecnología; según técnicas conocidas; de avanzadísima tecnología.

state of the ground   estado del terreno.

state police station   (*Radiocom*) estación de la policía estatal.

state railway   ferrocarril del estado. LOCALISMO: ferrocarril fiscal.

state-run railway   ferrocarril estatal [del estado].

state tax   impuesto estatal.

state vector   (*Fís*) vector estado.

stated-speed sign   (*Caminos*) señal de velocidad reglamentaria; señal de velocidad obligatoria.

statement   declaración, exposición, manifestación, presentación; memoria, informe, relato, pormenor ‖ (*Comercio*) estado [extracto] de cuenta ‖ (*Informática*) expresión válida; instrucción general (en un programa de computadora) ‖ (*Mat*) enunciado; planteo; proposición ‖ v. **statement of. . .**

statement of calls handled at a position   (*Telef*) libro registro de las comunicaciones.

statfarad   estatofaradio, estatofarad. Unidad cegesimal electrostática de carga; es igual a $1,1126 \times 10^{-12}$ faradio.

stathenry   estatohenrio, estatohenry. Unidad cegesimal electrostática de inductancia; es igual a $8,9876 \times 10^{11}$ henrios.

static   electricidad estática ‖ (*Radiocom*) estática, parásitos (naturales), (parásitos) atmosféricos, perturbaciones atmosféricas. Perturbaciones causadas en la recepción por fenómenos eléctricos que tienen lugar en la atmósfera: rayos, aurora boreal, acumulación de cargas en la antena o en cuerpos vecinos, etc. Por extensión el término se aplica también a veces a los *ruidos parásitos* con origen en instalaciones o aparatos eléctricos. CF. **disturbance, interference, noise, snow** ‖ (*Fonog*) ruido de estática. Ruidos que se escuchan en la reproducción de discos de material plástico, debido a las partículas de polvo atraídas por cargas eléctricas acumuladas en el disco a causa del rozamiento en días secos ⫽ *adj:* estático, inmóvil; invariable.

static acceleration   aceleración invariable. Aceleración unidireccional uniforme como p.ej. la que existe en una máquina centrífuga; generalmente se expresa en múltiplos de unidades gravitacionales.

static adhesive weight   (*Tracción eléc*) peso adherente. Carga total ejercida en estado de reposo sobre los rieles por los ejes motores y acoplados, estando el vehículo en orden de marcha [working order] (CEI/57 30–05–275). CF. **weight in working order, weight per axle.**

static amplifier   amplificador estático.

static balance   equilibrio estático.

static balancer   (*Elec*) equilibrador estático | bobina equilibradora. Dispositivo constituido por inductancias que forman un autotransformador cuyos devanados son conectados por anillos colectores [slip rings] a puntos equidistantes de un inducido de corriente continua y al hilo neutro de una distribución de dos puentes alimentados por la máquina de manera de igualar las tensiones de los dos puentes (CEI/56 10–25–075).

static beam   (*TOP*) haz estático.

static behavior   comportamiento estático [en condiciones invariables].

static breeze   (*Electrobiol*) brisa estática, viento eléctrico, descarga convectiva, efluvio (*desusado*). Movimiento de una corriente visible o invisible de partículas portadoras de cargas que parten de un cuerpo cargado a un potencial suficientemente elevado. SIN. **electric wind, convective discharge, effluve** (*desusado*) (CEI/59 70–20–070).

static calibration   calibración estática.

static ceiling   *(Avia)* techo estático.

static changer   convertidor estático. v. **static frequency changer, static phase changer, static current changer.**

static characteristic   *(Elecn)* característica estática. TB. característica en cortocircuito. Característica (de una válvula) con impedancia de carga nula y para una frecuencia muy baja o nula (CEI/57 07–28–150) ‖ *(Soldadura eléc)* (*i.e.* of an arc welding set) característica externa estática (de un aparato alimentador para soldadura por arco). Relación entre la tensión en bornes del aparato y la corriente suministrada a una carga prácticamente no inductiva en régimen estable (CEI/60 40–15–125) ‖ *(Transductores)* característica de régimen, curva característica. Representación gráfica de la relación entre una magnitud de salida y una magnitud de mando en régimen estable. SIN. **transfer curve** (CEI/55 12–10–025) ‖ CF. **dynamic characteristic.**

static charge   *(Elec)* carga estática. Carga eléctrica en reposo o en movimiento muy lento. Cantidad de electricidad que posee un cuerpo electrizado.

static check   *(Comput)* comprobación estática, prueba en condiciones estáticas.

static condenser   *(Elec)* condensador estático.

static-conductive linoleum   linóleo conductor de electricidad estática.

static convergence   convergencia estática. En los cinescopios tricromos de tres cañones, convergencia de los haces exploradores en reposo, es decir, en ausencia de barrido. SIN. **DC convergence.** CF. **dynamic convergence, static focus.**

static converter, static convertor   *(Elec)* convertidor estático. Dispositivo que utiliza las propiedades de la conducción asimétrica [asymmetric conduction] para la conversión de una corriente de una naturaleza en corriente de otra naturaleza, y que comprende una o más válvulas eléctricas [rectifiers] con su transformador y sus accesorios (CEI/56 11–05–005). CF. **static changer, inverter, DC static converter, rectifier equipment.**

static current changer   convertidor estático; rectificador; detector.

static DC-to-AC power inverter   ondulador, convertidor estático de CC en CA. SIN. **inverter.**

static decay   *(Tubos de memoria por carga)* decaimiento estático, debilitación estática. Decaimiento o debilitación que es función exclusiva de las propiedades de la superficie acumuladora, tales como la fuga lateral o transversal.

static device   dispositivo estático. En electricidad y electrónica, dispositivo sin piezas móviles.

static direction finder   radiogoniómetro para estáticos.

static directional stability   *(Avia)* estabilidad direccional estática.

static discharger   descargador de electricidad estática. Especie de "mecha" de tela cubierta con caucho, de unos 15 cm de largo, que a veces se fija al borde posterior de las superficies de sustentación de una aeronave para descargar la electricidad estática durante el vuelo.

static drain   *(Ant)* derrame a tierra de las cargas electrostáticas.

static dump   *(Comput)* vaciado estático. Vaciado o descarte que se efectúa en un momento particular (generalmente al final) de una "corrida" de la máquina.

static-dynamic balance   equilibrio estatodinámico.

static electrical machine   máquina electrostática.

static electrical spark   chispa de electricidad estática, chispa eléctrica producida por cargas estáticas.

static electricity   electricidad estática. (1) Electricidad en reposo o en movimiento muy lento. (2) Electricidad en forma de una carga en equilibrio o considerada independientemente de los efectos de su movimiento. (3) Carga eléctrica adquirida por un cuerpo por inducción electrostática. CF. **static charge.**

static electrification   electrización estática. (1) Electrización por inducción electrostática [electrostatic induction]. (2) Paso de una carga estática de un cuerpo a otro por contacto directo entre los cuerpos o por medio de una chispa que salva un intervalo de aire

entre ellos.

static electrode potential   *(Electroquím)* tensión estática de electrodo. Diferencia de potencial eléctrico [difference in electric potential] entre un electrodo y el electrólito cuando no circula ninguna corriente (CEI/60 50–05–125). CF. **dynamic electrode potential, equilibrium electrode potential.**

static eliminator   dispositivo de descarga de electricidad estática, eliminador de electricidad estática. CF. **static discharger** ‖ *(Radiocom)* eliminador de estáticos, atenuador de estática, supresor de perturbaciones atmosféricas.

static (energy) sensitivity   *(Dispositivos fotoelectrónicos)* sensibilidad estática. v. **static sensitivity.**

static equilibrium   *(Mec)* equilibrio estático.

static exciter   *(Elec)* excitatriz estática.

static field   campo estático. Según el caso, puede ser un *campo electrostático* o un *campo magnetostático.*

static firing   *(Cohetes espaciales)* ensayo estático.

static focus   *(TRC)* foco estático. Foco del haz electrónico en ausencia de toda desviación. CF. **static convergence.**

static forward-current transfer ratio   *(Transistores)* razón de transferencia directa estática de corriente, relación de la corriente continua de salida a la corriente continua de entrada.

static-free   *adj:* antiestático ‖ *(Radiocom)* sin parásitos atmosféricos.

static-free plastic   plástico antiestático.

static frequency changer   convertidor estático de frecuencia. Convertidor estático [static converter] de corriente alterna en corriente alterna de otra frecuencia (CEI/56 11–05–020).

static frequency converter   convertidor estático de frecuencia. (1) Convertidor de frecuencia sin piezas móviles. (2) v. **static frequency changer.**

static frequency doubler   doblador estático de frecuencia.

static head   *(Hidr)* carga estática ‖ *(Aeron)* toma estática.

static henrymeter   henriómetro estático.

static hysteresis   histéresis estática.

static induced current   *(Electrobiol)* corriente inducida estática. Corriente de carga y de descarga de un par de botellas de Leyden [Leyden jars] o de otros condensadores que se hace pasar por el cuerpo de un enfermo. NOTA: Es término desusado y desaconsejado (CEI/59 70–10–005). CF. **static wave current.**

static induction   inducción electrostática, influencia eléctrica, electrización por influencia. SIN. **electric influence, electrostatic induction.**

static input resistance   *(Transistores)* resistencia estática de entrada. Razón de la tensión continua de entrada a la corriente continua de entrada.

static instability   *(Aeron)* inestabilidad estática.

static interference   *(Radiocom)* parásitos (naturales), (parásitos) atmosféricos, perturbaciones atmosféricas. SIN. **static.**

static level   *(Hidrología, Mec de los fluidos)* nivel estático.

static-level meter   medidor de nivel estático.

static lift   *(Aerostatos)* fuerza ascensional estática ‖ *(Bombas)* altura de elevación, altura manométrica.

static line   *(Paracaídas)* cuerda de apertura automática.

static load   *(Avia)* carga fija ‖ *(Elecn)* carga estática.

static load line   *(Elecn)* recta de carga estática.

static load test   *(Avia)* prueba de carga fija.

static loading   *(Ensayos de materiales)* carga estática.

static luminous sensitivity   *(Dispositivos fotoelectrónicos)* sensibilidad luminosa estática (de una célula o un tubo fotoelectrónicos). Cociente de la corriente anódica continua por el flujo luminoso incidente supuesto constante, para una tensión dada entre ánodo y cátodo (CEI/56 07–23–085). CF. **static sensitivity.**

static machine   *(Elec)* máquina electrostática. Instrumento destinado a producir una separación de cargas eléctricas utilizables para cargar otros conductores. EJEMPLOS: electróforo de Volta, máquina de Wimshurst, generador de van de Graaff.

static magnetic delay line   línea de retardo magnética estática.

static magnetic field   campo magnetostático, campo magnético estacionario. SIN. **stationary magnetic field.**

static measurement   medida estática. Medida tomada en condiciones constantes, es decir, en ausencia de fluctuación del medio ambiente o del estímulo o excitación.

static memory   memoria estática. Memoria en la cual la información está fija en el espacio y en condiciones de ser utilizada en cualquier instante. V.TB. **static storage.**

static modulator   (*Teleg*) modulador [relé] estático. Relé sin piezas móviles utilizado para la modulación de una corriente portadora por las señales telegráficas de corriente continua [direct-current telegraph signals]. SIN. **static relay.**

static moment   (*Mec*) momento estático.

static overcurrent tripping device   (*Elec*) dispositivo estático de desconexión por sobrecorriente.

static overvoltage   sobretensión estática. Sobretensión debida a la carga eléctrica de un conductor o de una instalación eléctrica aislados (CEI/65 25–45–025). CF. **overvoltage due to resonance, sustained overvoltage.**

static parameter   parámetro estático.

static phase changer   convertidor estático de fase. Convertidor de fase sin piezas móviles.

static power converter   (*Elec*) convertidor estático de potencia. V. **static converter.**

static pressure   presión estática. En un punto de un fluido, presión que existiría en ausencia de toda vibración acústica (CEI/60 08–05–080).

static-pressure indicator   manómetro de presión estática.

static-pressure-system error   (*Aeron*) error del sistema de presión estática.

static-pressure tube   (*Aeron*) tubo de presión estática; tubo para medir la presión estática del aire.

static printout   (*Comput*) impresión estática de datos. Impresión de datos que no se efectúa como una de las operaciones sucesivas de la máquina, sino al final de la "corrida" de ésta.

static propeller thrust   (*Avia*) tracción de la hélice a punto fijo. V.TB. **static thrust.**

static quantity   magnitud estática.

static rectifier   (*Elec*) rectificador estático. CF. **static converter.**

static register   (*Informática*) registro estático. Registro que retiene la información en forma estática. CF. **static memory.**

static regulator   (*Elec, Telecom*) regulador estático.

static relay   relé estático. Relé sin piezas móviles (CEI/70 55–75–205) | relé [modulador] estático. V. **static modulator.**

static resistance   resistencia estática.

static sensitivity   (*Dispositivos fotoelectrónicos*) (*i.e.* static energy sensitivity) sensibilidad estática (de una célula o un tubo fotoelectrónicos). Cociente de la corriente anódica continua por el flujo energético incidente [incident radiant energy] supuesto constante. En el caso de un tubo fotoelectrónico se da para una tensión determinada entre ánodo y cátodo; en el caso de una célula fotoeléctrica se da para ésta en cortocircuito (CEI/56 07–23–075). CF. **static luminous sensitivity, dynamic sensitivity.**

static shield   (*Radio*) pantalla antiparásitos, blindaje contra estáticos. CF. **static eliminator.**

static shift register   (*Informática*) registro de corrimiento estático. CF. **static register.**

static skew   (*Registro mag*) sesgo estático. V. **skew.**

static soaring   (*Aeron*) vuelo a vela térmico.

static split   (*Radar*) detección estática. Radiodetección en la cual la dirección del objetivo se obtiene por comparación de señales recibidas simultáneamente por dos elementos de antena los ejes de cuyos haces principales tienen orientaciones que difieren ligeramente de la del objetivo (CEI/70 60–72–140) | radiodetección por goniometría instantánea de amplitud.

static split tracking   (*Radar*) seguimiento por detección estática | radar monoimpulsional [de monoimpulsos]. V. **monopulse radar.**

static stability   (*Aeron*) estabilidad estática.

static storage   (*Informática*) memoria estática, almacenador estático. (**1**) Dispositivo de almacenamiento de información en el cual ésta se retiene mientras esté conectada la calculadora. (**2**) Dispositivo almacenador de información en el cual el intervalo de almacenamiento [storage interval] correspondiente a una dirección dada es variable y se determina durante el ciclo de almacenamiento [storage cycle]. (**3**) V. **static memory.** CF. **static register** ‖ (*Elec*) acumulación de cargas estáticas.

static strain   (*Mec*) deformación estática.

static stylus force   (*Fonog*) V. **stylus force.**

static subroutine   (*Informática*) subrutina estática. Subrutina en la que no intervienen más parámetros que las direcciones de los operandos.

static suppressor   (*Radio*) dispositivo antiparásitos, supresor de perturbaciones atmosféricas. SIN. **static eliminator.**

static switching   (*Elec*) conmutación estática. Conmutación mediante un dispositivo estático, es decir, sin piezas móviles.

static test   prueba estática; ensayo estático. CF. **static measurement.**

static test firing   (*Cohetes*) prueba estática de lanzamiento.

static thrust   (*Aeron*) empuje estático, tracción estática [a punto fijo].

static-thrust coefficient   coeficiente de empuje estático [de tracción estática].

static torque   (*Mot*) par inicial de arranque, momento torsor [de torsión] de arranque. V. **locked-rotor torque.**

static transconductance   (*Elecn*) transconductancia estática. En los transistores, razón de la corriente continua de salida por la tensión continua de entrada. En un tubo electrónico, valor de la transconductancia calculado en función de los cambios de valor de la corriente de ánodo al variar en incrementos discretos la tensión polarizadora de rejilla, mientras se mantienen constantes las demás tensiones aplicadas al tubo.

static-transconductance test   prueba de transconductancia estática.

static transductor   transductor estático.

static-transductor amplifier   amplificador de transductor estático.

static transformer   transformador estático.

static transverse field   campo transversal estático.

static tube   (*Aeron*) tubo estático; tubo para medir la presión estática.

static tube characteristic   (*Elecn*) característica estática de un tubo. V. **static characteristic.**

static value   valor estático.

static value of the open-circuit output conductance   (*Transistores*) valor estático de la conductancia de salida con la entrada en circuito abierto.

static value of the open-circuit reverse-voltage transfer ratio   (*Transistores*) valor estático de la razón de transferencia inversa de tensión con la entrada en circuito abierto.

static value of the short-circuit forward-current transfer ratio   (*Transistores*) valor estático de la razón de transferencia directa de corriente con la salida en cortocircuito.

static value of the short-circuit input impedance   (*Transistores*) valor estático de la impedancia de entrada con la salida en cortocircuito.

static valve characteristic   (*Elecn*) característica estática de una válvula. V. **static characteristic.**

static-voltage differential relay   relé diferencial de tensión estática.

static voltage regulator   regulador estático de voltaje, estabilizador estático de tensión.

static voltage stabilizer   estabilizador estático de voltaje [de tensión]. Estabilizador de tensión desprovisto de piezas móviles y contactos.

static wave current   (*Electrobiol*) corriente de onda estática.

Corriente resultante de la descarga repentina periódica de un paciente que ha sido llevado a un potencial elevado con la ayuda de un generador electrostático [electrostatic generator]. NOTA: Es término desusado y desaconsejado (CEI/59 70–20–010). CF. **static induced current.**

statical   *adj:* v. static.

statically   *adv:* estáticamente.

statically admissible state of stress   *(Mec)* estado de tensión estáticamente admisible.

statically balanced   equilibrado estáticamente.

statically balanced control surface   *(Aeron)* superficie de mando equilibrada estáticamente.

statically determinable   *(Mec)* estáticamente determinable.

statically determinate   *(Mec)* estáticamente determinado.

statically stable   estáticamente estable.

staticization   estatificación. v. staticizing.

staticizer   estatificador. Dispositivo almacenador de información capaz de recibir ésta secuencialmente o en serie, y darle salida en paralelo.

staticizing   estatificación. En informática, proceso de transferir una instrucción de la memoria a los registros de instrucciones y retenerla en éstos, lista para su ejecución. Los registros de instrucciones sólo pueden retener unos pocos caracteres cada vez, por lo que una instrucción completa puede necesitar varias pasadas por la unidad de control de programa [program control unit]. Cada una de estas pasadas se llama *nivel estádico* o *de estado* [status level]. SIN. staticization.

staticproof   *adj:* antiestático ‖ *(Radiocom)* sin parásitos atmosféricos, a prueba de interferencia atmosférica.

statics   *(Fís)* estática. Mecánica del equilibrio de los cuerpos estacionarios. Parte de la mecánica que trata del equilibrio de las fuerzas ‖ *(Radiocom)* estáticos, parásitos atmosféricos, perturbaciones atmosféricas. TB. parásitos electrostáticos. Perturbaciones en la recepción causadas por la electricidad estática atmosférica. En la recepción de radio produce ruidos; en la de televisión se caracteriza por la aparición de motitas blancas y negras llamadas *lluvia* o *nieve*, o, en la recepción policroma, motitas de colores llamadas *confeti*. SIN. static (interference), atmospherics. CF. noise, snow.

station   estación; puesto, sitio, situación ‖ *(Elec)* central (eléctrica), estación, planta. LOCALISMO: usina. CF. **generating station, auxiliary power station, switching station** | conmutador de maniobra. Conmutador del circuito de mando de un motor o un aparato ‖ *(Fáb)* estación, puesto de operario, puesto de trabajo [de ensamblaje]. En una cadena de armado en serie o en una máquina de armado automático, lugar donde se detiene un aparato (chasis, tablero de conexionado, etc.) para el montaje de una o varias piezas o para una operación de soldadura, etc. ‖ *(Ferroc)* estación. Sitio preparado para la detención habitual de trenes. v.TB. **station with...** ‖ *(Iglesia)* estación ‖ *(Informática)* estación. Cada una de las etapas por las cuales pasa una tarjeta dentro de una máquina, como ser: estación de lectura, e. de perforación, e. de segunda lectura, etc. | v. **tape station** ‖ *(Marina)* apostadero ‖ *(Mil)* puesto militar ‖ *(Telecom)* estación ‖ *(Telef)* estación; instalación principal, aparato principal de abonado; puesto; aparato (telefónico) | v. **station with...** ‖ *(Radiocom)* estación. **(1)** Transmisor, receptor, o combinación de transmisores y receptores, con las instalaciones accesorias precisas para asegurar un servicio de radiocomunicación determinado. Las estaciones se clasifican según el servicio que efectúan de manera permanente o temporal. **(2)** Lugar de emplazamiento de una instalación radioeléctrica (radio, radar, televisión, etc.) | *(i.e.* broadcast station) estación, difusora, emisora; radiodifusora; videodifusora | v. **station of...** ‖ *(Topog)* estación, progresiva, punto de marca; distancia acumulada ⫼ *verbo:* estacionar, apostar; situar, colocar; destinar; alojar.

station agent   *(Ferroc)* jefe de estación. SIN. stationmaster.

station altimeter   altímetro de estación.

station battery   *(Telecom)* batería de (la) estación. El término es de uso tradicional; modernamente puede la batería estar substituida por una fuente de tensión (compuesta de rectificador, filtro, y otros elementos) que toma energía de la red de alterna. CF. **telegraph battery.**

station box   puesto.

station break   *(Radio/Tv)* (señal de) identificación de la estación | pausa de identificación local, pausa para la identificación de la emisora. En las transmisiones en cadena, pausa dada por la estación cabecera para que las estaciones de las distintas localidades se identifiquen individualmente.

station called   *(Telecom)* estación llamada.

station calling   *(Telecom)* estación que llama.

station code   *(Telecom)* código identificador [indicativo codificado] de la estación.

station complement   dotación [personal] de la estación.

station data sheet   ficha de estación. Ficha o formulario en que se anotan los datos relativos a una estación, en particular una estación de microondas: nombre y número; datos topográficos y físicos; abastecimientos; propiedad del terreno; kilometraje en ruta; etc.

station dial   cuadrante de estaciones.

station elevation   *(Meteor)* altura de la estación (sobre el nivel del mar).

station identification   *(Telecom)* identificación de (una) estación.

station index number   *(Meteor)* número indicativo de estación.

station keeping   *(Satélites artificiales)* mantenimiento de órbita [de posición].

station license   *(Radiocom)* licencia de (la) estación.

station line   *(Teleg)* línea de conexión. Enlace permanente entre un aparato telegráfico [telegraph station] y el centro de conmutación [switching center] que lo sirve (CEI/70 55–60–010). SIN. **subscriber's line.**

station master   *(Ferroc)* v. stationmaster.

station of destination   *(Radiocom)* estación de destino.

station of origin   *(Radiocom)* estación de origen.

station office   *(Telecom)* oficina de la estación ‖ *(Ferroc)* oficina auxiliar. Oficina destinada al segundo jefe o auxiliar de la estación. CF. **stationmaster's office.**

station on board   *(Radiocom)* estación de a bordo. Estación instalada a bordo de un buque o una aeronave.

station on (the) air   estación en el aire, estación en emisión.

station-power switchboard   *(Centrales eléc)* cuadro [tablero] de consumo propio.

station ringer   *(Telef)* timbre (de aparato telefónico).

station selector   *(Telecom)* selector de estaciones ‖ *(Televisores)* selector de canales. SIN. **channel selector.**

station-selector equipment   *(Telecom)* dispositivo selector de estaciones.

station site   *(Telecom)* emplazamiento de la estación; sitio para la estación.

station siting   *(Telecom)* localización de estaciones.

station test   *(Telecom)* prueba de la estación; prueba en estación.

station-to-station call   *(Telef)* comunicación de estación a estación, comunicación [llamada] de teléfono a teléfono. CF. **person-to-person call.**

station-to-station test   *(Telecom)* prueba de estación a estación.

station-to-station traffic   *(Telef)* tráfico de teléfono a teléfono.

station with its own (power) supply   *(Telecom)* estación autoalimentada. CF. **remotely supplied station.**

station with one classification grid   *(Ferroc)* estación con patio común de maniobras. Estación que, no obstante tener dos direcciones principales, posee únicamente un grupo o haz de vías, y que, por consiguiente, no permite clasificar más que un tren a la vez.

station with two classification grids   *(Ferroc)* estación con patio propio para cada dirección. Estación que posee dos grupos o haces de vías relativamente independientes y que permite clasificar dos trenes a la vez.

stationary   *adj:* estacionario, fijo; constante; estático ‖ *(Astr)* estacional.

stationary-anode tube   *(Radiol)* tubo (de rayos X) de ánodo fijo [estacionario].

stationary antenna   antena fija.

stationary antinode   antinodo [vientre] estacionario. v. **stationary wave.**

stationary battery   batería estacionaria [fija]. Batería de acumuladores o de pilas húmedas destinada a prestar servicio en un lugar fijo ‖ batería estacionaria. (**1**) Batería destinada a funcionar en un lugar fijo (CEI/38 50–30–015). (**2**) Batería de acumuladores ideada para prestar servicio en un lugar fijo (CEI/60 50–20–040). CF. **portable battery.**

stationary cell   *(Electroquím)* elemento estacionario. Elemento destinado a funcionar en un lugar fijo (CEI/38 50–30–015).

stationary coil   bobina fija. CF. **moving coil.**

stationary-coil ammeter   amperímetro de cuadro fijo.

stationary contact   *(Elec)* contacto fijo.

stationary contact member   pieza de contacto fija.

stationary CPA axis   *(Tv)* eje estacionario de fase cromática. Fase fija de referencia respecto a la cual una señal de portadora cromática de crominancia constante forma ángulos de fase iguales y opuestos en campos sucesivos, siendo dicha fase de referencia la misma para todas las crominancias. *CPA* es abreviatura de *color phase alternation* (véase).

stationary diffuser vane   *(Aeron)* aleta fija del difusor.

stationary echo   *(Radar)* eco fijo. Eco debido a un objeto inmóvil respecto al equipo de radar (CEI/70 60–72–460). CF. **permanent echo.**

stationary engine   máquina fija; motor fijo.

stationary field   *(Fís)* campo estacionario [constante]. SIN. **constant field.**

stationary front   *(Meteor)* frente estacionario.

stationary grid   *(Radiol)* rejilla (fija), rejilla de Lysholm. Rejilla antidifusora [antidiffusion grid] que no está en movimiento durante la exposición. SIN. **grid, Lysholm grid** (CEI/64 65–30–340). CF. **moving grid.**

stationary magnetic field   campo magnético estacionario, campo magnetostático. SIN. **static magnetic field.**

stationary moderator   *(Nucl)* moderador estacionario.

stationary node   nodo estacionario. v. **stationary wave.**

stationary orbit   *(Satélites artificiales)* órbita estacionaria [geoestacionaria]. Orbita que hace aparecer al satélite estacionario respecto a cualquier punto de la Tierra, y que ha de ser ecuatorial, circular y sincrónica con la rotación de la Tierra; por tanto, toda órbita estacionaria es sincrónica, pero no toda órbita sincrónica es estacionaria.

stationary phase relationship   relación constante de fase.

stationary reactor   *(Nucl)* reactor estacionario.

stationary rectangular coordinates   coordenadas rectangulares fijas, sistema fijo de coordenadas rectangulares.

stationary rectifier   *(Elec)* rectificador estático. SIN. **static rectifier.**

stationary reduction gear   engranaje desmultiplicador fijo, tren reductor fijo.

stationary sound wave   onda sonora estacionaria. v. **stationary wave.**

stationary state   *(Fís)* estado estacionario. Estado energético discreto en que puede existir una partícula (átomo, electrón) o un sistema.

stationary stochastic process   *(Mat)* proceso estocástico estacionario.

stationary tape-sensing head   *(Teleg)* cabeza estacionaria exploradora de cinta.

stationary target   blanco fijo.

stationary thermonuclear reaction   reacción termonuclear estacionaria.

stationary time series   *(Estadística)* serie temporal estacionaria.

stationary transformer   transformador estático. SIN. **static transformer.**

stationary wave   onda estacionaria. Onda en la cual los fenómenos oscilantes en cada punto están en concordancia o en oposición de fase (CEI/38 05–05–285). SIN. **standing wave.** CF. **moving wave, traveling wave.**

stationary-wave system   sistema de ondas estacionarias. v. **standing-wave-system.**

stationery   (artículos de) papelería, efectos de escritorio; papel de escribir de diversas clases.

stationmaster   *(Ferroc)* jefe de estación.

stationmaster's office   *(Ferroc)* oficina del jefe de estación. CF. **station office.**

station's complement   dotación de la estación. Personal que atiende una estación, p.ej. de telecomunicaciones.

statistic   estadística. (**1**) Dato numérico. (**2**) Estimado de un parámetro (como p.ej. la media o la variancia de una población) obtenido a partir de una muestra. CF. **statistics.**

statistical   *adj:* estadístico.

statistical analysis   análisis estadístico.

statistical data   datos estadísticos.

statistical element   elemento estadístico.

statistical equilibrium   equilibrio estadístico.

statistical error   error estadístico. Error de cómputo debido a distribuciones temporales aleatorias de las desintegraciones de partículas nucleares.

statistical fluctuation   fluctuación estadística.

statistical forecast   *(Meteor)* previsión estadística.

statistical frequency   frecuencia estadística.

statistical hypothesis   hipótesis estadística.

statistical inference   inferencia [deducción] estadística.

statistical mechanics   *(Fís)* mecánica estadística.

statistical method   método estadístico.

statistical parameter   parámetro estadístico.

statistical pattern   ley estadística.

statistical quality control   control estadístico [fiscalización estadística] de la calidad.

statistical separation of isotopes   separación estadística de isótopos.

statistical series   serie estadística. Conjunto de valores numéricos obtenidos mediante observaciones correspondientes a un fenómeno estadístico o aleatorio.

statistical straggling   dispersión estadística. Variación del alcance, la dirección, o la ionización de partículas, debida a fluctuaciones de la distancia entre choques o colisiones en un medio, así como en la pérdida de energía y el ángulo de desviación por choque.

statistical test   prueba estadística. Prueba de la aceptabilidad de una hipótesis por la observación de valores o magnitudes y la determinación de su compatibilidad con la hipótesis.

statistical uncertainty   incertidumbre estadística.

statistical variability   variabilidad estadística.

statistical weight   peso estadístico ‖ (of a macroscopic state) peso estadístico (de un estado macroscópico), probabilidad termodinámica. Número de estados microscópicos [microscopic states] contenidos en un estado macroscópico. El estado macroscópico cuyo peso estadístico es máximo, es un estado de equilibrio ‖ v. **statistical weight of. . .**

statistical weight of a molecular energy level   peso estadístico de un nivel energético molecular.

statistical weight of an atomic energy level   peso estadístico de un nivel energético atómico.

statistical-weight theorem   teorema del peso estadístico.

statistically   *adv:* estadísticamente.

statistician   estadístico. (**1**) Matemático especializado en estadística. (**2**) Compilador de datos estadísticos.

statistics   estadísticas, datos estadísticos ‖ estadística. Ciencia que se vale de conjuntos de datos numéricos para hacer deducciones e inferencias basadas en el cálculo de probabilidades. cf. **quantum statistics, standard deviation.**

statitron   estatitrón, generador de van de Graaff. sin. **van de Graaff generator.**

statmho   *(Elec)* estatosiemens, estatomho. Unidad cegesimal electrostática de conductancia eléctrica; es igual a $1,1126 \times 10^{-12}$ siemen o mho.

statohm   *(Elec)* estatoohmio, estatoohm. Unidad cegesimal electrostática de resistencia eléctrica; es igual a $8,98766 \times 10^{11}$ ohmios.

stator   estator. (1) Parte fija de una máquina eléctrica (CEI/38 10–05–185, CEI/56 10–30–005). (2) Conjunto de las placas fijas de un condensador variable. (3) Parte fija de un conmutador del tipo rotativo. (4) Parte fija de un buscador radiogoniométrico [goniometer assembly] (CEI/70 60–71–480). cf. **rotor** /// *adj:* estatórico.

stator blade   *(Turbinas)* álabe de estator, paleta fija [estatórica].

stator current   *(Elec)* corriente estatórica.

stator-fed   *adj: (Elec)* de alimentación estatórica; excitado por el estator, de excitación estatórica.

stator-fed converter   *(Elec)* convertidor de alimentación estatórica.

stator-inductance starter   *(Elec)* arrancador estatórico de inductancias. Arrancador para motor de corriente alterna que intercala momentáneamente una o varias inductancias en serie con el devanado estatórico, y luego las elimina sucesivamente (CEI/57 15–50–040). cf. **stator-resistance starter.**

stator lamination   *(Elec)* chapa del estator.

stator plate   *(Cond variables)* placa fija [estacionaria, estatórica, de estator].

stator-resistance starter   *(Elec)* arrancador estatórico de resistencias. Arrancador para motor de corriente alterna que intercala momentáneamente una o varias resistencias en serie con el devanado estatórico [stator winding], y luego las elimina sucesivamente (CEI/57 15–50–040). cf. **stator-inductance starter, rotor-resistance starter.**

stator stack   *(Cond variables)* estator, conjunto de placas fijas. sin. **stator.**

statoscope   *(Fís/Meteor)* estatoscopio, estatóscopo. Barómetro de Richard de particular sensibilidad y precisión /// *adj:* estatoscópico.

status   estado, condición; circunstancias de servicio; estado [situación] actual (de un asunto); estado (de un circuito lógico) || *(Lenguaje forense)* estado civil; estado legal, capacidad /// *adj:* estádico, de estado.

status change   *(Circ lógicos)* cambio de estado. sin. **upset.**

status-change bus   línea ómnibus de cambio de estado.

status-change circuit   circuito de cambio de estado.

status-change pulse   impulso de cambio de estado.

status-change signal   señal de cambio de estado.

status level   *(Informática)* nivel estádico [de estado]. v. **staticizing.**

statute mile   milla terrestre, milla (legal) inglesa. Equivale a 1,609 km.

statutory   *adj:* estatutario, estatuido, reglamentario, establecido por la ley.

statutory text   texto reglamentario.

statvolt   *(Elec)* estatovoltio, estatovolt. Unidad cegesimal electrostática de tensión eléctrica; es igual a 299,796 V.

stave   duela || *(Mús)* pentagrama, pentágrama. sin. **staff** || *(Sonar)* elemento longitudinal de transductor.

stay   estada, estadía, estancia, permanencia; espera, parada; detención, suspensión; freno, impedimento; estabilidad, fijeza || *(Constr/Estr)* apoyo, soporte, sostén, sustentáculo, tentemozo, puntal, entibo; refuerzo; diagonal; travesaño || *(Arq)* entibo, puntal, estribo, apeo, arbotante, codal, contrete || *(Marina)* estay || *(Mástiles, Postes, Torres, Chimeneas)* viento, tirante, tensor, atesador, riostra, retenida, amarre. localismo: estai. sin. **guy** || *(Ropas)* ballena (de corsé, de cuello de camisa) || *(Líneas aéreas)* tirante, viento. (1) Alambre o cable de anclaje destinado a asegurar la resistencia del poste contra los esfuerzos horizontales (CEI/38 25–30–075). (2) Varilla o cable metálico que trabaja en tracción, destinado a asegurar o reforzar la resistencia mecánica o la estabilidad de un soporte (CEI/65 25–25–165) || *(Líneas de contacto)* cable tensor. Barra, hilo o cable de anclaje destinado a asegurar, por tracción y con la ayuda de un tensor [tensioning device], la resistencia mecánica de un poste o de una consola [bracket] (CEI/57 30–10–390) /// *verbo:* quedarse, permanecer; esperar; parar(se); suspender; hospedarse; frenar, poner freno, impedir; tardar; estabilizar, fijar; apoyar, sostener, apuntalar, entibar; reforzar; apear, acodalar, entibar; atirantar, atesar, arriostrar, riostrar.

stay block   ancla de retenida [de riostra]; anclaje para vientos. sin. **anchor.**

stay-bolt   v. **staybolt.**

stay clamp   *(Telecom)* mordaza utilizada para cruce de cables soporte | mordaza de unión (para cables aéreos o vientos). sin. **guy clamp.**

stay cord   cordón de anclaje. Elemento de un cable (generalmente un tejido de alta resistencia a la tracción) que sirve para anclar las extremidades del cable y evitar que cualquier tirón que reciba el mismo sea transmitido a sus conexiones eléctricas.

stay crutch   *(Telecom)* ménsula de anclaje. sin. **guy attachment.**

stay fixed to pole at ground level   *(Telecom)* riostra amarrada al pie del poste.

stay rod   barra tensora; tirante.

stay rope   tirante, riostra, viento, cable tensor [de retenida].

stay-set volume control   *(Elecn)* control de volumen de ajuste independiente del encendido, control de volumen cuyo ajuste no se altera al apagar el aparato. Control de volumen cuyo ajuste queda inalterado al apagar el aparato (amplificador, receptor, televisor), de modo que al encender éste de nuevo, se tiene el mismo volumen sonoro elegido antes. Este resultado se consigue de dos modos: (a) El interruptor de encendido [on/off switch] es totalmente independiente o está combinado con algún otro control (distinto al del volumen). (b) El interruptor está combinado con el control de volumen, pero no se acciona por rotación de éste a partir de la posición tope de la izquierda, sino empujando la perilla del control, o empujando y tirando de ella (es decir, que el interruptor se acciona por movimientos longitudinales del eje de mando).

stay thimble   *(Telecom)* presilla para riostras; guardacabo.

stay tightener   tensor de riostra [de retenida]. sin. **slack puller, tensioning device.**

stay-up ability   *(Aeron)* aptitud de conservar altura, idoneidad para conservar altura.

staybolt   virotillo (roscado); perno tensor; perno de anclaje; perno de puntal; contrete, tirante, espárrago, trabante, estay.

stayed pole   poste arriostrado [con retenidas]. sin. **guyed pole** | apoyo consolidado [reforzado]. sin. **storm-guyed pole, strutted pole.**

stayed terminal pole   *(Telecom)* poste cabeza de línea, apoyo terminal. sin. **end pole.**

STBY   *(Teleg)* Abrev. de **stand by.**

STC   Abrev. de Standard Telephones and Cables, Limited || *(Radar)* Abrev. de sensitivity-time control || *(Teleg)* Abrev. de subject to correction [sujeto a corrección].

std   Abrev. de **standard.**

steadiness   estabilidad; continuidad; regularidad; firmeza; fijeza; rigidez || *(Cine)* estabilidad (de la imagen).

steadiness test film   *(Cine)* película para pruebas de estabilidad (de la imagen).

steady   *adj:* estable; firme, fijo, seguro; sólido, rígido, resistente; sostenido, asegurado, asentado; inmovible; estacionario; permanente; constante, continuo; uniforme; de retención; de régimen /// *verbo:* estabilizar; asentar; afirmar, hacer firme, inmovilizar, impedir el movimiento (de), asegurar, afianzar; consolidar; reforzar; fortalecer; equilibrar; sujetar, atar, apuntar /// AFINES: estabilidad, asiento, equilibrio, seguridad, consistencia, permanencia, firmeza, fijación, sujeción, detención, cimentación, base; establemente, fijadamente, permanentemente.

steady approach *(Aeron)* aproximación estabilizada [en régimen estabilizado].

steady-arm *(Tracción eléc)* brazo de llamada. Brazo rígido [stiff-arm] utilizado para mantener el hilo de contacto [contact wire] en una posición asignada (CEI/57 30-10-290). CF. holdoff arm, pulloff, registration arm, stay, steady-brace, steady-span.

steady background *(Nucl)* fondo constante.

steady-brace *(Tracción eléc)* brazo de retención. Brazo rígido utilizado en las curvas para mantener el hilo de contacto [contact wire] en la posición deseada (CEI/38 30-40-040). CF. steady-arm.

steady carrier *(Radiocom)* portadora constante.

steady condition régimen permanente.

steady current corriente estacionaria [permanente].

steady flight *(Aeron)* vuelo uniforme.

steady flow *(Aerodinámica)* corriente estacionaria; flujo [corriente] uniforme.

steady load carga fija.

steady noise *(Telecom)* ruido permanente.

steady plate current *(Elecn)* corriente estacionaria de ánodo, corriente de reposo de placa. Corriente de ánodo o placa de una válvula electrónica sin señal de entrada. SIN. no-signal current.

steady production of (atomic) power producción continua de energía (atómica).

steady-span *(Tracción eléc)* tirante. Cable o hilo de acero utilizado en las curvas para mantener el hilo de contacto en la posición deseada (CEI/38 30-40-035) | tirante lateral, cable de suspensión. CF. steady-arm.

steady state estado estacionario [permanente]. TB. estado constante [estable, de régimen], régimen permanente. (1) Estado que finalmente adquiere un sistema en condiciones determinadas. (2) En electricidad y electrónica, estado en el cual los valores circuitales permanecen esencialmente constantes una vez que han cesado las fluctuaciones y los fenómenos transitorios iniciales. (3) En acústica, estado en el cual no hay variación en la intensidad de un sonido musical [musical tone — véase]; tiempo que dura ese estado. CF. transient state.

steady-state chain reaction *(Nucl)* reacción en cadena de estado estacionario.

steady-state component componente en régimen permanente.

steady-state condition régimen permanente; condición estacionaria [constante].

steady-state current *(Elec)* corriente en régimen permanente.

steady-state deviation *(Automática)* desviación en estado estacionario. V. steady-state error.

steady-state distribution *(Quím)* estado estacionario de la distribución.

steady-state error error en estado estacionario. En un sistema de regulación automática, error que persiste una vez desaparecidas las condiciones transitorias.

steady-state measurement medida en régimen permanente.

steady-state neutron distribution distribución de neutrones en estado estacionario.

steady-state operation régimen estacionario; funcionamiento en régimen estacionario, operación en estado estacionario.

steady-state oscillation oscilación estacionaria. Oscilación en la cual el movimiento en cualquier punto del sistema oscilante es una magnitud periódica. SIN. steady-state vibration, undamped oscillation.

steady-state peak cathode current *(Tubos de gas)* corriente de cresta catódica en régimen permanente | corriente de cresta catódica en régimen periódico. Valor instantáneo máximo de una corriente catódica periódica [periodically recurring cathode current] (CEI/56 07-40-210). CF. surge peak cathode current.

steady-state rating capacidad nominal en régimen permanente.

steady-state regulation *(Fuentes de alim)* regulación en estado estacionario. Regulación seguidamente después de una variación de la tensión de entrada y/o de la impedancia de carga.

steady-state response respuesta en régimen permanente.

steady-state sinusoidal signal señal sinusoidal en régimen permanente.

steady-state solution *(Nucl)* solución estacionaria [para el estado estacionario].

steady-state stability estabilidad en régimen permanente; estabilidad estática.

steady-state stability limit, with constant flux, of a transmission system *(Máq sincrónicas)* límite de estabilidad estática con flujo magnético constante de un sistema de transmisión. Potencia máxima que el sistema puede transmitir sin pérdida de sincronismo [loss of synchronism] durante una variación lenta de carga, cuando se mantiene constante el flujo en los circuitos inductores de las máquinas sincrónicas del sistema (CEI/56 10-45-160). Véase la NOTA "10-45-000" en el artículo *synchronous machine*. CF. natural-stability limit of a transmission system, natural transient stability limit of a transmission system.

steady-state temperature rise calentamiento [elevación de temperatura] en régimen permanente.

steady-state vibration vibración estacionaria. V. steady-state oscillation.

steady voltage tensión continua; tensión estacionaria; tensión [voltaje] en servicio.

steam vapor (de agua); vaho /// *adj:* vapórico; de vapor, por vapor, para vapor /// *verbo:* vaporizar; emitir vapor; generar [producir] vapor; tratar con vapor; limpiar con vapor; dar vapor; navegar (un buque).

steam-bearing fault *(Fuentes de energía)* falla donde está el vapor.

steam blower soplador [soplante] de vapor || *(Locomotoras de vapor)* soplador. Tubo que conduce vapor de la caldera, o de escape de los cilindros, a la chimenea para forzar el tiro.

steam brake *(Locomotoras de vapor)* freno de vapor. Freno que utiliza vapor para producir el esfuerzo de frenaje.

steam bypass dispositivo de derivación de vapor.

steam conditions condiciones [presión y temperatura] del vapor.

steam-control valve válvula reguladora del vapor.

steam diagram *(Máq de vapor)* diagrama del indicador. Gráfica del trabajo del vapor desarrollado en el cilindro.

steam distillation *(Quím)* destilación [arrastre] al vapor, destilación en corriente de vapor (de agua).

steam-driven *adj:* a vapor, accionado por vapor (de agua); accionado por máquina de vapor; accionado por turbina de vapor.

steam drum *(Calderas)* colector [tambor] de vapor.

steam-electric generating unit equipo termoeléctrico.

steam-electric locomotive locomotora termoeléctrica.

steam-electric (power) plant central termoeléctrica, central eléctrica movida por vapor. LOCALISMO: usina termoeléctrica.

steam engine máquina de vapor.

steam flow circulación del vapor.

steam fog vaho.

steam generator generador de vapor; caldera || *(Elec)* generatriz movida por vapor, generador accionado por vapor (de agua).

steam iron plancha de vapor.

steam jacket camisa [chaqueta] de vapor.

steam-jacketed mixing kettle caldera mezcladora con camisa de vapor.

steam line tubería del vapor || *(Diagramas)* curva del vapor. CF. steam diagram.

steam locomotive locomotora de vapor. Locomotora tipo clásico; locomotora del sistema que utiliza la fuerza del vapor sobre el pistón que se mueve en un cilindro.

steam piping tubería de vapor.

steam plant planta generadora de calor, instalación de calderas || *(Elec)* planta eléctrica a vapor; generatriz movida por vapor (de agua), generador accionado por vapor.

steam point tobera para chorro de vapor; tubo de vapor para deshelar el terreno ‖ (*Fís*) punto de vapor. Temperatura de equilibrio entre el agua líquida pura y su vapor a la presión de una atmósfera standard.

steam pump   bomba a vapor. Bomba accionada con motor de vapor.

steam superheater   recalentador [sobrecalentador] de vapor. Dispositivo destinado a elevar la temperatura del vapor de agua.

steam trap   (*Tuberías de vapor*) trampa de vapor, separador de vapor de agua; colector de condensado; atrapadera [interceptor, separador] de agua; purgador de agua del vapor. Dispositivo dispuesto en el punto más bajo del sistema con el fin de drenar automáticamente el agua.

steam turbine   turbina de vapor.

steam-turbine-electric locomotive   locomotora turboeléctrica. Locomotora que utiliza una turbina a vapor para transformar energía mecánica en eléctrica.

steam-turbine locomotive   locomotora de turbina de vapor. Locomotora del sistema que utiliza la expansión del vapor sobre una turbina.

steam vent hole   orificio de escape de vapor.

steam well   pozo de vapor.

steamtight   *adj:* hermético [estanco] al vapor.

steamtight stuffing box   prensaestopas.

stearin   (*Quím*) estearina ⫻ *adj:* estearínico.

stearinic   *adj:* estearínico.

steatite   esteatita. Mineral consistente principalmente en silicato magnésico [silicate of magnesium]. Es una cerámica maciza compacta, muy resistente al calor, y con excelentes cualidades de aislación eléctrica, incluso a altas frecuencias. Se usa en radio y electrónica para la fabricación de aisladores y portatubos. El *jaboncillo,* llamado también *jaboncillo* o *jabón de sastre* [soapstone], y la *tierra ollar,* son formas impuras de esteatita. v.tb. **talc** ⫻ *adj:* esteatítico.

steatite-insulated rigid transmission line   línea de transmisión rígida con aislamiento de esteatita.

steatite-insulated winding   bobinado con aislamiento de esteatita.

steatite tube   (*Elecn*) tubo con base de esteatita.

steatite tube socket   (*Elecn*) portatubo [portaválvula, zócalo] de esteatita.

steel   acero | (*A veces*) metal; hierro, metal ferroso ⫻ *adj:* de acero, acerado, acerino; metálico; de hierro, de metal ferroso ⫻ *verbo:* acerar. Dar al hierro las propiedades del acero | acorazar, blindar ‖ (*Grabado*) acerar. Dar un tenue baño de acero a las planchas de cobre para aumentar su duración.

steel-armored conductor   (*Elec*) conductor blindado con acero.

steel bath   baño de acerado [aceración].

steel blade   hoja de acero; pala de acero.

steel-blade propeller   hélice con palas de acero.

steel bridge   puente de acero [con estructura de acero].

steel bulb   (*Rect*) ampolla [cuba, cubeta] de acero. v. **steel tank.**

steel cabinet   armario metálico ‖ (*Aparatos*) caja metálica.

steel card rack   (*Informática*) tarjetero metálico.

steel casting   fundición de acero; pieza de acero fundido [de acero moldeado, de acero colado].

steel-clad   *adj:* acorazado, revestido [forrado] de acero.

steel-clad lead   alambre [hilo] de conexión revestido de acero.

steel-clad rectifier   rectificador acorazado.

steel container   recipiente de acero. Recipiente que contiene el elemento y el electrólito de un acumulador alcalino [alkaline storage cell] (CEI/60 50–20–160).

steel-copper wire   (*Elec*) conductor de acero cobreado.

steel-core aluminum cable   (*Elec*) cable de aluminio con alma de acero.

steel-core aluminum conductor   (*Elec*) conductor de aluminio con alma de acero.

steel drill for rock   buril para roca, taladro para piedra.

steel drill for stone   v. **steel drill for rock.**

steel jacket   blindaje de acero.

steel ladder tower   torre de escalera de acero.

steel laminations   láminas [chapas] de hierro (para núcleos magnéticos).

steel lattice mast   mástil de celosía de acero.

steel-lined   *adj:* revestido de acero, con revestimiento de acero.

steel liner   camisa (interior) de acero, revestimiento de acero.

steel mast   mástil de acero ‖ (*Buques*) palo de acero.

steel measuring tape   cinta métrica de acero. sin. **steel tape measure.**

steel mill   acería, siderurgia, fábrica siderúrgica, taller siderúrgico, fábrica [fundición] de acero.

steel panel   panel de acero.

steel pipe   tubo de acero; tubo de fundición.

steel piping   tubería de acero.

steel plant   v. **steel mill.**

steel plate   chapa [plancha, palastro] de acero; lámina de hierro.

steel radiography   radiografía del acero.

steel rail   carril [riel] de acero.

steel rivet   remache de acero.

steel rope   cable de acero.

steel rule   regla de acero. Instrumento de acero que sirve para trazar líneas rectas. sin. **steel straightedge.**

steel scrap   chatarra (de acero).

steel section   perfil de hierro, perfil laminado de acero.

steel shape   perfil laminado de acero.

steel sheet   lámina de hierro, chapa delgada [fina] de acero.

steel shelving   estantería metálica [de acero].

steel slab   placa [palastro, chapa gruesa] de acero.

steel sleeper   (*Vías férreas*) durmiente [traviesa] de acero. Traviesa metálica de palastro de acero.

steel sleeve   manguito de acero.

steel spar   (*Aviones*) larguero de acero.

steel stamping   (pieza de) acero estampado.

steel storage rack   estantería metálica [de acero] para almacén.

steel straightedge   regla de acero. sin. **steel rule(r).**

steel strand   alambre de hierro.

steel-strapped   *adj:* con flejes (de acero), reforzado con flejes.

steel strapping   flejes (de acero); refuerzo de flejes.

steel strip   banda [cinta] de acero; lámina de acero.

steel tank   depósito de acero ‖ (*Rect*) cuba [cubeta] de acero.

steel-tank continuously evacuated rectifier   rectificador de bomba con cuba de acero.

steel-tank mercury-arc rectifier   rectificador de vapor de mercurio con cuba de acero.

steel-tank pumpless rectifier   rectificador hermético con cuba de acero.

steel-tank rectifier   rectificador con cuba de acero | válvula de cuba de acero. Válvula de vapor de mercurio [mercury-arc rectifier] cuya envolvente o ampolla está constituida por una cuba de acero (CEI/56 11–15–010). cf. **glass-bulb rectifier.**

steel tape   cinta [fleje] de acero | cinta métrica de acero. sin. **steel measuring tape** ‖ (*Topog*) cinta de acero. localismo: huincha de acero.

steel-tape armor   (*Cables*) armadura de fleje (de acero), armadura (en espiral) de cinta de acero.

steel tape measure   cinta métrica de acero. sin. **steel measuring tape.**

steel tie   traviesa de acero; tirante de acero.

steel tower   torre metálica [de acero]; castillete [castillejo] de acero.

steel-tower transmission line   (*Elec*) línea de transmisión de torres metálicas. Línea de transmisión cuyos soportes están constituidos por torres metálicas.

steel tube   tubo de acero.

steel-tube engine mount   bancada de tubos de acero.

steel-tube fuselage   (*Aviones*) fuselaje de tubos de acero.

steel vessel   recipiente de acero. cf. **steel container** | buque de acero.

steel wire   alambre de acero.

steel-wire armor   *(Cables)* armadura de alambre de acero, armadura en espiral de alambre de acero.

steel-wire rope   cable (de alambres) de acero. SIN. **wire rope.**

steel wool   virutas (finas) de acero, lana [estopa] de acero; estropajo de acero.

steeled   *adj:* acerado; duro, inflexible.

steeling   aceración. Acción y efecto de acerar. v. **steel.**

steelwork   estructura [obra] de acero; montaje de acero estructural; carpintería metálica.

steelworks   acería, fábrica de acero, taller siderúrgico. LOCALISMO: usina siderúrgica. SIN. **steel mill.**

steep   acantilado; derrumbadero, despeñadero, precipicio ‖ *(Hornos metalúrgicos)* brasca. Mezcla de arcilla y polvo de carbón con que se forma la copela ‖ *(Reostatos)* contacto escarpado ⫽ *adj:* empinado, pendiente, escarpado, parado, pino, acantilado ‖ *(Curvas)* peraltado ‖ *(Precios)* alto, elevado, subido ⫼ *verbo:* empapar, remojar, meter en el agua, impregnar; macerar, enriar; poner en infusión.

steep angle   ángulo pronunciado [de gran pendiente].

steep bank   *(Avia)* inclinación lateral pronunciada.

steep climb   *(Avia)* toma de altura pronunciada.

steep climbing turn   *(Avia)* viraje pronunciado de toma de altura.

steep cutoff   *(Filtros eléc)* corte rápido.

steep cutoff characteristic   característica de corte rápido.

steep dive   *(Avia)* picado pronunciado.

steep front   *(Impulsos)* frente escarpado, borde anterior empinado.

steep-front impulse   impulso de frente escarpado [empinado].

steep-front impulse wave   onda de impulsos de frente empinado.

steep-fronted pulse   impulso de frente escarpado [empinado].

steep-fronted signal   señal de frente escarpado.

steep gliding turn   *(Avia)* viraje descendente pronunciado; viraje pronunciado en planeo.

steep run   *(Avia)* viraje cerrado.

steep shore   costa escarpada.

steep-sided pulse   impulso de flancos escarpados [de bordes empinados].

steep skirt   *(Curvas)* flanco escarpado [empinado].

steep-skirt selectivity   (curva de) selectividad de flancos escarpados [empinados], selectividad aguda.

steep turn   *(Avia)* viraje pronunciado [cerrado].

steep wavefront   frente de onda escarpado [abrupto].

steepness   inclinación; empinadura; calidad de empinado [de pendiente]; verticalidad ‖ *(Curvas)* pendiente, inclinación. SIN. **slope** ‖ *(Fenómenos)* velocidad de crecimiento ‖ *(Frentes de onda)* inclinación.

steer   *verbo:* dirigir, gobernar, guiar, orientar ‖ *(Ant)* orientar ‖ *(Autos)* dirigir, guiar, conducir ‖ *(Buques, Náutica)* gobernar, timonear; navegar, brujulear; obedecer al timón ‖ *(Cohetes)* gobernar ‖ *(Elecn)* mandar, regular.

steerable   *adj:* dirigible, guiable, gobernable; orientable; controlable, regulable; maniobrable.

steerable aerial   v. **steerable antenna.**

steerable antenna   antena orientable. Antena físicamente orientable o cuyo lóbulo principal de radiación puede cambiarse de dirección fácilmente. SIN. **steerable aerial.**

steerable-array radar   radar de red de antenas orientable.

steerable-beam antenna   antena de haz orientable.

steerable nose undercarriage   *(Avia)* tren de aterrizaje de proa orientable.

steerable nose wheel   *(Avia)* rueda delantera [de proa] orientable.

steerable paraboloid   *(Ant)* paraboloide orientable.

steerable radiotelescope   radiotelescopio orientable.

steerable tail wheel   *(Avia)* rueda de cola orientable.

steerable wheel   *(Avia)* rueda orientable.

steered course   *(Naveg)* rumbo de la aguja.

steerer   *(Aviones)* piloto ‖ *(Buques)* servomotor del timón.

steering   dirección, guía, gobierno; orientación; maniobra; control, regulación.

steering circuit   *(Elecn)* circuito de mando.

steering command   *(Buques)* orden al timonel.

steering compass   *(Buques)* compás de gobernar [de navegación], aguja de gobierno [de derrota].

steering order telegraph   *(Buques)* telégrafo de órdenes al timonel.

steering relay   relé de gobierno.

steering repeater   *(Buques)* repetidor del rumbo.

steering rudder   *(Buques)* timón de rumbo.

steering telemotor   telemotor del timón.

steering wheel   volante de mando ‖ *(Autos)* volante (de dirección). LOCALISMO: timón ‖ *(Buques)* rueda del timón, gobernalle.

steering-wheel antenna   antena en volante. Antena de dipolo vertical no direccional, que debe su nombre a la estructura en forma de rueda con cuatro rayos que rodea la mitad inferior del dipolo.

steersman   *(Buques)* timonel. SIN. **helmsman.**

Stefan-Boltzmann law   ley de Stefan-Boltzmann. (1) Ley que expresa que la energía radiante total emitida por un cuerpo negro [blackbody, full radiator] es proporcional a la cuarta potencia de su temperatura absoluta. (2) Relación que da la emitancia de radiación [radiant emittance] de un cuerpo negro en función de su temperatura absoluta [absolute temperature] (CEI/58 45-05-160).

Stefan's law   ley de Stefan. v. **Stefan-Boltzmann law.**

Steinmetz   Charles Proteus Steinmetz: ingeniero electricista, inventor y matemático, alemán de nacimiento y americano por naturalización (1865-1923), cuyos primeros nombres de pila fueron Karl August Rudolf.

Steinmetz coefficient   coeficiente de Steinmetz. Constante de proporcionalidad de la fórmula de Steinmetz [Steinmetz formula].

Steinmetz formula   fórmula de Steinmetz. La fórmula empírica

$$w = aB_m^{1.6} \text{ (ergios)}$$

donde w es la pérdida por histéresis magnética por unidad de volumen del material y por ciclo de magnetización, a es el coeficiente de Steinmetz (constante de proporcionalidad), y B_m es la densidad de flujo máximo.

stellar   *adj:* estelar; celeste, sideral; estrellado, radiado.

stellar atmosphere   atmósfera estelar.

stellar constellation   *(Astr)* constelación.

stellar energy   energía estelar.

stellar guidance   *(Naveg, Tecnología espacial)* guía celestial, guía por referencia estelar [astronómica].

stellar-inertial guidance   guía celestial-inercial.

stellar interferometer   interferómetro estelar.

stellar map watching   *(Tecnología espacial)* guía con la ayuda de un mapa celeste.

stellar navigation   navegación estelar.

stellar noise   ruido estelar. Ruido radioeléctrico procedente del espacio estelar.

stellar physics   física sideral.

stellar population   *(Astr)* población estelar.

stellar radio spectrum   espectro radioeléctrico estelar.

stellar scintillation   *(Astrofís)* parpadeo estelar.

stellar temperature   temperatura estelar. Temperatura de millones de grados que existe en el interior del Sol y de otras estrellas.

stellar wind   viento estelar.

stellarator   estelerator. Aparato que sirve para investigaciones sobre las reacciones nucleares controladas. Consiste esencialmente en un tubo de vidrio que contiene gases ionizados y que está rodeado por bobinas magnetizadoras. Los gases son llevados a temperaturas de millones de grados (temperaturas estelares) por medio de la estricción del plasma [plasma pinch]. El nombre proviene de *stellar generator.*

stellate   *adj:* estelar ‖ *(Figuras, Estructuras)* radiado, estrellado, en forma de estrella.

stellita   estelita. Aleación de volframio, cromo y cobalto, inoxidable y de gran dureza. Se utiliza p.ej. para la punta de los estiletes de grabación fonográfica [cutting styluses], y como recubrimiento de los álabes de turbinas /// *verbo:* recubrir con estelita.

stem   *(Bombillas)* espiga (roscada) || *(Mec, Carp)* vástago, fuste, caña, espiga, cabillo, varilla || *(Mús)* rabo, rabito (de una nota) || *(Marina)* branque, roda || *(Pirómetros)* caña || *(Relojería)* vástago || *(Sondas)* barra || *(Elecn)* pie, base. Pieza que soporta los elementos internos o activos de un tubo o un transistor, y que es atravesada por los hilos de conexión al exterior || *(Vál)* vástago, varilla || *(Vigas en T)* alma /// *verbo:* *(Explosivos/Voladuras)* atacar.

stem press   *(Lámparas)* aplastado. Parte de la lámpara, cerca del casquillo, constituida por una masa de vidrio, formada por la fusión de las extremidades del *tubo del pie* [stem tube], del *tubo de exhaustación* o *rabo de vacío* [exhaust tube], y, eventualmente, de la *varilla* [stud, arbor], prensados por una mordaza metálica durante la construcción. En el aplastado son sellados los *hilos conductores* [lead-in wires]. SIN. **pinch** *(GB)* (CEI/58 45–45–065) | pellizco. V. **pinch**.

stem radiation   *(Radiol)* radiación extrafocal. Rayos X producidos por partes del ánodo distintas del foco [focus, target] (CEI/64 65–10–185).

stem tube   *(Lámparas)* aplastado. Parte tubular de vidrio de un *pie de lámpara* [lamp foot, mount], ensanchada en forma de platillo en una de sus extremidades para permitir su sellado a la ampolla (CEI/70 45–45–160). CF. **stem press**.

stencil   stencil, estarcidor, patrón para estarcir; patrón [matriz] para reproducción mimeográfica; estarcido, marca | LOCALISMOS: calado, abecedario (calado) para trazar letras | patrón para marcar iniciales (en indumentaria); patrón de pintor /// *verbo:* estarcir.

stencil form   matriz para duplicación en mimeógrafo [para reproducción mimeográfica].

stencil punch   perforación de matrices [de stenciles].

stenode   *adj: (Radio)* estenodo.

stenode circuit   circuito estenodo. En un receptor superheterodino, circuito amplificador de frecuencia intermedia con un filtro de cristal [crystal filter] que sólo da paso a las señales con el valor exacto de FI, proporcionando así un alto grado de selectividad.

stenographer   estenógrafo, estenógrafa, taquígrafo, taquígrafa.

stenographic   *adj:* estenográfico, taquigráfico.

stentor   *(Electroacús)* Nombre que a veces se aplica a un altavoz o altoparlante de alta potencia, en particular cuando se usa en un campanario para difundir sonidos de campana.

step   paso; pisada, huella; etapa; grado; intervalo || *(Autos, Carruajes, Vagones de ferrocarril)* estribo || *(Escaleras, Escalinatas)* escalón, peldaño, grada | **steps:** escalinata, escalera exterior; gradería || *(Escaleras de mano)* barrote || *(Estr)* barrote (de escalerilla) | **steps:** escalerilla, escalines || *(Hidroaviones)* escalón, estribo, redán, rediente || *(Marina)* carlinga || *(Mec)* cojinete; rangua, quicionera; quicio (de eje vertical). SIN. **step bearing** | pedestal (de máquina); diente (de llave) || *(Mús)* intervalo || *(Puertas de entrada)* umbral || *(Magnitudes variables)* peldaño, escalón, incremento, variación discreta | **intensity step:** incremento de intensidad | **voltage step:** escalón [variación discreta] de tensión | V.TB. **step of...** | **in step:** en fase; en sincronismo || *(Comput)* paso, operación (en la ejecución de una rutina) || *(Nucl)* etapa. SIN. **jump** | escalón (en el lado de un agujero, para obtener un cierre de mínima fuga de radiación al obturar el agujero) || *(Telecom)* paso || *(Radiocom)* elemento, unidad || *(Radar)* marca estroboscópica || *(Telef)* (on the subscriber's meter) unidad registrada (por el contador del abonado) /// *verbo:* medir por pasos; mover [accionar] por pasos; variar por pasos; retallar; plantar (un mástil).

step amplitude   *(Elecn)* amplitud del escalón.

step-amplitude control switch   conmutador de mando de la amplitud de los escalones.

step attenuator   atenuador variable por pasos, atenuador ajusta-

ble [de ajuste] por pasos, atenuador escalonado [a saltos]. CF. **variable attenuator**.

step-back relay   *(Soldadura)* relé limitador de la intensidad.

step bolt   *(Estr)* perno para peldaños.

step-bolt climbing ladder   *(Estr)* escalerilla de pernos, escalines.

step by step   paso a paso; punto por punto; progresivamente, por grados; poco a poco; por incrementos sucesivos.

step-by-step action   acción gradual; accionamiento paso a paso, accionamiento por pasos || *(Telecom)* acción escalonada; acción paso a paso.

step-by-step automatic system   *(Telef)* sistema automático paso a paso. (**1**) Sistema de conmutación en el cual los órganos de selección son mandados paso a paso por su propio mecanismo bajo la acción de los impulsos recibidos; éstos pueden proceder del cuadrante o disco selector, o de un equipo de mando que registra los impulsos de cuadrante y los restituye en una forma semejante a la primitiva. (**2**) Sistema automático de conmutación telefónica en el cual los selectores [selectors] son accionados paso a paso por trenes sucesivos de impulsos de mando [successive trains of controlling pulses] (CEI/70 55–105–045). SIN. **step-by-step system**.

step-by-step call-indicator operation   *(Telef)* servicio con indicador de llamadas accionado directamente.

step-by-step contact printer   *(Cine)* copiadora de contacto de avance intermitente.

step-by-step control   mando paso a paso.

step-by-step equipment   *(Telecom)* equipo paso a paso. SIN. **stepper equipment**.

step-by-step excitation   *(Electrización y excitación de los gases)* excitación por grados. Paso sucesivo de un átomo o de una molécula por estados de excitación de nivel más y más elevado. NOTA: La última etapa de este proceso es la ionización (CEI/56 07–11–025).

step-by-step instructions   instrucciones paso por paso [punto por punto], instrucciones detalladas y metódicas.

step-by-step intertoll service   *(Telef)* servicio interurbano con selectores paso a paso.

step-by-step method of heterochromatic comparison   *(Fotometría)* método de comparación paso a paso.

step-by-step mode   *(Tráfico aeronáutico)* modo paso a paso.

step-by-step optical printer   *(Cine)* copiadora óptica de avance intermitente.

step-by-step principle   principio de funcionamiento paso a paso.

step-by-step relay   relé paso a paso. SIN. **stepping relay** | relé de acción gradual.

step-by-step selection   *(Telecom)* selección paso a paso.

step-by-step selector   *(Telecom)* selector [conmutador] paso a paso. Conmutador de escobillas y bancos de contactos [bank-and-wiper switch] en el que las escobillas son puestas en movimiento por mecanismos electromagnéticos de trinquete [electromagnet ratchet mechanisms] propios. Este tipo de conmutador puede tener uno o dos tipos de movimiento.

step-by-step system   *(Automática)* sistema de accionamiento por pasos. Sistema de control cuyo motor de accionamiento gira por pasos definidos cuando el elemento de entrada es movido en forma continua || *(Telecom)* sistema paso a paso. Equipo de conmutación automática que utiliza conmutadores que avanzan por pasos en respuesta a los impulsos de llegada, emitidos por el cuadrante o disco selector. Los movimientos de conmutación son dos: uno vertical, para seleccionar un nivel de banco de contactos [bank level], y uno horizontal, para seleccionar un contacto o terminal particular en ese nivel. SIN. **stepper equipment, Strowger system, step-by-step automatic system**. CF. **XY system**.

step-by-step test   prueba sistemática; prueba gradual [con incrementos prefijados].

step calibration   calibración por pasos; calibración por intervalos.

step change   incremento, variación discreta [en escalón]; variación brusca [repentina]; "salto" (de una magnitud) || *(Nucl)* step change in reactivity: "salto" de la reactividad.

step-charging circuit   circuito de carga por escalones; circuito bomba. Circuito en el cual el potencial entre las armaduras de un condensador crece en cantidades discretas sucesivas, en forma que su representación gráfica semeja una escalera. Se usa p.ej. en los sistemas divisores o desmultiplicadores de frecuencia en que un oscilador de bloqueo se dispara al completarse determinado número de escalones de tensión [voltage steps]. v.TB. **step counter.**

step control   accionamiento por pasos; regulación gradual.

step correction   corrección discreta.

step counter   *(Comput)* contador de pasos. Contador que lleva cuenta del número de pasos en una operación aritmética o de corrimiento ‖ *(Elecn)* contador de escalones; desmultiplicador [divisor de frecuencia] de impulsos; circuito divisor tipo bomba. Circuito contador en el cual la carga de un condensador aumenta ligeramente durante cada impulso positivo, produciendo un *escalón* de tensión entre los terminales de salida, hasta que finalmente se produce la descarga repentina del condensador; por tanto, el circuito actúa como *divisor de frecuencia*. El término *circuito divisor tipo bomba* es muy descriptivo, pues el circuito funciona como si cada impulso de arribada fuera un golpe de bomba que va cargando un depósito, el que, llegado el líquido a determinado nivel, se descarga de un golpe, como si bruscamente se abriera el fondo del depósito. En el caso del contador el condensador se carga exponencialmente por impulsos sucesivos, y al descargarse emite un impulso de salida; por lo tanto los impulsos de salida se suceden a una frecuencia submúltiplo de la frecuencia de los impulsos de entrada. SIN. **step-counter [step-counting] circuit.** CF. **step-charging circuit.**

step-counter circuit   v. **step-counting circuit.**

step-counter-triggered blocking oscillator   oscilador de bloqueo gatillado por contador de escalones. v. **step counter.**

step-counting circuit   circuito contador de escalones; circuito desmultiplicador [divisor de frecuencia] de impulsos; circuito divisor tipo bomba. v. **step counter.**

step down   *verbo:* disminuir, reducir (una presión, una tensión, una potencia). CF. **step up.**

step-down   v. **stepdown.**

step function   función de paso; impulso único ‖ función escalón, función escalonada [en escalón]. (**1**) Función matemática que representada gráficamente tiene la forma de un escalón o peldaño, o de una sucesión de ellos. (**2**) Señal con una o más discontinuidades abruptas sucesivas ‖ función escalón. Función nula para todos los instantes que preceden a un cierto instante y que posee un valor constante finito a partir de ese instante (CEI/70 55–35–180). CF. **unit step function.**

step-function generator   generador de función escalón.

step-function response   respuesta a la función escalón. Respuesta a una acción representada por una función escalón (CEI/70 60–04–060) ‖ respuesta transitoria. SIN. **step [transient] response.**

step-function testing   prueba en régimen de función escalón.

step-function voltage   tensión en escalón.

step generator   generador de escalones [de onda escalonada] ‖ v. **step-function generator.**

step input   entrada en escalón. Señal de entrada representada por una función escalón [step function].

step length   *(Nucl)* paso; longitud del paso.

step-like curve   curva escalonada [en escalones, en forma de escalera].

step load change   variación repentina de carga; cambio instantáneo en la intensidad de corriente de carga.

step multiplier   multiplicador de ganancia escalonada. Multiplicador aritmético en el cual una de las variables controla escalonadamente la red de realimentación de un amplificador, de modo que la ganancia de éste sea proporcional a esa variable, y la otra variable se aplica a la entrada del mismo amplificador; así se obtiene una salida igual al producto de las dos variables.

step of delay   intervalo de retardo.

step of integration   *(Mat)* paso [etapa] de integración.

step of ten times   paso de multiplicación decimal.

step on the subscriber's meter   *(Telef)* unidad registrada por el contador del abonado.

step potentiometer   potenciómetro de ajuste por pasos, potenciómetro de contactos [de "plots"]. CF. **step attenuator.**

step rate   tarifa escalonada.

step-recovery diode   diodo de restablecimiento abrupto [de recuperación abrupta]. (**1**) Diodo que mientras conduce en sentido directo, almacena carga, y que al invertirse la tensión aplicada conduce brevemente en sentido contrario, hasta que desaparece la carga y cesa abruptamente la conducción. (**2**) Varactor en el que la tensión directa inyecta portadores de carga a través de la unión, pero antes de que los portadores puedan combinarse, la tensión se invierte y éstos retornan a su origen en grupo; el resultado es el cese abrupto de la corriente inversa y la generación de una onda rica en armónicas.

step reducer   reductor escalonado. Elemento de conexión entre líneas de transmisión de diferentes diámetros (pero de igual impedancia característica), en el cual la variación de diámetro ocurre por pasos o escalones. CF. **tapered reducer.**

step-regulated rectifier   rectificador de regulación paso a paso.

step response   respuesta transitoria. Respuesta a una acción aplicada en el instante $t = 0$ e igual al escalón unidad (CEI/70 55–35–190). CF. **step-function response.**

step rocket   cohete con varios cuerpos, cohete de propulsión escalonada [de fases escalonadas de propulsión].

step servomotor   servomotor paso a paso. Servomotor que al ser convenientemente excitado, gira por incrementos angulares definidos.

step signal   señal en escalón. (**1**) Señal cuya amplitud pasa instantáneamente de un valor constante (que puede ser cero) a otro valor constante. (**2**) Señal representada por una función escalón [step function]. (**3**) Señal con una o más discontinuidades abruptas sucesivas.

step-stress life testing   ensayo de duración útil por aplicación de esfuerzos escalonados.

step-strobe marker   *(Radar)* marcador estroboscópico en escalón. Marcador de distancia [range marker] sobre la pantalla de un indicador catódico, consistente en un desplazamiento brusco de la línea de base [time base], en forma de peldaño de escalera (CEI/70 60–72–630). CF. **strobe marker.**

step switch   conmutador (de avance) por pasos; conmutador de contactos escalonados.

step-tuned oscillator   oscilador sintonizado por pasos.

step twist   *(Guías de ondas)* hélice binomial. Dispositivo obtenido efectuando en una guía de ondas más de dos rotaciones bruscas sucesivas espaciadas aproximadamente un cuarto de onda, cada una de las cuales produce un factor de reflexión aproximadamente proporcional a cada uno de los coeficientes de un desarrollo del binomio. NOTA: El exponente del binomio es $(n-1)$, siendo n el número de rotaciones bruscas [abrupt rotations]. SIN. **binomial twist** (CEI/61 62–10–090). CF. **twist, binomial corner.**

step-type adjustment   ajuste por pasos.

step up   *verbo:* subir, elevar, aumentar, incrementar (una presión, una velocidad, una tensión, una potencia, etc.); acelerar; intensificar; multiplicar (velocidades por medio de engranajes). CF. **step down.**

step-up   aumento, elevación, incremento (de presión, de velocidad, de tensión, de potencia, de volumen); aceleración; intensificación; multiplicación (de velocidades por medio de engranajes) ⫽ *adj:* aumentador, elevador, incrementador; acelerador; intensificador; multiplicador. CF. **stepdown.**

step-up autotransformer   *(Elec)* autotransformador elevador. v. **step-up transformer.**

step-up circuit   *(Transf)* v. **step-up connection.**

step-up connection   *(Transf)* conexión elevadora [para elevación de tensión]. CF. **overvoltage connection.**

step-up gear   *(Mec)* engranaje multiplicador.

step-up gearing   *(Mec)* tren multiplicador.

step-up ratio   *(Transf)* relación (de transformación) elevadora. CF. **stepdown ratio.**

step-up transformer   *(Elec)* transformador elevador. Transformador cuya tensión de salida (secundario) es más alta que la de entrada (primario). CF. **stepdown transformer.**

step-up turns ratio   *(Transf)* relación de transformación elevadora. CF. **stepdown turns ratio.**

step-up winding   *(Transf)* arrollamiento elevador.

step voltage   tensión en escalón.

step-voltage regulator   regulador de voltaje por pasos, estabilizador de tensión por pasos. La acción reguladora o estabilizadora es discontinua, pero generalmente no hay interrupción del circuito de la carga.

step wedge   *(Fotog)* negativo de densidad escalonada. Negativo cuya densidad varía por incrementos definidos, y que se usa para pruebas ‖ *(Radiol)* cuña escalonada, bloque escalonado. Bloque en escalón de material absorbente de rayos X, que se emplea para comparar los efectos radiográficos de radiaciones progresivamente más débiles ‖ *(Tv)* escala de grises. v. **gray scale.**

step-wedge penetrometer   *(Radiol)* penetrómetro de cuña escalonada.

stepdown   disminución, reducción, decremento; desaceleración; desmultiplicación ‖‖ *adj:* disminuidor, reductor; atenuador, amortiguador; desacelerador; retardador; desmultiplicador. CF. **step-up.**

stepdown operation   *(Transf)* funcionamiento reductor (de tensión).

stepdown ratio   *(Transf)* relación (de transformación) reductora. CF. **step-up ratio.**

stepdown transformer   *(Elec)* transformador reductor, transformador rebajador (de tensión, de voltaje). Transformador con relación de vueltas [turns ratio] menor que la unidad; transformador cuyo secundario tiene menor número de vueltas que el primario, de manera que la tensión suministrada por el dispositivo es menor que la aplicada al mismo. CF. **step-up transformer.**

stepdown turns ratio   *(Transf)* relación de transformación reductora. CF. **step-up turns ratio.**

stepladder   escalera de mano [de tijera].

stepless   *adj:* continuo, gradual, progresivo, sin saltos, sin discontinuidades. CF. **stepped.**

stepless control   control progresivo [sin saltos], regulación continua.

steppe   *(Geol)* estepa. País llano con vegetación herbácea, sin árboles, de clima continental extremado y pobre en precipitaciones.

stepped   *adj:* escalonado, en escalones; de escalones; discontinuo; de variación discontinua, de incrementos discretos, de ajuste [regulación] por pasos; con retallos. CF. **stepless.**

stepped climb   *(Avia)* subida escalonada.

stepped control   control a saltos [por pasos].

stepped curve   curva en escalera; característica discontinua.

stepped-curve distance-time protection   *(Elec)* dispositivo de protección a distancia de característica discontinua. Dispositivo de protección a distancia [distance protection] cuya temporización [time lag] es función discontinua de la distancia medida, estando ésta subdividida en varios escalones o zonas (CEI/56 16–60–095).

stepped-delay pulses   impulsos de retardo escalonado.

stepped divider   divisor (de tensión) de variación discontinua.

stepped-down formation   *(Avia)* formación escalonada en profundidad.

stepped-impedance filter   *(Elec)* filtro de impedancia escalonada.

stepped incremental tuning   sintonización incremental a saltos.

stepped network   red [circuito] de variación discontinua.

stepped shaft   eje escalonado. Eje con secciones de diversos

diámetros. Se usan p.ej. en los tocadiscos, en los que, haciendo que la polea loca se apoye contra una u otra de estas secciones, se obtienen los cambios de velocidad de giro del plato.

stepped start-stop system   *(Teleg)* sistema arrítmico con arranque sincrónico; sistema arrítmico con señales de arranque regularmente espaciadas.

stepped transformer   *(Guías de ondas)* transformador de secciones en (forma de) grada [de secciones escalonadas].

stepped-up   *adj:* acelerado; incrementado; intensificado.

stepped-up formation   *(Avia)* formación escalonada en altura.

stepped waveguide transforming section   sección de transformación de guíaonda escalonada. SIN. **stepped transformer.**

stepped winding   *(Elec)* devanado en trasbolillo. v. **split winding.**

stepper   v. **stepping relay** ‖‖ *adj:* v. **stepping.**

stepper equipment   *(Telecom)* equipo paso a paso. SIN. **step-by-step system.**

stepper motor   v. **stepping motor.**

stepper switch   v. **stepping switch.**

stepping   escalonamiento; sucesión de pasos; progresión, avance por pasos [a pasos], avance paso por paso, avance intermitente [discontinuo] ‖ *(Reflectores de microondas)* escalonamiento, desplazamiento por zonas. SIN. **zoning** ‖‖ *adj:* escalonado; paso a paso; intermitente, discontinuo; de variación discontinua, de incrementos discretos.

stepping motor   motor paso a paso. Motor eléctrico que permanece en una de cierto número preestablecido de posiciones angulares discretas hasta que recibe un impulso o una inversión de corriente, girando entonces hasta la próxima posición. SIN. **stepper motor.** CF. **step servomotor.**

stepping pawl   trinquete de avance (paso a paso).

stepping register   *(Comput)* registro de escalonamiento. Registro en el cual una onda apropiada controla la localización de los datos almacenados.

stepping relay   relé [relevador] de progresión, relé de avance paso a paso. Relé cuyo contacto móvil describe un arco, pasando sucesivamente de un contacto fijo al siguiente, a lo largo de ese arco. SIN. **rotary (stepping) relay, (rotary) stepping switch, stepper.**

stepping switch   conmutador de progresión, conmutador (de avance) paso a paso; conmutador de contactos escalonados; relé de cascada (de múltiples posiciones). SIN. **rotary stepping switch, stepper switch, stepping relay.**

stepping transformer   transformador de "plots", transformador variable por pasos.

stepping tube   *(Elecn)* tubo conmutador paso a paso. Tubo de descarga gaseosa con un ánodo y diez cátodos dispuestos de manera que al provocar la descarga sobre el primero de ellos, ésta se transmite rápidamente al cátodo vecino, y así sucesivamente; se utiliza en la construcción de contadores de impulsos. SIN. **tubo de descargas escalonadas.** CF. **counter tube, ring counter.**

stepwise   *adv:* escalonadamente, en escalera; progresivamente, por pasos; bruscamente.

ster-   v. **stereo-.**

steradian   *(Geom)* estereorradián, estereorradiante, esterradián, esterradiante. Unidad de ángulo sólido [solid angle]: ángulo sólido que, trazado desde el centro de una esfera de radio unidad, intercepta en la superficie de la misma un área unidad. En otras palabras, ángulo sólido que tiene su vértice en el centro de una esfera y corta en la superficie de ésta un cuadrado de lado igual al radio de la misma. El ángulo sólido total de una esfera es 4π estereorradianes. CF. **radian.**

Sterba array   red (de antenas) Sterba.

Sterba-curtain array   red de cortina Sterba. Red de antenas apiladas o superpuestas, con un reflector tipo cortina que puede ser pasivo o parásito o que puede ser excitado. El conjunto está suspendido de cables tendidos entre dos torres o mástiles. Se emplea con emisores de alta potencia para comunicaciones muy direccionales a larga distancia.

stere estéreo. Unidad de volumen igual a un metro cúbico. Símbolo: s.

stere- v. **stereo-**.

stereo (*i.e.* stereophony) estereofonía | (*i.e.* stereophonics) estereofónica | (*i.e.* stereophonism) estereofonismo | (*i.e.* stereophonic sound) sonido estereofónico | (*i.e.* stereophonic recording) registro estereofónico | (*i.e.* stereophonic reproduction) reproducción estereofónica | (*i.e.* stereophonic sound-reproduction system) sistema de reproducción estereofónica || (*i.e.* stereoscopic photograph) fotografía estereoscópica | (*i.e.* stereoscopic system) sistema estereoscópico || (*i.e.* stereotype) estereotipo; estereotipia; plancha de estereotipia /// *adj:* (*i.e.* stereophonic) estereofónico. NOTA: En la literatura técnica se usan indistintamente las formas *stereo* y *stereophonic*. Para sistematizar el léxico, evitar repeticiones de información, y simplificar la consulta, todos los artículos con este adjetivo se han registrado escribiendo éste *stereophonic* || (*i.e.* stereoscopic) estereoscópico.

stereo-, stere-, ster- Prefijo que significa *sólido, firme, tridimensional.* EJEMPLOS: *steradian, stereophonic, stereoscope.*

stereoacoustics estereoacústica.

stereocast v. **stereophonic broadcast.**

stereocasting v. **stereophonic broadcasting.**

stereocephaloid microphone micrófono estereocefaloide. Conjunto de micrófonos dispuestos en el interior de una estructura destinada a producir difracciones y características de fonocaptación que simulen la audición humana normal.

stereofluoroscopy (*Radiol*) estereorradioscopía. Empleo de un aparato .de radioscopía en estereoscopía. SIN. **stereoradioscopy** (CEI/64 65–05–075).

stereographic *adj:* estereográfico.

stereographic projection proyección estereográfica.

stereoid (*Quím*) esteroide.

stereometry estereometría, medida de los sólidos.

stereomicroscope estereomicroscopio.

stereophone estereófono. Sistema de captación, transmisión y reproducción estereofónicas.

stereophonic *adj:* (*also* stereo) estereofónico. A VECES: estereosónico. Relativo o perteneciente a la estereofonía [stereophony]. Que tiene o produce la ilusión de tener una distribución natural de fuentes de sonido. CF. **binaural, quadraphonic.**

stereophonic adapter adaptador estereofónico. Dispositivo que permite transformar un aparato monofónico en estereofónico, o utilizar dos aparatos monofónicos con control centralizado de volumen, equilibrio de canales, e inversión de fases | adaptador estereofónico, adaptador para recepción [audición] estereofónica. Dispositivo con cuya ayuda pueden recibirse programas estereofónicos mediante un receptor originalmente construido para la recepción monofónica. SIN. **multiplex adapter.**

stereophonic amplifier amplificador estereofónico. Audioamplificador multicanal para sistema estereofónico.

stereophonic attachment dispositivo accesorio estereofónico.

stereophonic broadcast emisión estereofónica; programa estereofónico. SIN. **stereocast.**

stereophonic broadcast decoder descodificador de radiodifusión estereofónica.

stereophonic broadcasting radiodifusión estereofónica. SIN. stereocasting.

stereophonic cartridge cápsula estereofónica. SIN. **stereophonic pickup.**

stereophonic channel canal estereofónico.

stereophonic channel separation separación estereofónica (entre canales).

stereophonic control box dispositivo de control estereofónico [para estereofonía].

stereophonic control unit dispositivo de control estereofónico.

stereophonic discriminator discriminador estereofónico.

stereophonic disk disco estereofónico. SIN. **stereophonic record(ing).**

stereophonic effect efecto estereofónico. CF. **binaural effect.**

stereophonic head (*Magnetófonos*) cabeza estereofónica.

stereophonic headphone estereoaudífono.

stereophonic headphone system sistema estereofónico por audífonos.

stereophonic headphones estereoaudífonos. Audífonos en los que los dos elementos (el del oído izquierdo y el del derecho) son excitados por canales eléctricos independientes, y que se usan para la audición estereofónica.

stereophonic high-fidelity system sistema estereofónico de alta fidelidad.

stereophonic image imagen [representación] estereofónica.

stereophonic-intelligence channel canal de información estereofónica.

stereophonic loudspeaker system sistema estereofónico de altavoces. Sistema de dos o más altavoces convenientemente situados para la reproducción estereofónica.

stereophonic magnetic-tape recording registro estereofónico en cinta magnética.

stereophonic microphone estereomicrófono. Micrófono especial o combinación de micrófonos para la captación de sonidos en forma que haga posible su registro y reproducción estereofónica.

stereophonic microphone system sistema estereofónico de micrófonos.

stereophonic multiplex broadcasting emisión estereofónica por multiplexión, transmisión estereofónica en múltiplex.

stereophonic multiplex FM tuner sintonizador de FM con múltiplex para recepción estereofónica.

stereophonic multiplexing system sistema de multiplexión estereofónica.

stereophonic pan potentiometer potenciómetro de control panorámico (del sonido). v. **panoramic control.**

stereophonic perception percepción estereofónica.

stereophonic pickup estereofonocaptor, fonocaptor para estereofonía. SIN. **stereophonic cartridge.**

stereophonic playback reproducción estereofónica.

stereophonic preamplifier preamplificador estereofónico. Preamplificador de dos o más canales utilizable en un sistema estereofónico.

stereophonic programing programación estereofónica.

stereophonic quality calidad (de la reproducción) estereofónica.

stereophonic radio broadcast emisión estereofónica (por radio), radioemisión estereofónica; programa estereofónico por radio.

stereophonic radio system sistema de radiodifusión estereofónica.

stereophonic receiver receptor estereofónico.

stereophonic reception recepción estereofónica.

stereophonic record disco estereofónico, grabación estereofónica, disco estereofonográfico. SIN. **stereophonic recording.**

stereophonic recorded tape cinta (magnética) grabada estereofónicamente. Cinta magnetofónica con las señales de un programa estereofónico (dos o más canales) grabadas en sendas pistas paralelas. SIN. **stereophonic recording.** CF. **monaural recorded tape.**

stereophonic recording registro estereofónico, grabación estereofónica | v. **stereophonic record** | v. **stereophonic recorded tape.**

stereophonic reproduction reproducción estereofónica.

stereophonic reverberation reverberación estereofónica.

stereophonic separation separación estereofónica; separación (subjetiva) de los canales.

stereophonic separation control control de separación entre canales. Potenciómetro u otro dispositivo que permite al oyente variar el grado de separación subjetiva entre los canales de un sistema de reproducción estereofónica, para compensar las características acústicas de la sala de audición, o para otros efectos.

stereophonic sound   sonido estereofónico; reproducción estereofónica. CF. **binaural sound.**

stereophonic sound reproduction   reproducción estereofónica.

stereophonic sound-reproduction system   sistema de reproducción estereofónica.

stereophonic sound system   sistema estereofónico. Sistema acústico [sound system] en el cual varios micrófonos, vías de transmisión y altavoces son dispuestos de manera de dar al auditor, durante la reproducción, una sensación de distribución espacial de fuentes sonoras (CEI/60 08–30–085).

stereophonic spread   difusión estereofónica, dispersión del efecto estereofónico.

stereophonic subcarrier   subportadora estereofónica.

stereophonic subchannel   canal de subportadora estereofónica.

stereophonic system   sistema estereofónico. SIN. **stereophonic sound system.**

stereophonic tape   cinta (magnética) estereofónica, cinta estereomagnetofónica.

stereophonic tape player   reproductor de cinta (magnética) estereofónica, magnetófono reproductor estereofónico. Magnetófono reproductor de cintas con dos o más pistas de registro que han sido impresionadas estereofónicamente; es decir, que cada pista corresponde a uno de los canales de un sistema estereofónico. CF. **stacked heads, stacked stereophonic tape, staggered heads.**

stereophonic tape recorder   grabador de cinta (magnética) estereofónica, magnetófono grabador estereofónico.

stereophonic tape recording   grabación estereofónica en cinta (magnética), registro estereomagnetofónico.

stereophonic test reel   *(Cine)* rollo para pruebas estereofónicas. Rollo de película cinematográfica con registro estereofónico para el ensayo y regulación del sistema electroacústico de salas cinematográficas.

stereophonic tuner   sintonizador estereofónico.

stereophonically   *adv:* estereofónicamente.

stereophonics   estereofónica, estereofonía. v. **stereophony.**

stereophonism   estereofonismo. Condición de estereofónico; efecto de estereofonía.

stereophonist   estereofonista. Persona versada en el proyecto o la aplicación de aparatos y sistemas estereofónicos.

stereophonous   *adj:* estereofónico. SIN. **stereophonic.**

stereophony   estereofonía. Técnica de la captación, amplificación, transmisión, registro y reproducción de sonidos de tal modo que produzca en el oyente una sensación de distribución espacial semejante a la de los focos sonoros originales. V.TB. **stereophonic sound system.** CF. **quadraphony** /// *adj:* estereofónico. v. **stereophonic.**

stereophony equipment   equipo estereofónico [de estereofonía].

stereophotogram   estereofotograma.

stereophotogrammetric   *adj:* estereofotogramétrico.

stereophotogrammetry   estereofotogrametría.

stereophotogrammetry laboratory   laboratorio de estereofotogrametría.

stereophotograph   fotografía estereoscópica, estereofotografía.

stereophotography   estereofotografía.

stereoptics   estereoóptica.

stereoradar   estereorradar.

stereoradiographic   *adj:* estereorradiográfico.

stereoradiography   *(Radiol)* estereorradiografía. Producción de un par de radiogramas [radiographs] de un objeto tomadas desde dos ángulos ligeramente diferentes con objeto de hacer un examen estereoscópico (CEI/64 65–05–070).

stereoradioscopy   *(Radiol)* estereorradioscopía. (**1**) Producción de un par de radiogramas de un objeto, visto bajo ángulos ligeramente diferentes, y su visión subsecuente en un estereoscopio [stereoscope] (CEI/38 65–05–140). (**2**) Empleo de un aparato de radioscopía en estereoscopía. SIN. **stereofluoroscopy** (CEI/64 65–05–075). CF. **stereoscopic pair.**

stereoreverberation   estereorreverberación.

stereoscillography   estereooscilografía.

stereoscope   estereoscopio. Instrumento de óptica que sirve para examinar los pares estereoscópicos [stereoscopic pairs] y ver así las imágenes o fotografías en relieve /// *adj:* estereoscópico.

stereoscopic   *adj:* estereoscópico. Relativo o perteneciente a la estereoscopía [stereoscopy].

stereoscopic broadcasting   videodifusión estereoscópica.

stereoscopic camera   cámara estereoscópica. Cámara para estereofotografía [stereophotography].

stereoscopic effect   efecto estereoscópico; efecto plástico [de relieve].

stereoscopic film   *(Cine)* película estereoscópica [en relieve].

stereoscopic head   cabeza estereoscópica.

stereoscopic height-finder   telealtímetro estereoscópico.

stereoscopic microscope   microscopio estereoscópico.

stereoscopic pair   par estereoscópico. Conjunto formado por dos fotografías tomadas desde ángulos diferentes, que al ser vistas simultáneamente (una de ellas con cada ojo) dan la sensación de relieve.

stereoscopic photograph   fotografía estereoscópica.

stereoscopic photography   fotografía estereoscópica.

stereoscopic prism   prisma estereoscópico.

stereoscopic radar image   imagen radárica estereoscópica.

stereoscopic system   sistema estereoscópico.

stereoscopic television   televisión estereoscópica [en relieve].

stereoscopy   estereoscopía. (**1**) Ciencia de la visión binocular y de los medios para obtenerla. (**2**) Visión en relieve mediante el estereoscopio [stereoscope] /// *adj:* estereoscópico.

stereosonic   *adj:* estereosónico, estereofónico. v. **stereophonic.**

stereospectrogram   estereoespectrograma.

stereotelemeter   estereotelémetro.

stereotelevision   estereotelevisión, televisión en relieve.

stereotype   estereotipo, plancha estereotípica, cliché, clisé; estereotipia /// *verbo:* estereotipar, clisar.

stereotype mat   *(Artes gráficas)* v. **mat.**

stereotype plate   plancha estereotípica, cliché, clisé.

stereovision   estereovisión, visión estereoscópica.

sterilamp   lámpara esterilizadora. Lámpara de luz ultravioleta usada como bactericida. SIN. **sterilamp tube.**

sterilamp tube   lámpara esterilizadora.

sterile   *adj:* estéril; esterilizado.

sterile-male technique   técnica (insecticida) de los machos estériles. Erradicación de insectos perjudiciales que consiste en la cría y liberación de insectos machos hechos sexualmente estériles por exposición a radiaciones gamma.

sterility   esterilidad.

sterilization   esterilización.

sterilize   *verbo:* esterilizar.

sterling   libra esterlina.

sterling currency counter   *(Informática)* contador de libras esterlinas.

stern   *(Buques, Dirigibles)* popa || *(Aviones)* popa, extremo de la cola.

stern-heavy   *adj: (Aviones)* pesado de popa.

stern-post   *(Aviones, Buques)* codaste.

steroid   *(Quím)* esteroide.

sterol   *(Quím)* esterol.

stethophonograph   estetofonógrafo. Estetoscopio [stethoscope] que además de captar, amplificar y filtrar los sonidos procedentes del tórax del paciente, los registra en papel fotográfico.

stethoscope   estetoscopio, estetóscopo. Instrumento para practicar la auscultación. En su versión eléctrica consiste en un micrófono acoplado a un auricular, ya directamente, ya con un amplificador intermedio.

steward   administrador; mayordomo; despensero || *(Aviones)* mayordomo, camarero, aeromozo || *(Buques)* mayordomo.

stewardess   *(Aviones)* camarera, aeromoza, azafata || *(Buques)* camarera, mayordoma.

stibium   estibio, antimonio. Elemento químico de número atómico 51 y peso atómico 121,76. Símbolo: Sb. SIN. **antimony.**

stick   palo, palillo, vara, varilla; bastón; regleta; pieza de madera; palo, estaca, garrote, porra; barra (p.ej. de lacre); cartucho (de dinamita); estique (palillo de escultor con boca dentellada); ristra; estocada, pinchazo; ingrediente alcohólico (puesto en una bebida suave); demora, parada; duda, vacilación ‖ *(Teatro) (slang)* mal actor ‖ *(Aviones)* hélice; palanca de mando ‖ *(Buques)* pieza de madera para construir un palo ‖ *(Mús)* batuta ‖ *(Instr de cuerda)* arco; baqueta, palo (parte de madera del arco) ‖‖ *verbo:* pegar(se), adherir(se); sujetar; clavar, hincar; meter, introducir; picar, punzar; llenar de puntas; pararse, detenerse; fijar (p.ej. con tachuelas); prender (con alfileres); plantar (jalones) ‖ *(Carp)* moldurar ‖ *(Tipog)* componer ‖ *(Vál)* acuñarse.

stick circuit   circuito de autorretención. Circuito mediante el cual se mantiene un relé excitado por vía de sus propios contactos. CF. **stick relay.**

stick magnet   imán recto. SIN. **bar magnet.**

stick of bombs   *(Avia de guerra)* grupo de bombas.

stick-off voltage   *(Servos)* tensión de actuación.

stick-on   *adj:* adhesivo.

stick relay   relé de autorretención . Relé que permanece excitado por vía de sus propios contactos una vez cerrados éstos por la aplicación de una corriente excitadora. CF. **stick circuit, holding relay.**

stick shellac   goma laca en barra.

stick welding   soldadura con varilla.

sticking   adhesión; adherencia; adhesividad; cohesión; retención ‖ *(Cojinetes, Pistones)* agarrotamiento ‖ *(Sondeos)* acuñamiento, aprisionamiento ‖ *(Vál)* acuñamiento ‖ *(Carp)* moldurado ‖ *(Tipog)* composición ‖ *(Básculas elecn)* tendencia a permanecer en uno de los dos estados estables; tendencia a pasar espontáneamente a uno de los dos estados estables ‖ *(Fonog)* repetición de surcos. Interrupción del seguimiento [tracking] que hace que se repitan incesantemente uno o dos surcos del disco. SIN. **repeating.** CF. **mistracking** ‖ *(TRC/Tv)* retención de (la) imagen. V. **sticking image.**

sticking image   *(Tv)* imagen retenida; retención de (la) imagen. (1) Fenómeno por el cual la imagen se retiene en la pantalla del cinescopio o tubo de imagen, y reaparece posteriormente. (2) Dícese cuando un tubo tomavistas retiene una escena debido a que todavía no ha alcanzado su temperatura normal de funcionamiento, o porque el tubo se ha dejado enfocado durante un período muy largo sobre una escena estacionaria muy iluminada. SIN. **image burn, retained [burned-in] image.**

sticking potential   *(TRC)* potencial de bloqueo. V. **sticking voltage.**

sticking probability   *(Nucl)* probabilidad de adherencia. Probabilidad de que una partícula que ha alcanzado la superficie de un núcleo atómico sea absorbida por éste, formándose así un núcleo compuesto.

sticking relay   relé que se pega. CF. **stick relay.**

sticking voltage   *(TRC)* **(of a luminescent screen)** tensión de bloqueo (de una pantalla luminiscente). Tensión anódica por debajo de la cual la tasa de emisión secundaria [secondary emission] de la pantalla es inferior a la unidad. La pantalla adquiere entonces una carga negativa que repulsa los electrones incidentes [primary electrons] (CEI/56 07-30-245).

sticky   *adj:* pegajoso, pegadizo, adhesivo; viscoso.

sticky needle   *(Instr de medida)* aguja "pesada".

stiction   fricción estática. Fricción o adherencia que tiende a impedir el movimiento relativo de dos piezas móviles en su posición cero [null position]. CF. **dither injector.**

Stieltjes   Thomas Jan Stieltjes: analista holandés (1856–1894) que estudió las series divergentes y condicionalmente convergentes; a él se debe una importante ampliación del concepto riemanniano de integral.

Stieltjes integral   *(Mat)* integral de Stieltjes. Representa una ampliación del concepto de integral que comprende como caso particular la integral de Riemann.

stiff   *adj:* rígido, tieso; sólido, duro, firme; inflexible, rígido; tenso, tendido; almidonado; espeso; fuerte; robusto; tenaz ‖ *(Electroacús)* Expresión vulgar usada refiriéndose a un audioamplificador de potencia muy estable, es decir, sin la menor propensión a generar oscilaciones parásitas, sobre todo a frecuencias muy bajas. CF. **breathing, damping.**

stiff connection   enlace rígido.

stiff motor   motor que no gira fácilmente.

stiff spring   resorte duro.

stiffen   *verbo:* atiesar(se); atesar; endurecer(se); espesar(se); reforzar, consolidar, rigidizar, hacer rígido.

stiffener   refuerzo, montante [pieza] de refuerzo; nervio; contrafuerte; ángulo atiesador.

stiffening   refuerzo; nervadura; atirantamiento; rigidización ‖‖ *adj:* reforzador; rigidizador.

stiffening rib   costilla de refuerzo.

stiffness   rigidez, tesura, tiesura; solidez, dureza, firmeza; inflexibilidad, rigidez; tensión, atirantamiento; espesura; robustez; tenacidad; resistencia a la flexión ‖ *(Electroacús, Estr)* rigidez.

stiffness factor   factor de rigidez. En los servosistemas, retardo angular entre la entrada y la salida.

stiffness control   control de rigidez.

stiffness reactance   *(Acús)* reactancia de rigidez [debida a la rigidez].

stigma   *(Bot)* estigma. Extremo superior del pistilo que recibe el polen ‖ *(Medicina)* estigma. Mancha de la piel.

stigmata   Plural de *stigma.*

stigmatism   *(Medicina)* estigmatismo. Estado o condición caracterizado por la presencia de estigmas [stigmata] ‖ *(Opt)* estigmatismo. Estado o condición de un sistema refractor o reflector que enfoca en un punto (imagen puntual) los rayos de luz incidentes procedentes de un punto (objeto puntual) situado fuera del eje ‖‖ *adj:* estigmático.

stilb   *(Ilum)* stilb. Unidad de brillo igual a un *nit,* o sea, una candela por metro cuadrado. Símbolo: sb. CF. **foot-lambert, nit.**

stile   *(Carp/Puertas)* larguero, montante (vertical).

stile-casing   *(Telef)* regleta cubridora.

stile-strip   *(Telef)* regleta divisoria; regleta de marcar.

¹still   alambique, destiladora, destiladera. Aparato para la destilación de líquidos (en particular alcoholes), consistente en un recipiente en el cual la substancia es vaporizada por la aplicación de calor, y un dispositivo enfriador en el cual se condensa el vapor ‖ destilería. SIN. **distillery.**

²still   silencio; quietud, calma, tranquilidad ‖ *(Fotog, Cine/Tv)* fotografía (única), escena, cuadro, fotografía publicitaria. Fotografía de una escena de una película cinematográfica, usada para fines publicitarios ‖ vista fija. Fotografía u otro material ilustrativo estacionario utilizado o utilizable en las transmisiones televisivas ‖ decoración, escenario (de estudio). SIN. **studio scenery** ‖ fotografía de artistas (en un estudio) ‖ parada de un cuadro [de una imagen] (de una película cinematográfica) ‖ *(i.e.* still alarm) alarma silenciosa ‖‖ *adj:* silencioso; quieto, calmado, tranquilo, apacible, sosegado; estacionario, inmóvil; inanimado; sereno; estable; no carbonatado, sin efervescencia, no espumoso (un vino); sordo, suave, sutil (un sonido o un ruido) ‖‖ *verbo:* silenciar; aquietar, calmar, tranquilizar, acallar; inmovilizar, detener, parar ‖‖ *adv:* sin movimiento; aun, hasta; aún, todavía; no obstante, sin embargo, a pesar de ello, a pesar de eso.

still air   aire en calma, aire tranquilo [quieto].

still alarm   alarma silenciosa. Alarma de incendios transmitida sin poner a funcionar los aparatos de señal acústica normales, por ejemplo, por llamada telefónica.

still frame projection   *(Cine)* proyección de vista fija.

still image   imagen fija.

still picture scanner   analizador de imagen fija.

still projection   *(Cine)* proyección fija, proyección de un solo cuadro.

still projector   proyector de vistas fijas, aparato para proyección fija. v.TB. slide projector.

still water   agua tranquila [mansa]; agua estancada [muerta].

stillage   soporte, sostén; estantería; pequeña plataforma || *(Acum)* tablado, caballete | tablado. Soporte sobre el cual se instala una batería (CEI/38 50–25–090).

Stillson wrench   *(Herr)* llave (tipo) Stillson; caimán, llave para tubos.

stimularity   estimulabilidad, excitabilidad. Sensibilidad al estímulo o la excitación.

stimulated emission   emisión estimulada. Emisión de fotones o radiación por un sistema al pasar de un nivel energético a otro inferior, bajo la influencia de una radiación incidente.

stimulated scattering   dispersión [difusión] estimulada.

stimulator   estimulador, excitador || *(Medicina)* (*i.e.* heartbeat stimulator) estimulador cardiaco, marcapasos. Dispositivo para estimular el latido del corazón en los cardiópatas. SIN. pacer, pacemaker.

stimulus   estímulo, excitación || *(Automática)* excitación. Señal que influye en la variable controlada [controlled variable] || v. light stimulus.

stipple   punteado, picado, graneo || *(Mapas)* punteado || *(Grabados, Heráldica)* puntillado /// *verbo:* puntear, granear.

Stirling   James Stirling: analista escocés (1696–1770) que contribuyó notablemente al estudio de las diferencias finitas.

Stirling formula   fórmula de Stirling. Fórmula para determinar valores aproximados de las factoriales de números muy grandes.

Stirling interpolation formula   fórmula de interpolación de Stirling.

Stirling numbers   números de Stirling.

stirring   agitación; excitación; perturbación; incitación; activación.

stirring effect   efecto de agitación. En un horno de inducción [induction furnace], circulación producida en una carga de metal en fusión por las fuerzas combinadas del efecto motor [motor effect] y del efecto de estricción [pinch effect].

stirrup   estribo || *(Acús)* estribo. Uno de los huesecillos [ossicles] del oído || *(Petr/Sondeos)* estribo (de sonda).

stixograph   estisógrafo.

STL   Abrev. de studio-to-transmitter link.

STLG   *(Teleg)* Abrev. de sterling. Se usa para indicar el signo de libra esterlina.

STN   *(Teleg)* Abrev. de station; situation.

stochastic   *adj:* estocástico, conjetural. Que pertenece a la conjetura o la denota; caracterizado por la conjetura || *(Mat)* estocástico; aleatorio; estadístico. Basado en la teoría de la probabilidad; basado en la estadística. Relativo a estas disciplinas. SIN. random, statistical.

stochastic accelerating method   método de aceleración estocástica.

stochastic adjustment control   control con ajuste estocástico.

stochastic path   trayecto estocástico.

stochastic process   proceso estocástico. (1) Proceso de muestreo aleatorio. (2) Proceso en el que intervienen variables aleatorias; en particular, proceso en el que interviene una variable aleatoria función del tiempo. CF. stochastic variable.

stochastic trajectory   trayectoria estocástica.

stochastic variable   variable estocástica [aleatoria]. SIN. random variable.

stochastically   *adv:* estocásticamente; conjeturalmente; estadísticamente; aleatoriamente.

stochastics   estocástica. (1) Estudio de lo conjetural. (2) Ciencia basada en la estadística y la teoría de la probabilidad.

stock   semovientes, caballería(s), ganado; cepa, tronco; cepa, estirpe, linaje, raza; repuesto, acopio, provisión; material; material para discos; material por labrar; papel para imprimir; materia prima, primeras materias (para un proceso industrial o de fabricación); cantidad || *(Anclas, Yunques)* cepo || *(Biol)* cepa || *(Herr)* mango || *(Cepillos, Fusiles)* caja || *(Comercio/Industria)* existencia(s), artículos en existencia, mercancías almacenadas; surtido (de mercaderías); (capital en) acciones | inventario. Conjunto de bienes inactivos en espera de ser utilizados. SIN. inventory | in stock: en almacén, en existencia, disponible || *(Geol)* intrusión de roca ígnea || *(Cine)* película virgen, película (fotográfica) no impresionada || *(Labrado de roscas)* terraja, tarraja, bastidor de terraja; portacojinete /// *adj:* de almacén; de tipo normal [standard] /// *verbo:* almacenar, acopiar, acumular; tener en almacén [en existencias].

stock allotment   adjudicación de materiales.

stock analyst   analizador de inventario.

stock cable   *(Telecom)* cable almacenado, cable en existencia [en almacén].

stock control   control [fiscalización] de (las) existencias, control de inventario.

stock dent   indentación del material. En la fabricación de discos fonográficos, indentación causada en el disco por un grano u otro defecto de la superficie de la matriz.

stock editor   *(Informática)* regulador de despachos de "stock".

stock exchange   bolsa (de valores).

stock-exchange call   *(Telef)* conversación de bolsa, conferencia de bolsa (de valores).

stock-exchange call office   *(Telef)* aparato telefónico público de bolsa.

stock-exchange switchboard (staffed by the telephone administration)   central de bolsa (de valores).

stock instrument   aparato de fabricación corriente.

stock item   artículo de existencia corriente, elemento [artículo] que normalmente se mantiene en existencia, elemento standard (de fácil obtención en plaza).

stock ledger   libro de existencias (de mercadería).

stock number   número de almacén [de "stock"]; número de artículo.

stock rail   *(Vías férreas)* contraaguja, carril contraaguja [principal]. Uno de los rieles o carriles exteriores de un cambio a los cuales se adaptan las agujas.

stock reel   *(Registradores de cinta)* carrete almacén [desarrollador]. Carrete del que sale la cinta por grabar o por reproducir, según el caso. SIN. storage [supply] reel. CF. takeup reel.

stock size   tamaño normal; dimensión normal [corriente]; tamaño en existencia.

stock status summary   resumen de la situación de (las) existencias.

Stockmayer potential   potencial (intermolecular) de Stockmayer.

stockpiling   acumulación de reservas; almacenamiento de materias primas.

stockroom   almacén, depósito (de mercaderías), cuarto-almacén.

stoichiometric   *adj:* estequiométrico. v. stoichiometry.

stoichiometric coefficient   *(Quím)* coeficiente estequiométrico.

stoichiometric equation   ecuación estequiométrica.

stoichiometric impurity   impureza estequiométrica. Imperfección de la estructura cristalina de un semiconductor; imperfección de la estructura cristalina que tiene su origen en una desviación de la composición estequiométrica.

stoichiometric ratio   relación estequiométrica.

stoichiometrically   *adv:* estequiométricamente.

stoichiometry   *(Quím)* estequiometría. Metodología y tecnología mediante las cuales se determinan las cantidades de los reactivos y los productos de las reacciones químicas /// *adj:* estequiométrico.

Stokes   Sir George Gabriel Stokes: matemático y físico inglés (1819–1903) que estudió la hidrodinámica.

Stokes flow   flujo de Stokes. Flujo con número de Reynolds pequeño. Flujo caracterizado por fuerzas de inercia despreciables en comparación con las fuerzas de viscosidad, y por ser, en efecto, estacionario y no turbulento.

Stokes' law   ley de Stokes. Ley según la cual las longitudes de onda de las radiaciones emitidas por una substancia luminiscente [luminescent material] son iguales o superiores a las de las radiaciones absorbidas. NOTA: Esta ley tiene ciertas excepciones (CEI/56 07–10–100).

Stokes lines   *(Fís)* líneas de Stokes.

Stokes polarization theorem   teorema de polarización de Stokes. Teorema que establece para las radiaciones siete estados mutuamente excluyentes; toda radiación compleja pertenece a uno de esos siete estados.

STOL   *(Avia)* Abrev. de short takeoff and landing [despegue y aterrizaje cortos].

STOL aircraft   avión STOL.

stone   piedra; piedra preciosa, gema; lápida; roca; mineral ‖ *(Bot)* cuesco, hueso ‖ *(Relojes)* piedra ‖ *(Geol)* roca. Material que constituye esencialmente la corteza terrestre y que proviene de la solidificación del magma o lavas volcánicas, o de procesos de consolidación de depósitos sedimentarios, habiendo o no sufrido transformaciones metamórficas.

stone block   adoquín.

stone-block pavement   adoquinado. Pavimento constituido por adoquines colocados a mano, a junta trabada, en hiladas sucesivas rectilíneas.

stone hammer   almádana, almádena, mandarria, dolobre, marra. Martillo grande y pesado para picar piedra; mazo de hierro con mango largo para romper piedras.

stoneware   gres.

stoneware duct   *(Telecom)* conducto monolítico.

stonework   material de albañilería. EJEMPLOS: ladrillo, piedra, cemento, mampostería | obra de mampostería ‖ *(Minería)* mampostería; trabajo en roca.

stool   banqueta; banquillo, taburete, escabel; tarimilla; soporte; polín (rodillo de madera) ‖ *(Lingoteras)* base ‖ *(Ventanas)* repisa ‖ *(Elec)* v. **insulating stool.**

stop   parada, detención; cesación; interrupción; pausa; alto; suspensión, paralización, paro (de trabajo, de los trabajos, de las obras); obstáculo, impedimento, obstrucción; represión; ligada, ligadura, atadura; talón, escalón, saliente; limitador; obturador ‖ *(Avia) (i.e.* intermediate stop*)* escala ‖ *(Aparatos de medida)* tope. (**1**) Pieza que limita la carrera de la aguja de un aparato de medida (CEI/38 20–35–085). (**2**) Pieza que limita la carrera del elemento móvil [moving element] de un aparato de medida (CEI/58 20–35–130) ‖ *(Aplicaciones electromecánicas)* limitador de carrera. Dispositivo mecánico o eléctrico que tiene por objeto impedir que un órgano móvil traspase ciertas posiciones límites (CEI/38 35–10–030) ‖ *(Armaduras de relé)* tope ‖ *(Conmut)* tope. Dispositivo que limita la rotación del eje de mando ‖ *(Mec)* retén, fiador, seguro, leva, tope, paleta, linguete, trinquete; tope; retención; dispositivo inmovilizador; limitador de carrera ‖ *(Cerraduras)* seguro ‖ *(Tuberías)* llave de paso ‖ *(Mús)* tecla; llave; traste (de guitarra); registro (de órgano, de clavicordio)‖ *(Fotog/Opt)* diafragma; abertura (de lente) ‖ *(Teleg)* punto ortográfico (para indicar el fin de una oración) ∭ *adj:* de parada, de detención; limitador; obturador; detenedor; de tope; supresor; eliminador ∭ *verbo:* acabacer, terminar, cesar; interrumpir; hacer pausa, hacer alto; suspender, parar; obstaculizar, impedir, obstruir; reprimir; ligar, atar; limitar; obturar; frenar; contener; refrenar; atajar, interceptar; paralizar; atascar; tapar; rellenar (un agujero); parar(se), detener(se); estancar, represar; posponer, diferir ‖ *(Fotog)* diafragmar ‖ *(Viajes, Vuelos)* hacer escala.

stop arm   *(Teleimpr)* brazo de parada.

stop-arm bail   fiador del brazo de parada.

stop-arm bail cam   leva del fiador del brazo de parada.

stop-arm cam   leva del brazo de parada.

stop band   *(Filtros)* banda suprimida, banda de bloqueo. Banda de frecuencias atenuadas o no transmitidas. CF. **passband.**

stop-band attenuation   *(Filtros)* atenuación para la banda de frecuencias suprimidas [no transmitidas], atenuación respecto a la banda suprimida. SIN. **attenuation in suppressed band.** CF.

bandstop filter.

stop-band limit frequency   frecuencia límite de la banda suprimida [atenuada].

stop-block   v. stopblock

stop bracket   soporte del tope.

stop card   *(Informática)* tarjeta de parada.

stop-cock   v. stopcock.

stop code   *(Teleg)* código de parada. Código que provoca la parada automática de un aparato transmisor. CF. **stop signal.**

stop consonant   *(Gram)* consonante explosiva.

stop control   *(Informática)* control de parada.

stop-control circuit   circuito de control de parada.

stop-cycle timer   temporizador uniciclo. Temporizador que recorre un ciclo único, al final del cual se detiene hasta recibir otra señal de arranque.

stop element   *(Teleg)* elemento de parada. v. **start-stop system.** CF. **start element.**

stop filter   *(Elecn/Telecom)* filtro de bloqueo, filtro supresor; filtro de eliminación de banda.

stop for nontraffic purposes   *(Avia)* escala para fines no comerciales. SIN. **nontraffic stop.**

stop-go scanning   barrido arrítmico, exploración intermitente.

stop impulse   *(Teleg)* impulso de parada. CF. **start impulse.**

stop joint   *(Elec)* empalme de retención. Empalme entre dos cables bajo presión [pressure cables], en el cual los fluidos de relleno de los cables permanecen separados (CEI/65 25–30–225).

stop key   llave de seguridad ‖ *(Informática)* tecla de parada. CF. **start key.**

stop lever   palanca de paro; palanca de desembrague | palanca de parada. En los magnetófonos, palanca para detener el mecanismo de arrastre de la cinta; al accionarla se afloja la presión entre el cabrestante y su rodillo (entre los que pasa la cinta) y se aplican automáticamente los frenos a los carretes.

stop-light   v. stoplight.

stop lug   *(Teleimpr)* lengüeta de parada.

stop magnet   *(Teleimpr)* electroimán de parada. CF. **start magnet.**

stop-motion shooting   *(Cine)* toma de vistas una por una.

stop nut   tuerca limitadora [de tope].

stop-on-frame   *(Proy cine)* detención por cuadro; proyección fija [de cuadro estacionario].

stop-on-frame control   *(Proy cine)* control de detención de cuadro.

stop opening   *(Fotog)* diafragma; abertura (de lente). Dimensiones de la abertura que regula la cantidad de luz que pasa por el lente.

stop pawl   *(Mec)* trinquete de parada.

stop pin   pasador de parada; pasador limitador; pasador de retención [de seguridad] ‖ *(Conmut rotativos)* pasador de tope ‖ *(Relés, Telecom)* tope de entrehierro, tope limitador. SIN. **residual stop.**

stop pulse   impulso de parada. CF. **start pulse.**

stop-record signal   *(Facsímile)* señal de parada de registro. Señal que determina la detención de la traducción de las señales eléctricas recibidas en la imagen visible sobre el papel. CF. **start-record signal.**

stop ring   *(Conmut rotativos)* anillo de tope.

stop-screw   tornillo tope, tornillo limitador; tornillo de retención.

stop selector   *(Ascensores)* selector de paradas.

stop-send signal   *(Telecom)* señal de fin de emisión. Señal enviada por la central de llegada [incoming exchange] después de la recepción de una señal (o de señales) con información numérica [numerical information], para indicar que esa información ha sido recibida y que puede cesar la transmisión repetida [repeated transmission] (CEI/70 55–115–165). CF. **end-of-impulsing signal.**

stop signal   *(Carreteras, Vías férreas)* señal de parada [de alto] ‖ *(Magnetófonos)* señal de parada (de la cinta) ‖ *(Teleg arrítmica)* señal [emisión] de detención | señal de parada. Señal que sirve para poner en reposo el aparato receptor y prepararlo para recibir la señal telegráfica siguiente (CEI/70 55–70–160). v.TB. **start-stop system** || *(Facsímile)* señal de parada. Señal que hace pasar el aparato de la condición de funcionamiento activo a la de pausa o espera [standby]. CF. **start signal.**

stop-signal passage stop   *(Tracción eléc)* acusador del paso de una señal de parada (peligro). Aparato destinado a indicar el paso de una señal en posición de parada (peligro) (CEI/38 30–30–185).

stop-start apparatus   *(Teleg)* aparato arrítmico. v. **start-stop apparatus.**

stop-start contactors   contactores de arranque y parada.

stop-start unit   *(Contadores de impulsos)* dispositivo [elemento, unidad] de arranque y parada (de la cuenta). Funciona por preselección del período de cómputo o del número de unidades de cómputo.

stop time   *(Magnetófonos)* tiempo de parada. CF. **start time.**

stop transmitting   *(Telecom)* cese sus transmisiones. Frase con la cual se le pide al corresponsal que cese o detenga todas sus transmisiones.

stop up   *verbo:* tapar, ocluir, obturar, obstruir, rellenar (un agujero, un hueco); parar, detener, interrumpir. v.TB. **stop.**

stop valve   válvula de cierre; válvula de parada [de retención].

stop-watch   v. **stopwatch.**

stopblock   *(Teleimpr)* bloque de parada.

stopcock   grifo, llave de fuente; llave de paso; espita; canilla de tonel; robinete, llave [grifo] de cierre.

stoplight   luz (indicadora) de parada || *(Vehículos)* luz de parada, luz de paro. TB. lámpara de alto, farolito señalero | luz de parada, luz de frenado. Luz de señalización posterior [rear signal light] de un vehículo, accionada por los frenos y destinada a prevenir de la reducción de velocidad o la parada del vehículo (CEI/58 45–60–085). CF. **rear light.**

stoplight flasher   destellador de luz de parada.

stopover   *(Avia)* parada-estancia; escala. CF. **stop.**

stoppage   parada, detención; cesación; interrupción; pausa, alto; suspensión, paro, paralización; obstáculo, impedimento, obstrucción, entorpecimiento; detención, intercepción, interceptación; oclusión, obturación; inmovilización.

stopped-motion effect   efecto de anulación del movimiento, efecto de "parar" el movimiento, ilusión estroboscópica.

stopped-motion observation   *(Estroboscopios)* observación de "movimiento inmovilizado", observación de movimiento "parado".

stopped note   *(Mús)* sonido cerrado [tapado]. Sonido de corneta modificado cubriendo parcialmente la campana del instrumento con la mano. CF. **mute, sordine.**

stopped particle   *(Nucl)* partícula frenada.

stopped pipe   *(Organos)* tubo [caño] tapado.

stopped section   *(Señalización ferrov)* sección de bloqueo tope. Sección en la cual no debe penetrar ningún tren cuando la sección siguiente en el sentido de la marcha está ocupada por un tren (CEI/38 30–30–050). CF. **block.**

stopped-section circuit   *(Señalización ferrov)* circuito de sección tope. Circuito suplementario empleado en el caso de seccionamiento a sección tope (CEI/38 30–30–180).

stopper   tapón, tapadero, tapador, tapa; taco, tarugo; obturador; dispositivo para cortar una vía de agua, un salidero de gas o de vapor, etc. | tope, pieza de parada [detención], retenedor; retén, fiador. v.TB. **stop** | eliminador || *(Elecn)* (*i.e.* stopper resistor) resistor de freno || *(Radio)* (*i.e.* stopper circuit) circuito tapón [antirresonante] || *(Marina)* estopor; boza (cabo para amarrar cualquier cosa) || *(Pilotaje)* placa de asiento /// *verbo:* tapar, taponar; obturar || *(Marina)* abozar.

stopper circuit   *(Radio)* circuito tapón [antirresonante]; supresor, eliminador; circuito de eliminación de banda; circuito antiparásitos.

stopper resistor   resistor [resistencia] de freno.

stopping   parada, detención; cese, cesación; interrupción; etc. v.

stop, stoppage || *(Fís)* frenado, decrecimiento de energía cinética (de una partícula ionizante al atravesar la materia).

stopping brake   freno de parada || *(Tracción eléc)* frenado de detención. Modo de frenado utilizado para anular la velocidad [to bring a vehicle to a standstill] (CEI/57 30–05–470). CF. **checking brake, holding brake.**

stopping capacitor   capacitor [condensador] de bloqueo. v. **blocking capacitor.**

stopping condenser   v. **stopping capacitor.**

stopping cross-section   *(Nucl)* sección eficaz de frenado.

stopping distance   *(Carreteras)* distancia de parada [de detención del vehículo]. Distancia recorrida entre el punto donde el conductor toca el mecanismo de freno y el punto donde el vehículo queda detenido.

stopping equivalent   *(Nucl)* (espesor) equivalente de frenado. Espesor de una substancia de referencia capaz de producir el mismo frenado (decrecimiento de energía cinética) que un espesor dado de la substancia considerada cuando es atravesada por una partícula cargada. SIN. **stopping power.**

stopping-off   aislamiento, lacado protector. Protección de ciertas zonas contra el ataque químico; aplicación de una capa protectora a determinada parte de un cátodo o de otra superficie previamente a la galvanoplastia o al grabado por corrosión [etching], para aislarla o protegerla contra el ataque químico | (*i.e.* application of a resist) aislamiento. Aplicación de una materia protectora (CEI/60 50–30–285).

stopping potential   potencial de frenado [de detención]. Potencial eléctrico necesario para frenar hasta el reposo un electrón emitido por efecto fotoeléctrico o termoiónico. SIN. **stopping voltage.**

stopping power   *(Nucl)* poder frenador [de frenado], poder de detención [de parada]. Pérdida de energía cinética que sufre una partícula ionizante o partícula cargada al atravesar una substancia. SIN. **stopping equivalent.**

stopping switch   *(Ascensores)* interruptor de parada.

stopping up   oclusión, obturación, obstrucción; relleno (de un hueco o agujero); parada, detención; interrupción. v.TB. **stop.**

stopping voltage   tensión de frenado. v. **stopping potential.**

stopwatch   cronógrafo, cronómetro (de segundos), reloj de segundos muertos, reloj de detención. CF. **chronograph, chronometer, chronoscope.**

stopway   *(Aeropuertos)* zona de parada.

storage   almacenamiento, almacenaje; depósito; acopio, acumulación; registro (de señales); retención (de cargas electrostáticas) || *(Informática)* almacenamiento, retención (de datos), registro (de información). Acción y efecto de retener o almacenar información (datos, instrucciones, tablas) para utilización posterior | almacenador, acumulador, registro, memoria. Dispositivo, medio o vehículo capaz de retener información; parte de una computadora utilizada fundamentalmente para almacenar información. SIN. **memory, register.** CF. **accumulator** || *(Telecom)* registro || *(Teleg)* (of telegrams) almacenamiento (de telegramas) //// *adj:* almacenador, acumulador, acumulativo, de acumulación; de retención; de registro.

storage access time   *(Comput)* tiempo de acceso al almacenador. Tiempo necesario para trasladar información de una ubicación de almacenamiento al registro de almacenamiento [storage register] u otro dispositivo donde la información quede disponible para su utilización en cualquier operación o proceso subsiguiente.

storage allocation   *(Comput)* asignación de almacenamiento. Asignación de información, programas, o segmentos de programas determinados a partes determinadas del almacenador. SIN. **storage assignment.**

storage-allocation algorithm   algoritmo de asignación de almacenamiento [memoria].

storage assignment   *(Comput)* asignación de almacenamiento. v. **storage allocation.**

storage basin   embalse.

storage battery   *(Elec)* acumulador, batería de acumuladores. TB. batería (acumuladora). SIN. **accumulator** *(GB)*, **secondary battery**, **battery of secondary cells** | batería secundaria. V. **secondary battery** | V. **storage battery of iron-nickel type**.

storage-battery acid   ácido para acumuladores.

storage-battery locomotive   locomotora de batería acumuladora. Locomotora que lleva acumuladores para alimentar los motores de tracción.

storage battery of iron-nickel type   acumulador de ferroníquel. Acumulador alcalino [alkaline storage battery] en el cual la materia positiva es esencialmente a base de hidróxido de níquel [nickel hydroxide] y la materia negativa esencialmente a base de hierro (CEI/60 50–20–025).

storage box   *(Informática)* caja de almacenamiento.

storage camera tube   *(Tv)* tubo de cámara almacenador, tubo (analizador) de acumulación | iconoscopio. SIN. **iconoscope** | tubo de cámara de almacenaje. Tubo electrónico analizador en el cual se utiliza en un instante de la exploración la totalidad de la energía luminosa emitida durante un período de imagen por el punto del objeto correspondiente a ese instante (CEI/70 60–64–660).

storage capacity   *(Informática)* capacidad de almacenamiento. Capacidad de información del almacenador o memoria, en bitios o en palabras de longitud especificada. SIN. **memory capacity** || *(Refrig)* capacidad útil.

storage cell   *(Elec)* acumulador, elemento secundario [de acumulador]. SIN. **accumulator** *(GB)*, **secondary cell** || *(Informática)* célula de almacenamiento. Unidad elemental de almacenamiento de información. V. **binary cell, bistable element**.

storage charge   *(Comercio)* bodegaje, gastos de almacenaje [de depósito] || *(Avia)* derecho de albergue.

storage-command pulse [SCP]   *(Contadores)* impulso de mando de acumulación.

storage container   *(Informática)* caja de almacenamiento. SIN. **storage box**.

storage counter   contador acumulativo [de acumulación, del tipo acumulador]. AFINES: décadas acumuladoras [de acumulación], décadas de conteo, impulso de mando de acumulación.

storage cycle   *(Informática)* ciclo de acumulación. Traslado de información del almacenador [storage] a un registro de almacenamiento local [local storage register] y retorno de la misma información al almacenador, después de utilizada en determinada operación o proceso.

storage-cycle time   tiempo del ciclo de almacenamiento.

storage depreciation   *(Comercio)* depreciación durante el almacenaje || *(Pilas)* desgaste en almacén. Disminución de la capacidad útil de una pila medida durante el ensayo de conservación [storage test] (CEI/60 50–15–255).

storage device   *(Fuentes de energía)* mecanismo de almacenamiento || *(Informática)* dispositivo de almacenamiento (de información), dispositivo almacenador [acumulador] (de datos), dispositivo memorizador [de memoria]. SIN. **storage, memory**.

storage drum   *(Informática)* tambor acumulador [memorizador, de memoria].

storage dump   *(Informática)* vaciado de almacenador [de memoria]. Extracción en forma impresa del contenido del almacenador o la memoria (o de una parte del mismo). SIN. **memory dump**.

storage effect   *(Elecn)* efecto de almacenamiento. Fenómeno por el cual en una unión de semiconductores se almacena temporalmente el exceso de portadores de carga minoritarios inyectados en el lado de mayor resistividad de la unión.

storage element   *(Dispositivos acumuladores de información)* elemento acumulador, elemento de almacenamiento [de memoria]. (1) Elemento de superficie (p.ej. en un tubo de memoria por cargas) que retiene un estado representativo de información distinguible del de los elementos adyacentes. (2) Parte más pequeña de un almacenador, capaz de retener un bitio [bit].

storage entry   *(Informática)* entrada (a la unidad) de almacena-

miento || *(Tambores mag)* almacenamiento de entrada.

storage entry word   palabra de almacenamiento de entrada.

storage equipment   *(Cine)* mobiliario metálico para guardar películas.

storage exit   *(Informática)* salida (de la unidad) de almacenamiento || *(Tambores mag)* almacenamiento de salida. CF. **storage entry**.

storage exit word   palabra de almacenamiento de salida.

storage expanded-capacity feature   *(Informática)* dispositivo de ampliación de capacidad de almacenamiento.

storage facilities   medios de almacenamiento [de acumulación].

storage factor   *(Elec)* factor de almacenamiento (de energía). Recíproca del factor de disipación. V. **Q factor**.

storage fuel tank   depósito de combustible.

storage hotplate   placa calentadora [de caldeo] de acumulación.

storage integrator   *(Comput analógicos)* integrador de acumulación.

storage keyboard   *(Teleg)* teclado con almacenamiento [con memoria] | teclado de transferencia. Teclado en el cual la combinación establecida al oprimir una tecla no manda directamente la emisión, sino que es transferida a uno o varios dispositivos de almacenamiento, con objeto de efectuar un mando ulterior de la emisión (CEI/70 55–75–030).

storage lake   embalse, lago artificial. SIN. **storage basin**.

storage laser   laser acumulador (de energía).

storage level   *(Hidr)* nivel de(l) agua embalsada, cota de retenida.

storage-level indicator   indicador del nivel de agua embalsada.

storage life   duración en almacenaje [en almacén]. Duración útil de ciertos elementos o materiales antes de ser instalados o utilizados. SIN. **shelf life** || *(Pilas)* duración de conservación. Duración de almacenaje en condiciones definidas, al término de la cual una pila posee cualidades definidas (CEI/60 50–15–250) CF. **storage depreciation**.

storage location   *(Comput)* ubicación de almacenamiento. Lugar del almacenador capaz de retener una palabra de máquina, y que por lo común tiene asignada una dirección específica.

storage locker   armario de almacenamiento.

storage medium   *(Informática)* medio [vehículo] de almacenamiento (de información).

storage oscilloscope   osciloscopio (del tipo) acumulador, osciloscopio de pantalla con retentiva [con memoria]. Osciloscopio que retiene las imágenes durante períodos considerables, para su detenida observación y estudio; la imagen retenida puede borrarse a voluntad, quedando el aparato en condiciones de retener una imagen ulterior.

storage position   *(Informática)* posición de almacenamiento. V. **storage location**.

storage protection   *(Informática)* protección del almacenamiento. Protección contra el acceso no autorizado a un dispositivo almacenador de información, sea para extraer o para registrar información. La protección puede ponerse en efecto por medios manuales o por medios automáticos, y es de grandísima importancia en los sistemas con múltiples programas y en los sistemas de tiempo compartido, para impedir la ejecución simultánea de dos programas, y asegurar el secreto de cada uno de los programas respecto a personas no autorizadas para conocer de él.

storage punch entry   *(Informática)* boca de entrada para perforar desde la unidad de almacenamiento.

storage punch exit   *(Informática)* boca de salida para perforar desde la unidad de almacenamiento.

storage rack   estantería para almacenar [para almacenamiento].

storage range   límites en almacén. Condiciones límites tolerables (temperatura, humedad) en el almacenamiento de un dispositivo o de un artículo. CF. **storage life**.

storage register   *(Informática)* registro de almacenamiento [de acumulación]. Registro que forma parte de la memoria interna principal de una máquina. SIN. **location [memory] register**.

storage relay   *(Informática)* relé de almacenamiento.

storage ring   *(Sincrotrones)* anillo de almacenamiento. Cámara toroidal al vacío en la cual se mantienen partículas en órbita estable hasta su utilización ulterior.

storage-ring synchrotron   sincrotrón con anillo de almacenamiento.

storage room   almacén, depósito; despensa; cámara frigorífica. SIN. **storeroom**.

storage scope   v. **storage oscilloscope**.

storage space   espacio de almacenamiento ‖ *(Refrig)* capacidad útil. SIN. **storage capacity**.

storage space heater   estufa de acumulación. Aparato de calefacción eléctrico que comprende una masa acumuladora de calor que, llevada en un período de horas a una temperatura conveniente, restituye según necesidades el calor acumulado (CEI/60 40–20–020). CF. **storage hotplate**.

storage system   sistema almacenador [de almacenamiento].

storage tank   tanque almacenador [de almacenamiento]; depósito de almacenaje.

storage temperature   temperatura de almacenamiento. Temperatura máxima a que puede almacenarse un dispositivo (p.ej. un diodo, un transistor, un circuito integrado) sin que sus cualidades sean adversamente afectadas; generalmente es superior a la temperatura máxima tolerable en funcionamiento, pues en almacenaje no existen en el dispositivo esfuerzos eléctricos [electrical stresses]. CF. **storage range**.

storage test   *(Pilas)* ensayo de conservación. v. **shelf test**.

storage time   tiempo de almacenamiento ‖ *(Impulsos)* v. **decay time** ‖ *(Informática)* tiempo de almacenamiento [de acumulación]. CF. **storage cycle** ‖ *(Transistores)* tiempo de almacenamiento de portadores (de carga). CF. **storage effect** ‖ *(Tubos de memoria por carga)* tiempo máximo de retención. NOTA: Se aconseja abandonar los términos *decay time* y *storage time* para este concepto, usando en su lugar *maximum retention time* (véase).

storage transfer exit   *(Informática)* salida de transferencia de la unidad de almacenamiento. CF. **storage entry, storage exit**.

storage tube   *(Elecn)* tubo (del tipo) acumulador, tubo de acumulación [de almacenamiento], tubo de memoria (por carga). (1) Tubo de rayos catódicos en cuyo funcionamiento interviene la acumulación de cargas electrostáticas, como p.ej. el *graficón* [graphecon]. (2) Tubo que sirve para el almacenamiento de información en forma de cargas electrostáticas, y en el cual la inscripción y la lectura se efectúan mediante un haz catódico explorador. SIN. **electrostatic storage tube, (electrostatic) memory tube** ‖ *(Tv)* v. **storage-type camera tube**.

storage-type camera tube   *(Tv)* tubo de cámara del tipo almacenador [de almacenamiento]; iconoscopio. V.TB. **storage camera tube**.

storage unit   *(Informática)* unidad de almacenamiento, dispositivo acumulador, memoria. SIN. **memory unit, storage device**.

storage-unit assembly   conjunto de la unidad de almacenamiento.

storage-unit cover   tapa de la unidad de almacenamiento.

storage-unit setup ratchet.   trinquete de preparación de la unidad de almacenamiento.

storage vidicon   *(Tv)* vidicón.

storage water heater   calentador de agua de acumulación. CF. **storage space heater**.

store   tienda, almacén, establecimiento (comercial); provisión, repuesto; material(es), provisiones, aprovisionamiento ‖ almacén, depósito. Local destinado a guardar diversas cosas ‖ *(Informática)* almacenador, memoria. SIN. **storage, memory** ∭ *verbo:* almacenar; aprovisionar; abastecer; acopiar; tener guardado [en reserva] ‖ *(Elecn)* acumular, retener (una carga electrostática) ‖ *(Informática)* almacenar; memorizar, poner en (la) memoria. (1) Transferir elementos de información a un dispositivo almacenador [storage device] que permita obtenerlos ulteriormente. (2) Retener información (datos, dígitos, factores, instrucciones, tablas) en una unidad de almacenamiento [storage unit] o dispositivo almacenador, en forma que pueda ser extraída posteriormen-

te ‖ *(Telecom)* registrar.

store address-register feature   *(Informática)* dispositivo de almacenamiento de registro de direcciones.

store-and-forward message switch   *(Teleg)* conmutador (electrónico) de almacenamiento y retransmisión. CF. **STRAD**.

store-and-forward message switching center   *(Teleg)* centro de escala por almacenamiento y reexpedición de mensajes.

store-and-forward message switching system   *(Teleg)* sistema de escala (de tráfico) por almacenamiento y reexpedición.

store-and-forward switching   *(Teleg)* conmutación con escala. SIN. **message switching**. CF. **circuit switching**.

store-and-forward traffic   *(Teleg)* tráfico de escala por almacenamiento y reexpedición. CF. **torn-tape relay**.

stored addition   *(Informática)* suma almacenada.

stored base charge   *(Transistores de unión aleada)* carga almacenada en la base, acumulación de carga en la base. Fenómeno por el cual se acumulan portadores de carga minoritarios en la región de la base cuando el transistor funciona en condiciones de saturación.

stored control   *(Ferroc)* mandos acumulados. Mandos predeterminados [presetting control] que actúan sobre varios aparatos cuyos movimientos se ejecutan sucesivamente (CEI/59 31–10–120).

stored energy   energía acumulada [almacenada].

stored-energy braking   *(Aplicaciones electromec)* frenado por acumulación. Sistema de frenado aplicable a toda clase de aparatos capaces de desarrollar energía cinética [kinetic energy] y que consiste en acumular esta energía bajo una forma latente cualquiera (peso elevado, agua elevada, aire comprimido, resortes, acumuladores eléctricos, etc.) (CEI/38 35–05–075). CF. **regenerative braking**.

stored-energy spot welding   soldadura por puntos por energía acumulada.

stored-energy welding   soldadura por energía acumulada ‖ soldadura por acumulación de energía. Soldadura por resistencia [resistance welding] en la cual la energía de caldeo es almacenada en una inductancia, en un condensador, en un acumulador eléctrico o en un volante [flywheel] durante un tiempo relativamente largo en relación con el tiempo de soldadura [welding time] (CEI/60 40–15–205).

stored logic   *(Comput)* lógica almacenada.

stored program   *(Informática)* programa almacenado [registrado].

stored-program coding   codificació de programa almacenado.

stored-program computer   computadora de programa almacenado, calculadora con programa acumulado. CF. **plugged-program computer**.

stored-program electronic switching system   *(Teleg)* sistema de conmutación electrónica de programa almacenado.

stored-program processor   *(Informática)* elaboradora de programa almacenado.

stored reference signal   señal de referencia almacenada.

stored setting   mando predeterminado [preestablecido].

stores   suministros, aprovisionamientos, provisiones, materiales, repuestos, abastecimientos, víveres, efectos; pertrechos, equipos; materias primas; municiones. CF. **store**.

storm   tormenta, tempestad; temporal; borrasca; turbonada; viento huracanado; vendaval; asalto, ataque; lluvia (de proyectiles).

storm area   zona tormentosa; formación borrascosa.

storm-avoidance radar   radar avisador de tormentas. Radar que a bordo de un avión permite descubrir una tormenta a tiempo para contornearla o evadirla, en vez de atravesarla.

storm cloud   nube de tormenta.

storm cone   *(Meteor)* cono de la tempestad.

storm core   centro de la tormenta.

storm detection   detección de tormentas.

storm eye   ojo de la tormenta.

storm-guyed   *adj: (Estr)* contraventeado.

storm-guyed pole   *(Telecom)* poste de retención; apoyo consolidado.

storm loading   *(Líneas de postes)* carga mecánica total.

storm signal   señal de tormenta.

storm warning   aviso de tempestad [de temporal].

storm-warning radar   radar avisador de tormentas.

storm-wind   v. stormwind.

Störmer method   *(Mat)* método de Störmer. Método para la solución numérica de ecuaciones diferenciales ordinarias de segundo grado.

stormwind   viento tempestuoso.

stormy   *adj:* tempestuoso, borrascoso.

stormy weather   tiempo tempestuoso.

stove   estufa; hornillo; brasero; cocina (de gas, eléctrica); horno; cuarto de secar; invernadero, invernáculo, estufa /// *verbo:* estufar, secar (en la estufa); criar (plantas) en la estufa.

stovepipe   tubo de estufa.

stovepipe antenna   antena tubo de estufa. Antena de dipolo vertical (no direccional) cuyo diámetro es aproximadamente igual al de un tubo de estufa.

stow   *verbo:* colocar; estibar, arrumar; abarrotar, hacinar, aprensar, meter, alojar; almacenar; esconder, ocultar.

stowage   colocación; estiba, arrumaje; gastos de estiba; almacenaje.

stowing   *(Ant para seguimiento de satélites)* bloqueo, inmovilización.

STRAD   *(Teleg)* Siglas de signal *t*ransmission, *r*eception *a*nd *d*istribution. Se usa para designar un sistema de retransmisión telegráfica (desarrollado por la Standard Telephones and Cables, Limited), consistente en un conmutador electrónico capaz de recibir, almacenar y retransmitir información telegráfica expresada en cualquier código bivalente [two-condition code] cuyos elementos sean de igual duración. cf. **store-and-forward switching.**

STRAD system   *(Teleg)* sistema STRAD.

STRAD telegraph retransmission system   sistema de retransmisión telegráfica STRAD.

strafe   *(Avia de guerra)* ametrallar desde el aire.

strafing   ametrallamiento desde el aire.

straggling   *(Fís)* dispersión (estadística), variación aleatoria [casual], fluctuación. Variación de naturaleza aleatoria que experimenta una propiedad determinada de las partículas al atravesar la materia. Diferencia entre los alcances extrapolado y medio de una partícula ionizante [ionizing particle]. cf. **angle straggling.**

straggling effect   efecto de dispersión (estadística).

straggling parameter   parámetro de dispersión (estadística).

straight   *adj:* derecho, recto; en línea recta; erguido; en orden; sencillo; puro, sin mezcla.

straight amplifier   amplificador directo.

straight-and-level flight   *(Avia)* vuelo horizontal en línea recta.

straight angle   *(Geom)* ángulo llano. Angulo de 180°; ángulo formado por dos semirrectas opuestas. cf. **right angle.**

straight axis   eje rectilíneo, eje recto.

straight-axis trumpet   *(Acús)* trompeta de eje rectilíneo. Se dice en oposición a las trompetas curvas, plegadas o reentrantes.

straight banks   *(Telecom)* bancos de contactos alineados. Bancos de contactos agrupados en múltiple de tal manera que los contactos de igual rango de diferentes bancos están unidos a un mismo enlace (CEI/70 55–110–190). cf. **slipped banks.**

straight-blade fan   ventilador de aletas [palas] rectas.

straight-cast coil   bobina de alambre cuyas vueltas salen rectas al ser desarrolladas.

straight connector   *(Cables)* conector recto.

straight dipole   *(Ant)* dipolo recto. Dipolo formado por un conductor recto, y por lo común alimentado por el centro.

straight-edge   v. straightedge.

straight exponential horn   *(Acús)* bocina exponencial recta.

straight-field permanent magnet   imán (permanente) de campo rectilíneo.

straight filament   *(Lámparas)* filamento recto. Filamento no espiralado rectilíneo o constituido por partes rectilíneas (CEI/58

45–45–010).

straight-filament tube   *(Elecn)* tubo de filamento recto.

straight-filament valve *(GB)*   *(Elecn)* válvula [tubo] de filamento recto.

straight flight   *(Avia)* vuelo en línea recta; vuelo sin escalas || **(of stairs)** tramo recto (de escaleras).

straight-forward   v. straightforward.

straight frequency   frecuencia directa.

straight grain   *(Maderas)* vena [veta] recta; fibra derecha.

straight-grain wood   madera de vena recta.

straight horn   *(Acús)* bocina recta.

straight-in approach   *(Avia)* aproximación directa. sin. **direct approach.**

straight insulator pin   *(Líneas telef/teleg)* soporte vertical (de aislador). sin. **straight spindle.**

straight level flight   *(Avia)* vuelo horizontal en línea recta.

straight line   recta, línea recta.

straight-line   *adj:* rectilíneo; en línea recta | lineal, de ley [variación] lineal. sin. **linear** | directo.

straight-line accelerator   *(Nucl)* acelerador lineal. sin. **linear accelerator**

straight-line capacitance [SLC]   capacidad [capacitancia] de variación lineal. En los condensadores variables, capacidad o capacitancia que varía en proporción directa con la rotación del eje de mando, resultado que se obtiene dándole la forma conveniente a las placas móviles [rotor plates]. cf. **straight-line frequency, straight-line wavelength.**

straight-line-capacitance capacitor   condensador de variación lineal de capacidad.

straight-line coding   *(Comput)* codificación directa. Codificación sin iteración de instrucciones [loop] o subrutinas cerradas [closed subroutines], en la que se repiten segmentos según se necesiten.

straight-line control   control de accionamiento rectilíneo [en línea recta]. Dícese a distinción de los controles o mandos rotativos || *(Automática)* regulación rectilínea. Acción reguladora sin oscilaciones alrededor del punto de control || v. **linear control.**

straight-line detection   detección lineal. v. **linear detection.**

straight-line detector   detector lineal [de ley lineal]. sin. **linear detector.**

straight-line diagram   *(Radiocom)* diagrama de perfil altimétrico con radio terrestre aumentado. Diagrama de perfil altimétrico en el que se ha tomado el radio terrestre como igual a 4/3 del verdadero, con el objeto de que los rayos de propagación radioeléctrica aparezcan como líneas rectas. cf. **fictitious earth.**

straight-line form   forma rectilínea.

straight-line frequency [SLF]   frecuencia de variación lineal. Característica de un condensador variable obtenida cuando la forma de las placas móviles [rotor plates] es tal, que la frecuencia de resonancia del circuito resonante de que forme parte el condensador varía directamente en proporción al ángulo de rotación del eje de mando del condensador. cf. **straight-line capacitance, straight-line wavelength.**

straight-line-frequency condenser   condensador de variación lineal de frecuencia.

straight-line-frequency shape   forma de variación lineal de frecuencia, forma de frecuencia en línea recta. Forma de las placas móviles de los condensadores variables que produce una variación lineal de la frecuencia de resonancia en función de la rotación del eje de mando; es decir, que la variación de frecuencia está gráficamente representada por una recta.

straight-line motion   movimiento rectilíneo [en línea recta].

straight-line path   trayectoria rectilínea, camino en línea recta. En un radioenlace por microondas, eje de la familia de trayectorias de propagación entre dos antenas que pasan por las zonas de Fresnel [Fresnel zones].

straight-line radiator   *(Electroacús)* radiador lineal [rectilíneo]. v. **line radiator.**

straight-line rate   *(Elec)* tarifa constante. Tarifa que no varía en función del consumo; es decir, tarifa sin bonificación por cantidad.

straight-line sound source   fuente sonora rectilínea [lineal]. CF. line radiator.

straight-line splice   *(Elec)* empalme derecho.

straight-line support   *(Líneas aéreas)* apoyo de alineación. Apoyo situado sobre una parte recta del trazado de una línea (CEI/65 25–25–110).

straight-line wavelength [SLW]   longitud de onda de variación lineal. Característica de un condensador variable cuando, por la forma especial de sus placas móviles, la longitud de onda varía linealmente en función de la rotación del eje de mando en el circuito resonante de que forme parte el condensador. CF. straight-line capacitance, straight-line frequency.

straight-line-wavelength capacitor   condensador de variación lineal de la longitud de onda.

straight multiple   *(Telecom)* multiplicación.

straight parametric amplifier   amplificador paramétrico con frecuencia de salida igual a la de entrada.

straight pin   pasador recto.

straight pinch   *(Fís)* constricción rectilínea.

straight polarity   *(Soldadura por arco)* polaridad directa.

straight pole brace   *(Telecom)* travesaño [tirante] recto.

straight rate   *(Elec)* v. straight-line rate.

straight receiver   *(Radiocom)* receptor de amplificación directa, receptor de radiofrecuencia sintonizada, receptor sin frecuencia intermedia. SIN. tuned-radio-frequency receiver. v. straight reception.

straight reception   *(Radiocom)* recepción de amplificación directa [de radiofrecuencia sintonizada]. Recepción radioeléctrica en la cual la amplificación anterior a la detección se efectúa únicamente a las frecuencias radioeléctricas de la señal; el detector puede ir seguido de la amplificación final que suministra la señal de salida. SIN. tuned-RF reception (CEI/70 60–44–010).

straight scanning   exploración [barrido] por líneas contiguas. CF. interlaced scanning.

straight set   *(Radiocom)* v. straight receiver.

straight-sided cone   *(Altavoces)* cono de lados rectos, cono de perfil rectilíneo.

straight spindle   *(Líneas telef/teleg)* soporte vertical. SIN. insulator pin.

straight-through cable joint   v. straight-through joint.

straight-through connection   *(Cordones de interconexión)* conductor en línea recta con la clavija. CF. right-angle connection.

straight-through joint   *(Elec)* empalme. Unión destinada a asegurar la continuidad eléctrica entre dos cables (CEI/65 25–30–210).

straight tongue   *(Vías férreas)* aguja recta. Pieza de cambio completamente recta.

straight track   *(Vías férreas)* vía recta.

straight-tracking arm   *(Fonog)* brazo de trayectoria rectilínea [radial]. SIN. radial arm.

straight trumpet   *(Electroacús)* trompeta recta.

straight wiring   *(Telecom)* armado en plano.

straightaway measurement   *(Telecom)* medida directa (en transmisión). SIN. straightaway test.

straightaway test   *(Telecom)* medida directa (en transmisión).

straightedge   *(Dib)* regla. SIN. rule(r) || *(Artes y oficios)* regla, reglón, gálibo, escantillón; emparejador, aplanadera, raedor //// *verbo:* reglonear, nivelar con escantillón.

straighten   *verbo:* enderezar(se); rectificar; poner derecho; alisar; desencorvar; desalabear; desabollar (chapas); arreglar, ordenar, poner en orden.

straightening of wires   *(Telecom)* (*i.e.* removing of kinks) rectificación de conductores [de hilos].

straightforward   *adj:* recto, derecho; directo; normal; sin complicaciones innecesarias; que no presenta ninguna dificultad.

straightforward amplifier   amplificador directo.

straightforward junction   *(Telecom)* enlace rápido directo.

straightforward junction working   *(Telef)* método de llamada directa por líneas auxiliares; servicio con selección automática de la operadora de llegada; servicio con indicación audible inmediata de la prueba en escucha de la operadora de llegada | operación por línea auxiliar directa. Método de explotación de un grupo de líneas auxiliares [junctions] que conectan dos centrales, según el cual la línea auxiliar de entrada es automáticamente conectada en la central de entrada al circuito del teléfono de la operadora B [B-position operator's telephone circuit], de manera que los informes relativos al pedido de comunicación puedan ser transmitidos sin demora (CEI/70 55–105–055).

straightforward operation   *(Telef)* servicio con indicación audible inmediata de la prueba en escucha de la operadora de llegada.

straightforward trunking   *(Telef)* servicio con selección automática de la operadora de llegada | v. automatic-listening straightforward trunking.

straightforward trunking method   *(Telef)* método de llamada directa por líneas auxiliares.

straightness   derechura || *(Líneas, Piezas)* rectitud || *(Superficies)* planeidad.

strain   tensión, tirantez; esfuerzo fuerte; esfuerzo violento; tirón | to put a strain on the motor: hacer que el motor trabaje forzado || *(Cables)* tirón, tirantez || *(Mec)* deformación. Cambio de forma o de volumen de un cuerpo u objeto por la aplicación de una fuerza o un sistema de fuerzas. La deformación es producida por el *esfuerzo* (v. stress) | esfuerzo de deformación; fatiga || *(Ensayo de materiales)* resistencia a la tracción (p.ej. de un hilo o un alambre) || *(Mús)* aire, melodía; acorde, acentos /// *adj:* de amarre, de anclaje, de sujeción //// *verbo:* estirar; tesar, atesar, tensar, poner tirante; forzar, hacer fuerza (a), someter a esfuerzo; violentar, perjudicar por excesivo esfuerzo; apretar, comprimir; torcer, retorcer; fatigar; deformar(se); filtrar(se); colar; cribar; tamizar.

strain anisotropy   *(Mag)* anisotropía de deformación.

strain clamp   abrazadera de anclaje; grapa de tensión.

strain ear   oreja de anclaje; gancho de suspensión; orejete tensor.

strain gage, strain gauge   deformímetro, medidor de deformación [de deformaciones]; transductor de deformación; extensómetro, extensímetro. Elemento sensible o transductor que transforma una deformación mecánica (o una fuerza, una presión o una tensión) en una señal eléctrica para ser utilizada con fines de medida o de control en función del esfuerzo [stress]. Por lo común la señal eléctrica es acoplada a un circuito puente que excita un aparato registrador, sea directamente, sea por medio de un amplificador. SIN. extensometer. AFINES: indicador de fuerza, extensímetro de resistencia (eléctrica), extensómetro de hilo resistente, electroelongámetro, galga eléctrica de deformación, galga eléctrica para determinar tensiones (mecánicas). V.TB. transducer, electric strain gage, electromagnetic strain gage, resistance strain gage.

strain-gage bridge   puente deformimétrico; puente extensométrico. Puente eléctrico cuyas ramas están constituidas por transductores de deformación.

strain-gage instrumentation   instrumentación para deformaciones. Instrumentación utilizada en la medida de deformaciones, presiones, fuerzas, desplazamientos y flujos.

strain-gage mechanism   mecanismo del deformímetro [del medidor de deformación, del medidor de esfuerzo].

strain-gage multiplier   multiplicador de extensómetro. Multiplicador en el que uno de los multiplicandos (variables) modifica la deformación en un extensómetro, y el otro modifica la corriente que lo atraviesa; el producto es proporcional a la tensión en bornes del extensómetro.

strain-gage pressure pickup   piezocaptor [captador de presión] deformimétrico. SIN. strain-gage pressure transducer.

strain-gage pressure transducer   transductor deformimétrico de presión.

strain-gage sensing element   elemento sensible del medidor de deformación.

strain-gage transducer   transductor deformimétrico; transductor extensométrico [de extensímetro].

strain-gage transduction   transducción deformimétrica [de deformaciones]. Transformación de un mensurando en una señal eléctrica o una variación de resistencia eléctrica generada por deformación.

strain-gaging, strain gauging   medida de deformaciones; extensometría por galga de deformación; calibración por deformación.

strain-gaging characteristics   características deformimétricas; características extensométricas.

strain hardening   *(Met)* endurecimiento por deformación.

strain indicator   indicador de deformación.

strain insulator   aislador tensor [de tensión]; aislador de amarre [de anclaje]. Aislador (o conjunto de aisladores) que sirve para transmitir a un apoyo la tracción de un conductor, y al propio tiempo aislar éste de aquél. Se utiliza en las líneas aéreas y en la construcción de antenas. También puede servir para dividir un viento o retenida en segmentos eléctricamente aislados | aislador de suspensión.

strain meter   medidor de deformación, deformímetro.

strain pickup   captador de deformación.

strain pin   clavija [pasador] de tensión.

strain plate   placa de refuerzo || *(Líneas aéreas)* placa [chapa] guardaposte.

strain pole   poste de retención.

strain rate   grado de deformación; grado de solicitación; velocidad de deformación, rapidez de incremento de la deformación || *(Ensayos de materiales)* velocidad de carga.

strain relief   protección contra los tirones. Anclaje de un cordón de conexión o un cable de modo que las conexiones eléctricas no sean sometidas a tensión mecánica.

strain-relief clasp   abrazadera de anclaje. Abrazadera o argolla que aprisiona un conductor para evitar que al sufrir el conductor un tirón, se rompa o deforme el terminal al que el mismo va conectado o se suelte la conexión; si el conductor recibe un tirón, la abrazadera impide que la tensión se transmita más allá del punto de anclaje.

strain tensor   tensor de deformación.

strain tower   torre de retención; torre de anclaje.

strain wire   hilo para extensímetros; hilo de transducción deformimétrica.

strained orbit   órbita deformada. Orbita electrónica deformada en un átomo de un dieléctrico bajo la influencia de un campo eléctrico.

strainer   filtro (de malla), colador, coladera, cedazo; criba, zaranda; tamizador || *(Bombas)* chupador, chupón, alcachofa (de aspiración), cesta de aspiración || *(Tuberías de vapor, Sist compresores)* purgador (de agua, de aceite). CF. **steam trap** || *(Mec)* tensor.

strand   fibra, filamento, hebra; tensor; cable para vientos; cabo || *(Cables)* hilo, hebra, alambre; torón, trenza, cordón, cordel. LOCALISMO: torzal || *(Conductores multifilares)* hilo, alambre; trenza. Hilo o grupo de hilos que forman un conductor multifilar || *(Líneas eléc)* conductor trenzado. Conjunto de varios hilos enrollados en hélice, normalmente sin aislación entre ellos (CEI/65 25–20–045) || *(Cuerdas)* cordón, cordel, ramal || *(Correas)* cordón, ramal; tramo //// *verbo:* trenzar; cablear || *(Náutica)* encallar, embarrancarse, varar(se); zabordar.

stranded   *(Cables)* trenzado || *(Náutica)* encallado, embarrancado, varado.

stranded aerial wire   hilo de antena de conductores retorcidos, conductor de antena de hilos retorcidos.

stranded conductor   *(Elec)* conductor trenzado; conductor cableado; conductor de hilos retorcidos. Conductor formado por múltiples hilos trenzados o retorcidos. SIN. **stranded wire** || *(Líneas eléc)* conductor cableado, cable. Conductor constituido por uno o varios conductores trenzados [strands] enrollados en hélice y sin aislación entre ellos (CEI/65 25–20–050).

stranded-conductor cable   cable de conductores trenzados; cable formado por conductores cableados.

stranded-conductor wire   V. **stranded conductor, stranded wire**.

stranded copper   cable de cobre; conductor trenzado de cobre.

stranded wire   hilo múltiple, hilo cableado; cable trenzado; conductor de hilos retorcidos. Conductor eléctrico compuesto de un grupo de hilos o de múltiples grupos de hilos, por lo común retorcidos o trenzados entre sí. SIN. **stranded conductor** | (not necessarily for electrical purposes) alambre de hilos retorcidos.

stranding   cableado; trenzado; trefilado || *(Náutica)* encalladura, varada, varadura.

stranding machine   cableadora, máquina para cablear [para hacer cables]; (máquina) torcedora, máquina para torcer; máquina de trenzar; máquina para hacer torones. SIN. **laying-up machine, twisting machine**.

strandvise   sujetacable para estirar. CF. **cable grip, prelash method**.

strange   *adj:* extraño || *(Geol/Miner)* alóctono, alotígeno.

strange particle   partícula extraña. Partícula elemental de una clase respecto a la cual no han podido explicarse cabalmente (a la luz de las teorías actuales) las particularidades de producción y comportamiento. Pertenecen a esta clase el hiperón y el mesón. V.TB. **strangeness**.

strangeness   extrañeza, rareza || *(Fís)* extrañeza. Número cuántico introducido en los estudios teóricos para justificar las particularidades de producción y comportamiento de las *partículas extrañas* [strange particles]. SIN. **strangeness number**.

strangeness number   *(Fís)* (número de) extrañeza. V. **strangeness**.

strap   banda, faja, tira; fleje; abrazadera; correa || *(Elec)* cortocircuito; lámina (de contacto) | **copper strap for ground system:** cinta de cobre para sistema de tierra | *(i.e.* connecting strap) barra de unión || *(Telef)* tira || *(Magnetrones)* conductor de (a)pareado [de acoplamiento], tira de acoplamiento. Uno de los varios conductores (tiras, anillos) que unen por parejas los segmentos anódicos del tubo. V.TB. **strapping**.

strap board   *(Elecn/Telecom)* tablero de (inter)conexiones.

strap connection   *(Elecn/Telecom)* puente de conexión.

strap freak   *(Magnetrones)* V. **strapping freak**.

strap key   *(Elec)* lámina (de contacto); llave de lengüeta.

strap pad   *(Elecn/Telecom)* atenuador ajustable por conmutación de conexiones, atenuador ajustable mediante puentes de conexión semifijos [mediante conexiones en puente]. SIN. **strap-type (attenuator) pad, strappable pad**.

strap-type attenuator pad   V. **strap pad**.

strap-type pad   V. **strap pad**.

strappable pad   V. **strap pad**.

strapped magnetron   magnetrón (a)pareado [de segmentos acoplados]. V. **strapping**.

strapped-vane magnetron   magnetrón de aletas acopladas.

strapping   zunchado, zunchamiento, enflejamiento (p.ej. de cajas o bultos); zuncho, banda (p.ej. de acero) para zunchamiento. SIN. **steel strapping** | pulido con cinta abrasiva || *(Constr)* conjunto de listones clavados en paramentos interiores (para recibir el enlucido) || *(Elec/Telecom)* (conexión en) puente, conexión volante; conexiones de puente, conexionado de puentes. Conexión o conexionado mediante puentes; es decir, trozos cortos de alambre que pueden modificarse en número o disposición para efectuar cambios de circuito. CF. **strap pad** | cableado con hilos desnudos || *(Magnetrones de cavidades)* (a)pareado, apareamiento, acoplamiento. (1) Conexión o acoplamiento entre las cavidades mediante conductores que conectan entre sí los polos de igual paridad. (2) Conexión eléctrica entre las cavidades que en un instante determinado están a un mismo potencial. (3) Unión por pares de los segmentos anódicos del tubo, para que queden suprimidos los modos de oscilación indeseados | apareado. Acoplamiento suplementario entre las cavidades, obtenido mediante conductores que unen entre sí los polos de igual paridad. NOTA: Si se conectan por una parte todos los polos de orden par [even poles] y por la otra todos los de orden impar [odd poles], por medio de dos conductores independientes, se obtiene el *doble apareamiento* [double-ring strapping] (CEI/56 07–29–045). CF. **multiple-cavity magnetron, strap.**

strapping arrangement   conexionado de puentes; combinación de conexiones de puente. En ciertos aparatos existe un banco de bornes o terminales entre los cuales pueden establecerse conexiones diversas, para combinar circuitos o elementos en distintas formas; viene a ser un sistema de conmutación semifija. CF. **strap pad** ‖ *(Magnetrones de cavidades)* v. **strapping.**

strapping freak   *(Magnetrones de cavidades)* anomalía de apareamiento; discontinuidad [interrupción] de apareado.

strategic   *adj:* estratégico.

strategic air command   mando aéreo estratégico.

strategic air force   fuerza aérea estratégica.

strategic game   v. **strategy game.**

strategic missile   proyectil estratégico.

strategic reconnaissance   reconocimiento estratégico.

strategy   estrategia. Regla que determina el comportamiento de un jugador o decisor ante una situación de juego o de decisión.

strategy game   (a.c. strategic game) juego de estrategia. Modelo matemático que esquematiza una situación en la que varios jugadores han de tomar decisiones, teniendo objetivos total o parcialmente contrapuestos.

stratification   estratificación.

stratified   *adj:* estratificado; en capas; en láminas.

stratified atmosphere   atmósfera estratificada.

stratified discharge   *(Elec)* descarga estratificada [en láminas].

stratified flow   *(Mec de los fluidos)* flujo estratificado.

stratified sampling   *(Estadística)* muestreo estratificado.

stratiform   *adj:* estratiforme; en estratos.

stratify   *verbo:* estratificar(se).

stratigraph   *(Radiol)* estratógrafo, planígrafo, tomógrafo, dispositivo para tomar radiografías por secciones. v. **laminagraph.**

stratigrapher   estratigrafista.

stratigraphic   *adj:* estratigráfico.

stratigraphy   estratigrafía ‖ *(Radiol)* estratografía, tomografía, radiografía por secciones. Técnica de roentgenografía [roentgenography] consistente en tomar radiogramas [roentegenograms] de capas delgadas [thin layers] del objeto. SIN. **body-section roentgenography, tomography.** V.TB. **laminagraph** (CEI/64 65–05–055).

stratocumulus   *(Meteor)* estratocúmulo, cumuloestrato.

stratocumulus castellatus   *(Meteor)* estratocúmulo encastillado.

stratoliner   estratoavión, avión estratosférico de línea.

stratopause   estratopausa. (1) Límite entre la estratósfera y la ionósfera. (2) Superficie esférica ideal que marca el límite entre la estratósfera y la mesosfera [mesosphere]. CF. **mesopause.**

stratoscope   estratoscopio. Telescopio astronómico transportado por un globo y que se utiliza para tomar fotografías del Sol y transmitirlas por radio.

stratosphere   estratósfera. Estrato de la atmósfera que se encuentra entre las alturas aproximadas de 10 y 80 km, y en el cual la temperatura es esencialmente constante y no existe, prácticamente, convección ‖‖ *adj:* estratosférico.

stratosphere balloon   globo estratosférico.

stratosphere flying   v. **stratospheric flight.**

stratospheric   *adj:* estratosférico.

stratospheric dynamics   dinámica de la estratósfera.

stratospheric engine   motor estratosférico.

stratospheric flight   vuelo estratosférico.

stratospheric plane   avión estratosférico.

stratospheric television   televisión estratosférica. v. **stratovision.**

stratospheric warming   calentamiento estratosférico. CF. **geoalert.**

stratovision   estratovisión. Sistema propuesto para la transmisión

de televisión desde un avión volando en círculo a altura estratosférica, con el fin de cubrir con las señales una región geográfica extensa. El nombre viene de *strato*spheric tele*vision.*

stratum   estrato, estratificación, capa, manto, lecho, cama, camada, horizonte ‖ *(Meteor)* capa.

stratum of air   capa de aire.

stratus   *(Meteor)* estrato.

straw   paja.

stray   dispersión; fuga; difusión ‖‖ *adj:* descarriado, extraviado, perdido; vagabundo; parásito; disperso, difuso; dispersivo, difusivo.

stray capacitance   *(Elec/Elecn)* capacitancia [capacidad] parásita [dispersa, distribuida, repartida], capacitancia [capacidad] de las conexiones. Capacitancia o capacidad (indeseable casi siempre) existente entre los conductores y elementos de un circuito, o entre los mismos y el chasis del aparato. SIN. **stray capacity, distributed capacitance [capacity], wiring capacitance [capacity].**

stray capacity   v. **stray capacitance.**

stray capacity of wiring   capacitancia [capacidad] de las conexiones, capacidad repartida del cableado, capacidad distribuida de los hilos. v. **stray capacitance.**

stray coupling   acoplamiento [acoplo] parásito.

stray current   v. **stray currents.**

stray-current corrosion   corrosión (electrolítica) por corrientes vagabundas. v. **electrolytic corrosion.**

stray-current electrolysis   electrólisis por corrientes vagabundas.

stray currents   *(Elec)* corrientes vagabundas [parásitas, de fuga] ‖ corrientes vagabundas. (1) Corrientes que circulan por el suelo y que provienen de instalaciones eléctricas algunas de cuyas partes no están aisladas de tierra. (2) Corrientes que circulan fuera de los conductores que les corresponden en instalaciones que tienen una parte unida a tierra (CEI/38 05–20–075) ‖ *(Tracción eléc)* corrientes vagabundas. (1) Corrientes que derivan a la tierra en las inmediaciones de las vías de ferrocarril o de tranvías o de conductores de distribución y de alimentación que presentan defectos de aislación (CEI/38 30–05–090). (2) Partes de las corrientes de retorno [return currents] que, al menos sobre una parte de sus recorridos, siguen caminos (tierras, canalizaciones) ajenos al circuito de retorno [return circuit] (CEI/57 30–10–040). CF. **telluric current.**

stray effect   efecto parásito.

stray emission   *(Magnetrones)* emisión (electrónica) vagabunda. Emisión de electrones que no intervienen en la interacción con el campo eléctrico de RF del ánodo. SIN. **side emission.**

stray external noise field   campo de dispersión externa de ruido.

stray field   campo de dispersión (magnética), campo parásito, fuga de flujo (magnético). Flujo magnético que se dispersa, alejándose del inductor que le da origen, y que no tiene efecto útil. SIN. **stray inductance.**

stray flux   *(Electromag)* flujo de dispersión.

stray impedance   impedancia parásita.

stray inductance   inductancia parásita.

stray lead reactance   reactancia parásita de las conexiones.

stray light   luz difusa; luz parásita.

stray loss   v. **stray losses.**

stray losses   *(Elec)* pérdidas por dispersión ‖ pérdidas suplementarias. Exceso de las pérdidas reales totales sobre la suma de las pérdidas mensurables aisladamente (CEI/38 10–45–020).

stray magnetic field   campo de dispersión magnética, campo magnético parásito, fuga de flujo magnético. v. **stray field.**

stray neutron   neutrón disperso [vagabundo].

stray pickup   captación de componentes parásitas ‖ *(Radiogoniometría)* captación residual. Recepción de señales por intermedio de partes de un radiogoniómetro otras que la antena. SIN. **direct pickup [reception]** *(términos desaconsejados)* (CEI/70 60–71–305).

stray power   *(Elec)* potencia perdida en el generador.

stray radiation   *(Radiol)* radiación parásita [inútil]. SIN. **parasitic radiation** ‖ radiación dispersa. Radiación que no tiene ninguna utilidad. Comprende la *radiación de fuga* [leakage radiation] y la *radiación difusa* [scattered radiation] proveniente de objetos irradiados [irradiated objects] (CEI/64 65–10–165).

stray reactance   *(Elec)* reactancia parásita [de dispersión].

strays   fugas; efectos parásitos | capacidad [capacitancia] parásita. v. stray **capacitance** ‖ *(Radiocom)* parásitos, atmosféricos, interferencias de origen atmosférico. SIN. **statics, atmospherics.**

streak   raya, línea, lista, faja, veta; pizca, traza; estría; reguero ‖ *(Defecto en la fab de telas)* barra ‖ *(Defecto en la laminación de chapas)* soja ‖ *(Marina)* costura de tablas, hilada, traca ‖ *(Miner)* raspadura; banda (de mineral); filón, veta (de mineral); huella ‖ *(Maderas)* fibra.

streak of light   rayo de luz, rayo luminoso.

streaking   *(Tv)* imagen falsa [espuria]. Imagen falsa o espuria, normalmente de color inverso, que aparece hacia la derecha de la imagen real, y que se debe a mala respuesta de baja frecuencia en los circuitos de la cámara tomavistas | zigzags. Perturbación de la imagen caracterizada por la aparición de rayas en zigzag | arrastre. Defecto que, en el caso de un análisis línea por línea horizontal, se traduce sobre la imagen visible por una banda horizontal que prolonga el borde posterior de los objetos (CEI/70 60–64–460) | arrastre largo. Defecto que, en el caso de un análisis línea por línea horizontal, se traduce sobre la imagen visible por la aparición de bandas horizontales de gran longitud que aparecen unidas a los objetos fuertemente contrastados [strongly contrasted objects] (CEI/70 60–64–450) | arrastre corto. Defecto que, en el caso de un análisis línea por línea horizontal, se traduce sobre la imagen visible por la aparición de líneas horizontales que aparecen unidas a los bordes de los objetos fuertemente contrastados (CEI/64 60–64–455) | CF. **pulling, pulling on whites, ringing, multiple image, edge effect.**

stream   corriente, chorro, flujo; derrame; filete fluido; filete líquido; corriente (de agua), río, arroyo.

stream function   *(Hidr)* función de corriente.

stream of alpha particles   flujo de partículas alfa.

stream of electrons   flujo electrónico.

stream pollution   polución fluvial.

streamer   *(Elecn)* luminosidad ondulante. Efecto que se produce en un tubo de descarga gaseosa cuando la presión del gas es insuficiente para que la descarga ocurra normalmente.

streaming   *(Acús)* flujo (unidireccional), corrientes de flujo unidireccional. Fenómeno que se produce en un medio por la presencia en él de ondas acústicas ‖ *(Fís)* efecto de canalización. Fenómeno por el cual aumenta la transparencia de un medio a las radiaciones electromagnéticas o corpusculares cuando existen en el mismo zonas porosas o de poca atenuación | cavitación ‖ *(Nucl)* fuga.

streaming potential   *(Electrobiol)* potencial de gasto de líquido. Gradiente de potencial electrocinético [electrokinetic potential gradient] resultante de la velocidad unidad [unit velocity] de un líquido obligado a circular a través de una estructura porosa o de una interfaz [interface] (CEI/59 70–10–035) | potencial de circulación.

streamline   *(Fís)* línea de corriente, correntilínea, currentilínea; línea de flujo; filete líquido; filete de aire /// *verbo:* fuselar, dar forma aerodinámica | *(Sentido figurado)* modernizar.

streamline flow   flujo currentilíneo; corriente [movimiento] laminar; flujo aerodinámico.

streamline form   forma fuselada [currentilínea, aerodinámica].

streamline tie-rod   tirante fuselado [de sección currentilínea].

streamline wire   cable [tirante] fuselado.

streamlined   *adj:* fuselado, fusiforme (en forma de huso), aerodinámico, hidrodinámico, de forma aerodinámica [hidrodinámica], currentilíneo, perfilado | *(Sentido figurado)* moderno, de líneas modernas, de forma moderna, de estilo moderno, de líneas aerodinámicas.

streamlined body   cuerpo fuselado.

streamlining   fuselación, ahusamiento | *(Sentido figurado)* modernización.

street   calle. Vía pública para el tránsito general, que incluye todo el ancho entre las líneas frontales de propiedad en una zona urbana. CF. **road.**

street address   dirección, domicilio, dirección domiciliaria, calle y número.

street current   *(Elec)* corriente del sector [de la red pública].

street manhole   cámara [caja] bajo la calzada.

street organ   *(Mús)* organillo. SIN. **barrel organ.**

street pole   *(Tranvías)* poste de sujeción del cable.

street railway   tranvía; ferrocarril urbano.

street-railway rail   carril acanalado [de garganta].

streetcar   (coche de) tranvía. Vehículo automotor destinado principalmente al transporte de pasajeros, que circula sobre rieles o carriles por las calles de las zonas urbanas o suburbanas.

streetcar rail   carril acanalado [de garganta].

streetlighting   alumbrado público [viario, de calles].

streetlighting luminaire   luminaria de alumbrado público.

strength   fuerza, fortaleza, vigor; firmeza, solidez, resistencia; poder, pujanza, potencia; validez, fuerza legal; personal, efectivos ‖ *(Explosivos)* potencia ‖ *(Fís, Elec)* intensidad. SIN. **intensity.** v. **field strength, electric field strength, magnetic field strength** | potencia | v. **dielectric strength** ‖ *(Radio)* intensidad. v. **signal strength** ‖ *(Acús)* intensidad. Velocidad máxima de desplazamiento volumétrico producida por un foco o generador sonoro de onda sinusoidal en el tiempo. El término es propiamente aplicable únicamente en el caso de focos de dimensiones pequeñas en relación con la longitud de onda (idealmente un foco puntual). CF. **intensity, volume velocity** ‖ *(Materiales)* resistencia ‖ *(Meteor)* fuerza, intensidad (del viento) ‖ *(Miner)* riqueza (de un mineral, de un filón) ‖ *(Soluciones)* (grado de) concentración ‖ v.TB. strength of. . .

strength-duration curve   *(Electrobiol)* curva fuerza-duración, curva tiempo-intensidad. Gráfica de la curva de intensidad de los estímulos eléctricos aplicados [applied electrical stimuli], en función de la duración apenas necesaria para provocar reacciones en un tejido excitable [excitable tissue]. SIN. **time-intensity curve** (CEI/59 70–10–245).

strength function   función intensidad ‖ *(Nucl)* función densidad.

strength of a simple sound source   v. strength of a sound source.

strength of a simple source of sound   v. strength of a sound source.

strength of a sound source   intensidad de un foco sonoro [de una fuente sonora, de una fuente de sonido], intensidad de un generador sonoro (puntual), intensidad de una fuente sonora (omnidireccional). SIN. **strength of a simple sound source [of a simple source of sound].** v. strength *(Acús)*.

strength of a source   *(Acús, Nucl)* intensidad de una fuente.

strength of carrier   *(Radiocom)* intensidad de la portadora.

strength of control rods   *(Nucl)* potencia de las barras de control.

strength of materials   resistencia de materiales; cálculo de esfuerzos (en las estructuras).

strength of shell   *(Mag)* potencia de una hoja. Producto de la imanación [magnetization] por el espesor de la hoja (CEI/38 05–25–160, CEI/56 05–25–180). v. **magnetic shell.**

strength test   prueba de resistencia.

strength tester   aparato para pruebas de resistencia; dinamómetro.

strengthening   refuerzo; vigorización; consolidación; aumento [acrecimiento] de (la) resistencia; intensificación; aumento de concentración (de una solución); amplificación, ganancia (de amplitud).

stress   *(Gram)* acento (tónico), acento prosódico, énfasis ‖ *(Elec)* esfuerzo ‖ *(Mec)* esfuerzo, tensión, carga, solicitación; fuerza; fatiga; (coeficiente de) trabajo | esfuerzo. Fuerza que causa deformación o cambio de volumen en un cuerpo u objeto. CF. **strain** /// *verbo:* acentuar, dar énfasis; dar relieve; someter a esfuerzo [a tensión, a una carga], cargar, solicitar; fatigar.

stress analysis   *(Fís)* análisis de esfuerzos.

stress concentration   *(Mec)* concentración de (los) esfuerzos.

stress corrosion   *(Met)* corrosión con esfuerzo; corrosión intensa, corrosión química acelerada por fuertes concentraciones de esfuerzos; corrosión bajo carga estática.

stress diffusion   difusión de (los) esfuerzos.

stress gradient   gradiente de esfuerzos.

stress mark   *(Gram)* acento.

stress measuring instrument   medidor de esfuerzos.

stress meter   medidor [indicador] de esfuerzos.

stress pattern   configuración [espectro] de esfuerzos.

stress raiser   elevador de tensión [de fatiga]; concentrador de esfuerzos [de tensiones].

stress recorder   registrador de esfuerzos.

stress relaxation   relajación de esfuerzos [tensiones].

stress relief   alivio de esfuerzos, atenuación de tensiones, desfatigamiento; atenuación de esfuerzos residuales.

stress relieve   *verbo:* relajar esfuerzos (residuales), relajar tensiones (internas).

stress-relieved   *adj:* sin tensión; sometido a un procedimiento de relajación de esfuerzos [de tensiones internas].

stress-strain curve   curva tensión-deformación, curva de esfuerzos y deformaciones.

stress-strain diagram   diagrama de esfuerzos y deformaciones.

stress-strain properties   propiedades de esfuerzos y deformaciones.

stress-strain ratio   relación esfuerzo-deformación.

stress tensor   *(Mec)* tensor de esfuerzo.

stress trajectory   *(Mec)* trayectoria de tensión; trayectoria de los esfuerzos.

stress wave   onda de tensión [de solicitación].

stressed part   parte sometida a esfuerzo.

stressed skin   *(Aeron)* revestimiento resistente.

stressed-skin construction   *(Aeron)* construcción de revestimiento que trabaja [de fuselaje monocasco].

stretch   alargamiento, estiramiento, extensión; dilatación; esfuerzo, tirantez; alcance; trayecto, tramo, trecho, distancia, tirada; intervalo, lapso || *(Cine)* cámara lenta, movimiento retardado. Efecto que se consigue *acelerando* el mecanismo de la cámara en la filmación. SIN. **slow-motion effect** /// *verbo:* alargar(se), extender(se), estirar(se); dilatar(se); tesar, atesar, azocar; desplegar(se) || *(Tv)* (*i.e.* stall for time) "estirar" el tiempo.

stretch limit   límite de elasticidad.

stretch modulus   módulo de elasticidad [de Young].

stretched display   *(Radar)* presentación (osciloscópica) alargada.

stretched string   cuerda tensa; cuerda vibrante.

stria   estría || *(Geol)* estría || *(Defecto del vidrio)* cuerda(s) /// *adj:* estriado //// *verbo:* estriar.

striated   *adj:* estriado.

striated discharge   *(Elecn)* descarga estriada. En un tubo de descarga luminiscente [glow-discharge tube], descarga caracterizada por la presencia de bandas claras y obscuras alternadas en la columna positiva próxima al ánodo.

striation   estriación, estriadura, estría.

striation technique   *(Acús)* técnica (de visualización) por estriación, técnica (de visualización) de las estrías. Técnica de hacer visibles las ondas acústicas valiéndose de sus diferentes poderes de refracción de las ondas luminosas.

strickle   rasero; escantillón || *(Moldería)* terraja //// *verbo:* rasar, enrasar || *(Moldería)* aterrajar.

strict   *adj:* estricto, riguroso.

striction   estricción, constricción, efecto de pinza. Por ejemplo, constricción de una descarga eléctrica bajo el efecto de su propio campo magnético. SIN. **constricting, constriction, pinch effect, stricture.**

strictly   *adv:* estrictamente, rigurosamente.

strictly monotone function   *(Mat)* función estrictamente monótona.

stricture   estricción, constricción; contracción. SIN. **striction.**

strident   *adj:* estridente.

strike   golpe, percusión, impacto; huelga, paro (obrero) || *(Avia de guerra)* ataque, bombardeo; impacto (sobre el blanco) || *(Cerraduras)* hembra. v. **lock** || *(Galvanoplastia)* (*i.e.* strike bath) baño primario | (*i.e.* strike deposit) depósito primario || *(Metalización, Pintura)* capa primaria; capa fijadora (de otra), capa que da adherencia (a otra) || *(Geol, Miner)* arrumbamiento, rumbo, dirección. Dirección adoptada por una formación o un accidente geológico | encuentro (de un filón); intersección (de un filón inclinado) con un plano horizontal || *(Industria azucarera)* templa || *(Moldería)* terraja /// *verbo:* golpear, martillar, percutir, herir; tocar; chocar, dar contra (algo), tropezar (con algo); asestar (un golpe); batir, dar golpes; encender (un fósforo); imprimir; estampar; acuñar (moneda); encontrar, descubrir (petróleo, un filón); sonar, dar la hora (el reloj); parar, irse a la huelga, declararse en huelga, iniciar un paro (obrero) || *(Elec)* cebar, establecer, formar, encender (un arco); hacer saltar (una chispa) || *(Campanas)* herir, tañer, repicar || *(Moldería)* aterrajar || *(Tv)* (*i.e.* dismantle a stage setting) desmantelar (un decorado).

strike an arc   *verbo: (Soldadura)* establecer, formar un arco.

strike bath   *(Galvanoplastia)* (a.c. strike) baño primario. Solución empleada para depositar una película delgada inicial de metal (CEI/60 50–30–095). CF. **strike deposit.**

strike board   v. strike-off board.

strike deposit   *(Galvanoplastia)* (a.c. strike) depósito primario. Película inicial delgada de metal, que ha de ser seguida de otros depósitos (CEI/60 50–30–100). CF. **strike bath.**

strike note   *(Campanas)* nota de percusión. El tono fundamental producido por la campana al ser golpeada. SIN. **strike tone.**

strike-off board   (a.c. strike board) escantillón, aplanadera, emparejador, regla recta, reglón de enrasar. SIN. **straightedge, strickle.**

strike photograph   *(Avia de guerra)* fotografía tomada por el avión atacante.

strike plate   *(Mag)* plancha [armadura] de contacto.

strike tone   *(Campanas)* tono de percusión. Tono fundamental producto de la percusión. SIN. **strike note.**

striker   golpeador; mazo; martillo; percutor; huelguista || *(Armas de fuego)* percutor || *(Campanas)* badajo; percutor || *(Lámparas de arco)* aparato de encendido, dispositivo de cebado. SIN. **striking device.**

striking   golpeo, golpeteo, martilleo, percusión; choque; acción de herir, tocar, chocar, etc. v. **strike** || *(Elec/Elecn)* (of an arc, of a spark) cebado, encendido (de un arco, de una chispa). Proceso de establecimiento de un arco o de una chispa (CEI/56 07–13–075) | (of an arc, of a spark) cebadura (de un arco, de una chispa). Régimen variable durante el cual se establece el arco o la chispa (CEI/56 05–21–050) | (of an arc) inicio (de un arco poniendo los electrodos en contacto momentáneo) || *(Galvanoplastia)* iniciación de baño primario. Formación de un depósito primario [strike deposit] (CEI/60 50–30–105) | deposición de una capa metálica delgada inicial || *(Moldería)* aterrajado, moldeo con terraja; desmoldeo || *(Tv)* desmantelamiento (de un decorado).

striking current   *(Tubos de gas)* corriente de cebado [de arranque] | corriente de encendido [de iluminación]. Corriente que ha de circular por el electrodo de encendido [starting electrode] para provocar el cebado de la corriente principal para una tensión anódica determinada (CEI/56 07–40–195). CF. **striking potential.**

striking device   *(Tubos de gas, Lámparas de arco)* dispositivo de cebado, aparato de encendido. SIN. **striker.**

striking distance   *(Elec)* v. sparking distance.

striking electrode   *(Tubos de gas)* electrodo de encendido. SIN. starting electrode || *(Lámparas fluorescentes)* electrodo auxiliar.

striking of a spark   *(Elec/Elecn)* cebado [cebadura, encendido] de una chispa. v. striking.

striking of an arc   *(Elec/Elecn)* cebado [cebadura, encendido] de un arco. v. striking.

striking potential *(Elec/Elecn)* potencial de cebado [de encendido, de arranque]. (1) Potencial mínimo necesario para arrancar un arco eléctrico. (2) Potencial mínimo entre rejilla y cátodo de un tubo de gas para que comience la circulación de corriente anódica. SIN. **striking voltage** | potencial disruptivo [de ruptura]. SIN. **sparking potential [voltage]** | potencial de ionización. SIN. **ionization potential, firing potential [voltage]**.

striking unit v. **striking device**.

striking velocity velocidad de choque; velocidad en el punto de incidencia || *(Balística)* velocidad de impacto; velocidad en el punto de caída || *(Paracaídas)* velocidad de llegada al suelo, velocidad al tocar tierra.

striking voltage *(Elec/Elecn)* tensión de cebado [de encendido, de arranque]. SIN. **striking potential** | tensión de cebado. Tensión eléctrica mínima necesaria para producir la descarga entre los electrodos de una lámpara de descarga [discharge lamp] (CEI/58 45–35–065) | tensión disruptiva [de ruptura]. SIN. **sparking potential [voltage]** | tensión de ionización. SIN. **ionization potential, firing potential [voltage]**.

string cuerda, cordel, bramante, cabuya. LOCALISMO: mecate | filamento; hilo, hebra; tendón, fibra, nervio; hilera, retahíla, fila; ristra, cuelga; sarta (de perlas, de cuentas); cinta || *(Acús/Mús)* cuerda (vibrante) | **strings:** instrumentos de cuerda || *(Escalas)* montante || *(Escaleras)* zanca, gualdera, limón || *(Elec)* cadena [rosario] de aisladores || *(Líneas eléc)* catenaria || *(Defecto del vidrio)* cuerda(s) || *(Petr/Sondeos)* cadena, sarta, juego (de herramientas, de tubos acoplados) || *(Avia)* formación en hilera || *(Radiocom)* serie [cadena] de mensajes || *(Informática)* cadena, cordón, secuencia. Secuencia de símbolos; grupo de ítems ya ordenados según una regla especificada || *(Zool)* cuerda /// *verbo:* ensartar, enhilar; enhebrar; encordelar; atar con bramante o cordel; tender (un alambre); quitar(le) las fibras (a algo); ponerle cuerdas (a un instrumento); templar (un instrumento de cuerda); atesar, entesar, estirar; extender (en línea), colocar (en fila).

string band *(Mús)* orquesta de instrumentos de cuerda.

string chart *(Líneas aéreas)* diagrama flecha-temperatura.

string electrometer electrómetro de cuerda [de fibra]. Electrómetro en el cual la tensión que se ha de medir se aplica entre dos placas metálicas paralelas, y el elemento móvil consiste en una fibra conductora (p.ej. una fibra de cuarzo metalizada) estirada entre las placas. El campo electrostático creado entre las placas desplaza la fibra lateralmente en proporción a la diferencia de potencial (tensión) entre aquéllas. CF. **string galvanometer**.

string formation *(Avia)* formación en fila [en hilera].

string gage *(Acús/Mús)* cuerdámetro. Aparato que sirve para medir el diámetro de las cuerdas vibrantes.

string galvanometer galvanómetro de cuerda. Galvanómetro cuya parte móvil está constituida por un hilo que puede desplazarse entre las piezas polares [pole pieces] de un imán o de un electroimán (CEI/58 20–15–060) | galvanómetro de cuerda [de vibración]. Galvanómetro cuya parte móvil está constituida por un hilo que puede desplazarse entre las piezas polares de un imán o de un electroimán. EJEMPLO: galvanómetro de Einthoven [Einthoven galvanometer] (CEI/38 20–15–055). CF. **vibration galvanometer, string electrometer**.

string insulator *(Elec)* aislador de cadena [de rosario].

string orchestra *(Mús)* orquesta de instrumentos de cuerda.

string oscillograph oscilógrafo de cuerda.

string oscilloscope osciloscopio de cuerda.

string plate *(Pianos)* cuadro metálico, marco de suspensión (de las cuerdas). Pieza metálica de forma general parecida a la del arpa, que sirve para tender las cuerdas del piano.

string polygon *(Mec)* polígono funicular. Sistema de puntos que se imaginan enlazados por cordones flexibles pero inextensibles, y sometidos cada uno de ellos a la acción de una fuerza. Cada uno de dichos cordones se llama *lado* del polígono. SIN. **funicular polygon**.

string-shadow instrument instrumento (de medida) de sombra de conductor móvil. Instrumento de medida cuyo elemento móvil está constituido por un conductor en forma de hilo delgado dispuesto en el seno de un campo eléctrico o magnético función del mensurando, y cuyo índice es la sombra de ese conductor, observada o proyectada con la ayuda de un sistema óptico. CF. **string electrometer, string galvanometer**.

string telephone teléfono de cordel. Teléfono elemental de juguete, en el que las vibraciones de la voz son recogidas por un diafragma y transmitidas acústicamente (sin intervención de la electricidad) por un cordel tenso a otro diafragma semejante que hace de receptor.

stringer *(Constr/Estr)* larguero; miembro horizontal; viga (longa); tirante; riostra; refuerzo, rigidizador; zanca; carrera || *(Aviones)* larguerillo || *(Buques)* larguero, trancanil; traca de trancanil || *(Puentes)* larguero, viga longitudinal || *(Vías férreas)* carrera, durmiente [traviesa] longitudinal | longrina, soporte de riel. v. **railbearer** | longrina, vigueta longitudinal portarrieles || *(Miner)* venilla, venita, vetita, filón delgado || *(Nucl)* tapón de coraza [de blindaje]. Tapón largo que sirve para obturar un orificio en la coraza o blindaje de un reactor, y que se retira para introducir en el núcleo muestras y materiales experimentales | rosario, sarta. Conjunto de elementos unidos en hilera, y que se introduce en un canal de combustible de un reactor, con el fin de irradiarlo.

strip cinta, tira, banda, faja; franja; fleje, tira; lámina; regleta; listón || *(Elec)* v. **terminal strip** || *(Aeropuertos)* franja || *(Mat)* banda, cinta || *(Galvanoplastia)* baño de eliminación. Solución empleada para la disolución de un revestimiento metálico [removal of a metal coating] (CEI/60 50–30–125) || v. **strip of...** /// *verbo:* *(Conductores)* pelar, desforrar, quitar [retirar, raspar] el aislamiento. Desnudar o quitarle el aislamiento a un hilo o un cable || *(Roscas)* desgarrar, estropear | pasarse de rosca. Entrar un tornillo en su rosca con excesiva holgura, por desgaste de los filetes de aquél o de ésta.

strip attenuator *(Guías de ondas)* atenuador de lámina. Atenuador ajustable cuyo elemento disipativo tiene la forma de una lámina móvil.

strip chart gráfica [carta] de rollo, gráfica en banda de papel; banda de papel para registro gráfico.

strip-chart recorder (aparato) registrador de carta en rollo, registrador gráfico en banda de papel, registrador de banda (de papel).

strip-chart recorder system sistema registrador en banda de papel.

strip-chart recording registro en banda de papel.

strip-chart recording controller regulador registrador de carta en rollo.

strip fuse *(Elec)* fusible de cinta, tira fusible.

strip insulation *verbo:* *(Elec)* pelar, desforrar, desnudar (un conductor), quitarle [arrancarle, rasparle] el aislamiento (a un conductor). CF. **stripper**.

strip lighting *(Aeropuertos)* iluminación de franjas [de fajas].

strip lights *(Cine/Tv)* batería de luces en hilera.

strip-line *(Microondas)* v. **stripline**.

strip lister estampadora de direcciones en rollo. Máquina para imprimir etiquetas de direcciones en rollos continuos de papel.

strip map mapa [carta, plano] en forma de banda | mapa de faja. Mapa que representa una faja de terreno, p.ej. a lo largo de una ruta de radioenlaces por microondas || *(Avia)* mapa de una carretera; (mapa) itinerario.

strip material material en forma de cinta.

strip-mounted set *(Telecom)* montaje sobre platina. Grupo autónomo de aparatos montados sobre una o varias platinas [plates] dispuestas las unas sobre las otras, efectuándose todas las conexiones exteriores por intermedio de un conjunto de terminales [connection strip] que forma parte integrante del grupo (CEI/70 55–25–295).

strip of fuses *(Elec)* regleta [barra] de fusibles.

strip of keys   *(Telecom)* regleta [grupo] de botones.

strip of wood   listón.

strip penetrameter   v. **strip penetrometer**.

strip penetrometer   penetrómetro de tira [de placa, de plancha]. Penetrómetro consistente en una tira o placa de material semejante al de la muestra, de espesor aproximadamente igual al 2 % del de ésta, y provisto de una serie de agujeros de diámetros diferentes. SIN. **plate penetrometer**.

strip photography   aerofotografía de faja, fotografía aérea de una faja de terreno. CF. **strip map**.

strip recorder   v. **strip-chart recorder**.

strip resistor   *(Elec)* resistor (en forma) de cinta.

strip stock   material en tiras.

strip transmission line   *(Microondas)* línea de transmisión plana [de cinta, en forma de cinta], línea (de transmisión) de bandas paralelas. Línea de transmisión semejante a la *microcinta* [microstrip], pero con un segundo plano de tierra dispuesto longitudinalmente encima del conductor. SIN. **stripline** | guía de ondas de cintas. v. **microstrip**.

strip width   *(Tv)* v. **line width**.

stripe   raya, lista, banda, franja, faja; tira; estría ‖ *(Cine)* pista (sonora) ‖ *(Uniformes militares)* franja, galón.

striped film stock   *(Cine)* película [cinta] con pista (sonora).

striping   *(Cine)* pistas (sonoras) | v. **magnetic striping**.

stripline   *(Microondas)* línea plana, línea de cinta [de bandas paralelas]. v. **strip transmission line** | guía de ondas de cintas. v. **microstrip**.

stripline circuit   circuito de líneas planas [de cinta]. Circuito electrónico en el cual se utilizan líneas planas o de cinta en función de filtro y de otros elementos circuitales.

Striplite lamp   lámpara Striplite.

stripped atom   átomo despojado [desprovisto] de electrones.

stripped-down model   modelo simplificado, modelo (de un aparato) reducido a lo esencial [a sus elementos esenciales].

stripped ion   ion despojado [desprovisto] de electrones.

stripper   desprendedor; desbastadora; rasqueta, rascador, raspador, raedera ‖ *(Elec)* pelacables, pelahilos, desaislador, desforrador. Herramienta que sirve para quitarle el forro o aislamiento a los conductores. CF. **stripping pliers, stripping tongs** ‖ *(Mec)* separador; extractor ‖ *(Nucl)* sección de separación; sección de agotamiento [de extracción]. SIN. **stripping section** ‖ *(Moldería)* desmoldador ‖ *(Petr)* raspador (de tubería), limpiador (de vástago), enjugador; pozo casi agotado ‖ *(Galvanoplastia)* producto para disolver depósitos [revestimientos] metálicos | baño de eliminación. v. **strip**.

stripper blade   *(Teleimpr)* cuchilla separadora.

stripper plate   *(Prensas)* chapa extractora [eyectora] ‖ *(Teleimpr)* placa separadora.

stripper tank   *(Electroquím/Electromet)* cuba (electrolítica) para desprender revestimientos galvánicos; cuba de baño de eliminación. v. **strip** | tanque de despojamiento. Celda electrolítica [electrolytic cell] en la que el depósito catódico [cathode deposit] se efectúa sobre placas soporte con objeto de formar hojas de arranque (CEI/60 50–40–070). CF. **mother blank, starting sheet**.

stripping   desmontaje (de piezas); limpieza; rascado, remoción (de una capa de pintura); extracción, separación ‖ *(Elec)* desforrado, desaislación, acción de quitarle el forro a un conductor o un cable ‖ *(Electroquím/Electromet)* eliminación (de un revestimiento metálico); acción de quitar o disolver una capa de metal electrodepositado | *(i.e.* chemical stripping) eliminación química. Disolución de un revestimiento metálico por vía química (CEI/60 50–30–115) | *(i.e.* electrolytic stripping) eliminación electrolítica. Disolución anódica de un revestimiento metálico (CEI/60 50–30–120) | *(i.e.* mechanical stripping) eliminación mecánica. Eliminación de un revestimiento metálico [metal coating] por medios mecánicos (CEI/60 50–30–130) | CF. **strip** ‖ *(Quím)* reextracción | depuración, lavado. SIN. **scrubbing** ‖ *(Nucl)* separación | (of deuteron in flight) ruptura (del deuterón en vuelo) | arranca-

miento (en vuelo). Reacción en la que un nucleón es arrancado de un núcleo proyectil e inmediatamente captado por el núcleo blanco ‖ *(Petr)* despojo, separación; destilación primaria ‖ *(Excavaciones, Canteras, Minas)* desmonte, despejo, escarpado; desmonte (de la montera, del recubrimiento); arranque; explotación a cielo abierto; explotación por excavadoras; ataque por el muro ‖ *(Moldería)* desmolde(o), desencofrado.

stripping agent   agente [material] separador. En la fabricación de discos fonográficos, substancia con que se reviste una matriz de cobre cuando se va a hacer una copia de ella por electrólisis | v. **stripping compound**.

stripping cascade   *(Nucl)* cascada de separación ‖ *(Quím)* cascada de extracción.

stripping column   *(Nucl)* columna de agotamiento ‖ *(Quím)* columna de destilación.

stripping compound   *(Electroquím/Electromet)* compuesto de despojamiento. Material de revestimiento de una superficie catódica [cathode surface] que permite la separación en hojas del metal depositado (CEI/60 50–45–050) | v. **stripping agent**.

stripping film   película (fotográfica) separable, emulsión (fotográfica) desmontable; emulsión peliculable. Emulsión fotográfica fácilmente separable de su soporte de vidrio; emulsión dispuesta sobre una base plana de vidrio, con interposición de una capa de gelatina, y separable posteriormente en porciones convenientes con la ayuda de un bisturí.

stripping pliers   alicates pelacables [pelahilos], alicates para desforrar. Herramienta para quitarle el forro o aislamiento a los cables conductores. SIN. **stripper**.

stripping section   *(Nucl)* sección de separación; sección de extracción [de agotamiento, de empobrecimiento]. SIN. **stripper**.

stripping tongs   tenazas pelacables [pelahilos], tenazas para pelar alambre. SIN. **stripper** ‖ *(Met)* tenazas para deslingotar.

strobe   *(i.e.* stroboscope) estroboscopio | *(i.e.* strobe light) lámpara estroboscópica | *(i.e.* flashing strobe light beacon) baliza luminosa destellante ‖ *(Elecn)* destello [“flash”] electrónico. v. **electronic flash** | selección estroboscópica. Selección de una parte determinada del ciclo de un fenómeno periódico. SIN. **strobing** | *(i.e.* strobe device) dispositivo de selección estroboscópica ‖ *(Radar)* marca estroboscópica, trazo estroboscópico [de referencia]. v. **strobe marker** | línea [cuña] de interferencia. Línea o cuña producida en la pantalla por una señal perturbadora o interferente ‖‖ *verbo: (Elecn)* seleccionar (una señal en el tiempo). Seleccionar una parte determinada del ciclo de un fenómeno periódico (CEI/70 60–18–150) ‖ *(Radar)* hacer una selección estroboscópica. Seleccionar una parte determinada del período de un fenómeno periódico (CEI/70 60–72–605).

strobe circuit   *(Radar)* circuito marcador [de marca estroboscópica]; circuito de selección estroboscópica.

strobe disk   v. **stroboscopic disk**.

strobe light   (a.c. strobe) lámpara estroboscópica. Lámpara de destellos [flash lamp] que produce impulsos de luz breves y de elevada intensidad mediante descargas eléctricas en un gas. SIN. **electronic flash**. CF. **stroboscopic illumination, stroboscopic tube** | destellos estroboscópicos.

strobe marker   *(Radar)* (a.c. strobe) marca estroboscópica, trazo estroboscópico [de referencia], “estrobo”. Marca o traza luminosa de distancia que aparece en la pantalla bajo el mando de un impulso cuyo instante de producción es variable | marcador estroboscópico. Traza producida por un impulso estroboscópico [strobe pulse] en la pantalla de un indicador [display] (CEI/70 60–72–620). CF. **step-strobe marker, well-strobe marker**.

strobe marker signal   señal de marca estroboscópica.

strobe pulse   *(Elecn)* impulso de selección (de señal en el tiempo). Impulso de duración inferior al período de un fenómeno y utilizado para distinguir una parte del ciclo de ese fenómeno (CEI/70 60–18–155) ‖ *(Radar)* impulso estroboscópico. Impulso de duración inferior al período de un fenómeno y utilizado para distinguir una parte de ese período (CEI/70 60–72–600) | impulso selector | impulso de referencia. Impulso superpuesto sobre la traza correspondiente al eco en la pantalla del indicador, y que sirve de marca de referencia para la medida de la distancia al objetivo || *(Memorias de toros mag)* impulso de muestreo. Impulso que manda la salida de un amplificador de sentido [sense amplifier] a un gatillador de un registro. SIN. **sample pulse.**

strobe unit   *(Elecn)* dispositivo de selección estroboscópica || *(Radar)* unidad de distancia de impulsos.

strobing   *(Opt)* efecto estroboscópico. v. **stroboscopic effect** || *(Elecn, Radar)* selección estroboscópica. v. **strobe** | selección (de una señal en el tiempo). v. **strobe, gating** | marca estroboscópica, marcador estroboscópico. v. **strobe marker** || *(Teleimpr)* ajuste estroboscópico.

strobing circuit   v. strobe circuit.

strobing potentiometer   *(Radar)* potenciómetro de marcador estroboscópico.

strobing pulse   v. strobe pulse, gating pulse.

strobing-pulse generator   generador de impulsos selectores [de selección]; generador de impulsos estroboscópicos; generador de impulsos de referencia; generador de impulsos de muestreo.

strobodyne   estrobodino.

stroboflash   lámpara estroboscópica; destello estroboscópico. v. stroboscope.

stroboglow   estroboscopio de luz neón. Estroboscopio en el que la fuente de iluminación intermitente es un tubo neón.

Strobolume   lámpara Strobolume, destellador [fuente luminosa] Strobolume. Lámpara electrónica de destellos luminosos de gran intensidad, para observaciones estroboscópicas. Es marca registrada de General Radio Company (EE.UU.).

stroboradiography   estroborradiografía. Técnica mediante la cual se presentan imágenes estáticas del interior de las máquinas en movimiento, por efecto estroboscópico y con la ayuda de los rayos X.

stroboscope   (a.c. strobe) estroboscopio. Aparato que suministra iluminación intermitente, en forma de destellos breves e intensos que se repiten a ritmo regulable y conocido. Con el estroboscopio pueden observarse movimientos periódicos, como los de máquinas rotativas y los de objetos que giran, vibran o se mueven en vaivén. Iluminando el objeto con luz intermitente periódica, a una frecuencia de recurrencia de destellos casi igual a la velocidad de rotación (vueltas por unidad de tiempo) o de vibración (vibraciones completas por unidad de tiempo), aquél parece moverse lentamente. Cuando dicha frecuencia (número de destellos por unidad de tiempo) es igual a la velocidad de movimiento del objeto, éste aparece estacionario, y entonces, si se conoce la frecuencia de iluminación, queda determinada la velocidad del movimiento. El estroboscopio permite observar en movimiento aparente lento los fenómenos presentes en movimiento rápido. ETIM. Del griego *strobos* [giro, rotación]+*scopos* [observador] /// *adj:* estroboscópico.

stroboscope system   sistema estroboscópico.

stroboscopic   *adj:* estroboscópico.

stroboscopic calibrating   calibración estroboscópica, contraste estroboscópico | (of a meter) contraste estroboscópico (de un contador), verificación estroboscópica (de un contador). Modo de contraste (de un contador) basado en la observación estroboscópica [stroboscopic observation] del movimiento del elemento móvil (disco) [moving element (disk)]. SIN. **stroboscopic checking (of a meter)** (CEI/58 20–40–280).

stroboscopic checking   comprobación [verificación] estroboscópica | (of a meter). v. **stroboscopic calibrating (of a meter).**

stroboscopic direction finder   radiogoniómetro de indicación estroboscópica.

stroboscopic disk   (a.c. strobe disk) disco estroboscópico. Disco (de cartón, cartulina, plástico u otro material apropiado) en el que se han inscrito una serie de sectores blancos y negros, alternados, del mismo tamaño y en igual número, y que se destina a efectuar comprobaciones de velocidad de rotación mediante el efecto estroboscópico [stroboscopic effect]. Se usa p.ej. para verificar la exactitud de velocidad de los platos giradiscos [phonograph turntables], según la fórmula $v = 60 \ (f/n)$, donde v es la velocidad en vueltas por minuto, n el número de segmentos negros (o blancos), y f la frecuencia de destellos a la cual el disco aparece estacionario y los sectores se ven del tamaño real. Los discos estroboscópicos ideados en particular para investigar la velocidad de los platos giradiscos, tienen una serie de sectores como los descritos para cada una de las velocidades fonográficas (33⅓, 45, 78 v/m), calculados de manera que aparecen inmóviles cuando la velocidad de giro es exactamente la nominal y se usa para la iluminación una lámpara neón o fluorescente alimentada con CA de la frecuencia prevista (60 ó 50 Hz). SIN. **stroboscopic pattern wheel** | v. **stroboscopic meter disk.**

stroboscopic distortion meter   distorsionómetro estroboscópico.

stroboscopic effect   efecto estroboscópico. Modificación aparente del movimiento real de un objeto cuando ese movimiento es visto bajo una iluminación variable de período apropiado (CEI/58 45–25–115).

stroboscopic illumination   iluminación estroboscópica. CF. **strobe light.**

stroboscopic meter disk   *(Elec)* disco estroboscópico de un contador. Disco que lleva en su periferia marcas equidistantes que permiten la observación estroboscópica de su movimiento (CEI/58 20–35–200). CF. **stroboscopic disk.**

stroboscopic observation   observación estroboscópica.

stroboscopic pattern wheel   disco estroboscópico. v. **stroboscopic disk.**

stroboscopic photograph   fotografía estroboscópica.

stroboscopic tachometer   tacómetro estroboscópico. Estroboscopio utilizado para determinar velocidades de rotación en vueltas por minuto. v. **stroboscope.**

stroboscopic technique   técnica estroboscópica.

stroboscopic tube   *(Elecn)* tubo estroboscópico. Tubo de gas destinado a suministrar descargas luminosas breves y periódicas (CEI/56 07–40–060). CF. **strobe light.**

stroboscopic viewing   observación estroboscópica.

Strobotac   tacómetro estroboscópico Strobotac. NOTA: *Strobotac* es marca registrada. v. **stroboscopic tachometer.**

strobotron   estrobotrón, tubo estroboscópico. v. **stroboscopic tube.** NOTA: *Strobotron* fue originalmente marca registrada, derivada de *Strob*oscope thyra*tron.*

strobotron lamp   lámpara estrobotrón. Lámpara en la que se emplea un estrobotrón. SIN. **strobe light.**

strobotron tube   v. strobotron.

stroke   golpe, choque; golpe de mano || *(Medicina)* ataque || *(Embolos, Mot de émbolo)* carrera, recorrido, curso, embolada; tiempo; golpe || *(Gatos)* levantada || *(Billar)* tacada, jugada || *(Relojes)* campanada || *(Botes)* boga, remada, golpe de remo, palada (de remo); jefe de boga || *(Escritura)* plumada, trazo, rasgo, raya || *(Pintura)* pincelada, toque, trazo || *(Facsímile)* velocidad de exploración. Número de líneas de exploración por minuto. SIN. **drum speed** || *(Teleimpr, Máq de escribir)* pulsación (de una tecla) /// *verbo:* frotar suavemente || *(Albañilería)* ranurar la piedra con el cincel || *(Costura)* alisar un plegado.

stroke speed   *(Facsímile)* frecuencia de exploración. v. **scanning speed.**

strong   *adj:* fuerte; potente; intenso || *(Materiales)* resistente || *(Soluciones)* concentrado, fuerte.

strong axis   *(Vigas en flexión)* eje fuerte.

strong beta ray   *(Nucl)* actividad beta intensa.

strong breeze   *(Meteor)* brisote.

strong coupling   *(Fís)* acoplamiento fuerte. SIN. **tight coupling.**

strong electrolyte   *(Quím)* electrólito fuerte. Cuando se disuelven en agua ciertas substancias (p.ej. sal común), el soluto se compone en su mayor parte de iones libres (p.ej. Na^+ y Cl^- en el caso de la sal común). A esas substancias se les da el nombre de *electrólitos fuertes.* En cambio, las substancias que tienen en solución una fracción importante de moléculas neutras no disociadas, se denominan *electrólitos débiles* [weak electrolytes].

strong focusing   *(Sincrotrones)* enfoque intenso [fuerte].

strong-focusing synchrotron   sincrotrón de enfoque intenso.

strong gale   *(Meteor)* galernazo.

strong gamma rays   rayos gamma duros.

strong interaction   *(Fís)* interacción intensa [fuerte].

strong shock wave   onda de choque de gran potencia.

strong signal   señal fuerte [intensa].

strong-signal area   *(Radiocom)* zona de señales intensas. CF. fringe area.

strong wind   *(Meteor)* viento fuerte.

stronger-signal capture   *(Rec)* captura por la señal más fuerte. Lo que ocurre en un radiorreceptor de modulación por frecuencia con corrección automática de sintonía, cuando la más fuerte de dos señales muy próximas en frecuencia, se *apodera* de la sintonía, causando la supresión de la más débil.

strongly   *adv:* fuertemente; intensamente; pronunciadamente.

strongly contrasted object   *(Tv)* objeto fuertemente contrastado.

strongly contrasting colors   colores de contraste muy acentuado.

strontium   estroncio. Elemento químico metálico de número atómico 38. Encuentra una de sus aplicaciones en los cátodos de los fototubos, para obtener máxima sensibilidad a la radiación ultravioleta. Símbolo: Sr.

strontium carbonate   carbonato de estroncio. Se utiliza en el recubrimiento de ciertos cátodos electrónicos.

strontium-90   estroncio-90. Radioisótopo cuyo período de semi-desintegración (v. **half-life**) es de aproximadamente 25 años. SIN. radioestroncio —— radio strontium.

strontium-90 fallout   precipitación del estroncio-90.

strontium unit   *(Radiol)* unidad de estroncio. Unidad igual a un picocurie por gramo de calcio. Usase para expresar la proporción de estroncio-90 en un medio orgánico que contenga calcio, en función de su actividad en picocuries por gramo de calcio.

strop   asentador [suavizador] de navajas. Correa suave utilizada para suavizar el filo de una navaja después de afilada ǁ *(Marina)* estrobo. Cabo para suspender vergas, palos, etc. | gaza. SIN. **strap** /// *verbo:* asentar, suavizar (navajas).

strop insulator   *(Elec)* cordón aislante.

strophoid   *(Mat)* estrofoide. Lugar geométrico de los puntos P_1 y P_2 de una recta móvil que gira alrededor de un punto fijo de tal suerte que la distancia de P_1 y P_2 al punto de intersección de la recta móvil con el eje de abscisas es igual a la ordenada de dicho punto de intersección.

strophotron   *(Elecn)* estrofotrón. Tubo amplificador de microondas (inventado en Suecia) utilizado principalmente como oscilador.

Strowger automatic telephone system   sistema Strowger de conmutación telefónica automática. SIN. **Strowger system**.

Strowger selector   *(Telecom)* selector Strowger | selector de dos movimientos. Selector electromagnético que tiene dos movimientos, el primero vertical y el segundo horizontal. SIN. **two-motion selector** (CEI/70 55-95-075). CF. **step-by-step selector**.

Strowger switch   *(Telecom)* conmutador [selector] Strowger.

Strowger system   *(Telecom)* sistema Strowger, sistema paso a paso. v. **step-by-step system**.

struck atom   *(Nucl)* átomo bombardeado [percutido]. SIN. knocked-on atom.

struck nucleus   *(Nucl)* núcleo bombardeado [chocado].

struck particle   *(Nucl)* partícula bombardeada. SIN. **target particle**.

structural   *adj:* estructural; de construcción, para construcciones.

structural analysis   análisis estructural. AFINES: ingeniero de estructuras; análisis de cerchas, de edificios altos, de marcos (espaciales) rígidos; análisis directo de los elementos; análisis por el método de las partes, por el método de eliminación.

structural angle   angular de construcción.

structural change   modificación estructural.

structural engineer   ingeniero de estructuras.

structural failure   falla estructural.

structural fatigue   fatiga estructural.

structural form   *(Gram)* forma estructural.

structural grade   *(Materiales)* calidad [grado] estructural.

structural information content   contenido de información estructural. CF. **selective information content**.

structural instability   inestabilidad estructural.

structural integrity   integridad estructural.

structural lattice   *(Cristalog)* red estructural.

structural lumber   madera de construcción; madera para carpintería.

structural material   material estructural [de construcción].

structural member   miembro estructural.

structural metal   metal estructural [para construcciones].

structural particle (of nucleus)   partícula estructural (nuclear).

structural resolution   *(Cinescopios a colores)* resolución estructural. Resolución que tiene por límite el tamaño y forma de los elementos estructurales de la pantalla.

structural response   respuesta estructural.

structural return loss   *(Telecom)* atenuación de regularidad. Expresión en unidades de transmisión [transmission units] de la razón $|(W+Z)/(W-Z)|$ considerada en la definición del coeficiente de regularidad [regularity return-current coefficient]. SIN. **regularity attenuation** *(GB)*.

structural rivet   remache estructural.

structural sound   v. **structure-borne sound**.

structural stability   estabilidad estructural.

structural steel   acero estructural [de construcción, para construcciones].

structurally   *adv:* estructuralmente.

structurally dual networks   *(Elec)* (a.c. dual networks) redes (estructuralmente) duales, redes de configuración dual. Par de redes dispuestas de tal forma que a cada nudo de una cualquiera de ellas corresponde un conjunto de corte [cut-set] de la otra; se dice entonces de cualquiera de las redes que es *dual* de la otra.

structurally symmetrical network   *(Elec)* (a.c. symmetrical network) red (estructuralmente) simétrica, red de configuración simétrica. Red que puede disponerse de manera tal que al ser cortada transversalmente se obtienen dos partes especularmente simétricas.

structure   estructura; construcción, obra, instalación; armazón; constitución. AFINES: torre, mástil, edificio, edificación; organización, disposición, ordenación ǁ *(Geol)* estructura ǁ *(Análisis de oraciones)* estructura, construcción ǁ CF. **rate structure**.

structure-borne noise   ruido propagado por estructuras sólidas.

structure-borne sound   sonido propagado por estructuras sólidas.

structure-borne vibration   vibración propagada [transmitida] por la estructura.

structure-determined gain-bandwidth product   producto ganancia ancho de banda determinado por la estructura.

structure factor   *(Fís)* factor de estructura. Factor que depende del efecto de la estructura cristalina en la intensidad de la radiación difractada. SIN. **structure amplitude**.

structure of benzene   *(Quím)* estructura del benceno.

structure of nucleus   *(Nucl)* estructura del núcleo.

structure pattern   *(Gram)* modelo [modalidad] de construcción.

structure-soil potential   *(Elec)* potencial entre estructura y medio ambiente. Potencial medido entre una estructura enterrada y un electrodo impolarizable [nonpolarizable electrode] colocado en el suelo o en el agua, lo más cerca posible de la estructura; al indicar su valor debe indicarse también el tipo de electrodo utilizado en la medida.

strut   puntal, codal, jabalcón, asnilla, poste, apoyadero, contrete (de apoyo). LOCALISMO: machón | riostra, montante; tornapunta; mangueta; columna ǁ *(Minas/Túneles)* ademe, adema, estemple; vela, puntal grueso ǁ *(Elec/Telecom)* mástil; apoyo, poste | tornapunta, puntal. SIN. **push brace** | tornapunta. Viga que apuntala el poste y le permite resistir los esfuerzos horizontales (CEI/38 25–30–070) ∭ *verbo:* apuntalar, acodar, acodalar; tornapuntar ‖ *(Minas/Túneles)* ademar, apuntalar, entibar.

strut brace   puntal oblicuo; jabalcón.
strut bracing   arriostramiento por montantes.
strut thermometer   *(Meteor)* termómetro de poste.
strutted   *adj:* apuntalado, acodado; tornapuntado; entibado.
strutted pole   *(Telecom)* poste de retención; postes parejas.
strutted terminal pole   *(Telecom)* poste cabeza de línea.
strutting of a pole   apuntalamiento de un poste.
strutting of poles   acoplamiento de postes.
stub   punta, cabo, colilla; fragmento, resto; talón; saliente; extremo corto; puente; sonda ‖ *(Agric)* tocón, cepa ‖ *(Carp)* zoquete (pedazo de madera corto y grueso); espiga invisible ‖ *(Cerraduras)* guarda ‖ *(Cheques, Talonarios)* talón, matriz ‖ *(Minas)* pilar (de galería) ‖ *(Postes)* cepa, tope ‖ *(Elec)* colilla, resto (de electrodo) ‖ *(Telecom)* (*i.e.* stub cable) cable terminal ‖ *(Sist de RF)* adaptador, talón, tetón [tocón] adaptador; línea de adaptación de impedancias; línea auxiliar corta; sección de línea de acoplamiento. (**1**) Artificio destinado a adaptar la impedancia de una línea de transmisión, y que generalmente consiste en otra línea acoplada a la principal y cerrada por un cortocircuito de posición ajustable. (**2**) Tramo corto de línea resonante que se utiliza para fines de adaptación de impedancias. (**3**) Pequeño ensanchamiento de una línea resonante que tiene por objeto la adaptación de impedancias. (**4**) Camino de impedancia en cortocircuito o en circuito abierto entre los dos conductores de una línea de transmisión (o en una guía de ondas), generalmente de posición ajustable, que se utiliza para adaptar la impedancia de una línea a la de un transmisor o una antena. CF. **short-circuited stub, open-circuit stub** | brazo de reactancia. V. **nondissipative stub** | soporte de cuarto de onda. V. **stub-supported (transmission) line** ‖ *(Líneas aéreas)* V. **stub of a tower.**
stub aerial *(GB)*   V. **stub antenna.**
stub angle   *(Sist de RF)* codo rectangular (de cable coaxil) de conductor interior con soporte de cuarto de onda.
stub antenna   antena corta.
stub cable   *(Telecom)* (a.c. stub) cable terminal [de conexión]. (**1**) Trozo corto de cable que sale p.ej. de una caja de bobinas de carga y que sirve para hacer las conexiones al cable de transmisión sin tener que abrir dicha caja. (**2**) Ramal corto de un cable principal.
stub card   *(Informática)* tarjeta con talón.
stub end   *(Elec)* (a.c. stub) colilla, resto (de electrodo).
stub feeder   *(Elec)* alimentador de subestación.
stub guy   *(Líneas telef/teleg)* riostra anclada al lado opuesto del camino, viento anclado al otro lado de la carretera.
stub line   *(Sist de RF)* sección de línea (de acoplamiento); línea de adaptación de impedancias; línea auxiliar corta.
stub-matched antenna   (antena) dipolo Q, dipolo con tocón de λ/4 [cuarto de onda]. SIN. **Q antenna** (véase).
stub matching   *(Sist de RF)* adaptación (de impedancias) mediante talón [tetón, tocón]; adaptación mediante línea auxiliar corta; adaptación por brazo de reactancia.
stub of a tower   *(Líneas aéreas)* basamento de una torre. Elemento metálico, a menudo sellado en el hormigón de fundación, sobre el cual se fija el montante de una torre (CEI/65 25–25–190). CF. **foundation, spur.**
stub pipe   tubo corto (de escape).
stub plane   *(Aeron)* raíz [muñón] del ala; ala corta; aleta estabilizadora.
stub-reinforced pole   *(Telecom)* (*i.e.* pole lengthened by means of pedestal formed of two posts clamped to bottom of pole) poste con soportaposte.
stub reinforcement   *(Telecom)* (*i.e.* wooden reinforcement clamped to foot of pole when weakness suspected owing to age, etc.) soportaposte de madera.
stub support   *(Guías de ondas)* (línea de) soporte. Elemento

destinado a dar soporte mecánico sin causar perturbaciones eléctricas importantes.
stub-supported coaxial cable   cable coaxil de conductor interior soportado por tocones. Cable coaxil cuyo conductor interior se apoya en tocones coaxiles cortocircuitados [short-circuited coaxial stubs].
stub-supported (transmission) line   línea (de transmisión) con soportes de cuarto de onda. Línea de transmisión apoyada en tocones coaxiles de cuarto de onda en cortocircuito, o sea, secciones de línea coaxil de cuarto de onda cortocircuitadas, que presentan reactancia infinita y actúan, por tanto, como soportes aisladores.
stub switch   *(Ferroc)* cambio (de aguja) de tope, cambio de carriles móviles. LOCALISMO: chucho de tope.
stub track   *(Ferroc)* desvío muerto; vía muerta.
stub tuner   *(Sist de RF)* rama [sección de línea] adaptadora, "chimenea" adaptadora, tetón adaptador. (**1**) Sección de línea injertada a modo de chimenea sobre la línea principal de transmisión, en el punto de ésta donde lo exija la adaptación de impedancias. (**2**) Tocón terminado por un elemento cortocircuitante móvil y que se utiliza para adaptación de impedancia en la línea a la cual se une en forma de rama. (**3**) Tocón cortocircuitado ajustable que sirve para ajustar una línea de transmisión de manera que sea máxima en ella la transferencia de energía. (**4**) V. **waveguide stub tuner.** SIN. **adjustable stub.**
stub-wing stabilizer   *(Aeron)* aleta estabilizadora.
stubbed-out pair   *(Telecom)* par en cable terminal. Par accesible en un ramal corto de un cable principal. V. **stub cable.**
stubby screwdriver   destornillador corto [de hoja corta]. Generalmente la hoja es ancha y el mango grueso.
stud   tachón, clavo de adorno ‖ *(Mec)* pasador (corto); resalto, saliente; diente de retenida; gancho fijo; perno, husillo; husillo giratorio; polea; gorrón ‖ *(Tornillería)* tornillo, perno; tornillo [perno] sin cabeza; espiga (roscada), espárrago; (perno) prisionero; pasador (corto) ‖ *(Cadenas)* contrete; travesaño; refuerzo de eslabón ‖ *(Relojes)* espiga ‖ *(Soldadura)* espárrago ‖ *(Carp)* paral, montante, pie derecho, poste de tabique ‖ *(Elec/Telecom)* contacto; tornillo de contacto; resalto de contactos; borne, borna, terminal; clavija de conexión; portaartefacto; paso ‖ *(Dispositivos elecn)* tornillo [espiga roscada] de fijación, tornillo de montaje. V. **negative polarity, positive polarity** ∭ *verbo:* clavetear; tachonar, poner clavos de adorno; enclavijar; unir con pasadores; fijar con espigas; fijar con pernos prisioneros; armar con montantes o parales.
stud-installing wrench   *(Herr)* llave para colocar espárragos.
stud-removing wrench   llave para sacar espárragos; sacaprisioneros.
stud temperature   *(Dispositivos elecn)* temperatura del tornillo de fijación [de la espiga roscada de fijación].
stud-terminal board   *(Elecn/Telecom)* tablilla con prisioneros de conexión.
student   estudiante, alumno.
student pilot   *(Avia)* alumno piloto.
Student's distribution   *(Estadística)* distribución de Student.
studio   estudio, taller (de artista) ‖ *(Electroacús)* (*i.e.* recording studio) estudio de grabación ‖ *(Cine)* estudio. SIN. **lot, set** ‖ *(Radio/Tv)* estudio. Local especialmente ideado para la toma de sonido o la toma de vistas; por extensión, conjunto funcional constituido por el estudio propiamente dicho y sus anexos (CEI/70 60–60–140). CF. **recording room.**
studio broadcast   *(Radio/Tv)* transmisión desde el estudio [desde los estudios]. SIN. **studio pickup [transmission].** CF. **outside broadcast.**
studio camera   *(Cine/Tv)* cámara [tomavistas] de estudio. CF. **film camera.**
studio camera chain   *(Tv)* cadena de cámara de estudio.
studio center   *(Tv)* videocentro, centro de estudios.
studio consolette   *(Radio/Tv)* pupitre (de control) de estudio, pupitre (de control) para estudios. Equipo de control técnico de

programas de radio o televisión, en forma de mesa o pupitre. SIN. studio control consolette.

studio control consolette   v. studio consolette.

studio control room   sala [cabina] de control de estudio. Sala o cabina donde están dispuestos los pupitres o consolas de control de uno o varios estudios que pueden ser de radiodifusión, de videodifusión, o de grabación sonora o de imágenes en cinta magnetofónica o en película cinematográfica.

studio crane   *(Cine/Tv)* grúa de estudio.

studio decoration   *(Cine/Tv)* decoración [decorado] de estudio.

studio equipment   *(Cine/Tv)* equipo [material] de estudio.

studio facility   *(Cine/Tv)* equipo de estudio; conjunto de los dispositivos de un estudio.

studio light   *(Cine/Tv)* luz de estudio ‖ *(Fotog)* lámpara de estudio. Lámpara de incandescencia para fotografía en el estudio o taller fotográfico o en una habitación cualquiera.

studio light board   *(Cine/Tv)* batería de luces. SIN. broad.

studio lighting   *(Cine/Tv)* alumbrado [iluminación] del estudio; alumbrado [iluminación] de (los) estudios. SIN. set [studio] lights. v. base [general] lighting, modeling lighting, back lighting, effects lighting.

studio lighting technique   *(Cine/Tv)* técnica de alumbrado [iluminación] de estudio(s).

studio lights   *(Cine/Tv)* v. studio lighting.

studio lining   revestimiento (acústico) de estudio.

studio manager   *(Cine)* director de administración. Funcionario ejecutivo que dirige y coordina el trabajo de varios departamentos no relacionados directamente con la producción de películas.

studio monitor   *(Radio/Tv)* monitor de estudio, equipo de comprobación de programas.

studio operation   *(Radio/Tv)* operación del estudio | toma de sonido. Conjunto de operaciones que permiten traducir en señales eléctricas los elementos sonoros destinados a ser incorporados en un programa de radiodifusión; es común considerar como parte de la toma de sonido las operaciones de control técnico y artístico (CEI/70 60-62-005).

studio pickup   *(Radio/Tv)* toma (de vistas, de sonido) en el estudio, transmisión desde el estudio. SIN. studio broadcast. CF. field pickup.

studio scenery   *(Cine/Tv)* decoración [decorado] de estudio; escenario.

studio set   *(Cine/Tv)* escenario.

studio synchronizing generator   *(Tv)* generador de sincronismo \[de señales sincronizadoras] para estudio.

studio-to-transmitter link [STL]   enlace estudio-transmisor, enlace entre los estudios y el puesto emisor. Radioenlace por microondas entre los estudios y el puesto transmisor. En el caso de la televisión reemplaza el cable coaxil; en radiodifusión reemplaza la línea telefónica tradicionalmente empleada para ese fin. Además de la señal moduladora, el enlace puede transmitir las señales de comunicación telefónica entre uno y otro punto. SIN. enlace de modulación.

studioette   pequeño estudio.

study   estudio.

study group   grupo de estudio; comisión de estudio.

stuffing box   prensaestopas, caja de empaquetadura.

stumble   traspié, tropiezo, tropezón; desatino ‖ *(Escobillas)* discontinuidad [falla momentánea] del contacto ⫽ *verbo:* tropezar, dar un traspié.

stunt   maniobra (sensacional); acrobacia aérea ‖ *(Avia)* acrobacia ‖ *(Teleg)* función auxiliar. Función no relativa a la impresión de caracteres. V.TB. stunt box.

stunt box   *(Teleg)* caja de funciones, caja [mecanismo] de funciones auxiliares, caja [dispositivo de control] de funciones no impresoras, caja adicional de conmutación. Mecanismo o dispositivo de conmutación automática utilizado para controlar funciones especiales otras que las de impresión de caracteres, como son las de cambio de letras a cifras, retorno del carro, avance de renglón,

descodificación de llamadas selectivas, etc. También puede utilizarse para diversas otras funciones especiales: activación de máquinas y aparatos externos (perforadoras de cinta, lectoras de cinta, calculadoras, máquinas de oficina); cierre y apertura de contactos de control de distintos dispositivos (alarmas, lámparas de señalización, motores); selección secuencial para dirigir la transmisión a diferentes localidades; control de llamadas, para llamar cierto número de estaciones simultáneamente, individualmente, o por grupos predeterminados; etc. El mecanismo efectúa todas las funciones enumeradas mediante tres clases de operaciones básicas: mecánicas internas, eléctricas internas, y eléctricas externas.

stuntman   *(Cine)* doble [contrafigura] para escenas peligrosas. Actor que reemplaza a otro durante la toma de escenas peligrosas.

Sturm   Jacques Charles François Sturm: algebrista suizo que resolvió el problema de la separación de las raíces reales de una ecuación; nació en Ginebra (1803) y murió en París (1855).

Stürm   Rudolf Stürm: geómetra alemán (1840–1919).

Sturm-Liouville equation   *(Mat)* ecuación de Sturm-Liouville.

Sturm-Liouville problem   *(Mat)* problema de Sturm-Liouville.

Sturm sequence   *(Mat)* sucesión de Sturm.

Sturm theorem   *(Mat)* teorema de Sturm. Teorema que se usa para determinar las raíces de una ecuación algebraica.

stutter   tartamudeo ‖ *(Facsímile)* perturbación en forma de líneas blancas y negras. Se produce a veces cuando ocurre una variación brusca en la amplitud de la señal.

style   estilo; modo, manera; moda; clase, género ‖ *(Artes y oficios)* estilo, punzón (para escribir); estilo, estilete (para marcar); buril ‖ *(Arq)* estilo ‖ *(Bot)* estilo ‖ *(Zool)* púa ‖ *(Relojes de sol)* estilo, gnomon ‖ *(Cirugía)* estilete ‖ CF. stylus.

style of type   *(Tipog)* estilo [clase] de tipo.

styli   Plural de *stylus*.

styloelectric pen   pluma eléctrica.

stylus   *(Aparatos registradores)* estilete (inscriptor) ‖ *(Facsímile)* estilete ‖ *(Artes y oficios)* estilete, estilo, punzón ‖ *(Electroacús)* estilete. Elemento que en la grabación de discos fonográficos forma el surco modulado | aguja (reproductora). Aguja que forma parte de la cápsula fonocaptora y que recorre el surco modulado del disco. SIN. needle ‖ NOTA: El plural de *stylus* es *styli*.

stylus alignment   *(Fonog)* alineamiento de la aguja (respecto al disco).

stylus drag   *(Fonog)* fuerza de fricción de la aguja. Fuerza de fricción entre la aguja reproductora y la superficie del disco. SIN. needle drag.

stylus force   *(Fonog)* fuerza de apoyo, fuerza vertical de la aguja. Fuerza vertical hacia abajo que la aguja del fonocaptor aplica a la superficie del disco estando éste estacionario. Se aconseja abandonar para este concepto el uso del término *stylus pressure* o *needle pressure* y su correspondiente castellano *presión de la aguja*. SIN. needle force, static [vertical] stylus force, tracking force.

stylus-force gage   *(Fonog)* medidor de la fuerza de apoyo [de la fuerza vertical del fonocaptor]. Dispositivo (como p.ej. una pequeña pesa o romana) que sirve para determinar la carga en gramos que produce sobre el disco fonográfico el empuje vertical de la aguja fonocaptora. Se calibra en gramos y fracciones.

stylus-groove resonance   *(Fonog)* resonancia de la aguja en contacto con el surco.

stylus jump   *(Fonog)* salto de la aguja (reproductora); salto del estilete (grabador). Dícese cuando la aguja o el estilete se sale del surco.

stylus oscillograph   oscilógrafo de estilete, registrador estilográfico.

stylus point   *(Fonog)* punta de la aguja (reproductora); punta del estilete (grabador).

stylus pressure   *(Fonog)* v. stylus force.

stylus trajectory   *(Fonog)* trayectoria de la aguja.

stylus velocity   *(Fonog)* velocidad de la aguja. Velocidad del movimiento de la aguja al seguir las ondulaciones del surco en el disco fonográfico; se expresa en centímetros por segundo.

stylus wear *(Fonog)* desgaste de la aguja.

styrene *(Quím)* estireno.

styrol *(Quím)* estirol.

styrone *(Quím)* estirona.

SU *(Teleg)* Abrev. de thank you [gracias].

subaqueous *adj:* subácueo, subacuático; submarino; subfluvial.

subaqueous cable *(Telecom)* cable subfluvial. CF. **submarine cable**.

subaqueous loudspeaker altavoz [altoparlante] subacuático. Altavoz o altoparlante capaz de funcionar sumergido en el agua.

subaqueous tunnel túnel subfluvial. Galería o túnel construido por debajo de una vía de agua.

subarea subárea.

subarea communication center centro de comunicaciones de subárea.

subassembly subconjunto, subgrupo; disposición; detalle de montaje | subconjunto, premontaje, montaje parcial. Parte de un equipo o aparato; conjunto de piezas o componentes que constituye una unidad constructiva de un aparato o equipo | subunidad. Grupo de piezas o elementos que forma parte de una unidad (v. **unit**) y que desempeña funciones subordinadas a la de ésta | CF. **assembly**.

subassembly station *(Fáb)* estación de premontaje.

subatmospheric pressure presión subatmosférica [inferior a la atmosférica].

subatomic *adj:* subatómico. De dimensiones inferiores a las del átomo.

subatomic particle partícula subatómica. Partícula de tamaño inferior al del átomo. Partícula de las que constituyen el átomo: electrón, neutrón, protón, etc.

subatomic world mundo subatómico.

subaudible *adj:* subaudible, subacústico, infraacústico.

subaudio *adj:* subaudio, subaudible, subacústico, infraacústico, infraaudible, infrasónico. SIN. **infracoustic, infrasonic**.

subaudio band banda de frecuencias infraacústicas.

subaudio frequency *(Electroacús/Telecom)* frecuencia infraacústica [infraaudible, infrasónica]. Frecuencia inferior a las generalmente utilizadas en la transmisión de la palabra o de la música. SIN. **infrasonic frequency** | frecuencia infraacústica. Frecuencia por debajo de la gama de audibilidad del oído humano normal. NOTA: Este concepto no debe confundirse con el de *frecuencia infratelefónica* [subtelephone frequency] (CEI/70 55-05-040).

subaudio frequency range gama de frecuencias infraacústicas [infrasónicas]. SIN. **subaudio range**.

subaudio oscillator oscilador de frecuencia infraacústica [subacústica].

subaudio sound spectrum espectro infraacústico [de sonido infraaudible].

subaudio spectrum espectro infraacústico [infraaudible].

subaudio telegraph set instalación de telegrafía infraacústica. SIN. **composite set**.

subaudio telegraphy telegrafía infraacústica. (1) Sistema de telegrafía que usa corrientes continuas moduladas en líneas utilizadas simultáneamente para telefonía, manteniéndose los dos sistemas de transmisión separados por medio de circuitos filtrantes adecuados (CEI/38 55-15-200). (2) Telegrafía que utiliza una banda de frecuencias inferiores a las telefónicas (p.ej. inferiores a 300 Hz). (3) Telegrafía en la cual la transmisión se efectúa por una o varias corrientes alternas de frecuencia situada en la banda de frecuencias infraacústicas (CEI/70 55-70-015). SIN. **infracoustic telegraphy**. CF. **superaudio telegraphy**.

subbase *(Máq)* subbase || *(Carreteras)* subbase. Parte del lecho preparada como fundación para la base o capa superficial.

subbase course *(Aeropuertos)* capa inferior del firme.

subbaseband *(Telecom)* subbanda básica, subbanda base. v. **baseband**.

subcadmium neutrons *(Nucl)* neutrones subcádmicos. Neutro-

nes de energía cinética [kinetic energy] inferior a la energía del umbral de cadmio [cadmium cutoff energy] (CEI/68 26-05-250). CF. **epicadmium neutrons**.

subcarrier subportadora, (onda) portadora intermedia [secundaria]. Portadora que una vez modulada se utiliza para modular otra portadora. CF. **color subcarrier** | subportadora. Onda portadora que se utiliza para modular otra onda portadora (CEI/70 55-15-010).

subcarrier amplifier amplificador de subportadora.

subcarrier band banda de subportadora. Banda de frecuencias asociada con una subportadora determinada.

subcarrier burst *(Tv)* ráfaga de subportadora.

subcarrier channel canal de subportadora, subcanal.

subcarrier detector detector de subportadora.

subcarrier discriminator discriminador de subportadora.

subcarrier filter filtro de subportadora.

subcarrier frequency frecuencia (de) subportadora.

subcarrier frequency modulation modulación en frecuencia de subportadora. Método empleado para la transmisión por enlaces de radiocomunicación, en los cuales el mensaje es utilizado para modular en frecuencia una portadora de baja frecuencia (la subportadora); esta onda modulada es utilizada para modular la frecuencia portadora, más elevada, del enlace de radiocomunicación, pudiendo éste emplear un sistema cualquiera de modulación, por ejemplo en amplitud o en frecuencia (CEI/70 55-70-070).

subcarrier generator generador de subportadora.

subcarrier oscillator oscilador de subportadora. (1) Oscilador que genera la frecuencia de una subportadora. (2) En los receptores de televisión en colores, oscilador estabilizado por cristal piezoeléctrico que funciona a la frecuencia de la subportadora de crominancia [chrominance subcarrier frequency] o frecuencia de ráfaga [burst frequency], o sea, 3,579 545 MHz (sistema NTSC).

subcarrier reference frequency *(Tv)* frecuencia de referencia de subportadora. Su valor es 3,579 545 MHz y su fase es la de la ráfaga cromática [color burst] avanzada en 180° (sistema NTSC).

subcarrier reference signal señal de referencia de (la) subportadora.

subcarrier regenerator (circuit) (circuito) regenerador de subportadora.

subcarrier signal señal de subportadora.

subcarrier wave onda subportadora.

subcenter subcentro. Centro de conmutación telegráfica que sirve a un grupo de estaciones y concentra el tráfico de ese grupo hacia un centro más importante del cual depende para el encaminamiento de la totalidad de su tráfico.

subchannel *(Telecom)* subcanal.

subchannel detector detector de subcanal.

subchassis subchasis. Subconjunto (v. **subassembly**) constituido por un chasis; esto es, chasis en el cual van montados elementos relacionados entre sí (como p.ej. los que forman una fuente de alimentación), y que va montado en un chasis mayor.

subclass *(Mat)* subclase; subconjunto, conjunto parcial.

subcommittee subcomité; subcomisión.

Subcommittee for Tests concerning Telephone Transmission Performance Subcomisión para los Ensayos Relativos a la Calidad de Transmisión Telefónica.

Subcommittee on Rapid Operating Methods [SCMRE] *(Telecom)* Subcomisión de Métodos Rápidos de Explotación [SCMRE].

subcommutation *(Comput)* subconmutación. Dícese cuando una fuente de datos es conectada a un sistema de datos muestreados, con menor frecuencia que otras fuentes análogas.

subcommutation frame *(Sist de modulación por codificación de impulsos)* cuadro de subconmutación.

subcomponent *(Elecn)* elemento, pieza.

subcompressed engine motor de baja compresión.

subcontinental *adj:* subcontinental.

subcontinental broadcast   *(Telecom meteor)* emisión [radiodifusión] subcontinental.

subcontract   subcontrato /// *verbo:* subcontratar.

subcontractor   subcontratista.

subcontrol   subcontrol.

subcontrol office   *(Telef)* estación subdirectriz [subdirectora].

subcontrol station   *(Telecom)* estación subdirectriz [subdirectora]. TB. estación de subcontrol. (**1**) En telefonía (servicio internacional), estación de repetidores [repeater station] por la que pasa un circuito telefónico internacional y que tiene, dentro del territorio de su país, la responsabilidad de la buena transmisión por ese circuito, siguiendo las indicaciones de la estación directriz [control station]. (**2**) Centro colocado en el circuito, que es responsable ante la estación directriz [controlling testing station], y que tiene la responsabilidad de la calidad de transmisión en la sección del circuito comprendida en su territorio. CF. **subcenter**.

subcooling   *(Nucl, Refrig)* subenfriamiento.

subcritical   *adj:* subcrítico, por debajo del punto crítico || *(Nucl)* subcrítico. Dícese de todo sistema en el cual la constante de multiplicación efectiva [effective multiplication constant] es inferior a la unidad, por lo que no puede sostenerse una reacción en cadena automantenida (la reacción nuclear en cadena es convergente). V. **nuclear chain reaction**.

subcritical assembly   *(Nucl)* montaje subcrítico.

subcritical flow   *(Hidr)* gasto subcrítico.

subcritical mass   *(Nucl)* masa subcrítica.

subcritical multiplication   *(Nucl)* multiplicación subcrítica. Razón del número total de neutrones procedentes de fisiones y de una fuente, que existe en equilibrio en un montaje subcrítico [subcritical assembly], al número total de neutrones que existirían en el montaje debido a la fuente en ausencia de fisión (CEI/68 26-10-220).

subcritical reactor   *(Nucl)* reactor subcrítico. V. **nuclear chain reaction** (CEI/68 26-10-215).

subcritically   *adv:* subcríticamente.

subcurrent   subcorriente.

subcutaneous   *adj:* subcutáneo.

subcycle generator   *(Telef)* generador de corriente de repique [de llamada] a frecuencia reducida. Dispositivo que suministra corriente de repique o llamada a frecuencia submúltiplo de la de entrada. SIN. **subcycle ringer**.

subcycle ringer   *(Telef)* generador de corriente de repique a frecuencia reducida [a frecuencia submúltiplo de la de entrada]. Puede p.ej. ser alimentado a 60 Hz y suministrar corriente a 20 Hz. SIN. **subcycle generator**.

subdeterminant (of a matrix)   *(Mat)* subdeterminante (de una matriz).

subdistribution   subdistribución.

subdistribution center   *(Elec)* subcentro de distribución.

subdivide   *verbo:* subdividir.

subdivided capacitor   capacitor múltiple. Conjunto de capacitores montados de manera que puedan ser empleados individualmente o por grupos. El término en inglés viene de considerar el conjunto como un capacitor dividido en secciones.

subdivided channel   *(Telecom)* canal subdividido; subcanal.

subdivider   subdivisor || *(Telecom)* subdivisor (de canal). Dispositivo que sirve para dividir un canal en varios subcanales; utilízase p.ej. para obtener varios canales telegráficos por vía de un canal telefónico.

subdivision   subdivisión.

subdominant   *(Mús)* subdominante. Cuarto grado de la escala, así llamado porque domina la escala en menor grado que la *dominante* o *quinto grado*.

subelement   subelemento, parte de un elemento.

subequipped   *adj:* subequipado.

subequipped channel bank   *(Telecom)* banco de canales subequipado. Banco de canales que no está equipado para el número máximo de canales de que el mismo es capaz.

subfeeder   *(Elec)* subalimentador, alimentador secundario.

subfluvial   *adj:* subfluvial. SIN. **subaqueous**.

subfractional horsepower motor   *(Elec)* micromotor. Motor cuya potencia es de una pequeña fracción de caballo de fuerza.

subframe   *(Autos)* subbastidor, bastidor auxiliar || *(Multiplexión por división de tiempo)* subcuadro. Secuencia de cuadros durante la cual son muestreados todos los subcanales de un canal determinado.

subfreezing temperature   temperatura bajo cero (escala Celsio), temperatura por debajo del punto de congelación del agua.

subgiant   *(Astr)* subgigante (estrella).

subgrade   *(Carreteras, Pistas de aterrizaje, Vías férreas)* explanación, capa de asiento, terreno de fundación, subrasante, plantilla, plataforma (de la vía).

subgraph   *(Mat)* subgrafo.

subgraph complement   *(Mat)* complemento de un subgrafo.

subgroup   *(Mat)* subgrupo. Grupo de operaciones perteneciente a un grupo más amplio || *(Telecom)* subgrupo (de portadoras, de canales) | subgrupo. En telefonía por corrientes portadoras [carrier telephony], conjunto de canales cuyo número es un submúltiplo del número de canales de un grupo primario [group]. Los canales de un subgrupo se disponen en bandas contiguas de frecuencias con objeto de efectuar una modulación (o una desmodulación) simultánea (CEI/70 55-105-010). CF. **basic group, basic supergroup, supergroup**.

subharmonic   subarmónica, subarmónico, armónica inferior. Onda cuya frecuencia es un submúltiplo de la frecuencia fundamental de otra onda, con la cual está relacionada. Si la subarmónica es de frecuencia igual a la mitad de la frecuencia fundamental, se llama *segunda subarmónica* de ésta; si su frecuencia es igual a un tercio de la fundamental, se denomina *tercera subarmónica;* y así sucesivamente. CF. **harmonic** /// *adj:* subarmónico.

subharmonic oscillation   oscilación subarmónica.

subharmonic oscillator   oscilador subarmónico.

subharmonic vibration   vibración subarmónica.

subheated   *adj:* subcalentado.

subheated water   agua subcalentada.

subharmonic   subarmónica, subarmónico, armónica inferior. derecha de una letra o un símbolo.

subionospheric   *adj:* subionosférico.

subject   asunto, materia, sujeto, tema, tópico; súbdito; vasallo || *(Enseñanza)* asignatura, tema, materia (de estudio) || *(Gram)* sujeto || *(Mús)* tema || *(Medicina)* sujeto, individuo; cadáver destinado a estudio y disección || *(Fotog)* objeto (fotografiado) || *(Tv)* escena (captada) || *(Facsímile)* original. V. **subject copy** /// *adj:* sujeto; expuesto (a), propenso (a), susceptible (de); sometido, supeditado, dominado /// *verbo:* someter, supeditar, dominar, subordinar; exponer, presentar.

subject copy   *(Facsímile)* (a.c. copy) original. Material que se transmite; material gráfico objeto de la transmisión. SIN. **subject**.

subject matter   tema.

subject to correction [STC]   sujeto a corrección. A veces se entrega al destinatario un telegrama *sujeto a corrección* cuando se sabe o se sospecha que ha habido un error de transmisión.

subjective   *adj:* subjetivo. Relativo al sujeto humano o pensante; individual, personal.

subjective brightness   brillo subjetivo, brillantez, luminosidad. Intensidad de la luz como sensación de un observador humano | esplendor. V. **luminosity**.

subjective color rendering   *(Tv)* restitución subjetiva de los colores.

subjective interpretation   interpretación subjetiva.

subjective judgment   juicio subjetivo, apreciación subjetiva.

subjective noise meter   medidor subjetivo de ruido. Aparato que sirve para medir el ruido por métodos auditivos (CEI/60 08-30-005) | (p)sofómetro subjetivo.

subjective photometer   fotómetro subjetivo [visual]. Fotómetro en el cual se constata visualmente la igualdad entre la radiación que se estudia y una radiación de comparación [comparison radiation]. Los métodos más utilizados son: igualación de esplendor [luminosity match] de dos superficies adyacentes; igualación de dos contrastes [adjustment to equality of contrast]; busca de un mínimo de parpadeo [adjustment to minimum flicker]. SIN. **visual photometer** (CEI/58 45–30–065).

subjective rating   evaluación subjetiva.

subjective test   ensayo subjetivo, prueba subjetiva.

subjective tone   *(Acús)* tono subjetivo.

sublevel   subnivel ‖ *(Minas)* subnivel; subpiso, galería intermedia.

sublicense   subconcesión.

sublicensee   subconcesionario; (empresa) subconcesionaria.

sublid   *(Congeladores)* contratapa.

sublimate   sublimado. Substancia obtenida por sublimación ⫿ *verbo: (Quím)* sublimar. Vaporizar un cuerpo sólido y condensar sus vapores ǀ purificar, refinar.

sublimation   sublimación. Acción y efecto de sublimar. v. **sublimate** ǀ paso de la fase sólida a la gaseosa.

sublimation curve   *(Fís)* curva de sublimación.

sublimation nucleus   *(Meteor)* núcleo de sublimación.

sublime   *verbo: (Quím)* sublimar(se). Vaporizar(se) un cuerpo sólido y condensar(se) sus vapores.

subliminal   *adj:* subliminal. Debajo del umbral de la sensación. SIN. **subthreshold.**

sublunar point   *(Astr)* punto sublunar.

submain   *(Canalizaciones)* conducto secundario.

submarine   *(i.e.* ship capable of operating submerged) submarino, sumergible ⫿ *adj:* submarino.

submarine cable   *(Elec, Telecom)* cable submarino ǀ v. **subaqueous [subfluvial] cable.** CF. **intermediate-type submarine cable, shallow-water submarine cable.**

submarine-cable connection   *(Telecom)* enlace por cable submarino.

submarine-cable repeater   *(Telecom)* repetidor de cable submarino.

submarine-cable telegraph service   servicio telegráfico por cable submarino.

submarine-cable telephone service   servicio telefónico por cable submarino.

submarine detecting set   equipo detector de submarinos. Equipo electrónico de detección que sirve para descubrir desde un avión en vuelo la presencia de submarinos y minas sumergidos ǀ equipo de detección submarina.

submarine detection   detección de submarinos; detección submarina.

submarine intermediate cable   *(Telecom)* cable submarino intermedio. SIN. **intermediate-type submarine cable.**

submarine line   *(Elec)* línea submarina. Línea eléctrica [electric line] tendida sobre el fondo del mar (CEI/65 25–20–090). CF. **underground line.**

submarine repeater   *(Telecom)* repetidor submarino. CF. **submerged repeater.**

submarine-rescue radio transmitting buoy   boya radioemisora para salvamento de submarinos.

submarine sound signal   señal acústica submarina.

submarine telegraph cable   cable telegráfico submarino.

submarine telegraph circuit   circuito telegráfico (por cable) submarino.

submarine telegraphy   telegrafía submarina; telegrafía por cables submarinos.

submarine telephone cable   cable telefónico submarino.

submarine telephone circuit   circuito telefónico (por cable) submarino.

submarine telephony   telefonía submarina; telefonía por cables submarinos.

submarine television   televisión submarina.

submarine television camera   cámara (tomavistas) submarina, cámara de televisión submarina.

submaster thermostat   *(Climatiz)* termostato teleajustable [reajustable a distancia].

submastering   *(Sist de control de audio)* alimentación de todas las entradas a un grupo de atenuadores de ubicación centralizada para facilidad de maniobra.

submatrix   submatriz.

submediant   *(Mús)* submediante.

submerge   *verbo:* sumergir(se); anegar, empantanar; ahogar.

submerged aerial   antena sumergida. SIN. **underwater antenna.**

submerged arc welding   soldadura por arco sumergido (en atmósfera inerte) ǀ soldadura bajo flujo electroconductor. Soldadura por fusión [fusion welding] con uno o varios electrodos que se funden bajo un flujo de polvo [powdered flux] que, en estado de fusión, contribuye por efecto Joule a la producción de calor (CEI/60 40–15–080). CF. **inert-gas welding.**

submerged condenser   *(Climatiz, Refrig)* condensador sumergido.

submerged-electrode salt bath   *(Electroquím)* baño de sales de electrodos sumergidos.

submerged-melt electric welding   soldadura eléctrica de fusión sumergida en un fundente.

submerged repeater   *(Telecom)* repetidor subacuático [sumergido]. CF. **submarine repeater.**

submerged-resistor induction furnace   horno de inducción con resistencia sumergida. CF. **induction furnace with submerged channel.**

submerged telegraph repeater   repetidor telegráfico subacuático [sumergido].

submerged telephone repeater   repetidor telefónico subacuático [sumergido]. Consiste en un amplificador especial de transmisión bilateral.

submergence   sumersión, inmersión.

submergible   *adj:* sumergible. SIN. **submersible.**

submersible   *(i.e.* vessel capable of operating or remaining under water) sumergible, submarino. SIN. **submarine** ⫿ *adj:* sumergible. SIN. **submergible.**

submersible electric pump   electrobomba sumergible.

submersible machine   *(Elec)* máquina sumergible. Máquina construida de manera que pueda funcionar continuamente estando sumergida en el agua a una profundidad especificada (CEI/56 10–05–205).

submersible transformer   *(Elec)* transformador sumergible. Transformador construido de manera que pueda funcionar sumergido en el agua a presión y por períodos especificados.

submersion   sumersión, inmersión.

submeter   *(Elec)* contador subsidiario; contador auxiliar.

submicroscopic   *adj:* submicroscópico. Demasiado pequeño para que pueda ser observado con el microscopio óptico.

submicrosecond   *adj:* inferior a un microsegundo; que dura menos de un microsegundo; que funciona en menos de un microsegundo.

submicrosecond photography   fotografía con exposición de menos de un microsegundo.

submillimeter   *adj:* submilimétrico. Inferior a un milímetro; que funciona a longitud de onda de menos de un milímetro.

submillimeter maser   maser submilimétrico.

submillimeter region   región de las ondas submilimétricas.

submillimeter wave   onda submilimétrica. Onda de longitud inferior a un milímetro.

submillimeter wavelength   longitud de onda submilimétrica.

submini   Abrev. de subminiature.

subminiature   *adj:* subminiatura, muy pequeño, de muy pequeñas dimensiones.

subminiature device   dispositivo subminiatura.

subminiature relay   relé subminiatura.

subminiature series   serie subminiatura.

subminiature tube   (*Elecn*) tubo [válvula] subminiatura.

subminiaturization   subminiaturización. Técnica de construcción con piezas y dispositivos de muy pequeñas dimensiones.

subminiaturized   *adj:* subminiatura, muy pequeño, de muy pequeñas dimensiones; fabricado a escala muy reducida.

submultiple   (*Mat*) submúltiplo, divisor, factor. Número que divide a otro /// *adj:* submúltiplo. Aplícase al número o cantidad que otro u otra contiene exactamente dos o más veces.

submultiple resonance   resonancia a frecuencia submúltipla de la de excitación.

subnanosecond   *adj:* inferior a un nanosegundo; que dura menos de un nanosegundo; que funciona en menos de un nanosegundo.

subnanosecond radar   radar de impulsos de menos de un nanosegundo.

subnormal   (*Mat*) subnormal. Dada una curva plana, se llama *normal* la perpendicular a la tangente a la curva en el punto de contacto (v.TB. **normal**), y *subnormal* al segmento del eje de abscisas comprendido entre el punto de intersección de éste con la normal y la proyección del punto de contacto de la tangente /// *adj:* subnormal.

subpanel   (*Elec*) subpanel, subcuadro, subtablero. Subdivisión de un panel, cuadro o tablero. Conjunto de dispositivos interconectados que forma una unidad funcional.

subpermanent   *adj:* subpermanente.

subpermanent magnetism   magnetismo subpermanente.

subproduct   subproducto.

subprogram   (*Informática*) subprograma. Parte de un programa. Generalmente puede traducirse a lenguaje de máquina [machine language] independientemente del resto del programa.

subrange   subintervalo, subgama.

subreflector   subreflector.

subrefraction   subrefracción. Refracción de menor valor que la refracción normal [standard refraction] (CEI/60 60–22–125). CF. **superrefraction**.

subregion   subregión.

subregional   *adj:* subregional.

subregional broadcast   (*Meteor*) emisión [radiodifusión] subregional.

subroutine   (*Informática*) subrutina. (**1**) Rutina secundaria almacenada en la memoria de una calculadora, y a la cual puede pasar la rutina maestra para ejecutar operaciones subsidiarias repetitivas que complicarían o recargarían la rutina maestra. (**2**) Rutina que puede formar parte de otra. Cuando es *cerrada* [closed subroutine] está almacenada en un lugar y conectada a uno o varios puntos del programa; cuando es *abierta* [open subroutine] va intercalada directamente en el programa, en cada punto en que ha de ser usada.

subsample   submuestra /// *verbo:* submuestrear.

subsampling   submuestreo.

subsatellite   subsatélite. Objeto o dispositivo que va en el interior de un satélite artificial, para ser luego expulsado de éste con un fin particular (medidas, toma de muestras, etc.).

subscriber   subscriptor, abonado; infrascrito, firmante, el que subscribe || (*Telecom*) abonado, subscriptor; titular de un abono /// *adj:* de abonado, de subscriptor, de abono, de subscripción. v.TB. **subscriber's. . .**

subscriber apparatus   v. **subscriber's apparatus**.

subscriber booking a call   (*Telef*) (abonado) solicitante de una comunicación.

subscriber charge   tasa de abono.

subscriber in arrears   abonado [subscriptor] moroso.

subscriber installation   v. **subscriber's installation**.

subscriber line   v. **subscriber's line**.

subscriber meter   v. **subscriber's meter**.

subscriber number   v. **subscriber's number**.

subscriber-owned   *adj:* de (la) propiedad del abonado.

subscriber premises meter   indicador de tasa (cobrable al abonado). CF. **subscriber's check meter**, **subscriber's meter**.

subscriber set   v. **subscriber's set**.

subscriber telephone   v. **subscriber's telephone**.

subscriber telephone set   v. **subscriber's telephone set**.

subscriber-to-subscriber telegraph service   servicio telegráfico entre abonados, servicio entre abonados al telégrafo. CF. **telex**.

subscriber to telegraph service   abonado al servicio telegráfico.

subscriber to telegraphy   abonado al telégrafo.

subscriber to telephone service   abonado al servicio telefónico.

subscriber to wire broadcast   abonado a la teledifusión.

subscriber trunk dialing   (*Telef*) selección automática a distancia del abonado llamado. Selección directa del abonado llamado [called subscriber] por el abonado que llama [calling subscriber], en la cual las conmutaciones se efectúan automáticamente | explotación automática interurbana. Explotación que permite a los abonados obtener comunicaciones interurbanas [trunk calls] sin la ayuda de una operadora, por selección mediante un cuadrante o un teclado (CEI/70 55–105–085) | servicio automático interurbano.

subscriber uniselector   v. **subscriber's uniselector**.

subscriber-vision   v. **pay television**.

subscriber with extension stations   (*Telef*) abonado con extensiones [con aparatos suplementarios].

subscriber with several lines   (*Telef*) abonado con varias líneas.

subscriber's account   cuenta del abonado.

subscriber's agreement   contrato [convenio] de abono.

subscriber's annual rental   cuota anual de abono.

subscriber's apparatus   aparato de abonado. SIN. **subscriber's station apparatus**.

subscriber's automatic telephone   aparato telefónico automático, teléfono automático (de abonado).

subscriber's cable   cable de abonado.

subscriber's call   (*Telef*) llamada [comunicación] de abonado.

subscriber's CB telephone   v. **subscriber's central-battery telephone**.

subscriber's central-battery telephone, subscriber's CB telephone   aparato telefónico de batería central, teléfono de abonado de batería central. SIN. **subscriber's common-battery telephone**.

subscriber's check meter   (*Telef*) contador de abonado en su domicilio. Contador instalado en la casa del abonado, a petición del mismo, y que le permite saber el número de unidades de tasa [call units] correspondiente a sus llamadas (CEI/70 55–95–350).

subscriber's common-battery telephone   v. **subscriber's central-battery telephone**.

subscriber's connection   conexión de abonado.

subscriber's contract   contrato de abono. SIN. **subscriber's agreement**.

subscriber's cord-circuit   (*Telef*) cordón de abonados.

subscriber's drop   línea de acometida. Línea que va de un cable telefónico o un cable de distribución de videoseñales, al domicilio de un abonado al servicio.

subscriber's extension set   (*Telef*) (aparato de) extensión, aparato supletorio.

subscriber's extension station   (*Telef*) (aparato de) extensión, (aparato) supletorio, estación supletoria, aparato telefónico supletorio. Aparato telefónico asociado a un aparato telefónico principal [main station] y que puede ser conectado a la misma línea de abonado [subscriber's line]. SIN. **subscriber's extension set** | supletorio. Aparato telefónico asociado a un aparato telefónico principal [subscriber's main station] o a la central de una instalación [branch exchange] y que puede ser conectado a la misma o las mismas líneas de abonados [subscriber's line(s)]; el establecimiento de las comunicaciones de entrada [setting up of incoming calls] exige en general la intervención de la estación principal o de la central de la instalación (CEI/70 55–85–025). CF. **subscriber's main station**.

subscriber's extension with direct exchange facilities   (*Telef*) supletorio [estación supletoria] que puede unirse a la red, aparato de extensión con conexión directa a la red.

subscriber's installation   instalación de abonado.

subscriber's installation with extension stations   *(Telef)* instalación de abonado con extensiones [con supletorios].

subscriber's installation with extensions   *(Telef)* instalación de abonado con supletorios. Instalación telefónica directamente conectada a la red pública por medio de una línea principal [exchange line] y que comprende un aparato principal [main station] y aparatos supletorios [extension stations]. SIN. **extension plan** *(GB)* (CEI/70 55-90-150).

subscriber's line   *(Telef)* línea (principal) de abonado. (**1**) Línea exterior que enlaza el aparato de abonado (o una centralita particular) con la central. (**2**) Línea que por intermedio de la central conecta el aparato del abonado a su sección del múltiple, así como al jack o conjuntor de respuesta [answering jack]. (**3**) Línea telefónica que une una central telefónica a un aparato de abonado o a otra instalación de conmutación que se encuentre en el domicilio de un abonado. SIN. **station line, direct exchange line** | línea principal de abonado. Línea telefónica que conecta un aparato o una instalación de abonado a una central telefónica (CEI/70 55-85-070) | v. **subscriber's line reserved for...** | *(En la central)* equipo de abonado.

subscriber's line and final selector unit   *(Telef)* unidad de líneas de abonado y selectores finales | unidad de la línea del abonado y del selector final. Bastidor en el cual están dispuestos los equipos individuales de las líneas de abonado y los selectores finales asociados a un conjunto de números de abonado [block of subscriber's numbers]. Los grupos de líneas y de números no son necesariamente idénticos (CEI/70 55-95-240).

subscriber's line equipment   *(Centrales telef)* (a.c. subscriber's line) equipo de abonado.

subscriber's line reserved for incoming calls   *(Telef)* línea de abonado reservada para tráfico de llegada.

subscriber's line reserved for outgoing calls   *(Telef)* línea de abonado reservada para tráfico de salida.

subscriber's line switch   *(Telecom)* preselector. SIN. **preselector**.

subscriber's long-distance dialing   *(Telef)* discado [selección automática] de larga distancia por el abonado. SIN. **subscriber trunk dialing**.

subscriber's main station   *(Telef)* estación [aparato] principal de abonado | puesto principal. Puesto de abonado [subscriber's station] que tiene un número de llamada por el cual recibe directamente las llamadas de una central telefónica. Un puesto tal está generalmente asociado a puestos supletorios (CEI/70 55-85-020). CF. **subscriber's station**.

subscriber's meter   *(Telef)* contador de conversación | contador de abonado. Contador instalado en una central pública y asociado a una línea de abonado [subscriber's line], que registra el número de unidades de tasación [call units] correspondientes a las llamadas eficaces efectuadas por esa línea (CEI/70 55-95-345). CF. **subscriber's check meter**.

subscriber's meter rack   *(Telef)* bastidor de contadores de abonado.

subscriber's multiple jack   *(Telef)* jack general (de conmutador múltiple). Jack (o conjuntor) conectado a una línea de abonado [subscriber's line] y que forma parte de un multiplaje dispuesto de suerte que una operadora cualquiera que atienda un conmutador múltiple pueda llamar al abonado.

subscriber's number   *(Telef)* número del abonado.

subscriber's register   *(Telef)* contador de conversación; contador de abonado. v. **subscriber's meter**.

subscriber's rental   cuota de abono.

subscriber's set   *(Telecom)* (a.c. subset) aparato de abonado. Aparato que sirve para establecer o recibir comunicaciones en el domicilio u oficina de un abonado a un servicio telefónico, telegráfico, de señalización, o de transmisión de datos. SIN. **customer set** || *(Telef)* (a.c. subset) aparato [teléfono] de abonado. SIN. **subscriber's station apparatus** | aparato para usuario ||

v.TB. **subset**.

subscriber's station   *(Telef)* (a.c. substation) estación de abonado, estación abonada | puesto de abonado. Aparato telefónico que tiene acceso a una red telefónica pública [public telephone network] (CEI/70 55-85-015). CF. **subscriber's main station, telephone station** | v. **subscriber's station apparatus**.

subscriber's station apparatus   aparato [teléfono] de abonado. SIN. **subscriber's set** [telephone], **subscriber's telephone instrument** [set], **subset**.

subscriber's subset   v. **subset**.

subscriber's telephone   aparato [teléfono] de abonado. SIN. **subscriber's station apparatus** | v. **subscriber's station**.

subscriber's telephone instrument   aparato telefónico de abonado. SIN. **subscriber's station apparatus**.

subscriber's telephone set   aparato [teléfono] de abonado. SIN. **subscriber's station apparatus**.

subscriber's traffic   tráfico entre abonados.

subscriber's trunk dialing   *(Telef)* v. **subscriber trunk dialing**.

subscriber's uniselector   *(Telecom)* preselector (de abonado). SIN. **preselector**.

subscript   *(Mat)* subíndice. SIN. **subindex**.

subscription   abono, subscripción.

subscription background music   música de fondo para abonados.

subscription call   *(Telef)* conversación [comunicación] por abono, conferencia de abono. Conversación prevista para ser tenida diariamente entre los mismos puestos o estaciones, a la misma hora convenida de antemano, de la misma duración, y que ha sido solicitada por un período determinado.

subscription channel music   canal de música por abono.

subscription television   v. **pay television**.

subsector   subsector.

subsequence   subsecuencia, subsucesión || *(Mat)* subsucesión.

subsequent   *adj:* subsecuente; subsiguiente, posterior, ulterior.

subsequent adjustment of accounts   corrección de cuentas.

subsequent notification   notificación posterior.

subsequent terms   *(Mat)* términos sucesivos.

subset   *(Mat)* subconjunto, conjunto parcial || *(Telecom)* aparato de abonado; modem (para transmisión por línea telefónica), adaptador de línea telefónica; emisor-receptor de datos (por línea telefónica). Aparato que sirve para transmitir y recibir por líneas telefónicas de la red general, en forma de tonos audibles, las señales digitales de una computadora, una terminal de datos [data terminal], o un aparato de facsímile. NOTA: El término *subset* se originó como forma contracta de *subscriber's set*. SIN. **customer set, modem, modulator, line adapter, subscriber's set** || *(Telef)* aparato [teléfono] de abonado; aparato (telefónico), teléfono. Aparato telefónico instalado en una estación o puesto de abonado [subscriber's station]. SIN. **subscriber's set** [telephone], **telephone subset, handset, desk set**.

subsidence, subsidency   cesación; apaciguamiento, calma; bajada, descenso; desplome, sumersión || *(Constr, Obras de tierra)* asiento, hundimiento. Descanso del suelo; corrimiento de una cimentación o de una estructura a un nivel más bajo. v.TB. **subsidence of...** || *(Geol)* subsidencia, descenso, depresión. Lento hundimiento del suelo || *(Meteor)* subsidencia. Achatamiento y compresión de una masa de aire, con el consiguiente aumento de temperatura y desecamiento, quedando al final despejada la atmósfera || *(Ríos)* decrecida.

subsidence of the embankment   asiento [hundimiento] del terraplén. v. **settlement of the embankment**.

subsidence of the ground   asiento [hundimiento] de las tierras. v. **settlement of the ground**.

subsidency   v. **subsidence**.

subsidiary   (empresa) subsidiaria ||| *adj:* subsidiario, auxiliar, secundario; incidental.

Subsidiary Communications Authorization [SCA]   Autorización de Comunicaciones Subsidiarias. Nombre o título de una disposición de la Comisión Federal de Comunicaciones, de los Estados Unidos, promulgada en 1955, que autoriza a las emisoras de modulación por frecuencia a transmitir, simultáneamente con el programa normal destinado al público general, un programa de música de fondo destinado a ser recibido por abonados a ese servicio. El segundo programa se transmite por modulación de una subportadora (técnica de multiplexión).

subsidiary conduit   conducto subsidiario.

subsidiary hall   sala auxiliar.

subsidiary ledger   mayor auxiliar.

subsidiary valence force   *(Quím)* fuerza secundaria de valencia.

subsidy   subsidio, subvención.

subsistence   subsistencia.

subsize   *adj:* subdimensionado, de tamaño inferior al normal.

subsize documentary (film)   *(Cine)* documental de formato reducido.

subsoil   subsuelo.

subsonic   *adj:* subsónico, de velocidad menor que la del sonido. CF. **sonic, hypersonic, supersonic, transonic** | v. **subaudio, infrasonic.**

subsonic airplane   aeroplano subsónico.

subsonic flow   *(Fís)* flujo subsónico.

subsonic frequency   v. **subaudio frequency.**

subsonic speed   velocidad subsónica. Velocidad inferior a la del sonido.

subspace   *(Mat)* subespacio.

subspecification   *adj:* de calidad inferior a la especificada; de características inferiores a las especificadas.

substance   substancia, materia, cuerpo. CF. **diamagnetic substance, ferromagnetic substance, paramagnetic substance.**

substance of a vortex   *(Hidr)* substancia de un vórtice. Fluido que contiene la vorticidad [vorticity].

substandard   patrón secundario /// *adj:* deficiente; subnormal.

substandard film   *(Cine)* película substandard [subestándar], película estrecha [subnormal]. Película de formato inferior al de 35 mm de la cinematografía profesional.

substandard instrument   aparato de precisión [de laboratorio]. Aparato de medida cuya precisión y cuyas condiciones de empleo son intermedias entre el aparato patrón [standard instrument] y el aparato de control [precision instrument] (CEI/58 20–05–220).

substantial damage   daños de importancia.

substantiating test   ensayo de demostración.

substation   *(Elec)* subestación, subcentral. LOCALISMO: subusina | subestación. (1) Conjunto de aparatos de transformación o de distribución instalados en un edificio o al aire libre, destinados a la alimentación de una red eléctrica o parte de ésta, y ordinariamente sometidos a vigilancia (CEI/38 25–10–020). (2) Conjunto, localizado en un mismo lugar, de aparatos eléctricos y los edificios necesarios, para la conversión o transformación de energía eléctrica y para el enlace entre dos o más circuitos (CEI/65 25–10–070). CF. **rotary substation, transformer substation, accumulator substation, rectifier substation, distributing substation, distribution substation, outdoor substation, auxiliary power substation, telecontrolled substation, automatic substation, mobile substation, transportable substation** || *(Tracción eléc)* subestación (de tracción). LOCALISMO: subusina. Lugar donde se reduce y transforma la corriente de alimentación | v. **traction substation** || *(Topog)* subestación || *(Telef)* v. **subscriber's station.**

substation message register   *(Telef)* indicador de tasas. CF. **subscriber premises meter, subscriber's check meter, subscriber's meter, subscriber's register.**

substep   *(Comput)* subpaso, operación parcial (en la ejecución de una rutina).

substitute   substituto, sustituto, suplente /// *adj:* substitutivo, sustitutivo; suplente; sucedáneo /// *verbo:* substituir, sustituir, suplir, reemplazar.

substitute a spare (ringing) generator   *verbo: (Telef)* substituir

un aparato de llamada.

substitution   substitución, sustitución, suplencia, reemplazo.

substitution capacitor   capacitor de substitución. Capacitor de prueba que se conecta temporalmente en substitución o reemplazo de uno que se sospecha está defectuoso.

substitution interference measurement   *(Elecn/Telecom)* medida de interferencia por substitución. v. **substitution method.**

substitution measurement   medida por substitución. v. **substitution method.**

substitution method   método de substitución. (1) Método de investigación de averías que consiste en substituir el elemento que se sospecha está defectuoso, por uno igual que se sabe está en buenas condiciones, y observar el efecto de la substitución en el funcionamiento del aparato o sistema que se investiga. CF. **substitution capacitor.** (2) Método de medida de una magnitud, en el cual se mide primero un efecto dependiente de esa magnitud, y luego se substituye la misma por un valor conocido de una magnitud semejante que iguale el efecto primeramente medido; se presume entonces que dicho valor conocido es igual al que se quería determinar. CF. **direct method.**

substitution technique   técnica de substitución. v. **substitution method.**

substitutional   *adj:* substitucional, sustitucional; substitutivo, sustitutivo; suplente; sucedáneo.

substrate   substrato, material [película] de base. Material sobre el cual se deposita la capa o película activa de una cinta magnética o de un disco magnético, y que puede tener la forma de una película de base [base film] || *(Elecn)* substrato, material de base, base plana, subcapa. Material sobre el cual o en el cual se forman diversos elementos o un circuito completo, a los cuales sirve de soporte mecánico. Puede tener forma de placa, lámina u hoja y comúnmente es aislante (vidrio, cerámica o plástico), pero también puede ser de un material semiconductor o de ferrita, para obtener características eléctricas determinadas. Se usan los substratos en la fabricación de circuitos impresos [printed circuits], circuitos integrados [integrated circuits], y dispositivos de película delgada [thin-film devices].

substrato   *(Fís)* substrato. CF. **medium.**

substratosphere   *(Meteor)* subestratosfera.

substratum   substrato, subestrato; capa inferior; subhorizonte || *(Agric)* subsuelo. SIN. **subsoil** || *(Filosofía)* substrato.

substructure   subestructura; infraestructura, estructura inferior || *(Vías férreas)* infraestructura. Conjunto de obras de tierra destinadas a construir el "plano de formación" sobre el cual se asientan el balasto y la vía propiamente dicha.

subsurface   lo que está debajo de la superficie; subsuelo; subálveo /// *adj:* subsuperficial; subterráneo; submarino, sumergido; subcutáneo; freático; interno.

subsurface burst   explosión subsuperficial. Explosión submarina o subterránea.

subsynchronous   *adj:* subsíncrono, subsincrónico. Sincrónico respecto a un submúltiplo de la frecuencia aplicada o de referencia.

subsynchronous satellite   satélite subsincrónico. Satélite artificial en órbita igual a la de un satélite sincrónico de la Tierra, pero que gira alrededor de la Tierra a una velocidad submúltiplo de la velocidad de ésta sobre su eje.

subsynchronous satellite system   sistema (de telecomunicación) de satélite subsincrónico.

subsystem   subsistema. Sistema que forma parte de otro mayor.

subtangent   *(Geom)* subtangente. Segmento del eje de abscisas comprendido entre el punto de intersección de éste con la tangente a una curva, y la proyección del punto de contacto.

subtelephone frequency   frecuencia infratelefónica. Frecuencia inferior al límite inferior de la banda de frecuencias telefónicas [telephone frequency band]. NOTA: Este concepto no debe confundirse con el de *frecuencia infraacústica* [subaudio frequency] (CEI/70 55–05–045).

subtend   *(Geom)* subtender. Unir con un segmento rectilíneo los extremos de un arco.

subterranean   *adj:* subterráneo.

subterranean steam   vapor subterráneo.

subterranean tunnel   *(Ferroc)* túnel subterráneo. SIN. **subway, underground tunnel.**

subthreshold stimulus   estímulo subliminal. Estímulo inferior al umbral de sensación. SIN. **subliminal stimulus.**

subtitle   subtítulo ‖ *(Cine)* subtítulo, título sobreimpreso ‖ *(Libros)* subportada.

subtotal   subtotal, total parcial.

subtract   *verbo:* substraer, sustraer, restar. Encontrar diferencias; dados uno de dos sumandos y la suma, hallar el otro sumando. Disminuir una cantidad *(minuendo)* en el valor de otra *(substraendo)*; el resultado se llama *resto.*

subtracting   substracción, sustracción ‖‖‖ *adj:* substractivo, sustractivo.

subtracting circuit   *(Elecn)* circuito substractivo.

subtraction   substracción, sustracción, resta. Operación de restar; inversa de la adición.

subtraction circuit   *(Elecn)* circuito de substracción.

subtraction-type radiometer   radiómetro del tipo de substracción. Radiómetro consistente en un radiorreceptor y un galvanómetro como dispositivo indicador. A éste se le aplica la salida suavizada del segundo detector después de restarle una tensión continua de valor igual al de salida suavizada del mismo detector cuando a la entrada del receptor sólo existe el ruido intrínseco del circuito.

subtractive   *adj:* substractivo, sustractivo.

subtractive color filter   filtro de color substractivo. Filtro óptico identificado por el color, o la gama angosta de colores, que suprime de la luz blanca que lo atraviesa. Cuando en inglés se dice p.ej. "blue filter", se trata de un *filtro del azul,* o sea, un filtro que elimina el azul. CF. **additive color filter.**

subtractive color mixing   mezcla substractiva de colores.

subtractive color system   sistema substractivo de colores. En televisión, sistema por el cual se obtiene un color deseado por substracción de otros dos colores.

subtractive filter   filtro substractivo. v. **subtractive color filter.**

subtractive primary colors   colores primarios substractivos.

subtractive process   proceso substractivo ‖ *(Fotog)* fotocromía con filtros eliminadores.

subtractive reducer   *(Fotog)* reductor substractivo.

substractor   *(Comput)* substractor ‖ *(Tv)* filtro substractivo. v. **subtractive color filter.**

subtrahend   *(Mat)* substraendo, sustraendo. Número que se resta de otro; sumando conocido en una substracción [subtraction]. V.TB. **subtract.**

subtransient   *adj:* subtransitorio; submomentáneo.

subtransient electromotive force   fuerza electromotriz subtransitoria.

subtransient reactance   reactancia subtransitoria.

subtransient single-phase short-circuit current   *(Máq sincrónicas)* corriente subtransitoria [corriente inicial simétrica] de cortocircuito monofásico. v. **initial symmetrical single-phase short-circuit current.**

subtransient three-phase short-circuit current   *(Máq sincrónicas)* corriente subtransitoria [corriente inicial simétrica] de cortocircuito trifásico. v. **initial symmetrical three-phase short-circuit current.**

subtransient time constant   constante de tiempo subtransitoria.

subtransient time-constant on a given impedance   constante de tiempo subtransitoria con una impedancia dada. La más pequeña de las constantes de tiempo que se manifiestan durante el régimen no permanente de la corriente o de la tensión de una máquina sincrónica, habiendo sido eliminada la componente aperiódica [aperiodic component] (CEI/56 10-45-120).

subtransient time-constant on open circuit   constante de tiempo subtransitoria a circuito abierto. La más pequeña de las

constantes de tiempo que se manifiestan durante el régimen no permanente [transient conditions] de la corriente o de la tensión de una máquina sincrónica, habiendo sido eliminada la componente aperiódica (CEI/56 10-45-120).

subtransient time-constant on single-phase short-circuit   constante de tiempo subtransitoria en cortocircuito monofásico. La más pequeña de las constantes de tiempo que se manifiestan durante el régimen no permanente de la corriente o de la tensión de una máquina sincrónica, habiendo sido eliminada la componente aperiódica (CEI/56 10-45-120).

subtransient time-constant on three-phase short-circuit   constante de tiempo subtransitoria en cortocircuito trifásico. La más pequeña de las constantes de tiempo que se manifiestan durante el régimen no permanente de la corriente o de la tensión de una máquina sincrónica, habiendo sido eliminada la componente aperiódica (CEI/56 10-45-120).

subtransient time-constant on two-phase short-circuit   constante de tiempo subtransitoria en cortocircuito bifásico. La más pequeña de las constantes de tiempo que se manifiestan durante el régimen no permanente de la corriente o de la tensión de una máquina sincrónica, habiendo sido eliminada la componente aperiódica (CEI/56 10-45-120). Véase la NOTA "10-45-000" en el artículo *synchronous machine.*

subtransient two-phase short-circuit current   *(Máq sincrónicas)* corriente subtransitoria [corriente inicial simétrica] de cortocircuito bifásico. v. **initial symmetrical two-phase short-circuit current.**

subtransmission system   *(Elec)* red de subtransmisión.

subtropical   *adj:* subtropical. Perteneciente a dos zonas de la Tierra próximas a los trópicos, pero de latitud superior a éstos.

subtropical air mass   *(Meteor)* masa de aire subtropical.

subtropical anticyclone   *(Meteor)* anticiclón subtropical.

subunit   subunidad. CF. **subassembly.**

suburban   *adj:* suburbano ‖ *(Ferroc)* suburbano, de cercanías.

suburban area   zona suburbana.

suburban exchange   *(Telef)* central suburbana.

suburban station   *(Ferroc)* estación suburbana. Estación ubicada en un suburbio o lugar próximo a una ciudad.

suburban traffic   tráfico suburbano.

subvention   subvención.

subway   *(Cables, Tuberías)* galería, conducto ‖ *(Ferroc)* paso inferior; ferrocarril subterráneo, metro ‖ túnel subterráneo. SIN. **subterranean [underground] tunnel** ‖ v. **subway for...** ‖ *(Minas)* galería ‖ *(Tránsito de peatones)* (paso) subterráneo.

subway for luggage   *(Ferroc)* pasaje subterráneo para transporte. Pasaje subterráneo para facilitar el transporte de equipajes y encomiendas en una estación.

subway for passengers   *(Ferroc)* pasaje subterráneo para el público. Pasaje subterráneo para facilitar el acceso de los viajeros a los andenes o la salida de los mismos.

subway transformer   *(Elec)* transformador del tipo para subterráneo.

subzero   *(Mat)* subcero. Divisor de cero; factor de un producto nulo. NOTA: Un producto se anula únicamente cuando es nulo alguno de sus factores ‖‖‖ *adj:* (de temperatura) bajo cero.

subzero cabinet   gabinete [armario] de temperaturas bajo cero. Congelador cuyo interior puede mantenerse a temperaturas inferiores al 0° F, o sea, inferiores a −17,8° C, y que tiene variadas aplicaciones en la industria y en la investigación científica.

subzero temperature   temperatura bajo cero.

subzone   subzona, zona comprendida en otra mayor.

subzone center   *(Telef)* central de subzona; central de tránsito. Central que se comporta como la más importante de un cierto número de centrales de agrupamiento [group centers] de una parte determinada de una zona de tránsito. Una central de tránsito no tiene necesariamente enlace directo con todas las centrales de zona [zone centers] o las demás centrales de tránsito (CEI/70 55-90-070).

successive   *adj:* sucesivo ‖ *(Mat)* sucesivo, posterior.

successive calculations   cálculos sucesivos.

successive contrast   contraste sucesivo.

successive emission of beta particles   emisión sucesiva de partículas beta.

successive emission of gamma rays   emisión sucesiva de rayos gamma.

successive generations of nuclei   generaciones sucesivas de núcleos.

successive reset   *(Informática)* ciclos sucesivos de borrado [de restauración].

successive steps   pasos sucesivos, etapas sucesivas.

successive terms   *(Mat)* términos sucesivos.

successor   sucesor ‖ *(Lenguaje legal)* causahabiente; derechohabiente ‖ *(Mat)* **(of a number)** sucesor (de un número).

suck-out pip   *(Elecn)* señal marcadora de absorción.

suction   succión, aspiración ⫻ *adj:* succional, aspirante, aspirador, succionador.

suction cup   ventosa. Especie de copilla de goma que puede fijarse por succión sobre una superficie plana y lisa. Se usa p.ej. para fijar una antena al cristal de una ventana o al techo de un automóvil.

suction effect   efecto de succión ‖ *(Meteor)* efecto aspirante.

suction fan   ventilador aspirante, aspirador.

suction gage   *(Avia)* indicador de vacío [de succión].

suction line   tubo [tubería, línea] de aspiración.

suction of laminar boundary layer   *(Hidr)* succión de una capa límite laminar.

suction phase   *(Ondas de choque)* fase negativa [de succión]. SIN. negative phase.

suction pipe   tubería de aspiración.

suction pump   bomba aspirante.

suction stop valve   válvula de cierre del tipo de aspiración.

suction stroke   *(Mot)* tiempo de aspiración; carrera [fase] de admisión.

suction tube   tubo de aspiración; correo neumático.

suction valve   válvula de aspiración ‖ *(Sist de bombeo)* válvula de pie.

suction wave   onda de succión [de rarefacción]. CF. **suction phase.**

sudden change   cambio repentino [súbito]; variación brusca; discontinuidad.

sudden-change relay   *(Elec)* relé de variación brusca. Relé de medida [measuring relay] que funciona cuando la magnitud de influencia [actuating quantity] varía bruscamente a partir de un valor cualquiera, en una cantidad que sobrepasa el valor de reglaje [operating value] del relé (CEI/56 16–15–030). CF. **rate-of-change relay.**

sudden death   muerte repentina ‖ *(Transistores de contacto puntual)* "muerte repentina", paralización espontánea. Reducción abrupta de alfa (factor de multiplicación o ganancia de corriente).

sudden ionospheric disturbance [SID]   perturbación ionosférica repentina. (1) Aumento repentino de la densidad de ionización de las capas inferiores de la ionósfera; generalmente afecta adversamente las radiocomunicaciones y causa perturbaciones en las corrientes geoeléctricas y en el campo geomagnético. (2) Perturbación ionosférica de comienzo brusco y corta duración (generalmente del orden de algunos minutos a una hora) debida a un incremento anormal transitorio de la ionización de las regiones D o E, y que se manifiesta por un desvanecimiento brusco de las ondas radioeléctricas cortas (CEI/70 60–24–205). CF. **radio fadeout.**

sudden operational failure   falla funcional repentina.

sudden pull-up   *(Avia)* tirón repentino.

suds   jabonaduras; espuma.

suds opera   *(Radio/Tv) (slang)* novela por episodios; radionovela.

suds scenario   *(Radio/Tv) (slang)* novela por episodios; radionovela.

sufficiency   suficiencia.

sufficient   *adj:* suficiente.

sufficient condition   *(Mat)* condición suficiente.

suffix   *(Gram)* sufijo ‖ *(Telecom)* sufijo. Parte significativa de una señal de varios elementos [significant portion of a multicomponent signal]; es transmitida inmediatamente después del prefijo [prefix] (CEI/70 55–115–180) | elemento de señal de mando ⫻ *verbo:* añadir como sufijo.

sugar   azúcar ⫻ *adj:* azucarero ⫻ *verbo:* formar azúcar; azucarar.

sugar refractometer   refractómetro azucarero.

suggestion   sugerencia; sombra, traza ligera ‖ *(Psicología)* sugestión.

Suhl effect   efecto Suhl. Fenómeno por el cual, cuando se aplica un campo magnético intenso transversal a un filamento de semiconductor tipo N, los huecos inyectados en el filamento son desviados hacia la superficie, donde pueden recombinarse rápidamente con electrones (teniendo entonces una vida mucho más corta), o desde donde pueden ser extraídos con la ayuda de una sonda; en todo caso el efecto resultante es un incremento de la conductancia.

SUI   Abrev. de state unemployment insurance [seguro estatal contra el desempleo].

SUI tax   contribución para el seguro estatal contra el desempleo, impuesto estatal para la desocupación.

suicidal   *adj:* suicida ‖ *(Aparatos y mecanismos)* suicida; autodestructivo; autocancelante.

suicide   suicidio; suicida ‖ *(Aparatos, Mecanismos)* autodestrucción; autocancelación ⫻ *adj:* suicida; autodestructivo; autocancelante.

suicide connection   *(Elec)* conexión suicida.

suicide contactor   *(Elec)* contactor suicida.

suicide control   control suicida. Función de control que —por la aplicación de reacción negativa— reduce y automáticamente mantiene al valor aproximado de cero la tensión de un generador.

suitability   *(also* suitableness*)* adecuación; adaptabilidad; comodidad, conveniencia; idoneidad, aptitud.

suitability of the equipment   adecuación del equipo.

suitable   *adj:* adecuado, apropiado; adaptable; cómodo, conveniente; idóneo, apto.

suitableness   v. **suitability.**

suite   comitiva, séquito, tren; serie, juego; crujía, fila de piezas o habitaciones ‖ *(Buques)* apartamento ‖ *(Hoteles)* apartamento; habitación salón ‖ *(Mús)* suite ‖ *(Elec)* conjunto de paneles de regulación ‖ *(Telecom)* (i.e. row of racks or switchboards) fila. Hilera de bastidores o de conmutadores manuales (CEI/70 55–95–060) | v. **suite of. . .**

suite of A positions   *(Telef)* cuadro de salida [de posiciones A], fila de posiciones de salida, fila de posiciones A. SIN. **suite of outgoing positions.**

suite of B positions   *(Telef)* cuadro de entrada [de posiciones B], fila de posiciones de entrada, fila de posiciones B. SIN. **suite of incoming positions.**

suite of incoming positions   v. **suite of B positions.**

suite of outgoing positions   v. **suite of A positions.**

sulfatation   v. **sulfation.**

sulfate   *(Quím)* sulfato. Sal de ácido sulfúrico ⫻ *adj:* sulfático ⫻ *verbo:* sulfatar(se).

sulfate ion   ion sulfático.

sulfated battery   *(Elec)* acumulador sulfatado.

sulfating   sulfatación. Formación de sulfato de plomo en las materias activas de los electrodos de un acumulador de plomo. Este término expresa a menudo una sulfatación anormal que corresponde a la formación de sulfato de plomo en forma de cristales difícilmente solubles, en lugar de presentarse finamente dividido como debe serlo normalmente (CEI/38 50–30–120) ⫻ *adj:* sulfatante.

sulfation   sulfatación. v. **sulfating.**

sulfatization   conversión en sulfato | v. **sulfation.**

sulfatize   *verbo:* convertir en sulfato.

sulfide   *(Quím)* sulfuro /// *adj:* sulfurado, sulfuroso.

sulfide of iron   sulfuro de hierro. CF. **iron pyrite.**

sulfitation   *(Quím)* sulfitación.

sulfonated polystyrene resin   resina poliestirénica sulfonada.

sulfur   azufre. Elemento químico de número atómico 16. Símbolo: S /// *verbo:* sulfurar; azufrar.

sulfur dioxide   anhídrido sulfuroso, dióxido de azufre.

sulfur hexafluoride   hexafluoruro de azufre. Gas incoloro que se obtiene de azufre y flúor y se usa como dieléctrico; sirve para suprimir los arcos en las guías de ondas de los radares de gran potencia.

sulfur hexameter   medidor de hexafluoruro de azufre. Aparato que sirve para medir o vigilar la cantidad de hexafluoruro de azufre en un dispositivo que lo contiene como dieléctrico.

sulfur industry   industria del azufre.

sulfuric acid   ácido sulfúrico. Compuesto de azufre, hidrógeno y oxígeno (H_2SO_4) que se usa como electrólito en los acumuladores de plomo [lead-acid storage batteries].

sulphate   v. **sulfate.**

sulphating   v. **sulfating.**

sulphide   v. **sulfide.**

sulphur   v. **sulfur.**

sulphuric acid   v. **sulfuric acid.**

sultry weather   *(Meteor)* tiempo bochornoso [sofocante].

sum   suma, adición, sumación. SIN. **summation** | v.TB. **sum of. . .** | suma, resultado de sumar, total /// *verbo:* sumar, encontrar sumas.

SUM   *(Aficionados radioteleg)* Abrev. de some.

sum-and-difference matrixing   combinación aditiva y substractiva. En los sistemas estereofónicos (dos canales), combinación de las señales correspondientes al canal de la izquierda (A) y al de la derecha (B) en forma tal que se obtienen otras dos: una por suma (A+B) y otra por diferencia (A−B). El circuito en que se efectúa la combinación se llama *matriz* o *red matricial.*

sum-and-difference monopulse radar   radar monoimpulso de suma y diferencia.

sum channel   canal suma. En un sistema estereofónico (dos canales), canal en que se suman eléctricamente las señales del canal de la izquierda y del canal de la derecha, con lo cual se obtiene una señal monofónica. SIN. **(A+B) output, A-plus-B output.**

sum computer   sumador.

sum frequency   frecuencia suma, frecuencia aditiva [de suma]. Frecuencia resultante de la suma de otras dos. CF. **difference frequency, upward heterodyning, up-conversion.**

sum modulo 10   suma módulo 10. Adición decimal cuyo resultado sólo contiene el dígito de las unidades. EJEMPLO: $7+6=3$.

sum modulo 2   suma módulo 2. Adición binaria cuyo resultado sólo contiene el dígito de las unidades. EJEMPLO: $1+1=0$.

sum of products   suma de productos.

sum of squares   suma de cuadrados.

sum of tensors   suma de tensores. Componente principal del tensor que resulta de sumar las componentes principales de un tensor.

summability   sumabilidad.

summable   *adj:* sumable.

summarily collectable   *adj: (Pagos)* exigible ejecutivamente.

summarize   *verbo:* resumir, recapitular || *(Informática)* totalizar por sumaria.

summarized circuit details   *(Telecom)* descripción sumaria de un circuito.

summary   sumario, resumen. SIN. **sinopsis** || *(Telecom)* cuadro sinóptico /// *adj:* sumario. SIN. **sinóptico.**

summary card   *(Informática)* tarjeta sumaria.

summary card punch   *(Informática)* perforadora sumaria.

summary counter   *(Informática)* contador sumario.

summary of monitoring information   *(Radiocom)* resumen de

informaciones provenientes del control de emisiones.

summary of traffic statistics   resumen de estadísticas de tráfico; cuenta del tráfico.

summary products   *(Informática)* productos sumarios.

summary punch   *(Informática)* perforadora sumaria. Máquina perforadora de tarjetas que puede acoplarse a otra máquina de tal forma que perfore en tarjetas toda información suministrada, manipulada o resumida por esa otra máquina.

summary-punch auto(matic) control   control automático de perforadora sumaria.

summary-punch binder post   poste de unión de (la) perforadora sumaria.

summary-punch card lever   palanca de tarjetas de (la) perforadora sumaria.

summary-punch control entry hub   boca de entrada de control de perforadora sumaria.

summary-punch elimination device   dispositivo eliminador de perforación sumaria.

summary-punch indication device   dispositivo indicador de perforación sumaria.

summary punch X   perforación sumaria X.

summary punching   *(Informática)* perforación sumaria.

summary punching of control X   perforación sumaria de X de control.

summary punching operation   operación de perforación en sumaria.

summary punching reproducer   perforadora reproductora sumaria.

summary punching with net balance accounting machine   perforación sumaria mediante la máquina de contabilidad con contadores de saldos convertidos.

summary recorder   *(Informática)* registrador sumario. Aparato que registra un resumen de la información manipulada por una computadora.

summary X punch control   *(Informática)* control de perforación de X de la sumaria.

summation   sumación, suma, adición. SIN. **sum.**

summation bridge   puente de medida por suma, puente (de medida) adicionador. Puente que sirve para medir una magnitud (capacitancia, resistencia, temperatura, tiempo, frecuencia, etc.) sumando la corriente original del puente a la que se necesite para establecer el equilibrio; el resultado aparece en un indicador o una escala apropiada.

summation check   *(Comput)* prueba de suma, comprobación [verificación] por suma. Prueba redundante en la cual se suman ciertos grupos de dígitos, usualmente sin tomar en cuenta el arrastre [overflow], y se coteja el resultado con otra suma hallada antes, para probar la exactitud de los cálculos hechos o el funcionamiento de la calculadora.

summation convention   *(Mat)* convención de la suma.

summation device   dispositivo de sumar, sumadora. SIN. **summator.**

summation frequency   v. **sum frequency.**

summation instrument   *(Aparatos de medida)* aparato totalizador. Aparato que mide (o registra) la suma de los valores tomados por magnitudes de la misma naturaleza en varios circuitos (CEI/58 20–05–235). CF. **summation meter.**

summation loudness   intensidad sonora suma, sonoridad total. Resultante de sumar la intensidad sonora de todas las bandas en que se divida el espectro sonoro.

summation meter   *(Elec)* contador totalizador. Contador que registra la suma de las energías utilizadas en varios circuitos (CEI/38 20–25–090, CEI/58 20–25–100).

summation network   v. **summing network.**

summation of series   *(Mat)* adición [suma] de series. Si se suman dos series convergentes, el resultado es una serie también convergente. Si una de dos series dadas es convergente y la otra divergente, su suma es una serie divergente, y se dice que su suma es infinita. Si ambas son divergentes, su suma es indeterminada (no puede afirmarse nada de ella).

summation sign   *(Mat)* signo sumatorio, signo [símbolo] de sumación. Se usa la letra *sigma* mayúscula (decimooctava letra del alfabeto griego de mayúsculas) para indicar una suma cuyos sumandos obedecen a determinada ley.

summation tone   *(Acús/Mús)* tono suma, tono de adición. Tono resultante de la combinación de dos tonos, que se oye en ciertas circunstancias, y cuya altura corresponde a una frecuencia igual a la suma de las de los tonos componentes. CF. **sum frequency**.

summation transformer   *(Elec)* transformador integrador (de intensidad).

summation watt rating   *(Reostatos)* capacidad de potencia suma. Es igual al producto $I_1 I_2 R$, donde I_1 es la corriente máxima e I_2 la corriente mínima, ambas en amperios, y R la resistencia total o máxima del reostato, en ohmios. I_1 corresponde a la resistencia mínima e I_2 a la resistencia máxima del reostato. SIN. **summation watt value**.

summation watt value   v. **summation watt rating**.

summation watts   *(Reostatos)* (vatios de) capacidad de potencia suma. v. **summation watt rating**.

summational   *adj:* sumacional, sumatorio, de suma, de sumación.

summational invariant   *(Fís)* invariante de suma [de sumación]. Se dice que una propiedad molecular es invariante de suma cuando su suma para las moléculas que participan en un choque no es modificada por éste. SIN. **collisional invariant**.

summative   *adj:* sumativo.

summator   totalizador, sumador.

summer   verano, estío ‖ *(Arq, Constr)* dintel; viga maestra; imposta; sotabanco; manto ⫽ *adj:* veraniego, estival, de verano.

summer timetable   horario de verano.

summing   *adj:* adicionador, aditivo, sumador, de suma.

summing amplifier   amplificador sumador. Amplificador que suministra una tensión proporcional a la suma de dos o más tensiones (o corrientes) de entrada.

summing circuit   circuito sumador [adicionador].

summing network   (a.c. summation network) red sumadora, red aditiva. Red eléctrica cuya tensión de salida es proporcional a la suma de dos o más tensiones de entrada.

summing point   punto sumador [de suma]. **(1)** En los amplificadores con reacción, terminal de entrada al cual se conecta el lazo que viene de la salida (circuito de reacción). **(2)** En los sistemas de control con reacción, punto de mezcla cuya salida se obtiene por la adición (con signos prescritos) de sus entradas.

summit   cima, cumbre, ápice, cúspide; vértice; cumbrera; alto (de una cuesta).

summit conference   conferencia de gobernantes [de jefes de estado].

summon   *verbo:* llamar, convocar; evocar ‖ *(Lenguaje legal)* citar, emplazar.

summon (a person) to a public call office   *(Telef)* avisar (a alguien) para que reciba una llamada en una estación pública, llamar (a alguien) a un teléfono público.

summon (a person) to a public station   *(Telef)* avisar (a alguien) para que reciba una llamada en una estación pública, llamar (a alguien) a un teléfono público.

sump   sumidero, resumidero, rezumadero, poceta, pozo de recogida ‖ *(Buques)* poceta de drenaje ‖ *(Diques secos)* pozo de las bombas ‖ *(Constr)* pozo de desagüe ‖ *(Máq, Mot)* colector (de aceite, de lubricante); vaso colector de aceite ‖ *(Minas)* caldera; pileta, colector de agua ‖ *(Carreteras)* pozo de drenaje. Pozo o excavación preparado para drenar el agua de la superficie y absorberla en el subsuelo [subsoil].

sump hole   sumidero; pozo de recogida; pozo resumidero; pozo filtrante; pozo [hoyo] de fondo permeable, pozo de drenaje ‖ *(Apertura de pozos)* (a.c. sumping hole) barreno de franqueo.

sump pump   bomba de sumidero ‖ *(Marina)* bomba de sentina.

sump tank   tanque de rebalso.

---

sumping hole   v. **sump hole**.

Sumptner's principle   *(Opt)* principio de Sumptner. Principio que sirve de base a la *esfera de Ulbricht* [Ulbricht sphere] o *esfera fotométrica,* y según el cual, si se coloca un foco luminoso en el interior de una esfera de superficie interna perfectamente difusora, todas las partes de esa superficie aparecen igualmente iluminadas cuando se observan a través de una abertura practicada en ella.

sun   sol; solana; luz del sol ⫽ *adj:* solar ⫽ *verbo:* asolear.

sun compass   *(Naveg)* brújula solar.

sun-dog   v. **sundog**.

sun follower   (a.c. sunseeker) "girasol", "mirasol", seguidor [buscador] del sol. Sistema a base de un dispositivo fotoeléctrico y un servomecanismo, que mantiene p.ej. un vehículo espacial orientado hacia el sol.

sun gear   *(Mec)* engranaje planetario.

sun pillar   *(Meteor)* columna solar; obelisco luminoso.

sun-powered   *adj:* v. **solar-powered**.

sun-powered furnace   v. **solar furnace**.

sun print   heliografía, copia heliográfica.

sun-pump laser   laser con bomba solar.

sun-pumped laser   laser de bombeo solar, laser bombeado con luz solar.

sun radiation   radiación solar. SIN. **solar radiation**.

sun satellite   satélite solar, satélite artificial del Sol.

sun-shade   v. **sunshade**.

sun-spot   v. **sunspot**.

sun storm   tempestad solar.

sun strobe   *(Radar)* marca estroboscópica del Sol, señal de referencia solar. Señal que aparece en la pantalla de un indicador panorámico (PPI) cuando la antena mira al Sol, y que se utiliza para calibraciones de acimut y elevación por comparación con la posición conocida del Sol.

sun-supplied power   energía tomada del sol. SIN. **solar energy**.

sunburn   quemadura de sol, solanera, dermatitis producida por los rayos del sol. CF. **radionecrosis** ⫽ *verbo:* quemar(se) [tostar(se)] con el sol.

sundog   *(Meteor)* parhelio, falso sol.

sundown   puesta del sol.

sunflower   girasol, mirasol.

sunlight   luz solar.

sunlight recorder   registrador de luz solar. Aparato que sirve para registrar el valor integrado de la radiación solar en períodos definidos de tiempo. CF. **sunshine recorder**.

sunrise   salida del sol, orto (del sol).

sunrise colors   aurora.

sunseeker   v. **sun follower**.

sunset   puesta del sol, ocaso (del sol).

sunshade   quitasol, pantalla ‖ *(Cine/Fotog)* parasol. SIN. **lens hood [shade, shield]** ‖ *(Instr)* pantalla ‖ *(Telescopios)* cubresol.

sunshine   día, claridad del sol ‖ *(Meteor)* insolación.

sunshine recorder   *(Meteor)* heliógrafo. CF. **sunlight recorder**.

sunspot   mancha solar. Porción relativamente fría de la fotófera del Sol. Se presenta en forma de mancha obscura y generalmente está asociada con tormentas magnéticas en la Tierra que afectan las radiocomunicaciones.

sunspot activity   actividad solar [de las manchas solares].

sunspot coefficient   coeficiente de actividad solar. Símbolo: Q.

sunspot cycle   ciclo (de actividad) solar, ciclo de las manchas solares. Ciclo de variación de las manchas y las erupciones solares, que dura aproximadamente 11 años. SIN. **solar cycle**.

sunspot disturbance   perturbación de origen solar, perturbación causada por.las manchas solares.

sunspot interference   v. **sunspot disturbance**.

sunspot maximum   máximo de actividad solar.

sunspot minimum   mínimo de actividad solar.

sunspot noise   *(Radiocom)* ruido de origen solar, ruido causado por las manchas solares.

sunspot number   número de manchas solares, índice de actividad solar [de manchas solares]. SIN. **solar index.**

sunspot penumbra   penumbra de mancha solar.

sunspot umbra   sombra de mancha solar.

sup.   Abrev. de superior; superlative; supplement; supply; supine.

SUP   *(Esquemas)* Abrev. de suppressor grid.

super.   Abrev. de superimposition; superheterodyne; superior; supernumerary; superintendent.

super-   super-. Elemento de compuesto que indica colocación superior o exterior; superioridad en tamaño, número, valor, grado o calidad; grado que supera una norma; en química, presencia de un ingrediente en alta proporción.

superacoustic   *adj:* supraacústico.

superacoustic device   dispositivo supraacústico.

superacoustic telegraphy   telegrafía supraacústica. SIN. **high-frequency carrier telegraphy, superaudio telegraphy.**

superactivated   *adj:* sobreactivo.

superactivated screen   *(TRC)* pantalla sobreactiva.

superadiabatic   *adj:* (*Fís/Meteor*) superadiabático.

superaudible   *adj:* ultrasonoro, ultraacústico, supraacústico. CF. subaudible.

superaudio   *adj:* ultrasonoro, ultraacústico, supraacústico. CF. subaudio.

superaudio current   corriente de frecuencia ultrasonora.

superaudio frequency   frecuencia ultrasonora [ultraacústica, supraacústica]. (**1**) Frecuencia superior a la de los sonidos audibles; es decir, superior a aproximadamente 20 000 Hz. (**2**) Frecuencia por encima de la banda de frecuencias acústicas utilizada para la transmisión de la palabra o la música | frecuencia ultrasonora. Frecuencia por encima de la gama de audibilidad del oído humano. NOTA: Este concepto no debe confundirse con el de *frecuencia ultratelefónica* [supertelephone frequency]. SIN. **ultrasonic frequency** (CEI/70 55–05–050). CF. **subaudio frequency.**

superaudio telegraphy   telegrafía ultraacústica [supraacústica]. Forma de telegrafía que utiliza una banda de frecuencia superiores a las frecuencias telefónicas [telephone frequencies]; por ejemplo, por encima de 3 400 Hz. SIN. **superacoustic telegraphy** | telegrafía ultraacústica. Telegrafía en la cual la transmisión se efectúa por una o varias corrientes alternas de frecuencias situadas en la banda de frecuencias ultrasonoras [superaudio frequencies] (CEI/70 55–70–020). CF. **subaudio telegraphy.**

supercharge   sobrecarga ‖ *(Mot)* sobrealimentación. SIN. **boost.**

supercharged   *adj:* (*Mot*) sobrealimentado.

supercharged engine   motor sobrealimentado.

supercharged motor   motor sobrealimentado.

supercharger   supercargador ‖ *(Mot)* sobrealimentador; compresor de sobrealimentación.

supercharger control   mando del sobrealimentador.

supercharger diffuser   difusor del sobrealimentador.

supercharger diffuser plate   placa difusora del sobrealimentador.

supercharger drain plug   tapón de drenaje del sobrealimentador.

supercharger drive   transmisión del sobrealimentador.

supercharger housing   caja del sobrealimentador.

supercharger impeller   soplador del sobrealimentador.

supercharger pressure regulator   regulador de presión del sobrealimentador.

supercharger ratio   razón [relación] de sobrealimentación.

supercharging   *(Mot)* sobrealimentación.

supercommutation   *(Comput)* sobreconmutación. Dícese cuando una misma fuente de datos es conectada a varios contactos equiespaciados del conmutador, para aumentar la frecuencia de muestreo. CF. **subcommutation.**

supercompression   supercompresión; alta compresión.

supercompression engine   motor de alta compresión.

superconducting   *adj:* superconductor, supraconductor. Que posee la propiedad de la superconductividad o supraconductividad [superconductivity].

superconducting electromagnet   electroimán de arrollamiento superconductor.

superconducting foil   hoja superconductora.

superconducting generator   *(Elec)* generador superconductor. Electrogenerador en el cual se emplean materiales semiconductores a temperaturas próximas al cero absoluto.

superconducting magnet   v. **superconducting electromagnet.**

superconducting memory   memoria superconductora. Memoria fabricada a base de criotrones y elementos superconductores que funcionan a temperaturas próximas al cero absoluto.

superconducting power transformer   transformador de potencia de devanados superconductores.

superconducting solenoid   solenoide superconductor. Solenoide que utiliza hilos superconductores.

superconducting state   estado de superconducción, estado supraconductor.

superconducting thin film   película delgada superconductora. Película delgada de un elemento superconductor [superconducting element].

superconducting transition   transición al estado de superconducción. Transición del estado normal al de superconducción; la temperatura crítica o de transición depende de la naturaleza del material y del campo magnético en que el mismo se encuentre. V.TB. **superconductivity.**

superconductive   *adj:* superconductivo, superconductor, supraconductor. v. **superconducting.**

superconductivity   superconductividad, supraconductividad, hiperconductividad. Propiedad que poseen ciertos metales, aleaciones y combinaciones químicas, en virtud de la cual se anula su resistencia eléctrica al ser sometidos a muy bajas temperaturas. El fenómeno de anulación de la resistencia ocurre para cada material o combinación química a una temperatura característica llamada *temperatura crítica.* V.TB. **superconducting transition.**

superconductivity energy equation   ecuación de energía de superconductividad.

superconductor   superconductor, supraconductor, hiperconductor. Material que posee superconductividad.

supercontrol   supercontrol.

supercontrol tube   *(Elecn)* tubo de supercontrol, tubo (electrónico) de mu variable, válvula (electrónica) de supercontrol [de mu variable, de transconductancia variable, de corte alejado], válvula exponencial, lámpara de pendiente variable. SIN. **remote-cutoff tube, variable-mu tube.**

supercool   *verbo:* (*Fisicoquím*) subenfriar(se).

supercooled   *adj:* (*Fisicoquím*) subenfriado; en sobredifusión.

supercooled fog   *(Meteor)* niebla subenfriada.

supercritical   *adj:* supercrítico, por encima del punto crítico ‖ *(Nucl)* supercrítico. Dícese de todo sistema en el cual ocurre una reacción nuclear en cadena divergente o sea, que en él la constante de multiplicación efectiva es superior a la unidad, por lo cual la velocidad de reacción aumenta rápidamente. v. **nuclear chain reaction.**

supercritical flow   *(Hidr)* gasto supercrítico.

supercritical mass   *(Nucl)* masa supercrítica.

supercritical reactor   *(Nucl)* reactor supercrítico. v. **nuclear chain reaction** (CEI/68 26–10–210).

supercritical steam pressure   presión supercrítica del vapor (de agua). Presión superior a la crítica de 227 kg/cm², para la cual es nulo el calor latente [latent heat].

supercurrent   supercorriente. Corriente que circula por un conductor en estado de superconductividad [superconductivity]. v. **Silsbee effect.**

superdirective   *adj:* superdirectivo.

superdirective antenna   v. **supergain antenna.**

superdirective array   v. **supergain array.**

superdominant   *(Mús)* superdominante.

superelevate   *verbo:* superelevar, sobreelevar; peraltar.

superelevation   superelevación ‖ *(Artillería)* superelevación, corrección suplementaria (de situación) ‖ *(Carreteras)* peralte, inclinación transversal. Inclinación dada al perfil transversal de una carretera en los tramos curvos, para compensar el efecto de la fuerza centrífuga sobre los vehículos en movimiento ‖ *(Vías férreas)* peralte, inclinación transversal, sobreelevación,. superelevación. LOCALISMOS: peraltado, peraltaje, peraltamiento, realce. Elevación del riel exterior [outer rail] en las curvas para atenuar la acción de las fuerzas centrífugas del tren en movimiento.

superemitron *(Tv)* superemitrón.

superemitron camera cámara superemitrón. Equivalente británico del supericonoscopio [image iconoscope].

superexchange *(Quím)* superintercambio.

superficial *adj:* superficial.

superficial roentgen therapy radioterapia [roentgenoterapia] superficial. Roentgenoterapia de lesiones superficiales del cuerpo, generalmente con una radiación de poca energía (CEI/64 65–25–010).

superfine *adj:* superfino, sobrefino, hiperfino. SIN. **hyperfine.**

superfine structure *(Espectros atómicos y moleculares)* estructura hiperfina. SIN. **hyperfine structure.**

superfluid superfluido /// *adj:* superfluido. v. **superfluidity.**

superfluid helium helio superfluido. Helio líquido que al ser refrigerado a temperaturas próximas al cero absoluto se convierte en un *superfluido,* es decir, que alcanza el estado de superfluidez (v. **superfluidity**).

superfluidity superfluidez. Estado que alcanza un líquido al ser enfriado por debajo de 2,19 K, y que se caracteriza porque el líquido fluye sin fricción. Créese que el fenómeno es una manifestación macroscópica de la naturaleza ondulatoria de la materia, y algunos físicos especulan sobre la posibilidad de que el mismo tenga relación con el fenómeno de la superconductividad [superconductivity].

superfluous *adj:* superfluo.

supergain antenna antena superdirectiva [superdireccional], antena de superganancia. Antena directiva que produce una gran concentración de la energía radiada en la dirección favorecida o preferida, por ser muy angosta la abertura angular de emisión. Utilízase p.ej. para transmisiones de televisión. SIN. **superdirective antenna.** CF. **directional antenna.**

supergain array red superdirectiva ǀ alineación superdirectiva [con superganancia]. Red de antenas alimentadas de tal forma que la ganancia en potencia en una dirección dada es notablemente más grande que si las antenas estuvieran alimentadas con corrientes de la misma amplitud y de fases tales que los campos de todas esas antenas, en la dirección dada, estuvieran en fase. SIN. **superdirective array** (CEI/70 60–34–310).

supergeostrophic *adj: (Meteor)* supergeostrófico.

supergeostrophic wind viento supergeostrófico.

supergiant *adj:* supergigante.

supergiant star *(Astr)* estrella supergigante.

supergrid *(Elec)* superred, red de transmisión a elevadísima tensión.

supergroup supergrupo, grupo de grupos ‖ *(Telecom)* supergrupo, grupo secundario. (**1**) En los sistemas de onda portadora, grupo de 60 canales telefónicos que ocupa la gama de frecuencias de 312 a 552 kHz. (**2**) Conjunto de 5 grupos primarios de canales telefónicos de corriente portadora que ocupan bandas de frecuencias contiguas en el espectro y que son objeto de una modulación o una desmodulación simultáneas. (**3**) En telefonía por corrientes portadoras, conjunto de un número determinado de grupos primarios [groups], normalmente cinco, que ocupan bandas contiguas de frecuencias (CEI/70 55–105–020).

supergroup allocation *(Telecom)* distribución de supergrupos [de grupos secundarios]. Disposición de supergrupos o grupos secundarios en la banda de frecuencias utilizable.

supergroup band filter filtro de banda de supergrupos [de grupos secundarios].

supergroup carrier-frequency generator equipment equipo de generación de frecuencias portadoras de supergrupo.

supergroup carrier generator generador de portadora de supergrupo.

supergroup control station estación de control de supergrupo, estación directora de grupo secundario.

supergroup coupler shelf estante acoplador de supergrupo.

supergroup demodulator desmodulador de supergrupo.

supergroup derivation equipment equipo de derivación de supergrupo [de grupo secundario].

supergroup distribution frame [SDF] repartidor de supergrupo ǀ repartidor de grupo secundario. En telefonía por corrientes portadoras, repartidor que proporciona flexibilidad para la interconexión de aparatos utilizados para la transmisión de frecuencias comprendidas en la banda de un *grupo secundario de base* o *supergrupo básico* [basic supergroup] (CEI/70 55–100–040).

supergroup link conexión en supergrupo [en grupo secundario]. Conjunto de los medios de transmisión que utilizan una banda de frecuencias de anchura definida (240 kHz) y que unen dos repartidores de supergrupos o dos puntos equivalentes. Se extiende desde el punto en que se forma el supergrupo hasta el punto en que el mismo es disgregado. La expresión se aplica usualmente al conjunto de los dos sentidos de transmisión. CF. **supergroup section.**

supergroup modem modem de supergrupo.

supergroup modulating equipment equipo de modulación de supergrupo ǀ equipo de modulación de grupo secundario. En telefonía por corrientes portadoras, equipo utilizado para la transposición en frecuencia [frequency translation] de un *grupo secundario de base* [basic supergroup] en la banda de 12 a 252 kHz, y que permite la operación inversa (CEI/70 55–100–060). CF. **supergroup translating equipment.**

supergroup modulator modulador de supergrupo.

supergroup pilot piloto de supergrupo.

supergroup receive combiner shelf estante combinador de recepción de supergrupo.

supergroup receive shelf estante de recepción de supergrupo.

supergroup reference pilot *(GB)* piloto de referencia de supergrupo, onda piloto de supergrupo [de grupo secundario]. Onda piloto [reference pilot] aplicada al punto donde es formado el grupo secundario considerado y que sigue a éste a lo largo de su recorrido por el sistema de ondas portadoras, hasta el punto en que el grupo secundario se descompone en grupos primarios.

supergroup section sección de supergrupo [de grupo secundario]. Parte de una conexión en grupo secundario [supergroup link] comprendida entre dos repartidores de grupo secundario [supergroup distribution frames] consecutivos, o entre dos puntos equivalentes. Una *conexión en grupo secundario* se compone generalmente de varias *secciones de grupo secundario* conectadas en tándem [connected in tandem] por intermedio de *filtros de paso de grupos secundarios* [through supergroup filters].

supergroup subcontrol station estación de subcontrol de supergrupo, estación subdirectora de grupo secundario.

supergroup through filter filtro de paso de supergrupo. SIN. **through supergroup filter.**

supergroup transfer point punto de transferencia de supergrupo [de grupo secundario].

supergroup transfer station estación de transferencia de supergrupo [de grupo secundario].

supergroup translating equipment [STE] equipo de transposición [traslación] de supergrupo, trasladador de supergrupo ǀ equipo de transposición de grupo secundario. En telefonía por corrientes portadoras, equipo utilizado para la transposición en frecuencia y la yuxtaposición de grupos secundarios en una banda de frecuencias apropiada para la transmisión por un enlace de par coaxil o simétrico, y que permite la operación inversa (CEI/70 55–100–045).

supergroup translation transposición [traslación, modulación] de supergrupo [de grupo secundario].

superhard *adj:* hiperduro.

superheat supercalor /// *verbo:* recalentar, sobrecalentar.

superheated steam vapor recalentado [sobrecalentado].

superheated-steam locomotive locomotora de vapor sobrecalentado.

superheater sobrecalentador, recalentador, supercalentador; recalentador (de vapor) ‖ (*Locomotoras de vapor*) recalentador. Dispositivo destinado a elevar la temperatura del agua de alimentación.

superheating recalentamiento, sobrecalentamiento; sobrecalefacción.

superheating surface (*Locomotoras de vapor*) superficie de sobrecalefacción. Superficie exterior de los tubos recalentadores.

superheavy *adj:* superpesado.

superheavy hydrogen hidrógeno superpesado.

superheavy nucleus (*Nucl*) núcleo superpesado.

superhet Forma abreviada de superheterodyne; superheterodyne circuit; superheterodyne receiver. Se usa también en español.

superheterodyne superheterodino. (**1**) Tipo de receptor en el que la frecuencia recibida se transforma, mediante un proceso heterodino, en una frecuencia fija llamada *frecuencia intermedia* [intermediate frequency]. (**2**) Aparato receptor en el cual las oscilaciones producidas por la onda recibida se combinan con las de un oscilador local en forma de obtener oscilaciones de frecuencia intermedia que son amplificadas y detectadas sucesivamente para la percepción de la señal (CEI/38 60–20–035) /// *adj:* superheterodino.

superheterodyne amplifier amplificador superheterodino.

superheterodyne circuit circuito superheterodino.

superheterodyne converter conversor superheterodino. Sección del receptor superheterodino en la cual la señal de radiofrecuencia recibida se mezcla con una oscilación local para obtener la frecuencia intermedia.

superheterodyne oscillator oscilador superheterodino. CF. **heterodyne oscillator, autodyne oscillator.**

superheterodyne receiver (a.c. superhet, superheterodyne) receptor superheterodino. TB. receptor de doble detección [de cambio de frecuencia], receptor del tipo de frecuencia intermedia, receptor con amplificación en frecuencia intermedia. Receptor de radio en el que la señal recibida se mezcla o combina con la de un oscilador local [local oscillator] para obtener una tercera frecuencia, llamada *frecuencia intermedia* [intermediate frequency], que es más baja y de más fácil amplificación que la de la señal recibida. V.TB. **superheterodyne, superheterodyne reception.** CF. **mixer, first detector, intermediate-frequency amplifier, second detector, heterodyne, frequency conversion, frequency converter.**

superheterodyne reception recepción superheterodina. TB. recepción de doble detección. SIN. **double-detection reception, supersonic detection, supersonic heterodyne reception.** NOTA: Los dos últimos sinónimos son designaciones originalmente dadas al método y hoy en desuso | recepción superheterodina. Recepción radioeléctrica en la cual la señal de llegada es sometida a una conversión de frecuencia, casi siempre a frecuencias más bajas, antes de ser aplicada a un amplificador, generalmente de sintonía fija (CEI/70 60–44–025). V.TB. **superheterodyne receiver.** CF. **heterodyne reception.**

superhigh frequency [SHF] frecuencia supraalta. Frecuencia comprendida en la gama de 3 a 30 GHz (ondas centimétricas). La abreviatura *SHF* es de uso internacional. CF. **microwave.**

superhigh-frequency radar radar de frecuencia supraalta, radar de SHF, radar centimétrico.

superhighway supercarretera, carretera de acceso limitado.

supericonoscope (*Tv*) supericonoscopio.

supericonoscope tube (*Tv*) supericonoscopio.

superimpose *verbo:* sobreponer, superponer. Por ejemplo, superponer imágenes de televisión para obtener determinados efectos. SIN. **superpose.**

superimposed *adj:* sobrepuesto, superpuesto. SIN. **superposed.**

superimposed current corriente superpuesta ‖ (*Telecom*) corriente portadora.

superimposed print (*Cine*) copia con títulos sobreimpresos.

superimposed ringing (*Telef*) llamada superpuesta; señalización múltiple.

superimposed sound sonido superpuesto.

superimposing sobreposición, superposición ‖ (*Cine/Tv*) superposición (de imágenes).

superimposing of images (*Cine/Tv*) superposición de imágenes.

superimposition sobreposición, superposición. SIN. **superposition** ‖ (*Cine/Tv*) superposición (de imágenes).

superimposition of carrier frequencies (*Telecom*) superposición de frecuencias portadoras.

superimposition of colors (*Tv*) superposición de colores.

superimposition of images (*Cine/Tv*) superposición de imágenes.

superior superior, jefe, persona de mayor jerarquía /// *adj:* superior, en la parte alta; superior, mejor, de mayor calidad o bondad; superior, de mayor valor, de mayor tamaño.

superior planet (*Astr*) planeta superior.

superlattice (*Fisicoquím*) superreticulado, red superpuesta. Disposición de átomos de dos o más substancias en la que los átomos de una de éstas ocupan posiciones regulares en la red de la otra sin formar un compuesto, o sea, sin que ocurra entre ellas ninguna combinación química.

superluminous *adj:* superluminoso.

superluminous radiogalaxy (*Astrofís*) radiogalaxia superluminosa.

supermagnet v. **superconducting electromagnet.**

Supermalloy Marca registrada (Arnold Engineering Company, EE.UU.) de una aleación magnética cuya permeabilidad máxima es de más de 1 000 000.

supermode laser laser de supermodo. Laser cuya energía está casi toda concentrada en una sola frecuencia de salida.

supermultiplet (*Fís*) supermultiplete.

supernova (*Astr*) supernova. Estrella que explota catastróficamente, liberando repentinamente la mayor parte de su energía.

supernova outburst (*Astr*) explosión de supernova. SIN. **supernova explosion.**

supernova remnants restos de una supernova.

supernumerary *adj:* supernumerario.

supernumerary crew member (*Avia*) tripulante supernumerario.

superorthicon (*Tv*) superorticón.

superosculation (*Mat*) superosculación.

superphantom circuit (*Telecom*) circuito superfantasma, circuito fantasma doble. Circuito que resulta de la combinación de dos circuitos fantasmas. SIN. **double-phantom circuit** (CEI/38 55–25–035).

superposable *adj:* superponible.

superposable configurations (*Geom*) configuraciones superponibles [congruentes]. v. **superpose.**

superpose *verbo:* superponer, sobreponer. En geometría, colocar un elemento o una figura sobre otro u otra de su misma naturaleza de modo que se correspondan punto a punto.

superposed *adj:* superpuesto, sobrepuesto. SIN. **superimposed.**

superposed circuit (*Telecom*) circuito superpuesto. Circuito adicional obtenido utilizando los mismos conductores que sirven para constituir otros circuitos, por medio de dispositivos que permiten la utilización simultánea, sin perturbaciones mutuas, de todos los circuitos (CEI/70 55–30–095).

superposition superposición, sobreposición. Acción y efecto de superponer o sobreponer. SIN. **superimposition.** v. **superpose, superimpose.**

superposition effect efecto de superposición.

superposition principle (*Fís*) principio [teorema] de la superposición. Principio o teorema según el cual si sobre un sistema actúan varias influencias independientes, la influencia resultante es la suma de las influencias individuales, efectuándose la suma algebraicamente o vectorialmente, según el caso. SIN. **superposi-**

tion theorem.

superposition theorem   *(Fís)* teorema [principio] de la superposición. v. **superposition principle** || *(Elec/Telecom)* teorema de la superposición. Según este teorema, la corriente que circula en una rama de una red pasiva lineal [passive linear network] y la diferencia de potencial que existe entre dos puntos cualesquiera de una red tal, en virtud de la aplicación simultánea a esa red de un cierto número de fuerzas electromotrices distribuidas de una manera cualquiera, son respectivamente la suma de las corrientes en la rama o de las diferencias de potencial entre los puntos considerados, que resultarían de la aplicación separada de cada una de las fuerzas electromotrices actuantes (CEI/70 55–20–295).

superpower   superpotencia.

superpower reactor   *(Nucl)* reactor de máxima energía.

superpower station   estación superpotente. Nombre que se da a una radiodifusora de elevadísima potencia, en particular cuando llega a 1 000 kW o pasa de esa cifra.

superpressure   superpresión, sobrepresión || *(Dirigibles)* sobrepresión.

superpropagation   superpropagación.

superradiance   superradiancia || *(Laseres)* sobreintensidad de emisión. Fenómeno por el cual se produce un incremento rápido en la intensidad de emisión de rayas fluorescentes al aumentar la potencia de excitación o bombeo.

superrefraction   superrefracción. Refracción de mayor valor que la refracción normal [standard refraction] (CEI/70 60–22–120). CF. **subrefraction**.

superrefraction phenomenon   fenómeno de superrefracción.

superrefractory   *adj:* superrefractario.

superregeneration   *(Radiocom)* superregeneración, superreacción. (**1**) Interrupción a frecuencia ultraaudible del funcionamiento como osciladora de una válvula que trabaja a una frecuencia cercana a la de la portadora que se desea recibir. (**2**) Principio de funcionamiento de ciertos receptores en los que el detector oscila a la frecuencia de la señal recibida, pero sus oscilaciones son cortadas periódicamente a una frecuencia ligeramente superior al límite de la gama audible por un oscilador independiente | superreacción. Método de amplificación que permite incrementar la reacción más allá del límite de sostenimiento de las oscilaciones (CEI/38 60–05–045) || *(Zool)* superregeneración.

superregenerative   *adj:* superregenerativo.

superregenerative detector   detector superregenerativo. Detector en el cual se utiliza el principio de la superregeneración (v. **superregeneration**); es decir, que se usa máxima regeneración, pero se impiden las oscilaciones sostenidas mediante una oscilación interruptora [quenching oscillation] generada en el propio circuito del detector o en un circuito independiente. V.TB. **superregenerative reception**.

superregenerative paramagnetic amplifier   amplificador paramagnético superregenerativo.

superregenerative receiver   receptor superregenerativo. Receptor de radio en el que se emplea un detector superregenerativo para obtener muy elevada sensibilidad con un número mínimo de etapas amplificadoras. v. **superregenerative detector**.

superregenerative reception   *(Radiocom)* recepción superregenerativa [superreactiva, con superreacción]. Recepción en la cual se emplea un detector superregenerativo. v. **superregenerative detector** | recepción superregenerativa. Recepción regenerativa [regenerative reception] en la cual la regeneración varía a frecuencia ultrasonora [ultrasonic frequency] de un lado al otro del límite de enganche de oscilaciones, de manera de crear un régimen periódicamente inestable que da por resultado una gran sensibilidad (CEI/70 60–44–065). V.TB. **superregeneration, quench frequency**.

superregenerator   superregenerador.

superretroaction   *(Radiocom)* superregeneración, superreacción. v. **superregeneration**.

supersaturate   *verbo:* supersaturar, sobresaturar.

supersaturated steam   vapor (de agua) sobresaturado.

supersaturated vapor   vapor sobresaturado.

supersaturation   supersaturación, sobresaturación.

superscript   superíndice. Carácter escrito más arriba y hacia la derecha de otro. EJEMPLO: *2* es el superíndice en la expresión z^2. CF. **subscript** /// *adj:* supraescrito. Escrito arriba, como p.ej. un signo diacrítico.

supersede   *verbo:* reemplazar, substituir, suplantar; anticuarse.

superselection   superselección.

superselection rule   *(Fís)* regla de superselección. Fenómeno por el cual el espacio de Hilbert se descompone en varios subespacios ortogonales incoherentes [incoherent orthogonal subspaces].

supersensitive   *adj:* supersensible, hipersensible, ultrasensible.

supersensitive relay   relé supersensible. Relé que funciona con corrientes de excitación sumamente pequeñas (por lo general de menos de 250 μA).

supersensitization   supersensibilización, hipersensibilización.

supersonic   *adj:* supersónico. De velocidad mayor que la del sonido en el aire. CF. **hypersonic, sonic, subsonic, transonic** | v. **superaudio, ultrasonic**.

supersonic beam   haz supersónico.

supersonic communication   v. **ultrasonic communication**.

supersonic detection   v. **superheterodyne reception**.

supersonic equipment   v. **ultrasonic equipment**.

supersonic flow   flujo supersónico, corriente supersónica.

supersonic frequency   v. **superaudio [ultrasonic] frequency**.

supersonic heterodyne reception   v. **superheterodyne reception**.

supersonic light valve   v. **ultrasonic light valve**.

supersonic reception   v. **superheterodyne reception**.

supersonic recording   v. **ultrasonic recording**.

supersonic reflectoscope   reflectoscopio supersónico.

supersonic region   región supersónica.

supersonic signal   v. **ultrasonic signal**.

supersonic sounding   v. **ultrasonic sounding**.

supersonic speed   velocidad supersónica.

supersonic therapy   v. **ultrasonic therapy**.

supersonic transport [SST]   transporte supersónico. Avión de transporte capaz de velocidades superiores a la del sonido.

supersonic wave   v. **ultrasonic wave**.

supersonic wind tunnel   túnel aerodinámico para velocidades supersónicas.

supersonics   supersónica. Rama de la tecnología que estudia los fenómenos relacionados con las velocidades superiores a la del sonido; en particular, los fenómenos asociados con los vehículos aéreos y espaciales de velocidad supersónica | v. **ultrasonics**.

superstructure   superestructura, estructura superior. CF. **substructure** || *(Vías férreas)* superestructura. Conjunto de obras constitutivas de la vía propiamente dicha y de elementos destinados a asegurar la explotación de la línea.

superstructure line   *(Radiol)* línea de superestructura.

supersync   *(Tv)* v. **supersync signal**.

supersync signal   *(Tv)* (a.c. supersync) señal de sincronismo horizontal y vertical. Se transmite al final de cada línea de exploración.

supersynchronous   *adj:* supersíncrono, supersincrónico, hipersíncrono. CF. **subsynchronous**.

supertelephone frequency   frecuencia ultratelefónica. Frecuencia superior al límite superior de la banda de frecuencias telefónicas [telephone frequencies]. NOTA: Este concepto no debe confundirse con el de *frecuencia ultrasonora* [superaudio frequency] (CEI/70 55–05–055). CF. **subtelephone frequency**.

supertonic   *(Mús)* supertónica. Segundo grado de la escala /// *adj:* supersónico. SIN. **supersonic**.

superturnstile aerial   antena supertorniquete. Antena constituida por uno o varios conjuntos de dos antenas de mariposa [batwing aerials] con ranura vertical, cruzadas en ángulo recto y excitadas en cuadratura [fed in quadrature] (CEI/70 60–34–270). V.TB.

superturnstile antenna.

superturnstile antenna   antena supermolinete [supertorniquete], antena de molinete [torniquete] múltiple, antena de mariposas, antena múltiple en cruz. Antena de banda ancha utilizada principalmente para la transmisión televisiva por ondas métricas (muy altas frecuencias). Es una antena de elementos apilados en la que cada uno de éstos es una antena de mariposa [batwing antenna]. v.TB. **superturnstile-aerial.**

superturnstile radiating element   elemento radiante de antena supermolinete. SIN. **batwing.**

supervise   supervisar, revisar, vigilar, inspeccionar, fiscalizar; dirigir, superintender.

supervision   supervisión, inspección, vigilancia, fiscalización; dirección, superintendencia, administración.

supervision signal   (Telef) v. **supervisory signal.**

supervisor   supervisor, revisor, vigilante, inspector, superintendente; interventor; veedor; capataz, sobrestante; contramaestre ‖ (Ferroc) encargado [agente] de vía ‖ (Telecom) vigilante; jefe de servicio; supervisor de tráfico.

supervisor's position   (Telef) cuadro de vigilancia. SIN. **chief operator's desk.**

supervisor's section   (Telef) sección.

supervisor's trunk   (Telef) línea hacia (la) vigilanta, enlace hacia (la) supervisora. SIN. **trunk to supervisor.**

supervisory center   (Telecom) centro de supervisión.

supervisory channel   (Telecom) canal de supervisión. Canal que sirve para la transmisión de señales de falla de la *estación supervisada* a la *estación supervisora* (teleseñalización de fallas) y para la transmisión de señales de telemando en sentido contrario.

supervisory console   (Telecom) consola [pupitre] de supervisión.

supervisory control   (Telecom) control supervisor [de supervisión], control de vigilancia. Sistema que permite vigilar el funcionamiento de cierto número de aparatos desde un lugar lejano mediante una sola línea o un número corto de líneas, generalmente por canales de corriente portadora.

supervisory control center   (Telecom) centro de control de supervisión [vigilancia]. Estación desde la cual se supervisan o vigilan las *estaciones inatendidas* [unattended stations] de una red, llamadas por ello *estaciones supervisadas* [supervised stations]. SIN. estación supervisora — supervisory station. CF. **fault reporting.**

supervisory control console   consola de control de supervisión, pupitre de control de vigilancia.

supervisory control system   sistema de control supervisor, sistema de control de vigilancia.

supervisory control tone   tono de supervisión.

supervisory equipment   equipo de supervisión [de vigilancia].

supervisory field engineering   dirección técnica en el terreno.

supervisory indicator   (Telef) indicador de fin de conversación. SIN. **supervisory signal.**

supervisory lamp   (Telef) lámpara de supervisión [de vigilancia], lámpara de fin (de conversación), lámpara piloto. Lámpara cuyo encendido y extinción son mandados por las maniobras o las conmutaciones que se efectúan en el curso de una comunicación y cuya observación permite saber el estado de esa comunicación.

supervisory personnel   personal de supervisión, personal inspector; personal de guardia.

supervisory program   (Comput) programa supervisor. (1) Programa que controla la ejecución de los diversos programas que ingresan en la máquina. (2) Rutina que controla la carga y relocalización de otras rutinas y que en algunos casos utiliza instrucciones desconocidas para el programador general. SIN. **executive [monitor, supervisory] routine.**

supervisory relay   (Telef) (i.e. relay controlling a supervisory lamp) relé de supervisión [de vigilancia], relé de fin (de conversación). Relé que manda el funcionamiento de una lámpara de supervisión. SIN. **clearing relay.**

supervisory routine   (Comput) rutina supervisora. v. **supervisory program.**

supervisory signal   (Telef) señal de supervisión, señal [indicador] de fin de conversación. Señal destinada a llamar la atención de una operadora o del personal de vigilancia e indicarle que debe efectuar una maniobra sobre los órganos de conmutación [switching apparatus] u otra operación del mismo género. SIN. **supervisory indicator.**

supervisory station   (Telecom) estación supervisora. Estación de una red desde la cual se vigila el funcionamiento de estaciones inatendidas distantes, mediante sistemas apropiados de señalización. SIN. **supervisory control center.**

supervisory system   (Telecom) sistema supervisor [de supervisión].

supervisory terminal   (Telecom) terminal supervisora.

supervisory wiring   (Elec) línea de telegobierno [de gobierno a distancia].

supervisory work   (Telef) servicio de vigilancia. SIN. **service observation.**

supervoltage   (Elec) supertensión, muy alta tensión, hipervoltaje ‖ v. **overvoltage.**

supervoltage therapy   (Radiol) radioterapia [roentgenoterapia] a muy alta tensión. Término impreciso aplicado a la roentgenoterapia que utiliza tensiones superiores a 500 kV y más recientemente superiores a 1 000 kV. Es término desaconsejado (CEI/64 65-25-035). CF. **megavolt roentgen therapy.**

supple   adj: flexible.

supplement   suplemento ‖‖ verbo: suplir, complementar.

supplemental   adj: suplemental, suplementario, supletorio.

supplementary   adj: suplementario.

supplementary angles   (Geom) ángulos suplementarios. Angulos cuya suma vale dos rectos (180°).

supplementary apparatus   (Telef) aparato supletorio [de extensión], extensión.

supplementary charge   (Telecom) cuenta accesoria; suplemento de tasa.

supplementary condition   (Mat, Ing) condición suplementaria.

supplementary film   (Cine) suplemento (del programa), película de "relleno".

supplementary lens   (Fotog) lente suplementaria. SIN. **attachment [auxiliary] lens.**

supplementary loss   (Elec) pérdidas suplementarias. Exceso de las pérdidas reales totales sobre la suma de las pérdidas medibles separadamente (CEI/56 10-40-295). v. **losses.**

supplementary meteorological office [SMO]   oficina meteorológica suplementaria.

supplementary observation   (Meteor) observación suplementaria.

supplementary procedure   (Aeron) procedimiento suplementario.

supplementary relay   (Elec) relé intermedio. Relé de todo o nada [all-or-nothing relay] cuyo devanado es alimentado por una corriente mandada por otro relé y cuya función es la de poner en efecto condiciones suplementarias respecto al relé principal; por ejemplo, la introducción de un retardo [introduction of a time lag] (CEI/56 16-15-050).

supplier   abastecedor, suministrador, proveedor; distribuidor; casa despachadora.

supplies   abastecimientos, suministros, provisiones; pertrechos; materiales (menores), artículos, efectos, enseres; víveres; materias consumibles.

supply   abastecimiento, abasto, aprovisionamiento, provisión, suministro; disponibilidad; oferta; substituto, suplente; repuesto; surtido; alimentación, suministro (de energía); fuente de alimentación [de energía]; fuente de tensión; fuente [manantial] de corriente; generador (eléctrico); conductor de alimentación ‖‖ adj: abastecedor, suministrador; substituto, suplente; alimentador ‖‖ verbo: abastecer, proveer, suministrar, surtir, proporcionar; alimentar; habilitar; equipar con; subvenir a; suplir; reemplazar │ detector supplying the meter: detector que anima el instrumento de medida │ detector supplying the amplifier: detector que excita al amplificador.

supply apparatus　aparato de alimentación.

supply battery　batería [acumulador] de alimentación ‖ *(Micrófonos de carbón)* pila excitatriz.

supply cabinet　armario para suministros.

supply circuit　circuito de alimentación; circuito de toma.

supply current　corriente de alimentación.

supply equipment　equipo de alimentación.

supply lead　*(Elecn/Telecom)* conductor [línea] de alimentación. SIN. **power lead.**

supply line　*(Avia)* línea de abastecimiento ‖ *(Elec)* línea de alimentación.

supply main　conducto de abastecimiento [de aducción, de traída de aguas], tubería de conducción, acueducto ‖ *(Elec)* cable de alimentación; cable de distribución.

supply mains　*(Elec)* red de alimentación [de distribución]; alimentación del sector.

supply meter　*(Elec)* contador (de consumo, de energía suministrada).

supply network　*(Elec)* red de distribución.

supply potential　v. **supply voltage.**

supply power　potencia de alimentación.

supply rack　*(Elecn/Telecom)* bastidor de alimentación.

supply rectifier　rectificador de alimentación.

supply reel　*(Cine)* bobina [carrete] de alimentación. SIN. **supply spool** ‖ *(Registro mag)* carrete desarrollador [de suministro]. CF. **takeup reel.**

supply reel drive　arrastre de la bobina de alimentación; arrastre del carrete desarrollador.

supply section　sección de abastos [de suministros] ‖ *(Tracción eléc)* sector de alimentación. Parte de la línea de contacto (o, en el caso de una línea férrea de varias vías, parte del conjunto de líneas de contacto) alimentada con corriente de tracción [traction current] por una sola subestación en una sola dirección. En el caso de una línea de contacto [contact line] que recibe su alimentación de varias subestaciones trabajando en paralelo, se entiende por sector de alimentación la sección de la línea de tracción comprendida entre una subestación y el seccionador principal [principal section isolator] que se encuentra entre esa subestación y la subestación vecina. Si no existe tal seccionador entre dos subestaciones, se admite que la sección de la línea de tracción comprendida entre ellas comprende dos sectores de alimentación de la misma longitud.

supply service　servicio de abastecimiento [de suministro].

supply source　fuente de suministro; fuente de alimentación.

supply spool　*(Cine)* v. **supply reel.**

supply tank　depósito de aprovisionamiento.

supply terminals　*(Elec)* terminales [bornes] de alimentación │ punto de suministro de energía. Punto donde se suministra la energía a una instalación de utilización (CEI/65 25–15–100). CF. **feed point.**

supply transformer　*(Elec)* transformador de alimentación.

supply unit　unidad [bloque] de alimentación.

supply voltage　tensión [voltaje] de entrada │ tensión [voltaje] de alimentación, tensión de suministro. Tensión suministrada por una fuente para el funcionamiento de un dispositivo o un circuito cualquiera ‖ *(Elecn)* **(of an electrode)** tensión de polarización (de un electrodo). Tensión generalmente continua y constante aplicada por una fuente exterior al circuito de un electrodo (CEI/56 07–27–015).

support　apoyo, soporte, sostén; sostenimiento, sustentación; pie; brazo de soporte; manutención, sustento; ayuda, auxilio; corroboración, prueba, demostración, justificación ‖ *(Elec/Telecom)* poste; mástil │ apoyo. Término general que se aplica a todo dispositivo ideado para soportar un conjunto de conductores de una línea aérea, por intermedio de sus aisladores (CEI/65 25–25–105). CF.

jewel support, rigid support, rod support, section support, straight-line support, terminal support ⫴ *verbo:* apoyar, soportar, sostener, sustentar; mantener, dar sustento; ayudar, auxiliar, apoyar; corroborar, probar, demostrar, confirmar, justificar.

support base　base auxiliar. Base (depósito de material, talleres, etc.) que da apoyo a las operaciones de una instalación importante.

support bracket　escuadra de soporte.

support foot　pie de soporte.

support hook　*(Alumbrado)* gancho. Soporte terminado en forma de gancho (CEI/58 45–45–045) │ gancho del soporte. Extremidad de soporte en forma de gancho (CEI/70 45–45–185).

support mast　mástil de soporte, mástil de sostén.

support staff　personal auxiliar.

support strand　*(Telecom, Cables aéreos)* cable (auxiliar) de suspensión, cable portador, cable sustentador longitudinal. SIN. **supporting rope [wire].**

supported beam　viga apoyada.

supported joint　*(Vías férreas)* junta apoyada, unión soportada. Junta que se hace sobre durmientes.

supporting arm　brazo de soporte; brazo portante.

supporting axle　eje portador.

supporting distance　*(Vigas)* distancia entre apoyos.

supporting link　*(Tracción eléc)* Término abandonado y reemplazado por *overhead contact system dropper* [péndola de línea catenaria] (CEI/57 30–10–185).

supporting mast　*(Ant)* mástil de soporte.

supporting plate　placa de soporte.

supporting rod　barra de soporte.

supporting rope　v. **support strand.**

supporting tower　*(Ant)* torre-soporte, torre de soporte.

supporting trestle　bastidor [armadura] de soporte.

supporting wire　v. **support strand.**

suppose　*verbo:* suponer; presumir; imaginarse, figurarse.

supposition　suposición.

suppress　*verbo:* suprimir; eliminar; extinguir; coartar, limitar, restringir.

suppress on minus balance　*(Informática)* supresión por saldo negativo.

suppress on plus balance　supresión por saldo positivo.

suppressed aerial　antena empotrada [rasante], antena no prominente. Antena de avión que no sobresale del cuerpo de éste. SIN. **suppressed antenna, nonprotruding aerial** │ antena empotrada. Antena que no sobresale de la superficie de un aparato o ingenio, generalmente móvil (CEI/70 60–34–215).

suppressed antenna　v. **suppressed aerial.**

suppressed carrier　(onda) portadora suprimida.

suppressed-carrier modulation　modulación con supresión de la portadora. SIN. **suppressed-carrier system.**

suppressed-carrier operation　explotación con supresión de (la) portadora.

suppressed-carrier system　*(Telecom)* sistema con supresión de la portadora. Sistema de transmisión en el cual se suprime la frecuencia u onda portadora del medio de transmisión, basándose en el hecho de que la información está contenida en ambas bandas laterales después de una modulación; por lo tanto, además de la portadora, suele suprimirse una de las bandas laterales. Para extraer la información en el punto de recepción se inyecta una frecuencia igual a la de la portadora original, procedente de una fuente local, combinándola con la señal recibida. Por este medio se obtienen las frecuencias de modulación originales, o sea, las frecuencias que modularon la portadora original.

suppressed-carrier transmission　transmisión [emisión] sin onda portadora, transmisión con supresión de la portadora. v. **suppressed-carrier system.**

suppressed-carrier transmission system　sistema de transmisión sin onda portadora, sistema de transmisión con supresión de la portadora.

suppressed demand   demanda potencial [reprimida]. En telefonía, demanda de servicio no manifestada debido a la falta completa de las vías de comunicación; es decir, que existe una demanda reprimida (demanda potencial) porque los posibles usuarios saben que es inútil solicitar un servicio imposible de obtener.

suppressed device   dispositivo con supresor de parásitos, aparato (eléctrico) con filtro supresor de perturbaciones radioeléctricas.

suppressed frequency band (of a filter)   banda suprimida [eliminada, atenuada] (por un filtro). SIN. **filter attenuation band.**

suppressed sideband   *(Telecom)* banda lateral suprimida.

suppressed-sideband transmission   transmisión [emisión] con supresión de una banda lateral. v. **suppressed-carrier system, single-sideband transmission.**

suppressed-sidelobe antenna   antena sin lóbulos laterales. Antena direccional con supresión de los lóbulos laterales de irradiación.

suppressed time delay   retardo suprimido, supresión de retardo, retardo (del respondedor). Desplazamiento intencional del cero en la escala de tiempos respecto al instante de emisión de un impulso, como medio de simular eléctricamente un corrimiento de la verdadera posición geográfica de un respondedor radárico | retardo de código. v. **code delay.**

suppressed-zero instrument   *(Aparatos de medida)* instrumento de cero suprimido, instrumento sin cero en la escala. (**1**) Instrumento indicador o registrador en el que la posición correspondiente al cero está por debajo del extremo calibrado de la escala. (**2**) Instrumento de medida en el que la escala empieza con un valor distinto de cero. Por ejemplo, si se trata de un voltímetro con alcance máximo de 150 V, la escala pudiera tener como valor mínimo 75 V. El sistema móvil y la aguja se mantienen contra el tope de indicación mínima (75 V en el ejemplo considerado) mediante un resorte antagonista, y comienzan a moverse cuando la tensión aplicada alcanza los 75 V. Esto equivale a utilizar solamente la mitad superior de la escala del instrumento, lo cual permite espaciar dicha mitad y hacer las lecturas más cómodas o hacer las indicaciones legibles a mayor distancia. También permite este artificio hacer más fácilmente observables pequeñas variaciones de la tensión, pero la exactitud [accuracy] del instrumento no aumenta; es decir, el error tiene la misma magnitud que tendría si el instrumento tuviera una escala normal con el cero como valor mínimo. El voltímetro del ejemplo podría utilizarse para vigilar el voltaje de la red de 117 V (valor nominal), el que se sabe ha de estar siempre entre los límites de 75 y 150 voltios | aparato de equipo móvil con cero suprimido. Aparato en el cual el equipo móvil [moving element] es detenido por un tope cuando la magnitud que se mide es inferior a un cierto valor (CEI/58 20–05–190). CF. **suppressed-zero scale, suppressed-zero voltmeter.**

suppressed-zero scale   escala sin cero. Escala en la que los valores inferiores a uno determinado no causan movimiento de avance de la aguja indicadora. La "supresión" de la parte innecesaria de la escala permite que el margen de valores de interés pueda ser extendido sobre una longitud mayor y que puedan observarse variaciones muy pequeñas de la magnitud medida. v.TB. **suppressed-zero instrument.**

suppressed-zero voltmeter   voltímetro con cero suprimido, voltímetro sin cero en la escala, voltímetro segmentario. v. **suppressed-zero instrument.** SIN. **segmental voltmeter.**

suppression   supresión; eliminación; extinción; limitación, restricción; represión | *(i.e.* suppression of interference from an electrical device) antiparasitaje, supresión [filtraje] de perturbaciones | supresión, eliminación (de componentes indeseables). Supresión o eliminación de determinadas componentes de una emisión o una señal, mediante dispositivos de filtraje, selección, o bloqueo. Ejemplo: supresión de la componente alterna o de la componente continua de una señal; eliminación de determinada frecuencia (o banda de frecuencia) || *(Det)* supresión. v. **complete suppression, incomplete suppression** || *(Medicina)* suspensión || v.TB. **suppression of. . .**

suppression capacitor   condensador supresor de perturbaciones (de radio), condensador de antiparasitaje. SIN. **radio suppression condenser.**

suppression circuit   circuito de supresión [de filtro].

suppression control   control de supresión || *(Lorán/Radar)* v. **sensitivity-time control.**

suppression factor   *(Limitadores)* factor [coeficiente] de supresión.

suppression loss   *(Telef)* atenuación de bloqueo. Valor especificado mínimo de atenuación que un supresor de eco [echo suppressor] introduce en la vía que el mismo bloquea, con objeto de reducir el efecto de las corrientes de eco [echo currents].

suppression of carrier   *(Telecom)* supresión de (la) portadora, supresión de la onda portadora. v. **suppressed-carrier system.**

suppression of interference   *(Radiocom)* supresión de interferencias [de perturbaciones]. Supresión de señales interferentes o perturbadoras mediante blindaje o apantallamiento, filtraje, conexión a tierra, etc.

suppression pulse   impulso de supresión. En los respondedores radáricos aeroportados, impulso generado por coincidencia del primer impulso de interrogación y el impulso de control, y que tiene por función suprimir interrogaciones indeseadas originadas por los lóbulos secundarios. SIN. **killer pulse.**

suppressor   supresor; eliminador; apagador; limitador; amortiguador || *(Radio/Elecn/Telecom)* resistencia supresora (de oscilaciones). Resistencia intercalada en un circuito para amortiguar o suprimir oscilaciones perjudiciales o la generación de señales de radiofrecuencia indeseadas | supresor [eliminador] de perturbaciones, resistencia supresora [antiparásitos]. En los motores de explosión, resistencia intercalada en serie con los cables de las bujías o con el del distribuidor, con el fin de suprimir o amortiguar la radiación radioeléctrica causada por las chispas del encendido, la cual tiende a perturbar la recepción de radio. SIN. **interference suppressor** | *(i.e.* echo suppressor) supresor de eco | *(i.e.* singing suppressor) supresor de canto [de silbido] | *(i.e.* suppressor grid) rejilla supresora | *(i.e.* reaction suppressor) supresor de reacción.

suppressor effect   *(Nucl)* efecto supresor. SIN. **inhibitor effect.**

suppressor grid   *(Elecn)* rejilla supresora [secundaria, de detención, de arresto]. (**1**) Rejilla que en los tubos electrónicos tiene por fin suprimir los efectos de la emisión secundaria [secondary-electron emission] del ánodo. (**2**) Rejilla que tiene por efecto principal detener las emisiones secundarias, es decir, el paso de los electrones secundarios de un electrodo a otro; por lo general está interpuesta entre el ánodo y la rejilla pantalla [screen grid] y va conectada al cátodo | rejilla de arresto. Rejilla que tiene por efecto detener las emisiones secundarias (CEI/38 60–25–065) | rejilla de detención. Rejilla colocada entre dos electrodos positivos (generalmente la rejilla pantalla y el ánodo) y cuya función es principalmente reducir el efecto de la emisión secundaria (CEI/56 07–26–150). v.TB. **pentode.**

suppressor-grid modulation   (a.c. suppressor modulation) modulación por rejilla supresora [de detención]. Modulación de amplitud con amplificadores de radiofrecuencia pentódicos, superponiendo la onda moduladora a la tensión polarizadora de la rejilla supresora. La corriente de ánodo y el rendimiento del amplificador varían proporcionalmente con la amplitud de la onda moduladora.

suppressor-grid pentode   pentodo con rejilla supresora [de detención].

suppressor injection   inyección (de señal) por la rejilla supresora, inyección por rejilla de detención.

suppressor-modulated amplifier   amplificador modulado por la rejilla supresora, amplificador de modulación por la rejilla de detención. v. **suppressor-grid modulation.**

suppressor-modulated stage   etapa modulada por la rejilla supresora, paso de modulación por la rejilla de detención.

suppressor modulation   v. **suppressor-grid modulation**.

suppressor pulse   v. **suppression pulse**.

supraconductor   v. **superconductor**.

suprasynchronous   v. **supersynchronous**.

surcharge   sobrecarga, sobrepeso ‖ *(Comercio)* recargo, sobreprecio, sobretasa ‖ *(Seguros)* sobreprima ‖ *(Correos, Transportes)* sobretasa ‖ *(Telecom)* sobretasa, tasa suplementaria ‖ *(Obras de tierra)* sobrecarga ⫽ *verbo:* sobrecargar; recargar (un precio); sobretasar, imponer una sobretasa [una tasa suplementaria].

surcharged airmail   correo aéreo con sobretasa.

surd   *(Fonética)* consonante sorda, sonido sordo ‖ *(Mat)* (número) irracional, cantidad irracional. (**1**) Número irracional [irrational number] que es raíz de un entero o una fracción positivos. EJEMPLOS: $\sqrt{7\gamma}$; $\sqrt{5}$. (**2**) Suma que contiene tales términos, como en el caso de los *irracionales binómicos* [binomial surds] $1+\sqrt{3}$; $\sqrt{3}-\sqrt{2}$. (**3**) Suma que contiene una o más raíces irracionales [irrational roots] de números. EJEMPLO: $\sqrt{2}+\sqrt{3}$ ⫽ *adj:* *(Fonética)* sordo, no sonoro. SIN. **voiceless** ‖ *(Mat)* irracional.

surface   superficie, cara, parte visible de un cuerpo ‖ *(Carreteras)* (capa de) afirmado, carpeta ‖ *(Mat)* superficie. Elemento engendrado por el movimiento de una línea, y que posee extensión pero no espesor. Se llega al concepto de superficie geométrica imaginando una hoja de papel cuyo espesor disminuye indefinidamente ‖ v.TB. **surface of . . .** ⫽ *adj:* superficial, superfícico, de (la) superficie; exterior, externo ⫽ *verbo:* nivelar, allanar, igualar, alisar; lustrar, pulir; emerger, salir [volver] a la superficie ‖ *(Madera)* cepillar ‖ *(Papel)* satinar ‖ *(Metales)* desbastar (con la cepilladora) ‖ *(Hormigón)* acabar, afinar, alisar ‖ *(Soldadura)* revestir ‖ *(Carreteras, Vías férreas)* afirmar; nivelar, allanar, emparejar.

surface-active agent   *(Galvanoplastia)* agente tensoactivo, agente humector. Substancia añadida a un baño de desengrase [cleaning], de decapaje [pickling] o de depósito [plating], para disminuir su tensión superficial [surface tension]. SIN. **wetting agent** (CEI/60 50–30–045).

surface/air data link   radioenlace aire/tierra para información automática [para la transmisión de datos]. Sistema de radioenlace para la transmisión automática aire/tierra de datos de navegación que utilizan los aviones para cumplir con sus misiones de intercepción, para el retorno a la base, para el aterrizaje automático, etc.

surface alloy   aleación superficial.

surface-alloy transistor   transistor de aleación superficial.

surface analyzer   analizador de superficies. Aparato que sirve para medir o registrar irregularidades o asperezas superficiales. En una de sus versiones consiste en un fonocaptor cuya aguja se pasa por la superficie en estudio, y cuya señal, función de las irregularidades o asperezas de dicha superficie, excita un amplificador que a su vez anima un aparato indicador o registrador.

surface arc   *(Elec)* arco sobre la superficie.

surface area   área de superficie, área superficial.

surface asperities   asperezas superficiales. Irregularidades o imperfecciones de una superficie. En el caso de las cintas magnéticas tienen el efecto perjudicial de limitar y causar variaciones en el contacto de la cinta con la cabeza magnética, además de ser causa de fricción.

surface barrier   *(Semicond)* barrera superficial [de superficie]. Barrera de potencial existente en la superficie por la presencia de portadores de carga allí atrapados.

surface-barrier detector   detector de barrera superficial. Elemento semiconductor utilizado para la detección de partículas nucleares, y cuya unión rectificadora existe entre un cuerpo de silicio tipo N de alta resistividad y una capa de oro obtenida por evaporación.

surface-barrier diffused transistor [SBDT]   transistor de superficie de difusión.

surface-barrier diode   diodo de barrera superficial. Diodo semi-

conductor que utiliza capas superficiales delgadas para formar la unión rectificadora [rectifying junction]. Las capas se obtienen por deposición de películas metálicas o por difusión superficial. CF. **hot-carrier diode**.

surface-barrier technique   técnica de barrera superficial [de superficie]; método de difusión superficial.

surface-barrier transistor [SBT]   transistor de barrera superficial [de superficie]. Transistor a base de una oblea delgada de germanio tipo N que constituye la base. El emisor y el colector se forman en caras opuestas de la oblea creando una depresión por ataque químico y cubriéndola luego con una capa galvanoplástica, obteniéndose así, respectivamente, las barreras superficiales y los contactos rectificadores.

surface-based   *adj:* con base en tierra; estacionario.

surface boiling   ebullición superficial; ebullición local.

surface burst   explosión superficial. Explosión nuclear a una altura sobre la superficie del suelo o del agua menor que el radio de la bola de fuego en el momento de máxima luminosidad.

surface charge   *(Elec)* carga superficial.

surface-charge effect   *(Elecn)* efecto de las cargas superficiales. Efecto que sobre las corrientes de los electrodos tienen las cargas eléctricas acumuladas en la superficie de los aisladores próximos al flujo electrónico de un tubo.

surface chart   *(Meteor)* carta de superficie.

surface communications   telecomunicaciones de superficie. Telecomunicaciones terrestres y marítimas; telecomunicaciones en general, con excepción de las comunicaciones con aeronaves en vuelo o con submarinos sumergidos.

surface conductivity   conductividad superficial. Inversa de la resistividad superficial [surface resistivity].

surface contact   *(Elec)* contacto de superficie.

surface-contact rectifier   rectificador de superficie de contacto | rectificador de contacto por superficie. Rectificador de contacto [contact rectifier] llamado *célula de capa de detención* [barrier-layer cell], cuya superficie de contacto tiene cierta extensión (CEI/56 07–50–070). CF. **point-contact rectifier**.

surface contamination meter   medidor de contaminación superficial. Aparato que sirve para medir la actividad por unidad de superficie de un objeto, resultante de la contaminación radiactiva.

surface control   *(Avia)* mando de pilotaje.

surface control system   *(Avia)* sistema de mandos de pilotaje.

surface-controlled avalanche transistor   transistor de avalancha controlada exteriormente. Transistor cuya amplificación se obtiene mediante el control de la tensión de disrupción en avalancha [avalanche breakdown voltage] con un campo externo que actúa a través de las capas aislantes superficiales del dispositivo. Sus electrodos son el surtidor [source], el drenador [drain], y la compuerta [gate]. La avalancha ocurre en una unión PN de silicio cubierta con una delgada capa aislante de dióxido de silicio. Este tipo de transistor puede funcionar a frecuencias hasta de 10 GHz.

surface course   *(Aeródromos)* revestimiento (de pista). SIN. **surfacing**.

surface current   *(Oceanog)* corriente superficial.

surface density   densidad superficial. (**1**) En general, cantidad de cualquier naturaleza por unidad de superficie. (**2**) En nucleónica, *espesor másico;* cantidad de masa por unidad de superficie de un elemento o dispositivo.

surface diffusion   difusión superficial [de superficie].

surface duct   *(Radioelec)* conducto superficial. (**1**) Conducto atmosférico cuyo límite inferior es la superficie de la tierra. (**2**) Conducto troposférico [tropospheric radio duct] cuyo límite inferior es la superficie del suelo y en el interior del cual el índice de refracción modificado [modified refractive index] es en todas partes superior al valor que tendría en su superficie límite superior. SIN. **ground-based duct** (CEI/70 60–22–160).

surface effect   *(Elecn, Nucl)* efecto de superficie.

surface energy   *(Fís)* energía de superficie. Energía por unidad de área necesaria para incrementar la superficie de un cuerpo sólido o líquido.

surface energy loss   pérdida de energía de superficie.

surface film   *(Hidr)* película [capa] superficial, superficie pelicular. Película formada sobre la superficie de un líquido por una substancia insoluble depositada en forma de una capa única de moléculas muy próximas entre sí.

surface finish   acabado superficial; pulido superficial; asperezas superficiales.

surface friction   *(Fís, Aeron, Geofís)* fricción superficial.

surface-friction drag   *(Aeron)* resistencia (al avance) por fricción superficial.

surface gage   calibrador de superficie, calibre de altura, verificador de planeidad [de superficies planas].

surface hardening   *(Aeron)* cementación ‖ *(Met)* endurecimiento superficial [de superficie], temple superficial. Endurecimiento de una superficie metálica por calentamiento y enfriamiento rápidos, el primero por inducción (v. **induction heating**) y el segundo por inmersión.

surface-induced tape noise   *(Registro mag)* ruido producido por las asperezas de la cinta. v. **surface asperities**.

surface insulation   aislación superficial. Aislación de las chapas para núcleos magnéticos mediante la aplicación de una película especial. SIN. **insulazing, oxalizing**.

surface integral   *(Mat)* integral de superficie.

surface integrator   planímetro. Aparato para medir las áreas de recintos planos.

surface ion density   densidad superficial de iones. Número de iones de una misma especie existentes por unidad de superficie (CEI/68 66-10-030). CF. **linear ion density, volume ion density**.

surface layer   *(Elecn, Meteor)* capa superficial.

surface leakage   *(Elec)* fuga [descarga, pérdida] superficial, escape superficial de corriente, corriente de dispersión superficial. Fugas sobre la superficie de un aislador o un dieléctrico; paso de la corriente por la superficie de un material utilizado como aislante.

surface leakage current   corriente de fuga [dispersión] superficial.

surface line   *(Telecom)* línea terrestre.

surface load   *(Aplicaciones electrotérmicas)* carga superficial. Cociente por la superficie emisora [emitting surface], de la potencia transformada en calor, en régimen estable [steady-state conditions], por un elemento de calefacción (CEI/60 40-10-135).

surface mail   correo no aéreo. Correo por tren o por buque, a distinción del que va por avión.

surface measurement   medida de superficie; medida de asperezas superficiales.

surface migration   *(Elecn)* migración superficial (de electrones).

surface-mounted   *adj:* de montaje exterior [sobresaliente].

surface mounting   montaje exterior; montaje de superficie.

surface-mounting lampholder   portalámpara de superficie [de aplicar].

surface-movement radar   *(Aeropuertos)* radar de vigilancia de movimientos en tierra. CF. **surface radar**.

surface noise   *(Electroacús)* ruido de superficie [de aguja]. Soplido o ruido de alta frecuencia que a veces acompaña la reproducción fonográfica, y que se debe a la presencia de asperezas o irregularidades en la superficie de contacto del surco con la aguja del fonocaptor. SIN. **needle scratch** | ruido de superficie. Señal parásita provocada por las irregularidades de la superficie del surco en contacto con la aguja de lectura (CEI/60 08-25-160).

surface observation   *(Meteor)* observación de superficie, observación en el suelo.

surface-observation message   mensaje de observación de superficie, mensaje de observación en el suelo.

surface of discontinuity   *(Meteor)* superficie de discontinuidad.

surface of intensity distribution   *(Ilum)* superficie de distribución de intensidad. Lugar geométrico de la extremidad de los vectores del mismo origen, cada uno de ellos proporcional a la intensidad de la fuente en una dirección paralela al mismo (CEI/58 45-50-065). CF. **intensity distribution**.

surface of least confusion   *(Opt)* superficie de mínima confusión. Lugar geométrico de los centros de los círculos de mínima confusión [circles of least confusion]. En el caso particular de una lente delgada es una esfera con centro en el centro de aquélla.

surface of position   *(Naveg)* superficie de posición. Toda superficie definida por un valor constante de una coordenada.

surface of revolution   *(Mat)* superficie de revolución. Superficie engendrada por una línea que gira alrededor de un eje.

surface-passivated diode   diodo de superficie pasivada. Diodo de superficie pasivada (v. **surface passivation**) y cierre hermético.

surface-passivated transistor   transistor de superficie pasivada. v. **surface passivation**.

surface passivation   pasivación superficial. Protección de un semiconductor contra agentes exteriores por aplicación a la superficie de un compuesto de óxido como p.ej. óxido de silicio.

surface photoelectric effect   efecto fotoeléctrico superficial. Fenómeno por el cual un fotón incidente desaloja un electrón de un cuerpo (sólido o líquido) que absorbe la totalidad de la energía del fotón.

surface pressure   *(Meteor)* presión en la superficie.

surface radar   radar de superficie. CF. **surface-movement radar, surface-search radar**.

surface recombination   recombinación superficial [de superficie]. Recombinación de huecos y electrones libres en la superficie de un semiconductor.

surface recombination rate   velocidad de recombinación superficial.

surface recombination velocity   velocidad de recombinación superficial.

surface recording   registro en capa magnética. Almacenamiento de información en una capa magnética como la de las cintas, los discos y los tambores magnéticos.

surface reflection   reflexión superficial. Parte de la radiación incidente que es devuelta por la superficie de un material refringente. SIN. **Fresnel loss**.

surface reflector   reflector superficial.

surface resistance   *(Elec)* resistencia superficial [de superficie].

surface resistivity   resistividad superficial [de superficie]. Resistencia eléctrica de la superficie de un aislador medida entre lados opuestos de un cuadrado de 1 cm por lado. CF. **volume resistivity**.

surface roughness   aspereza (superficial); rugosidad superficial; corrugación superficial.

surface rugosity   rugosidad superficial; aspereza (superficial).

surface search   *(Radar)* vigilancia [búsqueda, exploración] de superficie.

surface-search radar   radar de vigilancia [búsqueda] de superficie. CF. **surface radar**.

surface speed   velocidad periférica [circunferencial] ‖ *(Meteor)* velocidad periférica ‖ *(Fonog)* velocidad de surco. Velocidad con que la superficie del surco se desliza respecto a la punta de la aguja del fonocaptor.

surface-speed wheel   *(Accesorio estroboscópico)* rueda de velocidad periférica.

surface states   estados superficiales ‖ *(Semicond)* imperfecciones superficiales. Discontinuidades y contaminantes en la superficie de un semiconductor que introducen inestabilidades en los parámetros del dispositivo de que aquél forme parte.

surface switch   *(Elec)* conmutador de superficie [de aplicar]. Conmutador (como caso particular, interruptor) cuyo cuerpo se proyecta en su totalidad frente a la superficie de montaje.

surface synoptic observation   *(Meteor)* observación sinóptica de superficie.

surface synoptic station   *(Meteor)* estación sinóptica de superficie.

surface temperature   temperatura de superficie.

surface-temperature resistor   termómetro de resistencia de platino para temperaturas de superficie.

surface tension   *(Fís)* tensión superficial.

surface-tension effect   efecto de tensión superficial.

surface tensor   tensor de superficie. Tensor definido para transformaciones de coordenadas de superficie.

surface-to-air guided missile   proyectil dirigido superficie-aire.

surface-to-surface guided missile   proyectil dirigido superficie-superficie.

surface transfer impedance   impedancia de transferencia superficial. En el caso de una onda electromagnética guiada a lo largo de la superficie de un conductor, cociente E_t/I, donde E_t es la componente tangencial del campo eléctrico en la superficie del conductor e I la corriente en el propio conductor.

surface treatment   *(Carreteras)* tratamiento superficial (simple, múltiple). Capa obtenida sobre la calzada por extensión de un ligante en estado líquido, seguida de un engravillado, en una o varias operaciones sucesivas || *(Cintas mag)* tratamiento superficial. Procedimiento destinado a suavizar una capa magnética después de aplicada a un substrato [substrate], y que puede incluir operaciones de pulido, calandrado o satinado [calendering], etc.

surface type   *(Informática)* tipo sobresaliente, tipo no embutido.

surface-type thermostat   termostato de superficie [de montaje sobresaliente].

surface unit   unidad de superficie || *(Cocinas)* hornilla.

surface wave   onda de superficie. Onda radioeléctrica que se propaga a lo largo de la superficie de separación de dos medios, con características determinadas por las propiedades de los medios cerca de esa superficie (CEI/70 60–22–015). CF. **ground wave**.

surface-wave antenna   antena de ondas de superficie. Antena por la que se propagan ondas de superficie. A esta clase pertenece p.ej. la antena dieléctrica de varilla [dielectric-rod antenna, polyrod].

surface-wave transmission line   línea de transmisión de ondas de superficie. Línea de transmisión unifilar por la cual se propagan ondas de superficie con atenuación aceptablemente baja y radiación prácticamente nula. Este modo de propagación se obtiene utilizando una bocina cónica en cada extremidad de la línea.

surface wear   desgaste superficial || *(Carreteras)* degradación superficial, desgaste progresivo de la calzada.

surface weight   peso superficial.

surface wind   *(Meteor)* viento de superficie, viento en la superficie.

surface zero   *(Explosiones nucleares)* superficie cero.

surfacing   nivelación, allanamiento, igualamiento, alisamiento, aplanamiento; lustración, pulimento; acabado (de una superficie); (material de) revestimiento; emergencia, salida [retorno] a la superficie; acción y efecto de cepillar, de satinar, de desbastar, etc. v. **surface** || *(Carreteras)* riego; afirmado | revestimiento. Expresión general que indica una superficie acondicionada; parte superior de una carretera, una calle o una acera || *(Vías férreas)* nivelación.

surge   pulsación, choque; impulso, impulsión || *(Elec)* sacudida (eléctrica); onda irruptiva [de impulso], onda móvil rápida, (móvil) de frente escarpado; frente de onda escarpado [empinado]; sobretensión, sobrevoltaje, onda transitoria de tensión; sobrecorriente, onda transitoria de corriente, corriente transitoria anormal; punta (de tensión, de corriente); sobrecarga brusca [repentina]; sobrecarga momentánea transitoria. Aumento grande repentino y transitorio de la corriente o la tensión en un circuito o a lo largo de un conductor | sobretensión inicial de encendido, efecto transitorio del encendido (de un aparato) | sobretensión transitoria; sobreintensidad transitoria. Perturbación constituida por una tensión (o una corriente) transitoria cuya velocidad de variación, en función del tiempo, es grande respecto a la velocidad de variación normal de la tensión (o la corriente) en el circuito. La perturbación se propaga a lo largo del circuito. SIN. **traveling wave** (CEI/65 25–40–010) | onda característica || *(Hidr)* oleada, oleaje; golpe de ariete || *(Turbomáquinas)* pulsación || *(Meteor)* cambio brusco de presión; variación de conjunto /// *verbo:* afluir; irrumpir; aumentar bruscamente [repentinamente]; aumentar momentáneamente [transitoriamente] || *(Mot)* funcionar con velocidad irregular || *(Pozos)* limpiar por oleaje.

surge absorber   *(Elec)* absorbedor de ondas. Aparato de protección contra las sobretensiones que tiene por objeto la modificación de las ondas móviles y de las oscilaciones, y que actúa por acumulación de la energía de las sobretensiones en forma inductiva o capacitiva (CEI/57 15–55–030). CF. **surge suppressor**.

surge admittance   *(Elec)* admitancia característica. Inversa de la impedancia característica [surge impedance].

surge arrester   *(Elec)* pararrayos, autoválvulas; disipador de sobretensiones. CF. **surge suppressor**.

surge characteristic   (característica de) respuesta a las señales de ataque rápido, (característica de) respuesta a las transiciones bruscas de amplitud.

surge-crest ammeter   amperímetro para crestas de sobreintensidad.

surge current   corriente inicial, corriente de irrupción; corriente de sobrecarga momentánea, sobrecorriente [sobreintensidad] momentánea.

surge-current generator   generador de impulsos de corriente. CF. **surge generator**.

surge-current protection   protección contra picos de corriente.

surge damping valve   válvula amortiguadora de oscilaciones.

surge diverter   descargador [disipador] de sobretensiones | pararrayos, autoválvulas. v. **lightning arrester**. CF. **surge suppressor**.

surge drum   *(Refrig)* depósito cilíndrico de compensación.

surge electrode current   *(Elecn)* corriente anormal de electrodo. v. **fault electrode current**.

surge gap   *(Elec)* intervalo para ondas. CF. **surge suppressor**.

surge generator   generador de ondas (de choque); generador de impulsos; generador de sobrecorrientes [de impulsos de corriente]; generador de impulsos [picos] de alta tensión. SIN. **impulse [lightning] generator, surge-current generator**.

surge guard (for a protection)   *(Elec)* dispositivo de bloqueo (de una protección). Dispositivo de bloqueo de una protección que impide el funcionamiento intempestivo en caso de ruptura de sincronismo [out-of-step conditions] (CEI/56 16–65–040). CF. **out-of-step protection**.

surge impedance   impedancia característica [propia]. Impedancia de una línea de transmisión medida en uno de sus extremos, entre los dos conductores, a la frecuencia de trabajo de la línea. SIN. **characteristic impedance** | impedancia de onda. Cociente de la tensión por la corriente de una onda móvil que se desplaza sobre una línea de longitud infinita con las mismas características que la línea considerada. SIN. **self-surge impedance** (CEI/65 25–50–040) | impedancia de sobretensión [de sobrevoltaje], impedancia impulsiva.

surge limiting   *(Elec)* limitación de sobretensiones [sobreintensidades] transitorias; protección contra sobretensiones [sobrecorrientes].

surge measurement   medición en régimen de impulsos.

surge peak cathode current   *(Elecn)* corriente catódica de pico [de cresta transitoria], cresta transitoria de corriente catódica | cresta de amplitud de corriente catódica. v. **peak cathode current**.

surge recorder   (aparato) registrador de sobretensiones [sobreintensidades] transitorias.

surge relay   relé de sobretensión; relé de sobreintensidad; relé de máxima.

surge resistor   (a.c. surgistor) resistencia limitadora de sobretensión transitoria, resistencia limitadora de la sobretensión inicial de encendido. Resistencia destinada a amortiguar el efecto transitorio del encendido de un aparato electrónico o de radio, con el fin de proteger los filamentos de las válvulas. La resistencia limita la corriente de entrada hasta que aquéllos se han calentado lo suficiente para recibir la tensión completa de trabajo sin sufrir daño. CF. **suppressor.**

surge strength resistencia a las sobretensiones [sobreintensidades] transitorias.

surge suppressor supresor de sobrecargas momentáneas, supresor de sobreintensidades [sobretensiones] transitorias. Elemento o combinación de elementos (resistencias, condensadores, inductancias, semiconductores, tubos de gas) que responde a la rapidez de variación de la intensidad o de la tensión e impide que sobrepase un límite predeterminado. CF. **surge absorber, surge arrester, surge diverter, surge gap, surge guard, surge resistor** ‖ *(Hidr)* supresor de ondas, amortiguador de oleaje.

surge tank cámara [depósito] de compensación, tanque igualador [ecualizador], tanque de oleaje [de oscilación], chimenea de equilibrio.

surge test prueba con sobretensión [sobrevoltaje], prueba en régimen de impulsos.

surge voltage sobretensión transitoria, impulso de tensión [de voltaje].

surge-voltage absorption absorción de sobretensiones transitorias; absorción de ondas. v. **surge absorber.**

surge-voltage recorder registrador de sobretensiones transitorias. CF. **surge recorder, Lichtenberg figure camera.**

surgeproof *(Elec)* a prueba de olas, a prueba de sobretensiones [sobreintensidades] transitorias.

surgery cirugía /// *adj:* quirúrgico.

surgical *adj:* quirúrgico.

surgical lighting alumbrado de quirófanos [salas de operaciones].

surging v. **surge.**

surgistor limitador de sobretensión transitoria. v. **surge resistor.**

surplus sobrante, exceso, excedente, superávit; productos sobrantes.

surround *(Altavoces)* borde, suspensión periférica. Parte del cono o diafragma mediante la cual queda éste suspendido por el borde. Generalmente tiene ondulaciones concéntricas que facilitan los movimientos normales del cono o diafragma, o bien es de un material suficientemente flexible. V.TB. **accordion-edge loudspeaker** ‖ *(Carp)* cerco ‖ v. **surround of a comparison field** /// *verbo:* rodear, circundar; cercar; sitiar.

surround loudspeaker altavoz para sonido difuso, altoparlante perimétrico. Altavoz o altoparlante destinado a aumentar la dispersión del sonido en una sala cinematográfica, y que puede estar montado en cualquier punto del local. v. **perimeter sound.**

surround of a comparison field campo circundante. Zona que circunda y delimita el campo de comparación, pero cuya luminosidad no entra en el resultado de la comparación fotométrica [colorimétrica] visual, excepto en cuanto a la influencia que pueda tener sobre el órgano de la visión (CEI/70 45–30–115).

surround speaker v. **surround loudspeaker.**

surrounding *adj:* circundante, circunvecino; periférico /// v. **surroundings.**

surrounding area zona circundante [circunvecina], zona de los alrededores.

surrounding luminance luminancia circundante; brillo del ambiente.

surrounding material *(Nucl)* material de relleno. Material que se coloca alrededor de un objeto o de un material biológico que se irradia, y que se asemeja en lo posible a dicho objeto o material biológico.

surrounding medium medio ambiente [circundante].

surrounding noise ruido ambiente.

surroundings alrededores, contornos ‖ ambiente, medio, entorno; medio exterior [circundante]. SIN. **environment** /// v. **surrounding.**

surveillance vigilancia; inspección.

surveillance aerial antena de vigilancia.

surveillance antenna antena de vigilancia.

surveillance camera cámara (televisora) de vigilancia.

surveillance controller *(Radar)* controlador [encargado del control] de vigilancia.

surveillance radar radar de vigilancia ‖ radar de exploración. Radar fijo destinado exclusivamente a las necesidades de la navegación marítima o aeronáutica (CEI/70 60–74–135).

surveillance radar element [SRE] radar (panorámico) de vigilancia, elemento radar de vigilancia. SIN. **surveillance radar** ‖ radar de exploración de aproximación. Radar de exploración de alcance limitado que forma parte de un control de aproximación desde tierra [ground-controlled approach system] (CEI/70 60–74–380).

surveillance radar station estación de radar de vigilancia.

surveillance satellite satélite (artificial) de vigilancia.

surveillance screen pantalla de vigilancia.

survey examen, estudio; anteproyecto, estudio; reconocimiento, (visita de) inspección; encuesta; investigación; medición; peritaje, peritación ‖ *(Estadística)* sobrevisión ‖ *(Costas)* hidrografía ‖ *(Geol)* estudio ‖ *(Náutica)* arqueo ‖ *(Mapas)* levantamiento ‖ *(Nucl)* reconocimiento, medida de la radiación (en las cercanías de una instalación) ‖ *(Telecom)* reconocimiento, estudios en el terreno. En el proyecto de radioenlaces por microondas, estudios que pueden abarcar levantamientos topográficos, fotografía aérea de rutas o trayectorias de propagación, inspección y evaluación de emplazamientos para instalaciones, etc. AFINES: sistema de microondas, selección de rutas, localización y selección de puntos para estaciones repetidoras, reconocimiento del terreno, pruebas físicas en el terreno, línea visual [de vista], visibilidad entre los puntos transmisor y receptor, haz transmitido, trayectoria del haz, eje del haz, primera zona de Fresnel, trayectoria radioeléctrica, pruebas de propagación, puntos de relevo, perfil topográfico, banco de nivel, brigada de trabajo, proyecto de gabinete, estudio físico sobre el terreno ‖ *(Topog)* levantamiento (topográfico), reconocimiento (topográfico), planimetría, apeo; levantamiento (de mapas, de planos); deslinde; triangulación /// *verbo:* estudiar, examinar; reconocer, inspeccionar; peritar, hacer un peritaje; investigar; hacer una encuesta ‖ *(Náutica)* arquear ‖ *(Topog)* levantar (un mapa, un plano, una planimetría), levantar el plano (de), apear; medir (un terreno); deslindar (un terreno).

survey engineering *(Telecom)* ingeniería de reconocimientos, ingeniería de estudios en el terreno [*in situ*]. Ingeniería relativa a levantamientos topográficos y otros estudios en el lugar de la obra o sitios propuestos para las instalaciones.

survey equipment equipo para estudios en el terreno; equipo de reconocimiento [reconocimientos]; equipo de vigilancia.

survey instrument *(Nucl)* instrumento de reconocimiento [de inspección]. Aparato portátil de detección y medida de radiación.

survey meter *(Acús)* v. **sound-survey meter** ‖ *(Nucl)* v. **survey instrument, radiation counter.**

survey of cable route *(Telecom)* estudio de trazado de un cable.

survey of data examen de datos.

survey plane avión explorador [de reconocimiento]; avión de prospección.

survey ship buque hidrográfico.

survey team equipo de reconocimiento. Grupo de técnicos que efectúa reconocimientos o estudios en el terreno, incluso levantamientos topográficos. v. **field survey.**

surveying agrimensura, levantamiento de planos, topografía; inspección, reconocimiento; prospección; estudios en el terreno; estudio geológico [del terreno]; peritaje, peritación.

surveying rod *(Agrimensura)* jalón.

surveyor agrimensor, topógrafo; inspector; perito; investigador, examinador ‖ *(Náutica)* arqueador.

survival supervivencia.

survival average supervivencia media. Tiempo medio de supervivencia de un grupo de organismos o individuos expuestos a determinada dosis de radiaciones emitidas por substancias radiactivas. cf. **survival curve.**

survival craft   embarcación de salvamento [de supervivencia]. cf. **lifeboat, liferaft.**

survival curve   curva de supervivencia. Curva que pone de manifiesto la relación entre el tiempo y el número o el porcentaje de organismos o de individuos que sobreviven a partir de determinado momento (CEI/64 65–10–805). cf. **survival average.**

survival equipment   equipo salvavidas [de supervivencia].

survival time   tiempo de supervivencia ‖ *(Radiol)* tiempo letal [de supervivencia]. v. **median lethal time.**

susceptance   *(Elec)* susceptancia. (1) Parte en cuadratura de la admitancia [admittance]. Como definición aproximada, inversa de la reactancia; con mayor exactitud, reactancia dividida por el cuadrado de la impedancia. Se mide en siemens y su símbolo es B. (2) Cociente, con signo cambiado, de la reactancia efectiva por el cuadrado de la impedancia. nota: Esta definición es sólo aplicable, en rigor, en el caso de circuitos recorridos por corrientes sinusoidales (CEI/38 05–40–035). (3) Cociente de la componente de la corriente en cuadratura con la tensión en bornes de un circuito, por esa tensión. nota: Esta definición no es aplicable más que en corriente sinusoidal (CEI/56 05–40–050). cf. **susceptibility.**

susceptance tube   *(Elecn)* tubo [válvula] de susceptancia.

susceptibility   susceptibilidad, sensibilidad, propensión ‖ *(Mag)* susceptibilidad. (1) Cociente de la intensidad de imanación por la fuerza magnética que la produce (CEI/38 05–25–165). (2) Cociente de la imanación [magnetization] de una substancia isótropa [isotropic substance] por el campo magnético que la produce (CEI/56 05–25–185). cf. **susceptance, differential susceptibility, initial susceptibility.**

susceptibility meter   medidor de susceptibilidad. sin. **susceptometer.**

susceptiveness   *(Telef)* susceptibilidad a las perturbaciones. Susceptibilidad de un sistema telefónico a captar ruidos y corrientes perturbadoras de baja frecuencia inducidas por una red eléctrica.

susceptometer   susceptímetro, medidor de susceptibilidad. sin. **susceptibility meter.**

suspended call   *(Telef)* llamada suspendida, comunicación no establecida (p.ej. por ocupación de la línea). sin. **uncompleted call.**

suspended call due to engaged condition   *(Telef)* comunicación no establecida por ocupación de la línea.

suspended-call position   *(Telef)* posición de llamadas diferidas.

suspended ceiling   techo suspendido, cielo raso colgante.

suspended coil   *(Aparatos de medida)* bobina móvil.

suspended-coil galvanometer   galvanómetro de bobina móvil.

suspended handset   microteléfono [monófono] suspendido.

suspended joint   *(Vías férreas)* junta [unión] suspendida, junta al aire, junta en voladizo. Junta hecha entre dos durmientes o traviesas.

suspended load   carga suspendida ‖ *(Ferroc)* peso suspendido. Peso que se apoya sobre los ejes por intermedio de resortes o elásticos ‖ *(Hidr)* arrastres en suspensión.

suspended motor   *(Tracción eléc)* *(i.e.* frame-suspended motor) motor (completamente) suspendido. Motor completamente solidario con el chasis (CEI/57 30–15–515).

suspended particulate   partícula en suspensión.

suspended solids   *(Hidr)* sólidos en suspensión.

suspended sound absorber   absorbedor acústico suspendido.

suspender   suspendedor ‖ *(Puentes colgantes)* péndola ‖ *(Telecom)* (for aerial cable) presilla de suspensión (para cable aéreo).

suspending cable   v. **suspension cable.**

suspending wire (for aerial cable)   cable de suspensión. sin. **support strand.**

suspense   *(Cine/Tv)* suspenso.

suspension   suspensión; interrupción, cesación, parada ‖ *(of payments)* suspensión (de pagos) ‖ *(Autos)* suspensión. Conjunto de

dispositivos que sostienen la caja del vehículo ‖ *(Aparatos de medida)* suspensión. (1) Sistema de sostén de la parte móvil de un aparato; por extensión, órganos destinados a dicho sostén (CEI/38 20–35–050, CEI/58 20–35–080). (2) Como caso particular, hilo que soporta la bobina móvil de un galvanómetro u otro instrumento semejante ‖ *(Mús)* suspensión ‖ *(Quím)* suspensión. Sistema bifásico formado por partículas muy pequeñas de sólido distribuidas en un medio dispersante líquido. Estado de un cuerpo muy dividido que se mezcla con la masa de un fluido sin disolverse en él.

suspension arm   mordaza.

suspension band   *(Globos)* banda de suspensión.

suspension bar   *(Armaduras)* barra de suspensión, pendolón ‖ *(Globos)* barra de suspensión.

suspension cable   (a.c. suspending cable) cable portante [portador] (de un cable aéreo), cable de suspensión.

suspension chain insulator   *(Elec)* aislador de rosario.

suspension clamp   *(Elec)* grampa de suspensión ‖ *(Tracción eléc)* grifa de suspensión. Pieza que asegura un enlace mecánico entre dos conductores eléctricos (CEI/57 30–10–345).

suspension galvanometer   galvanómetro de bobina móvil.

suspension insulator   *(Elec)* aislador de suspensión [de cadena], aislador colgante ‖ aislador de alineación. Aislador [cadena de aisladores] suspendido que no transmite la totalidad del esfuerzo mecánico de tensión del conductor, sino que soporta únicamente los esfuerzos verticales debidos al peso y las diferentes sobrecargas [overloads] del conductor (CEI/65 25–25–215) ‖ aislador de suspensión. Elemento de una cadena de aisladores (CEI/38 25–30–105, CEI/57 30–10–205). cf. **tension insulator.**

suspension light valve   válvula de luz del tipo de partículas en suspensión. Dispositivo usado primitivamente para reproducir las señales de imagen de televisión acoplándolo ópticamente a un tubo de rayos catódicos conectado al receptor; la imagen era proyectada sobre una pantalla.

suspension line   *(Globos, Dirigibles)* cable de suspensión, cable portante ‖ *(Paracaídas)* cuerda de suspensión.

suspension lug   *(Acum)* talón de suspensión. Saliente de la placa destinado a su suspensión (CEI/38 50–25–045).

suspension mount   montura [montaje] de suspensión.

suspension reactor   *(Nucl)* reactor de suspensión.

suspension ring   *(Globos)* aro de suspensión.

suspension strand   cable de suspensión, torón portante, cabo mensajero. sin. **messenger [suspension] cable.**

suspension wire   *(Aparatos de medida)* hilo de suspensión. v. **suspension** ‖ *(Telecom)* cable de suspensión. sin. **suspending wire.**

sustained oscillation   oscilación entretenida [sostenida]. Oscilación continua de un sistema a su frecuencia de resonancia o a una frecuencia muy próxima a la de resonancia. cf. **damped oscillation.**

sustained overvoltage   sobretensión sostenida ‖ sobreelevación de tensión. Sobretensión de la misma naturaleza que la tensión de la fuente de energía que alimenta el circuito en que la misma aparece: alterna de la misma frecuencia que la tensión de la fuente si ésta es alterna; continua si la tensión de la fuente es continua. Por ejemplo, sobretensión: (a) debida a una sobreexcitación [overexcitation] de los generadores; (b) debida a una sobrevelocidad [overspeed] de los generadores; (c) en la extremidad de una línea en vacío [open end of a line] (CEI/65 25–45–020). cf. **static overvoltage.**

sustained reaction   *(Nucl)* reacción sostenida [persistente].

sustained short-circuit current   *(Máq sincrónicas)* corriente permanente de cortocircuito. v. **sustained single-phase short-circuit current, sustained three-phase short-circuit current, sustained two-phase short-circuit current.** Véase la nota "10–45–000" en el artículo *synchronous machine.*

sustained single-phase short-circuit current   *(Máq sincrónicas)* corriente permanente de cortocircuito monofásico. Corriente del inducido [armature] puesto en cortocircuito entre una fase y el neutro, medida en régimen estable [steady conditions] (CEI/56 10–45–090). v. **sustained short-circuit current.**

sustained start   *(Temporizadores)* arranque sostenido. Arranque con una señal de duración mayor que el tiempo de ajuste del temporizador | *(i.e.* sustained-start signal) señal de arranque sostenido.

sustained three-phase short-circuit current   *(Máq sincrónicas)* corriente permanente de cortocircuito trifásico. Corriente del inducido puesto en cortocircuito trifásico. Corriente del inducido puesto en cortocircuito sobre sus tres fases, medida en régimen estable (CEI/56 10–45–090). v. **sustained short-circuit current.**

sustained two-phase short-circuit current   *(Máq sincrónicas)* corriente permanente de cortocircuito bifásico. Corriente del inducido puesto en cortocircuito entre dos fases, medida en régimen estable (CEI/56 10–45–090). v. **sustained short-circuit current.**

sustained wave   onda entretenida [continua], onda no amortiguada. CF. **damped wave.**

sustaining program   *(Radio/Tv)* programa sin patrocinador comercial.

Sutherland model   *(Fís)* modelo de Sutherland.

suture   *(Cirugía)* sutura, costura quirúrgica || *(Anat)* unión de los huesos del cráneo /// *verbo:* *(Cirugía)* suturar. Coser los labios de una herida; unir por medio de suturas.

suture clamp   pinzas de sutura. Pinzas con asideros de tijera, cuyas quijadas quedan cerradas aunque se suelten aquéllos, gracias a la acción de unos ganchos de retén; el retén se suelta separando un poco los asideros. Se usan en trabajos de electrónica para mantener juntos hilos finos y piezas menudas mientras se sueldan, encolan, agujerean, etc.

SVC   *(Teleg)* Abrev. de service.

SVCE   *(Teleg)* Abrev. de service.

SVL   *(Teleg)* Abrev. de several.

SVP   *(Teleg)* Abrev. de s'il vous plait [por favor].

SVR   *(Telecom)* Abrev. de simultaneous voice/record [telefonía y telegrafía simultáneas].

SVR circuit   circuito de telefonía y telegrafía simultáneas, circuito de comunicación simultánea por voz y teleimpresor.

SW   *(Radiocom)* Abrev. de short wave(s); short-wave || *(Esquemas)* Abrev. de switch.

swage   estampa (de forja); enderezatubos || *(Petr)* abretubos || *(Sierras)* recalcador, triscador /// *verbo:* estampar (en caliente), forjar con [en] estampa; comprimir, hundir, indentar || *(Sierras)* recalcar, triscar, extender.

swaged fitting   acoplamiento estampado.

swaged nipple   *(Petr)* niple de botella.

swaging machine   máquina de estampar; máquina martilladora. SIN. **hammering machine.**

swamp   pantano, ciénaga, marisma, marjal, cenegal, bañado, aguazal, terreno bajo y pantanoso || *(Elecn)* saturación. Condición existente cuando se le aplica a un dispositivo una señal de excesiva amplitud, con el resultado de que se produce distorsión en la salida del dispositivo /// *verbo:* encharcar, empantanar, alagar || *(Embarcaciones)* llenarse de agua || *(Elecn)* saturar; amortiguar; ahogar(se) || *(Explot forestal)* desbrozar, limpiar.

swamp resistance   v. **swamping resistor.**

swamper   *(Radio/Elecn)* v. **swamping resistor.**

swamping load   *(Radio/Elecn)* carga disipadora [amortiguadora]. Carga usada p.ej. en el circuito de rejilla de una válvula amplificadora modulada para mejorar la regulación de la etapa anterior dentro del ciclo de modulación.

swamping resistor   *(Radio/Elecn)* resistencia amortiguadora [de carga]. Resistencia que se deriva entre los terminales de un circuito oscilante o sintonizado para reducir el Q y ampliar así el pasabanda. SIN. **swamper, damping [loading] resistor.** CF. **swamping load** | resistencia en serie con coeficiente de temperatura despreciable. SIN. **swamp resistance** | resistencia de estabili-

zación [de compensación]. En un circuito de transistor, resistencia intercalada en la conexión al emisor con el objeto de atenuar los efectos de la temperatura en la resistencia de la unión emisor-base.

swan   cisne.

Swan   *(Astr)* Cisne.

swanneck   cuello de cisne /// adj: en (forma de) cuello de cisne.

swanneck insulator   *(Elec)* aislador con soporte en el roscado.

swanneck spindle   *(Telecom)* soporte en U de tornillo.

swap   permuta; trueque; cambio, canje | *(En lenguaje fam.)* cambalache /// *verbo:* permutar; trocar; cambiar, canjear: cambalachear.

swarf   virutas; virutas metálicas, virutas de cepilladora [de taladro, de torno]; limaduras de hierro; barro de amolado.

swarf-removal equipment   *(Fonog)* equipo de eliminación de virutas. Parte del equipo de grabación de discos.

swarm   enjambre || *(Nucl)* **(of particles)** enjambre (de partículas) /// *verbo:* enjambrar; volar [moverse] (como) en enjambre(s); trepar.

sway   balanceo, vaivén, oscilación; vibración, cimbreo, sacudida || *(Autos)* ladeo. Inclinación lateral de la carrocería al tomar una curva || *(Estr)* cimbreo, ladeo, deformación transversal /// *verbo:* balancear(se), (hacer) oscilar, mecer(se); inclinar(se), ladear(se), torcerse; cimbrar; apartar, desviar.

sway bracing   *(Estr)* arriostramiento contra el balanceo [contra el ladeo, contra el cimbreo]; tijerales verticales || *(Pilotaje)* arriostramiento transversal.

sweat   sudor; exudación; condensación (de humedad sobre una superficie metálica). V.TB. **sweating** /// *verbo:* sudar; exudar; exhalar humedad; soldar (con estaño); zunchar en caliente; calentar p.ej. un soldante hasta que se derrita y corra, especialmente entre superficies que se quieren unir; calentar, para extraerlo, un constituyente de fácil fusión.

sweat solder   soldadura con estaño, soldadura blanda.

sweat-type valve   válvula de conexión soldada con estaño.

sweating   sudor, sudación, sudoración; exudación, transpiración; fusión, licuación (por aplicación de calor); soldadura blanda [con estaño]; zunchado en caliente; unión por enmanguitado en caliente | condensación, resudación, resudamiento, transpiración. Ocurre en las tuberías y a veces también en la superficie metálica de equipos trasladados de una localidad fría a una caliente.

sweep   barrido, barredura; barrendero; deshollinador; giro, vuelta; extensión; alcance; ojeada, vistazo, recorrido con la vista; soplo (del viento); cigoñal (de pozo); remo largo y pesado (para gobernar barcazas); curva, curvatura, comba, corvadura (de tronco, de poste) || *(Mec)* cigüeña, guimbalete; carrera (de una pieza) || *(Aeron)* (*i.e.* sweep angle) (ángulo de) flecha || *(Elecn/TRC/Tv)* diente de sierra; tensión de exploración [de desviación] || *(TRC)* barrido. Movimiento repetido del haz electrónico de un lado al otro de la pantalla || *(Tv)* barrido, exploración. Movimiento repetido del haz que explora o analiza la imagen transmitida. SIN. **scanning** | barrido. Movimiento repetido del haz electrónico que reconstituye la imagen en la pantalla del aparato receptor. SIN. **trace** || *(Radar)* traza (radial). SIN. **trace** | barrido, exploración (del espacio). Movimiento sistemático del haz al recorrer determinada región del espacio || *(Gen de señales)* barrido (de frecuencia). Variación de la frecuencia de salida entre dos límites definidos /// *verbo:* barrer; deshollinar (chimeneas); girar; ojear, recorrer con la vista, pasar la vista (por); repasar; recorrer; abarcar, cubrir; arrastrar; barrer, rastrear (minas explosivas); recorrer (una gama de valores de una magnitud) || *(Elecn/TRC/Tv/Radar)* barrer, explorar | to sweep over an arc: barrer un arco [un ángulo] | to sweep a frequency band: recorrer una banda de frecuencias.

sweep accuracy   *(Osciloscopios)* exactitud del barrido.

sweep amplifier   amplificador de barrido. En los televisores, amplificador que sirve para aumentar la amplitud de la onda de tensión en diente de sierra suministrada por el oscilador de barrido [sweep oscillator] y darle a esa onda la forma conveniente, de acuerdo con las características de los circuitos de desviación [deflection circuits]. CF. **sweep voltage.**

sweep and marker generator   generador de barrido y marcas.

sweep angle   *(Aeron)* ángulo de flecha.

sweep-back wing   v. **sweptback wing.**

sweep-balance recorder   registrador de coincidencias con la amplitud de la tensión barrida. Aparato registrador gráfico en que se produce una marca en la carta cada vez que la señal de entrada coincide en amplitud con una tensión en diente de sierra generada localmente.

sweep circuit   circuito de barrido; circuito generador de eje de tiempo; circuito generador de dientes de sierra. SIN. **sweep oscillator.**

sweep delay   *(Osciloscopios)* retardo del barrido. Intervalo entre el impulso gatillador de barrido y el comienzo del barrido.

sweep-delay accuracy   exactitud del retardo del barrido. Generalmente se expresa por la magnitud del error.

sweep drive   dispositivo [mecanismo, accionador] de barrido, dispositivo de arrastre de barrido. Mecanismo que acciona el eje de un potenciómetro, un condensador variable, u otro elemento, para hacer variar determinada magnitud (tensión, frecuencia, etc.) con el objeto de observar el efecto de esas variaciones en otra magnitud. Generalmente es de funcionamiento automático por motor eléctrico y se usa p.ej. para trazar curvas de respuesta de frecuencia.

sweep drive pulse   *(Tv)* impulso de barrido. SIN. **drive pulse** | impulso de cronización del barrido.

sweep duration   duración del barrido.

sweep elbow   *(Guías de ondas)* codo redondeado. CF. **miter elbow.**

sweep excursion   excursión de barrido.

sweep expander   *(Osciloscopios)* dilatador [ampliador] de barrido. SIN. **sweep magnifier.**

sweep expansion   dilatación [ampliación] de barrido. SIN. **sweep magnification.**

sweep frequency   frecuencia de barrido; frecuencia de exploración [de desviación].

sweep-frequency generator   generador de frecuencia de barrido. v. **sweep generator.**

sweep-frequency measurement   medida con barrido de frecuencia.

sweep-frequency oscillator   oscilador de frecuencia de barrido.

sweep-frequency radio sounding   radiosondeo [sondeo radioeléctrico] con barrido de frecuencia.

sweep frequency range   margen [alcance] de frecuencias de barrido; intervalo de barrido de frecuencia.

sweep-frequency record   disco (fonográfico) con barrido de frecuencia. Disco fonográfico de prueba en el que se han registrado distintos tonos de amplitud constante y frecuencia que varía linealmente entre determinados límites.

sweep gate   impulso gatillador [de compuerta] del diente de sierra.

sweep generator   generador de barrido, generador [oscilador] (de prueba) modulado en frecuencia, generador de señales con barrido de frecuencia. Aparato de prueba que genera una señal de RF cuya frecuencia varía alternativamente entre dos valores límites. Se aplica dicha señal a un receptor u otro dispositivo para observar su respuesta de frecuencia con la ayuda de un osciloscopio. SIN. **sweep signal generator, sweep frequency generator, sweep oscillator** ‖ *(TRC/Tv/Osciloscopios)* generador de barrido [de exploración], generador de eje de tiempos, generador de dientes de sierra, generador de ondas de desviación [deflexión] (del haz explorador). SIN. **sweep oscillator** (véase), **timing-axis oscillator** ‖ v. **relaxation generator** | v. **wobbulator.**

sweep interference   v. **sweep jamming.**

sweep jammer   *(Guerra elecn)* perturbador con barrido de zona. v. **sweep jamming.**

sweep jamming   *(Guerra elecn)* perturbación con barrido de zona. Perturbación intencional de un radar enemigo barriendo su zona de cobertura con ondas radioeléctricas de la misma frecuencia que la recibida por aquél. CF. **sweep-through jamming.**

sweep line   *(Radar)* línea de barrido.

sweep linearity   linealidad del barrido.

sweep lockout   *(Osciloscopios)* bloqueo de barrido. Acción que impide que se produzcan múltiples barridos cuando se pone el aparato en la modalidad de barrido único [single-sweep mode].

sweep magnification   *(Osciloscopios)* dilatación [ampliación] de barrido. SIN. **sweep expansion.**

sweep magnifier   *(Osciloscopios)* dilatador [ampliador] de barrido. Circuito o mando para dilatar o ampliar en la pantalla un segmento determinado del barrido. SIN. **sweep expander.**

sweep oscillator   oscilador de barrido, oscilador explorador, oscilador en diente de sierra, oscilador de eje de tiempos, generador de base de tiempo. Oscilador que genera una onda en diente de sierra [sawtooth wave] que después de amplificada sirve para desviar periódicamente el haz electrónico de un tubo de rayos catódicos, un cinescopio, o un tubo de cámara televisora. SIN. **timing-axis oscillator, time-base oscillator** | oscilador de barrido, oscilador (de prueba) modulado en frecuencia. SIN. **sweep generator** (véase).

sweep protection   *(Cám tv)* protección contra detención del barrido.

sweep rate   velocidad de barrido [de exploración]. SIN. **sweep speed** | ritmo [frecuencia] de barrido. SIN. **sweep frequency.**

sweep reversal   inversión de barrido. Inversión del barrido de frecuencia que puede seleccionarse en ciertos generadores de señales de prueba (v. **sweep-signal generator**), y que permite obtener en el osciloscopio una imagen especular del oscilograma normal.

sweep second hand   *(Relojes)* segundero central.

sweep signal   señal con barrido (de frecuencia).

sweep-signal generator   generador de barrido, generador de señales con barrido (de frecuencia). Generador de señales que — a distinción del ordinario (v. **signal generator**), que produce una frecuencia única determinada por el ajuste del cuadrante— suministra una onda de amplitud sensiblemente constante, pero de frecuencia variable entre dos límites determinados. Se emplea con el osciloscopio para obtener oscilogramas de la respuesta de frecuencia de un circuito o dispositivo.

sweep speed   velocidad de barrido [de exploración]. SIN. **sweep rate.**

sweep starting delay   retardo del barrido, retardo del comienzo del barrido. v. **sweep delay.**

sweep switching   *(Osciloscopios)* conmutación de barridos. Conmutación o selección entre dos o más oscilogramas obtenidos con diferentes bases de tiempo en la pantalla de un mismo tubo de rayos catódicos.

sweep test   prueba de barrido. Prueba de un dispositivo o de un medio de transmisión (p.ej. un cable) observando osciloscópicamente la respuesta de frecuencia cuando se le aplica una señal cuya frecuencia se hace variar alternativamente y a velocidad constante entre dos límites determinados. CF. **point-by-point measurements.**

sweep-through jammer   perturbador con barrido de banda. v. **sweep-through jamming.**

sweep-through jamming   *(Guerra elecn)* perturbación con barrido de banda. Perturbación intencional de un radar enemigo haciendo que el emisor perturbador varíe de frecuencia por pasos cortos entre los límites de una cierta banda de radiofrecuencia. CF. **sweep jamming.**

sweep time   tiempo de barrido [de exploración]. Inversa de la velocidad de barrido o exploración [sweep speed].

sweep tone   tono de barrido, tono con barrido de frecuencia.

sweep-tone band   *(Discos fonog de prueba)* banda de tono de barrido. v. **sweep-frequency record.**

sweep trigger   *(Osciloscopios)* señal gatilladora [activadora] de barrido, impulso gatillador del diente de sierra.

sweep unit   *(Osciloscopios)* unidad de barrido [de base de tiempo].

sweep velocity   v. **sweep speed.**

sweep voltage   tensión [voltaje] de barrido, tensión [voltaje] en diente de sierra, tensión de desviación. Tensión que varía linealmente, periódicamente, y que se aplica al circuito de desviación de un tubo de rayos catódicos, un cinescopio o un tubo tomavistas, para obtener una desviación del haz electrónico en función del tiempo; es la tensión suministrada por el oscilador de barrido o exploración [sweep oscillator].

sweep voltage proportional to shaft position   tensión de barrido proporcional a la posición angular del eje.

sweep width   anchura [amplitud] de barrido.

sweep-width control   control de anchura de barrido, mando de amplitud de barrido.

sweepback   *(Aeron)* flecha.

sweeper   barredor, barredora, barredera, escoba mecánica; cable rastreador; rastreador de minas, dragaminas, barreminas | *(i.e.* electric sweeper) escoba eléctrica | *(Persona)* barrendero, barrendera || *(Elecn)* generador (de señales) con barrido de frecuencia. SIN. **sweep-signal generator.**

sweeping analyzer   analizador mediante barrido.

sweeping coil   *(TRC/Tv)* bobina de barrido, bobina desviadora [de desviación, de deflexión]. SIN. **deflection [deflecting] yoke, deflection coil.**

sweeping from low to high frequencies   barrido de frecuencia ascendente, barrido en (el) sentido de frecuencia ascendente.

sweeping generator   v. **sweep generator.**

sweeping speed   v. **sweep speed.**

sweeping system   *(TRC/Tv)* sistema de barrido [de desviación].

sweeping view   vista panorámica.

sweep's rod   *(Telecom)* aguja de tiro. SIN. **duct rod.**

swell   hinchazón, chichón, entumecimiento, intumescencia; bulto, prominencia, protuberancia; aumento de volumen || *(Meteor/Marina)* oleaje (de leva), marejada, mar de leva, mar de fondo, mar sordo, mar tendida || *(Mús)* crescendo; reguladores || *(Organos)* *(i.e.* swell pedal) pedal de expresión || *(Obras de tierra)* ondulación del terreno; aumento de volumen (de un terraplén) /// *verbo:* hinchar(se), engrosar(se), inflar(se); abultar(se); crecer; aumentar, acrecentar; elevar(se), levantar(se); dilatarse, esponjarse; entumecerse.

swell box   *(Organos)* caja de expresión.

swell manual   *(Organos)* teclado de expresión. Teclado superior usado normalmente para ejecutar la melodía. SIN. **solo manual.**

swell organ   *(Mús)* órgano expresivo.

swell pedal   *(Organos)* (a.c. swell) pedal de expresión.

swelling   hinchazón, hinchamiento, entumecimiento, intumescencia; bulto, prominencia, protuberancia; aumento de volumen, esponjamiento, dilatación; aumento, acrecentamiento; engrosamiento || *(Nucl)* hinchamiento, aumento de volumen (del combustible nuclear durante la irradiación) || *(Tierras)* esponjamiento.

swept area   zona barrida || *(Meteor)* zona barrida por el viento.

swept-back wing   v. **sweptback wing.**

swept-forward wing   v. **sweptforward wing.**

swept frequency   frecuencia con barrido. Frecuencia que varía linealmente entre determinados límites.

swept-frequency excursion   excursión del barrido de frecuencia.

swept-frequency measurement   medida con barrido de frecuencia. SIN. **sweep-frequency measurement.**

swept-frequency oscillator   oscilador con barrido de frecuencia.

swept-frequency response measurement   medida de respuesta con barrido de frecuencia. CF. **sweep test.**

swept-gain control   *(Radar)* v. **sensitivity-time control.**

swept oscillator   oscilador con barrido (de frecuencia).

swept resistance   *(Potenciómetros)* resistencia recorrida. Parte de la resistencia recorrida por el contacto móvil o cursor [slider] cuando el eje del potenciómetro se hace girar entre sus topes.

swept volume   *(Bombas)* desplazamiento volumétrico || *(Mot de pistones)* volumen barrido [desplazado], cilindrada. Volumen desplazado por el pistón en su carrera total. En el caso de los motores de automóvil se llama *capacidad del motor* [engine capacity] a la suma de los volúmenes desplazados de todos los cilindros.

sweptback wing   *(Aeron)* (a.c. sweep-back wing) ala en flecha (positiva). CF. **sweptforward wing.**

sweptforward wing   *(Aeron)* ala en flecha negativa [inversa].

SWF   Abrev. de Sudwestfunk, Baden-Baden.

SWI   Abrev. de special world intervals [intervalos mundiales especiales].

swimming pool   piscina (de natación). LOCALISMOS: noria, pileta.

swimming-pool reactor   *(Nucl)* reactor (nuclear) tipo piscina, reactor (de) piscina. v. **pool reactor.**

swing   oscilación; vibración; trayectoria; giro || *(Fotog)* giro || *(Oscilaciones)* amplitud || *(Máq herr, Tornos)* diámetro máximo admisible, altura de puntos || *(Precios)* oscilación, fluctuación || *(Aparatos de aguja y cuadrante)* desviación de la aguja, arco de lectura. SIN. **needle deviation** || *(Magnitudes físicas)* excursión, variación total | amplitud de variación. Amplitud total de la variación de una corriente, una tensión, etc. | oscilación, valor absoluto de variación. Por ejemplo, la *oscilación* de una tensión es de 4 voltios si ésta varía entre -2 y +2 V || *(Radiogoniometría)* margen azimutal. Intervalo angular que comprende los azimuts observados para los cuales la señal es enmascarada por el ruido o su variación es demasiado pequeña para que pueda ser detectada (CEI/70 60-71-210). CF. **range of bearings, swing error, swinging** || *(MF)* excursión (de frecuencia) /// *adj:* oscilante; giratorio; basculante; engoznado /// *verbo:* mecer(se); (hacer) oscilar; (hacer) girar; balancear, bambolear; bascular; engoznar || *(Grúas, Puertas)* girar || *(Péndulos)* oscilar || *(Marina)* bornear || *(Avia)* (the propeller) hace girar (la hélice) a mano.

swing arm   brazo oscilante.

swing back   *(Fotog)* respaldo de articulación (de una cámara).

swing bolt   perno articulado, perno de bisagra [de charnela].

swing bridge   puente giratorio. Puente móvil dotado de un apoyo que le permite movimientos de rotación o giro. SIN. **draw [swivel] bridge.**

swing choke   v. **swinging choke.**

swing circuit   circuito oscilante.

swing coil   bobina móvil.

swing door   v. **swinging door.**

swing error   *(Radiogoniometría)* error de balanceo. Error radiogoniométrico, ligado a la existencia de un margen azimutal [swing], y correspondiente por ejemplo a la incertidumbre sobre la posición de los límites de ese margen cuando se admite que los azimuts observados deben ser leídos en el centro de dicho margen (CEI/70 60-71-230). CF. **swinging.**

swing joint   unión giratoria [articulada].

swing of frequency   excursión de frecuencia.

swing-open film gate   *(Proy cine)* ventanilla engoznada.

swing-out cover   tapa giratoria, tapa que gira hacia afuera.

swing-over wheel control   *(Avia)* volante de mando de brazo giratorio.

swinging   balanceo, oscilación, vaivén, penduleo; vibración; giro, rotación; viraje || *(Marina)* borneo || *(Palas mec)* giro || *(Radiocom)* fluctuación (de frecuencia), variación momentánea (de la frecuencia recibida) || *(Radiogoniometría)* balanceo del radiogoniómetro. Operación por la cual un operador hace oscilar la antena o el buscador [radiogoniometer] de un radiogoniómetro con objeto de determinar un acimut (CEI/70 60-71-215) | balanceo del buscador. CF. **swing** /// *adj:* oscilante, pendulante, vibrante, vibratorio; giratorio, rotante; orientable.

swinging arm   brazo giratorio.

swinging base   *(Naveg)* rosa de los vientos.

swinging bell   campana oscilante.

swinging choke   inductor (de filtro) saturable, reactor de inductancia variable, choque [bobina de reactancia] de inductancia variable. Inductor con núcleo de hierro utilizado como elemento de filtro en ciertas fuentes de alimentación, y que puede hacerse trabajar cerca del punto de saturación magnética. En esas condiciones la inductancia es máxima para corrientes rectificadas pequeñas, y disminuye a medida que aumenta la corriente, con lo cual se mejora la estabilidad de la tensión suministrada por la fuente.

swinging door puerta engoznada [de bisagras], puerta giratoria; puerta de vaivén, puerta que se abre en ambos sentidos.

swinging earth *(Elec)* contacto intermitente con tierra.

swinging lamp lámpara suspendida.

swinging motion movimiento oscilante.

swinging of compass compensación de la brújula.

swirl remolino, torbellino; turbulencia ⫽ *verbo:* arremolinar(se).

swirl injector inyector de vórtice.

swish movimiento [ruido] del bastón [del látigo] al cortar el aire ⫽ *(Amortiguadores hidr)* ruido silbante ⫽ *(Fonog)* soplido cíclico. Ruido de alta frecuencia que se produce a cada vuelta del disco al ser reproducido, por defecto de fabricación de éste; aseméjase al silbido del látigo o bastón al cortar el aire ⫽ *verbo:* blandir, dar un bastonazo, dar un latigazo, zurriagar.

swish pan *(Cine/Tv)* panorámica rápida.

swishy surface *(Discos fonog)* superficie con (ruido de) soplido.

Swiss *sust/adj:* suizo, helvecio, helvético.

Swiss cheese queso suizo.

"Swiss cheese" packaging *(Elecn)* construcción de "queso suizo". Técnica constructiva de alta densidad de componentes, en la que éstos van montados en agujeros hechos en substratos o tableros de circuito impreso.

Swiss commutator *(Teleg)* conmutador suizo [bávaro, de tiras].

switch conmutación; cambio; canje; transferencia ⫽ *(Elec)* conmutador. Término general que designa todo dispositivo destinado a cerrar o abrir uno o varios circuitos eléctricos o a cambiar las conexiones de los mismos. En casos particulares puede traducirse más acertadamente por uno de los términos siguientes: *interruptor, contactor, llave, selector, inversor.* La terminología básica para la designación de los conmutadores es la siguiente: (a) number of positions = número de posiciones; (b) number of poles [of circuits, of movable contacts] = número de polos [de circuitos, de contactos móviles]; (c) number of throws [of stationary contacts] = número de vías [de direcciones, de "tiros", de posiciones activas] ⫽ interruptor. (**1**) Aparato destinado a determinar la apertura y el cierre de un circuito (CEI/38 15–10–005). (**2**) Conmutador de una sola vía o dirección. SIN. **on-off switch, interrupter** ⫽ contactor. Organo o dispositivo que sirve para abrir o cerrar un circuito. SIN. **contactor** ⫽ conector, switch. Aparato capaz de establecer, de soportar y de cortar las corrientes de servicio o de cambiar las conexiones de un circuito. El aparato puede estar previsto para establecer, pero no para cortar corrientes anormalmente elevadas, tales como las corrientes de cortocircuito (CEI/57 15–30–010) ⫽ interruptor de mando automático. Interruptor mandado por elementos separados, sensibles a las variaciones de una magnitud física, que provocan su apertura y/o su cierre en condiciones predeterminadas. NOTA: Este concepto no tiene término específico inglés en el VEI (CEI/57 15–30–020) ⫽ telerruptor. Aparato mandado a distancia por impulsos eléctricos, de los que uno abre (o cierra) ciertos contactos y el siguiente tiene la función inversa, y así sucesivamente. NOTA: Este concepto no tiene término específico inglés en el VEI (CEI/57 15–30–090) ⫽ tirador. Aparato de interrupción en el cual un tirador actúa como órgano de mando. NOTA: Este concepto no tiene término específico inglés en el VEI (CEI/57 15–30–135) ⫽ tirador. Parte de un aparato eléctrico constituido por una manija o un anillo del que se tira para provocar el funcionamiento. NOTA: Este concepto no tiene término específico inglés en el VEI; el término en francés es "tirette" (CEI/57 15–15–145) ⫽ *(Telef)* dispositivo de conmutación; horquilla (conmutadora), gancho (conmutador) ⫽ *(Elec/Elecn/Telecom)* CF. **key, selector switch, rotary switch, band switch, step switch, step-by-step switch, reversing switch, pushbutton switch, knife switch, single-pole switch, double-pole switch, single-throw switch, double-throw**

switch, range switch, ferrite switch, electronic switch, interlock switch, circuit breaker, chopper, independent switch, multipolar switch, quick-break switch, time switch, star-delta switch, cam-operated switch, isolator, grounding switch, position switch, limit switch, overtravel switch, travel-reversing switch, controller, commutator, switchboard ⫽ *(Comput)* llave. Símbolo que señala un punto de desvío o un conjunto de instrucciones que condiciona un desvío ⫽ selector. En un programa, instrucción o parámetro que provoca la selección de una de dos secuencias alternativas de instrucciones; una vez hecha, la selección persiste hasta que sea alterada voluntariamente ⫽ *(Vías férreas)* cambio (de vía), cambiavía, aguja. LOCALISMOS: chucho, suiche. Aparato que sirve para desviar una vía ⫽ *verbo:* conmutar; cambiar; canjear; transferir ⫽ *(Elec/Elecn/Telecom)* conmutar; elegir [seleccionar] mediante conmutador. V.TB. **switch off, switch on, switch over** ⫽ **to switch from transmit to receive condition:** pasar de la emisión a la recepción ⫽ **to switch in and out of the circuit:** intercalar y desintercalar del circuito alternativamente ⫽ *(Relés)* conmutar. Abrir o cerrar los contactos ⫽ *(Tv)* cambiar de cámara; pasar de una toma a otra; cambiar de ángulo de toma ⫽ *(Vías férreas)* cambiar, desviar, apartar. LOCALISMO: enchufar.

switch action (método de) accionamiento de conmutador. CF. **lever action, push action, momentary-contact action, locking action, release-lock action, accumulative locking action, rotary action, slide action.**

switch actuation accionamiento de conmutador.

switch actuation differential *(Controles)* diferencial de conmutación, diferencial de accionamiento del conmutador.

switch-back v. switchback.

switch-bank v. switchbank.

switch bay *(Elec)* celda. Espacio de una subestación o de una instalación de producción donde son instalados los aparatos de seccionamiento, de interrupción y de acoplamiento pertenecientes a una salida de línea o a un transformador (CEI/65 25–10–135). CF. **cell.**

switch-box v. switchbox.

switch brush escobilla conmutadora ⫽ *(Telef)* frotador del conmutador.

switch cam *(Teleimpr)* leva de interruptor.

switch capacitance box caja de capacidades de conmutador. Caja en la cual la introducción o la supresión de capacidades se efectúa con la ayuda de un conmutador generalmente del tipo de plots (CEI/58 20–30–020).

switch clicks *(Telecom)* ruido de conmutación. Ruido debido a la apertura o el cierre de circuitos durante las operaciones de conmutación. CF. **switching noise.**

switch clock interruptor horario. CF. **timer.**

switch cord *(Elec)* cordón de conmutador.

switch cupboard *(Elec)* armario de distribución.

switch cutout *(Elec)* interruptor.

switch desk *(Elec)* pupitre de distribución.

switch detector detector conmutado. Detector que sólo funciona durante intervalos breves determinados por un impulso selector.

switch detent retén de conmutador. v. **detent.**

switch-gear v. switchgear.

switch-hook v. switchhook.

switch house *(Elec)* casa de distribución, caseta de control. CF. switch hut.

switch housing assembly *(Telecom)* conjunto de cubierta de llaves conmutadoras.

switch hut *(Elec)* caseta de control, kiosko de distribución.

switch in *verbo: (Elec/Telecom)* conectar, encender; conectar, poner en circuito, intercalar (en un circuito), intercalar en el circuito (mediante conmutador).

switch-in repeater *(Telecom)* encender un repetidor [un amplificador].

switch-in the echo suppressors *(Telecom)* encender [conectar] los supresores de eco.

switch inductance box   caja de inductancia de conmutador. Caja en la cual la introducción o la supresión de inductancias se efectúa con la ayuda de un conmutador generalmente del tipo de plots (CEI/58 20–30–020). CF. **switchbox.**

switch jack   *(Telecom)* jack conmutador; jack con contactos de ruptura.

switch key   *(Elec)* llave del conmutador.

switch lamp   *(Vías férreas)* farol de cambio.

switch lamp socket   portalámpara de interruptor. Portalámpara que comprende un interruptor de mando a mano, sea directo (por llave, botón, palanca, etc.), sea de tiro (por cordón, cadena, etc.). SIN. switch lampholder (CEI/57 15–45–060).

switch lampholder   portalámpara de interruptor. v. **switch lamp socket.**

switch lever   *(Elec)* palanca del interruptor ‖ *(Vías férreas)* palanca de cambio [de maniobra de agujas]. Palanca que sirve para maniobrar las agujas.

switch matrix   *(Elecn/Telecom)* matriz de conmutación.

switch off   *verbo: (Elec)* desconectar (mediante interruptor), interrumpir, abrir el circuito (mediante conmutador), abrir el interruptor, romper el contacto; apagar, cortar la corriente; poner fuera de circuito, eliminar (mediante conmutador) ‖ *(Vías férreas)* apartar, desviar (trenes).

switch on   *verbo: (Elec)* conectar (mediante interruptor), cerrar el circuito (mediante conmutador), acoplar (mediante conmutador), cerrar el interruptor, establecer el contacto; encender, dar corriente; poner en circuito.

switch-on peak   sobrecorriente transitoria de cierre, punta de corriente transitoria (al efectuar la conexión).

switch out   *verbo: (Elec/Telecom)* desconectar, desintercalar del circuito (mediante conmutador), poner fuera del circuito; apagar, interrumpir, cortar [quitar] la corriente.

switch out a repeater   *(Telecom)* apagar un repetidor [un amplificador]. SIN. **turn off a repeater.**

switch out of operation   poner fuera de circuito.

switch out the echo suppressors   *(Telecom)* apagar los supresores de eco. SIN. **turn off the echo suppressors.**

switch outlet   salida de conmutador ‖ v. **switched outlet.**

switch over   *verbo:* conmutar; pasar (a).

switch-panel   panel de conmutadores [de conmutaciones]; panel de conexiones.

switch-plate   v. **switchplate.**

switch point   *(Elec)* punto de interruptor ‖ *(Vías férreas)* aguja (de cambio), lengüeta. LOCALISMO: aguja de chucho ‖ punta de (la) aguja.

switch-point derail   *(Ferroc)* trampa. v. **trap point.**

switch-point lock   *(Ferroc)* cerrojo de cambios. Cerradura de seguridad que se aplica a las puntas de las agujas.

switch position   *(Elec)* posición de conmutación [del conmutador] ‖ *(Ferroc)* posición de (la) aguja.

switch position indicator   *(Ferroc)* comprobador de posición de aguja. Aparato que transmite al puesto de enclavamiento la indicación de una aguja mandada desde ese puesto y aplicada contra el carril (CEI/38 30–35–050).

switch resistance box   caja de resistencias de conmutador. Caja en la cual la introducción o la supresión de resistencias se efectúa con la ayuda de un conmutador generalmente del tipo de plots (CEI/58 20–30–020). CF. **switch capacitance box, switch inductance box.**

switch rheostat   *(Elec)* reostato de conmutador; reostato de manivela.

switch-room   v. **switchroom.**

switch-selected   *adj:* seleccionado por conmutador, seleccionable mediante conmutador.

switch selection   selección por [mediante] conmutador.

switch stand   *(Ferroc)* caballete de maniobra, poste de cambiavía. LOCALISMO: pedestal de chucho ‖ palanca de maniobras de agujas.

Aparato por medio del cual se mueven las agujas y se las inmoviliza en sus dos posiciones extremas.

switch starter   *(Elec)* interruptor de arranque.

switch stick   *(Elec)* bastón de maniobra. Dispositivo con manija aislante y un gancho u otro artificio que sirve para maniobrar un aparato de conmutación. SIN. **switchhook.**

switch tank   *(Elec)* cuba de interruptor. Vasija que contiene el aceite o cualquier otro líquido y en cuyo interior se produce el corte (CEI/38 15–30–055).

switch time   v. **switching time.**

switch transfer time   *(Elec)* tiempo de transferencia del conmutador.

switch tube   *(Elecn)* v. **switching tube.**

switch wiper   *(Telecom)* frotador del conmutador.

switchable   *adj:* conmutable; cambiable; canjeable; transferible; desviable.

switchable polarity   polaridad conmutable.

switchback   *(Ferroc)* trazado [vía] en zigzag, trazado en retroceso, pendiente de vaivén. Desarrollo artificioso mediante desvíos de retroceso, que permite invertir el sentido de la línea y ganar altura.

switchbank   banco [bloque] de conmutadores. Conjunto de conmutadores montados en un soporte en común y generalmente dispuestos en hilera. SIN. **botonera.**

switchboard   *(Elec)* (a.c. board) tablero, cuadro, tablero de distribución [de control, de conexiones], cuadro de distribución [de conmutadores, de interruptores]; pupitre de conmutación ‖ tablero. Conjunto de la aparamenta destinada a operar y vigilar el estado de los circuitos eléctricos (CEI/38 15–05–010) ‖ cuadro. Conjunto de los aparatos destinados a mandar los circuitos eléctricos, de las conexiones eléctricas que los unen, y del bastidor que los soporta (CEI/57 15–60–005) ‖ cuadro de arquetas. Cuadro constituido por un conjunto de arquetas [boxes]. NOTA: Este concepto no tiene término específico inglés en el VEI (CEI/57 15–60–040) ‖ CF. **dual switchboard, duplex switchboard, mimic diagram board** ‖ *(Telecom)* (a.c. board) cuadro conmutador, cuadro [tablero] de conmutación ‖ cuadro de conmutación. Cuadro en el que están colocados los conjuntores (jacks) a los que se hallan unidas las líneas y los órganos de conexión (dicordios, llaves, etc.) (CEI/38 55–10–015) ‖ *(Telef)* cuadro, conmutador, cuadro conmutador, conmutador manual, mesa de operadoras. LOCALISMO: pizarra. (1) Instalación en la que las maniobras de conmutación son efectuadas por operadoras. (2) En una central, cuadro o tablero en el que están dispuestos los jacks de las líneas de abonado de modo que éstas puedan ser interconectadas mediante llaves o cordones o por otros medios. Puede tener también llaves de llamada y de conversación, así como diversas lámparas indicadoras: de línea, de indicación de ocupado, y de vigilancia ‖ cuadro conmutador. En una central, posición o conjunto de posiciones de operadora donde las maniobras de conmutación son efectuadas a mano (CEI/70 55–90–175). CF. **sleeve-control switchboard, single-cord switchboard, switchboard with...**

switchboard attendant   encargado del conmutador.

switchboard cable   *(Telecom)* cable cinta, cable achatado; cable redondo.

switchboard cord   *(Telef)* cordón de mesa.

switchboard drop   *(Telecom)* línea local de cuadro conmutador, línea del conmutador a una extensión.

switchboard key   llave de tipo telefónico.

switchboard position   *(Telef)* posición [puesto] de operadora, posición de telefonista.

switchboard station   *(Telecom)* estación conmutadora [con cuadro conmutador].

switchboard with cord pairs   mesa conmutadora con cordones.

switchboard with plug-restored indicators   cuadro conmutador con chapitas de reposición automática. v. **drop, drop indicator.**

switchbox   *(Elec)* caja del interruptor; caja de llave; caja de distribución, caja de interruptores ‖ *(Aparatos de medida)* caja de conmutador. v. **switch capacitance box, switch inductance box, switch resistance box** ‖ (*Vías férreas*) caja de maniobras de las agujas.

switched AC accessory outlet   tomacorriente auxiliar de alterna con interruptor, tomacorriente con interruptor para aparatos accesorios.

switched beam   haz conmutado.

switched-beam direction finder   radiogoniómetro de haz conmutado. Radiogoniómetro que permite obtener el azimut por la observación de la igualdad de las señales recibidas en dos posiciones diferentes del diagrama de directividad [polar diagram] (CEI/70 60–71–425).

switched circuit   (*Relés*) circuito conmutado, circuito de aprovechamiento.

switched connection   (*Teleg*) comunicación [conexión] por conmutación. Comunicación establecida y deshecha a pedido o bajo el control de uno de los puestos corresponsales.

switched European telegraph service [gentex]   red europea con conmutación para el servicio telegráfico público general, gentex.

switched link   (*Telecom*) enlace con conmutación.

switched mode of operation   (*Telecom*) explotación con conmutación.

switched network   (*Telecom*) red de líneas conmutadas.

switched network connection   conexión por red de líneas conmutadas.

switched-on equipment   equipo conectado [encendido, con tensión aplicada].

switched-out equipment   equipo desconectado [apagado, sin alimentación].

switched outlet   (*Elec*) tomacorriente con interruptor.

switched telegraph service   servicio telegráfico por conmutación.

switched telephone lines   líneas telefónicas conmutadas.

switched telephone network   red telefónica de líneas conmutadas.

switched telephone service   servicio telefónico por conmutación de líneas.

switched teleprinter network   red de teleimpresores explotada por conmutación.

switcher   conmutador, interruptor, distribuidor, conmutador de distribución ‖ (*Tv*) conmutador-mezclador. Conmutador (generalmente de botonera) que sirve para la mezcla y distribución de videoseñales ‖ (*Ferroc*) guardaagujas ‖ v. **switching engine.**

switchgear   (*Elec*) conmutador, interruptor, aparato de conexión, órgano de conmutación; dispositivo [equipo] de distribución; aparamenta de conexión ‖ equipos de conmutación y distribución; mecanismo de control ‖ aparamenta. Término genérico aplicable al conjunto de aparatos de maniobra, de regulación, de seguridad y de contralor y de los accesorios empleados en las instalaciones eléctricas (CEI/38 15–05–005, CEI/57 15–05–005). CF. **switching equipment.**

switchgear cubicle   (*Elec*) cubículo de conmutación, armario (de conmutación).

switchgroup   (*Tracción eléc*) combinador. Aparato que sirve para efectuar diversas clases de conexiones (CEI/57 30–15–600) ‖ **control switchgroup:** combinador de mando. Combinador que efectúa diversas conexiones del circuito de mando (CEI/57 30–15–605) ‖ CF. **power switchgroup, manual switchgroup, motor-driven switchgroup, interlocking switchgroup.**

switchhook   (*Telef*) gancho [soporte] conmutador, horquilla. Conmutador de un aparato telefónico asociado al soporte del receptor o del combinado, y que es accionado por la acción de colgar o descolgar el receptor o el combinado [handset]. SIN. **hook** ‖ soporte conmutador. Conmutador asociado al soporte del receptor o del combinado del abonado. SIN. **cradle switch, receiver rest** (CEI/70 55–85–160) ‖ (*Elec*) v. **switch stick.**

switchhook flashing   (*Telef*) rellamada por gancho conmutador.

switching   conmutación; cambio; canje; transferencia ‖ (*Elec/Elecn/Telecom*) conmutación; maniobra; conexión, interconexión,

derivación; inversión; maniobra de conmutación, acción y efecto de accionar o maniobrar un conmutador o interruptor ‖ **under switching conditions:** en condiciones de conmutación [de funcionamiento intermitente] ‖ (*Elecn*) conmutación, basculación, paso de un estado a otro. En el caso de un dispositivo magnético de función digital, variación del flujo de un estado de remanencia [remanent state] a otro con una relación de rectangularidad [squareness ratio] bastante elevada ‖ (*Telecom*) conmutación. (**1**) Conjunto de las operaciones necesarias para unir entre sí los circuitos con el fin de establecer una comunicación temporal entre dos (o más) estaciones o puestos. (**2**) Conjunto de operaciones necesarias para unir entre sí las líneas con objeto de establecer una comunicación entre dos usuarios (CEI/38 55–10–010) ‖ (*Sist en diversidad*) conmutación, transferencia ‖ **switching on noise:** conmutación por aumento de ruido ‖ **switching on pilot tone:** conmutación por caída del tono piloto ‖ (*Teleg*) v. **switching by. . .** ‖ (*Ferroc*) desviación; maniobras.

switching accuracy   exactitud de conmutación.

switching action   acción conmutadora, conmutación.

switching algebra   álgebra de la conmutación, álgebra binaria [de las señales binarias]. Puede definirse el álgebra como un conjunto de reglas para efectuar operaciones matemáticas o lógicas con letras (u otros símbolos) que representan cantidades especificadas o condiciones definidas. Si las letras representan números ordinarios, las operaciones son las de la aritmética ordinaria. En general, las letras pueden tener cualquier valor numérico. En los circuitos de control y de calculadoras binarias, cualquier especificación funcional puede ser expresada en términos de un pequeño número de relaciones lógicas: Y [AND], O [OR], NO [NOT], etc. Estas relaciones se refieren a condiciones binarias o bivalentes. Por tanto, una letra que representa una señal binaria sólo puede tener dos valores. Es costumbre representar los dos estados posibles de una señal binaria por los dígitos 0 y 1, en substitución de expresiones como *desconectada* y *conectada, ausente* y *presente*, etc., para mayor facilidad en la aplicación de los métodos algebraicos a la simplificación de complicadas especificaciones de control. El álgebra de las conmutaciones es, como se va viendo por lo dicho, el método de representar señales binarias por letras y de operar con éstas mediante ciertos signos: $+$, que representa la relación lógica O; $\times$, que representa la relación Y, y que puede suprimirse, como en el álgebra ordinaria $(A \times B = AB)$. La relación lógica NO (negación o inversión) se representa con una raya sobre la letra. Así, si $A = 1$, se tiene que $\bar{A} = 0$. SIN. **algebra of binary signals.** CF. **symbolic logic.**

switching and test panel   panel de conmutación y prueba.

switching apparatus   aparato de conexión [de maniobra], conmutador.

switching by means of equal-length code   (*Teleg*) selección por señales de código (de momentos). Sistema de conmutación automática en la que los selectores [selectors] son mandados directamente por las señales de un código de momentos.

switching center   (*Teleg*) centro de conmutación. Centro que dispone de medios de conmutación.

switching characteristics   (*Conmut/Relés*) características de conmutación. v. **transfer time, transfer common open time.**

switching circuit   circuito conmutador [de conmutación]. Circuito que realiza una función de conmutación. En el caso de las calculadoras binarias esta función se realiza automáticamente por la presencia o ausencia de determinada señal, generalmente en forma de impulsos. Los circuitos conmutadores pueden combinarse de modo de ejecutar operaciones lógicas ‖ circuito conmutador [basculador]. En ciertos dispositivos electrónicos (frecuencímetros digitales, medidores de período, intervalómetros), circuito cuya salida oscila entre dos niveles fijos llamados *estados;* el nivel más alto ocurre siempre que la tensión de entrada pasa de cierto valor V_1, y el más bajo cuando dicha tensión baja de otro valor V_o, siendo V_1 mayor que V_o. Estos valores se denominan *de disposición* [set] y *de reposición* [reset], respectivamente, o bien *tensiones de* *disparo,* y su diferencia se llama *región de histéresis* [hysteresis region] | circuito selector.

switching coefficient   coeficiente de conmutación. (**1**) Derivada de la fuerza magnetizante (aplicada por incrementos discretos) respecto a la inversa del tiempo de conmutación resultante. (**2**) En un dispositivo magnético de función digital, cociente de la constante de conmutación [switching constant] por la longitud media de la trayectoria magnética del núcleo.

switching constant   constante de conmutación. En dispositivos magnéticos de función digital (lazo de histéresis rectangular), cociente del tiempo de conmutación o basculación [switching time] por la fuerza magnetizante.

switching control console   pupitre de conmutación [de maniobra].

switching control panel   panel de conmutación; pupitre de conmutación [de maniobra].

switching control pilot   *(Telecom)* (onda) piloto de conmutación. SIN. **switching pilot.**

switching control tone   *(Telecom)* tono de conmutación.

switching dependability   seguridad de (la) conmutación.

switching design   *(Telecom)* diseño de conmutación.

switching desk   pupitre de conmutación.

switching device   *(Elec/Elecn)* dispositivo de conmutación, aparato conmutador || *(Telef)* órgano de conexión.

switching diagram   esquema de conmutación.

switching diode   diodo conmutador [de conmutación]. Diodo de cristal que pasa abruptamente al estado de conducción (bajo valor de resistencia) cuando la tensión aplicada alcanza cierto valor crítico, y retorna al estado de no conducción (alto valor de resistencia), también abruptamente, cuando la tensión se reduce a otro valor crítico inferior al primero; por tanto, es equivalente a un interruptor que se cierra y se abre bajo la influencia de la tensión aplicada.

switching director   *(Telecom)* director de conmutación.

switching effect   *(Elecn)* efecto de conmutación.

switching engine   *(Ferroc)* (a.c. switcher) locomotora de maniobras.

switching equipment   *(Elec)* equipo de conmutación | equipo. Conjunto de los aparatos y los accesorios que aseguran el funcionamiento de una máquina o de un aparato y eventualmente el control de ese funcionamiento (CEI/57 15–05–010). CF. **switchgear** || *(Telef)* equipo de conmutación [de conexión].

switching facilities   *(Telecom)* medios de conmutación [de conexión].

switching flux   flujo de conmutación [de basculación]. En un dispositivo magnético de función digital, máxima variación de flujo que ocurre durante una sola conmutación o basculación, siempre que no se invierta la polaridad de la fuerza magnetomotriz aplicada.

switching frequency   frecuencia de conmutación. SIN. **switching rate.**

switching function   función de conmutación.

switching installation   instalación conmutadora.

switching jack   jack [clavijero] de conmutación.

switching key   llave conmutadora [de conmutación]. SIN. **key.**

switching magnetomotive force   fuerza magnetomotriz de conmutación [basculación]. En un dispositivo magnético de función digital, valor instantáneo de la parte de la fuerza magnetomotriz total aplicada al núcleo que produce la conmutación magnética de éste.

switching matrix   matriz de conmutación.

switching network   red de conmutación.

switching noise   *(Elecn/Telecom)* ruido de conmutación. En telecomunicaciones, ruido de circuito [circuit noise] engendrado por las vibraciones mecánicas de conmutadores automáticos o por la inducción que provocan las operaciones de conmutación efectuadas en circuitos vecinos.

switching of power networks   *(Elec)* conmutación de redes de distribución (de energía).

switching-off   *(Elec)* corte, interrupción, desconexión, apertura de un circuito.

switching-on   *(Elec)* conexión, cierre de un circuito.

switching operation   operación de conmutación; maniobra de conmutación.

switching overvoltage   sobretensión transitoria de conmutación. CF. **surge.**

switching pad   *(Telef)* línea artificial de complemento.

switching-pad office   estación con líneas artificiales de complemento.

switching panel   panel de conmutación.

switching pilot   *(Telecom)* (onda) piloto de conmutación. Onda piloto [reference pilot] que puede servir, bien para bloquear las vías telefónicas en caso de avería de un sistema de corrientes portadoras (en particular en el caso de la explotación automática), bien para substituir (en caso de avería) un repetidor normalmente en servicio por uno de reserva, o una sección de línea normalmente en servicio por una sección de reserva [reserve section]. SIN. **switching control pilot** *(GB).*

switching point   *(Telecom)* punto [nudo] de conmutación || *(Telef)* centro [central] de tránsito. SIN. **transit exchange** | estación de tránsito. SIN. **switching station.**

switching principles   *(Telecom)* normas de conmutación, principios de establecimiento de las conexiones.

switching pulse   *(Elecn/Telecom)* impulso de conmutación.

switching rack   bastidor de conmutación || *(Telef)* armazón de conmutadores. SIN. **switchrack.**

switching rate   *(Elecn)* ritmo de conmutación, frecuencia de basculación. SIN. **switching frequency.**

switching rating   *(Elec)* capacidad (nominal) de conmutación. Capacidad de un conmutador en cuanto a la potencia (vatios o voltioamperios) que es capaz de conmutar eficazmente y sin sufrir daño.

switching ratio   v. **isolation.**

switching reactor   reactor conmutador. Reactor de núcleo saturable con varios devanados de control y uno o más devanados de utilización o salida, y que tiene funciones equivalentes a las de un relé electromecánico.

switching relay   *(Telecom)* relé de conmutación.

switching room   sala de conmutación. CF. **switchroom.**

switching section   *(Telecom)* sección de conmutación.

switching selector-repeater   *(Telecom)* selector-repetidor de conmutación; selector auxiliar | conmutador discriminador. SIN. **selector-repeater, discriminating selector.**

switching signal   señal de conmutación.

switching-signal generator   generador de señales de conmutación.

switching-signal input   entrada de señal de conmutación.

switching speed   velocidad de conmutación.

switching stage   *(Telecom)* paso de conmutación.

switching station   *(Elec)* estación de distribución (de energía) | puesto de acoplamiento, subestación de distribución. Puesto destinado a distribuir la energía eléctrica sin transformarla (CEI/38 25–10–045) || *(Telef)* estación de tránsito. SIN. **switching point.**

switching surge   *(Elec)* sobretensión transitoria de conmutación. V.TB. **surge.**

switching system   sistema de conmutación.

switching technology   tecnología de la conmutación.

switching theory   teoría de la conmutación.

switching time   *(Elec/Elecn)* tiempo de conmutación || *(Elecn)* tiempo de conmutación [de basculación]. (**1**) De un núcleo magnético de ciclo rectangular, tiempo necesario para pasar de un estado de flujo residual negativo al estado de flujo de saturación positivo. (**2**) De un dispositivo magnético de función digital, intervalo entre el comienzo de la aplicación de la fuerza magnetomotriz de conmutación [switching magnetomotive force] y la terminación de la variación de flujo provocada por la conmutación ‖ *(Telecom)* (*i.e.* time for changeover from normal to standby equipment) tiempo de conmutación [de transición] (del equipo normalmente en servicio al equipo de reserva). SIN. **changeover [transfer] time.**

switching tone *(Telecom)* tono de conmutación. Tono cuya aparición provoca una acción conmutadora.

switching traffic *(Telecom)* tráfico por conmutación.

switching transient efecto transitorio de la conmutación, tensión transitoria de conmutación. CF. **surge.**

switching transistor transistor conmutador [de conmutación]. Transistor utilizado en función de conmutador. CF. **switching diode, switching tube.**

switching trunk *(Telef)* línea de llamada entre posiciones interurbanas.

switching tube tubo [válvula] de conmutación. Tubo electrónico utilizado para funciones de conmutación; por ejemplo, tubo de gas empleado para conmutar energía de RF en los circuitos de antena de un radar u otro sistema de energía radiofrecuente pulsada. CF. **ATR tube, pre-TR tube, TR tube, switching diode, switching transistor.**

switching-type phase detector detector de fase del tipo de conmutación.

switching unit conmutador, unidad conmutadora, dispositivo [conjunto] de conmutación.

switching valve (a.c. switch valve) válvula de tres vías ‖ *(Elecn)* tubo [válvula] de conmutación. v. **switching tube.**

switching yard *(Ferroc)* playa de maniobras.

switchlight lamparita piloto de conmutador, lamparita que ilumina un botón conmutador.

Switchlock Switchlock. Nombre comercial de un sistema de enganche para la conmutación entre fuentes de video sin que se produzca corrimiento de la imagen. CF. **VTR operating mode.**

switchplate *(Elec)* placa de interruptor, chapa para interruptor [para llave], chapa de pared. Pequeña placa que cubre un interruptor montado en la pared ‖ *(Ferroc)* placa de asiento de la aguja; placa de maniobra.

switchrack *(Telef)* armazón de conmutadores.

switchroom *(Elec)* sala de distribución ‖ *(Telef)* sala de conmutadores; sala de buscadores; sala de aparatos (de central automática).

switchyard *(Elec)* playa de distribución.

swivel articulación giratoria; eslabón giratorio; rótula ‖ *(Máq herr)* placa giratoria ‖‖ *adj:* articulado; giratorio; basculante; oscilante ‖‖ *verbo:* girar (alrededor de un eje); hacer girar (alrededor de un eje); pivotear; inclinar(se).

swivel base base giratoria, base pivotante.

swivel-base mount montaje de base giratoria, base de montaje giratorio.

swivel-base (television) set televisor de base giratoria.

swivel bridge puente giratorio. v. **swing bridge.**

swivel hanger soporte basculante ‖ *(Líneas de tr)* soporte de suspensión giratorio, soporte de suspensión (de línea) del tipo giratorio.

swivel harp *(Tracción eléc)* horquilla giratoria (de trole, de pantógrafo).

swivel head cabezal giratorio [oscilante].

swivel joint unión [articulación] giratoria, junta de nuez [de rótula].

swivel link eslabón giratorio.

swivel mechanism mecanismo giratorio.

swivel microphone post pilar portamicrófono giratorio.

swivel-mounted *adj:* giratorio, orientable; basculante; de montaje giratorio, montado giratoriamente.

swivel-mounted casters rodajas giratorias.

swivel mounting base base de montaje giratorio.

swivel pen *(Dib)* tiralíneas para curvas.

swivel plug tapón giratorio.

swivel plug keystone link *(Telecom)* gancho.

swivel tail wheel *(Aviones)* rueda de cola giratoria.

SWL Abrev. de short-wave listener.

SWR Abrev. de standing-wave ratio.

SWTL Abrev. de standing-wave transmission line [línea de transmisión de onda estacionaria].

SWVR Abrev. de standing-wave voltage ratio. v. **voltage standing-wave ratio.**

SX *(Telecom)* Abrev. de simplex.

SXN *(Telecom)* Abrev. de sender's correction.

SxS *(Telecom)* Abrev. de step by step.

SY *(Teleg)* Abrev. de see your... [sírvase ver su...].

SYA *(Teleg)* Abrev. de see your service message [sírvase ver su mensaje de servicio].

syllabic *adj:* silábico.

syllabic articulation v. **syllable articulation.**

syllabic companding *(Telef)* compresión-expansión silábica. Compresión-expansión efectuada de suerte que la amplificación depende del valor medio de la señal aplicada durante un corto intervalo de tiempo cuya duración es del orden del de pronunciación de una sílaba (CEI/70 55–15–085) | compansión silábica.

syllabic compandor *(Telef)* compresor-expansor silábico. v. **compandor.**

syllabic peak *(Telef)* cresta de articulación.

syllabic speech power *(Telef)* potencia (vocal) silábica.

syllable sílaba ‖‖ *adj:* silábico.

syllable articulation *(Acús/Telef)* articulación [inteligibilidad] silábica, inteligibilidad para las sílabas; inteligibilidad de los logátomos, nitidez en logátomos [de los logátomos]. (1) Articulación o inteligibilidad (v. **articulation**) cuando los fonemas [phonemes] son sílabas sin significado. (2) Porcentaje de los logátomos (logatoms) (tomados de listas tipo) correctamente recibidos respecto al número total de los logátomos transmitidos. SIN. **articulation for syllables, percent-of-syllable articulation, logatom articulation** *(GB)*.

syllogism *(Mat)* silogismo, razonamiento deductivo.

symbiosis *(Biol)* simbiosis. Relación de dos o más organismos diferentes en estrecha asociación que puede ser pero no es necesariamente benéfica para cada uno de ellos. Este es el significado del término en su acepción inglesa. En su versión española el sentido es más restringido, pues sólo abarca la relación biológica entre dos seres heteroespecíficos en la que ambos obtienen beneficios o ventajas de la asociación, hasta el grado de resultar vital y permitir la supervivencia en condiciones ambientales que individual y separadamente no podrían tolerar. AFINES: comensalismo, parasitismo, mutualismo, modelo, parasitología, patobiología química, óptima relación simbiótica, organismos heteroespecíficos, contacto, penetración (de un organismo en otro), células germinales, progenie, interacciones fisiológicas (entre el huésped y el simbionte).

symbiotic, symbiotical *adj:* *(Biol)* simbiótico.

symbol símbolo. v. **order of magnitude** ‖ *(Informática)* símbolo ‖ *(Mapas)* símbolo convencional [cartográfico], símbolo de clave ‖ *(Mat)* símbolo. Letra u otro elemento gráfico que representa determinada cantidad o magnitud en las fórmulas y ecuaciones | símbolo, signo. Letra u otro elemento gráfico empleado para representar una operación ‖ *(Elec/Elecn/Telecom)* símbolo. Letra o diseño simplificado usado para representar un dispositivo, componente o elemento en un esquema o diagrama circuital o en una representación pictórica de un aparato o sistema ‖‖ *adj:* simbólico.

symbol-control plugging *(Informática)* conexiones para control de símbolos.

symbol hub *(Informática)* boca de símbolo.

symbol manipulation manipulación de símbolos.

symbol printing *(Informática)* impresión de símbolos.

symbol-printing control control de impresión de símbolos.

symbol wheel *(Informática)* rueda de símbolos.

symbolic *adj:* simbólico.

symbolic address   *(Informática)* dirección simbólica [flotante]. (1) Dirección dada a ciertas instrucciones de una rutina y que es modificada durante la ejecución del programa según los resultados obtenidos. (2) Designación usada en una rutina para identificar una información (como una palabra o una función) independientemente de su localización en la rutina. (3) Dirección expresada en símbolos cómodos para el programador y que ha de ser posteriormente traducida en una dirección absoluta [absolute address] antes de que pueda ser interpretada por la computadora. SIN. **floating address.**

symbolic code   clave simbólica ‖ *(Informática)* clave nemónica. Clave fácil de recordar que el programador usa para escribir instrucciones, pero que ha de ser traducida posteriormente antes de que éstas puedan ser interpretadas por la máquina. SIN. **mnemonic code.**

symbolic code form   *(Meteor)* forma simbólica de clave.

symbolic coding   *(Informática)* codificación simbólica. (1) Programa codificado en el cual se usan direcciones simbólicas [symbolic addresses]. (2) Codificación que usa notación simbólica para los operandos y las operaciones, o para conjuntos de unos y otras. (3) Codificación que usa instrucciones de máquina [machine instructions] con direcciones simbólicas. Por lo general se usan claves nemónicas para las operaciones en conjunción con las direcciones simbólicas, para mayor simplificación del proceso de codificación. Se distingue de la codificación absoluta [absolute coding] y de la codificación relativa [relative coding].

symbolic diagram   *(Elec/Elecn/Telecom)* esquema simbólico; representación esquemática.

symbolic logic   lógica simbólica. (1) Lógica en la que se expresan por símbolos cómodos para los cálculos, relaciones de naturaleza no numérica. EJEMPLO: álgebra booleana [Boolean algebra]. (2) Estudio de las proposiciones de la lógica mediante un sistema de operaciones binarias, y que se aplica p.ej. en el proyecto de calculadoras digitales binarias. CF. **switching algebra** ‖ logística, lógica simbólica. Nombre con que los griegos designaban el conjunto de las prácticas de cálculo, para distinguirlo de la ciencia de los números o Aritmética propiamente dicha.

symbolic-logic expression   expresión de lógica simbólica.

symbolic programing   *(Informática)* programación simbólica. (1) Programación en la que se usan direcciones simbólicas [symbolic addresses]. (2) Programa en el que se usan símbolos convencionales en lugar de números explícitos para las direcciones y las operaciones, símbolos que luego han de ser traducidos al lenguaje de máquina.

symbolic representation   representación simbólica ‖ *(Elec/Elecn/Telecom)* representación simbólica [esquemática]. CF. **symbolic diagram.**

symmetric, symmetrical   *adj:* simétrico.

symmetric cable pair   *(Telecom)* par simétrico (en cable).

symmetric function   *(Mat)* función simétrica. Función cuyo valor es el mismo para cualquier permutación de sus variables independientes.

symmetric group   *(Mat)* grupo simétrico. Grupo constituido por todas las permutaciones posibles ($n!$) de n elementos.

symmetric pair   *(Telecom)* par simétrico. SIN. **balanced pair.**

symmetric-pair cable   *(Telecom)* cable de pares simétricos.

symmetric tensor   *(Mat)* tensor simétrico.

symmetric wave function   *(Mat)* función de onda simétrica.

symmetrical, symmetric   *adj:* simétrico.

symmetrical alternating current   corriente alterna simétrica.

symmetrical alternating quantity   magnitud alterna simétrica. (1) Magnitud alterna cuyos valores se reproducen siguiendo el mismo orden y con signo contrario en cada semiperíodo (CEI/38 05–05–150). (2) Magnitud alterna cuyos valores se reproducen al final de un semiperíodo pero con inversión de signo (CEI/56 05–02–25).

symmetrical amplifier   amplificador simétrico.

symmetrical aperture slit   ranura de abertura simétrica.

symmetrical arrangement   disposición simétrica ‖ *(Telecom)* montaje simétrico.

symmetrical avalanche rectifier   rectificador de avalancha simétrico [bilateral]. Rectificador de avalancha que puede ser gatillado en cualquiera de los dos sentidos, presentando un pequeño valor de impedancia en el sentido en que ha sido gatillado.

symmetrical cable   *(Telecom)* cable simétrico.

symmetrical cable pair   *(Telecom)* par simétrico (en cable).

symmetrical-cable-pair carrier system   *(Telecom)* sistema de corrientes portadoras por pares simétricos (en cable).

symmetrical coordinates in a system of unbalanced polyphase quantities   *(Elec)* coordenadas simétricas de un sistema (de magnitudes) polifásico no equilibrado. Sistema de magnitudes polifásicas simétricas en las cuales puede descomponerse un sistema polifásico no equilibrado (CEI/56 05–42–005).

symmetrical directional coupler   acoplador direccional simétrico.

symmetrical double two-sided slips   *(Vías férreas)* cambio doble bilateral simétrico. Cambio con una desviación simétrica a cada lado del alineamiento recto.

symmetrical end for end   simétrico respecto a los extremos.

symmetrical grading   *(Telef)* interconexión progresiva simétrica. Interconexión progresiva en cuya formación todos los grupos son tratados de la misma manera (CEI/70 55–110–235). CF. **unsymmetrical grading.**

symmetrical heterostatic circuit (Mascart)   *(Aparatos de medida)* montaje heterostático simétrico (de Mascart). Montaje de electrómetro de cuadrantes [quadrant electrometer] en el cual la diferencia de potencial auxiliar [auxiliary potential difference] es aplicada entre los dos cuadrantes o los dos pares de cuadrantes, y la diferencia de potencial objeto de la medida entre la aguja y un punto al potencial medio de los cuadrantes (CEI/58 20–40–200).

symmetrical intensity distribution   *(Ilum)* distribución simétrica de intensidad (luminosa). Distribución por la cual la superficie de distribución de la intensidad luminosa puede ser engendrada por la rotación de una curva fotométrica polar [polar intensity distribution curve] alrededor de un eje situado en el plano meridiano correspondiente. NOTA: El uso ha establecido la extensión de la denominación *distribución simétrica de intensidad luminosa* al caso en que dicha superficie, sin ser de revolución, posee al menos un plano de simetría (CEI/70 45–50–100).

symmetrical lighting fitting   *(Ilum)* luminaria simétrica. Luminaria de distribución simétrica de la intensidad luminosa [symmetrical intensity distribution] (CEI/70 45–55–010).

symmetrical modulation voltage   tensión de modulación simétrica.

symmetrical multivibrator   multivibrador simétrico. SIN. **balanced multivibrator.**

symmetrical network   *(Elec)* red (estructuralmente) simétrica, red de configuración simétrica. V. **structurally symmetrical network.**

symmetrical pair   *(Telecom)* par simétrico. SIN. **balanced pair.**

symmetrical-pair cable   *(Telecom)* cable de pares simétricos. Cable formado por pares de conductores idénticos y de características muy bien equilibradas.

symmetrical-pair carrier cable   cable para corrientes portadoras de pares simétricos.

symmetrical profile   *(Aeron)* perfil simétrico.

symmetrical relay   relé de bobinas simétricas. ABREVIADAMENTE: relé simétrico. Relé con dos bobinas idénticas que pueden permutarse en sus funciones respectivas de bobina de funcionamiento [operate coil] y de reposición [reset coil].

symmetrical signal   señal simétrica.

symmetrical swing bridge   puente giratorio de eje central.

symmetrical-taper potentiometer   potenciómetro de ley simétrica. Potenciómetro cuya variación de resistencia es lenta al principio de la rotación del eje y luego se hace rápida, para volver a hacerse lenta cerca del otro extremo de la rotación. V. **taper.**

symmetrical transducer   transductor simétrico. Transductor cuyas impedancias imagen de entrada y de salida son todas iguales, y en el que, por consecuencia, pueden permutarse todos los pares posibles de terminaciones especificadas sin que resulte afectada la transmisión.

symmetrical transistor   transistor simétrico. Transistor de uniones cuyos electrodos emisor y colector son idénticos, en virtud de lo cual pueden intercambiarse sus terminales a voluntad.

symmetrical two-terminal-pair network   *(Elec)* cuadripolo simétrico. Cuadripolo tal que pueden permutarse el par de bornes de entrada y el par de bornes de salida sin afectar el circuito exterior de la red, cualquiera que éste sea. En caso contrario se dice que el cuadripolo es *asimétrico* [asymmetrical] (CEI/70 55-20-070).

symmetrical varistor   varistor simétrico, varistancia simétrica.

symmetrically   *adv:* simétricamente.

symmetrically cyclically magnetized condition   estado de imanación cíclica simétrica. Dícese cuando una substancia magnética está en estado de imanación cíclica y los límites de intensidad de los campos magnéticos aplicados son iguales y de signo contrario, de tal suerte que los límites de densidad de flujo magnético son iguales y de signo contrario.

symmetrically magnetized condition   estado de imanación simétrica. Estado de una substancia magnética sometida a un campo magnético que alterna entre límites positivo y negativo iguales.

symmetrizable   *adj:* simetrizable.

symmetrization   simetrización; transformación simétrica.

symmetrize   *verbo:* simetrizar.

symmetry   simetría. En geometría, regularidad en la disposición de los puntos, rectas y planos de una figura, en virtud de la cual existen partes que pueden superponerse por giros adecuados, existe una mitad que coincide con la imagen especular de la otra, o las rectas que unen puntos semejantes forman un haz. Los elementos de simetría son el centro, el eje, y el plano de simetría [center of symmetry, axis of symmetry, plane of symmetry] /// *adj:* simétrico, en simetría.

symmetry class   *(Cristalog)* clase de simetría. Todo cristal pertenece a una de 32 clases de simetría diferentes.

symmetry control   control de simetría.

symmetry coordinates   *(Fís)* coordenadas de simetría.

symmetry element   *(Geom)* elemento de simetría. v. **symmetry**.

symmetry point   *(Fotog)* punto de simetría.

symmetry property   *(Fís)* propiedad de simetría.

symmetry test   prueba de simetría ‖ *(Telecom)* medida de simetría.

sympathetic   *adj:* simpático.

sympathetic tone   *(Acús/Mús)* tono simpático, sonido producido por resonancia.

sympathetic vibration   vibración simpática [por simpatía, por resonancia].

symphonic   *adj: (Mús)* sinfónico.

symphonic jazz   jazz sinfónico. Género musical intermedio entre el jazz tradicional y la música sinfónica.

symphony   *(Mús)* sinfonía /// *adj:* sinfónico.

symposium   simposio, simposium, coloquio. Serie de conferencias o charlas, generalmente sobre un mismo tópico; colección de artículos o exposiciones sobre un tema dado.

synapse   *(Biol) (also* sinapsis*)* sinapsis. Relación anatómica normal entre neuronas contiguas ‖ *(Electrobiol)* sinapsis. Unión entre dos elementos nerviosos [neural elements] que posee la propiedad de propagación unidireccional (CEI/59 70-10-320) /// *adj:* sináptico.

synapsis   v. **synapse**.

synaptic   *adj:* sináptico. Referente a la sinapsis.

sync, synch   Forma abreviada de synchronization; synchronizing; synchronism; synchronous; synchronize.

sync amplifier   *(Tv)* amplificador de señales sincronizadoras [de sincronización], amplificador de sincronismo.

sync and blanking interlock relay   *(Tv)* relé de enclavamiento de sincronización y supresión del haz.

sync bit   *(Comput)* bitio de sincronismo. v. **framing bit**.

sync/blanking adder   *(Tv)* combinador de señales de sincronismo y cancelación.

sync block   tren de impulsos de sincronismo.

sync clamper   fijador de sincronización [de sincronismo]. SIN. **sync-lock**.

sync clamping   fijación de sincronismo. SIN. **sync-lock**.

sync clipper   *(Tv)* separador de (los) impulsos de sincronismo [de sincronización]. v. **synchronizing-pulse clipper**.

sync compression   compresión de la señal de sincronización. Reducción de la ganancia o amplificación aplicada a la señal de sincronización [sync signal] en un intervalo determinado de su gama de amplitud, en relación con la ganancia o amplificación aplicada a una amplitud especificada.

sync generating equipment   *(Tv)* equipo de sincronismo, equipo generador de señales de sincronismo.

sync generator   generador de sincronismo, generador de señales de sincronismo [de impulsos sincronizadores], generador de señal de sincronización. SIN. **sync-signal generator, synchronizing generator** (véase).

sync hunting   *(Tv)* penduleo [vaivén] de sincronismo. Forma de inestabilidad de sincronismo.

sync interlock relay   relé [relevador] de enclavamiento del sincronismo.

sync level   *(Tv)* nivel de sincronización. Nivel de los picos de la señal de sincronización.

sync limiter   *(Tv)* limitador (de amplitud) de los impulsos sincronizadores.

sync-lock   *(Tv)* fijación de sincronismo, enganche a sincronismo. SIN. **sync clamping** ‖ fijador [enganchador] de sincronismo. SIN. **sync clamper**.

sync operation   funcionamiento sincrónico [concordante], marcha síncrona.

sync percentage   *(Tv)* nivel relativo (en tanto por ciento) de las señales sincronizadoras.

sync pulse   impulso sincronizador [de sincronismo, de sincronización]. Impulso de los que forman la señal de sincronismo. V.TB. **synchronizing pulse** ‖ señal de sincronismo. v. **synchronizing signal**.

sync-pulse generator   *(Tv)* generador de impulsos de sincronismo [de señales de sincronización], generador de sincronismo. v. **synchronizing-pulse generator**.

sync regenerator   *(Tv)* regenerador de impulsos de sincronismo. v. **synchronizing-pulse regenerator**.

sync section   *(Tv)* sección de sincronismo.

sync separator   *(Tv)* separador de sincronismo [de señales sincronizadoras, de impulsos de sincronización] ‖ separador de sincronismo. Dispositivo que tiene por función separar las señales de sincronismo [synchronizing signals] de la señal de imagen [video signal] (CEI/70 60-64-770). SIN. **synchronizing separator, sync stripper**.

sync separator tube   *(Tv)* tubo separador (de impulsos) de sincronismo.

sync signal   señal de sincronismo [de sincronización]. v. **synchronizing signal**.

sync-signal generator   *(Tv)* generador de señales de sincronismo [sincronización], generador de sincronismo. SIN. **synchronizing generator** (véase).

sync stripper   *(Tv)* separador de sincronismo. v. **sync separator**.

sync takeoff (point)   *(Tv)* (punto de) derivación de sincronismo, (punto de) toma de los impulsos de sincronización, (punto de) separación de sincronismo. v. **sync separator**.

sync tip   *(Tv)* cresta de sincronismo.

synch   v. **sync.**

synchro   sincro, síncrono, dispositivo sincrónico [autosincrónico]. Nombre genérico de diversos dispositivos que sirven para transmitir posiciones o movimientos angulares. En general pueden definirse los sincros como pequeñas máquinas de corriente alterna utilizadas para transmitir a distancia, por línea, información o datos de posición angular o pares de giro. Se emplean para el telemando de dispositivos rotativos. Por ejemplo, en radar sirven para controlar el giro de la antena en sincronismo con el barrido del indicador panorámico [PPI sweep]. Pueden usarse también para indicar a distancia la posición o el movimiento angular de un eje. El sincro viene a ser una forma de transformador rotativo en el cual se obtiene un acoplamiento variable por variación de la orientación relativa de los devanados primario y secundario. Los devanados primarios (de los que puede haber de uno a tres) están normalmente arrollados sobre un rotor de chapas magnéticas, mientras que los secundarios (también en número de uno a tres) están normalmente soportados por un estator ranurado [slotted stator] de material magnético. El rotor está colocado en el interior del estator [stator] y está en condiciones de girar libremente respecto a éste. Las conexiones al rotor se efectúan mediante anillos [slip rings] y escobillas [brushes]. Característica esencial de estos dispositivos es el hecho de que son *autosincrónicos* [self-synchronizing, self-synchronous]. Existen cinco tipos particulares, cada uno de ellos ideado para una aplicación concreta. v. **synchro generator [transmitter], synchro motor [receiver], synchro differential generator [transmitter], synchro differential motor, synchro control transformer.** SIN. **synchro [synchronous, self-synchronous] device, magslip, selsyn, autosyn, telesyn, teletorque.** El término *synchro* viene de *synchro*nous | (*i.e.* synchro system) sincrosistema | (*i.e.* automatic synchronizer) sincro, mecanismo de sincronización automática, servosincronizador automático.

synchro-   sincro-. Elemento de compuesto que indica *sincronización* [synchronization].

synchro angle   ángulo del sincro, desplazamiento angular del rotor (respecto al cero eléctrico).

synchro-control differential generator   sincrogenerador [sincrotransmisor] de control diferencial. Elemento rotativo que modifica la señal de salida del sincrogenerador de control de modo que se corresponda con la adición o la substracción hecha en el ángulo del eje del generador.

synchro-control generator   sincrogenerador [sincrotransmisor] de control. Dispositivo rotativo que traduce el desplazamiento angular del eje en señales eléctricas retraducibles en un punto lejano en un desplazamiento angular igual al original.

synchro-control transformer   sincrotransformador de control. Forma particular de sincro (v. **synchro**) en el que el estator constituye el devanado primario y recibe excitación de un sincrogenerador [synchro generator]. El devanado secundario está colocado en el rotor y no recibe excitación del exterior. En lugar de ello, en este devanado se induce una señal de error de CA cuya magnitud y fase dependen de la posición del rotor y de la tensión aplicada a los devanados estatóricos [stator windings]. La tensión de salida varía sinusoidalmente con la posición del rotor, y es esencialmente nula cuando coinciden los ángulos mecánico y eléctrico; por tanto, puede utilizarse para fines de control en diversas aplicaciones.

synchro-control transmitter   sincrotransmisor de control. Sincrotransmisor caracterizado por la exactitud de su funcionamiento y por estar dotado de devanados de alta impedancia. CF. **synchro-torque transmitter.**

synchro-cyclotron   v. **synchrocyclotron.**

synchro differential generator   sincrogenerador [sincrotransmisor] diferencial. Dispositivo semejante al sincrogenerador o sincrotransmisor normal (v. **synchro generator**), pero que, a distinción de éste, transmite la suma de dos señales; de éstas, una

es suministrada mecánicamente mediante una manivela, y la otra es alimentada eléctricamente y procede de un generador normal. De aquí que el sincrogenerador diferencial pueda ser utilizado para modificar la señal transmitida por un sincrogenerador a otro sincro. SIN. **synchro differential transmitter.**

synchro differential motor   sincromotor [sincrorreceptor] diferencial. Dispositivo mecánica y eléctricamente idéntico a un sincrogenerador diferencial [synchro differential generator], con la salvedad de que está dotado de un amortiguador mecánico [mechanical damper] en el eje del rotor.

synchro differential receiver   sincrorreceptor diferencial. Sincrorreceptor (v. **synchro receiver**) que suministra como ángulo mecánico la diferencia entre dos ángulos eléctricos. SIN. **differential synchro, synchro differential motor.**

synchro differential transmitter   sincrotransmisor diferencial. Sincrotransmisor (v. **synchro transmitter**) que suministra como ángulo eléctrico la suma de un ángulo mecánico y un ángulo eléctrico. SIN. **differential synchro, synchro differential generator.**

synchro generator   sincrogenerador, sincrotransmisor. Generador o transmisor que forma parte de un sincrosistema [synchro system]. Este dispositivo es un caso particular del sincro (v. **synchro**) y se caracteriza por generar una señal consistente en una tensión proporcional al desplazamiento angular [angular displacement] de su rotor respecto al cero eléctrico. SIN. **synchro transmitter.**

synchro motor   sincromotor, sincrorreceptor. Motor o receptor que forma parte de un sincrosistema [synchro system]. Este dispositivo es un caso particular del sincro (v. **synchro**) y tiene la función de recibir la señal transmitida eléctricamente por el sincrogenerador o sincrotransmisor y retraducirla en un movimiento angular [angular motion]. El rotor está dotado de un amortiguador inercial [inertial damper] solidario con el mismo y que tiene por finalidad amortiguar las oscilaciones e impedir que el rotor gire en exceso. Salvo por la presencia de este amortiguador, el sincromotor es eléctrica y mecánicamente idéntico al sincrogenerador. SIN. **synchro receiver.**

synchro-mounted units   unidades con montajes sincronizados.

synchro outlet   salida de sincro.

synchro receiver   sincrorreceptor, sincromotor. v. **synchro motor.**

synchro repeater   sincrorrepetidor; repetidor sincrónico.

synchro resolver   sincrorresolutor. v. **resolver.**

synchro system   sincrosistema, sistema síncrono. Sistema que sirve para transmitir eléctricamente posiciones o movimientos angulares, y que en su forma más sencilla está constituido por un sincrotransmisor (v. **synchro generator**) y un sincrorreceptor (v. **synchro motor**); los sistemas más complejos pueden incluir sincrotransformadores de control [synchro-control transformers], sincrotransmisores diferenciales [synchro differential transmitters], y sincrorreceptores diferenciales [synchro differential receivers]. En aplicaciones particulares puede recibir nombres también particulares, como los de *sistema de telecontrol autosincronizador, sistema de telemedida autosincronizante, sistema de telemando de autosincronización, sistema telesincronizante,* etc. v. TB. **synchro.**

synchro-torque receiver   sincrorreceptor de par propio. Sincrorreceptor o sincromotor (v. **synchro motor**) con devanados de relativamente baja impedancia, que produce su propio par cuando recibe las señales excitadoras de un sincrotransmisor impulsor (v. **synchro-torque transmitter**).

synchro-torque transmitter   sincrotransmisor impulsor. Sincrotransmisor (v. **synchro generator**) cuya señal de salida tiene potencia suficiente para impulsar un sincrorreceptor de par propio (v. **synchro-torque receiver**).

synchro transmitter   sincrotransmisor, sincrogenerador. v. **synchro generator.**

synchro unit   sincro, síncrono, dispositivo sincrónico [autosincrónico]. v. **synchro.**

synchro zeroing   ajuste de ceros del sincrosistema. Alineamiento o ajuste de coincidencia entre las posiciones cero de un sincrosistema (v. **synchro system**) y de los diversos indicadores y mecanismos con él asociados.

synchroclock   reloj sincrónico. v. **synchronous clock**.

synchrocontrol transformer   v. **synchro-control transformer**.

synchrocyclotron   sincrociclotrón, ciclotrón de frecuencia modulada. SIN. **FM** [frequency-modulated] **cyclotron**.

synchrodyne   sincrodino, circuito regenerativo sintonizado. Se compone de un amplificador de radiofrecuencia de banda ancha (aperiódico), el desmodulador, y un oscilador sincronizado exactamente con la frecuencia del emisor sintonizado. CF. **homodyne detector**.

synchroflash   (*Fotog*) destello [flash] sincronizado. CF. **synchronized flash**.

synchrogenerator   v. **synchro generator**.

Synchroguide (circuit)   (*Tv*) (circuito) Sincroguía. Circuito de control o regulación automática de la frecuencia de exploración horizontal. El circuito (ideado por la RCA) mantiene los impulsos de tensión del oscilador, la tensión de exploración, y los impulsos de sincronización en perfecto sincronismo, valiéndose de un procedimiento de comparación y corrección. V.TB. **horizontal synchronizing circuit**.

Synchrolock (circuit)   (*Tv*) (circuito) Sincroenganche. Circuito especial de control automático de la frecuencia de exploración horizontal (enganche de sincronismo). V.TB. **horizontal synchronizing circuit**.

synchromesh   (*Autos*) sistema sincronizado, (dispositivo de) cambio sincronizado, sincronizador. Sistema de cambio de velocidades [gear-shifting system] en el que los engranajes son sincronizados (puestos a la misma velocidad) antes del engrane, con lo cual el cambio o transición se efectúa suavemente; engranaje de ese sistema.

synchromesh transmission   (*Autos*) transmisión sincronizada.

synchronism   sincronismo, sincronía. (**1**) Relación de fase entre dos magnitudes periódicas del mismo período cuando es nula la diferencia de fase entre ellas. (**2**) Estado en el que dos magnitudes variables poseen la misma velocidad o alcanzan sus valores máximos en los mismos instantes | sincronismo. (**1**) Identidad de frecuencia entre dos fenómenos periódicos (CEI/38 05-05-240, CEI/56 10-40-120). (**2**) Identidad de frecuencia entre dos fenómenos sinusoidales (CEI/56 05-02-150). (**3**) En televisión: Identidad de frecuencias y correspondencia de fases de las exploraciones de análisis y de síntesis (CEI/70 60-64-120) || (*Teleg*) marcha sincrónica. Simultaneidad necesaria del movimiento de los elementos rotativos correspondientes de que están provistos un puesto emisor de señales telegráficas y el puesto receptor correspondiente (CEI/38 55-15-120) | sincronismo. En los sistemas sincrónicos (telegrafía sincrónica), situación correspondiente al caso de una velocidad prácticamente constante y de una regulación conveniente del aparato receptor respecto al aparato emisor (CEI/70 55-70-245) || FORMA ABREVIADA DEL TERMINO INGLES: sync. SIN. **synchrony**. CF. **synchronization**, **synchronizing** /// *adj*: sincrónico, síncrono. V.TB. **synchronous**.

synchronism indicator   indicador de sincronismo. SIN. **synchronoscope**.

synchronization   sincronización. (**1**) En general, acción y efecto de mantener en coincidencia la frecuencia y la fase de dos ondas o dos fenómenos periódicos. (**2**) En televisión, acción y efecto de mantener el sincronismo (v. **synchronism**) entre los movimientos de exploración de los haces electrónicos del tubo tomavistas (tubo de cámara) en la emisora y el cinescopio (tubo de imagen) del receptor; o sea, de hacer que sea idéntica en todo instante la posición relativa de ambos haces, el de análisis (emisión) y el de síntesis (recepción). (**3**) En telecomunicaciones, procedimiento destinado a asegurar que los aparatos emisor y receptor de un sistema de transmisión funcionen continuamente a la misma frecuencia. (**4**) En los sistemas de comunicación por ondas

portadoras, coincidencia (o grado de coincidencia) entre la frecuencia de la portadora utilizada para la modulación y la de la portadora empleada para la desmodulación; un error de coincidencia de algunos hertzios no afecta en forma perceptible el funcionamiento satisfactorio del sistema. (**5**) Procedimiento por el cual las fuerzas electromotrices de dos máquinas sincrónicas [synchronous machines] no unidas mecánicamente son puestas en sincronismo y en fase (CEI/56 05-02-160). FORMA ABREVIADA DEL TERMINO INGLES: sync /// *adj*: sincronizante, de sincronización. V.TB. **sync, synchronizing**.

synchronization apparatus   aparato de sincronización; aparamenta de sincronización | v. **synchronizer**.

synchronization bay   bastidor de sincronización. Aparato que forma parte de un emisor de red de radiodifusión sincronizada [synchronized chain], y que comprende un oscilador maestro [master oscillator] muy estable y los medios que permiten la comparación de la frecuencia portadora con la de otros emisores de la red (CEI/70 60-62-005).

synchronization check   comprobación de sincronismo, prueba de sincronización.

synchronization compression   (*Tv*) v. **sync compression**.

synchronization condition   condición de (la) sincronización.

synchronization control   (*Tv*) control [regulación] de (la) sincronización. SIN. **hold(ing) control**.

synchronization error   error de sincronización [de sincronismo].

synchronization indicator   indicador de sincronización.

synchronization of the carrier frequency   (*Telecom*) sincronización de la corriente [onda] portadora.

synchronization pilot   (*Telecom*) piloto de sincronización.

synchronization point   punto de referencia de sincronización.

synchronization signal   v. **synchronizing signal**.

synchronization triggering   (*Elecn*) gatillado de sincronización.

synchronize   sincronizar. Obtener una sincronización; regular dos fenómenos para que se produzcan al mismo tiempo. EJEMPLOS: sincronizar dos frecuencias; sincronizar dos relojes; sincronizar las imágenes con los sonidos (de una película cinematográfica). V.TB. **synchronization**. FORMA ABREVIADA DEL TERMINO INGLES: sync.

synchronize and close   (*Elec*) acoplamiento. Operación por la cual se sincronizan y se conectan en paralelo dos máquinas o elementos de red que no estaban ya interconectados (CEI/65 25-05-090) /// *verbo*: (*Elec*) acoplar.

synchronize one frequency to another   *verbo*: sincronizar una frecuencia con otra.

synchronize the watches   sincronizar los relojes, poner los relojes en concordancia.

synchronized asynchronous motor   (*Elec*) motor asincrónico sincronizado. v. **synchronous induction motor**.

synchronized clamping   (*Tv*) fijación sincronizada de nivel. SIN. **keyed clamping**.

synchronized flash   (a.c. synchroflash) destello [flash] sincronizado. Dispositivo asociado con una cámara fotográfica que sincroniza el pico de iluminación de una lámpara destello con la abertura máxima del obturador.

synchronized frequency   frecuencia (de oscilación) sincronizada.

synchronized machinegun   (*Aviones*) ametralladora sincronizada.

synchronized multivibrator   (*Elecn.*) multivibrador sincronizado [controlado (en frecuencia)]. Multivibrador obligado a oscilar a una frecuencia igual a la frecuencia fundamental (constante o no) de una oscilación exterior, o igual a un múltiplo o un submúltiplo de dicha frecuencia. SIN. **driven multivibrator** (CEI/70 60-18-025).

synchronized rotating sweep   barrido giratorio sincronizado.

synchronized slave oscillator   oscilador satélite sincronizado.

synchronized sweep   (*TRC*) barrido sincronizado (por una señal exterior) | barrido con retorno coincidente. Barrido del haz mediante una tensión en diente de sierra a la cual se le superpone otra onda de tensión de forma tal que haga coincidir en la pantalla los trazos de ida y retorno, apareciendo ambos trazos como uno solo.

synchronized timing temporización sincronizada; regulación sincronizada, reglaje sincronizado.

synchronized transmitters emisores sincronizados.

synchronized wave onda sincronizada.

synchronizer sincronizador. Aparato o dispositivo que permite efectuar automáticamente la puesta en sincronismo (v. **synchronism**) de dos alternadores [alternating-current generators] (CEI/56 10–40–135) ‖ *(Cine)* sincronizadora | sincronizador de iluminación ‖ *(Informática)* sincronizador, compensador. Dispositivo almacenador que sirve para compensar la diferencia de velocidades de transferencia de información entre dos dispositivos o la diferencia en los tiempos de ocurrencia de eventos correspondientes entre esos dispositivos cuando se transmite información de uno al otro. SIN. **buffer** ‖ *(Radar)* cronizador. Dispositivo o componente que genera la tensión temporizadora [timing voltage] para todo el equipo. CF. **timer**.

synchronizing *(Elec)* sincronización. Procedimiento por el cual dos máquinas sincrónicas no unidas mecánicamente son puestas en sincronismo [synchronism] y en fase (CEI/56 10–40–125) ‖ *(Teleg)* sincronización. Realización de la igualdad de las frecuencias de línea en la emisión y en la recepción; por ejemplo, en el caso de aparatos de facsímile de tambor, por la igualdad de la velocidad de rotación de los tambores (cilindros) en la emisión y la recepción (CEI/70 55–80–040) ‖ V.TB. **synchronization, synchronizing of. . .** ‖‖ *adj:* sincronizador, sincronizante, de sincronización, de sincronismo. V.TB. **sync**.

synchronizing amplifier *(Tv)* v. **sync amplifier**.

synchronizing circuit circuito sincronizador.

synchronizing clipper *(Tv)* v. **sync clipper**.

synchronizing control control de sincronización.

synchronizing current corriente de sincronización ‖ *(Elec)* corriente sincronizante. Corriente de intercambio entre dos alternadores [alternating-current generators] acoplados en paralelo que se compone con las corrientes de servicio y tiende a mantener el sincronismo y la concordancia de fases (CEI/56 10–40–130).

synchronizing fork tone *(Teleg)* frecuencia de sincronismo suministrada por un diapasón.

synchronizing gear mecanismo de sincronización.

synchronizing generator *(Tv)* generador de sincronismo [de sincronización], generador de señales de sincronismo [de impulsos sincronizadores]. Aparato que suministra impulsos de sincronización [synchronizing pulses] al emisor y a ciertos otros equipos de la difusora de televisión. SIN. **sync [sync-signal, synchronizing-signal] generator**.

synchronizing impulse v. **synchronizing pulse**.

synchronizing inverter inversor de sincronización.

synchronizing knob perilla [botón] de sincronización.

synchronizing leader *(Cine)* cabeza de sincronización.

synchronizing level *(Tv)* nivel de sincronización. SIN. **synchronizing-pulse level, sync level** (véase).

synchronizing leveler *(Tv)* v. **sync clipper**.

synchronizing limiter *(Tv)* v. **sync clipper**.

synchronizing of clocks *(Aplicaciones electromec)* sincronización de los relojes. Operación que consiste en emitir señales eléctricas destinadas a asegurar continuamente el funcionamiento concordante de un grupo de relojes (CEI/58 35–35–050). CF. **master clock**.

synchronizing of engines *(Avia)* sincronización de motores.

synchronizing of images *(Tv)* sincronización de las imágenes.

synchronizing period *(Tv)* período del sincronismo [de los impulsos sincronizadores].

synchronizing pilot *(Telecom)* (onda) piloto de sincronización. En un sistema de corrientes portadoras [carrier system], onda piloto [reference pilot] que permite efectuar de manera continua una sincronización de los osciladores, o comparar de tiempo en tiempo las frecuencias (y eventualmente las fases) de las corrientes generadas por esos osciladores.

synchronizing potential *(Tv)* v. **synchronizing signal**.

synchronizing pulse impulso sincronizador [de sincronismo, de sincronización]. Impulso de tensión (o de corriente) que en un televisor mantiene el barrido del cinescopio en sincronismo con el del tubo tomavistas de la estación emisora. Una sucesión o tren de impulsos sincronizadores puede definirse en su conjunto como una onda (de tensión o de corriente) destinada a mantener un dispositivo emisor y su correspondiente dispositivo receptor en sincronismo de movimiento. En el caso de la televisión, el objeto es el de mantener en perfecta concordancia los movimientos de los haces electrónicos de la cámara tomavistas y del tubo de imagen del receptor. SIN. **sync pulse**.

synchronizing-pulse clipper separador de impulsos sincronizadores [de sincronismo, de sincronización]. Circuito que tiene por objeto separar los impulsos de sincronismo de la señal de videofrecuencia (señal de imagen). SIN. **sync [synchronizing] separator, sync clipper [stripper]**.

synchronizing-pulse generator *(Tv)* generador de impulsos de sincronismo. Generador que suministra las señales de sincronización [synchronizing signals]. SIN. **sync-pulse generator** (CEI/70 60–64–755). CF. **synchronizing-pulse regenerator**.

synchronizing-pulse interval intervalo de impulso de sincronismo [de impulso de sincronización].

synchronizing-pulse level *(Tv)* nivel de los impulsos de sincronismo [de los impulsos de sincronización]. SIN. **sync [synchronizing] level**.

synchronizing-pulse regenerator *(Tv)* regenerador de impulsos de sincronismo. Aparato que reconstituye la forma y la amplitud correctas de las señales de sincronización de una señal de imagen completa más o menos deformada, por ejemplo por una transmisión a gran distancia. SIN. **sync regenerator** (CEI/70 60–64–775).

synchronizing-pulse selector *(Tv)* separador [selector] de sincronismo. v. **sync separator**.

synchronizing-pulse separation *(Tv)* separación de sincronismo [de impulsos de sincronismo, de impulsos de sincronización]. En el receptor, separación de los impulsos de sincronismo de la señal de imagen; separación de los impulsos de sincronismo vertical (o de cuadro) de los de sincronismo horizontal (o de líneas).

synchronizing-pulse stretching *(Tv)* alargamiento de los impulsos de sincronismo [de los impulsos sincronizantes].

synchronizing pulses v. **synchronizing pulse, synchronizing signal**.

synchronizing reactor *(Elec)* reactancia de sincronización. Reactancia limitadora de corriente que se conecta momentáneamente en derivación o shunt con los contactos abiertos de un aparato seccionador para fines de sincronización.

synchronizing relay *(Elec)* relé sincronizador, relevador de sincronización. Relé o relevador que entra en funcionamiento cuando dos fuentes de corriente alterna se ponen en sincronismo (v. **synchronism**) dentro de determinados límites de tolerancia en cuanto al ángulo de fase [phase angle] y la frecuencia.

synchronizing separation *(Tv)* separación de sincronismo. V.TB. **synchronizing-pulse separation, sync separator**.

synchronizing separator *(Tv)* separador de sincronismo [de sincronización]. SIN. **amplitude separator, clipper, sync separator** (véase).

synchronizing shaft eje sincronizador.

synchronizing signal *(Tv)* señal de sincronismo [de sincronización], señal sincronizadora. Señal destinada a sincronizar la exploración; señal constituida por los impulsos de sincronismo (v. **synchronizing pulse**). SIN. **sync signal, synchronizing pulses** | señal de sincronismo. Señal de base, generalmente constituida por uno o más impulsos rectangulares, que asegura el sincronismo (v. **synchronism**) entre el barrido de una imagen analizada y el correspondiente barrido de la imagen sintetizada. SIN. **sync pulse** (CEI/70 60–64–225) ‖ *(Teleg)* señal [corriente] de sincronización. SIN. **synchronizing current.**

synchronizing-signal amplitude   amplitud de la señal de sincronismo [de la señal de sincronización], amplitud de sincronización.
CF. **sync level.**

synchronizing-signal generator   v. **synchronizing generator.**

synchronizing-signal mixer unit   mezclador de los impulsos de
sincronización.

synchronizing-signal separation   *(Tv)* separación de sincronismo [de las señales de sincronización]. V.TB. **amplitude separation,** sync separator, **synchronizing-pulse separation.**

synchronizing signals   v. **synchronizing signal.**

synchronizing switch   *(Elec)* interruptor sincronizador.

synchronizing tone   *(Teleg)* frecuencia de sincronismo. CF.
synchronizing fork tone.

synchronizing waveform   forma de onda de sincronización.

synchronodyne   sincronodino.

synchronograph   sincronógrafo /// *adj:* sincronográfico.

synchronometer   sincronómetro. Instrumento auxiliar para patrones de frecuencia [frequency standards] que cuenta el número
de ciclos efectuados por el patrón durante un determinado
intervalo de tiempo /// *adj:* sincronométrico.

synchronoscope   sincronoscopio, indicador de sincronismo.
Aparato destinado a indicar si dos fenómenos periódicos son
sincrónicos y que da también, cuando existe, el orden de magnitud
de la diferencia entre sus frecuencias; en caso de sincronismo
[synchronism] indica el orden de magnitud de su diferencia de fase
(CEI/38 20–10–030) | sincronoscopio. Aparato que sirve para
indicar si dos fenómenos periódicos son sincrónicos y que da
asimismo el orden de magnitud de la diferencia entre sus
frecuencias cuando éstas no son iguales, y el orden de magnitud de
la diferencia de fase [phase difference] entre los dos fenómenos
cuando se alcanza el sincronismo (CEI/58 20–10–040). SIN.
synchronism indicator /// *adj:* sincronoscópico.

synchronous   *adj:* sincrónico, síncrono. Dícese de los fenómenos
simultáneos o que ocurren en fase o concordancia temporal;
también de ciertas máquinas cuando giran a la misma velocidad.
SIN. **en fase, al unísono —— in phase, in step.** AFINES:
coincidente, simultáneo, concordante, isócrono. V.TB. **synchronism.**

synchronous admittance   *(Elec)* admitancia sincrónica. Admitancia del circuito en un sistema de corrientes en equilibrio directo
[system of balanced positive-sequence currents] (CEI/56 05–42–
050). CF. **synchronous impedance.**

synchronous alternator   *(Elec)* alternador sincrónico. Máquina
sincrónica [synchronous machine] que funciona como alternador
(CEI/38 10–10–020). CF. **asynchronous alternator.**

synchronous-asynchronous motor   *(Elec)* motor sincrónico-
asincrónico.

synchronous booster   *(Elec)* elevador de voltaje sincrónico.

synchronous booster converter   convertidor sincrónico de autorregulación. Convertidor sincrónico (v. **synchronous converter**)
conectado en serie con un alternador y montado en el mismo eje,
con la finalidad de regular la tensión en el colector [commutator]
del primero.

synchronous capacitor   *(Elec)* condensador [compensador] sincrónico. v. **synchronous condenser.**

synchronous chopper   interruptor sincrónico.

synchronous clock   reloj sincrónico. Reloj movido por un motor
eléctrico sincrónico conectado a la red de distribución eléctrica
general (CA). Como la velocidad del motor no varía con la tensión,
sino que depende sólo de la frecuencia, el reloj mantiene la hora
con la misma exactitud con que esté regulada la frecuen-
cia | péndulo sincrónico | V.TB. **synchronous electric clock.**

synchronous communication satellite   satélite sincrónico de
telecomunicaciones.

synchronous computer   computadora [calculadora] sincrónica.
Computadora o calculadora electrónica en el que el comienzo de
cada operación es determinado por una señal generada por un

reloj maestro [master clock], señal que recurre a intervalos
regulares. Se dice en oposición a la computadora asincrónica
[asynchronous computer]. CF. **synchronous logic.**

synchronous condenser   *(Elec)* condensador [compensador] sin-
crónico, condensador rotatorio. SIN. **synchronous capacitor** |
compensador sincrónico. Máquina sincrónica [synchronous ma-
chine] que funciona sin carga activa [active load] y destinada a
suministrar o absorber potencia reactiva [reactive power] (CEI/56
10–10–070).

synchronous converter   *(Elec)* convertidor sincrónico. TB.
convertidor síncrono, convertidor rotativo sincrónico,
conmutatriz sincrónica. Máquina sincrónica [synchronous
machine] cuyo devanado inducido [armature winding] está
conectado a anillos colectores [collector rings] y a un colector
[commutator], y que tiene por finalidad convertir corriente alterna
en continua, o viceversa. CF. **converter** *(Conversión de corriente).*

synchronous convertor   v. **synchronous converter.**

synchronous correction   corrección de sincronismo || *(Teleg)* co-
rrección (de sincronismo). Medio por el cual los aparatos de la
extremidad receptora de un sistema sincrónico (telegrafía sincrónica) se mantienen en la correspondencia de fase deseada con el
aparato emisor (CEI/70 55–70–250). CF. **synchronism.**

synchronous coupling   acoplamiento sincrónico. Acoplamiento
rotativo en el que el par se transmite por la atracción entre polos
magnéticos montados en uno y otro de los dos miembros
acoplados, ambos giratorios.

synchronous demodulator   desmodulador sincrónico. SIN.
synchronous detector (véase). CF. **chrominance demodulator.**

synchronous detection   detección sincrónica. v. **synchronous
detector.**

synchronous detector   detector sincrónico. (**1**) Detector para
señales de portadora suprimida [suppressed-carrier signals] que
inyecta una señal de portadora local en sincronismo exacto con la
portadora original generada en el transmisor. En un televisor en
color se utilizan dos de estos detectores con portadoras en
cuadratura (diferencia de 90° entre las portadoras de uno y otro)
para extraer separadamente (de la señal de crominancia) las
señales I y Q (v. **I signal, Q signal**). SIN. **synchronous
demodulator.** (**2**) v. **crosscorrelator** | detector de enganche de
fase, detector de fase sincronizada. SIN. **phase-locked detector.**

synchronous dial drive   accionador de cuadrante movido por
motor sincrónico, dispositivo de arrastre de cuadrante con motor
sincrónico, accionador sincrónico de cuadrante, dispositivo sincrónico de arrastre de cuadrante. v. **motor drive.**

synchronous electric clock   reloj eléctrico sincrónico. (**1**) Reloj
movido por un motor sincrónico alimentado con corriente alterna
cuya frecuencia media se mantiene constante (CEI/38 35–15–
065). (**2**) Reloj movido por un motor sincrónico [synchronous
motor] alimentado por una red de frecuencia media constante
(CEI/58 35–35–010). V.TB. **synchronous clock.** CF. **electrically
controlled clock.**

synchronous electromotive force   *(Máq sincrónicas)* fuerza electromotriz sincrónica. Fuerza electromotriz que se desarrollaría en
el inducido [armature] en circuito abierto, en ausencia de
saturación, por la corriente de excitación [excitation current] del
régimen considerado (CEI/56 10–45–025). Véase la NOTA "10–45–
000" en el artículo synchronous machine.

synchronous gate   *(Elecn)* compuerta sincrónica. Compuerta
temporal [time gate] cuyos intervalos de salida son sincronizados
con la señal de entrada.

synchronous generator   *(Elec)* alternador, generador sincróni-
co | alternador sincrónico. Máquina sincrónica [synchronous ma-
chine] que funciona como alternador. SIN. **alternator** (CEI/56
10–10–020).

synchronous ignitron   ignitrón sincrónico.

synchronous impedance   *(Elec)* impedancia sincrónica. Impedancia del circuito en un sistema de corrientes en equilibrio
directo [system of balanced positive-sequence currents] (CEI/56

05–42–050). cf. **synchronous admittance, synchronous reactance.**

synchronous induction motor　　motor sincrónico de inducción | motor asincrónico sincronizado. Motor de inducción que arranca como máquina asincrónica [asynchronous machine] y funciona normalmente (después del arranque) como motor sincrónico gracias a una excitación por corriente continua (CEI/38 10–15–040, CEI/56 10–15–040). cf. **synchronous motor.**

synchronous inverter　　*(Elec)* inversor sincrónico; convertidor sincrónico. v. **dynamotor.**

synchronous line adapter [SLA]　　*(Tr de datos)* adaptador de línea sincrónico.

synchronous logic　　lógica sincrónica. Sistema de lógica digital en el cual las operaciones lógicas se efectúan en sincronismo con los impulsos del reloj. cf. **synchronous computer.**

synchronous machine　　*(Elec)* máquina sincrónica. Máquina de corriente alterna en la cual la frecuencia de las fuerzas electromotrices inducidas está en una relación constante con la velocidad angular (CEI/38 10–05–040, CEI/56 10–05–075). nota "10–45–000": Al principio de la Sección 45 ("Términos característicos relativos a las máquinas sincrónicas") del Grupo 10 ("Máquinas y transformadores") del Vocabulario Electrotécnico Internacional (Segunda Edición), aparece lo siguiente: "Nota: (1) Las definiciones de esta sección suponen que el inducido [armature] de la máquina sincrónica está conectado en estrella [star-connected]. Si el inducido está conectado en triángulo [delta-connected], las definiciones se refieren a la conexión en estrella equivalente. Las tensiones y corrientes que se mencionan son las corrientes y tensiones por fase. (2) Las definiciones no son en todo rigor aplicables más que a los circuitos recorridos por corrientes sinusoidales [sinusoidal currents] y a las fuerzas magnetomotrices [magnetomotive forces] de distribución sinusoidal en el inducido. (3) Las palabras "de una máquina sincrónica" se sobreentienden después de cada uno de los términos del 10–45–005 al 10–45–145". Las definiciones del presente léxico a las cuales se aplica la nota precedente, llevan la remisión correspondiente.

synchronous magnetic recorder　　*(Cine)* registrador magnetofónico sincrónico. cf. **synchronous photographic recorder.**

synchronous magnetic recording　　registro magnético sincrónico ‖ *(Cine)* registro magnetofónico sincrónico.

synchronous margin　　*(Teleg)* margen interno [de sincronismo]. Margen representado por el grado de distorsión definido en el artículo *margin* respecto a un aparato arrítmico (*i.e.* margin of a start-stop apparatus...), cuando el intervalo unitario medio [mean unit interval] de la modulación aplicada al aparato es igual a la que resultaría de una emisión efectuada por el aparato, suponiéndolo emisor y receptor.

synchronous motor　　*(Elec)* motor sincrónico. Máquina sincrónica [synchronous machine] que funciona como motor (CEI/38 10–15–025, CEI/56 10–15–025).

synchronous-motor recorder　　registrador de motor sincrónico.

synchronous motor unit　　unidad motriz sincrónica.

synchronous operation　　funcionamiento sincrónico; marcha sincrónica; emisión sincronizada ‖ *(Tv)* funcionamiento sincronizado, alimentación sincrónica. Dícese cuando la emisora y el receptor están alimentados por una misma red general de energía eléctrica de CA, siendo por tanto la misma la frecuencia de la alimentación de una y otro ‖ sincronismo, sincronía. v. **synchronism.**

synchronous orbit　　*(Satélites artificiales)* órbita sincrónica. Orbita cuyo período es el mismo que el de la rotación de la Tierra sobre su eje (24 horas), de manera que hay sincronismo entre las velocidades de rotación del satélite y de la Tierra. Los satélites con órbita sincrónica se llaman *geoestacionarios,* por aparecer constantemente inmóviles sobre la vertical de determinado punto de la superficie terrestre, y gravitan a unos 36 000 km sobre la altitud media del ecuador.

synchronous-orbit communication satellite　　satélite de comunicaciones en órbita sincrónica, satélite de telecomunicaciones geoestacionario.

synchronous photographic recorder　　*(Cine)* registrador fotográfico sincrónico. cf. **synchronous magnetic recorder.**

synchronous power systems　　sistemas de energía (eléctrica) sincronizados.

synchronous pulsed magnet mechanism　　*(Teleimpr)* mecanismo de electroimán [solenoide] de transmisión pulsante sincrónica.

synchronous pulsed transmission　　*(Teleimpr)* transmisión pulsante sincrónica [sincronizada].

synchronous radar bombing　　v. **radar synchronous bombing.**

synchronous reactance　　*(Elec)* reactancia sincrónica. Reactancia del circuito en un sistema de corrientes en equilibrio directo [system of balanced positive-sequence currents] (CEI/56 05–42–050). cf. **synchronous impedance.**

synchronous rectifier　　*(Elec)* rectificador sincrónico. Aparato que efectúa una rectificación mediante la apertura y cierre de contactos en los instantes convenientes para dar paso a la corriente en el sentido deseado e impedirlo en el opuesto ‖ *(Elecn)* v. **lock-in amplifier.**

synchronous repeater　　repetidor sincrónico.

synchronous rotary converter　　*(Elec)* convertidor rotativo sincrónico. v. **synchronous converter.**

synchronous rotary interrupter　　*(Elec)* interruptor rotativo sincrónico.

synchronous satellite　　satélite sincrónico [geoestacionario], satélite en órbita sincrónica. v. **synchronous orbit.**

synchronous scanning　　exploración sincrónica, barrido sincrónico.

synchronous slip-ring motor　　*(Elec)* motor sincrónico de anillos (rozantes).

synchronous spark-gap　　*(Radiocom)* explosor sincrónico. Explosor en el cual uno de los electrodos gira en sincronismo con la frecuencia de la corriente de alimentación (CEI/38 60–10–020).

synchronous speed　　*(Elec)* velocidad sincrónica [de sincronismo]. Velocidad con que gira el campo magnético de un motor de inducción.

synchronous start-stop distortion　　*(Teleg)* distorsión arrítmica en sincronismo. cf. **synchronous margin.**

synchronous switch　　conmutador sincrónico. Circuito en el cual se utilizan tiratrones para regular el funcionamiento de ignitrones en aplicaciones tales como las de soldadura por resistencia [resistance welding].

synchronous system　　*(Teleg)* sistema sincrónico | telegrafía sincrónica. Sistema en el cual los aparatos emisor y receptor funcionan de manera continua, a prácticamente la misma velocidad de rotación, y en el cual se mantiene la necesaria relación de fase entre dichos aparatos mediante un sistema de corrección (CEI/70 55–55–065). cf. **start-stop system.**

synchronous time-division multiplexing [STDM]　　*(Telecom)* multiplexión por división de tiempo sincrónica.

synchronous timer　　cronómetro sincrónico. Cuentasegundos [seconds-counter] arrastrado por un motor sincrónico [synchronous motor] (CEI/58 20–15–260). cf. **synchronous electric clock.**

synchronous timing motor　　motor sincronizador sincrónico.

synchronous torque　　*(Elec)* par sincrónico, par a velocidad sincrónica. Par resistente máximo que puede imponérsele a un motor después de alcanzada la velocidad de sincronismo [synchronous speed]; generalmente es mayor que el par de arranque [starting torque].

synchronous transmission　　*(Tr de datos)* transmisión sincrónica. Procedimiento de transmisión tal que, entre dos instantes significativos [significant instants] cualesquiera existe siempre un número entero de intervalos unitarios [unit intervals].

synchronous-tuned circuits　　circuitos de sintonización sincroni zada, circuitos alineados. CF. **stagger-tuned circuits.**

synchronous tuning   sintonización sincronizada. CF. **stagger tuning.**

synchronous vibrator   vibrador sincrónico. Vibrador que, además de suministrar la tensión primaria al transformador (v. **nonsynchronous vibrator**), rectifica la alta tensión secundaria mediante un segundo juego de contactos de conmutación. SIN. **vibrador autorrectificador.**

synchronous voltage   *(TOP)* tensión sincrónica [de sincronismo]. Tensión necesaria para acelerar los electrones (partiendo del reposo) hasta una velocidad igual a la de fase de una onda en ausencia de flujo electrónico.

synchronous wired system   *(Informática)* sistema sincrónico por conductores.

synchronously   *adv:* sincrónicamente, en sincronismo.

synchrony   sincronía, sincronismo. v. **synchronism.**

synchrony distance   *(Cine)* distancia de sincronización. Distancia que en el proyector separa las aberturas del sonido y de la imagen, y que asegura el correcto sincronismo entre uno y otra.

synchrophaser   sincrofasador.

synchrophasotron   sincrofasotrón, sincrotrón para partículas pesadas.

synchrophone   sincrófono.

synchroscope   *(Elecn)* sincroscopio. Osciloscopio destinado a la observación de impulsos u ondas recurrentes. Está provisto de un generador de barrido rápido sincronizable con los impulsos o las ondas que se estudian | v. **synchronoscope.**

synchrotron   sincrotrón. Dispositivo electrónico destinado a acelerar partículas cargadas (por ejemplo, electrones) a grandes energías. Las partículas son guiadas por un campo magnético variable, al mismo tiempo que son aceleradas un gran número de veces a lo largo de una trayectoria circular bajo la acción de un campo eléctrico de frecuencia radioeléctrica [radio-frequency electric field] (CEI/56 07–55–040, CEI/64 65–30–160). CF. **particle accelerator.**

synchrotron magnet   electroimán de sincrotrón.

synchrotron radiation   radiación sincrotrónica [tipo sincrotrón]. Radiación electromagnética producida por partículas relativistas [relativistic particles] (p.ej. electrones) en un campo magnético, y que se observó por primera vez en un sincrotrón. SIN. **magnetic bremsstrahlung.**

synclastic   *adj:* *(Fís/Mat)* sinclástico. Curvado hacia el mismo lado en todas direcciones; dícese de las superficies que en todas direcciones alrededor de un punto cualquiera se encurvan alejándose de un plano tangente hacia el mismo lado, como en el caso de la superficie de una esfera. Lo opuesto es *anticlástico* [anticlastic].

synclastic curve   *(Mat)* curva sinclástica.

synclastic surface   *(Mat)* superficie sinclástica.

Syncom   Syncom. Nombre de una serie particular de satélites geoestacionarios para telecomunicaciones, incluso la transmisión de programas de televisión.

syncopation   *(Gram, Mús)* síncopa.

syndrome   *(Medicina)* síndrome. Conjunto de síntomas característicos de una enfermedad.

synergetic   *adj:* sinergético. SIN. **sinergic.**

synergetic curve   curva sinergética. Curva que permite calcular la trayectoria de un proyectil dirigido para que alcance la máxima distancia con el mínimo de energía.

synergic   *adj:* sinérgico. SIN. **synergetic.**

synergism   sinergismo. SIN. **synergy.**

synergistic   *adj:* sinergético. SIN. **synergetic.**

synergistic effect   efecto sinergético, sinergismo. SIN. **synergism.**

synodic, synodical   *adj:* *(Astr)* sinódico. Perteneciente a la conjunción de cuerpos celestes, en particular el intervalo entre dos conjunciones sucesivas de un planeta o de la Luna con el Sol.

synodic period   período sinódico.

synodical   v. **synodic.**

synoptic, synoptical   *adj:* sinóptico.

synoptic chart   *(Meteor)* carta sinóptica.

synoptic climatology   climatología sinóptica.

synoptic code   *(Meteor)* clave sinóptica. Clave para la redacción de mensajes sinópticos [synoptic reports].

synoptic display   presentación sinóptica.

synoptic hour   *(Meteor)* hora sinóptica.

synoptic meteorology   meteorología sinóptica.

Synoptic Meteorology Committee   Comisión de Meteorología Sinóptica.

synoptic observation   *(Meteor)* observación sinóptica.

synoptic report   *(Meteor)* mensaje sinóptico.

synoptic situation   *(Meteor)* situación sinóptica.

synoptic station   *(Meteor)* estación sinóptica.

synoptic station on land   *(Meteor)* estación sinóptica terrestre.

synoptic surface obsevation   *(Meteor)* observación sinóptica en la superficie.

synoptic table   tabla sinóptica; cuadro recapitulativo.

syntactical   *adj:* sintáctico. Relativo a la sintaxis.

syntactical construction   *(Gram)* construcción sintáctica. Manera de agrupar y combinar los elementos de la oración.

syntax   *(Gram)* sintaxis. Parte de la gramática que estudia la coordinación y el enlace de las palabras para formar oraciones ||| *adj:* sintáctico.

synthesis   síntesis. SIN. **recombinación, reconstrucción, recomposición, reconstitución** ||| *adj:* sintético.

synthesis of periodic waves   síntesis de ondas periódicas. Obtención de ondas complejas por superposición de armónicas de una frecuencia fundamental.

synthetic   *adj:* sintético; artificial; simulado.

synthetic display   presentación sintética.

synthetic display generation   generación de presentaciones sintéticas. Procedimiento lógico y numérico mediante el cual se presentan datos en forma simbólica.

synthetic distortion   *(Tv)* distorsión simulada [aparente]. Técnica pictórica utilizada para hacer que aparezcan irregulares líneas y superficies que en realidad son rectas y lisas.

synthetic division   *(Mat)* división abreviada. División utilizando procedimientos abreviados.

synthetic fiber   fibra sintética.

synthetic fuel   combustible sintético.

synthetic geometry   geometría sintética [proyectiva]. SIN. **projective geometry.**

synthetic kernel   *(Fís)* núcleo sintético.

synthetic method   *(Mat)* método sintético.

synthetic mica   mica sintética.

synthetic oil   aceite sintético.

synthetic piezoelectric crystal   cristal piezoeléctrico sintético [artificial]. SIN. **artificial piezoelectric crystal.**

synthetic resin   resina sintética.

synthetic rubber   caucho sintético.

synthetic trainer   *(Avia)* entrenador sintético.

syntonization   sintonización.

syntonize   *verbo:* sintonizar.

syntonizer   sintonizador.

syntonizing   sintonización ||| *adj:* sintonizante, de sintonización.

syntony   sintonía. Igualdad de frecuencia de oscilación de dos circuitos (CEI/38 60–05–135). CF. **resonance, tuning.**

syphon   v. **siphon.**

syringe   jeringa.

syrinx   *(Mús)* siringa, zampoña. SIN. **flauta de pan [del dios Pan]** —— **panpipe.**

SYRQ   *(Teleg)* Abrev. de see your RQ [sírvase ver su RQ].

Syrtis Major   *(Astr)* Syrtis Mayor. La más visible de las zonas obscuras sobre Marte.

SYS   *(Esquemas)* Abrev. de system || *(Teleg)* Abrev. de see your service [sírvase ver su servicio].

system   sistema; método, procedimiento, manera, modo; sistema, conjunto funcional; mecanismo; dispositivo; circuito; instalación; tren (de engranajes, de palancas); red (eléctrica, de carreteras, de vías férreas) || *(Geol)* formación || *(Telecom)* sistema, red (telefónica, telegráfica, radioeléctrica, de microondas). Conjunto de estaciones que se comunican entre sí | red. Conjunto de estaciones, líneas, circuitos y medios de conmutación destinados a su interconexión, así como todos los dispositivos accesorios, destinados a asegurar la prestación de un servicio de telecomunicación || v.TB. system for..., system of..., system with... /// *adj:* sistemático; del sistema.

system analysis   v. systems analysis.

system "as built" drawing   plano del sistema como quede instalado [construido]. Puede tener variantes respecto al plano de proyecto.

system check   verificación de sistemas.

system configuration   configuración del sistema.

system constant   constante de sistema.

system control station   *(Telecom)* estación de control (de una red). Centro terminal de una red de telegrafía armónica [voice-frequency telegraph system] que tiene la responsabilidad del mantenimiento y la reparación de averías en esa red.

system deviation   *(Automática)* desviación del sistema. En un sistema de control con reacción, diferencia entre el valor de la variable controlada final y el valor ideal de la misma (se supone el primero mayor que el segundo).

system device environment   dispositivos circundantes del sistema.

system directory   *(Telef)* guía telefónica; anuario telefónico.

system earth   *(Elec)* tierra de servicio. Instalación de puesta a tierra unida a un punto de un circuito eléctrico (por ejemplo, el punto neutro de una red trifásica) (CEI/65 25–35–045) | tierra de la red.

system efficiency   *(Elec)* rendimiento de la red.

system-engaged apparatus   *(Elec)* aparato en circuito.

system engineer   v. systems engineer.

system engineering   v. systems engineering.

system error   *(Automática)* error del sistema. En un sistema de control con reacción, diferencia entre el valor ideal y el valor actual de la variable controlada final (se supone el primero mayor que el segundo). CF. system deviation.

system flow-chart   *(Informática)* esquema del sistema. Esquema del itinerario de los documentos, el trabajo, y las diversas operaciones comprendidas en una aplicación de sistematización de datos. CF. program flow-chart.

system for elimination of inductive interference (between wires)   *(Telef)* sistema antiinductivo.

system for twin-band telephony   sistema de telefonía de dos bandas.

system grounding   *(Elec)* tierra de servicio; tierra de la red.

system interface   *(Telecom)* (punto de) interconexión del sistema.

system layout   disposición del sistema || *(Telecom)* esquema general de la red. Esquema o diagrama en el que se representan el número, el tipo, y las terminaciones de los circuitos de una red de telecomunicaciones.

system load   *(Elec)* carga de la red.

system load factor   *(Elec)* factor de carga de la red.

system loss   *(Telecom)* atenuación del sistema.

system modulation plan   *(Telecom)* esquema de modulación del sistema.

system noise   *(Elecn/Telecom)* ruido del sistema, ruido propio. Ruido presente a la salida de un sistema en ausencia de toda señal de entrada || *(Registro mag)* ruido (total) del sistema. Ruido propio del equipo más el ruido de la cinta [tape noise].

system of beams   sistema de haces. En televisión a colores, conjunto de los tres haces electrónicos emitidos por el trío de cañones de un tubo tricolor; ocupan posiciones equidistantes de un eje en común y están espaciados 120° entre uno y otro

alrededor del eje.

system of coils   sistema de bobinas; juego de bobinas.

system of coordinates   *(Mat)* sistema de coordenadas || *(Radionaveg)* red de coordenadas.

system of equations   *(Mat)* sistema de ecuaciones. Conjunto de ecuaciones simultáneas. Se llama a un sistema *indeterminado, determinado* y *más que determinado,* según que el número de ecuaciones sea menor, igual o mayor que el número de incógnitas.

system of lines   *(Geom)* sistema de rectas.

system of measurements   sistema de medidas.

system of particles   *(Fís)* sistema de partículas.

system of units   sistema de unidades. (**1**) Conjunto de unidades de medida deducidas de un cierto número de unidades arbitrarias por medio de relaciones físicas (CEI/38 05–35–005). (**2**) Conjunto coordinado de unidades de medida (CEI/56 05–35–005).

system of waveguides   sistema de guíaondas [de guías de ondas].

system overshoot   *(Automática)* desviación máxima. En un sistema de control con reacción [feedback control system], valor máximo de la desviación del sistema (v. system deviation) seguidamente después de pasar por el valor ideal en respuesta a un estímulo especificado.

system reliability   confiabilidad del sistema.

system repeater   *(Telecom)* repetidor [amplificador] de sistema.

system reserve   *(Elec)* reserva de la red, reserva (disponible) de energía.

system-sensitive device   *(Tracción eléc)* dispositivo de tanteo. Dispositivo utilizado en vehículos que pueden funcionar con alimentaciones de dos clases diferentes, para efectuar automáticamente las conexiones convenientes cuando se pasa de una alimentación a otra (CEI/57 30–15–820).

system with catenary suspension   *(Tracción eléc)* línea con suspensión catenaria. Designación corriente: *línea catenaria*. Línea de contacto [contact system] en la que el hilo o los hilos de contacto [contact wires] están suspendidos de uno o varios cables portadores longitudinales [longitudinal carrier cables] (CEI/57 30–10–065).

system with solidly earthed neutral   *(Elec)* red con neutro directamente a tierra. Red que comprende uno o varios transformadores o generadores cuyo neutro está unido a la tierra de manera que la caída de tensión a lo largo de la conexión a la tierra sea despreciable en comparación con la tensión nominal de la red en todas las condiciones posibles de funcionamiento (CEI/65 25–15–035).

systematic   *adj:* sistemático.

systematic errors   errores sistemáticos. Errores que se producen repetidamente, con igual valor y signo, en una serie de medidas, y que pueden corregirse mediante calibración. CF. measurement error.

systematic inaccuracy   inexactitud sistemática. Falta de exactitud debida a imperfecciones inherentes del aparato. CF. systematic errors.

systematic sample   *(Estadística)* muestra sistemática. Muestra obtenida por un procedimiento sistemático; por ejemplo, grupo de personas seleccionadas tomando de una nómina cada enésimo nombre. El procedimiento contrario sería el de tomar los nombres al azar.

systemic   *adj:* *(Medicina)* sistemático, general, orgánico. Referente a todo el sistema o cuerpo o perteneciente a él; que afecta a todo el organismo.

systemic reaction   reacción general.

systems analysis   análisis de sistemas. En el campo de la dirección de empresas y la administración de negocios, examen de una actividad, procedimiento, método, técnica, etc. con el propósito de determinar las mejoras que conviene adoptar y las medidas necesarias para ponerlas en práctica.

systems designer   proyectista de sistemas, ingeniero de proyecto de sistemas.

systems engineer   ingeniero de sistemas.

systems engineering   ingeniería de sistemas. Enfoque de proyecto y cálculos de ingeniería en el que se considera un sistema en su concepción global, pero tomando también en cuenta el efecto que sobre el comportamiento del mismo tiene cada uno de sus elementos componentes, e incluso tomando en consideración las necesidades de personal para la atención técnica y explotación del sistema.

systems flexibility   *(Equipos)* flexibilidad de aplicación en diversos sistemas.

systole   *(Medicina)* sístole. Contracción del corazón y las arterias /// *adj:* sistólico.

systolic   *adj:* sistólico. Perteneciente a la sístole.

systolic/diastolic pressure monitor   *(Electromedicina)* monitor de presiones [tensiones] diastólica y sistólica.

systolometer   *(Medicina)* sistolómetro. Aparato para determinar la calidad de los sonidos cardiacos.

systremma   *(Medicina)* sistrema. Calambre muscular, en particular de la pantorrilla.

SYXQ   *(Teleg)* Abrev. de see your XQ [sírvase ver su XQ].

Szilard-Chalmers method   *(Nucl)* método de Szilard y Chalmers. Método químico que permite la separación, con actividad específica [specific activity] elevada, de un radionúclido de un material isotópico utilizado como blanco, siguiendo reacciones nucleares que no dan por resultado un cambio de número atómico. SIN. Szilard-Chalmers process.

Szilard-Chalmers process   *(Nucl)* proceso de Szilard y Chalmers.

T

t   Símbolo de time.

T   Símbolo de temperature; absolute temperature; period; transformer; tesla | Símbolo con origen en la teoría de las series temporales [time series theory], que denota la duración del semiperíodo de la frecuencia de corte superior de un sistema | Símbolo del prefijo *tera* (10^{12}) | Símbolo químico del tritio [tritium] || *(Estr)* hierro T, perfil T. LOCALISMO: angular T || *(Tuberías)* T, te, injerto /// *adj:* en T, en forma de T.

T/A   Abrev. de transfer account.

T aerial   antena en T. Antena constituida por uno o varios conductores horizontales paralelos aislados en sus extremidades y unidos en el punto medio a una bajada de antena [down lead] (CEI/70 60–34–130). SIN. **T antenna.**

T antenna   antena en T.

T-B cell   *(Microondas)* cavidad T-B. v. **transmitter-blocker cell.**

T/C   Abrev. de thermocouple.

T circulator   *(Microondas)* circulador en T. Circulador de guíaondas de tres ramas, con una espiga o una cuña de ferrita en el centro, y en el que cada puerta ha de ser adaptada por separado. v. **circulator.**

T connection   conexión en T.

T connector   conector en T.

T-D   *(Teleimpr)* Abrev. de transmitter-distributor.

T handle   mango en T.

T-handled knob   perilla con mango en T.

T head   *(Mot)* culata en T.

T joint   *(Elec)* derivación.

T junction   *(Microondas)* unión en T. Unión constituida por una guía de ondas (brazo lateral) que se proyecta en ángulos rectos de la pared de otra guía de ondas (guía principal) (CEI/61 62–15–130) | te.

T leveling gage   *(Vías férreas)* niveleta. Regla de madera en forma de T utilizada para dar a la vía el nivel adecuado.

T match   *(Ant)* adaptador (de impedancia) en T, acoplador en T. Se usa para la adaptación de la antena a la línea de transmisión que la alimenta.

T-matched aerial   v. **T-matched antenna.**

T-matched antenna   antena dipolo en T equilibrada. Antena consistente en una varilla de media onda a la cual se le conecta en paralelo un dipolo de 1/8 de onda por medio de soportes metálicos deslizantes. Las dos secciones del dipolo quedan a uno y otro lado del punto medio de la antena, en relación simétrica con ésta. La adaptación de impedancias se efectúa alejando o acercando los soportes deslizantes. El conjunto viene a formar una combinación de un dipolo y un dipolo plegado de dos conductores. SIN. **T-matched aerial.**

T network   *(Elec/Telecom)* red [célula, circuito] en T, red forma T; red en Y | red en T. Red constituida por tres impedancias reunidas en forma de T. Las extremidades libres van unidas respectivamente a un borne de entrada, un borne de salida, y un borne común a la entrada y la salida (CEI/70 55–20–335).

T-network equivalent circuit   circuito equivalente en T.

T/O   *(Teleg)* Abrev. de turn on.

T pad   atenuador en T. Atenuador constituido por una red en T de elementos resistivos.

T pulse   *(Elecn/Telecom)* impulso T, impulso de duración T (a media altura) | **2T pulse:** impulso 2T, impulso de duración 2T (a media altura).

T·R   *(Telecom)* Abrev. de transmit-receive. v. **TR.**

T-R box   v. TR box.

T-R cavity   v. TR cavity.

T-R cell   v. TR cell.

T-R switch   v. TR switch.

T-R tube   v. TR tube.

T/R unit   emisor/receptor, unidad emisora/receptora.

T tail   *(Aeron)* cola en T.

T-type antenna system   sistema de antenas en T.

T-type bracket   soporte en T.

T wave   *(Electrobiol)* onda T. Véase **P wave.**

T wire   *(Telecom)* hilo A (de la clavija), hilo de punta. SIN. **tip wire.**

Ta   Símbolo químico del tántalo [tantalum].

TA   *(Esquemas de tubos elecn)* Abrev. de target.

¹tab   cuenta; comprobación; lengüeta, orejeta; apéndice, proyección; jirón; oreja, guataca (de zapato); herrete (de cordón) || *(Aeron)* aleta compensadora (articulada), aleta de compensación, aletín || *(Conmut)* lengüeta [hoja] de contacto. SIN. **contact blade** || *(Fonog)* (*i.e.* tone-arm tab) orejeta de manipulación del brazo (fonocaptor) || *(Circ impresos)* zona terminal; contacto impreso. SIN. **land, printed contact, terminal area** (véase) || *(Informática)* rótulo. CF. **key, tag, sentinel** || *(Transistores)* (*i.e.* index tab) orejeta de posicionamiento, índice de orientación || *(Salas cine)* **tabs:** gasas. Cortinas ligeras puestas entre la pantalla y las cortinas principales.

²tab   *(Informática)* Forma abreviada de tabular; tabulate; tabulator.

TAB   Abrev. de Technical Assistance Board.

tab card   tarjeta con índice en escalerilla.

tab friction governor   *(Informática)* freno regulador de tabulador.

tab stop   tope de parada de tabulador, tope de tabulación.

tab terminal   *(Elec/Elecn)* terminal de orejeta.

tablature   *(Anat)* tablatura. Pared del cráneo; separación de los huesos del cráneo en dos tablas por el diploe || *(Bellas artes)* pintura mural || *(Mús)* tablatura, entabladura. Antiguo sistema de notación musical en el que se representaban por medio de símbolos la posición de los dedos del ejecutante, en vez de la altura de los sonidos (como en la notación moderna usual).

table   mesa; tablero; banco; losa, plancha; tarima; cuadro, tabla (de materias, etc.) || *(Arq)* entablamento || *(Geog)* meseta || *(Mec)* banco || *(Mat)* tabla (de multiplicar, de sumar, de logaritmos, de funciones trigonométricas) || *(Cifras, Estadística)* cuadro, tabla || *(Piedras preciosas)* faceta superior (de un diamante); piedra (preciosa) de dos facetas || v.TB. **table of. . .** /// *verbo:* (a motion) presentar, poner sobre la mesa | (*i.e.* index) catalogar | (*i.e.* set out) disponer en una mesa | (a bill) dar(le) carpetazo (a) | tabular.

table lookup   *(Informática)* busca en tabla, consulta de tabla, obtención de datos en tablas. (**1**) Procedimiento por el cual, dado un argumento, se busca un valor correspondiente en tablas previamente registradas en la memoria del sistema. (**2**) Procedimiento en el que se usa un valor conocido (el argumento) para localizar un valor desconocido en una tabla. (**3**) Dispositivo que permite a la máquina buscar datos en tablas retenidas en el almacenamiento.

table-lookup instruction   instrucción de consulta de tabla.

table-model cabinet   *(Radio/Tv)* mueble de mesa.

table-model receiver   receptor de mesa [de sobremesa].

table-model set   aparato de mesa.

table of aircraft operations   tabla de servicios aéreos.

table of compliance   cuadro de cumplimiento. Cuadro en el cual se analiza el cumplimiento de un sistema con sus especificaciones.

table of contents   tabla [índice] de materias.

table of frequencies and averages   *(Meteor)* tabla de frecuencias y de promedios.

table of frequency tolerances   *(Radiocom)* cuadro de las tolerancias de frecuencia.

table of international relations   *(Teleg)* tabla de relaciones internacionales.

table of limits   tabla de límites [de tolerancias].

table of relative luminosity factors   *(Alumbrado)* tabla de visibilidades relativas.

table of trunk charges   *(Telef)* cuadro indicador de las tasas interurbanas. SIN. **toll-rate chart.**

table of units   cuadro de unidades.

table rack   *(Equipos elecn)* bastidor de mesa. Bastidor de poca altura que se coloca sobre una mesa, en vez de descansar sobre el piso.

table range   hornillo de mesa.

table set   aparato de mesa [de sobremesa]. Aparato (como un radio o un televisor) cuyo mueble o caja descansa sobre una mesa o escritorio, a distinción del aparato de consola, que descansa sobre el piso.

table telephone   teléfono de mesa.

table television set   televisor de mesa.

table top   superficie de mesa; repisa.

table-top photography   fotografía de escenas en miniatura.

table tripod   *(Cine/Fotog)* trípode de sobremesa. Trípode porta-cámara de patas cortas que se coloca sobre una mesa.

tablet   tableta, tablilla; pastilla; lápida; placa.

tablet protector   *(Telecom)* pararrayos de placas | pararrayos de cobre y mica. SIN. **copper block protector.**

tabular   *adj:* tabular; tabulador ‖ *(Geol)* laminado.

tabular clear key   *(Informática)* tecla libra-tabulador, tecla libra-dora de tope de tabulador.

tabular display   presentación tabular.

tabular form   forma tabular.

tabular key   tecla tabuladora.

tabular mechanism   mecanismo del tabulador.

tabular release key   tecla liberadora [anuladora, saltadora] de tabulador.

tabular section   sección tabular.

tabular set key   tecla fija-tabulador, tecla fijadora de tabulador.

tabular stop   tope tabulador.

tabulate   *verbo:* tabular.

tabulate/list switch   *(Informática)* interruptor para tabular y listar.

tabulating   tabulación ⫽ *adj:* tabulador, de tabulación.

tabulating and total printing spacing   *(Informática)* tabulación y espaciado para impresión de totales.

tabulating equipment   *(Informática)* equipo de tabulación, equipo tabulador, (máquina) tabuladora. v. **tabulating machine.**

tabulating machine   *(Informática)* (máquina) tabuladora. Máqui-na de sistematización de datos que trabaja con tarjetas perforadas y que es en la mayoría de los casos de tipo electromecánico. EJEMPLOS: intercaladora o interclasificadora [collator]; clasificado-ra [sorter]; interpretadora o traductora [interpreter]; reproducto-ra [reproducer]; multiperforadora [gang punch]. El nombre viene del hecho de que durante muchos años (antes de la aparición de las calculadoras electrónicas) la función principal de estas máquinas fue la de producir tabulaciones de información median-te operaciones de clasificación, selección, compilación y totaliza-ción de datos en tarjetas perforadas. SIN. **tabulating equipment.**

tabulating rack   *(Informática)* cremallera de tabulación.

tabulating speed control   *(Informática)* control de la velocidad de tabulación.

tabulation   tabulación; cuadro, tabla; planilla.

tabulator   *(Máq escribir, Teleimpr)* tabulador ‖ *(Informática)* tabu-ladora. (**1**) En general, máquina que lee información en un medio determinado (tarjetas perforadas, cinta perforada, cinta magnéti-ca) y produce tabulaciones, listas y totales en forma impresa, sea en formularios o planillas individuales o en banda continua de papel. (**2**) Más particularmente, máquina que a partir de las perforaciones en tarjetas o cartulinas, procede a los diversos recuentos y cálculos correspondientes al plan de análisis o escrutinio [search] previsto, e imprime los datos extraídos o los resultados obtenidos, sobre hojas o rollos de papel, en forma de cuadros o estados.

tabulator key   tecla tabuladora [de tabulación].

tabulator-reproducer   *(Informática)* tabuladora-reproductora. v. **tabulating machine.**

tabulator-start key   *(Informática)* llave de arranque de la tabulado-ra.

tabulator-start-key circuit control   control de circuito de la llave de arranque de la tabuladora.

tabulator stop   tope tabulador; parada de tabulación.

tabulator stop arm   brazo de parada de tabulación.

tacan   tacán, sistema (de radionavegación) tacán | tacán. Sistema de radionavegación aeronáutica que da la distancia y la marcación (v. **relative bearing**) con relación a un radiofaro omnidireccional respondedor [transponder-type directional beacon]. A bordo de la aeronave se tiene un interrogador por impulsos, un receptor y un indicador. La superficie característica de radiación combinada de emisión y recepción [combined transmit-receive radiation pattern] del radiofaro gira continuamente alrededor de un eje vertical, y las características de fase de los impulsos emitidos en modulación de amplitud determinadas por la rotación, dan la marcación. NOTA 1: La modulación de amplitud produce dos componentes sobre armónicas de una misma frecuencia fundamental que suministran respectivamente las marcaciones "groseras" y de "precisión"; para las medidas de fase, las señales de referencia son suministra-das por los impulsos de referencia [marker pulses] emitidos por el radiofaro cuando su diagrama de radiación tiene orientaciones particulares. NOTA 2: Durante los períodos sin interrogación, los impulsos no mandados [random pulses], así como los impulsos de referencia, son emitidos por el radiofaro, el que continúa así dando un servicio de radiofaro direccional [directional-beacon service]. NOTA 3: El término *tacan* viene de "*tactical air navigation*" (CEI/70 60–74–175). CF. **loran, radar, shoran.**

tacan ground beacon   baliza terrestre tacán.

tacan receiver   receptor tacán.

tacan transmitter   emisor tacán.

tacan transmitter-receiver unit   conjunto emisor-receptor tacán.

tach generator   v. **tachogenerator.**

tacheometer   taqueómetro. SIN. **tachometer.**

tachogenerator   tacogenerador, generador tacométrico | **DC ta-chogenerator:** dinamo tacométrica. Máquina dinamoeléctrica (o magnetoeléctrica) que engendra una señal en forma de una fuerza electromotriz continua proporcional a la velocidad angular de su rotor (CEI/66 37–35–070) | **AC tachogenerator:** alternador ta-cométrico. Alternador que engendra una señal en forma de una fuerza electromotriz alterna de amplitud proporcional a la velocidad angular de su rotor. Puede estar provisto de un imán permanente [permanent magnet] o de un devanado de excitación por corriente continua [DC field winding] (CEI/66 37–35–075) | CF. **induction tachogenerator.**

tachogram   tacograma.

tachograph   tacógrafo, tacómetro registrador | tacógrafo. Apara-to destinado a registrar una velocidad (CEI/38 20–20–030) | taqueógrafo. Aparato destinado a registrar una velocidad en función del tiempo (CEI/58 20–20–040).

tachometer   tacómetro, taquímetro, cuentavueltas, cuentarrevo-luciones, contador de velocidad | tacómetro. Aparato que sirve para medir la velocidad de rotación de una máquina y que está graduado generalmente en vueltas por minuto (CEI/38 20–15–145, CEI/58 20–15–225) ‖ *(Autos)* cuentakilómetros; cuentami-llas ⫽ *adj:* tacométrico, taquimétrico.

tachometer drive   transmisión del tacómetro [taquímetro, cuen-tarrevoluciones].

tachometer dynamo   dinamo tacométrica. v. **tachogenerator.**

tachometer generator   generador tacométrico. v. **tachogenera-tor.**

tachometer measurement   medida tacométrica.

tachometer pickup   captor tacométrico.

tachometer standard   patrón tacométrico.

tachometric   *adj:* tacométrico, taquimétrico.

tachometric relay   *(Elec)* autómata taquimétrico. Autómata de contactos eléctricos [mechanical relay] en el que cada una de las maniobras de contacto se produce por una velocidad determinada de una pieza móvil (CEI/57 15–35–010).

tachometry   taquimetría.

tachygraph   tacómetro registrador. v. **tachometer**.

tachymeter   taquímetro, contador de revoluciones ∥ *(Topog)* taqueómetro, taquímetro /// *adj:* taquimétrico.

tachymetric   *adj:* taquimétrico.

tachymetric survey   *(Topog)* levantamiento taquimétrico.

tachymetry   taquimetría.

tacitron   *(Elecn)* tacitrón. Tiratrón (v. **thyratron**) cuya corriente puede ser interrumpida mediante una rejilla de mando.

tack   tachuela, clavete, clavito, puntilla ∥ *(Adhesivos, Barnices, Pinturas)* pegajosidad, adhesividad. SIN. **adhesiveness** | pegajosidad, viscosidad, glutinosidad ∥ *(Soldadura)* punto (de soldadura) ∥ *(Buques, Hidroaviones)* bordada; virada por avante /// *verbo:* clavar con tachuelas; pegar; atar; añadir, unir, anexar ∥ *(Soldadura)* soldar por puntos; soldar provisionalmente, apuntar con soldadura ∥ *(Buques, Hidroaviones)* bordear; voltejar; virar por avante.

tack coat   *(Carreteras)* capa ligante [de ligazón], riego de liga. LOCALISMOS: capa pegajosa [de pega]. Aplicación de un ligante en estado líquido sobre una superficie, con objeto de producir la adhesividad necesaria con la capa inmediata superior.

tack detector   detector de clavos [de tachuelas]. Dispositivo para descubrir la presencia de clavos o tachuelas ocultos. Puede consistir en un simple imán o en un aparato electrónico adaptado a aplicaciones particulares. CF. **post-finder**.

tack weld(ing)   soldadura por puntos; soldadura provisional, soldadura preliminar por puntos.

tackiness   (a.c. tack) pegajosidad.

tacking   pegadura; atadura; añadidura; unión; soldadura por puntos; soldadura provisional, soldadura preliminar por puntos.

tacking pin   remache provisional.

tackle   aparejo, polipasto, mufla, cuadernal. LOCALISMOS: garrucha, diferencial | torno de extracción.

tackle block   motón (de aparejo), cuadernal. LOCALISMO: roldana.

tacky   *adj:* pegajoso, adhesivo, adherente, viscoso, glutinoso.

tacnode   *(Geom)* tacnodo. Punto de una curva donde son mutuamente tangentes dos ramas ordinarias [ordinary branches] de la curva.

taconite   taconita, óxido de hierro magnético.

TACT   *(Teleg)* Abrev. de transfer account.

tactical   *adj:* táctico.

tactical air force   fuerza aérea táctica.

tactical air navigation   navegación aérea táctica | v. **tacan**.

tactical atomic weapon   arma atómica táctica.

tactical aviation   aviación táctica.

tactical bomb   bomba táctica.

tactical control radar   radar de vigilancia táctica.

tactical map   mapa táctico, carta táctica.

tactical missile   proyectil táctico.

tactical radar   radar táctico.

tactical reconnaissance   reconocimiento táctico.

tactical (telephone) terminal   central (telefónica) táctica.

tag   etiqueta, marbete, marca, rótulo; etiqueta [rótulo] colgante; tarjetón; chapa; cartela | herrete. Cabo metálico que llevan los cordones, las agujetas, etc. ∥ *(Comput)* marca. (**1**) Identificación tal como un rótulo, una etiqueta, un índice. (**2**) Uno o más caracteres unidos a un ítem o un registro particular para su identificación. CF. **key** | centinela. v. **sentinel** ∥ *(Elec)* terminal (de conexión), orejeta terminal ∥ *(Telecom)* (pasador de) contacto; (contacto de) bayoneta | (on a distribution frame) terminal (de un repartidor) /// *verbo:* marbetear, poner una etiqueta, poner etiquetas; identificar, marcar ∥ *(Nucl)* marcar, radioisotopar.

tagged   *adj:* marbeteado, con etiqueta; identificado, marcado; rotulado ∥ *(Nucl/Radiol)* marcado, radioisotopado | marcado. Hecho identificable por un trazador radiactivo [radioactive tracer]. SIN. **labeled** (CEI/64 65–10–760).

tagged atom   átomo marcado; átomo de un trazador isotópico. SIN. **labeled atom**.

tagged molecule   molécula marcada. SIN. **labeled molecule**.

tagged number   número con sufijo.

tagging   marbeteado; identificación, marcaje ∥ *(Nucl/Radiol)* marcaje. SIN. **labeling**.

tail   cola, rabo; cola, cabo, extremidad; apéndice | cruz (una de las caras de una moneda). FRASE: **head or tail:** cara o cruz ∥ *(Aviones)* cola ∥ *(Dirigibles)* popa ∥ *(Mús)* coda. Pasaje al final de un movimiento o de una composición que concluye formalmente el uno o la otra. SIN. **coda** ∥ *(Elec)* derivación; conductor corto ∥ *(Tuberías)* derivación; tubo corto ∥ *(Elecn)* *(i.e.* tail of pulse) cola, fin de impulso. Flanco posterior del impulso ∥ *(Tubos elecn)* cola (de la característica). Parte de la característica de corriente anódica en función de la tensión polarizadora de rejilla, en la cual dicha corriente tiene un valor pequeño y esencialmente constante ∥ *(Radar)* cola (de señal), cola del impulso; persistencia del eco. Pequeño impulso secundario que sigue al principal y tiene el mismo sentido que éste ∥ *(Teleg)* sección local, circuito de extensión (física). SIN. **(physical) extension circuit** /// *adj:* extremo; final; terminal; posterior /// *verbo:* agregar, añadir; seguir; cortar la cola [el rabo].

tail assembly   *(Aviones)* (conjunto de) cola, empenaje ∥ *(Bombas, Proyectiles)* estabilizador, empenaje.

tail boom   *(Avia)* fuselaje secundario; vigueta de soporte de la cola, larguero de cola.

tail circuit   *(Telecom)* circuito (de enlace) tributario. En las redes de microondas, circuito que une una estación de menor categoría con una estación importante o con una estación intermedia perteneciente a la ruta troncal o primaria ∥ *(Teleg)* circuito de extensión, sección local.

tail clipping   *(Elecn)* recorte de cola (de un impulso).

tail cone   *(Avia)* cono de cola.

tail current   *(Elecn)* corriente de cola. Pequeña corriente anódica de valor más o menos constante para determinado valor de la polarización de rejilla. CF. **tail** *(Tubos elecn)*.

tail-down landing   *(Avia)* aterrizaje con la cola baja.

tail drag   *(Dirigibles)* lastre de anclaje.

tail droop   *(Dirigibles)* caída de popa.

tail end   el final, lo último; cola, final; extremo de cola, extremo trasero; parte de atrás ∥ *(Cables submarinos)* circuito de enlace terrestre. Circuito que conecta el punto de amarre del cable con la estación de explotación ∥ *(Redes de microondas)* v. **tail circuit** ∥ *(Nucl)* tratamiento [reelaboración] final (del combustible irradiado).

tail-end radar detector   *(Aviones)* detector de radar de cola. Receptor de gama muy ancha y elevada sensibilidad dispuesto en la cola de un avión de guerra para alertar a la tripulación en caso de que la aeronave esté siendo observada por el radar enemigo. CF. **tail warning radar (set)**.

tail fin   *(Avia)* estabilizador vertical, plano de deriva, plano fijo vertical ∥ *(Peces)* aleta caudal.

tail float   *(Avia)* flotador de cola.

tail fuse   *(Municiones)* espoleta de culote.

tail group   *(Avia)* cola.

tail gun   *(Aviones de combate)* ametralladora de cola.

tail gunner   *(Aviones de combate)* ametrallador de cola.

tail-heaviness   *(Avia)* pesadez de cola.

tail-heavy   *adj: (Avia)* pesado de cola.

tail-high landing   *(Avia)* aterrizaje con la cola alta.

tail-lamp   v. **taillamp**.

tail lift   *(Avia)* sustentación de (la) cola.

tail-light   v. **taillight**.

tail load   *(Avia)* carga de cola.

tail-low landing   *(Avia)* aterrizaje con la cola baja. Aterrizaje en que la rueda de cola toca la pista primero que las ruedas delanteras.

tail of pulse   *(Elecn)* cola [fin] de impulso. v. **tail**.

tail parachute   *(Avia)* (a.c. tail chute) paracaídas de cola, paracaídas frenante.

tail-piece   v. **tailpiece**.

tail-plane   v. tailplane.

tail rotor   *(Helicópteros)* rotor de cola, rotor compensador [anti-par].

tail-setting angle   *(Avia)* ángulo de ajuste de cola.

tail skid   *(Avia)* patín de cola.

tail slide   *(Avia)* resbalamiento [patinado] de cola.

tail surface   *(Avia)* superficie de cola; plano de cola.

tail turret   *(Avia)* torreta de cola.

tail unit   *(Avia)* (conjunto de) cola, empenaje(s); plano de cola.

tail warning radar (set)   *(Aviones de combate)* radar de cola. Advierte al piloto de la aproximación de un avión por la parte posterior. CF. tail-end radar detector.

tail wave   *(Avia)* onda posterior, onda de popa.

tail-wheel   v. tailwheel.

tail-wind   v. tailwind.

tailing   *(Elecn)* coleo, prolongación anormal del descenso (de una señal). SIN. hangover ǁ *(Impulsos)* coleo, prolongación anormal del flanco posterior ǁ *(Tv)* arrastre. Prolongación de los puntos luminosos en la pantalla. SIN. hangover ǁ *(Facsímile)* arrastre. Defecto de reproducción consistente en que una variación rápida de tonalidad del negro al blanco en el documento original, se traduce por un gris que pasa gradualmente a blanco en el documento recibido (CEI/70 55–80–175) ǁ *(Electroquím—Extracción por vía electrolítica)* residuo, schlamms. Residuo descartado después del tratamiento de un mineral para extraer las materias buscadas (CEI/60 50–45–055) ǁ v. tailings.

tailings   desechos, residuos, restos, desperdicios ǁ *(Industria azucarera)* residuos, chicharrones ǁ *(Minería)* desechos, residuos, colas, relaves, lamas, estériles finos, ganga estéril, materia sin mineral; barro descartado durante el beneficio del oro ǁ *(Cribado de piedra machacada)* fragmentos que no pasan por la criba ǁ *(Electroquím)* v. tailing ǁ *(Nucl)* v. tails.

taillamp   lámpara de cola, farol trasero, linterna trasera. CF. taillight.

tailless   *adj:* sin cola, sin rabo ǁ *(Aeron)* sin cola, sin planos de cola, sin empenaje.

tailless airplane   avión sin cola, ala volante.

taillight   luz de cola, luz trasera, fanal trasero [de cola] | luz piloto. v. rear light | CF. taillamp.

tailpiece   pieza posterior; apéndice ǁ *(Guitarras, Violines)* cola | cordal. Pieza donde se atan todas las cuerdas.

tailplane   *(Aeron)* plano [estabilizador] de cola, estabilizador [plano fijo] horizontal, plano fijo horizontal de cola.

tails   *(Nucl)* uranio agotado. SIN. depleted uranium ǁ v. tailings.

tailspin   *(Avia)* barrena.

tailvane   veleta de cola.

tailwheel   *(Avia)* rueda de cola.

tailwheel fairing   carenado de la rueda de cola.

tailwheel post   soporte de la rueda de cola.

tailwind   *(Avia)* viento de cola.

tailwind component   componente de cola (del viento).

take   *(Cine/Tv)* toma (de vista), escena ⫽ *verbo:* tomar, agarrar, asir, coger; aceptar, recibir; percibir, cobrar; apropiarse, apoderarse (de algo), llevarse (algo); prender, pegar, adherirse; arraigar; sacar (una foto, un retrato); sacar (copias); coger, hacer (un curso) ǁ *(Cine/Tv)* tomar vistas [escenas], filmar; televisar.

take a reading (on an instrument)   anotar [tomar nota de] la indicación (de un instrumento), anotar la lectura (de un aparato), observar la lectura (de un instrumento).

Take it away!   *(Tv)* Expresión usada para avisar a los artistas o ejecutantes que ya están "en el aire".

take logarithms   *(Mat)* tomar logaritmos.

take observations   hacer observaciones.

take off   *verbo:* quitar, separar, retirar; deducir, rebajar; partir, salir; cortar, cercenar; amputar; quitarse (una prenda) ǁ *(Avia)* despegar, decolar, levantar vuelo (un avión).

take-off   v. takeoff.

take off the receiver   *(Telef)* descolgar el receptor.

take out   *verbo:* sacar, extraer.

take out of service   sacar del servicio, poner fuera de servicio ǁ *(Telecom)* bloquear (p.ej. una línea telefónica).

take up   *verbo:* alzar, levantar; ocupar; tomar·posesión; adoptar; emprender.

take-up   v. takeup.

takeoff   (punto de) toma ǁ *(Elec)* toma, derivación ǁ *(Máq)* toma-fuerza, toma de fuerza (p.ej. de un tractor) ǁ *(Tv)* (punto de) toma del sonido. v. sound takeoff ǁ *(Tuberías)* derivación ǁ *(Avia)* despegue, decolaje ⫽ v. take off.

takeoff ability   *(Avia)* idoneidad [aptitud] de despegue.

takeoff acceleration   aceleración durante el despegue.

takeoff angle   *(Avia)* ángulo de despegue ǁ *(Ant)* ángulo de salida. SIN. fire angle, angle of fire.

takeoff area   *(Avia)* zona [área] de despegue.

takeoff circuit   circuito de derivación.

takeoff clearance   *(Avia)* autorización de despegue; señal para el despegue.

takeoff climb area   área de subida en el despegue.

takeoff climb surface   superficie de subida en el despegue.

takeoff distance   distancia de despegue.

takeoff distance available   distancia de despegue disponible.

takeoff distance required   distancia de despegue requerida.

takeoff flight path   trayectoria de vuelo de despegue.

takeoff horsepower   potencia de despegue, potencia máxima.

takeoff insulator   *(Elec)* aislador de derivación (múltiple).

takeoff monitor   *(Avia)* monitor de despegue.

takeoff monitoring system   sistema monitor de despegue.

takeoff order   orden de despegue.

takeoff path   trayectoria de despegue.

takeoff plate   *(Mástiles, Torres)* plancha de amarre.

takeoff point   punto de toma ǁ *(Elec)* punto de toma [de derivación] ǁ *(Tv)* punto de toma del sonido. v. sound takeoff ǁ *(Tuberías)* punto de derivación.

takeoff position   *(Avia)* posición de despegue, situación en la pista de despegue.

takeoff power   potencia de despegue, potencia máxima.

takeoff power rating   potencia de despegue homologada.

takeoff rating   potencia de despegue (homologada).

takeoff run   recorrido de despegue.

takeoff run available   recorrido de despegue disponible.

takeoff run required   recorrido de despegue requerido.

takeoff safety   seguridad en el despegue.

takeoff safety speed   velocidad de despegue sin peligro.

takeoff speed   velocidad de despegue.

takeoff spring   *(Conmut)* resorte de toma.

takeoff station   *(Avia)* puesto de servicio para el despegue.

takeoff surface   superficie de despegue.

takeoff thrust   empuje [tracción] de despegue.

takeoff thrust rating   empuje de despegue homologado, tracción de despegue homologada.

takeoff weight   peso de despegue. Peso en el despegue; peso máximo autorizado para el despegue.

takeup   arrollamiento, rebobinado. Arrollamiento de la cinta después de proyectada (cine) o después de reproducida (registro magnético) ǁ *(Correas, Transportadores de correa)* compensación (de alargamiento y desgaste); compensador (de alargamiento y desgaste) ǁ *(Tensores)* compensación ⫽ v. take up.

takeup cassette   *(Cine)* bombo arrollador, bombo inferior que recoge la película expuesta.

takeup clutch   *(Cine)* embrague de arrollamiento.

takeup device   *(Cine)* dispositivo arrollador [de arrollamiento].

takeup drive   *(Cine)* impulsor de arrollamiento.

takeup drum   *(Cine)* tambor arrollador.

takeup magazine   *(Cine)* almacén receptor [inferior].

takeup reel   carrete arrollador [receptor], carrete de recogida [de rearrollamiento], bobina de arrollamiento, bobina receptora, carrete de carga [de almacenamiento], arrollador. (1) En los aparatos de registro magnético, carrete o bobina en que se acumula la cinta que va pasando por la cabeza registradora o reproductora; es decir, carrete donde se almacena la cinta ya grabada o reproducida (la cinta corre en el mismo sentido durante la grabación y la reproducción). (2) En los aparatos cinematográficos, carrete o bobina que recoge la película que ya ha pasado por la ventanilla de exposición o de proyección, según el caso. SIN. **takeup spool**. CF. **feed reel, payout reel, supply reel** ‖ *(Telares)* arrollador.

takeup reel drive   impulsor de arrollamiento; arrastre de la bobina receptora [de arrollamiento].

takeup roller   *(Cine)* rodillo de arrollamiento | rodillo de la cruz. Rodillo que lleva en un extremo la cruz de Malta y que es accionado por un mecanismo excéntrico para dar a la película un movimiento de avance discontinuo o intermitente frente a la ventanilla.

takeup spindle   *(Cine)* eje arrollador.

takeup spool   v. **takeup reel**.

takeup sprocket   *(Cine)* tambor dentado inferior, rodillo de deslizamiento. SIN. **lower sprocket**.

takeup tension   *(Cine)* tensión de arrollamiento.

taking borings   sondaje del terreno. v. **trial boring**.

taking characteristic   *(Tv)* característica espectral (de captación), característica espectral (de la cámara, del tubo de cámara). v. **camera taking characteristic**.

taking lens   *(Tv)* objetivo tomavistas.

taking logarithms   *(Mat)* tomando [aplicando] logaritmos.

taking out quantities   *(Obras de tierra)* cubicación del movimiento de tierras. Cálculos destinados a evaluar el volumen de tierras que han de ser movidas.

taking over of materials (from manufacturers)   recepción de materiales. SIN. **acceptance of materials**.

taking over of works   recepción de obras.

talbot   talbot. Unidad de energía luminosa en el sistema MKSA. Equivalencia: 1 talbot = 1 lumen-segundo = 10^7 lumergios. CF. **lumen-second, lumerg**.

Talbot   William Henry Fox Talbot: inventor inglés (1800–1877); precursor en el campo de la fotografía instantánea [instantaneous photography].

Talbot's law   ley de Talbot. Ley que expresa que el brillo aparente de un objeto visto a través de un disco ranurado que gira por encima de cierta frecuencia crítica, es proporcional a la razón de aberturas angulares del sector abierto y el sector opaco.

talc   talco; jaboncillo; grafito mineral. Silicato magnésico hidratado natural, de fórmula $(SiO_3)_4H_2Mg_3$, cuyas masas laminares se llaman *talco*, y cuyas variedades macizas se denominan *esteatita* (v. **steatite**) ‖‖ *adj:* talcoso.

talent   talento; personal de talento.

talk   conversación; charla, plática; plática, conferencia, discurso ‖ *(Radio/Tv)* programa hablado, emisión hablada ‖ *(Telef)* conversación, cambio [intercambio] de conversaciones, conferencia ‖‖ *verbo:* hablar; conversar, charlar, platicar.

talk-and-listen device   aparato de hablar y escuchar. CF. **interphone**.

talk back   *verbo:* contestar, replicar, responder.

talk-back   v. **talkback**.

talk down   *verbo: (Avia)* guiar para el aterrizaje. Guiar a un avión para el aterrizaje dándole al piloto instrucciones e información por radiotelefonía desde la torre de control del aeropuerto.

talk-down system   *(Avia)* sistema de guía para el aterrizaje ‖ v. **ground-controlled approach**.

talk-listen switch   *(Interfonos)* conmutador habla-escucha. Conmutador que se maniobra para pasar del habla a la escucha | conmutador de hablar-escuchar, inversor altavoz/micrófono. Conmutador que al ser accionado hace que el altavoz funcione como micrófono.

talk-ringing key   *(Telef)* llave de llamada y conversación. Combinación de *llave de llamada* [ringing key] y *llave de conversación* [talking

key] cuya maniobra se efectúa con la ayuda de una sola palanca o manija. SIN. **speaking and ringing key** *(GB)*.

talk-through facility   *(Radiocom)* dispositivo de intercomunicación. Dispositivo gracias al cual, en explotación en dos frecuencias [two-frequency operation], dos estaciones móviles pueden comunicarse por intermedio de una estación base [base station] o de una tercera estación (CEI/70 60–00–080).

talkback   *(Radio/Tv)* intercomunicación telefónica | interfono (de órdenes). (1) Circuito telefónico del director al anunciador usado durante las emisiones originadas fuera de los estudios [nemo broadcasts]. (2) Sistema de comunicación telefónica entre el director (presente en la sala de control) y los diversos operadores y técnicos que intervienen en la transmisión de los programas y que pueden estar en el estudio o lejos de éste, atendiendo una toma exterior [remote broadcast].

talkback circuit   *(Radio/Tv)* circuito de intercomunicación (telefónica), circuito de interfono [de órdenes e instrucciones]. Circuito telefónico que permite la comunicación entre diversos empleados de los que atienden una emisión, sea originada en los estudios o fuera de éstos. SIN. **intercommunication circuit** | circuito de intercomunicación. Circuito (o red) que permite dar verbalmente órdenes, desde una cabina o puesto de control [control cubicle], a un estudio o a cualquier otra fuente de programa de radiodifusión (CEI/70 60–60–130).

talkback communication   *(Interfonos)* comunicación en ambos sentidos.

talkback facility   servicio de intercomunicación; sistema [equipo] de intercomunicación (telefónica).

talkback loud-hailer system   sistema de intercomunicación por altavoces, sistema altoparlante para intercomunicaciones.

talkback loudspeaker   altavoz reversible, altavoz/micrófono, altavoz para comunicaciones bilaterales. Altavoz que funciona alternativamente como tal y como micrófono. CF. **talk-listen switch**.

talkback microphone   *(Radio/Tv)* micrófono de órdenes [de intervención]. Micrófono que forma parte de un circuito de intercomunicación. v. **talkback circuit**.

talker   platicante; conferenciante, orador; persona que habla.

talker echo   *(Telef)* eco en el transmisor, eco percibido por el que habla.

talkies   v. **talky**.

talking   conversación; charla, plática ‖‖ *adj:* parlante.

talking battery   *(Telecom)* batería de conversación, batería telefónica. Batería de funcionamiento silencioso empleada para la transmisión de la voz. SIN. **batería de micrófono**. CF. **quiet battery** | tensión de micrófono.

talking beacon   *(Radionaveg)* radiofaro direccional de indicación acústica.

talking book   libro hablado. Material de lectura registrado en forma hablada en cinta magnética o en disco fonográfico.

talking-book collection   fonoteca, colección de libros hablados.

talking circuit   *(Telecom)* circuito de hablar [de conversación].

talking film   *(Cine)* película hablada [sonora], film sonoro. SIN. **sound film, talky**.

talking key   *(Telef)* llave de conversación. Llave que permite a la operadora que la maniobra hablar por el circuito. SIN. **speaking key** *(GB)*.

talking machine   máquina parlante. Nombre que se daba a los primitivos fonógrafos o gramófonos.

talking motion picture   *(Cine)* película hablada [sonora], film sonoro. SIN. **sound film, talky**.

talking position   *(Telef)* posición de conversación. SIN. **speaking position**.

talking radio beacon   *(Radionaveg)* faro acústico y radioeléctrico | v. **talking beacon**.

talking Rebecca-Eureka system   sistema Rebecca-Eureka con comunicación radiotelefónica aire-tierra.

talking supply   *(Telecom)* tensión de conversación, tensión telefónica; tensión (excitadora) de micrófono. cf. **talking battery.**

talking telephone   teléfono altoparlante.

talking test   *(Telef)* prueba de conversación [de audición].

talks studio   *(Radio/Tv)* estudio para emisiones habladas [programas hablados].

talky   *(Cine) (slang)* película hablada [sonora], film sonoro. sin. sound [talking] film, talking motion picture /// *adj: (Cine/ Radio/Tv)* con exceso de diálogo.

tallow   sebo. En electrónica se refiere a un decapante no corrosivo utilizado para efectuar soldaduras /// *adj:* seboso, sebáceo.

tallow oil   aceite de sebo.

tally   anotación; tara; muesca; resguardo, talón /// *verbo:* contar; anotar, llevar la cuenta; concordar; cuadrar, estar conforme (las cuentas); confrontar.

tally counter   totalizador.

tally lamp   lamparita indicadora [testigo], lamparilla testigo. sin. **tally light.**

tally light   lámpara [lamparita, luz] indicadora, lamparilla testigo, lámpara de señalización. sin. **cue light, tally lamp.**

tally pin   *(Topog)* aguja de medición.

tally register   totalizador; contador de mano.

tambourine   *(Mús)* pandereta. Pequeño tambor que se golpea con los dedos y se sacude con la mano; cuando se sacude suenan unos pequeños cascabeles insertados en el marco (circular) de madera. Es de origen árabe y se ha conocido en Europa desde antes del año 1300.

Tamm-Dancoff method   *(Fís)* método de Tamm-Dancoff. Método o procedimiento para la aproximación de la función de onda de un sistema de partículas interactuantes, describiéndolo como superposición de cierto número arbitrario de estados posibles, número que determina el orden de la aproximación.

tamp   *verbo: (Terrenos)* pisonar, apisonar, consolidar || *(Hormigón)* pisonar, apisonar || *(Barrenos, Voladuras)* atacar, atracar, taconear || *(Vías férreas)* acuñar, batear, recalcar.

tamper   pisón, apisonador, apisonadora, máquina de apisonar; tapón || *(Hormigón)* palita || *(Barrenos, Voladuras)* atacadora || *(Vías férreas)* bateador, bateadora, barra de acuñar || *(Nucl)* reflector. sin. **reflector** || *(Bombas nucleares)* tapón (para aumentar la presión). Se trata de una substancia que resiste todo movimiento durante una fracción de microsegundo.

tamper material   *(Nucl)* material reflector, substancia reflectora y retardadora.

tampering   *(Aparatos)* manipulación ociosa; manipulación inexperta [sin método]; manipulación por personas no autorizadas; manipulación imprudente o peligrosa.

tamperproof   a prueba de manipulaciones ociosas [caprichosas, inexpertas], a salvo de manipulaciones imprudentes.

tan   bronceado; color canela, color rubio rojizo; casca; corteza para curtir pieles /// *adj:* leonado, de color rubio rojizo, de color canela; curtiente /// *verbo:* tostar(se), broncear(se) (al sol); adobar, curtir (pieles).

Tanberg effect   efecto Tanberg. Fenómeno por el cual la descarga en arco entre dos electrodos metálicos en atmósfera de muy baja presión somete el cátodo a una fuerza que tiende a alejarlo del ánodo.

tandem   tándem || *(Aeron)* *(i.e.* tandem wheels) (ruedas en) tándem /// *adj/adv:* en tándem; colocado [unido] en tándem; en cascada, en serie.

tandem area   *(Telef)* red suburbana.

tandem arrangement   disposición [montaje] en tándem.

tandem-blade plug   *(Elec)* clavija tándem.

tandem central office   *(Telef)* central nodal [tándem], central [centro, estación] de tránsito, estación nodal. Central utilizada primordialmente como centro de conmutación para el tráfico entre otras centrales. sin. **tandem exchange [office].**

tandem circuit   *(Elec)* circuito en serie || *(Telecom)* circuito en tándem.

tandem-connected four-terminal networks   cuadripolos conec-

---

tados en cascada. v. **tandem-connected two-terminal-pair networks.**

tandem-connected two-terminal-pair networks   cuadripolos conectados en cascada. Cuadripolos con los bornes de salida de uno conectados directamente a los de entrada del otro. sin. **tandem-connected four-terminal networks.**

tandem connection   *(Elec)* conexión en serie || *(Elecn/Telecom)* conexión en cascada [en tándem]. Interconexión de dos o más circuitos de forma que la salida de uno constituya la entrada del siguiente. sin. **cascade connection.**

tandem controls   *(Avia)* mandos en tándem.

tandem-engine plane   *(Avia)* avión de motores en tándem.

tandem engines   *(Avia)* motores en tándem.

tandem exchange   *(Telef)* central nodal [tándem], central [centro, estación] de tránsito, central intermedia, central nodal de tránsito, oficina tándem. sin. **tandem (central) office** | central tándem. Centro utilizado principalmente como centro de conmutación [switching point] para el tráfico entre otras centrales (CEI/70 55–90–080).

tandem generator   acelerador (de partículas) tándem. Variante del acelerador electrostático con transportador aislante que permite doblar la energía cinética de las partículas utilizando la misma diferencia de potencial.

tandem landing gear   *(Avia)* tren de aterrizaje con ruedas en tándem.

tandem link   *(Telecom)* enlace en tándem.

tandem motor   *(Elec)* motor tándem. Motor de tracción [traction motor] que comprende en una misma carcasa dos inducidos [armatures] montados sobre un mismo árbol (CEI/57 30–15–270). cf. **series motor.**

tandem networks   *(Elec)* redes [circuitos] en cascada | v. **tandem-connected two-terminal-pair networks.**

tandem office   *(Telef)* v. **tandem central office.**

tandem operation   *(Telef)* explotación en serie, servicio en tándem, servicio con centrales [oficinas] de tránsito. sin. **tandem working** || *(Teleg)* trabajo en tándem. Sistema que permite la transmisión alternativa de las cintas perforadas de dos distribuidores transmisores [transmitter distributors]. sin. **flip-flop operation.**

tandem position   *(Telef)* posición tándem [intermedia].

tandem propellers   *(Avia)* hélices en tándem.

tandem rotors   *(Helicópteros)* rotores en tándem.

tandem-seat plane   *(Avia)* avión de asientos en tándem.

tandem seats   *(Avia)* asientos en tándem.

tandem selection   *(Telef)* selección tándem. Método de reparto del tráfico en el que dos conmutadores rotativos [uniselectors] funcionan en tándem de forma que el número máximo posible de líneas sobre las cuales puede efectuarse la selección es el producto de las disponibilidades [availabilities] de los dos conmutadores (CEI/70 55–110–245).

tandem selector   *(Telecom)* selector de tránsito || *(Telef)* selector tándem. Selector situado en una central automática intermedia [intermediate automatic exchange] para transferir el tráfico procedente de una central hacia otra central (CEI/70 55–95–125).

tandem sender   *(Telef)* registrador de tránsito.

tandem stage   *(Telecom)* paso tándem.

tandem switch   *(Vías férreas)* cambiavía tándem.

tandem toll circuit dialing   *(Telef)* servicio interurbano automático, servicio interurbano automático en las oficinas intermedias.

tandem transistor   par de transistores en cascada [en serie]. Conjunto formado por dos transistores conectados en serie bajo una misma cubierta protectora.

tandem valve   válvula doble [tándem].

tandem-wheel undercarriage   *(Avia)* tren de aterrizaje de ruedas en tándem.

tandem-wing airplane   avión de alas en tándem.

tandem working   *(Telef)* explotación en serie, servicio en tándem, servicio con centrales [oficinas] de tránsito. sin. **tandem opera-**

tion.

tang *(Acús)* sonido, retintín ‖ *(Herr)* cola, rabo, rabera, espiga; extremo aplastado del mango (de una broca) ‖ *(Mec)* lengüeta, extremo plano (p.ej. de un tornillo) ⫽ *verbo:* retiñir, resonar; hacer retiñir ‖ *(Cuchillos)* extensión de la hoja que entra en el mango.

tangency *(Geom)* tangencia, calidad de tangente; contacto, punto de tangencia.

tangent *(Geom)* tangente. Recta que sólo tiene un punto en común con una curva, llamado *contacto* o *punto de tangencia* [tangency] ‖ *(Trigonometría)* tangente. Razón entre el seno y el coseno de un ángulo. Símbolos: tg, tan. NOTA: De estos símbolos, el primero es el más común en español, y el segundo el más usado en inglés ‖ *(Mús)* tangente. Lengua de metal que forma parte del clavicordio y que hace sonar la cuerda cuando es apretada la tecla ‖ *(Vías férreas)* v. **tangent distance** ⫽ *adj:* tangente. Que toca una línea o una superficie en un solo punto ⫽ *verbo:* tangentear.

tangent beam hole *(Nucl)* canal experimental tangencial, orificio experimental tangencial (de haz).

tangent compass brújula de tangentes. v. **tangent galvanometer**.

tangent distance *(Vías férreas)* (a.c. tangent) distancia tangencial, tangente.

tangent galvanometer galvanómetro [brújula] de tangentes | brújula de tangentes. Galvanómetro de imán móvil [moving-magnet galvanometer] dispuesto de tal modo que la tangente del ángulo de desviación [angle of deflection] sea proporcional a la corriente medida (CEI/38 20–15–025, CEI/58 20–15–030).

tangent key *(Mec)* chaveta tangencial.

tangent line *(Geom)* recta tangente.

tangent plane *(Geom)* plano tangente.

tangent plane to a surface plano tangente a una superficie.

tangent point *(Geom)* contacto, punto de tangencia. SIN. **tangency** | punto de osculación.

tangent ray rayo tangente. En la propagación radioeléctrica [radio wave propagation] sobre el suelo, trayectoria directa que es tangente a la superficie de la Tierra. El rayo tangente es encurvado por la refracción atmosférica [atmospheric refraction]. SIN. **tangential wave path** (CEI/70 60–22–135).

tangent to a curve tangente a una curva.

tangential *adj:* tangencial. Perteneciente o relativo a la tangente [tangent]; que actúa en dirección normal a un radio de una curva.

tangential acceleration aceleración tangencial.

tangential component componente tangencial.

tangential flow flujo tangencial.

tangential focus *(Opt)* foco tangencial, foco primario. Foco de primer orden de un haz en el plano tangencial [tangential plane] de un rayo meridional en un sistema óptico. SIN. **primary focus**.

tangential force fuerza tangencial.

tangential incidence incidencia tangencial.

tangential key v. **tangent key**.

tangential plane plano tangencial. Plano meridional que contiene un rayo meridional de un sistema óptico. CF. **tangential focus** ‖ v. **tangent plane**.

tangential projection *(Radiol)* proyección [vista] tangencial. Radiograma [radiograph] para cuya ejecución el rayo central [central ray] es tangente a la superficie. SIN. **tangential view** (CEI/64 65–25–130).

tangential sensitivity [TSS] sensibilidad tangencial. (**1**) Medida de la calidad de un sistema receptor. Específicamente: (a) nivel mínimo de señal detectable por encima del ruido de fondo; (b) nivel de potencia de señal que produce un incremento de 3 dB por encima de la lectura del nivel de ruido. (**2**) En el caso de los diodos detectores de microondas, potencia de cresta de microondas (en dBm) a la entrada del diodo que produce a la salida del mismo

$$20 \log \frac{\text{(tensión de pico detectada)}}{\text{(tensión eficaz de ruido)}} = 8 \text{ dB}$$

para cualquier anchura de banda del ruido. Cuando se usa un

voltímetro de alterna indicador de valores eficaces como detector de FI, la sensibilidad tangencial está definida por la potencia de cresta necesaria para elevar la salida 4,1 dB por encima de la tensión eficaz de ruido.

tangential view *(Radiol)* vista [proyección] tangencial. Radiograma para cuya obtención el rayo central es tangente a la superficie. SIN. **tangential projection** (CEI/64 65–25–130).

tangential wave path *(Radioelec)* rayo [radiación] tangente, camino tangencial de la onda. v. **tangent ray**.

tangentimeter tangentímetro. Dispositivo para medir tangentes trigonométricas (pendientes) de curvas matemáticas.

tangled-tape stop mechanism *(Teleg)* mecanismo de parada automática de cinta enredada.

tank tanque, depósito; cisterna, aljibe; estanque; caja (de agua); cuba; cubeta; canal hidrodinámico; tanque, carro de combate ‖ *(Cine/Fotog)* tanque, cubeta. Receptáculo para las soluciones de revelado de película ‖ *(Comput)* tanque. Unidad de almacenamiento de una línea de retardo acústica, contentiva de un grupo de canales; cada canal forma un camino de recirculación independiente ‖ *(Elecn)* tubo [válvula] de cátodo de charco. v. **pool tube** ‖ *(Rect de arco de mercurio)* cuba, ampolla. SIN. **bulb** ‖ *(Transf eléc)* cuba ‖ *(Radio)* (i.e. tank circuit) (circuito) tanque, circuito resonante (de un oscilador) ‖ *(Electroquím/Electromet—Extracción por vía electrolítica)* separador sedimentario. Cuba de decantación que permite eliminar por desbordamiento la parte clarificada del líquido de una suspensión. SIN. **thickener** (CEI/60 50–45–060) ‖ *(Locomotoras)* ténder ‖ *(Nucl)* tanque, calandria, cubierta, estufa. SIN. **calandria** ⫽ *verbo:* almacenar, depositar.

tank baffle *(Avia)* tabique de depósito.

tank capacity capacidad del depósito ‖ *(Radio)* capacidad del tanque [del circuito oscilante]. v. **tank circuit**.

tank circuit circuito tanque, circuito oscilante, circuito resonante (de un oscilador), circuito resonante paralelo. Circuito (típicamente un condensador y una bobina en paralelo) capaz de almacenar energía eléctrica en una banda de frecuencias distribuida en forma centrada alrededor de la frecuencia de resonancia. SIN. **tank**. CF. **Q factor** | circuito tanque. Circuito oscilante sintonizado a la frecuencia de oscilación portadora de un emisor radioeléctrico, insertado en el circuito anódico de la última etapa y que alimenta la antena (CEI/70 60–42–200) | circuito oscilante final.

tank coil *(Radio)* bobina tanque.

tank cover tapa del depósito.

tank engine *(Ferroc)* locomotora ténder [tanque]. SIN. **tank locomotive**.

tank farm *(Nucl, Petr)* patio de tanques.

tank gage indicador de nivel.

tank lifter *(Cine)* elevador del tanque [de la cubeta] ‖ *(Elec)* elevador de cuba.

tank line *(Hiperfrec)* línea tanque, línea de un cuarto de onda.

tank locomotive *(Ferroc)* locomotora ténder [(de) tanque], locomotora alijo. La que lleva sobre sí misma el combustible y el agua. SIN. **tank engine**.

tank lorry *(GB)* v. **tank truck**.

tank oil circuit breaker *(Elec)* disyuntor de aceite de cuba.

tank reactor *(Nucl)* reactor de tanque. Reactor cuyo núcleo está suspendido en el interior de un tanque cerrado; dícese a distinción del reactor de piscina abierta. v. **pool reactor**.

tank-selector valve válvula selectora del combustible [de los depósitos].

tank storage almacenaje en depósitos.

tank test *(Aeron, Buques)* prueba en el estanque [canal] hidrodinámico.

tank thermometer *(Fotog)* termómetro para cubeta.

tank trailer remolque tanque [cuba], tanque remolcado [de remolque].

tank truck camión tanque [cuba, cisterna]. LOCALISMOS: vagón cisterna, autotanque, tanque automotor. SIN. **tank lorry** *(GB)*.

tank voltage   *(Galvanoplastia)* tensión de cuba. Tensión de cuba durante la operación galvanoplástica [electrodeposition] es la caída de potencial total [total potential drop] entre los conductores ómnibus [busbars] de ánodo y de cátodo (CEI/60 50–30–330).

tanker   buque [barco] tanque, buque cisterna, (buque) petrolero. LOCALISMO: tanquero.

tanned tape   cinta con tanino.

tannery   tenería, curtiduría, curtiembre.

tannic   *adj:* tánico.

tannic acid   ácido tánico.

tantalum   *(Quím)* tantalio, tántalo. Elemento químico de número atómico 73. Es un metal de densidad análoga a la de la plata, que se presenta en forma de polvo negro brillante cuando se lo calienta. Símbolo: Ta ⫽ *adj:* tantálico, tantalítico, tantalioso.

tantalum capacitor   v. tantalum electrolytic capacitor.

tantalum detector   detector de tantalio. Detector formado por un hilo delgado de tantalio cuya punta apenas toca la superficie de un "charco" de mercurio.

tantalum electrolytic capacitor   (a.c. tantalum capacitor, tantalytic condenser) condensador electrolítico de tantalio, capacitor electrolítico con ánodo de tantalio. Condensador electrolítico cuyo ánodo es de tantalio en forma de hoja muy delgada o de pieza sinterizada; el electrólito es ácido y el dieléctrico está constituido por una capa de óxido aislante que se forma sobre el ánodo. Este tipo de condensador es de menor volumen y peso que el electrolítico de aluminio, en igualdad de capacitancia y tensión de servicio. CF. tantalum-foil electrolytic capacitor, tantalum-slug electrolytic capacitor.

tantalum-foil electrolytic capacitor   condensador electrolítico con electrodos de hoja de tantalio. El electrólito es ácido de poca concentración. v. tantalum electrolytic capacitor.

tantalum lamp   *(Alumbrado)* lámpara incandescente con filamento de tantalio.

tantalum nitride resistor   resistor de nitruro de tantalio. Resistor constituido por una película delgada de nitruro de tantalio depositada sobre un substrato tal como de zafiro de tipo industrial.

tantalum rectifier   rectificador de tantalio. Rectificador del tipo electrolítico con electrodos de tantalio y plomo y electrólito de ácido sulfúrico diluido.

tantalum-slug electrolytic capacitor   condensador electrolítico con ánodo sólido de tantalio sinterizado. El electrólito es ácido y de elevada conductividad. Este tipo particular de capacitor electrolítico de tantalio puede funcionar a temperaturas hasta de 200° C. v. tantalum electrolytic capacitor.

tantalum thin-film circuit   *(Elecn)* circuito de película delgada de tantalio. Circuito en el cual las resistencias se forman con película de tantalio y los condensadores mediante película de tantalio oxidada anódicamente; los demás elementos son diodos y transistores. Todos los elementos van montados en una oblea de silicio y son interconectados por evaporación de metal fundido a través de estarcidos apropiados.

tap   golpecito. Por ejemplo, el que se da con el dedo o con la punta de un lápiz para "despegar" la aguja de un instrumento de medida | tapón *(Devanados y resistores)* toma, derivación, conexión intermedia, contacto. Contacto o punto de conexión situado entre los extremos del elemento. SIN. **tapping** ⫽ *(Telecom)* bifurcación, derivación; derivación de circuitos. SIN. **tapping** ⫽ *(Elec)* derivación; toma (de corriente), tomacorriente, enchufe. SIN. **tapping**. CF. **plug** ⫽ *(Herr)* macho de terraja, macho de terrajar [de roscar] ⫽ *(Tuberías)* canilla, espita, grifo | to rinse under a tap: enjuagar bajo un chorro de agua, enjuagar debajo del grifo | bifurcación, injerto de toma ⫽ *(Met)* sangría, colada. SIN. **tapping** ⫽ *verbo:* golpear ligeramente, dar golpecitos; derivar; bifurcar; extraer, sacar, tomar; sangrar (un árbol, un alto horno); horadar (un barril); aterrajar, roscar con macho, roscar interiormente (con rosca interior), terrajar con macho; taladrar y roscar (una tubería maestra).

tap box   *(Elec)* caja de derivación ⫽ *(Mús)* caja china.

tap changer   *(Elec)* cambiador de toma, conmutador de tomas ⫽ *(Transf)* (for off-voltage and on-load operation) conmutador de tomas de regulación. Conmutador que permite cambiar de toma en un transformador a fin de ajustar su relación de transformación [voltage ratio] (CEI/57 15–50–090) | cambiador de relación de transformación.

tap circuit   *(Elec)* derivación.

tap connector   *(Elec)* conector de derivación.

tap field control   *(Elec)* regulación del campo por tomas en el devanado.

tap gain control   control de ganancia (de ajuste) por pasos.

tap joint   *(Elec)* empalme de derivación.

tap lead   *(Devanados)* hilo de derivación, conductor de toma.

tap off   *verbo:* derivar; bifurcar; tomar.

tap-off   v. tapoff.

tap splice   *(Elec)* empalme de derivación.

tap switch   *(Elec)* (conmutador) selector, conmutador de tomas [de derivaciones], llave de derivación. Conmutador de múltiples contactos, generalmente rotativo, que se usa principalmente para conectar una carga a una cualquiera de varias tomas de una resistencia o una bobina | interruptor de contacto momentáneo. Interruptor del tipo de llave que se acciona con el dedo para producir contactos momentáneos.

tap wrench   *(Herr)* terraja; giramacho, llave giramachos, volvedor, desvolvedor, bandeador (para roscar), manija para machos. LOCALISMO: mandril de mano.

tape   cinta; banda; cinta, galoncillo, trencilla; fleje | v.TB. **adhesive tape, insulating tape, friction tape, magnetic tape, paper tape, perforated [punched] tape, measuring tape** ⫽ *(Teleimpr)* cinta. También se le llama *cinta de papel* cuando se quiere evitar confusión con la *cinta entintada* [(inked) ribbon] ⫽ *verbo:* encintar; forrar [envolver] con cinta; aislar con cinta; registrar [grabar] en cinta (magnética, magnetofónica); medir con cinta.

tape advance   *(Registro mag)* avance de (la) cinta.

tape-armored cable   cable con armadura de cinta [de fleje].

tape armoring   *(Cables)* armadura de cinta [de fleje].

tape awaiting transmission   *(Teleg)* cinta (perforada) pendiente de transmisión, cinta por transmitir.

tape backspace   *(Teleimpr)* retroceso de la cinta.

tape backspace keylever   tecla de retroceso de la cinta.

tape backspace mechanism   mecanismo de retroceso de la cinta.

tape bin   *(Teleg)* depósito de [para] cinta. CF. tape storage bin.

tape bridge   *(Teleg)* puente de transcripción de cinta, puente portacinta para transcripción visual-mecanográfica. Dispositivo que se usa en telegrafía Morse automática y que consiste fundamentalmente en dos pilares y una pieza horizontal por la que corre la cinta procedente del ondulador y que tiene inscritas las señales recibidas que han de ser transcritas por interpretación visual y escritura a máquina. El operador se sienta frente a este dispositivo, entre cuyos pilares está colocada la máquina de escribir; la cinta corre a una altura conveniente (ajustable) para que no entorpezca la utilización del teclado.

tape cable   cable tipo cinta, cable plano flexible. Cable en forma de cinta flexible; los conductores están constituidos por tiras delgadas de metal incorporadas en material aislante. SIN. **flat flexible cable**.

tape cartridge   *(Registro mag)* portacinta tipo cartucho, cargador (de cinta) tipo cartucho, cápsula [magazín] de cinta magnética tipo cartucho, cartucho de cinta. TB. estuche de cinta. Dispositivo que contiene cierta longitud de cinta magnética y que permite utilizar ésta sin necesidad de tocarla. v.TB. tape magazine.

tape channel   *(Informática)* canal de cinta.

tape character   *(Informática)* carácter en cinta. Carácter almacenado en forma de bitios registrados en hilera transversal; cada uno de ellos en uno de varios canales o pistas longitudinales de la cinta magnética.

tape code checking   *(Informática)* verificación de código de cinta.

tape comparator   *(Informática)* comparador de cintas. Máquina que sirve para comparar automáticamente dos cintas perforadas supuestas idénticas; la máquina compara las perforaciones hilera por hilera y se detiene tan pronto como descubre una discrepancia entre hileras correspondientes. CF. **tape verifier**.

tape container *(Teleimpr)* portacinta, carrete de cinta.

tape control unit *(Informática)* unidad de control de cinta.

tape-controlled *adj*: controlado [mandado] por cinta.

tape-controlled automatic test equipment equipo de prueba automático controlado por cinta.

tape-controlled card punch *(Informática)* perforadora de tarjetas controlada por cinta. CF. **tape-to-card converter**.

tape-controlled carriage *(Informática)* carro controlado por cinta.

tape-controlled machine máquina controlada por cinta.

tape-controlled transmitter *(Informática/Teleg)* transmisor mandado por cinta. SIN. **tape reader**.

tape copy *(Teleg)* mensaje en cinta. Mensaje recibido en forma de cinta.

tape-copy light *(Teleg)* lamparilla para iluminar la cinta.

tape correction *(Informática)* corrección de la cinta; corrección en cinta.

tape data *(Informática)* datos registrados en cinta magnética.

tape-data selector selector de datos registrados en cinta magnética.

tape-data selector power unit unidad de energía del selector de datos en cinta magnética.

tape deck *(Electroacús)* chasis magnetofónico [de magnetófono], platina magnetofónica. Aparato magnetofónico (a veces solamente reproductor) sin amplificador ni caja o mueble; consiste esencialmente en el mecanismo de arrastre de la cinta, las cabezas de grabación, borrado y reproducción, los osciladores de preimanación y borrado, y los elementos de control. SIN. **tape transport** ‖ *(Registro mag de datos)* mecanismo de arrastre [transporte] de la cinta. SIN. **(tape) transport**.

tape-deck mechanism mecanismo de magnetófono, platina de transporte de cinta; mecanismo de arrastre [transporte] de la cinta.

tape deflector *(Teleimpr)* desviador de cinta. Dispositivo que, a opción del operador, devuelve a éste la cinta que va pasando por el transmisor (en vez de dejar que la misma caiga en la bandeja colectora); se utiliza cuando el mensaje es de múltiples destinos y la cinta se va a utilizar en otro transmisor para transmitir el mensaje por otro circuito.

tape demagnetizer desimanador para borrado de cinta magnética.

tape drive (mecanismo de) arrastre de cinta, transportador de cinta. SIN. **tape transport**.

tape drive system sistema de arrastre de cinta.

tape editing *(Registro mag)* compaginación de cinta.

tape editor *(Registro mag)* operario compaginador.

tape emission slot *(Teleimpr)* ranura para la salida de la cinta.

tape-end mechanism mecanismo de fin de cinta.

tape factory fábrica de cinta ‖ *(Teleg)* "fábrica" de cinta, puesto de preparación de cintas. En los centros de retransmisión telegráfica (teleimpresores), lugar donde se producen las copias necesarias de una cinta perforada para distribución entre distintas posiciones transmisoras. El dispositivo utilizado consiste esencialmente en un transmisor automático conectado directamente a varios perforadores encargados de producir las copias necesarias.

tape feed *(Informática/Teleimpr)* alimentación de cinta; alimentador de cinta.

tape feed code código de alimentación de cinta.

tape feed key tecla de alimentación [progresión] de (la) cinta. Tecla que hace avanzar la cinta sin perforar más que los agujeros de progresión.

tape feed-out *(Informática/Teleimpr)* avance (rápido) de (la) cinta, expulsión de cinta. Extracción (automática o manual) de cierto tramo de cinta, sea en blanco o con perforaciones de avance

solamente, para facilitar la manipulación de la cinta ‖ alimentación [desarrollo] de (la) cinta. Desarrollo y salida de la cinta arrollada en un carrete.

tape feed-out button botón de expulsión de cinta.

tape feed-out contact contacto de avance de salida de la cinta.

tape feed-out magnet electroimán de avance de la cinta.

tape feed-out mechanism mecanismo de avance rápido de la cinta; mecanismo de desarrollo [arrastre] de la cinta.

tape feed-out switch interruptor de avance de la cinta.

tape feed parts mecanismo de avance de la cinta.

tape feed sequence secuencia de alimentación de cinta.

tape feed switch interruptor de alimentación de cinta.

tape feed wheel rueda de avance de la cinta.

tape grid *(Teleg)* casillero portacintas, casillero para las cintas pendientes de transmisión.

tape guide *(Registro mag)* guía de la cinta. Pilar acanalado de material no magnético dispuesto cerca del conjunto de la cabeza de registro y reproducción para situar la cinta correctamente respecto a aquélla; se dispone de dos de estas guías, una a cada lado del conjunto de la cabeza ‖ *(Teleimpr)* guía de la cinta (de papel).

tape guide assembly conjunto de guía de la cinta.

tape guide plate *(Teleimpr)* placa de guía de (la) cinta.

tape handler *(Informática/Teleimpr)* manipulador de cintas (persona).

tape handling manipulación de (las) cintas.

tape-handling equipment equipo que trabaja con cinta [a base de cinta perforada].

tape-handling mechanism mecanismo de transporte de la cinta. SIN. **tape-transport mechanism**.

tape head *(Registro mag)* cabeza magnética ‖ *(Informática/Teleimpr)* cabeza lectora, cabeza de lectura de cinta.

tape-head input entrada para cabeza magnetofónica. En un audioamplificador, entrada con suficiente ganancia para la señal que viene directamente de la cabeza reproductora de un magnetófono.

tape hiss *(Registro mag)* soplido de fondo de la cinta (magnetofónica).

tape holder *(Teleg)* portacintas.

tape-holding board *(Teleg)* tablero portacintas. Tablero donde se tienen las cintas perforadas pendientes de transmisión. CF. **tape grid**.

tape length longitud [largo] de la cinta.

tape-length adjusting plate *(Teleimpr)* placa de ajuste de la longitud de la cinta.

tape library cintoteca, magnetoteca. Colección de cintas magnéticas registradas.

tape lid *(Teleimpr)* tapacinta.

tape lifter levantador de la cinta. En los magnetófonos, dispositivo que retira la cinta de las cabezas durante el rearrollado y el avance rápido.

tape-limited operation *(Comput)* operación de velocidad limitada por la cinta. Sucede cuando se necesita más tiempo para leer las cintas magnéticas y registrar en ellas, que para efectuar los cómputos, y se habla entonces de *limitación por la cinta*.

tape loading carga [colocación] de la cinta.

tape loop *(Registro mag)* cinta sin fin. Lazo cerrado formado uniendo los extremos de un trozo de cinta magnética grabada, con el fin de poder repetir indefinidamente la reproducción. Se usa para estudiar sonidos de muy breve duración, así como en los aparatos repetidores de mensajes [message repeater units]. Empléase también en ciertos tipos de cartuchos portacinta [tape cartridges], para evitar la necesidad de rearrollar la cinta ‖ *(Teleg)* "corbata". Excedente de cinta perforada que se acumula cuando en una retransmisión la velocidad media de la emisión es algo menor que la de recepción.

tape machine *(Registro mag)* magnetófono, aparato de cinta magnética ‖ *(i.e.* television or video tape machine) videógrafo, grabadora de televisión, máquina videograbadora, máquina de cinta magnética (para televisión).

tape magazine   magazín de cinta (magnética). Cartucho que contiene un carrete de cinta de registro magnético que se reproduce sin necesidad de tocar la cinta para colocarla en el aparato. SIN. **tape cartridge.**

tape mark   *(Informática)* marca (registrada) en la cinta. (**1**) Señal especial registrada en la cinta magnética para indicar el fin de un archivo [file]. (**2**) Bloque especial de control registrado en la cinta magnética y que sirve de separador entre un archivo y una etiqueta de archivo [file label].

tape master   cinta maestra.

tape mastering   grabación de la cinta maestra. Una de las operaciones del proceso de la fabricación de discos fonográficos. SIN. **rerecording.**

tape medium   *(Registro mag)* cinta. La cinta como medio o vehículo de registro [recording medium].

tape monitor   monitor de cinta. En los magnetófonos, circuito que permite comprobar la calidad del registro que se está efectuando, mediante una cabeza reproductora independiente de la grabadora y colocada inmediatamente después de ésta; de este modo los sonidos se reproducen instantes después de haber sido registrados.

tape movement   movimiento de la cinta. SIN. **tape travel.**

tape movement direction   sentido del movimiento de la cinta.

tape multiplier   *(Teleg)* multiplicador de cinta, duplicador de cinta perforada.

tape-on surface-temperature resistor   termómetro de resistencia de platino para temperaturas de superficie que se fija con un pedazo de cinta adhesiva.

tape operation   *(Teleimpr)* transmisión por cinta perforada. CF. **on-line operation.**

tape-out switch   *(Teleimpr)* interruptor de falta de cinta.

tape pack   *(Informática)* (*i.e.* roll of tape) rollo de cinta.

tape path   recorrido de la cinta, trayectoria de la cinta entre carretes.

tape-path center line   línea de centro de la cinta en movimiento. Línea que traza un punto imaginario equidistante de los bordes de la cinta al circular ésta entre los carretes desarrollador y arrollador, pasando por las guías, las cabezas magnéticas, el eje impulsor [capstan], y los rodillos presores [pressure rollers]. Idealmente dicha línea está situada en un plano único a una altura (respecto al chasis del aparato) compatible con la situación de los entrehierros de las cabezas magnéticas.

tape phonograph   *(Registro mag)* tocacintas, reproductor de cinta. v. **tape player.**

tape playback   reproducción de cinta (magnetofónica), reproducción magnetofónica.

tape playback system   sistema reproductor de cinta (magnetofónica), sistema de reproducción magnetofónica.

tape player   *(Registro mag)* tocacintas, reproductor de cinta (magnetofónica). Aparato magnetofónico que sólo sirve para la reproducción de cintas, y no para la grabación de las mismas. SIN. **tape phonograph, tape reproducer.**

tape pool   *(Informática, Conmut teleg automática)* centro [grupo] colectivo de cintas.

tape printer   *(Teleg)* impresor en cinta [de cinta], aparato de impresión en cinta | traductor impresor en cinta. Traductor telegráfico que imprime los caracteres en una sola línea sobre una cinta continua de papel (CEI/70 55-75-045). CF. **page printer.**

tape printer set   equipo impresor en cinta.

tape-printing apparatus   *(Teleg)* aparato impresor en cinta. CF. **page-printing apparatus.**

tape-printing teleprinter   teleimpresor en cinta.

tape production   producción de cintas.

tape-production mobile van   *(Tv)* vagón [estudio móvil] para producción de cintas.

tape puller   *(Teleg)* tirador de cinta, motor de arrastre de la cinta.

Dispositivo con motor que tira de la cinta que se va transcribiendo (v. **tape bridge**) o que va saliendo del ondulador (v. **undulator**).

tape punch   *(Informática/Teleg)* perforadora de cinta. Máquina que perfora en una cinta de papel los agujeros que representan la información según determinado código, así como los agujeros de progresión o avance [feed holes]. SIN. **tape puncher.**

tape-punch keyboard   teclado de perforadora de cinta.

tape-punch pin   pasador de perforadora de cinta.

tape puncher   v. **tape punch.**

tape read unit   unidad de lectura de cinta. v. **tape reader.**

tape reader   *(Informática/Teleg)* lector de cinta, cabeza lectora [de lectura] de cinta. TB. transcriptor de cinta, dispositivo de lectura [exploración] de (la) cinta. SIN. **paper-tape reader, tape read unit, tape reader unit, tape-reading head** | cabeza de lectura de cinta perforada. Dispositivo perteneciente a un emisor automático que explora las señales registradas en una cinta perforada y gobierna la emisión de las señales eléctricas correspondientes, señales que pueden ser emitidas por elementos sucesivos o por elementos simultáneos. SIN. **tape-reading head** (CEI/70 55-75-050).

tape reader unit   unidad de lectura de cinta. v. **tape reader.**

tape-reading head   cabeza lectora [de lectura] de cinta, cabeza de lectura de cinta perforada. v. **tape reader.**

tape record   registro en cinta (magnética); registro en cinta (perforada) /// *verbo:* registrar [grabar] en cinta (magnética); registrar en cinta (perforada).

tape-record coordinator   *(Informática)* coordinadora de registros en cinta.

tape record/playback preamplifier   *(Registro mag)* preamplificador de registro y reproducción (magnetofónica).

tape recorder   *(Registro mag)* registrador [grabador] de cinta (magnética). Aparato de registro magnético (v. **magnetic recording**) en el que el medio o vehículo de registro es una cinta o banda (v. **magnetic tape**). Si el aparato se destina al registro de sonidos (por lo común voz y música), pueden usarse los sinónimos siguientes: *registrador [grabador] de cinta magnetofónica, registrador [grabador] magnetofónico (de cinta), magnétofono (de cinta).* SIN. **magnetic (tape) recorder.** CF. **wire recorder** || *(Registro gráfico)* registrador de cinta [sobre cinta]. Aparato que registra señales mediante trazos de tinta sobre una cinta de papel. CF. **code recorder, graphic recorder, ink recorder, undulator.**

tape recorder/player   registrador-reproductor de cinta, magnetófono grabador-reproductor.

tape recording   registro en cinta; registro magnetofónico.

tape recording of (color) television   registro de televisión (en colores) en cinta (magnética).

tape recording unit   aparato de registro en cinta. v. **tape recorder.**

tape reel   carrete de cinta; carrete para cinta.

tape-reel holder   *(Teleg)* portacarrete.

tape relay   *(Teleg)* retransmisión por cinta (perforada), escala [tránsito] por cinta perforada. Retransmisión en la cual los mensajes se reciben en forma de cinta perforada que es utilizada a continuación para la transmisión por otro canal o circuito. Según el procedimiento utilizado, los sistemas de retransmisión por cinta perforada se dividen en: (a) *de cinta partida con transferencia manual;* (b) *de cinta partida con conmutación por pulsadores;* (c) *de cinta continua con conmutación por pulsadores;* y (d) *de cinta continua con autoconmutación* | retransmisión por cinta perforada. Retransmisión de un canal por otro en la cual los mensajes que llegan por un canal de entrada [incoming channel] son registrados en cinta perforada [perforated tape]. Esta cinta es a continuación alimentada directamente a un emisor automático [automatic transmitter] conectado al canal de salida [outgoing channel], o es transportada a una posición servida por un emisor automático conectado al canal de salida (CEI/70 55-55-095). CF. **reperforator switching, pushbutton switching, torn-tape relay, torn-tape system.**

tape relay center   centro de retransmisión [escala] por cinta (perforada), centro retransmisor por cinta.

tape relay circuit   circuito de retransmisión por cinta (perforada).

tape relay heading   encabezamiento (de mensaje) para la retransmisión por cinta (perforada), encabezamiento de retransmisión por cinta.

tape relay message   mensaje de retransmisión por cinta (perforada), mensaje en cinta perforada.

tape relay network   red de retransmisión por cinta (perforada).

tape relay routing   encaminamiento para retransmisión por cinta (perforada).

tape relay station   estación de retransmisión [escala] por cinta (perforada), estación retransmisora por cinta.

tape relay working   explotación [servicio] con retransmisión por cinta (perforada).

tape reperforator   (*Teleg*) reperforadora de cinta, receptor perforador. v. **receiving perforator.**

tape reperforator with print-out facility   reperforadora de cinta con dispositivo impresor, receptor perforador impresor. v. **printing reperforator.**

tape reproducer   (*Registro mag*) tocacintas, reproductor [transcriptor] de cinta (magnetofónica), reproductor magnetofónico [de cinta magnética], magnetófono reproductor. v. **tape player.**

tape reset   (*Teleg*) reinserción de la cinta.

tape restore key   (*Informática*) tecla de restauración de la cinta.

tape retainer   (*Informática/Teleg*) sujetacinta. CF. **tape grid, tape holder.**

tape retransmission   (*Teleg*) retransmisión por cinta (perforada). v. **tape relay.**

tape-retransmission automatic routing   conmutación automática [encaminamiento automático] para retransmisión por cinta (perforada).

tape rewind reel   carrete de rearrollamiento de cinta.

tape scanner   (*Informática/Teleg*) explorador de cinta.

tape sensing mechanism   (*Informática/Teleg*) mecanismo lector [explorador] de cinta. CF. **tape reader.**

tape shoe   (*Teleimpr*) zapata de la cinta (de papel).

tape skew   (*Registro mag*) sesgo (de la cinta). v. **skew.**

tape slack contact   (*Teleimpr*) contacto de cinta floja.

tape sorting   (*Informática/Teleg*) clasificación de cintas.

tape-sorting area   zona de clasificación de cintas.

tape speed   velocidad de la cinta, velocidad de deslizamiento [recorrido, avance] de la cinta. En los aparatos de registro magnético (v. **magnetic recording**), velocidad con que la cinta pasa por la cabeza impresora o reproductora. Cuando se trata de registros sonoros (magnetofónicos), las velocidades en uso son de 15, 7½, 3¾ y 1⅞ pulgadas por segundo; la de 30 pulg/s se usó en un tiempo para registros profesionales, pero ya es innecesaria. Al reducir la velocidad se economiza cinta, pero se reduce la respuesta de frecuencia. Para la grabación de la palabra puede utilizarse la velocidad más baja; las grabaciones musicales exigen velocidades mayores. Las cintas maestras profesionales se graban normalmente a 15 pulg/s. CF. **tape-to-head speed.**

tape-speed error   error de velocidad de la cinta.

tape-speed variation   variación de velocidad de la cinta. CF. **flutter, wow.**

tape splice   (*Registro mag*) empalme de cintas ‖ (*Topog*) empate para cinta.

tape splicer   (*Registro mag*) empalmador de cinta, aparato para el empalme de cintas magnéticas. Puede ser de funcionamiento automático o semiautomático; el empalme puede efectuarse mediante cinta especial para ese fin [splicing tape] o mediante fusión por calor.

tape station   (*Informática*) estación de cinta (magnética). SIN. **tape unit.**

tape storage bin   (*Teleg*) depósito de cinta (perforada), bandeja colectora de cinta. Depósito para cinta perforada pendiente de transmisión. CF. **tape bin, tape grid, tape-holding board.**

tape supply reel   carrete almacén de cinta, carrete desarrollador

de cinta.

tape system   (*Informática*) sistema de cinta.

tape table   (*Informática*) mesa de la cinta.

tape tension guide   (*Registro mag*) guía de tensión de (la) cinta.

tape thickness   espesor de la cinta.

tape-thickness loss   (*Registro mag*) pérdida debida al espesor de la cinta.

tape threader   (*Registro mag*) cargador de cinta. Dispositivo que facilita la colocación de la cinta magnética en el carrete.

tape timer   (*Registro mag*) contador de rodaje de la cinta.

tape-to-card converter   (*Informática*) convertidor de cinta a tarjetas. Dispositivo o máquina que transfiere información directamente de cinta a tarjetas perforadas.

tape-to-card printing punch   perforadora impresora de cinta a tarjetas.

tape-to-card punch   perforadora de cinta a tarjetas.

tape-to-disk transfer equipment   equipo de transferencia de cinta a disco.

tape-to-head speed   (*Registro mag*) velocidad de cinta respecto a la cabeza. Velocidad de la cinta en relación con la cabeza en un sistema de cabeza móvil. En los sistemas de cabeza fija la velocidad de cinta respecto a la cabeza coincide con la velocidad del movimiento longitudinal de la cinta. CF. **tape speed.**

tape-to-tape converter   (*Informática/Teleg*) convertidor de cinta a cinta. Aparato que transfiere la información registrada en una cinta a otra cinta; por ejemplo, de cinta magnética a cinta perforada (o viceversa), o de cinta con registro en código de cinco elementos o niveles a cinta de ocho elementos o niveles (o viceversa).

tape transfer method   (*Teleg*) método de transporte de cinta perforada. SIN. **torn-tape system.**

tape transmitter   (*Teleg*) emisor [transmisor] de cinta (perforada). Emisor o transmisor que emite las señales telegráficas eléctricas en correspondencia con las señales registradas previamente en una cinta perforada; la velocidad de transmisión es independiente de la velocidad de perforación y puede ser mucho más alta que esta última. CF. **transmitter distributor, tape reader, Wheatstone system** ‖ (*Facsímile*) emisor [transmisor] de cinta. Emisor o transmisor ideado para la transmisión de textos impresos en una cinta de papel.

tape transport   (*Registro mag*) transporte [circulación, arrastre, desfile] de la cinta ‖ v. **tape-transport mechanism.**

tape-transport mechanism   (*Registro mag*) (a.c. transport, tape transport) transportador de (la) cinta, mecanismo de transporte [circulación, arrastre] de la cinta; mecanismo básico (de magnetófono). Mecanismo que comprende los ejes para los carretes de cinta, los motores, las cabezas magnéticas, los distintos elementos que guían la cinta en su recorrido (rodillos, guías), los dispositivos de tensionamiento de la cinta, de freno, de cambio de velocidad, etc., de un aparato de registro y/o reproducción de cinta magnética. Quedan excluidos los preamplificadores, los amplificadores, los altavoces, y la caja o mueble. SIN. **motor board, tape deck, tape drive.**

tape-transport system   sistema de transporte [arrastre] de la cinta. v. **tape-transport mechanism.**

tape travel   movimiento (longitudinal) de la cinta, circulación de la cinta. SIN. **tape movement.**

tape unit   (*Informática*) unidad de cinta.

tape-usage counter   (*Registro mag*) indicador de recorrido de la cinta.

tape vault   (*Informática*) bóveda para cintas.

tape verification   (*Informática*) verificación de cinta.

tape verifier   (*Informática*) verificadora de cinta. Máquina que sirve para comprobar la exactitud de un registro de información en cinta perforada, comparándolo con un segundo registro efectuado por perforación manual; la máquina se detiene tan pronto como un carácter de la segunda perforación difiere de su correspondiente en la primera cinta. CF. **tape comparator.**

tape winder   *(Teleg)* arrollador de cinta.

tape-winder full alarm   alarma de desbordamiento del arrollador de cinta.

tape-winding machine   encintadora, máquina de encintar, máquina para recubrir con cinta.

tape window   *(Teleimpr)* ventana para ver la cinta.

tape-wound core   núcleo (magnético) de cinta enrollada. (**1**) Trozo de cinta de material magnético arrollado de tal forma que cada espira caiga directamente encima de la precedente. (**2**) Núcleo magnético formado arrollando una cinta magnética con ciclo de histéresis rectangular en un toroide de material plástico o cerámico, y que se usa principalmente como elemento de registro de corrimiento [shift-register element]. SIN. **bimag.**

taped   *adj:* encintado; fijado con cinta adhesiva; empaquetado con cinta; registrado [grabado] en cinta (magnética).

taped program   *(Radio/Tv)* programa (registrado) en cinta, programa en cinta magnética.

taped wire   *(Elec)* hilo encintado, hilo bajo cinta.

tapeline   cinta medidora [para medir], cinta métrica.

taper   ahusado, ahusamiento, despezo, rebajo; conicidad; estrechamiento; disminución progresiva; decrecimiento de diámetro [sección]; bisel, chaflán; inclinación; cono, pieza cónica; unión cónica, adaptador [acoplamiento] cónico; encintador; encintadora, máquina de encintar ‖ *(Bocinas)* (rapidez de) incremento de la sección recta. En una bocina de lados rectos, la sección recta S a la distancia x de la embocadura (tomada a lo largo del eje de la bocina), es igual a RS_0x, donde R es una constante que determina la rapidez de incremento de la sección, y S_0 es la sección en la embocadura [throat]. V.TB. **exponential horn** ‖ *(Elec)* contactor; llave de cortocircuitar ‖ *(Potenciómetros y reostatos)* ley (de variación), ley de variación (de resistencia), régimen de variación (con la rotación del eje), repartición [distribución] de la resistencia (a lo largo del recorrido del cursor). (**1**) Ley de variación de la resistencia en función de la rotación del eje de mando. (**2**) Característica de la distribución de resistencia a lo largo del elemento, o sea, en función del movimiento del cursor o contacto móvil sobre el elemento de resistencia; la distribución puede ser lineal [linear taper] o alineal [nonlinear taper]. V.TB. **left-hand taper, right-hand taper, linear-taper potentiometer, logarithmic taper, left-hand logarithmic taper, right-hand logarithmic taper, symmetrical-taper potentiometer, left-hand semilogarithmic taper, right-hand semilogarithmic taper** ‖ *(Guías de ondas)* adaptador en embudo [en pirámide]; guíaondas afilado, sección agudizada; estrechamiento (a lo largo del eje longitudinal); transición gradual (para transformar una sección rectangular en circular, o viceversa) ‖ guía de ondas fusiforme. Elemento de guía de ondas cuyas dimensiones de sección recta varían progresivamente, variando posiblemente también la forma de dicha sección (CEI/61 62–10–095) ⫼ *adj:* cónico; ahusado; en cuña; achaflanado, chaflanado; inclinado; afilado, agudizado; conificado; abocinado; abocinado ⫼ *verbo:* conificar, hacer cónico; ahusar; achaflanar, chaflanar; afilar, agudizar; graduar; estrechar(se); terminar en punta; disminuir progresivamente; estrecharse (p.ej. un tubo o conducto a lo largo de su eje longitudinal); adelgazar, despezar, rebajar.

taper charge   *(Acum)* carga a tensión constante. v. **constant-voltage charge.**

taper curve   *(Potenciómetros y reostatos)* curva de repartición [distribución] de la resistencia.

taper elbow   *(Tuberías)* codo reductor.

taper in plan form   *(Aeron)* de bordes convergentes.

taper in thickness   *(Aeron)* afilado en espesor.

taper-loaded cable   cable (submarino) con carga uniforme en el centro y decreciente hacia los extremos.

taper pin   pasador cónico [ahusado], clavija cónica ‖ *(Elec/Elecn)* perno [vástago] cónico; contacto macho cónico.

taper ratio   conicidad.

taper reducer   v. **tapered reducer.**

taper slots   *(Elec)* ranuras de caras divergentes. Ranuras del núcleo de un inducido [armature] en el cual los dientes intermedios tienen caras paralelas. CF. **parallel slots.**

taper tab   *(Elec/Elecn)* contacto de lengüeta cónica.

taper transition   v. **tapered transition.**

taper winding   devanado cónico.

tapered   *adj:* cónico, coniforme, ahusado, afilado; decreciente, descendente; progresivo; de transición [variación] progresiva. V.TB. **taper.**

tapered attenuation   atenuación progresiva.

tapered capacitance elements   *(Líneas de retardo)* elementos de capacitancia decreciente [descendiente].

tapered capacitance strips   *(Líneas de retardo)* tiras de capacitancia decreciente.

tapered column   columna de sección decreciente.

tapered distribution   *(Ant)* distribución progresiva. Distribución del campo sobre una abertura, tal que el campo crece del borde hacia el centro. SIN. **gabled distribution** (CEI/70 60–32–080) ‖ distribución en campana.

tapered flare   *(Bocinas)* abertura gradual.

tapered illumination   *(Ant)* iluminación progresiva.

tapered plug   clavija ahusada.

tapered reducer   (a.c. taper reducer) reductor ahusado [cónico]. Elemento de conexión entre dos líneas de transmisión de diferentes diámetros (pero de la misma impedancia característica), cuyo diámetro varía gradualmente. CF. **step reducer.**

tapered transition   (a.c. taper transition) transición progresiva [gradual] ‖ *(Guías de ondas)* transición abocinada; transición gradual (p.ej. para transformar una sección rectangular en circular, o viceversa).

tapered transmission line   v. **tapered waveguide.**

tapered untwisted blade   pala plana fusiforme.

tapered waveguide   guía de ondas abocinada; guía de ondas apuntada, guíaondas afilado [ahusado]; guía de ondas de sección variable; guía de ondas de variación progresiva (a lo largo de su eje). Guía de ondas en la cual una característica eléctrica o física varía progresivamente en función de la distancia a lo largo de su eje. SIN. **tapered transmission line.**

tapered wing   *(Aeron)* ala trapecial, ala trapezoidal.

tapering   ahusado, ahusamiento, conificación; conicidad; estrechamiento; decrecimiento de diámetro [de sección]; afinamiento progresivo; disminución progresiva; variación gradual; bisel, chaflán. V.TB. **taper** ⫼ *adj:* v. **taper, tapered.**

tapering curve   *(Ferroc)* curva de transición [de unión].

tapering of conductors   *(Telecom)* *(i.e.* for facilitating tests during construction) agrupación de hilos para pruebas.

tapewriter   *(Teleg)* impresor en cinta. v. **tape printer.**

taping   encintado; recubrimiento con cinta; fijación con cinta (adhesiva); registro [grabación] en cinta (magnética).

tapoff   derivación, toma; bifurcación.

tapoff point   punto de derivación [toma] (de una señal, una tensión, una corriente).

tapped   *adj:* con derivaciones, con tomas (intermedias), de múltiples tomas; derivado; bifurcado; aterrajado, roscado interiormente, con rosca interior.

tapped battery   batería con tomas.

tapped choke   bobina (de autoinducción) con tomas.

tapped coil   bobina con tomas [derivaciones]; devanado [arrollamiento] derivado.

tapped condenser   condensador múltiple.

tapped control   control [potenciómetro, reostato] con derivaciones. Potenciómetro o reostato con una o más derivaciones o tomas fijas en puntos del elemento de resistencia distintos de los extremos.

tapped delay line   línea de retardo con tomas [derivaciones], línea con retardo ajustable.

tapped hole   agujero roscado.

tapped line   v. **tapped delay line.**

tapped potentiometer   potenciómetro con derivaciones [tomas]. v. **tapped control**.

tapped resistance   v. **tapped resistor**.

tapped resistor   resistor con derivaciones, resistencia con tomas. Resistencia fija de alambre con una o más tomas distintas de las de los extremos, y que generalmente se utiliza como divisor de tensión. cf. **adjustable resistor, tapped control**.

tapped rheostat   reostato con derivaciones [tomas]. v. **tapped control**.

tapped transformer   *(Elec)* transformador con tomas.

tapped variable inductance   v. **tapped variable inductor**.

tapped variable inductor   inductor de tomas variables | inductancia de tomas variables. Inductancia ajustable por medio de tomas dispuestas a lo largo de su bobinado (CEI/57 15–50–105).

tapped winding   bobinado con derivaciones [tomas], devanado [arrollamiento] con tomas.

tapper   tarrajadora; golpeador || *(Radiocom)* descohesor. v. **coherer**.

tappet   *(Máq/Mot)* botador (de válvula), taco, taquete, tucho, impulsor, alzaválvula, levantaválvula, empujaválvula, tope de empuje, varilla de levantamiento; excéntrica, leva; balancín.

tappet ball socket   rótula del botador de válvula.

tappet clearance   holgura del botador de válvula, huelgo del empujaválvula.

tappet guide   guía del botador de válvula.

tappet rod   varilla levantaválvula [empujaválvula], varilla de levantamiento.

tappet roller   rodillo del botador de válvula.

tappet shaft   eje de levas.

tappet spring   resorte del botador de válvula.

tapping   golpes ligeros. ejemplos: (a) Los que se dan con el martillo. (b) Los que se dan con la punta del dedo o con el borrador de un lápiz, sobre el vidrio de un instrumento de medida, para despegar la aguja. (c) Los que se dan a un tubo electrónico en funcionamiento, para determinar su estado. (d) Los que se dan a una pieza de forja para efectuar una corrección menor después del desrebabado || enrosque hembra; hembra; terrajado, aterrajado, acción de terrajar; roscado interior de agujeros; roscado (con macho); acción de repasar una rosca con el macho || incisión (en la corteza de un árbol, para extraer la savia) || *(Cirugía)* paracentesis, punción. Punción de una cavidad con el fin de evacuar un líquido acumulado en ella || *(Met)* colada, sangría || *(Calderas, Tuberías)* toma, derivación || *(Elecn/Telecom)* toma (de corriente); derivación (de circuitos); bifurcación; ramificación; puesta en derivación; conexión [toma] intermedia; acometida.

tapping box   *(Elec)* caja de derivación.

tapping contactor   *(Elec)* contactor de toma. Contacto conectado a una toma de regulación [tapping point] (CEI/57 30–15–785).

tapping key   *(Elec)* llave de lengüeta; llave para completar el circuito.

tapping loss   *(Telecom)* pérdida de potencia aparente en una derivación. Expresión en decibelios o en neperios de la razón de la potencia aparente disponible que normalmente puede tomarse en un punto determinado de un sistema de transmisión, a la que puede tomarse cuando entre la fuente y el punto considerado se conecta, en un cierto lugar, un aparato en derivación con el sistema. sin. **bridging loss** *(EU)* (CEI/70 55–05–165).

tapping point   *(Elec)* punto de toma; punto de bifurcación | toma de regulación. Borne del transformador conectado a la extremidad de una de las secciones del arrollamiento de regulación [regulating winding] (CEI/57 30–15–780).

tapping switch   *(Elec)* v. **tap switch, tap changer**.

tar   brea, alquitrán (de hulla), chapapote | alquitrán. Líquido hidrocarbonado, viscoso, de color negro, que posee propiedades de adhesividad, obtenido por destilación destructiva del carbón, madera, esquistos, etc. Cuando no se especifica el origen, se sobreentiende que procede del carbón /// *verbo:* embrear, alquitranar.

tar kettle   caldero de brea, hornillo para brea, marmita (de alquitrán).

tar oil   aceite de alquitrán.

tar paper   papel embreado [alquitranado], cartón embetunado, papel impermeabilizado con brea.

tar surface   *(Carreteras)* riego de alquitrán.

tare   tara; merma || *(Ferroc, Tracción eléc)* (of a vehicle) tara, peso muerto. Peso propio de todo el vehículo. sin. **deadweight** | *(i.e.* empty weight of a vehicle) tara (de un vehículo). Peso en vacío de un vehículo (CEI/57 30–05–245) /// *verbo:* tarar.

tare weight   (peso de) tara, taraje; tara, peso del embalaje.

tared filter   filtro tarado. Filtro de peso conocido, que permite determinar la cantidad de materia por él captada pesándolo de nuevo después de haber sido utilizado.

target   blanco; objetivo, meta || *(Artillería)* blanco || *(Anteojos)* objetivo || *(Topog)* tablilla, corredera, mira, mirilla, galleta || *(Ferroc)* banderola, placa de señal; señal indicadora de posición de las agujas || *(Fís, Elecn, Nucl, Radiol)* blanco. (**1**) Objeto o superficie que recibe el impacto de una radiación. (**2**) Substancia sometida al bombardeo de radiaciones, para que se produzcan en ella reacciones nucleares. (**3**) Superficie donde se producen los puntos de impacto de los electrones al final de su trayectoria (CEI/56 07–55–065) | blanco. Electrodo que recibe el impacto de los electrones o sobre el que incide la luz u otra radiación. sin. **ánodo, anticátodo** | anticátodo. Pieza (generalmente de tungsteno o de molibdeno) que lleva el ánodo de un tubo de rayos X; electrodo sobre el que incide el rayo catódico | foco, mancha [punto] focal. Parte del ánodo del tubo de rayos X contra el cual da el flujo principal de electrones [main electron stream]. sin. **focus, focal spot** (CEI/64 65–30–030) | (of cathode-ray tube) pantalla (de un tubo de rayos catódicos) || *(Radar/Sonar)* blanco, objetivo, objeto. Objeto de la exploración; objeto o cuerpo que refleja o es capaz de reflejar los impulsos o las ondas de exploración. sin. **obstacle** | blanco. Objeto respecto al cual se busca información mediante el radar (CEI/70 60–72–420) || *(Tv)* blanco. Pantalla barrida por el haz electrónico en un tubo electrónico analizador (CEI/70 60–64–695).

target accessibility   accesibilidad del blanco.

target acquisition   *(Radar/Sonar)* adquisición del blanco. Aparición del blanco en el indicador; aparición de una señal de eco identificable correspondiente a un nuevo blanco.

target-acquisition radar   radar de adquisición. sin. **acquisition radar**.

target airplane   avión objetivo.

target angle   *(Rayos X)* ángulo de foco. Angulo que forma el eje del tubo con el plano del foco.

target area   zona del blanco [del objetivo]; superficie del blanco || *(Radio/Tv)* zona de interés, zona hacia la cual se dirigen las emisiones.

target assembly   *(Nucl)* dispositivo del blanco.

target audience   *(Radio/Tv)* audiencia de interés, público al cual se dirigen las emisiones.

target bearing   marcación [rumbo] del blanco.

target capacitance   capacitancia [capacidad] del blanco. En un tubo tomavistas, capacitancia entre la superficie explorada del blanco y la placa posterior de éste.

target chamber   *(Nucl/Radiol)* cámara de bombardeo.

target clarity   *(Radar/Sonar)* claridad del blanco.

target course   recorrido del blanco; rumbo del blanco.

target cross-section   *(Radar)* área de eco, sección transversal del blanco. v. **echo area**.

target current   *(Elecn)* corriente de blanco.

target current amplifier   *(Elecn)* amplificador de corriente de blanco.

target cutoff voltage   *(Tubos tomavistas)* tensión [voltaje] de corte de blanco. Valor mínimo de la tensión de blanco al cual puede obtenerse una señal eléctrica perceptible, suponiendo que sobre la superficie fotosensible del tubo existe una imagen óptica.

target date   (*Proyectos*) fecha fijada, fecha límite, fecha tope. Fecha más alta fijada para la terminación de una obra o de una fase de la misma.

target deuteron   (*Nucl*) deuterón del blanco.

target discrimination   discriminación de objetivo. De un sistema de detección o de guía, aptitud de distinguir el objetivo del medio circundante; poder de distinguir separadamente dos objetivos próximos entre sí.

target disk   (*Tubos tomavistas*) disco anticátodo.

target Doppler indicator   indicador de blanco por efecto Doppler.

target drone   avión objetivo. Avión sin piloto, teleguiado, que sirve de objetivo o blanco para prácticas de tiro antiaéreo.

target electrode   (*Elecn*) (electrodo de) blanco. v. **target**.

target fade   (*Radar/Sonar*) desvanecimiento del blanco. Desvanecimiento de la señal de eco, debido a interferencia u otros fenómenos.

target figure   (*Especificaciones*) cifra objetivo, cifra nominal.

target finding   (*Radar/Sonar*) busca del blanco.

target-finding device   dispositivo de busca [localización] del blanco.

target glint   (*Radar*) centelleo. v. **scintillation**.

target identification   (*Radar/Sonar*) identificación del blanco.

target illumination   (*Radar*) iluminación del blanco.

target lamp   (*Ferroc*) farol (de cambio) con banderola, linterna señal de posición de las agujas.

target language   (*Traducción de idiomas*) idioma final. Idioma al cual se hace o se ha hecho una traducción. CF. **source language**.

target (leveling) rod   (*Topog*) mira de tablilla [de corredera].

target mesh screen   (*Tubos tomavistas*) retículo de la pantalla de blanco [de la pantalla anticátodo].

target noise   (*Radar*) ruido del blanco. Variaciones caóticas o de naturaleza estadística de la señal de eco que tienen su origen en la orientación espacial aleatoria de elementos reflectores del blanco, y que pueden dar lugar a centelleo [scintillation]. CF. **clutter**.

target nucleus   (*Nucl*) núcleo-blanco.

target particle   (*Nucl*) partícula del blanco, partícula bombardeada. SIN. **struck particle**.

target pickup   (*Radar/Sonar*) detección de (un) blanco. CF. **target acquisition**.

target plane   v. **target airplane**.

target practice   práctica [ejercicios] de tiro, tiro al blanco.

target radio direction finder   (*Meteor*) radiogoniómetro.

target range   distancia al blanco; campo [polígono] de tiro.

target reflectivity   (*Radar*) reflectividad del blanco (respecto a las ondas electromagnéticas).

target rod   (*Topog*) mira de tablilla [de corredera].

target scintillation   (*Radar*) centelleo. v. **scintillation**.

target seeker   proyectil buscador del blanco. SIN. **homer** | v. **target-seeking device**.

target-seeking device   dispositivo buscador del blanco, mecanismo buscablancos.

target speed   (*Artillería antiaérea*) velocidad objetivo.

target theory   (*Radiol*) teoría del blanco [del choque, del impacto]. v. **hit theory**.

target timing   cronometración por recorrido del blanco. Técnica para la determinación de la velocidad del viento con la ayuda del radar.

target-towing aircraft   avión remolcador de blancos.

target tracking   seguimiento del blanco.

target transmitter   (*Radar*) emisor simulador de blanco.

target tug   avión remolcador de blancos.

target voltage   (*Tubos tomavistas*) tensión [voltaje] del blanco. Se aplica entre el cátodo termoiónico y la placa posterior [backplate] de un tubo de exploración o análisis con electrones lentos [low-velocity scanning].

target volume   (*Nucl*) volumen-blanco.

tariff   (*Elec, Ferroc, Telecom,* &) tarifa ‖ (*Aduana*) derecho, arancel,

impuesto ‖ CF. **diminishing tariff, double tariff, overload tariff, restricted tariff, seasonal tariff, two-part tariff, rate** /// *adj:* tarifario.

tariff schedule   tabla tarifaria.

tariff structure   composición de (las) tarifas.

tariff system   sistema tarifario; régimen de tarificación | sistema de tarifa. Método por medio del cual se determinan los precios de venta de la energía eléctrica (CEI/38 25–05–035).

taring   taraje, determinación de (la) tara. v. **tare**.

tarnish   deslustre, deslustramiento, empañadura, mancha; descoloración /// *verbo:* deslustrar(se), deslucir(se); empañar; manchar, mancillar; oxidar; enmohecerse; perder el lustre [el brillo].

tarnishing   deslustramiento, empañadura. v.TB. **tarnish**.

tarpaulin   encerado, alquitranado, lona alquitranada, lona impermeable; tela doble de yute; toldo. LOCALISMOS: manta, carpa, lona.

tarred   *adj:* embreado, alquitranado; creosotado.

tarred jute   yute alquitranado.

tarred pole   poste creosotado. SIN. **creosoted pole**.

tarred tape   (*Elec/Telecom*) cinta alquitranada.

tarring   alquitranado, alquitranamiento, alquitranaje, embreado; creosotado.

tarring of wood   alquitranado de (las) maderas.

tarry   *adj:* alquitranoso; bituminoso.

TAS   Abrev. de true airspeed.

TASI   Abrev. de time-assignment speech interpolation.

tasimeter   tasímetro, termómetro de presión. Aparato para la medida de diferencias de temperatura que funciona por la presión sobre un elemento equivalente a un micrófono de carbón, ejercida por una tira de caucho duro que se dilata con los aumentos de temperatura /// *adj:* tasimétrico.

tasimetric   *adj:* tasimétrico.

tasimetry   tasimetría.

TASR   Abrev. de terminal air surveillance radar.

tau meson   mesón tau. Nombre que antes se daba al mesón K (v. **K meson**).

taupe   color entre marrón grisáceo y marrón amarillento obscuro.

taut   *adj:* tenso, teso, tieso, tirante; listo, preparado; en regla; bien disciplinado.

taut-band meter   instrumento (de medida) de cintas tensas. Instrumento de medida cuyo elemento móvil está suspendido mediante dos cintas metálicas que se mantienen tensas por medio de miembros elásticos, uno en cada extremo del conjunto.

taut-band movement   (*Instr de medida*) mecanismo de cintas tensas.

taut-band suspension   (*Instr de medida*) suspensión de cintas tensas.

taut-tape stop mechanism   (*Teleg*) mecanismo de parada automática por cinta tirante. Mecanismo que detiene la transmisión si la cinta queda estirada entre el emisor (lector de cinta) y el aparato precedente.

taut wire   hilo tenso.

tautness   tensión, tesura.

tautochronism   (*Fís*) tautocronismo, isocronismo.

tautomer   (*Quím*) tautómero.

tautomeric   *adj:* (*Quím*) tautómero. Que presenta tautomería (v. **tautomerism**).

tautomeric transformation   transformación tautómera.

tautomerism   (*Quím*) tautomería. Isomería caracterizada por la relativamente fácil interconversión de formas isómeras en equilibrio /// *adj:* tautómero.

tawny   (*also* tawney) color entre marrón claro y anaranjado marrón.

tawny walnut   (color) nogal tostado.

tax   impuesto, contribución, tributo; exacción, gravamen, carga /// *verbo:* tasar; imponer contribuciones, gravar (con impuestos); cargar; abrumar; someter a esfuerzo.

tax rate   tasa [tipo] de impuesto, tipo contributivo; cupo; tarifa de contribuciones.

taxi   v. **taxicab** ‖ *(Avia)* v. **taxiing** ⫽ *verbo:* viajar en taxímetro ‖ *(Aviones)* rodar (sobre el suelo) ‖ *(Hidroaviones)* deslizarse (sobre el agua). LOCALISMO: carretear.

taxi channel   *(Hidroaviones)* canal de deslice [de deslizamiento].

taxi-channel light   luz de canal de deslice.

taxi holding position   *(Avia)* punto de espera en rodaje.

taxi light   *(Avia)* luz de rodaje.

taxi patterns   *(Avia)* esquemas de rodaje. Movimiento recomendado de los aviones en tierra, en la zona de aterrizaje, en condiciones especificadas de viento.

taxi radar   *(Avia)* radar de control de rodaje. SIN. **airport surface detection equipment.**

taxi service   servicio de taxímetros ‖ *(Avia)* servicio de transporte a intervalos frecuentes.

taxi strip   *(Avia)* v. **taxiway.**

taxicab   (a.c. taxi) taxímetro, automóvil de alquiler con taxímetro.

taxiing, taxying   *(Avia)* rodaje, rodado, rodadura, carreteo. Movimiento de aviones en las pistas y las zonas de estacionamiento; tráfico rodado sobre las pistas. Desplazamiento de un avión sobre tierra, impulsado por sus propios motores, para dirigirse al punto desde el cual va a comenzar la carrera de despegue, o para buscar un lugar de estacionamiento después del aterrizaje. En el caso particular de los hidroaviones, en el que el movimiento es sobre el agua, se llama *deslice* o *deslizamiento.*

taximeter   taxímetro. Aparato instalado en un automóvil de alquiler para computar e indicar automáticamente el costo del servicio prestado, de acuerdo con la distancia recorrida y los intervalos de espera. En español el término *taxímetro* designa también el vehículo que lleva dicho aparato.

taxiway   *(Avia)* calle de rodaje, pista de rodaje [de rodado, de rodadura, de circulación, de maniobras], antepista. SIN. **taxi strip.**

taxiway light   luz de calle de rodaje, luz de (la) pista de rodado.

taxiway turnoff marking   señal de tráfico rodado. Letrero o luz destinado a ayudar al piloto a localizar su recorrido de rodaje en el aeropuerto; señal de tráfico de aviones en tierra.

taxying   *(Avia)* v. **taxiing.**

¹Taylor   Brook Taylor: matemático inglés (1685–1731) al cual se debe una de las fórmulas más importantes del análisis matemático, la que lleva su nombre, así como también las fórmulas para el cambio de variable independiente, la resolución aproximada de ecuaciones, y ciertos resultados notables de ecuaciones diferenciales.

²Taylor   Frederick Winslow Taylor: ingeniero americano (1856–1915), fundador de la ingeniería del rendimiento [efficiency engineering].

³Taylor   Geoffrey Ingram Taylor: físico inglés (1886–?) que inició el estudio de las funciones aleatorias aplicadas a los fenómenos de turbulencia.

Taylor connection   *(Elec)* conexión de Taylor. Conexión de transformadores con la cual se transforman corrientes trifásicas en bifásicas, o viceversa.

Taylor expansion   *(Mat)* desarrollo de Taylor. SIN. **Taylor series.**

Taylor formula   *(Mat)* fórmula de Taylor. SIN. **Taylor series.**

Taylor series   *(Mat)* serie de Taylor. SIN. **Taylor expansion** [formula, theorem].

Taylor spiral   *(Meteor)* espiral de Taylor.

Taylor theorem   *(Mat)* teorema de Taylor. SIN. **Taylor series.**

TB   Abrev. de talking battery; time base; transmitter blocker.

TBL   *(Teleg)* Abrev. de trouble [avería, dificultad].

TBLE   *(Teleg)* Abrev. de trouble.

TBP   Abrev. de tributyl phosphate.

Tc   Abrev. de teracycle.

TC   Abrev. de temperature-controlled; temperature-compensated ‖ *(Teleg)* TC. Indicación de servicio tasada que se antepone a la dirección de un telegrama para solicitar su colación. Las letras "TC" pueden ser substituidas por la palabra inglesa "COLLATION" o la voz francesa "COLLATIONNEMENT".

Tc/s   Abrev. de teracycles per second.

TCA   Abrev. de Trans-Canada Airlines.

TCC   Abrev. de Telegraph Condenser Company | Abrev. de Tele-communications Coordinating Committee.

Tchebycheff   Pafnuti Livovich Chebicheff: matemático ruso (1821–1894).

Tchebycheff design filter   *(Telecom)* filtro tipo Chebicheff.

Tchebycheff equation   ecuación de Chebicheff.

Tchebycheff polynomial   polinomio de Chebicheff.

Tchebychev   v. **Tchebycheff.**

TCXO   Abrev. de temperature-controlled crystal oscillator.

TD   Abrev. de technical director; time division; transmitter distributor.

TD multiplex   v. **time-division multiplex.**

TDAY   *(Teleg)* Abrev. de today [hoy].

TDS   *(Telef)* Abrev. de temporarily disconnected [temporalmente desconectado].

Te   Símbolo químico del telurio [tellurium].

TE   Abrev. de transverse electric.

TE mode   *(Radioelec)* modo TE, modo H, modo eléctrico transversal. Véase **H-mode.**

TE$_{mn}$ mode   *(Radioelec)* modo TE$_{mn}$, modo H$_{mn}$. Véase **H$_{mn}$ mode.**

TE wave   *(Radioelec)* onda TE.

teaching   enseñanza, instrucción; pedagogía ⫽ *adj:* de enseñanza, de instrucción; pedagógico.

teaching reactor   *(Nucl)* reactor de enseñanza.

teak   *(Bot)* teca.

team   equipo (de trabajadores, de jugadores, etc.); yunta (de bueyes); pareja, par, tronco ⫽ *adj:* colectivo, cooperativo, aunado, mancomunado ⫽ *verbo:* (*i.e.* to use or adopt teamwork) auxiliarse mutuamente, unirse, mancomunarse (para un fin determinado); combinar (máquinas) para un fin determinado.

team working   v. **teamwork.**

teamwork   trabajo en equipo [en grupo], trabajo aunado [cooperativo, mancomunado], trabajo colectivo con un fin común.

¹tear   lágrima; gota (de pintura, de un líquido endurecido).

²tear   rasgadura, desgarradura, rasgón, raja; laceración ⫽ *verbo:* rasgar(se), desgarrar(se); romper(se); lacerar; extraer o separar con fuerza o violencia; precipitarse.

tear bar   *(Informática)* barra cortapapel.

tear down   *verbo:* demoler, abatir, derribar; desmontar, desmantelar.

tear gas   gas lacrimógeno.

tear-out   *(Tv)* desgarramiento (de la imagen). V.TB. **tearing.**

tear strength   resistencia al desgarramiento. En el caso de las cintas magnéticas, propiedad de la base de resistir el comienzo y/o la propagación de una rasgadura del borde.

tearing   desgarramiento, rasgadura, desgarradura, desgarro, desgarrón, rompimiento ‖ *(Tv)* desgarramiento, desgarro (de la imagen). Efecto de rompimiento de la imagen recibida; se produce por el desplazamiento irregular de un grupo de líneas de exploración, debido a defecto o inestabilidad del sincronismo horizontal o de líneas. SIN. **tear-out** | efecto bandera. Deformación de una imagen visible originada por un defecto de sincronización de un receptor de televisión, que se traduce por el deslizamiento de un grupo de líneas sobre ellas mismas, generalmente en la parte alta de la imagen (CEI/70 60–64–515).

tearing out of picture   *(Tv)* desgarramiento de la imagen. V.TB. **tearing.**

tearing strength   v. **tear strength.**

tearing stress   *(Mec)* carga de rotura.

tearproof   *adj:* indesgarrable, a prueba de desgarramiento.

teaser transformer   *(Elec)* transformador de conexión en T. Dos unidades monofásicas en conexión Scott [Scott connection] para funcionamiento trifásico a bifásico, o viceversa; transformador que va conectado entre el punto medio del transformador principal y el tercer conductor del sistema trifásico.

teasing   *(Ensayos de duración de conmutadores)* movimiento lento del rotor para provocar la apertura y cierre repetidos de los contactos.

technetium   tecnecio. Elemento químico de número atómico 43 que se obtiene por bombardeo de molibdeno [molybdenum] con deuterones y neutrones, y que ocurre también entre los productos de fisión del uranio [uranium]. Símbolo: Tc. Antes se le llamaba *masurio* [masurium].

technical   *adj:* técnico.

technical adviser   asesor técnico.

technical assistance   asistencia [ayuda] técnica, asesoría técnica, asesoramiento técnico.

Technical Assistance Board [TAB]   *(Naciones Unidas)* Junta de Asistencia Técnica [JAT].

Technical Assistance Committee   Comisión de Asistencia Técnica.

technical characteristic   característica técnica.

technical committee   comité técnico, comisión técnica.

technical control   control técnico.

technical coordination   coordinación técnica.

technical-coordination circuit   *(Telecom)* circuito de coordinación técnica ‖ *(Radiol/Tv)* v. **talkback circuit**.

technical director [TD]   director técnico. El que dirige una empresa en los aspectos técnicos de sus actividades. SIN. **technical operations manager** ‖ *(Tv)* director técnico. El que dirige la utilización de todos los elementos técnicos que intervienen en la producción de los programas: luces, cámaras, micrófonos, pupitres de control, etc. | director de producción. El que dirige la producción de programas de la emisora.

technical facilities   instalaciones técnicas.

technical feasibility   viabilidad técnica.

technical information   información técnica; documentación técnica (p.ej. manuales de instrucciones sobre equipos).

technical inspection   inspección técnica.

technical investigation   investigación técnica [de carácter técnico].

technical literature   literatura [documentación] técnica. AFINES: libros, revistas, artículos, comunicaciones, manuales, catálogos, folletos, especificaciones, datos, material impreso.

technical matériel   material técnico.

technical officer   funcionario técnico.

technical operation   operación técnica.

technical operations manager   director técnico. v. **technical director**.

technical operator   *(Telecom)* operador técnico ‖ *(Radio)* operador de sonido. Operador encargado de la toma de sonido (CEI/70 60–62–015).

technical order   orden técnica ‖ *(Avia)* manual técnico.

technical parameter   parámetro técnico.

technical personnel   personal técnico.

technical provision   disposición técnica.

technical report   informe técnico, memoria técnica.

technical representative   representante técnico.

technical specification   especificación técnica; característica técnica.

technical staff   personal técnico.

technical standard   norma técnica.

technical stop   *(Avia)* escala técnica. SIN. **operational stop**.

technical store   almacén técnico; economato técnico.

technical summary   resumen técnico; sumario de características técnicas.

technical supervision   dirección [supervisión] técnica.

technical training   instrucción [preparación, capacitación] técnica, adiestramiento técnico [de técnicos]; curso de capacitación técnica.

technically   *adv:* técnicamente.

technically feasible   técnicamente viable [posible].

technician   técnico; ayudante de ingeniería.

technician license   licencia de técnico. Una de las clasificaciones de las licencias que concede la Comisión Federal de Comunicacio-

nes (FCC) para los servicios de radioaficionados en los Estados Unidos.

technique   técnica.

technochemistry   química industrial.

technological   *adj:* tecnológico.

technological manpower   recursos de personal técnico, potencial humano tecnológico.

technological test   ensayo tecnológico.

technologist   tecnólogo.

technology   tecnología.

tecnetron   tecnetrón. Triodo sólido para altas frecuencias. Es un dispositivo semiconductor en el cual se pone en práctica el *efecto de campo,* descubierto por Lilienfeld (1928). Se basa en el fenómeno de constricción o encogimiento (con reducción de la sección del elemento semiconductor activo) que produce la circulación de la corriente entre dos electrodos (ánodo y cátodo), siendo el tercer electrodo el de control. ETIM. *te* (las dos primeras letras del apellido del investigador Tezner) + *cnet* (siglas del *Centre national d'études des télécommunications*) + sílaba final común al nombre de muchos dispositivos electrónicos.

tecnetron action   efecto tecnetrón.

tecnetron bottleneck   (a.c. tecnetron hole, tecnetron neck) gollete de tecnetrón.

tectonic   *adj:* arquitectónico; perteneciente a la construcción o edificación ‖ tectónico. Perteneciente a la deformación de la estructura de la corteza terrestre; causante o resultante de esa deformación.

tectonics   arquitectura; arte o ciencia de la construcción, en particular de grandes edificios ‖ tectónica. Geología de la deformación estructural de la corteza terrestre | estructura terrestre.

TED   *(Teleg)* Abrev. de teleprinter error detector.

tee   te, letra T | unión en T; tubo en T ‖ *(Aeródromos)* veleta en T ‖ *(Constr)* viga en T; hierro en T ‖ *(Guías de ondas)* unión en T; sección en T ⫲ *adj:* en (forma de) T ⫲ *verbo:* conectar mediante una T; derivar (un circuito).

tee adapter   adaptador en T.

tee connector   conector en T.

tee joint   *(Elec)* te de derivación. Empalme de conductor en forma de T, destinado a efectuar una derivación [tapping, teeing off]. SIN. **branch joint** (CEI/57 15–65–020) | caja de derivación en T. Caja que sirve para efectuar una o más derivaciones [branch connections] sobre los conductores de un cable (CEI/65 25–30–215) ‖ *(Soldadura)* junta en T.

tee-joint weld   soldadura de junta en T.

tee junction   unión en T; te. Véase **T junction**.

tee off   *verbo:* *(Elec)* derivar, bifurcar.

teed   *adj:* *(Elec)* derivado, bifurcado.

teed circuit   circuito derivado.

teed feeder   alimentador derivado; alimentador múltiple.

teeing off   *(Elec)* derivación, bifurcación. SIN. **tapping**.

teflon   teflón. Material aislante o dieléctrico de elevadísima resistencia eléctrica, que es muy poco afectado por el calor y la humedad. Se usa extensamente en la fabricación de cables.

Teflon   Teflon. Marca registrada (du Pont) con que se conoce la resina de politetrafluoetileno [polytetrafluoroethylene resin].

teflon-insulated   *adj:* aislado con teflón, forrado de teflón.

teflon-insulated wire   alambre aislado con teflón.

teflon insulation   aislamiento [aislante] de teflón.

teflon jacket   *(Cables)* forro exterior de teflón.

teflon packing   empaquetadura de teflón.

tel.   Abrev. de telecommunication; telephone; telegraph; telegram; telephonic; telegraphic.

TEL   *(Teleg)* Abrev. de telegram.

telautograph   *(Telecom)* v. **teleautograph**.

telautography   *(Telecom)* v. **teleautography**.

TELCO   *(Teleg)* Abrev. de telephone company.

telcothene   telcoteno. Mezcla de politeno (87,5 %) y poliisobutileno (12,5 %).

telcothene dielectric   dieléctrico de telcoteno.

telcothene-insulated   *adj*: aislado con telcoteno; forrado de telcoteno.

telcothene-insulated conductor   conductor aislado con telcoteno.

telcothene-insulated wire   alambre aislado con telcoteno.

telcothene insulation   aislamiento [aislante] de telcoteno.

tele   Forma abreviada de telephoto; television.

tele-, tel-   tele-. Elemento de compuesto que indica *distancia; televisión*.

tele image   (*i.e.* television image) imagen de televisión.

tele lens   (*Fotog*) v. telephoto lens.

teleammeter   teleamperímetro. Amperímetro que permite medir a distancia la corriente de un circuito eléctrico (CEI/58 20-15-155). CF. telemeter.

teleautograph, telautograph   (*Telecom*) teleautógrafo. Aparato en el cual los movimientos de un estilete explorador sobre una superficie plana da origen a corrientes de intensidad variable destinadas a su transmisión por dos canales independientes, con el fin de gobernar en la extremidad receptora los movimientos de un estilete registrador idéntico al explorador. SIN. telewriter.

teleautography, telautography   (*Telecom*) teleautografía.

telecamera   (*i.e.* television camera) telecámara, cámara de televisión.

telecardiogram   (*Medicina*) telecardiograma. Registro obtenido con el telecardiógrafo [telecardiograph].

telecardiograph   (*Medicina*) telecardiógrafo. Cardiógrafo que efectúa el trazado (registro gráfico) a distancia del paciente, por una línea u otro medio de telecomunicación.

telecardiography   telecardiografía. Empleo del telecardiógrafo.

telecardiophone   (*Medicina*) telecardiófono. Aparato que permite oir a distancia, por línea u otro medio de telecomunicación, el sonido del músculo cardiaco.

telecast   programa de televisión; emisión televisiva, difusión de un programa de televisión /// *verbo:* difundir programas de televisión; televisar, teledifundir.

telecasting   emisión televisiva, difusión de programas de televisión. V.TB. television broadcast(ing).

telecasting of a color program   difusión [transmisión] de un programa de televisión en colores.

telecentric   *adj:* telecéntrico.

telecentric system   (*Opt*) sistema telecéntrico.

telechrome   (*Tv*) telecromo. Primitivo tubo para emisiones en colores | (*also* telechrome paint) telecromo. Escala arbitraria de valores neutros aumentados por colores secundarios o terciarios ("tibios" o "frescos"); pigmento preparado especialmente para decoraciones. Se usa con dos fines: (a) para imitar o simular cualquier color; (b) para evitar el excesivo empleo de negro (en los tonos grises) substituyéndolo por un tono neutro compuesto de dos tonos complementarios, y obtener un valor tonal de gris equivalente al color tal como ocurre en la naturaleza.

telecine, telecinema   telecine, telecinema, telecinematografía. Películas cinematográficas televisadas; transmisión televisiva de películas de cine | v. telecine equipment.

telecine camera   (*Tv*) cámara de telecine. Cámara para la transmisión de películas cinematográficas.

telecine chain   (*Tv*) cadena de telecine. Conjunto coordinado de los aparatos utilizados para la transmisión de cintas cinematográficas: proyector, multiplexor óptico, cámara, etc. SIN. telecine island, film chain.

telecine channel   (*Tv*) canal de telecine.

telecine equipment   (*Tv*) equipo de telecine | (a.c. telecine) (equipo de) telecine. Aparato que permite la televisión de un programa previamente registrado en película cinematográfica (CEI/70 60-64-015).

telecine facility   (*Tv*) instalación de telecine.

telecine island   (*Tv*) cadena de telecine. v. telecine chain.

telecine projector   (*Tv*) proyector de telecine, proyector teleci-

nematográfico. Proyector destinado a la proyección de películas de cine para su transmisión por televisión. Funciona a 24 cuadros por segundo cuando el sistema de televisión es de 30 cuadros por segundo. SIN. television film scanner.

telecine room   (*Tv*) sala de telecine.

telecinema   v. telecine.

telecinematography   telecinematografía. CF. telecine.

teleclinometer   teleclinómetro.

teleclub   teleclub, club de aficionados a la televisión.

telecobalt unit   (*Nucl*) unidad de telecobalto.

telecode   (*Teleg*) Abrev. de teleprinter code.

telecom   Abrev. de telecommunication(s).

telecom net   Abrev. de telecommunication network.

telecommand   telemando.

telecommunication [telecom, tel.]   telecomunicación, comunicación a distancia. Abarca como casos particulares la telefonía, la telegrafía, y la radiocomunicación, en todas sus modalidades y variantes. VAR. técnica de las corrientes débiles | telecomunicación. Toda transmisión, emisión o recepción de signos, señales, escritos, imágenes, sonidos o informaciones de cualquier naturaleza, por hilo, radioelectricidad, medios ópticos u otros sistemas electromagnéticos (CEI/70 55-05-005) | AFINES: palabra, música, mensajes, documentos, telegrama, telefonema; señales audibles, visibles, de mando (de mecanismos); imágenes fijas, móviles; transmisión eléctrica (por hilo), inalámbrica, radioeléctrica, óptica; comunicación alámbrica, inalámbrica, eléctrica, radioeléctrica, radiodifusión, televisión, radiotelefonía, radiotelegrafía, radiogoniometría, radiodetección, radar, sonar; telefonía múltiple, por corrientes portadoras; telegrafía óptica, impresora, múltiple, armónica, por corrientes de frecuencia musical; teletipografía, facsímile, fototelegrafía, telegrafía submarina, telemando, telemedida, teléfono, telégrafo, semáforo, heliógrafo, radioenlace, cable hertziano, sistema de microondas, enlace transhorizonte por dispersión troposférica, radioenlace por satélites, télex, telefax, radiofoto, teleimpresor, teletipo, teleautógrafo, transmisor, emisor, receptor, televisor | V.TB. communication(s), telecommunications.

telecommunication cable   cable de telecomunicación.

telecommunication channel   canal [vía] de telecomunicación.

telecommunication circuit   circuito de telecomunicación | circuito (de telecomunicación); vía (de telecomunicación). Conjunto de dos vías de transmisión o canales [channels] asociados para asegurar, entre los mismos puntos, una transmisión en los dos sentidos (CEI/70 55-05-085).

telecommunication engineer   ingeniero de telecomunicaciones.

telecommunication engineering   ingeniería de telecomunicaciones; técnica de las telecomunicaciones. Ingeniería o técnica que se ocupa del proyecto, construcción y conservación de medios de telecomunicación.

telecommunication expert   perito en telecomunicaciones.

telecommunication journal   revista de telecomunicaciones.

telecommunication line   línea de telecomunicación.

telecommunication log   registro [parte diario] de las telecomunicaciones.

telecommunication network [telecom net]   red de telecomunicaciones. SIN. telecommunication system.

telecommunication relay   relé de telecomunicación.

telecommunication satellite   satélite (artificial) para telecomunicaciones.

telecommunication service   servicio de telecomunicación.

telecommunication specialist   especialista en telecomunicaciones.

telecommunication system   sistema de telecomunicación | red de telecomunicaciones. SIN. telecommunication network.

telecommunication tower   torre de telecomunicación.

telecommunication traffic   tráfico de telecomunicaciones [de comunicaciones].

telecommunications   telecomunicaciones. v. telecommunication.

telecommunications branch   dependencia de telecomunicaciones.

Telecommunications Coordinating Committee [TCC]   Comité Coordinador de Telecomunicaciones. Organismo oficial de los Estados Unidos.

telecommunications project   proyecto de telecomunicaciones. Planeamiento, cálculo y ejecución de todos los montajes, incluso obras auxiliares, para el establecimiento de un sistema o una red de telecomunicaciones. AFINES: proyecto de circuitos, cálculo de sistemas, estudios de viabilidad y de compatibilidad técnicas, métodos de trabajo (para la ejecución del proyecto), análisis de equipos y materiales, estudios en el terreno, levantamientos topográficos, deslindes de terreno, fotografía aérea de posibles rutas, inspección y selección de posibles emplazamientos de instalaciones, ensayos de propagación radioeléctrica, montaje y cableado de equipos, conservación de material técnico, adiestramiento del personal de explotación y de conservación del material, explotación de la red o el sistema, organización de los servicios, evaluación de los datos de tráfico, determinación de las técnicas aplicables, preparación de especificaciones, dirección y supervisión general.

telecommunications service   servicio de telecomunicaciones.

telecompass   telecompás, telebrújula.

telecomputing   telecomputación.

teleconference   teleconferencia. Conferencia en la cual los participantes se encuentran en locales diferentes, pero se hablan (y a veces se ven) por circuitos de telecomunicación.

teleconnection   teleconexión.

telecontrol   telecontrol, telemando, control [mando] a distancia; telerregulación; teleaccionamiento, telemaniobra. SIN. **remote control** /// *verbo:* telecontrolar, telemandar, controlar [mandar] a distancia; telerregular; teleaccionar, telemaniobrar, telegobernar.

telecontrol equipment   equipo de telecontrol [telemando].

telecontrol of guns   telepuntería. Dispositivo que permite gobernar a distancia un grupo de cañones de un navío de guerra, por medio de aparatos de puesta en batería sincrónica (CEI/38 35-15-035) | telegobierno de puntería [de tiro].

telecontrol of steering gear   aparato eléctrico de gobierno. Mecanismo que acciona el timón de un navío por medio de un servomotor eléctrico (CEI/38 35-15-030) | teleaccionamiento de timón.

telecontrolled   *adj:* telecontrolado, telemandado, controlado [mandado] a distancia; telerregulado; etc. v. **telecontrol**.

telecontrolled substation   *(Elec)* subestación mandada a distancia. Subestación en la cual la puesta en marcha, la regulación y la parada se realizan a distancia (CEI/38 25-10-060).

Telecopier   Telecopier. Nombre comercial (Xerox Corporation) de un aparato emisor/receptor de facsímile que utiliza una conexión telefónica normal para el enlace con el corresponsal.

telecopter   *(i.e.* television helicopter) estación televisora en helicóptero.

telecord   registrador telefonográfico. Registrador fonográfico que se conecta al teléfono para captar las conversaciones.

telecounter   telecontador.

telectrograph   telectrógrafo. Aparato fototelegráfico ya poco usado | telectrografía /// *adj:* telectrográfico.

telectroscope   teleelectroscopio. Primitivo aparato de televisión (fue ideado por Senlecq en 1877).

telecurie therapy   *(Radiol)* telecurieterapia, teleterapia. Radioterapia por medio de una o más fuentes radiactivas situadas a cierta distancia del cuerpo. SIN. **teletherapy** (CEI/64 65-25-090).

telediffusion   teledifusión.

teleducation   *(i.e.* educational television) televisión educativa.

telefacsimile   telefacsímile, telegrafía facsímile. v. **facsimile (telegraphy)**.

telefax   telefax. Sistema particular de facsímile. v. **facsimile**.

telefilm   *(Tv)* película televisada, film televisado; película [film]

de televisión; telecine, televisión de películas. CF. **film pickup, telecine** | telefilm. Film especialmente ideado para la reproducción por un equipo de telecine [telecine equipment] (CEI/70 60-64-615).

telefluoroscopy   telefluoroscopía.

telegage, telegauge   telemanómetro; teleindicador.

telegenic   *adj:* telegénico. TB. fotogénico por televisión. Dícese de la persona cuyos rasgos fisonómicos y demás características físicas son captados favorablemente por la cámara televisora, y de las escenas de buenas cualidades pictóricas cuando son vistas por televisión.

telegenic scene   *(Tv)* escena telegénica.

Telegon remote indicating system   sistema Telegon de indicadores.

telegonic   *adj:* *(Biol)* telegónico.

telegony   *(Biol)* telegonía.

telegram   *(Telecom)* telegrama. SIN. despacho [mensaje] telegráfico. CASOS PART. cablegrama, fototelegrama, radiograma, radiotelegrama | telegrama. (1) Mensaje transmitido por telégrafo (CEI/38 55-15-005). (2) Escrito destinado a su transmisión por telegrafía para su entrega al destinatario [addressee]; este término comprende, asimismo, el radiotelegrama, a menos que se especifique lo contrario (CEI/70 55-60-140). CF. **radiotelegram, phototelegram, printergram**.

telegram acceptance   aceptación [recepción] de un telegrama (para su transmisión y entrega al destinatario).

telegram-acceptance service   servicio de aceptación de telegramas. SIN. **telegram-filing service**.

telegram at full rate   telegrama a plena tasa [a tasa entera].

telegram at half rate   telegrama a media tasa.

telegram by telephone   telegrama telefoneado.

telegram-filing service   v. **telegram-acceptance service**.

telegram in acceptance   telegrama en el origen, telegrama aceptado [admitido, recibido] para su transmisión y entrega.

telegram traffic   tráfico de telegramas | tráfico telegráfico, correspondencia telegráfica. SIN. **telegraph correspondence [traffic]**.

telegram transmitted in pages [in sections]   telegrama (largo) transmitido por páginas [por secciones]. Cuando los telegramas son muy largos se transmiten por partes o secciones, llamadas *páginas,* cada una de las cuales contiene 50 palabras (salvo la última, que puede tener menos); así se facilita el control del cómputo de palabras y la aclaración de errores.

telegram with postal acknowledgment of receipt   telegrama con acuse de recibo postal. Lleva la indicación de servicio =PCP=.

telegram with postal notification of delivery   telegrama con acuse de recibo postal. Lleva la indicación de servicio =PCP=.

telegram with prepaid reply   telegrama con respuesta pagada. Lleva la indicación de servicio =RP=.

telegraph   telégrafo, telegrafía. v. **telegraphy** | aparato telegráfico. v. **telegraph instrument** || *(Navíos)* dispositivo de señales entre el puente de mando y el cuarto de máquinas /// *adj:* telegráfico. V.TB. **telegraphic** /// *verbo:* telegrafiar, transmitir por telégrafo, enviar un telegrama.

telegraph address   dirección telegráfica. SIN. **code [telegraphic] address**.

telegraph alphabet   alfabeto telegráfico. TB. cartilla telegráfica. Tabla que da la correspondencia entre los caracteres de escritura (letras, números, signos de puntuación, y signos auxiliares) y de los mandos de ciertas funciones (espaciamiento, cambio de renglón, inversión de caja, etc., en el caso de la telegrafía impresora) y las señales telegráficas que los representan | alfabeto telegráfico. Tabla de correspondencia entre los caracteres de escritura o los mandos de ciertas funciones (espaciamiento, cambio de renglón, inversión, etc.) y las señales telegráficas que los representan (CEI/70 55-65-025). CF. **telegraph code, spacing, line feed, inversion, shift**.

Telegraph and Telephone Conference (Geneva, 1954)

Conferencia Telegráfica y Telefónica (Ginebra, 1954).

Telegraph and Telephone Conference (Geneva, 1958) Conferencia Telegráfica y Telefónica (Ginebra, 1958).

telegraph arrival curve   (curva de) respuesta a un escalón | respuesta a un escalón. Curva que pone de manifiesto la variación en función del tiempo, de la corriente en la extremidad receptora de una línea de transmisión telegráfica, cuando se aplica bruscamente en la extremidad emisora una tensión permanente de valor conocido, estando la línea anteriormente en estado de reposo [state of rest] y estando especificadas la impedancia de emisión [sending impedance] y la de recepción [receiving impedance] (CEI/70 55–70–180).

telegraph battery   batería telegráfica, chasis alimentador de tensión telegráfica | tensión telegráfica. Tensión alimentadora de los relés de manipulación telegráfica.

telegraph bias   polarización telegráfica, "bias" telegráfico. Desequilibrio entre la duración de las señales de trabajo y las de reposo de una manipulación telegráfica.

telegraph boy   v. **telegraph messenger.**

telegraph buoy   boya de final de cable (submarino).

telegraph carrier   empresa de explotación telegráfica, empresa que presta un servicio telegráfico.

telegraph center   centro telegráfico. Local donde se reúnen los medios materiales y el personal necesarios para asegurar una función determinada en la prestación de un servicio telegráfico [telegraph service].

telegraph central office   central telegráfica.

telegraph chain   *(Astilleros)* cadena de señales.

telegraph channel   canal telegráfico, vía (de transmisión) telegráfica | (*i.e.* means of one-way transmission of telegraph signals) canal telegráfico, vía de transmisión telegráfica. Conjunto de los medios necesarios para asegurar una transmisión de señales telegráficas en un sentido determinado. Una vía de transmisión telegráfica se caracteriza por la *valencia* [number of significant conditions] y por la *rapidez de modulación* [modulation rate] de los sematemas que debe transmitir. EJEMPLO: *vía de 50 baudios para sematemas de valencia binaria* [50-baud channel for two-condition modulation] (CEI/70 55–50–005) | (*i.e.* means of both-way transmission of telegraph signals) v. **telegraph circuit** | (*i.e.* means of both-way telegraph communication between two points) v. **telegraph circuit.**

telegraph channel equipment   equipo de canalización telegráfica.

telegraph channel extensor   traductor [convertidor] de código telegráfico. Dispositivo que traduce un código telegráfico en otro; por ejemplo, uno de cinco elementos en otro de siete elementos, o viceversa. CF. **serial-to-simultaneous converter.**

telegraph charge   tasa telegráfica. Lo que se paga por la transmisión de un telegrama, de acuerdo con su cómputo de palabras y la tarifa aplicable, más las cantidades correspondientes a las indicaciones de servicio tasadas (si las hay) y a servicios especiales relacionados con el despacho.

telegraph circuit   circuito telegráfico. Enlace permanente entre dos centrales [instrument rooms] o centros de conmutación [switching centers], sin conmutación intermedia | (*i.e.* means of both-way transmission of telegraph signals) circuito telegráfico, vía de comunicación telegráfica. Conjunto de dos vías de transmisión telegráfica [telegraph channels] asociadas para asegurar, entre dos puntos, una transmisión en los dos sentidos (CEI/70 55–50–010) | (*i.e.* means of both-way telegraph communication between two points) circuito telegráfico, vía de comunicación telegráfica (bilateral). Conjunto de dos vías de transmisión asociadas para asegurar, entre dos puntos determinados, una comunicación telegráfica bilateral. Uno de los canales se designa "de ida" ["go" channel, "send" channel] y el otro "de vuelta" ["return" channel, "receive" channel]. NOTA: Las dos vías de transmisión asociadas pueden ser *simétricas,* cuando ofrecen a los usuarios las mismas posibilidades en los dos sentidos de transmi-

sión; o *disimétricas,* en el caso contrario. Ejemplo del primer caso: Las dos vías conjugadas que forman una vía normal de telegrafía armónica [standardized voice-frequency telegraph circuit]. Ejemplo del segundo caso: En transmisión de datos, una vía que permite una velocidad de 1200 baudios en un sentido de transmisión, asociada a una vía que no permite más que una velocidad de 100 baudios en el sentido opuesto. OBSERVACION: En el caso particular de la transmisión de datos, la vía de comunicación incluye los equipos de conversión de señales [signal conversion equipment]. SIN. **telegraph channel** (*EU*).

telegraph circuit advice   ficha de circuito telegráfico.

telegraph code   código telegráfico. Repertorio de reglas y convenciones según las cuales deben formarse, emitirse, recibirse y tratarse las señales telegráficas que intervienen en un mensaje o las señales de datos que intervienen en los bloques (CEI/70 55–65–020). CF. **telegraph alphabet, Morse code.**

telegraph combining equipment   equipo combinador telegráfico.

telegraph concentrator   concentrador telegráfico. Puesto o sistema conmutador al cual converge cierto número de líneas o canales telegráficos de baja velocidad cuyo tráfico puede ser retransmitido por un número menor de líneas o canales de alta velocidad.

telegraph connection   enlace telegráfico, comunicación telegráfica. Conjunto de puestos telegráficos en comunicación y de las vías de transmisión que los unen.

telegraph conversation   conferencia [conversación] telegráfica. Intercambio de información entre dos corresponsales en comunicación telegráfica.

telegraph correspondence   correspondencia telegráfica.

telegraph counter   ventanilla telegráfica.

telegraph dash   raya Morse, raya telegráfica. v. **Morse code.**

telegraph demodulator   desmodulador telegráfico. Organo o dispositivo (o grupo de ellos) que convierten un producto de modulación telegráfica en un sematema de llegada. CF. **telegraph modulator.**

telegraph distortion   distorsión telegráfica. Una modulación (o restitución) está afectada de distorsión telegráfica cuando los intervalos significativos [significant intervals] no tienen todos rigurosamente sus duraciones teóricas (CEI/70 55–70–185) | **degree of individual distortion of a particular significant instant** (of a modulation or or a restitution): grado de distorsión individual de un instante significativo (de una modulación o de una restitución). Razón del desplazamiento en valor algebraico entre el instante significativo y el instante ideal, al intervalo unitario [unit interval]. Dicho desplazamiento se considera positivo cuando el instante significativo es posterior al instante ideal. El grado de distorsión individual se expresa habitualmente en porcentaje (CEI/70 55–70–195) | CF. **bias distortion, characteristic distortion, fortuitous distortion, start-stop distortion, margin.**

telegraph distortion meter   medidor de distorsión telegráfica.

telegraph distributor   distribuidor telegráfico. Dispositivo conmutador que tiene la función de asociar un canal telegráfico (de corriente continua o de onda portadora) en rápida sucesión periódica con los elementos de uno o más aparatos emisores o receptores de señales telegráficas. CF. **transmitter-distributor.**

telegraph dot   punto Morse, punto telegráfico. v. **Morse code.**

telegraph electromagnet   electroimán telegráfico. Electroimán provisto de una armadura cuyos movimientos definen una restitución telegráfica [telegraph restitution] y gobiernan las operaciones mecánicas de la recepción.

telegraph electronic relay   relé electrónico telegráfico. Dispositivo electrónico utilizado como relé telegráfico.

telegraph emission   emisión telegráfica.

telegraph engineer   ingeniero especializado en telegrafía.

telegraph engineering   ingeniería [técnica] telegráfica.

telegraph equipment   equipo telegráfico; aparatos telegráficos.

telegraph-equipment rack   bastidor telegráfico.

telegraph error [TGE]   error telegráfico; error del telegrafista.

telegraph exchange   central telegráfica.

telegraph facilities   instalaciones telegráficas; vías de comunicación telegráfica; servicio telegráfico [de telégrafo(s)].

telegraph franking privilege   franquicia telegráfica.

telegraph-grade circuit   circuito de calidad telegráfica. Circuito cuya calidad de transmisión es suficiente para la comunicación telegráfica; en este sentido se supone normalmente que el circuito emplea señalización de CC a una velocidad máxima de 75 baudios. CF. **voice-grade circuit**.

telegraph industry   industria telegráfica, sector telegráfico de la industria.

telegraph instrument   aparato telegráfico.

telegraph instrument room   sala de aparatos telegráficos. Sala de una central donde son explotados los puestos telegráficos [telegraph sets].

telegraph key   manipulador telegráfico. Dispositivo de accionamiento manual (esencialmente un contactor) que sirve para formar señales telegráficas. SIN. **sender, sending key**.

telegraph level   nivel telegráfico. Potencia relativa de las señales, expresada en decibelios referidos a un milivatio (dBm), en un punto especificado de un circuito telegráfico multicanal de ondas portadoras, cuando uno de los canales está en estado de trabajo (tono puesto) y todos los demás están en estado de reposo (tono quitado).

telegraph line   línea telegráfica.

telegraph link   enlace telegráfico. SIN. **telegraph connection**.

telegraph loop   línea telegráfica local [de abonado]. Línea que enlaza el puesto o aparato del abonado o usuario con la correspondiente central telegráfica.

telegraph magnifier   amplificador telegráfico. Dispositivo sensible, habitualmente utilizado en los cables submarinos [submarine cables], para amplificar las débiles señales recibidas antes de enviarlas a los relés o los regeneradores (CEI/70 75–75–145).

telegraph margin   margen telegráfico. v. **margin**.

telegraph message   mensaje [despacho] telegráfico, telegrama. v. **telegram**.

telegraph messenger   mensajero de telégrafos, repartidor de telegramas.

telegraph modem   modem telegráfico.

telegraph-modulated wave   onda modulada por una señal telegráfica.

telegraph modulation   modulación telegráfica. (**1**) Variación en el tiempo de una o más características cuantificadas [quantized characteristics] de una onda electromagnética, de una corriente alterna, o de una corriente continua, en correspondencia con las señales telegráficas o de datos que se transmiten. (**2**) En el caso particular de la telegrafía alfabética [alphabetic telegraphy]: (a) Sucesión en el tiempo de estados definidos que se hace tomar al órgano apropiado del aparato emisor con el objeto de formar las señales telegráficas, estando cada estado asociado al intervalo de tiempo correspondiente a su duración (sematema de partida); (b) acción de hacer tomar al órgano apropiado del aparato emisor dicha sucesión de estados definidos (semación de partida [formation of outgoing signal trains]).

telegraph modulator   modulador telegráfico. Organo o dispositivo (o grupo de ellos) que convierten un sematema de partida [outgoing signal train] en un producto de modulación. CF. **telegraph demodulator**.

telegraph money order [TMO]   giro telegráfico.

telegraph network   red telegráfica. Conjunto de puestos telegráficos, líneas y circuitos, así como de los medios de conmutación destinados a su interconexión, establecido con el objeto de asegurar un servicio telegráfico (CEI/70 55–50–015). En su organización general las redes telegráficas se dividen en los siguientes tipos: arterial (cuyo empleo disminuye por evolución hacia el tipo radial), radial, poligonal y mallado; las redes

malladas son de un sistema mixto de los tipos radial y poligonal.

telegraph noise   (*i.e.* circuit noise produced by telegraph circuits) ruido telegráfico [de telégrafo, de telegrafía]. Ruido de circuito producido por instalaciones telegráficas. SIN. **thump**.

telegraph office   central [oficina] telegráfica, despacho de telégrafos. Centro donde se explotan puestos telegráficos; centro equipado de aparatos telegráficos para la transmisión y recepción de telegramas.

telegraph operating agency   dependencia de explotación telegráfica.

telegraph operating system   sistema de explotación telegráfica.

telegraph operation   explotación telegráfica.

telegraph operator   telegrafista, operador [operadora] del telégrafo.

telegraph pole   poste telegráfico [de telégrafo].

telegraph position   posición telegráfica, puesto telegráfico. v. **telegraph set**.

telegraph printer   (*i.e.* Morse or five-unit printer) traductor impresor. Aparato que explora el registro de señales telegráficas (por ejemplo, en cinta perforada) e imprime los signos o caracteres correspondientes a esas señales, sin emisión intermedia. v. **page printer, tape printer**.

telegraph procedure   procedimiento telegráfico; método de explotación telegráfica.

telegraph pulse   impulso telegráfico.

telegraph rate   tarifa telegráfica.

telegraph receiver   receptor telegráfico.

telegraph recorder   registrador telegráfico. v. **code recorder, pulse recorder**.

telegraph rectifier relay   relé telegráfico de rectificadores secos. Dispositivo o circuito que incluye rectificadores secos [dry rectifiers] y que se usa como relé telegráfico.

telegraph regenerative repeater   repetidor telegráfico regenerativo. Repetidor en el cual las señales reemitidas están prácticamente exentas de distorsión.

telegraph regulations   reglamento telegráfico.

Telegraph Regulations Committee   Comisión del Reglamento Telegráfico.

Telegraph Regulations (Paris Revision, 1949)   Reglamento Telegráfico (Revisión de París, 1949).

telegraph relation   comunicación telegráfica; relación telegráfica. Servicio de intercambio de telegramas entre dos oficinas o dos países determinados.

telegraph relay   relé [relevador] telegráfico. Relé que interviene en una manipulación telegráfica | relé telegráfico. Relé ideado esencialmente para la traslación de señales telegráficas [repetition of telegraph signals] (CEI/70 55–75–190).

telegraph repeater   repetidor telegráfico, traslator. Relé (o relevador) sensible que se intercala a intervalos en las líneas telegráficas muy largas para retransmitir en forma más clara los signos que se reciben ya débiles o distorsionados | repetidor telegráfico. Instalación que efectúa automáticamente la recepción de señales telegráficas y la reemisión de señales correspondientes (CEI/70 55–75–175). CF. **converter** (*Telecom*), **translation, translator, telegraph regenerative repeater**.

telegraph restant   lista de telégrafos.

telegraph restitution   restitución telegráfica. v. **restitution**.

telegraph route   vía telegráfica; ruta de líneas telegráficas.

telegraph selector   selector telegráfico. Dispositivo que efectúa conmutaciones telegráficas bajo el mando de una señal definida o un tren definido de señales recibidos por un circuito de control.

telegraph service   servicio telegráfico.

telegraph set   puesto [aparato] telegráfico, instalación [posición] telegráfica. Instalación servida por un telegrafista o un usuario, y que comprende un aparato emisor y/o receptor, así como los dispositivos auxiliares necesarios. SIN. **telegraph position [station]**.

telegraph ship   buque cablero. Barco empleado en el tendido y reparación de cables submarinos.

telegraph shovel   pala para hoyos.

telegraph sideband   banda lateral telegráfica.

telegraph signal   señal telegráfica. Para los sistemas alfabéticos: Conjunto de elementos convencionales [conventional elements] establecidos por un código para permitir la transmisión de un carácter de escritura (letra, signo de puntuación, signo aritmético, etc.) o el mando de una cierta función (espaciamiento, inversión, cambio de renglón, retorno del carro, corrección de sincronismo, etc.) estando dicho conjunto caracterizado por la variedad, la duración y la posición relativa de sus elementos constitutivos (o por algunas de estas particularidades) (CEI/70 55–65–005). SIN. **code character.**

telegraph signal distortion   distorsión telegráfica [de las señales telegráficas]. v. **telegraph distortion.**

telegraph signal element   elemento de señal telegráfica. (**1**) Para la telegrafía alfabética: Cualquiera de los elementos que constituyen la señal según el código empleado, distinguiéndose cada elemento de los otros por su variedad, su duración o su posición relativa (o por algunas de estas particularidades). Ejemplos: (a) En los sistemas arrítmicos normalizados [standardized start-stop systems], cada uno de los siete elementos que figuran en el Alfabeto Internacional No. 2. (b) En el sistema Baudot [Baudot system], cada uno de los cinco elementos de las señales que figuran en el Alfabeto Internacional No. 1; cada uno de los dos elementos que constituyen la señal de corrección de sincronismo (CEI/70 55–65–015). (**2**) En sentido más general, cada una de las partes que constituyen una señal telegráfica y que se distingue de las otras por su naturaleza, su magnitud, su duración y su posición relativa (o por algunas de estas particularidades). v.TB. **signal element.**

telegraph signal recording   registro de señales telegráficas.

telegraph signal unit   unidad de señal telegráfica.

telegraph signaling speed   velocidad de transmisión telegráfica. v. **telegraph speed.**

telegraph sounder   (receptor) acústico, resonador telegráfico. v. **sounder.**

telegraph speed   velocidad telegráfica, rapidez de modulación. Inversa del intervalo unitario [unit interval] expresado en segundos; esta velocidad o rapidez se expresa en baudios [bauds]. SIN. **telegraph signaling [transmission] speed, modulation rate.**

telegraph spoon   (Herr) cuchara para hoyos.

telegraph station   estación telegráfica; puesto telegráfico. SIN. **telegraph set.**

telegraph statistics   estadísticas telegráficas [del servicio telegráfico].

telegraph subscriber   abonado al telégrafo.

telegraph subscribers' service   servicio de abonados al telégrafo.

telegraph switchboard   conmutador manual telegráfico. En un centro de conmutación, posición o posiciones manuales que permiten la interconexión de circuitos telegráficos (CEI/70 55–75–230).

telegraph switching   conmutación telegráfica.

telegraph system   sistema telegráfico | red telegráfica. v. **telegraph network.**

telegraph tape reperforator   reperforadora de cinta telegráfica, receptor perforador telegráfico. v. **receiving perforator.**

telegraph/telephone transmitter   emisor telegráfico-telefónico.

telegraph terminal   terminal telegráfico.

telegraph terminating equipment   equipo terminal telegráfico; aparatos terminales telegráficos.

telegraph test generator   generador de prueba para telegrafía.

telegraph thump   ruido telegráfico [de telégrafo]. v. **telegraph noise.**

telegraph tone   tono de telegrafía.

telegraph traffic   tráfico telegráfico, correspondencia telegráfica.

telegraph traffic movement   movimiento del tráfico telegráfico;

encaminamiento del tráfico telegráfico.

telegraph transmission   transmisión telegráfica.

telegraph transmission coefficient   coeficiente de transmisión telegráfica. Número entre 0 y 10 que se usa para expresar la pérdida de calidad de transmisión [transmission impairment] en una red telegráfica.

telegraph transmission impairment   pérdida de calidad de transmisión telegráfica.

telegraph transmission performance   calidad de transmisión telegráfica. v. **transmission performance.**

telegraph transmitter   emisor [transmisor] telegráfico. Aparato para la emisión de señales telegráficas en el punto de origen de una vía (un canal) de transmisión telegráfica (CEI/70 55–75–100). CASOS PART. emisor con teclado, emisor automático, emisor con numeración automática | emisor [transmisor] (radio)telegráfico | CF. **sender.**

telegraph typewriter   teleimpresor, aparato telegráfico impresor. SIN. **teletypewriter.**

telegraph user   usuario del telégrafo [del servicio telegráfico].

telegraph vibrating relay   relé vibrador telegráfico. Relé telegráfico provisto de arrollamientos suplementarios alimentados de manera de producir una oscilación regular de la armadura entre sus topes en ausencia de corriente de línea en el arrollamiento normal, con el objeto de aumentar la sensibilidad del relé y, al propio tiempo, reducir el grado de distorsión de las señales restituidas [restituted signals].

telegraph wire   hilo telegráfico, hilo de línea telegráfica.

telegraph wire circuit   circuito telegráfico alámbrico [por hilo].

telegraph wireless circuit   circuito telegráfico inalámbrico, circuito radiotelegráfico.

telegraph word   palabra telegráfica. (**1**) Grupo de caracteres o de palabras que se considera como una palabra a los efectos del cómputo en un telegrama. (**2**) Palabra compuesta de cinco letras y de un espacio, usada convencionalmente para calcular la capacidad de transmisión de tráfico en palabras por minuto (CEI/70 55–60–105). SIN. **conventional telegraph word.**

telegrapher   telegrafista. SIN. **telegraphist.**

telegrapher's equation   (Mat) ecuación del telegrafista.

telegraphic   adj: telegráfico. v.TB. **telegraph.**

telegraphic acknowledgment of receipt   acuse de recibo telegráfico. SIN. **telegraphic notification of receipt.**

telegraphic address   dirección telegráfica. SIN. **cable [code, telegraph] address.**

telegraphic alphabet   alfabeto telegráfico. Cuadro de correspondencia entre las letras, cifras y signos de la escritura y las señales telegráficas que los representan (CEI/38 55–15–055). v.TB. **telegraph alphabet.**

telegraphic checkable code   código telegráfico verificable.

telegraphic concentrator   v. **telegraph concentrator.**

telegraphic key   manipulador telegráfico. v. **telegraph key.**

telegraphic keying   manipulación telegráfica.

telegraphic news agency   agencia telegráfica de información.

telegraphic notification of receipt   acuse de recibo telegráfico. SIN. **telegraphic acknowledgment of receipt.**

telegraphic repeater   repetidor telegráfico, traslator | traslador. Instalación dispuesta en el punto de unión de dos líneas para recibir las señales telegráficas transmitidas por cada una de ellas y reexpedirlas inmediatamente por la otra (CEI/38 55–15–180). v.TB. **telegraph repeater.**

telegraphic restitution   restitución telegráfica. v. **restitution.**

telegraphic signal   señal telegráfica. Señal convencional utilizada para la transmisión de mensajes y que comprende una sucesión de emisiones de corriente, caracterizada por el número, duración, sentido y espaciamiento de dichas emisiones (CEI/38 55–15–035). v.TB. **telegraph signal.**

telegraphic speed   velocidad telegráfica, rapidez de modulación. v. **telegraph speed.**

telegraphic typesetting   telecomposición, composición teletipográfica, composición tipográfica por línea de telecomunicación. SIN. **teletypesetting.**

telegraphist   telegrafista. SIN. **telegraph operator, telegrapher.**

telegraphone   telegráfono. (**1**) Nombre dado a los primitivos aparatos de registro y reproducción fonográfica por magnetización variable de un hilo, una cinta o un disco de acero, precursores de los modernos magnetófonos. (**2**) Nombre que designaba un aparato que, instalado en una estación, registraba automáticamente el número de toda persona que llamara esa estación si no había en ella nadie que contestara las llamadas.

telegraphoscope   telegrafoscopio. Primitivo aparato de fototelegrafía.

telegraphy   telegrafía. (**1**) Sistema de telecomunicación para la transmisión de escritos por medio de un código de señales. (**2**) Transmisión de mensajes o despachos mediante señales codificadas representativas de los caracteres de la escritura (letras, numerales, signos de puntuación, y signos auxiliares). (**3**) Rama de la telecomunicación relativa a todo proceso que permita la reproducción a distancia de información documental, mediante registro escrito, impreso o gráfico. (**4**) Sistema de telecomunicación que interviene en toda operación que efectúa la transmisión y la reproducción a distancia del contenido de cualquier documento, tal como un escrito, un impreso o una imagen fija, o bien la reproducción a distancia de cualquier género de información bajo esa forma (CEI/70 55–05–015). CASOS PART. telegrafía alfabética, t. Morse, t. impresora [por aparatos impresores], t. de mosaico [por descomposición de signos], t. Hell, t. Baudot, t. sincrónica, t. arrítmica, t. automática, t. manual, t. por corriente continua, t. por corriente portadora, t. armónica [de frecuencias vocales], t. de frecuencias musicales, t. infraacústica, t. ultraacústica, t. facsímil, t. por registro de señales, t. electroquímica, t. óptica (heliógrafo, semáforo), t. simple, t. múltiple, t. diplex, t. dúplex, t. cuadruplex, t. inalámbrica (radiotelegrafía), t. submarina (cablegrafía), fototelegrafía. v. **alphabetic telegraphy, carrier telegraphy, direct-current telegraphy, facsimile (telegraphy), Hellschreiber system, automatic telegraphy, manual telegraphy, Morse telegraphy, mosaic telegraphy, phototelegraphy, broadcast telegraphy, diplex telegraphy, electrochemical telegraphy, multiplex telegraphy, radiotelegraphy, simplex telegraphy, printing telegraphy, start-stop system, synchronous system, subaudio telegraphy, voice-frequency telegraphy, superaudio telegraphy** /// *adj:* telegráfico.

telegraphy modulated at audio frequency   telegrafía modulada en audiofrecuencia.

telegraphy on pure continuous waves   telegrafía por ondas continuas puras [CW].

telegraphy receiver   v. **telegraph receiver.**

telegraphy transmitter   v. **telegraph transmitter.**

teleguidance   teleguía, teledirección, guía a distancia.

telehor   telehor. Primitivo aparato de televisión (ideado por Mihaly en 1922).

teleindicator   teleindicador, indicador a distancia.

teleindicator of level   indicador a distancia de nivel. Dispositivo que transmite a distancia, por medio de un circuito eléctrico, la indicación de nivel de un líquido en un punto (CEI/38 35–15–110).

telelectric   *adj:* teleléctrico. Relativo o perteneciente a la transmisión (p.ej. de música) a distancia por medios eléctricos.

teleman   (*Marina de guerra norteamericana*) suboficial de telecomunicaciones.

telemanipulator   telemanipulador.

telemanometer   telemanómetro.

telemechanics   telemecánica; teleaccionamiento.

telemechanism   telemecanismo.

telemeter   telemedidor, aparato de telemedida; teleindicador. CF. **teleammeter, televoltmeter, telewattmeter** | telémetro, medidor de distancia, distanciómetro | sistema de telemedida. v. **telemetering system** || (*Tv*) telemetro. v. **pay television** /// *adj:* teleme-

didor, de telemedida; teleindicador, de teleindicación; telemétrico, distanciométrico /// *verbo:* telemedir, medir a distancia; medir distancias; transmitir medidas a distancia.

telemeter band   v. **telemetering band.**

telemeter channel   v. **telemetering channel.**

telemeter pickup   v. **telemetering pickup.**

telemeter service   v. **telemetering service.**

telemetered   *adj:* telemedido, medido a distancia.

telemetering   telemedida, telemedición, teleindicación. A VECES: telemetración, telemensura. (**1**) Indicación a distancia de magnitudes o de lecturas de instrumentos de medida. (**2**) Transmisión a distancia de medidas tomadas mediante transductores [transducers] o aparatos de medida. (**3**) Acción de transmitir una señal representativa de una magnitud o un evento para su observación o registro en un punto distante. SIN. **telemetría** ── **electric [remote] telemetering, telemetry.**

telemetering antenna   antena de radioenlace de telemedida.

telemetering band   banda de telemedida. Banda de radiocomunicación asignada a los servicios de telemedida.

telemetering bay   bastidor de telemedida.

telemetering channel   canal [circuito] de telemedida. Canal o circuito, con todos los dispositivos necesarios en los puntos de emisión y recepción, para la transmisión de un solo mensurando o función telemétrica.

telemetering circuit   circuito de telemedida.

telemetering coder   codificador [aparato de codificación] de telemedida.

telemetering commutator   conmutador de telemedida.

telemetering decoder   descodificador de telemedida.

telemetering demodulator   desmodulador de telemedida.

telemetering detector   detector de telemedida.

telemetering device   (*i.e.* device for telemetering) dispositivo de telemedida. Dispositivo eléctrico de medida que permite efectuar a distancia la medida de magnitudes eléctricas o de otra clase (CEI/58 20–30–170).

telemetering facilities   medios de telemedida; dispositivos de telemedida.

telemetering in flight   telemedida en vuelo.

telemetering modulator   modulador de telemedida.

telemetering pickup   transductor de telemedida. Dispositivo que, en función del mensurando (magnitud que se mide), proporciona una señal apropiada para la modulación de un circuito de telemedida. SIN. **telemetering transducer.**

telemetering radiosonde   radiosonda de telemedida.

telemetering receiver   receptor de telemedida.

telemetering receiving equipment   equipo receptor de telemedida.

telemetering record   registro telemétrico [de telemedida].

telemetering recorder   registrador de telemedida [de señales telemétricas].

telemetering sampling   muestreo de telemedida. Muestreo de una magnitud (presión, temperatura, tensión eléctrica, etc.) para la emisión de señales eléctricas representativas de sus valores en el tiempo; puede considerarse que incluye una o varias de las funciones siguientes: detección o captación, traducción, codificación, y emisión de las señales mencionadas.

telemetering sensor   transductor de telemedida. SIN. **telemetering transducer.**

telemetering service   servicio de telemedida.

telemetering system   sistema de telemedida. Conjunto de los aparatos de medida, de transmisión, y de recepción destinados a permitir la medida, observación o registro a distancia de magnitudes físicas. v.TB. **telemetering.**

telemetering transducer   transductor de telemedida. SIN. **telemetering pickup [sensor].**

telemetering transmitter   emisor [transmisor] de telemedida.

telemetering transmitter/receiver   emisor-receptor de telemedida.

telemetering transmitting equipment equipo transmisor de telemedida.

telemetric *adj*: telemétrico; distanciométrico.

telemetric data datos telemétricos.

telemetric data analyzer analizador de datos telemétricos.

telemetric data monitor monitor de datos telemétricos.

telemetric data receiving set equipo receptor de datos telemétricos.

telemetry telemetría, telemedida, telemedición, teleindicación. v. **telemetering** ⫻ *adj*: telemétrico.

telemetry beacon radiobaliza telemétrica [de telemedida].

telemetry demodulator v. **telemetering demodulator**.

telemetry frame cuadro de exploración telemétrica. Muestreo completo de un grupo determinado de canales de información; vuelta completa del conmutador en un sistema multicanal por división de tiempo.

telemetry frame rate frecuencia de cuadros de exploración telemétrica. Inversa del período del cuadro de exploración telemétrica.

telemetry keyer manipulador de telemedida.

telemetry receiver v. **telemetering receiver**.

telemetry signal señal telemétrica [de telemedida].

telemetry system sistema telemétrico [de telemedida]. v. **telemetering system**.

telemetry technique telemetría, técnica de la telemedida [de las medidas a distancia].

telemicroscopy telemicroscopía.

telemural projector proyector de televisión sobre pantalla.

teleobjective *(Cine/Fotog/Tv)* teleobjetivo.

teleobservation teleobservación, observación a distancia.

telephone [phone, tel.] teléfono, telefonía. v. **telephony** | **by telephone:** por teléfono, por vía telefónica | teléfono, aparato telefónico. v. **telephone set** ⫻ *adj*: telefónico. v.тв. **telephonic** ⫻ *verbo*: telefonear; llamar por teléfono, hacer una llamada (telefónica); comunicar [transmitir] por teléfono | **to telephone (a message) by wireless:** telefonear (un mensaje) por vía inalámbrica, radiotelefonear (un mensaje).

telephone amplifier repetidor telefónico. SIN. **telephone repeater**.

telephone amplifying tube válvula amplificadora telefónica.

telephone and coin box aparato telefónico [estación telefónica] de pago previo.

telephone answering set aparato de contestación automática de llamadas telefónicas. Aparato que en ausencia del abonado contesta el teléfono con un mensaje previamente registrado con ese propósito, y que puede incluso invitar al que llama a dictar un mensaje que el abonado puede transcribir a su regreso.

telephone block system *(Ferroc)* bloqueo telefónico. Bloqueo en el cual la unión entre los diferentes puestos se efectúa por medio de comunicaciones telefónicas (CEI/38 30–30–040).

telephone book v. **telephone directory**.

telephone booth casilla de teléfono, caseta telefónica, locutorio telefónico.

telephone box casilla de teléfono, caseta [cabina] telefónica. SIN. **telephone booth**.

telephone broadcasting radiodifusión telefónica, difusión por hilo.

telephone broadcasting station estación de radiodifusión telefónica.

telephone cable cable telefónico.

telephone cable link enlace telefónico por cable.

telephone call llamada telefónica; comunicación [conversación] telefónica.

telephone call queueing system sistema de espera [puesta en turno] de llamadas telefónicas.

telephone call unit unidad de llamada telefónica. Medida de tiempo (p.ej. tres minutos) adoptada como unidad para tasar las comunicaciones telefónicas.

telephone capacitor condensador telefónico. Condensador fijo de pequeña capacidad que se conecta en paralelo con el auricular para derivar las frecuencias más altas de la gama audible y reducir así el ruido.

telephone carrier portadora telefónica; empresa [compañía] telefónica, empresa de explotación telefónica.

telephone carrier current corriente portadora telefónica.

telephone carrier system sistema de telefonía por corrientes portadoras, sistema de telefonía en alta frecuencia.

telephone central office central telefónica.

telephone channel canal telefónico, vía (de comunicación) telefónica. Vía o circuito de telecomunicación monolateral o bilateral, o sea, unidireccional o bidireccional, apropiado para la transmisión de señales de audiofrecuencia. Comúnmente se entiende que su ancho de banda es suficiente para una sola conversación a la vez. Cada canal telefónico puede subdividirse en frecuencia para la transmisión de múltiples señales telegráficas simultáneamente. v. **voice channel**.

telephone charge tasa telefónica.

telephone circuit circuito telefónico, vía (de comunicación) telefónica. (1) Circuito completo por el que circulan las corrientes de audiofrecuencia y de señalización entre dos aparatos telefónicos que se hallen en comunicación uno con otro. (2) Conjunto de los medios necesarios para establecer una comunicación telefónica directa entre dos conmutadores, sean manuales o automáticos. (3) Conjunto de los medios necesarios para establecer una comunicación directa entre dos centrales telefónicas. El circuito se llama *internacional* cuando éstas están situadas en países diferentes; la expresión *circuito interurbano* se reserva para el caso en que el circuito es puramente nacional. v. **telephone circuit appropriated for telegraphy, telephone circuit by..., telephone circuit with...**

telephone circuit appropriated for telegraphy circuito telefónico apropiado al telégrafo. Circuito telefónico equipado en forma de que el conjunto de sus conductores de líneas tomados en paralelo constituya el conductor de línea de un circuito telegráfico (CEI/38 55–25–040).

telephone circuit by carrier current circuito telefónico por corriente [onda] portadora.

telephone circuit by radio circuito telefónico por radio.

telephone circuit by wire circuito telefónico por línea [por hilo], circuito telefónico físico.

telephone circuit expert especialista en circuitos telefónicos, perito en enlaces telefónicos.

telephone circuit with telegraph circuit superposed circuito telefónico para telefonía y telegrafía simultáneas, circuito apropiado a la telefonía y telegrafía simultáneas.

telephone communication comunicación telefónica.

telephone conduit conductor para cables telefónicos.

telephone connection comunicación telefónica; enlace telefónico.

telephone control panel panel de control telefónico.

telephone current corriente telefónica. Corriente eléctrica emitida o controlada por un transmisor telefónico.

telephone current form factor factor telefónico de forma de corriente (de una línea eléctrica). Razón de su corriente perturbadora equivalente a su corriente nominal de servicio; se expresa en porcentaje (CEI/38 55–25–110). CF. **telephone harmonic form factor**.

telephone customer abonado al teléfono [al servicio telefónico]. SIN. **telephone subscriber**.

telephone delivery of a telegram dictado de un telegrama por teléfono.

telephone density densidad telefónica.

telephone dial disco [selector] telefónico.

telephone directory guía telefónica, lista de abonados al teléfono, directorio telefónico [de teléfonos]; anuario telefónico, lista anual de subscriptores del teléfono. SIN. **telephone book**.

telephone distress band   (*Radiocom*) banda de socorro telefónica. SIN. **voice distress band.**

telephone diversity combiner   (*Radiotelef*) combinador de telefonía en diversidad.

telephone drop   ramal de abonado.

telephone drop wire   alambre telefónico bifilar trenzado, alambre telefónico flexible de dos conductores.

telephone earphone   auricular (telefónico), receptor telefónico. v. **telephone receiver.**

telephone earpiece   auricular (telefónico), audífono, receptor telefónico. v. **telephone receiver.**

telephone engineer   ingeniero especializado en telefonía.

telephone engineering   ingeniería [técnica] telefónica.

telephone equipment   equipo telefónico; aparatos telefónicos | instalación telefónica. SIN. **telephone installation [plant].**

telephone error [TFE]   error telefónico; error de la telefonista.

telephone exchange   central telefónica, centro telefónico.

telephone exchange specialist   especialista en centrales telefónicas.

telephone facilities   instalaciones telefónicas; circuitos telefónicos, vías [medios] de comunicación telefónica; servicio telefónico [de teléfonos].

telephone franking privilege   franquicia telefónica.

telephone frequency   frecuencia telefónica [vocal]. (**1**) Frecuencia comprendida en la banda de las frecuencias cuya percepción es necesaria para la comprensión clara del lenguaje hablado. (**2**) Frecuencia acústica comprendida en la banda de frecuencias efectivamente transmitidas por un canal telefónico [telephone channel] dado, sin tomar en cuenta ningún cambio de frecuencia. SIN. **voice frequency** (CEI/70 55–05–035).

telephone handset   microteléfono, combinado telefónico. v. **handset.**

telephone handset with boom microphone and earpiece   microteléfono [combinado] con auricular y micrófono montado en una varilla que lo mantiene frente a la boca.

telephone harmonic form factor (of an electric line)   factor telefónico de forma (de una línea eléctrica). Razón de la tensión perturbadora equivalente [equivalent disturbing voltage] a la tensión de servicio [service voltage], en las condiciones consideradas; este factor no difiere de la *razón de ponderación* [weighting ratio] de la tensión de la línea cuando $k_f = 1$. CF. **telephone current form factor, telephone voltage form factor.**

telephone headgear receiver   casco telefónico, auricular (telefónico) de cabeza, audífono con cabezal. SIN. **headphone.**

telephone headset   audífonos, auriculares telefónicos. V.TB. **headset.**

telephone induction coil   bobina telefónica de inducción. v. **induction coil.**

telephone industry   industria telefónica, sector telefónico de la industria.

telephone influence factor [TIF]   factor "TIF". De una onda de tensión o de corriente de una línea industrial, razón de la raíz cuadrada de la suma de los cuadrados de los valores eficaces ponderados de todas las componentes sinusoidales (tanto fundamentales como armónicas) al valor eficaz (no ponderado) de la misma onda.

telephone installation   instalación telefónica.

telephone jack   (a.c. phone jack) jack de teléfono; jack (tipo) telefónico; jack para los auriculares.

telephone line   línea telefónica. (**1**) Línea que une un teléfono con su central, o que enlaza una central con otra. (**2**) Conjunto de conductores aéreos o en cable que une dos centrales. (**3**) Conductores y aparatos de circuito asociados con un canal particular de comunicación telefónica.

telephone link   enlace telefónico. Medio o combinación de medios de transmisión entre dos puntos donde las conmutaciones de los circuitos se efectúan a frecuencia de voz.

telephone loading coil   bobina telefónica de carga. v. **loading**

coil.

telephone message   telefonema, mensaje telefónico.

telephone message forwarded by subscriber for delivery by nonsubscriber from telephone exchange   telefonema.

telephone modem   modem telefónico.

telephone modulation   modulación telefónica.

telephone network   red telefónica.

telephone operating   explotación telefónica.

telephone operating agency   dependencia de explotación telefónica.

telephone operation   explotación telefónica; servicio telefónico.

telephone operator   telefonista.

telephone pickup   captor [captador] telefónico, captador para teléfono; bobina telefónica, bobina captadora para teléfono; adaptador para grabaciones telefónicas. Dispositivo a base de una bobina de inducción que se coloca sobre el auricular del teléfono, o sobre el cual descansa el aparato completo, con el fin de captar las voces de ambos interlocutores durante una conversación telefónica que se desea amplificar o registrar en cinta magnetofónica. SIN. **telephone pickup coil | telephone pickup with suction cup:** adaptador "chupete" para grabaciones telefónicas.

telephone pickup coil   bobina telefónica, bobina captadora para teléfono. v. **telephone pickup.**

telephone plant   planta telefónica. Instalaciones telefónicas; en su sentido más amplio el término abarca las líneas y los aparatos montados al aire libre y todos los equipos y dispositivos montados bajo techo | equipo telefónico, instalación telefónica. SIN. **telephone equipment [installation].**

telephone plant central   central telefónica.

telephone plug   (a.c. phone plug) clavija de tipo telefónico, clavija telefónica.

telephone pole   poste telefónico, poste de línea telefónica.

telephone practices   técnicas telefónicas; normas de la industria telefónica.

telephone public   usuarios del servicio telefónico (público); abonados al servicio telefónico (público).

telephone rate   tarifa telefónica.

telephone receiver   receptor telefónico, auricular (telefónico), audífono. SIN. **receiver, telephone earphone [earpiece]** | receptor telefónico. (**1**) Sistema electroacústico que transforma oscilaciones eléctricas en oscilaciones acústicas (CEI/38 55–20–045). (**2**) Transductor electroacústico que transforma las oscilaciones eléctricas en ondas acústicas y que está ideado para ser empleado en un puesto telefónico. SIN. **telephone earphone** (CEI/60 08–20–075). V.TB. **receiver.** CF. **telephone transmitter.**

telephone receptionist   (*Servicio teleg*) telefonista de tráfico. Telefonista que toma los telegramas dictados por teléfono para su transmisión, y que también telefonea al destinario telegramas recibidos por los circuitos telegráficos.

telephone regulations   reglamento telefónico.

Telephone Regulations (Paris Revision, 1949)   Reglamento Telefónico (Revisión de París, 1949).

telephone relations   comunicaciones telefónicas, servicio telefónico. SIN. **telephone service.**

telephone relay   relé telefónico, relé [relevador] tipo telefónico. Relé electromagnético [electromagnetic relay] de empleo común en circuitos telefónicos y electrónicos.

telephone rental   tarifa de abono telefónico.

telephone repeater   repetidor telefónico. Combinación de uno o varios amplificadores y dispositivos correspondientes que permite compensar la atenuación de un circuito telefónico (CEI/38 55–20–055). V.TB. **repeater.**

telephone repeater coil   bobina telefónica repetidora. v. **repeating coil.**

téléphone restant message   mensaje "téléphone restant". CF. **poste restante, telegraph restant.**

téléphone restant service   servicio "téléphone restant".

telephone retardation coil   bobina telefónica de retardo. v.

retardation coil.

telephone ringer   v. ringer.

telephone service   servicio telefónico, comunicaciones telefónicas. SIN. telephone relations.

telephone set   teléfono (de abonado), aparato telefónico. SIN. telephone | teléfono, aparato telefónico. Conjunto que comprende un micrófono [telephone transmitter], un receptor telefónico [telephone receiver] y un conmutador o soporte conmutador [switchhook], así como su cableado y ciertos elementos accesorios directamente relacionados con aquéllos (CEI/70 55-85-005).

telephone set with fixed microphone   aparato telefónico de micrófono fijo, aparato con micrófono fijo.

telephone signal unit   unidad de señal telefónica.

telephone signaling   señalización telefónica.

telephone station   puesto telefónico. (1) Conjunto constituido por un aparato telefónico [telephone set] y sus accesorios. (2) Aparato telefónico unido a una red telefónica [telephone network] (CEI/70 55-85-010) | puesto [estación] de abonado. v. subscriber's station.

telephone statistics   estadísticas telefónicas [del servicio telefónico].

telephone subscriber   abonado al teléfono [al servicio telefónico].

telephone subscription   abono al teléfono [al servicio telefónico].

telephone subset   aparato [teléfono] de abonado; aparato (telefónico), teléfono. v. subset.

telephone switchboard   cuadro, conmutador, cuadro conmutador, conmutador manual, mesa [cuadro] de operadoras, conmutador telefónico, tablero de distribución telefónica, cuadro de conmutación telefónica, mesa conmutadora. LOCALISMO: pizarra telefónica. v. switchboard.

telephone switching   conmutación telefónica. MICROGLOSARIO:

- connecting circuit: circuito de conexión
- finder: buscador
- first selector: primer selector
- line finder: buscador de línea
- register: registrador
- register finder: buscador de registrador
- second selector: segundo selector
- secondary finder: buscador secundario
- selector: selector
- subscriber's set: puesto de abonado
- subscriber's uniselector: preselector (de abonado)
- switching diagram: esquema de conmutación
- two-motion selector: selector de dos movimientos

telephone system   sistema telefónico | red telefónica. SIN. telephone network.

telephone-telegram service   servicio de transmisión de telegramas por teléfono. Servicio que asegura la transmisión por teléfono de un telegrama entre dos oficinas telegráficas [telegraph offices] (CEI/70 55-60-160). CF. phonogram service.

telephone-telegraph circuit   circuito telefónico-telegráfico.

telephone-telex system   red [servicio] télex por líneas telefónicas.

telephone terminal   terminal telefónico.

telephone terminating equipment   aparatos terminales telefónicos. CF. terminating set.

telephone termination   terminación telefónica.

telephone tip   clavijilla telefónica.

telephone traffic   tráfico telefónico, correspondencia telefónica.

telephone-traffic trunking plan   plan de vías troncales para tráfico telefónico.

telephone training center   centro de adiestramiento de personal de teléfonos; centro de formación profesional telefónica.

telephone transformer   (Telecom) transformador de entrada de los auriculares; transformador de entrada del altavoz ‖ (Telef) bobina de inducción. v. induction coil.

telephone transformer in operator's circuit   (Telef) bobina de inducción del equipo de operadora.

telephone transit circuit   circuito telefónico de tránsito.

telephone transmission performance   calidad de transmisión telefónica. v. transmission performance.

telephone transmission reference system   sistema de referencia para la transmisión telefónica. v. reference equivalent, reference system for determining the articulation reference equivalent.

telephone transmission technique   técnica de la transmisión telefónica.

telephone transmitter   (a.c. transmitter) micrófono (telefónico), transmisor telefónico | micrófono telefónico, cápsula telefónica. Micrófono destinado a ser empleado en un puesto telefónico [telephone set] (CEI/60 08-15-135). CF. handset, microphone, telephone receiver.

telephone trunk cable   cable telefónico troncal; cable telefónico para vías troncales.

telephone-type dial   cuadrante tipo telefónico, disco telefónico. v. dial.

telephone-type relay   relé tipo telefónico. v. telephone relay.

telephone user   usuario del teléfono [del servicio telefónico]; abonado al servicio telefónico (público).

telephone voice recorder   dispositivo de registro de (las) conversaciones telefónicas, aparato registrador de conversaciones telefónicas.

telephone voltage form factor   factor telefónico de forma de tensión (de una línea eléctrica). Razón de su tensión perturbadora equivalente, a su tensión nominal de servicio; se expresa en porcentaje (CEI/38 55-25-105). CF. telephone harmonic form factor.

telephone wire   hilo telefónico, alambre telefónico [de teléfono, para teléfonos].

telephone with combined mouthpiece and receiver   teléfono combinado, microteléfono. v. handset.

telephone with dial   aparato con disco marcador, aparato telefónico con selector.

telephone working   servicio telefónico; explotación telefónica.

telephoned telegram   telegrama telefoneado.

telephonic   adj: telefónico. v. TB. telephone.

telephonic art   técnica telefónica.

telephonic current   v. telephone current.

telephonic echo   eco telefónico. Efecto de una onda que, emanando de una onda principal (por ejemplo por reflexión) alcanza un receptor con magnitud y retardo suficientes para ser percibida distintamente (CEI/38 55-25-090). v. TB. echo.

telephonic interview   entrevista telefónica [por teléfono].

telephonically   adv: telefónicamente.

telephonically silent generator   generador telefónico.

telephonist   telefonista. SIN. telephone operator.

telephonogram   telefonograma.

telephonograph   telefonógrafo. Aparato para el registro de mensajes o sonidos recibidos por teléfono. CF. telephone voice recorder.

telephonometer   telefonómetro. Aparato para medidas telefónicas ‖‖ adj: telefonométrico.

telephonometric   adj: telefonométrico.

telephonometry   telefonometría. Técnica de las medidas en aparatos y circuitos telefónicos ‖‖ adj: telefonométrico.

telephony   telefonía. Sistema de telecomunicación establecido con el objeto de transmitir la palabra o, en ciertos casos, otros sonidos (CEI/70 55-05-010). AFINES: música, señales audibles, radiotelefonía, telefonía múltiple, telefonía por corrientes portadoras ‖‖ adj: telefónico.

telephote   telefoto. Primitivo aparato de televisión en el cual se empleaban espejos vibratorios para el movimiento del haz explorador; la vibración de los espejos se regulaba por medio de diapasones en el punto de transmisión.

telephoto   telefoto, fototelegrafía, facsímile. Sistema de teleco-municación para la transmisión de fotografías u otras imágenes fijas y su recepción en forma permanente. v.tb. **facsimile** | (*i.e.* telephotography) telefotografía, fotografía a distancia.

telephoto equipment   aparatos telefotográficos, material de telefotografía.

telephoto lens   (a.c. tele lens) teleobjetivo, objetivo [lente] telefotográfico. Objetivo de gran distancia focal; objetivo de ángulo reducido utilizado para obtener imágenes grandes de objetos distantes. SIN. **long-focus lens.**

telephoto transmission   transmisión fototelegráfica.

telephotograph   telefotografía; imagen telefotográfica.

telephotographic   *adj:* telefotográfico.

telephotographic lens   v. **telephoto lens.**

telephotography   (a.c. telephoto) telefotografía, fotografía a distancia || (*Telecom*) v. **phototelegraphy.**

telephotometer   telefotómetro.

telepix   (*slang*) (*i.e.* television pictures) imágenes de televisión.

teleprinter   (*Telecom*) teleimpresor, teletipo, teleescritor | teleimpresor (arrítmico). Aparato arrítmico que comprende un emisor de teclado y un receptor impresor. SIN. **teletypewriter** (*EU*) (CEI/70 55–75–060). v. **teletypewriter.**

Teleprinter   Marca registrada de la Western Union para sus aparatos telegráficos terminales.

teleprinting   teleimpresión.

teleprocessing   telesistematización [teletratamiento] de datos, sistematización [tratamiento] de datos a distancia.

teleprocessing network   red de telesistematización de datos.

teleprocessing system   sistema de teletratamiento de datos.

teleprompter   (*Tv*) apuntador; desarrollador de textos. SIN. **prompter.**

teleprotection   teleprotección.

telepyrometer   telepirómetro.

teleradiography   telerradiografía.

teleradium therapy   (*i.e.* teletherapy with radium) telerradiote-rapia. Telecurieterapia o teleterapia [telecurie therapy, teletherapy] por medio del radium (CEI/64 65–25–095).

teleran   telerán, radar televisado, localizador por radar-televisión. Sistema radioeléctrico de auxilio a la navegación aérea en el que se combinan técnicas de radar y de televisión. Un radar montado en tierra explora el espacio aéreo y presenta la información en la pantalla de un tubo de rayos catódicos (presentación panorámi-ca); sobre esta pantalla se superpone un mapa transparente de la región, y la imagen combinada se transmite por televisión y es recibida en un televisor a bordo del avión. El término proviene de *tele*vision-*ra*dar *n*avigation o de *tele*vision-*ra*dar *a*ir *n*avigation.

teleran picture   imagen de telerán.

teleran system   sistema telerán.

telereceiver   (*i.e.* television receiver) televisor.

telereception   (*i.e.* television reception) recepción televisiva.

telerecorder   telerregistrador, registrador a distancia | (*i.e.* televi-sion recorder) registrador de televisión, registrador de programas de televisión.

telerecording   telerregistro, registro a distancia || (*Tv*) (*i.e.* televi-sion recording) registro de programas de televisión | telerregistro. Registro de un programa de televisión efectuado sea previamente, sea durante su transmisión (CEI/70 60–64–610).

telerecording equipment   equipo telerregistrador [de registro a distancia] || (*Tv*) equipo registrador (de programas) de televi-sión | telerregistrador. Aparato destinado a registrar programas de televisión en film o en cinta magnética (CEI/70 60–64–805). v. **telerecording equipment for film, telerecording equipment for magnetic tape.**

telerecording equipment for film   telerregistrador de película. Aparato compuesto de un receptor de televisión combinado con un aparato tomavistas cinematográfico y destinado a registrar pro-gramas de televisión (CEI/70 60–64–810).

telerecording equipment for magnetic tape   telerregistrador de cinta magnética | magnetoscopio. Aparato que permite el registro y la lectura de programas de televisión en una cinta magnética (CEI/70 60–64–815).

teleregulation   telerregulación, regulación a distancia. CF. **tele-control.**

telerepeating device   dispositivo [mecanismo] telerrepetidor.

telering   dispositivo selector de frecuencia para repique telefónico. CF. **ringing supply.**

teleroentgenography   telerroentgenografía.

telesat   Abrev. de telecommunications satellite.

telescope   telescopio, anteojo, catalejo || (*Topog*) anteojo /// *adj:* telescópico /// *verbo:* telescopiar(se), enchufar(se) | (*Sentido figurado*) abreviar, condensar, resumir.

telescope counter   (*Nucl*) contador telescópico.

telescoped   *adj:* telescopiado, telescopizado, enchufado, embuti-do; (de tipo) telescópico.

telescoped gangway   pasarela de tipo telescópico.

telescopic, telescopical   *adj:* telescópico; de larga vista | telescó-pico, de extensión, de enchufe, de secciones enchufables. v. **telescoping.**

telescopic finder   anteojo buscador.

telescopic sight   mira telescópica; alza telescópica.

telescopic tripod   (*Fotog*) trípode de secciones telescópicas [ajus-tables]. SIN. **adjustable tripod.**

telescopical   *adj:* v. **telescopic.**

telescoping   acción de telescopiar(se) o enchufar(se) /// *adj:* teles-cópico, telescopizante, de extensión, enchufador, de enchufe, de secciones telescópicas [enchufables].

telescoping antenna   antena telescópica.

telescoping antenna mast   mástil telescópico de antena.

telescoping mast   mástil telescópico [de extensión]. SIN. **exten-sion mast.**

telescoping monopole antenna   antena monopolar telescópica.

telescoping passageway   pasarela telescópica [de tipo telescópi-co]. SIN. **telescopic gangway.**

telescoping tower   torre telescópica, mástil telescópico. Torre o mástil de altura variable por deslizamiento de secciones de su estructura; se emplea p.ej. en ensayos de propagación radioeléctri-ca para estudiar el efecto de la altura de la antena.

telescoping tubular steel mast   mástil telescópico de tubos de acero.

telescoping whip antenna   antena telescópica flexible, antena de varilla telescópica.

telescriber   teleautógrafo, teleinscriptor. Aparato para la trans-misión de despachos escritos a mano. v.tb. **telewriter.**

telescribing phone   (*i.e.* handwriting transmitting telephone) teléfono teleinscriptor. Aparato que funciona como un teléfono común y corriente, pero que, además, presenta bilateralmente, en una pantalla cinescópica asociada al receptor, cualquier mensaje escrito a mano por el corresponsal que transmite; el aparato transmite las voces y las señales gráficas simultáneamente por un circuito telefónico normal.

teleseer   v. **televiewer.**

teleselection   teleselección, selección a distancia. CF. **telecontrol.**

teleselector   teleselector, selector a distancia.

telesignaling   teleseñalización.

telestereograph   telestereógrafo. Primitivo sistema de fototelegra-fía.

teleswitch   teleconmutador, conmutador [interruptor] a distan-cia.

telesyn   sincro. v. **synchro.**

telesynd   telesincro. Aparato de telemedida o de telemando sincrónico en velocidad y en posición.

teletechnics   teletecnia.

teletheater   (*i.e.* theater television) teleteatro, teatro de televisión; televisión teatral [de gran pantalla].

teletherapy   (*Radiol*) teleterapia, telecurieterapia. v. **telecurie therapy.**

teletherapy shield   blindaje para teleterapia.

telethermometer   teletermómetro, termómetro de indicación [registro] a distancia.

teletransmission   teletransmisión.

teletron   teletrón. Tubo de imagen (cinescopio) ideado por DuMont.

teletype   *(Telecom)* teleimpresor, teletipo, teleescritor. v. **teletypewriter.**

Teletype   Marca registrada de Teletype Corporation (EE.UU.) para los aparatos teleimpresores de su fabricación. v. **teletypewriter.**

teletypesetter   aparato de telecomposición. Aparato de composición a distancia mediante señales de tipo telegráfico transmitidas por una vía de telecomunicación.

teletypesetting   telecomposición. v.tb. **telegraphic typesetting.**

teletypewriter   *(Telecom)* teleimpresor, teletipo, teleescritor. Aparato electromecánico de telegrafía impresora que puede ser transmisor o receptor solamente, pero que generalmente está provisto de los dispositivos necesarios para la transmisión y la recepción en alternativa. Para la transmisión se utiliza un teclado semejante al de una máquina de escribir eléctrica. Al oprimir una tecla el aparato forma y transmite automáticamente la señal codificada correspondiente al carácter (letra, número, signo) o a la función auxiliar indicada sobre la tecla. Recíprocamente, el dispositivo receptor determina, en respuesta a la señal codificada recibida, el carácter que es inscrito automáticamente sobre una cinta o una hoja de papel con ayuda de un mecanismo movido por motor. Entre los mecanismos del aparato están los de *impresión; inversión de caja* o *cambio letras-cifras; maniobra de la cinta entintada* (avance, inversión, elevación); *cambio de línea* o *avance de renglón* [line feed]; *retorno del carro* [carriage return]; *detención del carro;* y *escape.* SIN. **teletipógrafo, aparato teletipográfico, máquina teleimpresora [teleescritora, de teleescritura, de teletipo], impresor telegráfico, aparato de telegrafía impresora** —— **printer, printing telegraph apparatus, teleprinter, teletype** | teleimpresor (arrítmico). Aparato arrítmico [start-stop apparatus] que comprende un emisor con teclado [keyboard transmitter] y un receptor impresor [printing receiver]. SIN. **teleprinter** (CEI/70 55–75–060). CF. **page printer, tape printer, tape reader, perforator, printing keyboard perforator, receiving perforator, printing reperforator, telewriter.** NOTA: Las expresiones como p.ej. *teleprinter channel* o *teletype channel* deben buscarse en este diccionario en su forma sinónima normalizada con *teletypewriter* como palabra inicial (*teletypewriter channel* en el caso de los ejemplos dados). Esta normalización evita recargar el léxico con repeticiones superfluas, al propio tiempo que simplifica la consulta.

teletypewriter automatic switching center   centro de conmutación automática para teleimpresores.

teletypewriter channel   canal [vía] de teleimpresor, canal de teleimpresión.

teletypewriter circuit   circuito de teleimpresor, enlace para teleimpresores.

teletypewriter code [telecode]   código de transmisión por teleimpresor. v. **telegraph code.**

teletypewriter connection   enlace para teleimpresores.

teletypewriter dial exchange service   servicio de enlaces directos de teleimpresor con llamada por disco.

teletypewriter drive   impulsor de teleimpresor, relé electrónico para teleimpresor. Aparato electrónico que funciona excitado por un *convertidor de tono* o por un *convertidor de manipulación por frecuencia* y a su vez suministra la señal de CC necesaria para excitar la bobina de accionamiento de una máquina teleimpresora, la que puede ser Teletype, Creed, o Hellscriber. En esta forma se elimina el relé electromecánico con sus inconvenientes típicos: distorsión de las señales, distorsión disimétrica, y fallas. La corriente de salida es del orden de las decenas de miliamperios y la resistencia de carga del orden de las centenas de ohmios; la señal de entrada es del orden de las decenas de voltios. v. **tone converter, frequency-shift converter.**

teletypewriter error [TTE]   *(Servicio teleg)* error teletipográfico, error del teletipista | error de teleimpresor, error de teleimpresión.

teletypewriter error detector [TED]   detector de errores de teleimpresor.

teletypewriter exchange   central de teleimpresores.

teletypewriter exchange service [Tx]   servicio de teleimpresores con conmutación; servicio de conmutación para teleimpresores.

teletypewriter for duplex operation   teleimpresor para servicio [explotación] dúplex.

teletypewriter key   tecla de teleimpresor.

teletypewriter keyboard   teclado de teleimpresor.

teletypewriter keyboard selection   selección por teclado (telegráfico). En el servicio de conmutación automática, procedimiento por el cual las señales necesarias para la selección son señales de telegrafía alfabética [alphabetic telegraph signals] emitidas por medio de las teclas de un teleimpresor. SIN. **permutation-code switching system.**

teletypewriter line   línea de teleimpresores.

teletypewriter machine   teleimpresor, máquina teleimpresora [de teletipo].

teletypewriter message   mensaje por teleimpresor, mensaje de teleimpresión.

teletypewriter network   red de teleimpresión, red de teleimpresores, red teletipográfica.

teletypewriter on radio [TOR]   teleimpresor [teletipo] vía radio, sistema TOR.

teletypewriter operator   teletipista, operador(a) teletipista, operador de teleimpresor [de teletipo]; operador del servicio de teleimpresores.

teletypewriter paper   papel de teleimpresor; cinta (de papel) de teleimpresor.

teletypewriter patch panel   panel de conmutación de teleimpresores [teletipos].

teletypewriter perforator   perforadora de teleimpresor.

teletypewriter service   servicio de teleimpresores, servicio teletipográfico.

teletypewriter signal   señal de teleimpresor. v. **telegraph signal.**

teletypewriter system   sistema teletipográfico [de teleimpresores] | red de teleimpresores, red de telegrafía impresora. SIN. **teletypewriter network.**

teletypewriter tape   cinta de teleimpresor, cinta (perforada) de teletipo.

teletypewriter test tape   cinta de prueba para teleimpresor, cinta (perforada) de prueba para teletipo. Cinta perforada de prueba que normalmente contiene repeticiones de las letras "RY", la identificación de la estación transmisora, y un texto contentivo de letras y cifras. Se usa para comprobar la ausencia de errores de transmisión o para determinar su frecuencia si los hay.

teletypewriter tie line   línea privada de teleimpresores.

teletypewriter traffic   tráfico teletipográfico, tráfico por teleimpresor.

teletypewriter transmission   transmisión teletipográfica [por teleimpresor].

teletypewriter transmitter   transmisor [emisor] de teleimpresor.

teletypewriter weather report   parte meteorológico enviado por teleimpresor [por teletipo].

teletypewriter with automatic corrector   teleimpresor con corrector automático (de errores).

teletypewriter word counter   aparato de teleimpresor para el cómputo de palabras.

teletypewriter working on a radio connection with ARQ available   teleimpresor explotado en un enlace radioeléctrico con dispositivo ARQ.

teleview   *verbo:* ver por televisión, observar (escenas) por televisión.

televiewer   teleespectador, televidente, espectador de televisión. Persona que observa una escena o un programa recibido por televisión. SIN. **viewer, teleseer.**

televiewing public   teleespectadores, público televidente.

televise   *verbo:* televisar. (1) Captar una escena mediante la cámara tomavistas o de televisión. (2) Transmitir imágenes electrónicamente mediante aparatos de televisión. (3) Realizar una emisión de televisión (CEI/70 60–64–010).

televised   *adj:* televisado.

televised image   imagen televisada.

televised interoffice communication   comunicación interior telefónica y visual. Sistema que combina la comunicación telefónica interior con la transmisión de imágenes por circuito cerrado.

televised microscopy   telemicroscopía.

televised picture   imagen televisada.

televised program   programa televisado [transmitido por televisión].

televised surgery   cirugía televisada. Transmisión televisiva de una operación quirúrgica para que pueda ser observada por otros cirujanos o por estudiantes de cirugía situados en otra sala o en otra localidad.

televiser   televisor.

televising   televisión, acción de televisar.

televising receiver   televisor, receptor de televisión.

television [TV, tv]   televisión. Abreviatura corriente: TV. (1) Sistema de telecomunicación (v. **telecommunication**) para la transmisión de imágenes transitorias de objetos fijos o móviles. (2) Sistema de transmisión de imágenes de escenas y de objetos que pueden estar en movimiento; el proceso general consiste en traducir las imágenes ópticas en señales eléctricas correspondientes, y en la reconversión de éstas en valores de luz que reproducen en el receptor las imágenes captadas en el punto de transmisión | radiovisión. Procedimiento que hace perceptible las imágenes a distancia por medio de un sistema de señales elementales transmitidas por medio de ondas electromagnéticas (CEI/38 60–30–015) | televisión. Telecomunicación que asegura la transmisión de imágenes transitorias de objetos fijos o móviles, acompañadas o no de sonidos (CEI/70 60–64–005) | VAR. videodifusión, difusión inalámbrica de imágenes. EXPRESIONES FIGURADAS: "la pantalla chica" (en oposición a la de cine), "las pantallas mínimas", "las pantallas de cristal". NOTA: La palabra *televisión* fue originada por un francés llamado Perskyi. El norteamericano Hugo Gernsback la introdujo en los EE.UU. en 1909, en un artículo por él publicado. AFINES: visivo, televisivo, televisual, televisor, teleespectador, videodifusora, videoemisora, pantalla, cinescopio, tubo pantalla, ánodo, cátodo, rejilla, ánodo acelerador, ánodo de enfoque, cañón electrónico, cuello del tubo, yugo de desviación [deflexión], borrado vertical [de campos], borrado horizontal [de líneas], desviación [deflexión] electrostática, desviación electromagnética, cinescopio tricañón [tricolor], período del trazo de retorno horizontal, impulsos [señal] de borrado, señal de borrado horizontal, señal de borrado vertical, tensión de barrido, circuitos desviadores, impulsos igualadores, sensibilidad de desviación [deflexión], nivel cero, nivel de blanco, nivel del negro, pórtico anterior, pórtico posterior, oscilador de barrido, amplificador de barrido horizontal, amplificador de barrido vertical, detector de imagen, tubo amortiguador, control de enfoque, impulsos sincronizadores, tensión [voltaje] en diente de sierra, tensión dentiforme, exploración entrelazada, circuitos separadores de sincronismo, control de contraste, detector de video, circuito sintonizado a frecuencias escalonadas (en el sistema de FI), transformador discriminador, trampa, toma del sonido. CF. **color television, monochrome television, scanning, optical image, picture, picture element, raster, aspect ratio, spiral scanning, scanning spot, scanning speed, picture frequency, sync, synchronism, phasing, retrace, sequential scanning, scanning line, field, field frequency, interlaced scanning, video frequency band, video signal, picture signal, sync pulse, synchronizing signal, blank level, blanking level, flyback, picture black, picture white, pedestal, blacker-than-black, DC** component, standing DC component, AC transmission, black level, positive amplitude modulation, positive frequency modulation, vision signal, vision frequency, vision carrier frequency, sound carrier frequency, front porch, back porch, equalizing pulse, definition, contrast, whiter-than-white, kinescope, picture tube, spot size, projection television receiver, telerecording, telefilm, picture monitor, scanning equipment, camera tube, image dissector, photocathode, mosaic, target, signal plate, deflection coils, monoscope, synchronizing pulse generator, sync separator, flying spot, field blanking interval, post-sync field-blanking interval, picture/synchronizing ratio.

television advertising   publicidad (comercial) televisada, anuncios (comerciales) por televisión.

television aerial   antena de televisión.

television air time   duración de las emisiones televisivas [de las transmisiones de televisión].

television amateur   aficionado de televisión.

television and radar navigation   navegación por radar y televisión. v. **teleran.**

television antenna   antena de televisión.

television aperture   abertura del diafragma (de una cámara televisora); tamaño del punto. v. **aperture.**

television band   v. **television broadcast band.**

television broadcast, television broadcasting   videodifusión, difusión televisiva, televisión, teledifusión, radiodifusión televisiva [visual]; difusión de programas de televisión; emisión [emisiones] de televisión.

television broadcast band   banda de televisión. Banda que incluye las frecuencias radioeléctricas destinadas a los servicios de televisión.

television broadcast coverage   área de servicio de las estaciones de televisión, zona de servicio de las emisoras de televisión.

television broadcast station   estación difusora [emisora] de televisión, estación de radiodifusión visual, estación [difusora, emisora] de televisión. SIN. **television station.**

television broadcasting   v. **television broadcast.**

television cable   cable de televisión. Cable coaxil capaz de dar paso a una banda lo suficientemente ancha para la transmisión de señales de televisión (de 4,5 a 6 MHz, según el caso).

television camera   cámara de televisión, cámara televisora [tomavistas], cámara tomavistas de televisión. Aparato de toma de vistas; aparato optoelectrónico que sirve para convertir en señales eléctricas la imagen óptica formada por un sistema de lentes. Lleva un tubo fotosensible que traduce los valores de luz en valores eléctricos correspondientes. La escena televisada se descompone en un gran número de elementos de imagen cuyas intensidades luminosas se transforman en amplitudes eléctricas que se transmiten sucesivamente y que constituyen la señal de videofrecuencia | cámara de televisión. Aparato que comprende los órganos ópticos y electrónicos esenciales para la toma de vistas de televisión (CEI/70 60–64–630). SIN. **cámara videocaptora, telecámara —— telecamera, camera.** AFINES: análisis de la imagen, captación de escenas, camarógrafo.

television camera cradle head   cabezal de balancín para montaje de cámara (tomavistas). v. **cradle head.**

television camera tube   tubo tomavistas (de televisión), tubo de cámara (de televisión). v. **camera tube.**

television car   vehículo de televisión. v. **television outside-broadcast vehicle.**

television center   centro de televisión, televicentro, telecentro.

television chain   cadena de televisión, cadena televisiva.

television channel   canal de televisión. Banda de frecuencias asignada al servicio de televisión.

television chart   mira, modelo [imagen, patrón] de prueba de televisión. v. **television test card, test chart.**

television cinema   v. **telecine; television theater.**

television circuit   circuito de televisión; circuito para transmisión televisiva.

television commentary   reportaje de televisión.

television commercial   anuncio comercial de la televisión, aviso comercial por televisión.

television component   componente [elemento, pieza suelta] para televisión.

television connection   enlace de televisión.

television control   control por televisión.

television cooking classes   clases [demostraciones] culinarias por televisión.

television designer   diseñador de la televisión.

television direct pickup link   enlace de toma directa de televisión.

television direct transmission   transmisión directa de televisión.

television director   director de televisión.

television distribution by cable   distribución televisiva por cable, teledifusión visual por cable.

television distribution system   sistema de distribución (de señales) de televisión. (1) Sistema para la distribución a domicilio de programas de televisión por cables coaxiles. (2) Instalación que comprende una antena colectiva y una red de cables y amplificadores que permite alimentar señales a muchos o varios receptores colocados en distintos apartamentos de un mismo edificio o en distintas habitaciones de un hotel.

television disturbance   perturbación de la recepción de televisión. CF. television interference.

television engineer   ingeniero de televisión; técnico en televisión.

television engineering   ingeniería de televisión; técnica [tecnología] de la televisión.

television-equipped satellite   satélite (artificial) equipado con televisión.

television expert   perito en televisión.

television field broadcast   telerreportaje de televisión, emisión de televisión desde fuera de los estudios.

television film camera   cámara de telecine. V. film-scanning camera, telecine camera.

television film programing   programas de telecine; programación telecinematográfica.

television film projection   proyección telecinematográfica [de telecine].

television film projector   proyector telecinematográfico [de telecine]. V. telecine projector.

television film recording   registro (de programas) de televisión en cinta cinematográfica, registro cinematográfico de programas de televisión, transcripciones cinescópicas (en película cinematográfica). SIN. kinescope recording, kinescopic transcription. CF. telerecording.

television film scanner   explorador de telecine, analizador de película para televisión.

television film transmitting equipment   equipo de telecine [de telecinema]. V. telecine equipment.

television framing   encuadre, encuadrado. V. framing.

television frequency band   banda de frecuencias de televisión.

television image   imagen de televisión.

television image simulator   simulador de imágenes de televisión.

television in relief   televisión tridimensional [en relieve].

television industry   industria de la televisión, sector industrial de la televisión.

television information   información [señales] de televisión.

television information storage tube   tubo acumulador de información de televisión, tubo de almacenamiento electrostático de señales de televisión.

television interference [TVI]   interferencia a la televisión, interferencia en la recepción televisiva. Se refiere a menudo a las perturbaciones que en los televisores de la vecindad causan las transmisiones de radioaficionado.

television lamp   lámpara para estudios de televisión. CF. studio lighting.

television leader   cola de operador de telecine. Trozo de película cinematográfica de prueba utilizado para comprobar el funcionamiento general del sistema de telecine (transmisión de películas por televisión) antes de proyectar el primer cuadro de la película destinada al público.

television license   licencia de televisión.

television license holder   titular de licencia de televisión.

television lighting (installation)   (instalación de) alumbrado de estudios de televisión. CF. studio lighting.

television line   línea de televisión.

television link   enlace de televisión.

television magnetic tape   cinta magnética para registro de programas de televisión, cinta para registro magnético de señales de televisión.

television magnetic tape recorder   registrador magnético de (señales de) televisión, magnetoscopio. SIN. telerecording equipment for magnetic tape (véase).

television mast   mástil (de antena) de televisión.

television master antenna   antena maestra [colectiva] de televisión.

television mechanic   mecánico [técnico] de televisión, reparador de televisores.

television microscope   microscopio televisivo, telemicroscopio.

television microscopy   microscopía por televisión, telemicroscopía.

television microwave relay   radioenlace (por microondas) para televisión, sistema de microondas para la transmisión de señales [programas] de televisión.

television mobile unit   camión para tomas exteriores de televisión, equipo móvil [unidad rodante] para captación de imágenes fuera de los estudios. V.TB. mobile unit, outside-broadcast van.

television network   red [cadena] de televisión, red de difusoras de televisión, cadena de estaciones de televisión. Red formada por varias estaciones videodifusoras enlazadas por cables coaxiles o hertzianos para el intercambio de programas.

television network switching center   centro de conmutación (de red) de televisión.

television newscast   noticiero [noticiario] de televisión, periódico televisado.

television newsreel   noticiero [periódico] televisado, película de actualidades televisada.

television optics   óptica de televisión.

television outside-broadcast unit   camión para tomas exteriores de televisión, equipo móvil para captación televisiva fuera de los estudios, unidad rodante de reportaje televisado. V.TB. mobile unit, outside-broadcast unit.

television outside-broadcast vehicle   vehículo [camión] para tomas exteriores de televisión, unidad rodante de reportaje televisado. V.TB. mobile unit, outside-broadcast van.

television pentode   pentodo para (circuitos de) televisión.

television-phonograph combination   combinación [aparato combinado] de televisión y fonógrafo.

television pickup   toma de televisión, toma de vistas para la televisión; captación de programas de televisión.

television pickup station   estación móvil para tomas de televisión. SIN. mobile unit.

television picture   imagen de televisión.

television picture photography   fotografía de imágenes cinescópicas.

television picture tube   (a.c. picture tube) cinescopio, tubo de imagen (de televisión). SIN. kinescope (véase).

television program   programa de televisión.

television program switching center   centro de conmutación de programas de televisión; centro de modulación de televisión.

television projector   proyector de telecine. V. telecine projector.

television rack   bastidor (de equipos) de televisión.

television-radar air navigation   navegación aérea por radar y

televisión. v. **teleran.**

television-radar navigation   navegación por radar y televisión. v. **teleran.**

television radio link   radioenlace [enlace hertziano] de televisión.

television-radio-phonograph combination   combinación [aparato combinado] de televisión y radiofonógrafo.

television raster   v. **raster.**

television rebroadcasting   retransmisión [reemisión] televisiva. cf. **television transposer.**

television receiver   televisor, receptor de televisión. Receptor radioeléctrico que reproduce los elementos visuales y los elementos auditivos de un programa difundido por un emisor de televisión (CEI/70 60–64–625). SIN. **receptor televisivo, telerreceptor** —— **television set, teleset*, televisor*.** *Términos poco usados. NOTA: Se le llama *receptor de imágenes* [picture receiver] al aparato que no recibe más que imágenes (sin sonido).

television receiving antenna   antena receptora de televisión.

television receiving dipole antenna   antena dipolo receptora de televisión.

television receiving equipment   equipo receptor de televisión.

television reception   recepción de televisión, recepción televisiva.

television reconnaissance   reconocimiento por televisión, reconocimiento con transmisión televisiva de las escenas observadas.

television recording   registro de programas de televisión, telerregistro. SIN. **telerecording, kinescope recording, video tape recording.**

television relay   relé de televisión; retransmisión de televisión [de señales televisivas].

television relay network   red interurbana de televisión. Puede comprender cables coaxiles y circuitos de enlace por microondas. v.TB. **television network.**

television relay service   servicio de retransmisión televisiva [de programas de televisión].

television relay station   estación relé de televisión, estación retransmisora de programas de televisión.

television relay system   sistema de radioenlace de televisión; sistema de retransmisión de televisión.

television relaying   retransmisión de programas de televisión.

television relaying via satellites   retransmisión de programas de televisión por satélites (artificiales).

television repairman   reparador de televisión [de televisores]. SIN. **television mechanic.**

television repeat-back guidance   *(Proyectiles guiados)* guía con transmisión de imágenes del proyectil al puesto de control.

television repeater   repetidor [sistema de retransmisión] de televisión. SIN. **television relay (system).**

television reporter   reportero [repórter] de televisión.

television reporting   reportaje de televisión; reportaje televisado.

television scanning   exploración de televisión. v. **scanning.**

television scanning equipment   equipo explorador de televisión. v. **scanning equipment** | (*i.e.* television film scanning equipment) equipo explorador [analizador] de telecine, equipo de telecinema.

television screen   pantalla de televisión, pantalla cinescópica. Pantalla del cinescopio o tubo de imagen [kinescope, picture tube].

television service   servicio de televisión.

television servicing   (servicio de) reparación de televisores [aparatos de televisión].

television set   televisor, aparato [receptor] de televisión. SIN. **television receiver** | estudio de televisión. SIN. **television studio.**

television show   (*i.e.* television broadcast) espectáculo ["show"] de televisión, teleespectáculo | (*i.e.* show of television equipment) exposición de material de televisión, salón de la televisión.

television signal   señal de televisión. Señal compleja de imagen y sonido. cf. **picture signal, sound signal.**

television signal demodulator   desmodulador de señales de televisión.

television silencer   silenciador de televisor. Dispositivo que

—automáticamente o mediante el accionamiento manual de un conmutador— enmudece el aparato cuando comienza la transmisión de un anuncio comercial u otro segmento del programa que no interesa oir.

television sound   sonido de (la) televisión.

television sound transmitter   emisor de sonido para televisión. Emisor radioeléctrico cuya emisión contiene los elementos auditivos de un programa transmitido por televisión (CEI/70 60–42–060). cf. **television vision transmitter.**

television standard   norma de televisión. Especificación de las características que ha de tener la señal emitida por las difusoras de televisión. cf. **field frequency, line frequency, white level, black level.**

television standards converter   convertidor de normas de televisión. Aparato que convierte una señal de televisión recibida con las características correspondientes a determinada norma, en señales equivalentes con las características de otra norma. Se utiliza p.ej. para difundir en un país las señales originadas en otro donde se usa una norma distinta. cf. **television system converter.**

television station   estación televisora [de televisión], (estación) videodifusora [videoemisora, emisora de televisión]. SIN. **television broadcast station.**

television station link   v. **television network.**

television studio   estudio de televisión. SIN. **television set.**

television studio center   centro de televisión, televicentro, telecentro. SIN. **television center.**

television studio-transmitter link [TV STL]   enlace estudio-transmisor de televisión. v. **studio-to-transmitter link.**

television subscriber   abonado a la televisión. v. **pay television.**

television subscription   abono a la televisión.

television sweep generator   generador de barrido para (servicio de) televisión. v. **sweep generator.**

television sync generator   generador de sincronismo [señales sincronizadoras] para televisión. v. **sync generator.**

television system converter   convertidor de sistemas de televisión. Aparato que transforma una señal de imagen de un sistema de televisión dado en otra señal que corresponde a la primera señal en otro sistema (CEI/70 60–64–640) | convertidor de normas (de televisión). SIN. **television standards converter.**

television tape machine   máquina de cinta magnética de televisión, magnetoscopio, videógrafo. SIN. **video-tape machine, telerecording equipment for magnetic tape.**

television tape player   reproductor de cinta magnética de televisión, magnetoscopio [videógrafo] reproductor. Equipo destinado a la reproducción de programas de televisión registrados en cinta magnética.

television tape recorder   grabadora de cinta magnética de televisión, magnetoscopio, videógrafo, videograbadora (de cinta magnética), grabadora de televisión, grabadora de cinta para televisión. Equipo que sirve para el registro de programas de televisión en cinta magnética y para la reproducción de los mismos. SIN. **video-tape recorder, telerecording equipment for magetic tape.**

television tape recording   registro magnético de programas de televisión, telerregistro en cinta magnética. Registro en cinta magnética de las señales de imagen y de sonido de un programa de televisión. v. **telerecording.**

television teaching technique   método de enseñanza por televisión.

television test card   mira. Diseño convencional real o virtual especialmente ideado para que permita juzgar la calidad de una transmisión de televisión (CEI/70 60–64–710) | mira de definición. Mira que permite evaluar la definición de una imagen (CEI/70 60–64–715)* | mira de geometría. Mira que permite apreciar la distorsión geométrica de una imagen (CEI/70 60–64–720)* | mira de contraste. Mira que permite apreciar la calidad de la reproducción de contrastes de una imagen (CEI/70 60–64–725)* | mira de arrastre. Mira que permite apreciar la importancia de los arrastres [streaking] en una imagen (CEI/70 60–64–730)* | *NOTA: Estas definiciones no tienen término inglés equivalente en el VEI | SIN. **television chart, test chart.** CF. **pattern generator, monoscope.**

television test film   película de prueba para televisión, film de prueba para telecine. Película cinematográfica de prueba utilizada para evaluar las condiciones de funcionamiento de los elementos de un sistema reproductor de telecine que dependen de la relación entre el proyector y los aparatos eléctricos. v. **telecine.**

television test pattern generator   generador de imagen patrón de televisión, mira electrónica. v. **pattern generator, test pattern.**

television test transmission   emisión experimental [de prueba] de televisión.

television theater   televisión teatral; teatro de televisión, teleteatro.

television time base   base de tiempos de televisión.

television transcription   transcripción cinescópica. Toma directa en película cinematográfica, por medio de sistemas ópticos adecuados, de un programa de televisión reproducido en la pantalla de un receptor. Este procedimiento va cayendo en desuso por el advenimiento de las grabadoras en cinta magnética, que registran las señales eléctricas correspondientes a las imágenes y los sonidos del programa. CF. **television picture photography, television recording.**

television transmission   transmisión de televisión, transmisión televisiva [televisual].

television transmission standards   normas de transmisión de televisión. v. **television standard.**

television transmitter   transmisor [emisor] de televisión. Transmisor que en realidad consiste en dos transmisores (generalmente acoplados a una misma antena mediante un sistema apropiado de filtros); uno que radía la señal de sonido [aural transmitter, sound transmitter], y otro que radía la señal de imagen [visual transmitter, picture transmitter]. CF. **television station.**

television transmitting antenna   antena transmisora de televisión.

television transmitting station   estación transmisora [emisora] de televisión, estación videoemisora. SIN. **television station.**

television transposer   reemisor [traslator] de televisión. Estación que recibe un programa de televisión por un canal y lo retransmite por otro. CF. **television repeater.**

television truck   camión de televisión. v. **television outside-broadcast vehicle.**

television tube   tubo de televisión [de imagen], cinescopio. v. **kinescope.** CF. **(television) camera tube.**

television tuner   sintonizador de televisión, bloque de sintonía de televisor [de receptor de televisión]. SIN. **selector de canales de televisión.**

television van   camión de televisión. v. **television outside-broadcast vehicle.**

television video frequency   videofrecuencia de televisión.

television viewer   teleespectador, espectador de televisión. v.TB. **televiewer.**

television waveform   forma de onda de televisión.

television yoke   yugo de desviación (de televisión). v. **deflection yoke.**

televisional   *adj:* televisivo, televisual, de televisión.

televisor   televisor, receptor de televisión | televisor. Nombre que se dio al principio a los primitivos aparatos de exploración mecánica de televisión.

televoltmeter   televoltímetro. Voltímetro que permite medir a distancia la tensión de un circuito eléctrico (CEI/58 20–15–155). CF. **telemeter.**

telewattmeter   televatímetro. Vatímetro que permite medir a distancia la potencia de un circuito eléctrico (CEI/58 20–15–155). CF. **telemeter.**

telewriter   *(Telecom)* teleautógrafo, teleescritor, teleinscriptor. SIN. **teleautograph** | teleautógrafo. Aparato en el que los movimientos

mandados a mano por un estilete explorador sobre una superficie plana, dan origen a corrientes de intensidad variable susceptibles de transmisión por dos vías independientes, con el objeto de mandar en el extremo receptor los movimientos de un estilete registrador semejante (CEI/70 55–75–120).

telewriter apparatus   teleautógrafo. Aparato que permite al expedidor ejecutar un dibujo o escribir un texto por medio de un lápiz unido a piezas articuladas y tal que la recepción se obtiene por medio de un estilete unido a piezas articuladas cuyos movimientos reproducen los de las piezas del puesto expedidor (CEI/38 55–15–145).

telex   télex. Sistema o servicio de telegrafía impresora en el que, mediante las redes del servicio telefónico general, se establecen comunicaciones directas temporales entre abonados o usuarios del servicio, utilizando para la transmisión tonos de frecuencia vocal o armónica. SIN. **servicio teletipográfico conmutado entre abonados, servicio de relación telegráfica entre usuarios [corresponsales] particulares —— TWX** *(EU),* **subscriber-to-subscriber switched teleprinting system [service].** NOTA: El término viene de *tele*printer *ex*change. v.TB. **telex service.** CF. **gentex.**

telex call   comunicación télex.

telex call booking   petición de comunicación télex.

telex call office   oficina télex.

telex channel   canal [vía] télex.

telex charge   tasa télex.

telex circuit   circuito télex.

telex communication   comunicación télex.

telex connection   conexión [enlace] télex.

telex correspondence   correspondencia [tráfico] télex.

Telex Development Study Group   Grupo de Estudios sobre el Desarrollo del Télex.

telex exchange   central [centro] télex.

telex facilities   instalaciones télex; servicio télex.

telex link   enlace télex.

telex minute   minuto télex. Unidad de tasación en el servicio télex.

telex network   red télex.

telex position   posición télex.

telex radio link   radioenlace télex, enlace télex por radio.

telex rate   tarifa télex.

telex regulations   reglamento télex.

telex relation   comunicación télex; relación télex.

telex restant   lista télex.

telex route   enlace télex.

telex service   servicio télex. Servicio telegráfico que permite a sus abonados comunicarse directa y temporalmente entre ellos por medio de aparatos arrítmicos [start-stop apparatus] y de circuitos de la red telegráfica pública [public telegraph network] (CEI/70 55–60–135). v.TB. **télex.**

telex service signals   señales del servicio télex. El CCITT ha establecido las siguientes (Recomendaciones F 60, Art. 17):

ABS = Absent subscriber; office closed [Abonado ausente; la oficina está cerrada]

DER = Out of order [Avería]

OCC = Subscriber is engaged [El abonado está ocupado]

MOM = Wait; waiting [Sírvase esperar; estamos esperando]

NA = Correspondence with this subscriber is not admitted [No se acepta correspondencia con este abonado]

NC = No circuits [Faltan circuitos]

NP = The called party is not, or is no longer, a subscriber [La persona llamada no es abonado, o ya no es abonado]

telex station   puesto télex.

telex statistics   estadísticas del servicio télex.

telex subscriber   abonado al (servicio) télex.

telex subscription   abono al (servicio) télex.

telex switchboard   conmutador télex.

telex system   sistema télex. v. **telex, telex service.**

telex terminal   terminal télex.

telex terminal quota   tasa terminal télex.

telex terminal station   puesto terminal télex.

telex traffic   tráfico [correspondencia] télex.

telex transit share   tasa de tránsito télex.

telex transmission   transmisión télex.

telex trunk call   comunicación interurbana télex.

telex unit   unidad télex; aparato télex.

telex user   usuario del télex.

telltale   indicador; (dispositivo) avisador; contador | v. **telltale watch** //// *adj:* indicador; avisador; testigo; comprobador, de comprobación; de vigilancia.

telltale float   flotador indicador de nivel.

telltale indicating system   sistema indicador de alarma.

telltale lamp   lámpara testigo; lámpara de aviso.

telltale position   *(Elec)* posición indicadora.

telltale watch   (a.c. telltale) reloj de control [de vigilante].

telluric current   corriente telúrica. Corriente eléctrica natural que circula por la tierra, y cuya dirección e intensidad varían por influencia de diversos fenómenos geofísicos y cósmicos: campos magnéticos terrestres, actividad de las auroras, actividad solar, etc. SIN. **earth current.**

tellurid, telluride   *(Quím)* telururo.

tellurite   *(Miner)* telurita || *(Quím)* telurito.

tellurium   telurio. Elemento químico no metálico de número atómico 52. Símbolo: Te.

telop   *(Tv)* vista opaca. Vista fija opaca, generalmente de 4×5 pulgadas (102×127 mm), que se proyecta en el estudio de telecine, usualmente para promoción comercial entre programas | teleepidiascopio, teleepidiáscopo, epidiascopio [epidiáscopo] de televisión. Aparato usado en la sala de telecine de una emisora, y que sirve para proyectar las imágenes de vistas y cuerpos opacos (grabados, cuerpos sólidos y otros objetos).

Telpak   Telpak. Marca registrada con que el Bell System (EE.UU) ofrece diversos servicios de arrendamiento de canales o vías de telecomunicación de banda ancha.

TELS   *(Teleg)* Abrev. de telegrams.

Telstar   Telstar. Denominación de una serie experimental de satélites activos de telecomunicación desarrollados por la American Telephone and Telegraph Co. y puestos por la NASA en órbitas asincrónicas con altura aproximada de 5 000 km. El primero ("Telstar I") fue lanzado el 11 de julio de 1962 y permitió que por primera vez (23 del mismo mes) las ondas de televisión salvaran un océano, al retransmitir una emisión entre la estación americana de Andover y la francesa de Pleumeur-Bodou.

TEM   Abrev. de transverse electric and magnetic.

TEM mode   *(Microondas)* modo TEM, modo eléctrico y magnético transversal. v. **transverse electric and magnetic mode.**

TEM transmission line   línea de transmisión en modo TEM.

TEM-type wave   onda (tipo) TEM.

TEM wave   onda TEM.

temp.   Abrev. de temperature.

temper   temple //// *verbo:* *(Acero)* templar, dar temple || *(Calefacción)* atemperar, templar || *(Gres)* amasar || *(Mortero)* templar, ablandar || *(Pintura)* mezclar.

temperament   *(Mús/Acús)* temperamento. Leve achicamiento o agrandamiento de los intervalos musicales fuera de la escala "natural" para acomodarlos a la ejecución práctica.

temperate zone   *(Geog)* zona templada.

temperature [temp.]   temperatura. CF. **ambient temperature, color temperature** //// *adj:* de temperatura, térmico.

temperature accountability   corrección por temperatura.

temperature balance   equilibrio térmico [de temperatura].

temperature-calibrated   *adj:* calibrado en temperatura.

temperature chamber   *(Ensayos)* cámara de temperatura controlada.

temperature coefficient   coeficiente de temperatura. (a) Entre dos temperaturas determinadas *(coeficiente medio):* cociente de la variación de la magnitud o propiedad considerada, por la

variación de temperatura que la produce. (b) A una temperatura dada: valor límite del *coeficiente medio* cuando la variación de temperatura tiende a cero (CEI/38 05–40–170, CEI/56 05–41–090). V.TB. **temperature coefficient of. . .**

temperature coefficient of capacitance   coeficiente de temperatura de la capacitancia. Coeficiente que relaciona la variación de capacitancia con la de temperatura. Puede estar definido por la pendiente de la curva representativa del error porcentual de capacitancia (en relación con la capacitancia nominal) en función de la temperatura. Para trazar la curva se hacen medidas de capacitancia para diferentes temperaturas del condensador, y se registran en la gráfica las desviaciones de la capacitancia en tanto por ciento de su valor nominal.

temperature coefficient of capacity   *(Acum)* coeficiente de temperatura de la capacidad. (1) Coeficiente que permite calcular la variación de la capacidad en función de la temperatura (CEI/38 50–30–060). (2) Variación por grado Celsio de la cantidad de electricidad o de la energía suministrada en relación con la capacidad del elemento o de la batería a una temperatura dada (CEI/60 50–20–335).

temperature coefficient of delay   *(Líneas de retardo)* coeficiente de temperatura del retardo.

temperature coefficient of electromotive force   *(Acum)* coeficiente de temperatura de la fuerza electromotriz. Variación por grado Celsio de la fuerza electromotriz en relación con su valor a una temperatura dada.

temperature coefficient of frequency   coeficiente de temperatura de la frecuencia. Como ejemplo, variación de la frecuencia de un oscilador con la temperatura (a una temperatura dada), expresada en hertzios por megahertzio por grado Celsio.

temperature coefficient of permeability   coeficiente de temperatura de la permeabilidad.

temperature coefficient of resistance   coeficiente de temperatura de la resistencia. Variación de la resistencia eléctrica por grado de variación de la temperatura, expresada normalmente en ohmios por ohmio por grado Celsio.

temperature coefficient of resistivity   coeficiente de temperatura de la resistividad.

temperature coefficient of voltage drop   *(Tubos de descarga luminosa)* coeficiente de temperatura de la caída de tensión. Razón de la variación de la caída de tensión por la correspondiente variación de la temperatura ambiente o de la temperatura de la envolvente del tubo.

temperature coefficient value   valor del coeficiente de temperatura.

temperature-compensated   *adj:* compensado en temperatura, con compensación térmica [de temperatura].

temperature-compensated alloy   aleación compensadora de temperatura. Aleación magnética cuyas propiedades varían con la temperatura y que se emplea en diversos dispositivos y aparatos de medida para compensar las variaciones de temperatura.

temperature-compensated crystal oscillator   oscilador de cristal con compensación de temperatura.

temperature-compensated reference element   elemento de referencia compensado en temperatura. Diodo especial compensado respecto al efecto de la variación de temperatura, y cuya estabilidad es comparable con la de las pilas patrón.

temperature-compensated Zener diode   diodo Zener compensado en temperatura. Se trata en realidad de un bloque que comprende una unión Zener PN de coeficiente de temperatura positivo polarizada en sentido inverso, en serie con uno o más diodos de coeficiente de temperatura negativo polarizados en sentido directo. El conjunto se caracteriza por una tensión Zener esencialmente constante dentro de amplios límites de temperatura.

temperature-compensating   *adj:* compensador de temperatura, de compensación térmica [de temperatura].

temperature-compensating capacitor   condensador compensador de temperatura, capacitor de compensación térmica. Condensador cuya capacitancia varía en forma conocida con la temperatura y que se utiliza en circuitos osciladores para compensar el efecto que sobre la frecuencia tiene la variación de valor de otras piezas en función de la temperatura.

temperature-compensating network   red compensadora de temperatura. Red eléctrica cuyas características varían con la temperatura en forma predeterminada y conocida, resultado que se obtiene mediante la apropiada selección de los elementos constituyentes de la red.

temperature compensation   compensación de temperatura, compensación del efecto [de la influencia] de la temperatura, corrección del efecto térmico.

temperature-compensation equalizer   *(Telecom)* corrector del efecto de la temperatura.

temperature control   control de temperatura. Dispositivo regulador de temperatura que comprende, como elementos esenciales, un termostato y un relé, y que sirve para mantener dentro de ciertos límites la temperatura de un horno u otro recinto cerrado | control [regulación] de (la) temperatura.

temperature control point   punto de control de la temperatura. v. **control point.**

temperature-controlled   *adj:* de temperatura regulada, con regulación de temperatura, termorregulado.

temperature-controlled chamber   cámara de temperatura regulada.

temperature-controlled component   componente [elemento] (que funciona) a temperatura regulada.

temperature-controlled crystal   cristal (piezoeléctrico) de temperatura regulada.

temperature-controlled crystal oscillator [TCXO]   oscilador controlado por cristal termorregulado | oscilador de cristal corregido por temperatura. Oscilador electrónico estabilizado por cristal piezoeléctrico desprovisto de cámara termostática, y en el cual se efectúan compensaciones en el circuito resonante para corregir las desviaciones de frecuencia que tienden a producir los cambios en la temperatura del cristal. Se utiliza una red divisora de tensión compuesta de resistores y termistores [thermistors] para aplicar una tensión variable (en función de la temperatura) a un diodo de capacitancia variable, el que, a su vez, por estar incorporado en el circuito resonante, corrige la frecuencia del oscilador.

temperature-controlled crystal unit   unidad de cristal (piezoeléctrico) con regulación de temperatura, cristal en cámara termostática.

temperature-controlled oven   horno de temperatura controlada, horno con regulación automática de temperatura ‖ *(Cristales piezoeléctricos)* cámara termostática [de temperatura regulada], cámara para regulación de temperatura. NOTA: A veces se usa en este sentido la palabra "horno" en lugar de *cámara.*

temperature-controlled quartz-crystal standard   patrón de cuarzo con regulación termostática.

temperature controller   regulador de temperatura.

temperature correction   corrección de temperatura; corrección por temperatura.

temperature cycle   ciclo de temperatura; variación cíclica de temperatura.

temperature cycling   ciclado de temperatura; variaciones [oscilaciones] cíclicas de temperatura | v. **temperature-cycling test.**

temperature-cycling test   (a.c. temperature cycling) prueba de ciclado de temperatura. Prueba acelerada de un dispositivo en la que éste se somete a temperaturas alternadamente altas y bajas para simular las fluctuaciones de temperatura que normalmente ocurren con el transcurso de cada día. CF. **thermal shock.**

temperature delay   inercia térmica.

temperature dependence   dependencia de la temperatura.

temperature dependence of reactivity   *(Nucl)* reactividad en función de la temperatura.

temperature-dependent phenomenon   fenómeno dependiente de la temperatura.

temperature-dependent term   término dependiente de la temperatura.

temperature derating   desclasificación [corrección] por temperatura. v. **derate, derating.**

temperature detector   detector de temperatura; indicador de temperatura, termómetro.

temperature drift   deriva térmica [por variación de temperatura]. Variación de una característica o una magnitud por efecto de la variación de temperatura; variación lenta en función de la temperatura.

temperature drop   caída de temperatura, enfriamiento.

temperature element   elemento sensible a la temperatura.

temperature equilibrium   equilibrio térmico. SIN. **thermal equilibrium.**

temperature error   error térmico [de temperatura].

temperature flash   aumento repentino [brusco] de la temperatura.

temperature gage   indicador [medidor] de temperatura, termómetro.

temperature gradient   gradiente de temperatura. A VECES: pendiente de temperatura.

temperature-indicating   *adj:* indicador de temperatura, termométrico.

temperature indicator   indicador [medidor] de temperatura, termómetro.

temperature indicator meter   (instrumento) indicador de temperatura.

temperature interval   intervalo de temperatura.

temperature inversion   inversión de temperatura. Normalmente la temperatura atmosférica disminuye con la altura, y la temperatura del agua del mar disminuye con la profundidad. Se llama *inversión de temperatura* al fenómeno por el cual la temperatura *aumenta* con la altura o con la profundidad, según el caso. La *inversión de temperatura atmosférica* tiene influencia en la propagación radioeléctrica, al producirse una capa de aire caliente sobre otra de aire frío. La *inversión de temperatura oceánica* produce una incurvación hacia arriba de los haces sonáricos [sonar beams], pues la velocidad del sonido es menor en la capa de agua próxima a la superficie, que en las capas (más calientes) que se encuentran bajo ésta. Tanto en el agua como en el aire la velocidad del sonido aumenta con la temperatura. v. **speed of sound.**

temperature lag   inercia térmica.

temperature lapse rate   *(Meteor)* gradiente térmico vertical, gradiente vertical de temperatura.

temperature-limited diode   diodo limitado por temperatura. Diodo al vacío con ánodo generalmente cilíndrico y cátodo de tungsteno que trabaja a temperatura superior a los 2 000 K. Se caracteriza por funcionar en la llamada *zona de corriente limitada por la temperatura* y por generar un intenso ruido de granalla. SIN. **saturated diode.**

temperature-limited emission   *(Tubos termoiónicos)* emisión limitada por temperatura.

temperature limiting   *(Tubos termoiónicos)* limitación por temperatura. Limitación de la corriente anódica impuesta por la temperatura del cátodo.

temperature monitor   *(Medicina)* monitor de la temperatura (del paciente).

temperature overshoot   *(Automática)* sobrecorrección [corrección excesiva] de temperatura.

temperature pattern   (diagrama de) distribución de las temperaturas.

temperature pickup   captor térmico, elemento termosensible [sensible a la temperatura].

temperature probe   sonda termosensible [detectora de temperatura].

temperature protection   protección contra sobretemperatura [contra sobrecalentamiento].

temperature radiator   radiador en función de la temperatura.

temperature range   margen [gama] de temperaturas. (**1**) Variación total de la temperatura ambiente, considerada en relación con el funcionamiento de un dispositivo en una aplicación determinada. (**2**) Margen o gama de temperaturas en el cual funciona normalmente un dispositivo dado, en condiciones determinadas.

temperature rate of rise   rapidez de elevación de la temperatura.

temperature rating   *(Dispositivos)* margen (nominal) de temperaturas de trabajo.

temperature recorder   termógrafo, termómetro registrador.

temperature recovery factor   factor de recuperación térmica; factor de restablecimiento de temperatura.

temperature reference conductor   *(Telecom)* conductor de referencia de la temperatura; conductor indicador de temperatura.

temperature-regulated   *adj:* de temperatura regulada.

temperature-regulated cubicle   cubículo de temperatura regulada.

temperature regulator   regulador de temperatura.

temperature relay   relé térmico [de temperatura]. Relé que funciona cuando la temperatura en cierto recinto o la temperatura de cierto aparato con él asociado, alcanza un valor predeterminado.

temperature response   respuesta térmica.

temperature-responsive   *adj:* termosensible.

temperature rise   calentamiento, elevación de temperatura | calentamiento. Diferencia entre la temperatura en un punto considerado y la del medio de referencia (CEI/56 05–41–085).

temperature-rise conditions   condiciones de calentamiento.

temperature-rise voltage   *(Aparatos de medida)* tensión de calentamiento. v. **temperature-rise voltage of. . .**

temperature-rise voltage of an auxiliary capacitor   *(Aparatos de medida)* tensión de calentamiento de una capacidad adicional. Tensión a la cual la capacidad satisface las condiciones de calentamiento (CEI/58 20–40–230).

temperature-rise voltage of an auxiliary reactor   *(Aparato de medida)* tensión de calentamiento de una reactancia adicional. Tensión a la cual la reactancia satisface las condiciones de calentamiento (CEI/58 20–40–230).

temperature-rise voltage of an auxiliary resistor   *(Aparatos de medida)* tensión de calentamiento de una resistencia adicional. Tensión a la cual la resistencia satisface las condiciones de calentamiento (CEI/58 20–40–230).

temperature saturation   (a.c. saturation) saturación de temperatura. En un tubo termoiónico al vacío, para un valor dado de la tensión de ánodo, condición en la que ya no es posible aumentar la corriente anódica mediante un incremento de la temperatura del cátodo o filamento emisor, y que se debe al efecto de la carga de espacio [space charge] próxima al cátodo. SIN. **cathode [filament] saturation.** CF. **voltage saturation.**

temperature scale   escala de temperaturas.

temperature scanner   explorador de la temperatura; explorador de temperaturas.

temperature-sensing element   elemento termosensible [sensible a la temperatura].

temperature-sensitive   *adj:* termosensible, sensible a la temperatura.

temperature-sensitive material   material termosensible.

temperature-sensitive phosphor   fósforo termosensible.

temperature-sensitive resistor   resistor termosensible, resistencia sensible a la temperatura. CF. **thermistor.**

temperature sensitivity   sensibilidad térmica, sensibilidad a la temperatura.

temperature sensitivity of gain   *(Transistores)* sensibilidad térmica de la ganancia.

temperature sensor   elemento [sonda] termosensible, detector de temperatura; transductor termoeléctrico.

temperature shock   choque térmico. Variación repentina de temperatura. SIN. **thermal shock.**

temperature stability   estabilidad de temperatura; estabilidad respecto a la temperatura.

temperature-stabilized   *adj:* estabilizado en temperatura; estabilizado respecto a la temperatura, estabilizado contra variaciones de temperatura.

temperature-stabilized crystal oscillator   oscilador de cristal estabilizado respecto a la temperatura [en relación con los cambios de temperatura].

temperature variation   variación de temperatura.

temperature-wattage characteristic   *(Termistores)* característica de temperatura-vataje. Para una temperatura ambiente especificada, relación entre la temperatura del dispositivo y la potencia absorbida por el mismo en régimen permanente.

tempered   *adj:* atemperado; templado.

tempered-air burner   quemador de aire atemperado.

tempering   atemperación; temple, templado, templadura; revenido ||| *adj:* atemperante; de revenido.

template   plantilla, patrón, modelo, escantillón; gálibo; matriz || *(Informática)* plantilla, matriz para tableros.

tempo   *(Mús)* tiempo, tempo, movimiento. CF. **rhythm.**

temporal   *adj:* temporal. Perteneciente o relativo al tiempo; limitado por el tiempo | temporal, transitorio || *(Anat)* temporal, referente a las sienes.

temporal coherence   coherencia temporal. Coherencia en el tiempo. Coherencia consistente de fase en dos puntos vecinos durante determinado período de tiempo. v. **coherence.**

temporal gain control   *(Lorán/Radar)* control de ganancia temporal. v. **sensitivity-time control.**

temporal variation   variación temporal.

temporarily   *adv:* temporalmente, temporariamente; provisionalmente, interinamente; transitoriamente.

temporarily disconnected [TDS]   *(Telef)* temporalmente desconectado.

temporarily out of service   temporalmente fuera de servicio || *(Telef)* suspensión. Desconexión de una línea de abonado para suspender temporalmente el uso de esa línea (CEI/70 55–105–335).

temporary   *adj:* temporal, temporario; provisional, interino; transitorio, momentáneo, pasajero, temporáneo || *(Empleados)* temporero, no de plantilla.

temporary arrangement   arreglo [disposición] temporal; solución provisional || *(Telecom)* montaje [instalación] provisional.

temporary bridge   *(Telef)* puente provisional.

temporary dupe   *(Cine)* contratipo negativo.

temporary duty   *(Elec)* servicio temporal.

temporary earth   *(Elec)* puesta a tierra temporal. SIN. **temporary grounding** | tierra para trabajos. Instalación temporal de puesta a tierra unida a un circuito que en servicio normal está bajo tensión, pero que está temporalmente sin tensión para la ejecución de trabajos (CEI/65 25–35–040).

temporary grounding   *(Elec)* puesta a tierra temporal.

temporary hearing loss   fatiga auditiva.

temporary installation   instalación temporal [provisional, circunstancial].

temporary lighting   alumbrado provisional.

temporary magnet   imán temporario. Cuerpo ferromagnético que pierde la mayor parte de su polarización después de suprimido el campo magnético exterior (CEI/38 05–25–105). CF. **permanent magnet.**

temporary magnetism   magnetismo temporario [pasajero].

temporary memory   *(Comput)* memoria temporal. Almacenador interno de información utilizado para retener resultados intermedios o parciales. SIN. **temporary storage.**

temporary service   *(Elec)* servicio temporario. Servicio a régimen constante durante un tiempo determinado seguido de un reposo suficiente para restablecer aproximadamente la igualdad de la temperatura con el ambiente (CEI/38 35–30–020).

temporary service contract *(Telecom)* abono temporal. SIN. temporary subscription.

temporary storage *(Comput)* almacenamiento temporal [provisional] | almacenador temporal. Almacenador interno de información utilizado para retener resultados intermedios o parciales. SIN. temporary memory.

temporary subscription *(Telecom)* abono temporal. SIN. temporary service contract.

temporary suspension of service *(Telecom)* (*i.e.* placing of a subscriber's line temporarily out of service) suspensión temporal del servicio a un abonado. SIN. **temporarily out of service [TOS], denial for nonpayment.**

temporary visitor *(Transporte aéreo)* visitante temporal.

ten diez; decena /// *adj:* decimal, decenario.

ten-angled *adj:* decagonal.

ten-pole *adj:* decapolar.

ten-tenths cloud *(Meteor)* nube que cubre todo el cielo.

ten-tenths covered *(Meteor)* completamente nublado.

ten-to-one range gama con límites en relación 10:1. EJEMPLO: gama de frecuencias entre 1 y 10 kHz.

ten-turn dial cuadrante de diez vueltas.

tenacious *adj:* tenaz; firme; pegajoso, adhesivo; cohesivo.

tenacious soil suelo cohesivo.

tenacity tenacidad; firmeza; adhesividad; cohesividad; resistencia a la tracción.

tend *verbo:* atender; tender, propender || *(Mat)* tender.

tendency tendencia.

tendency of barometric pressure tendencia de la presión barométrica.

tendency to sing *(Telecom)* tendencia a cantar [al canto]. V. singing.

¹tender propuesta, proposición, oferta, ofrecimiento. SIN. **bid, offer** | pliego de condiciones /// *verbo:* proponer, presentar (una proposición), ofrecer, ofertar, hacer una oferta.

²tender el que atiende algo, encargado de algo; el que atiende una máquina, operario; servidor; guardián; peón de albañilería || *(Ferroc)* ténder. LOCALISMO: alijo || *(Náutica)* transbordador, alijadora.

³tender *adj:* tierno; blando, suave; frágil; delicado; débil; sensible; benigno.

tender locomotive *(Ferroc)* locomotora ténder. Locomotora que lleva acoplado un vehículo especial para almacenar combustible y agua.

tenebrescence tenebrescencia. Fenómeno inverso al de la luminiscencia, y que causa el obscurecimiento y blanqueamiento reversibles de ciertas substancias al ser heridas por determinadas radiaciones. Las substancias que poseen la propiedad de la tenebrescencia se llaman *escotóforos* [scotophors]. Las pantallas de ciertos tubos de rayos catódicos se hallan revestidas de escotóforos y permanecen constantemente iluminadas por rayos ultraviolados que las hacen luminiscentes. Cuando el haz electrónico explora la superficie de la pantalla, apaga la luminiscencia y produce una imagen obscura sobre fondo brillante, o sea, lo contrario de lo que ocurre en los tubos de rayos catódicos ordinarios. SIN. **cathodochromism.** V.TB. **scotophor.**

Tenite Tenite. Marca registrada de una composición de moldeo de la que hay dos clases: la de *acetato de celulosa* (Tenite I), y la de *acetato butirato de celulosa* (Tenite II). Estas composiciones son termoplásticas. Los productos moldeados se preparan en cualquier grado de translucidez o de transparencia, y en todos los matices de color. Se utiliza la Tenita p.ej. en la fabricación de perillas de mando para diversos aparatos.

TENS *(Teleg)* décimas. En las notas y mensajes de servicio se usa la palabra "TENS" para anunciar que a continuación se cita cada décima palabra del texto de determinado telegrama. El procedimiento se usa para aclarar una discrepancia respecto al cómputo de palabras o cuando definitivamente se sabe que falta alguna y se quiere determinar cuál es. A veces, en lugar de dar completa cada palabra, se dan solamente las tres primeras letras de cada una de ellas.

tens knob *(Aparatos)* botón [perilla] de las decenas.

ten's place *(Arit)* lugar de las decenas.

tensile *adj:* tractivo, traccional, de tracción, a tracción; de tensión, a tensión; extensible.

tensile bar barreta [probeta] para ensayos de tracción.

tensile dynamometer dinamómetro de tracción.

tensile force fuerza tractiva. CONTRA: fuerza compresiva [compressive force].

tensile-impact measuring technique técnica de medida de resiliencia traccional.

tensile-impact test prueba de resiliencia traccional.

tensile properties propiedades traccionales.

tensile resilience resiliencia a la tracción.

tensile strength resistencia a la tracción [a la tensión]. Resistencia del material considerado a los esfuerzos de tracción [tensile stresses], medida por la fuerza tractiva [tensile force] por unidad de superficie de la sección recta del material necesaria para romperlo. SIN. **tenacidad, coeficiente de ruptura.**

tensile strength by knot pull resistencia a la tracción por tiro de nudo.

tensile stress esfuerzo de tracción, esfuerzo tractor. LOCALISMOS: esfuerzo de tensión, fatiga [tensión] de tracción.

tensile test prueba de tracción [a la tracción], ensayo traccional [de tracción].

tensile testing machine máquina para ensayos de tracción.

tensilized-base tape cinta (magnética) reforzada contra la tensión. Cinta magnética de elevada resistencia a la tracción, caracterizada también por ceder poco al estiramiento.

tensiometer tensiómetro.

tension *(Elec)* tensión. SIN. **potencial, voltaje —— voltage, potential** || *(Mec)* tensión, tirantez, tracción || *(Remaches)* descabezamiento || *(Resistencia de materiales)* tracción.

tension drop *(Elec)* caída de tensión.

tension drop in the track *(Tracción eléc)* caída de tensión en la vía. Diferencia de tensión entre los extremos de una vía de un kilómetro de largo.

tension field *(Mec)* campo de tensiones.

tension indicator indicador de tensión.

tension insulator *(Elec/Ant)* aislador tensor [de tensión]; aislador de amarre [de anclaje]. SIN. **strain insulator** (véase) | aislador de anclaje. Aislador que transmite a un soporte de una línea aérea la totalidad del esfuerzo mecánico de tensión del conductor (CEI/65 25-25-210). CF. **suspension insulator.**

tension limiter *(Elec)* limitador de tensión. V. **voltage limiter.**

tension member *(Estr)* tensor, tirante.

tension roller rodillo tensor. En los proyectores cinematográficos, rodillo destinado a mantener la película a cierta tensión.

tension spring resorte [muelle] tensor.

tension wrench *(Herr)* llave indicadora de tensión.

tensioner tensor, tensador.

tensioning tensión /// *adj:* tensor, tensador.

tensioning arm brazo tensor.

tensioning device dispositivo tensor || *(Elec)* tensor. Aparato o dispositivo utilizado para regular la tensión mecánica o la longitud de una línea aérea de contacto [overhead contact line], de un cable portador longitudinal [longitudinal carrier cable], de un cable transversal [transverse cable], o de un cable tensor [stay] (CEI/57 30-10-330).

tensioning device for light wires *(Telecom)* tensor de palanca acodada, tensor para hilos ligeros.

tensioning equipment *(Elec)* equipo tensor. Disposición de elementos que permite regular la tensión mecánica de los conductores (CEI/57 30-10-325).

tensor *(Anat)* (músculo) tensor || *(Mat)* tensor. Normalmente se refiere al *tensor de segundo grado*, que es el más importante, y que se define por el conjunto de los nueve *productos binarios* de dos vectores.

El *tensor de tercer grado* es el definido por los $27 = 3^3$ *productos ternarios* de las componentes de tres vectores, y así sucesivamente para los tensores de grados superiores ⫽ *adj:* tensor. Que estira o extiende; que produce tensión ‖ *(Mat)* tensorial. Perteneciente o relativo al tensor.

tensor analysis   *(Mat)* análisis tensorial. Teoría de las operaciones matemáticas efectuables con los tensores.

tensor density   *(Mat)* densidad tensorial. Tensor de peso unitario.

tensor derivative   *(Mat)* derivada tensorial.

tensor field   *(Mat)* campo tensorial. Representación de un espacio a cada uno de cuyos puntos puede hacerse corresponder un tensor cuyas componentes sean funciones continuas del lugar.

tensor force   *(Nucl)* fuerza tensorial [no central]. v. **noncentral force.**

tensor interaction   *(Nucl)* interacción tensorial.

tensor operator   *(Mat)* operador tensorial.

tensor product   *(Mat)* producto tensorial [de tensores].

tensor virial   *(Mat)* virial tensorial.

tent   tienda (de campaña), carpa, toldo ‖ *(Cirugía)* lechino, tapón ⫽ *verbo:* acampar bajo tienda(s) ‖ *(Cirugía)* tener abierto con tapón, mantener (un conducto) dilatado con lechino.

tenth   *sust/adj:* décimo, décima.

tenth-power width   *(Ant)* anchura (angular) entre los puntos de intensidad un décimo de la máxima. En un plano que contenga la dirección del máximo del lóbulo considerado, ángulo comprendido entre las dos direcciones en dicho plano a uno y otro lado del máximo, en las cuales la intensidad de radiación es un décimo del valor máximo en el lóbulo.

tenth-value thickness   espesor (de un material dado) que reduce una radiación gamma a un décimo (de su valor incidente).

tephigram   *(Meteor)* tefigrama.

tera-   tera-. Prefijo que añadido al nombre de una unidad da el nombre del múltiplo igual a 10^{12} la unidad. Símbolo: T.

teracycle   teraciclo. Unidad igual a 10^{12} ciclos. Símbolo: Tc.

terahertz   terahertz, terahercio. Unidad igual a 10^{12} hertz. Símbolo: THz.

teraohm   teraohmio, teraohm. Unidad igual a 10^{12} ohmios. Símbolo: TΩ.

terawatt   teravatio, terawatt. Unidad igual a 10^{12} vatios. Símbolo: TW.

terbium   terbio. Elemento químico de número atómico 65. Símbolo: Tb.

term   término, período, espacio (de tiempo); curso; confín, límite; período (escolar); término, vocablo, voz, expresión ‖ *(Comercio/Finanzas)* término, plazo, tiempo; duración, vigencia; fecha ‖ *(Mat)* término. Número, letra o grupo de números y letras unidos por signos de multiplicar, de dividir, u otros, con excepción de los de la suma, la resta, la igualdad y la desigualdad ‖ *(Espectroscopía)* término (espectroscópico). v. **spectroscopic term.**

term displacement   desplazamiento de los términos.

term of a contract   *(Der)* término de vigencia de un contrato.

term value   *(Espectroscopía)* término espectroscópico. v. **spectroscopic term.**

terminal   terminal; extremo, extremidad; término, fin, final ‖ *(Elec)* terminal, borne, borna. Punto o elemento de conexión a un circuito o un aparato. SIN. **conector, reóforo*** —— **binding terminal [post], connector, lug.** *NOTA: Término ya desusado | borna, terminal. (**1**) Pieza conductora de un aparato destinada a conectarlo a los conductores exteriores (CEI/38 15-30-005, CEI/57 15-15-005). (**2**) Pieza conductora destinada a conectar un devanado de una máquina o de un transformador a los conductores exteriores (CEI/56 10-30-230) ‖ *(Elementos y baterías eléc)* **terminals:** bornas, terminales, polos. Piezas a las cuales se conecta el circuito eléctrico exterior (CEI/60 50-10-020) | **terminals of an element:** terminales de un elemento. Piezas ligadas a las barras de unión o pernos de polo y que sirven

de toma de corriente del elemento (o bornas) (CEI/38 50-25-085) ‖ *(Telecom)* terminal, borne, borna | bayoneta. SIN. **tag** | caja terminal. SIN. **terminal block** | chaveta | terminal, cabeza de línea; centro cabeza de línea | (*i.e.* of an automatic circuit) extremidad de enlace automático | clavija, espiga. SIN. **bank terminal** | (punto) terminal. Punto de una red de telecomunicación por el cual puede ingresar o egresar información | (dispositivo) terminal. Dispositivo de entrada o salida de datos que sirve para transmitir o recibir éstos por el sistema de que forma parte el dispositivo. CF. **subset** | (equipo) terminal. Equipo empleado en cada uno de los extremos de un sistema de microondas o de onda portadora | (estación) terminal, estación extrema (de un sistema de radioenlaces) ‖ *(Transportes)* (estación) terminal. SIN. **terminal station** ‖ *(Avia)* (edificio) terminal. SIN. **terminal building** ⫽ *adj:* terminal, final, extremo.

terminal accuracy   *(Patrones de resistencia)* exactitud entre terminales.

terminal administration   *(Telecom)* administración terminal.

terminal AFC unit   *(Telecom)* unidad de CAF para estación terminal. Aparato que se usa en las estaciones terminales de un sistema de enlace por microondas para regular la frecuencia del transmisor. También hace de regulador maestro de frecuencia para todas las estaciones repetidoras comprendidas entre dos terminales.

terminal airport   *(Avia)* aeropuerto terminal.

terminal airspace   *(Avia)* espacio aéreo próximo a un aeropuerto.

terminal amplifier   *(Telecom)* amplificador terminal. En telefonía, amplificador intercalado en el extremo de una línea de larga distancia. CF. **terminal repeater.**

terminal apron   *(Avia)* zona de estacionamiento final (de aviones).

terminal area   *(Avia)* área terminal ‖ *(Elecn)* zona terminal. En los circuitos impresos, parte utilizada para hacer conexiones eléctricas a la red conductiva [conductive pattern]; ejemplo: la parte agrandada de material conductor que rodea un agujero de montaje de un elemento o componente circuital, o un agujero para hilo de conexión. SIN. **blivet, boss, donut, land, pad, terminal pad [point], spot.**

terminal area chart   *(Avia)* carta de área terminal.

terminal area communication   *(Avia)* comunicación de área terminal.

terminal area sequencing   *(Avia)* ordenación de área terminal.

terminal assembly   *(Telecom)* conjunto terminal. Equipo terminal montado en uno o varios bastidores [racks] y que comprende uno o varios paneles [panels] o conjuntos de caja de montaje [shelf assemblies]. CF. **rack assembly.**

terminal-based linearity   *(Transductores de presión)* linealidad basada en los valores extremos. Linealidad definida por la desviación máxima de la curva de presión respecto a una recta trazada por los puntos de presión nula y máxima, sin tratar de ajustar la recta a los puntos de señal de salida para reducir la desviación.

terminal block   *(Elec/Telecom)* bloque de terminales, bloque terminal, bloque de conexiones [de conectores, de lengüetas de conexión], regleta de terminales [de bornes], tablero terminal [de bornes]. Base, placa o regleta aislante con uno o más bornes o terminales de conexión | caja terminal, caja de terminales. SIN. **cable terminal** | paquete de empalme [de derivación]. Empalme de conductores [conductor joint] destinado a asegurar respectivamente un empalme o una derivación de conductores y que comprende un dispositivo aislante (CEI/57 15-65-025) | bloque de empalme [de derivación].

terminal block panel   tablero [panel] de terminales.

terminal board   *(Elec/Telecom)* tablero de terminales [de bornes], tablero terminal, tablero [regleta] de conexiones; tablilla de conexión. SIN. **terminal strip.**

terminal-board bracket   pieza de montaje para tablero de terminales; parrilla de montaje para tablero terminal.

terminal box   *(Elec/Telecom)* caja de terminales [de bornas]; caja de empalme; caja de cables. Caja donde se sacan pares en cable para su conexión; caja de terminación de cables || *(Aparatos de medida)* caja [placa] de bornas. v. **terminal plate.**

terminal bracket *(Telecom)* soporte final.

terminal brush brocha para limpiar terminales. Brocha de cerdas largas para limpiar terminales y fusibles.

terminal bushing *(Elec)* boquilla de borne.

terminal call *(Telef)* llamada terminal; conversación terminal.

terminal-capacity antenna antena de capacidad terminal.

terminal center *(Telecom)* central cabeza de línea.

terminal chamber *(Elec/Telecom)* v. **terminal box.**

terminal charge *(Telecom)* tasa terminal.

terminal city *(Avia)* ciudad-aeropuerto || *(Telecom)* ciudad terminal.

terminal connector *(Elec)* conector terminal; conector de borne.

terminal control area [TMA] *(Avia)* área de control terminal. Parte de un área de control normalmente situada en la confluencia de aerovías en las proximidades de uno o más aeródromos principales.

terminal country *(Telecom)* país terminal.

terminal desk *(Telecom)* mesa de aparatos.

terminal echo path *(Telef)* itinerario [recorrido] de las corrientes de eco producidas en el extremo del circuito.

terminal echo suppressor *(Telef)* supresor de eco terminal. CF. **full terminal echo suppressor, half terminal echo suppressor.**

terminal equipment *(Telecom)* equipo terminal. (1) Equipo situado en el extremo de un canal o circuito de telecomunicación, y que es indispensable para controlar o efectuar la transmisión o la recepción del tráfico. (2) Conmutadores manuales y otros aparatos asociados situados en un punto donde convergen y terminan circuitos telefónicos o telegráficos || *(Tv)* equipos de control de programas. Denominación que incluye los pupitres de audio y de video, los conmutadores-mezcladores de video [video switchers], y los generadores de sincronismo, con sus correspondientes fuentes de alimentación y otros elementos auxiliares || CF. **terminal installation.**

terminal-equipment room *(Telecom)* sala de equipos [aparatos] terminales || *(Teleg)* sala de aparatos, sala de trabajo, sala de operadores.

terminal exchange *(Telecom)* central cabeza de línea; centro extremo | central terminal. Centro donde el tráfico de entrada [incoming traffic] está destinado únicamente a sus propios abonados (CEI/70 55-90-095). CF. **tandem exchange.**

terminal filter *(Telecom)* filtro terminal.

terminal grid v. **terminal strip.**

terminal guidance *(Proyectiles)* guía [guiado] final. Guía o guiado que se aplica más allá del punto medio de la trayectoria || *(Avia)* guía terminal. La que se ofrece al piloto para el despegue, o salida de un aeropuerto, o para el aterrizaje o el lanzamiento de paracaídas en una zona determinada.

terminal housing *(Elec/Telecom)* caja de bornes. v.TB. **terminal box.**

terminal impedance impedancia terminal, impedancia en (los) bornes. Impedancia medida entre los terminales de entrada o de salida de un aparato, a distinción de la impedancia de la línea que pueda estar conectada al par de terminales [terminal pair] considerado. CF. **source impedance, load impedance.**

terminal installation *(Telecom)* instalación terminal. CF. **terminal equipment** | **(for data transmission)** instalación terminal (para transmisión de datos). Conjunto constituido por el equipo terminal de datos, el equipo de conversión de señales, y (eventualmente) el equipo intermedio. En ciertos casos el equipo terminal de datos puede estar conectado directamente a una máquina de tratamiento o tramitación de datos o formar parte de ella. MICROGLOSARIO:

• **circuit:** circuito, vía de comunicación
• **data-processing machine:** máquina de tratamiento [tramitación] de datos

• **data terminal equipment:** equipo terminal de datos
• **information transfer channel:** canal [vía] de transferencia de informaciones
• **intermediate equipment:** equipo intermedio
• **signal-conversion equipment:** equipo de conversión de señales

CF. **telegraph circuit.**

terminal interfering voltage tensión perturbadora en (los) bornes.

terminal international telegram telegrama internacional terminal. CONTRA: telegrama internacional de tránsito [de escala]. v. **terminal traffic.**

terminal leg *(Cables)* chicote terminal. SIN. **terminal stub** || *(Telecom)* ramal terminal. CF. **send leg, receive leg.**

terminal loading-coil section *(Telecom)* sección terminal de pupinización. SIN. **first loading-coil section.**

terminal lug *(Elec/Telecom)* talón terminal; orejeta terminal, terminal de orejeta; lengüeta de conexión; contacto.

terminal marking *(Elec/Telecom)* identificación de terminales || *(Pilas)* indicación de polaridad.

terminal network *(Telecom)* red terminal.

terminal nose dive *(Avia)* picada terminal; picado a la velocidad límite.

terminal office *(Telecom)* oficina terminal, oficina cabeza de línea.

terminal pad *(Circ impresos)* zona terminal. v. **terminal area.**

terminal pair *(Elec/Telecom)* par de terminales, par de bornes, acceso. CF. **port** | par de terminales. Grupo de dos terminales asociados unos con otro para participar en una misma función; por ejemplo, *terminales de entrada* (de corriente), *terminales de salida* (de corriente), etc. (CEI/70 55-20-055).

terminal panel panel de terminales [de conexiones], tablero de terminales. SIN. **terminal board.**

terminal phase *(Proyectiles)* fase final (de la trayectoria).

terminal pillar *(Acum)* perno de polo. Perno conductor conectado a las colas de las piezas de igual polaridad y al terminal. SIN. **post** (CEI/38 50-25-080).

terminal plate *(Elec/Telecom)* placa de bornes; regleta de bornas || *(Aparatos de medida)* placa [caja] de bornas. Soporte de materia aislante en el que se agrupan todas las bornas de un aparato o una parte de las mismas. SIN. **terminal box** (CEI/58 20-35-135).

terminal point *(Circ impresos)* punto terminal. v. **terminal area** || *(Telecom)* punto terminal (de un circuito, de una red).

terminal pole *(Telecom)* poste terminal; poste cabeza de línea; poste cabeza de ramal.

terminal post *(Elec/Telecom)* borne, borna. SINONIMO ANTICUADO: reóforo. SIN. **binding post.**

terminal prong *(Elec/Elecn)* (a.c. prong) espiga de contacto, terminal (de contacto).

terminal punching *(Telecom)* contacto. SIN. **contact, tag.**

terminal rate *(Telecom)* tarifa terminal.

terminal repeater *(Telecom)* repetidor terminal. Repetidor ideado especialmente para su utilización en el extremo de un circuito o una vía de telecomunicación, a distinción del *repetidor intermedio*, o sea, el que se intercala en un punto intermedio [intermediate point] del circuito o la vía || *(Radioenlaces por microondas)* repetidor(a) terminal, repetidora formada por equipos terminales. Estación repetidora donde las señales recibidas son completamente desmoduladas y desmultiplexadas. Para la retransmisión los canales son multiplexados de nuevo — redistribuyéndolos en la banda base [baseband], si así conviene — y entonces se utilizan en conjunto para modular el transmisor. La repetidora terminal consiste esencialmente en dos equipos terminales conectados "dorso con dorso" o, como también se dice, "espalda con espalda", es decir, con la salida del receptor de un equipo acoplada a la entrada del transmisor del otro equipo, por intermedio del equipo múltiplex. Se utiliza para la interconexión de dos sistemas de radioenlace o dos secciones de un mismo sistema; para prolongar los circuitos desde una estación terminal hasta una localidad más o menos próxima; o cuando conviene reagrupar o redistribuir los canales antes de su retransmisión. Esto último no puede hacerse con los repetidores heterodinos [heterodyne repeaters], en los que no hay desmodulación, ni con los repetidores desmoduladores [back-to-back repeaters] ordinarios, en los que el acoplamiento del receptor al emisor se efectúa en banda base (sin desmultiplexión y remultiplexión de los canales).

terminal repeater equipment   equipo repetidor terminal; equipo de repetidora terminal.

terminal repeater station   *(Radioenlaces por microondas)* (estación) repetidora terminal. v. **terminal repeater** ‖ *(Telef)* estación terminal de repetidores.

terminal return loss   *(Telecom)* atenuación de adaptación terminal. Valor de la atenuación de adaptación en el extremo de un circuito telefónico interurbano [terminal of a trunk telephone line] cuando está terminado por circuitos de la red local [local network] hasta el teléfono del abonado e incluyendo éste. Esa atenuación es igual a la expresión en decibelios o en neperios de la razón $(Z_b + Z_a)/(Z_b - Z_a)$, en la que Z_a y Z_b pueden tener diferentes significados, según se expone en las observaciones o notas relativas al *coeficiente de reflexión* [reflection coefficient]. Si la línea telefónica interurbana termina en un amplificador de dos hilos [two-wire amplifier] o en un terminador [terminating set], la atenuación definida es una *atenuación de equilibrio* [balance return loss] (v. **reflection coefficient**) (CEI/70 55–20–180).

terminal rocket   *(Tecnología espacial)* cohete terminal.

terminal room   *(Teleg)* sala de aparatos ‖ *(Telef)* sala de aparatos (de central automática).

terminal screw   *(Elec/Telecom)* terminal de tornillo, borne; tornillo de sujeción.

terminal seizing signal   *(Telef)* señal de toma terminal.

terminal seizure signal   *(Telef)* señal de toma terminal. v. seizure signal.

terminal service   *(Telecom)* servicio (de tráfico) terminal. v. **terminal traffic**.

terminal side (of an angle)   *(Geom)* lado final [terminal] (de un ángulo).

terminal spindle   *(Telecom)* soporte final. SIN. **terminal bracket**.

terminal station   *(Telecom)* estación terminal. Estación donde termina un circuito o vía de telecomunicación. Estación final de un sistema de radioenlaces por microondas ‖ estación cabeza de línea. CF. **intermediate office, repeating station** ‖ *(Transportes)* estación terminal ‖ *(Ferroc)* estación terminal [cabecera]. Estación situada en el extremo de una línea o en un punto donde se inicia o termina una sección de tráfico independiente.

terminal strain insulator   *(Elec/Ant)* aislador de anclaje [de amarre]. SIN. **strain [tension] insulator**.

terminal strip   *(Elec/Telecom)* regleta [tira] de terminales, regleta de conexiones, tira de cableado, barra [conjunto] de terminales. SIN. **terminal board** ‖ *(i.e. tag-type terminal strip)* regleta de terminales ‖ *(i.e. screw-type terminal strip)* regleta de bornes [de bornas] ‖ puente de conexiones. Soporte aislante que se fija al chasis de un aparato electrónico o de radio y que sirve para el anclaje de conexiones y de piezas pequeñas.

terminal-strip panel   panel de regletas terminales.

terminal stub   *(Cables)* (a.c. terminal leg) chicote terminal. Trozo más o menos corto de cable que viene con una caja terminal [cable terminal] y que sirve para el empalme con el cable principal.

terminal stud   *(Elec/Telecom)* (a.c. stud) terminal, borne, borna; clavija de conexión.

terminal support   *(Elec)* *(i.e. anchor support at the end of a line)* apoyo de extremidad. Apoyo de anclaje situado en la extremidad de una línea (CEI/65 25–25–125).

terminal telegram   telegrama terminal. v. **terminal traffic**.

terminal telephone repeater   repetidor telefónico terminal. v. **terminal repeater**.

terminal-to-terminal speed   *(Avia)* velocidad media (entre los puntos de partida y llegada).

terminal traffic   *(Telecom)* tráfico terminal. Tráfico destinado a la localidad de la estación receptora o de la central de entrada, según el caso; dícese a distinción del *tráfico de escala* o *de tránsito* [relay traffic, transit traffic].

terminal transformer   *(Telecom)* transformador terminal. CF. **terminating set**.

terminal trunk exchange   *(Telef)* central interurbana extrema.

terminal unit   *(Telecom)* dispositivo [unidad] terminal; equipo terminal ‖ terminador. v. **terminating set**.

terminal velocity   velocidad final [terminal] ‖ *(Avia)* velocidad límite ‖ *(Balística)* velocidad remanente; velocidad de llegada (del proyectil).

terminal vertex   *(Mat)* vértice terminal.

terminal VF drop circuit   *(Telecom)* circuito terminal a frecuencias vocales, circuito de bajada a frecuencias de voz.

terminal VHF omnirange   v. **terminal VOR**.

terminal volt drop   v. **terminal voltage drop**.

terminal voltage   tensión en (los) bornes, tensión entre bornes [entre los terminales]. CF. **terminal impedance**.

terminal voltage drop   caída de tensión entre (los) bornes [entre los terminales].

terminal VOR [TVOR]   *(i.e. terminal VHF omnirange)* VOR terminal, radiofaro omnidireccional de VHF [de ondas métricas]. Es de menor potencia que el VOR normal y por lo general está situado en el propio aeropuerto. En los aeropuertos de poco tráfico sirve de ayuda de aproximación [approach aid], en substitución de un ILS o un radar; en las terminales aéreas de importancia sirve de ayuda suplementaria en el manejo de grandes volúmenes de tráfico VFR o IFR.

terminals of an element   *(Elec)* v. **terminal**.

terminate   *verbo:* terminar; dar fin, finalizar; concluir. SIN. **finish, conclude** ‖ *(Elecn/Telecom)* terminar; conectar una impedancia terminal. FRASES: **audio-frequency transformer terminated in its normal load**: transformador de audiofrecuencia que tiene por impedancia terminal su carga normal ‖ **properly terminated**: conectado a la debida impedancia terminal ‖ **the transmission line is terminated by its characteristic impedance**: la línea de transmisión termina en una impedancia igual a su impedancia característica ‖ **line terminated in a short circuit**: línea que termina en cortocircuito, línea con impedancia de carga nula ‖ **line terminated in an open circuit**: línea que termina en circuito abierto, línea con impedancia de carga infinitamente grande.

terminated   *adj:* terminado; finalizado; concluido ‖ *(Elecn/Telecom)* terminado; con impedancia terminal.

terminated circuit   circuito terminado; circuito cerrado por su extremo.

terminated-impedance line   línea con impedancia terminal.

terminated level   *(Telecom)* nivel de prueba adaptado. Valor del nivel de prueba [test level] en un punto de un circuito cuando éste está terminado en el punto considerado por una resistencia igual a la impedancia nominal del circuito [*Def. 1, derivada de la definición en francés**] (CEI/70 55–05–145) ‖ nivel de terminación. Lectura de un medidor de nivel [level-measuring set] en un punto de un sistema cuando éste está terminado en ese punto por medio de una resistencia igual a la impedancia nominal del sistema [*Def. 2, derivada de la definición en inglés**] (CEI/70 55–05–145) ‖ *NOTA: La definición en inglés no es tan precisa como la definición en francés, pues esta última se refiere a la definición del "niveau composite" [test level = nivel de prueba], que supone que el circuito considerado es alimentado en su origen por un generador normal adaptado [standard adapted generator], mientras que esta condición no figura en la definición inglesa del "level-measuring set". [*A la Def. 1 corresponde el término francés "niveau composite adapté"*] (CEI/70 55–05–145).

terminated line   línea terminada. Línea de transmisión cerrada en su extremo por una resistencia igual a su impedancia característica [characteristic impedance]; en estas condiciones no se producen reflexiones ni ondas estacionarias.

terminating   terminación; fin; conclusión ‖ (*Elecn/Telecom*) terminación, cierre (de un circuito, de una línea en el extremo) ⫽ *adj:* (*Elecn/Telecom*) terminal, terminador, de terminación.

terminating continuing fraction   (*Mat*) fracción continua finita.

terminating decimal   (*Mat*) decimal finito. Fracción decimal que no tiene más que ceros a la derecha de cierto lugar.

terminating equipment   (*Telecom*) aparatos terminales.

terminating impedance   impedancia terminal [de terminación].

terminating load   (elemento de) carga terminal.

terminating message   mensaje [despacho] terminal. El destinado a la misma localidad de la estación u oficina receptora. CF. originating message, terminal traffic.

terminating office   (*Telecom*) oficina [estación] de destino.

terminating resistor   resistencia terminal [de terminación].

terminating-resistor loss   pérdida en la resistencia terminal.

terminating set   (*Telecom*) terminador. Aparato destinado a interconectar un circuito bifilar [two-wire circuit] y un circuito de cuatro hilos [four-wire circuit] (CEI/70 55–20–280) ‖ (a.c. four-wire terminating set) terminador. Conjunto de aparatos utilizado para terminar los canales de ida y vuelta de un circuito de cuatro hilos y permitir la conexión con un circuito bifilar o de dos hilos.

terminating station   (*Telecom*) estación terminal, estación de destino (del tráfico). CF. terminal traffic.

terminating toll center [TTC]   (*Telecom*) estación [oficina] de destino ‖ (*Telef*) central interurbana extrema.

terminating traffic   (*Telecom*) tráfico terminal.

terminating unit   (*Telecom*) terminador. v. terminating set.

termination   terminación, fin, final; extremo, extremidad; remate ‖ (*Elecn/Telecom*) terminación; elemento [dispositivo] de terminación; equipo terminal ‖ terminación, impedancia terminal. Impedancia (como caso particular, resistencia) con que se cierra el extremo de una línea, la salida de un generador, etc. SIN. elemento terminal ‖ terminación, carga. Carga conectada a un dispositivo o una línea de transmisión. CASOS PARTICULARES: la carga es igual a la impedancia de salida del dispositivo (o a la impedancia característica de la línea); la carga es de impedancia infinita (circuito abierto); la carga es de impedancia nula (cortocircuito). SIN. elemento de carga ‖ termination of wires (on a pole): sujeción [remate] de los hilos ‖ termination of wire (on insulator): retención [amarre terminal] del hilo ‖ CF. two-wire termination, four-wire termination ‖ terminación. Punto donde termina o cambia de características una línea aérea, una sección de cable, o un circuito de telecomunicación ⫽ *adj:* terminal, final, extremo ‖ (*Elecn/Telecom*) terminal, terminador, de terminación.

termination band   (*Resistores*) banda terminal, caperuza (metálica o metalizada). SIN. end cap.

termination charge   (*Telef*) tasa de anulación. SIN. charge for cancellation.

termination circuit   circuito de terminación.

termination for coaxial line   terminación de línea coaxil.

termination for waveguide   terminación de guíaondas [de guía de ondas].

termination plug   clavija [enchufe] terminal.

termination unit   (*Telecom*) unidad terminadora, elemento terminador, dispositivo de terminación ‖ terminador. v. terminating set.

terminator   (*Telecom*) terminador. v. terminating set ‖ (*Astr*) terminador, límite de iluminación. Límite entre el hemisferio iluminado y el obscuro de un planeta o de un satélite.

terminological   *adj:* terminológico.

terminological card file   fichero terminológico.

terminologist   terminólogo.

terminology   terminología.

terminus   término, fin, final; punto final, objetivo ‖ (*Ferroc, Líneas*

de transporte) término, terminal; estación terminal, estación cabeza de línea. Punto o estación donde termina o empieza una línea; centro de población o ciudad donde se encuentra ese punto o esa estación ‖ (*i.e.* boundary, border) frontera, límite, confín, linde ‖ (*i.e.* post or stone marking a boundary or border) marca delimitadora, mojón de frontera.

ternary   terna, terno, trío. Conjunto o grupo de tres ⫽ *adj:* ternario, trino. Compuesto de tres; ordenado, organizado o agrupado en tríos ‖ ternario, trivalente. Capaz de existir en tres estados distintos o de adoptar tres valores discretos ‖ (*Mat*) ternario. De base tres; que involucra tres variables.

ternary alloy   (*Met*) aleación ternaria.

ternary code   (*Informática/Teleg*) código ternario [trivalente]. Código en el que cada elemento puede ser de una clase entre tres distintas o que puede tener un valor entre tres valores discretos posibles; código en el que sólo se consideran tres estados.

ternary fission   (*Nucl*) fisión ternaria. Fisión de un núcleo atómico en tres fragmentos.

ternary form   (*Mús*) forma ternaria, terna, ternario.

ternary logic   lógica ternaria.

ternary notation   notación ternaria. Notación de base 3 en la que se usan los caracteres 0, 1, y 2.

ternary pulse-code modulation   modulación por codificación ternaria de impulsos. Modulación por codificación de impulsos [pulse-code modulation] en la que cada elemento de información está representado por uno de tres valores discretos posibles.

ternary system   (*Quím*) sistema ternario. Sistema gráfico que representa mediante un punto en un triángulo equilátero la composición de una solución de tres componentes.

terphenyl   (*Quím*) terfenilo. Polifenilo de tres grupos bencénicos. Substancia que se usa para polimerizar con estireno, dando un producto fosforescente plástico.

terrace   terraza, bancal, balate, terrado, parata ‖ (*Edif*) terraza, terrado, azotea ‖ (*Geol*) terraza ‖ (*Obras de tierra*) terraplén ‖ banquete, banquina. Camino angosto al pie de un terraplén o en lo alto de un desmonte. SIN. bench, berm ⫽ *verbo:* abancalar, terrazar, terracear; terraplenar.

terrain   terreno.

terrain-avoidance radar   (*Aviones*) radar para contornear obstáculos en vuelo a baja altura ‖ v. terrain-following radar.

terrain clearance   (*Avia*) margen vertical sobre el terreno.

terrain-clearance indicator   (*Avia*) altímetro absoluto, indicador de margen vertical sobre el terreno. SIN. radioaltímetro, altímetro radioeléctrico —— absolute altimeter, radio altimeter.

terrain clutter   (*Radar*) v. ground clutter.

terrain conditions   condiciones del terreno. Refiérese p.ej. a las características en un paraje o región en cuanto afecte los trabajos de instalación o de funcionamiento de un sistema de telecomunicación: emplazamiento de una estación, erección de torres de antena, propagación de las ondas, existencia de trayectorias libres de obstáculos (en enlaces por microondas), etc.

terrain echoes   (*Radar*) v. ground clutter.

terrain error   (*Radionaveg/Radiogoniometría*) error local, error por inhomogeneidad del terreno. Error resultante de la deformación del campo radioeléctrico por inhomogeneidad de las características del terreno sobre el cual se ha propagado la radiación. CF. site error.

terrain exercises   ejercicios sobre el terreno.

terrain-following radar   (*Aviones*) radar de seguimiento del terreno. Radar táctico que permite volar a cotas muy bajas para rehuir los radares del adversario siguiendo el contorno accidentado del suelo sin chocar con éste ‖ v. terrain-avoidance radar.

terrain mapping   reconocimiento topográfico. Identificación mediante un radar aerotransportado de las masas de agua, los litorales, las montañas, y otros accidentes geográficos y topográficos.

terrain model   modelo topográfico, modelo (en relieve) del terreno.

terrain profile   perfil del terreno. v. **profile diagram**.

terrestrial   *adj:* terrestre.

terrestrial accretion   acreción terrestre.

terrestrial coordinates   coordenadas terrestres [geográficas].

terrestrial equator   ecuador terrestre.

terrestrial guidance   *(Proyectiles)* v. **terrestrial-reference guidance**.

terrestrial magnetic field   campo magnético terrestre. Campo magnético natural que existe en la región terrestre (CEI/38 05–25–055, CEI/56 05–25–055).

terrestrial-magnetic guidance   *(Proyectiles)* guía con referencia terrestre magnética.

terrestrial magnetic poles   polos magnéticos terrestres. Puntos de la superficie terrestre donde la inclinación magnética [magnetic inclination] es de 90 grados (CEI/38 05–25–075, CEI/56 05–25–075).

terrestrial magnetism   magnetismo terrestre. Magnetismo natural que existe en la región terrestre.

terrestrial microwave link   enlace terrestre de microondas. Dícese a distinción de los radioenlaces mediante satélites artificiales.

terrestrial noise   *(Radiocom)* ruido (de origen) terrestre.

terrestrial radiation   *(Geofís)* radiación terrestre.

terrestrial radio noise   ruido radioeléctrico (de origen) terrestre.

terrestrial-reference flight   *(Aeron)* vuelo con referencia terrestre.

terrestrial-reference guidance   *(Proyectiles)* guía con referencia terrestre.

terrestrial region   región terrestre.

territorial   *adj:* territorial.

territorial air traffic   tráfico aéreo territorial.

territorial broadcast   *(Radiocom)* emisión territorial.

territorial transmission   *(Radiocom)* transmisión territorial.

territory   territorio ||| *adj:* territorial.

tertiary   *(Ornitología)* pluma terciaria (de un ave) ||| *adj:* terciario, tercero.

Tertiary   *(Geol)* era terciaria; (terreno) terciario ||| *adj:* *(Geol)* terciario, de la era terciaria.

tertiary coil   devanado terciario. En ciertos transformadores de salida de audioamplificador de potencia, tercer devanado que suministra una tensión de realimentación negativa [negative feedback voltage] || v. **tertiary winding**.

tertiary color   color terciario. Color obtenido por la mezcla de dos colores secundarios (v. **secondary color**).

tertiary path   *(Telecom)* trayectoria terciaria, paso terciario. Camino de acoplamiento diafónico entre dos pares de conductores por acoplamiento con un tercer par.

tertiary radiation   *(Radiol)* rayos terciarios. Rayos emitidos a consecuencia de la absorción de una radiación incidente (CEI/38 60–05–090).

tertiary winding   *(Elec)* devanado terciario. (**1**) Devanado auxiliar empleado particularmente en los transformadores conectados en estrella y destinado en especial a: (a) alimentar un circuito especial; (b) estabilizar el punto neutro de las tensiones; (c) prevenir los efectos perjudiciales debidos a la tercera armónica (CEI/38 10–25–075). (**2**) Devanado suplementario de un transformador destinado a ser ligado a un compensador, a una bobina de inducción, a un circuito auxiliar, etc. En los transformadores cuyos devanados primario y secundario están acoplados en estrella, puede servir también para: (a) equilibrar las tensiones entre fases y neutro; (b) reducir la importancia de la tercera armónica; (c) ajustar el valor de la impedancia homopolar [zero-sequence impedance]; etc. (CEI/56 10–25–090) | devanado estabilizador [terciario]. v. **stabilizing winding** || *(Audioamplificadores)* v. **tertiary coil**.

tesla   tesla. Unidad de inducción magnética en el sistema MKSA; equivale a 1 weberio por metro cuadrado. Símbolo: T.

Tesla   Nikola Tesla: electricista e inventor nacido en Smiljan (provincia de Lika), Austria-Hungría (hoy Yugoslavia), el 10 de julio de 1856; murió en Nueva York (EE.UU.) el 7 de enero de 1943.

Tesla arrangement   *(Elec)* montaje Tesla.

Tesla coil   bobina [transformador] de Tesla. Transformador de radiofrecuencia (núcleo de aire) que se usaba con un explosor [spark-gap] y un condensador para obtener altas tensiones a altas frecuencias. SIN. **Tesla transformer**.

Tesla current   *(Electrobiol)* (a.c. coagulating current) corriente de Tesla, corriente de coagulación. Descarga de arco que presenta una caída de 5 a 10 kV en el aire, que parte de electrodos unipolares [monopolar electrodes] o bipolares [bipolar electrodes], producido por una disposición especial de transformadores, explosores y condensadores, dirigido sobre la superficie de un tejido, y suficientemente denso para precipitar y oxidar (carbonizar) las proteínas del tejido. OBSERVACION: El término *corriente de Tesla* [Tesla current] es apropiado si se pone el énfasis en el método de producción de la misma, y es adecuado el de *corriente de coagulación* [coagulating current] si se quiere dar relieve a los efectos fisiológicos. NOTA: Se aconseja abandonar el uso de estos términos en inglés y sus correspondientes en castellano (CEI/59 70–20–055).

Tesla transformer   transformador [bobina] de Tesla, transformador de corriente oscilante. v. **Tesla coil**.

tessitura   *(Mús)* tesitura. Conjunto de los sonidos o registro general propios de un instrumento o de una voz. SIN. **texture**. NOTA: El término viene del italiano *tessitura*, textura.

test   prueba, verificación, comprobación; examen; criterio (de evaluación) | prueba, ensayo | **under test**: bajo prueba, en ensayo | prueba, experimento, experiencia || *(Enseñanza)* prueba, examen (parcial) || *(Mat)* prueba || *(Estadística)* test; docima | contraste, test. Regla basada en el cálculo de probabilidades que da un criterio para aceptar o rechazar una hipótesis tras un cierto número de experiencias || *(Telef)* **test for free circuit**: prueba de ocupación (de un circuito), prueba de "ocupado" (de un circuito). SIN. **busy test** | *(En equipos de conmutación)* prueba de exploración | **test of signaling equipment**: prueba de señaladores [de la llamada, del equipo de llamada] ||| *adj:* de prueba, de comprobación, de verificación; de prueba, de ensayo; experimental; explorador; verificador, comprobador ||| *verbo:* probar, comprobar, verificar, constatar; examinar, evaluar (según ciertos criterios); probar, ensayar; poner a prueba; hacer la prueba de; atestiguar. AFINES: inspeccionar, medir, calar, explorar, sondear.

test access point   *(Elecn/Telecom)* punto de acceso para pruebas y medidas. v. **test point**.

test and maintenance facilities   elementos para pruebas y reparaciones.

test and measurement setup   banco de ensayos y medidas.

test bar   barra patrón; barra testigo; probeta || *(Telef)* conductor de prueba || *(Tv)* **test bars**: franjas [barras] de ajuste (de receptores). v. **test pattern**.

test battery   *(Elec, Telecom)* batería de pruebas.

test bed   *(Máq/Mot)* banco de pruebas. SIN. **test bench**.

test-bed firing   *(Tecnología espacial)* arranque en el banco de pruebas.

test bench   *(Elecn, Máq/Mot, &)* banco de pruebas. SIN. **test bed**, **test setup**, **test stand**.

test block   *(Telef)* bloque de prueba.

test board   *(Elec/Elecn)* tablero de pruebas, panel de pruebas y medidas. Tablero o panel provisto de diversos instrumentos de prueba y medida, terminales, cables de conexión temporal, y otros elementos, y que se utiliza para probar aparatos particulares diversos || *(Telef)* cuadro [mesa] de pruebas. Conjunto de órganos de conmutación y de aparatos de medida dispuesto de manera que permita efectuar conexiones con las líneas telefónicas o los equipos de la central, para fines de pruebas y medidas. SIN. **test desk**, **trunk test rack** *(GB)*, **chief's desk**.

test boring   sondeo [sondaje] de exploración, perforación de prueba, cala.

test box *(Telecom)* caja de pruebas [de corte, de protección]. SIN. **cross-connecting terminal** ‖ *(Medidas eléc)* caja de control, caja de verificación. Caja que contiene aparatos de medida y sus accesorios (shunts, resistencias adicionales, cordones, etc.) (CEI/58 20–30–200)*. *NOTA: El VEI no da término equivalente en inglés.

test brush *(Telef)* escobilla de prueba.

test bulb lámpara de prueba, lámpara testigo.

test-busy signal *(Telef)* señal de bloqueo. Señal transmitida hacia atrás de manera a marcar ocupado un circuito en su extremo de salida [outgoing end]. SIN. **blocking signal** (CEI/70 55–115–170) | señal de control.

test call *(Telef)* llamada [comunicación] de prueba.

test cap *(Cables)* aislador de extremidad.

test card *(Informática)* tarjeta de prueba ‖ *(Tv)* mira. v. **television test card.**

test cell *(Elec)* espinterómetro. Aparato para el ensayo de rigidez dieléctrica [dielectric strength] de un líquido; está formado esencialmente por un recipiente destinado a recibir el líquido que se quiere someter a ensayo y de un explosor de medida cuya distancia entre electrodos es regulable. El término *espinterómetro* se usa también para designar el *explosor de medida* (v. **measuring spark-gap**) (CEI/58 20–30–205).

test chamber cámara de pruebas [de experimentación]; cámara de ensayos (p.ej. para simulación de condiciones ambiente).

test chart *(Elecn)* cuadro de pruebas. Cuadro o tabla en que se relacionan datos útiles en las comprobaciones del funcionamiento y en el diagnóstico de averías de un aparato: componentes con sus valores nominales, tolerancias, y referencias al circuito; valores nominales de tensión, de corriente y de resistencia; etc. CF. **voltage chart** ‖ *(Tv)* mira, carta de ajuste, modelo [imagen, patrón] de prueba. SIN. **television test card, test pattern.** CF. **definition chart, resolution pattern.**

test check tanteo.

test circuit *(Telecom)* circuito de prueba [de control].

test clip *(Elec/Elecn)* presilla (para conexiones) de prueba, pinza de pruebas, conector de pruebas. Presilla o pinza de apriete por resorte unida al extremo de un conductor aislado flexible, y que se utiliza para efectuar conexiones eléctricas temporales, para fines de prueba y medida. CF. **test prod.**

test club *(Avia)* hélice de prueba. Hélice especial que se usa para probar motores en el banco de pruebas [test bench].

test code normas de ensayo.

test coil bobina exploradora. SIN. **pickup [search] coil.**

test configuration montaje [disposición] de ensayo.

test connector conector de prueba ‖ *(Telecom)* selector de prueba. SIN. **test selector.**

test cord *(Telef)* cordón de prueba.

test current *(Telecom)* corriente de prueba.

test desk *(Elec)* pupitre [mesa] de pruebas | pupitre [cuadro] de verificación. Conjunto con la forma general de una mesa o un pupitre, que comprende aparatos de medida, aparatos de regulación de tensiones, corrientes y desfasajes, y otros accesorios, y que permite el contraste [calibration] cómodo de aparatos o de transformadores de medida (CEI/58 20–30–155) ‖ *(Telecom)* mesa de pruebas; panel de ensayo, tablero de pruebas ‖ *(Telef)* mesa [cuadro] de pruebas (y medidas). SIN. **test board, chief's desk.**

test dolly pupitre de pruebas rodante [sobre ruedas].

test equipment equipo de prueba; aparato(s) de prueba [de ensayo]; instrumental de pruebas (y medidas).

test equipment setup *(Elecn/Telecom)* banco de pruebas. SIN. **test bench.**

test facility instalación de pruebas.

test film *(Cine)* película de prueba [para pruebas]. Película cinematográfica que sirve para comprobar uno o varios aspectos del funcionamiento de un sistema de proyección. Existen en particular películas para pruebas *de obturación, de salto de imagen, de profundidad de foco, de aberración esférica, de uniformidad de iluminación, de sincronismo de imagen y sonido, de centraje del trazo lector, de uniformidad del trazo lector,* etc.

test final selector *(Telecom)* selector de prueba.

test fixture adaptador de prueba; aparejo de prueba; montaje para pruebas.

test flight *(Avia)* vuelo de prueba [de ensayo].

test flying *(Avia)* vuelo de prueba [de ensayo].

test form *(Elecn/Telecom)* planilla de prueba [de registro de pruebas]. Planilla o formulario donde se anotan los resultados de las pruebas efectuadas en un equipo o un sistema, para ulterior referencia.

test frequency frecuencia de prueba.

test function *(Mat)* función de prueba.

test gear equipo de pruebas [de ensayos]; aparato(s) de prueba; instrumental de prueba; aparato(s) de medida.

test hole agujero [taladro] de prueba; pozo de exploración.

test hut *(Telecom)* caseta de corte [de pruebas]. SIN. **cable hut.**

test indication indicación de prueba.

test indicator indicador de prueba [de ensayo].

test instrument instrumento de prueba, aparato de medida.

test instruments instrumental de prueba, instrumentos de prueba, aparatos de medida.

test insulator *(Telecom)* aislador de corte.

test interception circuit to main distribution frame *(Telecom)* línea de prueba al repartidor principal.

test jack *(Elecn/Telecom)* jack [conjuntor, enchufe] de prueba, enchufe de medida ‖ *(Telef)* jack [conjuntor] de prueba. Jack (o conjuntor) intercalado en un circuito para facilitar las pruebas y la localización de averías (CEI/70 55–95–265).

test jack panel *(Elecn/Telecom)* panel de pruebas, tablero de jacks de prueba.

test jig adaptador para ensayos; portapiezas para ensayos.

test key *(Telef)* llave de prueba.

test lamp lámpara de prueba. Lámpara (incandescente o de neón) utilizada para pruebas eléctricas de continuidad, de cortocircuito, de circuito abierto, de derivación a tierra, etc.

test layout disposición de prueba.

¹**test lead** cordón [cable] de prueba, conductor de prueba(s). Conductor aislado flexible, por lo común terminado en una punta de prueba [test prod] por uno de sus extremos; el otro extremo puede estar unido a una clavija de enchufe o a una pinza de pruebas [test clip]. Se usa para conectar temporalmente instrumentos de medida a circuitos bajo prueba o para efectuar otras conexiones temporales.

²**test lead** plomo puro (para ensayos).

test level *(Telecom)* nivel de prueba. Valor del nivel absoluto de potencia [absolute power level] en un punto de un circuito cuando se alimenta el origen de ese circuito por medio de un generador con impedancia interna no reactiva R igual a la impedancia nominal [nominal impedance] del circuito y una fuerza electromotriz de $2\sqrt{R/1\,000}$ V, dejando sin cambiar las condiciones de terminación del circuito. NOTA: En los textos británicos esta magnitud se designa generalmente con el nombre de "level" [nivel], sin calificativo; y recíprocamente, cuando se usa la palabra "level" sin calificativo, se trata de esta magnitud. OBSERVACION: Salvo indicación contraria, el nivel de prueba se mide a la frecuencia de 800 Hz (CEI/70 55–05–140). CF. **absolute (power) level, absolute voltage level, relative (power) level, terminated level, through level.**

test light luz de prueba.

test limit límite de tolerancia.

test line *(Telecom)* línea de pruebas.

test line to main distribution frame *(Telecom)* línea de pruebas al repartidor principal.

test load carga de prueba [de ensayo] ‖ *(Radio)* (elemento de) carga ficticia para pruebas, antena ficticia.

test lock *(Informática)* seguro de prueba.

test log registro de pruebas. CF. **test form.**

test loop   *(Telecom)* bucle de prueba, circuito de medida.

test-man   v. **testman**.

test matrix   *(Mat)* matriz de prueba.

test message   *(Teleg)* mensaje de prueba. Mensaje especial utilizado para comprobar el funcionamiento de un circuito, en particular la frecuencia de errores.

test meter   instrumento de prueba, aparato de medida. SIN. **test instrument**.

test model   *(Avia, &)* modelo de prueba.

test modulation   modulación de prueba.

test mount   soporte [montura] de prueba.

test of significance   *(Estadística/Muestreos)* prueba [docima] de significación.

test oscillator   *(Radio/Elecn)* oscilador de prueba. Oscilador de audiofrecuencia o de radiofrecuencia cuya onda de salida se utiliza para la prueba y alineamiento de amplificadores, receptores, y otros aparatos. Si es de radiofrecuencia cuenta generalmente con medios para modular la onda con un tono de audio cuando así convenga; la onda de RF es de frecuencia variable dentro de ciertos límites, y el tono modulador puede ser de procedencia interna o externa. SIN. **(all-wave) oscillator, (all-wave) signal generator**.

test panel   panel [cuadro] de pruebas || *(Telef)* panel de pruebas.

test paper   *(Quím/Fotog)* papel (de) reactivo, papel indicador [de ensayo].

test particle   *(Experimentos con plasmas y gases ionizados)* partícula de prueba [de ensayo], partícula testigo.

test pattern   *(Tv)* mira, imagen patrón, imagen piloto, carta de ajuste, imagen de prueba [de control], patrón de pruebas [de ajuste], imagen fija de control. Imagen fija, generalmente con grupos de líneas, franjas, circunferencias y otras figuras geométricas, que se transmite para facilitar el exacto ajuste de las cámaras y de los receptores. SIN. **monograma [monoscopio] de control —— (television) test card, test chart**. CF. **definition [resolution] chart, resolution pattern, monoscope**.

test pattern generator   *(Tv)* generador de mira [de imagen piloto], mira electrónica. v. **pattern generator**.

test-pattern gray scale   *(Tv)* escala de grises de la mira [de la carta de ajuste].

test pick   *(Telecom)* buscador (de prueba). SIN. **testing spike**.

test piece   muestra (para ensayos), pieza de ensayo, probeta, barreta.

test pilot   *(Avia)* piloto de pruebas.

test plug   tapón de prueba || *(Telecom)* clavija de prueba.

test point   *(Elecn/Telecom)* punto de prueba, punto para pruebas, punto de intervención para realizar ensayos. Punto de un circuito o un sistema elegido por su importancia para efectuar pruebas y medidas, y generalmente provisto de un elemento de conexión o de contacto (jack, borne, terminal) de fácil acceso | punto de medida. En ciertos potenciómetros que llevan resistencias fijas incorporadas y conectadas a uno o a ambos extremos del elemento de resistencia variable, borne o terminal especial usado para obtener acceso eléctrico cómodo a los extremos y poder hacer mediciones exactas de la resistencia variable | punta de prueba. POCO USADO: punta de comprobaciones. SIN. **test prod**. CF. **probe** | v. **testing point**.

test point adapter   adaptador para punta de prueba.

test pole   *(Telecom)* poste de corte [de pruebas].

test pole connection   *(Telecom)* conexión para pruebas en poste.

test print   *(Cine)* copia de prueba [de examen], copia tipo.

test probe   sonda (de prueba); palpador.

test procedure   procedimiento de prueba; método de prueba.

test prod   punta de prueba. Punta metálica con mango aislante, unida eléctricamente a un conductor aislado flexible [test lead]; se utiliza para hacer conexiones momentáneas en terminales u otros puntos de un circuito para fines de prueba y medida. CF. **test point, test clip**.

test program   *(Informática)* programa comprobatorio [de compro-

bación, de verificación]. CF. **test routine**.

test pushbutton   *(Elecn/Telecom)* (botón) pulsador de prueba.

test rack   *(Telecom)* bastidor de pruebas; mesa de corte.

test range   campo de pruebas. Campo despejado utilizado para la prueba de antenas. CF. **test site**.

test reactor   *(Nucl)* reactor experimental [de prueba].

test record   *(Fonog)* disco de prueba. Disco fonográfico destinado a la prueba y ajuste de sistemas audiomusicales en cuanto a respuesta de frecuencia, cifra de distorsión, coordinación de fase entre distintos canales (sistemas estereofónicos), estado de la aguja reproductora y del fonocaptor en general, punto de bajada del brazo, acción de disparo del mecanismo cambiadiscos (tocadiscos automáticos), etc. || *(Elecn/Telecom)* planilla de registro de pruebas. v. **test form**.

test register   *(Telef)* registrador de pruebas.

test relay   *(Elec)* relé verificador || *(Telecom)* relé de prueba.

test result   resultado de la prueba || *(Telecom)* medida, resultado de una medición. SIN. **measurement**.

test rig   dispositivo para pruebas || *(Máq/Mot, &)* montaje de prueba, caballete para pruebas || *(Nucl)* instalación experimental [de prueba].

test-room   v. **testroom**.

test routine   rutina de pruebas, procedimiento sistemático de pruebas || *(Informática)* rutina comprobatoria [de comprobación, de verificación]. SIN. **check routine**. CF. **diagnostic routine**.

test run   prueba [ensayo] de duración; prueba de funcionamiento continuo; período de marcha comprobatoria || *(Informática)* pasada de prueba [de ensayo].

test scoring   calificación de examen.

test scoring machine   *(Informática)* máquina calificadora de exámenes.

test section   *(Teleg)* sección de prueba. Sección de canal o vía comprendida entre dos centros dotados de equipos de medida que permiten efectuar pruebas de transmisión telegráfica.

test selector   *(Telecom)* selector de prueba. SIN. **test connector**.

test set   aparato de prueba [de control] | equipo de prueba [de verificación], equipo de medidas. Conjunto coordinado de instrumentos con sus accesorios destinado a la prueba de determinada clase de aparatos eléctricos, electrónicos, o electromecánicos.

test setup   banco de pruebas; disposición [instalación] de ensayo; montaje para pruebas. SIN. **test bench**.

test shot   *(Cine/Tv)* toma de prueba.

test signal   *(Radio/Elecn/Telecom)* señal de prueba.

test signal generator   generador de señales de prueba. SIN. **signal generator**.

test site   *(Proyecto de sist de telecom)* sitio [emplazamiento] de prueba || campo experimental [de experiencias]. CF. **test range**.

test slide   *(Cine)* diapositiva [vista fija] de prueba.

test solution   *(Quím)* disolución [solución] testigo.

test stand   banco de pruebas. SIN. **test bench**.

test station   *(Radio/Tv/Telecom)* estación de prueba.

test switch   conmutador [interruptor] de prueba.

test tape   *(Registro sonoro)* cinta de prueba, cinta patrón, cinta tipo || *(Teleg)* cinta (perforada) de prueba.

test terminal   *(Elec/Telecom)* borna de ensayo, terminal de pruebas.

test terminal box   *(Elec)* caja de bornas de ensayo. Caja de bornas especiales que se coloca al lado de un contador [meter] para permitir su contraste [calibration] sin entorpecer el funcionamiento de la instalación de que el mismo forma parte, y para facilitar la conexión de aparatos de verificación [test instruments] (CEI/58 20–30–195).

test tone   *(Elecn/Telecom)* tono de prueba. Tono puro de frecuencia y potencia especificadas (por ejemplo, 800 ó 1 000 Hz a 1 mW) y que se usa para fines de pruebas, localización de averías, y alineamiento de circuitos. CF. **test level**.

test traffic   *(Telecom)* tráfico de prueba. Tráfico establecido según reglas determinadas y bajo el control del personal de una central para probar la calidad de funcionamiento de la central, así como la de las líneas auxiliares [junctions] y la de la central distante [distant exchange] (CEI/70 55–110–170) | *(Término relacionado con el precedente)* **artificial traffic:** tráfico artificial. Tráfico de prueba creado con el objeto de simular condiciones determinadas (CEI/70 55–110–175) | CF. **waste traffic.**

test transmission *(Radio/Tv/Telecom)* transmisión [emisión] de prueba.

test tube *(Quím)* probeta, tubo de ensayo.

test-tube rack portaprobeta; gradilla, estante de probetas.

test-tube reactor *(Nucl)* reactor de tubo de ensayo.

test waveform onda de prueba. Onda de determinada forma utilizada para la prueba de sistemas electrónicos y de telecomunicación.

test waveform generating equipment equipo generador de ondas de prueba.

test waveform generator generador de ondas de prueba.

test wire *(Elec/Telecom)* hilo de prueba || *(Telecom)* hilo "C" de la clavija. SIN. **C wire.**

tester *(Elec/Elecn/Telecom)* probador, comprobador, aparato de pruebas; aparato (portátil) de pruebas [de ensayos]; medidor | "tester", analizador de pruebas, polímetro, medidor universal. SIN. **multimeter, multitester, multiple-purpose tester, VOM** | técnico de medidas y ensayos. SIN. **testman** || *(Industria, Ensayo de materiales)* equipo de ensayos. SIN. **testing equipment** | máquina para prueba [ensayo] de materiales | controlador, probador, ensayador; encargado de pruebas | *(i.e.* quality tester) inspector de la calidad | *(i.e.* lab assistant) ayudante de laboratorio || *(Estadística/Muestreos)* docimador || *(Sondeos)* sacatestigos || *(Quím/Fotog)* reactivo. CF. **test paper** || *(Petr)* empleado de laboratorio.

testing prueba, ensayo; comprobación, constatación, verificación; examen; evaluación (según criterios establecidos); puesta a prueba. AFINES: inspección, medida, medición, exploración, sondeo /// *adj:* de prueba, de ensayo; de comprobación, de verificación; de evaluación; probador, comprobador, comprobatorio, verificador.

testing area zona de pruebas. CF. **test range.**

testing crew *(Telecom)* equipo de prueba.

testing device dispositivo de prueba [de ensayo].

testing electrodes *(Electroquím)* electrodos auxiliares. Electrodos de comparación de cadmio o plomo esponjoso, que se introducen como electrodos de comparación en el electrólito de un acumulador para medir separadamente las tensiones anódicas y catódicas (CEI/38 50–05–240).

testing equipment V. **test equipment.**

testing finder *(Telecom)* buscador de prueba. CF. **test final selector.**

testing gear V. **test gear.**

testing laboratory laboratorio de ensayos, laboratorio experimental.

testing level *(Telecom)* V. **test level.**

testing meter *(Elec)* contador (portátil) de prueba, contador de verificación || V. **test meter.**

testing of poles (for soundness) *(Telef/Teleg)* ensayo de postes (para determinar su estado). SIN. **pole inspection.**

testing office *(Telecom)* estación de medidas. SIN. **measuring office.** CF. **test section.**

testing officer *(Telecom)* técnico de medidas y ensayos. SIN. **tester, testman.**

testing outfit probador, equipo de prueba.

testing point *(Telecom)* punto de prueba [de corte] | V. **test point.**

testing position *(Telef)* posición de pruebas (y medidas).

testing relay V. **test relay.**

testing room V. **testroom.**

testing set V. **test set.**

testing-sorting process proceso de ensayo y clasificación.

testing specifications *(Fáb)* especificaciones de comprobación.

testing spike palpador; sonda || *(Telecom)* buscador (de prueba). SIN. **test pick.**

testing terminal borne [borna] de pruebas, borna de ensayos, terminal de pruebas. SIN. **test terminal.**

testing transformer *(Elec)* transformador de ensayo.

testing unit probador, comprobador, aparato de pruebas.

testing van *(Telecom)* carreta para ensayo de cables, carro para prueba de cables.

testman *(Telecom)* técnico de medidas y ensayos. SIN. **tester, testing officer.**

testroom sala de pruebas.

tetanic *sust/adj:* tetánico. Agente que produce tétanos [tetanus]. Referente al tétanos.

tetanization *(Medicina)* tetanización. Producción de espasmos tetánicos.

tetanize *verbo:* tetanizar. Producir espasmos tetánicos.

tetanizing tetanización. V. **tetanization.**

tetanizing current *(Electrobiol)* corriente de tetanización. Corriente que, aplicada a un músculo o a un nervio motor unido a un músculo, estimula este último con intensidad y frecuencia suficientes para producir una contracción sostenida, a distinción de una sucesión de movimientos convulsivos [succession of twitches] (CEI/59 70–20–040).

tetanus *(Medicina)* tétanos. Enfermedad caracterizada por contracciones tónicas dolorosas de los músculos /// *adj:* tetánico.

tetra-, tetr- tetra-. Elemento de compuesto que indica cuatro.

tetrachoric correlation *(Mat)* correlación tetracórica.

tetracid *adj:* *(Quím)* tetrácido. Que tiene cuatro átomos de hidrógeno substituibles por radicales ácidos.

tetrad tétrada. (1) Grupo o conjunto de cuatro. (2) En informática, grupo de cuatro impulsos; en particular, grupo de cuatro impulsos usado para expresar un dígito en la escala de 10 o en la de 16 || *(Quím)* tétrada. Elemento tetravalente o cuadrivalente; átomo o radical tetravalente; grupo de cuatro cuerpos similares /// *adj:* tetrádico.

tetraethyl lead plomo tetraetilo; tetraetilo plomo.

tetrafluoroethylene [TFE] *(Quím)* tetrafluoetileno.

tetrafluoroethylene resin resina de tetrafluoetileno.

tetragon *(Geom)* tetrágono. Polígono de cuatro lados; cuadrilátero.

tetragonal *adj:* *(Geom)* tetrágono, tetragonal.

tetragonal lattice *(Cristalog)* red tetragonal.

tetragonal system sistema tetragonal. Uno de los siete sistemas cristalinos, en el cual tres ejes son mutuamente ortogonales, y dos son de la misma longitud.

tetragonality *(Geom)* tetragonalidad.

tetragonally *adj:* tetragonalmente.

tetrahedral *adj:* *(Geom)* tetraedro, tetraédrico.

tetrahedral angle ángulo tetraedro.

tetrahedron *(Geom)* tetraedro. Pirámide triangular.

tetravalent *adj:* *(Quím)* tetravalente.

tetrode *(Elecn)* tetrodo. Tubo o válvula con cuatro electrodos: *cátodo* (elemento emisor de electrones), *ánodo* (elemento colector de electrones) y dos electrodos o elementos intermedios que regulan o gobiernan el flujo de electrones; en el caso típico, estos últimos son la *rejilla de control* [control grid] y la *rejilla auxiliar* [screen grid]. VAR. tubo tetródico, válvula (electrónica) tetródica. SIN. **four-electrode tube, screen-grid tube** | tetrodo. (1) Tubo termoiónico provisto de cuatro electrodos, de los cuales uno es el ánodo, otro el cátodo, y los demás son rejillas (CEI/38 60–25–015). (2) Tubo electrónico de cuatro electrodos: un *cátodo* [cathode], un *ánodo* [anode], un *electrodo de mando* [control electrode], y un *electrodo suplementario* [additional electrode] constituido generalmente por una rejilla (CEI/56 07–25–020) /// *adj:* tetrodo, tetródico, de cuatro electrodos.

tetrode field-effect transistor transistor tetrodo de efecto de campo. Transistor de cinco elementos: *fuente* o *surtidor* [source], *drenador* [drain], *compuerta volúmica* [bulk gate], *compuerta de control*

[control gate], y *compuerta pantalla* [shield gate]. Aunque los elementos son cinco, los conductores que van a los circuitos exteriores son *cuatro,* pues a la compuerta volúmica no corresponde ningún conductor de conexión exterior. Para el funcionamiento como tetrodo el dispositivo necesita una fuente polarizadora separada para cada compuerta con acceso. La misma estructura constituye un transistor *pentodo* de efecto de campo si la compuerta volúmica (llamada también *principal* o *de masa*) está provista de conexión al exterior y es polarizada independientemente, al igual que las demás compuertas.

tetrode inert-gas-filled thyratron   tiratrón tetrodo de gas raro [en atmósfera de gas inerte].

tetrode junction transistor   transistor tetrodo de uniones, transistor de uniones de doble base. v. **double-base junction transistor.**

tetrode oscillator   tetrodo oscilador; oscilador con tetrodo.

tetrode point-contact transistor   transistor tetrodo de puntas. Transistor con tres puntas de contacto y una conexión de base.

tetrode strapped as a triode   tetrodo conectado como triodo.

tetrode transistor   tetrodo transistor. Transistor de cuatro electrodos. VAR. tetrodo de cristal.

tetryl   *(Quím)* tetrilo, butilo || *(Explosivo)* tetril.

TeV   Abrev. de teraelectron-volt [teraelectrón-voltio].

tex   *(Teleg)* Abrev. de telex; teleprinter exchange.

Texas tower   *(Radar)* "torre tejana", "torre de Tejas". Estación de radar de defensa antiaérea (alarma avanzada) montada en una isleta artificial próxima al litoral. El nombre viene de la semejanza de la estructura de soporte de la estación con las de extracción de petróleo que se ven en aguas costeras del estado de Tejas (golfo de Méjico).

text   texto /// *adj:* textual.

textile   tejido, tela; materia textil /// *adj:* textil.

textile loom   telar.

textile machinery   maquinaria textil, máquinas de textilería.

textile yarn   hilo textil.

texture   textura, contextura; tejido, tela, obra tejida; estructura; efectos de relieve, sensación de relieve || *(Aerofotog)* configuración del terreno || *(Mús)* tesitura. v. **tessitura.**

TFC   *(Teleg)* Abrev. de traffic.

TFC MGR   *(Teleg)* Abrev. de traffic manager.

TFE   *(Quím)* Abrev. de tetrafluoroethylene || *(Teleg)* Abrev. de telephone error.

TFE-fluorocarbon resin   resina de fluocarbono-tetrafluoetileno.

TFMR   *(Teleg, Esquemas)* Abrev. de transformer.

TGE   *(Teleg)* Abrev. de telegraph error.

TGR   *(Teleg)* Abrev. de telegram. NOTA: Es más común en los mensajes de servicio redactados en francés.

th   Símbolo de termia [therm].

Th   Símbolo químico del torio [thorium].

TH (carrier) system   *(Telecom)* sistema (de portadoras) TH. Sistema de corrientes portadoras que permite establecer 1 860 circuitos telefónicos de larga distancia utilizando la banda de microondas de 6 GHz.

thallium   talio. Elemento químico de número atómico 81. Símbolo: Tl.

thallium-activated   *adj:* activado con talio.

thallium-activated sodium iodide crystal   cristal de yoduro sódico activado con talio.

thallium-activated sodium iodide detector   detector de yoduro sódico activado con talio. Detector de rayos gamma cuyo elemento esencial es un monocristal de yoduro de sodio activado con talio.

thallium-activated sodium iodide scintillation counter   contador de centelleos de cristal de yoduro sódico activado con talio.

thallium oxysulfide   *(Quím)* oxisulfuro de talio.

thallium oxysulfide cell   *(Elecn)* célula de oxisulfuro de talio. Célula fotoconductora cuya substancia fotosensible es oxisulfuro de talio bajo una ampolla al vacío.

thallofide   Forma abreviada de *thallium oxysulfide.*

thalweg   vaguada. Línea que señala el fondo de un valle || *(Topog)* línea de corriente [de pendiente máxima]. LOCALISMO: talweg.

THAT IS CORRECT   *(Fraseología radiotelefónica)* Exacto.

thaw   deshielo, desnevado, derretimiento, fusión /// *verbo:* deshelar(se), derretir(se), descongelar(se).

THB   Abrev. de truss head brass.

THD   Abrev. de third-harmonic distortion; total harmonic distortion.

theater   teatro /// *adj:* teatral, de teatro.

theater equipment   equipos de teatro; material para salas cinematográficas.

theater light dimmer   reductor de iluminación para teatros.

theater of operations   *(Mil)* teatro de operaciones.

theater television   televisión teatral, televisión de [sobre] pantalla grande. Televisión por circuito cerrado en la que las imágenes se proyectan sobre una pantalla de gran tamaño, como la de las salas de cine. CF. **projection television, indirect viewing.**

theatre   *(GB)* v. **theater.**

theatrical   *adj:* teatral; espectacular.

theme   tema || *(Mús)* tema. SIN. **motive, subject, musical idea** || *(Radiodif)* (*i.e.* musical theme) tema musical.

theodolite   *(Opt, Topog)* teodolito.

theorem   *(Lógica, Mat)* teorema. Verdad que es necesario probar o demostrar por medio de un razonamiento lógico que se llama *demostración.* AFINES: hipótesis, tesis, teorema directo, teorema recíproco, teorema contrario, teorema contrarrecíproco, escolio.

theorem of least work   *(Fís)* teorema del trabajo mínimo.

theorem of minimum potential energy   *(Fís)* teorema del mínimo de energía potencial.

theoretical   *adj:* teórico; hipotético, ficticio.

theoretical acceleration at stall   *(Mot)* aceleración teórica a partir del reposo.

theoretical central office   *(Telef)* estación ficticia.

theoretical cutoff   v. **theoretical cutoff frequency.**

theoretical cutoff frequency   (a.c. theoretical cutoff) frecuencia de corte teórica, frecuencia teórica de corte | frecuencia de corte teórica. Frecuencia para la cual, si se desdeña el efecto de las pérdidas, la atenuación de imagen [image attenuation coefficient] pasa del valor cero a un valor positivo, o viceversa (CEI/70 55–05–225). CF. **effective cutoff frequency.**

theoretical diagram   diagrama [esquema] de principio. Diagrama o esquema que ilustra el principio de funcionamiento de un aparato o un sistema.

theoretical displacement   *(Teleg)* desplazamiento teórico. SIN. **theoretical spread.**

theoretical duration of a significant interval   *(Teleg)* duración teórica de un intervalo significativo. Duración correspondiente exactamente a la duración prescrita por el código para un intervalo significativo (de modulación o de restitución, según el caso), tenida cuenta de la *rapidez media de modulación* [average modulation rate] o, cuando así convenga, de la *rapidez de modulación normalizada* [standardized modulation rate].

theoretical electrical travel   *(Potenciómetros y reóstatos)* carrera eléctrica teórica. Recorrido angular del eje (determinado mediante el índice) sobre el cual se extiende la característica funcional teórica del dispositivo. CF. **electrical overtravel.**

theoretical margin   margen teórico. En telegrafía, margen calculable a partir de los datos de construcción de un aparato suponiéndolo en condiciones de funcionamiento perfectas.

theoretical physicist   físico teórico.

theoretical physics   *(Fís)* física teórica.

theoretical spread   *(Teleg)* desplazamiento teórico. SIN. **theoretical displacement.**

theoretical stage   *(Nucl)* etapa teórica.

theory   teoría; hipótesis /// *adj:* teórico; hipotético.

theory of charge transport   *(Elecn)* teoría del transporte de cargas.

theory of communications   teoría de las comunicaciones.

theory of equations   *(Mat)* teoría de ecuaciones.

theory of estimation   *(Mat)* teoría de estimación.

theory of functions   *(Mat)* teoría de funciones.

theory of games   teoría de los juegos. Teoría que tiene relación con los denominados *juegos de estrategia* (en los que interviene la actitud de los participantes), a distinción de los *juegos de azar*, cuyo estudio dio origen al *cálculo de probabilidades*.

theory of information   teoría de la información.

theory of operation   teoría de funcionamiento.

theory of relativity   *(Fís)* teoría de la relatividad.

therapeutic, therapeutical   *adj:* terapéutico. Curativo; perteneciente a la terapéutica [therapeutics, therapy].

therapeutic radiology   radioterapia. Rama de la radiología [radiology] que se ocupa del tratamiento de enfermedades mediante radiaciones [treatment of disease by radiations] (CEI/64 65–05–085). CF. **radiation therapy, Roentgen therapy.**

therapeutic-type protective tube housing   *(Radiol)* envuelta protectora de tubo terapéutico. Envuelta para la cual la radiación de fuga [leakage radiation], a una distancia de un metro de la fuente y en un punto cualquiera próximo a la superficie de la envuelta, cuando el tubo funciona de manera continua, estando el diafragma [window] cerrado, a su máximo de corriente para la tensión máxima, es reducida a un valor estimado sin peligro para la utilización terapéutica. OBSERVACION: En la fecha de aparición de la presente publicación, la CIPR [ICRP] ha fijado estos valores en 30 r/h en un punto cualquiera accesible al enfermo a una distancia de 5 cm de la superficie de la envuelta o de su equipo accesorio (CEI/64 65–35–145).

therapeutical   v. therapeutic.

therapeutics   terapéutica. Rama de la medicina que se ocupa del tratamiento de las enfermedades. SIN. **therapy** ⫽ *adj:* terapéutico.

therapy   terapia, terapéutica. v. **therapeutics.**

therapy tube   *(Radiol)* tubo terapéutico, tubo para terapia por rayos X. v. **Roentgen therapy.**

theremin   Aparato que produce sonidos musicales por heterodinaje de dos oscilaciones de radiofrecuencia, y en el cual el volumen y la altura de esos sonidos se hacen variar mediante el efecto de capacitancia de la mano.

therm   *(also* therme) termia. Unidad de cantidad de calor cuyo símbolo es *th* y para la cual se dan diferentes equivalencias:

(a) 1 th = 4 185 500 julios [joules];

(b) 1 th = 1 000 000 calorías [calories];

(c) 1 th =   1 000 calorías grandes [large calories];

(d) 1 th =   100 000 unidades térmicas inglesas [BTU];

(e) 1 th =   1 000 unidades térmicas inglesas;

(f) 1 th =   1 caloría grande [large calorie];

(g) 1 th =   1 caloría pequeña [small calorie].

therm-   v. thermo-.

-therm   Sufijo que indica calor.

thermal   térmica. Corriente térmica ⫽ *(Meteor)* térmica. Corriente vertical por termoconvección ⫽ *adj:* *(also* thermic) térmico; termal. Perteneciente o relativo al calor.

thermal activation   activación térmica. Fenómeno debido a la energía térmica, por el cual se mantiene cierta concentración de huecos y de electrones libres en la estructura cristalina de un semiconductor.

thermal agitation   agitación térmica. Movimiento aleatorio o caótico [random movements] de los electrones libres en un cuerpo conductor ⫽ efecto térmico. v. **thermal effect.**

thermal-agitation noise   *(Elecn)* ruido de agitación térmica, ruido térmico. Ruido errático debido a la agitación térmica de los electrones [thermal agitation of electrons] en un conductor. SIN. **thermal noise** (CEI/70 55–10–060) ⫽ efecto térmico. Ruido de fondo producido en los amplificadores y debido al movimiento browniano [Brownian motion] de los electrones en los circuitos de entrada (CEI/38 60–25–170). SIN. **Johnson [shot] noise, thermal effect.**

thermal-agitation voltage   *(Elecn)* efecto térmico. v. **thermal effect.**

thermal ammeter   amperímetro térmico [de hilo caliente]. SIN. **hot-wire ammeter.** v. **hot-wire instrument.**

thermal analysis   *(Quím, Met)* análisis térmico.

thermal barrier   barrera térmica. SIN. **heat barrier.**

thermal base   *(Reactores nucleares)* temperatura de funcionamiento.

thermal battery   batería almacenable en estado inactivo y activada por aplicación de calor. v. **thermal cell** ⫽ batería termoeléctrica. Batería constituida por una agrupación de pares termoeléctricos (v. **thermocouple**).

thermal behavior   comportamiento térmico.

thermal belt   *(Meteor)* cinturón térmico.

thermal bond   unión térmica. Unión térmicamente conductora entre dos elementos constructivos, entre los que asegura máxima transferencia calórica.

thermal breakdown   falla (de un material) por calentamiento. Descomposición o fusión del material debido al calentamiento; en particular el producido por esfuerzos eléctricos [electric stresses] ⫽ falla (de un dieléctrico) por embalamiento térmico. Mecanismo potencialmente destructivo por el cual un calentamiento del dieléctrico produce un aumento del factor de disipación [loss factor]; este aumento provoca un mayor calentamiento, y así sucesivamente. CF. **breakdown** *(Aisladores y dieléctricos),* **thermal runaway.**

thermal breeder   *(Nucl)* v. **thermal breeder reactor.**

thermal breeder reactor   *(Nucl)* (a.c. thermal breeder) reactor reproductor térmico [con neutrones térmicos]. La reacción de fisión en cadena es sostenida mediante neutrones térmicos [thermal neutrons].

thermal breeding   *(Nucl)* reproducción térmica.

thermal capacity   capacidad térmica. SIN. **heat capacity.**

thermal capture   *(Nucl)* (*i.e.* thermal-neutron capture) captura térmica [de neutrones térmicos].

thermal cell   *(Elec)* pila almacenable en estado inactivo y activada por aplicación de calor. La aplicación de calor funde un electrólito que se conserva en estado sólido mientras la pila esté almacenada. CF. **reserve cell, thermal battery.**

thermal circuit breaker   *(Elec)* disyuntor térmico. Disyuntor cuyo dispositivo de sobrecarga funciona por dilatación térmica [thermal expansion] ⫽ cortacircuito térmico. v. **thermal cutout.**

thermal coefficient   coeficiente térmico. Variación fraccionaria de una magnitud física por grado de elevación de temperatura. SIN. **temperature coefficient.**

thermal coefficient of expansion   coeficiente térmico de dilatación, coeficiente de dilatación por calor.

thermal coefficient of resistance   coeficiente térmico de resistencia. Variación de la resistencia eléctrica por grado Celsio de elevación de temperatura, dividida por la resistencia a $0°\,C$.

thermal coefficient of sensitivity   coeficiente térmico de sensibilidad.

thermal collision   *(Nucl)* choque térmico, colisión térmica.

thermal column   *(Nucl)* columna térmica. Canal que tiene por objeto la obtención de un flujo de neutrones térmicos [thermal neutrons] carente de neutrones rápidos.

thermal compensation   compensación térmica; compensación de los efectos térmicos. CF. **temperature compensation.**

thermal compression bond   v. **thermocompression bonding.**

thermal conditions   condiciones térmicas, régimen térmico.

thermal conduction   conducción térmica [de calor]. Transmisión de energía térmica por mecanismos exentos de movimiento neto de masa y a velocidades proporcionales al gradiente de temperatura [temperature gradient]. CF. **thermal convection.**

thermal conductivity   conductividad [conductibilidad] térmica. Cantidad de calor que atraviesa un cuerpo cúbico de volumen unitario, en la unidad de tiempo, cuando la diferencia de temperatura entre dos caras opuestas del cuerpo es igual a $1°\,C$. SIN. **heat conductivity.** CF. **thermal resistance.**

thermal conductor   conductor térmico. Material buen conductor del calor; es decir, material o cuerpo en el que es fácil la conducción térmica (v. **thermal conduction**). CF. **heat pipe**.

thermal constriction   constricción térmica.

thermal contact   contacto térmico. SIN. **thermocontact**.

thermal contraction   contracción térmica. Lo contrario de la dilatación térmica [thermal expansion].

thermal convection   convección térmica. SIN. **thermoconvection**.

thermal converter, thermal convertor   (*Aparatos de medida*) termopar, convertidor termoeléctrico. Dispositivo constituido por una o más termouniones o uniones termoeléctricas [thermojunctions, thermoelectric junctions] en contacto térmico con un elemento calefactor eléctrico, y entre cuyos bornes o terminales se desarrolla una tensión que da una medida de la corriente suministrada al elemento calefactor. SIN. **thermocouple converter, thermoelectric generator** | termopar. Dispositivo formado por un par termoeléctrico [thermocouple] y un conductor que es calentado por la corriente que se mide. SIN. **electrically heated thermocouple** (CEI/58 20–30–115).

thermal convertor   v. **thermal converter**.

thermal cracking   (*Petr, Hidrocarburos*) desintegración [descomposición] térmica, "cracking" térmico.

thermal cross-section   (*Nucl*) (*i.e.* thermal-neutron cross-section) sección eficaz térmica | (*i.e.* cross-section for interaction by thermal neutrons) sección eficaz térmica. Sección eficaz para las interacciones con los neutrones térmicos. NOTA: Como los neutrones térmicos tienen distribuciones de energía diferentes según los casos (por ejemplo, a diferentes temperaturas), este término no es preciso, razón por la cual las secciones eficaces son comúnmente referidas a la de los neutrones de 2 200 m/s (CEI/68 26–05–640).

thermal cutout   (*Elec*) interruptor [cortacircuito] térmico, termointerruptor. Dispositivo de protección que abre el circuito cuando la temperatura de funcionamiento sobrepasa determinado valor | v. **thermal circuit breaker**. CF. **fuse**.

thermal cutting (process)   (*Met*) (procedimiento de) corte térmico.

thermal cycle   ciclo térmico. SIN. **heat cycle**.

thermal cycling   ciclado [ciclaje] térmico. v. **temperature cycling**.

thermal decomposition   (*Quím*) pirolisis. Descomposición que se obtiene o se produce por caldeo. SIN. **pyrolysis**.

thermal defect   defecto de origen térmico. Defecto de una red cristalina originado por la agitación térmica de sus átomos.

thermal delay relay   relé de retardo térmico.

thermal detector   detector térmico, bolómetro. SIN. **bolometer**.

thermal diffusion   difusión térmica. Fenómeno por el cual se establece un gradiente de concentración en una mezcla de varios fluidos por efecto de un gradiente de temperatura.

thermal-diffusion column   (*Nucl*) columna de difusión térmica.

thermal-diffusion method   (*Nucl*) método de separación por difusión térmica. Procedimiento o método de separación isotópica que se funda en la diferencia entre las velocidades de difusión de los fluidos (gases o líquidos) a través de un gradiente de temperatura.

thermal-diffusion plant   (*Nucl*) instalación para difusión térmica.

thermal diffusivity   difusividad térmica.

thermal drift   deriva térmica. Variación o corrimiento en el valor de una magnitud (capacitancia, resistencia, frecuencia, etc.) por efecto del calor, o sea, por variación de la temperatura de trabajo del dispositivo correspondiente. SIN. **heat [temperature] drift**.

thermal effect   (*Elecn*) efecto térmico. Fluctuaciones de la tensión en los bornes o terminales de un conductor debidas a la agitación térmica de los electrones. SIN. **thermal-agitation voltage** (CEI/56 07–28–175). CF. **thermal agitation, thermal-agitation noise** || (*Producción de energía eléctrica*) efecto térmico, polución térmica. Efecto del calentamiento de las masas de agua utilizadas para la evacuación del calor desperdiciado [waste heat] en el proceso de la producción de energía; por ejemplo, el calentamiento de las aguas de un río, que, aunque no afecta la salubridad de las mismas, puede alterar el ecosistema [ecosystem] del río. SIN. **thermal pollution** || efecto térmico. SIN. **heat effect**.

thermal efficiency   rendimiento térmico. (**1**) Razón entre el calor utilizado en una operación dada y el calor total producido (CEI/38 40–05–035). (**2**) Razón entre la energía transformada en calor útil y la energía total suministrada durante el mismo tiempo (CEI/60 40–10–025). SIN. **heat efficiency**.

thermal efficiency of a cycle   (*Termodinámica*) rendimiento térmico de un ciclo.

thermal electricity   termoelectricidad. v. **thermoelectricity** | piroelectricidad. v. **pyroelectricity**.

thermal electromotive force   fuerza electromotriz térmica [de origen térmico]. Fuerza electromotriz que aparece cuando se calienta la unión entre dos metales diferentes. v.TB. **Seebeck electromotive force, Seebeck effect**. SIN. **thermoelectromotive force**.

thermal electromotive force to copper   fuerza electromotriz térmica respecto al cobre.

thermal EMF   FEM térmica, FEM de origen térmico. v. **thermal electromotive force**.

thermal emittance   poder emisivo térmico.

thermal endurance   resistencia al calor [a las temperaturas elevadas]. SIN. **heat endurance**.

thermal energy   energía térmica [calorífica]. SIN. **heat energy**.

thermal-energy neutron   (*Nucl*) neutrón de energía térmica.

thermal energy of the seas   energía térmica de los mares.

thermal-energy region   (*Nucl*) zona [región] de energía térmica.

thermal-energy yield   (*Explosiones nucleares*) energía térmica producida.

thermal engineer   ingeniero termicista. Ingeniero especializado en *térmica*, o sea, en la producción, transmisión y aprovechamiento del calor.

thermal environment   ambiente [entorno] térmico.

thermal equator   (*Meteor*) ecuador térmico.

thermal equilibrium   equilibrio térmico. SIN. **heat balance, temperature equilibrium**. CF. **warm-up drift**.

thermal-equilibrium carrier concentration   (*Semicond*) concentración de portadores (de carga) en equilibrio térmico.

thermal etching   (*Met*) ataque térmico.

thermal excitation   (*Fís at*) excitación térmica; agitación térmica.

thermal excursion   (e.g. in a silicon rectifier) oscilación térmica.

thermal expansion   (*Fís*) dilatación térmica.

thermal explosion   explosión térmica.

thermal fatigue   fatiga térmica.

thermal-fatigue cracking   fisuración por fatiga térmica.

thermal field-overload relay   (*Máq eléc*) relé térmico de sobrecarga del campo inductor.

thermal fission   (*Nucl*) fisión térmica [por neutrones térmicos] | (*i.e.* fission caused by thermal neutrons) fisión térmica. Fisión provocada por neutrones térmicos (CEI/68 26–05–600). SIN. **thermal-neutron fission**.

thermal-fission cross-section   sección eficaz de fisión térmica. SIN. **thermal-neutron fission cross-section**.

thermal-fission factor   factor de fisión térmica. Media de los neutrones producidos por captura de un neutrón térmico.

thermal flasher   contactor [ruptor] térmico periódico. Dispositivo eléctrico que automáticamente cierra y abre un circuito a intervalos regulares, por el calentamiento y enfriamiento cíclicos de una lámina bimetálica (v. **bimetallic strip**) calentada por un elemento de resistencia intercalado en serie con el circuito que se controla.

thermal fluctuation   fluctuación térmica.

thermal flux   flujo térmico. SIN. **heat flux**.

thermal fragmentation   fragmentación térmica. CF. **thermal decomposition**.

thermal generation   (*Semicond*) generación térmica. Producción de un electrón libre y de un hueco liberando un electrón ligado (v. **bound electron**) por la adición de energía térmica.

thermal gradient   gradiente térmico. SIN. **heat gradient**.

thermal gradiometer   gradiómetro térmico.

thermal imager   termoimaginador. Aparato con el cual se obtiene una imagen de una escena en función de las diferencias de temperatura entre los diversos objetos y las distintas zonas abarcadas por la escena.

thermal impedance   impedancia térmica.

thermal inelastic-scattering cross-section   *(Nucl)* sección eficaz de dispersión inelástica térmica. Sección eficaz relativa al proceso de difusión inelástica térmica [thermal inelastic-scattering process] (CEI/68 26–05–680).

thermal inertia   inercia térmica. SIN. **temperature [thermal] lag** || *(Nucl)* inercia térmica. v. **thermal response**.

thermal influence   influencia térmica; acción térmica.

thermal instability   termoinestabilidad, inestabilidad térmica. En el caso de un reactor nuclear, coeficiente de temperatura positivo.

thermal instrument   *(Aparatos de medida)* aparato térmico. Aparato en el cual se utiliza el calor producido por una o más corrientes. SIN. **electrothermic instrument** (CEI/38 20–05–065, CEI/58 20–05–075) | instrumento térmico. CF. **hot-wire instrument, thermocouple instrument**.

thermal insulation   aislamiento térmico. SIN. **heat insulation**.

thermal ionization   ionización térmica, ionización (de átomos o de moléculas) por calor | **(of a gas or a vapor)** ionización térmica (de un gas o de un vapor). Ionización de los átomos o de las moléculas de un gas o de un vapor resultante de la agitación térmica [thermal agitation] del gas o del vapor (CEI/56 07–12–025). CF. **collision ionization, radiation ionization**.

thermal jet engine   termopropulsor, motor termopropulsor.

thermal junction   unión térmica. v. **thermocouple, thermojunction**.

thermal lag   inercia térmica. SIN. **temperature lag** | retardo térmico.

thermal leakage   *(Nucl)* v. **thermal neutron leakage**.

thermal lensing   *(Laseres)* lenticularización térmica, deformación térmica lenticular. Deformación térmica de las varillas de un laser que las hace actuar como lentes.

thermal life   *(Dispositivos)* duración útil en diversas condiciones de temperatura ambiente. CF. **thermal endurance**.

thermal lift   *(Aeron)* sustentación térmica || *(Meteor)* ascendencia térmica.

thermal load   carga térmica. CF. **thermal overload**.

thermal loading of a stream   descarga de agua caliente en un río. v. **thermal effect** *(Producción de energía eléctrica)*.

thermal loss   pérdida térmica [de calor]. SIN. **heat loss** || *(Elec)* v. **heat loss**.

thermal-magnetic circuit breaker   *(Elec)* disyuntor termomagnético. v. **magnetic circuit breaker, thermal circuit breaker**.

thermal meter   instrumento térmico, aparato (de medida) térmico. Instrumento o aparato de medida en el que se utiliza el efecto de calentamiento de la corriente eléctrica. v.TB. **thermal instrument**.

thermal microphone   *(Electroacús)* micrófono térmico. v. **hot-wire microphone**.

thermal motion   movimiento térmico, agitación térmica. SIN. **thermal agitation**.

thermal motions in a crystal lattice   movimientos térmicos en una red cristalina.

thermal neutron   neutrón térmico. Neutrón que se encuentra en equilibrio térmico con la substancia en que existe | **thermal neutrons:** neutrones térmicos. Neutrones esencialmente en equilibrio térmico [thermal equilibrium] con el medio en que se encuentran (CEI/68 26–05–265). CF. **cold neutron, slow neutron**.

thermal-neutron capture   (a.c. thermal capture) captura de neutrones térmicos.

thermal-neutron capture cross-section   sección eficaz de captura de neutrones térmicos.

thermal-neutron chain reaction   reacción en cadena por neutrones térmicos.

thermal-neutron cross-section   sección eficaz térmica. v. **thermal cross-section**.

thermal-neutron energy spectrum   espectro energético de los neutrones térmicos.

thermal-neutron fission   (a.c. thermal fission) fisión térmica [por neutrones térmicos]. v. **thermal fission, thermal reactor, slow-neutron fission**.

thermal-neutron fission cross-section   sección eficaz de fisión térmica.

thermal-neutron flux   flujo de neutrones térmicos. Número de neutrones térmicos que atraviesa la unidad de área en la unidad de tiempo.

thermal-neutron image   imagen de neutrones térmicos.

thermal-neutron leakage   escape [fuga] de neutrones térmicos.

thermal-neutron leakage factor   factor de escape de neutrones térmicos. Razón entre el número de neutrones térmicos que se escapan del núcleo de un reactor nuclear y el número de los que son absorbidos por el mismo núcleo.

thermal-neutron reactor   reactor de neutrones térmicos, reactor de fisión por neutrones térmicos. v. **slow reactor**.

thermal noise   *(Elecn)* ruido térmico [de agitación térmica]. Ruido errático [random noise] debido a la agitación térmica de los electrones en un conductor. SIN. **thermal-agitation noise** (CEI/70 55–10–060). SIN. **ruido de origen térmico** —— **Johnson noise** || *(Radioelec)* ruido térmico. Ruido cósmico (v. **cosmic noise**) con origen en cuerpos celestes; fue observado por Southworth (1945) en la gama de 0,3 a 30 GHz, como parte de las radiaciones solares.

thermal-noise generator   generador de ruido térmico. Dispositivo en el cual se utiliza el efecto térmico (v. **thermal effect**) para obtener una fuente calibrada de ruido errático o aleatorio [random noise].

thermal overload   sobrecarga térmica.

thermal-overload breaker   (used e.g. on a heat sink) interruptor de sobrecarga térmica.

thermal-overload capacity   capacidad de sobrecarga térmica. De un contador: Razón entre la corriente de calentamiento [rated temperature-rise current] del contador y su corriente nominal [rated current] (CEI/58 20–40–305).

thermal-overload protector   protector contra sobrecargas térmicas.

thermal overload relay   relé térmico de sobrecarga. v. **overload relay, thermal relay**.

thermal photograph   termofotografía. Fotografía en la que los objetos aparecen diferenciados en función de sus respectivas radiaciones infrarrojas (ondas caloríficas).

thermal photography   termofotografía, termografía, fotografía térmica. v. **thermography**.

thermal pit   *(Nucl)* pozo térmico.

thermal plant   *(Fuentes de energía)* central térmica.

thermal pollution   polución térmica. v. **thermal effect** *(Producción de energía eléctrica)*.

thermal potential   potencial térmico.

thermal power   potencia térmica. Potencia desarrollada por motores térmicos (CEI/38 25–05–005) || *(Nucl)* potencia térmica.

thermal power plant   central térmica [termoeléctrica]. v. **thermal power station**.

thermal-power rating   *(Nucl)* potencia térmica nominal; potencia térmica específica.

thermal power station   central térmica [termoeléctrica]. SIN. **thermal power plant** | *(i.e. steam, gas or internal-combustion thermal power plant)* central térmica (de vapor, de gas o de combustión interna). Central que produce energía eléctrica a partir de la energía térmica de combustión [thermal energy produced by combustion] (CEI/65 25–10–030). CF. **geothermal power station, solar power station.**

thermal probe   sonda térmica, sonda termosensible. SIN. **temperature probe.**

thermal protection   protección contra sobrecalentamiento [contra sobretemperatura]. SIN. **temperature protection** | (*i.e.* thermal-overload protection) protección contra sobrecargas térmicas ‖ (*Nucl*) protección térmica, blindaje térmico. Protección o blindaje contra los efectos térmicos de las radiaciones. V.TB. **thermal shield.**

thermal protector   protector contra sobrecalentamiento [contra sobretemperatura] | v. **thermal-overload protector.**

thermal radar   radar térmico.

thermal radiation   radiación térmica. (**1**) Mecanismo de emisión en el cual la energía radiante [radiant energy] proviene de la energía de agitación térmica [thermal agitation] de las partículas de materia (átomos, moléculas, iones, etc.). NOTA: El término inglés designa no solamente el mecanismo de emisión, sino también la radiación misma (CEI/70 45–05–200). (**2**) Luz y calor producidos por la bola de fuego [fireball] de una explosión nuclear, y que comprende radiaciones ultravioleta, visibles, e infrarrojas (radiación electromagnética de diferentes longitudes de onda). CF. **heat radiation.**

thermal radiator   (*i.e.* source emitting by thermal radiation) radiador térmico. Fuente que emite por radiación térmica (CEI/58 45–05–145, CEI/70 45–05–205). CF. **heat radiator.**

thermal rating   (*Dispositivos*) especificación de temperatura máxima permisible; margen (nominal) de temperaturas de trabajo. SIN. **temperature rating** | capacidad (nominal) de sobrecarga térmica. CF. **thermal overload capacity.**

thermal reactor   (*Nucl*) reactor térmico. Reactor en el cual la fisión se produce principalmente por neutrones térmicos [thermal neutrons] (CEI/68 26–15–060). SIN. **thermal-neutron reactor.** CF. **heat reactor.**

thermal receiver   termorreceptor | (*i.e.* thermal telephone receiver) receptor (telefónico) térmico, termófono. v. **thermophone** ‖ v. **thermal receptor.**

thermal receptor (of radiation)   receptor térmico (de radiación). Receptor físico [physical receptor] en el que un fenómeno mensurable es modificado a consecuencia del calentamiento de la parte que absorbe la radiación (CEI/70 45–30–270) ‖ v. **thermal receiver.**

thermal reflectance   reflectancia térmica.

thermal region   (*Nucl*) región térmica.

thermal relay   relé térmico. Relé en el que el desplazamiento de los contactos móviles es provocado por el calentamiento de una parte del relé bajo la acción de corrientes eléctricas (CEI/56 16–25–030) | relé térmico, relé electrotérmico. Relé cuyo funcionamiento depende del efecto calorífico debido a una corriente que lo atraviesa. SIN. **electrothermal relay** (CEI/70 55–25–180) | termostato, autómata termométrico. v. **thermostat** | CF. **temperature relay, thermorelay.**

thermal release   (*Elec*) escape térmico.

thermal requirements   (*Refrig*) demanda térmica.

thermal resistance   resistencia térmica. (**1**) Oposición que presenta un cuerpo a la transmisión del calor a su través. (**2**) En los disipadores térmicos (v. **heat sink**), aumento de temperatura respecto a la del aire ambiente (grados Celsio) dividido por la disipación (vatios), o sea, °C/W; conviene que este valor sea lo más bajo posible. CF. **thermal conductivity** ‖ (*Transistores*) (between specified points) resistencia térmica (entre puntos especificados).

thermal resistivity   resistividad térmica. CF. **thermal conductivity.**

thermal resistor   resistor variable con la temperatura. Elemento cuya resistencia eléctrica varía de manera conocida en función de la temperatura ambiente. CF. **thermistor.**

thermal response   reacción térmica | respuesta térmica. Rapidez

de calentamiento que se experimentaría en un reactor nuclear funcionando a su potencia nominal, si no se evacuara calor mediante un sistema de enfriamiento; la inversa de la respuesta térmica se llama *inercia térmica* [thermal inertia].

thermal response time   tiempo de respuesta térmica. De un dispositivo semiconductor, suponiendo que la temperatura de su cubierta o que la temperatura ambiente se mantienen constantes, intervalo entre el instante en que ocurre un cambio "en escalón" [step change] en la potencia de disipación, y el instante en que la unión alcanza una temperatura igual al 90 por ciento de la final.

thermal runaway   embalamiento térmico. En el caso típico de los transistores de potencia, mecanismo potencialmente destructivo que puede ocurrir cuando la corriente de colector aumenta la temperatura de la unión correspondiente, con lo cual se reduce la resistencia eléctrica de ese electrodo; la reducción de resistencia eléctrica trae como consecuencia un aumento en la intensidad de la corriente, la que produce mayor calentamiento, y así sucesivamente. El peligro de destrucción del transistor se acentúa si la temperatura ambiente es elevada. CF. **thermal breakdown.**

thermal sensitivity set   modificación permanente de la sensibilidad por efecto de la temperatura. Cambio permanente de sensibilidad a la temperatura ambiente que sufre un transductor al pasar por un ciclo de variación de temperatura sin exceder los límites correspondientes al funcionamiento normal.

thermal shield   (*Nucl*) blindaje térmico. Blindaje destinado a reducir la producción de calor por una radiación ionizante [ionizing radiation] en las regiones externas, así como la transferencia de calor a esas regiones (CEI/68 26–15–215). SIN. **protección térmica —— thermal protection.**

thermal shock   choque térmico, termochoque. Cambio repentino de temperatura que sufre un material o un dispositivo. SIN. **temperature shock** | v. **thermal-shock test.**

thermal-shock test   (a.c. thermal shock) ensayo de choque térmico. (**1**) Ensayo acelerado en el que se somete un dispositivo a calentamientos y enfriamientos repentinos. (**2**) Ensayo consistente en someter la muestra a *calentamiento repentino* [upward thermal-shock test] o a *enfriamiento repentino* [downward thermal-shock test].

thermal-shock testing   ensayo(s) de choque térmico.

thermal short-time current rating   (*Transformadores de medida*) (of a current transformer) intensidad límite térmica (de un transformador de intensidad), corriente de cortocircuito (de un transformador de intensidad). Valor eficaz de la corriente primaria que puede soportar el transformador durante un período determinado (fijado por los reglamentos) cuando la impedancia del circuito secundario tiene un valor especificado, sin que ninguna de sus partes sufra un calentamiento perjudicial. SIN. **rated short-circuit current** (*GB*) (CEI/58 20–45–155).

thermal siphon   termosifón, sifón térmico. SIN. **thermosiphon.**

thermal siphoning   termosifonamiento, termosifonaje, sifonamiento [sifonaje] térmico.

thermal soak   inmersión térmica.

thermal-soak test   prueba de inmersión térmica.

thermal soaring   (*Aeron*) vuelo a vela térmico. Vuelo a vela aprovechando la sustentación térmica, o sea, las corrientes térmicas ascendentes.

thermal spike   (*Nucl*) punta térmica.

thermal stability   termoestabilidad, estabilidad térmica. SIN. **thermostability.** CF. **thermal instability.**

thermal storage   acumulación térmica. SIN. **heat storage.**

thermal-storage water heater   (*Aplicaciones electrotérmicas*) termo eléctrico de acumulación. Depósito calorífugo provisto de elementos de calefacción y generalmente de un termóstato. La potencia es tal que la temperatura final del agua se alcanza al cabo de algunas horas de funcionamiento (CEI/60 40–25–115).

thermal strain   (*Mec*) deformación térmica.

thermal stress   (*Mec*) esfuerzo térmico.

thermal switch   conmutador térmico; ruptor térmico. Conmutador o ruptor de accionamiento determinado por la temperatura.

CF. thermostat, thermostatic switch.

thermal telephone receiver   receptor telefónico térmico. SIN. thermophone.

thermal time constant   constante de tiempo térmica. (1) Lo mismo que *tiempo de respuesta térmica* (v. **thermal response time**), excepto que la cifra de temperatura es 63,2 por ciento, en lugar de 90 por ciento. (2) En el caso de un termistor [thermistor], tiempo necesario para que ocurra el 63,2 por ciento de la variación entre la temperatura inicial y la temperatura final del cuerpo del dispositivo, resultante de la aplicación de un cambio "en escalón" de la temperatura ambiente en régimen de potencia cero.

thermal time-delay relay   relé térmico de retardo. (1) Relé (o relevador) de retardo de accionamiento térmico, p.ej. mediante calentamiento de una *bilámina* o *lámina bimetálica* [bimetallic strip]. (2) Relé cuyo accionamiento no es instantáneo, sino que ocurre un intervalo después de aplicada la excitación; ese intervalo depende de la capacidad de almacenamiento térmico del accionador, de su temperatura crítica de funcionamiento, y de su aislamiento térmico, así como también de la potencia de excitación.

thermal time-delay switch   ruptor térmico con retardo. Se utiliza como dispositivo de protección contra sobrecorrientes. v. **thermal switch**.

thermal tip   punta (inscriptora) térmica, estilete térmico.

thermal-tip oscillographic recorder   oscilógrafo de punta térmica. Aparato registrador sobre banda de papel mediante una punta inscriptora caliente (no se usa tinta). CF. **heat writer**.

thermal transfer   transferencia térmica, termotransferencia. V.TB. **heat transfer**.

thermal transient   efecto térmico transitorio.

thermal treatment   tratamiento térmico, termotratamiento; termoterapia. SIN. **heat treatment**.

thermal-treatment bath   baño de tratamiento térmico | horno de baño. v. **heat-treatment bath**.

thermal tripping device   dispositivo de disparo térmico [por temperatura]. CF. **thermal release**.

thermal tuner   sintonizador térmico. v. **thermal tuning**.

thermal tuning   sintonización térmica. Modificación de la frecuencia de un sistema oscilante mediante dilatación térmica controlada, dilatación que modifica la geometría (forma o dimensiones) del sistema; éste consiste típicamente en una cavidad resonante. V.TB. **thermal tuning system**.

thermal tuning rate   velocidad de sintonización térmica. En un sistema de sintonización térmica, rapidez inicial de la variación de frecuencia cuando la potencia térmica de entrada se hace variar instantáneamente en un valor especificado.

thermal tuning sensitivity   sensibilidad de sintonización térmica. En un sistema de sintonización térmica, rapidez de variación de la frecuencia de equilibrio respecto a la potencia térmica aplicada al sistema.

thermal tuning system   sistema de sintonización térmica. Sistema en el que se utiliza la dilatación térmica como medio de ajustar la frecuencia de oscilación o de resonancia. V.TB. **thermal tuning**.

thermal tuning time   tiempo de sintonización térmica. Tiempo necesario para que un sistema de sintonización térmica recorra una gama especificada de frecuencias a partir del momento en que la potencia térmica aplicada al mismo se hace cambiar de cero al máximo, o a la inversa; respectivamente, *tiempo de sintonización térmica en calentamiento* [heating thermal tuning time], y *tiempo de sintonización térmica en enfriamiento* [cooling thermal tuning time].

thermal tuning time constant   constante de tiempo de sintonización térmica. Tiempo necesario para que la frecuencia de un sistema de sintonización térmica [thermal tuning system] cambie en la fracción $(1-1/e)$ del cambio total a partir de la frecuencia de equilibrio tras un incremento en la potencia térmica [thermal power] aplicada al sistema. En la fracción dada e=2,718 282.

thermal unit   unidad térmica. SIN. **heat unit**.

thermal upcurrent   corriente térmica ascendente.

thermal utilization   utilización térmica. En nucleónica, probabi-

lidad de que un neutrón térmico absorbido lo sea en forma útil o aprovechable.

thermal utilization factor   factor de utilización térmica. Razón entre el número de los neutrones térmicos absorbidos en forma aprovechable (p.ej. en el combustible) y el número total de los absorbidos (p.ej. en el combustible, el moderador y otros materiales de un reactor).

thermal vacuum gage   vacuómetro térmico.

thermal velocity   velocidad térmica.

thermal wave   onda térmica. SIN. **heat wave**.

thermal wind   (*Meteor*) viento térmico. Viento causado por gradientes horizontales de temperatura.

thermal X-rays   rayos X térmicos. Radiación electromagnética consistente principalmente en rayos X blandos [soft X-rays], emitida por los residuos hipercalientes de una explosión nuclear. SIN. **radiación térmica primaria**.

thermal zero drift   deriva térmica del cero. Cambio en la señal de salida a la presión cero cuando la temperatura de un transductor de presión [pressure transducer] cambia dentro de límites especificados.

thermalization   (*Nucl*) termalización, atemperamiento. Acción de termalizar o atemperar. v. **thermalize**.

thermalization of neutrons   termalización de neutrones.

thermalization process   proceso de termalización.

thermalize   *verbo:* (*Nucl*) termalizar, atemperar. Moderar los neutrones (por ejemplo, mediante choques repetidos con otras partículas) hasta que queden en equilibrio térmico con los átomos del moderador, o hasta que posean la misma energía cinética que los neutrones térmicos [thermal neutrons]. CF. **moderation**.

thermalize (fast) neutrons   termalizar neutrones (rápidos).

thermalized   *adj:* (*Nucl*) termalizado, atemperado.

thermalized neutrons   neutrones termalizados.

thermally   *adv:* termalmente; térmicamente.

thermally generated minority carrier   (*Semicond*) portador (de carga) minoritario engendrado por agitación térmica.

thermally injected carrier   (*Semicond*) portador (de carga) inyectado por acción térmica.

thermally liberated electron   electrón liberado por agitación térmica.

thermally operated   *adj:* de funcionamiento térmico; de accionamiento térmico.

thermally operated device   (*Elec*) dispositivo de funcionamiento térmico. Dispositivo que funciona por el efecto térmico de la corriente que lo recorre (CEI/57 15-20-050).

thermally sensitive   *adj:* termosensible, sensible al calor.

thermally sensitive detector   detector termosensible.

thermally sensitive element   elemento termosensible.

thermally sensitive resistor   resistor termosensible, resistor variable con la temperatura. SIN. **thermal resistor**. CF. **thermistor**.

thermally stable   *adj:* termoestable, térmicamente estable.

thermals   térmicas, corrientes térmicas. v. **thermal**.

thermautostat   termóstato electrónico. El inglés es sinónimo anticuado de *electronic thermostat*.

therme   termia. v. **therm**.

thermel   termoelemento, elemento termoeléctrico. El inglés es sinónimo desusado de *thermoelement* o *thermoelectric element*.

thermic   *adj:* térmico; termal. Perteneciente o relativo al calor. SIN. **thermal**.

thermically   *adv:* térmicamente; termalmente.

thermion   termoión, termión. Partícula cargada emitida por un cuerpo caliente | (*i.e.* negative thermion) termoión [termión] negativo, termoelectrón. v. **thermoelectron** ⫽ *adj:* termoiónico, termiónico; termoeléctrico.

thermionic   *adj:* termoiónico, termiónico; termoeléctrico. Relativo o perteneciente a los termoiones o termiones, o a la emisión o liberación de electrones por efecto del calor.

thermionic amplifier   amplificador termoiónico [de tubos termoiónicos]. v. **thermionic tube**.

thermionic apparatus   aparato termoiónico. Aparato en el cual se utilizan válvulas termoiónicas (CEI/38 20–05–085). v. **thermionic tube.**

thermionic arc   arco termoelectrónico. Descarga de arco [electric arc] caracterizada por el hecho de que el cátodo termoelectrónico [thermionic cathode] es calentado por la corriente de la propia descarga (CEI/56 07–13–060).

thermionic cathode   cátodo termoiónico | cátodo termoelectrónico, cátodo caliente. Cátodo cuya emisión es principalmente termoelectrónica. SIN. **hot cathode** (CEI/56 07–21–005).

thermionic conversion   conversión termoiónica. Transformación directa de energía térmica en eléctrica, por ejemplo por emisión electrónica entre un cátodo caliente y un ánodo frío. V.TB. **thermionic converter.**

thermionic-conversion device   dispositivo de conversión [transformación] termoiónica.

thermionic-conversion reactor   reactor de conversión [transformación] termoiónica.

thermionic converter   convertidor [transformador] termoiónico. Dispositivo basado en el principio de la emisión termoiónica, que transmuta energía calórica directamente en eléctrica; aparato que transforma energía térmica directamente en eléctrica. SIN. **thermionic generator, thermoelectron engine, vapor thermionic converter.**

thermionic current   corriente termoiónica; corriente termoelectrónica. Corriente debida al movimiento de termoiones o de termoelectrones. v. **thermion, thermoelectron.**

thermionic detector   detector termoiónico [de tubo termoiónico]. v. **thermionic tube.**

thermionic diode   diodo termoiónico. Tubo termoiónico de dos electrodos. v. **thermionic tube.**

thermionic emission   emisión termoiónica | emisión temoelectrónica, efecto termoelectrónico. Emisión electrónica resultante únicamente de la agitación térmica (CEI/56 07–20–010). SIN. **Edison effect, Richardson effect.**

thermionic-emission microscopy   microscopía por emisión termoiónica.

thermionic energy conversion   conversión termoiónica de energía. v. **thermionic conversion.**

thermionic generator   generador termoiónico. v. **thermionic converter.**

thermionic grid emission   emisión termoiónica de rejilla. Emisión termoiónica o termoelectrónica que tiene lugar en una rejilla de un tubo electrónico. SIN. **primary grid emission.**

thermionic hollow cathode   cátodo termoiónico hueco.

thermionic instrument   instrumento termoiónico [de válvulas termoiónicas]. v. **thermionic tube.**

thermionic inverter   *(Fuentes de corriente)* ondulador termoiónico. v. **inverter.**

thermionic magnifier   amplificador termoiónico.

thermionic oscillator   oscilador termoiónico [con válvula termoiónica]. v. **thermionic tube.**

thermionic oxide-coated cathode   cátodo termoiónico revestido de óxido.

thermionic rectifier   rectificador termoiónico. Rectificador de gas rarificado cuyo cátodo se mantiene en incandescencia por una corriente distinta de la corriente rectificada (CEI/38 10–30–025) | (*i.e.* gas-filled rectifier with arc cathode) válvula de arco. Válvula iónica con cátodo de arco (CEI/56 11–10–070).

thermionic relay   relé [relevador] termoiónico | relevador termoiónico. Tubo electrónico [electron valve] que cumple las funciones de un relevador (CEI/38 60–25–020).

thermionic tube   tubo termoiónico, válvula termoiónica [termoelectrónica], tubo de cátodo caliente. SIN. **hot-cathode tube** (véase), **thermionic valve** *(GB)* (véase).

thermionic vacuum tube   tubo termoiónico al vacío, válvula termoiónica [termoelectrónica] al vacío. SIN. **hot-cathode vacuum tube.**

thermionic valve   válvula termoiónica [termoelectrónica] | tubo termoiónico. Tubo electrónico en el cual la emisión de electrones se produce por un cátodo caldeado (CEI/38 60–25–010). SIN. **hot-cathode tube** (véase), **thermionic tube.**

thermionic-valve receiver   receptor termoiónico, receptor de válvulas termoiónicas [de tubos termoiónicos] | receptor de tubo termoiónico. Aparato receptor que utiliza un detector de tubo termoiónico (CEI/38 60–20–045).

thermionic-valve transmitter   emisor de válvula termoiónica, transmisor de tubo termoiónico | generador por tubo termoiónico. Generador en el cual las corrientes de salida son producidas por tubos termoiónicos (CEI/38 60–10–055).

thermionic voltmeter   voltímetro termoiónico. El inglés es sinónimo ya desusado de *vacuum-tube voltmeter* (véase).

thermionic work function   trabajo de salida [de extracción] termoelectrónica. A VECES: función trabajo termoelectrónica. Energía mínima que es preciso comunicar a un electrón para que pase de un metal dado a un medio contiguo durante la emisión termoelectrónica [thermionic emission]; el paso puede ser p.ej. de un filamento caldeado al vacío. V.TB. **work function.**

thermionics   termoiónica, termiónica. Rama de la física que trata de los fenómenos provocados por la emisión termoiónica o termoelectrónica. v. **thermionic emission** ⫴ *adj:* termoiónico, termiónico; termoelectrónico.

thermistor   termistor. A VECES: termistencia, resistencia térmica. (1) Dispositivo semiconductor cuya resistencia eléctrica cambia con la temperatura. (2) Resistencia térmicamente sensible, hecha de un óxido metálico semiconductor, y que, según las aplicaciones para las cuales haya sido construida, puede tener forma de disco, de perla, de película, etc., y va incorporada en dispositivos de diferentes tipos. (3) Elemento resistivo de elevado coeficiente negativo de temperatura [negative temperature coefficient] | termistencia. Resistencia constituida por un semiconductor de coeficiente de temperatura negativo elevado (CEI/56 07–50–130) | termistor. Resistencia que posee un coeficiente elevado de variación de resistencia con la temperatura, generalmente negativo (CEI/70 55–25–350) | Los termistores se utilizan como elemento sensible en medidas de temperatura y de potencia de microondas; como elemento compensador del efecto de las variaciones de temperatura en circuitos electrónicos; en medidores o transductores de presión; etc. Los medidores de presión que emplean un termistor como célula sensible tienen su fundamento en las variaciones de resistencia que experimenta el mismo al variar la presión del gas que está en contacto con él. Al pasar una corriente a través del termistor se eleva su temperatura y su resistencia cae hasta que se llega a un equilibrio térmico. Un cambio en la presión del gas hace que se disipe más o menos calor del termistor al exterior; en consecuencia, se produce un cambio en la temperatura y un cambio correspondiente en la resistencia del termistor. Si se dispone éste en el circuito de un puente de Wheatstone, la variación de resistencia desequilibra el puente y aparece en dicho circuito una diferencia de potencial. Por tanto, hay una relación entre estas diferencias de potencial (tensiones) y la presión del gas en contacto con el termistor, relación que se determina mediante calibrado. SIN. **resistencia CNT, resistencia de coeficiente negativo de temperatura.** NOTA: El término viene de *therm*al *res*istor.

thermistor bolometer   bolómetro de termistor.

thermistor bridge   puente de termistores. Circuito puente cuyas ramas, o algunas de ellas, están constituidas por termistores; se usa p.ej. para medir la potencia en un circuito.

thermistor mount   montura [montaje] de termistor. Elemento de guíaondas en el que se inserta un termistor como célula sensible para medidas de potencia electromagnética de microondas. SIN. **cabeza bolométrica, montura para bolómetro, montaje de bolómetro** —— **bolometer mount** | engarce para termistor [para bolómetro]. Terminación de guía de ondas [waveguide termination] destinada a recibir un bolómetro que sirve para medir la potencia electromagnética.* sin. **bolometer mount** (CEI/61 62–20–155). *nota: Esta definición es también aplicable en el caso de una línea de transmisión [transmission line].

thermistor power monitor   monitor de potencia con termistor.

thermistor probe   sonda con termistor.

thermistor-stabilized   *adj:* estabilizado por termistor.

thermistor-stabilized bridge oscillator   oscilador en circuito puente estabilizado por termistor.

thermistor thermostat   termóstato de termistor.

thermistor vacuum gage   vacuómetro de termistor.

thermistorize   *verbo:* termistorizar.

thermistorized   *adj:* termistorizado.

thermit   termita. (**1**) Mezcla de aluminio en forma de polvo fino con un óxido metálico (p.ej. de hierro o de cromo), que cuando se enciende produce un calor muy intenso; se usa para soldaduras y también en bombas incendiarias y en proyectiles que perforan fuertes blindajes por fusión. (**2**) Mezcla pulverulenta de aluminio (75 %) y óxido de hierro (25 %), empleada en *aluminotermia:* técnica fundada en la combustión del aluminio como medio de obtener las elevadísimas temperaturas que exigen ciertas operaciones metalúrgicas y ciertos tipos de soldadura /// *adj:* aluminotérmico.

Thermit   Marca registrada de una fórmula particular de termita.

thermit bomb   bomba incendiaria de termita.

thermit weld   v. **thermit welding.**

thermit welding   soldadura con termita, soldadura aluminotérmica || *(Ferroc)* soldadura aluminotérmica de rieles. Procedimiento de soldadura a tope de rieles, bajo presión, empleando la aluminotermia.

thermo-, therm-   Elemento de compuesto que indica *relativo o perteneciente al calor o causado por él.* v. **thermion, thermoammeter, thermograph, thermostat.**

thermoadhesive   *adj:* termoadhesivo.

thermoadhesive material   material termoadhesivo.

thermoammeter   termoamperímetro, amperímetro térmico [termoeléctrico]. Amperímetro excitado por la FEM generada en un termopar que es atravesado por la corriente que se mide; se utiliza principalmente para medir corrientes de alta frecuencia. sin. **thermocouple ammeter.** v.tb. **thermocouple instrument.** cf. **thermal ammeter.**

thermobalance   termobalanza.

thermobarograph   termobarógrafo.

thermobarometer   termobarómetro.

thermobattery   termopila.

thermocatalytic   *adj:* termocatalítico.

thermochemical   *adj:* termoquímico.

thermochemical remanent magnetization   imanación remanente termoquímica.

thermochemistry   termoquímica.

thermocline   termoclina. Límite o superficie de separación entre dos masas de aguas marítimas de temperaturas diferentes. Las termoclinas son de interés en sonar, pues producen refracción de las ondas sónicas que las atraviesan.

thermocoagulation   termocoagulación.

thermocompensator   termocompensador, compensador térmico. Se usa en los medidores de pH para compensar los efectos que sobre la solución tienen los cambios de temperatura.

thermocompression   termocompresión. Aplicación simultánea de presión y calor.

thermocompression bond   v. **thermocompression bonding.**

thermocompression bonding   (a.c. thermal compression bond, thermocompression bond) unión [conexión] por termocompresión. Unión de metales por los efectos combinados de presión y calor; se usa en electrónica para hacer conexiones en circuitos integrados.

thermocompressor   termocompresor.

thermoconducting   *adj:* termoconductor.

thermoconducting plastic   (material) plástico termoconductor.

thermoconductor   termoconductor, conductor térmico. v. ther-

mal conductor.

thermocontact   termocontacto, contacto térmico.

thermocontactor   termocontactor.

thermoconvection   termoconvección, convección térmica.

thermoconvective   *adj:* termoconvectivo.

thermocouple   termopar, par [elemento] térmico, par termoeléctrico, pila termoeléctrica. localismo: termocupla. Elemento consistente en dos conductores disímiles en contacto (soldados) en un extremo de modo de formar una unión. Cuando se calienta ésta, aparece entre los extremos libres de los conductores una fuerza electromotriz proporcional al calentamiento de la unión. Se utiliza para la medida de temperaturas, o para medir energía radiante o electromagnética, o corrientes eléctricas, por su efecto calorífero | par termoeléctrico. Par de conductores de naturaleza diferente, en contacto en una extremidad, y destinado a ser utilizado en un dispositivo que utilice el efecto termoeléctrico [thermoelectric effect] (CEI/58 20–30–110).

thermocouple ammeter   termoamperímetro, amperímetro térmico [termoeléctrico], amperímetro de termopar. v. **thermoammeter.**

thermocouple contact   contacto de termopar, contacto para conector de par termoeléctrico. Estos contactos son frecuentemente de cobre, constantán, hierro, alumel, o cromel [chromel].

thermocouple converter   convertidor de termopar [de par termoeléctrico], convertidor termoeléctrico, termopar. v. **thermal converter.**

thermocouple galvanometer   galvanómetro de termopar, termogalvanómetro. v. **thermogalvanometer.**

thermocouple instrument   *(Aparatos de medida)* instrumento (de medida) de termopar | aparato de termopar. Aparato en el cual se utiliza el calentamiento producido por la corriente en un par termoeléctrico. sin. **thermojunction instrument** (CEI/38 20–05–080) | aparato de par térmico. Aparato en el cual la corriente produce el calentamiento de un termopar (v. **thermal converter**) cuya fuerza electromotriz se mide con la ayuda de un aparato magnetoeléctrico [permanent-magnet moving-coil instrument] (CEI/58 20–05–095). sin. **thermocouple meter.**

thermocouple potentiometer   potenciómetro de termopar.

thermocouple pyrometer   pirómetro de termopar.

thermocouple thermometer   termómetro de termopar [de par termoeléctrico] | pirómetro de par termoeléctrico. Pirómetro que utiliza un par termoeléctrico al cual el calor es transmitido directamente, principalmente por conducción (CEI/58 20–15–205). sin. **thermoelectric thermometer, thermoelectric pyrometer.**

thermocouple vacuum gage   vacuómetro [indicador de vacío] de termopar. Vacuómetro o indicador de vacío cuyo funcionamiento se funda en la conducción térmica [thermal conduction] del gas presente, y en el hecho de que dicha conducción aumenta con la presión del gas. La presión se mide en función de la fuerza electromotriz de un termopar cuya unión sensible está en contacto térmico con un elemento calefactor eléctrico recorrido por una corriente constante, y que pierde más o menos calor según varíe la presión. Corrientemente se usa en la gama de 1/10 a 1/1 000 mm de mercurio.

thermocouple wire   alambre para termopares [pares termoeléctricos]. Alambre hecho de metales o aleaciones especiales y constrastado según especificaciones para la fabricación de termopares o pares termoeléctricos.

thermocurrent   corriente térmica.

thermocutout   *(Elec)* termointerruptor, termocortacircuito, interruptor [cortacircuito] térmico. v. **thermal cutout.**

thermodecomposition   termodescomposición, pirolisis. v. **thermal decomposition.**

thermodetector   termodetector, detector térmico, bolómetro. sin. **thermal detector.**

thermodielectric   *adj:* termodieléctrico.

thermodielectric effect   efecto termodieléctrico, efecto Costa

Ribeiro. Fenómeno descubierto por el profesor brasileño Costa Ribeiro en 1944.

thermodiffuse *verbo:* termodifundir.

thermodiffusion termodifusión, difusión térmica. v. **thermal diffusion.**

thermodiffusional *adj:* termodifusivo, termodifusional.

thermodurable *adj:* termorresistente, resistente al calor [a las temperaturas elevadas]. CF. **thermal endurance.**

thermodynamic *adj:* termodinámico. v. **thermodynamics.**

thermodynamic barrier barrera termodinámica.

thermodynamic concentration concentración termodinámica.

thermodynamic diagram diagrama termodinámico.

thermodynamic efficiency rendimiento termodinámico.

thermodynamic equilibrium equilibrio termodinámico.

thermodynamic function función termodinámica.

thermodynamic property propiedad termodinámica.

thermodynamic scale escala termodinámica [de temperatura absoluta].

thermodynamic stability estabilidad termodinámica.

thermodynamic stability conditions condiciones de estabilidad termodinámica.

thermodynamic system sistema termodinámico.

thermodynamic yield rendimiento termodinámico.

thermodynamically *adv:* termodinámicamente.

thermodynamicist termodinamicista.

thermodynamics termodinámica. Parte de la física que estudia los fenómenos en los cuales intervienen de manera importante los cambios de temperatura /// *adj:* termodinámico.

thermodynamics of irreversible processes termodinámica de los procesos irreversibles.

thermoelastic *adj:* termoelástico.

thermoelasticity termoelasticidad.

thermoelastodynamics termoelastodinámica.

thermoelectric *adj:* termoeléctrico.

thermoelectric arm *(Dispositivos termoeléctricos)* brazo termoeléctrico. SIN. **thermoelectric leg.**

thermoelectric conversion conversión [transformación] termoeléctrica. Transformación directa de energía térmica en eléctrica.

thermoelectric-conversion tube tubo de conversión termoeléctrica.

thermoelectric converter convertidor [transformador] termoeléctrico. Dispositivo que transforma energía calórica (de origen solar o de otra fuente) en energía eléctrica. v.TB. **thermal converter.**

thermoelectric cooler enfriador [refrigerador] termoeléctrico. Dispositivo de enfriamiento fundado en el efecto Peltier [Peltier effect]; viene a ser una bomba térmica.

thermoelectric cooling enfriamiento termoeléctrico, refrigeración termoeléctrica. SIN. **thermoelectric refrigeration.**

thermoelectric couple par termoeléctrico, termopar. Sistema constituido por dos conductores de naturaleza diferente cuyas extremidades están en contacto dos a dos y en los cuales se genera una fuerza electromotriz que es función de la diferencia de temperatura de estos contactos. SIN. **thermocouple** (CEI/38 20–30–045). v.TB. **thermocouple.**

thermoelectric detector detector termoeléctrico.

thermoelectric device dispositivo termoeléctrico.

thermoelectric effect efecto termoeléctrico, efecto Seebeck. Producción de una fuerza electromotriz debida a la diferencia de temperaturas entre dos uniones de metales o aleaciones diferentes que forman parte de un mismo circuito. SIN. **Seebeck effect** (CEI/38 05–20–165, CEI/56 05–20–195). CF. **Peltier effect.**

thermoelectric element elemento termoeléctrico.

thermoelectric generating set grupo térmico. Grupo generador (o electrógeno) [generating set] cuyo motor utiliza energía térmica (CEI/56 10–05–020).

thermoelectric generator generador termoeléctrico. v. **thermal converter.**

thermoelectric heat pump termobomba [bomba térmica] termoeléctrica.

thermoelectric heater calefactor termoeléctrico.

thermoelectric heating device dispositivo calefactor termoeléctrico.

thermoelectric inversion *(Termopares)* inversión termoeléctrica.

thermoelectric junction unión termoeléctrica. SIN. **thermojunction.**

thermoelectric leg *(Dispositivos termoeléctricos)* brazo termoeléctrico. SIN. **thermoelectric arm.**

thermoelectric manometer manómetro termoeléctrico. CF. **thermoelectric vacuum gage.**

thermoelectric material material termoeléctrico. Material utilizable en dispositivos termoeléctricos, tales como convertidores termoeléctricos (v. **thermoelectric converter**) o enfriadores termoeléctricos (v. **thermoelectric cooler**).

thermoelectric microrefrigerator microrrefrigerador termoeléctrico. v. **thermoelectric cooler.**

thermoelectric module módulo de enfriamiento termoeléctrico. v. **thermoelectric cooler.**

thermoelectric plant central térmica [termoeléctrica].

thermoelectric power poder termoeléctrico (de un metal dado). v. **thermoelectric series.**

thermoelectric pyrometer pirómetro termoeléctrico [de par termoeléctrico]. Pirómetro cuyo elemento termosensible es un par termoeléctrico. v.TB. **thermocouple thermometer.**

thermoelectric refrigeration refrigeración termoeléctrica. v. **thermoelectric cooler.**

thermoelectric series serie termoeléctrica. Grupo de metales ordenados según su poder termoeléctrico [thermoelectric power], o sea, su aptitud de generar una fuerza termoelectromotriz [thermoelectromotive force] respecto a un metal de referencia como p.ej. plomo.

thermoelectric solar cell pila termoeléctrica solar. Dispositivo que transforma energía térmica de origen solar directamente en electricidad.

thermoelectric thermometer pirómetro termoeléctrico [de par termoeléctrico]. v. **thermocouple thermometer.**

thermoelectric traction tracción termoeléctrica. Sistema de tracción en el que la energía suministrada por motores térmicos [heat engines] portados por vehículos motor [motor vehicles], es transmitida eléctricamente a los ejes motores [driving axles] (CEI/57 30–05–010).

thermoelectric vacuum gage vacuómetro [indicador de vacío] termoeléctrico.

thermoelectric voltage tensión termoeléctrica. v. **thermoelectromotive force.**

thermoelectricity termoelectricidad. Electricidad producida por la influencia directa del calor.

thermoelectromotive force fuerza termoelectromotriz. La que se desarrolla en virtud de las diferencias de temperatura entre partes de un mismo circuito que comprende dos o más metales de diferente naturaleza. CF. **Seebeck effect.**

thermoelectron termoelectrón, termoión negativo. Electrón emitido o liberado por efecto del calor. SIN. **negative thermion.**

thermoelectron engine motor termoelectrónico. v. **thermionic converter.**

thermoelectronic *adj:* termoelectrónico. Relativo o perteneciente a la liberación o emisión de electrones por efecto del calor.

thermoelectronic emission emisión termoelectrónica. v. **thermionic emission.**

thermoelectronic inverter *(Fuentes de corriente)* ondulador termoelectrónico. v. **inverter.**

thermoelectronic rectifier rectificador termoelectrónico.

thermoelectronics termoelectrónica.

thermoelement termoelemento, elemento termoeléctrico. SIN. **thermoelectric element** | termopar. v. **thermal converter.**

thermofission *(Nucl)* termofisión. Fisión nuclear bajo la influencia de temperaturas sumamente elevadas. cf. **thermal fission.**

thermofusion   *(Nucl)* termofusión.

thermogalvanic   *adj:* termogalvánico.

thermogalvanic cell   célula termogalvánica.

thermogalvanic corrosion   corrosión termogalvánica.

thermogalvanism   termogalvanismo.

thermogalvanometer   termogalvanómetro. Aparato en el cual el calor producido por la corriente que se mide actúa sobre un par termoeléctrico [thermocouple] que produce una corriente secundaria [secondary current] medida por un galvanómetro sensible (CEI/38 20-15-065*, CEI/58 20-15-070**). *EJEMPLO: galvanómetro de Duddell. **SINONIMO: galvanómetro de termopar [thermocouple galvanometer].

thermogenic   *adj:* termógeno, que engendra calor.

thermogenic fermentation   fermentación termógena.

thermogram   termograma.

thermograph   termógrafo, termómetro registrador. Aparato registrador de la temperatura | termograma.

thermography   termografía, fotografía con luz infrarroja. SIN. **thermal photography.**

thermoinertia   termoinercia, inercia térmica. SIN. **thermal inertia.**

thermoinsulation   termoaislamiento, aislamiento térmico. SIN. **thermal insulation.**

thermointegrator   termointegrador.

thermojunction   termounión, unión termoeléctrica. Superficie de contacto entre los conductores de un termopar. SIN. **thermoelectric junction.**

thermojunction battery   batería termoeléctrica. Batería que produce energía eléctrica por transformación directa de energía térmica, utilizando el efecto Seebeck (v. **Seebeck effect**).

thermojunction instrument   instrumento (de medida) de termopar, aparato de termopar. v. **thermocouple instrument.**

thermokinematics   termocinemática.

thermokinetics   termocinética.

thermoluminescence   termoluminiscencia. Luminiscencia producida por calor de moderada intensidad.

thermoluminescent   *adj:* termoluminiscente.

thermoluminescent dosimeter   *(Radiol)* dosímetro luminiscente.

thermolysis   *(Fisiol, Quím)* termolisis.

thermomagnetic   *adj:* termomagnético, piromagnético. Relativo a los efectos del calor o la temperatura en las propiedades magnéticas de una substancia; y, recíprocamente, la influencia de los campos magnéticos en la distribución del calor en un cuerpo. cf. **Curie point.**

thermomagnetic cooling   enfriamiento termomagnético. cf. **thermoelectric cooling.**

thermomagnetic effect   efecto termomagnético.

thermomechanics   termomecánica.

thermometer   termómetro. Aparato indicador para la medida de temperaturas /// *adj:* termométrico.

thermometer bridge   puente termométrico.

thermometer bulb   bola del termómetro. cf. **thermometer well.**

thermometer probe   sonda pirométrica. v. **pyrometer probe.**

thermometer reading   indicación [lectura] del termómetro, indicación [lectura] termométrica.

thermometer resistor   resistencia pirométrica. Resistencia que sirve para la medida de temperaturas; resistencia que forma la parte termosensible de un pirómetro de resistencia [resistance thermometer] (CEI/58 20-30-125).

thermometer scale   escala termométrica.

thermometer stand   soporte del termómetro.

thermometer tube   tubo (capilar) del termómetro | bastón pirométrico. v. **pyrometer tube.**

thermometer well   cubeta del termómetro. cf. **thermometer bulb.**

thermometric   *adj:* termométrico.

thermometric bridge   puente termométrico.

thermometrograph   *(i.e. self-registering thermometer)* termometrógrafo, termómetro registrador. SIN. **thermograph.**

thermometry   termometría /// *adj:* termométrico.

thermometry bridge   puente termométrico.

thermomilliammeter   termomiliamperímetro. v. **thermoammeter.** cf. **thermogalvanometer.**

thermomolecular   *adj:* termomolecular.

thermomolecular pressure   presión termomolecular.

thermomolecular pressure difference   diferencia de presión termomolecular.

thermomotive   *adj:* termomotor, termomotriz.

thermomultiplier   termomultiplicador; termopila.

thermonuclear   *(Nucl)* termonuclear. Relativo o referente a las reacciones nucleares causadas por calor intenso o en las cuales se utilizan temperaturas superelevadas, hasta de millones de grados.

thermonuclear apparatus   aparato termonuclear.

thermonuclear arm   arma termonuclear.

thermonuclear ballistic missile   proyectil balístico termonuclear.

thermonuclear conditions   condiciones termonucleares.

thermonuclear cycle   ciclo termonuclear.

thermonuclear energy   energía termonuclear.

thermonuclear fuel   combustible termonuclear.

thermonuclear fusion   fusión termonuclear.

thermonuclear neutron   neutrón termonuclear.

thermonuclear reaction   reacción termonuclear.

thermonuclear reactor   reactor termonuclear. SIN. **fusion reactor.**

thermonuclear temperature   temperatura termonuclear.

thermonuclear transformation   transformación termonuclear.

thermonuclear warfare   guerra termonuclear, guerra con armas termonucleares.

thermopair   termopar, par térmico, par termoeléctrico. NOTA: El término inglés es sinónimo desusado de *thermoelectric couple.*

thermophone   termófono. (1) Transductor que convierte las variaciones de temperatura originadas en un conductor eléctrico por el paso de corrientes variables a frecuencias audibles, en dilataciones y contracciones del aire ambiente, con lo que se originan ondas sonoras. (2) Transductor electroacústico [electroacoustic transducer] en el que las ondas acústicas se producen por variaciones de temperatura en las proximidades de un conductor, bajo la influencia de variaciones de la corriente que lo recorre (CEI/60 08-30-040) | receptor telefónico térmico. SIN. **thermal telephone receiver.**

thermophotochemistry   termofotoquímica.

thermophotovoltaic   *adj:* termofotovoltaico.

thermopile   termopila, pila térmica [termoeléctrica] | termopila, pila termoeléctrica. Sistema constituido por varios pares termoeléctricos [thermocouples] y dispuesto de manera que suministre una FEM función de la intensidad de radiación calorífica [intensity of thermal radiation] a que el mismo sea sometido (CEI/58 20-30-120).

thermoplastic   termoplástico. (1) Material que se ablanda, se deforma, o fluye en grado apreciable cuando se le somete a temperaturas y presiones suficientemente elevadas. (2) Plástico que se ablanda con el calor y se endurece de nuevo al enfriarse; plástico que puede ser fundido y moldeado repetidamente /// *adj:* termoplástico. SIN. **thermosetting.**

thermoplastic adhesive   adhesivo termoplástico.

thermoplastic extrusion   extrusión termoplástica.

thermoplastic flow test   *(Materiales aislantes)* prueba de fluencia [deformación] termoplástica.

thermoplastic material   material termoplástico.

thermoplastic process   proceso termoplástico.

thermoplastic recording   registro termoplástico, grabación termoplástica. Registro o grabación de señales o impulsos en una cinta con película termoplástica bajo la influencia de un haz electrónico modulado. Para la reproducción se utiliza un sistema óptico.

thermoplastic reduction   *(Quím/Met)* termorreducción.

thermoplasticity   termoplasticidad.

thermoplastics   termoplásticos; materias moldeables en caliente. v.TB. **thermoplastic.** CF. **thermosetting plastic.**

thermopump   termobomba, bomba térmica.

thermoregulator   termorregulador. Termostato de gran precisión y sensibilidad. v. **thermostat.**

thermorelay   termorrelé, termorrelevador, relé térmico [electrotérmico]. v. **thermal relay** | termostato, autómata termométrico. v. **thermostat.**

thermoresistance   termorresistencia, resistencia térmica. v. **thermal resistance.**

thermorheology   termorreología.

thermoscope   termoscopio.

thermosensitive   *adj:* termosensible, sensible al calor.

thermosensitive ceramic   materia cerámica termosensible.

thermosensitivity   termosensibilidad, sensibilidad al calor.

thermoset   *verbo:* termofraguar, termoendurecer, fraguar [endurecer] por calor.

thermosetting   termofraguado, termoendurecimiento, fraguado térmico, endurecimiento por calor /// *adj:* termofraguable, termofraguante, termoendurecible. (1) Que se endurece o solidifica en forma permanente al ser calentado por vez primera; dícese de ciertas resinas sintéticas. (2) Que no puede ser reblandecido (sin descomposición térmica) por aumento de temperatura; aplícase a ciertas resinas y polímeros sintéticos. (3) Que se solidifica al ser por primera vez calentado a presión, y no puede ser refundido o remoldeado sin destruir sus características originales; dícese de ciertos plásticos de los que son ejemplos los epóxidos, los fenólicos, los de melamina, y los de urea | termofraguado, termoendurecido, termoestable. Que no se ablanda, deforma ni fluye en forma apreciable cuando se le somete a calor y presión.

thermosetting acrylic   resina acrílica termoendurecible.

thermosetting adhesive   adhesivo termoestable.

thermosetting material   material termoendurecible; material termoendurecido.

thermosetting modified polystyrene   poliestireno modificado termofraguable.

thermosetting plastic   plástico termoendurecible [termofraguante], materia plástica termofraguante; plástico termoestable, materia plástica permanente.

thermosetting resin   resina termoendurecible [termofraguante].

thermosiphon   termosifón, sifón térmico.

thermosphere   termosfera. Región de la atmósfera que se encuentra entre los límites aproximados de 80 y 600 km de altura (por encima de la *mesosfera*), y en la cual la temperatura aumenta con la altura.

thermostability   termoestabilidad, estabilidad térmica.

thermostable   *adj:* termoestable, térmicamente estable.

thermostat   termostato, termóstato. Dispositivo que en respuesta a una desviación de la temperatura respecto a un valor (o un intervalo de valores) preestablecido, abre o cierra un circuito eléctrico que a su vez gobierna una fuente de calor, de tal manera que se mantenga (dentro de ciertos límites de tolerancia) una temperatura estable en un recinto o en un dispositivo. El elemento termosensible que acciona los contactos de cierre y apertura del circuito, puede ser un fuelle lleno de un gas o un líquido, una bilámina o lámina bimetálica [bimetallic strip], etc. SIN. **thermorelay** | termostato, autómata termométrico. Autómata de contactos eléctricos [mechanical relay] en el cual la maniobra de los contactos se produce a una temperatura determinada. SIN. **thermal relay** (CEI/57 15–35–025). CF. **electric thermostat, thermal switch** /// *adj:* termostático /// *verbo:* termostatizar.

thermostat materials   materiales para lámina bimetálica, par de metales para bilámina. Par de metales con coeficientes de dilatación térmica muy distintos, utilizados para la fabricación de láminas bimetálicas, como las de los termostatos. v. **bimetallic strip.**

thermostat relay   v. **thermostatic relay.**

thermostatic   *adj:* termostático.

thermostatic actuator   accionador [actuador] termostático.

thermostatic alarm   alarma termostática, avisador termostático.

thermostatic cutout   *(Elec)* interruptor térmico.

thermostatic cutout switch   interruptor térmico.

thermostatic delay relay   relé termostático de retardo, relevador térmico de retardo. Relé térmico [thermorelay] especial preajustado o preajustable de manera que abra o cierre un circuito eléctrico después de transcurrido cierto intervalo.

thermostatic expansion valve   válvula de expansión termostática, válvula (de alivio) de expansión con gobierno termostático.

thermostatic overload tripping device   dispositivo desconectador [de disparo] termostático contra sobrecargas.

thermostatic override   limitador termostático.

thermostatic relay   relé termostático, relevador térmico, termostato, autómata termométrico. Termostato usado principalmente para protección contra sobrecargas.

thermostatic switch   conmutador [interruptor] termostático, interruptor térmico. Especie de termostato utilizado como dispositivo de protección contra sobrecargas.

thermostatic trap   *(Calefacción de locales)* trampa termostática.

thermostatic valve   válvula de gobierno termostático.

thermostatically   *adv:* termostáticamente.

thermostatically controlled   *adj:* regulado termostáticamente, con regulación termostática, controlado por termostato.

thermostatically controlled heated enclosure   cámara termostática, cámara térmica controlada por termostato.

thermostatically controlled oven   *(Elecn)* cámara termostática, horno con regulación termostática.

thermostatics   termostática. Aplicación de la termodinámica [thermodynamics] a los estados de equilibrio.

thermostatistics   termoestadística. Mecánica estadística [statistical mechanics] considerada en relación con la termodinámica [thermodynamics].

thermostress   esfuerzo térmico; esfuerzo causado por una soldadura.

thermostylus   *(Grabación fonog)* estilete térmico. CF. **thermal tip.**

thermosyphon   termosifón, sifón térmico.

thermotank   caja térmica, tanque térmico.

thermotelluric   *adj:* termotelúrico.

thermotelluric current   corriente termotelúrica.

thermotension   *(Met)* termotensión.

thermotherapy   termoterapia.

thermovariable   *adj:* termovariable, variable con el calor [con la temperatura].

thermovariable resistor   resistor termovariable, resistencia variable con la temperatura. CF. **thermistor.**

theta   theta. Nombre de la octava letra del alfabeto griego (minúscula θ, mayúscula Θ), que se usa para representar ángulos y otras cantidades. En español se pronuncia *tita* o *sita*.

theta pinch   *(Electromag)* estricción [autocontracción] acimutal, estricción [autocontracción] ortogonal.

theta polarization   polarización theta. La de una onda cuyo vector de campo eléctrico es tangente a las meridianas de un sistema de referencia esférico dado.

theta-theta navigation system   sistema de navegación theta-theta.

thetagram   *(Meteor)* tetagrama.

thetatron   tetatrón. Dispositivo utilizado en experimentos de fusión nuclear.

Thévenin's acoustical theorem   teorema acústico de Thévenin.

Thévenin's electrical theorem   teorema eléctrico de Thévenin. v. **Thévenin's theorem.**

Thévenin's mechanical rectilineal theorem   teorema mecánico rectilíneo de Thévenin.

Thévenin's mechanical rotational theorem   teorema mecánico rotacional de Thévenin.

Thévenin's theorem　teorema de Thévenin. Según este teorema, si en condiciones de alimentación determinadas de una red pasiva lineal [passive linear network], se conecta entre dos bornes cualesquiera de esta red una impedancia Z′, la corriente que recorre esta impedancia cuando se alcanza el régimen permanente [steady state] es igual a la razón de la diferencia de potencial V observable entre esos dos bornes antes de la conexión, a la suma de la impedancia Z′ y la impedancia Z de la red medida desde los mismos dos bornes antes de la conexión (CEI/70 55–20–300).

thick dipole　*(Ant)* dipolo grueso, dipolo de gran diámetro. Dipolo de mucho diámetro en relación con su largo.

thick drizzle　*(Meteor)* llovizna fuerte.

thick film　película gruesa. v. **thick-film technique.**

thick-film circuit　*(Elecn)* circuito de película gruesa. Circuito fabricado por depósito de substancias con las cuales se forman elementos circuitales y conductores con espesores del orden de 0,01 mm sobre un substrato de materia no conductora, como alúmina [alumina] o berilia [beryllia]. v.TB. **thick-film technique.**

thick-film hybrid circuit　circuito híbrido de película gruesa. Circuito electrónico de película gruesa que incorpora elementos pasivos y dispositivos activos.

thick-film integrated circuit　*(Elecn)* circuito integrado de película gruesa.

thick-film passive circuit　circuito pasivo de película gruesa.

thick-film process　*(Elecn)* procedimiento de película gruesa. v. **thick-film technique.**

thick-film resistor　resistencia de película gruesa. v. **thick-film technique.**

thick-film technique　técnica de las películas gruesas. Técnica para la fabricación de elementos circuitales (condensadores, resistencias, conductores, etc.) mediante la aplicación de pastas de composición especial a un substrato de materia cerámica, siguiendo determinados esquemas y secuencias de operaciones. Se utilizan asimismo capas de tintas conductoras, resistivas y aislantes o dieléctricas que se depositan sobre un substrato mediante procedimientos semejantes a los empleados en las artes gráficas. CF. **thick-film technique.**

thick-film technology　*(Elecn)* tecnología de las películas gruesas. v. **thick-film technique.**

thick freezing drizzle　*(Meteor)* llovizna fuerte congelada.

thick source　*(Nucl)* fuente (radiactiva) densa. Aquella en que ocurre absorción o dispersión en grado importante.

thick target　*(Nucl)* blanco (nuclear) espeso. Aquel de espesor tal que produce una pérdida apreciable de energía de las partículas incidentes o secundarias de interés.

thick wall　pared gruesa, pared de gran espesor.

thick-wall　*adj:* de pared gruesa.

thick-wall chamber　cámara (de ionización) de pared gruesa.

thick-walled　*adj:* de pared gruesa.

thick-walled tube　tubo de pared gruesa.

thick-walled tubing　tubería de pared gruesa.

thickener　espesador; coagulante ‖ *(Electroquím/Electromet)* tanque de sedimentación ‖ separador sedimentario. v. **tank.**

thickening　espesamiento; engrosamiento ‖ *(Electroquím/Electromet)* separación sedimentaria ‖ *(Nucl)* decantación.

thickness　*(Sólidos)* espesor, grosor, grueso ‖ *(Planchas, Chapas)* espesor ‖ *(Pastas, Masas)* consistencia ‖ *(Líquidos)* espesura, cuerpo ‖ *(Aeron)* (of an aerofoil section) espesor relativo (de un perfil). SIN. **chord ratio** ‖ *(Min)* (of a vein) espesor, potencia (de un filón) ‖ *(Pernos, Remaches)* diámetro ‖ *(Radiol)* v. **thickness for half absorption** ‖ v.TB. **thickness of...** ‖‖ *verbo:* *(Carp)* regruesar; poner a gruesos; sacar de espesor.

thickness chart　*(Meteor)* cara de espesor.

thickness for half absorption　*(Radiol)* espesor de semiabsorción. Espesor de una determinada substancia que, colocada en la trayectoria de un haz de rayos X, reduce su intensidad a la mitad de su valor inicial (CEI/38 65–25–030).

thickness gage, thickness gauge　calibre [calibrador] de espesor(es), galga [medidor] de espesores; lengüeta calibradora, plantilla de espesor; sonda para espesores.

thickness gaging, thickness gauging　medida de espesores.

thickness-mode resonator　resonador en modo de espesor. Cuerpo resonante que vibra según la dirección del espesor. CF. **thickness vibration.**

thickness of line　*(Teleg)* espesor del trazo.

thickness of the atmosphere　*(Meteor)* espesor de la atmósfera.

thickness ratio　*(Aeron)* relación de espesor a cuerda. SIN. **thickness/chord ratio.**

thickness-shear mode quartz　cuarzo de modo (de vibración) de cizallamiento en espesor.

thickness vibration　*(Cristales piezoeléc)* vibración según la dirección del espesor. CF. **thickness-mode resonator.**

thimble　*(Costura)* dedal ‖ *(Máq/Mec)* manguito; guardacabos ‖ *(Mástiles/Torres)* guardacabos. Pieza de ferretería utilizada para proteger los vientos en los puntos de amarre, evitando que se doblen en ángulo muy agudo ‖ *(Marina)* guardacabos ‖ *(Cables)* guardacabo, casquillo ‖ *(Elec)* terminal. Pieza conductora fijada a la extremidad de un conductor y que sirve para efectuar su conexión. SIN. **socket** (CEI/38 15–30–010) ‖ *Reactores nucleares)* caperuza, manguito.

thimble-eye bolt　perno de guardacabo.

thimble-eye nut　tuerca con guardacabo.

thimble ionization chamber　*(Radiol)* cámara dedal. Tipo de cámara de ionización cuyo electrodo exterior tiene la forma de un dedal de costura (CEI/64 65–30–240).

thin-airfoil theory　*(Aeron)* teoría del perfil de ala delgado.

thin antenna　antena delgada ‖ antena de diámetro infinitesimal. Antena ideal constituida por un hilo de diámetro infinitamente pequeño.

thin film　película [capa] delgada, película fina ‖ *(Elecn)* película delgada. v. **thin-film technique.**

thin-film capacitor　condensador [capacitor] de película delgada. Condensador o capacitor que se forma depositando en el vacío ambos electrodos y el dieléctrico.

thin-film chromatography　cromatografía en capa delgada. Técnica cromatográfica que se distingue por su rapidez y sencillez de aplicación, a pesar de lo cual permite el análisis y la separación de pequeñas cantidades de substancias.

thin-film circuit　*(Elecn)* circuito de película delgada. Circuito fabricado por depósito de materiales en el vacío para formar elementos pasivos y redes conductoras con espesor de algunos cientos de angstroms sobre substratos aislantes. v.TB. **thin-film technique.** CF. **hybrid thin-film circuit.**

thin-film component　*(Elecn)* componente de película delgada.

thin-film cryotron　criotrón de película delgada.

thin-film ferrite coil　bobina (plana) de película delgada sobre ferrita. Inductor consistente en una bobina en espiral plana que se forma depositando oro u otro metal sobre un substrato de ferrita.

thin-film formation　formación de películas delgadas. v. **thin-film technique.**

thin-film gaging　calibración de capas delgadas; medida de películas delgadas.

thin-film integrated circuit　*(Elecn)* circuito integrado de película delgada. Circuito integrado (v. **integrated circuit**) compuesto de elementos fabricados a base de películas delgadas e interconectados por medio de depósitos (también de película delgada) sobre los materiales de soporte. v.TB. **thin-film technique.** CF. **microelectronics.**

thin-film magnetoresistor　magnetorresistor [magnetorresistencia] de película delgada. v. **magnetoresistor.**

thin-film material　*(Elecn)* material para películas delgadas. v. **thin-film technique.**

thin-film matrix　matriz de película delgada.

thin-film memory　memoria de película (ferromagnética) delgada, memoria magnética pelicular. v. **thin-film technique.**

thin-film microcircuit   microcircuito de película delgada.

thin-film microelectronics   microelectrónica de película delgada; (técnica de los) circuitos electrónicos de película delgada.

thin-film Nichrome resistor   resistor de película delgada de nicromio.

thin-film resistor   resistor [resistencia] de película delgada.

thin-film semiconductor   semiconductor de película delgada. v. **thin-film technique.**

thin-film solar cell   pila solar de película delgada.

thin-film technique   técnica de las películas delgadas. Técnica para la fabricación de diversos dispositivos, elementos, y circuitos electrónicos mediante el depósito de diferentes clases de materiales para formar películas delgadas (espesor máximo de unos 10^4 angstroms) por procedimientos mecánicos, químicos, y de evaporación en el vacío, efectuándose dicho depósito sobre un substrato pasivo o semiconductor, según el caso. Los resistores se obtienen frecuentemente depositando una aleación de oro y platino o de níquel y cromo, o un óxido de estaño, sobre un substrato de materia cerámica. Los capacitores se forman depositando capas alternadas de un metal (electrodos) y de óxidos aislantes (dieléctrico); éstos son típicamente óxido alumínico [aluminum oxide] y óxido de silicio [silicon oxide]. Los inductores se fabrican en forma de espiral plana depositando películas de un metal puro sobre una base de ferrita. Las memorias o almacenadores de información se fabrican depositando una película de un material ferromagnético, por evaporación, sobre una base de vidrio caldeado en presencia de un campo magnético continuo paralelo a la superficie de la base. También se obtienen elementos lógicos depositando películas de material magnético sobre un substrato que puede ser una placa o un hilo. Cuando se trata de circuitos completos, se depositan una o varias capas de materiales conductores, aislantes, semiconductores, o ferromagnéticos siguiendo esquemas y procedimientos prescritos, para formar elementos pasivos con sus correspondientes interconexiones; en algunos casos se añaden luego elementos activos discretos después de haber formado un circuito integrado por los procedimientos descritos. CF. **thick-film technique.**

thin-film transistor   transistor de película delgada. Transistor de efecto de campo [field-effect transistor] cuyas partes esenciales (capa semiconductora, película aislante, y electrodos) se forman todas por la técnica de las películas delgadas [thin-film technique]. Los electrodos (surtidor o fuente, compuerta, drenador) son generalmente coplanarios; la capa semiconductora descansa sobre una base relativamente gruesa y usualmente es de sulfuro de cadmio [cadmium sulfide].

thin foil   hoja delgada.

thin layer   capa delgada.

thin linear antenna   antena lineal delgada.

thin magnetic-film memory   (dispositivo de) memoria de película delgada magnética. SIN. **thin-film memory.**

thin picture tube   tubo de imagen extraplano. Tubo de imagen (cinescopio) en fase experimental que ofrece la posibilidad de reducir la dimensión de fondo a unos 10 ó 12 cm. Con los circuitos integrados, este tubo permitiría construir un televisor mural que apenas ocupe más volumen que un cuadro o pintura colgado en la pared.

thin plate   placa [chapa] delgada, chapa fina.

thin-plate orifice meter   (Elec) contador de orificio con placa delgada.

thin profile   (Aeron) perfil delgado.

thin ribbon   cinta delgada.

thin source   (Nucl) fuente (radiactiva) delgada. Aquella en que la absorción o la dispersión ocurre en grado poco importante. CF. **thick source.**

thin target   (Nucl) blanco (nuclear) delgado. Aquel que por su poco espesor no produce una pérdida apreciable de energía de las partículas incidentes o secundarias en estudio. CF. **thick target.**

thin wall   pared delgada [de poco espesor].

thin-wall   adj: de pared delgada. V.TB. **thin-walled.**

thin-wall counter tube   tubo contador de pared delgada. Tubo contador en el que la envolvente, o una parte de ella, es lo suficientemente poco absorbente como para permitir la detección de radiaciones de poco poder penetrante [low penetrating power] (CEI/68 66–15–155). CF. **thin-window counter tube, window counter tube.**

thin-wall ring magnet   imán anular de pared delgada.

thin-walled   adj: de pared delgada.

thin-walled cable   cable con cubierta delgada [de poco espesor]; cable con aislamiento delgado [de poco espesor].

thin-walled tube   tubo de pared delgada.

thin-walled tubing   tubería de pared delgada.

thin-window alpha counter tube   tubo contador de partículas alfa de ventana delgada.

thin-window counter tube   tubo contador de ventana delgada. v. **thin-wall counter tube.**

thin wire   alambre [hilo] fino, alambre de pequeño diámetro.

thinking machine   máquina pensante. Nombre figurado que a veces se da a las computadoras electrónicas.

thinner   diluyente, diluente, diluidor, adelgazador.

third   tercio, tercera parte, terzuelo; tercero ‖ (Mús) tercera. Intervalo de tercera; intervalo melódico que comprende tres sonidos sucesivos de la escala ⫴ adj: tercero, tercio, terciario.

third brush   (Elec) tercera escobilla; escobilla auxiliar.

third-brush regulation   (Elec) regulación de tercera escobilla.

third-channel output   (Electroacús) salida de tercer canal. v. **A-plus-B output.**

third generation   tercera generación.

third-generation tape   cinta de tercera generación. Si se tiene una cinta de registro magnético en la que se ha grabado un programa musical (tomado del aire o de un tocadiscos) o de televisión (captado en directa), y, reproduciendo esa cinta se graban otras cintas, éstas se denominan de segunda generación. Si, a su vez, se toma una de las cintas de segunda generación y, reproduciéndola se graba el programa mediante otro equipo, la cinta producida por este equipo será de tercera generación.

third group switch   (Telef) tercer selector.

third harmonic   tercera armónica. Componente de una onda sinusoidal compleja cuya frecuencia es igual al triple de la frecuencia fundamental [fundamental frequency].

third-harmonic crystal   cristal (piezoeléctrico) de tercera armónica.

third-harmonic distortion   distorsión de [por] tercera armónica. Distorsión causada por la presencia de componentes espurias de tercera armónica. v. **harmonic distortion.**

third-harmonic tank (circuit)   circuito tanque de tercera armónica.

Third Inter-American Radio Conference (Rio de Janeiro, 1945)   Tercera Conferencia Interamericana de Radiocomunicaciones (Río de Janeiro, 1945).

third inversion (of a chord)   (Mús) tercera inversión (de un acorde).

third law of thermodynamics   tercera ley de la termodinámica. Principio según el cual es imposible, por idealizado que sea el procedimiento empleado, alcanzar el cero absoluto de temperatura en un número finito de operaciones.

third major   (Mús) tercera mayor.

third minor   (Mús) tercera menor.

third order   tercer order.

third-overtone crystal   cristal (piezoeléctrico) de tercera armónica. SIN. **third-harmonic crystal.**

third-party message   (Telecom) mensaje para tercero; mensaje de tercero. Mensaje destinado a o procedente de una persona otra que los corresponsales directos de una comunicación telefónica o telegráfica.

third proportional   (Mat) tercera [tercero] proporcional. Uno de los extremos iguales de una proporción continua respecto a los términos medios de la misma.

third rail   *(Tracción eléc)* tercer riel, tercer carril, riel conductor [de toma], carril conductor. Riel o carril que conduce la corriente de alimentación de los motores eléctricos de tracción.

third-rail current collector   *(Tracción eléc)* zapata, patín de toma. Dispositivo que sirve para captar corriente del tercer riel. SIN. third-rail shoe.

third-rail gage   *(Tracción eléc)* gálibo de tercer carril. Contorno que incluye todas las secciones transversales del tercer riel, de sus aisladores, soportes y órganos de protección por encima del plano de rodadura (CEI/38 30–05–025).

third-rail shoe   *(Tracción eléc)* zapata, patín de toma. SIN. third-rail current collector.

third speed   *(Vehículos automotores)* tercera velocidad.

third wire   *(Elec)* conductor [hilo] neutro.

35-mm black-and-white film   *(Cine)* película de 35 mm en blanco y negro.

35-mm color film   *(Cine)* película de 35 mm en colores.

35-mm size film   *(Cine)* película de 35 mm.

thk   Abrev. de thick.

Thomas precession   *(Fís)* precesión de Thomas. La que experimenta el electrón por la aceleración que le imprime el campo eléctrico del núcleo atómico.

Thomas resistor   resistencia [resistor] Thomas. Patrón de resistencia eléctrica con elemento de manganina recocida en atmósfera inerte y colocada bajo cubierta hermética.

¹Thomson   Elihu Thomson: ingeniero electricista e inventor americano de origen inglés (1853–1937).

²Thomson   Sir George Paget Thomson: físico inglés (1892–?), que trabajó en la investigación de la difracción de los electrones; hijo de Sir Joseph John Thomson.

³Thomson   Sir Joseph John Thomson: físico inglés (1856–1940) que demostró la existencia del electrón.

⁴Thomson   William Thomson: físico, matemático e inventor inglés al que luego se le dio el título de Lord Kelvin y el de First Baron Kelvin (1824–1907); sus invenciones y descubrimientos se conocen indistintamente con los nombres de Thomson y de Kelvin.

Thomson balance   balanza de Thomson. v. **Kelvin balance.**

Thomson bridge   puente de Thomson. v. **Kelvin bridge.**

Thomson coefficient   coeficiente de Thomson. Razón de la fuerza electromotriz existente entre dos puntos determinados de un conductor metálico, a la diferencia de temperatura entre esos puntos. v. **Thomson effect.**

Thomson cross-section   sección eficaz de Thomson, sección eficaz de dispersión. v. **scattering cross-section.**

Thomson effect   efecto Thomson. Producción de una fuerza electromotriz debida al pasaje de corriente en las partes de un conductor homogéneo que se encuentran a temperaturas diferentes (CEI/38 05–20–160, CEI/56 05–20–205). SIN. **Kelvin effect.**

Thomson electromotive force   fuerza electromotriz de Thomson. Fuerza electromotriz existente entre dos puntos de un conductor que se encuentran a temperaturas diferentes. SIN. Thomson voltage.

Thomson formula   fórmula de Thomson.

Thomson heat   calor de Thomson. Energía térmica liberada o absorbida como resultado del efecto Thomson.

Thomson meter   *(Elec)* contador electrodinámico de colector (Thomson). Contador cuyo par motor es producido por la acción de un devanado en serie sobre un sistema móvil de colector conectado en derivación en el circuito (CEI/38 20–25–050, CEI/58 20–25–060).

Thomson scattering   dispersión de Thomson. Dispersión de una radiación electromagnética por electrones esencialmente libres en el límite de las ondas largas; o sea, ondas de longitudes respecto a las cuales puede desdeñarse el efecto Compton.

Thomson voltage   tensión de Thomson. v. **Thomson electromotive force, Thomson effect.**

Thomson-Whiddington-Bohr law   ley de Thomson-Whiddington-Bohr. Ley que expresa que la profundidad de penetración de los electrones catódicos en el anticátodo de un tubo de rayos X es igual a la tensión entre el cátodo y el anticátodo dividida por una constante que depende del material de que esté hecho el anticátodo y, en menor grado, de otros factores.

Thoraeus filter   *(Radiol)* filtro de Thoraeus. Filtro compuesto [compound filter] constituido por estaño, cobre y aluminio (CEI/64 65–30–190).

thoria   *(Quím)* toria, dióxido [bióxido, óxido] de torio, anhídrido tórico. Fórmula: ThO_2.

thorianite   torianita. Mineral de torio y uranio; consiste principalmente en uranio, torina, y óxidos de los céridos o lantánidos.

thoriate   *verbo:* toriar.

thoriated   *adj:* toriado, con torio; con película de torio.

thoriated emitter   *(Elecn)* emisor toriado. v. **thoriated tungsten filament.**

thoriated filament   *(Elecn)* filamento toriado. v. **thoriated tungsten filament.**

thoriated tungsten   *(Elecn)* tungsteno toriado.

thoriated-tungsten cathode   *(Elecn)* cátodo de tungsteno toriado. v. **thoriated-tungsten filament.**

thoriated-tungsten filament   *(Elecn)* filamento de tungsteno toriado. Filamento de tubo termoiónico al vacío hecho con tungsteno al que se le ha añadido una pequeña cantidad de óxido de torio [thorium oxide] para mejorar sus propiedades de emisión electrónica. SIN. **thoriated emitter [filament], thoriated-tungsten cathode. CF. directly heated cathode.**

thorides   tóridos. (1) Nombre dado a los elementos químicos pertenecientes al grupo de los *actínidos* (última fila de la tabla de Mendeleev o de clasificación periódica de los elementos) cuyo estado de oxidación es +4. (2) Nombre aplicado a los elementos del grupo de los actínidos que siguen inmediatamente al torio [thorium].

thorite   torita. Silicato natural de torio, generalmente hidratado, de fórmula SiO_4Th. Es un mineral negro o amarillo anaranjado (orangita), de difícil ataque, infusible, denso, y de fractura concoidea, procedente de Noruega.

thorium   torio. Elemento químico de número atómico 90. Símbolo: Th.

thorium dioxide   dióxido [bióxido] de torio. v. **thoria.**

thorium emanation   *(Quím)* emanación del torio. v. **thoron.**

thorium family   *(Quím)* familia del torio. v. **thorium series.**

thorium fission   *(Nucl)* fisión del torio.

thorium nitrate   nitrato de torio.

thorium ore   mineral [mena] de torio.

thorium oxide   óxido de torio.

thorium reactor   *(Nucl)* reactor de torio. Reactor en el cual el núcleo central de uranio enriquecido está rodeado de torio; en esas condiciones aquél funciona como reactor reproductor.

thorium reprocessing   reelaboración del torio.

thorium series   *(Quím)* serie [familia] del torio. Serie de núclidos resultantes de la desintegración del torio 232, cuyo producto final es plomo 208; este último es estable.

thorn needle   *(Fonog)* aguja de espina. Aguja o púa de reproducción de un material suave, como de espina de cacto o de fibra, cuyo uso está ya descartado.

thorogummite   torogumita. Silicato hidratado natural de uranio y torio, procedente de Tejas. SIN. **nicolayite.**

thoron   *(Quím)* torón, emanación del torio. Isótopo natural del radón (radón 220). Símbolo: Tn. SIN. **thorium emanation.**

thorotungstite   *(Miner)* torotungstita.

thread   hilo; hebra, fibra, filamento ‖ *(Mec)* rosca | 5/8″–27 thread: rosca de 5/8 pulg. y 27 vueltas por pulgada lineal | filete (de tornillo, de tuerca, de rosca). LOCALISMO: hilo. Espiral saliente de un tornillo o de una tuerca | paso (de tornillo, de rosca). SIN. pitch ‖ *(Fonog)* viruta. En la grabación de discos fonográficos, material que el estilete grabador saca del disco. SIN. **chip** ‖ medida lineal equivalente a 1,5 yarda=1,37 m /// *verbo:* roscar, filetear, labrar un filete (en), aterrajar (p.ej un tornillo) | **to thread in:** enroscar || *(Cine)* cargar (el proyector, la cámara), colocar [poner] la película (en el proyector, en la cámara).

thread count   *(Mec)* paso. Número de filetes de rosca por unidad de longitud. SIN. **pitch.**

thread counter   cuentahilos.

thread chaser   *(Herr)* peine de roscar.

thread chasing   formación de roscas con el peine de roscar.

thread cutter   máquina de roscar; herramienta de roscar.

thread-cutting equipment   terraja, máquina para filetear barras y tubos; máquina de roscar.

thread-cutting tool   herramienta de roscar || *(Máq herr)* fresa de roscar, herramienta de filetear.

thread gage, thread gauge   calibrador de roscas, calibre [galga, plantilla] para roscas; galga para tornillos.

thread micrometer   micrómetro para roscas (de tornillo).

thread seizure   *(Mec)* agarrotamiento de la rosca.

threaded   *adj:* fileteado, roscado, aterrajado. Dícese de la pieza en la cual se ha labrado una rosca o filete.

threaded core   núcleo roscado.

threaded elbow   codo roscado.

threaded felt   fieltro reforzado con hilos.

threaded insert   inserto roscado.

threaded plug   tapón roscado.

threaded shaft   eje roscado.

threaded terminal   *(Elec/Elecn)* borne roscado.

threading   roscado; enrosque; enhebrado (de hilos); enfilado (de telas) || *(Cine)* (*i.e.* film threading; a.c. threading-up) colocación de la película (en el proyector, en la cámara), carga de la película; carga del proyector; carga de la cámara.

threading die   terraja; cojinete de roscar, dado (de roscar).

threading path   *(Cine)* trayectoria de la película (en el proyector, en la cámara).

threading-up   *(Cine)* v. threading.

threadless connector   conector sin rosca.

threadlike   *adj:* filiforme, de forma de hilo.

threadlike conductor   conductor filiforme.

three-address code   *(Comput)* código de tres direcciones. Usualmente dos de las direcciones corresponden a los datos y la tercera al resultado de la operación efectuada con los mismos. SIN. **instruction code.**

three-address instruction   *(Comput)* instrucción de tres direcciones. Instrucción que abarca una operación determinada y especifica la ubicación de tres registros.

three-address system   sistema de tres direcciones.

three-bladed propeller   hélice tripala [de tres palas].

three-body problem   *(Fís/Astr)* problema de los tres cuerpos. Dados tres cuerpos aislados en el espacio, y siendo conocidas sus masas respectivas y sus posiciones y velocidades en un instante dado, problema de determinar sus posiciones después de transcurrido un intervalo de tiempo dado, en la suposición de que las únicas fuerzas actuantes sobre ellos son sus recíprocas atracciones gravitacionales. Es un caso particular del problema general de los n cuerpos [n-body problem]. El problema no presenta mayores dificultades cuando $n=2$. Cuando $n=3$ es computacionalmente insoluble a menos que se dé uno de estos casos: los tres cuerpos forman un triángulo equilátero; uno de ellos es muy pesado en relación con los otros; los tres cuerpos están en hilera recta. La dificultad aumenta cuando $n>3$, siendo entonces sólo susceptible de soluciones aproximadas mediante laboriosos métodos de aproximación, aun con la ayuda de las modernas máquinas computadoras, y constituye uno de los principales problemas de la mecánica celeste.

three-cavity klystron   klistrón [clistrón] de tres cavidades.

three-cell electrocolorimeter   electrocolorímetro tricélula.

three-channel loudspeaker system   v. three-way loudspeaker system.

three-channel multiplex system   sistema múltiplex de tres canales.

three-channel stereophonic recording system   sistema de registro estereofónico de tres canales. Se utilizan tres micrófonos espaciados.

three-channel stereophonic reproduction system   sistema de reproducción estereofónica de tres canales. Se utilizan tres sistemas de altavoz.

three-channel stereophonic system   sistema estereofónico tricanal [de tres canales].

three-coil regulation   *(Tracción eléc)* regulación de tres inductancias, regulación de cuatro barras. Dispositivo de regulación de la tensión que utiliza dos conjuntos de regulación de dos barras, estando las tomas medias de dos inductancias conectadas a una tercera, cuyo punto medio está unido al circuito de utilización [load circuit]. SIN. **four-busbar regulation** (CEI/57 30–15–810).

three-color   *adj:* tricolor; tricromo.

three-color beam   haz tricromo.

three-color cathode-ray tube   tubo catódico [de rayos catódicos] tricromo.

three-color photography   tricromía.

three-color picture   tricromía, imagen tricroma [tricromática].

three-color process   tricromía || *(Tv)* mezcla aditiva de tres colores. Mezcla aditiva de tres colores o de tres luces en las proporciones convenientes para que produzcan la sensación de determinado color.

three-color tube   *(TRC/Tv)* tubo tricromo.

three-component alloy   aleación ternaria. SIN. **ternary alloy.**

three-condition cable code   *(Teleg)* código trivalente para cable. Código telegráfico según el cual los puntos, las rayas y los espacios entre caracteres son representados por elementos unitarios [unit elements] de variedades diferentes; por ejemplo, corriente positiva, corriente negativa, y ausencia de corriente, respectivamente (CEI/70 55–65–060).

three-condition code   *(Teleg)* código trivalente.

three-condition telegraph code   código telegráfico trivalente. Código telegráfico que emplea tres estados significativos [signaling conditions] distintos (CEI/70 55–65–040).

three-conductor angle pothead   *(Elec)* terminador (de cable) de tres ramas en ángulo.

three-conductor cable   *(Elec)* cable de tres conductores.

three-conductor plug   clavija [conector macho] de tres conductores.

three-core cable   *(Elec)* cable tripolar. Cable de tres conductores aislados (CEI/65 25–30–050) | cable trifilar [de tres conductores].

three-dB coupler   *(Guías de ondas)* acoplador de 3 dB, acoplador híbrido. Acoplador directivo en el cual la energía se divide en dos partes iguales. SIN. **hybrid coupler** (CEI/61 62–15–160). SIN. **Riblet [short-slot] coupler.**

three-dimensional   *adj:* tridimensional, de tres dimensiones || *(Cine, Representaciones pictóricas)* tridimensional, en relieve.

three-dimensional analysis   *(Meteor)* análisis tridimensional.

three-dimensional gas   gas tridimensional.

three-dimensional memory   *(Comput)* memoria tridimensional. Memoria de múltiples planos en la cual los diferentes bitios de una misma palabra se almacenan en planos diferentes.

three-dimensional picture   imagen tridimensional [en relieve]. SIN. **imagen estereoscópica [plástica].**

three-dimensional radar   radar tridimensional.

three-dimensional scanning   exploración tridimensional.

three-dimensional television   televisión tridimensional [estereoscópica].

three-electrode tube   *(Elecn)* triodo, tubo de tres electrodos. SIN. **triode, three-element valve** *(GB).*

three-electrode valve *(GB)*   *(Elecn)* triodo, válvula de tres electrodos. SIN. **triode, three-electrode tube.**

three-element aerial   antena de tres elementos.

three-element antenna   antena de tres elementos. Antena para altas frecuencias que comprende tres dipolos de aproximadamente media longitud de onda dispuestos paralelamente en un mismo plano horizontal, los que mencionados en el sentido del haz son el *reflector* [reflector, reflecting dipole], el *elemento activo* [active element, active dipole], y el *director* [director, directive dipole]. El primero y el tercero son *elementos parásitos* [parasitic elements]. El elemento activo adopta el nombre de *radiador* [radiator, transmitting dipole] o de *receptor* [receiving element, receiving dipole], según que la antena funcione como transmisora o como receptora. El espaciado entre los elementos es de aproximadamente un décimo de la longitud de onda. SIN. **formación de director y reflector horizontales —— horizontal director-reflector array.**

three-engine aircraft   trimotor, avión trimotor.

three-engine airplane   trimotor, avión trimotor.

three-engined   *adj:* trimotor, de tres motores.

three-face clock   reloj de triple esfera.

three-finger rule   *(Electromag)* regla de los tres dedos. v. **right-hand rule.**

three-gang assembly   tándem de tres unidades, conjunto de tres unidades en tándem.

three-gang outlet box   *(Elec)* caja de salida triple, caja (de derivación) de tres salidas.

three-gang transformer   triple tándem de transformadores.

three-grid tube   *(Elecn)* tubo de tres rejillas, válvula trirrejilla. SIN. three-grid valve *(GB)*.

three-grid valve *(GB)*   v. three-grid tube.

three-gun chromatic picture tube   v. three-gun color picture tube.

three-gun color picture tube   *(Tv)* tubo de imagen en color de tres cañones. v. three-gun tube.

three-gun color tube   *(Tv)* tubo de imagen en color de tres cañones, cinescopio tricañón para televisión en colores. v. three-gun tube.

three-gun shadow-mask color kinescope   cinescopio tricañón de máscara de sombra para televisión en colores. v. three-gun tube.

three-gun tricolor picture tube   v. three-gun color picture tube.

three-gun tube   *(Tv)* (a.c. trigun tube) tubo tricañón, cinescopio tricañón, tubo de imagen de tres cañones. Cinescopio o tubo de imagen para televisión en colores, provisto de tres cañones electrónicos independientemente controlados, uno para cada uno de los tres colores primarios [primary colors]. SIN. three-gun color (picture) tube, tricolor tube.

three-halves power   *(Mat)* potencia tres medios. Potencia cuyo exponente es 3/2. Es un caso particular de las potencias de exponente racional.

three-heat   *adj: (Dispositivos electrotérmicos)* de tres potencias, de tres amperajes. Se aplica a las cocinas, calentadores y radiadores eléctricos.

three-heat switch   conmutador de tres potencias, selector de tres pasos de amperaje.

three-hole magnetic memory core   núcleo de memoria magnética de tres agujeros.

three-in-one   *(Acrobacias aéreas)* tres en uno /// *adj:* para tres fines, para tres aplicaciones, de tres funciones.

three-in-one meter   instrumento para tres medidas diferentes. SIN. three-in-one (measuring) instrument.

three-indication block   *(Ferroc)* bloque de tres indicaciones.

three-junction transistor   transistor de tres uniones. Transistor PNPN, configuración que comprende tres uniones y cuatro regiones de conductividades alternantes.

three-layer diode   *(Semicond)* diodo de tres capas. Tiene tres regiones de conductividades diferentes.

three-letter-difference telegraph code   código telegráfico con diferencia de tres letras.

three-level   *adj:* de tres niveles; a tres niveles.

three-level action   *(Automática)* acción a tres niveles. Acción que impone a la señal de salida [output signal] uno de entre tres valores determinados (CEI/66 37–20–050). CF. **two-level action.**

three-level laser   laser de tres niveles. Laser de tres niveles o estados energéticos, incluso el estado fundamental [ground state].

three-level maser   maser de tres niveles. Maser de estado sólido en cuyo funcionamiento se utilizan tres niveles o estados energéticos.

three-level solid-state maser   maser de estado sólido de tres niveles.

three-link international call   *(Telef)* comunicación internacional de tránsito doble [de tránsito de dos conexiones].

three-minute initial period   *(Telef)* período inicial de tres minutos.

three-node vibration   vibración de tres nodos.

three-phase   *adj: (Elec)* trifásico, de tres fases.

three-phase alternator   alternador trifásico. v. **three-phase machine.**

three-phase bridge-connected rectifier   rectificador trifásico en puente.

three-phase cable   cable de corriente trifásica.

three-phase circuit   circuito trifásico. Circuito alimentado por un sistema de tensiones trifásicas; es decir, tensiones alternas que difieren en fase en 120° (un tercio de período).

three-phase current   corriente trifásica.

three-phase-current system   *(Tracción eléc)* sistema de corriente trifásica. Sistema que emplea corriente trifásica en la distribución y en los motores de tracción.

three-phase four-wire system   sistema trifásico tetrafilar | sistema trifásico de cuatro hilos. Sistema de distribución compuesto de cuatro conductores, de los cuales uno está unido al punto neutro y los otros sometidos a un sistema de tensiones trifásicas (CEI/38 25–15–045).

three-phase four-wire wye system   sistema trifásico trifilar en estrella.

three-phase full-wave rectifier   rectificador trifásico de onda completa.

three-phase line-voltage regulator   regulador trifásico de voltaje de línea.

three-phase machine   máquina trifásica. Expresión empleada en el lenguaje técnico corriente para designar una máquina que produce, transforma, o utiliza un sistema de corrientes trifásicas [system of three-phase currents] (CEI/56 10–05–085).

three-phase motor   motor trifásico. v. **three-phase machine.**

three-phase open-delta connection   conexión trifásica en triángulo abierto [en delta abierta]. v. **open-delta connection.**

three-phase overhead line   línea aérea trifásica.

three-phase rectifier   rectificador trifásico. Rectificador cuya corriente de entrada es trifásica.

three-phase short circuit   cortocircuito trifásico.

three-phase six-wire system   sistema trifásico hexafilar [de seis hilos].

three-phase star-connected system   sistema trifásico en estrella.

three-phase static converter   convertidor estático trifásico.

three-phase static inverter   inversor estático trifásico.

three-phase three-core cable   cable tripolar [trifilar] para corriente trifásica.

three-phase three-wire system   sistema trifásico trifilar | sistema trifásico de tres hilos. Sistema de distribución compuesto de tres conductores sometidos a un sistema de tensiones trifásicas (CEI/38 25–15–040).

three-phase to direct-current motor-generator   grupo convertidor de corriente trifásica en continua.

three-phase transformer   transformador trifásico. Expresión empleada en el lenguaje técnico corriente para designar un transformador que transforma o utiliza un sistema de corrientes trifásicas [system of three-phase currents] (CEI/56 10–05–085).

three-phase wye configuration   configuración trifásica en estrella.

three-phase wye connection   conexión trifásica en estrella.

three-pin central base   *(Tubos elecn)* casquillo central de tres patillas.

three-pin plug   *(Elec)* clavija de tres alfileres.

three-plus-one instruction   *(Comput)* instrucción de cuatro direcciones. Una de las direcciones especifica la ubicación de la instrucción que ha de ser ejecutada a continuación. CF. **three-address instruction.**

three-point landing   *(Avia)* aterrizaje (en) tres puntos.

three-point switch   *(Elec)* conmutador de tres direcciones; llave de tres puntos.

three-point tracking   *(Rec)* ajuste de arrastre en tres puntos, alineamiento (de circuitos resonantes) en tres frecuencias de la banda de sintonía.

three-pole   *adj: (Elec)* tripolar, de tres polos ‖ *(Estr)* de tres postes; de tres mástiles.

three-pole delta aerial   antena en delta de tres mástiles.

three-pole manually group-operated load-break disconnect switch   desconectador trifilar (de carga) de accionamiento manual en grupo. Desconectador trifásico interpuesto entre la entrada de energía y la carga (circuitos de utilización), y que al ser accionado manualmente conecta o desconecta los tres polos o fases simultáneamente.

three-pole oil-immersed isolating switch   desconectador tripolar en baño de aceite, seccionador tripolar sumergido en aceite.

three-pole socket   zócalo [caja de enchufe] tripolar.

three-pole switch   conmutador tripolar; interruptor tripolar. v. **switch.**

three-port circulator   *(Hiperfrec)* circulador de tres puertas.

three-port device   dispositivo de tres puertas | hexapolo, exapolo, dispositivo de seis bornes. SIN. **six-terminal device.**

three-port phase-shift circulator   *(Hiperfrec)* circulador desfasador de tres puertas.

three-position   *adj:* de tres posiciones.

three-position double-throw switch   *(Elec)* conmutador de tres posiciones y dos vías.

three-position lever   palanca de tres posiciones.

three-position relay   relé [relevador] de tres posiciones. SIN. **neutral relay, center-stable polar relay.**

three-position signal   *(Ferroc)* señal de tres posiciones. Semáforo cuyo brazo puede ocupar tres posiciones.

three-position switch   *(Elec)* conmutador de tres posiciones.

three-prong adapter   *(Elec)* adaptador para tres espigas de contacto.

three-quarter bridge   puente rectificador tres cuartos, rectificador en puente tres cuartos. Rectificador en puente (v. **bridge rectifier**) en el que uno de los diodos rectificadores ha sido substituido por una resistencia; por lo tanto la conducción es unidireccional (o asimétrica) en tres de las ramas, y bidireccional en la rama constituida por una resistencia.

three-shift operation   operación de tres turnos [de jornada triple]; servicio de tres jornadas (diarias), funcionamiento durante 24 horas diarias.

three shot   *(Tv)* toma de tres personas de la cintura para arriba.

three-stage   *adj:* de tres pasos, de tres etapas; de tres grados; de tres escalones; de tres posiciones.

three-stage amplifier   amplificador de tres etapas [de tres pasos].

three-terminal   *adj:* de tres terminales, de tres bornes; tripolar, de tres polos.

three-terminal capacitor   condensador de tres bornes, capacitor de tres terminales. Condensador variable cuyas dos armaduras (rotor y estator) están aisladas de masa y están provistas de bornes individuales; el tercer borne corresponde a masa. CF. **two-terminal capacitor.**

three-terminal contact   *(Relés)* contacto triple. Combinación de tres elementos de contacto [contact members] que se tocan en una posición extrema, pero no en la otra (CEI/56 16-35-095) | contacto de tres bornes.

three-terminal device   dispositivo de tres bornes [de tres terminales].

three-terminal network   tripolo, red tripolar, red de tres polos, red de tres bornes.

three-throw switch   *(Elec)* conmutador de tres vías [de tres direcciones, de tres "tiros"]. v. **switch** ‖ *(Ferroc)* cambio de vía triple, cambio de tres vías. LOCALISMO: chucho de tres tiros.

3-V camera   *(Tvc)* v. **three-vidicon camera.**

three-vidicon camera   *(Tvc)* cámara de tres vidicones.

three-vidicon camera chain   cadena de cámara de tres vidicones.

three-way   *adj:* tridireccional, de tres direcciones; de tres vías; de tres canales; de tres ramas; de tres conductos.

three-way baseband hybrid   *(Telecom)* unidad diferencial de banda base de tres ramas.

three-way loudspeaker system   sistema altoparlante de tres vías, sistema de altavoces de tres canales. Sistema electroacústico en el que las frecuencias se separan en tres bandas, correspondientes a los registros bajo, medio y alto, para su reproducción mediante tres altavoces (o grupos de altavoces) eléctricamente independientes. SIN. **three-channel system.** CF. **two-way system, woofer, tweeter, midrange loudspeaker.**

three-way mobile system   *(Radiocom)* sistema de servicio móvil triangular, red de enlaces móviles en triángulo. v. **mobile system.**

three-way portable   *(Radio/Tv)* aparato portátil de alimentación universal.

three-way portable receiver   *(Radio/Tv)* receptor portátil de alimentación universal, receptor portátil de tres corrientes [de alimentación mixta triple]. Receptor portátil que funciona indistintamente con pilas, con corriente alterna, o con corriente de la red de corriente continua.

three-way radio   radio de alimentación universal, radio [receptor] de triple alimentación, radiorreceptor de tres corrientes.

three-way switch   *(Elec)* conmutador [interruptor] de tres direcciones; llave de tres puntos. Conmutador que permite conectar un conductor a uno cualquiera de otros tres | conmutador de tres posiciones. Conmutador con una posición de desconexión; sirve para conectar un conductor a uno cualquiera de otros dos, o dejarlo aislado de ambos.

three-way system   *(Electroacús)* sistema (altoparlante) de tres vías, sistema (de altavoces) de tres canales. v. **three-way loudspeaker system.**

three-way terminal   *(Telecom)* terminal tridireccional.

three-way transformer   *(Telecom)* transformador diferencial.

three-way valve   válvula de tres pasos [de tres vías, de tres conductos].

three-winding transformer   transformador de tres devanados.

three-wing shutter   *(Cine)* obturador de tres palas [de tres aspas]. Obturador rotativo que, además de la *pala obturadora,* tiene dos *de centelleo;* o que, además de la *pala principal,* tiene dos palas que se emplean por razones de estabilidad mecánica.

three-wire   *adj:* trifilar, de tres hilos.

three-wire junction   *(Telef)* línea auxiliar [de enlace] a tres hilos.

three-wire mains   *(Elec)* red trifilar, red de distribución de tres conductores.

three-wire outlet   *(Elec)* tomacorriente de tres contactos [de línea trifilar]; caja de salida de tres conductores.

three-wire rhombic antenna   antena rómbica trifilar.

three-wire system   *(Elec)* sistema trifilar | sistema de tres hilos. Sistema de distribución de corriente compuesto de dos conductores extremos y un conductor neutro usualmente conectado a tierra (CEI/38 25-15-015).

three-wire system with alternating current   sistema de corriente alterna de tres hilos. Sistema de distribución de corriente alterna compuesto de dos conductores extremos y un conductor neutro usualmente conectado a tierra (CEI/38 25-15-015).

three-wire system with direct current   sistema de corriente continua de tres hilos. Sistema de distribución de corriente continua compuesto de dos conductores extremos y un conductor neutro usualmente conectado a tierra (CEI/38 25–15–015).

three-wire trunk   *(Telef)* línea auxiliar [de enlace] de tres hilos.

threshold   *(Equivalente general)* umbral | *(i.e.* beginning; outset; verge) umbral, comienzo, principio | **to be on the threshold of:** estar en los umbrales [comienzos] de; estar al borde de [a punto de] || *(Avia)* umbral. Comienzo de la parte de una pista utilizable para el aterrizaje || *(Arq/Carp)* (*i.e.* entrance; doorway) umbral, entrada; claro [vano] de puerta | (*i.e.* piece of wood or stone placed beneath a door; doorsill) umbral, solera de puerta. LOCALISMOS: umbralada, umbralado, umbraladura. ADVERTENCIA: Evítese el error frecuente en español de usar *dintel* [doorhead, lintel] por *umbral* || *(Fís)* umbral. Punto o valor de una magnitud en que comienza a producirse, manifestarse o hacerse observable un fenómeno o un efecto del mismo. Valor a partir del cual empiezan a ser observables los efectos de un agente físico | v.TB. **threshold of. . .** || *(Elecn, Electroacús)* umbral, nivel de limitación (de picos). SIN. **clipping level** || *(Sicofísica/Sicología)* (*i.e.* intensity below which a mental or a physical stimulus cannot be perceived) umbral, limen. Intensidad por debajo de la cual es imperceptible un estímulo mental o físico /// *adj:* (de) umbral; liminal; crítico, de transición.

threshold amplifier   *(Elecn)* amplificador de umbral. Amplificador cuya salida es nula mientras la señal de entrada no supere cierta amplitud crítica (amplitud umbral). CF. **threshold linear amplifier.**

threshold audiogram   *(Acús)* audiograma. v. **audiogram.**

threshold calibration   calibración del umbral; contraste del umbral.

threshold circuit   circuito de umbral. Circuito que actúa cuando la señal de entrada excede de cierto valor de tensión o de corriente. CF. **threshold amplifier.**

threshold control   control [regulador] de umbral.

threshold current   *(Tubos de descarga)* corriente umbral. Valor mínimo de corriente al cual la descarga es autoentretenida o automantenida [self-sustaining].

threshold decoding   descodificación de umbral. Aquella en la cual la decisión respecto al símbolo transmitido se funda en un cómputo mayoritario de las ecuaciones de comprobación de paridad que involucren ese símbolo.

threshold detector   detector de umbral. En nucleónica, detector insensible a los neutrones de energía inferior a cierto valor; elemento o isótopo en el cual se induce radiactividad únicamente por la captura de neutrones con energías que sobrepasen cierto valor característico (valor umbral).

threshold dose   *(Radiol)* dosis umbral. Dosis mínima de radiación susceptible de producir un efecto observable [observable effect] (CEI/64 65–10–655).

threshold effect   efecto de umbral. En los receptores de modulación de ángulo (v. **angle modulation**), supresión inherente de ruido por una onda portadora cuyo valor de cresta es sólo ligeramente superior al valor del ruido.

threshold energy   *(Fís, Nucl)* energía umbral.

threshold energy (of a reaction)   *(Nucl)* energía umbral (de una reacción). Valor límite de energía, para un fotón o una partícula incidentes, por debajo del cual la reacción no ocurre o no es observable.

threshold energy of an endothermic reaction   *(Nucl)* energía umbral de una reacción endotérmica.

threshold energy of fission   *(Nucl)* energía umbral [mínima] de fisión.

threshold field   *(Electromag)* campo umbral. Valor más pequeño de la fuerza magnetizante [magnetizing force] en el sentido que tienda a reducir la remanencia, que cuando se aplica como campo constante de larga duración o como campo pulsado que aparezca muchas veces, da lugar a un cambio relativo especificado de la remanencia.

threshold frequency   frecuencia umbral, frecuencia crítica. Frecuencia a la cual la energía cuántica (fotones) llega a ser suficiente para liberar electrones en una superficie dada; los electrones así liberados se denominan *fotoelectrones* [photoelectrons]. SIN. **critical frequency.** CF. **photon** | umbral de frecuencia fotoelectrónica. Frecuencia de la energía radiante incidente [incident radiant energy] por debajo de la cual es nulo el efecto fotoemisivo [photoemissive effect]. Fórmula: $v_0 = p/h$ (CEI/56 07–23–040). CF. **threshold wavelength.**

threshold gate   *(Circ lógicos)* compuerta de umbral. Elemento cuya salida es 1 ó 0, para un mínimo o un máximo, respectivamente, de los pesos de entrada [input weights]. v.TB. **threshold logic.**

threshold kinetic energy   energía cinética umbral, umbral de energía cinética.

threshold level   *(Circ lógicos)* nivel umbral. Límite de amplitud a partir del cual el circuito amplifica la señal de información y es inmune a ciertas señales perturbadoras || *(Registro mag)* nivel umbral [de corte]. En el registro magnético de señales digitales, nivel que determina la amplitud mínima de señal detectable en un circuito de lectura [read circuit], y que sirve para reducir la sensibilidad del circuito a los impulsos extraños. SIN. **clipping level.**

threshold light   *(Avia)* luz de umbral, luz de entrada, luz de acceso. v. **threshold.**

threshold limiter   limitador de umbral.

threshold linear amplifier   amplificador lineal de umbral. Amplificador de umbral (v. **threshold amplifier**) que cuando suministra señal de salida, la misma es función lineal de la amplitud de la señal de entrada.

threshold logic   lógica de umbral. Circuito lógico con compuerta de umbral [threshold gate]; o sea, una compuerta cuya salida está determinada por el estado de la mayoría de sus entradas o, con mayor generalidad, por la suma de los pesos de entrada, puesto que en ciertos casos se les asigna diferentes pesos a las distintas entradas.

threshold of audibility   umbral de audibilidad, umbral sonoro [de audición, de percepción auditiva], límite inferior de audibilidad, nivel de mínima audibilidad. Nivel o potencia correspondiente al sonido más débil, de determinada frecuencia, que puede percibirse en condiciones de silencio absoluto. Para la frecuencia de 1000 Hz este límite corresponde a una potencia de 10^{-16} W/cm² (valor alternativo eficaz de la presión acústica, o sea, 2×10^{-4} dinas/cm²). El umbral de audibilidad se usa como valor de referencia o nivel cero para expresar potencias acústicas en escalas logarítmicas (v. **decibel, neper**). SIN. **audibility threshold, threshold of detectability [of hearing].** CF. **threshold of feeling.**

threshold of compression   *(AF, Telecom)* umbral de compresión. Valor crítico de la señal a partir del cual comienza la compresión. v. **compression.**

threshold of detectability   umbral de audibilidad. v. **threshold of audibility.** CF. **threshold of detection.**

threshold of detection   umbral de detección. Nivel definido de la salida de un receptor de radar, a partir del cual se considera que existe un eco. CF. **threshold of detectability.**

threshold of discomfort   *(Acús)* v. **threshold of feeling.**

threshold of feeling   *(Acús)* umbral de dolor [de sensación dolorosa], límite superior de audibilidad, límite de sensación dolorosa [de sensación táctil]. Intensidad acústica a la cual el sonido de determinada frecuencia empieza a percibirse como sensación táctil; por encima de ese nivel se produce dolor y se corre el riesgo de sufrir la perforación de los tímpanos. SIN. **threshold of discomfort [of pain].** CF. **threshold of audibility.**

threshold of hearing   umbral de audibilidad. v. **threshold of audibility.**

threshold of luminescence   umbral de luminiscencia. Longitud de onda máxima, o frecuencia mínima, de la radiación capaz de provocar la luminiscencia de una substancia (CEI/56 07–10–125).

CF. **threshold frequency, threshold wavelength.**

threshold of pain *(Acús)* umbral de dolor [de sensación dolorosa]. v. **threshold of feeling.**

threshold of response umbral de respuesta, límite (inferior) de excitación. Valor mínimo de una magnitud a que es capaz de responder un dispositivo, un aparato de medida, o un sistema de regulación automática. SIN. **threshold sensitivity** ‖ *(Equipos contadores)* **(to pulses)** umbral de respuesta (a los impulsos). Valor mínimo de la amplitud de un impulso necesario para que un circuito determinado del dispositivo asociado al detector cumpla su función en respuesta a ese impulso (CEI/68 66–10–390).

threshold of sensitivity umbral de sensibilidad. Intensidad mínima de un estímulo o de una señal excitadora que produce un efecto perceptible.

threshold potential potencial umbral. v. **threshold voltage.**

threshold potentiometer potenciómetro de umbral.

threshold selector selector de umbral.

threshold sensitivity *(Rec)* sensibilidad de umbral ‖ umbral de respuesta, límite (inferior) de excitación. v. **threshold of response.**

threshold signal *(Rec)* umbral de recepción ‖ *(Sist de radionaveg)* señal de umbral. Mínima amplitud de señal capaz de obrar un cambio perceptible en la información posicional.

threshold signal level nivel de señal de recepción.

threshold simulator element elemento simulador de umbral.

threshold stability estabilidad del umbral.

threshold switch interruptor de umbral. Dispositivo semiconductor que para valores de la tensión aplicada inferiores a uno determinado, presenta una resistencia muy elevada (del orden de 1 MΩ); pero que cuando la tensión aplicada sobrepasa ese valor crítico (valor umbral), cambia instantáneamente de estado (por aumento súbito del número de portadores libres) y ofrece entonces una resistencia muy baja (inferior a 1Ω). Este interruptor es para funcionamiento en circuitos de alterna, y consiste esencialmente en un material semiconductor depositado sobre un substrato metálico. En otras variedades del dispositivo, el umbral de tensión puede ser variado por aplicación de calor, luz, presión, o humedad.

threshold switching conmutación de umbral.

threshold tube *(Elecn)* tubo de umbral, válvula de umbral. Tubo o válvula que deja pasar la señal a él aplicada, o impide su paso completamente, según el nivel de ésta. SIN. **tubo recortador** —— **clipper tube.**

threshold value valor umbral; valor crítico [de transición]. v. **threshold, threshold current, threshold energy, threshold field, threshold voltage** ‖ *(Automática)* valor umbral. Valor a partir del cual una señal de entrada provoca una variación apreciable de la señal de salida. El *umbral inferior* [lower threshold] corresponde al valor absoluto mínimo [minimum absolute value] y el *umbral superior* [upper threshold] al valor absoluto máximo [maximum absolute value]. Un sistema o equipo puede presentar dos umbrales inferiores y/o dos umbrales superiores, correspondiendo cada uno de ellos a un signo determinado de la variación de la señal de entrada (CEI/66 37–15–035) ‖ *(Purificación de agua)* concentración mínima.

threshold voltage tensión umbral, tensión crítica. **(1)** En los contadores Geiger, tensión mínima a la cual todos los impulsos producidos en el contador por un evento ionizante [ionizing event] son de la misma amplitud, cualquiera que sea la amplitud del primero de esos eventos. **(2)** En los diodos limitadores, tensión aplicada al ánodo con el fin de suprimir el efecto de los impulsos perturbadores. **(3)** En los diodos rectificadores, tensión mínima necesaria para que el diodo conduzca en sentido directo; por ejemplo, en los rectificadores de selenio esta tensión oscila entre 0,2 y 0,6 V y depende de la temperatura (aumenta cuando disminuye la temperatura) y, en menor grado, de si se hace el ensayo en régimen estático o en régimen dinámico. **(4)** En los transistores tipos MOS, valor de tensión negativa aplicada a la

compuerta [gate] respecto al surtidor, para el cual la región del canal [channel], de tipo P, se convierte en tipo N. **(5)** En los dispositivos MOS de funcionamiento por enriquecimiento [enhancement-mode MOS devices] es necesario que la compuerta sea polarizada en sentido directo por la *tensión umbral* para que se forme el canal (y circule la corriente) entre el surtidor [source] y el drenador [drain]; esto tiene su semejanza en el codo de la característica V_{BE} de un transistor de silicio.

threshold wavelength longitud de onda umbral, longitud de onda crítica. Longitud de onda electromagnética que corresponde a la frecuencia umbral o crítica (v. **threshold frequency**). SIN. **critical wavelength** ‖ umbral (fotoelectrónico) de longitud de onda ‖ umbral de longitud de onda fotoelectrónico. Longitud de onda de la energía radiante incidente por encima de la cual es nulo el efecto fotoemisivo [photoemissive effect] (CEI/56 07–23–045).

thrice *adv:* tres veces; repetidamente; muy, sumamente.

thrift cooker *(Cocina)* olla económica.

throat garganta; cuello, gollete; boca, paso, entrada, orificio; angostura; cargadero ‖ *(Acús)* garganta, embocadura. Parte más estrecha de una bocina. CF. **mouth** ‖ *(Altos hornos)* tragante ‖ *(Cepillos de carpintería)* luz ‖ *(Anclas)* unión de la caña a los brazos ‖ *(Conductos)* sección mínima de paso ‖ *(Ferroc)* cuello, garganta ‖ *(Mec)* garganta, gollete ‖ *(Máq herr)* cuello de cisne ‖ *(Soldadura)* cuello, garganta, gollete ‖ *(Topog)* angostura ‖ *(Informática)* garganta. Espacio regulable a través del cual pasan las tarjetas perforadas al entrar en una máquina ‖ *(Ant de microondas)* **(of a horn)** garganta (de una bocina). Tramo de conexión de una bocina o de una boquilla [nozzle, spout] a la guía de alimentación (CEI/61 62–25–075).

throat acoustic impedance *(Bocinas)* impedancia acústica de garganta [de entrada].

throat microphone laringófono, micrófono de garganta [de laringe]. Micrófono de contacto (v. **contact microphone**) que se aplica al cuello de tal modo que capte directamente las vibraciones de la laringe, en lugar de captar las ondas sonoras emitidas oralmente. SIN. **laryngophone** ‖ laringófono. Micrófono ideado para ser colocado en contacto con la garganta del locutor y que funciona por el efecto de los movimientos de la laringe (CEI/60 08–15–130).

throatless combustion chamber *(Tecnología espacial)* cámara de combustión sin garganta.

throttle gaznate, gollete ‖ *(Máq/Mot)* regulador, toma de vapor; mariposa de válvula; mando [palanca] de gases; mariposa, obturador de la gasolina, válvula de estrangulación ‖‖ *verbo:* obturar, estrangular; ahogar; moderar; ahogarse, asfixiarse; reducir (la sección de paso); estrangular (el vapor); disminuir (p.ej. un gasto o caudal).

throttle back *verbo: (Mot)* reducir gases.

throttle down *verbo: (Mot)* reducir gases.

throttle lever *(Máq/Mot)* palanca [mando] de gases, palanca de mando de los gases, palanca de la mariposa; palanca del regulador; palanquita de estrangulación [del obturador], manija de admisión, manecilla de admisión (de gases).

throttle pressure presión de entrada.

throttle quadrant sector de la palanca de gases.

throttle setting posición del mando de gases.

throttle valve válvula de mariposa; válvula de estrangulación; válvula de admisión; válvula reguladora; regulador (de mariposa); acelerador; toma de vapor.

throttling obturación, estrangulación; moderación; reducción de la sección de paso (de un fluido); reducción de la presión de un fluido (por disminución de sección del conducto que le da paso); control por pasos (entre dos límites); regulación; ahogamiento.

throttling control control de obturación [de estrangulación]; mando de (los) gases; regulación; control del gasto (de un fluido) ‖ *(Automática)* control de la rapidez de variación (de la variable independiente). SIN. **proportional response, rate control.**

throttling effect   *(Mús)* efecto de ahogamiento.

through   *(Meteor)* depresión; vaguada ||| *adj:* pasante, de paso; de tránsito; directo, sin parada(s); acabado, terminado ||| *adv:* a través, de lado a lado, de parte a parte, de un lado a otro; completamente; de punta a cabo; desde el principio hasta el fin ||| *prep:* por; por entre; por medio de, mediante; a causa de; durante todo; todo lo largo de.

through axis   *(Meteor)* eje de la vaguada.

through bass   *(Mús)* bajo continuo.

through bolt   perno [tornillo] pasante.

through bore   taladrado pasante.

through call   *(Telecom)* comunicación en tránsito.

through call via X   comunicación en tránsito por X.

through channel   *(Telecom)* canal directo [de tránsito]. CF. **drop channel** || *(Dispositivos multipuerta)* canal de transmisión libre. Canal o vía por el que la energía o la señal circula sin atenuación o con atenuación despreciable.

through circuit   *(Telecom)* circuito directo | circuito de tránsito. SIN. **via circuit**.

through connection   conexión pasante || *(Telecom)* conexión de tránsito || *(Telef)* comunicación directa | (of a subscriber to a continuous-service exchange after his own exchange is closed) puesta en comunicación directa (de un abonado con una central de servicio permanente cuando su central está cerrada).

through connection via X   *(Telecom)* comunicación en tránsito por X.

through-cord switch   *(Elec)* interruptor [llave] de cordón pasante.

through dialing over toll [trunk] circuits   *(Telecom)* selección a distancia; selección automática a distancia a través de una estación de tránsito | ...with AC impulses: selección a distancia con impulsos de CA | ...with DC impulses: selección a distancia con impulsos de CC | ...with four-frequency impulses: selección a distancia con impulsos de corriente a cuatro frecuencias | ...with multifrequency impulses: selección a distancia con impulsos de corriente multifrecuencia [compleja] | ...with sinusoidal impulses: selección a distancia con impulsos de corriente sinusoidal | ...with subaudio impulses: selección a distancia con impulsos de corriente de frecuencia infraacústica | ...with voice-frequency [VF] impulses: selección a distancia con impulsos de corriente de frecuencia vocal.

through filter   *(Telecom)* filtro de paso.

through flight   *(Avia)* vuelo directo. CF. **through service**.

through group filter [TGF]   *(Telecom)* filtro de paso de grupo; filtro de transferencia de grupo primario.

through highway   carretera de paso preferente. Carretera cuyo tránsito tiene prioridad de paso en una intersección. SIN. **through road**. CF. **through street, thruway**.

through hole   agujero pasante.

through joint   *(Elec)* empalmador. Empalme de conductores [conductor joint] que sirve para unir hilos eléctricos por apriete [clamping] (CEI/57 15–65–015) | aprietahilos.

through level   *(Telecom)* nivel de paso | nivel de prueba no adaptado. Lectura dada por un medidor de nivel [level-measuring set] acoplado en un punto de un sistema, sin hacer ninguna corrección para tomar en cuenta la diferencia entre la impedancia del sistema y la impedancia para la cual esté graduado el aparato. NOTA: La magnitud así medida con un medidor de nivel graduado respecto a una potencia de 1 mW en una resistencia de R ohmios, se denomina *nivel absoluto de potencia referido a R ohmios*. Si R = 600 Ω, la magnitud así definida se confunde con el *nivel absoluto de tensión* [600-ohm through level] (CEI/70 55–05–150).

through line repeater   *(Telecom)* (*i.e.* repeater permanently connected in circuit) repetidor intercalado permanentemente.

through loss   *(Telecom)* pérdida de paso. En un combinador de vías en el que a cada vía corresponde una entrada y una salida que forman un par, se le llama *pérdida de paso* a la atenuación entre una entrada cualquiera y la salida de otro par cualquiera. A la

atenuación entre la entrada y la salida del mismo par se le llama *pérdida de retorno* [return loss]. SIN. **transmission loss**.

through path   *(Bucles de control con realimentación)* camino directo total, trayectoria de transmisión de la señal de entrada hasta la salida || *(Telecom)* vía de paso.

through pin   pasador.

through position   *(Telecom)* posición de comunicación directa; posición de tránsito.

through-position cord pair   *(Telef)* dicordio de tránsito. SIN. **through switching cord circuit**.

through rate   *(Telecom)* tasa total. CF. **terminal rate, transit rate**.

through repeater   *(Telecom)* (a.c. thru repeater) repetidor de paso [de tránsito directo], repetidor pura [directa], repetidora sin acceso [sin derivación]. (1) En las redes de enlaces hertzianos por microondas, repetidor o repetidora sin disgregación de canales; repetidora de continuación directa de los canales. (2) Estación repetidora no provista de los medios para el acceso a los canales de tráfico, aunque sí al canal de servicio [service channel]. CF. **drop [dropping] repeater, repeater station**.

through road   camino troncal; camino de acceso limitado; carretera de tránsito directo con preferencia de paso. SIN. **through highway**. CF. **thruway** || *(Ferroc)* vía directa.

through route locking   *(Ferroc)* enclavamiento de tránsito rígido. Enclavamiento de tránsito (v. **route locking**) cuya acción se aplica a todas las agujas de un itinerario y a sus agujas de protección, a partir del momento en que un tren entra en ese itinerario y hasta el momento en que lo abandona completamente (CEI/59 31–10–170). CF. **sectional-release route locking**.

through service   *(Avia)* servicio directo. CF. **through flight**.

through span   *(Ferroc)* puente de vía inferior. Puente con tablero al nivel inferior de las vías principales.

through station   *(Ferroc)* estación intermedia [de tránsito]. Estación situada en un punto intermedio de una línea férrea. CF. **terminal station**.

through strapping   *(Telecom)* conexión de puente de tránsito. Puente de conexión directa que se hace en un punto intermedio de la ruta del tráfico, en vez de hacer las conmutaciones necesarias en cada caso.

through street   calle de paso preferente. v. **through highway**.

through supergroup filter [TSF]   *(Telecom)* filtro de paso de supergrupo; filtro de transferencia de grupo secundario.

through switching cord circuit   *(Telef)* dicordio de tránsito. SIN. **through-position cord pair**.

through telegram   telegrama de escala, telegrama en tránsito. SIN. **transit telegram**.

through terminal   *(Ferroc)* terminal de paso continuo.

through toll   *(Teleg)* tasa total. Tasa correspondiente a la transmisión desde el origen hasta el destino del telegrama. CF. **transit toll**.

through toll line   *(Telef)* línea interurbana de paso.

through traffic   *(Carreteras)* tráfico de larga distancia, tráfico interurbano; tráfico de tránsito | tránsito de paso. Tránsito que no tiene origen ni destino en la región considerada || *(Telecom)* tráfico de escala [de tránsito]. SIN. **via traffic**.

through train   *(Ferroc)* tren directo.

through transfer function   *(Bucles de control con realimentación)* función de transferencia directa total. Función de transferencia correspondiente al camino directo total [through path].

through trunk   *(Telecom)* tronco [troncal] de tránsito, tronco de paso.

through turntable   *(Ferroc)* mesa giratoria de vía inferior. Mesa giratoria con la vía colocada sobre viguetas unidas a la parte inferior de las vigas principales.

through valve   válvula de purga.

throughput   producto, rendimiento (total); (capacidad de) producción || *(Hidr)* gasto, caudal || *(Informática)* rendimiento. (1) Cantidad total de trabajo útil ejecutado por un equipo de sistematización de datos [data processing] durante un período dado. (**2**) Cantidad total de información útil procesada o comunicada por el sistema considerado durante un período especificado.

throw tiro, tirada; alcance; excentricidad ‖ (*Altavoces*) carrera (del sistema móvil) ‖ (*Bombas impelentes*) descarga ‖ (*Embolos*) carrera ‖ (*Máq*) carrera, juego ‖ (*Cine*) distancia de proyección. POCO USADO: tiro. Distancia entre la lente de proyección y la pantalla ‖ (*Conmutadores*) vía, posición activa [de contacto], "tiro". v. **switch** ‖ (*Líneas aéreas*) vano ‖ (*Caminos*) desplazamiento de la curva de transición ‖ (*Geol*) dislocación [desplazamiento, resalto] vertical. LOCALISMOS: salto [rechazo] vertical ‖ (*Máq eléc*) número de ranuras del núcleo comprendidas entre las ramas superior e inferior de una misma bobina; distancia entre las ramas superior e inferior de una misma bobina expresada por el número de ranuras de núcleo comprendidas entre aquéllas ⫼ *verbo:* tirar, disparar, arrojar, lanzar; derribar, echar por tierra; mover, dar vuelta a ‖ (*Conmutadores*) accionar, volcar. Dícese especialmente cuando el conmutador es de dos posiciones y de accionamiento por palanca | to **throw a key**: accionar una llave | to **throw the switch**: accionar [volcar] el conmutador.

throw-away v. **throwaway**.
throw-out v. **throwout**.
throw-over v. **throwover**.
throwaway desecho, cosa desechada o descartada ‖ (*Cine*) **throwaways**: desechos, partes descartadas (de una película) ⫼ *adj:* desechable, descartable. Que se desecha o descarta después de usado una vez.
throwaway dry cell pila seca desechable. Pila seca común y corriente, en oposición a las pilas recargables.
throwing power (*Galvanoplastia*) poder cubriente [de penetración]. Facultad de una solución de depositar uniformemente el metal sobre un cátodo de forma irregular (CEI/60 50–30–020) | poder cubridor [de deposición].
throwout spiral (*Discos fonog*) espiral interior [final, de salida]. Al final del disco, prolongación del surco en forma de espiral de gran paso que, por tanto, produce un movimiento rápido del brazo fonocaptor hacia el centro del plato, movimiento que sirve para disparar el mecanismo cambiadiscos en los fonógrafos automáticos. Esa espiral (sin modulación) conecta con un surco final cerrado sobre sí mismo, que puede ser concéntrico o excéntrico con el disco. SIN. **lead-out groove**.
throwover relay relé de dos direcciones. Relé de todo o nada [all-or-nothing relay] con dos posiciones, y que al suprimírsele la alimentación, queda en su última posición (CEI/56 16–15–065).
throwover switch conmutador (de recambio), conmutador de dos direcciones, interruptor de dos vías. Refiérese generalmente a un conmutador utilizado para alternar el uso o el funcionamiento de dos aparatos o dispositivos; o para conectar un elemento a uno cualquiera de otros dos, por ejemplo, para conectar una antena alternativamente al receptor o al emisor de una estación de radiocomunicación. CF. **changeover switch**.
thru Variante de *through* (véase).
thru hole agujero pasante.
thru-hole connection (*Circ impresos*) conexión interfacial [de agujero pasante]. SIN. **feedthrough (connection)**.
thru repeater (*Telecom*) v. **through repeater**.
thrust empuje; impulso; tracción; presión; empujón; acometida, arremetida, ataque; lanzada; estocada; aguijonazo ‖ (*Geol*) corrimiento, falla, paraclasa ‖ (*Minas*) aplastamiento de pilares ⫼ *verbo:* empujar; impulsar; impeler; arremeter, atacar, acometer; meter; clavar, hincar; atravesar; forzar; abrirse paso.
thrust augmenter (*Avia*) reforzador [intensificador] de empuje.
thrust bearing (*Mec*) cojinete de empuje, quicionera ‖ (*Turbinas verticales*) pivote.
thrust-bearing cover tapa del cojinete de empuje.
thrust-bearing spacer espaciador del cojinete de empuje.
thrust borer (máquina) perforadora.
thrust coefficient (*Avia*) coeficiente de tracción.

thrust component (*Aerodinámica*) componente de la fuerza de tracción.
thrust horsepower (*Avia*) potencia propulsiva; potencia útil.
thrust line (*Avia*) eje [línea] de tracción; eje de empuje ‖ (*Mapas de operaciones militares*) línea base.
thrust nut tuerca de empuje.
thrust output (*Avia, Tecnología espacial*) empuje neto [útil].
thrust power (*Avia*) potencia propulsiva; potencia útil; fuerza motriz total.
thrust reverser (*Avia*) inversor de empuje.
thrust ring anillo de empuje.
thrust screw tornillo de empuje.
thrust spring resorte de empuje.
thrust washer arandela de empuje; arandela de presión.
thruway carretera de acceso limitado.
THS Abrev. de truss head steel.
thucholite (*Geol*) tucholita.
thulium tulio. Elemento químico de número atómico 69. Símbolo: Tm.
thumb pulgar.
thumb nut v. **thumbnut**.
thumbnut tuerca manual [de mano]; tuerca de alas [de orejetas, de mariposa].
thumbscrew tornillo de mano [de apriete manual]; tornillo de orejetas [de orejas, de mariposa]; tornillo de cabeza moleteada.
thumbtack chinche, chincheta.
thumbwheel ruedecilla que se mueve con el pulgar, ruedecilla para mover con la yema del pulgar.
thumbwheel control control de accionamiento con el pulgar, mando accionado por el dedo pulgar.
thumbwheel drive accionamiento con el pulgar.
thumbwheel operation (*Mandos*) accionamiento con el pulgar.
thumbwheel switch conmutador de accionamiento con el pulgar.
thumbwheel-type control mando accionable con el pulgar, mando del tipo de rueda actuable con el pulgar.
thump (*Electroacús*) golpe sordo. Ruido de baja frecuencia y poco volumen producido durante la reproducción de un disco fonográfico, por defecto del mismo; por lo común el ruido se produce a cada vuelta del disco ‖ (*Telecom*) ruido telegráfico [de telégrafo], golpeteo, interferencia audiotelegráfica [de telégrafo]. Perturbación o interferencia que produce un circuito telegráfico en uno telefónico. Perturbación en forma de chasquidos o golpeteo sordo producido en un circuito telefónico por la manipulación o modulación de un circuito telegráfico; prodúcese típicamente cuando al telefónico se le superpone un circuito telegráfico de corriente continua. SIN. **telegraph noise**. CF. **key click**.
thumping (*Acús*) golpeo, golpeteo, ruido de golpe; ruido fuerte pero sordo ‖ (*Prospección geofísica*) caída de pesos.
thunder (*Geofís, Meteor*) (*i.e.* the sound) trueno | (*i.e.* the discharge) rayo.
thunderbolt rayo, centella.
thunderclap tronido.
thundercloud nube tormentosa [de tormenta, de tronada].
thunderhead nube cúmulonimbo.
thundershower tronada con chaparrones.
thunderstick (*Mús*) regla zumbadora.
thunderstorm tormenta, tempestad; tronada.
thunderstorm-avoidance radar v. **storm-avoidance radar**.
thunderstorm turbulence turbulencia tormentosa.
Thury regulator (*Elec*) regulador de Tury.
Thury system (*Elec*) sistema de Tury.
thyratron (*Elecn*) tiratrón. Válvula rectificadora gaseosa con rejilla de control. Tubo rectificador de descarga gaseosa, de cátodo caliente, con rejilla o electrodo de control de la corriente de ánodo. La rejilla se limita a iniciar la corriente de ánodo, sobre la cual no tiene después efecto alguno (salvo en ciertas condiciones de funcionamiento). Los gases generalmente utilizados son argón,

xenón, hidrógeno, y vapor de mercurio. El tiratrón, capaz de gobernar corrientes fuertes, pertenece al grupo de los *fanotrones* (válvulas gaseosas con electrodo de control). SIN. **hot-cathode gas-filled tube** (véase), **hot-cathode gas-discharge tube, grid-controlled gaseous-discharge rectifier tube, mercury vapor tube** /// *adj:* tiratrónico.

thyratron amplifier   amplificador tiratrónico.

thyratron control   control por tiratrón; control del tiratrón.

thyratron control characteristic   característica de control del tiratrón. Curva que pone de manifiesto la relación entre las tensiones de ánodo y de rejilla que provocan el encendido del tubo.

thyratron firing   encendido del tiratrón.

thyratron firing angle   ángulo de encendido del tiratrón. Angulo eléctrico de la tensión sinusoidal de ánodo a la cual se produce el encendido del tubo. El ángulo es cero en el instante en que dicha tensión cruza el eje de cero en sentido de negativo a positivo.

thyratron gate   compuerta tiratrónica. Compuerta Y [AND gate] constituida por un tubo gaseoso multielemento cuya conducción se inicia por la aplicación simultánea o coincidente de dos o más señales, y continúa hasta que se suprima una o más de éstas.

thyratron generator   generador tiratrónico.

thyratron inverter   inversor tiratrónico [de tiratrones].

thyratron oscillator   oscilador tiratrónico.

thyratron sawtooth-wave generator   generador tiratrónico [tiratrón generator] de dientes de sierra.

thyratron stroboscope   estroboscopio tiratrónico, tiratrón estroboscópico.

thyratron tester   probador de tiratrones.

thyratron timer   temporizador tiratrónico; sincronizador de tiratrón.

thyratron tube   tiratrón.

Thyrector diode   diodo Tirector. Nombre registrado de un diodo de silicio que se comporta como aislador hasta cierta tensión nominal, y como conductor para tensiones más altas, para retornar a su condición primitiva (alta resistencia) cuando desaparece la sobretensión. Se utiliza como protector contra sobretensiones alternas. CF. **threshold switch.**

thyristor   tiristor. (1) Transistor cuya característica es semejante a la del tiratrón [thyratron], y en el que, al aumentar la corriente del colector hasta cierto valor crítico, el factor alfa [alpha] aumenta por encima de la unidad, obteniéndose así una acción de disparo ultrarrápida. (2) Transistor PNP que actúa como interruptor, con funcionamiento semejante al del tiratrón; un impulso de tensión de un signo determinado rebaja su resistencia a un valor del orden de un ohmio; a diferencia del tiratrón, puede ser interrumpido o "desencebado" aplicándole un impulso de signo opuesto al necesario para cerrar el circuito. (3) Interruptor de semiconductor cuya acción biestable depende de una realimentación regenerativa sobre una estructura PNPN; puede tener dos, tres, o cuatro terminales, y ser del tipo unidireccional o bidireccional. Los tiristores son en general dispositivos semejantes al rectificador controlado de silicio [silicon controlled rectifier] y el trinistor. El término *Thyristor* fue originalmente marca comercial de la RCA Corporation /// *adj:* tiristorizado /// *verbo:* tiristorizar.

thyristor power system   sistema de fuerza tiristorizado.

thyrite   tirita. Materia cerámica de carburo de silicio [silicon carbide ceramic material] con características de resistencia eléctrica alineales. Su resistencia disminuye con la tensión aplicada, y cae a un valor pequeño cuando dicha tensión alcanza cierto punto crítico. Se utiliza en dispositivos de protección contra sobretensiones.

thyrite protector   protector de tirita.

thyrite resistor   resistor de tirita.

thyrite varistor   varistor de tirita.

thyroid   *(Anat)* (glándula) tiroides. Una de las glándulas de secreción interna /// *adj:* tiroideo. Perteneciente al cartílago o a la glándula tiroides.

thyroid uptake   absorción tiroidea.

THz   Abrev. de terahertz.

tick   golpecito; sonido seco breve; tictac, sonido acompasado; contramarca, contraseña || *(Cronomedidas)* tic (p.ej. el que marca los segundos en las emisiones horarias).

ticker   *(slang)* reloj de bolsillo || *(Elec)* temblador, interruptor intermitente || *(Radiocom)* vibrador; tikker. v. **tikker** || *(Teleg)* receptor de cotizaciones. (1) Antiguo aparato telegráfico que se utilizaba para recibir y registrar cotizaciones de bolsa [stock-market quotations] en una cinta de papel. (2) Versión moderna de dicho aparato que recibe el mismo tipo de información con la ayuda de dispositivos registradores o teleimpresores. (3) Aparato eléctrico de indicación automática de cotizaciones.

ticker paper   *(Teleg)* cinta de papel para receptor de cotizaciones. SIN. **ticker tape.**

ticker tape   *(Teleg)* cinta de papel para receptor de cotizaciones. SIN. **ticker paper.**

ticket   billete, boleto; entrada, pase. NOTA: Para estos significados es común en español la palabra inglesa *ticket,* para la cual se han propuesto y a veces se usan los sinónimos españolizados *tíquet* y *tiquete* | boleta, ficha; marca; marbete, etiqueta, rótulo /// *verbo:* marcar; marbetear, rotular.

ticket converter   *(Informática)* convertidora de etiquetas.

ticket distributing system   *(Telecom)* sistema de transporte mecánico.

ticket distribution position   *(Telecom)* mesa de distribución (de correspondencia).

ticket printing machine   máquina impresora de tiquetes.

ticket rack   *(Telef)* casillero para boletas.

ticket registered call   *(Telef)* conversación inscrita en boleta.

ticket slot   *(Telef)* ranura para boletas.

ticketing   expedición de billetes [de boletos] || *(Telef)* tasación | registro de tasa. Registro (en boletas o en fichas) de las particularidades de una comunicación con vistas a su tasación (CEI/70 55–105–510).

ticketing office   *(Avia)* oficina expedidora de billetes || *(Ferroc)* taquilla expedidora de billetes [de tiquetes].

ticking   tictac, sonido acompasado (como el del reloj).

tickler   *(Carburadores)* cebador || *(Ferroc)* dispositivo avisador de la proximidad de un túnel o de un paso superior || *(Flotadores)* varilla || *(Radio)* v. **tickler coil.**

tickler coil   *(Radio)* (a.c. tickler) bobina de reacción [de realimentación, de regeneración], bobina regenerativa [excitadora, excitatriz]; bobina excitadora de oscilaciones, enrollamiento de entretenimiento de oscilaciones. Bobina intercalada en el circuito de ánodo de un tubo electrónico y acoplado inductivamente al circuito de rejilla, con el fin de producir una reacción positiva o regeneración [positive feedback, regeneration], como en el caso de los receptores regenerativos (v. **regenerative receiver**), o para poner en oscilación una etapa amplificadora de radiofrecuencia.

tickler-coil oscillator   oscilador con bobina de reacción, oscilador con bobina excitadora de oscilaciones. Tipo elemental de oscilador de radiofrecuencia con una bobina como la descrita en el artículo *tickler coil* y un circuito resonante conectado a la rejilla. CF. **Armstrong oscillator.**

tidal   *adj:* de (la) marea, mareal; periódico.

tidal amplitude   v. **tide amplitude.**

tidal coefficient   coeficiente de marea.

tidal energy   *(Oceanog)* energía de las mareas.

tidal friction   *(Fís)* fricción de las mareas. Fuerza que tiende a frenar la rotación de un cuerpo en el campo gravitacional de otro.

tidal mill   molino movido por las mareas, molino que aprovecha la energía de las mareas.

tidal plant   *(Fuentes de energía)* central maremotriz. v. **tidal power plant.**

tidal power   *(Oceanog)* energía mareal [de las mareas].

tidal power plant   central maremotriz. Central que produce energía eléctrica utilizando la energía de las mareas (CEI/65 25–10–055). SIN. **tidal plant [powerhouse].**

tidal powerhouse   central maremotriz. LOCALISMO: usina mare-motriz. v. **tidal range.**

tidal range   v. **tide range.**

tidal traffic   (*Carreteras*) tránsito asimétrico. En una carretera de doble sentido [two-way road], tránsito que es predominantemente en un sentido durante ciertos períodos y en el otro sentido durante otros períodos.

tidal volume   (*Aparatos de respiración artificial*) volumen de flujo (periódico).

tidal wave   onda de marea; ola gigante; maremoto; aguaje.

tide   marea; corriente; flujo; curso, marcha; tiempo, estación /// *adj:* de (la) marea, mareal; periódico.

tide amplitude   (a.c. tidal amplitude) amplitud de (la) marea. Mitad de la diferencia entre la marea alta o pleamar [high water] y la marea baja o bajamar [low water] consecutiva. CF. **tide range.**

tide range   (a.c. tidal range) diferencia (de altura) entre la marea alta y la baja. Diferencia entre la marea alta (pleamar) y la marea baja (bajamar). CF. **tide amplitude.**

tideland   zona costera, zona costanera; marisma, terreno inunda-do por la marea, tierras bañadas por la marea alta.

tidewater   agua de marea; agua costanera; orilla del mar.

tie   amarra, amarrar, atadura, ligadura, enlace, ligazón; relación, conexión, vínculo; unión || (*Constr/Estr*) cadena; travesaño || (*Más-tiles/Torres*) tirante, riostra, estay (PLURAL: estayes) || (*Vías férreas*) traviesa, travesaño, durmiente (de vía). LOCALISMO: polín. SIN. **sleeper** || (*Topog/Levantamientos*) medición de comprobación; me-dición de referencia; referencia de un punto a otro de posición conocida || (*Juegos de competencia*) empate || (*Vestimenta*) (*i.e.* neck-tie) corbata || (*Telecom*) ligadura, collar, abrazadera corredi-za /// *verbo:* amarrar, atar, ligar, enlazar; relacionar, conectar, vincular; unir; sujetar, asegurar, afianzar; encadenar.

tie-and-timber tong   (*Ferroc*) tenaza para durmientes y maderas. Pinza o mordaza para levantar durmientes o vigas de madera.

tie bar   barra de unión; barra de anclaje; varilla de unión; tirante || (*Ferroc*) traviesa; barra separadora de las dos agujas (de un cambio de vía).

tie bus   (*Transf de potencia*) barra (colectiva) de enlace, barra (ómnibus) de enlace.

tie cable   (*Telecom*) cable de enlace. (**1**) Cable que conecta otros dos cables uno con otro; cable entre los repartidores o dos puntos de distribución. (**2**) Cable entre dos centralitas particulares, o entre una centralita particular y la central correspondiente.

tie-down point   punto de amarre [de sujeción, de trinca]; punto de anclaje || (*Radio/Elecn*) punto de anclaje (de conexiones). v. **tie point** | punto de alineación [de alineamiento]. Una de las frecuencias a las cuales se efectúa el alineamiento o alineación de un radiorreceptor (v. **align, alignment**). Normalmente se escoge para este fin una frecuencia próxima a cada uno de los extremos de la banda de sintonía; por ejemplo, 600 y 1 400 kHz en el caso de la banda de radiodifusión de ondas medias.

tie drill   (*Ferroc*) perforador de durmientes, máquina para aguje-rear durmientes.

tie end trimmer   (*Ferroc*) sierra portátil para durmientes. Máqui-na que sirve para recortar las extremidades de los durmientes en la vía.

tie feeder   (*Elec*) alimentador de enlace entre centrales, cable alimentador que enlaza dos estaciones.

tie-in sales promotion   propaganda comercial coordinada (con otra), promoción de ventas coordinada. Propaganda comercial o promoción de ventas que se coordina con otra o con un evento especial que la favorezca; por ejemplo, campaña publicitaria de los discos de determinado artista cuando los cines están anunciando una película donde aparece el mismo artista.

tie-line   v. **tieline.**

tie piece   conexión; conector múltiple; conexión [pieza de enlace] entre partes de una antena.

tie plate   (*Constr/Estr*) placa de anclaje; plancha [chapa] de

---

refuerzo; plancha atiesadora [de atirantado] || (*Ferroc*) silleta, silla de asiento, placa de asiento [de defensa], plancha de traviesa. LOCALISMO: plaqueta. Placa de asiento del riel o carril; placa de acero que se interpone entre el riel y el durmiente para repartir la carga sobre una mayor superficie de apoyo.

tie point   punto de amarre; punto de unión; etc. v. **tie** || (*Radio/Elecn*) punto de anclaje (de conexiones). Punto del chasis donde se efectúan varias conexiones en un terminal común aislado; el propio terminal. SIN. **tie-down point** || (*Topog*) punto de cierre.

tie remover   (*Ferroc*) sacatraviesas, removedor de durmientes. Aparato para sacar o colocar durmientes en la vía.

tie rod   (*Mec/Estr*) tirante, tensor, riostra, barra tirante, varilla de tensión [de conexión]; barra de acoplamiento || (*Autos*) barra de acoplamiento (de las ruedas directrices) || (*Machos de fundición*) tirante, tensor.

tie terminal   (*Radio/Elecn*) terminal de anclaje [de soporte]. Terminal utilizado para el anclaje de conexiones y que también sirve para darle soporte a piezas pequeñas. v.TB. **tie point.**

tie trunk   (*Telecom*) línea privada. Línea telefónica que une directamente dos instalaciones de abonado con supletorios [sub-scriber's installations with extensions], o dos centrales privadas [private exchanges]. SIN. **tieline, interswitchboard line.**

tie wire   (*Refuerzos*) alambre de amarra, alambre para atadu-ras || (*Telecom*) cordel, hilo de atar. SIN. **binding wire, binding-in wire** || (*Radio/Elecn*) alambre de unión (de terminales). Hilo de alambre con el cual se unen entre sí dos o más terminales.

tieline   (*Elec*) (línea de) interconexión. v. **interconnection** || (*Telecom*) enlace (directo); línea de unión (entre dos centralitas telefónicas privadas); línea arrendada, circuito [canal] de comuni-caciones arrendado | línea privada. Línea que une dos instalacio-nes de abonado con supletorios o dos centrales privadas. SIN. **interswitchboard line** (CEI/70 55–85–095). SIN. **tie trunk.**

tier   fila, hilera; tonga, tongada; capa || (*Albañilería*) media citara; muro [pared] de media citara || (*Ant*) v. **tier array** || (*Teatro*) fila de palcos || (*Elec*) plano (de un devanado repartido). v. **range.**

tier array   estructura apilada || (*Radio*) antena de elementos apila-dos [superpuestos]; antena de capas. v. **stacked array.**

TIF   (*Telef*) factor "TIF". v. **telephone influence factor, voltage TIF.**

tig, TIG   (*Soldadura*) Abrev. de tungsten inert gas [tungsteno en atmósfera de gas inerte].

tig welding   soldadura "tig", soldadura con electrodo de tungste-no [volframio] en gas inerte.

tight   *adj:* apretado, estrecho; muy ajustado; compacto; tupido; muy apretado; tirante; rígido || (*Cierres, Recipientes, Hidr*) estanco, hermético || (*Cables*) teso, atesado, tieso || (*Mec*) ajustado, justo, apretado || (*Radio/Tv*) v. **tight program** || (*Elec*) -tight: estanco a un agente exterior. Dícese de un aparato fabricado de manera tal que, en condiciones determinadas, un agente exterior especificado no puede penetrar al interior de su cubierta (CEI/57 15–10–075).

tight alignment   (*Radio/Tv*) alineamiento coincidente, sintonía a frecuencia única. Alineamiento de varias etapas sucesivas de FI o de RF sintonizándolas exactamente a una misma frecuencia; dícese en oposición al método de sintonía alternada o escalonada [staggering].

tight antenna coupling   acoplamiento de antena estrecho. v. **tight coupling.**

tight closing   cierre hermético.

tight-closing valve   válvula de cierre hermético.

tight-core cable   (*Telecom*) cable compacto.

tight coupling   (*Radio*) acoplamiento estrecho [fuerte, rígido]. Acoplamiento entre dos circuitos de radiofrecuencia que permite el paso de una parte importante de la energía de uno a otro. SIN. **close coupling** | acoplamiento estrecho. Se dice que un acopla-miento es flojo o estrecho según la importancia de la cantidad de energía que puede pasar de uno a otro (CEI/38 60–15–165). CF. **coupling factor.**

tight fit *(Mec)* ajuste forzado [apretado].

tight formation *(Avia)* formación cerrada.

tight framing *(Cine/Tv)* encuadre apretado. Dícese cuando aparecen demasiados protagonistas en la escena, dando la impresión de amontonamiento.

tight knot *(Cuerdas)* nudo apretado ‖ *(Maderas)* nudo sano, nudo bien adherido.

tight meshing *(Engranajes)* engrane sin huelgo (entre los dientes).

tight program *(Radio/Tv)* programa apretado. Programa que presenta la posibilidad de extenderse algunos segundos más del tiempo que se le tiene asignado.

tight schedule horario apretado [preciso]; programa (de actividades) sin huelgo.

tight shutoff *(Vál)* cierre hermético.

tight spiral espiral cerrada.

tight-tape bail *(Teleimpr)* fiador de cinta tirante.

tight-tape switch *(Teleimpr)* interruptor de cinta tirante.

tight tolerance tolerancia estrecha [restringida]. CF. **loose tolerance**.

tight turn *(Vehículos)* viraje cerrado [ceñido, de poco radio] ‖ *(Aviones)* viraje cerrado [pronunciado].

tightening apriete; tensión; atesamiento ⫽ *adj:* apretador; tensor; atesador.

tightening key *(Mec)* contrachaveta.

tightening rail riel tensor, carrilera tensora. Riel o carrilera que sirve para estirar la correa de una máquina o un motor.

tightly packed *adj:* *(Elecn)* de construcción densa, con los componentes muy juntos.

tikker *(Radio)* tikker. (1) Especie de interruptor que se utilizó en los primeros tiempos de la radiocomunicación como detector de ondas continuas, y que consistía en una rueda en rotación rápida y una escobilla de alambres finos apoyada contra la periferia de la rueda; la corriente era interrumpida y restablecida por contactos momentáneos entre la escobilla y una tira continua de material conductor colocado sobre dicha periferia. (2) Aparato por medio del cual se modifican periódicamente las condiciones de un circuito de recepción radiotelegráfico para obtener una variación de corriente de frecuencia audible (CEI/38 60–20–040). NOTA: El término es una adaptación de *ticker*. CF. **coherer**.

TIL *(Teleg)* Abrev. de till [hasta; hasta que].

tilt inclinación ‖ *(Ant)* inclinación (respecto a la horizontal). Angulo que forma la antena respecto a la horizontal ‖ *(Radar)* ángulo de depresión del haz. Angulo que forma el haz respecto a la horizontal cuando apunta hacia abajo ‖ *(Cine/Fotog/Tv)* inclinación. Inclinación en sentido vertical (hacia arriba o hacia abajo). V.TB. **tilting** ‖ *(Tv)* distorsión [deformación] del cuadro, distorsión de inclinación de la imagen. Efecto de una componente espuria de la onda que produce una inclinación hacia arriba del movimiento de exploración o barrido horizontal. CF. **bend** ‖ *(Impulsos rectangulares)* *(i.e. tilt of the pulse top)* inclinación (del techo). La inclinación del techo puede tener *pendiente negativa* [decline of the pulse top], tratándose entonces de una *caída* o *pérdida de amplitud* que sufre el impulso entre el instante en que se inicia y el instante en que termina el mismo. Se produce este defecto cuando el dispositivo o el circuito que da paso al impulso tiene mala respuesta a las frecuencias bajas. Cuando la inclinación tiene *pendiente positiva* [rise of the pulse top] se tiene el defecto contrario, debido a imperfección de los circuitos que intervienen en la generación o la transmisión del impulso. CF. **droop** ⫽ *verbo:* inclinar(se).

tilt angle *(Ant/Radar)* ángulo de inclinación. Angulo que forma el haz de radiación respecto a un eje de referencia, generalmente horizontal, cuando el haz y el eje se hallan en un mismo plano vertical.

tilt-back chassis chasis inclinable, chasis que puede voltearse.

tilt control control de inclinación. En un televisor policromo del tipo en que se emplea el principio de convergencia magnética, control utilizado para darle la inclinación conveniente a la columna central de puntos de un color primario producidos en la pantalla por un generador de señal de puntos; hay tres de estos controles, uno para cada color primario.

tilt correction *(Tv)* corrección de inclinación.

tilt corrector *(Tv)* corrector de inclinación.

tilt down *(Tv)* inclinación (de la cámara) hacia abajo. SIN. **pan down**. V.TB. **tilting**.

tilt error *(Radionaveg)* error de inclinación. Componente del error ionosférico de altura (v. **ionospheric height error**) debida a desigualdades en la altura de la capa ionosférica.

tilt head *(Cámaras televisoras)* cabezal (de montaje) inclinable.

tilt indicator *(Aerofotografía, Radares de avión)* indicador de inclinación. SIN. **tiltmeter**.

tilt-meter v. **tiltmeter**.

tilt stabilization *(Radares de avión o de buque)* estabilización de inclinación. Se necesita para compensar el cabeceo [pitch] y el balanceo [roll] de la nave.

tilt up *(Tv)* inclinación (de la cámara) hacia arriba. SIN. **pan up**. V.TB. **tilting**.

tiltable *adj:* inclinable; basculable.

tiltable aerial antena inclinable.

tiltable antenna antena inclinable.

tilted antenna antena inclinada.

tilted wavefront frente de onda inclinado.

tilting inclinación; basculamiento ‖ *(Ant)* inclinación ‖ *(Cine/Tv)* panoramización; panorámica vertical. CF. **pan, panning** | inclinación, inclinación [movimiento, barrido] vertical, inclinación en sentido vertical, inclinación longitudinal (sobre el eje horizontal). Giro de la cámara en un plano vertical. SIN. **tilt**. CF. **pan [tilt] down, pan [tilt] up** ‖ *(Ferroc)* inclinación del riel. Desviación del eje del riel de la vertical igual a la conicidad de la llanta ‖ *(Frentes de onda)* inclinación hacia adelante. Cuando una onda radioeléctrica se propaga sobre el suelo su frente (v. **wavefront**) experimenta una inclinación hacia adelante cuya importancia depende de las constantes dieléctricas del terreno ‖ *(Herr)* v. **tilting tool** ⫽ *adj:* de inclinación; inclinable; basculante, oscilante.

tilting angle ángulo de vuelco ‖ v. **tilt angle**.

tilting tool (a.c. tilting) herramienta para curvar cables.

tiltmeter inclinometer, indicador de inclinación. SIN. **tilt indicator**.

timber madera (de construcción); madero, leño; abitaque, cuartón, viga | maderamen, maderaje. Conjunto de las vigas y maderas empleadas en un edificio | armazón (de madera) ⫽ *verbo:* enmaderar; ademar, entibar; cortar madera.

timber tester *(Telef/Teleg)* sonda para la madera.

timber tree árbol maderable.

timbre *(Blasón)* timbre ‖ *(Acús/Mús/Fonética)* timbre. (1) Cualidad que permite distinguir un sonido producido por un instrumento musical (o voz), de un sonido de igual altura e intensidad producido por otro instrumento. (2) Atributo de un sonido complejo determinado por su espectro, o sea, por el número, la intensidad, y las relaciones de fase de sus componentes: fundamental, armónicas, y sobretonos. v. **fundamental, harmonic, overtone, partial, musical tone**. SIN. **calidad (del sonido), calidad tonal, matiz sonoro, tesitura propia (del instrumento, de los sonidos)** —— **tone (quality), tone color, tonal [musical] quality, harmonic structure**. CF. **pitch, intensity, loudness**.

time tiempo; hora; intervalo (de tiempo), período (de tiempo); duración. La unidad fundamental de tiempo es el segundo ‖ *(Mús)* intervalo ‖ AFINES: reloj, cronómetro, intervalómetro, cuentaintervalos, horología, hora, minuto, segundo, milisegundo, microsegundo, nanosegundo, velocímetro, velocidad, rapidez, ritmo, cadencia, horario, minutero, angosegundo, esfera, itinerario, cronología ‖ v.TB. **time of...** ⫽ *adj:* de tiempo, temporal; cronométrico; temporizador; horario; horológico. v.TB. **timing** ⫽ *verbo:* regular, reglar, poner a punto; sincronizar, poner a tiempo, hacer coincidir en el tiempo; correlacionar en el tiempo; calcular el tiempo; medir [contar] el tiempo de; cronometrar; medir la velocidad de; temporizar, cronorregular, regular [graduar] en el tiempo, mandar en (el) tiempo; cronizar, determinar los instantes de ocurrencia de un evento; adaptar al tiempo; poner a la hora; anotar [registrar] la hora (de ocurrencia de un evento) ‖ *(Mús)* llevar el compás ‖ *(Impulsos)* regular en el tiempo, determinar los instantes de transición (de los impulsos).

time alarm   alarma de tiempo.

time analyzer   analizador de tiempo.

time-and-distance metering   *(Telef)* cómputo de distancia y tiempo. Operaciones sucesivas de un contador de abonado [subscriber's meter] correspondientes a la distancia y la duración de la llamada (CEI/70 55–105–290). CF. **single-fee metering**.

time-and-frequency meter   intervalómetro y frecuencímetro.

time-and-motion study   *(Industria)* estudio de tiempos y movimientos; estudio de racionalización del trabajo. SIN. **time study**.

time-and-zone metering   *(Telef)* cómputo de zona y tiempo, cómputo por tiempo y zona. CF. **time-and-distance metering**.

time assignment   asignación de tiempos.

time-assignment speech interpolation [TASI]   *(Telecom)* interpolación de la palabra mediante la asignación de tiempos. Técnica (concebida por la Bell Telephone Laboratories) destinada a aumentar la capacidad de una vía telefónica, y que consiste en utilizar las pausas de la conversación, e incluso los silencios entre frases y entre sílabas, para intercalar simultáneamente otras conversaciones. Visto de otro modo, técnica en que mediante una conmutación rápida determinado interlocutor es conectado sucesivamente a circuitos telefónicos momentáneamente libres, y desconectado cuando cesa de hablar o hace una pausa. CF. **time sharing**.

time-average measuring circuit   circuito de medida de promedio temporal.

time axis   eje de tiempo, eje de los tiempos. Eje sobre el cual se toman los segmentos representativos de las unidades de tiempo en una escala conveniente. En los tubos de rayos catódicos se toma siempre en sentido horizontal, en coincidencia con el eje de las abscisas [abscissa axis].

time base   base de tiempo(s). (**1**) Tensión o corriente de variación lineal (diente de sierra) que sirve de eje de los tiempos en un tubo de rayos catódicos. (**2**) Línea trazada en la pantalla del tubo por dicha tensión o corriente mediante barrido o desviación del haz electrónico y que constituye gráficamente el eje de los tiempos [time axis] de los osciloenergramas. (**3**) Circuito que genera la tensión o corriente mencionada en las definiciones anteriores. (**4**) En ciertos dispositivos registradores, movimiento mecánico que es función lineal del tiempo | generador [circuito] de base de tiempo(s). SIN. **sweep [ramp, sawtooth] generator**. CF. **linear time base**.

time-base accuracy   exactitud de la base de tiempos.

time-base amplifier   amplificador para bases de tiempos.

time-base circuit   circuito de base de tiempos; circuito de exploración.

time-base divider   divisor de la base de tiempos.

time-base drive   mando [cronización] de la base de tiempos.

time-base frequency   frecuencia de la base de tiempos.

time-base generator   generador de base de tiempos. SIN. **sweep [ramp, sawtooth] generator**.

time-base linearity   linealidad de la base de tiempos.

time-base oscillator   oscilador de base de tiempos.

time-base scanning   barrido de base de tiempos.

time-base section   sección de la base de tiempos.

time-base signal   señal de base de tiempos.

time-base slope   pendiente de la base de tiempos.

time-base voltage   tensión de base de tiempos.

time-beater   *(Mús)* metrónomo. Instrumento indicador del compás, consistente en un péndulo cuya frecuencia de oscilaciones puede ser regulada entre 40 y 208 por minuto.

time bomb   bomba de retardo [de tiempo], bomba con espoleta de tiempo.

time broadcasting   *(i.e.* time-signal broadcasting) radiodifusión de señales horarias.

time calibration   calibración de tiempos.

time calibrator   calibrador de tiempos.

time-card   v. timecard.

time channel   *(Nucl)* canal de tiempo.

time charging   *(Telef)* tasación de la duración. CF. **time metering**.

time check   comprobación de tiempo; contrastación de la hora ‖ *(Telecom)* fechador horario automático ‖ *(Telef)* contador de tiempo.

time-check lamp   *(Telef)* telefonómetro.

time clipping   *(Telef)* mutilación en función del tiempo.

time-clock   v. timeclock.

time code   código de tiempo; código horario.

time-code generator   generador de código de tiempo [código horario]. Aparato que genera una serie de impulsos de duraciones y espaciamientos diversos predeterminados, mediante la cual puede establecerse la hora y a veces también la fecha (día del año); se utiliza en los sistemas de adquisición de datos, en particular los de telemedida, para fijar la hora exacta de cada uno de los eventos.

time-coincident   *adj:* coincidente en el tiempo, en coincidencia temporal.

time comb generator   generador de tiempos en peine [peina].

time comparator   comparador de tiempo(s).

time comparison   comparación de tiempo(s).

time-comparison measurement   cronomedida de comparación.

time-compressed   *adj:* con compresión del tiempo.

time-compressed speech   palabra comprimida en el tiempo.

time compression   compresión del tiempo; compresión en el tiempo.

time compressor   *(Telef)* compresor del tiempo.

time constant   constante de tiempo. Tiempo en segundos (t) necesario para que la tensión o la corriente en un circuito suba hasta aproximadamente el 63 por ciento de su valor estable final, o baje hasta aproximadamente el 37 por ciento de su valor inicial, y que viene dado por las siguientes fórmulas: $t = L/R$ para una bobina de inductancia L en henrios y resistencia R en ohmios; $t = RC$ para un condensador de capacitancia C en faradios en serie con una resistencia de R ohmios. NOTA: Los porcentajes dados son cifras redondeadas. El valor en fracción del segundo porcentaje es la inversa del número $e = 2,718\,28$, o sea, $1/e = 0,367\,879$. El del primero es $1 - 1/e = 0,632\,121$ ‖ *(Reactores nucleares)* constante de tiempo, período ‖ v.TB. **time constant of. . .**

time-constant circuitry   circuitos de constante de tiempo.

time constant of an exponential quantity   constante de tiempo de una magnitud exponencial. Tiempo al final del cual la magnitud alcanzaría su valor límite si mantuviera su rapidez inicial de variación [initial rate of variation] (CEI/56 05–03–145).

time constant of fall   *(Magnitudes exponenciales)* constante de tiempo de bajada [de caída]. v. **time constant** ‖ *(Impulsos)* constante de tiempo de caída. Por convención, tiempo necesario para que un impulso reduzca su amplitud del 70,7 al 26,0 por ciento del valor máximo (excluyendo los picos transitorios); también se usan los porcentajes 90 y 10, respectivamente. CF. **time constant of rise**.

time constant of rise   *(Magnitudes exponenciales)* constante de tiempo de subida. v. **time constant** ‖ *(Impulsos)* constante de tiempo de subida [de elevación]. Por convención, tiempo necesario para que un impulso aumente su amplitud del 26,0 al 70,7 por ciento del valor máximo (excluyendo los picos transitorios); también se usan los porcentajes 10 y 90, respectivamente. CF. **time constant of fall**.

time constant of the aperiodic component   *(Máq sincrónicas)* constante de tiempo de la componente aperiódica. Constante de tiempo de esa componente (cuando es prácticamente exponencial) o del exponencial que la envuelve cuando la misma manifiesta una periodicidad apreciable (CEI/56 10–45–125). Véase la NOTA

"10–45–000" en el artículo *synchronous machine.*

time-constant range *(Nucl)* margen de constante de tiempo, margen del período. Margen del nivel de potencia de un reactor en el cual, más que la potencia, es de primordial importancia la constante de tiempo (período) del reactor para el control fino [fine control] de éste. SIN. **period range** (CEI/68 26–15–275) | margen de divergencia.

time-continuous *adj:* de tiempo continuo, continuo en el tiempo.

time control control de tiempo; temporización; cronización; sincronización; cronometraje; control horario; cronorregulación.

time-control gear *(Radiofaros)* reloj de mando.

time control pulse impulso de control de tiempo; impulso temporizador; impulso cronizador; impulso sincronizador [sincronizante]. CF. **(trigger) timing pulse.**

time-controlled *adj:* controlado en (el) tiempo; temporizado; cronizado; sincronizado; cronometrado; cronorregulado; cronométrico.

time-controlled relay relé [relevador] cronométrico; relé temporizado | v. **time-delay relay.**

time converter convertidor [traductor] de tiempo. Dispositivo electrónico cuya salida es una señal numérica que representa el intervalo de tiempo entre dos señales de entrada. SIN. **time-to-digital converter.**

time-current characteristic característica tiempo-corriente. De un fusible, relación entre el valor de la corriente (valor efectivo si es alterna) y el tiempo necesario para que el dispositivo cumpla su función de corte, o una parte especificada de esa función; la relación se da generalmente en forma de curva.

time cycle ciclo de tiempo, ciclo temporal.

time delay retardo (de tiempo), retraso (temporal), retraso en el tiempo; temporización. CF. **phase delay [lag], time lag** ‖ *(Telecom)* retardo sistemático | tiempo de propagación. Tiempo que tarda una señal en recorrer un circuito entre dos puntos determinados. Tiempo necesario para que una onda se propague entre dos puntos en el espacio ‖ tiempo de ejecución, tiempo para que se produzca el efecto de una señal de mando.

time-delay action acción diferida.

time-delay circuit circuito de retardo, circuito retardador [diferidor]; circuito retardador de impulsos. Circuito que tiene por finalidad retardar la transmisión de una señal o de un impulso, o diferir la ejecución de una acción cualquiera. CF. **delay line.**

time-delay closing relay relé de cierre diferido.

time-delay correlator correlacionador de retardos de tiempo.

time-delay distortion distorsión de retardo, distorsión por retardo.

time-delay fuse *(Elec)* fusible con retardo, fusible de acción retardada. SIN. **time-lag fuse.**

time-delay generator generador de retardos. SIN. **delay generator.**

time-delay lever *(Teleimpr)* palanca de retardo.

time-delay mechanism *(Teleimpr)* mecanismo de retardo.

time-delay module *(Elecn)* módulo de retardo.

time-delay network red de retardo, circuito retardador. v. **time-delay circuit.**

time-delay opening relay relé de apertura diferida.

time-delay relay relé [relevador, relai] de retardo, relé de [para] retardo de tiempo, relé [relevador] retardado, relé con retardo, relevador con acción de retardo, relé de acción diferida. Relé o relevador en el que es apreciable el intervalo de tiempo entre el comienzo de la excitación (aplicación de corriente a la bobina) y el paso de la armadura a la posición de trabajo (v. **slow-acting relay**), o entre la desexcitación (cese de la corriente aplicada a la bobina) y el retorno de la armadura a la posición de reposo (v. **slow-release relay**) | *(i.e.* relay with delay on pull-in) relé con retardo en el movimiento a la posición de trabajo, relé de cierre diferido | *(i.e.* relay with delay after deenergization) relé con retardo en el movimiento a la posición de reposo, relé de apertura diferida | CF. **quick-acting relay, time-lag relay.**

time-delay response vs. frequency curve *(Líneas de retardo)* curva de (los) retardos en función de la frecuencia.

time-delay starting relay relé de arranque diferido.

time-delay stopping relay relé de parada diferida.

time-delay switch conmutador de retardo; interruptor de tiempo; contactor de acción retardada.

time dependence dependencia del tiempo; función del tiempo.

time-dependent *adj:* dependiente del tiempo, variable en función del tiempo.

time-dependent behavior comportamiento dependiente [función] del tiempo.

time derivative *(Mat)* derivada respecto al tiempo. Simbólicamente: dy/dt, siendo y = f(t).

time-derived channel *(Telecom)* canal derivado en el tiempo, vía derivada en el tiempo, subcanal de multiplexión en el tiempo. Uno de los canales o vías obtenidos por multiplexión en el tiempo de una vía de transmisión | vía con división de tiempo. Una de las vías de transmisión (canales) obtenidas por multiplexión en el tiempo de una vía de transmisión (CEI/70 55–05–100). v. **time-division multiplex.**

time diagram cronograma; diagrama horario; diagrama de husos horarios.

time dilatation *(Fís)* (a.c. time dilation) dilatación del tiempo. Atraso relativista [relativistic slowing] de un reloj en movimiento respecto a un observador estacionario.

time dilation *(Fís)* v. **time dilatation.**

time-discrete *adj:* discreto en el tiempo; de tiempos discretos.

time discriminator discriminador de tiempo. Dispositivo electrónico en el cual el signo y la amplitud de la señal de salida son función del intervalo entre dos impulsos de entrada | discriminador de periodicidad. Dispositivo electrónico que sólo responde a los impulsos de un período determinado | CF. **pulse discriminator.**

time display indicador de tiempo; indicador horario.

time distance distancia medida por (el) tiempo. Distancia determinada por el tiempo que tarda en recorrerla un móvil de velocidad media conocida.

time distortion distorsión de tiempo; distorsión en el tiempo.

time distribution distribución de tiempo; distribución en el tiempo; distribución en función del tiempo.

time-distribution analyzer analizador [clasificador] de intervalos (de tiempo). Aparato que totaliza o que indica la frecuencia con que ocurren intervalos de tiempo comprendidos en uno o varios márgenes determinados; el intervalo es definido por la separación entre impulsos de un par.

time diversity *(Telecom)* diversidad temporal [en tiempo]. Diversidad por transmisión de una misma señal en instantes diferentes. CF. **diversity system.**

time division división de tiempo; distribución en el tiempo.

time-division data link enlace de transmisión de datos por subcanales de multiplexión en el tiempo.

time-division multiplex [TDM] *(Telecom)* múltiplex por división de tiempo, múltiplex por reparto de tiempo(s) [por distribución en el tiempo], múltiplex de tiempo compartido, múltiplex en el tiempo. (1) Sistema de transmisión de dos o más señales por una vía en común utilizando diferentes intervalos para las distintas señales. (2) Sistema de múltiples canales cuya identidad y separación se obtiene asignándole a cada uno de ellos un intervalo determinado dentro de un intervalo mayor; durante este último los diversos canales son conectados sucesivamente a la vía común de transmisión, que puede ser una línea física o una onda portadora. (3) Sistema por el cual varias ondas o señales modulan subportadoras de impulsos [pulse subcarriers] independientes, siendo esas subportadoras colocadas en el tiempo de manera que un mismo intervalo no sea ocupado por más de un impulso; de esta manera todas las subportadoras pueden transmitirse simultáneamente por una misma vía y separarse en el punto de recepción | múltiplex por reparto de tiempos. Sistema en el cual se establece una vía de transmisión conectando, intermitentemente, generalmente a intervalos regulares y por medio de un sistema de distribución automática, sus equipos terminales a una vía común. Fuera de los intervalos durante los cuales son efectuadas esas conexiones, la sección de vía común entre los distribuidores puede ser utilizada para establecer, por rotación, otras vías de transmisión similares (CEI/70 55–15–055) | v.TB. **time-division multiplexing.** CF. **frequency-division multiplex.**

time-division multiplex system   sistema múltiplex por división de tiempo [por reparto de tiempos]; sistema de multiplexión [de transmisión múltiplex] por división de tiempo.

time-division multiplex transmission   transmisión múltiplex por división de tiempo [por reparto de tiempos].

time-division multiplexer   multiplexor por división de tiempo [por reparto de tiempos].

time-division multiplexing [TDM]   multiplexión por división de tiempo, multiplaje por reparto de tiempos. Sistema múltiple en el que se toman intervalos de tiempo sucesivos y se dividen en cierto número de subintervalos, a cada uno de los cuales corresponde un canal o vía de comunicación. En cada intervalo sucesivo los subintervalos del mismo orden (los que ocupan siempre el mismo lugar en la subdivisión) se corresponden con el mismo canal, de modo que cada vez que transcurre el intervalo de multiplexión se han explorado sucesivamente todos los canales independientes y se ha transmitido una muestra de la información suministrada a cada uno de ellos. La sucesión de muestras de cada canal se integra o recompone en el punto de recepción para obtener la señal de información respectiva. v.TB. **time-division multiplex.** CF. **frequency-division multiplexing.**

time-division multiplier   multiplicador (aritmético) por división de tiempo. Dispositivo electrónico cuya salida es proporcional al área media de un impulso recurrente de anchura (duración) controlada por una variable y altura (amplitud) controlada por otra variable; estas variables son los *multiplicandos* del producto (también variable) que se busca.

time-division switching   conmutación temporal [en el tiempo]. CF. **space-division switching.**

time-division tone pulses   impulsos de audiofrecuencia codificados por división de tiempo. Impulsos de audiofrecuencia repartidos en el tiempo de acuerdo con determinado código.

time domain   dominio temporal [del tiempo].

time-domain application   aplicación en el dominio del tiempo, aplicación en la que intervienen magnitudes temporales.

time-domain measurement   medida de magnitudes temporales.

time-domain reflectometer   reflectómetro de dominio temporal. CF. **frequency-domain reflectometer.**

time-domain reflectometry   reflectometría de dominio temporal.

time-domain response   respuesta en el dominio temporal. SIN. **transient response.**

time drift   *(Patrones de tiempo y frecuencia)* deriva de tiempo.

time electrical-distribution system   distribución eléctrica de la hora. Conjunto de dispositivos empleados para impulsar o mantener en funcionamiento o regular eléctricamente a distancia un cierto número de relojes (CEI/38 35–15–075).

time equipment   *(Informática)* equipo para control de tiempo.

time-exposure shutter   *(Fotog)* obturador para exposición de tiempo.

time flutter   v. **time jitter.**

time for broadcasting   *(Radio/Tv)* hora de emisión.

time frame   *(Telemedidas)* cuadro temporal. Intervalo de tiempo entre dos marcas de referencia sucesivas, con todos los elementos comprendidos entre éstas.

time/frequency calibrator   calibrador de tiempos y frecuencias. Dispositivo que se usa como generador de frecuencias patrón y de señales de sincronismo y cronometraje, para calibrar ejes de tiempo [time axes] de osciloscopios, calibrar receptores y osciladores, medir frecuencias, etc.

time/frequency technique (of collision prevention)   *(Avia)* técnica de tiempo/frecuencia (de prevención de colisiones).

time fuse   *(Elec)* v. **time-lag fuse** || v. **time fuze.**

time fuze   *(Bombas explosivas)* espoleta de tiempos || *(Voladuras)* espoleta de tiempo.

time gain   ganancia variable en el tiempo.

time-gain control   *(Lorán/Radar)* control de ganancia (variable) en el tiempo, control de sensibilidad en el tiempo. v. **sensitivity-time control.**

time gate   compuerta [puerta] de tiempo. Transductor que produce señal de salida únicamente durante ciertos intervalos de tiempo determinados de antemano.

time harmonic   armónica temporal.

time-independent   *adj:* independiente del tiempo, constante en función del tiempo. CF. **time-dependent.**

time integral   integral de tiempo; integral en el tiempo; integral respecto del tiempo.

time interval   intervalo (de tiempo).

time-interval counter   contador de intervalos (de tiempo), cuentaintervalos. Contador electrónico [electronic counter] utilizado para medir intervalos de tiempo mediante el cómputo del número de impulsos recibidos de un generador de precisión durante el intervalo que se mide.

time-interval measurement   medida de intervalos (de tiempo).

time-interval meter   intervalómetro, medidor de intervalos (de tiempo). CF. **time-interval counter, timing device.**

time-interval selector   selector de intervalos (de tiempo). Dispositivo electrónico que produce un impulso de salida de características predeterminadas cada vez que el intervalo de tiempo entre dos impulsos; variación de la posición del impulso observado. SIN. CF. **time gate.**

time-invariant   *adj:* invariante respecto al tiempo; invariable en el tiempo.

time jitter   *(Elecn/TRC/Radar)* inestabilidad de tiempo; inestabilidad de la base de tiempos; fluctuación [temblor] de tiempo; fluctuación de las constantes de tiempo, vacilación temporal; desviaciones aleatorias de la regularidad de recurrencia (de los impulsos); variación de la posición del impulso observado. SIN. **time flutter.**

time lag   retardo (de tiempo), tiempo de retardo, retraso, período de atraso. Intervalo o período de tiempo entre la aplicación de una fuerza y la obtención del efecto resultante; o entre la ocurrencia de un fenómeno o evento y un efecto resultante del mismo | retardo. Para un relé retardado [time-lag relay], tiempo de maniobra [operating time] o tiempo de retroceso [resetting time] (CEI/56 16–20–100) | temporización. Intervalo de tiempo introducido intencionalmente entre el comienzo y el fin del funcionamiento de un dispositivo de protección [protection] (CEI/56 16–45–025). CF. **operating time.**

time-lag apparatus   aparato de acción diferida [temporizada, retardada]. Aparato en el cual la acción tiene lugar cierto tiempo después del instante en que se presentan las condiciones predeterminadas para su funcionamiento (CEI/57 15–20–075).

time-lag fuse   *(Elec)* fusible de tiempo [de acción retardada], fusible con retardo. SIN. **slow-blow fuse.**

time-lag relay   relé retardado. Relé en el que se emplean artificios para retardar su maniobra [operation] o su retroceso [resetting] (CEI/56 16–20–110). CF. **time-delay relay, independent time-lag relay, inverse time-lag relay** | autómata cronométrico [temporizado]. Autómata de contactos eléctricos [mechanical relay] que maniobra sus contactos después de cierto retardo computado en que su órgano de mando es colocado en una posición determinada (CEI/57 15–35–015).

time lapse   intervalo (de tiempo); transcurso del tiempo.

time-lapse photograph   fotografía tomada a intervalos prefijados.

time-lapse photography   fotografía con tomas a intervalos prefijados.

time length   duración; intervalo de tiempo.

time limit   límite de tiempo; tiempo límite; plazo | tiempo límite. En el caso de un dispositivo de protección de distancia [distance protection], tiempo de funcionamiento para el último paso o para la zona más lejana (CEI/56 16–60–105).

time-limit attachment   accesorio [dispositivo auxiliar] limitador de tiempo.

time-limit protection   (dispositivo de) protección diferida [temporizada] | protección de acción diferida. Sistema de protección que funciona después de un tiempo determinado de haber ocurrido un defecto, si este último persiste (CEI/38 25–05–080).

time-limit relay   relé de acción diferida; relé temporizado. CF. time-delay relay, time-lag relay, time-limit release.

time-limit release   (*Elec*) escape de acción diferida. Dispositivo que provoca el escape cierto tiempo después de que la magnitud característica (corriente, tensión, etc.) ha alcanzado un valor predeterminado (CEI/38 15–35–010).

time locking   temporización || (*Ferroc*) enclavamiento de tiempo.

time-locking relay   relé de acción diferida; relé temporizado. CF. time-limit relay.

time mark   marca de tiempo.

time-mark generator   generador de marcas de tiempo. Dispositivo electrónico que produce impulsos de separación muy exacta para su presentación en la pantalla de un osciloscopio. CF. time axis.

time marker   marcador de tiempos.

time-marking device   marcador de tiempos; dispositivo cronometrador.

time measurement   medida [medición] de tiempo, medición temporal, cronomedición; medida de intervalos (de tiempo).

time-measurement device   dispositivo de medida de tiempo, cronomedidor.

time measurer   medidor de tiempo, cronomedidor.

time meter   contador horario. Aparato destinado a medir el tiempo durante el cual ha sido utilizada la energía eléctrica (CEI/38 20–25–095) | (*i.e.* time-interval meter) intervalómetro, medidor de intervalos (de tiempo).

time metering   (*Telef*) medida del tiempo.

time modulation   modulación temporal [de tiempo]. Producción de un impulso marcador retardado respecto a un impulso de referencia de conformidad con una señal eléctrica o de otra clase.

time multiplex   (*Telecom*) múltiplex en el tiempo. v. time-division multiplex.

time multiplexing   (*Telecom*) multiplexión en el tiempo. v. time-division multiplexing.

time of coasting   (*Ferroc*) período de fuerza viva. v. time of inertia force.

time of completion   hora de terminación || (*Comercio*) plazo.

time of day   hora.

time of delivery   (*Teleg*) hora de entrega || (*Comercio*) plazo de entrega.

time of equipartition   (*Nucl*) tiempo de equipartición.

time of event   tiempo de ocurrencia de un evento.

time of fall   tiempo de caída; tiempo de decremento (de un fenómeno); tiempo de bajada [de caída] (de un impulso). CF. time of rise.

time of flight   (*Avia*) tiempo de vuelo, duración del vuelo || (*Balística*) duración del vuelo [de la trayectoria] || (*Fís*) tiempo de tránsito; tiempo de propagación | tiempo de vuelo. Tiempo que tarda una partícula en recorrer determinada distancia.

time-of-flight analyzer   analizador de tiempo de vuelo. Subconjunto que da la función de distribución de velocidades de las partículas de un haz a partir de sus tiempos de vuelo sobre un recorrido determinado (CEI/68 66–15–330).

time-of-flight mass spectrometer   espectrómetro de masas por tiempo de vuelo.

time-of-flight method   (*Nucl*) método del tiempo de vuelo.

time-of-flight neutron spectrometer   espectrómetro de neutro-

nes por tiempo de vuelo.

time of growth   (*Nucl*) tiempo de incremento. SIN. time of response.

time of handing-in   (*Teleg*) hora de depósito [de imposición] (de un telegrama). SIN. filing time.

time of inertia force   (*Ferroc*) período de fuerza viva. Fase en que se suprime el esfuerzo motor y el movimiento se produce en virtud de la inercia. SIN. time of coasting.

time of liberation   tiempo de liberación. En electrónica, tiempo necesario para que se produzca la liberación de un electrón de una superficie emisora.

time of operation   tiempo de funcionamiento; tiempo de maniobra.

time of response   tiempo de respuesta || (*Nucl*) tiempo de incremento. SIN. time of growth.

time of rise   tiempo de incremento (de un fenómeno); tiempo de subida [de establecimiento] (de un impulso). CF. time of fall.

time of setting up a call   (*Telef*) hora de establecimiento de una comunicación. SIN. connection time.

time off   tiempo libre [de asueto]; hora de cierre || (*Telecom*) hora de fin (de una transmisión radiofónica o de televisión) || (*Telef*) hora de fin [de terminación] de la conversación. SIN. finish time.

time on   tiempo de trabajo [de servicio]; hora de apertura || (*Telecom*) hora de comienzo (de una transmisión radiofónica o de televisión) || (*Telef*) hora de comienzo [de principio] de la conversación.

time-optimal   *adj:* óptimo respecto al tiempo [con relación] al tiempo; óptimo en (el) tiempo; en tiempo óptimo.

time out   *verbo:* (*Dispositivos temporizadores*) llegar (el dispositivo) al final del intervalo de retardo; transcurrir (el intervalo de retardo).

time pattern   (*Tv*) imagen de prueba [carta de ajuste] con líneas o hileras de puntos horizontales y verticales generadas por dos frecuencias múltiplos de las de línea y de cuadro.

time-period counter   contador cronógrafo.

time-periodic   *adj:* periódico en el tiempo, de periodicidad temporal.

time phase   (*Fís*) fase en el tiempo, fase temporal.

time position   posición en el tiempo, posición temporal.

time-proportional   *adj:* (*Controles*) de tiempo proporcional.

time-proportional control   control de tiempo proporcional; acción de tiempo proporcional.

time-proportional thermostat   termostato de tiempo proporcional.

time-proportioning   *adj:* (*Controles*) (con acción) de tiempo proporcional.

time-proportioning on-off control   control de cierre y apertura de tiempo proporcional.

time-proportioning temperature controller   regulador de temperatura de tiempo proporcional. Regulador de temperatura que automáticamente varía el intervalo de tiempo de entrada de calor a medida que la temperatura se aproxima al punto de control [control point]; así se reducen las correcciones excesivas [overshoot] y se obtiene una regulación sensiblemente lineal.

time pulse   (*Emisiones de frecuencia patrón*) impulso de cronometraje || v. timing pulse.

time pulse relay   (*Telecom*) relé de impulsos.

time punch   (*Informática*) registrador perforador de asistencia. CF. timeclock.

time quadrature   cuadratura de tiempo. Diferencia de tiempo igual a un cuarto de período de la frecuencia considerada.

time quantization   cuantificación del tiempo.

time rate   rapidez, velocidad || (*Acum*) régimen (de carga o de descarga).

time record   registro de tiempo; registro en función del tiempo; cronograma.

time recorder   registrador de tiempo; cronógrafo; reloj registrador. CF. timeclock.

time recording   registro de tiempo; cronografía.

time reference point   punto de referencia de tiempo ‖ *(Naveg)* punto astronómico de referencia.

time reflection   *(Fís)* reflexión en el tiempo.

time-reflection symmetry   simetría de reflexión en el tiempo.

time regulator   regulador de tiempo, cronorregulador.

time relationship   relación temporal.

time relay   relé de acción diferida; relé temporizado. CF. **time-delay relay, time-lag relay, time-limit relay.**

time release   *(Elec)* escape de acción diferida; desenganche [desconexión] de retraso, desconexión temporizada. CF. **time-limit release.**

time resolution   resolución de tiempo.

time response   rapidez de respuesta; respuesta en función del tiempo.

time reversal   *(Fís)* inversión del tiempo.

time reversibility   *(Fís)* inversibilidad del tiempo.

time scale   escala temporal [de tiempo].

time-scale shift   desplazamiento en la escala temporal.

time scaling   cambio de escala temporal, traslado en la escala de tiempo. Se cambia la escala temporal p.ej. cuando se reproduce una cinta de registro magnético a una velocidad distinta a la utilizada para hacer el registro. CF. **frequency scaling.**

time schedule   horario; programa cronológico; cronograma.

time separation   separación en (el) tiempo.

time-sequence keying   *(Telecom)* manipulación secuencial.

time sequencing   *(Comput)* conmutación (de señales) en función del tiempo transcurrido.

time service   *(Telef)* servicio horario.

time setting   ajuste de tiempo; graduación del tiempo; puesta en hora.

time-shared   *adj:* de repartición [distribución] de tiempo, de subdivisión de tiempo, con subdivisión de tiempo, de tiempo compartido.

time-shared amplifier   amplificador de tiempo compartido, amplificador con subdivisión de tiempo. Amplificador provisto de un conmutador sincrónico que lo conecta sucesivamente a cierto número de canales, cuyas señales amplifica en sucesión, sin perturbaciones mutuas.

time-shared serial output   *(Telemedidas)* salida consistente en una sucesión de impulsos repartidos en el tiempo.

time sharing   repartición [distribución] de tiempo, compartimiento del tiempo, compartimiento en el tiempo. (**1**) Utilización de un dispositivo determinado por cierto número de otros dispositivos, programas de computadora, u operadores, uno por uno y en rápida sucesión. (**2**) Técnica o sistema mediante el cual se ofrecen servicios de computación a múltiples usuarios utilizando una misma computadora, la que responde rápidamente y en sucesión a las "consultas" de cada uno de aquéllos. Los usuarios o algunos de ellos pueden estar en distintas localidades y comunicarse con la computadora mediante una red de transmisión de datos [data transmission network]. CF. **time-assignment speech interpolation.**

time-sharing multiplex telegraphy   telegrafía múltiplex por división de tiempo [por reparto de tiempos]. v. **time-division multiplexing.**

time-sharing technique   técnica de repartición de tiempo.

time-sheet   v. **timesheet.**

time shift   desplazamiento temporal; corrimiento en el tiempo. CF. **time drift.**

time signal   señal horaria. Señal emitida periódicamente por distintas frecuencias radioeléctricas, con el objeto de dar la hora exacta y de suministrar intervalos cronométricos patrón ‖ señal de tiempo.

time-signal control   *(Informática)* control de señales de tiempo.

time-signal emission   emisión de señales horarias.

time-signal radio transmission   emisión radioeléctrica de señales horarias.

time-signal reception   recepción de señales horarias.

time-signal set   generador de señales horarias. Aparato electrónico que genera señales de intervalos de tiempo exactos utilizables para fines de calibración y contrastación.

time-signal stability   estabilidad de las señales horarias.

time-signal transmission   emisión de señales horarias.

time slot   segmento de tiempo. v. **random-access discrete-address system.**

time sorter   clasificador [analizador] de intervalos (de tiempo). v. **time-distribution analyzer.**

time-spaced   *adj:* espaciado en el tiempo, separado en (el) tiempo.

time-spaced (train of) pulses   (tren de) impulsos espaciados en el tiempo.

time stability   estabilidad en el tiempo, estabilidad temporal. CF. **time jitter.**

time stamp   reloj fechador. Reloj que estampa la fecha y la hora.

time standard   patrón de tiempo; patrón horario; señal horaria.

time-standard receiver   receptor de señales horarias. v. **time signal.**

time study   *(Industria)* estudio de tiempos y movimientos, (estudio de) racionalización del trabajo. Estudio y análisis de los movimientos de los operarios con el objeto de establecer normas que den por resultado un buen rendimiento con mínima fatiga. SIN. **time-and-motion study.**

time switch   conmutador [interruptor] de tiempo, interruptor temporizado ‖ interruptor horario [de reloj], cronointerruptor, interruptor de tiempos; limitador horario. (**1**) Interruptor accionado por un movimiento de relojería. (**2**) Dispositivo con mecanismo de relojería que determina el cierre o la apertura de contactos a horas o a intervalos prefijados. SIN. **timer** ‖ interruptor horario. Interruptor cuyo funcionamiento se opera por un movimiento de relojería (CEI/38 15–10–055) ‖ autómata [interruptor] horario. Autómata de contactos eléctricos [mechanical relay] cuyos contactos son maniobrados por un reloj. SIN. **clock relay** (CEI/57 15–35–020) ‖ reloj de conmutación para contador. v. **meter-changeover switch.**

time-symmetric   *adj:* simétrico en el tiempo, temporalmente simétrico.

time synchronization   sincronización horaria [de relojes].

time system   sistema horario.

time-table   v. **timetable.**

time taken in getting up speed   período de aceleración ‖ período de arranque. Fase del movimiento de un tren que parte del estado de reposo hasta llegar a la velocidad de régimen.

time-tested   *adj:* de probada eficacia; probado por largo tiempo. CF. **field-tested.**

time threshold   *(Sicología/Sicofísica)* umbral de tiempo, limen temporal. Duración mínima que ha de tener un estímulo mental o físico para que sea perceptible.

time tick   señal cronométrica; señal para sincronización de relojes; señal horaria, señal para corregir los cronómetros.

time-to-amplitude converter   convertidor tiempo-amplitud. Dispositivo electrónico que produce un impulso cuya amplitud (altura) es proporcional al intervalo transcurrido entre dos señales de entrada. SIN. **time-to-height converter, time-to-pulse-height converter.**

time to answer   *(Telecom)* demora en contestar (de un operador) ‖ v. **operator's time to answer.**

time-to-digital converter   convertidor de intervalos (de tiempo) en señales digitales. Aparato electrónico que traduce un intervalo de tiempo en una señal numérica o digital. SIN. **time converter.**

time-to-height converter   convertidor tiempo-amplitud. v. **time-to-amplitude converter.**

time-to-pulse-height converter   convertidor tiempo-amplitud. v. **time-to-amplitude converter.**

time totalizer   totalizador de tiempo.

time translation   traslación en la escala de tiempos.

time variable   variable temporal; elemento variable en el tiempo.

time-variable *adj:* variable en el tiempo, de variación en el tiempo.

time-variable cycle *(Controles)* ciclo de variación en el tiempo.

time variation variación temporal; variación en función del tiempo.

time variation of the entropy production *(Fís)* variación temporal de la producción de entropía.

time-varied *adj:* variado en el tiempo; variable en el tiempo, de variación en el tiempo.

time-varied control *(Lorán/Radar)* control (de ganancia) variable en el tiempo. v. **sensitivity-time control.**

time-varied gain control *(Lorán/Radar)* control de ganancia variable en el tiempo, control de ganancia en el tiempo. v. **sensitivity-time control.**

time-varying *adj:* de variación temporal; dependiente del tiempo, variable en función del tiempo; que varía en el tiempo.

time-varying analysis análisis en función del tiempo.

time-varying field campo variable en el tiempo, campo función del tiempo.

time-varying function función dependiente del tiempo.

time-varying impulse impulso de variación temporal.

time-varying parameter parámetro variable con el tiempo [en función del tiempo].

time-varying voltage tensión variable en función del tiempo.

time zone huso horario.

time-zone metering *(Telef)* medidas por zona y duración, tasación por zonas y por duración de la llamada. Tasación o cómputo de las conversaciones telefónicas por zonas y según la duración de las mismas. CF. **time-and-distance metering.**

timecard tarjeta de tiempo [de asistencia], tarjeta (registradora) de horas trabajadas.

timeclock interruptor horario [de reloj], cronointerruptor; limitador horario. v. **time switch** | reloj de asistencia, reloj de control de entrada y salida, reloj marcador [registrador] de tiempos. Reloj que registra las horas de entrada y de salida de los empleados, lo que permite totalizar las horas trabajadas; modernamente funciona generalmente por perforación de *tarjetas de tiempo* o *de asistencia* [timecards].

timed acceleration aceleración regulada en función del tiempo.

timed approach *(Avia)* aproximación sincronizada.

timed call *(Telef)* comunicación con tasa de duración. Comunicación telefónica cuya tasación depende de su duración (CEI/70 55–105–500). CF. **untimed call.**

timed contact *(Elec)* contacto temporizado.

timed deceleration desaceleración regulada en función del tiempo.

timed flash destello sincronizado; destello cíclico.

timed preassignment circuits v. **preassigned multiple-access satellite circuits.**

timed pulse impulso temporizado.

timed reference signal señal de referencia sincronizada.

timekeeper apuntador, listero, listador [tomador] de tiempo. LOCALISMOS: guardatiempo, marcador de tiempo, pasatiempo, rayador | reloj; cronómetro || *(Deportes)* cronometrador || *(Mús)* marcador de tiempo. Se llama *tiempo* a cada una de las partes en que se divide un compás.

timekeeping *(Centros de trabajo)* marcación en el reloj de entrada y salida (de los empleados); acción de llevar cuenta de la asistencia [de las horas trabajadas]. CF. **timeclock** || cronometraje; acción de mantener la hora; acción de llevar cuenta del tiempo.

timekeeping function función cronométrica [de cronometraje]; función de llevar cuenta del tiempo.

timer temporizador; cronizador; cronomedidor, cronómetro, cronometrador; cronógrafo; cronototalizador, contador (de tiempo); minutero; reloj de arena; reloj automático; dispositivo de cronometraje; dispositivo de tiempo [de control de tiempo]; cronorregulador, regulador de tiempo. SIN. **timing unit** | intervalómetro, medidor de tiempos, medidor de intervalos (de tiempo).

SIN. **time-interval meter** | sincronizador, mecanismo de sincronización. Dispositivo para el arranque y funcionamiento simultáneo de varios aparatos || *(Elec)* cronocontactor, cronorruptor, interruptor automático | conmutador [dispositivo] horario. Mecanismo de relojería o dispositivo animado por un motor eléctrico, destinado a efectuar conmutaciones eléctricas a intervalos prefijados. SIN. **time switch** | CF. **delay timer, interval timer, recycle timer** || *(Electrosoldadura)* regulador del tiempo de paso de la corriente || *(Relés)* temporizador, relé [relevador] con retardo prefijado. CF. **time-delay relay** || *(Elecn/Telecom)* cronometrador [sistema cronométrico] electrónico, dispositivo (electrónico) de control de tiempo | sincronizador. Circuito que emite impulsos de sincronización | cronizador. Generador de impulsos de sincronismo primario. SIN. **pulse former** | discriminador de tiempos | circuito de fijación de tiempo || *(Radar/Radionaveg)* sincronizador. Generador electrónico que controla la emisión de los impulsos en sincronismo con el comienzo del barrido de los indicadores de rayos catódicos, los impulsos de mando, las marcas de distancia, etc. | programador, unidad de programación || *(Fotog)* cuentasegundos, contador de exposición. Dispositivo destinado a determinar el tiempo de exposición || *(Mot)* distribuidor (de encendido); regulador de aceleración.

timer switch *(Elec)* cronocontactor, cronorruptor, interruptor automático; conmutador horario; contactor de programación.

times *(Mat)* por, multiplicado por | 3 times X: 3 por X | A times B: A por B, A multiplicado por B.

timesheet hoja de asistencia, hoja de horas trabajadas; hoja de jornales devengados.

timetable horario, itinerario; guía.

timing cronización; sincronización, sincronismo; puesta a [en] tiempo; temporización, control de tiempo, regulación en (el) tiempo, determinación del instante de ocurrencia (de un evento o un fenómeno); temporización, limitación [regulación] de intervalos (de tiempo); cronometraje, cronometración, cronomedición, medida cronométrica [del tiempo], medida de intervalos (de tiempo) | ajuste [regulación] de fase. SIN. **phasing** || *(Artillería)* ritmo, cadencia (de fuego) || *(Lab de cine)* clasificación || *(Mot)* regulación, reglaje, puesta a punto [en punto], puesta a tiempo (del encendido, de las válvulas); distribución (del encendido) || *(Relojes)* puesta en hora, acción de poner en hora || *(Telef)* medida [medición, registro] de tiempo | v.TB. **timing of. . .** ||| *adj:* cronizador; sincronizador; temporizador; cronométrico; horario; de tiempo.

timing arm *(Teleimpr)* brazo de sincronización.

timing axis eje de tiempo, eje de los tiempos. v. **time axis.**

timing-axis oscillator oscilador de eje de tiempo, oscilador de base de tiempos. SIN. **sweep generator [oscillator], time-base oscillator.**

timing bail *(Teleimpr)* fiador de sincronización.

timing beeps *(Registro magnetofónico)* impulsos audibles de comprobación de velocidad. v. **speed-test tape.**

timing belt *(Proy cine)* correa reguladora de tiempo || *(Teleimpr)* correa dentada [de dientes].

timing capacitor *(Circ biestables)* capacitor temporizador.

timing chain *(Elecn)* cadena (de circuitos) de sincronismo. Conjunto de circuitos en cadena destinados a producir y transmitir impulsos o señales de sincronismo || *(Mot)* cadena de distribución.

timing chart *(Informática)* cuadro de tiempos.

timing collar *(Mot)* anillo de reglaje [de puesta a punto].

timing contact *(Elec)* contacto temporizado || *(Teleimpr)* contacto de sincronización.

timing-contact mechanism *(Teleimpr)* mecanismo de contactos de sincronización.

timing control control de tiempo; regulación en (el) tiempo; cronización; sincronización; temporización; mando temporizado || *(Mot)* regulación del encendido.

timing corrector corrector de tiempo || *(Grabadoras de tv)* corrector de distorsiones geométricas.

timing device   dispositivo cronizador; dispositivo sincronizador; dispositivo temporizador [de temporización]; dispositivo cronométrico [de cronometraje]; dispositivo de tiempo [de control de tiempo]; dispositivo horario; minutero; artificio de tiempo, dispositivo graduador [limitador] de tiempo. SIN. **timer** ‖ (*Telef*) indicador de duración de la conversación.

timing diagram   diagrama temporal, diagrama de relaciones de tiempo (entre distintos fenómenos o eventos) ‖ (*Mot*) esquema de reglaje [de puesta a punto].

timing disk   (*Mot*) disco de reglaje [de puesta a punto].

timing element   elemento temporizador [de temporización] | relé de temporización. Relé que introduce un retardo [time lag] en el funcionamiento de un dispositivo de protección (CEI/56 16–50–025). SIN. **timing relay**.

timing equipment   equipo cronométrico.

timing gear   (*Mot*) engranaje de distribución (del encendido); engranaje de puesta a punto.

timing generator   generador de sincronismo. SIN. **synchronizing generator**.

timing hole   (*Mot*) orificio de puesta a punto.

timing instrument   instrumento de cronometraje.

timing interrupter   (*Telecom*) contactor de acción retardada.

timing mark   (*Mot*) marca [índice] de puesta a punto.

timing marker   marca [señal] de tiempo; marcador de sincronización.

timing-marker generator   generador de marcas [señales] de tiempo.

timing network   (*Tv*) red cronizadora.

timing of a call   (*Telef*) determinación del tiempo de una conferencia.

timing of calls   (*Telef*) determinación de la duración de las comunicaciones.

timing pulse   impulso temporizador ‖ (*Elecn/Radar/Tv*) impulso de sincronización; impulso de reloj; impulso cronizador [de sincronismo primario].

timing-pulse distributor   distribuidor de impulsos de sincronización; distribuidor de impulsos de reloj; distribuidor de impulsos cronizadores [de sincronismo primario]. Distribuye los impulsos por dos o más circuitos o líneas en un orden determinado.

timing-pulse generator   (*Cám tv*) generador de impulsos cronizadores [de sincronismo primario].

timing quadrant   (*Mot*) sector de puesta a punto.

timing register   (*Telef*) registrador de tiempo.

timing relay   relé de tiempo; relé temporizado, relé de acción retardada | relé cronorregulador, relé de temporización. Relé auxiliar que introduce un retardo en el funcionamiento de otro dispositivo. SIN. **timing element**.

timing resistor   resistor temporizador, resistencia temporizadora. Resistor o resistencia que regula el ciclo de tiempo de un dispositivo de retardo o de un circuito biestable.

timing ring   (*Informática*) anillo de sincronización.

timing segment   (*Mot*) segmento de puesta a punto.

timing sequence   secuencia de cronización [de temporización].

timing serrations   (*Mot*) estrías de puesta a punto.

timing shaft   (*Mot*) eje de distribución.

timing signal   señal de sincronización | señal horaria. SIN. **time signal** ‖ (*Registro mag*) señal de marcas de tiempo, señal índice de tiempo.

timing source   fuente de señales de sincronismo; fuente de señales horarias.

timing stage   etapa sincronizadora.

timing system   sistema temporizador; sistema de sincronización.

timing tape   (*Magnetófonos*) cinta intermedia [de pausa, de tiempo]. v. **leader tape**.

timing unit   dispositivo de cronometraje. v.TB. **timing device, timer**.

timing waveform   onda [señal] sincronizadora.

tin   estaño. Elemento químico de número atómico 50 y peso atómico 118,69. Es un metal maleable de aspecto plateado que se usa para revestir otros metales con el fin de prevenir su corrosión, y que entra en la composición de numerosas aleaciones. Punto de fusión: 231,89° C; punto de ebullición: 2 270° C. Valencias: 2, 4. Símbolo: Sn | (*i.e.* tin plate) hojalata, hoja de lata, chapa [lámina] estañada | (*i.e.* can; container for preserved foodstuff) lata [bote] de conservas | (*i.e.* tin box, tin container) lata, recipiente de lata ⫸ *verbo:* (*i.e.* to plate or coat with tin) estañar | (*i.e.* to preserve or pack in tins; to can) enlatar, envasar en botes de hojalata.

tin-foil   v. **tinfoil**.

tin oxide   óxido de estaño, óxido estánnico; óxido estannoso.

tin-oxide resistor   resistor de película de óxido de estaño. v. **metal-oxide resistor**.

Tin Pan Alley   (*slang*) música popular.

tin plate   (a.c. tin) hojalata, hoja de lata, chapa [lámina] estañada.

tin-plate   *verbo:* estañar.

tin-plated   *adj:* estañado.

tin-plated iron   hierro estañado.

tine   (*Mec*) púa, punta ‖ (*Horquillas, Tenedores, &*) diente.

tinfoil   hoja [papel] de estaño.

tinkle   (*also* tinkling) tintín, tintineo. Sonido ligero y generalmente agradable, como el de una campanilla o el de un objeto de cristal al ser golpeado | (*also* tinkling) retintín, repiqueteo, repique. Sonido parecido al anterior producido por un timbre o por un objeto metálico al ser golpeado ligera y repetidamente ⫸ *verbo:* tintinear, tintinar; repiquetear, repicar; tañer; (hacer) retiñir; marcar con un retintín.

tinkling   v. **tinkle**.

tinned   *adj:* estañado; enlatado, en latas, en conserva. v. **tin**.

tinned brass   latón [bronce] estañado.

tinned brass terminal   terminal de bronce estañado.

tinned copper   cobre estañado.

tinned copper wire   alambre [hilo] de cobre estañado.

tinned iron   hierro estañado; hojalata.

tinned lead   plomo estañado.

tinned rope   cable metálico estañado.

tinned sheet iron   hojalata, hoja de lata, chapa [lámina] estañada. SIN. **tin plate**.

tinned wire   alambre [hilo] estañado. Cuando es para usos eléctricos es de cobre. El estañado impide la corrosión y simplifica la operación de soldar las conexiones.

tinning   estañado, estañadura ‖ (*Electroformación*) tinning (electrotyping): estañado (electrotipia). Fusión de una hoja de plomo-estaño o depósito de una capa de estaño al dorso de una coquilla [shell] (CEI/60 50–35–065).

tinsel   oropel, relumbrón; lentejuela; bricho ‖ (*Elec/Elecn/Telecom*) v. **tinsel conductor, tinsel cord** ‖ (*Guerra elecn*) Tipo particular de reflector de confusión [confusion reflector].

tinsel conductor   (a.c. tinsel) conductor de oropel. Conductor eléctrico formado por cierto número de hebras, cada una de las cuales lleva arrollada en espiral de paso corto una cintilla muy angosta y delgada de cobre o de alguna aleación buena conductora. Se utiliza para fabricar cordones o cables delgados de mucha flexibilidad y de larga duración en servicio que los somete a flexiones repetidas.

tinsel cord   (*Elec/Elecn/Telecom*) cordón de oropel, cordón flexible. Cordón formado por uno o varios conductores de oropel [tinsel conductors].

tinsel strand   (*Elec/Elecn/Telecom*) hilo de oropel. v. **tinsel conductor**.

tint   tinte, color, matiz; tono (de color); color con adición de blanco ‖ (*Bellas artes*) media tinta ⫸ *verbo:* teñir, colorar, colorear, matizar ‖ (*Dib*) colorar.

tinted glass   vidrio coloreado.

tinted-glass safety window   (*Tv*) vidrio de seguridad coloreado.

tinting   (*Cine, Textiles*) coloración ‖ (*Topog*) lavado.

tintinnabulum   tintinábulo, campanilla. Es voz latina onomatopéyica. PLURAL INGLES: tintinnabula.

¹tip   punta, extremo, extremidad; puntera; contera, regatón, virola; boquilla | casquillo. SIN. **cap, ferrule** ‖ *(Arq)* cúspide ‖ *(Bot)* ápice ‖ *(Dientes de engranaje)* arista de la cresta ‖ *(Roscas)* cresta ‖ *(Herr)* calza ‖ *(Soldadura)* pico ‖ *(Sopletes)* boquilla ‖ *(Tubos elecn)* punta. v. **pip** ‖ *(Telecom)* (*i.e.* contact at end of plug) punta (de clavija) | (*i.e.* conductor connected to plug tip) hilo de punta, hilo "A", hilo "+" ‖‖ *verbo:* poner contera, poner regatón, etc.; guarnecer ‖ *(Herr)* calzar, poner plaquita postiza.

²tip   *(i.e.* tilt, slant; incline) inclinación; declive | *(GB)* lugar de descarga; zona donde se vierte material de desperdicio ‖‖ *verbo:* inclinar; voltear; ladear(se); volcar(se); bascular; verter, vaciar.

³tip   *(i.e.* light blow; tap) golpecito; palmadita ‖‖ *verbo:* golpear delicadamente, dar un golpecito; dar una palmadita.

⁴tip   consejillo; sugerencia; propina, gratificación; información privada, información que se da confidencialmente ‖‖‖ *verbo:* dar propina; dar información privada o confidencial.

tip and ring wires   *(Telecom)* hilos de punta y nuca.

tip cable   *(Telecom)* cable de punta. Cable corto utilizado para extender un cable presionizado más allá del punto de obturación, hasta llegar al equipo terminal (repartidor, caja de terminales, etc.).

tip jack   jack para clavijita terminal, enchufe para espiga fina. Jack pequeño de un solo agujero en el que entra una clavijita terminal o de contacto. SIN. **pup jack.**

tip loss   *(Aeron)* pérdida en los extremos del ala.

tip of plug   *(Telecom)* punta de (la) clavija.

tip-pin jack   jack [enchufe hembra] para clavija tipo alfiler.

tip radius   *(Avia)* radio de la hélice.

tip speed   *(Hélices/Turbinas/Rotores)* velocidad periférica; velocidad circunferencial (de las paletas); velocidad de rotación en la punta (de las palas).

tip-speed ratio   relación de velocidad periférica.

tip spring   *(Jacks)* resorte corto. CF. **ring spring.**

tip stall   *(Aeron)* entrada en pérdida de extremo de ala; pérdida de sustentación en los extremos de ala.

tip velocity   v. **tip speed.**

tip wire   *(Telecom)* hilo de punta, hilo "A" (de la clavija) | hilo de punta. Hilo asociado a la punta de una clavija o al punto correspondiente de un jack. SIN. **T wire** (CEI/70 55–95–005).

tipless   *adj:* sin punta; sin puntera; sin contera; etc. v. **tip¹.**

tipless bulb   *(Tubos elecn)* ampolla sin punta. v. **pip.**

tipoff   *(Tubos elecn)* punta. v. **pip.**

¹tipping   puntera; cantonera, regatón, virola; casquillo ‖ *(Avia)* blindaje; cantonera (de hélice).

²tipping   inclinación; vuelco; ladeamiento; basculamiento ‖‖ *adj:* volcador; basculador, basculante.

tipping torch   *(Fab de tubos elecn)* mechero [soplete] cortador. SIN. **falling-off [sealing-off] burner.**

tire   *(Autos y camiones)* goma, llanta, neumático, bandaje, cubierta (de rueda). LOCALISMO: caucho ‖ (of iron or steel) bandaje, llanta, calce, cerco.

Tirrill regulator   *(Elec)* regulador Tirrill. Tipo particular de regulador automático de voltaje.

TIS   *(Teleg)* Abrev. de it is.

TISANS   *(Teleg)* Abrev. de "it is an answer". Se usa para indicar que el mensaje en cuestión es la respuesta a otro anterior.

tissue   *(Telas)* tisú. PLURAL: *tisúes* o *tisús* | lama | gasa (tela muy clara y sutil) ‖ *(Papel)* papel muy fino y transparente (como p.ej. el usado para cubrir las ilustraciones en algunos libros) ‖ *(Anat/Biol)* tejido ‖‖ *adj: (Anat/Biol)* tisular (relativo al tejido orgánico); hístico (perteneciente a un tejido orgánico). SIN. **tissular, histic.**

tissue dose   *(Radiol)* dosis tisular; dosis hística [histológica]. Dosis de radiación recibida por un tejido en la región de interés.

tissue-equivalent ionization chamber   *(Radiol)* cámara de ionización (con pared) equivalente a un tejido | cámara de ionización equivalente al tejido. (1) Cámara de ionización que es *equivalente al tejido* (v. **tissue-equivalent material**) (CEI/64 65–30–230). (2)

Cámara de ionización de cavidad (de Bragg-Gray) [Bragg-Gray cavity ionization chamber] cuyas paredes y el gas de relleno son de una substancia tal que la ionización producida en la cámara por una radiación dada es sensiblemente proporcional a la dosis absorbida que sería comunicada por esa radiación al tejido considerado (CEI/68 66–15–070).

tissue-equivalent material   *(Radiol)* substancia [material] equivalente a un tejido | substancia equivalente al tejido. Substancia que absorbe y difunde una radiación de la misma manera que un tejido biológico [biological tissue] dado. Una substancia puede aproximarse a la equivalencia de un tejido si su número atómico efectivo [effective atomic number] es igual al del tejido dado (CEI/64 65–10–690).

titanium   titanio. Elemento químico de número atómico 22. Símbolo: Ti.

title   título; inscripción, rótulo; rubro, epígrafe; denominación ‖ *(Dib)* título, letrero ‖ *(Documentos)* artículo, capítulo, sección ‖ *(Jurisprudencia)* título ‖ *(Periódicos)* título, rótulo ‖ *(Cine/Tv)* título. Los títulos usados en los programas de televisión pueden tener la forma de tarjetas, diapositivas, película cinematográfica, etc. ‖‖ *verbo:* titular, intitular; conferir título (a); poner títulos; rotular.

title artist   *(Tv)* titulista. Dibujante encargado de la preparación de los títulos, letreros o rótulos, mapas, diapositivas, etc.

title negative   *(Cine)* negativo de títulos; banda de títulos.

title page   *(Documentos)* página titular ‖ *(Libros)* portada; cabezal, carátula ‖ *(Periódicos)* primera página, primera plana.

title retention   *(Comercio/Jurisprudencia)* reserva de dominio, reserva de la propiedad.

title shot   *(Cine/Tv)* título.

titler   *(Cine)* tituladora.

titling   titulación, intitulación; rotulación ‖ *(Cine/Tv)* titulación, rotulación. Preparación e inserción de títulos en una película o en un programa, según el caso.

titration   *(Quím)* análisis volumétrico, dosificación, titulación, titración, valoración.

titration control   control de dosificación [de valoración]. Dispositivo electrónico utilizado en química industrial para regular la acidez o la alcalinidad.

titration coulometer   culombímetro de valoración; voltámetro de valoración.

titration voltameter   voltámetro de valoración. Voltámetro en el cual la medición se efectúa por valoración química del ion liberado en un electrodo (CEI/38 50–05–140).

TKS   *(Teleg)* Abrev. de thanks [gracias].

TL   Abrev. de telephone line; tie line; trunk line; tally light.

TLC   *(Conmut teleg)* Abrev. de telegraph line controller [controlador de línea telegráfica].

TLF   *(Teleg)* Abrev. de telephone.

TLG   *(Teleg)* Abrev. de telegraph.

TLO   *(Teleg)* Abrev. de total loss only [pérdida completa solamente]. Es común esta expresión en la documentación y los telegramas relativos a seguros marítimos.

TM   Abrev. de time modulation; transverse magnetic; traffic manager.

TM mode   *(Radioelec)* modo TM, modo E, modo magnético transversal. CF. **tranverse magnetic mode.**

TM wave   *(Radioelec)* onda TM, onda magnética transversal. v. **transverse magnetic wave.**

TM_mn mode   *(Radioelec)* modo TM_{mn}, modo E_{mn}. (a) En una guía de ondas rectangular [rectangular waveguide], los índices "m" y "n" indican respectivamente el número de alternancias de los campos magnéticos paralelos a los lados anchos y estrechos de la guía. NOTA: En el Reino Unido se utiliza de preferencia la convención opuesta. (b) En una guía de ondas circular [circular waveguide], modo que tiene "m" planos diametrales [diametral planes] y "n" superficies cilíndricas [cylindrical surfaces] de radio no nulo (incluidas las paredes de la guía) para las cuales la componente longitudinal [longitudinal component] del campo eléctrico es nula. (c) En una cavidad resonante [resonant cavity] constituida por un trozo de guía de ondas rectangular o circular, se usa un tercer índice para indicar el número de alternancias del campo a lo largo del eje de la guía. SIN. **E$_{mn}$ mode** (CEI/61 62–05–040).

TM$_{mn}$ wave   (*Radioelec*) onda TM$_{mn}$. v. **TM$_{mn}$ mode.**

TM$_{mnp}$ mode   modo TM$_{mnp}$. En esta expresión "p" es el tercer índice a que se hace mención en el artículo *TM$_{mn}$ mode*.

TMA   (*Avia*) Abrev. de terminal control area.

TMG   (*Telecom*) Abreviatura internacional francesa equivalente a la inglesa *GMT* [hora del meridiano de Greenwich].

TMO   (*Teleg*) Abrev. de telegraph money order.

TMS   (*Telecom*) Abrev. de transmission measuring set.

TMW   (*Teleg*) Abrev. de tomorrow [mañana].

TMx   (*Teleg*) TMx. Prefijo internacional (UIT) utilizado en los telegramas a múltiples direcciones. La "x" simboliza el número de direcciones; por ejemplo, el prefijo "TM3" indica que el telegrama tiene tres direcciones.

TNG   (*Teleg*) Abrev. de thing [cosa].

TNS   (*Teleg*) Abrev. de tens.

TNT   TNT. Abreviatura que corresponde al inglés *trinitrotoluene* y a su equivalente castellano *trinitrotolueno* ⏐ (*Radio*) Abrev. de tuned not tuned. v. **TNT oscillator.**

TNT equivalent   (*Explosiones nucleares*) equivalente en TNT. Medida de la energía liberada por una explosión expresada por el peso de TNT que liberaría la misma cantidad de energía, considerando que la explosión de una tonelada de TNT libera la energía equivalente a 10^9 calorías.

TNT oscillator   (*Radio*) oscilador "TNT", oscilador de placa sintonizada. Circuito oscilador con circuito de placa (ánodo) sintonizado y circuito de rejilla no sintonizado.

TNX   (*Teleg*) Abrev. de thanks [gracias].

TO   (*Teleg*) a; destinatario.

TO ALL STATIONS   (*Telecom*) A todas las estaciones. Expresión usada para dirigir un mensaje o una comunicación a todas las estaciones de una red o de un servicio determinado.

to-cycle   (*Informática*) ciclo de destino.

to-from indicator   (*Radionaveg aérea*) indicador de sentido, indicador "entrada-salida", indicador "hacia-desde", indicador "TO-FROM". Instrumento que señala a bordo de una aeronave si la indicación del selector de cursos [omnibearing selector] es el curso magnético que debe seguirse para ir *hacia* el VOR o para *alejarse* de él.

toast   rebanada de pan tostada ⏐⏐⏐ *verbo:* tostar.

toaster   tostador de pan.

Tobin bronze   bronce de Tobin.

toddite   (*Miner*) toddita.

toe   dedo del pie; pezuña, uña; extremo; reborde (inferior); talón; pestaña; saliente ⏐⏐ (*Barrenos*) fondo ⏐⏐ (*Calcetería*) puntera ⏐⏐ (*Cartabones*) extremo, vértice ⏐⏐ (*Máq/Mec*) gorrón, rangua, tejuelo ⏐⏐ (*Muros*) retallo de base; zarpa ⏐⏐ (*Minería/Obras de tierra*) (of slope) base, pie (de talud) ⏐⏐ (*Presas*) línea de base aguas abajo ⏐⏐ (*Fotog*) codo. Curvatura inferior de la curva gamma de una emulsión ⏐⏐ (*Soldadura*) borde (de la soldadura), contorno o intersección de la soldadura con el metal de base ⏐⏐ (*Vías férreas*) boca (de un corazón); pata de liebre (del corazón de un cambio); punta (de un cambio) ⏐⏐⏐ *verbo:* clavar oblicuamente; poner puntera; tocar con la punta del pie.

toe and shoulder   (*Curvas de H y D*) base y cresta (de la curva), curvaturas inferior y superior (de la curva). Segmentos alineales inferior y superior, situados por debajo y por encima, respectivamente, del segmento lineal de la curva. v. **Hurter and Driffield curve.**

toe brake   freno de pedal.

toe-in   (*Autos*) convergencia (de las ruedas delanteras). CF. **toe-out.**

toe of slope   (*Carreteras*) pie de talud. Faja de terreno adyacente al talud que pertenece al plano de su base ⏐⏐ (*Obras de tierra*) pie

[base] del talud. Línea de unión entre las tierras del talud y la superficie del terreno. SIN. **base of slope.**

toe-out   (*Autos*) divergencia (de las ruedas delanteras). CF. **toe-in.**

Toepler-Holtz machine   máquina de Toepler-Holtz. Máquina primitivamente utilizada para cargar botellas de Leyden [Leyden jars].

toggle   palanca; palanca acodada [acodillada], palanca articulada; eslabón acodillado; conexión articulada; codillo; rótula; fiador atravesado; fiador acodillado ⏐⏐ (*Alambres*) tensor de rana ⏐⏐ (*Cuerdas*) cazonete ⏐⏐ (*Met*) candela (de bastidor oscilante) ⏐⏐⏐ *verbo:* (*Elec*) maniobrar la palanca de un conmutador ⏐⏐ (*Circ basculantes*) conmutar, pasar de un estado al otro; bascular, alternar entre los dos estados ⏐⏐ (*Circ digitales*) conmutar, cambiar de estado.

toggle bail   fiador atravesado ⏐⏐ (*Teleimpr*) fiador acodillado.

toggle bolt   perno acodillado; tornillo de fiador.

toggle clamp   mordaza acodada.

toggle frequency   (*Circ basculantes*) frecuencia de basculación ⏐⏐ (*Circ digitales*) frecuencia de conmutación. Se expresa en hertzios.

toggle interrupter   interruptor de palanca articulada.

toggle joint   junta de codillo, articulación de rótula [de rodilla].

toggle lever   palanca acodada [acodillada], palanca articulada.

toggle link   eslabón acodillado.

toggle linkage   conexión articulada.

toggle shaft   eje acodillado.

toggle switch   (*Elec*) conmutador [interruptor] de palanca acodillada, interruptor de palanca (acodada), interruptor de codillo [de rótula, de palanquita, de volquete]. Pequeño conmutador o interruptor que se maniobra actuando sobre una palanquita asociada con un resorte de tal modo que las conmutaciones (aperturas y cierres) de los circuitos se efectúan rápidamente. La palanquita de maniobra se mueve en dos sentidos.

token   señal; muestra; prenda, recuerdo; prueba; medalla; chapita (para el tranvía, para el metro) ⏐⏐⏐ *adj:* simbólico; pequeño; simulado.

token system   (*Vías férreas*) sistema de prenda. Sistema de explotación de líneas de vía única [single-track lines], en la cual la autorización de entrar en una sección de línea es dada al tren en forma de una prenda entregada al maquinista [engine driver] o a los guardafrenos [trainmen]. Dicha prenda está generalmente constituida por un *bastón,* llamado también *bastón piloto* [staff] (CEI/59 31–25–005).

token value   valor simbólico.

tolerable   *adj:* tolerable; admisible, permisible; pasable; pasadero, sufrible, llevadero, tolerable.

tolerable acceleration   aceleración tolerable.

tolerable signal-to-interference ratio   (*Radiocom*) relación tolerable señal/interferencia.

tolerance   tolerancia. Variación permisible respecto a un valor especificado o nominal. SIN. **variación permisible, error máximo.** CF. **frequency tolerance** ⏐ **close [tight] tolerances:** tolerancias estrechas [pequeñas] ⏐ **to keep within close tolerances:** mantener dentro de estrechos márgenes [límites] de tolerancia ⏐ **out of tolerance:** fuera de tolerancia ⏐ AFINES: exactitud, precisión, aproximación, cota, desviación, error dimensional, estabilidad dimensional; tolerable, admisible, permisible ⏐⏐ (*Medicina*) tolerancia. Facultad de soportar sin efectos perjudiciales el uso continuado de determinada droga, o determinada dosis de radiación.

tolerance dose   (*Radiol*) dosis de tolerancia. Expresión desusada fundada en la hipótesis de que un individuo puede recibir tal dosis de radiación sin efectos perjudiciales. Actualmente es reemplazada por *máxima dosis permisible* [maximum permissible dose] (CEI/64 65–35–035).

tolerance limit   límite de tolerancia.

tolerance rating   tolerancia nominal.

tolerance standard   nivel de tolerancia.

^{1}toll   peaje, portazgo. Tasa establecida para el tránsito por un camino, un puente, o un túnel. En el caso particular de los puentes

se usa también el sinónimo *pontaje* ‖ *(Mús)* tañido (de campana) ‖ *(Telecom)* tasa; tarifa ⫽ *verbo: (Mús)* tañer, doblar (campanas).

²toll   *adj: (Telef)* interurbano, de larga distancia. A VECES: regional, suburbano. En su origen el término inglés fue abreviatura de
"*transmission over long lines*" [transmisión por líneas largas].

toll area   *(Telef)* zona regional [suburbana]; red regional [subur-
bana].

toll biller   *(Informática)* máquina para (la) facturación de servicios.

toll board   *(Telef)* cuadro interurbano, mesa interurbana. Conmutador manual [switchboard] utilizado esencialmente para el
establecimiento de comunicaciones interurbanas. SIN. **toll
switchboard, trunk switchboard** *(GB)*.

toll bridge   puente de peaje. Puente abierto al tránsito únicamente mediante el pago de una tasa establecida. CF. **toll road**.

toll cable   *(Telecom)* cable interurbano [de larga distancia]. Cable
utilizado en los circuitos de larga distancia. SIN. **trunk cable**.

toll call   *(Telef)* llamada [comunicación] interurbana. SIN. **trunk
call, trunk connection** | llamada [comunicación] suburbana |
conversación [conferencia] interurbana. Conversación cambiada
con un puesto situado fuera de la *zona de tasación urbana* [local
service area] del puesto que llama [calling station]. En Gran
Bretaña la expresión "trunk call" se aplica a una conversación
entre abonados conectados a centrales diferentes, y que es objeto
de una tasación superior a cuatro unidades de la tarifa de día
[payment of more than four unit fees at full day rate]. SIN. **trunk
call** *(GB)*.

toll call to suburban area   *(Telef)* llamada [comunicación]
suburbana. SIN. **A-board toll call**.

toll center   *(Telef)* centro interurbano; centro de sector. Centro de
conmutación de circuitos interurbanos [toll circuits]. SIN. **toll
office, toll point**.

toll central office   *(Telef)* central interurbana.

toll circuit   *(Telef)* circuito interurbano. Circuito que une dos
centros situados en dos redes locales diferentes. SIN. **trunk circuit**
(GB). NOTA: En Gran Bretaña la expresión "trunk circuit" se
aplica cuando el circuito es de más de 15 millas (24 km),
aproximadamente, de longitud; si el circuito une dos centros
separados por una distancia menor de 15 millas, se le da el nombre
de "junction circuit" [circuito de enlace] | circuito interurbano.
En el servicio internacional, circuito que une dos centrales del
mismo país, generalmente situadas en dos ciudades diferentes. SIN.
trunk circuit *(GB)* | circuito regional [suburbano].

toll collector   peajero. Encargado del cobro de peajes o portazgos.

toll connection   *(Telef)* comunicación interurbana | *(i.e.* toll call
to suburban area) comunicación suburbana.

toll connector   *(Telef)* selector final interurbano. SIN. **toll final
selector**.

toll desk   *(Telef)* mesa interurbana. SIN. **toll board**.

toll directory desk   *(Telef)* servicio de información de la central
interurbana. SIN. **trunk directory inquiry**.

toll enrichment   enriquecimiento (de un combustible nuclear)
por convenio mercantil, enriquecimiento mediante canon.

toll exchange   *(Telef)* central interurbana; central interurbana de
servicio rápido. SIN. **trunk exchange**.

toll final selector   *(Telef)* selector final interurbano. SIN. **toll
connector, trunk final selector**.

toll line   *(Telef)* línea interurbana. Línea que une dos centros
situados en redes locales diferentes. CF. **toll circuit**.

toll-line dialing   *(Telef)* selección interurbana automática; servicio interurbano automático.

toll local zone   *(Telef)* zona de tasa local. CF. **toll call**.

toll message   *(Telef)* conversación [conferencia] interurbana.

toll network   *(Telef)* red interurbana, red de larga distancia.

toll office   *(Telef)* central interurbana. Central destinada esencialmente al establecimiento de comunicaciones interurbanas
[trunk traffic]. SIN. **trunk exchange** (CEI/70 55–90–015). SIN.
toll center.

toll operator   *(Telef)* operadora interurbana [de larga distancia].
SIN. **trunk operator**.

toll plant   *(Telef)* planta de larga distancia. Conjunto de instalaciones que interviene en las comunicaciones de larga distancia.

toll point   *(Telef)* centro interurbano, centro de sector. SIN. **toll
center**.

toll position   *(Telef)* cuadro [grupo] interurbano, posición interurbana. SIN. **trunk position**.

toll quality   *(Telef)* calidad para larga distancia. Calidad de
transmisión [transmission quality] de un sistema o un circuito que
es suficiente para las comunicaciones de larga distancia, de
conformidad con normas técnicas que toman en cuenta la longitud
de los circuitos y el tipo de servicio al cual se destinen los mismos.

toll rate   *(Telef)* tasa interurbana.

toll-rate chart   *(Telef)* cuadro indicador de (las) tasas interurbanas. SIN. **table of trunk charges**.

toll-rate table   *(Telef)* cuadro indicador de (las) tasas interurbanas.

toll recording   *(Telef)* inscripción interurbana.

toll register   *(Telef)* registrador interurbano.

toll road   camino de peaje. Camino abierto al tránsito únicamente
mediante el pago de una tasa establecida. CF. **toll bridge, toll
tunnel**.

toll service   *(Telef)* servicio interurbano | servicio entre redes
próximas [vecinas]. SIN. **junction service**. V. **toll circuit**.

toll service observing   *(Telef)* observación de los circuitos interurbanos (en la mesa de control), observación del tráfico de
circuitos interurbanos, control de explotación de circuitos interurbanos. SIN. **trunk service observation**.

toll subscriber's line   *(Telef)* línea de abonado interurbano. SIN.
toll terminal loop.

toll switch trunk   *(Telef)* tronco automático.

toll switchboard   *(Telef)* cuadro (conmutador) interurbano, mesa
interurbana, cuadro conmutador para servicio interurbano, conmutador de larga distancia. SIN. **trunk switchboard**.

toll switching center   *(Telef)* centro de conmutación de larga
distancia. Central automática donde se efectúan interconexiones o
conmutaciones de circuitos de larga distancia.

toll switching plan   *(Telecom)* plan de interconexiones (telefónicas), diagrama de conexiones (telefónicas). SIN. **trunk switching
scheme**.

toll switching position   *(Telef)* posición intermedia. SIN. **junction
switching position**.

toll switching trunk   *(Telef)* línea de enlace interurbano; línea
intermedia. Línea que une una central interurbana [toll exchange]
con una central urbana [local exchange] y que permite a una
operadora interurbana [toll operator] llamar a un abonado para
establecer la comunicación interurbana [toll call]. SIN. **trunk
junction (line)**.

toll television   V. **pay television**.

toll terminal   *(Telef)* centro terminal interurbano.

toll terminal loop   *(Telef)* línea de abonado interurbano. SIN. **toll
[trunk] subscriber's line**.

toll terminal loss   *(Telef)* pérdida local de un enlace interurbano.
En un enlace interurbano o de larga distancia, pérdida de
transmisión atribuible a los circuitos entre el centro interurbano y
el puesto del abonado, pasando por la oficina tributaria.

toll test board   *(Telef)* mesa de pruebas interurbana. SIN. **toll test
desk**.

toll test desk   *(Telef)* mesa de pruebas interurbana. SIN. **toll test
board, toll test panel**.

toll test panel   *(Telef)* panel de pruebas | mesa de pruebas
interurbana. SIN. **toll test desk**.

toll third group switch   *(Telef)* tercer selector interurbano.

toll ticketing   *(Telef)* tasación de llamadas; contabilización de
llamadas.

toll traffic   *(Telef)* tráfico interurbano; tráfico regional [suburba-
no].

toll tunnel   túnel de peaje. Túnel abierto al tránsito únicamente mediante el pago de una tasa establecida. CF. **toll road**.

toll universal cord circuit   *(Telef)* cordón universal. SIN. **universal cord circuit**.

tollevision   v. **pay television**.

TOM   *(Teleg)* Abrev. de telegraph [teletype, teletypewriter] on multiplex. La abreviatura se usa con el significado de *múltiplex de cuatro canales*. CF. **TOR**.

TOM channel   *(Teleg)* canal TOM.

TOM equipment   *(Teleg)* equipo TOM.

tombac   *(Met)* (also tambac, tomback, tombak) tumbaga, tumbago, tombac. Palabra de origen malayo que da nombre a varias aleaciones de cobre y cinc utilizadas en la fabricación de joyas de imitación, por tener el color oro ‖ *(Nucl)* plisado. Pliegues formados en una vaina por ciclado térmico.

tomograph   *(Radiol)* tomógrafo, planígrafo, estratógrafo, dispositivo para radiografías por secciones. v. **laminagraph**.

tomography   *(Radiol)* tomografía. v. **laminography** | tomografía, estratografía, radiografía por secciones. v. **stratigraphy**.

Tomonaga-Schrödinger equation   ecuación de Tomonaga-Schrödinger.

Tomonaga-Schwinger equation   *(Fís)* ecuación de Tomonaga-Schwinger.

ton   tonelada. Mientras no se indique otra cosa, se entiende corrientemente que se trata de la llamada *tonelada americana*, igual a 2 000 lb = 907,2 kg. También recibe los nombres de *tonelada corta* o *neta* [short ton, net ton], para distinguirla de la *tonelada larga* o *bruta* [long ton, gross ton], que es de 2 240 lb = 1 016 kg. La *tonelada métrica* [tonne, metric ton] es igual a 1 000 kg. Símbolo: t, Tm.

ton-mile   *(Ferroc)* tonelada-milla. v. **tonne-kilometer**.

ton of refrigeration   tonelada de refrigeración. La capacidad de las grandes máquinas frigoríficas se expresa corrientemente en toneladas de refrigeración. La tonelada de refrigeración equivale a la cantidad de calor absorbido por el calor latente de fusión de una tonelada de hielo durante 24 horas; tomando 1 t = 908 kg, es igual a 288 000 BTU (72 576 kilocalorías) por 24 horas.

tonal   *adj:* tonal. Relativo o perteneciente a un tono, a los tonos, o a la tonalidad. v. **tone, tonality**.

tonal balance   equilibrio tonal. En electroacústica, proporción de graves y agudos; proporción natural entre los tonos bajos y los altos. CF. **balanced sound**.

tonal characteristics   características del sonido.

tonal color   *(Acús/Mús)* timbre. SIN. **tone color**. v. **musical tone**.

tonal discrimination   discriminación tonal. Facultad de distinguir entre tonos de frecuencias próximas.

tonal key   clave tonal, equilibrio en la gradación de tonos. Equilibrio entre los tonos claros y obscuros de una fotografía o imagen; si prevalecen los tonos claros, se dice que la fotografía es *clara* [high-key photograph], en caso contrario se dice que es *obscura* [low-key photograph].

tonal rendition   *(Tv)* reproducción de matices.

tonal response   *(Electroacús)* respuesta tonal, calidad de la respuesta acústica.

tonal telegraphy   v. **tone telegraphy**.

tonality   *(Mús, Pintura)* tonalidad. AFINES: tono, color, tinte, matiz. CF. **tone**.

tone   *(Acús/Electroacús/Mús)* tono, sonido; timbre; entonación, sonsonete; acento, inflexión | *(i.e.* musical tone) sonido musical | tono, tonalidad. Calidad general del sonido reproducido, según la apreciación subjetiva del mismo | tono. Nota audible de frecuencia única. CF. **fixed audio tone** | *(i.e.* tone control) control de tono, corrector de tonalidad | AFINES: tono alto, sonido agudo, tono bajo, sonido grave, altura del sonido ‖ *(Colores/Fotog)* matiz ‖ *(Mús)* acorde ‖ *(Telecom)* tono. Señal de frecuencia única y amplitud constante utilizada para distintos fines: señalización, regulación, pruebas, telemando | baja frecuencia; señal de audio; señal acústica; zumbido; corriente vibrada de frecuencia uniforme | *(i.e.* busy tone) tono de ocupación | *(i.e.* ringing tone) tono de

retorno de llamada ‖ *(Tv)* tonalidad (de la imagen) ‖‖ *adj:* tonal ‖‖ *verbo:* tonificar; entonar (colores) ‖ *(Fotog)* virar ‖ *(Mús)* afinar, templar (un instrumento).

tone arm   *(Electroacús)* brazo de fonocaptor. Brazo de tocadiscos o fonógrafo que lleva montado el fonocaptor o lector de sonido [phonograph pickup]. SIN. **pickup arm**.

MICROGLOSARIO:
- **cartridge** = cápsula (fonocaptora)
- **compliance** = docilidad
- **controlled damping** = amortiguamiento regulado
- **offset head** = cabeza en ángulo (para reducir el error de tangencialidad)
- **resonance in the audio passband** = resonancia en la gama acústica
- **stylus assembly** = conjunto [mecanismo] de la aguja

tone burst   ráfaga de tono, impulso de tono [de audio], tren de ondas de audio, tren de oscilaciones de audiofrecuencia. Impulso de envolvente rectangular y duración entre 50 y 500 μs, constituido por un tren de oscilaciones sinusoidales de frecuencia acústica única (tono puro). Se utiliza para probar la respuesta de audioamplificadores y altavoces a las señales de ataque rápido, con la ayuda de un osciloscopio.

tone-burst generator   generador de ráfagas de tono, generador de trenes de ondas de audio [trenes de oscilaciones de audiofrecuencia]. Generalmente está constituido por un oscilador de audiofrecuencia que funciona continuamente, pero está seguido por un circuito de compuerta electrónica que bloquea y desbloquea periódicamente el paso de las señales, pudiéndose ajustar a voluntad los invervalos de bloqueo y desbloqueo. SIN. **burst generator**.

tone channel   *(Telecom)* canal de tono. (**1**) Canal destinado a la transmisión de tonos. (**2**) Canal o circuito en el que se utiliza una portadora de audiofrecuencia (modulada en frecuencia o en amplitud) para la transmisión de información o para señalización. (**3**) Canal o vía de un sistema de ondas portadoras, cuya frecuencia se halla en la gama de los sonidos musicales o audibles. SIN. **canal de frecuencia musical [acústica], canal de audiofrecuencia (para telecomunicación)**.

tone channel receiver   receptor de tonos de canalización.

tone channel transmitter   transmisor de tonos de canalización.

tone channeling   *(Telecom)* canalización por tonos, canalización de tono. Multiplexión telegráfica mediante frecuencias musicales manipuladas independientemente y transmitidas simultáneamente por una misma línea telefónica o por una misma portadora; la manipulación de esas frecuencias o tonos puede ser de amplitud o de frecuencia.

tone channeling equipment   equipo de canalización por tonos.

tone color   *(Acús/Mús)* timbre. SIN. **tonal color**. v. **musical tone**.

tone control   control de tono. A VECES: regulador de tono, corrector de tonalidad. En los sistemas de audiofrecuencia, circuito o dispositivo que permite ajustar la respuesta de frecuencia y regular así la proporción entre los tonos graves o bajos y los agudos o altos. En el sistema más sencillo se dispone de un solo mando que permite acentuar o atenuar, bien los graves, bien los agudos; es decir, que el mando sólo actúa sobre uno de los extremos de la gama musical. En la mayoría de los sistemas de alta fidelidad se tienen dos mandos independientes, cada uno de los cuales puede acentuar o atenuar uno de dichos extremos. En algunos se cuenta con un tercer mando que actúa sobre los sonidos del registro medio y que a veces recibe el nombre de *control de presencia* [presence control], porque permite destacar en mayor o en menor grado la voz de un cantante solista respecto a los sonidos de la orquesta que lo acompaña (la voz humana se halla en el registro musical medio). Por último, hay sistemas de control de tono en que la gama musical se divide en cinco o más segmentos que pueden acentuarse o atenuarse independientemente. Estos se denominan *compensador de tono de múltiples segmentos* [multiple-segment tonal equalizer, graphic equalizer] | regulación de tono, corrección de tonalidad | v.TB. **bass control, treble control** || *(Tv)* control de tonalidad.

tone control aperture *(Fototeleg)* diafragma de tintas, control de la gama de tintas. Diafragma cuyo contorno está especialmente diseñado para permitir una variación en la impresión de la película sensible [recording film], en función de la intensidad de la corriente recibida y de las características de dicha película.

tone control circuit *(Electroacús)* circuito de control de tono || *(Tv)* circuito de corrección de tonalidad.

tone control switch conmutador de tonalidad.

tone converter convertidor de tono. Dispositivo utilizado en circuitos telegráficos (alámbricos o inalámbricos) en los que las señales Morse se transmiten por medio de tonos de audiofrecuencia manipulados, para convertir éstos en impulsos de corriente continua. Los impulsos de CC se usan para accionar un relé (mecánico o electrónico), un registrador de cinta, u otro aparato terminal. Típicamente se trata, en esencia, de un amplificador y rectificador de audiofrecuencia que puede funcionar con cualquier frecuencia comprendida en cierta gama (por ejemplo, la de 400 a 5 000 Hz), o que puede estar provisto de filtros pasabanda en el circuito de entrada, para dar paso a las frecuencias de uno solo de los canales, cuando se conecta el convertidor a un circuito múltiple por división de frecuencia. CF. **tone generator-keyer.**

tone correction *(Electroacús)* corrección de tono || *(Tv)* corrección de tonalidad.

tone dialing *(Telef)* selección por tonos. SIN. **pushbutton dialing.**

tone-dialing instrument aparato de selección por tonos.

tone down *verbo:* atenuar.

tone equipment *(Teleg)* equipo de manipulación por tonos [por audiofrecuencias, por frecuencias musicales], equipo de telegrafía armónica. CF. **voice-frequency telegraphy.**

tone filter *(Electroacús)* filtro de tono, filtro corrector de tonalidad.

tone frequency frecuencia de tono; audiofrecuencia, frecuencia acústica; tono de audiofrecuencia.

tone-frequency telegraph unit unidad audiotelegráfica, unidad de telegrafía por frecuencias acústicas.

tone generator generador de tono [de audiofrecuencia]. Generador de señales de audiofrecuencia apropiadas para pruebas y medidas en aparatos y sistemas de audiofrecuencia, o para fines de señalización | generador de tono patrón. Generador como el anterior, pero caracterizado por producir un tono de altura normalizada || *(Teleg)* generador de tono [de frecuencia musical] || CF. **beep tone generator, constant-tone generator, signal generator, siren-tone generator, tone-burst generator, warble-tone generator.**

tone generator-keyer generador-manipulador de tono. Aparato utilizado para la transmisión de señales Morse (por radio o por líneas) en forma de tonos manipulados de audiofrecuencia. Consiste esencialmente en un oscilador (generalmente del tipo "RC") y un circuito de manipulación. A veces este último puede utilizarse con un oscilador externo. Las frecuencias de audio utilizadas pertenecen generalmente a la gama entre 400 y 5 000 Hz. La manipulación de entrada al dispositivo puede efectuarse por impulsos de CC (negativos, positivos, o de dos polaridades) o por apertura y cierre de contactos. CF. **tone converter, tone keyer.**

tone identification signal *(Telecom)* tono de identificación.

tone keyer manipulador de tono. Dispositivo que convierte impulsos de CC o cierres de contacto en tonos de audiofrecuencia que pueden ser transmitidos por línea o utilizados para modular un transmisor. CF. **tone generator-keyer.**

tone keying manipulación de tono.

tone level nivel de tono.

tone localizer localizador de tono || *(Radionaveg)* v. **equisignal localizer.**

tone-modulated *adj:* modulado por tono.

tone modulated signal señal de tono modulado.

tone-modulated wave onda modulada por tono. Onda continua modulada por un tono de audiofrecuencia.

tone modulation modulación de tono.

tone multiplex *(Teleg)* múltiplex de tonos.

tone multiplex equipment equipo múltiplex de tonos, equipo de multiplexión por tonos, equipo de telegrafía armónica múltiplex. CF. **voice-frequency telegraphy.**

tone multiplex signal señal múltiplex de tonos.

tone multiplex terminal terminal múltiplex de tonos.

tone off tono quitado [desconectado], tono ausente. CF. **tone on.**

tone-off idle *(Señalización/Teleg)* reposo con tono quitado. Sistema de *tono de trabajo;* es decir, sistema en el que la ausencia del tono se corresponde con el estado de reposo de los aparatos terminales. SIN. **tono durante trabajo —— tone-off while idle.** CF. **tone-on idle.**

tone-off while idle tono durante trabajo. v. **tone-off idle.**

tone on tono puesto [conectado], tono presente.

tone-on idle *(Señalización/Teleg)* reposo con tono puesto. Sistema de *tono de reposo;* es decir, sistema en el que la presencia del tono se corresponde con el estado de reposo de los aparatos terminales. SIN. **tono durante reposo —— tone-on while idle.** CF. **tone-off idle.**

tone-on or tone-off signaling, tone-on/tone-off signaling señalización por conexión o desconexión [presencia o ausencia] de tono.

tone-on while idle tono durante reposo. v. **tone-on idle.**

tone-operated *adj:* accionado por tono.

tone-operated net-loss adjuster *(Telef)* regulador de equivalente accionado por onda sinusoidal. v. **tonlar.**

tone oscillator oscilador de tono [de audiofrecuencia]. CF. **tone generator.**

tone range gama de los tonos. Gama de frecuencias que ocupa un grupo de tonos | gama de tonalidades; gama de matices; gama de tintas.

tone receive channel *(Telecom)* canal de recepción de tono, canal de recepción de frecuencia musical.

tone receiver receptor de tono.

tone receiver unit unidad receptora de tono. Puede consistir en un solo receptor o en un grupo de ellos, para distintas frecuencias de tono.

tone reproduction *(Fototeleg)* reproducción de tonalidades [de matices]. CF. **picture transmission.**

tone reversal *(Fototeleg)* inversión de tonalidades [de matices, de tonos]. SIN. **picture inversion** (véase).

tone ringer *(Telef)* generador de llamada de frecuencia fónica [vocal].

tone sender transmisor de tono; generador de tono.

tone signal tono de señal, señal de frecuencia musical.

tone-signal test *(Telef)* prueba (de ocupación) con zumbador, prueba con señal de frecuencia musical. SIN. **tone test.**

tone switch *(Electroacús)* conmutador de tono [de tonalidad]. Control de tono (v. **tone control**) en forma de conmutador de múltiples posiciones.

tone telegraph audiotelegrafía, telegrafía por tonos.

tone telegraph apparatus aparato audiotelegráfico [de telegrafía por tonos], aparato de tonos telegráficos.

tone telegraph channel canal audiotelegráfico [de tono telegráfico].

tone telegraph equipment equipo audiotelegráfico [de telegrafía por tonos], equipo telegráfico de tonos [de frecuencias musicales, de frecuencias acústicas].

tone telegraph system sistema audiotelegráfico [de telegrafía por tonos], sistema de telegrafía armónica [por frecuencias musicales].

tone telegraph unit unidad audiotelegráfica, unidad telegráfica de tonos.

tone telegraphy audiotelegrafía, telegrafía por tonos, telegrafía armónica [por frecuencias musicales].

tone test   *(Telef)* prueba (de ocupación) con zumbador, prueba con señal de frecuencia musical. SIN. **tone signal test.**

tone transmit channel   *(Telecom)* canal de transmisión de tono, canal de transmisión de frecuencia musical.

tone tuning receiver   receptor de tono sintonizable.

tone wedge   *(Fototeleg/Facsímile)* escala de matices. Escala óptica [optical step wedge] que contiene cierto número de matices de densidad que varían por pasos entre el negro y el blanco (CEI/70 55–80–170).

tone-wheel   v. **tonewheel.**

toner   pigmento [color] orgánico | pigmento. En los procesos electrostáticos de formación de imágenes, pigmento resinoso negro que hace aquéllas visibles ‖ *(Fotog)* virador.

tonewheel   rueda fónica. (1) Especie de interruptor rotativo que se usó primitivamente para la detección de señales radiotelegráficas de onda continua. Consiste en una rueda capaz de girar a alta velocidad, y provista de un gran número de dientes finos separados por material aislante, sobre los cuales se apoya una escobilla de contacto. Haciendo girar la rueda a la velocidad conveniente se consigue que la frecuencia de las interrupciones entre la escobilla y los dientes difiera ligeramente de la frecuencia de las ondas radioeléctricas entrantes, obteniéndose de ese modo *pulsaciones fónicas,* es decir, de frecuencia audible. CF. **tikker.** (2) En las *videograbadoras* o grabadoras de programas de televisión, rueda que gira junto con la *rueda videomagnética* (rueda de cabezas magnéticas) por estar mecánicamente acoplada al mismo eje que impulsa esta última, y que forma parte del servosistema de corrección de velocidad del motor correspondiente. Mediante un artificio apropiado se genera un impulso eléctrico a cada vuelta de la rueda fónica, de modo que se obtiene un tren de impulsos cuya frecuencia en hertzios es numéricamente idéntica a la velocidad en vueltas por segundo de la rueda fónica. Si ésta gira a la velocidad nominal de p.ej. 240 v/s, se dispone de un generador electrónico de impulsos de referencia que recurren con frecuencia muy exacta de 240 Hz. Se comparan ambos trenes de impulsos en frecuencia y fase (mediante circuitos electrónicos apropiados) y se obtiene una señal de error función de la discrepancia entre ambos trenes. La señal de error se alimenta a un servoamplificador que modifica la alimentación del motor de la rueda videomagnética de modo que desaparezca el error (servosistema con realimentación). A su vez, la frecuencia de los impulsos de referencia es controlada por impulsos derivados de la red de CA o por impulsos de sincronismo procedentes de un generador local o extraídos de la propia señal de vídeo que se graba.

tonewheel amplifier   amplificador de impulsos de rueda fónica.

tonewheel lock (mode)   (modalidad de) enganche con la rueda fónica. Modo de funcionamiento de una videograbadora [video tape recorder] en el cual la rueda fónica regula la velocidad del eje de arrastre de la cinta (de manera que las cabezas videomagnéticas queden centradas respecto a las pistas de videograbación) y la velocidad de la rueda videomagnética [headwheel], de tal suerte que se obtenga una imagen estable con reproducción exacta de las frecuencias de vídeo y de sincronismo. Este modo de funcionamiento (hay otros) es de suficiente precisión para el servicio de rutina en que no existe la necesidad de conmutar entre diferentes fuentes de videoseñales durante el desarrollo del programa. CF. **VTR servo mode.**

tonewheel processor   procesador de impulsos de rueda fónica. Amplifica y da la forma conveniente a los impulsos generados por la rueda fónica.

tonewheel pulse   impulso de rueda fónica.

tonewheel servo(mechanism)   servo(mecanismo) de la rueda fónica. Corrige la velocidad de la rueda de cabezas videomagnéticas [headwheel] en función de una señal de error.

tonewheel signal   señal de la rueda fónica. Tren de impulsos de la rueda fónica.

tongs   *(Herr)* tenazas; mordazas; tenazas de forja; pinzas; alicates.

tongue   lengua, lenguaje, idioma. Idioma o dialecto hablado ‖ *(Campanas)* badajo. SIN. **clapper** ‖ *(Carp)* lengüeta, espiga ‖ *(Estr)* lengüeta ‖ *(Herr)* espiga ‖ *(Mec)* lengüeta, chaveta, espiga ‖ *(Mús)* lengüeta. Pieza vibrante de ciertos instrumentos ‖ *(Geog)* (*i.e.* spit of land; promontory) lengua de tierra; restinga; promontorio, cabo ‖ *(Relés)* lengüeta. En ciertos relés telegráficos, contacto móvil que al ser excitado el dispositivo deja el tope de espacio (tope posterior) y se mueve hacia el de trabajo (tope anterior) ‖ *(Terminales eléc)* lengüeta (de contacto) ‖ *(Vías férreas)* punta movible, punta móvil (de cambiavía), aguja; punta de corazón (de un cruzamiento) ‖ *(Zool)* lengua ‖‖ *verbo:* hablar, usar la lengua; dar expresión a, dar voz a ‖ *(Carp)* machihembrar, engargolar, unir a lengüeta ‖ *(Mús)* tener embocadura; tomar la embocadura.

tongue-and-clevis insulator   *(Elec)* aislador de lengüeta y horquilla.

tongue-and-groove plane   *(Herr)* cepillo machihembrador.

tongue bar   *(Vías férreas)* barra de agujas. Barra que une las dos agujas de un cambio.

tongue rails   *(Vías férreas)* agujas. Piezas de rieles capillados, con un extremo afilado, origen del desvío | puntas de cruzamiento; carriles móviles.

tongue switch   *(Vías férreas)* cambio de aguja.

tonic   *(Medicina)* tónico, cordial ‖ *(Mús)* tónica, dominante ‖‖‖ *adj:* *(Medicina)* tónico, tonificador ‖ *(Mús)* tónico.

tonic accent   *(Acús/Mús, Fonética/Prosodia)* acento tónico.

tonic-train signaling   *(Telef)* señalización en frecuencia vocal.

toning   *(Cine/Fotog)* virado, viraje.

tonlar   *(Telef)* tonlar. Aparato destinado a estabilizar el equivalente de un circuito telefónico [net loss of a telephone circuit] por medio de una onda sinusoidal transmitida durante el tiempo entre dos conversaciones. El término viene de "*ton*e-*o*perated *net-lo*ss *a*djuster" [regulador de equivalente accionado por onda sinusoidal].

tonnage   tonelaje ‖ *(Marina)* arqueo ‖ *(Prensas)* fuerza en toneladas.

tonnage chart   *(Locomotoras)* nomograma de prestación, diagrama de las cargas límites. Gráfica que determina la carga máxima de arrastre.

tonnage rating   *(Locomotoras)* tonelaje remolcado ‖ *(Prensas)* fuerza en toneladas.

tonne   tonelada métrica. Unidad de masa del sistema métrico decimal, equivalente a 1 000 kg. Símbolo: t. SIN. **metric ton.** CF. **ton.**

tonne-kilometer   tonelada-kilómetro. Unidad de tráfico correspondiente al desplazamiento de una tonelada sobre un espacio de un kilómetro. Según la categoría de tráfico considerada, se distinguen:
- la tonelada-kilómetro bruta total [total gross tonne-kilometer] (TKBT);
- la tonelada-kilómetro bruta remolcada [total gross tonne-kilometer hauled] (TKBR);
- la tonelada-kilómetro útil [useful tonne-kilometer, actual tonne-kilometer] (TKU) (CEI/57 30–05–345).

tonometer   *(Acús, Calderas)* tonómetro ‖ *(Medicina)* esfigmomanómetro, esfigmotón. Instrumento para medir la fuerza y frecuencia del pulso | tonómetro. Instrumento para medir la presión hidrostática o tensión intraocular; se utiliza en el diagnóstico del glaucoma.

Tonotron   Tonotrón. Marca registrada (Hughes Aircraft Co.) de un tubo acumulador de visión directa [direct-view storage tube], de borrado selectivo y de gran brillantez de imagen. MICROGLOSARIO:
- **backing electrode** = electrodo de fondo
- **collector electrode** = electrodo colector
- **collimating system** = sistema colimador
- **deflecting yoke** = yugo desviador [deflector]
- **flooding gun** = cañón inundador
- **storage display assembly** = conjunto de acumulación y presentación

- **storage surface** = superficie de acumulación (de cargas)
- **viewing screen** = pantalla de observación [presentación]
- **writing gun** = cañón inscriptor

tonsil   amígdala, tonsila. Glándula situada a cada lado de la entrada de la faringe. SIN. **amygdala** ⫽ *adj:* amigdalino, tonsilar.

tonsil test   *(Cine) (slang)* prueba fonogénica, prueba de la voz (de un actor o una actriz). SIN. **voice test.**

tonsillar, tonsillary   *adj: (Anat)* amigdalino, tonsilar. Referente o perteneciente a las amígdalas o tonsilas. SIN. **amygdaline.**

tool   herramienta; útil, utensilio, instrumento; apero ⫽ *verbo:* labrar, maquinar, mecanizar, trabajar; dotar de herramientas; preparar máquinas-herramienta (para determinado trabajo); instalar máquinas-herramienta; estampar, decorar (una encuadernación) con hierros.

tool-bag   v. **toolbag.**

tool blank   herramienta en blanco; herramienta sin terminar, herramienta en bruto; primordio de herramienta.

tool-box   v. **toolbox.**

tool cart   carretilla para herramientas, carro portaherramientas.

tool-kit   v. **toolkit.**

tool-rack   v. **toolrack.**

tool shop   taller de mecánica.

tool steel   acero para herramientas; acero de corte rápido.

toolbag   bolsa [mochila] de herramientas. LOCALISMO: barjuleta ⫽ *(Telecom)* bolsa [bolsín] de herramientas | **lineman's toolbag:** bolsa de herramientas de celador | **mechanic's toolbag:** bolsa de herramientas de mecánico; equipo de mecánico montador | **plumber's [splicer's] toolbag:** bolsa de útiles de soldar; equipo de soldador.

toolbox   caja de herramientas; portaherramientas; maletín de herramientas; arca de herramientas; herramental.

tooling   preparación de máquinas-herramienta (para efectuar determinado trabajo); preparación de las máquinas fabriles [de fabricación]; herramental (de fabricación); disposición del herramental (para determinada operación o serie de operaciones); diseño y fabricación de herramientas (para determinada producción); labrado, maquinado; estampado, estampación, decorado (de una encuadernación) con hierros.

toolkit   juego de herramientas; bolsa de herramientas; caja de herramientas; herramental.

toolmaker   fabricante de herramientas; herrero de herramientas.

toolmaker's scriber   *(Herr)* punzón de trazar.

toolrack   portaherramientas; anaquel portaherramientas.

tooth   diente; púa; mella, melladura; poder adhesivo ⫽ *(Artes gráficas)* aptitud (del papel) de tomar la tinta ⫽ *(Carp)* espiga invisible ⫽ *(Mec)* diente ⫽ *(Máq eléc)* diente. Parte de hierro comprendida entre dos ranuras [slots] consecutivas (CEI/38 10–40–080, CEI/56 10–30–135) ⫽ *adj:* dental ⫽ *verbo:* dentar, adentar, adentellar, endentar; engranar; mellar.

tooth pitch   *(Máq eléc)* paso dental. (**1**) Distancia periférica entre los puntos medios de dos dientes (o dos ranuras) consecutivos (CEI/38 10–05–105). (**2**) Distancia entre los puntos correspondientes de dos dientes consecutivos (CEI/56 10–30–140) ⫽ *(Engranajes)* paso dental, paso de los dientes. SIN. **tooth spacing.**

tooth space   *(Engranajes)* vano entre dientes. SIN. **tooth spacing.**

tooth spacing   *(Engranajes)* vano entre dientes; espaciamiento de dientes; paso dental [de los dientes].

¹**top**   *(i.e.* uppermost point, part, end, or surface of anything) parte superior, punta superior, alto, cima, cumbre, cúspide, vértice, remate | *(i.e.* cap, lid) tapa, cubierta superior ⫽ *(Autos)* capota, toldo, techo ⫽ *(Árboles)* copa ⫽ *(Aviones)* parte superior ⫽ *(Artes gráficas)* cabeza (de libro, de página) ⫽ *(Cajas)* tapa ⫽ *(Muros, Paredes)* coronamiento, remate ⫽ *(Presas)* coronamiento ⫽ *(Postes de madera)* cogolla ⫽ *(Nubes)* superficie superior ⫽ *(Cerros)* cima, cumbre ⫽ *(Pirámides)* vértice ⫽ *(Constr naval)* cofa ⫽ *(Impulsos)* cúspide; techo (cuando el impulso es rectangular) ⫽ *adj:* superior, más alto; de alta calidad, categoría, o graduación; eminente; máximo; primero, principal ⫽ *verbo:* aventajar, superar; coronar, rematar;

alcanzar la cima de; desmochar; podar la parte superior (de un arbusto); recubrir; amantillar (un aguilón o brazo de grúa); llenar (un recipiente) hasta el tope; cargar al máximo (un acumulador); apretar, llenar por completo (un depósito de combustible).

²**top**   *(Juguete)* trompo, peón. Sinónimos aplicados a tipos particulares: coquera, peonza, perinola, trompa, zumbel.

top aerial   *(Radiocom)* antena de techo. v. **top antenna.**

top antenna   *(Radiocom)* antena de techo. Antena de una estación móvil o de un receptor de automóvil, montada en el techo del vehículo SIN. **top aerial.**

top cap   *(Elecn)* capacete, casquillo [terminal] superior. POCO USADO: casquete. En ciertos tubos o válvulas al vacío, terminal dispuesto en la parte superior de la ampolla e internamente conectado a uno de los electrodos, generalmente la rejilla de control si se trata de un tubo de recepción, o el ánodo en los tubos de transmisión y en algunos tubos rectificadores. SIN. **grid (top) cap, anode (top) cap** | capacete, terminal externo. v. **side contact.**

top capacitive loading   *(Ant)* carga capacitiva terminal; capacidad terminal. CF. **top-loaded aerial.**

top capacitor   *(Ant)* capacidad terminal. v. **top-loaded aerial.**

top-capacitor aerial   antena de capacidad terminal.

top-capacitor antenna   antena de capacidad terminal.

top channel   *(Telecom)* canal superior, canal de frecuencia más alta. El de frecuencia más elevada entre los canales de un grupo.

top cowl auto aerial   v. **top cowl automobile antenna.**

top cowl automobile antenna   antena de automóvil para montaje en la parte superior del capó, antena para montaje en el capó (de un automóvil).

top dead center   *(Mot)* punto muerto superior.

top-dead-center indicator   indicador del punto muerto superior.

top end   extremo [extremidad] superior; remate.

top frequency   frecuencia extrema superior, frecuencia límite superior. CF. **bottom frequency.**

top indicator   *(Meteor)* indicador de la altura de las nubes.

top-light   v. **toplight.**

top-loaded   *adj: (Ant)* de capacidad terminal, con capacidad [carga] terminal, con carga capacitiva terminal.

top-loaded aerial   antena de capacidad terminal. Antena vertical con una capacidad en su extremo superior; esta capacidad está las más de las veces constituida por un conjunto de hilos o por una placa metálica [metal plate] (CEI/70 60–34–345).

top-loaded antenna   antena de capacidad terminal, antena capacitivamente cargada en su extremo superior. V.TB. **top-loaded aerial.**

top-loaded vertical antenna   antena vertical de capacidad terminal, antena vertical de carga (capacitiva) terminal. v. **top-loaded aerial.**

top loading   *(Ant)* carga (capacitiva) terminal. v. **top-loaded aerial.**

top loudspeaker   *(Electroacús)* altavoz de agudos. En un sistema de dos o más vías, altavoz que reproduce los sonidos más altos (extremo superior del registro musical).

top of slope   *(Obras de tierra)* arista del talud. Línea o perfil superior del talud; cresta del talud. SIN. **crest of slope.**

top output   salida máxima; potencia máxima; rendimiento máximo.

top plan view   planta vista, vista superior en planta. CF. **top view.**

top power   potencia máxima.

top priority   prioridad absoluta.

top speed   velocidad máxima.

top sprocket   *(Proyectores de cine)* rodillo dentado superior, rodillo de alimentación. Rodillo dentado por el cual pasa la película inmediatamente después de salir del almacén superior. SIN. **upper sprocket.**

top surface   superficie superior; cara alta ⫽ *(Aeron)* **(of wing)** dorso (del ala).

top track   *(Registro mag)* pista superior.

top view   vista superior, vista desde lo alto [desde arriba] | planta vista, vista superior en planta. SIN. **plan, top plan view**.

topic   tema, asunto, materia. NEOLOGISMO: tópico. SIN. **theme, subject** ||| *adj:* v. **topical**.

topical   *adj:* temático. Relativo o perteneciente a uno o varios temas o asuntos particulares | *(also* topic) tópico, local. Relativo o perteneciente a determinado lugar | de actualidad; contemporario en referencia o alusión.

topical application   *(Medicina)* tópico. Medicamento de aplicación en una región exterior limitada.

topical event   suceso de actualidad [de interés actual].

topical events program   *(Radio/Tv)* programa de actualidades.

topical film   película de actualidades. SIN. **current events film**.

toplight   claraboya; alumbrado cenital [vertical] || *(Tv)* luz alta, luz procedente de un lugar cerca del techo interior del estudio.

topmost   (el) más alto; superior.

topmost tap   *(Elec)* toma superior.

topographer   topógrafo.

topographic   *adj:* topográfico. V.TB. **topographical**.

topographic base   fondo topográfico.

topographic crest   cresta topográfica.

topographic feature   característica topográfica, rasgo topográfico.

topographical   *adj:* topográfico. V.TB. **topographic**.

topographical aerial film   película aérea topográfica.

topographical catalog   catálogo topográfico.

topographical map   mapa [plano] topográfico.

topographical mapping   levantamiento topográfico; cartografía topográfica.

topographical survey   levantamiento topográfico.

topography   topografía ||| *adj:* topográfico.

topological   *adj:* topológico. Relativo o perteneciente a la topología [topology].

topological analysis (of networks)   análisis topológico (de redes).

topological configuration   configuración topológica.

topological duals   *(Elec)* redes [circuitos] en correspondencia dualística topológica.

topological graph   *(Mat)* grafo topológico.

topological group   *(Mat)* grupo topológico. SIN. **continuous group**.

topological space   *(Mat)* espacio topológico.

topological transformation   *(Mat)* transformación topológica.

topology   topología. (1) Estudio topográfico de determinado lugar en relación con su historia. (2) Anatomía de zonas determinadas del organismo || *(Elecn)* topología; configuración topológica. Vista en planta [plan view] de un circuito integrado [integrated circuit] o monolítico [monolithic circuit]; disposición superficial de los elementos que lo componen || *(Mat)* topología. Rama de la geometría que, haciendo abstracción de las dimensiones, estudia las propiedades invariantes en las *deformaciones continuas*. En otros términos, es una geometría de lugares y posiciones relativas, que estudia las propiedades que no son afectadas cuando se deforma una figura, y en la cual son equivalentes dos figuras si puede pasarse de la una a la otra por una deformación continua, cualquiera que sea la ley de ésta. Se distingue así de las *geometrías métricas* (como la de Euclides y otras), que tratan de magnitudes y ángulos. La topología se llamaba antiguamente *análisis situs,* que fue el nombre adoptado por Leibniz; el cambio de denominación fue propuesto por Listing en 1847. En vena ligera se la denomina a veces *geometría de la lámina de goma.* AFINES: topología de conjuntos, espacio topológico, subespacio, conexidad, continuidad, compacidad, espacio regular, espacio regularmente compacto, separación, sucesiones de conjuntos, producto de espacios, espacio de Tychonoff, compactificación, espacio cociente, espacio métrico, espacio seudométrico, espacio completo, metrización, extensión, cadena de puntos, discontinuo

de Cantor, punto de corte, arco topológico, conectabilidad por arcos, elemento cíclico, unicoherencia, representación exponencial, conexidad cíclica, grafo, vértice, arco, regla de Euler, simplemente conexo, multiplicidad bidimensional ||| *adj:* topológico.

topping   *(Hormigón/Mampostería/Pisos)* acabado, capa final (de enlucido), capa de acabado [de desgaste] || *(Carreteras)* capa de rodamiento [de desgaste] || *(Petr)* destilación primaria [inicial], primera destilación || *(Turbinas de vapor)* superposición (de turbinas); ciclo de contrapresión.

topping plant   *(Petr)* planta de (primera) destilación.

topping turbine   turbina superpuesta.

topside ionosphere   ionosfera superior.

topside plating   galvanoplastiado de la parte superior (del objeto).

topside sounder   cohete sonda para medir la concentración iónica en la ionosfera de la parte superior de ésta.

TOR   *(Teleg)* Abrev. de telegraph [teletype, teleprinter, teletypewriter] on radio. La abreviatura se usa con el significado de *múltiplex de dos canales.* CF. **TOM**.

TOR channel   *(Teleg)* canal TOR.

TOR equipment   *(Teleg)* equipo TOR.

torbenite   torbenita, chalcolita. Mineral de uranio que proviene de la alteración de la pecblenda.

torch   antorcha, tea; hacho, hachón; soplete | *(GB)* linterna, lámpara eléctrica de bolsillo.

torch battery   pila de linterna [lámpara eléctrica portátil]. SIN. **flashlight battery**.

torching   *(Avia)* llamarada del escape.

tore   *(Arq, Geom)* toro. v. **torus** ||| *adj:* tórico, toroidal.

tori   Plural de *torus*.

toric   *adj:* tórico, toroidal. Relativo o perteneciente al toro; con forma de toro o de parte de un toro [torus].

torn feed-hole tape stop   *(Teleg)* dispositivo de parada por desgarro de agujeros de progresión. Dispositivo que detiene la transmisión por cinta perforada cuando la cinta tiene desgarrados los agujeros de progresión, o sea, los agujeritos donde entran los dientes que la hacen avanzar; cuando están desgarrados los agujeros de progresión se producen errores en la transmisión.

torn picture   *(Tv)* imagen desgarrada. v. **tearing**.

torn-tape center   *(Teleg)* centro de escala por cinta cortada; centro de retransmisión manual por cinta perforada.

torn-tape message relay equipment   *(Teleg)* equipo de escala por cinta cortada; equipo de retransmisión manual por cinta perforada. Equipo de escala o retransmisión de telegramas por el sistema de cinta cortada o fraccionada.

torn-tape operation   *(Teleg)* explotación por fraccionamiento de cinta perforada; servicio por cinta cortada; escala por el sistema de cinta cortada; retransmisión manual por cinta perforada. v. **torn-tape relay**.

torn-tape relay   *(Teleg)* escala (de tráfico) por cinta cortada [fraccionada], escala [retransmisión] por fraccionamiento y transporte manual de cinta perforada. En las oficinas o estaciones donde se utiliza este método o sistema, se corta la cinta al final de un telegrama (o una serie de telegramas) y se lleva al teleimpresor de retransmisión. La cinta así manipulada es la perforada por una máquina receptora, de modo que no hay necesidad de reperforación por teclado | retransmisión manual por cinta perforada. Retransmisión por cinta perforada (v. **tape relay**) en la que la cinta perforada es transportada por un operador a la posición apropiada de emisión automática. SIN. **manual tape relay** (CEI/70 55–55–120).

torn-tape relay installation   *(Teleg)* instalación de escala por cinta cortada [fraccionada]; instalación de retransmisión manual por cinta perforada.

torn-tape relay system   sistema de escala por cinta cortada [fraccionada], sistema de escala por fraccionamiento y transporte de cinta perforada; sistema de retransmisión manual por cinta perforada.

torn-tape system   v. **torn-tape relay system**.

tornadic   *adj:* tornádico.

tornado   *(Meteor)* tornado; tromba de aire /// *adj:* tornádico.

tornadotron   tornadotrón. Tipo particular de generador de ondas electromagnéticas milimétricas.

toroid   *(Geom)* toroide. (1) Superficie engendrada por una curva cerrada que gira alrededor de un eje que se halla en su mismo plano, pero que no interseca ni contiene a ese eje. (2) Sólido con tal superficie ‖ toroide. Objeto con la forma de la figura geométrica descrita ‖ *(Elec)* bobina toroidal. Bobina que se forma dándole forma de anillo a un solenoide suficientemente largo ‖ *(Elecn)* cámara toroidal de vacío | cámara de vacío. Recinto de forma toroidal evacuado donde son acelerados los electrones. SIN. **doughnut** (CEI/56 07–55–055) /// *adj:* toroidal.

toroid cavity resonator   *(Hiperfrec)* resonador de cavidad toroidal.

toroidal   *adj:* toroidal, en forma de toroide; anular, en forma de anillo; tórico. v. **tore, toroid, torus**.

toroidal coil   (a.c. toroid) bobina toroidal. (1) Bobina que resulta de darle forma de anillo a un solenoide, acercando sus extremos; bobina devanada en forma de hélice toroidal. (2) Bobina devanada sobre un núcleo en forma de toro o anillo, obteniéndose con ella un campo magnético muy concentrado, con mínima dispersión de flujo.

toroidal coordinates   *(Mat)* coordenadas toroidales.

toroidal core   *(Bobinas)* núcleo toroidal [anular].

toroidal element   elemento toroidal.

toroidal gasket flange   brida de junta tórica.

toroidal induced discharge   descarga inducida toroidal.

toroidal klystron   klistrón toroidal.

toroidal permeability   permeabilidad de un cuerpo toroidal.

toroidal pinch   *(Plasmas)* constricción [estricción] toroidal.

toroidal-pinch discharge   *(Plasmas)* descarga de constricción [estricción] toroidal.

toroidal plasmoid   plasmoide toroidal, elemento de plasma en forma de toro.

toroidal potentiometer   potenciómetro toroidal. Potenciómetro cuyo elemento de resistencia está devanado en forma de hélice toroidal.

toroidal repeating coil   *(Telecom)* transformador toroidal. SIN. **toroidal transformer**.

toroidal-shaped   *adj:* (de forma) toroidal, tórico; anular.

toroidal-shaped core   *(Bobinas)* núcleo (de forma) toroidal, núcleo anular.

toroidal-shaped gasket   junta tórica.

toroidal-shaped vacuum envelope   *(Elecn)* recinto de forma toroidal evacuado, cámara toroidal de vacío. v. **toroid**.

toroidal transformer   *(Soldadoras)* transformador toroidal ‖ *(Telecom)* transformador toroidal. SIN. **toroidal repeating coil**.

toroidal tube   tubo toroidal.

toroidal winding   devanado toroidal. v. **toroidal coil**.

torpedo   *(Armamento)* torpedo ‖ *(Ferroc)* torpedo, petardo ‖ *(Petr)* petardo /// *verbo: (Armamento)* torpedear ‖ *(Petr)* dinamitar.

torpedo aircraft   avión torpedero.

torpedo bomber   avión torpedero.

torpedo bombing   torpedeamiento aéreo, lanzamiento de torpedos desde un avión.

torpedo carrier   avión torpedero; embarcación lanzatorpedos.

torpedo nose assembly   conjunto ojival de torpedo.

torpedo plane   avión torpedero.

torpedo rack   *(Aviones torpederos)* portatorpedos.

torque   par, par de fuerzas; par de giro, par de rotación, par torsor, par de torsión; par motor; par resistente; momento (de una fuerza); momento torsor [torsional, de torsión], momento rotativo; efecto de torsión. CF. **rotatomotive force** ‖ *(Instr de medida)* (*i.e.* deflecting torque) par motor, par activo. (1) Par que tiende a desviar la aguja indicadora o a hacer girar el sistema móvil. (2) Momento de rotación [turning moment] producido en el elemento

móvil por el mensurando (magnitud que se mide) o por una magnitud dependiente de éste. SIN. **deflecting couple** ‖ *(Máq/Mot)* fuerza torsional; potencia | v. **torque at rated load, pull-in torque, pull-out torque, braking torque**.

torque amplifier   amplificador de par. Dispositivo con un eje de entrada que presenta un par resistente muy pequeño, y un eje de salida de par motor considerable que gira en correspondencia angular con aquél.

torque arm   *(Mec)* brazo torsor [de torsión] ‖ *(Autos)* barra de torsión; barra de reacción (del puente posterior).

torque at rated load (of a motor)   *(Elec)* par normal (de un motor). En el lenguaje corriente, par útil sobre el árbol correspondiente al régimen nominal [rated operating conditions] (CEI/56 10–40–175).

torque-coil magnetometer   magnetómetro de bobina giratoria. Magnetómetro en el que una bobina capaz de girar en el seno del campo que se mide, es recorrida por una corriente de valor conocido que produce en ella un par de giro en función del campo.

torque component   componente del par de torsión.

torque converter   convertidor [transformador] de par, convertidor de torsión, convertidor del par motor [del par de giro].

torque effect   efecto de torsión; efecto del par de torsión.

torque gage, torque gauge   torsiómetro, indicador de torsión. SIN. **torquemeter**.

torque gradient   *(Sincros)* gradiente de torsión. Cociente del par de torsión que desarrolla el dispositivo por la diferencia angular entre los rotores del transmisor y el receptor.

torque indicator   indicador (del par) de torsión. SIN. **torquemeter**.

torque/inertia ratio   *(Servos)* razón par/inercia. Aceleración angular de un servomotor calculado por el cociente entre el par a la velocidad crítica [stall torque] y el momento de inercia [moment of inertia] del rotor. SIN. **acceleration at stall, torque-to-inertia ratio**.

torque-limiting wrench   v. **torque wrench**.

torque measurer   torsiómetro, medidor de torsión. SIN. **torquemeter**.

torque-meter   v. **torquemeter**.

torque motor   motor de par (constante), motor productor de par, motor de par de torsión. Motor eléctrico proyectado para que ejerza un par torsor aún cuando esté estacionario o girando lentamente | motor de par. Motor que puede ejercer su par aunque esté parado, durante un período de tiempo especificado; esta condición puede exigir un modo especial de alimentación del motor (CEI/66 37–35–085).

torque-operated wattmeter   vatímetro que funciona por torsión.

torque output   par motor útil.

torque-producing   *adj:* productor de par, que engendra un par.

torque-producing system   sistema que engendra un par [el par].

torque spanner   llave de tuercas torsiométrica [de apriete prefijado].

torque-speed characteristics   (curva) característica de par-velocidad.

torque stand   banco [plataforma de prueba] para medir el par motor.

torque summation   suma de pares motores, suma de momentos torsores.

torque synchro   sincro de fuerza [de potencia] | síncrono de fuerza. Caso particular de síncrono que: (a) utilizado como receptor, puede arrastrar un mecanismo industrial [power mechanism] sin que el error angular [angular error] alcance un valor inconveniente; (b) utilizado como transmisor, puede alimentar la energía eléctrica necesaria a un síncrono de fuerza funcionando como receptor (CEI/66 37–35–040).

torque test   *(Ensayo de alambres)* prueba de torsión.

torque-to-inertia ratio   v. **torque/inertia ratio**.

torque tube   tubo de torsión.

torque/weight ratio   razón par/peso | (of a meter) par específico (de un contador). Razón entre el par motor [driving torque] para la potencia nominal y el peso del elemento móvil (CEI/58 20–40–165).

torque wrench *(Herr)* llave dinamométrica [indicadora del par de torsión], llave de torsión [de apriete prefijado]. SIN. **torque-limiting wrench, torquer.**

torquemeter torsiómetro, medidor de par (de torsión), medidor de momento torsional; indicador de par motor. SIN. **torque gage [indicator, measurer]** | *(i.e.* instrument for measuring torque) torsiómetro. Aparato de medida de pares (CEI/58 20–15–230). CF. **torsiometer.**

torquer motor de par. v. **torque motor** | motor plano. v. **pancake motor** ‖ *(Herr)* v. **torque wrench.**

torr torr. Nombre adoptado internacionalmente para la presión de un milímetro de mercurio; derívase del nombre de Torricelli. Aunque se recomienda no abreviar *torr*, a veces se usa para designar esta unidad la letra *τ*.

torsimeter v. **torsiometer.**

torsiometer *(also* torsimeter) torsímetro, torsiómetro, dinamómetro de torsión. Aparato para la medida de la fuerza transmitida por un eje giratorio. CF. **torquemeter.**

torsion torsión; torcedura ⫫ *adj:* torsional, torsor, torsivo, de torsión.

torsion bar *(Autos, Bogies)* barra de torsión.

torsion couple par de torsión. Par producido por la torsión de un hilo o de un resorte (CEI/38 20–40–095). SIN. **torsion torque.**

torsion electrometer electrómetro de torsión.

torsion galvanometer galvanómetro de torsión.

torsion meter torsímetro, torsiómetro, medidor [indicador] de torsión. SIN. **torsiometer.**

torsion pendulum péndulo de torsión.

torsion spring resorte [muelle] de torsión.

torsion-string galvanometer galvanómetro de cuerda [fibras] de torsión. Galvanómetro cuyo sistema móvil está suspendido por dos fibras paralelas que tienden a torcerse la una sobre la otra. CF. **string galvanometer.**

torsion test (a.c. torsional test) prueba [ensayo] de torsión.

torsion torque *(i.e.* torque produced by torsion) par de torsión. Par producido por la torsión de un hilo o de un resorte (CEI/58 20–40–150).

torsional *adj:* torsional, torsor, torsivo, de torsión.

torsional instability inestabilidad torsional [de torsión].

torsional moment momento de torsión.

torsional stiffness rigidez torsional.

torsional strength resistencia a la torsión.

torsional stress esfuerzo torsional [de torsión].

torsional test v. **torsion test.**

torsional vibration vibración torsional [de torsión].

torsional wave (in a rod) onda torsional (en una barra).

torsionally *adv:* torsionalmente; por torsión.

torsionally prestrained *adj:* predeformado por torsión.

torsionally rigid *adj:* torsionalmente rígido.

torus toro; anillo. PLURAL INGLES: tori ‖ *(Arq)* toro. Moldura gruesa en forma de media caña. SIN. **tore** ‖ *(Anat)* torus. Comba, proyección, o engrosamiento redondeados ‖ *(Biol)* torus. Receptáculo [receptacle] de una flor; estructura de forma semejante ‖ *(Zool)* torus. Surco o pliegue ‖ *(Geom)* toro. Sólido engendrado por un círculo que gira alrededor de un eje situado fuera del círculo, pero en su mismo plano; es, por tanto, un caso particular del toroide (v. **toroid**); superficie con la forma de un buñuelo o rosca [doughnut]. SIN. **tore, anchor ring** ⫫ *adj:* tórico; toroidal; anular.

TOS Abrev. de temporarily out of service.

TOT Abrev. de total.

total total; suma (numérica) ⫫ *adj:* total; completo, entero ⫫ *verbo:* totalizar; sumar; ascender a; formar un total de.

total absorption (of neutrons) absorción total (de neutrones).

total amplitude amplitud total.

total amplitude of an oscillating quantity amplitud total de una magnitud oscilante. Diferencia entre los valores máximos y mínimos de la magnitud oscilante durante un intervalo de tiempo dado (CEI/38 05–05–210).

total amplitude of oscillation of a periodic quantity amplitud total de oscilación. Diferencia entre el máximo y el mínimo de la magnitud durante un período. En el caso de las oscilaciones sinusoidales [sinusoidal oscillations] se usa a veces la expresión *doble amplitud* [double amplitude] (CEI/56 05–02–100).

total angular momentum quantum number *(Elecn)* número cuántico interno. Número que caracteriza la resultante de los campos magnéticos engendrados por el electrón, debidos por una parte a su movimiento orbital [orbital movement], y por la otra a su movimiento de giro sobre su propio eje [revolving on its own axis]. Los valores de este número *j* forman una sucesión discontinua de números semienteros (CEI/56 07–15–095).

total anode power input *(Tr)* potencia total anódica de entrada. Suma de la potencia anódica de entrada y de la potencia alterna suministrada al ánodo de un tubo electrónico modulado por la fuente de modulación [source of modulation] (CEI/70 60–42–230) | potencia total de entrada de ánodo.

total attenuation coefficient *(Radiol)* coeficiente de atenuación total, coeficiente de atenuación (lineal). v. **linear attenuation coefficient.**

total basic weight *(Avia)* peso básico total.

total binding energy *(Nucl)* energía total de enlace [unión].

total body radiation *(Radiol)* irradiación total. Técnica de radioterapia en la cual es irradiado el cuerpo entero. SIN. **spray radiation treatment, whole-body irradiation** (CEI/64 65–25–050).

total break time *(Elec)* duración total de ruptura (de un disyuntor). v. **interrupting time (of a switching device).**

total capacitance capacitancia total. Capacitancia entre un conductor y un grupo de otros conductores conectados entre sí. CF. **total electrode capacitance.**

total card counter *(Informática)* contador totalizador de tarjetas.

total charge number *(Nucl)* número de carga total.

total check *(Teleg)* cómputo total (de palabras).

total combined regulation *(Fuentes de alimentación estabilizada)* regulación total combinada. Efecto resultante de varios cambios simultáneos en las condiciones de funcionamiento, cuando los efectos de los mismos son aditivos. CF. **total regulation.**

total comparing *(Informática)* comparación de totales.

total continuous-spectrum noise *(Rec)* soplido. Parte del ruido interno, de espectro continuo, debido al conjunto de la agitación térmica [thermal agitation], el efecto de granalla [shot effect], el efecto de centelleo [flicker effect], etc. SIN. **hiss** (CEI/70 60–44–130) | ruido total de espectro continuo.

total cross-section *(Nucl)* sección eficaz total. Suma de las secciones eficaces para todas las interacciones distintas entre la radiación incidente y un blanco determinado (CEI/68 26–05–730).

total curvature *(Mat)* curvatura íntegra [total]. Integral de la curvatura gausiana a lo largo de una línea. En un triángulo geodésico la curvatura íntegra es igual al exceso esférico.

total curvature of a lens *(Opt)* curvatura total de una lente.

total cyanide *(Electroquím/Electromet)* cianuro total. Cantidad total de radical cianuro (CN) libre o combinado (CEI/60 50–30–245).

total cylinder capacity *(Mot)* cilindrada total.

total degraded-electron spectrum *(Nucl)* espectro total de los electrones degenerados.

total delay on an international call *(Telef)* tiempo total de espera para una comunicación internacional.

total derivative *(Mat)* derivada total.

total determination *(Mat)* determinación total.

total deviation (of a prism) desviación total (de un prisma).

total differential *(Mat)* diferencial total.

total distortion *(Elecn/Telecom)* distorsión total. Suma de todas las formas de distorsión que afectan a una señal.

total drag *(Aeron)* resistencia total al avance.

total earth *(Elec)* conexión completa a tierra.

total effective collision cross-section *(Nucl)* sección específica de choque [de colisión]. Suma de las secciones eficaces de choque de los átomos o de las moléculas contenidos en el volumen de un gas.

total electrode capacitance *(Elecn)* capacidad electródica total, capacitancia total de (un) electrodo. v. **total capacitance** | capacidad de electrodo. Capacidad de un electrodo respecto a todos los demás electrodos conectados entre sí (CEI/56 07–28–080).

total electron binding energy energía total de enlace electrónico [de los electrones], energía total de ligadura de los electrones. Energía necesaria para alejar los electrones de un átomo a distancia infinita del núcleo y a distancia también infinita uno de otro, dejando el núcleo solitario.

total emission *(Elecn)* emisión total, corriente de saturación. Valor de la corriente producida bajo la influencia de un potencial tal que todos los electrones emitidos por un cátodo sean alejados de él.

total emissivity (of a thermal radiator) coeficiente de emisión total (de un radiador térmico) | poder emisivo total (de un radiador térmico). Razón de la emitancia de radiación [radiant emittance] del radiador térmico por la del cuerpo negro [blackbody, full radiator] a la misma temperatura (CEI/58 45–05–125).

total energy energía total.

total error error total, error suma.

total excursion *(Instr de medida)* excursión total.

total exposure *(Radiol)* exposición total.

total field campo total. Vector intensidad de campo magnético total [total magnetic field intensity vector], incluidas las componentes engendradas por los movimientos de cargas subatómicas en el seno del material, así como las originadas por corrientes eléctricas normales. CF. **magnetic induction.**

total filter *(Radiol)* *(i.e.* filter made up of inherent and added filters) filtro total. Filtro constituido por filtros inherentes y adicionales (CEI/64 65–10–520).

total float *(PERT)* tiempo libre total (de una actividad). Tiempo en que puede retrasarse el comienzo de una actividad o prolongarse su realización, sin que se altere la duración total de la obra, o sea, el tiempo total de realización del proyecto. SIN. **activity slack.** CF. **relative slack.**

total flying time *(Avia)* total de horas de vuelo.

total functional resistance resistencia total funcional. En los potenciómetros bobinados, resistencia medida entre las extremidades de la resistencia bobinada cuando están abiertas las conexiones de los bornes de salida, con exclusión de las resistencias de cola (v. **end resistance**) que puedan existir. CF. **function angle.**

total gross load (of a train) carga bruta total, peso total (de un tren). Total de la carga bruta remolcada [gross load hauled] y del peso de los vehículos motores [motor vehicles]. SIN. **total load** (CEI/57 30–05–300).

total gross ton-mile tonelada-milla bruta total. CF. **tonne-kilometer.**

total gross ton-mile hauled tonelada-milla bruta remolcada. CF. **tonne-kilometer.**

total gross tonne-kilometer tonelada-kilómetro bruta total. v. **tonne-kilometer.**

total gross tonne-kilometer hauled tonelada-kilómetro bruta remolcada. v. **tonne-kilometer.**

total gross traffic tráfico bruto total. Producto de la longitud de un recorrido por las cargas brutas totales desplazadas sobre ese recorrido (CEi/57 30–05–330).

total hangover time *(Supresores de eco de acción continua)* tiempo de vuelta al reposo. v. **echo suppressor.**

total harmonic content contenido total de armónicas, conjunto de las armónicas presentes en una señal.

total harmonic distortion distorsión armónica total [global].

total harmonic ratio *(Telecom)* atenuación de distorsión armónica total. Expresión, en unidades de transmisión [transmission units], de la inversa del coeficiente de distorsión armónica total [reciprocal of the coefficient of harmonic distortion].

total hash *(Informática)* total de comprobación. Suma de números (de determinado campo de un registro o de determinado grupo de registros) usada para fines de comprobación (busca de errores), y que carece de todo otro significado.

total heat *(Fís)* calor total, entalpia. SIN. **enthalpy.**

total hemispherical radiometer radiómetro hemisférico total.

total impulse *(Vehículos espaciales)* impulso total.

total internal reflection *(Opt)* reflexión interna total.

total ionization *(Nucl)* ionización total. Número total de pares de iones producidos por una partícula ionizante [ionizing particle] a lo largo de toda su trayectoria (CEI/68 26–05–285).

total kinetic energy *(Nucl)* energía cinética total.

total load *(Avia)* carga total || *(Ferroc)* (of a train) carga bruta total, peso total (de un tren). v. **total gross load (of a train).**

total losses pérdida total (de energía). Suma de las pérdidas de energía que ocurren en un dispositivo. En el caso de un transformador, suma de las pérdidas en vacío y con carga.

total luminous flux (of a light source) flujo luminoso total (de un foco de luz). Total de la luz emitida por el foco en todas las direcciones.

total mass *(Nucl)* masa total. SIN. **mass sum.**

total mass number *(Nucl)* número de masa total.

total mean power radiated potencia media total radiada.

total momentum change *(Fís)* variación total de la cantidad de movimiento.

total multiplex signal *(Telecom)* señal múltiplex global. Señal constituida por el conjunto de las señales correspondientes a todos los canales o vías de un sistema de transmisión múltiplex.

total neutron flux flujo total de neutrones.

total noise level nivel de ruido total.

total nuclear binding energy energía total de enlace nuclear. Energía necesaria para descomponer un núcleo atómico en sus nucleones constituyentes.

total operating time tiempo total de funcionamiento; tiempo total de operación; duración total de servicio | (of a fuse) duración total de ruptura (de un cortacircuito de fusible). Suma de la duración de prearco [prearcing time] y de la duración de arco [arcing time] (CEI/57 15–25–090).

total particle energy *(Nucl)* energía total de las partículas.

total peak deviation *(Sist múltiplex de MF)* excursión total máxima (de frecuencia).

total piston displacement *(Mot)* cilindrada total. SIN. **total cylinder capacity.**

total polarization error *(Radiogoniometría)* error total de polarización. Valor máximo que alcanza el error de polarización de un radiogoniómetro cuando el desfase entre las componentes horizontales y verticales del campo eléctrico varía, estando especificadas y permaneciendo fijas la razón de amplitudes de esas componentes, así como la dirección de propagación (CEI/70 60–71–150) | error de polarización máximo.

total pressure presión total. En física, presión que se alcanzaría en un punto de un fluido en circulación si en ese punto el fluido fuera llevado al reposo isentrópicamente (v. **isentropic**).

total print *(Informática)* impresión de totales.

total-print control control de impresión de totales.

total-print emitter emisor de impresión de totales.

total printing *(Informática)* impresión de totales.

total program couple *(Informática)* acople total de programa.

total punch column *(Informática)* columna de perforación de totales.

total radiation pyrometer pirómetro de radiación total. Pirómetro que utiliza un dispositivo óptico para concentrar sobre un par termoeléctrico [thermocouple] las radiaciones de una parte determinada de la fuente de calor cuya temperatura quiere medirse (CEI/58 20–15–215).

total radiation temperature   temperatura de radiación total. Temperatura de un radiador completo [full radiator] a la cual éste tiene la misma emitancia de radiación [radiant emittance] que el cuerpo considerado.

total range   (*Aparatos de medida*) (a.c. range) margen, alcance, margen de alcance. Intervalo entre los límites de posible indicación o registro de la magnitud medida.

total reaction power   (*Nucl*) densidad de la energía de reacción total.

total reaction rate   (*Nucl*) velocidad de reacción total.

total reactivity   (*Nucl*) reactividad total.

total reactivity absorbed   (*Nucl*) reactividad total absorbida.

total reflectance   (*Propiedades fotométricas de la materia*) reflectancia total | (of a body) (a.c. reflectance) factor (total) de reflexión (de un cuerpo). Razón del flujo luminoso reflejado por el cuerpo (con difusión o sin ella), al flujo que el mismo recibe. En la reflexión mixta [mixed reflection], el factor (total) de reflexión es la suma de dos componentes: el factor de reflexión regular [regular reflection factor] y el factor de reflexión difusa [diffuse reflection factor]. SIN. (total) reflection factor (of a body) (GB) (CEI/58 45–20–030).

total reflection   reflexión total.

total reflection factor   (GB)   (*Propiedades fotométricas de la materia*) (of a body) factor (total) de reflexión (de un cuerpo). v. total reflectance.

total regulation   (*Fuentes de alimentación estabilizada*) regulación total. Suma aritmética de las variaciones de la salida atribuidas a cambios no simultáneos en las condiciones de funcionamiento. CF. total combined regulation.

total resistance   (*Potenciómetros*) resistencia total. Resistencia óhmica entre los terminales o bornes de entrada estando el eje de mando en la posición de máxima resistencia || (*Tracción eléc*) esfuerzo resistente total. ABREVIADAMENTE: esfuerzo total. Suma del esfuerzo resistente en horizontal y alineación recta, el esfuerzo debido a las curvas, y el esfuerzo debido a la gravedad (CEI/57 30–05–155).

total resisting effort   (*Tracción eléc*) esfuerzo resistente total. Esfuerzo total que se opone al movimiento de un vehículo o de un tren. Es la suma de los esfuerzos resistentes en horizontal y alineación recta a pequeña velocidad constante (esfuerzo resistente de rodadura), los esfuerzos suplementarios en curva, y los debidos a la gravedad y a la resistencia del aire (CEI/38 30–05–070).

total specific ionization   (*Nucl/Radiol*) ionización específica (total). v. specific ionization.

total spectral emissivity   poder emisivo espectral total. CF. spectral emissivity, total emissivity (of a thermal radiator).

total stopping distance   (*Carreteras*) distancia total de detención. Distancia total recorrida por un vehículo medida desde el instante en que el conductor percibe la necesidad de detenerlo lo más rápidamente posible, hasta el instante en que el vehículo queda detenido; incluye la distancia de reacción del conductor [reaction distance] y la de detención del vehículo [stopping distance].

total telegraph distortion   distorsión telegráfica total. Pérdida de calidad de la transmisión telegráfica en función del desplazamiento en el tiempo de las transiciones entre los estados de reposo y trabajo, en relación con sus posiciones correctas; se expresa generalmente en tanto por ciento de la duración ideal del impulso unidad [unit pulse], o sea, el impulso más breve del código empleado en la transmisión. V.TB. telegraph distortion.

total thermal power   potencia térmica total. En el caso de los reactores nucleares es en principio igual a la potencia neutrónica; equivale a la suma de las energías disipadas por unidad de tiempo en todas las fisiones producidas en el reactor.

total time constant   (*Transductores mag*) constante de tiempo global. De un transductor, constante de tiempo de la ley de

variación de la magnitud de salida después de una variación brusca de la tensión de mando, en condiciones de funcionamiento determinadas (CEI/55 12–10–045). CF. input time constant, residual time constant.

total transition probability   (*Fís*) probabilidad total de transición. Suma de las probabilidades de transición de un sistema a partir de un mismo estado.

total transition time (of a circuit)   tiempo de transición total (de un circuito). Intervalo de tiempo entre el instante en que la entrada alcanza el 10 por ciento de una variación y el instante en que la salida alcanza el 90 por ciento de la variación correspondiente; es, por tanto, igual a la suma del tiempo de retardo y el tiempo de subida [rise time] o de bajada [fall time], según el caso.

total transmission factor   (GB)   (*Propiedades fotométricas de la materia*) (of a body) (a.c. transmission factor) factor (total) de transmisión (de un cuerpo).

total transmittance   (*Propiedades fotométricas de la materia*) transmitancia total | (of a body) (a.c. transmittance) factor (total) de transmisión (de un cuerpo). Razón del flujo luminoso transmitido por el cuerpo, al flujo que el mismo recibe. En la transmisión mixta [mixed transmission], el factor (total) de transmisión es la suma de dos componentes: el factor de transmisión regular [regular transmission] y el factor de transmisión difusa [diffuse transmission]. SIN. (total) transmission factor (of a body) (GB) (CEI/58 40–20–065).

total video signal   señal de video global. CF. composite video signal.

total watts   potencia total en vatios; rendimiento total en vatios; consumo total en vatios.

total weight   peso total.

total white count   (*Medicina*) recuento leucocitario total.

total wing area   (*Aeron*) área total del ala.

totaled   *adj:* totalizado.

totality   totalidad.

totalize   *verbo:* totalizar.

totalized   *adj:* totalizado.

totalizer   totalizador; integrador.

totalizing   totalización; integración /// *adj:* totalizador, de totalización; integrador, de integración.

totalizing function   (*Contadores*) función de totalización.

totalizing instrument   instrumento totalizador; instrumento integrador.

totally   *adv:* totalmente; completamente.

totally bounded   (*Mat*) totalmente acotado.

totally convex   (*Mat*) totalmente convexo.

totally convex operator   (*Mat*) operador totalmente convexo.

totally disconnected   totalmente [completamente] desconectado || (*Mat*) totalmente inconexo.

totally disconnected set   (*Mat*) conjunto totalmente inconexo.

totally enclosed   totalmente cerrado [encerrado, cubierto] | (*i.e.* protected by a particularly strong enclosure) acorazado, blindado; dentro de un cárter, encerrado en un cárter.

totally enclosed apparatus   aparato cerrado. Aparato completamente encerrado en una caja que hace imposible, en tanto la caja esté en su lugar, la introducción de cuerpos extraños [foreign bodies] que puedan establecer un contacto accidental o voluntario con una pieza bajo tensión eléctrica [live part] (CEI/57 15–10–040).

totally enclosed gear   engranaje encerrado en un cárter.

totally enclosed machine   máquina cerrada. Máquina cuyos orificios están obturados por tapas que impiden, sin que la máquina sea absolutamente hermética, el intercambio de aire entre el interior de la máquina y el medio ambiente, excepto por las juntas. La máquina está protegida contra los contactos accidentales o voluntarios y contra la penetración de cuerpos sólidos, polvos gruesos, o proyecciones de agua, cualquiera que sea la dirección de donde vengan. Una máquina cerrada puede, no obstante, estar provista de boquillas de aspiración y de expulsión conectadas a canalizaciones que permitan el enfriamiento por medio de aire tomado fuera del medio contra el cual quiere protegerse la máquina. En este último caso la máquina se llama a veces *máquina cerrada con canalización de aire* [duct- or pipe-ventilated machine] (CEI/56 10–05–185).

totally enclosed motor   motor cerrado; motor totalmente encerrado; motor acorazado [blindado] | motor no ventilado. Motor sin medios de comunicación entre el aire exterior y el aire interior (CEI/57 30–15–395). CF. **ventilated motor, ventilated totally enclosed motor.**

totally ionized gas   gas totalmente [completamente] ionizado. SIN. **completely ionized gas.**

totally overcast sky   cielo totalmente cubierto.

totally unbalanced currents   (*Elec*) corrientes totalmente desequilibradas.

TOTCK   (*Teleg*) Abrev. de total check.

¹**tote**   (*i.e.* burden; load) carga ∭ *verbo:* (*i.e.* haul; lug) acarrear, transportar; llevar, arrastrar (de un lado para otro) | (*i.e.* have on one's person; pack) llevar (consigo), llevar encima, cargar.

²**tote**   totalizador ∭ *verbo:* totalizar.

tote box   (*Talleres*) bandeja para piezas.

tote tray   (*Talleres*) bandeja para piezas ‖ (*Cong/Refrig*) bandeja auxiliar.

totem pole   pilar totémico.

totem-pole amplifier   (*Elecn*) amplificador "en pilar totémico".

totient (of an integer)   (*Teoría de los números*) indicador (de un entero). Número de enteros menores que un entero dado y primos del mismo; es decir, que son primos entre sí [relatively prime] el entero dado y cada uno de los enteros del conjunto.

touch   toque; tacto; pulsación (de una tecla, de un teclado) ∭ *verbo:* tocar, tentar, palpar; pulsar (un teclado).

touch calling keyset   (*Telef*) botonera de llamada, teclado de llamada por tonos. Teclado o botonera para efectuar llamadas por la emisión de tonos de frecuencia vocal. En su versión más conocida el dispositivo comprende dos osciladores de audiofrecuencia, de los cuales uno es capaz de funcionar a una de entre cuatro frecuencias ("grupo bajo"), y el otro a una de entre tres frecuencias más altas que las anteriores ("grupo alto"). La pulsación de cada tecla provoca la emisión de una combinación de dos tonos (entre siete posibles), uno del "grupo bajo" y otro del "grupo alto". Estas combinaciones de tonos vienen a reemplazar los trenes de impulsos de CC tradicionalmente utilizados para la selección automática. V.TB. **touch-tone system.**

touch calling receiver   receptor de llamada por tonos. Dispositivo que recibe las señales multifrecuencia (dos tonos) emitidas por el teclado de llamada por tonos [touch calling keyset], separa los dos tonos de cada par (mediante filtros apropiados), y los convierte en señales de corriente continua que alimentan dos de entre un grupo de siete relés; cada par de estos relés corresponde a uno de los diez dígitos.

touch control   control de toque manual. Circuito electrónico que provoca el cierre de un relé cuando se establece con el dedo o con la mano un puente entre dos piezas metálicas convenientemente dispuestas.

touch-dial telephone   teléfono de botonera, teléfono de llamada por tonos. V. **touch calling keyset.**

touch-tone calling   (*Telef*) llamada por botonera [por tonos].

touch-tone dialing   (*Telef*) llamada por botonera, llamada [selección] por tonos.

touch-tone receiver   (*Telef*) receptor de llamada por tonos.

touch-tone system   (*Telef*) sistema de llamada por botonera, sistema de selección por tonos. Sistema de selección en el que la clásica técnica de marcar el número deseado por rotación de un disco emisor de trenes de impulsos de CC, es reemplazada por la pulsación de una botonera cuyos botones provocan cada uno la emisión de una combinación única de tonos correspondiente a uno de los diez dígitos, o a una función auxiliar. V.TB. **touch calling keyset.**

touch-tone telephone   teléfono de botonera [de llamada por tonos]. Aparato telefónico con sistema de marcar por botonera.

touch typing   mecanografía al tacto. Mecanografía sin mirar el teclado y utilizando todos los dedos de ambas manos.

touch up   *verbo:* retocar.

touch-up   v. touchup.

touchdown   (*Avia*) toma de contacto; toque del avión con el suelo [con la pista]; momento de tomar contacto [de tocar el suelo]; punto de toma de contacto | punto de contacto (con el suelo). Punto imaginario en el que la trayectoria de planeo [glide path] se encuentra con la pista.

touchdown point   (*Avia*) punto de toma de contacto; punto de contacto (con el suelo).

touchdown speed   velocidad de toma de contacto.

touchdown zone   zona de toma de contacto.

touchup   retoque ‖ (*Fotog, Pintura*) retoque.

touchup adjustment   ajuste de retoque, retoque de un ajuste.

touchup gun   (*Pintura*) pistola para retoques [para retocar].

touchup kit   juego para retoques. Juego de elementos (pintura, brocha, etc.) para retocar el acabado de los equipos cuando éste se daña accidentalmente o por el uso.

tough   *adj:* tenaz; correoso; resistente; duro, tieso, rígido; difícil, arduo, penoso.

toughness   tenacidad; correa; resistencia; dureza, tesura, rigidez; dificultad.

touring aircraft   avión de turismo.

tourism   turismo ∭ *adj:* turístico, de turismo.

tourist   turista ∭ *adj:* turístico.

tourmaline   (*also* tourmalin) turmalina. Cristal natural con propiedades piezoeléctricas muy pronunciadas.

tourniquet   (*Cirugía*) torniquete.

Touschek effect   efecto Touschek. Fenómeno por el cual se reduce la duración de un haz de electrones en un anillo de almacenamiento, y que resulta de choques aleatorios entre los electrones del haz, con eliminación de partículas.

tow   estopa; remolque, acoplado; lo que va remolcado ‖ (*Marina*) atoaje, toaje. (**1**) Procedimiento por el cual un barco avanza por un río o un canal tirando por la proa de un cable o una cadena fijos tendidos a lo largo del lecho del río o el canal, y dejándolo caer por la popa. (**2**) Por extensión, arrastre de una barcaza o un convoy de barcazas por un remolcador; la propia barcaza o convoy ∭ *verbo:* remolcar, arrastrar ‖ (*Marina*) remolcar, atoar, toar; sirgar, silgar.

tow-cable release mechanism   mecanismo de desenganche del cable de remolque.

tow pilot   piloto de avión remolcador.

tow plane   avión [aeroplano] remolcador.

tow target   v. towed target.

tow tractor   v. towing tractor.

towed flight   (*Avia*) vuelo remolcado.

towed glider   (*Avia*) planeador remolcado.

towed start   (*Avia*) despegue remolcado.

towed target   (*Avia*) blanco remolcado; manga remolcada, manga [cono] de tiro.

tower   torre; castillete; torreón | torre. Estructura metálica de bastante altura que sirve para el soporte de una o varias antenas, o que se utiliza con otra estructura igual para suspender los conductores de una antena de transmisión. Puede ser delgada y de sección uniforme, o afilada con base amplia | (*i.e.* tower radiator) torre [mástil] radiante, radiador de torre | torre, castillete. (**1**) Soporte compuesto, desprovisto generalmente de riendas (CEI/38 60–15–090). (**2**) Apoyo constituido por materiales cualesquiera que comprende un fuste, generalmente cuadrangular, con ménsulas o travesaños (CEI/65 25–25–130). CF. **lattice tower, tower body** ‖ (*Sist de encendido de motores*) pilar (de bobina, de distribuidor) ‖ (*Puentes*) pila, machón, macho.

tower beacon light   luz de balizamiento de (la) torre.

tower body   (*i.e.* vertical structure of a tower) fuste (de un apoyo). Parte vertical de una torre o castillete (CEI/65 25–25–145).

tower building   edificio torre. En las redes de enlaces hertzianos por microondas, edificio de altura considerable en relación con el área que ocupa en el terreno, y que se utiliza en función de torre para el montaje de antenas, además de proveer locales o salas para el alojamiento de equipos y otros fines.

tower car   (*Tracción eléc*) carro de torre, carro andamio. v. **tower truck.**

tower clock   reloj de torre.

tower clock movement   máquina de reloj de torre.

tower foreman   capataz de torres. En relación con las redes de radiocomunicación, jefe de los montadores y los obreros que trabajan en la erección de torres, el montaje de antenas, y la conservación de estas estructuras (pintura, ajuste de vientos, limpieza de terrenos, etc.).

tower grounding   puesta a tierra de la torre. Puesta a tierra de una torre de antenas, para fines de protección contra los rayos.

tower hardware   herrajes de torre.

tower identification light   (*Avia*) luz identificadora de (la) torre.

tower launcher   torre para el lanzamiento de cohetes.

tower light   luz de torre, baliza luminosa de torre.

tower-light alarm panel   panel de alarma de las luces de torre. Panel que da la alarma en caso de falla de las luces de una torre, falla que crea riesgos para los aviones en vuelo.

tower-light failure   falla de las luces de torre, interrupción del balizamiento luminoso de la torre.

tower lighting   iluminación [balizamiento luminoso] de torre; luces [faros] de seguridad para aviones en vuelo.
MICROGLOSARIO:
- beacon=baliza luminosa
- beacon lamp=lámpara balizadora
- flasher circuit=circuito destellante
- sidelight lamp=lámpara lateral
- top lamp=lámpara del tope

tower-lighting equipment   material de iluminación [balizamiento luminoso] de torre.

tower-lighting isolation coil   bobina separadora [reactor de RF] para instalación de balizamiento de torre. Reactor de radiofrecuencia que se intercala en el circuito de iluminación o balizamiento de una torre de transmisión para impedir que circulen por él las corrientes inducidas por las emisiones de radio.

tower-lighting transformer   transformador para iluminación de torre. Transformador especial para la alimentación de las lámparas de balizamiento de una torre de antenas.

tower line   (*Elec*) línea sobre torres [castilletes]. Línea de transporte eléctrico cuyos apoyos están constituidos por torres o castilletes, generalmente metálicos.

tower plumb   verticalidad de la torre.

tower radiator   mástil radiante, radiador de torre. Mástil o torre de metal utilizado como antena transmisora.

tower rigidity   rigidez de la torre; tolerancia de rigidez de la torre. En los enlaces hertzianos por microondas es necesario evitar oscilaciones excesivas de las torres o mástiles que soportan las antenas; de lo contrario varía en grado intolerable la cantidad de energía captada por las antenas receptoras.

tower shadow effect   (*Radiocom*) efecto de pantalla (de la torre).

tower truck   (*Tracción eléc*) camión de torre, camión andamio. Se utiliza para la reparación de las líneas, para lo cual está provisto de una plataforma elevable aislada eléctricamente. SIN. **tower car, tower wagon.**

tower wagon   (*Tracción eléc*) v. **tower truck.**

towering   *adj:* encumbrado; muy alto, muy elevado; muy grande; sobresaliente; acastillado.

towering cloud   (*Meteor*) nube acastillada.

towerman   (*Ferroc*) torrero guardacambio, cambiador de torre; señalero, señalador, encargado de las señales.

towing   remolque ‖ (*Marina*) atoaje, toaje ⫼ *adj:* remolcador, de remolque.

towing aircraft   avión remolcador.

towing bar   barra de remolque.

towing basin   (*Hidroaviones*) estanque de experimentación.

towing dolly   (*Avia*) tractor, vehículo de remolque. Se usa para el arrastre de aviones en tierra.

towing gear   aparato de remolque.

towing rope   (*Marina*) cabo de remolque, sirga. SIN. **towline.**

towing tractor   (a.c. tow tractor) tractor remolcador | tractor para sirga. Vehículo motor destinado al remolque de barcas de canal (CEI/57 30–15–110).

towline   (*Marina*) cabo [cable] de remolque, sirga, estacha, maroma. SIN. **towing rope.**

town   pueblo; población; ciudad; centro urbano [de población] ‖ *adj:* urbano; citadino.

town mains   (*Elec*) canalización urbana; líneas urbanas.

town servicing   servicio (de reparaciones) urbano.

town supply   (*Elec*) suministro urbano; corriente del sector.

Townsend   Francis Everett: físico americano (1867–1960).

Townsend avalanche   avalancha (de Townsend). Proceso en cadena en el que, en un gas sometido a un campo eléctrico, una partícula cargada provoca por choque el nacimiento rápido de un gran número de partículas cargadas (CEI/68 66–10–065).

Townsend characteristic   (*Tubos fotoeléctricos*) característica Townsend. Curva característica que pone de manifiesto la variación de la corriente en función de la tensión aplicada por debajo del valor al cual ocurre la descarga luminiscente [glow discharge], y para una iluminación constante.

Townsend coefficient   (*Descargas eléc en los gases*) coeficiente de Townsend. Número de choques ionizantes [ionizing collisions] por unidad de longitud en la dirección del campo eléctrico aplicado (CEI/56 07–13–030).

Townsend criterion   (*Descargas eléc en los gases*) criterio de Townsend. Relación que expresa las condiciones mínimas para que ocurra la descarga disruptiva [breakdown] en función de los coeficientes de ionización [ionization coefficients].

Townsend discharge   (*Tubos de cátodo frío*) descarga [conducción] de Townsend. La que ocurre cuando el potencial aplicado está comprendido entre el de ionización correspondiente al gas utilizado y la presión del mismo, y el de descarga disruptiva. Esta conducción, que depende de la producción de iones por un agente externo, y cesa tan pronto desaparece éste, es la que tiene lugar en los tubos fotoeléctricos gaseosos.

Townsend ionization   ionización de Townsend, avalancha (de Townsend). SIN. (**Townsend) avalanche.**

Townsend ionization coefficient   (*Descargas eléc en los gases*) coeficiente de ionización de Townsend. Número medio de choques ionizantes de un electrón por unidad de longitud en la dirección del campo eléctrico aplicado.

toxic, toxical   *adj:* tóxico.

toxic dust   polvo tóxico.

toxicity   toxicidad.

toxicogenic   *adj:* toxicógeno.

toxin   (*Bioquím*) toxina.

TP   Abrev. de teleprinter.

TPI   Abrev. de turns per inch.

TPTG   (*Radio*) Abrev. de tuned-plate tuned-grid. v. **TPTG oscillator.**

TPTG oscillator   (*Radio*) oscilador "TPTG", oscilador de placa y rejilla sintonizadas. Oscilador de radiofrecuencia con circuito de placa y circuito de rejilla sintonizados. CF. **TNT oscillator.**

tr   Abrev. de transmitter; transmit-receive.

TR   Abrev. de transmitter; transmit-receive.

TR box   tubo TR, inversor [conmutador] gaseoso de emisión-recepción. v. **TR tube.**

TR cavity   cavidad TR. Elemento resonante de un tubo TR. v. **TR tube.**

TR cell   célula TR, célula de inversión emisión-recepción. v. **TR tube** | cavidad TR. Cavidad de guía de ondas llena de gas [gas-filled waveguide cavity] que actúa como un cortocircuito cuando el gas está ionizado, y como un circuito abierto en ausencia de ionización. Este dispositivo se utiliza en un duplexor para proteger el receptor contra los efectos de la potencia elevada suministrada por el emisor, pero es transparente respecto a las señales de poca energía recibidas por la antena (CEI/61 62–15–195).

TR switch   conmutador TR, conmutador de transmisión/recepción. (1) Dispositivo conmutador destinado a impedir que llegue al receptor una parte considerable de la energía de salida del emisor o transmisor. (2) Dispositivo que automáticamente conmuta la antena entre el emisor y el receptor, en correspondencia con los períodos de emisión y recepción. (3) Dispositivo electrónico destinado a conectar automáticamente la antena al receptor durante el período de recepción y al emisor durante el período de emisión. SIN. **transmit-receive switch** (CEI/61 62–15–190) | duplexor.

TR tube   tubo (duplexor) TR, válvula TR. En radar, tubo gaseoso conmutador de RF utilizado para desconectar o aislar el receptor de la antena durante los intervalos de emisión; es decir, mientras dure la emisión de cada impulso. SIN. **inversor [conmutador] (gaseoso) de emisión-recepción, célula TR, célula de inversión emisión-recepción, conmutador TR [de transmisión/recepción]** —— TR box, TR cell, TR switch. NOTA: El nombre viene de "*transmit-receive* tube". CF. **TR cavity, ATR tube, pre-TR tube** | tubo TR. Tubo de gas cuya impedancia es muy pequeña cuando está fuertemente ionizado por una onda electromagnética de gran potencia, y que, suficientemente desionizado, deja pasar una onda electromagnética de poca potencia (CEI/70 60–72–400).

TRACALS   sistema TRACALS. Sistema de la Fuerza Aérea de los EE.UU. en el cual se integran mundialmente los servicios de ayuda a la aeronavegación, el control de tráfico aéreo, y los medios de auxilio para las aproximaciones y los aterrizajes.

trace   traza, cantidad muy pequeña; vestigio, resto; traza, rastro, huella, indicio, señal, vestigio || *(Dib)* trazo; trazado || *(Geom descriptiva)* traza. Punto de intersección de una recta con otra o con un plano; recta de intersección de dos planos || *(Geofísica)* línea de registro || *(Quím)* **traces: indicios** || *(TRC)* traza (luminosa), línea de exploración, trayectoria del punto explorador; trazo (geométrico) obtenido en la pantalla; oscilograma; trazado (de curvas oscilográficas). SIN. **line, scan** | (in a cathode-ray tube) traza luminosa (en un tubo catódico). Trayectoria del punto luminoso [spot]. Cuando la traza deja una imagen persistente, ésta se llama *remanente* (CEI/56 07–30–165) | barrido, exploración. SIN. **sweep** || *(Radar)* traza (del punto luminoso); traza (radial); línea. SIN. **sweep** || *(Tv)* traza, línea de exploración; avance [parte activa] de la exploración. SIN. **line, scan.** CF. **retrace** || *(Comput)* análisis de instrucciones ejecutadas. CF. **tracing routine** ∥∥∥ *verbo:* indicar, señalar; seguir; recorrer; rastrear, seguir la pista; averiguar (el paradero de); comprobar; indagar, investigar || *(Dib)* trazar, delinear; calcar || *(Marina)* galibar, trazar los gálibos || *(Nucl/Radiol)* trazar; marcar; indicar. v. **tracer.**

TRACE   *(Teleg)* Abrev. de "message apparently lost; please trace and advise particulars" [parece que el mensaje se ha perdido; sírvase investigar y notificar los pormenores del caso]. Se usa en mensajes de servicio entre supervisores de tráfico.

trace analysis   *(Quím)* análisis de trazas.

trace-brightening circuit   *(TRC)* circuito intensificador de (la) traza luminosa.

trace chemistry   microquímica. Comportamiento químico de una substancia presente en cantidad imponderable o en concentración minúscula. SIN. **microchemistry.**

trace concentration   *(Quím)* concentración de trazas || *(Nucl/Radiol)* concentración de traza, oligoconcentración. Concentración de una substancia por debajo de los límites normales de su descubrimiento por medios químicos.

trace element   *(Nucl/Radiol)* oligoelemento, elemento en estado de traza | v. **tracer element.**

trace expansion   *(TRC)* expansión de traza.

trace-intensifier pulse   *(TRC)* impulso intensificador de (la) traza luminosa.

trace interval   *(TRC/Tv)* intervalo de (la) traza. (1) Intervalo de tiempo durante el cual el barrido traza un oscilograma en la pantalla de un tubo de rayos catódicos. (2) En televisión, intervalo de exploración activa de una línea (no incluye el intervalo de retorno del barrido). SIN. **trace period [time].**

trace (of a matrix)   *(Mat)* traza (de una matriz). Suma de los elementos de la diagonal de la matriz. SIN. **spur.** NOTA: Este sinónimo viene del término en alemán. Cuando la matriz es una representación de un grupo, su traza recibe el nombre de *carácter* [character] de la representación.

trace period   *(TRC/Tv)* período de (la) traza. v. **trace interval.**

trace rotation   *(Radar)* rotación de la traza. Dícese cuando la traza radial gira en sincronismo con la antena, de modo que ambas apuntan siempre en la misma dirección.

trace-rotation system   *(Radar)* sistema de rotación de la traza.

trace routine   *(Comput)* v. **tracing routine.**

trace strobing   *(TRC)* sobreimpresión de la traza luminosa.

trace time   *(TRC/Tv)* intervalo [tiempo] de (la) traza; intervalo de exploración activa. SIN. **trace interval.** CF. **retrace time.**

traceability   calidad de lo que puede ser trazado, rastreado, descubierto, etc. v. **trace** | correlación (de datos).

traceability link   *(Calibraciones)* correlación.

traceable   *adj:* rastreable, averiguable, indagable; que puede ser trazado, rastreado, descubierto, averiguado, indagado, etc.; atribuible; correlacionable.

tracer   indicador; seguidor; rastreador; identificador; puntero (para señalar); palpador; máquina de copiar || *(Comput)* v. **tracing routine** || *(Dib)* calcador; trazador; tiralíneas || *(Instr)* estilete || *(Máq herr)* trazadora || *(Máq y tornos de copiar)* copiador || *(Quím)* cuerpo indicador || *(Conductores eléc)* hebra identificadora, hilo de referencia. Hilo o hebra de color contrastante que se teje en el aislamiento del conductor para fines de identificación || *(Elecn)* *(i.e.* circuit-tracing aid) seguidor de circuitos | visualizador, indicador osciloscópico || *(Nucl/Radiol)* trazador, marcador, (elemento) indicador, trazador [indicador] radiactivo. SIN. **indicator** *(término desaconsejado)* | trazador. v. **radioactive tracer.** OBSERVACION: No se confunda este concepto con el del *elemento en estado de traza (oligoelemento)* [trace element] (CEI/64 65–10–750).

tracer arm   brazo trazador; brazo palpador || *(Planímetros)* brazo trazador, barra trazadora.

tracer atom   *(Nucl/Radiol)* átomo marcado.

tracer bullet   *(Armamento)* bala trazadora.

tracer chemistry   química de los elementos trazadores.

tracer compound   *(Nucl/Radiol)* compuesto trazador.

tracer element   *(Nucl/Radiol)* elemento trazador. SIN. **indicator element.**

tracer stream   *(Armamento)* estela de balas trazadoras.

tracer studies   *(Nucl/Radiol)* estudios mediante trazador; estudio de los elementos trazadores | estudios con trazador. Empleo de substancias marcadas por núclidos para estudiar procesos biológicos, reacciones químicas, o fenómenos físicos (CEI/64 65–10–755).

tracer technique   técnica [método] de los elementos trazadores.

tracer thread   *(Conductores eléc)* (a.c. tracer) hebra identificadora, hilo de referencia, hilo testigo [de reconocimiento]. Hilo o hebra de color contrastante que se agrega al aislamiento de un conductor para facilitar su individualización cuando se tienden conductores en grupos.

tracing   indicación; seguimiento; recorrido; rastreo; localización; averiguación; indagación, investigación | acción de calcar, seguir, trazar, etc. v. **trace** | pista, vía; referencia || *(Dib)* calco, calcado, copia; trazo; grabado || *(Elec/Elecn)* seguimiento, identificación (de un circuito); rastreo (de señales); localización de averías (por rastreo de señales) || *(Fonog)* seguimiento. Trayectoria trazada por la punta de la aguja reproductora al seguir las ondulaciones del surco modulado.

tracing chart   *(Telecom)* tarjeta de ruta.

tracing cloth   *(Dib)* tela de calcar; papel tela (para dibujo).

tracing distortion   *(Fonog)* distorsión de seguimiento. Distorsión que se debe al hecho de que la curva trazada por el centro de la punta de la aguja reproductora no es una réplica exacta de la curva de modulación del surco.

tracing equipment   *(Radio/Elecn)* equipo de rastreo de señales; equipo de investigación [localización] de averías por rastreo de señales.

tracing error   *(Instr de medida)* v. **tracking error.**

tracing instrument   *(Radio/Elecn)* instrumento de investigación de averías por rastreo de señales.

tracing lathe   torno copiador.

tracing paper   *(Dib)* papel tela, papel de calco [para calco, para calcar]. Tela muy fina, de algodón, engomada por ambas caras, que sirve para calcar dibujos y planos ‖ *(Artes gráficas)* papel vegetal; papel transparente; papel translúcido (para poligrafiar por sistemas fotográficos).

tracing point   *(Planímetros)* aguja recorredora [trazadora], estilete recorredor.

tracing routine   *(Comput)* (a.c. trace routine, tracer) rutina trazadora; rutina de comprobación de programa. (**1**) Rutina que entra en juego durante la ejecución del programa principal, haciendo imprimir o perforar, después de cada etapa del mismo, informaciones diversas, tales como: la localización y configuración de la instrucción ejecutada; el contenido de los distintos registros especiales (acumuladores MQ, distribuidor, etc.); el contenido de los acumuladores de índice; la situación de los indicadores de exceso; etc. (**2**) Rutina diagnóstica [diagnostic routine] destinada a comprobar o a demostrar el funcionamiento de un programa. Por lo común su salida incluye todas o algunas de las instrucciones del programa, con sus resultados inmediatos, en el orden de su ejecución. CF. **trace.**

tracing spot   *(TRC)* punto trazador [explorador]. SIN. **scanning spot.**

track   pista; sendero; senda, vereda; curso, camino, vía; canal; recorrido, trayectoria; rodada, carril; pista de rodadura; carrilera, banda de rodamiento ‖ *(Comput/Telecom)* pista. (**1**) En las memorias magnéticas (tambor o disco), trayectoria de registro y/o lectura de información. (**2**) En un equipo de registro, posición del material móvil de registro afectada por un dispositivo de inscripción o de lectura, o que afecta a éste; por ejemplo: (a) la parte en forma de anillo de la superficie de un tambor asociado a una cabeza magnética; (b) la serie de posiciones de una cinta que pueden ser perforadas por un punzón determinado o leídas por un lector determinado. SIN. **banda** (en un tambor magnético) ‖ *(Electroacús)* pista; canal ‖ *(i.e.* magnetic track) pista magnética ‖ *(i.e.* sound track) pista sonora ‖ *(i.e.* recording track) pista de registro [grabación] ‖ *(Discos fonog)* surco ‖ *(Ferretería)* riel ‖ *(Ferroc)* vía, línea, carrilera, carril, riel; vía férrea; ancho de vía ‖ *(Naveg)* derrota, rumbo, ruta ‖ *(Aeronaveg/Avia)* trayectoria; trayecto; derrota; proyección de la derrota [del curso seguido]; curso seguido, rumbo (seguido por la nave) referido a tierra. CF. **azimuth, bearing, course, direction, heading, wind** ‖ *(Radar)* traza (de un blanco móvil) (sobre la pantalla) ‖ *(Nucl)* traza, trazo. Trayectoria visible de una partícula ionizante en una cámara de niebla [cloud chamber] o en una emulsión fotográfica [photographic emulsion] ‖ v. **racetrack** ‖ *(Teleimpr)* guía ‖ *(Tornos)* guía ‖ *(Tractores oruga)* carrilera, banda de rodamiento, oruga ⫴ *verbo:* rastrear, seguir la pista; seguir el blanco; perseguir, seguir; seguir la trayectoria; trazar el rumbo ‖ *(Elecn)* seguir. Mantener dos magnitudes constantemente iguales; mantener una diferencia constante entre dos magnitudes, en función de una tercera ‖ *(Fonog)* seguir el surco (la aguja) ‖ *(Naveg fluvial)* sirgar, llevar la sirga, remolcar a la sirga.

track adze   *(Ferroc)* azuela de vía. Herramienta de carpintero para entallar durmientes o maderos.

track angle   *(Avia)* ángulo de derrota, rumbo (de ruta); ángulo de trayecto; ángulo de trayectoria ‖ *(Marina)* ángulo de derrota.

track apparatus   *(Ferroc)* aparatos de vía. Aparatos destinados a permitir el cruce a nivel de dos vías férreas o a vincular las vías entre sí.

track beacon   *(Radionaveg)* (i.e. beacon providing a track) radiofaro de alineación. Radiofaro que forma parte de una radioalineación [track guidance system] (CEI/70 60-74-095).

track bearing   *(Avia)* ángulo de trayecto ‖ *(Marina)* ángulo de derrota.

track bolt   *(Ferroc)* bulón [perno] de vía, perno [tornillo] de eclisa, perno para eclisa, perno de brida. Tornillo de sujeción de eclisa. SIN. fishbolt.

track chamber   cámara de trazas. Cámara que permite hacer visibles las trayectorias de las partículas ionizantes [ionizing particles] (CEI/68 66-15-210).

track chart   *(Naveg)* carta de derrotas.

track circuit   *(Ferroc)* circuito de vía [de ocupación]. Circuito eléctrico que comprende cierta longitud de rieles aislados que se ponen en cortocircuito cuando un tren ocupa la parte correspondiente de la vía en tal forma que un relé intercalado en el circuito no pueda cerrarse mientras el tren ocupe el circuito de vía (CEI/38 30-30-115) ‖ circuito de vía. (**1**) Circuito eléctrico en el cual se intercalan los rieles de la vía como conductores. (**2**) Circuito eléctrico del que forman parte los rieles de una sección de vía y que por lo general comprende una fuente de corriente en una extremidad y un relé en la otra (CEI/59 31-05-305) ‖ circuito de vías. Circuito o línea de telecomunicación paralelo a las vías férreas ‖ CF. **track circuit with polarized relay.**

track-circuit signaling   *(Ferroc)* señalización por circuito de vía.

track circuit with polarized relay   *(Ferroc)* circuito de vía con relé polarizado. Sistema de circuito de vía que permite el empleo de una señalización eléctrica automática de corriente continua en una vía electrificada (CEI/38 30-30-120).

track-circuited area   *(Ferroc)* zona con circuito de vía.

track circuiting   *(Ferroc)* circuitación de la vía.

track-command guidance   *(Proyectiles)* guiaje por rastreo y órdenes correctivas. El proyectil y su blanco son rastreados mediante radares independientes, y el primero recibe por radio órdenes para la corrección de su trayectoria.

track crawl search   *(Operaciones de salvamento)* rastreo progresivo de la ruta.

track-delineating chamber   *(Nucl)* cámara delineadora de trazas. Cámara de destellos [spark chamber] que hace visibles las trayectorias de partículas nucleares de gran longitud que formen con el campo eléctrico ángulos de menos de aproximadamente 45°. Constructivamente se caracteriza por la gran separación entre sus placas paralelas.

track density   *(Emulsiones fotográficas nucleares)* densidad de traza.

track diagram   *(Ferroc)* cuadro de vías. Tablero que reproduce en un puesto de señalización la disposición de las vías aisladas eléctricamente y que indica automáticamente si los diferentes circuitos de vía [track circuits] están ocupados o libres (CEI/38 30-30-195).

track distortion   *(Emulsiones fotográficas nucleares)* distorsión de (la) traza.

track down   *verbo:* rastrear; averiguar el origen de.

track down trouble   *(Radio/Elecn)* localizar averías.

track error   v. **tracking error.**

track feeder   *(Ferroc)* (circuito) alimentador de la vía.

track gage, track gauge   *(Ferroc)* trocha; gálibo, escantillón, patrón de ancho, vara de trocha ‖ calibre de vía. Calibre para la separación entre ejes de los carriles de una vía; instrumento para medir el ancho de la trocha o para fijarla exactamente ‖ gálibo de vía. Separación entre los dos rieles de una vía férrea medida entre las aristas interiores, definidas convencionalmente, de sus caras de rodamiento. Dícese a veces del calibrador que permite verificar esa separación (CEI/38 30-05-035).

track guidance *(Avia)* indicación (a bordo) de la trayectoria de vuelo ‖ *(Radionaveg)* radioalineación.

track guidance system *(Radionaveg)* sistema de radioalineación | radioalineación. Sistema de radionavegación que define en el espacio una o más superficies separadoras de regiones discernibles unas de las otras (CEI/70 60–74–030). CF. **signal-comparison tracking.**

track guide *(Radionaveg)* guía de trayectoria. Sistema de radiofaro que define en el espacio una o más trayectorias para guía de las aeronaves.

track-hold memory circuito seguidor-memoria. Circuito que inicialmente funciona en su *modalidad de seguimiento* [track mode], con lo que se da a entender que su salida sigue exactamente las variaciones de la entrada, es decir, que en cada instante su valor es idéntico o proporcional al de entrada; pero que al recibir una señal de mando, pasa a la *modalidad de retención* [hold mode], lo cual significa que su salida retiene en forma constante el valor que tenía en el instante en que el circuito recibió dicha señal de mando.

track homing recalada por rastreo; aproximación por seguimiento. Acción de seguir una línea de posición [line of position] que pasa por la meta u objetivo.

track-in *(Cine/Tv)* acercamiento [avance] de la cámara. CF. **track-out.**

track in range *(Radar)* seguir en distancia. Ajustar en el tiempo la compuerta de un radar de tal manera que se abra en los instantes precisos para admitir la señal de eco de un móvil, o sea, de un blanco que varía en distancia.

track jack *(Ferroc)* gato de vía, levantavía, levantarrieles. Aparato de tornillo sin fin para levantar pequeños trechos de vía.

track jumping *(Ferroc)* descarrilamiento.

track layout diagram *(Informática)* desarrollo diagramático de pistas [de bandas].

track length *(Nucl)* longitud de (la) traza.

track level *(Ferroc)* nivel de vía, nivel de peralte (de la vía). Instrumento para determinar las diferencias de nivel entre los dos rieles de la vía.

track-limit switch interruptor de fin de carrera.

track liner *(Ferroc)* alineadora de rieles. Máquina para enderezar los rieles horizontalmente.

track magnet *(Ferroc)* imán de vía. Imán o electroimán que, en ciertos casos, manda por inducción un dispositivo montado en un vehículo que pase por el punto en que se encuentre el primero (CEI/59 31–05–390).

track occupancy *(Ferroc)* ocupación de la vía.

track-occupancy indicator lamp lámpara indicadora de ocupación de la vía.

track open *(Ferroc)* vía libre.

track-out *(Cine/Tv)* alejamiento [retroceso] de la cámara. CF. **track-in**

track parity check *(Registro mag de datos)* comprobación de paridad de pista. SIN. **longitudinal parity check.**

track relay *(Ferroc)* relé del circuito de vía | relé de vía. (1) Relé intercalado en el circuito de vía [track circuit] y que manda una señal (CEI/38 30–30–140). (2) Relé que recibe toda o parte de su energía de funcionamiento por un circuito del que los rieles son la parte esencial y que responde a la presencia de vehículos sobre la vía (CEI/59 31–05–255).

track return circuit *(Tracción eléc)* circuito de retorno por la vía.

track return system *(Tracción eléc)* sistema de retorno por la vía. Sistema en el cual los rieles de rodamiento de la vía son utilizados para constituir el circuito de retorno de la corriente de tracción [traction current] (CEI/57 30–10–170).

track scale *(Ferroc)* báscula [romana] de vía, balanza para pesar vagones.

track sectionalizing seccionalización de (la) vía.

track selector *(Registro mag)* selector de pista.

track shot *(Cine/Tv)* toma en movimiento. CF. **track-in, track-out.**

track skip *(Informática)* salto de pista.

track-skip control control de salto de pista.

track-while-scan *(Radar)* seguimiento simultáneo con la exploración. Sistema a base de una computadora electrónica que permite seguir un blanco (calculando su velocidad y su futura posición) sin modificar la exploración normal ni alterar su ritmo.

track width *(Registro mag)* anchura de (la) pista.

track zone *(Ferroc)* zona de vía. Zona de terreno destinada a la construcción de la vía.

tracker rastreador; seguidor (de pista, de trayectoria); trazador de rumbos; señalador de recorrido; apuntador; (aparato) seguidor del blanco; anteojo seguidor; observador de blancos móviles; radar seguidor (de blancos móviles) ‖ *(Naveg fluvial)* sirguero, el que lleva la sirga ‖ *(Órganos)* registro.

tracking seguimiento; alineación; ajuste [reglaje] exacto; rastreo; persecución ‖ *(Aislantes)* formación de un camino conductor carbonizado sobre la superficie del material; descarga superficial ‖ *(Cables)* canal de paso. Huellas formadas a lo largo de la superficie del papel impregnado en aceite, por un gradiente superficial ‖ *(Fonog)* seguimiento (de pista, de surco). (1) Paso de la aguja reproductora o del estilete grabador por la superficie del disco. (2) Exactitud con que la aguja sigue las ondulaciones del surco sin salirse de él; la tendencia de la aguja a salirse del surco aumenta con la amplitud de modulación de éste, y con la reducción de la fuerza vertical del fonocaptor; seguimiento, arrastre. Trayectoria que describe la punta de la aguja al moverse de la periferia al centro del disco; idealmente debe coincidir con un radio. CF. **tracking error** | **distortionless tracking**: seguimiento perfectamente fiel ‖ *(Cond variables y potenciómetros en tándem)* arrastre ‖ *(Radio)* arrastre. (1) En los receptores, condición en la que todos los circuitos resonantes o sintonizados siguen exactamente la frecuencia indicada por el índice del cuadrante de sintonía. (2) Mantenimiento en forma constante de una diferencia deseada entre las frecuencias de resonancia de dos circuitos | ajuste de compensación. Medio que permite hacer variar las frecuencias de sintonización de diversos circuitos que forman parte de un mismo conjunto de mando único para mantener constantes las mismas diferencias entre esas frecuencias (CEI/70 60–12–050) | (dispositivo de) sintonía desplazada | CF. **gang-tuning capacitor, ganging** ‖ *(Radar)* seguimiento, rastreo. (1) Acción y efecto de mantener la antena dirigida hacia un blanco móvil. (2) Definición continua de las coordenadas de un blanco móvil, con el fin de determinar su curso o trayectoria | seguimiento [rastreo] automático (del blanco). Orientación automática de una antena móvil, manteniéndose enfocada hacia el blanco ‖ *(Tecnología espacial)* seguimiento, rastreo; observación; localización; trazado [determinación] de (la) trayectoria. AFINES: observar [registrar, anotar] el paso del satélite, determinar la posición del satélite, divisar [descubrir, observar] el satélite, trazar la órbita [calcular el itinerario] del satélite, seguir el curso del satélite, cámara telescópica rastreadora, rastreador [seguidor] de satélites [de vehículos espaciales] ‖ *(Sist estereofónicos)* alineamiento, arrastre. Operación efectuada en un amplificador o sistema estereofónico con la ayuda de un control de ganancia, con el fin de que se mantengan las mismas diferencias de potencia establecidas entre los distintos canales para todas las posiciones de ajuste del volumen global. Dichas diferencias pueden ser nulas si los altoparlantes (o sistemas altoparlantes) correspondientes tienen el mismo rendimiento, pero en general depende también de la condiciones acústicas del local. El alineamiento es bueno cuando las diferencias netas de volumen entre los canales no pasan de uno o dos decibelios en ninguna posición del control principal o maestro de volumen.

tracking accuracy *(Instr de medida)* exactitud de seguimiento. Lo contrario de *error de seguimiento* [tracking deviation] ‖ *(Voltímetros valvulares)* exactitud de pendiente. Lo contrario de *error de pendiente* [tracking error].

tracking alignment *(Registro mag)* alineamiento de pistas.

tracking antenna   antena seguidora. Antena direccional cuya orientación (física o radioeléctrica) varía automáticamente de modo que coincide siempre con la dirección de un foco móvil de señales.

tracking apparatus   aparato seguidor del blanco || (*Cine*) aplicador de pista sonora. Aparato que sirve para aplicarle a la cinta cinematográfica la capa magnética para el registro sonoro.

tracking beam   (*Radar*) haz seguidor, haz de seguimiento.

tracking camera   cámara (fotográfica) seguidora.

tracking characteristic   característica de seguimiento.

tracking circuit   (*Radar*) circuito de seguimiento.

tracking deviation   (*Instr de medida*) error de seguimiento. Error debido a irregularidades del sistema móvil, y que únicamente podría evitarse calibrando la escala de acuerdo con aquéllas. En la práctica se utilizan escalas de fabricación normalizada calibradas respecto al sistema móvil particular utilizado, en algunos puntos solamente; por tanto, el instrumento puede ser exacto en esos puntos, pero normalmente adolece de error en otras partes de la escala || (*Voltímetros valvulares*) v. **tracking error**.

tracking downconverter   (*Estaciones terrenas de comunicación por satélites*) convertidor descendente de seguimiento.

tracking element   (*Sist directores de tiro antiaéreo*) elemento de seguimiento [de rastreo].

tracking error   (*Fonog*) error de seguimiento [de arrastre, de guía, de pista]; error de tangencialidad. Diferencia angular entre el radio del disco que pasa por la punta de la aguja y la tangente (en ese mismo punto) al arco descrito por la aguja al ser arrastrada hacia el centro por el surco del disco. También puede definirse como el ángulo entre el eje longitudinal del brazo (o del extremo del brazo si el brazo no es recto en toda su longitud, o de la pieza solidaria a dicho extremo que sostiene la aguja) y la tangente al surco en el punto que la aguja toca el disco. Idealmente, dicha diferencia angular o dicho ángulo deben ser nulos. El error de seguimiento o arrastre no es constante a lo largo del arco que describe la aguja. Para reducir este error, que es causa de distorsión, se emplean brazos largos en los equipos profesionales (cuanto más largo el brazo, más se acerca el arco a un radio); para eliminarlo totalmente se han ideado brazos articulados muy ingeniosos, así como un sistema en el que el fonocaptor se mueve a lo largo de un radio y que recibe el nombre de *brazo radial* [radial arm] o *brazo de trayectoria rectilínea* [straight-tracking arm] || (*Rec*) error de arrastre; error en el ajuste de compensación || (*Registradores gráficos en banda de papel*) error de arrastre. CF. **wander** || (*Instr de medida*) v. **tracking deviation** || (*Voltímetros valvulares*) error de pendiente. Desviación de la curva de las indicaciones (en función de la tensión medida) por variación de la curva característica de la válvula respecto a la curva ideal; se traduce en error de la lectura del instrumento. SIN. **tracing error**.

tracking filter   filtro seguidor [de seguimiento]. Filtro pasabanda cuya frecuencia central sigue automáticamente la frecuencia media de la señal a él aplicada.

tracking force   (*Fonog*) fuerza de apoyo, fuerza vertical de la aguja, fuerza (vertical) contra el disco; fuerza vertical mínima [de seguimiento]. (1) Fuerza en sentido vertical, expresada en gramos, que la aguja del fonocaptor ejerce contra el disco cuando éste se encuentra en reposo. (2) Valor mínimo que ha de tener esa fuerza para que la aguja siga fielmente las ondulaciones del surco y no se salga de éste cuando se reproducen pasajes de mucha amplitud de modulación. (3) Aunque impropiamente, a veces se usa el término para referirse a la fuerza vertical mínima que ha de ejercer la aguja para que el brazo fonocaptor accione el mecanismo cambiadiscos de un tocadiscos automático. NOTA: Evítese el error de usar la palabra *presión* [pressure] en lugar de *fuerza*; la primera depende del área de contacto de la aguja, en tanto que la segunda es independiente de esa área. SIN. **stylus force**.

tracking generator   generador seguidor [sincronizador].

tracking instrument   instrumento para fijar la trayectoria. Aparato o dispositivo (óptico, fotográfico, o radioeléctrico) destinado a la observación de la trayectoria espacial de un objeto móvil, o a la construcción de una curva representativa de dicha trayectoria.

tracking jitter   (*Radares de seguimiento automático*) fluctuación de seguimiento, temblor de rastreo. Se debe a pequeñas oscilaciones angulares de la antena, que se producen por diversas causas, sea en acimut, sea en elevación. SIN. **fluctuación [temblor] de antena —— beam jitter**.

tracking mechanism   mecanismo de seguimiento.

tracking of target   (*Radar*) seguimiento [rastreo] del blanco, apuntamiento.

tracking pressure   (*Fonog*) v. **tracking force**.

tracking radar   radar de seguimiento automático. Radar que sigue automáticamente el blanco, valiéndose para ello de la propia señal reflejada por éste; puede estar asociado a un sistema director de tiro al que suministra en forma continua los datos de posición del blanco perseguido. SIN. **radar de persecución**.

tracking radio-interferometer   interferómetro radioeléctrico orientable.

tracking range   (*Radar*) alcance de seguimiento.

tracking rate   velocidad de seguimiento.

tracking receiver   (*Estaciones terrenas de comunicación por satélites*) receptor de seguimiento.

tracking shot   (*Cine/Tv*) v. **track shot**.

tracking signal   señal de seguimiento.

tracking spacing   (*Registro mag*) distancia entre pistas. Distancia entre las líneas de centros de dos pistas paralelas adyacentes en una cinta u otro medio de registro.

tracking spot   (*Radar*) punto móvil indicador del blanco.

tracking station   estación seguidora [de seguimiento]. Estación radioeléctrica que sigue los movimientos de un móvil en el espacio.

tracking system   sistema de seguimiento [de rastreo].

traction   tracción; adherencia (por rozamiento) || (*Ríos*) arrastre ||| *adj*: tractivo, traccional, de tracción.

traction battery   batería de tracción. (1) Batería transportable para la propulsión de vehículos de acumuladores (CEI/38 50–30–025). (2) Batería de acumuladores [storage battery] destinada a asegurar la tracción de vehículos eléctricos [electric vehicles] (CEI/60 50–20–055).

traction current   (*Tracción eléc*) corriente de tracción.

traction equipment   (*Tracción eléc*) equipo de tracción. Conjunto de los órganos eléctricos montados en un vehículo para su propulsión y, eventualmente, para su frenado (CEI/57 30–15–130).

traction installation   instalación de tracción || (*Ferroc*) instalación especial. Instalación anexa a un depósito de locomotoras y destinada a almacenamiento de vapor, aire comprimido, y agua bajo presión, a la recepción de carbón, etc.

traction motor   motor de tracción. (1) Motor que acciona los ejes de un vehículo eléctrico con reducción de velocidad o sin ella (CEI/38 30–20–005). (2) Motor eléctrico que acciona uno o más ejes (CEI/57 30–15–255) | motor de tranvía.

traction-motor vehicle   (*Ferroc*) vehículo de tracción. Todo vehículo que emplea un motor.

traction network   red de tracción.

traction output (of a heat engine)   potencia de tracción (de un motor térmico). Potencia efectiva del motor térmico disminuida en la potencia absorbida por los dispositivos auxiliares excluidos de la definición de potencia efectiva [effective output]. En la evaluación de la potencia de tracción, las potencias suministradas por el motor para la excitación de las generatrices (y eventualmente de los motores de tracción) no deben ser restadas de la potencia efectiva (CEI/57 30–05–235).

traction shovel   pala mecánica remolcable. CF. **tractor shovel**.

traction substation   (*Tracción eléc*) (*i.e.* substation providing a supply for traction purposes) subestación de tracción. Subestación en la cual se efectúa la conversión o la tranformación de energía eléctrica para la tracción (CEI/65 25–10–075).

tractional   *adj*: tractivo, traccional, de tracción.

tractional resistance   resistencia traccional [de tracción].

tractive   *adj:* tractivo, traccional, de tracción.

tractive armature relay   relé de armadura tractiva, relé de núcleo tractivo. CF. **electromagnet, solenoid.**

tractive effort   esfuerzo de tracción. Esfuerzo de tracción ejercido en la llanta de las ruedas motrices por los motores de tracción [traction motors] funcionando en tracción (CEI/57 30–05–115) | esfuerzo de tracción en la llanta. Esfuerzo de tracción en la periferia de las ruedas motrices (CEI/38 30–05–055).

tractive effort at continuous rating   (a.c. continuous tractive effort) esfuerzo de tracción en régimen continuo. ABREVIADAMENTE: esfuerzo continuo. Esfuerzo de tracción correspondiente al régimen continuo de los motores de tracción a la tensión nominal para una excitación dada. Este esfuerzo se entiende para los vehículos motores con ruedas a medio gastar [half-worn wheels]. Salvo indicación en contrario, este esfuerzo se entiende a pleno campo [full-field conditions] (CEI/57 30–05–135).

tractive effort at hourly rating   (a.c. hourly tractive effort) esfuerzo de tracción en régimen unihorario. ABREVIADAMENTE: esfuerzo unihorario. Esfuerzo de tracción correspondiente al régimen unihorario de los motores de tracción a la tensión nominal para una excitación dada. Este esfuerzo se entiende para los vehículos motores con ruedas motrices a medio gastar. Salvo indicación en contrario, este esfuerzo se entiende a pleno campo (CEI/57 30–05–140).

tractive-effort curve   curva de esfuerzos de tracción.

tractive effort of the traction motors   esfuerzo de tracción. Esfuerzo total ejercido por los órganos motores sobre el vehículo en la dirección del movimiento (CEI/38 30–05–050).

tractive force   fuerza tractora [de arrastre], potencia tractora | esfuerzo motor [de tracción]. Esfuerzo motor disponible en la periferia de las ruedas motrices.

tractive holding device   dispositivo de retención tractora.

tractive power   potencia tractora; esfuerzo de tracción.

tractive pull   fuerza de arrastre; fuerza de tracción.

tractive resistance   *(Caminos)* resistencia a la tracción.

tractor   tractor || *(Informática)* oruga (de alimentación de formularios) /// *adj:* tractor.

tractor aeroplane   v. **tractor airplane.**

tractor airplane   aeroplano tractor; aeroplano [avión] de hélice tractora.

tractor operator   tractorista.

tractor propeller   hélice tractora.

tractor-scraper   *(Obras de tierra)* traílla automotriz, mototraílla.

tractor shovel   pala [cargador] de tractor; pala tractorizada, pala sobre tractor | motopala. Máquina para excavar, emparejar y nivelar terrenos.

tractrix   *(Geom)* tractriz. Curva que cumple con la condición de que el segmento de su tangente comprendido entre el punto de tangencia [point of tangency] y una recta dada, es constante. Es una involuta [involute] de la catenaria [catenary], y debe su nombre a que intuitivamente se la ha concebido como descrita por la extremidad de una tangente de longitud fija cuya otra extremidad es *arrastrada* a lo largo de la recta dada.

trade   comercio; trato, contrato, contratación, negocio; trata; canje, trueque; oficio; gremio; ramo de comercio; industria || *(Meteor)* **the trades:** los (vientos) alisios /// *adj:* comercial, mercantil; industrial /// *verbo:* comerciar; negociar; traficar; cambiar; canjear; girar (efectos comerciales); comprar.

trade fair   feria comercial; exposición industrial.

trade-in   trueque; entrega a cuenta [como pago parcial], devolución (de un equipo) como pago parcial (contra la compra de otro equipo); cosa que se entrega o se devuelve en pago parcial o total de otra.

trade name   nombre comercial; nombre de fábrica; razón social.

trade wind   *(Meteor)* (viento) alisio.

trade-wind belt   zona de los vientos alisios.

trademark   marca registrada [privativa]; marca de fábrica.

tradeoff   trueque | solución intermedia [de transacción]; canje inevitable (entre dos condiciones antagónicas). Dícese cuando se obtiene una mejora en una característica técnica a expensas de un empeoramiento en otra.

traffic   tráfico; comercio; movimiento; expedición de mercancías [de mercaderías] || *(Carreteras, Ferroc, Transportes)* tráfico, tránsito, circulación | tránsito carretero. Todo tipo de vehículos y sus respectivas cargas, considerados aisladamente o en conjunto, mientras utilizan cualquier camino para transporte o para viaje | tráfico. Conjunto de datos que caracterizan la importancia del servicio prestado sobre una o más líneas durante cierto período. Puede considerarse, sea la importancia de los recorridos, sea la importancia conjugada de los recorridos y de las cargas. El tráfico se expresa las más de las veces en *tren-kilómetros* [train-kilometers] y en *toneladas-kilómetro* [tonne-kilometers]. Se distinguen los siguientes casos: *tráfico bruto total* [total gross traffic]; *tráfico bruto remolcado* [gross traffic hauled]; *tráfico útil* [net traffic] (CEI/57 30–05–325). V.TB. **engine-kilometer** || *(Telecom)* tráfico, correspondencia. (**1**) Conjunto de telegramas transmitidos y/o recibidos. (**2**) Conjunto de telegramas pendientes de transmisión (tráfico pendiente). (**3**) Transmisiones telefónicas o radiotelefónicas en curso; conversaciones o comunicaciones telefónicas en curso. (**4**) Número de circuitos telefónicos en uso durante la hora más cargada [busy hour] | tráfico. Conjunto de las peticiones de comunicación emanadas de un grupo de abonados o cursadas por medio de un grupo de circuitos o de enlaces considerado, tomando en cuenta tanto el número de las comunicaciones como sus duraciones (CEI/70 55–110–010) | AFINES: tráfico de comunicación, correspondencia telegráfica [telefónica], despacho, mensaje, cablegrama, radiograma, radiotelegrama, telefonema | V.TB. **traffic on hand, traffic per average business day, pure-chance traffic, smooth traffic** /// *verbo:* traficar; comerciar; negociar.

traffic analysis   análisis del tráfico || *(Telecom)* análisis de tráfico. Técnica o procedimiento de obtener datos sobre el tráfico, que puede referirse a dos aspectos diferentes: (a) Tabulación u observación estadística sobre el volumen y clase de tráfico de salida y de llegada en cada punto o estación de una red, distribución del tráfico en el tiempo, sentido predominante de la circulación entre cada par de puntos o estaciones, etc. (b) Estudio de los detalles de manipulación del tráfico; en el caso del servicio telegráfico puede incluir particularidades tales como el preámbulo y estilo de los despachos, los acuses de recibo, las escalas o retransmisiones, las instrucciones de encaminamiento, las comprobaciones de cómputo de palabras, las correcciones de servicio, etc. | análisis de las comunicaciones [transmisiones] interceptadas.

traffic beacon   poste de luces de tránsito.

traffic-bearing channel   *(Telecom)* canal de tráfico, canal destinado a la transmisión de tráfico. Dícese en oposición a los canales de órdenes, de señalización, etc.

traffic capacity   capacidad de tráfico [de tránsito] || *(Telecom)* capacidad de tráfico. (**1**) En telefonía, intensidad del tráfico que puede ser ofrecido a un grupo dado de circuitos para una calidad de servicio [grade of service] prescrita (CEI/70 55–110–130). (**2**) En telegrafía, número máximo de palabras telegráficas convencionales [conventional telegraph words] que pueden ser cursadas por minuto en una comunicación dada | rendimiento informático [informativo].

traffic-carrying capability   capacidad de soportar el tránsito.

traffic-carrying capacity   *(Telecom)* capacidad de tráfico.

traffic channel   *(Telecom)* canal de tráfico. SIN. **traffic-bearing channel** | vía de salida del tráfico.

traffic circuit   *(Telecom)* (*i.e.* traffic-bearing circuit) circuito de tráfico [para la transmisión de tráfico] | (*i.e.* circuit used by traffic personnel) circuito de servicio.

traffic computer   computadora de tráfico; evaluador de tránsito.

traffic control   control [dirección, ordenación] del tráfico, control de la circulación || *(Telecom)* control del tráfico.

traffic control, approach and landing system *(Avia)* (*i.e.* fully automatic terminal and landing system) sistema totalmente automático de aproximación y aterrizaje.

traffic-control projector *(Avia)* proyector de señales [de control] de tráfico; baliza luminosa de señalización.

traffic-control tower *(Avia)* torre de control, torre de dirección del tráfico.

traffic-control transmitter *(Avia)* transmisor para la dirección del tráfico.

traffic counter contador de tráfico [de vehículos en circulación].

traffic curve *(Telecom)* curva de tráfico.

traffic cut-intersection *(Carreteras)* cruzamiento. Intersección de dos corrientes de tránsito [traffic streams].

traffic density intensidad de tráfico | densidad de tránsito. Número de vehículos que ocupa una unidad de longitud de los carriles de una calzada [moving lanes of a roadway] en un instante dado; se expresa usualmente en vehículos por kilómetro (o por milla).

traffic department *(Comercio)* departamento de expedición de mercancías [mercaderías]; departamento de tramitación de pedidos ‖ *(Telecom)* departamento de tráfico [de explotación].

traffic diagram *(Telecom)* esquema [diagrama] de tráfico; esquema de circuitos [de vías]; diagrama de líneas. Esquema o diagrama que muestra la circulación y el control del tráfico que circula por una red, o las vías de enlace que constituyen ésta.

traffic direction *(Aeropuertos)* dirección de circulación.

traffic direction indicator indicador de dirección de circulación.

traffic director director de tráfico; director del tránsito [de la circulación].

traffic distributor *(Telef)* distribuidor de tráfico. SIN. **call distributor**.

traffic document *(Transportes aéreos)* documento de transporte. SIN. **document of carriage**.

traffic exchange *(Telecom)* intercambio de tráfico.

traffic-exchanging station *(Telecom)* estación corresponsal.

traffic flow volumen del tráfico [del tránsito] | flujo de tránsito, corriente de la circulación. Conjunto de vehículos que se desplazan en una o varias filas en un mismo sentido ‖ *(Avia)* corriente de tráfico ‖ *(Telecom)* circulación [movimiento] de tráfico ‖ *(Telef)* volumen de tráfico, número (medio) de llamadas simultáneas.

traffic fluctuation *(Telecom)* fluctuación de tráfico.

traffic frequency *(Radiocom)* frecuencia de tráfico [de trabajo]. Frecuencia por la cual se cursa el tráfico. SIN. **working frequency**. CF. **calling frequency**.

traffic handling *(Teleg)* manipulación del tráfico; curso de los mensajes; encaminamiento del tráfico.

traffic-handling method *(Teleg)* método de manipulación del tráfico; método de explotación.

traffic increase *(Telecom)* aumento de tráfico.

traffic installation *(Ferroc)* instalación de tráfico. Instalación destinada a facilitar el transporte de pasajeros, animales y mercaderías.

traffic lane (*i.e.* portion of a traveled way for the movement of a single line of vehicles) carril, línea [vía] de tránsito, faja, trocha. LOCALISMOS: carrilera, callejuela. Parte de la calzada destinada al tránsito de una sola fila de vehículos ‖ *(Aeropuertos)* pasillo de tránsito.

traffic layout *(Telecom)* esquema (de vías) de tráfico; esquema de circulación del tráfico; esquema de líneas. SIN. **traffic diagram**.

traffic light luz de tránsito; semáforo.

traffic list *(Radiocom)* lista de llamadas. Sucesión de indicativos de llamada en orden alfabético que una estación costera transmite a intervalos determinados, y que corresponden a las estaciones de barco para las cuales la estación costera tiene tráfico pendiente.

traffic load *(Ferroc)* carga de explotación ‖ *(Telecom)* intensidad del tráfico.

traffic manager jefe [director] de tráfico. En las empresas de telecomunicaciones el jefe o director de tráfico vela por el buen funcionamiento de los circuitos, la asignación de guardias a los operadores y demás personal de tráfico, etc. En el caso de los servicios telegráficos concierta los horarios y frecuencias de trabajo (radiotelegrafía), y supervisa todo lo relativo a mensajes de servicio; gestiones de entrega, aclaraciones y confirmaciones de los telegramas; encaminamiento del tráfico [routing]; reconteo de palabras [check]; preparación de los despachos para su transmisión o entrega; tratamiento del tráfico según clasificaciones; descifrado de direcciones en clave [unpacking]; organización y mantenimiento de los registros de direcciones telegráficas y los archivos del tráfico; mantenimiento de los partes diarios; etc. ‖ director de tránsito ‖ *(Ferroc)* jefe de explotación [de movimiento de trenes].

traffic mark *(Transporte de materiales)* mella [rozadura] producida en tránsito ‖ v. **traffic marking**.

traffic marking marca para el tránsito. Elemento de control del tránsito, consistente en líneas, dibujos, o zonas en colores sobre el pavimento, cordones [curbs] u otros objetos dentro o adyacentes al camino, o palabras o símbolos sobre el pavimento [pavement]. CF. **traffic sign**.

traffic meter *(Telef)* contador [medidor] de tráfico; registrador de llamadas automáticas | contador de tráfico. En telefonía automática, aparato de medida que registra datos determinados relativos al tráfico (CEI/70 55–95–325). CF. **overflow meter, position meter, subscriber's check meter, subscriber's meter**.

traffic metering *(Telef)* cómputo [medición] de tráfico.

traffic metering equipment *(Telef)* equipo contador [medidor] de tráfico.

traffic noise ruido de tránsito. Ruido producido por la circulación de vehículos por calles o carreteras.

traffic observation desk *(Telef)* mesa de observación [control] del tráfico.

traffic on hand *(Telecom)* tráfico pendiente (de transmisión).

traffic pattern *(Avia)* normas de tráfico, línea de vuelo seguida normalmente en condiciones determinadas antes del aterrizaje o después del despegue.

traffic peak máximo [punta] de tráfico. En el caso particular del servicio telefónico se llama también *hora más cargada* [busy hour]. La expresión *punta de tráfico* tiene su justificación en las gráficas que representan la intensidad del tráfico a las distintas horas del día.

traffic per average business [working] day *(Telef)* tráfico medio en días laborables, tráfico medio de un día laborable. Media del tráfico diario cursado durante los días laborables de un período determinado, excluyendo aquellos en que por una u otra causa el tráfico es anormal. SIN. **average traffic per working day**.

traffic point *(Telecom)* punto de tráfico. Punto que es origen o destino de tráfico.

traffic record *(Telef)* registro de tráfico. Registro del tráfico cursado por un grupo o un cierto número de grupos de circuitos o de enlaces. SIN. **call-count record** (CEI/70 55–110–265) | cómputo del número de llamadas ‖ *(Teleg)* cómputo del tráfico.

traffic recorder registrador de tránsito ‖ *(Telef)* registrador de tráfico. Aparato destinado a efectuar un registro de tráfico [traffic record] (CEI/70 55–110–270) | registrador de ocupación total. SIN. "**all trunks busy**" register.

traffic relay *(Teleg)* escala [retransmisión] de tráfico, transferencia de tráfico [de servicio]. Los métodos empleados son de dos clases principales: mediante conmutación eléctrica, y mediante retransmisión por cinta. En el primero se retransmiten los mensajes mediante conexiones locales establecidas manualmente o automáticamente con arreglo a determinadas combinaciones de código transmitidas al principio de los mensajes por los operadores de origen. El segundo sistema consiste en separar las cintas perforadas (e impresas) recibidas, correspondiente a cada mensaje individual, y transferirlas físicamente de un circuito a otro. v.TB. **torn-tape relay**.

traffic report *(Telecom)* informe de tráfico ‖ *(Ferroc)* hoja de ruta.

traffic requirements *(Telecom)* exigencias [necesidades, requisitos] del tráfico; vías de tráfico necesarias (para determinado servicio) | **to provide for traffic requirements:** hacer frente a las exigencias del tráfico.

traffic returns *(Telecom)* ingresos del tráfico, ingresos de explotación.

traffic robot semáforo automático; luz de tránsito automática, luz automática para la circulación.

traffic room *(Teleg)* sala de aparatos. SIN. **instrument [operating] room** || *(Radioteleg)* sala de tráfico [de operadores]. SIN. **operating room.**

traffic-room diagram esquema de la sala de aparatos; esquema de la sala de tráfico [de operadores].

traffic route *(Telecom)* ruta de tráfico; vía de salida del tráfico; vía para establecer una comunicación.

traffic section *(Telecom)* departamento de tráfico [de explotación]. SIN. **traffic department** | servicio de explotación.

traffic sign señal de tránsito [de tráfico]. Elemento de control de tránsito, instalado o suspendido sobre el nivel del camino, que transmite un determinado mensaje mediante palabras o símbolos fijos predeterminados. CF. **traffic marking.**

traffic signal señal de tránsito [de tráfico] | señal (de vía). Aparato colocado en una vía de comunicación y destinado a dar a los vehículos indicaciones relativas a las maniobras y a la seguridad (CEI/38 35–25–035).

traffic-signal light luz de tránsito, luz de tráfico. SIN. **traffic light.**

traffic spectrum *(Telecom)* espectro de frecuencias de tráfico.

traffic staff *(Telecom)* personal de tráfico [de operación, de explotación].

traffic statistics estadísticas de tránsito || *(Telecom)* estadísticas de tráfico | estadística de tráfico. SIN. **peg-count summary, summary of traffic statistics.**

traffic stop detención del tránsito || *(Transportes aéreos)* escala comercial.

traffic stream *(Carreteras)* corriente de tránsito.

traffic summary *(Telecom)* estadística de tráfico || *(Transportes aéreos)* resumen del movimiento.

traffic supervision desk *(Telef)* mesa de observación [vigilancia, supervisión] del tráfico. SIN. **traffic observation desk.**

traffic tunnel *(Avia)* "túnel" de tráfico. Zona en la cual los vuelos están permitidos únicamente dentro de límites fijos en dirección horizontal y dentro de ciertas alturas máxima y mínima en dirección vertical. CF. **caution area, danger area, prohibited area, restricted area.**

traffic unit [TU] *(Telef)* unidad de tráfico [UT]. Centésimo de erlang | unidad de conversación [de ocupación]; comunicación-hora || *(Ferroc)* unidad de tráfico. V. **engine-kilometer, tonne-kilometer, train-kilometer.**

traffic-usage recorder *(Telef)* registrador de tráfico.

traffic volume volumen de tránsito. Número de vehículos que pasan por un punto dado durante un período de tiempo determinado. CF. **traffic density.**

traffic wave *(Radiocom)* onda de tráfico. CF. **answering wave, calling wave, traffic frequency.**

traffic zone number *(Telef)* número de zona de tráfico.

trail pista, sendero, trocha, vereda; camino de herradura; pista, pisada, rastro, andada; indicio; cola (de vestido); estela (de humo, de polvo); trayectoria || *(Artillería y afines)* gualdera; contera; mástil, cola de pato || *(Bombardeo aéreo)* retardo | rosario de bombas. Grupo de bombas aéreas que caen o estallan una tras otra || *(Cohetes)* estela || *(Cometas)* cola, estela || *(Geol/Petrografía)* material fracturado que marca la dirección de una falla || *(TRC)* trazo que persiste; persistencia /// *verbo:* arrastrar; remolcar; rastrear, seguir el rastro; dejar rastro; dejar indicios; arrastrarse; trepar (una planta rastrera o trepadora) || *(Agujas ferrov)* tomar por el talón || *(Artillería rodada)* enganchar.

trail angle *(Bombardeos)* ángulo de retardo [de retraso].

trail car *(Ferroc eléc)* coche de remolque.

trail rope *(Globos)* cuerda freno, sonda. Cable colgante o de arrastre que sirve de lastre variable para regular la altura del globo | cuerda guía. Cable o amarra para maniobra desde el suelo.

trailer rastreador; retranca; draga de tubo de succión || *(Cine)* avance, cola de propaganda. Rollo corto de película con fragmentos de una película completa que se quiere anunciar | cola negra, cola protectora. Trozo de película sin imagen, casi siempre negro, que se pone al final de cada rollo; sirve para cortar la proyección mientras el operador cambia de máquina o apaga la lámpara de proyección || *(Tv)* rastro. Defecto de la imagen que generalmente puede atribuirse a insuficiente ganancia en la parte inferior de la banda de videofrecuencias, y que se presenta en dos formas: raya o trazo brillante a la derecha de una zona o raya obscura (*rastro brillante*); zona o trazo obscuro a la derecha de una parte brillante (*rastro obscuro*). CF. **edge effect** || *(Vehículos)* remolque; carro [coche] de remolque. LOCALISMO: acoplado || *(Ferroc)* rueda portadora posterior (de una locomotora) | remolque. Vehículo destinado a ser remolcado, normalmente por un vehículo motor otro que una locomotora (CEI/57 30–15–045) || *(Obras de tierra)* traílla. Máquina que sirve para conducir y pasar con facilidad de una parte a otra la tierra cuando se quiere allanar el terreno.

trailer card *(Informática)* tarjeta de arrastre.

trailer-coach remolque. Vehículo destinado a ser unido a un vehículo motor (CEI/38 30–15–060).

trailer hitch enganche para remolque.

trailer light luz de remolque.

trailer-light connector conector para las luces del remolque.

trailer record *(Informática)* registro de arrastre. Registro que sigue a otro u otros registros y que contiene datos relativos a éstos.

trailer reflector reflector de remolque.

trailer van remolque, furgón remolcable.

trailing aerial *(Aviones)* antena colgante [remolcada].

trailing antenna *(Aviones)* antena colgante [remolcada]. Antena que cuelga de un avión en vuelo, con un peso en su extremo libre. SIN. **drag antenna, trailing aerial.**

trailing axle *(Camiones)* eje muerto || *(Locomotoras)* eje portador posterior; eje de rueda portante no motriz.

trailing blacks *(Tv)* borde posterior ennegrecido. Defecto de la imagen reproducida, consistente en que el borde que sigue a un objeto blanco aparece ennegrecido. V.TB. **edge effect.** CF. **trailer.**

trailing cable *(Aparatos portátiles)* cable [cordón] flexible || *(Ascensores)* cable móvil.

trailing contact *(Elec, Telecom)* contacto acompañado; contacto de acompañamiento.

trailing edge *(Aeron)* borde de salida; borde posterior (de un ala) || *(Impulsos)* flanco [borde] posterior. SIN. **lagging [rear] edge.** CF. **leading edge.**

trailing-edge gradient *(Impulsos)* pendiente del flanco [borde] posterior.

trailing-edge pulse time instante de fin nominal de un impulso. Instante en que la amplitud del impulso alcanza por última vez una fracción determinada de la amplitud de pico.

trailing-edge rib *(Aviones)* sección posterior de costilla.

trailing-edge vortices *(Avia)* torbellinos del borde de salida.

trailing end *(Películas de cine)* extremidad de cola, cola protectora, cola negra. SIN. **trailer.**

trailing ghost *(Tv)* eco retrasado, eco atrasado. Eco que llega con retraso y produce una segunda imagen (imagen *fantasma*), más débil que la principal y hacia la derecha de ésta. SIN. **trailing echo.**

trailing load carga (bruta) remolcada, carga de un tren. V. **gross load hauled.**

trailing point *(Ferroc)* cambio de talón. Disposición de cambio con la punta de la aguja en el sentido de marcha del tren.

trailing-point switch *(Ferroc)* cambio de talón, cambio (de agujas) de arrastre, agujas de arrastre, agujas tomadas de talón. LOCALISMO: chucho de arrastre.

trailing pole horn *(Elec)* (*i.e.* pole horn opposite to the leading pole horn) extremidad de salida. Extremidad polar opuesta a la de entrada (CEI/56 10–30–120) | cuerno polar de salida.

trailing pole tip   *(Elec)* extremidad de salida. Extremidad polar opuesta a la extremidad de entrada [leading pole tip] (CEI/38 10–40–055) | cuerno polar de salida.

trailing ramp   *(Tracción eléc)* plano inclinado (para facilitar el desacoplamiento del aparato de toma de corriente). CF. **leading ramp.**

trailing reversal   *(Tv)* inversión posterior, efecto de borde posterior. Dícese cuando se ennegrece el borde posterior de los objetos blancos [trailing blacks]; o cuando se emblanquece el borde posterior de los objetos negros que aparecen en la pantalla [trailing whites]. V.TB. **edge effect.**

trailing slope   *(Impulsos)* pendiente (del flanco) posterior. SIN. lagging [rear] slope.

trailing truck   *(Locomotoras)* bogie de arrastre, carretilla posterior [de atrás].

trailing truck wheel   *(Locomotoras)* rueda libre [portante]. Rueda de aquellas sobre las cuales gravita el peso no adherente.

trailing vortex   *(Aeron)* torbellino de estela.

trailing wheel   *(Locomotoras)* rueda portante posterior.

trailing whites   *(Tv)* borde posterior emblanquecido. Defecto de la imagen reproducida, consistente en que el borde que sigue a un objeto negro u obscuro aparece emblanquecido. V.TB. **edge effect.** CF. **trailer.**

trailing wiper   *(Telef)* frotador posterior.

trailing-wire antenna   *(Aviones)* antena (de hilo) colgante. SIN. trailing antenna (véase).

train   cosa que sigue a otra o es arrastrada por ella; cola de traje largo; comitiva, séquito; hilera larga de personas, animales o vehículos; cabalgata; convoy; recua; tren, serie, sucesión, secuencia de eventos encadenados | V.TB. **train of...** || *(Ferroc)* tren. LOCALISMO: convoy. Hilera de vagones acoplados | tren-convoy. Vehículo de tracción o conjunto de vehículos de tracción y de remolque || *(Industria)* batería (de calderas, etc.); laminador || *(Mec)* tren, conjunto de piezas enlazadas unas con otras; tren [sistema] de engranajes /// *verbo:* instruir, enseñar, amaestrar; educar; guiar, orientar; adiestrar, ejercitar, entrenar; apuntar, enfocar, dirigir, orientar || *(Artillería)* apuntar (en dirección o acimut) || *(Radar)* apuntar (la antena) en acimut.

train amplifier   *(Artillería)* amplificador del sistema de puntería (acimutal).

train announcement   anuncio de un tren. Operación por la cual un puesto de seccionamiento [section box] previene al puesto que sigue que un tren acaba de penetrar o va a penetrar en la sección que separa los dos puestos (CEI/59 31–15–010).

train bombing   bombardeo (aéreo) en serie [en reguero, en rosario].

train brake relay   *(Artillería)* relé del freno de puntería (acimutal).

train brake switch   *(Artillería)* interruptor del freno de puntería (acimutal).

train control   mando del tren.

train diagram   gráfica de trenes.

train dispatcher   *(Ferroc)* despachador (de trenes), jefe del movimiento de trenes.

train frequency   *(Ferroc)* intervalo medio de tiempo (entre trenes). Promedio de tiempo entre los trenes que se suceden en el período de mayor tráfico.

train fuse   *(Artillería)* fusible del sistema de puntería (acimutal).

train-kilometer   tren-kilómetro. Unidad de tráfico [traffic unit] correspondiente al desplazamiento de un tren sobre el espacio de un kilómetro (CEI/57 30–05–350). CF. **train-mile.**

train line   línea de tren. Cable que se extiende a todo lo largo de cada vehículo del tren y está provisto de acopladores para mantener la continuidad eléctrica [electrical continuity] entre los vehículos (CEI/57 30–15–715).

train-mile   tren-milla. Unidad de tráfico [traffic unit] correspondiente al desplazamiento de un tren sobre el espacio de una milla (CEI/57 30–05–350). CF. **train-kilometer.**

train of gears   *(Mec)* tren [sistema] de engranajes.

train of gliders   *(Avia)* tren de planeadores.

train of impulses   tren de impulsos, serie de impulsiones.

train of waves   (a.c. wave train) tren de ondas. (1) Grupo de ondas sucesivas que se repiten de una manera similar (CEI/38 05–05–305). (2) Grupo de ondas sucesivas (CEI/56 05–30–080).

train overload relay   *(Artillería)* relé de sobrecarga del sistema de puntería (acimutal).

train pipe   *(Ferroc)* tubería de frenaje, tubería [cañería] general de frenos.

train resistance   *(Ferroc)* resistencia unitaria de la tracción en recta y horizontal. Resistencia que se opone al movimiento en recta y horizontal; se expresa en kilogramos por tonelada de peso del tren o la locomotora | esfuerzo resistente. V. **train resistance on level tangent track.**

train resistance on level tangent track   *(Ferroc)* esfuerzo resistente en horizontal y recta. ABREVIADAMENTE: esfuerzo resistente [train resistance]. Esfuerzo que se opone al movimiento de un vehículo o de un tren, en horizontal y recta, a la velocidad considerada (CEI/57 30–05–145).

train resistance on the level   *(Ferroc)* resistencia en horizontal. V. **specific train resistance on level tangent track.**

train shed   cobertizo de trenes.

train shunt   *(Vías férreas)* shunt de un tren. Valor de la resistencia eléctrica de la derivación [shunt connection] creada entre los dos rieles de un circuito de vía [track circuit] por los ejes del tren (CEI/59 31–05–325).

train unit   tren unidad || *(Tracción eléc)* unidad automotora. V. **motor train unit.**

trainee   aprendiz; persona que se adiestra (en un trabajo u oficio); persona que recibe instrucción; cursillista, participante en un cursillo (p.ej. de capacitación técnica o profesional, de orientación en un nuevo empleo).

trainer   *(i.e.* one who trains) entrenador; instructor | *(i.e.* apparatus, contrivance or device used in training) aparato [dispositivo] de entrenamiento, equipo de adiestramiento [de enseñanza]; artificio didáctico || *(Avia)* avión escuela [de entrenamiento]; aparato de entrenamiento || *(Artillería)* (*i.e.* one who trains a cannon horizontally) apuntador (en acimut).

training   instrucción, enseñanza, aleccionamiento; adiestramiento; entrenamiento; ejercitamiento; educación; guía, orientación; aprendizaje; formación (profesional, técnica); capacitación (del personal). OBSERVACIONES: *Entrenamiento* se tacha de anglicismo, salvo cuando se trata de animales o de atletas. *Adiestramiento* es más apropiado cuando se trata de la adquisición de destreza manual. AFINES: asesoramiento, lección, práctica, experiencia, competencia, capacidad, idoneidad, pericia, conocimientos, escuela, instituto, universidad, centro escolar [educativo], aula, texto de estudio, materia, tópico, profesor, instructor, maestro, curso, cursillo, material de enseñanza, material docente, ayudas audiovisuales, pedagogía, educación [cultura] técnica. CF. **classroom training, factory training, on-the-job training, trainee.**

training aeroplane [airplane]   *(Avia)* (a.c. trainer) avión de entrenamiento [de instrucción], avión escuela.

training aircraft   v. **training aeroplane.**

training airdrome   *(Avia)* aeródromo escuela [de entrenamiento].

training cadre   cuadro de instructores, equipo de entrenamiento.

training center   centro de instrucción [de enseñanza, de adiestramiento]; centro escolar.

training course   curso de instrucción; cursillo.

training cutoff gear   *(Artillería)* mecanismo para cortar la potencia del sistema de puntería (acimutal).

training film   película de instrucción [de entrenamiento].

training flight   *(Avia)* vuelo de instrucción [de entrenamiento].

training motor   *(Ant)* motor de orientación || *(Artillería)* motor de puntería (acimutal).

training on the job   instrucción sobre la marcha. SIN. **on-the-job training.**

training period　período de instrucción [de adiestramiento, de aprendizaje]. SIN. **qualifying period of training.**

training plane　*(Avia)* v. **training aeroplane.**

training power　*(Artillería)* potencia para el sistema de puntería (acimutal).

training reactor　*(Nucl)* reactor de adiestramiento. Reactor que funciona principalmente para la formación de operadores de reactor y la instrucción sobre el comportamiento de los reactores (CEI/68 26–15–100). CF. **research reactor.**

training release　*(Bombardeos aéreos)* lanzamiento en serie [en reguero, en rosario].

training school　escuela de adiestramiento [de entrenamiento]; escuela de capacitación (profesional), escuela de perfeccionamiento (técnico).

training ship　*(Marina)* buque escuela.

trainman　*(Ferroc)* trenista, guardafreno, vagonero ‖ *(Minas)* vagonero.

trainmaster　*(Ferroc)* jefe de tren.

trajectory　trayectoria. SIN. **path.**

trajectory-controlled　*adj:* de trayectoria controlada [dirigida].

trajectory of a missile　trayectoria de un proyectil.

trajectory of a particle　trayectoria de una partícula.

trajectory of electrons (emitted by a cathode)　trayectoria de los electrones (emitidos por un cátodo).

¹tram　*(i.e. streetcar)* tranvía, coche de tranvía | *(i.e. tramway)* tranvía; andarivel, teleférico | *(i.e. cable car)* carro arrastrado por cable ‖ *(Minas)* vagoneta ⫽ *verbo:* transportar en tranvía, en andarivel, en teleférico, etc. ‖ *(Minas)* transportar en vagonetas; arrastrar por vía decauville.

²tram　*(i.e. machine gage, trammel)* compás de vara(s) | elipsógrafo | *(i.e. accurate mechanical adjustment)* ajuste mecánico exacto; calibración, reglaje, alineamiento (mecánico) ⫽ *verbo:* ajustar, alinear (piezas mecánicas) (con el compás de varas).

³tram　*(i.e. heavy silk thread)* seda trama.

tramcar　tranvía, coche [carro] de tranvía. SIN. **streetcar** | tranvía. Vehículo motor utilizado en el modo de transporte definido bajo el No. 30–05–020 [v. **tramway**]. SIN. **car** (CEI/57 30–15–115) ‖ *(Minas)* vagoneta.

tramel, tramell　v. **trammel.**

tramlines　*(Radar)* rayas horizontales. Aparecen en el indicador tipo "A", por encima de la línea de base, y se producen por la modulación de una onda continua por una señal de baja frecuencia.

trammel　*(also tram, tramel, tramell)* traba; trinca; impedimento; estorbo, obstáculo | *(i.e. instrument for gaging and adjusting parts of a machine)* compás de vara(s) | *(i.e. instrument for describing ellipses)* elipsógrafo | *(i.e. pivoted beam of a beam compass)* vara de compás deslizante o de vara ⫽ *verbo:* confinar; estorbar, poner trabas; entrampar.

trammel bar　compás de barra.

trammel point　punta para compás de vara(s).

tramp iron　*(Industria)* fragmentos extraños de hierro, hierro casual, trozos sueltos de hierro; hierro metálico presente en un material no metálico ‖ *(Minería)* pedazo de acero desprendido de la cuchara y mezclado con el mineral.

tramp-iron removal　separación de fragmentos extraños de hierro.

tramp-iron removal equipment　equipo para separar [eliminar] fragmentos extraños de hierro. CF. **grate magnet, plate magnet.**

tramp metal　fragmentos metálicos extraños; partículas metálicas extrañas.

tramway　(a.c. tram) tranvía | **electrical tramway:** tranvía eléctrico. Ferrocarril de tracción eléctrica [railway operated by electric traction] cuyos rieles están generalmente tendidos en la vía pública (CEI/57 30–05–020) | (a.c. tram) andarivel, teleférico, funicular aéreo, tranvía de cable aéreo, vía aérea ‖ *(Minería)* tranvía.

trans-　trans-. Elemento de compuesto que significa o indica *a*

través de; del otro lado, a la parte opuesta; más arriba; más allá; de un sitio a otro; transferencia, transporte; cambio, variación; superior en número atómico. En castellano el uso autoriza en muchos casos la supresión de la *n*; por ejemplo, *trasalpino* en vez de *transalpino*.

trans.　Abrev. de transmitter; translation; translator; translated; transportation; transpose; transposition; transaction; transitive; transverse.

trans-Canada microwave communications system　sistema transcanadiense de telecomunicaciones por microondas.

transaction　transacción, negocio, operación mercantil; operación bancaria; memoria o monografía presentada a una sociedad científica ‖ *(Informática)* transacción, movimiento. Toda actividad u operación que da origen a nuevos datos de ingreso en una computadora o un sistema de tratamiento de la información: movimiento de caja, movimiento de inventario (recepción, entrega, despacho de materiales), emisión de un pedido, facturación de mercaderías, horas trabajadas, etc.

transaction card　*(Informática)* tarjeta de movimiento.

transaction code　*(Informática)* código de transacción. Uno o varios caracteres que forman parte de un registro y que sirven para identificar la clase de transacción o movimiento a que se refiere el mismo.

transaction data　*(Informática)* datos de transacción [de movimiento].

transaction file　*(Informática)* archivo de movimiento. SIN. **detail file.**

transaction register　*(Informática)* registro de movimiento.

transadmittance　*(Elecn)* transadmitancia, admitancia de transferencia | transadmitancia. La transadmitancia de un electrodo a otro es el cociente de la componente sinusoidal de la corriente del segundo electrodo por la componente sinusoidal correspondiente de la tensión del primero, permaneciendo invariables las tensiones de todos los otros electrodos. NOTA: Esta definición es aplicable en todo rigor sólo en el caso de amplitudes infinitesimales (CEI/56 07–28–050).

transadmittance compression ratio　*(Elecn)* relación de compresión de transadmitancia. Razón de la transadmitancia directa para señales de pequeña amplitud [small-signal forward transadmittance] por la transadmitancia directa para una amplitud dada de la señal de entrada.

transatlantic　*adj:* transatlántico.

transatlantic plane　avión transatlántico.

transatlantic service　servicio transatlántico.

transatlantic telegraphy　telegrafía transatlántica.

transatlantic telephone cable　cable telefónico transatlántico.

transatlantic telephony　telefonía transatlántica.

transceiver　transceptor. (**1**) Emisor y receptor de radio combinados en un solo aparato (usualmente para servicio portátil o móvil, o para servicio de radioaficionados) y provisto de un sistema de conmutación mediante el cual ciertos elementos (principalmente válvulas) trabajan alternativamente en emisión y en recepción. (**2**) Combinación de un emisor y un receptor radioeléctricos utilizables únicamente en simplex y en la cual ciertos tubos o circuitos, otros que los que intervienen en la alimentación, son comunes al emisor y el receptor (CEI/70 60–42–080). El término en inglés es contracción de "*trans*mitter-re*ceiver*". CF. **transmitter-receiver, walkie-talkie.**

transceiver card unit　*(Informática)* unidad de tarjetas del transceptor.

transceiver data link　*(Informática)* enlace de transmisión de datos mediante transceptor. La vía de transmisión puede ser alámbrica o inalámbrica.

transcendental　*adj:* eminente, sobresaliente; que está por encima del pensamiento o las ideas comunes; exaltado; místico ‖ *(Filosofía)* transcendental. Perteneciente a la razón pura; relativo al conocimiento *a priori*, o sea, anterior a toda experiencia; que da mínimo valor a la experiencia de los sentidos o niega su realidad; que atribuye fundamental irracionalidad o un elemento supernatural a la experiencia ‖ *(Mat)* transcendente. Que no puede ser determinado por ninguna combinación de un número finito de ecuaciones de coeficientes enteros o racionales. v.TB. **transcendental equation, transcendental function, transcendental number.**

transcendental equation *(Mat)* ecuación transcendente. (**1**) Ecuación en cuyo primer miembro hay funciones transcendentes [transcendental functions] de la(s) incógnita(s). (**2**) Ecuación que no puede representarse por expresiones algebraicas por intervenir en ella logaritmos, líneas trigonométricas, cantidades con exponente variable, etc.

transcendental function *(Mat)* función transcendente [no algebraica]. Función que no puede ser representada por expresiones algebraicas. v.TB. **transcendental.**

transcendental number *(Mat)* número transcendente. Número que no es raíz de ninguna ecuación de coeficientes enteros o racionales. v.TB. **transcendental.**

transcendental transform *(Mat)* transformada exponencial.

transconductance *(Tubos elecn)* transconductancia. (**1**) Factor de amplificación [amplification factor] dividido por la resistencia dinámica de ánodo [AC plate resistance]. (**2**) Variación de la corriente de ánodo causada por una pequeña variación de la tensión de rejilla de control. (**3**) Razón de la componente sinusoidal de la corriente de salida de ánodo en fase con la tensión de rejilla de mando, por la componente sinusoidal correspondiente de esa rejilla, manteniédose constantes las tensiones de todos los otros electrodos del tubo (transconductancia de rejilla de mando a ánodo). (**4**) Con mayor generalidad, componente en fase de la corriente alterna o de señal de un electrodo, dividida por la tensión alterna o de señal correspondiente de otro electrodo, manteniéndose constantes las tensiones de los demás electrodos; en el caso más común e importante, los electrodos considerados son, respectivamente, el ánodo y la rejilla de mando o control. (**5**) La transconductancia de un electrodo a otro es el cociente de la componente sinusoidal de la corriente del segundo electrodo en fase con la tensión del primero, por la componente sinusoidal correspondiente de éste, mientras permanecen invariables las tensiones de los otros electrodos. NOTA: Esta definición es aplicable en todo rigor sólo en el caso de amplitudes infinitesimales (CEI/56 07–28–055). SIN. **conductancia mutua [de transferencia], pendiente (del tubo) —— mutual conductance, slope** *(GB)*. NOTA: En el VEI los términos "mutual conductance" y *pendiente* se reservan para el caso particular de la *transconductancia de rejilla de mando a ánodo* [control-grid-to-anode transconductance], no usándose en absoluto los términos "slope", *conductancia mutua,* y *conductancia de transferencia.* CF. **transadmittance.**

transconductance meter medidor de transconductancia, transconductómetro.

transconductance tube tester probador de tubos por transconductancia. Aparato que sirve para probar tubos electrónicos por aplicación de tensiones alternas a la rejilla de control y medida de la transconductancia o el factor de amplificación en condiciones de funcionamiento dinámicas. SIN. **(dynamic) mutual conductance tube tester.**

transconductance variation variación de transconductancia; variación de pendiente.

transconductor *(Elec)* transconductor. Red cuya corriente de salida en cortocircuito es función bien determinada de la tensión de entrada.

transcontinental *adj:* transcontinental.

transcontinental airway *(Avia)* ruta aérea transcontinental.

transcontinental ballistic missile proyectil balístico transcontinental.

transcontinental satellite transmission *(Telecom)* transmisión transcontinental por satélite.

transcribe *verbo:* transcribir, copiar, trasladar ‖ *(Mús)* transcribir, adaptar ‖ *(Radiodif)* grabar (un programa musical, un discurso, etc) en discos fonográficos o en cinta magnetofónica para

transmisión posterior. CF. **electric transcription.**

transcriber registrador; transcriptor; copiador, copista ‖ *(Mús)* adaptador ‖ *(Informática)* transcriptor. Dispositivo que transforma información de una forma a otra; por ejemplo, el utilizado para transformar los datos de entrada a una computadora, para que los mismos queden en el medio y el lenguaje utilizados por la máquina.

transcription transcripción, trasunto, traslado ‖ *(Mús)* adaptación ‖ *(Radio/Tv)* transcripción. (**1**) Grabación de alta calidad utilizada para radiodifusión. (**2**) Registro o grabación de una emisión o un programa. (**3**) Emisión de un programa grabado de antemano en discos fonográficos especiales, de 16 pulgadas (40,6 cm) de diámetro y velocidad de 33⅓ vueltas por minuto. SIN. **electric(al) transcription.**

transcription disk recording *(Radiodif)* transcripción (fonográfica), grabación en discos especiales para radiodifusión.

transcription turntable *(Radiodif)* tornamesa [plato giradiscos] para transcripciones (fonográficas).

transcurium *adj: (Quím/Nucl)* transcuriano, transcúrico. Dícese de los elementos e isótopos de número atómico superior a 96.

transcurium elements (elementos) transcurianos.

transcurium isotopes isótopos transcúricos.

transdiode *(Elecn)* transdiodo. Transistor utilizado en una disposición especial que mantiene la base y el colector al mismo potencial, no obstante la ausencia de conexión entre ellos, y cuya relación de transferencia entre la corriente de colector y la tensión de base a emisor, es muy semejante a la del diodo ideal.

transduce *verbo:* transducir.

transduced data datos transducidos.

transducer transductor. (**1**) Dispositivo que transforma una forma de energía en otra, reproduciendo las variaciones de amplitud o intensidad de la energía transformada. El *transductor pasivo* [passive transducer] es el que no contiene fuente propia de energía; el *transductor activo* [active transducer] es el que comprende una o más fuentes de energía. EJEMPLOS: el micrófono (que transforma energía acústica en eléctrica); el altavoz (que transforma energía eléctrica en acústica); la célula fotoeléctrica (que transforma energía luminosa en eléctrica); el fonocaptor (que transforma energía mecánica en eléctrica). (**2**) Organo o dispositivo que recibe energía acústica, mecánica, eléctrica, etc., de un sistema o medio, o de varios de ellos, y la suministra de diferente naturaleza, pero de características dependientes de las de la energía que recibió, a otro sistema o medio, o a varios de ellos, distintos de los primeros. (**3**) Conjunto de aparatos o elementos capaz de transmitir potencia de un sistema mecánico, electromagnético o acústico, a otro (CEI/38 05–45–075). (**4**) Dispositivo que recibe energía de uno o más sistemas o medios de transmisión y suministra a uno o más sistemas o medios distintos, energía correspondiente a la que el mismo ha recibido (CEI/60 08–10–010). (**5**) Dispositivo susceptible de funcionar bajo la acción de ondas entrantes procedentes de uno o más sistemas o medios de transmisión, y de suministrar a uno o más sistemas o medios distintos ondas de salida correspondientes a las entrantes. NOTA: Las ondas entrantes y las salientes pueden ser de la misma o de diferente naturaleza (por ejemplo, eléctrica, acústica, o mecánica) (CEI/66 55–25–105) ‖ *(Automática, Medidas)* transductor. Transmisor (v. **transmitter**) cuya señal de entrada es una magnitud física cualquiera y cuya señal de salida es una magnitud física de otra naturaleza (CEI/66 37–30–025) | transductor (de medida), traductor; captor, elemento sensible. Dispositivo que genera una señal (usualmente eléctrica) en respuesta a una acción o magnitud física que se desea medir o detectar. SIN. **pickup, pickoff, sensing device, sensor, detecting element** ‖ CF. **electromechanical transducer, electroacoustic transducer, reversible transducer, ideal transducer, signal converter, transducer for through-hull mounting.**

transducer blocked impedance *(Electroacús)* (*i.e.* blocked impedance of an electromechanical transducer) impedancia a circuito abierto (de un transductor electromecánico). Impedancia eléctrica medida a la entrada del transductor cuando la impedancia mecánica de salida es infinita (por bloqueo mecánico del transductor) | impedancia de transductor (electromecánico) bloqueado.

transducer-controlled   *adj:* controlado [regulado] por transductor.

transducer-coupling system efficiency   rendimiento de un sistema de transductor y su acoplamiento. Se mide por el cociente entre la potencia de salida (punto de aplicación) y la potencia eléctrica absorbida por el transductor.

transducer dissipation loss   *(i.e.* dissipation loss of a transducer) pérdida por disipación (de un transductor).

transducer efficiency   rendimiento de un transductor. Se mide por el cociente entre la potencia de salida y la potencia eléctrica absorbida por el transductor.

transducer equivalent noise pressure   *(Electroacús)* *(i.e.* equivalent noise pressure of an electroacoustic transducer) presión de ruido equivalente (de un transductor electroacústico).

transducer for through-hull mounting   *(Sondas de profundidad)* transductor de montaje pasante en el casco (de la embarcación).

transducer gain   ganancia transductiva [de transducción]; ganancia de transferencia; ganancia de un transductor. v. **transducer loss.**

transducer head   cabeza de transductor.

transducer insertion loss   *(i.e.* insertion loss of a transducer) pérdida de inserción de un transductor. v. **insertion loss.**

transducer loss   atenuación [pérdida] transductiva, pérdida de transducción; pérdida de un transductor. Razón de la potencia disponible de la fuente especificada sobre la potencia que el transductor suministra a una carga especificada en condiciones de funcionamiento determinadas | pérdida de transferencia | atenuación de un transductor. La atenuación de un transductor insertado entre dos impedancias Z_E (emisor) y Z_R (receptor) es la expresión en unidades de transmisión [transmission units] de la razón $P_{máx}/P$, donde $P_{máx}$ es la potencia real máxima [maximum real power] que el emisor Z_E puede suministrar al receptor Z_{R^*}, y P es la potencia que el emisor Z_E suministra al receptor Z_R por medio del transductor considerado. Si el número así obtenido es negativo, se tiene entonces una *ganancia* [transducer gain]. *NOTA:* Esta potencia real máxima se obtiene insertando entre el emisor Z_E y el receptor Z_R un *transductor ideal* [ideal transducer], es decir, anulando primero la reactancia en cada dirección e introduciendo entonces un transformador perfecto [ideal transformer] de la mejor relación posible (CEI/70 55–05–170).

transducer power gain   ganancia transductiva, ganancia efectiva en potencia (de un transductor). SIN. **transducer gain, actual power gain.**

transducer power loss   pérdida transductiva, pérdida efectiva en potencia (de un transductor). SIN. **transducer loss.**

transducer pulse delay   retardo de impulso de un transductor. En general, retardo que experimenta un impulso al pasar por un transductor, entendiéndose por tal un dispositivo como un amplificador, un receptor, un oscilador, un transmisor, etc.; con mayor precisión, intervalo transcurrido entre un punto especificado del impulso de entrada y un punto especificado del correspondiente impulso de salida.

transducer scanner   *(Sonar)* explorador de transductores. Dispositivo que sirve para tomar muestras de las señales direccionales de los diferentes transductores de una red o sistema de emisión.

transducer tube   *(Elecn)* tubo transductor.

transducer zero offset   error de cero del transductor. Valor en que la salida del transductor difiere de cero cuando se anula la variable medida.

transducing   transducción ||| *adj:* transductivo, transductor, de transducción.

transducing of a signal   transducción de una señal.

transducing (passive) quadripole   cuadripolo (pasivo) transduc-

tivo.

transducing piezoid   cuarzo transductor. Cuarzo tallado (v. **finished crystal blank**) empleado como transductor.

transduction   transducción ||| *adj:* transductivo, transductor, de transducción.

transductor   transductor magnético, reactor saturable. CF. **magnetic amplifier** | transductor magnético. Dispositivo constituido por uno o más núcleos ferromagnéticos provistos de devanados, con el cual puede hacerse variar una tensión o una corriente alternas, mediante una tensión o una corriente independientes, aprovechando los fenómenos de saturación [saturation phenomena] del circuito magnético (CEI/55 12–05–005) | transductor magnético, reactor (saturable) de conmutación. Dispositivo (caso particular del de la definición anterior) que, colocado en un circuito de corriente alterna, introduce impedancia nula en ciertos instantes del ciclo, e impedancia prácticamente infinita en todos los demás instantes | *(GB)* transductor. Conjunto de aparatos o elementos capaz de transmitir potencia de un sistema mecánico, electromagnético o acústico, a otro. SIN. **transducer** *(EU)* (CEI/38 05–45–075).

transductor amplifier   amplificador magnético. Dispositivo de transductores utilizado para amplificación. SIN. **magnetic amplifier** (CEI/65 12–25–010).

transductor-controlled   *adj:* controlado [mandado, regulado] por transductor (magnético).

transductor-controlled dynamic braking   frenado dinámico regulado por transductor (magnético).

transductor-controlled power unit   bloque de alimentación mandada por transductor (magnético).

transductor device   dispositivo transductor; dispositivo de transductores.

transductor element   elemento de transductor. Uno de los circuitos magnéticos, provisto de devanados, que constituye una parte del transductor (CEI/55 12–05–010).

transductor field-ripple detector   detector transductivo para determinar el rizado [la componente alterna] del campo.

transductor-operated   *adj:* accionado por transductor (magnético).

transductor-operated contactor   contactor accionado por transductor (magnético).

transductor reactor   reactancia por transductor. Transductor o dispositivo de transductores utilizado como reactancia (CEI/65 12–25–025).

transductor regulator   regulador de transductor. Dispositivo de transductores [transductor device] utilizado para regulación (CEI/65 12–25–005).

transequatorial   *adj:* transecuatorial.

transequatorial scatter   *(Radioelec)* dispersión [difusión] transecuatorial.

transfer   transferencia (acción o efecto de transferir); transferencia (de datos, de información); transmisión; transporte; traspaso; canje; traslado (de personal); calcomanía; remesa (de fondos), giro; transmisión de derechos; cambio de obligación; contrato de cesión | **transfer of power:** transmisión [transporte] de energía | **transfer of motion:** transmisión de movimiento || *(Artillería)* transporte, cambio de blanco || *(Litografía, Opt)* transporte (de imagen) || *(Registros sonoros)* transcripción || *(Elec)* transferencia (de circuitos), conmutación. SIN. **changeover, switching** || *(Comput)* transferencia. v. **parallel transfer, serial transfer.** CF. **transfer check** || *(Telecom)* transferencia | **transfer of a telephone agreement:** cesión de abono | **transfer by telegraph:** transferencia telegráfica, giro telegráfico || *(Transportes)* transferencia, transbordo; billete de transbordo; vía de transbordo; movimiento (de la carga) entre el buque y el muelle || v.TB. **transfer of. . .** ||| *verbo:* transferir; transmitir; transportar; traspasar; canjear; trasladar (personal); remesar (fondos), girar; transmitir derechos; pasar; ceder, traspasar; trasegar; destinar (personal militar) a otro sitio || *(Artillería)* transportar el tiro, cambiar de blanco || *(Comput)* transferir, transmitir, transportar. Ejecutar o comandar el traslado de información de un punto a otro o de un dispositivo a otro | transferir. Transmitir o copiar información (pasándola de un dispositivo a otro) sin cambiar su forma | saltar. v. **jump** ‖ *(Relés)* transferir. Un relé de dos posiciones que no pueden designarse inequívocamente por *posición de reposo* [off-position] o *posición de trabajo* [on-position], transfiere cuando pasa de una posición a la otra (CEI/56 16–10–030) ‖ *(Telef)* **to transfer a circuit to a reserve position:** pasar un circuito a una posición libre ‖ *(Transportes)* transferir, transbordar.

transfer account   *(Explotación teleg)* cuenta de transferencias.

transfer admittance   *(Elec)* admitancia de transferencia. (**1**) La admitancia de transferencia Y_{AB} entre las mallas [meshes] A y B de una red, es la razón de la corriente en A por la tensión en B cuando todos los generadores, excepto los de B, son reemplazados por sus impedancias internas. Si no intervienen impedancias unidireccionales [unidirectional impedances], $Y_{AB} = Y_{BA}$. (**2**) Inversa de la impedancia de transferencia [reciprocal of the transfer impedance].

transfer alphanumerical print entry   *(Informática)* entrada de impresión alfanumérica.

transfer bars   *(Elec)* barras auxiliares. Juego de barras auxiliares, conectadas mediante disyuntor a las barras ómnibus [busbars], sobre las cuales puede ser transferida una línea cualquiera por intermedio de seccionadores durante los períodos de indisponibilidad de los aparatos de interrupción normales de esa línea (CEI/65 25–10–150) | juego de barras de transferencia.

transfer box   *(Elec)* caja de derivación.

transfer canal   *(Nucl)* canal de transferencia.

transfer car   carro de transferencia [de transbordo]; carro transportador [de traslación].

transfer characteristic   *(Elecn)* característica de transferencia. Relación que liga dos magnitudes de igual o distinta naturaleza correspondientes a la entrada y la salida, o a dos electrodos, de un transductor o un dispositivo cualquiera. La relación puede estar expresada por una ecuación o una fórmula, una gráfica, o una tabla de valores correspondientes que muestre la dependencia entre las dos variables. EJEMPLOS: (a) En un amplificador, relación entre la salida y la entrada. (b) En una válvula electrónica, relación de dependencia entre la tensión de un electrodo y la corriente de otro (manteniendo constantes las tensiones de los demás electrodos). (c) En un tubo de cámara, relación entre la intensidad de la iluminación incidente y la amplitud de la correspondiente señal eléctrica (característica de conversión optoelectrónica). (d) En un cinescopio, relación entre la brillantez de la pantalla y la tensión aplicada a la rejilla de control (característica de conversión electroóptica). SIN. **característica mutua, característica [función] de conversión [de traducción, de transducción]** —— **transfer function, mutual characteristic** | característica mutua (de dos electrodos) v. **mutual characteristic.**

transfer characteristic curve   *(Elecn)* curva característica de transferencia.

transfer check   *(Comput)* prueba [comprobación] de transferencia. (**1**) Comprobación de la exactitud de transferencia de una palabra; por lo común se efectúa automáticamente. (**2**) Prueba en que una misma operación se realiza sobre los módulos "N" (restos de la división por "N") y el resultado se compara con el módulo "N" del resultado. EJEMPLO: Prueba de los "nueve", cuando N = 9.

transfer circuit   circuito de transferencia. Circuito que enlaza centros de dos o más redes de telecomunicación, para la transferencia de tráfico entre ellas.

transfer coefficient   *(Telecom)* coeficiente de transferencia.

transfer constant   *(Transductores)* constante de transferencia [de transmisión]. Se evalúa mediante una de las tres fórmulas siguientes:

$$(1) \quad A = \tfrac{1}{2}\log_e (E_1 I_1 / E_2 I_2)$$
$$(2) \quad A = \tfrac{1}{2}\log_e (F_1 V_1 / F_2 V_2)$$
$$(3) \quad A = \tfrac{1}{2}\log_e (P_1 W_1 / P_2 W_2)$$

donde A es la constante de transferencia, E la tensión, I la corriente, F la fuerza, V la velocidad, P la presión, y W el volumen, y donde los subíndices 1 y 2 identifican las magnitudes de entrada y de salida, respectivamente, estando el transductor terminado por su impedancia imagen [image impedance]. Los cocientes indicados son complejos; la parte real de la constante de transferencia es la *constante de atenuación imagen* [image attenuation constant], y la parte imaginaria es la *constante de fase imagen* [image phase constant].

transfer contact   *(Conmut/Relés)* contacto de transferencia. Contacto que rompe su conexión con otro contacto antes de establecer conexión con un tercero. SIN. **break-make contact.**

transfer control   *(Comput)* control de transferencia. CF. **jump, transfer instruction.**

transfer current   *(Tubos de gas)* corriente de transferencia. Valor de la corriente que ha de tomar un electrodo para iniciar la descarga de otro electrodo.

transfer current ratio   relación de corrientes de transferencia. Caso particular de la transadmitancia [transadmittance] en el que las variables son corrientes. SIN. **current ratio.**

transfer curve (of a transductor)   curva característica, característica de régimen (de un transductor). v. **static characteristic (of a transductor).**

transfer device   dispositivo de conversión (p.ej. de CA en CC).

transfer effect   efecto de transferencia.

transfer electrode   *(Elecn)* electrodo de transferencia.

transfer-electrode counter tube   tubo contador [válvula contadora] de electrodos de transferencia.

transfer ellipse   *(Tecnología espacial)* elipse de transferencia.

transfer factor   *(Propagación de ondas)* factor de propagación. SIN. **transfer ratio.**

transfer function   función de transferencia. (**1**) Relación entre una magnitud de salida y una magnitud de entrada de un dispositivo. EJEMPLOS: (a) relaciones alfa y beta de corrientes en un transistor; (b) transconductancia en una válvula termoelectrónica; (c) ganancia de un amplificador. (**2**) Relación entre dos variables de un sistema, que permite determinar una de ellas en función de la otra. CF. **transfer characteristic** ‖ *(Automática)* función de transferencia. (**1**) Expresión matemática de la relación entre las variables de salida y de entrada de un elemento o de un proceso. (**2**) Expresión matemática que indica para un elemento la razón compleja [complex ratio] de la señal de salida a la señal de entrada (CEI/66 30–40–120).

transfer function and immittance bridge   puente de inmitancia y funciones de transferencia.

transfer-function bridge   puente (medidor) de funciones de transferencia.

transfer-function meter   medidor de funciones de transferencia, transferómetro.

transfer impedance   impedancia de transferencia. (**1**) En un filtro u otro dispositivo semejante, razón de la tensión de salida a la corriente de entrada. (**2**) En una red eléctrica, la impedancia de transferencia entre dos pares de bornes o terminales es la razón de la diferencia de potencial aplicada a un par, por la corriente resultante en el otro par, estando todos los bornes terminados de manera especificada. (**3**) Razón compleja [complex ratio] de la tensión sinusoidal aplicada entre los bornes de entrada de un cuadripolo [quadripole], a la corriente resultante en los bornes de salida cuando éstos están conectados a una impedancia determinada. (**4**) Operador analítico [mathematical operator] que representa dicha razón compleja ‖ *(Electroacús)* v. **transfer mechanical impedance.**

transfer instruction   *(Comput)* instrucción de transferencia. Instrucción o señal que especifica la localidad o ubicación de la operación que ha de ser ejecutada a continuación. CF. **jump instruction.** v.TB. **transfer of control** *(Comput).*

transfer jack   *(Telef)* jack [conjuntor] de transferencia.

transfer joint   *(Telef)* (*i.e.* temporary joint of wires or cables for cutting in a new exchange or section of line) puente provisional. Empalme temporal de un grupo de conductores o de cables para poner en servicio una nueva central o un nuevo tramo de línea.

transfer key *(Telef)* llave de transferencia.

transfer lever *(Teleimpr)* palanca de transferencia.

transfer loop *(Informática)* circuito de transferencia (de datos).

transfer loss *(Cine)* pérdida (de calidad) por transferencia. Desmejora de la calidad al transferir el registro fotográfico del sonido (pista sonora óptica) || *(Telecom)* pérdida de transferencia.

transfer matrix matriz de transferencia.

transfer mechanical impedance *(Electroacús)* impedancia de transferencia. Cociente complejo [complex quotient] de la fuerza aplicada en un punto de un sistema por la velocidad resultante en otro punto. NOTA: Esta definición no es válida más que para sistemas en estado vibratorio permanente y sinusoidal (CEI/60 08–10–110).

transfer mechanism *(Teleimpr)* mecanismo de transferencia.

transfer of control *(Avia)* transferencia de control. Paso de una dependencia a otra de la responsabilidad de la prestación del servicio de control de tránsito aéreo || *(Comput)* transferencia de control, bifurcación. En las computadoras más usuales, en las que el programa es almacenado en la memoria, las instrucciones son ejecutadas en el orden en que las mismas aparecen en la memoria, a menos que una instrucción de tipo especial, o sea, una *instrucción de transferencia* [transfer instruction] interrumpa la secuencia normal y haga que la máquina busque en otra localidad su próxima instrucción; la transferencia de control o bifurcación puede ser *incondicional* o *condicional*, cuando está sujeta a determinada condición.

transfer-of-control message *(Avia)* mensaje de transferencia de control.

transfer-of-control point *(Avia)* punto de transferencia de control. Punto de la trayectoria de vuelo de una aeronave en la que ocurre la transferencia de control respecto a esa aeronave.

transfer of radar identification *(Radionaveg)* transferencia de identificación radárica.

transfer open time *(Relés)* v. **transfer time.**

transfer operation *(Informática)* operación de transferencia (de datos), operación de traslado (de información).

transfer oscillator oscilador de transferencia.

transfer parameter parámetro de transferencia.

transfer pipe tubería de trasiego.

transfer point *(Avia)* punto de transferencia || *(Milicia)* punto de relevo || *(Tejidos de punto)* punzón de transferencia.

transfer port *(Cajas de guantes)* abertura de acceso || *(Mot)* lumbrera de transferencia.

transfer position *(Informática)* posición de transferido (en un selector).

transfer posting fluid *(Informática)* fluido para máquina transferidora.

transfer print *(Informática)* transferencia de impresión.

transfer print entry position *(Informática)* posición de entrada de impresión.

transfer pump *(Astilleros, Mot)* bomba de trasiego [de paso, de traslado, de transferencia].

transfer ratio relación de transferencia. Función de transferencia [transfer function] entre dos variables de un sistema lineal, dada por el cociente de las respectivas transformadas de Laplace, suponiendo nulas las condiciones iniciales || *(Propagación de ondas)* relación de transferencia [de propagación], factor de transferencia [de propagación]. Dados dos puntos de una onda, razón del desplazamiento en el segundo punto por el desplazamiento en el primero. SIN. **propagation factor [ratio], transfer factor.**

transfer relay relé de transferencia, relé conmutador; relé intermedio.

transfer resistor resistor de transferencia. Véase la nota al final del artículo *transistor*.

transfer signal *(Telef)* señal de transferencia.

transfer standard patrón de transferencia. SIN. **transference standard.**

transfer switch *(Elec)* conmutador (de transferencia); conmutador inversor; conectador.

transfer table *(Ferroc)* transbordador, mesa transbordadora [transportadora, de traslación], plataforma de transbordo. Plataforma movible para el traslado de locomotoras, vagones u otro material rodante entre vías paralelas.

transfer theorem (for the moment of inertia) teorema de transferencia (para el momento de inercia).

transfer time *(Comput)* tiempo de transferencia (de información). Tiempo necesario para efectuar un traslado de información de un dispositivo a otro || *(Relés)* tiempo de conmutación. En los relés con contactos de cortar antes de cerrar [break-before-make contacts] hay un intervalo de tiempo durante el paso de la armadura de una posición a otra, en el que el contacto móvil no está conectado a ninguno de los contactos fijos; a ese intervalo se llama *tiempo de conmutación*. SIN. **transfer open time** || *(Telecom)* tiempo de transferencia | tiempo de conmutación. En el caso de un contacto de conmutación [change-over contact unit], intervalo de tiempo entre el momento en que uno de los dos contactos es interrumpido y el momento en que el otro es establecido. SIN. **change-over time** (CEI/70 55–25–260).

transfer-to-storage circuit *(Informática)* circuito de transferencia a la unidad de almacenamiento.

transfer track *(Ferroc)* vía de transbordo.

transfer trunk *(Telef)* enlace de transferencia.

transfer unit unidad de transferencia; máquina de transferencia.

transferable *adj:* transferible; transmisible; transportable; traspasable; trasladable.

transferable quantity *(Fís)* cantidad transferible.

transference transferencia.

transference number *(Quím)* número de transferencia || *(Electroquím/Electromet)* número de transporte de los iones. Razón entre la cantidad de electricidad transportada por los iones considerados y la cantidad total de electricidad que, en el mismo tiempo, atraviesa el electrólito. SIN. **transport number** (CEI/60 50–05–380).

transference standard patrón de transferencia. CF. **primary standard, secondary standard.**

transferred charge carga transferida. En el caso particular de un condensador, carga eléctrica neta que pasa de un terminal al otro por un circuito externo.

transferred-charge call *(Telef)* conversación pagada por el destinatario, conversación a cobrar en el destino. SIN. **collect call.**

transferred-charge characteristic *(Cond)* característica de carga transferida. Curva o función matemática que liga la carga transferida con la tensión entre terminales del condensador.

transferred electron effect efecto de electrón transferido. SIN. **Gunn effect.**

transferred printed circuit *(Elecn)* circuito impreso transferido. Circuito impreso cuyo esquema se forma en una base provisional y es transferido luego a la base definitiva.

transferring *adj:* transferidor, de transferencia.

transfinite *(Mat)* transfinito. Número, conjunto, o magnitud transfinitos /// *adj:* transfinito. Que va más allá de o supera a cualquier número, conjunto, o magnitud finitos.

transfinite cardinal *(Mat)* cardinal transfinito.

transfinite induction *(Mat)* inducción transfinita.

transfinite number *(Mat)* número transfinito.

transfinite ordinal *(Mat)* ordinal transfinito.

transfluxor transfluxor. Núcleo ferromagnético con varias ramas y aberturas, en el cual pueden establecerse distintos estados de magnetización con el auxilio de diversos devanados, y que está provisto de un devanado en el que se toma la señal de salida. Se utiliza como elemento de memoria en computadoras electrónicas o como elemento conmutador o de control en diversos dispositivos y sistemas.

transfocator *(Fotog)* objetivo de distancia focal regulable. SIN.

zoom lens.

transform   transformación, conversión ‖ *(Mat)* transformación; (función) transformada ⫴ *verbo: (Elec, Fís, Mat, Mec)* transformar ‖ *(Informática)* transformar (información). Cambiar la estructura, composición o forma de la información sin alterar su significado, sentido o valor.

transform of an element (of a group)   *(Mat)* transformado de un elemento (de un grupo).

transformation   transformación, conversión ‖ *(Elec, Fís, Mat, Mec)* transformación ‖ *(Fotogrametría)* transformación, rectificación ‖ v.tb. **transformation of.** . . ⫴ *adj:* transformacional, de transformación.

transformation constant   *(Nucl)* constante de desintegración. sin. **decay constant.**

transformation family   *(Nucl)* familia [serie] radiactiva. sin. **decay chain.**

transformation formula   *(Nucl)* fórmula de transformación.

transformation group   *(Mat)* grupo de transformaciones.

transformation law   *(Fís)* ley de transformación.

transformation of coordinates   *(Mat)* transformación de (las) coordenadas.

transformation of electric energy   transformación de energía eléctrica. Conversión de energía eléctrica sin cambio de la frecuencia (CEI/65 25–05–015). cf. **transformer.**

transformation of energy   transformación de energía. sin. **transmutation of energy.**

transformation of impedance   transformación de impedancia. cf. **impedance matching.**

transformation period   *(Nucl)* período de semidesintegración. Tiempo necesario para que la radiactividad de una substancia se reduzca a la mitad. cf. **half-life.**

transformation point   punto de transformación. Temperatura crítica durante el calentamiento o el enfriamiento de un metal o una aleación, a la cual el mismo pasa de un estado cristalino a otro.

transformation printing   *(Fotogrametría)* transformación, rectificación.

transformation property   *(Fís)* propiedad de transformación; característica de transformación.

transformation ratio   *(Transf)* relación [razón] de transformación. Razón entre el número de vueltas del devanado primario y el del devanado secundario. En cada devanado, la tensión es directamente proporcional al número de vueltas, y la corriente es inversamente proporcional al mismo. sin. **transformer ratio.** v.tb. **transformation ratio of.** . .

transformation ratio of a current transformer   relación de transformación de un transformador de intensidad. Razón entre la corriente primaria y la corriente secundaria (CEI/58 20–45–105).

transformation ratio of a voltage transformer   relación de transformación de un transformador de tensión. Razón entre la tensión primaria y la tensión secundaria (CEI/58 20–45–105).

transformation resistance   resistencia de transformación.

transformation series   *(Nucl)* serie radiactiva, familia radiactiva [de transformación]. sin. **radioactive series.**

transformation temperature   *(Fís)* temperatura de (la) transformación.

transformator   transformador. sin. **transformer.**

transformed generator voltage   *(Estudios de redes)* tensión del generador después de la transformación.

transformed (input) conductance   conductancia (de entrada) transformada.

transformed section   *(Mec)* sección transformada.

transformer   transformador. (1) Aparato de inducción estático (sin piezas móviles) destinado a transformar un sistema primario de corrientes variables (alternas o continuas pulsantes) en otro sistema de intensidad y tensión en general diferentes, pero de igual frecuencia. Consiste esencialmente en dos (o más) bobinas o devanados acoplados electromagnéticamente, de manera que una corriente variable en uno de ellos (primario) induce en otro (secundario) una tensión igual a la tensión primaria multiplicada por la razón del número de vueltas del secundario al número de vueltas del primario. La energía transferida es igual a la suministrada en el transformador ideal o perfecto, pero algo menor en los transformadores prácticos, debido a las pérdidas óhmicas y otras. Los transformadores tienen multitud de aplicaciones: elevar o reducir una tensión, transferir energía de un circuito a otro u otros sin conexión metálica entre ellos, adaptación o transformación de impedancias, etc. (**2**) Aparato estático de inducción destinado a transformar un sistema primario de corrientes alternas en otro sistema de intensidad y tensión en general diferentes (CEI/38 10–25–005). (**3**) Aparato estático de inducción electromagnética destinado a transformar un sistema de corrientes variables en uno o más sistemas de corrientes variables de intensidad y de tensión generalmente diferentes, pero de la misma frecuencia (CEI/56 10–25–005). v.tb. **autotransformer, bias transformer, boosting transformer, compensated current transformer, constant-current transformer, core-type transformer, current transformer, driver transformer, filament transformer, frequency transformer, impedance transformer, input transformer, instrument transformer, interstage transformer, isolation transformer, modulation transformer, negative-boosting transformer, output transformer, phase-compensating transformer, plate transformer, rotating-field transformer, shell-type transformer, vibrator transformer, voltage transformer, transformer for.** . . , **transformer with.** . .

transformer action   acción transformadora [de transformador]. Transferencia de energía entre circuitos por inducción electromagnética.

transformer box   caseta de transformación [de transformadores].

transformer bridge   puente de transformador. Red eléctrica que consiste en un transformador a cuyo primario se le aplica la señal de entrada, y cuyo secundario, con derivación central, lleva dos impedancias en serie conectadas entre sus extremos. La señal de salida se toma entre la derivación central y el punto de unión de las dos impedancias. La red puede tener diferentes aplicaciones, y de acuerdo con ellas se determina la naturaleza y valor de las impedancias utilizadas. Por ejemplo, la red puede utilizarse como filtro de cristal; en ese caso, el cristal constituye una de las impedancias, y la otra es un condensador que equilibra la capacitancia estática de aquél, de tal manera que la transmisión sólo ocurre a frecuencias próximas a la de resonancia del cristal.

transformer build   construcción del transformador. A veces se refiere en particular al área de las aberturas del núcleo.

transformer case   caja [envoltura] de transformador; cuba de transformador.

transformer coil   bobina transformadora; bobina [devanado] de transformador.

transformer compound   compuesto (aislador) para transformadores. Compuesto que actúa como aislante y medio refrigerante, y que se utiliza para revestir o impregnar transformadores y otros aparatos eléctricos que han de estar en contacto con aceite. cf. **transformer oil.**

transformer core   núcleo de transformador.

transformer core loss   pérdida en el núcleo [pérdidas en el hierro] de un transformador. v. **core loss.**

transformer-core-loss bridge   puente de medida de pérdidas en el núcleo de un transformador. cf. **core-loss test set.**

transformer-coupled   *adj:* acoplado [de acoplamiento, con acoplamiento] por transformador. v. **transformer coupling.**

transformer-coupled amplifier   amplificador acoplado por transformador, amplificador de acoplamiento [con acoplamiento, con acoplo] por transformador. Puede referirse al acoplamiento de entrada, de salida, o entre etapas. v. **transformer coupling.**

transformer coupling   acoplamiento por transformador [de transformador]. Acoplamiento entre circuitos o entre etapas de un amplificador u otro dispositivo mediante un transformador,

transformador que, según el caso, puede ser de audiofrecuencia, de radiofrecuencia, de frecuencia intermedia, etc. SIN. **acoplamiento inductivo** — **inductive coupling** | acoplamiento por transformador. Acoplamiento entre etapas efectuado mediante un transformador cuyos devanados primario y secundario son insertados respectivamente en el circuito de salida de una etapa y el circuito de entrada de la etapa siguiente (CEI/70 60–14–045).

transformer electromotive force (in an alternating-current commutator machine) fuerza electromotriz estática (en una máquina de colector de corriente alterna). Fuerza electromotriz producida en los devanados de un inducido [armature] por las variaciones periódicas del flujo del inductor (CEI/56 10–40–030). CF. **rotational electromotive force.**

transformer equation ecuación del transformador; ecuación de la inducción.

transformer filter filtro con transformador.

transformer-filter assembly conjunto de transformador y filtro.

transformer for rectifiers transformador para rectificadores, transformador de alimentación.

transformer for superposing a telegraph circuit on a telephone circuit transformador de adaptación para telegrafía y telefonía simultáneas, transformador para superponer un circuito telegráfico sobre uno telefónico.

transformer house caseta de transformadores.

transformer hybrid red diferencial de transformadores; unión híbrida con transformadores. SIN. **hybrid set, hybrid** | transformador diferencial. V. **hybrid transformer.**

transformer kiosk cabina de transformadores. Local en el cual se hallan instalados transformadores destinados a la alimentación de redes de baja tensión (CEI/38 25–10–070).

transformer load loss pérdida en el transformador originada por la carga. Pérdidas que ocurren en un transformador solamente cuando el mismo suministra corriente a una carga.

transformer loss pérdida del transformador, pérdida de transformación. Diferencia entre la potencia entregada por el transformador considerado a una carga determinada, y la potencia que entregaría a la misma carga un transformador perfecto de igual relación de impedancias que el primero.

transformer matching adaptación (de impedancias) mediante transformador.

transformer oil aceite para transformadores. Fracción de petróleo refinado empleada para cubrir las bobinas o devanados de transformadores eléctricos. De esta manera se obtienen altos valores de rigidez dieléctrica [dielectric strength], resistencia de aislación, y temperatura de desprendimiento de gases explosivos [flash point], y se protege el aparato contra la humedad y la oxidación. CF. **transformer compound.**

transformer-operated adj: (Aparatos) alimentado por transformador, con transformador (de alimentación). CF. **transformerless.**

transformer-operated power supply fuente de alimentación con transformador.

transformer pillar pilar [poste] de transformador.

transformer plate plancha [chapa] para transformadores. Chapa de hierro o de acero apropiada para la construcción de núcleos de transformador. CF. **transformer stampings.**

transformer primary primario de (un) transformador.

transformer rating capacidad normal [nominal] de (un) transformador.

transformer ratio relación [razón] de transformación. Razón entre el número de vueltas del devanado primario y el número de vueltas del devanado secundario. SIN. **transformation ratio.**

transformer ratio-arm bridge puente (de medida) del tipo de brazos [ramas] de relación de transformador.

transformer ratio arms (Puentes de medida) brazos de relación de transformador.

transformer read-only store almacenador de transformadores de lectura solamente, almacenador (de información) con trans-

formadores sólo para lectura. Dispositivo de almacenamiento de información para lectura solamente (no tiene medios para registrar nueva información), en el cual la presencia o la ausencia de inductancia mutua entre dos circuitos determina el que haya almacenado un 1 o un 0 binario, y en el cual se utiliza un transformador por cada dígito de la palabra de salida. SIN. **anillo de Dimond** — **Dimond ring.**

transformer-rectifier assembly conjunto de transformador y rectificador, grupo transformador-rectificador.

transformer secondary secundario de (un) transformador.

transformer stampings chapas estampadas para transformador. Chapas o planchas estampadas de hierro o acero apropiadas para armar núcleos de transformador. CF. **transformer plate.**

transformer starter arrancador por transformador. Arrancador estatórico [reduced-voltage starter] para motor de corriente alterna que utiliza para el arranque una o más tensiones reducidas tomadas de un transformador (CEI/57 15–50–050).

transformer station estación [central] de transformación, estación transformadora. LOCALISMO: usina transformadora. CF. **transformer substation.**

transformer substation subestación de transformación. Conjunto de aparatos destinados a transformar la energía eléctrica mediante transformadores (CEI/38 25–10–030). CF. **transforming station.**

transformer tank cuba de transformador; caja [envoltura] de transformador. SIN. **transformer case.**

transformer tap toma [derivación] de transformador. Conexión a un punto intermedio entre los extremos de un devanado de un transformador.

transformer tap switch conmutador de tomas del transformador.

transformer trimmer (Radio) compensador de transformador.

transformer-type arms (Puentes de medida) ramas [brazos] del tipo de transformador.

transformer vault bóveda [cámara] de transformadores. Bóveda o cámara aislada y resistente al fuego en la que se alojan transformadores y sus dispositivos auxiliares; puede estar bajo tierra o sobre la superficie de la tierra. CF. **transformer kiosk.**

transformer voltage ratio relación de tensiones de un transformador. Es numéricamente igual a la razón de vueltas entre el devanado primario y el secundario. CF. **transformer ratio.**

transformer with iron core transformador con núcleo de hierro.

transformer with natural cooling transformador de refrigeración natural. Transformador desprovisto de todo dispositivo para producir movimientos del aire que no sean los debidos a las diferencias de temperatura (CEI/56 10–05–240). CF. **machine with natural cooling.**

transformerless adj: sin transformador. (**1**) Dícese de un aparato, como un receptor de radio o de televisión, que no utiliza transformador de fuerza en su fuente de alimentación; los receptores de alimentación universal (CA/CC) son generalmente sin transformador de fuerza. (**2**) Dícese de un audioamplificador que no utiliza transformador de salida; la mayoría de los audioamplificadores de potencia transistorizados prescinden de dicho transformador.

transformerless amplifier amplificador sin transformador.

transformerless receiver receptor sin transformador.

transformerless set aparato sin transformador.

transforming transformación /// adj: transformador, de transformación.

transforming printer (Fotogrametría) transformador, impresora transformadora.

transforming section (Guía de ondas) sección adaptadora [de transformación] | sección de adaptación. V. **matching section.**

transforming station subestación de transformación. Subestación que comprende transformadores (CEI/65 25–10–085). CF. **transformer substation.**

transhipping V. **transshipping.**

transhorizon transhorizonte, más allá del horizonte.

transhorizon communication station   estación de enlace (radioeléctrico) transhorizonte.

transhorizon link   enlace (radioeléctrico) transhorizonte. SIN. **tropospheric scatter link.**

transhorizon radio-relay link   radioenlace transhorizonte. Radioenlace por dispersión troposférica más allá del horizonte.

transhybrid loss   *(Telecom)* pérdida transdiferencial. Pérdida de transmisión [transmission loss] a determinada frecuencia que ocurre en un circuito diferencial conectado por una parte a una terminación a dos hilos [two-wire termination] y por otra a una red de equilibrado [balancing network, impedance simulating network]. SIN. **return loss.**

transient   *(Lenguaje común)* transeúnte, viajero de paso, persona que está de paso ‖ *(Lenguaje técnico)* fenómeno transitorio; fenómeno rápido; fenómeno aperiódico; fluctuación [variación] transitoria; perturbación transitoria; componente transitoria [en régimen transitorio]; oscilación transitoria [momentánea]; sobretensión pasajera; sobreintensidad pasajera; corriente de sobretensión [de sobrevoltaje]; extracorriente (de ruptura, de cierre); onda errante. NOTA: Aunque *transitorio* es sólo adjetivo, hay en el uso técnico cierta tendencia a darle a esta voz función de substantivo, sobre todo en traducciones del inglés ‖‖ *adj:* transeúnte, de tránsito, de paso; fugaz, pasajero; momentáneo, no permanente; transitorio; en régimen transitorio; en tránsito.

transient absorption capability   *(Transistores)* capacidad de absorción de potencias transitorias.

transient airplane   avión en tránsito.

transient analyzer   analizador de respuesta en régimen transitorio. Aparato que comprende un generador de sobretensiones o sobrecorrientes periódicas, de poca amplitud y forma de onda ajustable, que pueden aplicarse a un dispositivo o circuito para estudiar su comportamiento en régimen transitorio; las formas de onda de salida del dispositivo o circuito que se prueba, son observadas en un osciloscopio que también forma parte del analizador.

transient behavior   comportamiento transitorio; comportamiento en régimen transitorio. Respuesta de un dispositivo en función de la amplitud y la rapidez de variación de las señales de entrada.

transient buildup (of an antenna pattern)   establecimiento en régimen transitorio (del diagrama de radiación de una antena).

transient burning   quema por efecto transitorio.

transient component   componente transitoria [en régimen transitorio]. Componente temporal o momentánea de corriente existente en un circuito hasta que éste se estabiliza después de un cambio repentino de carga, de tensión aplicada, etc.

transient current   corriente transitoria [momentánea]; corriente de sobretensión [de sobrevoltaje]; extracorriente (de ruptura, de cierre); sobreintensidad pasajera. Irrupción instantánea de corriente producida por una transición brusca en las condiciones de un circuito.

transient decay current (of a photoelectric device)   corriente residual (de un tubo o una célula fotoelectrónicos). Corriente residual decreciente que subsiste después de haber cesado bruscamente la irradiación del tubo o la célula (CEI/56 07–23–065).

transient distortion   distorsión en régimen transitorio, distorsión transitoria. (**1**) Distorsión que se produce en un dispositivo o un sistema cuando el mismo no reproduce o amplifica linealmente las señales de variación muy rápida. (**2**) Distorsión que produce un altavoz cuando es incapaz de responder instantáneamente a un sonido de ataque rápido y volver igualmente al reposo al cesar éste. CF. **transient response.**

transient effect   efecto transitorio.

transient electric field   campo eléctrico transitorio.

transient electromotive force   fuerza electromotriz transitoria.

transient equilibrium   *(Nucl)* equilibrio transitorio.

transient fault   falla transitoria. Falla que desaparece por sí sola (CEI/65 25–40–045) | falla de carácter fugaz. Falla cuya supresión

no necesita de ninguna intervención local en el sitio donde se ha presentado (CEI/65 25–40–050*). *NOTA: Esta definición no tiene término equivalente inglés en el VEI.

transient flux   flujo transitorio.

transient form (of a musical sound)   característica temporal (de un sonido musical). SIN. **time characteristic (of a musical sound).**

transient generation (of heat)   *(Nucl)* generación transitoria (de calor).

transient image   imagen no permanente.

transient linear distortion   distorsión lineal en régimen transitorio.

transient load   carga transitoria; carga temporal.

transient (localized) potential   potencial (localizado) transitorio.

transient magnetic field   campo magnético transitorio.

transient magnistor   magnistor modulado (por variación de corriente).

transient motion   movimiento transitorio. Todo movimiento que no ha alcanzado un estado permanente o ha cesado de estar en él.

transient nucleus   *(Nucl)* núcleo transitorio.

transient operation   régimen transitorio.

transient oscillation   oscilación transitoria [momentánea]. (**1**) Oscilación que ocurre en un circuito eléctrico por tiempo muy breve después de una conmutación. (**2**) Magnitud oscilatoria amortiguada que ocurre en la salida de un sistema como resultado de una variación repentina en la entrada. CF. **ringing.**

transient overshoot   *(Automática)* sobreexceso transitorio. Diferencia entre el valor máximo de la respuesta a un escalón unitario [indicial response, unit-step response] y el valor asintótico de la misma, referida a este valor asintótico (CEI/66 37–40–065).

transient peak inverse voltage   *(Rect de silicio controlados)* máxima tensión inversa de pico aperiódico [no recurrente]. Valor instantáneo máximo de la tensión inversa (negativa) no recurrente que puede ser aplicada al ánodo estando abierto el electrodo de control.

transient period   período transitorio.

transient phenomena   fenómenos transitorios. V. **transient phenomenon.**

transient phenomenon   fenómeno transitorio. Todo fenómeno temporal o momentáneo que tiene lugar en un circuito o un sistema después de un cambio repentino en las condiciones del mismo; por ejemplo, variación rápida de una magnitud entre el cierre o la apertura de un interruptor y el instante en que se alcanza el régimen estable [steady-state conditions] | fenómeno rápido; fenómeno aperiódico | **transient phenomena:** fenómenos transitorios. Fenómenos que se manifiestan durante el paso de un régimen a otro (CEI/38 05–40–155, CEI/56 05–41–120).

transient pinch effect   reostricción transitoria, efecto de apretamiento transitorio.

transient poison effects   *(Nucl)* efectos del envenenamiento transitorio.

transient potential   potencial transitorio.

transient power limit   *(Elec)* límite de estabilidad dinámica; límite de estabilidad momentánea. SIN. **transient stability limit.**

transient process   proceso transitorio.

transient radioactive equilibrium   equilibrio radiactivo transitorio.

transient reactance   reactancia transitoria [momentánea].

transient recovery time   tiempo de restablecimiento. SIN. **recovery time.**

transient recovery voltage   *(Disyuntores)* tensión transitoria de ruptura.

transient response   respuesta en régimen transitorio, respuesta transitoria. Respuesta a los impulsos o señales de tipo impulsivo; característica de respuesta a fenómenos transitorios. A modo de ejemplo, se dice que es buena la respuesta en régimen transitorio de un audioamplificador si el mismo es capaz de reproducir fielmente el establecimiento y el cese de un tono de percusión aplicado a su entrada. SIN. **respuesta a la señal unidad** —— surge characteristic, unit-function response. CF. transient distortion | similar transient response for increasing or decreasing levels: respuesta en régimen transitorio simétrica para amplitudes ascendentes y descendentes | (of a dynamical system) respuesta transitoria (de un sistema dinámico).

transient-response test   prueba de respuesta en régimen transitorio.

transient-response test at audio frequencies   prueba de respuesta de audiofrecuencia en régimen transitorio. Se utilizan para esta prueba ráfagas de tono [tone bursts].

transient response time   tiempo de respuesta. SIN. response time.

transient short circuit   cortocircuito momentáneo.

transient short-circuit current   corriente transitoria de cortocircuito.

transient single-phase short-circuit current   *(Máq sincrónicas)* corriente transitoria de cortocircuito monofásico. Valor eficaz de la corriente por fase del inducido que aparece inmediatamente después de la puesta en cortocircuito brusco de una fase con el neutro, determinado eliminando la componente aperiódica [aperiodic component], cuando no se toman en cuenta las componentes de amortiguamiento muy rápido que pueden existir durante los primeros períodos (CEI/56 10–45–105). Véase la NOTA "10–45–000" en el artículo *synchronous machine*.

transient stability   *(Elec)* estabilidad respecto a las sobretensiones | estabilidad en régimen transitorio. Condición existente en un sistema de transmisión si, después de una perturbación aperiódica, el mismo recobra su estabilidad estática [steady-state stability].

transient stability limit   límite de estabilidad dinámica. SIN. transient power limit.

transient stability limit with constant flux (of a transmission system)   límite de estabilidad dinámica con flujo magnético constante (en un sistema de transmisión). Potencia máxima que el sistema es capaz de transmitir sin pérdida de sincronismo, al producirse una perturbación brusca, en el caso en que la intervención de reguladores sincrónicos tiene por efecto mantener constante el flujo en los circuitos inductores [field circuits] de las máquinas sincrónicas del sistema. Este límite de estabilidad depende de la perturbación (aumento de la potencia, variación de impedancia, cortocircuito, etc.), de su magnitud, y de su duración (CEI/56 10–45–170). Véase la NOTA "10–45–000" en el artículo *synchronous machine*.

transient state   estado transitorio; régimen transitorio. A veces implica un estado temporalmente anormal en el que una magnitud (presión, temperatura, velocidad, etc.) varía brusca o erráticamente. CF. steady state.

transient-state response   respuesta en régimen transitorio. SIN. transient [waveform] response.

transient testing   pruebas [ensayos] en régimen transitorio.

transient three-phase short-circuit current   *(Máq sincrónicas)* corriente transitoria de cortocircuito trifásico. Valor eficaz de la corriente por fase del inducido [armature] que aparece inmediatamente después de la puesta en cortocircuito brusco de las tres fases, determinado eliminando la componente aperiódica, cuando no se toman en cuenta las componentes de amortiguamiento muy rápido que puedan existir durante los primeros períodos (CEI/56 10–45–105). Véase la NOTA "10–45–000" en el artículo *synchronous machine*.

transient time   período transitorio. SIN. transient period.

transient time constant   constante de tiempo transitoria.

transient time-constant on a given impedance   constante de tiempo transitoria con una impedancia dada. La mayor de las constantes de tiempo que se manifiestan durante el régimen no permanente de la corriente o de la tensión de una máquina sincrónica, estando eliminada la componente aperiódica [aperiodic component] (CEI/56 10–45–115). Véase la NOTA "10–45–

000" en el artículo *synchronous machine*.

transient time-constant on open circuit   constante de tiempo transitoria a circuito abierto. A este término corresponde la def. CEI/56 10–45–115. v. transient time-constant on a given impedance.

transient time-constant on single-phase short circuit   constante de tiempo transitoria en cortocircuito monofásico. A este término corresponde la def. CEI/56 10–45–115. v. transient time-constant on a given impedance.

transient time-constant on three-phase short circuit   constante de tiempo transitoria en cortocircuito trifásico. A este término corresponde la def. CEI/56 10–45–115. v. transient time-constant on a given impedance.

transient time-constant on two-phase short circuit   constante de tiempo transitoria en cortocircuito bifásico. A este término corresponde la def. CEI/56 10–45–115. v. transient time-constant on a given impedance.

transient time of deflection   *(TRC)* tiempo de respuesta de desviación en régimen transitorio.

transient two-phase short-circuit current   *(Máq sincrónicas)* corriente transitoria de cortocircuito bifásico. Valor eficaz de la corriente por fase del inducido que aparece inmediatamente después de la puesta en cortocircuito brusco de dos fases, determinado eliminando la componente aperiódica, cuando no se toman en cuenta las componentes de amortiguamiento muy rápido que puedan existir durante los primeros períodos (CEI/56 10–45–105). Véase la NOTA "10–45–000" en el artículo *synchronous machine*.

transient voltage   tensión transitoria [momentánea], voltaje momentáneo; sobretensión pasajera. Tensión o sobretensión breve o instantánea producida por una transición brusca en las condiciones de un circuito eléctrico.

transient waveform   (forma de) onda transitoria.

transimpedance   transimpedancia.

transinformation (of an output symbol about an input symbol)   transinformación (de un símbolo de salida sobre un símbolo de entrada). Diferencia entre el contenido informático del símbolo de entrada y el contenido informático condicional del mismo dado al símbolo de salida. SIN. mutual information.

transistance   transistancia. Propiedad característica de un elemento o dispositivo (diodo, transistor, reactor saturable, etc.) que hace posible el control de tensiones, corrientes, o flujos magnéticos, de tal manera que se obtenga amplificación o se efectúen conmutaciones en un circuito o un sistema.

transistor   transistor. (1) Válvula electrónica amplificadora de estado sólido. (2) Dispositivo electrónico activo en el cual se aprovechan las propiedades de un semiconductor (p.ej. germanio o silicio) y que es capaz de realizar las mismas funciones que las válvulas termoelectrónicas o tubos termoiónicos (amplificación, oscilación, detección, conmutación, etc.), con las ventajas de ser de dimensiones reducidísimas en relación con éstos y de tener un gasto de energía insignificante, por no necesitar corriente de caldeo o calefacción. Consiste esencialmente en un bloque constituido por un semiconductor extrínseco [extrinsic semiconductor], o un conjunto de ellos, denominado *base* [base]. A esta base, que es uno de los electrodos, se fijan al menos otros dos electrodos, llamados *emisor* [emitter] y *colector* [collector]. Cuando se hace pasar una corriente entre el emisor y la base, puede tomarse una corriente amplificada entre el colector y la base. Es, por tanto, un dispositivo amplificador de *corriente*, a diferencia del tubo termoiónico, que es esencialmente un dispositivo amplificador de *tensión* | transitrón, triodo de cristal. Dispositivo amplificador consistente en un bloque constituido por un semiconductor extrínseco o un conjunto de semiconductores extrínsecos sobre los cuales se aplica un cierto número de electrodos (generalmente dos) de tal suerte que, cuando pasa una corriente entre el electrodo de entrada (llamado *emisor*) y el bloque (llamado *base*), puede tomarse una corriente amplificada entre el electrodo de salida (llamado *colector*) y el bloque (CEI/56 07–50–125) | SIN. **válvula de estado sólido, válvula [triodo, tetrodo] de cristal.** MENOS USADOS: transitrón, transitor. NOTA: La función más importante del tubo termoiónico o al vacío es la *transconductancia* [transconductance], y la función análogamente importante del transistor es la *transresistencia* [transresistance]; de aquí nació el nombre de "*transfer resistor*", transformado por contracción en *transistor*.

transistor action   efecto transistor; mecanismo (físico) de amplificación del transistor.

transistor-amplified   *adj:* con amplificador transistorizado, con amplificación mediante transistor.

transistor amplifier   amplificador transistorizado [de transistores].

transistor analog computing amplifier   amplificador transistorizado para computación analógica.

transistor analyzer   analizador de transistores.

transistor base   base de transistor. Región del semiconductor (entre el emisor y el colector) en la cual se inyectan los portadores de carga minoritarios.

transistor base-emitter junction   unión base-emisor de (un) transistor.

transistor battery   batería para transistores [para circuitos de transistor]. Batería miniatura de tipo especial para la alimentación de circuitos de transistor.

transistor bias   polarización del transistor.

transistor broadcast receiver   receptor de radiodifusión transistorizado.

transistor calculator   calculadora transistorizada.

transistor card   tablilla [placa] de transistores. Tablilla de circuitos impresos transistorizados.

transistor characteristic   característica de transistor. Curva que pone de manifiesto la relación existente entre las corrientes (o tensiones) de entrada y de salida de un transistor.

transistor checker   probador de transistores. SIN. **transistor tester.**

transistor chip   (*Microcircuitos*) lasquita de transistor.

transistor circuit   circuito de transistores.

transistor clip   presilla de transistor.

transistor complement   juego de transistores, conjunto de los transistores de un aparato. CF. **tube complement.**

transistor-controlled   *adj:* controlado [gobernado] por transistor.

transistor-coupled logic   lógica de acoplamiento por transistor.

transistor digital computer   computadora digital [calculadora numérica] transistorizada.

transistor-diode logic [TDL]   lógica diodo-transistor.

transistor dissipation   disipación (de energía) del transistor. Energía disipada por el colector en forma de calor.

transistor-driven   *adj:* excitado por transistor [por circuito transistorizado].

transistor electronics   electrónica de los transistores.

transistor experimenter   transistorista, aficionado a la experimentación con transistores.

transistor flip-flop   báscula de transistores, circuito basculador transistorizado.

transistor-grade semiconductor   semiconductor de calidad apropiada [apta] para (la fabricación de) transistores.

transistor hearing aid   audífono de transistores, aparato para sordos con amplificador transistorizado.

transistor hybrid parameter   parámetro híbrido del transistor. v. **h parameter.**

transistor logic circuit   circuito lógico transistorizado.

transistor-magnetic pulse amplifier   amplificador magnético de impulso con transistor. El transistor se combina con un núcleo en un montaje regenerativo.

transistor mount   montura [soporte] de transistor.

transistor multivibrator   multivibrador de transistores.

transistor network   red de transistores.

transistor noise   ruido propio [de fondo] del transistor.

transistor-operated   *adj:* accionado por transistor; transistorizado.

transistor oscillator   oscilador con transistor.

transistor package   cubierta [envolvente] de transistor; forma constructiva del transistor.

transistor parameter   parámetro de transistor. v. **h parameter.**

transistor pentode   transistor pentodo. Transistor con cinco electrodos; transistor que comprende el equivalente de tres emisores, la base y el colector. Se emplea para conmutación, modulación, y mezcla de señales.

transistor photocell   fotocélula tipo transistor.

transistor physics   física del transistor.

transistor power converter   ondulador de potencia [inversor de corriente] transistorizado.

transistor pulse amplifier   amplificador de impulsos transistorizado.

transistor push-pull DC converter   inversor de corriente en contrafase transistorizado.

transistor radio   (receptor de) radio transistorizado, radio de transistores.

transistor-resistor logic [TRL]   lógica transistor-resistor.

transistor second   transistor de segunda. Transistor de los que quedan después de segregados los *transistores de primera*, o sea, los que cumplen rigurosamente con las especificaciones. SIN. **fallout.**

transistor set   aparato transistorizado [de transistores].

transistor symbol   símbolo de transistor. Símbolo convencional que representa un transistor en un diagrama o esquema. Se usan diferentes símbolos para las distintas clases de transistores.

transistor television set   televisor de transistores, receptor de televisión transistorizado.

transistor tester   probador de transistores. SIN. **transistor checker.**

transistor-transistor logic [TTL, T²L]   lógica transistor-transistor. Lógica digital funcionalmente semejante a la lógica diodo-transistor, pero más rápida que ésta, en la que los diodos de entrada son reemplazados por un transistor de múltiples emisores que se presta para la fabricación por la técnica de los circuitos integrados.

transistor transit time   tiempo de tránsito del transistor. Tiempo necesario para que los portadores de carga inyectados en el transistor se difundan a través de la región de barrera.

transistor triode   transistor triodo, triodo de cristal.

transistorization   transistorización. Acción de transistorizar. v. **transistorize.** CF. **semiconductorization.**

transistorize   *verbo:* transistorizar. (**1**) Proveer o dotar de transistores. (**2**) Modificar el proyecto de un aparato para utilizar en él transistores en lugar de tubos electrónicos.

transistorized   *adj:* transistorizado. (**1**) Construido a base de transistores, en vez de tubos electrónicos. (**2**) Que utiliza transistores para fines de amplificación, conmutación, mando, etc.

transistorized amplifier   amplificador transistorizado.

transistorized cable   (*Telecom*) cable transistorizado.

transistorized circuitry   circuitos transistorizados.

transistorized DC motor   motor de CC transistorizado. (**1**) Motor de CA alimentado por una fuente de CC con un ondulador de corriente transistorizado. (**2**) Motor de CC en el que el conmutador clásico ha sido reemplazado por circuitos conmutadores transistorizados.

transistorized discriminator   discriminador transistorizado.

transistorized filter   filtro transistorizado.

transistorized flip-flop   báscula transistorizada, circuito basculador transistorizado.

transistorized ignition system   (*Mot*) sistema de encendido transistorizado.

transistorized interphone   interfono transistorizado.

transistorized meter   medidor [instrumento de medida] transistorizado.

transistorized microphone   micrófono transistorizado. Micrófono con preamplificador integral transistorizado.

transistorized relay   relé transistorizado.

transistorized repeater   *(Telecom)* repetidor transistorizado.

transistorized signal generator   generador de señales transistorizado.

transistorized television receiver   televisor [receptor de televisión] transistorizado.

transistorized transmitter   transmisor transistorizado.

transistorized voltage regulator   regulador de voltaje transistorizado.

transistorized VOM   multímetro transistorizado.

transistorized wireless microphone   micrófono inalámbrico [sin hilos] transistorizado.

transistorizing   transistorización; adopción [utilización] de los transistores.

transit   tránsito; travesía ‖ *(Avia)* tránsito, tráfico en tránsito ‖ *(Astr)* paso, tránsito; paso por el meridiano. (1) Paso de un planeta a través del disco del Sol o de una estrella. (2) Paso de un objeto celeste por el meridiano del observador. SIN. **meridian passage** | culminación ‖ *(Satélites artificiales)* tránsito, paso (por el meridiano del observador) ‖ *(Topog)* tránsito, teodolito; vuelta de campana ‖ *(Telecom)* tránsito. Paso de un telegrama, un circuito, o una comunicación a través de uno o varios países otros que los de origen o de destino ‖ *(Teleg)* escala, tránsito, reexpedición, retransmisión. Paso de un telegrama por una central que lo recibe por un circuito entrante [incoming circuit, incoming channel] y lo reexpide o retransmite hacia otra central, sea manualmente, sea automáticamente. SIN. **relay, retransmission** | **circuit [connection] in direct transit with (regenerative) repeater at A:** circuito [comunicación] en tránsito directo con traslación (regenerativa) en A | **telegram in direct transit:** telegrama en tránsito directo | **connection [telegram] in transit with automatic retransmission:** comunicación [telegrama] en tránsito con retransmisión automática | **connection [telegram] in transit by switching:** comunicación [telegrama] en tránsito por conmutación | **connection [telegram] in transit by reperforator switching:** comunicación [telegrama] en tránsito por conmutación y retransmisión | **relation by transit by manual tape relay:** relación por tránsito manual por cinta perforada | **relation by transit with manual retransmission:** relación por tránsito manual | **telegram in transit with retransmission:** telegrama en tránsito con reexpedición ‖ V.TB. transit of. . . /// *adj:* de paso, de tránsito, en tránsito ‖ *(Telecom)* de tránsito; de escala, de retransmisión. V.TB. **relay, through** /// *verbo:* transitar, pasar por ‖ *(Astr)* culminar.

Transit   Transit. Satélite artificial geodésico y de ayuda a la navegación.

transit administration   *(Telecom)* administración de tránsito. SIN. **via administration.**

transit angle   *(Elecn)* ángulo de tránsito [de recorrido]. Producto de la pulsación y el tiempo empleado por un electrón en efectuar determinado recorrido. V.TB. **transit phase angle.**

transit call   *(Telef)* llamada [conversación] de tránsito.

transit case   estuche portador [de transporte]. Especie de maleta utilizada para el transporte a mano de aparatos de medida, etc. | caja de transporte. Caja en la que se coloca un aparato para protegerlo durante el transporte.

transit center   *(Telecom)* centro de tránsito.

transit charge   *(Telecom)* tasa de tránsito; tarifa de tránsito. CF. **terminal charge.**

transit circle   *(Astr)* círculo meridiano.

transit circuit   *(Telecom)* circuito de tránsito.

transit country   *(Telecom)* país de tránsito. País otro que el de origen o de destino, y cuyo territorio o cuyas instalaciones o vías de comunicación son empleadas para la transmisión de tráfico.

transit exchange   *(Telecom)* central de tránsito; estación de tránsito.

transit-gage, transit-gauge   v. **gage for transit vehicles.**

transit international call   comunicación [llamada, conferencia] internacional de tránsito.

transit international telegraph connection   conexión telegráfica internacional de tránsito.

transit (of an electron) from one energy level to another   paso (de un electrón) de un nivel energético a otro.

transit office   *(Telecom)* oficina [centro] de tránsito.

transit operator   *(Telef)* operadora [telefonista] de tránsito.

transit over a route (of a system)   *(Telecom)* recorrido de una vía de comunicación (de una red).

transit phase angle   *(Elecn)* ángulo de tránsito, ángulo (de fase) de recorrido. En el caso en que la corriente resultante de un flujo de portadores electrizados varía según una ley sinusoidal, producto de la duración de recorrido [transit time] por la pulsación [angular frequency] de la corriente (CEI/56 07-08-055). SIN. **transit angle.**

transit protection   protección en tránsito, protección durante el transporte.

transit rate   *(Telecom)* tarifa de tránsito.

transit rate per word   *(Teleg)* tarifa [tasa] de tránsito por palabra.

transit refrigeration   refrigeración vehicular. Refrigeración de camiones o furgones para el transporte de mercaderías.

transit register   *(Telecom)* registro de tránsito.

transit routing   *(Telecom)* ruta de tránsito; encaminamiento en tránsito.

transit seizing [seizure] signal   *(Telef)* señal de toma de tránsito. v. **seizure signal.**

transit share   *(Telecom)* tasa de tránsito.

transit switching point   *(Telecom)* nudo de conmutación de tránsito.

transit telegram   telegrama de tránsito. Telegrama encaminado a través de uno o varios países de tránsito [transit countries] | telegrama de escala.

transit telegram with automatic retransmission   telegrama en tránsito con retransmisión automática; telegrama de escala con retransmisión automática.

transit telegram with manual retransmission   telegrama de tránsito con reexpedición; telegrama de escala con retransmisión manual.

transit telegram with reperforator switching   telegrama en tránsito por conmutación y retransmisión; telegrama de escala con retransmisión por cinta perforada y conmutación.

transit telegram with retransmission   telegrama en tránsito con reexpedición.

transit telegram with switching   telegrama de tránsito por conmutación; telegrama de escala con conmutación.

transit telephone exchange   central telefónica de tránsito.

transit time   tiempo de tránsito; tiempo de propagación; período de tránsito ‖ *(Elecn)* duración de recorrido, tiempo de tránsito (de un portador electrizado). Intervalo de tiempo que tarda un portador electrizado [charged particle] en desplazarse entre dos puntos determinados (CEI/56 07-08-050) ‖ *(Astr)* hora de tránsito, hora de paso (por el meridiano) ‖ *(Relés)* tiempo de conmutación. Para un relé de dos direcciones [throwover relay] o un relé conmutador [center zero relay], tiempo de paso de una posición extrema a la otra (CEI/56 16-20-095) ‖ *(Teleg)* tiempo de paso. De un contacto de permutación, intervalo de tiempo que separa el momento en que el contacto móvil [moving contact] abandona un contacto fijo, y el momento en que alcanza por primera vez el otro contacto fijo (CEI/70 55-70-225) | tiempo de tránsito (de un despacho). Tiempo transcurrido entre el depósito o imposición del despacho o mensaje (por parte del remitente) y su entrega al destinatario.

transit-time compensation   compensación de tiempo de propagación.

transit-time correction   corrección de tiempo de propagación.

transit-time device   dispositivo de tiempo de tránsito; dispositivo de retardo.

transit-time distortion   distorsión de tiempo de propagación.

transit-time effect   efecto del tiempo de tránsito.

transit-time magnetron oscillator   magnetrón oscilador de tiempo de tránsito.

transit-time mode   *(Osc)* modo de tiempo de tránsito. Condición de funcionamiento correspondiente a un margen limitado de valores del ángulo de tránsito [transit angle] en el espacio de corrimiento o agrupamiento [drift space], para el cual el flujo de electrones introduce una conductancia negativa en el circuito acoplado.

transit-time modulation   *(TMV)* modulación de tiempo de tránsito (de los electrones).

transit-time noise   ruido de tiempo de tránsito.

transit-time oscillator   oscilador de tiempo de tránsito.

transit-time spread   *(Elecn)* dispersión de los tiempos de tránsito | **(of a photomultiplier tube)** fluctuación del tiempo de tránsito (en un tubo fotomultiplicador). Dispersión de los tiempos de tránsito de los electrones en las etapas de un tubo fotomultiplicador, que produce alargamiento de cada uno de los impulsos de centelleo. NOTA: Es común el uso impropio de este término para designar dicho alargamiento (CEI/68 66–10–320).

transit-time tube   *(Elecn)* tubo de tiempo de tránsito.

transit toll   *(Telecom)* tasa de tránsito. CF. **through toll**.

transit traffic   *(Telecom)* tráfico de tránsito.

transit with automatic retransmission   *(Teleg)* tránsito con retransmisión automática; escala con retransmisión automática.

transit with manual retransmission   *(Teleg)* tránsito con reexpedición; escala con retransmisión manual.

transit with manual tape relay   *(Teleg)* tránsito manual por cinta perforada; escala por cinta fraccionada [cortada]. v. **torn-tape relay**.

transit with reperforator switching   *(Teleg)* tránsito por conmutación y retransmisión; escala con retransmisión por cinta perforada y conmutación.

transit with retransmission   *(Teleg)* tránsito con reexpedición.

transit with switching   *(Teleg)* tránsito por conmutación; escala con conmutación.

transiting   tránsito; operaciones de tránsito.

transiting country   v. transit country.

transiting share   v. transit share.

transiting traffic   v. transit traffic.

transiting (wire) connection   *(Telecom)* conexión de tránsito (por hilo).

transition   transición, tránsito, paso, transformación, mudanza ‖ *(Canalizaciones)* cambio de sección [de régimen] ‖ *(Cine/Tv)* transición, paso de una imagen o escena a otra. CF. **transitor** ‖ *(Ferroc)* enlace ‖ *(Tracción eléc)* transición. Paso de un acoplamiento [motor combination] a otro sin corte total de las corrientes de los motores (CEI/57 30–15–175). CF. **series-parallel transition, series-parallel shunt transition, shunt transition** ‖ *(Mús)* transición. Modulación, especialmente la de naturaleza transitoria; cambio repentino de clave ‖ *(Fís/Nucl)* transición, transformación. SIN. **transformation** | transición. Paso de un sistema de un estado energético discreto a otro. v. **quantized system** ‖ *(Guíaondas)* transición, adaptación | adaptador de cable coaxil, transición guía-coaxil. Transición o adaptación entre una guía de ondas y una línea coaxil. SIN. **coax transition** | v. **transition element** ‖ *(Impulsos)* transición. SIN. **positive transition, negative transition, transition time** ‖ V.TB. **transition of. . .** ‖‖ *verbo:* (Carreteras, Vías férreas) unir con curva de transición. v. **transition curve**.

transition altitude   *(Avia)* altitud de transición. Altitud (en las proximidades de un aeródromo) a la cual o por debajo de la cual la posición en sentido vertical de una aeronave se da o se controla por referencia a altitudes.

transition angle   (of lead-in ramp in phonograph records) ángulo de transición.

transition anode   *(Convertidores estáticos)* ánodo de traslado. Anodo de shunt [bypass anode] que sirve para transferir la corriente de un ánodo principal a otro (CEI/56 11–20–040) | ánodo de

transferencia.

transition apparatus   *(Tracción eléc)* aparato de transición. Combinador de transición [transition switchgroup] (CEI/57 30–15–670).

transition card   *(Informática)* tarjeta de transición. Tarjeta perforada que da a la computadora la señal de que ha terminado la lectura e ingreso del programa en la máquina y ha dado comienzo la ejecución de éste.

transition coil   *(Tracción eléc)* inductancia de paso. Inductancia cuyo punto medio está permanentemente conectado al circuito de utilización [load circuit] y cuyas extremidades son conectadas sucesivamente a diversas tomas de regulación del graduador [tapping points on the tap changer] (CEI/57 30–15–800). CF. **transition resistance**.

transition curve   *(Fís/Nucl)* curva de transición ‖ *(Carreteras)* curva de transición. Curva horizontal de una calzada cuyo radio varía para que se desarrolle gradualmente la fuerza centrífuga que actúa sobre los vehículos. CF. **transition length (of a curve)** ‖ *(Vías férreas)* curva de transición [de enlace, de acuerdo], espiral de transición. Curva que permite pasar gradualmente de la línea recta a la curva circular. SIN. **transition spiral**.

transition discharge path   *(Convertidores estáticos)* trayecto de descarga de traslado. Trayecto de descarga de shunt [bypass discharge path] que sirve para transferir la corriente de un trayecto de descarga a otro (CEI/56 11–20–040) | trayecto de descarga de transferencia.

transition effect   *(Nucl)* efecto de transición. Variación de intensidad que experimenta una radiación secundaria asociada a un haz de radiación primaria cuando éste pasa de un medio a otro.

transition element   elemento de transición. Elemento que sirve para acoplar o adaptar un sistema de transmisión a otro; por ejemplo, un cable coaxil a una guía de ondas.

transition energy   *(Sincrotrones)* energía de transición. Valor crítico de la energía al cual se produce un cambio de zona de estabilidad.

transition error   *(Codificadores de posición de eje)* error de transición.

transition factor   coeficiente [factor] de reflexión, coeficiente de pérdidas por reflexión. SIN. **mismatch factor** (véase).

transition frequency   *(Electroacús)* frecuencia de transición [de cruce]. En la grabación de discos fonográficos [disk sound recording], frecuencia a la cual se pasa del registro a amplitud constante [constant-amplitude recording], utilizado para las frecuencias bajas, al registro a velocidad constante [constant-velocity recording], usado para las frecuencias altas de la gama musical. Esa frecuencia corresponde al punto de intersección de las asíntotas de las partes de la curva de respuesta correspondientes a uno y otro medio de registro. SIN. **crossover [turnover] frequency** | frecuencia de transición [de cruce, de recubrimiento]. v. **crossover frequency** ‖ *(Radiocom)* frecuencia de transición. En los circuitos por ondas cortas entre puntos fijos, se trabaja con una o más frecuencias durante el día [day frequencies], una o más frecuencias durante la noche [night frequencies], y una o más frecuencias alrededor del alba y del ocaso; estas últimas son las llamadas *frecuencias de transición*. CF. **skip fading** ‖ *(Transistores)* frecuencia de transición. Frecuencia de medida multiplicada por la magnitud de la relación de transferencia de corriente directa para señal débil en circuito de emisor común [small-signal common-emitter forward-current transfer ratio], con la condición de que dicha frecuencia sea lo suficientemente elevada para que la mencionada magnitud decrezca a razón de 6 dB por octava, aproximadamente.

transition joint   junta de transición.

transition layer   *(Avia)* capa de transición. Espacio aéreo entre la altitud de transición [transition altitude] y el nivel de transición [transition level] ‖ *(Semicond)* capa [región, zona] de transición. v. **transition region**.

transition-layer capacitance   *(Semicond)* capacitancia de la capa de transición. Es función de la tensión inversa. SIN. **barrier**

[depletion-layer] capacitance.

transition length (of a curve)   *(Carreteras)* longitud de transición (de una curva). Longitud del tramo comprendido entre el fin de la alineación recta y el comienzo de la curva circular, o a la inversa. CF. **transition curve**.

transition level   *(Avia)* nivel de transición. Nivel de vuelo más bajo utilizable por encima de la altitud de transición [transition altitude].

transition loss   pérdida por transición. Pérdida que ocurre en una discontinuidad de un sistema de transmisión, o en la transición entre dos medios de propagación de una onda.

transition matrix   matriz de transición.

transition multipole moment   *(Sist de partículas)* momento multipolar de transiciones. Momento multipolar que determina transiciones radiativas [radiative transitions] entre dos estados, y que, por lo tanto, depende de éstos.

transition of higher order   *(Termodinámica)* transición de orden superior. Transición de orden más elevado que el segundo.

transition of turbulent flow   *(Fís)* transición de régimen turbulento.

transition period   período de transición.

transition-period transponder   *(Radar)* transpondedor de período de transición. V. **radar safety beacon**.

transition point   punto de transformación ‖ *(Fís)* punto de transición (del régimen laminar al turbulento) ‖ *(Elec)* **(of a circuit)** punto de transición (de un circuito). (1) Punto de discontinuidad; punto donde las constantes eléctricas cambian de tal manera que se produce reflexión de una onda que se propague por el circuito. (2) Punto del circuito donde se produce un cambio de la impedancia de onda [surge impedance] (CEI/65 25–50–050).

transition probability   *(Fís)* probabilidad de transición. Probabilidad por unidad de tiempo, de que un sistema pase de un estado a otro.

transition rectifier   *(Convertidores estáticos)* válvula de traslado. Válvula de shunt [shunt rectifier] que sirve para transferir la corriente de una válvula a otra (CEI/56 11–20–040) ‖ rectificador de transferencia.

transition region   *(Semicond)* región [zona, capa] de transición. Región que separa dos regiones homogéneas, y en la cual cambia la concentración de impurezas. SIN. **transition layer**.

transition resistance   *(Tracción eléc)* resistencia de paso. Resistencia especial insertada temporalmente entre dos tomas de regulación [tapping points] en el momento en que el graduador [tap changer] pasa de una de dichas tomas de regulación a la otra (CEI/57 30–15–795). CF. **transition coil**.

transition section   sección de transición.

transition shot   *(Cine/Tv)* toma de transición. Toma en la que se combinan dos escenas.

transition spiral   *(Vías férreas)* espiral de transición, curva de transición [de enlace]. V.TB. **transition curve**.

transition strip   *(Avia)* faja (de terreno) contigua a la pista (de aterrizaje).

transition temperature   temperatura de transición. Temperatura por debajo de la cual la resistencia eléctrica de una substancia se reduce a un valor no susceptible de medida, y, por lo tanto, despreciable. CF. **Curie point**.

transition time   tiempo de transición. Tiempo de subida (transición positiva) o de bajada (transición negativa) de un impulso. V.TB. **buildup [rise] time, fall time, positive transition, negative transition** ‖ tiempo de transición. Tiempo necesario para que un nivel lógico de tensión pase al nivel opuesto. Se mide entre puntos especificados de la onda de transición, y en general es diferente para los dos sentidos de transición; es decir, que generalmente se tiene un valor para el paso al nivel alto y otro valor para el paso al nivel bajo.

transition zone   *(Meteor)* zona de transición.

transitional   *adj:* transicional, de transición.

transitional coupling   acoplamiento [acoplo] transicional. Aco-

plamiento inductivo entre dos circuitos que proporciona la curva de respuesta más ancha y plana posible sin doble pico de resonancia. CF. **double-hump effect**.

transitional surface   *(Avia)* superficie de transición.

transitive   *adj:* *(Gram)* transitivo, activo ‖ *(Mat)* transitivo.

transitive relation   *(Mat)* relación transitiva. Relación que posee la propiedad siguiente: Si A está en la relación dada con B y B está en la misma relación con C, se cumple entonces que A está en la relación dada con C.

transitively   *adv:* transitivamente.

transitivity   *(Mat)* transitividad. Cualidad o propiedad de ser transitivo.

transitor   *(Cine/Tv)* elemento [dispositivo] de transición (entre escenas). Artificio sobre el cual se enfoca la cámara al efectuar el paso de una escena a otra; por ejemplo, se usa a veces un disco de espiral giratoria [whirling spiral disk] para sugerir el paso de la acción al mundo de los pensamientos, de los sueños, o del espíritu.

transitory   *adj:* transitorio; momentáneo; provisional; de transición. CF. **transient**.

transitory particle   partícula de transición.

transitory target   *(Armamento)* blanco transitorio.

transitory thermonuclear reaction   reacción termonuclear transitoria. SIN. **momentary thermonuclear reaction**.

transitron   *(Elecn)* transitrón. V. **transitron circuit**.

transitron circuit   transitrón. Dispositivo electrónico que utiliza la parte de resistencia negativa de la característica corriente-tensión de la rejilla supresora de un pentodo, por ejemplo, para producir oscilaciones (CEI/70 60–18–160).

transitron oscillator   oscilador transitrón ‖ oscilador de transitrón. Oscilador sinusoidal [sinusoidal oscillator] que comprende un transitrón (CEI/70 60–18–165).

translate   *verbo:* traducir, verter, expresar en otro idioma; explicar, expresar en términos más sencillos; pasar de una forma o estilo a otro; descifrar, interpretar; hacer una traducción; trabajar como traductor; ser susceptible de traducción; cambiar, transformar; trasladar ‖ *(Fís)* trasladar, efectuar un movimiento de traslación (de un cuerpo), someter (un cuerpo) a traslación ‖ *(Mat)* trasladar; transformar ‖ *(Informática)* traducir. Pasar de un lenguaje a otro reteniendo la información original ‖ *(Tecnología espacial)* trasladar, mover de un lugar del espacio a otro (mediante propulsión por reacción) ‖ *(Teleg)* reexpedir, retransmitir (un mensaje); retransmitir por relé.

translated spectrum signal   *(Telecom)* señal de espectro trasladado.

translating apparatus   aparato traductor. V.TB. **translator** ‖ *(Telecom)* aparato de traslación.

translating circuitry   *(Informática)* circuitos de traducción.

translating equipment   *(Telecom)* equipo de traslación. Equipo que sirve para trasladar un canal o un grupo de canales de una parte del espectro de frecuencias a otra. CF. **channel translating equipment, group translating equipment, supergroup translating equipment**.

translation   traslación, traslado, desplazamiento, remoción, acción de cambiar de sitio (una cosa); cambio, transformación; explicación; interpretación ‖ *(Idiomas)* traducción, versión, traslación *(p.us.)* ‖ *(Retórica)* traslación ‖ *(Mec)* *(i.e.* motion of translation) (movimiento de) traslación ‖ *(Mat)* traslación; transformación ‖ *(Telecom)* traslación; traducción; corrección, compensación ‖ *(Telef)* traslación. (1) Transformación de las señales de numeración [train of pulses] relativas a una llamada, en señales con la forma deseada para el mando de las operaciones ulteriores de selección. (2) Transformación de las señales correspondientes al indicativo de la oficina, recibidas de la línea de un usuario, en señales que determinan las selecciones necesarias para conectar éste a esa oficina (CEI/38 55–20–020) ‖ *(Teleg)* traducción. (1) Operación consistente en restablecer el texto de un mensaje emitido, en base a las señales restituidas (v. **restitution**); a menos que se indique otra cosa, incluye la impresión o transcripción del texto. (**2**) Operación que consiste en restablecer el texto de un mensaje emitido, en base a las señales recibidas (CEI/38 55–05–025) ‖ (*Informática*) traducción ‖ v.TB. **translation of** . . .

translation digit   (*Telef*) dígito de traducción. Dígito o cifra emitido por un traductor [translator] (CEI/70 55–110–305).

translation equipment   (*Informática*) equipo traductor. (**1**) Equipo o dispositivo que pasa la información de un lenguaje a otro. (**2**) Equipo o dispositivo que convierte la información de una forma a otra; por ejemplo, de analógica en digital, o a la inversa. SIN. **conversion equipment** ‖ (*Telecom*) (a.c. translating equipment) equipo de traslación.

translation field   (*Telecom*) campo de selección. SIN. **field of selection** | banco de contactos. SIN. **bank of contacts.**

translation group   grupo de traslaciones. Conjunto de operaciones mediante las cuales una red cristalográfica [crystal lattice] puede ser transformada en sí misma por desplazamientos sin rotación.

translation kernel   (*Mat*) núcleo de traslación.

translation loss   (*Electroacús*) pérdida de lectura. v. **playback loss.**

translation of impulses   (*Telef*) traducción de impulsos.

translation operation   (*Geom*) (operación de) traslación. Desplazamiento de un cuerpo según una recta, manteniendo siempre paralelas a sí mismas las líneas fijas al cuerpo.

translation switch   (*Telef*) conmutador traductor.

translation symmetry   simetría de traslación.

translational   *adj:* traslacional, de traslación; de desplazamiento.

translational dispersion   (*Gases*) dispersión de traslación.

translational energy   (*Nucl*) energía de desplazamiento.

translational morphology   (*Componentes elecn*) morfología traslacional.

translational motion   movimiento de traslación.

translational velocity   velocidad de traslación.

translative   *adj:* traslativo, de traslado, de traslación.

translative matrix   matriz traslativa.

translator   traductor; intérprete; traslador ‖ (*Fonog*) traductor, (elemento) fonocaptor. SIN. **pickup** ‖ (*Informática*) traductor. (**1**) Dispositivo que efectúa traducciones de un lenguaje a otro o de un código a otro. (**2**) Dispositivo que transforma señales de una forma a otra | rutina de traducción. Rutina que traduce información de un tipo de representación a otro, o de un lenguaje a otro | programa de traducción. Programa que traduce un lenguaje o un código en otro | CF. **assembler, compiler, program assembly** ‖ (*Telecom*) traductor ‖ (*Radioenlaces por microondas*) repetidor de transposición. Repetidor heterodino para transposición o traslación de frecuencia ‖ (*Tv*) reemisor, retransmisor, repetidor. Estación que comprende un receptor que recibe un programa por un canal y un emisor que lo difunde por otro canal, generalmente para permitir la recepción por el público en un valle u otra zona donde no es posible la recepción directa ‖ (*Telef*) traductor. (**1**) En conmutación automática, aparato que efectúa operaciones de traducción (v. **translation**). (**2**) Dispositivo en el cual las señales entrantes relativas a un abonado o un servicio solicitado (en general las señales relativas de la central interesada) son examinadas y, de ser necesario, convertidas en otras señales (CEI/70 55–95–205). CF. **regenerator** ‖ (*Teleg*) repetidor, traslador, traslator. CF. **telegraph repeater.**

translator antenna   (*Tv*) antena de reemisión.

translator transmitter   (*Tv*) reemisor, transmisor de traslación (de canal). Emisor que radía por un canal el programa recibido por otro canal; se utiliza para la retransmisión de programas sin el uso de radioenlaces de microondas, o para difundir el programa en una zona donde no es posible la recepción directa.

translatory   *adj:* traslativo, de traslado, de traslación.

translatory resistance derivative   (*Aeron*) derivada traslativa de resistencia.

translatory wave   onda de traslación.

translucency   translucidez. CF. **transparency.**

translucent   *adj:* translúcido, trasluciente. v. **translucent body.**

translucent body   cuerpo translúcido. Cuerpo que transmite la luz esencialmente por transmisión difusa [diffuse transmission]. A través de un cuerpo translúcido los objetos no son visibles distintamente (CEI/58 45–20–115). CF. **transparent body.**

translucent photocathode   fotocátodo translúcido.

translucent screen   pantalla translúcida.

translucidity   translucidez.

translunar   *adj:* translunar. Más allá de la Luna; más allá de la órbita de la Luna.

translunar space   espacio translunar.

transmissibility   transmisibilidad.

transmissibility of force   transmisibilidad de (las) fuerzas.

transmissible   *adj:* transmisible.

transmissible frequency   (*Telecom*) frecuencia transmisible.

transmission   transmisión; propagación; transporte | transmisión. (**1**) Transferencia o transporte de energía eléctrica de un punto a otro mediante conductores o por radiación o inducción. (**2**) Paso de una radiación a través de un medio sin cambio de frecuencia de las radiaciones monocromáticas que la componen (CEI/58 45–05–055) ‖ (*Telecom*) transmisión, emisión | transmisión. Transferencia de las señales que componen un mensaje, desde un puesto de emisión a un puesto de recepción (CEI/38 55–05–015) | transmisión, mensaje [información] que se transmite | transmisión, expedición (de un telegrama) ‖ (*Opt*) transparencia, transmitancia. Razón del flujo transmitido por el medio dado al flujo incidente sobre él. SIN. **transmittance.** CF. **diffuse transmission, specular transmission** ‖ (*Tracción eléc*) transmisión. Dispositivo o conjunto de órganos que transmite la potencia entre motores y ejes, al propio tiempo que permite ciertos desplazamientos relativos (CEI/57 30–15–460). CF. **individual transmission, multiple transmission, electric transmission, spring transmission, unilateral transmission** ‖ v.TB. **transmission by** . . ., **transmission of** . . ., **transmission with** . . ., **radio transmission, telegraph transmission, telephoto transmission, television transmission, beam transmission.**

transmission accuracy   exactitud de (la) transmisión.

transmission-and-delay measuring set   (*Telecom*) medidor de transmisión y retardo.

transmission anomaly   (*Acús*) anomalía de transmisión.

transmission band   banda de transmisión (libre). Banda de frecuencias que pasa a través de un cuadripolo con atenuación despreciable. SIN. **bandpass** ‖ (*Guíaondas*) banda de transmisión. Gama de frecuencias superiores a la de corte [cutoff frequency].

transmission band filter   filtro pasabanda, filtro de paso [transmisión] de banda. v. **bandpass filter.**

transmission bandwidth   ancho [anchura] de banda; pasabanda. v. **bandwidth** | anchura de banda de emisión.

transmission bridge   (*Telecom*) bobina de alimentación | puente de transmisión; puente de alimentación. En telefonía, dispositivo que sirve para separar la sección de entrada de la sección de salida de una comunicación, desde el punto de vista de la señalización, permitiendo al mismo tiempo la transmisión de la frecuencias vocales. NOTA: El puente sirve para las funciones de mantenimiento, supervisión y liberación de una puesta en comunicación, y puede también suministrar la corriente de micrófono del aparato de abonado (CEI/70 55–95–310).

transmission by "ampliation"   (*Teleg*) v. **transmission "par ampliation".**

transmission by cable   transmisión por cable.

transmission by double current   (*Teleg*) transmisión por doble corriente. Transmisión en la cual el gobierno del aparato receptor se efectúa por inversión del sentido de la corriente enviada por la línea (CEI/38 55–15–050).

transmission by line   transmisión por línea.

transmission by radio   transmisión por radio, transmisión inalámbrica [sin hilos].

transmission by simplex current   (*Teleg*) transmisión por simple corriente. Transmisión en la cual el gobierno del aparato receptor se efectúa por medio del envío o la interrupción de una corriente cuyo sentido es siempre el mismo (CEI/38 55–15–045).

transmission by wire   transmisión alámbrica [por hilos], transmisión por línea.

transmission cable   cable de transmisión.

transmission center   *(Radio)* centro transmisor [emisor]. Puesto más o menos importante en el que existen varios transmisores. SIN. transmitting station, transmitters site.

transmission chain   cadena de transmisión [de mando] ‖ *(Radio/Tv)* cadena de difusión. SIN. **network**.

transmission channel   *(Telecom)* canal [vía] de transmisión.

transmission characteristics   características de transmisión.

transmission coefficient   coeficiente de transmisión. En general, razón de la energía (o la magnitud M) transmitida, a la energía (o la magnitud M) incidente en una discontinuidad de un medio de transmisión. SIN. factor de transmisión —— transmission factor [ratio]. CF. sound transmission coefficient | coeficiente [factor] de transmisión. Relación de los flujos luminosos transmitidos a los flujos luminosos incidentes (CEI/38 45–05–060) ‖ *(Partículas subatómicas)* probabilidad de penetración. V. **penetration probability**.

transmission constant   constante de transmisión.

transmission control   control de (la) transmisión.

transmission control character   *(Informática)* carácter de control de transmisión.

transmission curve   *(Radiol)* curva de transmisión [de absorción, de atenuación]. V. **attenuation curve**.

transmission delay   retardo de transmisión.

transmission diagram   *(Ant)* diagrama de transmisión. SIN. **radiation pattern**.

transmission diffraction   *(Microscopía elecn)* difracción por transmisión. CF. **reflection diffraction**.

transmission direction   *(Telecom)* sentido de transmisión.

transmission distortion   distorsión en la emisión, distorsión que ocurre en el emisor; distorsión de transmisión, distorsión que se produce en la vía de transmisión.

transmission efficiency   rendimiento [efecto útil] de transmisión ‖ *(Tracción)* (of a thermoelectric vehicle) rendimiento de la transmisión. Razón de la potencia en la llanta [output at the wheel rim] a la potencia de tracción [traction output] del motor o los motores térmicos [heat engine(s)] (CEI/57 30–05–240) ‖ *(Elecn)* (*i.e.* of an electrode through which an electron stream passes) coeficiente de paso [de transmisión] (de la corriente electrónica). Es igual a la razón entre los valores medios de la corriente electrónica que llega al electrodo y la que sale de él.

transmission engineering   *(Telecom)* ingeniería de transmisión. Parte de la ingeniería de telecomunicación que se ocupa del proyecto de las vías o sistemas de transmisión, sean alámbricos o inalámbricos.

transmission equivalent   *(Telecom)* equivalente de transmisión. SIN. net loss, overall attenuation.

transmission experiment   *(Nucl)* experimento [experiencia] de transmisión. Experimento en el que se estudia la interacción de una radiación con la materia, por medida del haz emergente en relación con el entrante.

transmission facility   *(Telecom)* vía de transmisión. Medio de transmisión (línea, cable, radioenlace) con los aparatos emisores y receptores necesarios para cursar el tráfico.

transmission factor   factor [coeficiente] de transmisión. SIN. transmission coefficient | transmitancia, transmisión. SIN. transmittance, transmission.

transmission fidelity   fidelidad de transmisión.

transmission frequency   frecuencia de emisión [de transmisión].

transmission frequency meter   frecuencímetro de transmisión. Frecuencímetro de cavidad [cavity frequency meter] que, cuando está sintonizado a la frecuencia de la onda incidente, transmite potencia máxima al sistema detector (CEI/61 62–20–050). CF. absorption frequency meter.

transmission gain   *(Telecom)* (a.c. gain) ganancia (de transmisión). Aumento de la potencia de una señal al ser transmitida de un punto a otro; por lo común se expresa en unidades de transmisión [transmission units]. CF. **transmission loss**.

transmission gate   (part of memory storage cell; same as bidirectional gate) compuerta bidireccional [de transmisión].

transmission grating   *(Opt)* red [retículo] de transmisión; gratícula sobre vidrio.

transmission identification   *(Telecom)* identificación de (la) transmisión.

transmission-identification tape   *(Teleg)* cinta identificadora de transmisión, cinta perforada de identificación de transmisión.

transmission impairment   *(Telecom)* pérdida [disminución, reducción] de (la) calidad de transmisión. CF. **transmission performance**.

transmission layout   *(Telef)* reglas para la organización de la transmisión (telefónica).

transmission level   *(Telecom)* nivel de transmisión, nivel relativo (de potencia). Expresión en unidades de transmisión [transmission units] de la razón P/P_o, donde P representa la potencia en el punto considerado, y P_o la potencia en el punto seleccionado como origen del sistema de transmisión [origin of the transmission system]; este último punto es generalmente el conmutador de larga distancia en el caso de un circuito telefónico. SIN. **relative level** *(GB)* ‖ *(Radiocom)* nivel de transmisión. Intensidad de campo electromagnético o valor de la potencia o de otra magnitud característica de la transmisión en un punto dado, referidos al valor de la misma magnitud en un punto elegido como base arbitraria (CEI/38 60–35–075).

transmission level diagram   *(Telecom)* (a.c. level diagram) hipsograma, diagrama de niveles de transmisión. SIN. **hypsogram**.

transmission level meter   *(Telecom)* hipsómetro, medidor de nivel de transmisión. SIN. **hypsometer**. CF. transmission measuring set.

transmission limit   límite de transmisión. Frecuencia o longitud de onda límite por encima o por debajo de la cual se reduce a un valor insignificante la transmisión de una radiación determinada por un medio determinado. CF. **cutoff frequency**.

transmission line   línea de transmisión. (1) En general, conductor, grupo de conductores, o guía de ondas, destinado al transporte de señales o de energía de RF de una fuente a una carga situada a distancia. (2) Línea que une una antena con el aparato receptor o con el equipo transmisor; en el primer caso se le llama también *bajada* o *bajante (de antena)*; en el segundo se denomina también *alimentador* o *línea de alimentación* o *de carga (de antena)*. SIN. **down-lead, lead-in, feeder line, feeder, antenna feed** | **transmission line for use outside of building**: línea de transmisión para instalación exterior | **transmission line for use inside the building**: línea de transmisión para instalación interior [bajo techo] ‖ *(Elec)* línea de transmisión (de energía eléctrica), línea de transporte (de energía, de fuerza); línea de alta potencia | línea de transporte, línea de transmisión. Línea eléctrica [electric line] destinada únicamente a la transmisión de energía desde una central generadora o desde una subestación a otras centrales o subestaciones (CEI/38 25–20–025) | línea de transporte de energía. Línea eléctrica que forma parte de una instalación de transporte de energía. Este término no se aplica normalmente más que a las líneas aéreas (CEI/65 25–20–010). CF. **transmission of electrical energy**.

transmission-line amplifier   amplificador distribuido. Amplificador en el cual los electrodos de entrada de varios tubos electrónicos son conectados a las secciones sucesivas de una línea artificial [artificial transmission line], estando los electrodos de salida conectados a las secciones de una línea análoga. SIN. **distributed amplifier** (CEI/70 60–16–015).

transmission line code   *(Teleg)* código de transmisión por línea.

transmission-line coupler   acoplador de líneas de transmisión. Refiérese generalmente a un acoplador que permite el paso bidireccional de energía entre una línea de transmisión equilibrada y otra desequilibrada.

transmission-line equipment   material para líneas de transmisión.

transmission-line fault   avería en la línea de transmisión.

transmission-line-fault locator   localizador de avería en líneas de transmisión.

transmission-line fittings   material accesorio para líneas de transmisión.

transmission-line hardware   herrajes para líneas de transmisión.

transmission-line resonator   resonador de línea de transmisión.

transmission line speed   *(Teleg)* velocidad de transmisión por línea.

transmission-line trap   atrapador (de interferencias) de línea de transmisión. Consiste en un trozo de cable bifilar plano [twin-line] de 11 mm de largo atado co cinta aislante contra el bajante de antena (también de cable bifilar plano) de un televisor; dicho trozo de cable termina en un cortocircuito en un extremo y tiene conectado en el otro un condensador de cerámica ajustable.

transmission-line-tuned absorption-type frequency meter   frecuencímetro (del tipo) de absorción con un trozo de línea como elemento resonante.

transmission-line-tuned transmission-type frequency meter   frecuencímetro (del tipo) de transmisión con un trozo de línea como elemento resonante.

transmission link   *(Teleg)* enlace de vía. Sección de una vía de transmisión o de comunicación comprendida entre un puesto emisor [transmitting station] y el repetidor que le sigue; o entre dos repetidores sucesivos; o entre un puesto receptor [receiving station] y el repetidor que le precede.

transmission load   *(Climatización)* demanda de transmisión.

transmission loss   (a.c. loss) pérdida (de transmisión). (**1**) Término general usado para designar una disminución de potencia de la señal cuando la misma es transmitida de un punto a otro; las pérdidas de transmisión se expresan comúnmente en unidades de transmisión [transmission units]. (**2**) Reducción de la potencia entre dos puntos 1 y 2, donde las potencias son, respectivamente, P_1 y P_2, expresada por la razón P_1/P_2 en unidades de transmisión (CEI/70 55–05–180) || *(Radiocom)* pérdida por transmisión. Para una frecuencia dada, con las antenas reales empleadas en la emisión y en la recepción y en un instante dado, razón, expresada en decibelios, de la potencia disponible a la salida del emisor, por la potencia a la entrada del receptor. NOTA: La *pérdida por transmisión* es la suma de la atenuación de propagación [path attenuation] y de las atenuaciones provenientes de pérdidas en las antenas y sus líneas de transmisión, disminuida de la suma de las ganancias de las antenas expresadas respecto al tipo de antena de referencia utilizado para definir la atenuación de propagación, estando todas estas atenuaciones expresadas en decibelios (CEI/70 60–20–100). CF. **absorption loss, transmission gain.**

transmission matrix   *(Cuadripolos)* matriz de transmisión. Disposición de cantidades que relacionan la tensión y la corriente de entrada con la tensión y la corriente de salida.

transmission measurement   medida de transmisión; medida de emisión.

transmission measuring set [TMS]   *(Telecom)* medidor de transmisión; medidor de atenuación; hipsómetro, hipsógrafo; decibelímetro. (**1**) Aparato o dispositivo para la medida de las características de transmisión de un circuito. (**2**) Aparato que sirve para medir la atenuación y la distorsión en circuitos telefónicos o telegráficos. (**3**) Aparato utilizado para medir la potencia o el nivel de las señales en diferentes puntos a lo largo de un circuito, para determinar la atenuación que sufren las señales en la transmisión de un punto a otro; para las medidas se usa un tono de prueba | medidor de transmisión. Aparato que se compone esencialmente de un emisor y de un *medidor de nivel* [level measuring set]. El emisor tiene una impedancia determinada (p.ej. 600 Ω) y es capaz de emitir una potencia conocida (CEI/70 55–45–030).

transmission medium   medio de transmisión [de propaga-

ción] || *(Telecom)* medio de transmisión. Medio utilizado (línea, cable, circuito de radio) para la transmisión de las señales. A veces se usa la expresión *soporte de los circuitos* cuando se trata de un sistema de ondas portadoras [carrier system]. CF. **carrier circuit**

transmission mode   modo de transmisión [de propagación]. V **mode of propagation.**

transmission mode along a transmission line   modo de transmisión a lo largo de una línea de transmisión.

transmission modulation   *(Tubos de memoria por carga)* modulación de transmisión. Modulación de amplitud gobernada por la configuración de cargas acumuladas en el tubo. La corriente del haz de lectura es modulada cuando el haz pasa por aberturas en la superficie almacenadora de cargas.

transmission monitor   *(Radio/Tv)* monitor principal [de emisión], aparato de control de las emisiones. SIN. **master monitor, on-the-air monitor.**

transmission network   red de transmisión.

transmission of a telegram   transmisión de un telegrama. Progresión de un telegrama hacia su destino. AFINES: transmitir, cursar, dar curso (a un telegrama, al tráfico).

transmission of a telegram by cable   transmisión de un telegrama por cable.

transmission of a telegram by radio   transmisión de un telegrama por radio.

transmission of a telegram by telephone   transmisión de un telegrama por teléfono. Transmisión por teléfono de un telegrama entre dos oficinas telegráficas. Un telegrama transmitido de ese modo recibe en el Reino Unido la designación de "telephone-telegram". V.TB. **telephone-telegram service.**

transmission of a telegram by wire   transmisión de un telegrama por hilos.

transmission of electrical energy   transmisión de energía eléctrica | transporte de energía eléctrica. Transmisión masiva de energía eléctrica, generalmente a gran distancia (CEI/65 25–05–020).

transmission of transient images   transmisión de imágenes no permanentes [no fijas].

transmission "par ampliation"   *(Teleg)* transmisión por ampliación. Cuando la transmisión de un telegrama no ha podido completarse o no se ha recibido el acuse de recibo en un plazo prudencial, el telegrama se transmite de nuevo con la mención de servicio "Ampliation", excepto si se trata de un giro telegráfico o de una transferencia telegráfica. El significado de dicha mención puede ser indicado por la oficina de destino en la copia entregada al destinatario. En el caso en que la segunda transmisión se efectúe por una vía distinta a la utilizada primeramente para el encaminamiento del telegrama, únicamente la *transmisión por ampliación* entra en las cuentas internacionales. La oficina transmisora hace entonces lo necesario cerca de las oficinas interesadas, por aviso de servicio, para la anulación, en las cuentas internacionales, del primer telegrama. El procedimiento delineado es el previsto en el Reglamento Telegráfico (Revisión de París, 1949).

transmission path   *(Telecom)* vía de transmisión; circuito de transmisión || *(Radioenlaces)* trayectoria [trayecto] de transmisión.

transmission performance   *(Telecom)* calidad de transmisión. En el caso de un sistema telefónico empleado para la transmisión o la reproducción de la palabra, aptitud del sistema de transmitir la palabra en las condiciones de empleo del mismo (CEI/70 55–40–050). SIN. **transmission quality.**

transmission-performance objective   objetivo de calidad de transmisión.

transmission-performance rating   evaluación [apreciación cuantitativa] de la calidad de transmisión | índice de la calidad de transmisión. En el caso de un sistema telefónico, valor de la atenuación, constante para todas las frecuencias transmitidas, que hay que insertar en un sistema de referencia dado, o que hay que suprimir en ese sistema, para obtener una calidad de transmisión igual cuando el sistema considerado substituye al de referencia o a una parte convenientemente escogida del mismo (CEI/70 55-40-055).

transmission plan   *(Telecom)* plan de transmisión.

transmission plane   plano de propagación ‖ *(Luz polarizada)* plano de transmisión. Plano de vibración capaz de atravesar un polarizador [polarizer].

transmission point   *(Telecom)* punto de emisión.

transmission primaries   *(Tv)* primarios de transmisión. Los tres elementos básicos de señal que llevan la información completa de video en el sistema NTSC de televisión en color. Uno de ellos (Y) corresponde a la *luminancia* [luminance], y es el único utilizado por los televisores monocromos; los otros dos (I, Q) son los de *crominancia* [chrominance primaries], que juntos componen la *información de cromaticidad* [chromaticity information] de la imagen en color.

transmission pulse   impulso de emisión.

transmission quality   *(Telecom)* calidad de transmisión. Aptitud de un sistema de transmitir la información; son deseables, por ejemplo, la reducción al mínimo de la atenuación, el ruido y la distorsión, y la obtención de un ancho de banda amplio para el servicio previsto. SIN. **transmission performance.**

transmission range   alcance de transmisión | *(i.e.* transmission frequency range) banda pasante.

transmission ratio   coeficiente de transmisión. v. **transmission coefficient.**

transmission regulator   *(Telecom)* regulador de transmisión. Dispositivo que tiene por finalidad mantener constante la transmisión por un sistema.

transmission reliability   *(Telecom)* confiabilidad de (la) transmisión.

transmission response   *(Transductores)* respuesta de transmisión.

transmission rope   cable de transmisión.

transmission route   *(Telecom)* ruta [vía] de transmisión; recorrido de una línea (telefónica o telegráfica).

transmission secondary-emission dynode   dinodo de transmisión de emisión secundaria. Dinodo, utilizado en fototubos multiplicadores de microondas, en el que los electrones primarios inciden sobre la cara de un electrodo de película que emite electrones secundarios por la cara opuesta.

transmission secondary-emission multiplication   multiplicación de transmisión por emisión secundaria. Multiplicación de electrones que se obtiene en un dinodo de transmisión de emisión secundaria.

transmission security   *(Telecom)* seguridad de secreto en la transmisión.

transmission sequence   secuencia de transmisión.

transmission shaft   eje motor [de transmisión].

transmission speed   velocidad de transmisión. En general, número de elementos de información enviados o transferidos por unidad de tiempo. En informática, bitios, caracteres, palabras, o registros por minuto o por segundo. En telegrafía se expresa generalmente en palabras por minuto (v. **words per minute**). SIN. **rate [speed] of transmission.**

transmission stability   *(Telecom)* estabilidad de transmisión.

transmission standards   *(Telecom)* normas de transmisión; especificaciones de transmisión.

transmission system   *(Telecom)* sistema de transmisión | vía de transmisión. Conjunto de los medios y órganos que intervienen para que las señales eléctricas emitidas por un puesto emisor arriben al puesto receptor (CEI/38 55-05-030).

transmission target   *(Radiol)* blanco de transmisión. Blanco de un tubo de rayos X construido y dispuesto de manera que el haz útil de rayos X emerge por la superficie opuesta a la de incidencia del flujo de electrones.

transmission test   *(Telecom)* prueba de transmisión.

transmission test set   *(Telecom)* comprobador de transmisión. CF. **transmission level meter.**

transmission time   *(Telecom)* tiempo de propagación. Tiempo transcurrido entre el instante de emisión y el instante de recepción de una señal. SIN. **propagation time.**

transmission tower   torre [castillete, mástil] de transmisión.

transmission trouble   *(Telecom)* dificultad de transmisión ‖ *(Telef)* *(i.e.* difficulty in conversing) dificultad de audición.

transmission-type frequency meter   frecuencímetro (del tipo) de transmisión. v. **transmission frequency meter.**

transmission-type photocathode   *(Fototubos)* fotocátodo (del tipo) de transmisión. Fotocátodo que libera electrones por una de sus caras en proporción a la intensidad de la luz que los excita por la otra cara.

transmission-type wavemeter   ondámetro (del tipo) de transmisión.

transmission unit   *(Telecom)* unidad de transmisión. La expresión en *unidades de transmisión* de una razón de dos magnitudes de la misma naturaleza está dada por un número proporcional al logaritmo, de base determinada, de esa razón seguido de un nombre (considerado el nombre de la unidad de transmisión utilizada) que indica la base escogida; el factor de proporcionalidad [factor of proportionality] entre el número y el logaritmo depende de la base escogida y de la naturaleza de las magnitudes en juego. *Nota 1:* En principio, la simple indicación de un número de unidades de transmisión (cualquiera que sea la unidad utilizada) es insuficiente para indicar la naturaleza de las magnitudes cuya razón se expresa; conviene, por tanto, precisar cuáles son esas magnitudes. Esta condición se satisface cuando se trata de una razón que ha recibido un nombre y una definición precisa y cuando se indica el nombre correcto de esa razón. Por otra parte, en los Estados Unidos de América, en el Reino Unido, y en otros países donde se utiliza el mismo lenguaje técnico, se admite que, a menos que se indique otra cosa en una u otra forma: (a) una expresión en *neperios* [nepers] corresponde a una razón de intensidades de corriente (o de magnitudes de otros dominios que desempeñen un papel análogo, tales como, por ejemplo, presiones acústicas o velocidades acústicas); (b) una expresión en *decibelios* [decibels] corresponde a una razón de potencias (activas o aparentes). *Nota 2:* Ciertas magnitudes susceptibles de ser definidas físicamente como razones de corrientes, se definen más cómodamente como razones, numéricamente iguales, de impedancias fáciles de especificar. Estas magnitudes pueden ser expresadas en unidades de transmisión por aplicación de las mismas fórmulas usadas para las razones de corrientes (CEI/70 55-05-115).

transmission with partial sideband suppression   *(Telecom)* transmisión con banda lateral parcialmente suprimida. v. **asymmetric sideband transmission.**

transmissive   *adj:* transmisivo.

transmissivity   transmisividad, transmisibilidad. v. **transmittivity.**

transmissometer   *(Meteor, Naveg)* transmisómetro. Aparato fotoeléctrico destinado a medir la visibilidad atmosférica, o, más precisamente, la transmisión de la luz a través de la atmósfera; se emplea particularmente en la extremidad de aproximación de una pista de aterrizaje (aeropuertos) para determinar la visibilidad.

transmit   *verbo:* transmitir; emitir; enviar (mensajes, señales); comunicar; ceder, traspasar; enajenar; transferir.

transmit auxiliary amplifier   *(Telecom)* amplificador auxiliar de transmisión.

transmit branch   *(Telecom)* ramal de transmisión.

transmit chain   *(Telecom)* cadena de transmisión.

transmit frequency   *(Telecom)* frecuencia de transmisión [de emisión].

transmit gain   *(Telecom)* ganancia de transmisión.

transmit indicator   indicador de transmisión | *(i.e.* transmit indicator light) luz indicadora de transmisión.

transmit negative   *(Facsímile)* negativo de transmisión; transmisión para recepción en negativo.

transmit operating frequency   *(Telecom)* frecuencia de trabajo en transmisión, frecuencia de transmisión.

transmit positive   *(Facsímile)* positivo de transmisión; transmisión para recepción en positivo.

transmit-receive aerial   antena de transmisión/recepción.

transmit-receive antenna   antena de transmisión/recepción.

transmit-receive operation   *(Telecom)* explotación [funcionamiento] en alternativa. v. **simplex operation.**

transmit-receive relay   *(Radiocom)* relé conmutador de transmisión/recepción; relé conmutador de antena.

transmit-receive switch   conmutador de transmisión/recepción; duplexor | conmutador TR [de transmisión-recepción]. v. **TR switch.**

transmit-receive tube   v. **TR tube.**

transmit signal   *(Telecom)* señal de emisión.

transmit standby   *(Telecom)* pausa de transmisión.

transmit terminal unit   *(Telecom)* unidad de emisión terminal. En los sistemas de microondas, unidad de equipo utilizada en la rama de emisión de una estación terminal; puede consistir en un amplificador de banda base, un modulador, y dispositivos de CAF. CF. **receive terminal unit.**

transmittal   transmisión; remisión ⫽ *adj:* de transmisión; de remisión, remisorio.

transmittal tape   *(Informática)* cinta de transmisión.

transmittal-tape code   código de cinta de transmisión.

transmittal-tape gage   calibre de cinta de transmisión.

transmittance   transmisión; remisión. SIN. **transmission, transmittal** ⫽ *(Fís)* transmitancia, transparencia, (factor de) transmisión. Razón de la energía radiante transmitida por la energía radiante total incidente sobre un cuerpo dado. CF. **absorptance.**

transmittancy   transmitancia, capacidad transmisora, poder de transmisión. En particular, grado en que una solución transmite la energía radiante.

transmitted band   *(Telecom)* banda transmitida, banda de transmisión efectiva.

transmitted-carrier operation   *(Telecom)* transmisión con portadora [sin supresión de la portadora]. Dícese en oposición a las transmisiones de modulación de amplitud en las que se suprime la frecuencia portadora [suppressed-carrier transmission].

transmitted code SELCAL system   clave transmitida sistema SELCAL.

transmitted frequency band   *(Telecom)* banda transmitida, banda de transmisión efectiva. Banda de frecuencias efectivamente transmitidas.

transmitted-light scanning   exploración de luz transmitida, exploración de las variaciones de la cantidad de luz transmitida a través de un elemento.

transmitted load   carga indirecta.

transmitted pulse   impulso emitido.

transmitted sideband   *(Telecom/Radio/Tv)* banda lateral transmitida, banda (lateral) principal. Banda lateral que contiene las componentes correspondientes a todas las frecuencias de la señal moduladora. CF. **single-sideband transmission.**

transmitted wave   onda transmitida. Parte de una onda incidente que se transmite de un medio a otro. SIN. **refracted wave** ⫽ *(Elec)* onda transmitida. Parte de una onda móvil que continúa circulando más allá de un punto de transición [transition point] (CEI/65 25–50–060). CF. **incident wave, reflected wave.**

transmitter   remitente ⫽ *(Automática)* transmisor. Elemento constituido por el conjunto de un detector [detecting element] y un amplificador o un convertidor que modifica la señal según especificación (CEI/66 37–30–020). CF. **transducer, signal converter** ⫽ *(Sincros)* transmisor, sincrogenerador. Dispositivo generador de un sincrosistema; su rotor está generalmente acoplado a uno u otro tipo de dispositivo mecánico. SIN. **synchrogenerator, selsyn generator, "master".** CF. **indicator, "slave"** ⫽ *(Informática, Mec)* transmisor ⫽ *(Electroacús)* micrófono. Transductor acustoeléctrico: dispositivo o artificio destinado a convertir una onda acústica en una onda eléctrica equivalente o correspondiente. SIN. **microphone** ⫽ *(Telecom)* transmisor, emisor. Aparato o equipo

destinado a la transmisión o emisión de señales que pueden ser eléctricas, radioeléctricas, etc. SIN. **emitter, sender** ⫽ *(Radio/Tv)* transmisor, emisor. Aparato o equipo destinado a la generación, amplificación y modulación de una onda o señal que es luego radiada (ondas radioeléctricas) mediante la antena o sistema irradiante. SIN. **emisora, estación transmisora** ⫽ *(Telef)* micrófono, transmisor (telefónico). Micrófono (generalmente de carbón) destinado a la conversión de las ondas acústicas en señales de audiofrecuencia apropiadas para la transmisión eléctrica. SIN. **microphone, telephone transmitter** | emisor de llamadas. SIN. **keysender** ⫽ *(Teleg)* manipulador. CF. **key, keyer, keysender, vibroplex** | transmisor (automático). Dispositivo mecánico de manipulación automática gobernado por una cinta perforada según el código Morse o según uno de los diversos códigos de telegrafía impresora. SIN. **keying head, transmitter-distributor, tape reader** ⫽ CF. **arc transmitter, carbon transmitter, radio transmitter, spark transmitter, thermionic-valve transmitter.**

transmitter antenna   v. **transmitting antenna.**

transmitter automatic level control   *(Telecom)* control automático del nivel de transmisión.

transmitter battery   *(Telecom)* pila microfónica. Pila de alimentación de micrófono.

transmitter-blocker cell   cavidad TB. Cavidad de guía de ondas llena de gas [gas-filled waveguide cavity], que actúa como un cortocircuito cuando el gas está ionizado, y como circuito abierto en ausencia de ionización. Este dispositivo es utilizado en un *conmutador TR* [TR switch] para dirigir la energía recibida por la antena hacia el receptor, cualquiera que sea la impedancia de la antena de emisión. SIN. **TB cell** (CEI/61 62–15–200) | célula TB.

transmitter button   *(Telecom)* cápsula de micrófono. Elemento activo del micrófono. SIN. **transmitter unit.**

transmitter changeover   *(Radioenlaces)* conmutación [permutación] de transmisores.

transmitter complex   *(Radio)* v. **transmitters complex.**

transmitter control   *(Radio/Tv)* consola de control del transmisor, pupitre de mando del emisor.

transmitter current   *(Telecom)* corriente microfónica.

transmitter current supply   alimentación microfónica [del micrófono], fuente de corriente microfónica. SIN. **microphone current supply.** CF. **transmitter battery.**

transmitter distortion   *(Telecom)* distorsión en la emisión, distorsión que ocurre en el emisor. SIN. **transmission distortion** ⫽ *(Teleg)* distorsión en la emisión. Dícese que la señal emitida por un aparato, o la señal a la salida de un conjunto terminal, está afectada de *distorsión telegráfica en la emisión* cuando los intervalos significativos [significant intervals] de esa señal no tienen todos rigurosamente su duración teórica. Son aplicables a la distorsión en la emisión: el *grado de distorsión individual* [degree of individual distortion]; el *grado de distorsión isócrona* [degree of isochronous distortion]; el *grado de distorsión arrítmica* [degree of start-stop distortion]; el *grado de distorsión arrítmica global* [degree of gross start-stop distortion]; el *grado de distorsión arrítmica en sincronismo* [degree of synchronous start-stop distortion]; el *grado de distorsión en servicio* [degree of distortion in service]; el *grado convencional de distorsión, de distorsión fortuita, de distorsión disimétrica* (o *polarizada*), y *de distorsión cíclica* [conventional degree of distortion, of fortuitous distortion, of bias distortion, and of cyclic distortion]. CF. **telegraph distortion.**

transmitter-distributor [TD]   *(Teleg)* distribuidor transmisor [de transmisión], transmisor-distribuidor. Dispositivo de teleimpresor que transmite señales eléctricas que son la traducción de las perforaciones codificadas de la cinta que se pasa por el mismo; emisor automático gobernado por cinta perforada. SIN. **paper-tape reader, tape reader.**

transmitter frequency   frecuencia del transmisor; frecuencia de emisión.

transmitter frequency tolerance   tolerancia de frecuencia del transmisor.

transmitter head   *(Teleg)* cabeza de transmisión [de manipulación automática]. SIN. **transmitter-distributor, keying head.**

transmitter hut   caseta del transmisor; puesto emisor [transmisor].

transmitter input polarity   *(Tv)* polaridad de entrada al transmisor, polaridad a la entrada del transmisor. Polaridad de la señal de imagen a la entrada del transmisor correspondiente. CF. **polarity of picture signal.**

transmitter inset   *(Telecom)* cápsula microfónica [de micrófono].

transmitter junction hybrid   *(Sist de radioenlace en diversidad)* transformador diferencial para aplicar la misma señal a dos transmisores.

transmitter key   *(Teleg)* manipulador. SIN. **telegraph key.**

transmitter location   emplazamiento del transmisor; puesto emisor [transmisor].

transmitter mast   mástil de transmisión.

transmitter master oscillator   oscilador maestro. v. **master oscillator.**

transmitter network   cadena de emisores [de transmisores].

transmitter noise   *(Telecom)* ruido de micrófono, ruido de fritura. Ruido debido a corrientes irregulares producidas por el micrófono, que se manifiesta en ausencia de excitación por la voz. SIN. **burning, frying** *(GB)*, **microphone noise** ‖ *(Radio)* ruido del transmisor.

transmitter output   salida del transmisor; potencia (de salida) del transmisor, potencia de emisión.

transmitter-output test set   probador [aparato de prueba] de salida de transmisores.

transmitter power   potencia del transmisor, potencia de emisión.

transmitter pulse delay   retardo de impulso de un transmisor. v. **transducer pulse delay.**

transmitter range   alcance del transmisor [de las emisiones].

transmitter-receiver   transmisor-receptor. Conjunto de un emisor y un receptor radioeléctricos con elementos en común, y con frecuencia acoplados a una misma antena (CEI/70 60–42–075). CF. **transceiver.**

transmitter-receiver unit   unidad emisora-receptora, conjunto emisor/receptor.

transmitter-responder   *(Radionaveg)* emisor-respondedor. v. **transponder.**

transmitter RF spike leakage   fugas de RF del transmisor durante los picos de amplitud. En el caso de una equipo de radar, es necesario proteger el receptor contra esas fugas.

transmitter signal   señal del transmisor, señal de transmisión.

transmitter signal amplifier   amplificador de señal de transmisión.

transmitter site   emplazamiento del transmisor; puesto emisor [transmisor].

transmitter site error   *(Radiogoniometría)* error de emisor. v. **source error.**

transmitter speech input   *(Tr de radio)* entrada al modulador.

transmitter start code   *(Teleg)* código de arranque del transmisor. Código (usualmente una combinación de dos letras) que se envía a un puesto de teleimpresor distante para poner en marcha su transmisor de cinta [tape transmitter].

transmitter supply   *(Telecom)* alimentación microfónica.

transmitter synchro   sincrotransmisor, sincrogenerador. v. **synchro generator.**

transmitter tower   torre [castillete, mástil] de transmisión.

transmitter tube   v. **transmitting tube.**

transmitter unit   *(Telecom)* unidad transmisora; bloque emisor ‖ cápsula microfónica [de micrófono]. SIN. **transmitter button, transmitter [microphone] inset.**

transmitter wiring   cableado del transmisor.

transmitters complex   *(Radio)* centro transmisor [emisor]. SIN. **transmission center.**

transmitters shop   taller de transmisores.

transmitters site   *(Radio)* centro transmisor [emisor]; emplazamiento de (los) transmisores.

transmitting   *adj:* transmisor, emisor, de transmisión, de emisión; transmitente; transparente.

transmitting aerial   v. **transmitting antenna.**

transmitting antenna   antena transmisora [emisora], antena de transmisión [de emisión]. SIN. **transmitting aerial.**

transmitting apparatus   aparato transmisor [emisor].

transmitting auxiliary amplifier   *(Telecom)* amplificador auxiliar de transmisión.

transmitting baseband amplifier   *(Telecom)* amplificador de banda base de transmisión.

transmitting branch   *(Telecom)* ramal de transmisión, rama transmisora. Circuito de transmisión de un equipo terminal de onda portadora, correspondiente a un canal, sea telefónico o telegráfico.

transmitting buoy   *(Radionaveg)* boya emisora [transmisora].

transmitting chain   *(Telecom)* cadena [equipo] de transmisión.

transmitting current response   *(Electroacús)* respuesta a la corriente. v. **response to current.**

transmitting device   dispositivo transmisor; órgano emisor.

transmitting distance   distancia de transmisión.

transmitting efficiency   *(Electroacús)* rendimiento del proyector (acústico); rendimiento del transductor (electroacústico); rendimiento de transmisión. Razón de la potencia acústica total por la potencia eléctrica absorbida por un transductor electroacústico. SIN. **projector efficiency.**

transmitting equipment   equipo transmisor. En los sistemas de comunicación por ondas portadoras, equipo asociado con las señales salientes, y que incluye elementos tales como amplificadores, filtros, osciladores, etc.

transmitting facilities   instalaciones de transmisión.

transmitting filter   *(Sist de ondas portadoras)* filtro de transmisión.

transmitting frequency   frecuencia de transmisión [de emisión].

transmitting head   *(Teleg)* v. **transmitter head.**

transmitting loop   *(Telecom)* bucle de transmisión ‖ *(Radiocom)* *(i.e.* transmitting loop antenna) cuadro transmisor, antena de cuadro de transmisión.

transmitting loop loss   *(Telecom)* pérdida del bucle de transmisión.

transmitting office   *(Teleg)* oficina transmisora.

transmitting pair   *(Telecom)* par transmisor, par de transmisión.

transmitting position   *(Telecom)* puesto transmisor, posición de transmisión.

transmitting-position table   mesa para puesto transmisor. En los circuitos telegráficos, mesa en la que trabaja el operador de transmisión.

transmitting power   potencia de transmisión [de emisión].

transmitting power response   *(Electroacús)* respuesta de potencia. v. **response to power.**

transmitting-receiver   v. **transmitter-receiver.**

transmitting site   emplazamiento de transmisión; punto de transmisión; puesto emisor.

transmitting slip   cinta de transmisión. Cinta perforada para transmisión telegráfica automática. CF. **perforated tape.**

transmitting station   *(Telecom)* estación transmisora ‖ *(Radiocom)* estación transmisora, transmisora, emisora; centro emisor. LOCALISMO: planta transmisora. (1) Lugar donde se encuentran agrupados los elementos que intervienen en la generación, modulación, y radiación de la señal radioeléctrica: transmisor, antena(s), e instalaciones correlativas. (2) Lugar donde se agrupan varios transmisores con sus correspondientes antenas e instalaciones auxiliares, incluso medios para la conmutación de antenas. CF. **receiving station.**

transmitting station channel   canal de emisión.

transmitting system   sistema emisor [transmisor].

transmitting tube   *(Radio)* tubo (electrónico) de transmisión, válvula (electrónica) de emisión. Tubo electrónico utilizado en transmisores de radio o televisión.

transmitting-type tube   tubo (electrónico) [válvula (electrónica)] del tipo de transmisión.

transmitting typewriter   *(Informática)* máquina de escribir transmisora, impresora de escritorio de transmisión.

transmitting voltage response *(Electroacús)* respuesta de tensión. v. **response to voltage**.

transmittivity transmisividad, transmisibilidad, coeficiente de transmisión. Razón de la radiación transmitida de un medio a otro, por la radiación que incide normalmente sobre la superficie de separación entre los dos medios. SIN. **transmissivity**. CF. **transmission coefficient**.

transmodulation *(Telecom)* transmodulación.

transmutability transmutabilidad.

transmutable *adj:* transmutable.

transmutate *verbo:* transmutar.

transmutation transmutación. (1) Reacción química o nuclear en la que un elemento se transforma en otro. (2) Reacción nuclear en la que un núclido se transforma en el núclido de un elemento diferente. v.TB. **transmutation of**...

transmutation constant constante de transmutación. CF. **radioactive constant**.

transmutation energy energía de las transmutaciones.

transmutation of elements transmutación de (los) elementos.

transmutation of nuclei transmutación de (los) núcleos.

transmute *verbo:* transmutar.

transocean *adj:* v. **transoceanic**.

transoceanic *adj:* transoceánico. (1) Situado más allá o al otro lado del océano. (2) Que cruza o va de un lado al otro del océano.

transoceanic air traffic tráfico aéreo transoceánico.

transoceanic airliner aeronave transoceánica, aeronave de pasajeros de servicio transoceánico.

transoceanic airport aeropuerto (de servicio) transoceánico.

transoceanic circuit *(Telecom)* circuito [enlace] transoceánico.

transoceanic link *(Telecom)* enlace transoceánico.

transoceanic rocket cohete transoceánico.

transoceanic telephony telefonía transoceánica.

transolver transresolutor, transresolucionador. Sincro con un rotor cilíndrico bifásico dispuesto en el interior de un estator trifásico. Se emplea como transmisor o como transformador de control, con las ventajas de mantener su exactitud y no tener puntos de cero.

transom *(Arq/Carp)* cumbrera; tirante; dintel; travesaño, travesero, traviesa, durmiente; tragaluz, claraboya, luceta, lumbre, montante (abertura cuadrilonga sobre una puerta, ventana pequeña encima de una puerta o de otra ventana). LOCALISMOS: linternilla, banderola ‖ *(Buques)* yugo de popa; peto de popa, bovedilla de popa; última cuaderna de popa; sofá; litera con cajones inferiores ‖ *(Carruajería)* telera ‖ *(Elec)* v. **crossarm**.

transonic *adj:* transónico. Relativo o perteneciente a la velocidad transónica [transonic speed]. CF. **hypersonic, sonic, subsonic, supersonic**.

transonic aerodynamics aerodinámica transónica.

transonic aircraft aeronave transónica, avión transónico. Avión destinado a volar (aunque sólo sea por momentos) a velocidades inmediatamente inferiores o superiores a la del sonido. v.TB. **transonic speed**.

transonic area rule *(Aerodinámica)* regla del área transónica.

transonic barrier barrera sónica [transónica]. v. **sonic barrier**.

transonic drag *(Aerodinámica)* resistencia transónica.

transonic speed velocidad transónica. Velocidad inmediatamente inferior o superior a la del sonido (número de Mach entre 0,8 y 1,2). A las velocidades transónicas se manifiestan los fenómenos aerodinámicos de compresibilidad del aire, los que dan origen al llamado "muro" del sonido o barrera sónica [sonic barrier]. v.TB. **Mach number**.

transosonde flight *(Meteor)* vuelo transoceánico de sondeo.

transpacific *adj:* transpacífico. (1) Situado más allá o al otro lado del Océano Pacífico. (2) Que cruza o atraviesa el Océano Pacífico.

transpacific circuit *(Telecom)* circuito [enlace] transpacífico.

transpacific link *(Telecom)* enlace transpacífico.

transpacific telephone cable cable telefónico transpacífico.

transpacific telephony telefonía transpacífica.

transparency transparencia, calidad de transparente; diafanidad, calidad de diáfano. v. **transparent** ‖ *(Cine/Tv/Fotog)* transparencia; diapositiva. (1) Material gráfico, ilustrativo o escrito sobre un material transparente a cuyo través pueden verse distintos elementos de fondo al enfocar sobre él la cámara tomavistas. (2) Fotografía positiva sobre un material transparente, generalmente vidrio o película de celuloide ‖ cliché, clisé; placa para linterna de proyección ‖ *(Tubos elecn)* transparencia. Razón entre los espacios libres o *ventanas* de una rejilla y la superficie total de esta última.

transparency holder portatransparencias; portaclichés.

transparency projector proyector de transparencias; proyector de clichés. CF. **slide projector**.

transparent *adj:* transparente. (1) Que se deja atravesar por la luz y permite divisar claramente los objetos a su través. (2) Que se deja atravesar por determinadas radiaciones o partículas. v.TB. **transparent body** ‖ diáfano. Que deja pasar la luz sin que puedan sin embargo percibirse a su través los objetos ‖ claro, límpido.

transparent body cuerpo transparente. Cuerpo que transmite la luz esencialmente por transmisión regular [direct transmission] con un factor de transmisión regular [direct transmission factor] elevado. A través de un cuerpo transparente de forma geométrica adecuada, los objetos son visibles distintamente (CEI/58 45-20-110). CF. **translucid body**.

transparent cupola *(Avia)* cúpula transparente.

transparent paper papel transparente.

transparent-paper copy *(Dib)* copia transparente.

transparent plasma plasma transparente (a una onda electromagnética). En general, un plasma es transparente a las ondas de frecuencia superior a la suya propia. v. **plasma frequency**.

transparent plastic (material) plástico [materia plástica] transparente.

transparent screen pantalla transparente.

transparent to light transparente a la luz.

transparent to particles transparente a las partículas.

transparent to radiation transparente a la radiación.

transparent window *(Radiol)* ventana transparente. Parte de la pared de un tubo de rayos X que permite la emisión de rayos particularmente blandos (CEI/38 65-30-020).

transpiration transpiración; sudación.

transpiration cooling enfriamiento por transpiración [por sudación].

transpire *verbo:* transpirar; sudar.

transpolarizer *(Elecn)* transpolarizador.

transponder *(Radar/Radionaveg)* respondedor, contestador, transpondedor. TB. radiofaro respondedor [de respuesta], emisor-receptor automático de identificación, emisor-receptor mandado por impulsos, emisor respondedor, estación receptora-emisora. Equipo receptor y emisor que al recibir una señal radioeléctrica (llamada *señal de interrogación*) transmite automáticamente una señal de características generalmente diferentes a las de la primera (*señal de respuesta*). El término inglés viene de "*transmitter-responder*". SIN. **baliza respondedora, repetidor de impulsos** —— **responder beacon, pulse repeater, racon, radar** (safety) **beacon**. CF. **interrogator** ‖ cotransceptor de identificación. Aparato que comprende un receptor y un emisor radioeléctricos y destinado a suministrar las respuestas en una identificación [IFF] (CEI/70 60-72-195) ‖ *(Telecom por satélite)* (*i.e.* active radio repeater; receiver-transmitter combination) repetidor, receptor-transmisor.

transponder beacon baliza respondedora. SIN. **responder beacon**.

transponder dead time tiempo muerto del respondedor. Intervalo de tiempo durante el cual el receptor del respondedor permanece inactivo después de recibir una interrogación correcta; parte de ese intervalo transcurre antes y parte transcurre después de activarse el emisor.

transponder efficiency   v. **transponder reply efficiency**.

transponder reply efficiency   (a.c. transponder efficiency) rendimiento (de réplica) del respondedor, eficacia del respondedor. Razón entre el número de respuestas del respondedor y el número de las interrogaciones que el mismo reconoce como válidas. Dicha razón se expresa a menudo en forma de tanto por ciento | rendimiento de un cotransceptor de identificación. Razón del número de respuestas emitidas por el cotransceptor al número de interrogaciones válidas recibidas por su receptor (CEI/70 60–72–645).

transponder suppressed time delay   v. **transponder time delay**.

transponder time delay   (a.c. transponder suppressed time delay) retardo del respondedor. Intervalo de tiempo fijo entre la recepción de una interrogación válida por el respondedor y la emisión de la correspondiente respuesta. CF. **transponder dead time**.

transport   transporte, acarreo || (*Informática*) transferencia, traslado (de información). SIN. **transfer** || (*Quím, Nucl, Semicond*) transporte || (*Registro mag*) arrastre, transporte (de la cinta). Movimiento de la cinta cuando pasa por una cabeza o un conjunto o bloque de cabezas para fines de registro, reproducción, o borrado | (*i.e.* tape transport) mecanismo (de la cinta), mecanismo [sistema] de arrastre (de la cinta). SIN. **transport mechanism** ||| *verbo:* transportar, acarrear, conducir; trasladar; transbordar || (*Informática*) transferir, trasladar (información). SIN. **transfer**.

transport aircraft   avión de transporte, avión carguero.

transport airplane   avión de transporte.

transport approximation   (*Nucl*) valor aproximado de transporte.

transport aviation   aviación de transporte.

transport cross-section   (*Nucl*) sección eficaz de transporte. Diferencia entre la sección eficaz total [total cross-section] y el producto de la sección eficaz de dispersión [scattering cross-section] y la media del coseno del ángulo de dispersión [average cosine of the scattering angle] en el sistema del laboratorio. La inversa de la sección eficaz macroscópica de transporte [macroscopic transport cross-section] es el recorrido libre medio de transporte [transport mean free path] (CEI/68 26–05–685).

transport effects   (*Semicond*) efectos de transporte.

transport equation   (*Fís*) (*i.e.* Boltzmann transport equation) ecuación de transporte (de Boltzmann).

transport facilities   medios de transporte.

transport glider   (*Avia*) planeador de transporte.

transport kernel   (*Teoría del transporte de neutrones monoenergéticos*) núcleo de transporte.

transport mean free path   (*Nucl*) recorrido libre medio de transporte. Inversa de la sección eficaz macroscópica de transporte [reciprocal of the macroscopic transport cross-section] (CEI/68 26–10–010) | libre recorrido [camino] medio de transporte.

transport mechanism   (*Registro mag*) (a.c. transport) mecanismo [sistema] de arrastre (de la cinta). Bloque o chasis que lleva los motores, carretes, controles, y dispositivos auxiliares que intervienen en el movimiento de la cinta; puede considerarse que incluye también las cabezas y ciertos otros dispositivos. SIN. **motor board, tape deck, tape transport**.

transport mission   (*Avia*) misión de transporte.

transport motor   (*Registro mag*) motor del mecanismo de arrastre (de la cinta).

transport number   (*Electroquím*) número de transporte de los iones. Cociente de la cantidad de electricidad transportada por los iones considerados, por la cantidad total de electricidad que en el mismo tiempo atraviesa el electrólito (CEI/38 50–05–110, CEI/60 50–05–380). SIN. **transference number**.

transport panel   (*Proyectores de cine*) panel de transporte.

transport phenomenon   (*Quím*) fenómeno de transporte.

transport pilot   (*Avia*) piloto de transporte.

transport speed   velocidad de transporte || (*Máq de constr*) velocidad de marcha [de traslación].

transport theory   (*Fís/Nucl*) teoría del transporte. Teoría que tiene por base una aproximación a la ecuación de Boltzmann en condiciones tales que no es aplicable la ley de Fick.

transport time   tiempo de transporte || (*Automática*) tiempo de traslado (de un objeto) || (*Informática*) tiempo de transferencia [de traslado] (de un elemento de información).

transport velocity   (*Fís/Nucl*) velocidad de transporte.

transportability   transportabilidad.

transportable   *adj.:* transportable.

transportable power plant   grupo electrógeno transportable.

transportable station   (*Radiocom*) estación transportable.

transportable substation   (*Elec*) subestación transportable. Subestación constituida por elementos separados que pueden ser rápidamente puestos en su lugar y armados para utilización temporal (CEI/65 25–10–120). CF. **mobile substation**.

transportable transmitter   (*Radiocom*) transmisor transportable, emisor portátil. Transmisor o emisor construido de modo que pueda ser transportado de lugar en lugar, pero que normalmente no se utiliza mientras se encuentra en desplazamiento. SIN. **portable transmitter**.

transportation   transporte, transportación, acarreo, acarreamiento, conducción; traslado, traslación; transbordo || (*Geol*) transportación.

transportation facilities   medios de transporte.

transporter   transportador; vehículo de transporte; trasladador; transbordador || (*Minería*) descargador móvil.

transporter bridge   puente transbordador.

transporter gantry   pórtico flotante.

transporter table   (*Ferroc*) trasladador, mesa trasladadora. Aparato utilizado para trasladar vehículos entre vías paralelas.

transporter table with pit   trasladador con foso. Mesa para trasladar vehículos con apoyos situados a nivel superior al de las vías de acceso.

transporter table without pit   trasladador sin foso. Mesa para trasladar vehículos con apoyos situados al nivel de las vías de acceso.

transpose   (*Mat*) (of a matrix) transpuesta, traspuesta (de una matriz) ||| *verbo:* transponer, trasponer; trasladar || (*Telecom*) to transpose frequencies to the desired location in a band: trasladar frecuencias a la posición deseada en una banda.

transposed line   (*Elec/Telecom*) línea con transposiciones.

transposed pair   (*Telecom*) par con transposiciones.

transposed transmission line   línea de transmisión con transposiciones. Línea de transmisión cuyos conductores intercambian sus posiciones relativas a intervalos regulares con el fin de reducir los acoplamientos eléctricos o magnéticos de la línea con otras líneas (CEI/70 55–30–070).

transposer   (*Tv*) reemisor, retransmisor, repetidor. v. **translator**.

transposing   transposición; traslado ||| *adj:* transpositor, de transposición; trasladador, de traslado; traslativo.

transposing instrument   (*Mús*) instrumento transpositor.

transposition   transposición, trastrueque | **transposition of figures:** transposición de cifras || (*Mat*) transposición. Permutación que consiste únicamente en el intercambio de dos objetos || (*Mús*) transportación | transposición. Paso de un trozo o pasaje a una altura diferente del original || (*Elec*) transposición. (**1**) Rotación del conjunto de conductores de una línea para reducir los efectos de la asimetría (CEI/38 25–20–130). (**2**) Permutación de posición de los conductores de una línea con el fin de establecer una simetría eléctrica suficiente de las fases entre ellas y respecto al suelo o a otras líneas vecinas (CEI/65 25–20–070). (**3**) En los devanados de máquinas y transformadores: Permutación de conductores elementales en un conductor subdividido, con el fin de reducir las pérdidas por corrientes parásitas [eddy-current losses] (CEI/56 10–35–120) || (*Telecom*) transposición, cruzamiento, neutralización. Intercambio de las posiciones relativas de los hilos o conductores con el fin de neutralizar los efectos de la inducción entre circuitos; o, en el caso de una línea de transmisión de antena de dos conductores paralelos, para reducir la radiación por la propia línea (emisión) o la captación de señales perturbadoras (recepción) | transposición. En las líneas aéreas, intercambio ordenado de la posición relativa de los conductores con el objeto de reducir el ruido, la diafonía, y los picos de absorción | (*i.e.* of pairs) transposición de circuitos combinados | (*i.e.* of wires) transposición, cruzamiento, rotación (de los hilos) | (*i.e.* a transmission defect) transposición. Defecto de transmisión tal que, durante la transmisión de una señal telegráfica, se cambia el estado significativo [significant condition] de uno o más elementos de la señal [signal elements] mientras un número igual de elementos sufre el cambio inverso de estado significativo | **transpositions (of a telephone line)**: transposiciones (de una línea telefónica). Modificaciones, según ciertas reglas, de la disposición sobre las crucetas de los conductores de una línea telefónica aérea, efectuadas con el objeto de reducir los acoplamientos mutuos entre circuitos vecinos | (*i.e.* by crossing) transposiciones por cruzamiento, cruzamientos. Tipo de transposiciones según el cual los dos conductores de línea de un circuito permanecen generalmente en un mismo plano, pero intercambian regularmente su posición relativa. SIN. **crossings** | (*i.e.* by rotation) transposiciones por rotación || (*Quím*) transposición.

transposition block   (*Elec, Telecom*) aislador de transposición.

transposition bracket   soporte [ménsula] de transposición. Soporte o ménsula con aisladores utilizado para la transposición de conductores de una línea aérea. v. **transposition, transposed transmission line**.

transposition cycle   paso de transposición. Sobre una línea con transposiciones [transposed line], longitud más corta que presenta intrínsecamente una simetría eléctrica completa (o un mínimo de asimetría) (CEI/65 25–20–080). CF. **transposition interval**.

transposition diagram   (*Elec/Telecom*) diagrama de transposiciones.

transposition insulator   (*Telecom*) aislador de transposición.

transposition interval   intervalo de transposición. Longitud de la sección de línea comprendida entre dos transposiciones (o rotaciones) consecutivas (CEI/65 25–20–075). CF. **transposition cycle**.

transposition pin   (*Telecom*) soporte de transposición.

transposition pole   (*Elec/Telecom*) poste de transposición [de rotación].

transposition section   (*Telecom*) sección antiinductiva completa | sección de transposición. Tramo de línea aérea en el que cada par de conductores tiene transposiciones de un tipo fundamental diferente. El poste situado al final de ese tramo recibe el nombre de *poste "S"*.

transposition system   (*Elec/Telecom*) sistema de transposición. Esquema o plan según el cual se efectúan las transposiciones. v. **transposition, transposed transmission line**.

transreceive equipment   transceptor. v. **transceiver**.

transreceiver   transceptor. v. **transceiver**.

transrectification   transrectificación. Rectificación que se produce en un circuito cuando la tensión alterna se aplica a otro circuito.

transrectification characteristic   característica de transrectificación.

transrectification factor   factor de transrectificación. De un tubo electrónico o un transistor, cociente del cambio en la corriente media de un electrodo por el cambio correspondiente en la tensión alterna sinusoidal aplicada a otro electrodo, mientras se mantienen constantes las tensiones continuas aplicadas a todos los electrodos.

transrectifier   transrectificador. Válvula electrónica (tubo o transistor) en el que ocurre una transrectificación [transrectification].

transresistance   transresistencia. v. **transistor**.

transresistance amplifier   amplificador de transresistencia. Amplificador que suministra una tensión de salida (e_s) proporcional a la corriente de entrada (i_m); el factor de proporcionalidad es la transresistencia (R_m). Es decir que $e_s = R_m i_m$, de donde se obtiene

la expresión matemática de la *función de transferencia* del amplificador: $e_s/i_m = R_m$.

transshipment   transbordo.

transshipping   transbordo.

transshipping sidings   (*Ferroc*) vías de transbordo. Vías destinadas al traslado de un vagón a otro.

transsusceptance   transsusceptancia.

transtrictor   transtrictor, transistor de efecto de campo. v. **unipolar field-effect transistor**.

transuranic   *adj:* (*Quím*) transuránico, transuranio, transuraniano. De número atómico superior al del uranio (92).

transuranic element   transuranio, elemento transuránico. Los transuranios hasta ahora conocidos no existen en la naturaleza, sino que se obtienen artificialmente.

transversal   (*Geom*) transversal. (**1**) Recta que interseca un sistema de rectas. (**2**) Recta o plano que corta a un haz. SIN. **traverse** | secante. Recta que corta a otra, a una curva, o a una superficie. SIN. **secant** ||| *adj:* transversal || (*Geom*) transversal; secante.

transversal filter   filtro transversal. Filtro eléctrico cuyas propiedades de transmisión en función de la frecuencia presentan una simetría periódica. CF. **comb filter**.

transverse   dirección transversal; elemento transversal || (*Anat, Zool*) transverso || (*Constr/Estr*) transversal, miembro [pieza, viga] transversal ||| *adj:* transversal, que cruza de un lado a otro || (*Geom*) transverso.

transverse axis   (*Geom*) eje transverso; eje focal (de una superficie cónica).

transverse beam   (*Elecn*) haz transversal || (*Constr/Estr*) viga transversal.

transverse-beam traveling-wave tube   (*Elecn*) tubo de ondas progresivas de haz transversal. Tubo de ondas progresivas en el cual la dirección del haz electrónico es normal a la dirección media de propagación de la onda de señal.

transverse cable   (*Tracción eléc*) transversal. Cable o hilo sustentador transversal de acero, aislado del hilo de contacto, y utilizado para sostener una línea aérea de contacto. SIN. **transverse wire** (CEI/38 30–40–025).

transverse crosstalk coupling   (*Telecom*) acoplamiento diafónico transversal. Refiérese al acoplamiento entre un circuito perturbado y el circuito perturbador.

transverse current   corriente transversal.

transverse-current traveling-wave tube   (*Elecn*) tubo de ondas progresivas de corriente transversal.

transverse differential protection   (*Elec*) protección diferencial transversal. Protección diferencial [differential protection] en la cual la corriente diferencial [differential current] es la suma algebraica de las corrientes de dos partes de una instalación conectadas en paralelo (CEI/56 16–55–015). CF. **longitudinal differential protection**.

transverse drift   deriva transversal.

transverse electric and magnetic mode   (*Microondas*) modo eléctrico y magnético transversal, modo TEM. Modo en el cual las componentes longitudinales de los campos eléctrico y magnético son en todas partes nulos. SIN. **TEM mode** (CEI/61 62–05–020).

transverse electric mode   (*Microondas*) modo eléctrico transversal, modo TE, modo H. v. **H mode**.

transverse electric wave   onda eléctrica transversal, onda TE. En un medio homogéneo e isótropo, onda electromagnética cuyo vector de campo eléctrico es en todas partes normal a la dirección de propagación. SIN. **TE wave**.

transverse electromagnetic wave   onda electromagnética transversal, onda TEM. En un medio homogéneo e isótropo, onda electromagnética en la cual los vectores de los campos eléctrico y magnético son ambos, en todas partes, normales a la dirección de propagación. SIN. **TEM wave**.

transverse field   campo transversal.

transverse-field traveling-wave tube   (*Elecn*) tubo de ondas progresivas de campo transversal. Tubo de ondas progresivas en el cual los campos eléctricos progresivos que interaccionan con los electrones, son esencialmente normales a la dirección media del movimiento de éstos.

transverse-film attenuator   atenuador de película transversal. Atenuador de guía de ondas en el cual una película conductora está colocada en dirección normal al eje de la guía.

transverse flute   *(Mús)* flauta travesera [transversa]. Flauta ordinaria, a distinción de la *dulce* [recorder].

transverse flux   flujo transversal.

transverse-flux induction heating   caldeo por inducción de flujo transversal.

transverse focusing electric field   campo eléctrico de enfoque transversal.

transverse focusing field   campo de enfoque [campo focalizador] transversal.

transverse force   fuerza transversal; fuerza de corte.

transverse forced-air cooling (of a power tube)   enfriamiento (de un tubo de potencia) por ventilación forzada transversal.

transverse fuse   *(Proyectiles)* espoleta (electrónica) con antena transversal. La antena está montada en ángulos rectos con el eje longitudinal del proyectil.

transverse gyro frequency   *(Radioelec)* girofrecuencia transversal. En la propagación ionosférica: Girofrecuencia que corresponde a la componente del campo magnético terrestre [earth's magnetic field] normal a la dirección de propagación (CEI/70 60–24–120).

transverse heating   caldeo por campo eléctrico transversal. Caldeo dieléctrico en el cual el campo eléctrico es normal a las capas del material sometido a calentamiento.

transverse interference   *(Elecn/Telecom)* perturbación transversal. La que ocurre entre dos bornes o dos conductores de señal próximos.

transverse launching device   *(Microondas)* dispositivo excitador de ondas transversales [ondas H]. Dispositivo que sirve para acoplar un cable coaxil con una guía de ondas circular excitando *ondas H* u *ondas eléctricas transversales* [H waves, transverse electric waves] en la segunda.

transverse load   *(Avia)* carga transversal.

transverse magnetic E mode   v. **transverse magnetic mode.**

transverse magnetic mode   *(Microondas)* modo magnético transversal, modo TM, modo E. Modo en el cual la componente longitudinal del campo magnético es en todas partes nulo y en el cual existe una componente longitudinal del campo eléctrico. SIN. **TM mode, E mode** (CEI/61 62–05–035).

transverse magnetic wave   onda magnética transversal, onda TM. En un medio homogéneo e isótropo, onda electromagnética cuyo vector de campo magnético es en todas partes normal a la dirección de propagación. SIN. **TM wave.**

transverse magnetization   magnetización transversal ‖ *(Registro mag)* registro magnético transversal. Procedimiento en el cual la dirección principal del campo magnético utilizado para el registro es perpendicular a la dirección del movimiento del soporte magnético, y, si se trata de un registro sobre soporte plano, se encuentra en el plano de éste (CEI/60 08–25–205). CF. **perpendicular magnetization, longitudinal magnetization, transverse recording.**

transverse mercator projection   *(Mapas)* proyección transversal mercator.

transverse mode   modo transversal. CF. **transverse wave.**

transverse motion   movimiento transversal.

transverse oscillation   oscilación transversal.

transverse overvoltage   sobretensión transversal. Sobretensión entre un conductor y la tierra, la masa, u otro conductor. OBSERVACION: La definición oficial (CEI) no tiene término inglés (CEI/65 25–45–015). CF. **longitudinal overvoltage.**

transverse plate   placa transversal ‖ *(Guías de ondas)* v. **transverse septum.**

transverse recording   *(Registro mag)* registro transversal. (**1**) En el caso de las grabadoras magnéticas de televisión [video tape recorders], técnica de registro mediante cabezas rotativas orientadas perpendicularmente al borde y al plano de la cinta. (**2**) v. **transverse magnetization.**

transverse section   sección [corte] transversal ‖ *(Vías férreas)* sección transversal, perfil normal (de la vía). Corte transversal al eje de la vía que muestra el terreno y la infraestructura, en terraplén o desmonte. SIN. **cross-section.**

transverse septum   *(Guías de ondas)* septo [tabique, placa] transversal. Placa conductora o resistiva utilizada para cerrar la extremidad de la guía o utilizada a modo de pistón ajustable. SIN. **transverse plate.** V.TB. **septum.**

transverse strain   deformación transversal.

transverse stress   esfuerzo transversal; carga de flexión.

transverse surge   sacudida en serie. CF. **longitudinal surge.**

transverse suspension   *(Tracción eléc)* suspensión transversal. Modo de suspensión de una línea aérea de contacto en el cual el hilo está suspendido de sus soportes por intermedio de uno o varios cables transversales u órganos flexibles similares (CEI/38 30–40–020). CF. **transverse cable.**

transverse vibrational wave   onda vibratoria transversal.

transverse voltage   *(Elec)* tensión transversal. CF. **transverse overvoltage** ‖ *(Telecom)* tensión transversal (en un punto dado). Tensión que se manifiesta entre los dos conductores de un circuito bifilar [loop circuit] en el punto considerado.

transverse wave   onda transversal. Onda caracterizada por un vector perpendicular a la dirección de propagación (CEI/38 05–05–295, CEI/56 05–03–070). SIN. **shear wave.** CF. **longitudinal wave.**

transverse wire   hilo transversal ‖ *(Tracción eléc)* transversal. v. **transverse cable.**

trap   trampa, atrapador; colector; eliminador | *(i.e.* liquid-air trap) trampa de aire líquido ‖ *(Elecn)* *(i.e.* ion trap) trampa de iones | *(i.e.* selective cathode trap) rechazador catódico ‖ *(Radio)* *(i.e.* wave trap, trap circuit) trampa, atrapador (de ondas), circuito trampa, circuito atrapador [eliminador], circuito tapón. Circuito resonante destinado a eliminar determinada señal o frecuencia, o a impedir que la misma llegue a determinado circuito. Un tipo común consiste sencillamente en un circuito sintonizado que absorbe energía de la onda o señal que quiere eliminarse. CF. **sound trap** ‖ *(Comput)* trampa. Salto no programado a una localidad preestablecida, activado automáticamente al ocurrir una condición particular prevista, tal como p.ej. una tentativa de ejecutar una instrucción no incluida en el repertorio de instrucciones de la máquina; al efectuarse el salto se registra la localidad de origen de éste, de manera que pueda reanudarse la ejecución normal del programa una vez atendida la anomalía que activó la trampa ‖ *(Canalizaciones y tuberías portadoras de fluidos)* separador, interceptor (de grasas, de aceite, de agua del vapor); purgador, colector, separador (de agua del vapor); separador de aceite [de agua] (del vapor, del aire comprimido); descargador de agua condensada; purgador de condensación; deshidratador (del fluido circulante) ‖ *(Plomería)* trampa, sifón, bombillo, inodoro ‖ *(Mús)* **traps:** instrumentos de percusión; instrumentos del redoblante (de una orquesta) ‖ *(Semicond)* trampa, centro de captura. Imperfección que impide el movimiento de los portadores de carga. SIN. **trapping center** ⫴ *verbo:* atrapar; colectar; eliminar; capturar; aprisionar ‖ *(Plomería)* poner sifón, proteger con sifón.

trap circuit   *(Radio)* circuito trampa, circuito atrapador [eliminador], circuito tapón. v. **trap.**

trap point   *(Vías férreas)* trampa. Medio cambio que se instala como medida de seguridad para impedir el paso del tren rodante del desvío a la vía principal. SIN. **switch-point derail.**

TRAPATT   Contracción de "TRapped Plasma Avalanche Triggered Transit".

trapezial   *adj:* trapezoidal; trapecial, trapeciforme. v. **trapezium.**

trapeziform   *adj:* (in the shape of a trapezium) trapezoidal; trapecial, trapeciforme. v. **trapezium.**

trapezium   *(Geom)* (quadrilateral having no parallel sides) trapezoide. Cuadrilátero sin ningún lado paralelo a otro. OBSERVACION: Al substantivo *trapezoide* corresponde el adjetivo *trapezoidal* | *(GB:* quadrilateral having two parallel sides) trapecio. Cuadrilátero con dos lados paralelos, aunque desiguales. SIN. **trapezoid**. OBSERVACION: Al substantivo *trapecio* corresponden los adjetivos *trapecial* y *trapeciforme*.

trapezium distortion   *(TRC)* distorsión en trapecio. Defecto de un tubo catódico caracterizado por una variación de la sensibilidad paralelamente a un eje de coordenadas vertical u horizontal, en función del desplazamiento paralelamente al otro, y que tiene por efecto transformar en trapecial una imagen que debería ser rectangular (CEI/56 07–30–280) || *(Tv)* distorsión en trapecio. v. **keystone distortion**.

trapezoid   *(Geom)* (quadrilateral having two parallel sides; in British usage also called "trapezium") trapecio. Cuadrilátero que tiene dos lados o bases paralelos, aunque desiguales /// *adj:* trapecial, trapeciforme. v. **trapezoidal**.

trapezoid formula   *(Cálculo integral)* fórmula del trapecio. v. **trapezoidal rule**.

trapezoid rule   *(Cálculo integral)* v. **trapezoidal rule**.

trapezoidal   *adj:* (*also* trapezoid) trapecial. Perteneciente al trapecio; en trapecio, de figura de trapecio | trapeciforme. En trapecio, de forma de trapecio [trapezoid].

trapezoidal distortion   *(TRC, Tv)* distorsión en trapecio. v. **trapezium distortion**.

trapezoidal generator   *(Elecn)* generador de onda trapecial [en trapecio].

trapezoidal modulation   *(Tr)* modulación trapecial [en trapecio].

trapezoidal pattern   oscilograma trapecial, imagen (osciloscópica) en trapecio. Indica el tanto por ciento de modulación en un sistema de modulación de amplitud.

trapezoidal peak   pico trapecial. SIN. **pedestal peak**.

trapezoidal pulse   impulso trapecial [en trapecio].

trapezoidal rule   *(Cálculo integral)* (a.c. trapezoid rule) regla del trapecio. Método para la determinación aproximada de una integral definida [definite integral] estimando el área bajo una curva como una suma de trapecios. SIN. **trapezoid formula**.

trapezoidal wave   onda trapecial [en trapecio], onda trapeciforme.

trapezoidal wing   *(Aeron)* ala trapecial.

trapped air   aire aprisionado [ocluido].

trapped crosswise deuteron   *(Nucl)* deuterón aprisionado transversalmente.

trapped electron   electrón cautivo [atrapado, retenido].

trapped flux   flujo atrapado [concatenado]. Flujo magnético concatenado con un circuito superconductor cerrado.

trapped mode   *(Radioelec)* modo de propagación guiado. Modo de propagación [mode of propagation] en el cual la energía es en gran parte guiada por el interior de un conducto troposférico [tropospheric radio duct] (CEI/70 60–22–180).

trapped particle   partícula atrapada [retenida].

trapped plasma   plasma atrapado.

trapped plasma avalanche triggered transit [TRAPATT]   transmisión gatillada por avalancha de plasma atrapado.

trapped radiation   radiación (de origen espacial) atrapada por el campo magnético terrestre.

trapping   captura, atrapamiento; retención; oclusión; bloqueo || *(Radioelec)* propagación guiada por conducto troposférico [atmosférico]. v. **trapped mode** || *(Semicond)* atrapamiento, captura. Fenómeno por el cual los electrones son retenidos en una irregularidad de la red cristalina hasta que son liberados por agitación térmica. v.TB. **trap**.

trapping center   *(Semicond)* centro de captura. Imperfección o irregularidad en la que son retenidos los portadores de carga. SIN. **trap**.

trapping level   *(Semicond)* nivel de captura. Nivel de la banda de

energía correspondiente a la presencia de una imperfección.

trapping of whistlers   *(Radioelec)* captura de silbidos ionosféricos.

trapping spot   *(Transistores)* zona de captura. v. **capture spot**.

trash   basura, cosa de poco o ningún valor; trasto, cachivache, cosa ya inútil (como un mueble desvencijado); desechos; basuras; zupia; material inferior o carente de valor; collar; traílla; trangallo, taragallo, tarangallo, trabanco; residuos de la poda || *(Comput)* v. **garbage** || *(Hidr)* basuras, hojarasca || *(Ingenios azucareros)* bagacillo, bagazo /// *verbo:* tratar como basura; podar, escamondar; desgranar (maíz); poner trangallo, poner trabanco.

trauma   trauma, traumatismo, lesión, herida.

traumatic   *adj:* traumático. Referente al traumatismo o causado por él.

trautonium   trautonio. Nombre ya desusado de un aparato que produce sonidos musicales mediante un oscilador electrónico de frecuencia variable.

travel   viaje; desplazamiento; propagación || *(Mec)* carrera, curso, recorrido, corrida || *(Máq herr)* avance || *(Registro mag)* movimiento, avance (de la cinta). CF. **transport**.

travel ghost   *(Cine)* "fantasma viajero", efecto de enlistado [de rayas] (por desobturación), (efecto de) desobturación. Efecto de rayas, cola o "barbas" que se manifiesta hacia arriba o hacia abajo de los objetos, zonas o letreros muy blancos de la película proyectada, y que se debe a *desobturación;* el efecto se presenta por arriba de los objetos si el obturador está retrasado, o por debajo si está adelantado || *(Tv)* v. **travel ghosts**.

travel-ghost test film   *(Cine)* película para pruebas de desobturación.

travel ghosts   *(Tv)* imágenes múltiples, "fantasmas" || *(Cine)* v. **travel ghost**.

travel mechanism   *(Mec)* mecanismo de avance.

travel-reversing switch   *(Elec)* conmutador de inversión de marcha. Conmutador que provoca la inversión del movimiento de un móvil cuando el mismo alcanza una posición determinada (CEI/57 15–30–165). CF. **limit switch, overtravel switch, position switch**.

travel shot   *(Cine/Tv)* v. **traveling shot**.

travel velocity   velocidad de marcha || *(Geofísica)* velocidad de propagación.

traveled way   *(Caminos)* calzada. Parte del camino [roadway] por donde se mueven los vehículos, excluyendo las bermas [shoulders] y los carriles auxiliares [auxiliary lanes].

traveler   viajero, viajante || *(Aparatos)* cursor || *(Constr)* v. **traveling scaffold** || *(Ing civil)* v. **traveling crane** || *(Puentes grúa)* v. **traveling carriage**.

traveling, travelling   viaje; desplazamiento, traslación; propagación || *(Puentes grúa)* traslación || *(Tv)* v. **traveling shot** /// *adj:* viajero, viajante; de viaje, para viaje, para viajar; móvil, corredizo, desplazable; ambulante, viajero; rodante; progresivo.

traveling board   *(Estudios de cine)* plataforma rodante.

traveling carriage   *(Puentes grúa)* (a.c. traveler) carro (de rodadura).

traveling consultant   asesor viajante.

traveling crane   *(Ing civil)* (a.c. traveler) puente grúa, grúa (de) puente, grúa rodante [corrediza], grúa locomóvil.

traveling detector   detector móvil, detector de ondas estacionarias. Antiguo nombre del dispositivo que hoy se conoce por *línea* o *sección ranurada* [slotted line, slotted section] || *(Líneas ranuradas)* detector móvil. SIN. **traveling probe**.

traveling disturbance (in the ionosphere)   perturbaciones en desplazamiento (en la ionósfera).

traveling head   cabezal móvil.

traveling-image storage tube   *(Elecn)* tubo acumulador [de almacenamiento] de imagen móvil. Se utiliza en aparatos de reconocimiento a bordo de aeronaves.

traveling ladder   escalera corrediza.

traveling overvoltage   (surge propagated along a conductor) sobretensión móvil. Sobretensión que se desplaza a lo largo de un conductor (CEI/65 25–50–015).

traveling paper tape   cinta de papel móvil.

traveling plane wave   onda progresiva plana, onda plana progresiva. Onda plana cada una de cuyas componentes frecuenciales tiene una variación exponencial de amplitud y una variación lineal de fase en la dirección de propagación. SIN. **traveling wave.**

traveling platform   plataforma rodante [móvil]; transbordador; carro transportador.

traveling probe   *(Líneas ranuradas)* sonda móvil, testigo móvil. SIN. traveling detector.

traveling-probe detector   detector de sonda móvil.

traveling recorder   registrador viajero. En cervecerías, fábricas de bebidas embotelladas, y fábricas de alimentos en conserva, dispositivo que proporciona un registro continuo de la temperatura en el interior de la botella o la lata mientras ésta hace su recorrido por la pasteurizadora.

traveling scaffold   *(Constr)* (a.c. traveler) andamio móvil [corredizo, ambulante].

traveling shot   *(Cine/Tv)* (a.c. travel shot) toma (de vistas) en movimiento; toma panorámica siguiendo a un actor sin hacer cortes. SIN. follow [tracking] shot.

traveling space-charge wave   *(Elecn)* onda progresiva de carga espacial, onda de carga espacial progresiva.

traveling speed   velocidad de marcha; velocidad de desplazamiento [de traslación]; velocidad de propagación || *(Puentes grúa)* velocidad de traslación.

traveling wave   (wave traveling in one direction) onda progresiva. SIN. progressive wave | onda progresiva (plana), onda plana progresiva. v. **traveling plane wave** || *(Elec)* sobretensión [sobreintensidad] transitoria. v. **surge** || *(Guías de ondas)* onda progresiva. Onda para la cual la transmisión de energía no ocurre más que en un solo sentido a lo largo de la guía (CEI/61 62–05–080) || *(Hidr)* onda vagante; aguaje, oleaje.

traveling-wave accelerator   *(Vehículos espaciales)* acelerador de ondas progresivas. Motor de reacción en el cual un plasma es acelerado a lo largo de un tubo mediante una serie de bobinas excitadas por corrientes de radiofrecuencia polifásicas.

traveling-wave acoustic amplifier   amplificador acústico de ondas progresivas. Dispositivo en el cual una onda acústica es amplificada mediante transferencia de energía de un haz electrónico.

traveling-wave aerial   antena de onda progresiva. v. **progressive-wave aerial.**

traveling-wave antenna   antena de onda progresiva. v. **progressive-wave aerial.**

traveling-wave electron accelerator   acelerador (lineal) de electrones de ondas progresivas.

traveling-wave interaction   interacción de ondas progresivas. Mecanismo de amplificación por intercambio de energía entre un haz o flujo electrónico y una onda lenta que se desplaza por un circuito en sincronismo aproximado con la velocidad de los electrones.

traveling-wave light modulator   modulador de luz de onda progresiva. Dispositivo que consiste en una línea de transmisión de dos conductores en la que una parte del dieléctrico es un cuerpo electroóptico capaz de modular un haz lasérico.

traveling-wave linear accelerator   acelerador (lineal) de ondas progresivas.

traveling-wave magnetron   magnetrón de ondas progresivas. Tubo de ondas progresivas [traveling-wave tube] en el que el movimiento de los electrones ocurre en campos eléctrico y magnético estáticos entrecruzados y sensiblemente normales a la dirección de propagación de la onda.

traveling-wave magnetron oscillation   oscilación magnetrón de ondas progresivas. Oscilación entretenida por interacción entre la carga espacial de un magnetrón y un campo electromagnético progresivo cuya velocidad de fase es aproximadamente igual a la velocidad media de dicha carga.

traveling-wave magnetron-type tube   tubo de ondas progresivas tipo magnetrón. v. **traveling-wave magnetron.**

traveling-wave maser [TWM]   maser de ondas progresivas. Maser con una estructura no resonante de onda progresiva en la que tiene lugar la interacción de la radiación con un material paramagnético.

traveling-wave oscillator   oscilador de ondas progresivas.

traveling-wave oscilloscope   osciloscopio de ondas progresivas.

traveling-wave parametric amplifier   amplificador paramétrico de ondas progresivas.

traveling-wave phototube   fototubo de ondas progresivas.

traveling-wave tube [TWT]   tubo de ondas progresivas. (**1**) Tubo electrónico amplificador en el que un haz de electrones reacciona repetida o continuamente con una onda electromagnética guiada, de tal manera que hay transferencia neta de energía del haz a la onda, transferencia que constituye el mecanismo de amplificación. (**2**) Tubo de haz electrónico que comprende una línea de transmisión de retardo [delay line], generalmente constituida por una hélice metálica, y en el que un haz electrónico cede energía a una onda electromagnética cuya velocidad de propagación es muy próxima a la de la línea de transmisión (CEI/56 07–30–440).

traveling-wave-tube amplifier   amplificador de tubos de ondas progresivas.

traveling-wave-tube helix   hélice de tubo de ondas progresivas.

traveling-wave-tube interaction circuit   circuito de interacción de tubo de ondas progresivas. Circuito por el cual se propaga la onda electromagnética que interacciona con el haz o flujo de electrones.

traveller   v. **traveler.**

travelling   v. **traveling.**

traversal   *(i.e.* act or instance of traversing) v. **traverse.**

traverse   pasaje, viaje; paso, cruce; crucero, travesero; travesía; movimiento transversal; traslación lateral; trayectoria en zigzag de un esquiador al bajar una cuesta empinada; línea transversal; pieza transversal, traviesa, travesaño; barrera defensiva; obstáculo || *(Arq)* v. **transom** || *(Artillería)* giro horizontal (de un cañón); sector horizontal de tiro (de un cañón) || *(Levantamientos, Topog)* rodeo, trazado; poligonal, poligonación, encaminamiento, itinerario. Línea establecida por visación o puntería [sighting] cuando se mide un terreno || *(Proyecto de vías férreas)* poligonal, línea base. Trazo general que sigue aproximadamente el recorrido de la línea en proyecto || *(Líneas aéreas y subterráneas)* travesía. Lugar donde la línea cruza un camino, un río, etc. (CEI/38 25–20–120) || *(Facsímile)* *(i.e.* scanning traverse) traslación de exploración || *(Geom)* transversal; secante. v. **transversal** || *(Mec)* carrera, juego || *(Máq herr)* carrera || *(Herr de torno)* movimiento lateral || *(Veleros)* navegación por bordadas || *(Dispositivos de mando rotativo)* carrera, recorrido. Movimiento acotado, como el de un cuadrante, el del eje de un potenciómetro o un condensador variable, etc. || *(Potenciómetros y reóstatos)* recorrido, desplazamiento. Recorrido del contacto móvil (cursor) de un extremo al otro del elemento resistivo || *(Fortificaciones)* través || *(Rectificación de piezas)* pasada /// *adj:* transversal /// *verbo:* trasladar; pasar, cruzar; atravesar(se); recorrer; moverse en vaivén, moverse de un lado a otro; mover lateralmente [transversalmente]; impedir; obstaculizar, estorbar; girar horizontalmente (un cañón) (para apuntar en acimut o dirección); cepillar de través || *(Levantamientos, Topog)* trazar (un itinerario, una poligonal); hacer un levantamiento por encaminamiento || *(Veleros)* navegar por bordadas || *(Máq herr, Rectificación de piezas)* dar una pasada || *(Esquiadores)* bajar (una cuesta) en zigzag /// *adv:* transversalmente; de través.

traverse flying   *(Avia)* vuelo en zigzag.

traverse line   *(Levantamientos, Topog)* poligonal, itinerario.

traverse rate   *(Dispositivos de mando rotativo)* velocidad de carrera [movimiento] angular, velocidad de rotación.

traverse spacing   *(Tránsito rodado)* intervalo de distancia transversal. Espacio libre entre dos vehículos que circulan lado a lado, en un mismo sentido o en sentidos opuestos.

traverse station   *(Levantamientos, Topog)* vértice de (la) poligonal.

traverse survey   *(Levantamientos, Topog)* poligonación, itinerario.

traverser   transbordador, (carro) transportador.

traversing   v. traverse.

traversing base   *(Ferroc)* gato de movimiento horizontal, gato para mover transversalmente los gatos bajo carga.

tray   bandeja; artesa; batea; caja, cajón ‖ *(Fotog)* cubeta ‖ *(Acum)* caja de agrupamiento. Recipiente destinado a agrupar varios acumuladores contenidos en recipientes [jars, containers] individuales (CEI/60 50–20–170).

tray thermometer   *(Fotog)* termómetro para cubeta.

tread   paso; pisada, huella ‖ *(Escaleras)* escalón, peldaño, huella. LOCALISMO: paso ‖ *(Autos)* anchura de vía, huella, trocha ‖ *(Aviones)* vía (del tren de aterrizaje); banda de rodadura, superficie de rodamiento (de un neumático) ‖ *(Ruedas)* llanta, cara, rodadura, parte en contacto con el suelo. LOCALISMO: llanura ‖ *(Poleas)* garganta ‖‖‖ *verbo:* pisar, hollar, andar, caminar; pisotear.

tread band   *(Neumáticos)* banda de rodadura [de rodamiento].

treadle   pedal ‖ *(Vías férreas)* pedal, barra de seguridad. Barra de hierro que impide mover un cambio mientras se encuentre un eje sobre ella. SIN. **fouling [locking] bar** | pedal. Aparato dispuesto en un costado de un carril o fijo a él, y que es accionado por el paso de las ruedas de los vehículos (CEI/59 31–05–370) | (*i.e.* rail-flexure treadle) pedal electromecánico de flexión de carril. Pedal electromecánico cuyos contactos son accionados por la flexión del carril (CEI/59 31–05–380).

treated pole   *(Telef/Teleg)* poste inyectado [impregnado]. SIN. **impregnated pole.**

treating   tratamiento.

treatment   trato; tratamiento; terapia; termotratamiento ‖ *(Producción cinematográfica)* adaptación.

treatment cone   *(Radioterapia)* cono de tratamiento.

treble   tresdoble, triple ‖ *(Mús)* tiple; soprano; sonido agudo; voz estridente ‖ *(Electroacús)* agudos, sonidos [tonos] altos, notas agudas, frecuencias altas ‖‖‖ *adj:* (*i.e.* triple; threefold) triple, triplo, tresdoble, tres veces mayor ‖ *(Mús)* atiplado, sobreagudo; agudo; estridente ‖ *(Electroacús)* agudo, de tono alto [agudo], del registro alto, de la parte alta de la gama audible. CF. **bass.**

treble attenuator   *(Electroacús)* atenuador de agudos; circuito de atenuación de agudos. CF. **bass attenuator.**

treble block   *(Mec)* polipasto, aparejo.

treble boost   *(Electroacús)* refuerzo de (los) agudos. Ajuste de la respuesta de amplitud en función de la frecuencia de un amplificador u otro dispositivo con el fin de acentuar o reforzar las frecuencias de la parte alta del espectro musical. CF. **treble cut.**

treble boost control   control de refuerzo [relieve] de (los) agudos, control de acentuación de las notas agudas.

treble clef   *(Mús)* clave de sol.

treble compensation   *(Electroacús)* compensación de (los) agudos, compensación de tonos altos.

treble cone   *(Altavoces de cono múltiple)* cono de agudos, cono de altos.

treble control   *(Electroacús)* control de (los) agudos, ajuste de las notas agudas. CF. **tone control.**

treble correction   *(Electroacús)* corrección de agudos [de altos]. SIN. **treble compensation.**

treble corrector   *(Electroacús)* corrector de agudos [de altos]; circuito corrector de (las) notas agudas.

treble cut   atenuación [desacentuación] de (los) agudos.

treble loudspeaker   altavoz de agudos, altavoz para altas frecuencias. SIN. **tweeter.**

treble note   *(Electroacús)* nota aguda.

treble register   *(Electroacús/Mús)* registro alto. SIN. **upper register.**

treble reproducer   *(Electroacús)* reproductor de agudos. SIN. **tweeter.**

treble resonance   *(Altavoces)* resonancia de alta frecuencia. CF. **bass resonance.**

tree   árbol; horma (de zapato) ‖ *(Elec)* árbol, red no mallada. Conjunto de ramas o circuitos derivados conectados que no comprende ninguna malla [mesh] ‖ *(Mat)* árbol, grafo conexo sin mallas | árbol. Subgrafo conexo de un grafo conexo que contiene todos los vértices del grafo, pero carece de circuitos. Un grafo puede tener muchos árboles.

tree arrangement   *(Elec)* sistema de múltiples derivaciones.

tree branch   rama de árbol ‖ *(Elec)* rama, circuito derivado.

tree circuit   *(Elec)* circuito ramificado, circuito con múltiples derivaciones.

tree-like   *adj:* ramificado; arborescente.

tree network   *(Elec)* árbol, red no mallada. v. **tree.**

tree pruner   podadera (para árboles), podador de árboles.

treeing   *(Elec)* descarga ramificada ‖ *(Aislantes y dieléctricos)* (a.c. treeing effect) efecto de arborescencia, descarga superficial dendriforme. Deterioro gradual de un aislante o dieléctrico que trae consigo la formación de un conjunto de caminos conductores superficiales que se ahondan lentamente bajo tensiones relativamente bajas ‖ *(Electroquím/Electromet)* (a.c. trees) arborescencias, salientes macroscópicos; agrio, depósito irregular (de una capa galvánica) que da por resultado una superficie áspera. v.TB. **trees and nodules** ‖‖‖ *adj:* ramificado; arborescente, dendriforme, con [en] forma de árbol; dendroide, con ramificaciones arborescentes.

treeing effect   *(Aislantes y dieléctricos)* v. **treeing.**

trees   *(Electroquím/Electromet)* v. **treeing.**

trees and nodules   *(Electroquím/Electromet)* arborescencias y nódulos. Salientes macroscópicos formados sobre un depósito electrolítico [electrodeposition]. Los nódulos son los puntos de partida de las arborescencias (CEI/60 50–25–040). CF. **pits.**

trembler   *(Motores de gasolina)* vibrador, temblador, ruptor. SIN. **timer** ‖ *(Elec)* ruptor | vibrador. Electroimán con armadura vibrante que funciona por aperturas y cierres repetidos del circuito excitador, mediante contactos eléctricos fijos a la armadura. CF. **buzzer, vibrator, vibrating relay** ‖‖‖ *adj:* temblador, vibrador, vibrante, vibratorio, trepidante.

trembler bell   *(Telef)* timbre trepidante. Timbre eléctrico no polarizado [nonpolarized electric bell] accionado por una corriente hecha intermitente por un contacto unido al martillo del timbre (CEI/70 55–85–150) | timbre (temblador). SIN. **vibrating bell.**

trembler coil   bobina vibratoria.

trembling   temblor, vibración, trepidación ‖ *(Proyección cinematográfica)* oscilación vertical (de la película).

tremolo   *(Mús)* trémolo. (**1**) En general, alternancia muy rápida de dos sonidos. (**2**) En el caso de los instrumentos de cuerda, repetición rápida de una misma nota tirando y empujando el arco. (**3**) Efecto vocal que con mayor propiedad debe llamarse *vibrato*. (**4**) v. **musical tone.** CF. **tremulant.**

tremor   temblor, estremecimiento; trepidación; vibración; temblor de tierra.

tremulant   *(Órganos)* trémolo, "tremulant". Artificio mediante el cual se hace fluctuar rápidamente la presión del aire que va a los tubos; dispositivo que produce un vibrato.

trench   trinchera; zanja, foso, fosa, trinchera; canal, cuneta ‖ *(Elec/Elecn/Telecom)* lecho de cables, canal (en el piso) para el tendido de cables. v.TB. **cable trench** | zanja (en la tierra) para el tendido de cables ‖ *(Oceanografía)* fosa submarina ‖‖‖ *verbo:* atrincherarse; zanjar, zanjear, trincherar; abrir zanjas [fosos]; surcar, hacer surcos; cortar, tajar, partir, dividir.

trend   tendencia; rumbo, curso, dirección, giro ‖‖‖ *verbo:* tender; inclinarse; dirigirse; enfilar, apuntar, seguir cierta dirección; aproar, poner proa a.

trend recorder   *(Electromedicina)* indicador de tendencias, registrador de variación lenta.

trend-type (landing) forecast   *(Avia/Meteor)* pronóstico (de aterrizaje) tipo tendencia.

Tresca's yield condition　*(Flujos plásticos)* condición elástica de Tresca.

trestle　caballete; armadura; armazón; bastidor; puente [viaducto] de caballetes ‖ *(Vías férreas)* caballete. Soporte del eje o árbol giratorio de una barrera ⫼ *verbo:* construir caballetes; construir un puente [un viaducto] de caballetes; salvar con puente [viaducto] de caballetes.

trestle bridge　puente de caballetes.

trestlework　construcción [estructura] de caballetes; castillejo, castillete.

TRF　*(Radio)* Abrev. de tuned radio-frequency.

trfc　Abrev. de traffic.

tri　Abrev. de triode.

tri-　Elemento de voces compuestas que indica *tres; cada tres, cada tercer; tres veces.*

tri-tet oscillator　oscilador "tri-tet". Oscilador con tetrodo al vacío y estabilización de frecuencia por cristal piezoeléctrico, en el que el circuito del cristal es desacoplado del circuito de salida utilizando la rejilla pantalla como ánodo del oscilador. Un circuito resonante de cátodo se sintoniza a la frecuencia fundamental del cristal, y el circuito de placa se sintoniza a una armónica, de tal manera que se obtiene en definitiva un oscilador de cristal y un multiplicador de frecuencia con una sola válvula electrónica. Con este oscilador pueden obtenerse muchas armónicas fuertes de la frecuencia fundamental del cristal. El nombre viene de "*triode-tetrode oscillator*".

triac　*(Elecn)* triac, tiristor bidireccional. (**1**) Dispositivo semiconductor de múltiples capas destinado a ser utilizado en fuentes de alimentación de corriente alterna. Se caracteriza por presentar un circuito abierto entre sus dos terminales principales, hasta que se le aplica un impulso activador; a partir de ese momento presenta una resistencia de poco valor en sentido directo, como si se tratara de un rectificador controlado de silicio [silicon controlled rectifier]. El impulso activador o gatillador [triggering pulse] puede ser de una u otra polaridad durante cualquiera de las alternancias de la tensión aplicada. (**2**) Dispositivo de la clase de los tiristores (v. **thyristor**), consistente en un conmutador de estado sólido para CA, de onda completa, que pasa del estado de bloqueo (circuito abierto) al de conducción por efecto de una corriente de disparo aplicada a la compuerta o electrodo de mando [gate]; tanto la corriente de disparo como la tensión aplicada, pueden tener cualquiera de las dos polaridades (positiva o negativa). Este dispositivo, utilizado en una gran variedad de aplicaciones de conmutación y de regulación de potencia, proporciona el mismo funcionamiento de onda completa que dos rectificadores controlados de silicio, ofreciendo además la posibilidad de utilizar señales de disparo o mando positivas o negativas. SIN. **(gated) bidirectional thyristor, bidirectional triode (silicon) thyristor.**

triad　(group of three things or persons) triada, trío, triplete, tripleta, terno, terna | (=trinity) trinidad ‖ *(Mús)* triada. Acorde de tres sonidos. CASOS PART. triada aumentada; triada disminuida ‖ *(Informática)* triada. Grupo de tres bitios o de tres impulsos transmitidos en sucesión (por un mismo hilo) o simultáneamente (por tres hilos) ‖ *(Tvc: Cinescopios de tres cañones)* triada, trío. Grupo de tres puntos de fósforo dispuestos en los vértices de un triángulo, cada uno de los cuales emite luz de uno de los tres colores primarios. SIN. **trio** ‖ *(Radionaveg)* triplete. v. **triplet** ‖ *(Quím)* elemento trivalente ⫼ *adj:* triádico, triple, tríplice, ternario ‖ *(Quím)* trivalente.

triad symmetry axis　eje trisimétrico, eje de triple simetría.

triadic　*adj:* triádico, triple, tríplice, ternario; trivalente.

trial　prueba, ensayo; experimento, experiencia; tanteo; esfuerzo; intento, tentativa | **by trial:** al tanteo | **by successive trials:** por tanteos sucesivos ‖ *(Met)* toque, ensayo, ensaye ⫼ *adj:* de prueba, de ensayo; experimental, hecho por vía de experimento; tentativo.

trial and error　prueba, ensayo; experimento; (método de) tanteos; aproximaciones sucesivas | **by trial and error:** al tanteo, haciendo pruebas; por aproximaciones sucesivas.

trial-and-error calculations　cálculo por aproximaciones sucesivas. SIN. **trial calculations.**

trial-and-error method　método de tanteos; método de aproximaciones sucesivas | método empírico [de tanteo, de "corta y prueba"]. SIN. **cut-and-try method.**

trial boring　(a.c. taking borings) sondaje del terreno. Perforaciones conducentes a examinar la naturaleza del subsuelo.

trial calculations　cálculo por aproximaciones sucesivas. SIN. **trial-and-error calculations.**

trial flight　*(Avia/Aerofotog)* vuelo de prueba.

trial quotient　*(Arit)* cociente de prueba.

trial value　valor de tentativa, valor tentativo.

triamplifier system　sistema (electroacústico) de tres amplificadores. CF. **biamplifier system.**

triangle　triángulo; cartabón, escuadra ‖ *(Geom)* triángulo. Parte de un plano limitada por tres rectas que se cortan dos a dos. Si denominamos las rectas AB, BC, y CA, los puntos de intersección de cada dos, llamados *vértices*, son A, B, y C. Los segmentos AB, BC, y CA, definidos por cada dos vértices, se llaman *lados* del triángulo y es costumbre denominarlos por las letras minúsculas de igual nombre que el *vértice opuesto;* así, el lado AB se representa por *c,* el BC por *a,* y el CA por *b.* Cualquiera de los lados puede tomarse por *base* del triángulo, y entonces se llama *altura* a la perpendicular desde el vértice opuesto. La línea quebrada ABC es el *contorno* del triángulo ‖ *(Mús)* (a tinkling instrument) triángulo ‖ *(Vías férreas)* triángulo. Triángulo curvilíneo que permite invertir los frentes de las locomotoras y de los trenes ‖ v.TB. **triangle of. . .** ⫼ *adj:* triangular.

triangle of forces　*(Fís)* triángulo de fuerzas. Representación gráfica de tres fuerzas concurrentes [concurrent forces] que actúan de tal manera que el punto común se encuentra en equilibrio de traslación. Los lados del triángulo son proporcionales a las magnitudes de las fuerzas, y sus direcciones coinciden con las líneas de acción [lines of action] de las fuerzas.

triangle of velocities　*(Naveg)* triángulo de velocidades.

triangle-sine converter　*(Elecn)* convertidor de ondas triangulares en ondas senoidales.

triangulability　triangulabilidad.

triangulable　*adj:* triangulable.

triangular　*adj:* triangular, triangulado.

triangular aerial　antena triangular.

triangular antenna　antena triangular.

triangular file　*(Herr)* lima triangular.

triangular-loop antenna　antena de secciones triangulares. Antena paa ondas ultracortas formada por grupos de dipolos dispuestos en triángulo.

triangular matrix　*(Mat)* matriz triangular. Matriz cuyos elementos todos son nulos por encima de la diagonal *(matriz triangular inferior),* o son nulos por debajo de la diagonal *(matriz triangular superior).* Si, además, todos los elementos de la diagonal son iguales a la unidad, se tiene una *matriz triangular inferior unitaria* o una *matriz triangular superior unitaria,* respectivamente.

triangular pulse　*(Elecn)* impulso triangular.

triangular random noise　ruido errático triangular. Ruido errático cuya distribución espectral [spectral distribution] es tal que la potencia por banda de anchura unidad [power per unit bandwidth] es proporcional al cuadrado de la frecuencia (CEI/70 55–10–090).

triangular section　sección triangular.

triangular-section lattice mast　mástil triangular reticulado, mástil de celosía de sección triangular.

triangular step　*(Elecn)* peldaño triangular, variación (de tensión) de onda triangular.

triangular tower　torre (de sección) triangular.

triangular voltage　tensión de onda triangular.

triangular waveform　onda triangular.

triangular window function　función de ventana triangular. SIN. Bartlett window.

triangulate   *adj:* triangular, triangulado /// *verbo:* triangular.

triangulated system   sistema triangulado.

triangulation   triangulación. En radionavegación, determinación de la posición de un móvil (p.ej. un barco o una aeronave) obteniendo sus acimuts respecto a dos estaciones separadas por una distancia conocida. Esta distancia es un lado de un triángulo cuyos ángulos son todos conocidos, de donde es fácil calcular la posición del móvil.

triangulation net   red de triangulación.

triangulation station   estación de triangulación. LOCALISMO: punto trigonométrico.

triangulation technique   técnica de triangulación; método de triangulación.

triangulator   triangulador.

triatic   catenaria; cable superior.

triatic stay   *(Buques)* estay para señales; estay que une las cabezas de los palos | andarivel para pesos. Cuerda atada del palo mayor [mainmast] al palo trinquete [foremast] y a la cual van atados varios aparejos [tackles] para izar pesos o cargas.

triax (cable)   cable tipo "triax", conductor con dos blindajes aislados. Cable formado por un conductor aislado y blindado con un forro aislante que cubre el blindaje, más un segundo blindaje con un forro aislante exterior. Su aplicación normal es la de un conductor de doble blindaje, para casos en que se necesita reducir al mínimo absoluto la radiación o la captación de señales externas; pero también puede utilizarse para la transmisión de dos señales independientes.

triaxial   *adj:* triaxil, triaxial.

triaxial cable   cable triaxil [triaxial]. Cable semejante al coaxil (v. **coaxial cable**), pero con tres conductores.

triaxial loudspeaker   altavoz triple. Altavoz con tres unidades reproductoras. Dos de éstas son de montaje coaxil; la tercera puede ser de montaje coaxil o de montaje excéntrico.

triaxial speaker   v. **triaxial loudspeaker**.

triaxiality   triaxialidad, triaxialidad.

triaxially   *adv:* triaxilmente, triaxialmente.

tribasic   *adj: (Quím)* tribásico.

tribo-   tribo-. Prefijo que significa perteneciente o debido a la fricción, el rozamiento, o el frotamiento.

triboelectric   *adj:* triboeléctrico. Perteneciente o relativo a la electricidad generada por frotamiento.

triboelectric charging   carga triboeléctrica.

triboelectric series   serie triboeléctrica. Ordenación de substancias de tal manera que una cualquiera de ellas se electrifica positivamente al frotársele con una substancia que ocupe un lugar posterior en la sucesión, y negativamente al frotársele con otra substancia que ocupe un lugar anterior.

triboelectricity   triboelectricidad. Electricidad generada por frotamiento /// *adj:* triboeléctrico.

triboelectroemanescence   triboelectroemanescencia. Liberación o emisión de electrones que ocurre al ser quebrado o abradido un cuerpo metálico.

triboluminescence   triboluminiscencia. Luminiscencia resultante del frotamiento entre dos cuerpos o substancias /// *adj:* triboluminiscente.

tribometer   tribómetro. Instrumento empleado en mecánica para medir los esfuerzos necesarios para vencer el rozamiento de un cuerpo con otro.

tributary   *(Ríos)* tributario, afluente /// *adj:* tributario || *(Ríos)* tributario, afluente.

tributary circuit   *(Telecom)* circuito tributario. Circuito que conecta uno o varios puestos con un centro de conmutación.

tributary station   *(Telecom)* estación tributaria. Estación que aporta tráfico a una red.

tributyl phosphate   fosfato de tributilo. Es un éster butílico del ácido ortofosfórico, muy utilizado como agente de purificación en la industria de los combustibles nucleares.

tricalcic   *adj:* tricálcico.

tricellular   *adj:* tricelular.

trichloramine   tricloramina.

trichloride   tricloruro.

trichloroacetic   *adj:* tricloroacético.

trichloroethylene   tricloroetileno.

trichotomy   tricotomía. División en tres partes.

trichromatic   *adj:* (also **trichrome, trichromic**) tricromático, tricromo. SIN. **tricolor**. CF. **tristimulus**.

trichromatic coefficient   coeficiente tricromático. Uno de los tres valores coordenados utilizados en televisión policroma, dos de los cuales definen un color por su posición en un diagrama de cromaticidad [chromaticity diagram]. SIN. **chromaticity coordinate**.

trichromatic function   función tricromática.

trichromatic system   sistema tricromático. Todo sistema de especificación del color fundado en la posibilidad de reconstituir el equivalente de un color por la mezcla aditiva [additive mixture] de tres estímulos patrón convenientemente escogidos (CEI/58 45-15-010).

trichromatic unit   unidad tricromática.

trichrome   *adj:* v. **trichromatic**.

trichromic   *adj:* v. **trichromatic**.

trickle   goteo, chorreo; hilo, escurrimiento (de un líquido) /// *verbo:* gotear, chorrear; (hacer) escurrir (un líquido); correr gota a gota; destilar; circular (un fluido) irregularmente y en pequeña cantidad.

trickle charge   *(Acum)* carga lenta (y continua). Carga continua a muy bajo régimen para mantener el acumulador plenamente cargado | carga de compensación. Carga permanente de pequeña intensidad calculada en forma de compensar las pérdidas por acciones locales, y que permite mantener constantemente a una batería en estado de plena carga (CEI/38 50-30-090) | carga de compensación [de entretenimiento]. Carga continua a bajo régimen que mantiene la batería completamente cargada. La carga compensa aproximadamente las pérdidas internas [internal losses] y las descargas intermitentes de pequeña importancia (CEI/60 50-20-275). CF. **booster charge, quick charge, equalizing charge, rate**.

trickle charger   *(Acum)* cargador de goteo, cargador (de acumuladores) por goteo, cargador a régimen reducido, cargador [dispositivo] de carga lenta. Fuente de corriente continua destinada a cargar un acumulador o una batería de acumuladores a bajo régimen durante largos períodos, para mantener el acumulador o la batería plenamente cargados. Se trata normalmente de un rectificador que toma energía primaria de la red de alterna, y de un acumulador o una batería de utilización intermitente cuya carga se repone durante los períodos en que no ha de suministrar corriente. SIN. **cargador para batería flotante, rectificador de carga lenta continua** | cargador de compensación [de entretenimiento]. v. **trickle charge**.

trickle charging   v. **trickle charge**.

trickle current   *(Cargadores de acum)* corriente de carga lenta; corriente de compensación [de entretenimiento].

trickle dome   cúpula de escurrimiento.

trickling filter   filtro percolador [de escurrimiento].

triclinic   *adj: (Cristalografía/Miner)* triclínico, triclino, triclinal.

triclinic system   sistema triclínico. Uno de los siete sistemas cristalinos [crystal systems]. En el sistema triclínico los ejes son desiguales y no forman ángulos rectos unos con otros. SIN. **sistema asimétrico [anórtico, clinoédrico]**.

tricolor   *adj:* tricolor, tricromo, tricromático.

tricolor beam   *(Tvc)* haz tricolor.

tricolor camera   *(Tvc)* cámara tricolor. Cámara en la que (mediante filtros ópticos) la luz procedente de la escena captada se separa en tres partes, en función de las frecuencias (o longitudes de onda), para obtener entonces una señal de videofrecuencia correspondiente a cada una de esas partes (colores).

tricolor cathode-ray tube   tubo catódico [de rayos catódicos] tricolor.

tricolor disk television   televisión de disco tricolor.

tricolor oscillograph   oscilógrafo tricolor.

tricolor picture tube   *(Tv)* cinescopio [tubo de imagen] tricolor. v. **tricolor tube**.

tricolor tube   tubo [cinescopio] tricolor. Cinescopio o tubo de imagen para televisión policroma, en cuya pantalla se reproducen todos los colores mediante combinaciones de los tres colores primarios. SIN. **color picture tube**.

tricolor vidicon   *(Tv)* vidicón tricolor. Vidicón especial que genera simultáneamente las señales correspondientes a los tres colores primarios utilizados en las transmisiones policromas.

tricolored   *adj:* tricolor, tricromo, tricromático, de tres colores.

tricon   tricón. Sistema de radionavegación en el cual la nave lleva a bordo un receptor que capta impulsos emitidos por una cadena de tres estaciones activadas en secuencia temporal variable, de tal manera que los impulsos llegan en el mismo instante a lo largo de trayectorias de diferentes longitudes.

tricycle   triciclo /// *adj:* tricíclico.

tricycle landing gear   *(Aviones)* tren (de aterrizaje) triciclo. SIN. **tricycle undercarriage**.

tricycle undercarriage   *(Aviones)* v. **tricycle landing gear**.

tricyclic   *adj: (Quím)* tricíclico.

tridiagonal   *adj:* tridiagonal.

tridiagonal matrix   *(Mat)* matriz tridiagonal.

tridiagonalizing   tridiagonalización /// *adj:* tridiagonalizante.

tridimensional   *adj:* tridimensional, de tres dimensiones.

tridimensionality   tridimensionalidad.

tridipole   *adj:* tridipolar, de tres dipolos.

tridipole antenna   antena tridipolar [de tres dipolos]. Antena constituida por tres dipolos curvos dispuestos en un mismo plano y de manera que formen un círculo horizontal. Esta antena es de polarización horizontal.

tridirectional   *adj:* tridireccional, de tres direcciones.

tridop   tridop. Sistema radioeléctrico de seguimiento de proyectiles, fundado en el efecto Doppler, que comprende una estación maestra y tres estaciones receptoras suplementarias montadas en tierra.

triductor   triductor. Triplicador de la frecuencia de alimentación primaria formado por una combinación de transformadores y capacitores.

triflop   *(Elecn)* elemento triestable. Red lógica con tres estados estables de salida. Tiene tres entradas y tres salidas; la aplicación de una señal de entrada pone la red en uno de sus tres estados; en cualquier instante dado una de las salidas está en el estado "uno" y las otras dos en el estado "cero".

trifluoride   *(Quím)* trifluoruro.

trifluorochloroethylene   *(Quím)* trifluocloroetileno.

trifluorochloroethylene resin   resina de trifluocloroetileno.

trifocal   *adj: (Opt)* trifocal. Que tiene tres focos o tres distancias focales.

trifocal lens   lente trifocal.

trifurcating   trifurcación /// *adj:* trifurcante, trifurcador, trifurcado.

trifurcating box   *(Elec)* caja de derivación trifurcada, caja de empalme para cable tripolar. SIN. **trifurcating joint**.

trifurcating joint   *(Elec)* caja de derivación trifurcada. Caja que sirve para efectuar un empalme entre un cable tripolar [three-core cable] y tres cables unipolares [single-core cables] (CEI/65 25–30 220) | caja (de empalme) "tri-mono".

trifurcation   trifurcación. Acción y efecto de trifurcarse, o sea, de dividirse en tres brazos, ramales, o puntas.

trig.   Abrev. de trigger; trigonometry; trigonometric.

trigatron   trigatrón, explosor de chispa piloto. Dispositivo electrónico que comprende un explosor cuya descarga se ceba por la aplicación de una tensión entre una punta y un hemisferio y continúa entre éste y otro hemisferio (CEI/56 07–55–050) | trigatrón. Tubo de gas con explosor disparable [triggered spark-

gap] que sirve para la modulación de un radar (CEI/70 60–72–245).

trigger   *(Armas portátiles)* gatillo; disparador || *(Astilleros)* dispositivo botador || *(Conmutadores)* accionador || *(Elecn)* disparador, gatillador, circuito disparador [de disparo], circuito gatillo; circuito de mando; disparador (de impulso). V.TB. **trigger circuit** | impulso disparador [de disparo], impulso activador, impulso gatillo. V.TB. **trigger pulse** | (deprecated term for "bistable trigger circuit") báscula [disparador] biestable. Circuito disparador o circuito gatillo [trigger circuit] con dos estados estables (CEI/70 60–18–055) || *(Mec)* disparador, gatillo; mecanismo de disparo; trinquete, palanca de retención /// *adj:* disparador, gatillador; activador /// *verbo:* disparar, gatillar; activar; accionar, poner en acción; iniciar (una acción, una cadena de acciones); dispararse; entrar en acción | mandar. (1) Provocar el paso de un estado a otro. (2) En el caso de un conmutador electrónico, hacerlo pasar bruscamente del estado de corte (circuito abierto) al de conducción (baja resistencia), o a la inversa.

trigger a reply   . *(Radar/Radionaveg)* iniciar una respuesta, provocar una réplica. v. **transponder**.

trigger action   *(Elecn)* acción disparadora [de disparo]; acción iniciadora || *(Mec)* mecanismo de disparo.

trigger button   botón disparador, pulsador de disparo.

trigger circuit   *(Elecn)* (a.c. trigger, triggering circuit) circuito disparador [de disparo], circuito (tipo) gatillo, circuito gatillador [de gatillado], circuito activador [de activación]; circuito excitador; circuito de mando. (1) Circuito en el cual la salida cambia bruscamente con un cambio infinitesimal o muy pequeño aplicado a la entrada, cuando el mismo funciona en determinadas condiciones. (2) Circuito que desempeña una función semejante a la de un relé: al aplicársele un impulso a la entrada (impulso excitador), produce a la salida otro impulso que puede ser de mayor amplitud o de diferentes características que el de entrada, y que puede a su vez ser empleado para iniciar otras acciones | circuito disparador, circuito gatillo. Circuito que puede presentarse en varios estados, uno estable y los otros estables o no estables, y cuyo paso de un estado estable a otro o a un estado no estable, es provocado por la aplicación de un impulso (CEI/70 60–18–045) | (deprecated term for "bistable trigger circuit") báscula [disparador] biestable. Circuito capaz de adoptar uno de dos estados estables y de pasar fácilmente de uno a otro por efecto de una pequeña variación en alguna de sus magnitudes eléctricas. SIN. **basculador, montaje en báscula** —— **flip-flop (circuit)**. CF. **monostable trigger circuit** || *(Fuentes de alim)* circuito de disparo [de desenganche], circuito desconectador [interruptor]. Circuito de desconexión para protección contra sobrecargas. CF. **overvoltage crowbar**.

trigger control   control de disparo [de gatillo]. En ciertos tubos electrónicos de gas (como los ignitrones y los tiratrones), mando o control de "todo o nada", o sea, que la corriente puede establecerse o cortarse, pero no regularse en cuanto a intensidad.

trigger current   *(Rect controlados)* (a.c. triggering current) corriente de disparo [de control].

trigger diode   diodo disparador, diodo gatillo. Diodo semiconductor del tipo de avalancha, de construcción simétrica de tres capas, que posee una modalidad de conmutación simétrica, y que, por lo tanto, pasa bruscamente al estado de conducción cuando se supera, en cualquiera de los dos sentidos, la tensión de transición conductiva [breakover voltage]. Se utiliza p.ej. para la activación de rectificadores de silicio controlados [silicon controlled rectifiers]. SIN. **diodo activador**.

trigger discriminator   discriminador de disparo.

trigger dog   *(Astilleros)* (a.c. trigger) dispositivo botador, disparador para la botadura.

trigger effect   efecto de disparo [de gatillo]; efecto multiplicador.

trigger electrode   *(Tubos de gas)* electrodo de disparo [de cebado]. SIN. **starter**.

trigger-forming circuit   *(Elecn)* circuito formador de impulsos de disparo.

trigger generator   *(Elecn)* generador de impulsos de disparo.

trigger grid   *(Elecn)* rejilla activadora [de disparo].

trigger guard   *(Armas de fuego portátiles)* guardamonte. Pieza semicircular que protege el gatillo.

trigger impulse   v. **trigger pulse.**

trigger level   *(Elecn)* nivel de disparo [de activación]. Nivel instantáneo de una señal que provoca la emisión de un impulso de disparo [trigger pulse]. SIN. **nivel crítico de gatillado** | v. **trigger-level control** ‖ *(Radar/Radionaveg)* v. **triggering level.**

trigger-level control   *(Elecn)* control de nivel de disparo. Mando que permite seleccionar o ajustar el nivel de disparo.

trigger mechanism   mecanismo de disparo; escape, mecanismo de trinquete.

trigger motor   *(Aviones armados)* motor del sincronizador (de la ametralladora).

trigger pair   *(Elecn)* basculador, montaje en báscula. SIN. **flip-flop (circuit).**

trigger point   *(TRC)* punto de disparo. Amplitud del impulso de entrada a la cual se produce el disparo del barrido o exploración.

trigger print   *(Informática)* impresión a escape.

trigger-print recorder   registrador de impresión a escape.

trigger pulse   *(Elecn)* (a.c. trigger, trigger impulse, triggering pulse) impulso disparador [de disparo], impulso activador [iniciador], impulso gatillo; impulso de mando. (1) Impulso utilizado para una función de gatillado o activación [triggering]. (2) Impulso utilizado para iniciar la acción de un circuito gatillador [trigger circuit]. (3) Impulso que da comienzo a un ciclo de funcionamiento del dispositivo, o a una cadena de acciones o eventos. (4) Impulso que activa o desbloquea una válvula o un circuito electrónicos. (5) En el caso de los contadores, uno de los impulsos que se cuentan. SIN. **tripping pulse.**

trigger-pulse generator   *(Elecn)* (a.c. trigger generator) generador de impulsos de disparo. Circuito que genera un impulso de disparo cuando p.ej. la tensión de la señal de entrada supera cierto valor, y se repone cuando dicha tensión cae por debajo de otro valor determinado; la diferencia entre los dos valores se denomina *tensión de histéresis*, y es la que determina la sensibilidad de mando del circuito.

trigger-pulse steering   *(Elecn)* encaminamiento de impulsos de disparo, encauzamiento de impulsos activadores (para que actúen sólo sobre uno entre varios circuitos asociados). Se obtiene este resultado mediante configuraciones especiales de diodos y transistores, llamados *de encaminamiento* o *encauzamiento*.

trigger relay   relé disparador, relevador de disparo.

trigger sharpener   *(Elecn)* circuito agudizador (de onda); circuito empinador (de onda, de impulso). Circuito cuya onda o impulso de salida es más afilado o de mayor pendiente que la correspondiente onda o impulso de entrada.

trigger signal   señal de disparo, señal gatillo ‖ *(Rect controlados)* señal de disparo [de control].

trigger switch   *(Elec)* interruptor de gatillo, interruptor tipo pistola. Interruptor que se maniobra mediante un gatillo y que por lo común va montado en un mango como de pistola.

trigger the flip-flop   disparar [gatillar, conmutar] la báscula [el basculador].

trigger the sweep   disparar el barrido [la exploración].

trigger thyratron   tiratrón de disparo.

trigger timing pulse   impulso de control de tiempo (de disparo). SIN. **time control pulse.**

trigger tube   *(Elecn)* tubo de disparo. Triodo en atmósfera de gas inerte, con rejilla de cebado, en el cual la liberación de electrones se produce por bombardeo iónico.

trigger unit   *(Elecn)* disparador, gatillador; generador de impulsos de disparo [impulsos gatillo].

trigger voltage   tensión de disparo. v. **switching circuit.**

trigger winding   *(Transf de impulsos)* devanado de impulso de disparo. Devanado o arrollamiento que sirve para suministrar un impulso de baja tensión a un circuito externo, usualmente para fines de sincronización. SIN. **devanado de impulso sincronizador.**

triggered blocking oscillator   *(Elecn)* oscilador de bloqueo gatillado [de reposición por impulso gatillo].

triggered circuit   circuito gatillado; circuito con acción de disparo; circuito disparable.

triggered frequency   frecuencia (de oscilación) sincronizada.

triggered instrument   instrumento disparable; dispositivo con acción de disparo.

triggered spark-gap   explosor de chispa piloto | *(i.e.* spark-gap controlled by a voltage pulse) explosor disparable. Explosor mandado por un impulso (CEI/70 60–72–240).

triggered sweep   *(TRC)* barrido gatillado. Barrido o exploración iniciado por la aplicación de una señal de impulso. CF. **trigger point.**

triggered time base   *(TRC)* base de tiempos gatillada.

triggering   disparo, gatillado, activación; inicio (de una acción o una cadena de acciones o eventos); puesta en acción; entrada en acción; mando; sincronización; desenganche; acción de poner en marcha un ciclo de operaciones; puesta en marcha de un proceso que entonces continúa en forma autónoma por un período predeterminado.

triggering circuit   v. **trigger circuit.**

triggering current   v. **trigger current.**

triggering electrode   v. **trigger electrode.**

triggering energy   *(Nucl)* energía de disparo.

triggering fuse   espoleta de acción instantánea.

triggering gap   chispómetro disparador.

triggering level   *(Radar/Radionaveg)* (a.c. trigger level) nivel de activación [de actuación, de sensibilización]. Nivel de sensibilización del receptor de un respondedor [transponder], correspondiente a la señal mínima que provoca la activación del emisor ‖ *(Elecn)* v. **trigger level.**

triggering of sweep   *(TRC)* gatillado [disparo] del barrido [de la exploración].

triggering of time base   *(TRC)* gatillado [disparo] de la base de tiempos.

triggering pulse   v. **trigger pulse.**

triggering signal   *(Elecn)* señal disparadora [gatilladora]. (1) Señal que provoca la emisión de un impulso de disparo. (2) Señal de la cual se deriva un impulso de disparo | v. **trigger signal.**

triggering threshold voltage   umbral de tensión [voltaje] de disparo, tensión crítica de disparo.

triggering voltage   (a.c. trigger voltage) tensión de disparo, tensión activadora.

trigon   *(Mús)* trigón. Especie de lira o arpa de forma triangular de la antigüedad greca y romana ‖ *(Astrología)* (=triplicity) trígono. Conjunto de tres signos del Zodiaco equidistantes entre sí ‖ *(Geom)* (=triangle) trígono, triángulo.

trigonal   *adj:* (=triangular; trigonous) trigonal, triangular. Relativo o perteneciente al trígono o triángulo; que tiene tres ángulos o esquinas ‖ *(Astrología, Cristalografía)* trigonal.

trigonal reflector   *(Ant)* v. **trihedral reflector.**

trigonometer   trigonómetro.

trigonometric   *adj:* trigonométrico.

trigonometric curve   *(Mat)* curva trigonométrica.

trigonometric equation   *(Mat)* ecuación trigonométrica. v. **trigonometric expression.**

trigonometric expression   *(Mat)* expresión trigonométrica. Expresión que contiene una o más funciones trigonométricas.

trigonometric form (of a complex number)   *(Mat)* forma trigonométrica (de un número complejo). La expresión

$$r(\cos \theta + i \operatorname{sen} \theta)$$

del número complejo $x+iy$, en la que (r, θ) son las coordenadas polares [polar coordinates] del punto cuyas coordenadas rectangulares son (x, y). SIN. **polar form (of a complex number).**

trigonometric function   *(Mat)* función trigonométrica. SIN. línea [razón] trigonométrica, función circular —— trigonometric line [ratio], circular function.

trigonometric interpolation   *(Mat)* interpolación trigonométrica.

trigonometric line   *(Mat)* línea trigonométrica. SIN. trigonometric function.

trigonometric ratio   *(Mat)* razón trigonométrica. SIN. trigonometric function.

trigonometry   *(Mat)* trigonometría /// *adj:* trigonométrico.

trigun   *adj:* tricañón, de tres cañones.

trigun color picture tube   *(Tv)* tubo tricañón de imagen en colóres, tubo de imagen en color de tres cañones. v. **three-gun tube**.

trigun picture tube   *(Tv)* cinescopio [tubo de imagen] de tres cañones. v. **three-gun tube**.

trihedral   *(Geom)* triedro. v. **trihedron** /// *adj:* triedro. INCORREC-TAMENTE: triédrico. Formado por las tres superficies planas o caras de un triedro (v. **trihedron**).

trihedral reflector   *(Radiocom)* (a.c. trigonal reflector) reflector triedro. Reflector radioeléctrico formado por tres caras o superficies rectangulares o triangulares que se encuentran en un punto. Se utiliza en ciertas antenas, y también como blanco ficticio de radar cuando se quiere que las señales reflejadas cubran un ángulo mayor que el obtenible con un reflector plano.

trihedron   *(Geom)* (a.c. trihedral) triedro. Figura formada por la intersección de tres semirrectas no coplanares. Porción de espacio limitada por tres semirrectas (llamadas *aristas*) que salen de un mismo punto (llamado *vértice*) y por las porciones de plano (denominadas *caras*) comprendidas entre las semirrectas tomadas dos a dos. SIN. **ángulo triedro, ángulo sólido de tres caras**.

trihydrate   *(Quím)* trihidrato.

trihydric   *adj:* *(Quím)* trihídrico.

trilaurylamine   *(Quím)* trilaurilamina. Amina derivada del alcohol láurico [lauryl alcohol].

trill   *(Mús)* trino.

trim   ornamento, ornamentación, adornos, decoraciones | *(i.e.* metal trim) adornos metálicos | atavío, traje, vestido; guarnición; resguardo; arreglo, disposición; condición, estado; acabado (de piezas) || *(Aeron)* equilibrio (aerodinámico), centrado [centraje] (aerodinámico), compensación || *(Carp/Constr)* contramarco, chambrana, recercado, contracerco, guarnición. LOCALISMOS: ebanistería, obra blanca, vestidura. Arquitraves y otros adornos o acabados puestos alrededor de la abertura de una puerta o una ventana || *(Cerraduras)* guarnición || *(Marina)* asiento (longitudinal), actitud respecto a un plano horizontal || *(Bastidores de equipos elecn)* guarniciones, adornos || *(Cine/Tv)* atavíos, adornos. Muebles, decorados, objetos de arte, etc. añadidos a un escenario para caracterizarlo o hacerlo más interesante. SIN. **dressing** /// *verbo:* ornar, adornar, ornamentar, decorar, ataviar; arreglar, componer; guarnecer; arreglarse, ataviarse; disponer, acondicionar, preparar; ajustar, adaptar; compensar; igualar; refinar, corregir (un ajuste); ordenar, poner en orden; recortar; mondar; podar; despabilar (una vela); desbastar (piedra); desrebabar; cortar los cantos (de una chapa); cortar (chapa, papel) a medida exacta || *(Carp)* cepillar (madera); labrar (con la azuela) | dolar, desbastar (con la doladera). NOTA: *Dolar* se conjuga como *consolar* | montar contramarcos o recercados || *(Aeron)* equilibrar, compensar || *(Marina)* adrizar, enderezar la nave; fachear, orientar las velas; asentar, romanear; estibar, arrumar, distribuir la carga (en un buque).

trim adjustment   v. **trimming adjustment**.

trim coil   v. **trimmer coil**.

trim control   v. **trimming control**.

trim pot   v. **trimmer potentiometer**.

trim strip   *(Armarios y bastidores de equipos)* listón ornamental, regleta de guarnición.

trimetal   trimetal /// *adj:* trimetálico.

trimetallic   *adj:* trimetálico.

trimethylene   *(Quím)* trimetileno.

trimetric   *adj:* *(Cristalografía)* trimétrico; rómbico || *(Dib)* trimétrico.

trimmer   guarnecedor || *(Aserraderos)* desbastador(a), recortadora || *(Elecn)* elemento de ajuste fino || *(Radio)* trimer, trimmer, compensador (de sintonía), corrector de sintonía. Pequeño condensador variable o semifijo, o pequeña inductancia variable, que se usa en ciertos circuitos resonantes para alinearlos, o sea, ajustarlos de modo que todos puedan ser exactamente sintonizados por mando único (sintonía monocontrol). v.TB. **trimmer capacitor**. CF. **padder**.

trimmer capacitor   *(Radio)* trimer, trimmer, compensador (de sintonía), corrector de sintonía, compensador paralelo, condensador de compensación [de corrección, de ajuste], condensador compensador (de ajuste), condensador ajustable. Pequeño condensador variable o ajustable con destornillador no metálico, empleado en los circuitos sintonizados de un receptor para ajustar o corregir los valores de capacitancia durante el alineamiento del aparato, con el fin de que todos los circuitos puedan sintonizarse exactamente con un mando único. SIN. **trimmer, trimmer condenser, trimming capacitor [condenser]**.

trimmer coil   *(Radio)* trimer, trimmer, bobina de afino [de reglaje, de refinamiento de ajuste]. v. **trimmer**.

trimmer condenser   v. **trimmer capacitor**.

trimmer potentiometer   (a.c. trim pot) potenciómetro de ajuste [de regulación]. Potenciómetro de variación fina, generalmente por medio de un tornillo de avance [lead screw].

trimmer resistor   resistencia de ajuste [de regulación]. Resistencia ajustable de variación fina, que generalmente consiste en un reóstato miniatura. Se usa en ciertos circuitos en vez de una resistencia fija, para la calibración inicial y la eventual recalibración de aquéllos. SIN. **trimmer rheostat**.

trimmer rheostat   reóstato de ajuste [de corrección], reóstato regulador. SIN. **trimmer resistor**.

trimmer signal   *(Ferroc)* señal de maniobras.

trimming   adornos, decoraciones, ornamento, ornamentación; guarniciones; accesorios; arreglo, disposición, acondicionamiento; acabado (de piezas); desbaste; desrebabado; preparación; ordenamiento; recorte; monda; poda; ajuste, adaptación; regulación, reglaje, ajuste (fino) || *(Aeron)* compensación, centrado (de una aeronave) || *(Radio/Elecn)* ajuste (fino). Regulación fina de un valor de capacitancia, de inductancia, o de resistencia en un circuito | ajuste fino. Reglaje fino de una capacidad, una inductancia, o una resistencia (CEI/70 60–12–055). CF. **padding, tracking**.

trimming adjustment   ajuste fino [de corrección] || *(Radio)* compensación de sintonía.

trimming capacitor   v. **trimmer capacitor**.

trimming condenser   v. **trimmer capacitor**.

trimming control   (a.c. trim control) control fino. Control que sirve para hacer ajustes menores en una magnitud, como p.ej. la tensión de salida de una fuente de alimentación || *(Aeron)* (a.c. trim control) mando de compensación [de centrado].

trimming moment   *(Aeron)* momento de compensación.

trimming potentiometer   v. **trimmer potentiometer**.

trimming rheostat   v. **trimmer rheostat**.

trimming tab   *(Aeron)* aleta compensadora [de compensación, de centrado].

trimming voltage   *(Klistrones)* tensión de ajuste fino (de sintonía).

trimode   *adj:* trimodal, de triple modo, de tres modos.

trimode waveguide   guíaondas trimodal, guía de ondas de tres modos.

trimotored   *adj:* trimotor, trimotórico, de tres motores.

trimount   *(Radio/Elecn)* sujetador elástico [rápido], broche de presión. SIN. **snap-on fastener**.

trinickel electrodeposit   depósito electrolítico de tres capas de níquel; triple niquelado.

triniscope   *(Tv)* v. **trinoscope**.

trinistor   *(Elecn)* trinistor. Dispositivo semiconductor de características semejantes a las del tiratrón, utilizado para el control de grandes potencias.

trinistor switch   conmutador de trinistor.

trinitrate   *(Quím)* trinitrato.

trinitrobenzene   *(Quím)* trinitrobenceno.

trinitrotoluene [TNT]   trinitrotolueno, TNT.

trinomial   *(Alg)* trinomio. Expresión que consta de tres términos /// *adj:* que consta de tres nombres o términos || *(Alg)* trinomio.

trinoscope   *(Tv)* trinoscopio. Conjunto de tres cinescopios con filtros cromáticos y lentes de proyección, utilizado para proyectar sobre pantalla grande las tres imágenes monocromas (roja, azul, y verde) que al superponerse producen la imagen policroma.

trio   trío. CF. **triplet** || *(Mús)* trío, terceto || *(Tv)* trío, triada. Conjunto de tres puntos de fósforo cada uno de los cuales emite luz de uno de los colores primarios (rojo, azul, y verde), y que, combinados, forman un elemento de imagen cromática. Por estar muy próximos entre sí, el trío aparece al ojo como un solo punto cuyo color depende de la proporción en que estén activados los tres puntos. SIN. **triad.**

triode   *(Elecn)* triodo. (**1**) Válvula electrónica con tres electrodos. (**2**) Tubo termoiónico provisto de tres electrodos, de los cuales uno es el ánodo, otro el cátodo, y el tercero la rejilla (CEI/38 60-25-015). (**3**) Tubo electrónico de tres electrodos: un cátodo, un ánodo, y un electrodo de mando [control electrode] (CEI/56 07-25-015). CF. **diode, multielectrode tube** /// *adj:* triodo, triódico, de tres electrodos.

triode amplification   amplificación por triodo.

triode amplifier   amplificador de triodos. Amplificador en el cual se emplean triodos exclusivamente; dícese en oposición a los amplificadores que utilizan tetrodos o pentodos | triodo amplificador.

triode-connected tetrode   tetrodo conectado como triodo.

triode flip-flop   *(Elecn)* báscula de triodos, basculador con válvulas triodo.

triode-heptode   triodo-heptodo. Combinación de un triodo y un heptodo con cátodo en común.

triode-heptode converter   *(Rec)* conversor triodo-heptodo. En un circuito superheterodino, conversor de frecuencia con un triodo-heptodo cuya sección triodo funciona como oscilador y cuya sección heptodo hace de mezclador o primer detector.

triode-hexode   triodo-hexodo. Conjunto de un triodo y un hexodo bajo una misma ampolla y con un cátodo común a ambos.

triode-hexode converter   *(Rec)* conversor triodo-hexodo. Conversor de frecuencia con un triodo-heptodo cuyas secciones triodo y heptodo trabajan como oscilador y mezclador, respectivamente.

triode-hexode frequency changer   conversor de frecuencia triodo-hexodo, triodo-hexodo conversor de frecuencia(s).

triode-hexode mixer   mezclador triodo-hexodo, triodo-hexodo mezclador (de frecuencias).

triode oscillator   oscilador triodo, triodo oscilador.

triode-pentode   triodo-pentodo. Conjunto de un triodo y un pentodo bajo una misma ampolla y con cátodo común a ambos.

triode PNPN switch   *(Elecn)* conmutador triodo tipo PNPN. Dispositivo PNPN (v. **PNPN device**) con ánodo, cátodo, y elemento de control, utilizado para funciones de conmutación.

triode section   sección triodo, sección triódica. La parte triodo de un tubo electrónico de dos (o más) secciones. v. **diode-triode, triode-heptode, triode-hexode, triode-pentode.**

triode switch   *(Elecn)* conmutador triodo.

triode transistor   transistor triodo, triodo semiconductor [de cristal].

triode transistor with common base   transistor triodo con (conexión de) base común.

triode transistor with common emitter   transistor triodo con (conexión de) emisor común.

triode transmitting tube   triodo de transmisión.

triode tube   triodo, tubo (electrónico) de tres electrodos.

triode-tube stage   etapa con triodo.

triode voltmeter   voltímetro (electrónico) con triodo.

trioxide   *(Quím)* trióxido.

trip   viaje; excursión; jira; travesía; recorrido; tropiezo, traspiés || *(Elec)* disparo, desenganche, desconexión; disparador; relé, relevador; disyuntor || *(Mec)* disparo; desenganche; escape; fiador; gatillo /// *verbo:* tropezar, dar un traspiés || *(Elec)* disparar(se), desconectar(se) || *(Mec)* disparar; soltar, desenganchar.

trip action   *(Ampl mag)* efecto de disparo, inestabilidad por realimentación excesiva.

trip assembly   *(Teleimpr)* conjunto de disparo.

trip circuit   *(Elecn)* circuito desconectador. Circuito protector por desconexión; por ejemplo, en un amplificador de potencia, circuito que corta la excitación cuando la corriente o la tensión de salida sobrepasa un límite preestablecido. SIN. **overload trip circuit.**

trip coil   *(Disyuntores)* bobina de disparo [de interrupción]. Bobina que abre el dispositivo cuando la corriente sobrepasa un valor predeterminado || *(Relés)* bobina de excitación [de atracción].

trip current   *(Disyuntores)* corriente de disparo [de desenganche, de desconexión] || *(Relés polarizados)* corriente de disparo [de conmutación]. v. **trip value.**

trip-free circuit breaker   *(Elec)* disyuntor de escape libre. Disyuntor provisto de un dispositivo que impide mantenerlo cerrado mientras existan las condiciones predeterminadas para su apertura automática (CEI/57 15-20-055) | interruptor de desenganche libre.

trip gear   v. **trip mechanism.**

trip impulse   v. **tripping pulse.**

trip lever   palanca disparadora [de disparo]; palanca [palanquita] de desenganche; palanca propulsora || *(Teleimpr)* palanca de disparo.

trip magnet   *(Teleg)* electroimán sincronizador [de puesta en fase]. v. **phase magnet.**

trip mechanism   disparador, mecanismo de disparo; mecanismo de desenganche; mecanismo basculador [de báscula]; mecanismo desconectador; órganos de desprendimiento. SIN. **trip gear** || *(Tocadiscos)* mecanismo de disparo.

trip pawl   trinquete propulsor.

trip pin   *(Conmut horarios)* espiga de disparo.

trip point   punto de disparo. SIN. **release point.**

trip post   *(Teleimpr)* pasador de disparo.

trip power   *(Relés polarizados)* potencia de disparo [de conmutación]. v. **trip value.**

trip relay   v. **tripping relay.**

trip rod   *(Telecom)* selector de escobilla. SIN. **trip spindle.**

trip shaft   *(Teleimpr)* eje de disparo.

trip slide lever   *(Tocadiscos)* palanca deslizante de disparo.

trip spindle   *(Telecom)* eje (de) selector de escobillas | selector de escobilla. SIN. **trip rod.**

trip value   *(Relés polarizados)* valor de disparo [de conmutación]. Valor de tensión, de corriente, o de potencia de excitación, al cual el dispositivo pasa de un contacto a otro.

trip valve   válvula de cierre; válvula de detención.

trip voltage   *(Relés polarizados)* tensión de disparo [de conmutación]. v. **trip value.**

tripack film   *(Fotog)* película "tripack" [de tres capas sensibles].

tripartition   tripartición. División en tres partes; reparto entre tres || *(Nucl)* tripartición, fisión ternaria. SIN. **ternary fission.**

triphase   *adj:* trifásico, de tres fases. v. **three-phase.**

triphenylmethane   *(Quím)* trifenilmetano.

triplane   *(Avia)* triplano. Aeroplano con alas (planos de sustentación) apiladas, o sea, superpuestas a tres niveles.

triple   *(i.e.* group or set of three; triad) trío, terno, terna, triada, triplete, tripleta. CF. **triplet** | *(i.e.* number or quantity three times as great as another) triple, triplo. Por ejemplo, nueve es el *triple* o *triplo* de tres /// *adj:* (*i.e.* consisting of three parts or elements; threefold) triple, triplo, ternario, triádico, tríplice | (*i.e.* three times as many or as much; thrice multiplied) triple, triplo, tríplice /// *verbo:* triplicar, multiplicar por tres; triplicar(se), hacer(se) tres veces mayor.

triple action   triple acción, acción triple; triple efecto.

triple conductor   *(Elec)* conductor triplex. Conductor en haz [multiple conductor, bundle conductor] que comprende tres hilos o cables distintos (CEI/65 25–25–065).

triple-conductor feed system   sistema de alimentación de conductor triplex; sistema de alimentación de tres conductores.

triple conversion   triple conversión.

triple-conversion receiver   *(Radiocom)* receptor de triple conversión. Receptor superheterodino con tres frecuencias intermedias diferentes.

triple detection   *(Radiocom)* triple detección.

triple-detection receiver   receptor de triple detección. v. **double-superheterodyne receiver**.

triple-detection reception   recepción de triple detección.

triple-diagonal matrix   *(Mat)* matriz de triple diagonal.

triple-diffused technique   *(Dispositivos semiconductores)* técnica de triple difusión.

triple-diffused transistor   transistor de triple difusión.

triple diode   triple diodo. Conjunto de tres diodos bajo una misma ampolla y con un cátodo común.

triple-diode triode   triodo triple diodo, triple diodo triodo. Conjunto de tres diodos y un triodo bajo una misma ampolla y con un cátodo común.

triple down-lead flat-top   antena en hoja con tres bajantes.

triple-effect   *adj:* de triple efecto.

triple-expansion   *adj:* *(Máq de vapor, Turbinas)* de triple expansión.

triple-grid tube   *(Elecn)* tubo de triple rejilla, válvula de tres rejillas.

triple integral   *(Mat)* integral triple. Expresión que resulta de tres integraciones sucesivas.

triple jumper wire   *(Telecom)* hilo triple de puentes, hilo volante triple. Se usa p.ej. para establecer conexiones entre las dos caras de un repartidor telefónico.

triple locomotive   locomotora triple. Unidad motriz [motor unit] compuesta de tres locomotoras acopladas entre sí, ninguna de las cuales puede funcionar sola en servicio normal (CEI/57 30–15–075).

triple motor   *(Tracción eléc)* motor triple. Motor de tracción con tres inducidos [armatures] montados sobre árboles paralelos en la misma carcasa (CEI/57 30–15–260). CF. **tandem motor**.

triple multiplex apparatus   *(Teleg)* aparato triple.

triple-multiplication device   *(Informática)* dispositivo para multiplicación triple.

triple-petticoat insulator   *(Elec)* aislador de tres campanas.

triple point   *(Fís)* punto triple. (1) Estado de equilibrio que involucra la coexistencia de tres fases diferentes de un sistema particular. (2) Intersección de los tres frentes de choque (incidente, reflejado y fundido) que coexisten en una explosión.

triple-pole   *adj:* tripolar, de tres polos.

triple-pole circuit breaker   *(Elec)* disyuntor tripolar.

triple-pole double-throw switch   *(Elec)* conmutador tripolar de dos vías, conmutador de tres polos y dos vías.

triple-precision quantity   *(Comput)* cantidad de triple precisión.

triple-presentation video keyer   *(Tv)* conmutador electrónico de video para triple presentación de formas de onda.

triple product (of vectors)   *(Mat)* producto triple (de vectores).

triple pulse   impulso triple, trío de impulsos.

triple-pulse testing   prueba mediante tríos de impulsos.

triple spacing   *(Informática, Máq de escribir)* espaciado triple.

triple spindle commutator   *(Telef)* interruptor del eje selector de escobillas.

triple spontaneous fission   *(Nucl)* triple fisión espontánea.

triple-stub transformer   *(Sist de RF)* transformador de triple adaptador. Consiste en un tramo de cable coaxil con tres elementos adaptadores separados por distancias de un cuarto de onda y ajustados en longitud para compensar una desadaptación de impedancias.

triple-stub tuner   sintonizador de triple adaptador [de triple tetón].

triple-throw switch   *(Elec)* conmutador de tres vías [de tres posiciones de contacto]; interruptor de tres cuchillas.

triple transposition   triple transposición.

triple-transposition coded inversion   *(Codificadores para telefonía secreta)* inversión codificada de triple transposición. CF. **speech inverter, speech scrambler**.

triple-tuned circuit   *(Radio)* circuito de triple sintonización, circuito con sintonización triple.

triple-tuned transformer   *(Radio)* transformador de triple sintonización, transformador con tres arrollamientos sintonizados.

triple valve   válvula de tres direcciones [de tres vías] || *(Ferroc)* válvula triple, válvula de control del freno neumático. Aparato empleado en el sistema de freno por aire comprimido para regular su funcionamiento.

triple-valve compressor   *(Refrig/Climatiz)* compresor con válvula de tres direcciones.

triple-waveform monitor   (osciloscopio) monitor de tres trazos. Osciloscopio que permite observar tres formas de onda simultáneamente.

tripler   triplicador | *(i.e.* frequency tripler) triplicador de frecuencia.

tripler stage   *(Radio/Elecn)* etapa triplicadora (de frecuencia).

tripler transformer   *(Elec)* transformador triplicador (de frecuencia).

triplet   terno, terna || *(Fís/Nucl)* triplete. Multiplete (v. **multiplet**) con tres componentes || *(Líneas de retardo)* triplete. Forma de onda de tensión a la salida de la línea cuando el impulso de entrada tiene una duración aproximadamente igual a la resolución de la línea || *(Mat)* trío. Grupo o conjunto de tres elementos de la misma clase || *(Medicina)* tripleto. Cada uno de tres niños nacidos de un parto || *(Mús)* tresillo. Conjunto de tres notas musicales de igual valor ejecutadas en el mismo tiempo correspondiente a dos de ellas. SIN. **tercet** || *(Poética/Prosodia)* terceto, tercerilla || *(Radar/Radionaveg)* triplete. Red de tres estaciones utilizadas para la determinación de posiciones. SIN. **triad** || *(Telef)* triplete || CF. **triad, trio, triple, triplex**.

triplex   triplex /// *adj:* *(i.e.* composed of three parts; threefold; triple) triplex, triple, tríplice.

triplex cable   *(Elec)* cable triplex, cable de tres conductores trenzados entre sí. CF. **triple conductor**.

triplex glass   vidrio triplex.

triplex safety glass   vidrio de seguridad triplex.

triplex system   *(Teleg)* sistema triplex. Sistema que permite la transmisión simultánea, por un mismo circuito, de dos mensajes en un sentido y un tercer mensaje en el otro sentido.

triplexer   triplexor. En radar, dispositivo que permite utilizar una misma antena para la transmisión y para la recepción con dos receptores que funcionan simultáneamente e independientemente el uno del otro; los receptores se desconectan mientras dura la emisión de un impulso. CF. **diplexer, duplexer**.

triplexing   triplexión.

triplicate   triplicado. Una cualquiera de las copias de un juego de tres idénticas /// *adj:* triplicado. Hecho con tres copias idénticas /// *verbo:* triplicar, hacer por triplicado, hacer tres copias idénticas de; triplicar, multiplicar por tres; triplicar, hacer tres veces mayor.

tripod   trípode. Mesa o banquillo de tres pies | trípode. LOCALISMOS: tripié, trespatas. Armazón de tres pies ajustables que sirve para el soporte de una cámara fotográfica, de cine, o de televisión, o de un instrumento tal como un teodolito. SIN. **camera mount, stand**.

tripod bush   casquillo de fijación (del trípode).

tripod dolly   trípode rodante [sobre ruedas], carretilla con trípode. Trípode de cámara montado sobre ruedas, para darle mayor movilidad.

tripod head   cabeza de trípode. Parte superior del trípode donde se monta la cámara o el instrumento, según el caso.

tripod leg   pie de trípode. SIN. **tripod strut**.

tripod screw thread   rosca de fijación (del trípode).

tripod socket   zócalo de fijación (del trípode). Zócalo o receptáculo, generalmente roscado, que sirve para fijar la cámara o el instrumento (según el caso) a la cabeza o parte superior del trípode. SIN. **tripod bush, tripod screw thread.**

tripod strut   pie de trípode. SIN. **tripod leg.**

tripod top   cabeza de trípode. v. **tripod head.**

tripodal   *adj:* (=three-legged) trípode, de tres pies.

tripolar   *adj:* tripolar, de tres polos.

tripole   tripolo /// *adj:* tripolo.

tripole antenna [aerial]   tripolo, antena tripolo.

tripotassium phosphate   fosfato tripotásico.

tripped brush   *(Telecom)* escobilla desenganchada.

tripper   disparador; soltador, desenganchador; trinquete; basculador; tumbador, volteador.

tripping   disparo; desenganche; desembrague; desconexión; interrupción || *(Disyuntores)* disparo, desconexión || *(Relés polarizados)* disparo, conmutación || v. **intertripping, shunt tripping, series tripping, undervoltage tripping.**

tripping coil   v. **trip coil.**

tripping device   dispositivo de disparo; escape; trinquete; disyuntor, dispositivo de disyunción; desconectador; basculador ; dispositivo de disparo. Dispositivo mecánico, térmico o electromagnético que sirve para abrir un disyuntor o un arrancador cuando se presentan determinadas condiciones eléctricas anormales, o cuando se acciona manualmente un fiador o retén | escape. Organo que actúa mecánicamente sobre el cerrojo [latch] de un aparato para provocar su disparo mediante una energía acumulada [stored energy] (CEI/57 15–15–115).

tripping gear   v. **trip mechanism.**

tripping impulse   v. **tripping pulse.**

tripping lever   v. **trip lever.**

tripping mechanism   v. **trip mechanism.**

tripping pulse   (a.c. trip impulse, tripping impulse) impulso de disparo; impulso de apertura [de desconexión, de desenganche] | impulso de disparo, impulso activador. V.TB. **trigger pulse.**

tripping relay   (a.c. trip relay) relé disparador; relé accionador; relé desconectador [de desenganche] | (a.c. trip-free relay) relé de escape libre. CF. **trip-free circuit breaker** || *(Telef)* relé de fin [de interrupción] de llamada. SIN. **ringing-trip relay.**

tripping transformer   transformador de desenganche.

trirectangular   *adj:* *(Geom)* trirrectángulo, que tiene tres ángulos rectos.

trirectangular trihedron   triedro trirrectángulo.

trirod coupler   *(Sist de guíaondas)* acoplador trivarilla, acoplador de triple barra. Elemento acoplador con tres varillas o barras de sintonización en ángulos rectos unas con otras.

trisect   *verbo:* trisecar. Dividir en tres partes iguales.

trisection   trisección. División en tres partes iguales.

trisector   trisector.

trisectrix   *(Geom)* trisectriz. Curva que puede utilizarse para la trisección del ángulo.

trisilicate   *(Quím)* trisilicato.

trisilicic   *adj:* *(Quím)* trisilícico.

trisistor   *(Elecn)* trisistor. Dispositivo semiconductor de conmutación rápida (tiempos del orden del nanosegundo) que comprende una unión PNP aleada y en el cual el colector puede inyectar electrones en la base; sus características son parecidas a las del tiratrón.

trisodium phosphate   *(Quím)* fosfato trisódico.

tristimulus   *adj:* *(Colorimetría)* triestímulo. CF. **trichromatic.**

tristimulus colorimeter   colorímetro triestímulo [tricromático]. Instrumento que mide la excitación de un color en función de los valores triestímulo (v. **tristimulus values**).

tristimulus colorimetry   colorimetría triestímulo [tricromática].

tristimulus designation   *(Colorimetría)* designación triestímulo, especificación tricromática (de un color).

tristimulus photometer   fotómetro triestímulo [tricromático].

tristimulus values   valores triestímulo [de triple estímulo], componentes tricromáticas. Cantidades de cada uno de los tres colores primarios que han de combinarse para reproducir el color de muestra. SIN. **color-mixture data** *(término desaconsejado)* | **(of a light)** valores triestímulo (de una luz). Expresiones cuantitativas de tres excitaciones de referencia que permiten reconstituir una luz considerada en un sistema tricromático [trichromatic system] determinado. En el sistema colorimétrico de la CIE (1931) [CIE (1931) standard colorimetric system] se recomiendan los símbolos X, Y, Z para las componentes tricromáticas (valores triestímulo). Estas componentes pueden obtenerse por multiplicación de la densidad espectral [spectral concentration] de la magnitud energética que caracteriza la luz examinada, por los coeficientes de distribución [distribution coefficients], y la integración de estos productos en toda la extensión del espectro (CEI/58 45–15–030). CF. **dominant wavelength, specified achromatic lights.**

trisulfide   *(Quím)* trisulfuro.

triterium   *(Quím)* triterio. v. **tritium.**

tritia   *(Quím)* tritia, óxido de tritio.

tritiate   *verbo:* tritiar. Tratar con tritio; saturar con tritio [tritium].

tritium   tritio. Isótopo del hidrógeno con número de masa 3, cuyo núcleo consta de un protón y dos neutrones. Es un cuerpo radiactivo (emisor beta) con período de 12,37 años y energía de 0,918 MeV. Símbolo: T o H^3. SIN. **superheavy hydrogen.**

tritium unit   unidad de tritio. Unidad que sirve para medir el contenido de tritio en una muestra hidrogenada, y que corresponde a un átomo de H^3 por cada 10^{18} átomos de H^1.

triton   *(Quím)* tritón, núcleo de tritio | (= trinitrotolueno) trinitrotolueno, TNT /// *adj:* tritónico.

tritone   *(Mús)* tritono. Intervalo armónico o melódico de tres tonos.

triturability   triturabilidad.

triturable   *adj:* triturable.

triturate   *verbo:* triturar.

trituration   trituración.

triturator   triturador.

trivalent   *adj:* *(Quím)* (also tervalent) trivalente.

trivet   trípode de pies fijos y muy cortos || *(Cocina)* trébedes.

trivial   *adj:* trivial; ordinario; de poca importancia || *(Mat)* trivial.

trivium   trivio. Nombre que en la Edad Media se daba a los estudios de gramática, lógica y dialéctica.

TRL   Abrev. de Telecommunication Research Laboratory (Johannesburgo, Unión Sudafricana) || *(Elecn)* Abrev. de transistor-resistor logic.

trochoid   *(Mat)* trocoide. Curva plana que resulta de una generalización de la cicloide [cycloid] /// *adj:* trocoide, trocoidal.

trochoidal   *adj:* *(Mat)* trocoide, trocoidal.

trochoidal magnetron   v. **trochotron.**

trochoidal mass analyzer   espectrómetro de masas trocoidal [de trayectoria trocoide]. Los haces iónicos siguen trayectorias trocoide en campos eléctrico y magnético perpendiculares entre sí.

trochotron   trocotrón, tubo (contador) de conmutación por haz eléctronico. v. **beam-switching tube.** NOTA: El nombre viene de "*troch*oidal magne*tron*" [magnetrón trocoidal] /// *adj:* trocotrónico.

trochotron scale   escala trocotrónica.

troegerite   *(Miner)* troegerita.

troffer   *(Ilum)* canaleta portatubo; lámpara de luz fluorescente; luminaria encastrada. Canaleta invertida, usualmente metálica, fija al cielo raso o embutida en el mismo, que sirve de soporte y de reflector para un tubo de luz fluorescente. CF. **air-handling troffer.**

trolley   *(Mec)* carrillo, carretilla, trole cargador || *(Ferroc)* vagón de plataforma baja || *(Minas)* vagoneta || *(Talleres de metalurgia)* vagoneta de dos ruedas || *(Tracción eléc)* trole, roldana colectora | trole. (1) Pértiga con una polea en un extremo, utilizada para captar corriente. (2) Aparato que permite captar la corriente de una línea aérea por medio de una ruedecilla o de una cuchara que apoya sobre el hilo (CEI/38 30–25–010). (3) Aparato de toma de corriente [current collector] con un hilo de contacto [contact wire] por medio de una polea acanalada o por medio de una zapata o frotador de contacto [contact shoe, contact slipper] montado en una pértiga [boom, pole] movible en todas las direcciones (CEI/57 30–25–830). CF. **axial trolley, nonaxial trolley** ‖ v. **trolley (truck)**.

trolley base   *(Tracción eléc)* base de trole. (**1**) Conjunto de piezas vinculadas a la parte inferior de la pértiga y que le transmiten la presión de los resortes (CEI/38 30–25–045). (**2**) Conjunto de piezas que sirven para el montaje del trole sobre el vehículo y que le transmiten a la pértiga el esfuerzo de los resortes (CEI/57 30–15–860).

trolley boom   *(Tracción eléc)* pértiga de trole. Tubo metálico ligeramente flexible que lleva en su extremidad la cabeza de trole [trolley head] y transmite a la ruedecilla la presión ejercida por los resortes (CEI/38 30–25–040). SIN. **trolley pole**.

trolley bus   trolebús, filobús, ómnibus (eléctrico) de trole | trolebús. (**1**) Omnibus automóvil eléctrico con trole (CEI/38 30–15–020). (**2**) Vehículo motor utilizado en el modo de transporte definido bajo el No. 30–05–025 [def. que sigue] (CEI/57 30–15–120). (**3**) Modo de transporte de tracción eléctrica con hilos aéreos utilizando vehículos motores y remolques [motor vehicles and trailers] que circulan sin carriles sobre la vía pública (CEI/57 30–05–025).

trolley car   *(Tracción eléc)* trolebús; coche de tranvía.

trolley coach   *(Tracción eléc)* trolebús, ómnibus (eléctrico) de trole. Vehículo motor destinado al transporte de personas, propulsado por energía eléctrica captada de cables aéreos, pero que no circula sobre rieles o carriles.

trolley collector   *(Tracción eléc)* captador de roldana.

trolley frog   *(Tracción eléc)* aguja aérea [de trole], desvío, cruzamiento aéreo | aguja aérea. Artificio utilizado en la bifurcación de dos líneas de contacto para permitir el paso del órgano captador de corriente (CEI/38 30–40–085).

trolley harp   *(Tracción eléc)* horqueta de trole, horquilla de la polea de contacto | horqueta de trole. Soporte del eje de la ruedecilla (CEI/38 30–25–030).

trolley head   *(Tracción eléc)* cabezal de la pértiga de trole | cabeza de trole. (**1**) Conjunto de piezas que incluye en particular la horqueta y la ruedecilla y que permite los desplazamientos necesarios de esta última (CEI/38 30–25–035). (**2**) Conjunto de piezas que comprende en particular, sea la armadura [shield] y la polea [wheel], sea la zapata [slipper] y su soporte, y que permite los desplazamientos necesarios de la zapata o de la polea (CEI/57 30–15–850).

trolley pivot   *(Tracción eléc)* pivote de trole. Eje vertical alrededor del cual puede girar la base del trole [trolley base] (CEI/38 30–25–050, CEI/57 30–15–865).

trolley pole   *(Tracción eléc)* pértiga de trole. Pértiga ligeramente flexible que lleva la cabeza del trole [trolley head] y que transmite a la polea o a la zapata la presión producida por los resortes [springs]. SIN. **boom** (CEI/57 30–15–855). SIN. **trolley boom**.

trolley rail   *(Tracción eléc)* carril conductor.

trolley shield   *(Tracción eléc)* *(i.e.* support for the spindle of the trolley wheel) armadura del trole. Soporte del eje de la polea. SIN. **globe** (CEI/57 30–15–840).

trolley shoe   *(Tracción eléc)* patín de contacto | cuchara de contacto. Aparato en forma de canal que permite la toma de corriente deslizándose sobre una línea aérea (CEI/38 30–25–070).

trolley support   *(Tracción eléc)* soporte de trole. Conjunto de piezas fijadas al techo del vehículo para soportar el trole (CEI/38 30–25–070). CF. **trolley base**.

trolley (truck)   diablo. Carromato para transportar grandes troncos.

trolley vehicle   *(Tracción eléc)* trolebús. SIN. **trolley bus, trolley car, trolley coach**.

trolley-vehicle line   línea de trolebús.

trolley wheel   *(Tracción eléc)* polea de trole [de contacto], ruedecilla de trole, roldada colectora [de trole] | ruedecilla de trole. Ruedecilla con garganta que apoya sobre el hilo de contacto (CEI/38 30–25–025) | *(i.e.* grooved wheel bearing against the

contact wire) polea de trole. Polea con garganta apoyada sobre el hilo de contacto (CEI/57 30–15–835).

trolley wire   *(Tracción eléc)* hilo [cable] conductor, cable de toma, alambre de contacto [de trole].

trolleybus   v. trolley bus.

trombone   *(Mús)* trombón. CASOS PART. sacabuche, trombón de varas; trombón tenor; trombón bajo; trombón contralto; trombón contrabajo; trombón de pistones [de llaves]; trombón de cilindros [de válvulas] ‖ *(Organos)* trombón ‖ *(Circuitos de guíaondas)* trombón. En una guía de ondas, tramo en forma de U de longitud ajustable mecánicamente (CEI/61 62–20–080). CF. **line stretcher** ‖ v. **trombone antenna**.

trombone antenna   (a.c. trombone) antena trombón.

trombone-type line   línea tipo trombón.

trommel   *(Miner/Met)* tromel, trómel, zaranda [criba] giratoria.

troop   tropa, cuadrilla ‖ *(Teatro)* compañía (de actores) ‖ *(Milicia)* escuadrón (de caballería) | troops: tropas, ejército.

troop carrier   transporte de tropas | v. **troop-carrier airplane, troop-carrier ship, troop-carrier vehicle**.

troop-carrier airplane   (a.c. troop carrier) avión de transporte de tropas.

troop-carrier ship   (a.c. troop carrier) buque de transporte de tropas.

troop-carrier vehicle   (a.c. troop carrier) vehículo de transporte de tropas.

troop transport   transporte de tropas.

troop-transport aircraft   avión de transporte de tropas.

troop-transport glider   planeador de transporte de tropas.

tropic   *(Astr, Geol)* trópico /// *adj:* (also tropical) tropical ‖ *(Retórica)* trópico, figurado ‖ *(Astr)* trópico.

Tropic of Cancer   *(Astr)* trópico de Cáncer.

Tropic of Capricorn   *(Astr)* trópico de Capricornio.

tropical   *adj:* (also tropic) tropical ‖ *(Astr)* trópico.

tropical air   *(Meteor)* aire tropical.

tropical broadcasting   *(Radiodif)* difusión tropical, radiodifusión en zona tropical.

tropical broadcasting antenna   antena para difusión tropical.

tropical broadcasting band   banda de difusión tropical.

tropical continental air   *(Meteor)* aire continental tropical.

tropical cyclone   *(Meteor)* ciclón tropical, huracán.

tropical disturbance   *(Meteor)* perturbación (atmosférica) tropical.

tropical maritime air   *(Meteor)* aire marítimo tropical.

tropical meteorology   meteorología tropical.

tropical revolving storm   *(Meteor)* tormenta giratoria tropical.

tropical room   *(Ensayos)* cuarto de atmósfera tropical. CF. **tropicalization**.

tropical storm   *(Meteor)* tempestad tropical.

tropical winding   *(Elec)* devanado para climas tropicales [para trabajar en condiciones tropicales].

tropical year   *(Astr)* año trópico.

tropicalization   tropicalización. Construcción o acondicionamiento a prueba de clima tropical (ambientes húmedos y cálidos); en particular, tratamiento con fungicidas, o sea, substancias químicas que combaten los hongos que causan daños a los aparatos electrónicos en las regiones tropicales.

tropicalize   *verbo:* tropicalizar. v. **tropicalization**.

tropicalized   *adj:* tropicalizado. A prueba de clima tropical; resistente a las influencias atmosféricas.

tropicalized condenser   condensador tropicalizado.

tropicalized equipment   equipo tropicalizado.

tropicalized resistor   resistencia tropicalizada.

tropically   *adv:* *(Retórica)* figuradamente; metafóricamente.

tropically insulated   *(Elec)* con aislación para clima tropical, con aislamiento para condiciones [ambientes] tropicales.

tropidine   *(Quím)* tropidina.

tropine   *(Quím)* tropina.

tropism   *(Biol)* tropismo. Movimiento de un organismo determinado por estímulos del medio ambiente.

tropo   Abrev. de tropospheric-scatter communication.

tropopause   *(Meteor/Climatología, Radiocom)* tropopausa. Límite superior de la troposfera [troposphere], por encima del cual la temperatura sube ligeramente con la altura, o permanece constante (CEI/70 60–22–050).

tropopause chart   carta de la tropopausa.

troposcatter   v. tropospheric scatter.

troposphere   *(Meteor/Climatología, Radiocom)* troposfera. Región inferior de la atmósfera terrestre, inmediatamente encima de la superficie de la Tierra, en la cual la temperatura disminuye cuando la altura aumenta, salvo en ciertas capas locales de inversión de temperatura [local layers of temperature inversion] (CEI/70 60–22–045). CF. **tropopause, stratosphere** /// *adj:* troposférico.

tropospheric   *adj:* troposférico.

tropospheric bending   *(Radiocom)* encurvamiento troposférico. Encurvamiento de la dirección de propagación de las ondas radioeléctricas en la troposfera causado por fenómenos de refracción. Este encurvamiento explica el alcance extraordinario que a veces tienen las transmisiones por muy altas frecuencias (ondas métricas).

tropospheric beyond-the-horizon propagation   propagación troposférica transhorizonte [más allá del horizonte].

tropospheric duct   *(Radiocom)* conducto [canal] troposférico, guía troposférica. v. **tropospheric radio duct.**

tropospheric fallout   *(Explosiones atómicas)* precipitación troposférica.

tropospheric forward scatter   *(Radiocom)* dispersión troposférica dirigida [hacia adelante].

tropospheric forward-scatter circuit   circuito transhorizonte por dispersión troposférica dirigida.

tropospheric forward-scatter radio-relay communication   comunicación por radioenlace de propagación troposférica dirigida.

tropospheric mode   *(Radiocom)* modo troposférico. Uno cualquiera de los diversos modos de propagación posibles en la troposfera (CEI/70 60–22–065). CF. **tropospheric scattering.**

tropospheric propagation   propagación troposférica.

tropospheric radio duct   *(Radiocom)* (a.c. duct, tropospheric duct) conducto [canal] troposférico, guía troposférica | conducto troposférico. Capa de la troposfera en cuyo interior se halla concentrada una fracción anormalmente elevada de cualquier radiación de frecuencia suficientemente alta, y que presenta en toda o en parte de su extensión un gradiente negativo del módulo de refracción [negative gradient of refractive modulus]. La superficie límite superior está determinada por el paso del módulo de refracción por un mínimo. La superficie límite inferior es, bien la superficie de la Tierra, bien una superficie paralela a la dirección de estratificación [stratification] de la capa y cuyo módulo de refracción tiene el mismo valor que el mínimo mencionado (CEI/70 60–22–155). CF. **surface duct.**

tropospheric radio link   radioenlace de propagación troposférica.

tropospheric reflection   reflexión troposférica. Reflexión parcial o total de las ondas radioeléctricas que se produce en la troposfera sobre una superficie de discontinuidad [surface of discontinuity] que separa masas de aire de índices de refracción [refractive indexes] diferentes (CEI/70 60–22–070).

tropospheric refraction   refracción troposférica.

tropospheric scatter   dispersión [difusión] troposférica. v. tropospheric scattering.

tropospheric-scatter circuit   (radio)enlace por dispersión troposférica.

tropospheric-scatter communication [tropo]   comunicación por dispersión troposférica. Comunicación por microondas a distancias superiores a la del horizonte aprovechando los fenómenos de dispersión de las ondas en la troposfera.

tropospheric-scatter communication antenna   antena para (radio)enlace por dispersión troposférica.

tropospheric-scatter communication circuit   (radio)enlace por dispersión troposférica.

tropospheric-scatter communication system   sistema de comunicación por dispersión [difusión] troposférica.

tropospheric-scatter link   (radio)enlace por dispersión troposférica.

tropospheric-scatter mode of propagation   modo de propagación por dispersión troposférica. v. **tropospheric scattering.**

tropospheric-scatter propagation   propagación por dispersión [difusión] troposférica.

tropospheric-scatter radio link   radioenlace por dispersión troposférica, enlace hertziano de difusión troposférica.

tropospheric-scatter technique of communication   técnica [método] de comunicación por dispersión troposférica.

tropospheric scattering   (a.c. troposcatter, tropospheric scatter) dispersión [difusión] troposférica, dispersión en la troposfera | difusión troposférica. Modo de propagación en el que las ondas radioeléctricas son difundidas a consecuencia de irregularidades o discontinuidades en las propiedades físicas de la troposfera (CEI/70 60–22–075). CF. **tropospheric mode.**

tropospheric superrefraction   superrefracción troposférica.

tropospheric system   sistema (de comunicación) por propagación troposférica.

tropospheric wave   onda troposférica. Onda radioeléctrica que se propaga enteramente por la troposfera y cuya propagación es determinada esencialmente por las variaciones del índice de refracción [refractive index] de la misma (CEI/70 60–22–060).

tropospheric-wave propagation curve   curva de propagación troposférica.

tropotron   *(Elecn)* tropotrón. Tipo particular de magnetrón.

trotol   *(Quím)* (=trinitrotoluene) trinitrotolueno, TNT.

trotyl   *(Quím)* (=trinitrotoluene) trinitrotolueno, TNT.

trouble   *(Lenguaje ordinario)* dificultad, inconveniente, entorpecimiento, trastorno; molestia, incomodidad; perjuicio; preocupación, inquietud; disgusto, aflicción, inquietud || *(Lenguaje técnico)* avería, falla, falta, entorpecimiento, interrupción, irregularidad. SIN. **breakdown, failure, fault, interruption, outage.** NOTA: En telefonía se le llama *avería viva* a la que es causa de una comunicación fallida o no establecida en una llamada producida por un abonado, y que es siempre más urgente de reparar que la avería descubierta por los circuitos de rutina durante las pruebas realizadas por el personal de la central y en las que no interviene el abonado | **in trouble:** averiado, en mal estado.

trouble chart   cuadro de averías.

trouble clearing   reparación, arreglo de averías.

trouble due to a break   *(Telecom)* avería por rotura de hilo.

trouble due to an open   *(Telecom)* avería por rotura de hilo.

trouble finding   localización de averías [de fallas], determinación de averías. CF. **troubleshooting.**

trouble-free   *adj:* sin entorpecimientos, sin contratiempos, exento de trastornos; libre de averías [de interrupciones]; de funcionamiento seguro; muy poco susceptible a fallas (de funcionamiento).

trouble hunting   investigación de averías [de fallas], busca de fallas. CF. **troubleshooting.**

trouble-indicating tube-location guide   guía de localización de los tubos [las válvulas] con indicación de posibles averías (por la falla o el desgaste de cada uno).

trouble indicator   indicador de averías.

trouble-locating problem   *(Comput)* problema de localización de averías [de fallas]. Problema de prueba [test problem] cuya solución, que se sabe incorrecta, sirve de guía para la localización de una avería. Se utiliza después de haberse determinado que existe avería, mediante un problema de comprobación [check problem].

trouble-location problem   *(Comput)* v. **trouble-locating problem.**

trouble position   *(Telef)* cuadro de observación. SIN. **exchange**

testing position.

trouble record form   *(Telef)* planilla de registro de irregularidades.

trouble reporting service   *(Telef)* servicio de aviso de averías.

trouble tone   *(Telef)* señal de avería, tono indicador de avería. SIN. **out-of-order tone**.

troubleshoot   *verbo:* investigar averías [fallas], buscar fallas; localizar averías [fallas], determinar averías; reparar averías. V.TB. **troubleshooter**.

troubleshooter   buscador y reparador de averías; técnico de reparaciones.

troubleshooting   investigación [diagnóstico, determinación, localización] de averías [de fallas]; reparación de averías, corrección de fallas [de anormalidades], reparación.

troubleshooting chart   cuadro [tabla] para localización de averías.

troubleshooting technique   técnica de reparación.

troublesome   *adj:* penoso, pesado, gravoso; incómodo, fastidioso, dificultoso, molesto; perjudicial.

troublesome interference   *(Radiocom)* interferencia perjudicial.

trough   artesa, barreño, batea, cubeta, cuba, dornajo, gamella, pila, pileta, pilón, tina; gamellón; tolva; canal, canalón, canaleta ‖ *(Geol)* pliegue sinclinal ‖ *(Oceanografía)* depresión oceánica ‖ *(Meteor)* hondonada; mínimo (de una depresión), vaguada; zona de bajas presiones ‖ *(Olas)* seno ‖ *(Ondas)* seno, valle ‖ V.TB. **trough for. . . , trough of. . .** ‖‖ *verbo:* acanalar.

trough axis   *(Geol)* eje sinclinal.

trough for distribution cable   *(Elec/Telecom)* conducto para cable de distribución; caja de distribución.

trough line   *(Meteor)* línea de vaguada.

trough of low pressure   *(Meteor)* vaguada barométrica.

trough of modulation   *(Radio)* punto mínimo de la modulación.

troughing   canalización, canales, conductos ‖ *(Elec)* atarjea. Conducto cubierto [covered channel] en el cual se colocan los cables con objeto de protegerlos contra las acciones mecánicas exteriores (CEI/38 25-20-115, CEI/65 25-10-160) ‖ *(Telecom)* conducto para cables. SIN. **conduit, U troughing** ‖ CF. **duct, pipe, piping, tube, tubing**.

trowel   *(Albañiles)* paleta, llana, badilejo, palustre, trulla. LOCALISMO: cuchara ‖ *(Yeseros)* paleta, llana (metálica), fratás. LOCALISMO: plana ‖ *(Agric)* desplantador ‖‖ *verbo:* palustrear, fratasar. LOCALISMOS: flatachar, platachar.

troy pound [lb t]   libra troy. Es igual a 5 760/7 000 de la libra de uso corriente (''avoirdupois pound''), e igual a 373,242 gramos.

troy weight [t]   peso troy. Sistema de unidades de peso que tiene por base la libra troy [troy pound].

TRT   Abrev. de Tropical Radio and Telegraph.

truck   *(Transportes)* camión, autocamión, camión automóvil. LOCALISMO: troque. Vehículo automotor destinado al transporte de cargas | carro, carretilla; vagoneta; vagón de mercancías; carretilla de mano, diabla (carrito de dos ruedas); zorra (carro bajo y fuerte para arrastrar grandes pesos); (a.c. trolley truck) diablo (carromato para arrastrar troncos de árbol) ‖ *(Ferroc)* bogie, carretón, carro giratorio. Bastidor de dos o más ejes que (mediante una traviesa con suspensión elástica y de gran movilidad) soporta el bastidor general del vehículo. SIN. **bogie** ‖ *(Cañones)* rueda ‖ *(Mec)* carro, carretilla, juego de ruedas ‖ *(Tractores)* bastidor de la oruga [de las orugas] ‖ *(Puentes grúa)* carro de rodadura ‖ *(Palos de buque)* galleta, perilla ‖‖ *verbo:* transportar en camión, en carro, en vagoneta, etc.; acarrear; arrastrar; conducir un camión, un carro, una vagoneta, etc.; ser conductor de camión, etc.; ser carretero, carretillero, etc. ‖ *(Cine/Tv)* seguir paralelamente (con la cámara). Desplazar la cámara tomavistas en dirección paralela a la de un objeto móvil, por ejemplo, para seguir a una persona que camina por una vía pública. Para ello se utiliza la cámara montada en un camión o una carretilla.

truck body   caja de camión. LOCALISMO: carrocería.

truck combination   *(Transportes)* camión combinado. Camión tractor [truck tractor] con remolque [full trailer] o con semirremolque [semitrailer], o con ambos elementos a la vez.

truck tractor   camión tractor, tractor de camión.

truck trailer   remolque de [para] camión.

truck shot   *(Cine/Tv)* toma en movimiento paralelo. V. **truck**.

true   *adj:* verdadero, real, cierto; verídico; exacto, justo; auténtico; genuino; natural, puro; fiel; a plomo; a nivel; (perfectamente) nivelado; (perfectamente) alineado; en línea recta, rectilíneo, recto; corregido ‖‖ *verbo:* rectificar; enderezar; corregir; centrar; ajustar.

true adhesion   *(Tracción eléc)* adherencia real. Razón, en ausencia de todo patinaje [slipping], entre el esfuerzo tangencial [tangential effort] de una rueda o de un par de ruedas y su carga estática real [true dead load] sobre el carril, tomando en cuenta las reducciones de carga estática del eje [weight transfer] (CEI/57 30-05-525).

true airspeed [TAS]   *(Avia)* velocidad verdadera, velocidad anemométrica [relativa] verdadera.

true altitude   *(Avia)* altura verdadera, altitud real. Altura barométrica [pressure altitude] corregida respecto a la temperatura. CF. **indicated altitude**.

true arc voltage   *(Soldadura eléc)* verdadera tensión de arco, voltaje efectivo de arco.

true azimuth   *(Naveg)* acimut [azimut] verdadero, acimut astronómico.

true bearing   *(Naveg)* marcación verdadera [geográfica, real], acimut astronómico, rumbo verdadero. Marcación referida al norte geográfico verdadero [true geographic north]. CF. **magnetic bearing, relative bearing** | acimut, demora. Angulo, medido en grados en el sentido de las agujas del reloj, de dos semiplanos limitados por la vertical de un dispositivo de localización, de los cuales uno está dirigido hacia el objeto localizado, y el otro es un semiplano de referencia dirigido hacia el norte geográfico. El término completo *acimut directo* no se usa más que en el caso de posible confusión con el *acimut inverso* [reciprocal bearing] (CEI/70 60-71-010).

true-bearing rate   rapidez de variación de la marcación verdadera.

true-bearing unit   *(Radar)* unidad de marcación verdadera. Dispositivo que hace girar el indicador panorámico [PPI display] de manera que la parte superior de la pantalla quede siempre hacia el norte verdadero.

true coincidence   *(Contadores de radiaciones)* coincidencia verdadera. Coincidencia debida a la detección de una sola partícula o fotón, o a la detección de dos o más partículas o fotones de origen común (CEI/68 66-10-425). CF. **random coincidence, pulse coincidence**.

true copy   copia fiel.

true course   rumbo verdadero [astronómico, corregido]. Rumbo cuya línea de referencia tiene la dirección del norte verdadero. Rumbo indicado por un ángulo (en grados) medido en el sentido de las agujas del reloj a partir del norte verdadero.

true crater   *(Explosiones atómicas)* cráter verdadero.

true decibels of voltage gain   verdaderos decibelios de ganancia de tensión. Decibelios dados por la fórmula $dB = 20 \log (E_2/E_1) + 10 \log (R_1/R_2)$. El resultado de esta expresión es numéricamente igual a los decibelios de potencia.

true distance   distancia verdadera [real]. SIN. **slant distance**. CF. **slant height**.

true earth radius   radio terrestre verdadero, radio verdadero de la Tierra. CF. **effective earth radius**.

true field of view   campo visual verdadero. (1) Angulo real de observación de un instrumento. (2) Angulo máximo subtendido por dos objetos visibles simultáneamente.

true figure   cifra real [positiva] ‖ *(Números aproximados)* cifra verdadera.

true heading   *(Naveg)* rumbo (proa) verdadero, rumbo geográfico (de la nave).

true horizon   *(Opt)* horizonte real; horizonte racional.

true logic   *(Elecn)* lógica de verdad.

true mean power   potencia media verdadera.

true meridian   meridiano verdadero [geográfico].

true-motion radar   radar indicador de movimiento verdadero. Radar marítimo en el que los movimientos de los buques aparecen en la forma en que realmente ocurren, tomando en cuenta el desplazamiento de la nave portadora del equipo.

true north   norte verdadero [geográfico]. Dirección del polo norte geográfico desde cualquier punto situado en la superficie de la Tierra.

true nuclear mass   masa nuclear verdadera [efectiva].

true ohm   *(Elec)* ohmio verdadero. Valor real de la unidad práctica de resistencia, equivalente a 10^9 unidades electromagnéticas absolutas de resistencia.

true plot   *(Radar)* trazado verdadero.

true position   *(Naveg)* posición real.

true power   *(Elec)* potencia real [activa, efectiva, eficaz]. Potencia media absorbida por un circuito durante un período completo de la tensión aplicada al mismo. SIN. **active [actual] power**. CF. apparent power.

true radio bearing   *(Radiogoniometría)* acimut radiogoniométrico (verdadero), acimut. v. **true bearing**.

true resistance   *(Elec)* resistencia real [óhmica].

true-scale model   modelo de tamaño real; maqueta de tamaño natural.

true screw   hélice de paso invariable.

true speed   *(Avia)* velocidad verdadera. CF. **true airspeed**.

true surface   superficie plana.

true surface burst   *(Explosiones atómicas)* explosión superficial auténtica.

true time   tiempo verdadero [solar, aparente] ‖ *(Comput)* (=real time) tiempo real.

true to line   bien alineado.

true to size   de dimensiones exactas.

true track   *(Avia)* derrota verdadera.

true watt   vatio efectivo [eficaz] | **true watts:** vatios efectivos [eficaces], potencia real [activa, efectiva, eficaz]. v. **true power**.

trueing, truing   rectificación; enderezamiento; corrección; ajuste.

trumpet   *(Acús)* trompeta; trompetilla (acústica); bocina, portavoz. CF. **horn** ‖ *(Mús)* trompa, trompeta, clarín, corneta *(el instrumento y el músico)* ‖ *(Organos)* trompa ‖ *(Industria)* embudo ∥∥ *verbo:* abocinar, dar forma de bocina [de embudo]; tocar la trompa, la trompeta, etc.; barritar, berrear (el elefante).

trumpet-type loudspeaker   altavoz [altoparlante] del tipo de trompeta.

trumpeting   abocinamiento; trompeteo (sonido de la trompa, etc.); barrito, berrido (del elefante).

truncate   *adj:* trunco, truncado ∥∥ *verbo:* truncar, troncar, cortar ‖ *(Comput)* truncar. Cortar un número en determinado lugar (que no es lo mismo que *redondearlo*). Despreciar dígitos o cifras de un número o términos de una serie, con lo cual se acorta el número o la serie, a costa de perder precisión.

truncated   *adj:* truncado.

truncated cone   *(Geom)* cono truncado, tronco de cono.

truncated paraboloid   paraboloide truncado. En radioelectricidad, paraboloide reflector al que se le han quitado partes de la superficie en los extremos del diámetro vertical, con el fin de dar mayor amplitud al haz principal en el plano vertical.

truncated picture   *(Tv)* imagen truncada.

truncated solid   *(Geom)* sólido truncado. Sólido al que se le ha quitado una parte por medio de una sección plana.

truncated thread   rosca truncada.

truncation   truncamiento, tronca, corte.

truncation error   *(Comput)* error de truncamiento, error por corte. v. **truncate** ‖ *(Series infinitas)* error de truncamiento. El que resulta de tomar un número finito de términos (despreciando los demás términos).

trunk   tronco (de árbol); baúl, mundo, baúl mundo, cofre; tolva;

pozo, conducto (de ventilación, de descarga, etc.) ‖ *(Alcantarillados, Canalizaciones)* tubería maestra [principal]. TB. tronco, línea troncal. SIN. **trunk line** *(Arq)* tronco; fuste (de columna) ‖ *(Autos)* baúl, maletero, portamaletas ‖ *(Bot, Zool)* tronco ‖ *(Elec)* (i.e. trunk feeder) línea principal ‖ *(Ferroc)* línea principal ‖ *(Máq de vapor)* vástago tubular de émbolo ‖ *(Telecom)* línea (de unión); arteria; enlace común | troncal, tronco, línea troncal [principal]. (**1**) Circuito de unión entre dos centrales. (**2**) Circuito de tráfico entre dos puntos que son ambos centros de conmutación o de distribución de tráfico. (**3**) Canal de telecomunicación entre dos oficinas distintas | enlace, línea auxiliar [de enlace], circuito de unión. (**1**) Circuito de conexión entre selectores de distinto rango en una central automática. (**2**) Circuito de conexión entre dos partes de una central manual. (**3**) Canal de telecomunicación entre diferentes grupos de equipos de una misma oficina. (**4**) Línea que conecta dos centrales de una misma red local. SIN. **connection** *(GB,* def. 2) | troncal, línea de enlace. Circuito de voz que conecta entre sí dos o más centrales telefónicas y que, por lo tanto, sirve para transmitir las señales de un gran número de abonados al servicio. En los EE.UU. las líneas de enlace se clasifican por su orden de importancia, según las definiciones dadas a continuación. Como se verá, estas definiciones se apoyan, a su vez, en la clasificación jerárquica de los centros o puntos incluidos en el enlace (véase más adelante).

Clasificación de las líneas de enlace (EE.UU.):

(a) *Línea de enlace directo* [direct trunk]—Conecta dos *centrales terminales* [end offices] Clase 5 que sirven directamente a los abonados.

(b) *Línea de conexión interurbana* [toll connecting trunk]—Conecta una *central terminal urbana* [end office] Clase 5 con cualquier *central o centro de conmutación* [toll office] de mayor categoría.

(c) *Línea de enlace interurbano* [intertoll trunk]—Conecta un *centro de conmutación regional* [toll switching office] Clase 1, por vía de una *central interurbana o de larga distancia* [toll switching office] Clase 4, con cualquier otra central Clase 1, 2, 3, ó 4.

Clasificación jerárquica de centros y nudos en una red telefónica (EE.UU.):

Clase 1: Centro regional (RC) [Regional Center];

Clase 2: Centro seccional (SC) [Sectional Center];

Clase 3: Centro primario (PC) [Primary Center];

Clase 4: Centro interurbano (TC) [Toll Center] o Punto interurbano (TP) [Toll Point];

Clase 5: Central terminal urbana (EO) [End Office].

| enlace. Enlace entre dos selectores de etapas de selección consecutivas de una misma central automática o entre dos partes de una central manual (CEI/70 55–110–135) | CF. **individual trunk, partial common trunk, trunk from concentrating switch, trunk to supervisor**.

trunk busy   *(Telef)* ocupado por una comunicación interurbana.

trunk cable   *(Telef)* cable de unión; cable para líneas auxiliares | cable troncal. Cable destinado al enlace entre centrales de una misma localidad | cable interurbano. SIN. **toll cable** ‖ *(Sist de tv de ant comunal)* cable troncal [alimentador]. Cable que va del punto de captación de la señal [head end] hasta el amplificador de troncal [trunk amplifier]. SIN. **feeder cable**.

trunk cable plant   *(Telef)* red interurbana en cables.

trunk call   *(Telef)* llamada [conferencia, conversación] interurbana. SIN. **toll [long-distance] call**. CF. long-trunk call, short-trunk call | **trunk calls:** tráfico interurbano.

trunk charge   *(Telef)* tasa interurbana; tarifa interurbana.

trunk circuit   *(Telecom)* circuito principal (de una red) ‖ *(Telef)* circuito de enlace. A VECES: circuito troncal. Circuito establecido entre dos cuadros de conmutación (automática o manual), y que puede ser conectado a una línea de abonado o a otro enlace | (sometimes called "repeater") circuito de enlace. Circuito que comprende relés, bobinas repetidoras, condensadores, resistencias, y otros elementos, y que permite el funcionamiento de circuitos de comunicación entre cuadros conmutadores; éstos pueden ser manuales o automáticos, y particulares o de central | circuito interurbano. Circuito que conecta dos centrales en diferentes localidades | línea interurbana || *(Teleg)* circuito de enlace. Circuito que enlaza dos centros de conmutación; circuito que conecta los equipos conmutadores de dos centros. v.tb. **trunk (telegraph) circuit.**

trunk circuit connected to a radiotelephone circuit *(Telef)* circuito de prolongación (de un circuito radiotelefónico). SIN. **landline extension.**

trunk circuit with dialing facilities *(Telef)* circuito interurbano con selección a distancia.

trunk compartment v. **trunk** *(Autos).*

trunk congestion *(Telef)* ocupación interurbana.

trunk-congestion lamp *(Telef)* lámpara de ocupación interurbana. SIN. **group busy lamp.**

trunk-congestion signal *(Telef)* señal de ocupación interurbana. SIN. **group busy signal.**

trunk connection *(Telef)* comunicación interurbana. SIN. **toll call.**

trunk control center *(Telef)* centro de control arterial. Centro manual de agrupamiento automático [auto-manual exchange] cuya función principal es la de coordinar el tráfico interurbano [trunk traffic] procedente de centrales servidas por el mismo (CEI/70 55–90–075).

trunk diagram *(Telef)* diagrama de enlaces. SIN. **junction diagram, trunking diagram** (véase).

trunk dialing *(Telef)* llamada interurbana. Mando de los áutoconmutadores de una central automática desde una central situada en otra zona con varias centrales (zona multiservida [multiexchange area]), mediante líneas interurbanas [toll circuits, trunk circuits]. Según el método adoptado, el mando (mediante el disco selector) puede ser efectuado por el peticionario [calling subscriber] o por una operadora (CEI/70 55–105–275).

trunk directory inquiry *(Telef)* servicio de información de la central interurbana. SIN. **toll directory desk.**

trunk exchange *(Telef)* central interurbana, centro interurbano. v. **toll office.**

trunk exchange with automatic call distribution *(Telef)* central [estación] interurbana con buscadores de llamada.

trunk feeder *(Elec)* alimentador principal; cable de unión de dos centrales generadoras.

trunk filter *(Telecom)* filtro de troncal.

trunk filter panel *(Telecom)* panel [tablero] de filtros de troncal.

trunk final selector *(Telef)* selector final interurbano. SIN. **toll final selector.**

trunk finder *(Telef)* buscador de enlaces. ɔIN. **junction finder.**

trunk from concentrating switch *(Telef)* línea de concentración (para dos posiciones de operadora). SIN. **concentration line.**

trunk group *(Telef)* grupo de enlace.

trunk group area *(Telef)* red urbana con varias centrales. SIN. **multioffice exchange area.**

trunk group (available to all outgoing [outward] positions) *(Telef)* grupo de enlace general.

trunk holder relay *(Telef)* relé de mantenimiento de línea auxiliar.

trunk hunting *(Telef)* busca de enlaces; busca (automática) de línea auxiliar | busca de línea libre. Movimiento de exploración del brazo de contacto de un selector hasta alcanzar el contacto correspondiente a una línea libre.

trunk hunting switch *(Telef)* buscador de enlaces; (conmutador) buscador de línea auxiliar.

trunk information desk *(Telef)* servicio de información de la central interurbana. SIN. **trunk directory desk.**

trunk installation *(Radioteléfonos móviles)* instalación en el maletero.

trunk junction *(Telef)* línea intermedia; circuito explotado en servicio rápido entre una central interurbana y sus centrales dependientes.

trunk junction center *(Telef)* central nodal interurbana.

trunk junction line *(Telef)* línea de enlace interurbano. SIN. **toll switching trunk.**

trunk line *(Avia)* línea (aérea) de primera importancia || *(Ferroc)* línea principal. LOCALISMO: línea troncal || *(Telecom)* línea principal [troncal] || *(Telef)* circuito principal; (línea de) enlace; línea interurbana.

trunk-line observation *(Telef)* observación del tráfico de circuitos interurbanos, control de explotación de circuitos interurbanos.

trunk-line relay set *(Telef)* grupo de relés de línea interurbana.

trunk loss *(Telef)* equivalente efectivo de transmisión de un circuito interurbano | equivalente del enlace. Parte del equivalente de repetición [repetition equivalent] atribuible al circuito de enlace utilizado en una comunicación.

trunk network *(Telef)* red interurbana, red de larga distancia.

trunk offering *(Telef)* enlace de oferta.

trunk-offering selector *(Telef)* selector de oferta interurbana.

trunk operator *(Telef)* operadora interurbana [de larga distancia].

trunk operator dialing *(Telef)* selección a distancia del abonado solicitado. En la explotación semiautomática internacional [semiautomatic international service], llamada directa del abonado solicitado [called subscriber] por la operadora del centro internacional de salida [outgoing international exchange], estableciéndose las conexiones automáticamente.

trunk position *(Telef)* posición interurbana. SIN. **toll position** | cuadro interurbano; posición suburbana.

trunk radio circuit circuito radioeléctrico troncal.

trunk rate *(Telef)* tarifa interurbana.

trunk record position *(Telef)* posición de inscripción [de anotadora] | posición de inscripción. Posición hacia la cual se dirigen los circuitos de los abonados con objeto de registrar las llamadas que deben establecerse posteriormente por vía de una línea interurbana [trunk circuit] (CEI/70 55–90–195).

trunk route *(Avia)* ruta principal || *(Telecom)* ruta troncal || *(Telef)* enlace, arteria.

trunk service observation *(Telef)* observación de los circuitos interurbanos (en la mesa de control). SIN. **toll service observing.**

trunk service observation schedules *(Telef)* (libro) registro de rendimiento de circuitos.

trunk signaling working *(Telef)* servicio interurbano con espera y llamada [señal] interurbana.

trunk subscriber's line *(Telef)* línea de abonado para tráfico interurbano.

trunk switchboard *(Telef)* cuadro (conmutador) interurbano. SIN. **toll switchboard.**

trunk switching scheme *(Telecom)* diagrama de conexión | diagramas de conexiones telefónicas. SIN. **toll switching plan.**

trunk (telegraph) circuit circuito (telegráfico) de enlace. Enlace permanente entre los conmutadores de dos centros de conmutación automática. Según la forma en que puedan ser tomados por el conmutador, los circuitos de enlace se clasifican en *circuitos de salida* [outgoing circuits], *circuitos de entrada* [incoming circuits], y *circuitos explotados en los dos sentidos* [both-way circuits].

trunk to supervisor *(Telef)* línea [enlace] hacia (la) supervisora [vigilanta]. SIN. **supervisor's trunk.**

trunk traffic *(Telef)* tráfico interurbano.

trunk zone *(Telef)* zona interurbana.

trunking canalizaciones || *(Telecom)* enlace | enlazamiento. (a) En telefonía y telegrafía, concepción y realización de las instalaciones destinadas a cursar el tráfico considerado con una calidad de servicio [grade of service] dada. (b) En conmutación automática, modo de interconexión de las diferentes etapas de una central automática (CEI/70 55–110–005).

trunking diagram *(Telecom)* esquema de vías troncales; esquema de vías de tráfico; plano de la red; esquema del cableado || *(Telef)* diagrama de enlaces. Esquema que describe todas o una parte de las conexiones entre órganos de una central automática [automatic exchange] (CEI/70 55–110–260).

trunking scheme   *(Telef)* diagrama de enlaces. v. **trunking diagram.**

trunnion   *(Mec)* muñón, gorrón, espiga; soporte giratorio; soporte cilíndrico de cojinete.

trunnion mount   montaje sobre muñones; montaje giratorio; soporte de muñón.

trunnion-mount   *verbo:* montar sobre muñones.

trunnion-mounted   *adj:* montado sobre muñones.

trunnion-mounted indicator   *(Radar)* indicador montado en soporte inclinable.

truss   lío, atado, paquete ‖ *(Medicina)* braguero. Aparato o vendaje que sirve para contener las hernias ‖ *(Arq, Constr, Ing civil)* armadura, armazón, entramado, cercha. LOCALISMOS: caballo, caballete, cabriada, reticulado. Armazón de vigas de madera o de barras metálicas, a menudo formando triángulos, que sirve para soportar un techo, un puente, u otra estructura semejante. CASOS PART. armadura a la belga [Belgian truss]; cercha a la inglesa [English truss]; armadura de pendolón [king-post truss]; cercha de doble pendolón [queen-post truss]; cercha, armadura de cubierta, entramado de techo [roof truss] | pieza de refuerzo | viga armada; viga de celosía. V.TB. **trussed beam** ‖ *(Arq)* (=bracket) can, canecillo ⫽⫽ *verbo:* atar, sujetar; armar, atirantar; reforzar; apuntalar.

truss beam   v. **trussed beam.**

truss bridge   puente de armadura. LOCALISMO: puente de celosía.

truss-guyed pole   *(Telecom)* poste arriostrado sobre sí mismo.

truss rod   tirante [tensor] de armadura, tirante de cercha ‖ *(Vagones)* tirante de la caja.

truss-type rib   *(Avia)* costilla armada.

trussed   *adj:* atado, empaquetado, enfardado; armado, atirantado; reforzado; apuntalado.

trussed beam   (a.c. truss beam) viga armada (por la parte inferior), viga atirantada [embragada, reforzada]; viga de celosía.

trussed pole   *(Telecom)* poste arriostrado sobre sí mismo. SIN. truss-guyed pole.

trussing   armadura, entramado.

trusswork   entramado.

truth   verdad; veracidad; realidad; exactitud; precisión; tolerancia.

truth set   *(Lógica/Mat)* conjunto de validez.

truth table   *(Comput)* tabla de validez [de verdades]. (**1**) Tabla que relaciona los niveles lógicos de salida de un circuito digital con todas las posibles combinaciones de los niveles lógicos de entrada, de tal manera que queden completamente caracterizadas las funciones del circuito. (**2**) Tabla que describe una función lógica expresando todas las combinaciones posibles de valores de entrada y el valor de salida correspondiente a cada una de esas combinaciones. CF. **gate** *(Comput).*

truth value   *(Comput)* valor de verdad.

try   prueba, ensayo, tanteo ⫽⫽ *verbo:* probar, ensayar, tantear; procurar; intentar; poner a prueba; comprobar; purificar, afinar, refinar; derretir (p.ej. manteca) para separar las impurezas; derretir y clarificar (grasas) ‖ *(Marina)* capear.

try cock   *(Calderas, Máq de vapor)* llave [grifo, espita] de prueba; grifo de altura del agua; llave [grifo] de purga.

try square   *(Carp)* escuadra (de comprobación), escuadra de espaldón, cartabón, codal.

trying plane   *(Carp)* garlopín. Cepillo grande, aunque no tanto como la garlopa [jointing plane].

TSC   Abrev. de transmitter start code.

TSP   Abrev. de transponder.

TT   *(Teleg)* Abrev. de that; teletype; transfer by telegraph.

TTC   *(Telef)* Abrev. de terminating toll center.

TTD   Abrev. de two-tone diversity.

TTE   *(Teleg)* Abrev. de teletype error [error teletipográfico; error del teletipista].

TTL, T²L   Abrev. de transistor-transistor logic.

TTT   *(Teleg)* Abrev. de through; through traffic. Se usa en un puesto de transmisión para anunciar *tráfico de escala;* es decir, que precede a la transmisión de telegramas cuyo punto de destino no es la localidad de la estación corresponsal, y que, por tanto, han de ser retransmitidos por ésta.

TTY   Abrev. de teletype.

TU   *(Telef)* Abrev. de traffic unit ‖ *(Teleg)* Abrev. de thank you [gracias].

tub   barril, tonel; cuba, cubeta, tina, tinaco, artesa; bañera, bañadera.

tub.   Abrev. de tubular.

tub file   *(Informática)* fichero horizontal (abierto).

tuba   *(Mús)* tuba ‖ *(Organos)* tuba ‖ *(Radar)* (slang for a particular type of radar jamming transmitter) "tuba". Tipo particular de transmisor de perturbación radárica.

tube   tubo, canal, conducto, caño, caña, cañón, cañuto | *(slang)* telescopio ‖ *(Anat)* tubo, conducto; trompa ‖ *(Bot)* tubo; vaso ‖ *(Artillería/Municiones)* estopín ‖ *(Calderas)* tubo, flus ‖ *(Cerraduras/Llaves)* cañón ‖ *(Elec)* envolvente. Conducto tubular por el cual se tienden cables para protegerlos contra las acciones mecánicas exteriores o para facilitar el franqueo de ciertos obstáculos. SIN. **duct, pipe** (CEI/65 25–10–165). CF. **troughing** ‖ *(Cables coaxiles)* par, tubo | m-tube coaxial cable: cable de *m* pares coaxiles | n-tube armored cable: cable armado de *n* pares ‖ *(Elecn)* (*i.e.* electron tube) tubo (electrónico), válvula (electrónica). TB. lámpara (electrónica, de radio). LOCALISMOS: bombillo (de radio), bulbo. SIN. **valve** *(GB)* | (*i.e.* vacuum tube) tubo [válvula] al vacío | (*i.e.* thermionic tube) tubo termoiónico, válvula termoelectrónica | v.TB. **cathode-ray tube, display tube, storage tube, picture tube, gas tube, mercury-vapor tube** ‖ *(Radiol)* tubo. v.TB. **autoprotective tube, Coolidge tube, Crookes tube, gas tube, Lenard tube, metal tube** ‖ *(Mús: Organos)* taza ‖ *(Neumáticos)* cámara. TB. tubo (interior) ‖ *(Vías de tránsito)* túnel ‖ *(Ferroc)* metro (forma abreviada de *metropolitano*) | *(slang)* ferrocarril subterráneo. SIN. **tube railway** ‖ v.TB. **tube of. . .** ⫽⫽ *adj:* tubular ⫽⫽ *verbo:* entubar; proveer de tubos.

tube aging   *(Elecn)* envejecimiento [desgaste] de los tubos | curado [estabilización de características] de los tubos. v. **ager, aging.**

tube amplifier   *(Radio/Elecn)* amplificador de tubos (electrónicos), amplificador (a base) de tubos electrónicos [válvulas electrónicas, válvulas termoiónicas]. SIN. **amplificador electrónico.** CF. **transistor amplifier.**

tube bridge   puente de medida de tubos electrónicos, puente para la medida de características de tubos electrónicos [válvulas electrónicas al vacío]. SIN. **tube-factor bridge.**

tube calibrating receiver   receptor de calibración de tubos. Receptor de calibración en el que se utilizan tubos electrónicos.

tube capacities   *(Elecn)* capacidades interelectródicas del tubo, capacidades internas de la válvula | v. **tube capacity.**

tube capacity   *(Elecn)* capacidad debida a los tubos [las válvulas] | v. **tube capacities.**

tube characteristic   *(Elecn)* característica de tubo. Curva o gráfica que pone de manifiesto la relación entre la tensión y la corriente de un electrodo, en determinadas condiciones de trabajo, y que sirve para predecir el comportamiento del tubo en un circuito. CF. **tube coefficient, tube factor.**

tube checker   *(Elecn)* probador de tubos [de válvulas]. SIN. **tube tester.**

tube circuit   *(Elecn)* circuito de tubos [de válvulas].

tube coefficient   *(Elecn)* coeficiente de tubo. Característica constante de un tubo electrónico, como p.ej. el *factor de amplificación* [amplification factor], la *transconductancia* [transconductance], o la *resistencia de placa* [plate resistance]. CF. **tube characteristic.**

tube complement   *(Radio/Elecn)* dotación de tubos [de válvulas], equipo de válvulas; (lista de) válvulas. Conjunto de los tubos o válvulas utilizados en un aparato determinado; lista de esos tubos o válvulas con indicación de su número y tipos, y a veces, la función de cada uno en el circuito. CF. **tube kit.**

tube cooling   *(Elecn)* refrigeración del tubo [de los tubos].

tube count   *(Tubos contadores de radiación)* cuenta. Descarga completa o terminada producida por un fenómeno o suceso ionizante.

tube counter   contador de tubo | contador iónico tubular. Contador iónico [ion counter] de forma tubular.

tube coupling   acoplamiento entre tubos; acoplamiento para tubos sin costura.

tube cutoff   *(Elecn)* (punto de) corte del tubo.

tube cutter   cortatubos; cortador de tubos de vidrio.

tube detection   *(Radio)* detección por tubo [por válvula].

tube diaphragm   *(TRC, Tubos de rayos X)* diafragma (del tubo).

tube drop   *(Elecn)* v. **tube voltage drop.**

tube electrode   *(Elecn)* electrodo de tubo. CF. **tube element.**

tube electrometer   *(Aparatos de medida)* tubo electrómetro. Aparato en el que se emplea un tubo electrónico con corriente de rejilla despreciable (CEI/58 20–15–125).

tube element   *(Elecn)* elemento (interno) de tubo. Electrodo u otra parte de un tubo electrónico que interviene directamente en el funcionamiento de éste.

tube equipment   *(Elecn)* equipo a base de tubos, equipo valvular. Dícese a distinción de los equipos transistorizados [transistorized equipment] o de estado sólido [solid-state equipment].

tube expander   *(Herr)* abretubos, abridor de tubos; abocardador de tubos; mandriladora para tubos.

tube factor   *(Elecn)* coeficiente de tubo. SIN. **tube coefficient.**

tube-factor bridge   puente para medida de coeficientes de tubo. Circuito puente que sirve para medir una o más de las características dinámicas [dynamic characteristics] y otras constantes, tales como las capacitancias interelectródicas y la resistencia negativa, de tubos electrónicos. SIN. **tube bridge.**

tube failure   *(Elecn)* falla de tubo; avería por falla de tubo.

tube filament   *(Elecn)* filamento de tubo.

tube-flaring tool   abocardador de tubos. SIN. **tube expander.**

tube fuse   *(Elec)* fusible tubular [de cartucho].

tube generator   *(Radio/Elecn)* generador de tubo [de válvula].

tube guide   *(Elecn)* guía para tubos [para válvulas]. v. **tube pilot** | v. **tube-replacement guide (book).**

tube header   *(Calderas)* cabezal de tubos.

tube heating time   *(Elecn)* tiempo de encendido (de un tubo). v. **heating time** | tiempo de calentamiento (de un tubo de vapor de mercurio). v. **preheating time.**

tube input impedance   *(Elecn)* impedancia de entrada del tubo [de la válvula].

tube insulator   *(Elec)* aislador tubular, tubo aislador.

tube interchangeability   *(Elecn)* equivalencia [intercambiabilidad] de tubos [de válvulas].

tube interchangeability directory   guía de tubos [válvulas] equivalentes.

tube interchangeability guide   guía de tubos [válvulas] equivalentes.

tube interelectrode capacity   capacidad interelectródica del tubo [de la válvula].

tube kit   juego de tubos [de válvulas]. Conjunto de los tubos electrónicos que lleva un aparato o equipo. Puede referirse a los tubos que van normalmente con el aparato, o a un juego de reserva o repuesto. CF. **tube complement.**

tube lifter   *(Elecn)* levantatubos, levantaválvulas, extractor de tubos [de válvulas]. SIN. **tube puller.**

tube lineup   *(Radio/Elecn)* juego [equipo] de tubos [de válvulas] (de un aparato dado). SIN. **tube complement.**

tube mount   soporte de tubo (electrónico), montura de válvula (electrónica).

tube noise   ruido de tubo [de válvula]. Ruido originado en un tubo electrónico. SIN. **ruido de fondo.** CF. **shot effect, shot noise, thermal-agitation noise.**

tube of flux   tubo de flujo. Porción del espacio limitada por el conjunto de las líneas de flujo que pasan por todos los puntos de un contorno cerrado (CEI/38 05–05–055). SIN. **flux tube.**

tube of force   tubo de fuerza, tubo de campo. Porción del espacio limitada por el conjunto de las líneas de fuerza (de campo) que pasan por un contorno cerrado (CEI/56 05–01–090). CF. **unit tube.**

tube of magnetic induction   tubo de inducción magnética. Circuito magnético tubular cuyo flujo magnético es el mismo en cualquiera de sus secciones.

tube oscillator   *(Radio/Elecn)* oscilador de tubo.

tube outage   *(Elecn)* falla de un tubo; avería [interrupción] por falla de un tubo.

tube output   *(Elecn)* salida del tubo.

tube pilot   guía para tubos [para válvulas]. Pieza que se agrega a un tubo electrónico miniatura para facilitar su inserción en el zócalo o receptáculo cuando éste queda oculto a la vista. La guía tiene la forma de un disco delgado con agujeros por los cuales pasan los alfileres del tubo, y tiene una espiga central que permite localizar fácilmente el centro del receptáculo. SIN. **tube guide.**

tube pin   *(Elecn)* alfiler [espiga, patilla] de tubo [de válvula].

tube placement chart   *(Radio/Elecn)* cuadro [esquema] de localización de los tubos, diagrama de colocación de las válvulas.

tube plate   *(Calderas, Locomotoras de vapor)* placa tubular [de tubos]. Placa o chapa donde están insertados los tubos de calefacción.

tube puller   levantatubos, levantaválvulas, extractor de tubos [de válvulas]. Herramienta para sacar del zócalo los tubos electrónicos sin necesidad de esperar a que se enfríen; el tipo corriente toma el tubo por succión. SIN. **tube lifter.**

tube receiver   *(Radio)* receptor de tubos (electrónicos).

tube rejuvenator   reactivador ["rejuvenecedor", "reanimador"] de tubos electrónicos.

tube relay   relé de tubo (electrónico), relevador de válvula (electrónica).

tube replacement   reemplazo de tubos (electrónicos), substitución de válvulas (electrónicas).

tube-replacement guide (book)   guía para (el) reemplazo de tubos (electrónicos), guía para (la) substitución de válvulas (electrónicas). CF. **tube interchangeability guide.**

tube separator   separador de tubos.

tube shield(ing)   *(Elec)* blindaje de tubo (electrónico) [de válvula (electrónica)].

tube socket   *(Elecn)* portatubo, portaválvula, zócalo de tubo [de válvula], zócalo [receptáculo] portaválvula, soporte de tubo (electrónico), portalámpara. Receptáculo de material aislante que sirve para darle soporte mecánico a un tubo o válvula y establecer las conexiones eléctricas a los terminales del mismo.

tube socket voltage   tensión en el portatubo [portaválvula]. Tensión medida entre uno de los contactos del portatubo y otro punto del circuito de que forme parte el tubo, como p.ej. un punto al potencial de masa (chasis).

tube-substitution book   manual de tubos [válvulas] equivalentes. SIN. **tube interchangeability guide.**

tube test schedule   programa de pruebas periódicas de tubos (electrónicos).

tube tester   probador [comprobador] de tubos [de válvulas]. Aparato destinado a medir e indicar el estado de los tubos electrónicos.

tube transformer   transformador para tubos luminosos [de neón].

tube transmitter   *(Radio)* transmisor de tubos.

tube voltage drop   caída de tensión (en un tubo electrónico). Valor de la tensión anódica [anode voltage] cuando el tubo está en estado de conducción. SIN. **valve voltage drop** (CEI/56 07–27–040).

tube voltmeter   voltímetro valvular [de tubo al vacío], voltímetro electrónico. v. **vacuum-tube voltmeter.**

tubeless   *adj: (Elecn)* sin tubos (electrónicos), sin válvulas termoiónicas.

tubeless fuse   *(Elec)* fusible sin tubo [sin cartucho].

tubeless tire   neumático sin cámara [sin tubo interior].

tubes-type plate   *(Acum)* placa de tubos. Placa positiva de acumulador alcalino [alkaline storage battery] que consiste en un conjunto de tubos metálicos llenos de materia activa [active materials] (CEI/60 50–20–095). CF. **tubular plate.**

tubing   tubo, tubería. LOCALISMO: caño | entubado; tubuladura; conducto || *(Elec)* tubería aislante; manguito aislante (para forrar cables, aislar terminales, etc.).

tubular   *adj:* tubular, en forma de tubo; tubular, hecho de tubos, hecho con tubos.

tubular busbar   *(Elec)* barra de distribución tubular.

tubular capacitor   capacitor [condensador] tubular. Capacitor o condensador en forma de cilindro, cuyos conductores de conexión salen en dirección axil por los extremos o por uno de ellos. Se trata de un condensador de papel o electrolítico que se forma colocando tiras largas de papel metálico (las placas) separadas por tiras aislantes (dieléctrico) y arrollando luego apretadamente el conjunto. SIN. **tubular condenser.**

tubular condenser   condensador [capacitor] tubular. v. **tubular capacitor.**

tubular discharge lamp   *(Alumbrado)* tubo luminiscente. Lámpara de descarga [discharge lamp] en forma de tubo rectilíneo o curvo (CEI/58 45–40–075) | lámpara tubular de descarga.

tubular drop   *(Telecom)* indicador acorazado.

tubular frame   armazón de tubos; bastidor tubular, marco de tubos.

tubular incandescent lamp   *(Alumbrado)* lámpara incandescente tubular, lámpara tubular de incandescencia.

tubular insulator   *(Elec)* aislador tubular.

tubular line lamp   *(Alumbrado)* lámpara de filamento rectilíneo.

tubular mast   mástil tubular.

tubular-mounting magnifier   *(Opt)* lupa de montura tubular.

tubular pinch   *(Fís)* estricción tubular.

tubular plate   *(Acum)* placa de tubos. Placa de acumulador compuesta de un conjunto de tubos de acero niquelado y perforado que contienen la materia activa (CEI/38 50–15–110). CF. **tubes-type plate.**

tubular probe   sonda tubular.

tubular rivet   remache tubular.

tubular-shank rivet   remache de fuste hueco.

tubular source   *(Nucl)* fuente tubular.

tubular spar   *(Avia)* larguero tubular.

tubular steel   acero para tubos.

tubular steel frame   armazón de tubos de acero.

tubular tank   *(Transf)* cuba con enfriamiento por tubos.

tubular twin-conductor cable   cable bifilar tubular.

tubular waveguide   guíaondas [guía de ondas] tubular.

tubulate   *verbo:* tubular; dar forma de tubo; meter en tubos.

tubulating machine   entubadora, máquina de entubar || *(Fab de tubos elecn)* máquina de tubulación.

tubulation   entubación || *(Fab de tubos elecn)* tubulación.

tubulature, tubulure   tubuladura; tubulación.

tubule   tubito.

tubulous   *adj:* tubuloso, tubular, tubulado.

Tudor plate   *(Acum)* placa Tudor. Placa de gran superficie obtenida por fundición (CEI/38 50–15–085).

tulip   *(Bot)* tulipán, tulipa || *(Industria maderera)* tulipero.

tulip tree   tulipero, tulipanero.

tulip-type valve   (a.c. tulip valve) válvula de tipo tulipán; válvula de asiento cónico.

tulip valve   v. **tulip-type valve.**

tumble   tumbo, caída, vuelco /// *verbo:* caer (dando vueltas); dar en tierra, venirse abajo, desplomarse; dar vueltas; darse vuelta; revolcarse; revolver; tamborear (dar vueltas en un tambor giratorio para limpiar, desarenar, desrebabar, pulir, etc.).

tumble card   *(Informática)* tarjeta invertida.

tumbler   cubilete; vaso (para agua, para beber); cortadillo (vaso

pequeño cilíndrico) | tentemozo, dominguillo | volteador, volatinero, saltabanco(s), titiritero. LENGUAJE FAMILIAR: saltimbanco, saltimbanqui || *(Buques)* disparador de ancla || *(Dragas)* tambor, prisma || *(Cardas)* tambor; cilindro transportador || *(Cerraduras)* tumbador, volcador, rodete; fiador, seguro || *(Industria)* tambor (giratorio) || *(Funderías)* tambor desarenador || *(Mec)* tambor; basculador; contrapeso || *(Mecanismos de carillón)* volteador || *(Ornitología)* paloma volteadora, pichón volteador.

tumbler lock   cerradura de vueltas.

tumbler switch   *(Elec)* interruptor de volquete [de ruptura brusca]. Conmutador unipolar de ruptura brusca accionado por una palanquita con perilla redonda | conmutador oscilante.

tumbling   *(Industria)* tamboreo, tamboreación. Operación de limpieza, desarenado, desrebabado, pulido, etc., que se efectúa colocando las piezas en el interior de un tambor o cilindro hueco giratorio con un abrasivo u otro agente || *(Giróscopos libres)* desestabilización, pérdida de control al hacerse coplanares los dos sistemas de referencia [frames of reference].

tunability   sintonizabilidad; facilidad de sintonización; características de sintonización.

tunable   *adj:* *(Radio, Elecn)* sintonizable, acordable, que puede sintonizarse, capaz de ser acordado; de sintonía [frecuencia] variable | **continuously tunable from X to Y:** sintonizable sin solución de continuidad entre X e Y [desde X hasta Y] || *(Mús)* acordable, afinable, templable, que se puede templar; armonioso, cantable, musical.

tunable band   *(Rec)* banda de sintonía manual. Dícese en oposición a los canales de sintonía fija mediante cristal.

tunable capacitive element   elemento capacitivo sintonizable.

tunable cavity   *(Microondas)* cavidad sintonizable. Cavidad resonante cuya frecuencia de resonancia puede ajustarse mediante uno o más tornillos de sintonización (v. **tuning screw**) o por medio de uno o más írises (v. **iris**).

tunable-cavity filter   filtro de cavidad sintonizable.

tunable echo box   *(Radar)* caja de ecos de cavidad sintonizable. Cavidad sintonizable utilizada como resonador de ecos artificiales.

tunable filter   filtro sintonizable.

tunable inductive element   elemento inductivo sintonizable.

tunable magnetron   magnetrón sintonizable [de frecuencia variable].

tunable maser   maser sintonizable.

tunable molecular oscillator   oscilador molecular sintonizable.

tunable oscillator   oscilador sintonizable [de frecuencia variable]. SIN. **variable-frequency oscillator.**

tunable probe   sonda sintonizable | v. **traveling probe.**

tunable receiver   *(Radiocom)* receptor de sintonía variable [manual]. Dícese en oposición a los receptores de sintonía fija mediante cristal piezoeléctrico. CF. **tunable band.**

tunable selective feedback   realimentación [retroalimentación] selectiva sintonizable.

tunable tunnel-diode amplifier   amplificador de diodo Esaki [diodo de efecto túnel] sintonizable.

tune   *(Mús)* aire, melodía, son, tonada; tañido, tono; afinación, concordancia, armonía | **in tune:** afinado, acordado || *(Radio)* **in tune:** sintonizado, acordado /// *verbo:* *(Mús)* afinar, acordar, entonar, templar || *(Radio)* sintonizar, acordar, ajustar a resonancia | acordar. Modificar las condiciones de un circuito oscilante en forma tal que entre en sintonía con otro (CEI/38 60–05–140) | variar la frecuencia (de un oscilador); variar la frecuencia de resonancia (de un circuito o sistema) | **to tune a receiver:** sintonizar un receptor | **to tune to resonance:** ajustar a resonancia | **to tune across the band:** recorrer la banda | **to tune an oscillator through the audio range:** recorrer con un oscilador la gama de audiofrecuencias | **to tune a station:** sintonizar una estación.

tune in   *verbo:* sintonizar (una estación, una señal) | **to tune in a station:** sintonizar una estación; sintonizarse con una estación.

tune meter   v. **tuning meter.**

tune out   *verbo:* desintonizar; eliminar [excluir] (una señal) por sintonización, eliminar (una señal) por medio de la sintonía.

tune up   *verbo: (Motores)* afinar, reglar, poner a punto.

tune-up   v. tuneup.

tuneable   *adj:* v. tunable.

tuned   *adj: (Mús)* afinado, templado ‖ *(Radio)* sintonizado, acordado, ajustado a resonancia ‖ *(Motores)* afinado, reglado, puesto a punto.

tuned aerial   antena sintonizada. v.TB. tuned antenna.

tuned amplifier   amplificador sintonizado [selectivo]. Amplificador cuya carga es un circuito resonante, con el resultado de que la impedancia de carga y la ganancia del amplificador varían con la frecuencia.

tuned-anode circuit   circuito de ánodo sintonizado.

tuned-anode coupling   acoplamiento de ánodo sintonizado.

tuned-anode oscillator   oscilador de ánodo sintonizado. Oscilador de válvula electrónica al vacío cuya frecuencia está determinada por un circuito resonante intercalado en el circuito de ánodo de la válvula. SIN. tuned-plate oscillator.

tuned antenna   antena sintonizada [resonante]. Antena cuyos valores de capacitancia e inductancia propias la ponen en resonancia a la frecuencia de trabajo deseada. CF. aperiodic antenna.

tuned audio amplifier   audioamplificador sintonizado [selectivo].

tuned audio-frequency amplifier   audioamplificador sintonizado, amplificador de audiofrecuencia selectivo. v. tuned amplifier.

tuned-base oscillator   oscilador de base sintonizada. Oscilador de transistor cuya frecuencia está determinada por un circuito resonante intercalado en el circuito de base.

tuned cavity   cavidad sintonizada [resonante], resonador de cavidad. SIN. cavity resonator, resonating cavity. CF. tunable cavity.

tuned circuit   (a.c. tuning circuit) circuito sintonizado [acordado]; circuito sintonizable. Circuito ajustado o ajustable a resonancia con una frecuencia deseada dentro de cierta gama ‖ circuito sintonizado. Circuito oscilante ajustado a resonancia para una oscilación periódica sinusoidal dada (CEI/70 60–12–005) ‖ circuito oscilante [resonante]. SIN. tank circuit.

tuned-circuit oven   horno [cámara termostática] para circuito sintonizado. Recinto termoestabilizado en el cual se mantiene un circuito sintonizado para evitar que su frecuencia varíe por variación de la temperatura. v.TB. crystal oven.

tuned-collector oscillator   oscilador de colector sintonizado. Oscilador de transistor cuya frecuencia está determinada por un circuito resonante intercalado en el circuito de colector.

tuned detector   detector sintonizado.

tuned dipole   dipolo sintonizado, dipolo que resuena a la frecuencia de trabajo. SIN. tuned doublet.

tuned doublet   dipolo sintonizado. SIN. tuned dipole.

tuned filter   filtro sintonizado. Filtro eléctrico a base de circuitos resonantes.

tuned-filter oscillator   oscilador de filtro sintonizado. Oscilador electrónico que utiliza un filtro sintonizado.

tuned-grid circuit   circuito de rejilla sintonizada.

tuned-grid coupling   acoplamiento de rejilla sintonizada.

tuned-grid impedance   impedancia de rejilla sintonizada. En ciertas etapas amplificadoras de radiofrecuencia, impedancia de rejilla constituida por un circuito resonante paralelo.

tuned-grid oscillator   oscilador de rejilla sintonizada. Oscilador de válvula electrónica al vacío cuya frecuencia está determinada por un circuito resonante intercalado en el circuito de rejilla de la válvula.

tuned-grid tuned-anode oscillator   oscilador de rejilla y ánodo sintonizados. Oscilador de válvula electrónica al vacío con circuitos resonantes paralelos intercalados en los circuitos de rejilla y de ánodo, y en el cual la realimentación positiva necesaria para mantener las oscilaciones ocurre por la capacitancia entre los

mencionados electrodos. SIN. tuned-grid tuned-plate oscillator.

tuned-grid tuned-plate oscillator   oscilador de rejilla y placa sintonizadas [de rejilla y ánodo sintonizados].

tuned harmonic ringing   *(Telecom)* llamada armónica sintonizada. CF. undertuned harmonic ringing.

tuned-line amplifier   amplificador (del tipo) de línea sintonizada, amplificador de línea resonante. SIN. resonant-line amplifier.

tuned load   *(Tr)* carga sintonizada. Carga constituida por un circuito resonante ajustable. CF. tuned amplifier.

tuned not-tuned oscillator, TNT oscillator   *(Radio) (i.e.* tuned-plate not-tuned-grid oscillator) oscilador de placa sintonizada, oscilador "TNT". Oscilador de válvula electrónica al vacío con circuito de placa (ánodo) sintonizado y circuito de rejilla no sintonizado.

tuned-plate circuit   circuito de placa sintonizada.

tuned-plate impedance   impedancia de placa sintonizada. En ciertas etapas de radiofrecuencia con válvula electrónica al vacío, circuito resonante paralelo que forma la impedancia de carga de placa (ánodo). CF. tuned-grid impedance.

tuned-plate oscillator   oscilador de placa sintonizada [de ánodo sintonizado]. v. tuned-anode oscillator.

tuned-plate tuned-grid oscillation   oscilación de placa y rejilla sintonizadas. Oscilación de una etapa de radiofrecuencia con circuitos de placa y de rejilla sintonizados.

tuned-plate tuned-grid oscillator   oscilador de placa y rejilla sintonizadas [de ánodo y rejilla sintonizados]. v. tuned-grid tuned-anode oscillator.

tuned radio-frequency [TRF]   radiofrecuencia sintonizada [RFS].

tuned radio-frequency amplifier   amplificador de radiofrecuencia sintonizada. Amplificador de RF con todos los circuitos resonantes sintonizados a la frecuencia de la señal radioeléctrica recibida en antena.

tuned radio-frequency receiver, TRF receiver   receptor de radiofrecuencia sintonizada, receptor de RFS, receptor de amplificación directa, receptor sin frecuencia intermedia. Receptor en el cual la amplificación en radiofrecuencia se efectúa toda a la frecuencia de la señal recibida en antena. SIN. straight receiver.

tuned radio-frequency reception   recepción de radiofrecuencia sintonizada, recepción de amplificación directa. SIN. straight reception (véase).

tuned radio-frequency stage   etapa de radiofrecuencia sintonizada. Etapa de amplificación sintonizable a la radiofrecuencia recibida en antena.

tuned radio-frequency transformer   transformador de radiofrecuencia sintonizada. Transformador de acoplamiento de dos etapas amplificadoras de radiofrecuencia.

tuned-reed frequency meter   frecuencímetro de lengüetas. SIN. Frahm frequency meter, vibrating-reed frequency meter.

tuned-reed relay   relé de resonancia. Relé con una lámina o lengüeta vibrante, u otro artificio de resonancia, que limita su respuesta a las corrientes de determinada frecuencia.

tuned resonating cavity   cavidad resonante sintonizada.

tuned RF   v. tuned radio-frequency.

tuned rope   cintas (metálicas) antirradar resonantes. Cintas metálicas antirradar de diversas longitudes calculadas para que resuenen a diferentes frecuencias particulares.

tuned stub   *(Sist de RF)* tocón sintonizado, adaptador resonante.

tuned transformer   transformador sintonizado. Transformador cuyo secundario lleva asociados elementos que se ajustan para obtener resonancia a la frecuencia de la corriente suministrada al primario, con lo cual la tensión secundaria alcanza valores más altos que los obtenidos de otro modo.

tuned voltage amplifier   amplificador de tensión sintonizado [selectivo]. v. tuned amplifier.

tuned voltmeter   voltímetro sintonizado [selectivo].

tuner   *(Radio)* sintonizador, bloque de sintonía, selector (de estaciones) ‖ *(Televisores)* sintonizador, bloque de sintonía, unidad de sintonización, selector (de canales). Normalmente contiene el amplificador de RF, el oscilador local, y la etapa mezcladora ‖ *(Sist audiomusicales)* sintonizador, radio, receptor, (chasis) radiorreceptor. Receptor de radio de alta calidad (que casi siempre es de MF o tiene una banda de MF), desprovisto de amplificación de potencia, y cuya salida de audiofrecuencia se acopla al preamplificador de control o a un amplificador de potencia ‖ sintonizador, dispositivo de sintonización ‖ CF. **antenna tuner** ‖ *(Mús)* afinador, templador.

tuner-amplifier combination   conjunto de sintonizador y amplificador.

tuner circuit   v. **tuning circuit.**

tuner house   *(Radio)* caseta de acoplamiento. Caseta próxima a la base de una antena de transmisión, y que aloja los elementos de acoplamiento y sintonización de esta última. SIN. **doghouse.**

tuneup   sintonización ‖ *(Mot)* afinación, reglaje, puesta a punto ‖ *(Mús)* afinación, templadura.

tungar bulb   *(Elecn)* tubo tungar. v. **tungar tube.**

tungar rectifier   rectificador tungar. Rectificador en el cual se emplea un tubo tungar [tungar tube].

tungar tube   (a.c. tungar bulb) tubo tungar. Rectificador de la clase de los fanotrones (v. **phanotron**) con ánodo de disco de grafito, cátodo toriado de calentamiento directo, y atmósfera de argón a baja presión. Se utiliza principalmente en cargadores de batería y para alimentar electroimanes.

tungstate   *(Quím)* tungstato. TB. volframato, volframiato, wolframato.

tungsten   tungsteno. TB. volframio, wolframio, wolfram. Elemento metálico duro de número atómico 74. Se usa en los filamentos de ciertas válvulas termoelectrónicas, por su gran poder de emisión; en los anticátodos de tubos de rayos X; en electrodos de saltachispas; en contactos de relé; etc. Su punto de fusión es 3 370° C. Símbolo: W. La voz *tungsten* es del sueco y significa *piedra pesada*. SIN. **wolfram.**

tungsten arc   *(Elec)* arco entre electrodos de tungsteno.

tungsten arc lamp   *(Alumbrado)* lámpara de arco de tungsteno. Lámpara pequeña y de gran intensidad luminosa, en la cual se produce un arco entre electrodos de tungsteno en atmósfera de gas inerte.

tungsten arc spot welding   soldadura por puntos con arco de electrodo de tungsteno.

tungsten argon arc welding   soldadura por arco en (atmósfera de) argón con electrodo de tungsteno.

tungsten contact   *(Elec)* contacto de tungsteno.

tungsten disk   disco de tungsteno. Elemento constructivo de tubos de rayos X.

tungsten filament   filamento de tungsteno. Se utiliza en lámparas incandescentes y en válvulas termoiónicas al vacío.

tungsten-filament candelabra-based lamp   lámpara de filamento de tungsteno con casquillo de candelabro [casquillo de $\frac{1}{2}$ pulgada con 10 filetes de rosca por pulgada].

tungsten-filament lamp   (a.c. tungsten lamp) lámpara de filamento de tungsteno. Lámpara incandescente cuyo cuerpo luminoso está constituido por un filamento de tungsteno.

tungsten inert-gas welding   soldadura por arco en (atmósfera de) gas inerte con electrodo de tungsteno.

tungsten lamp   v. **tungsten-filament lamp.**

tungsten ribbon lamp   *(Alumbrado)* lámpara de filamento de cinta (de wolframio). Lámpara de incandescencia [incandescent lamp] cuyo cuerpo luminoso está constituido por una cinta de wolframio (tungsteno). NOTA: Este tipo de lámpara es particularmente empleado como patrón en pirometría [pyrometry] y en espectrorradiometría [spectral radiometry] (CEI/70 45–40–305).

tungsten steel   acero al tungsteno.

tuning   sintonización, sintonía. (1) Ajuste a resonancia; variación de la capacitancia o de la inductancia de un circuito resonante para que responda a determinada frecuencia o bloquee determinada frecuencia. (2) En los receptores, ajuste de los circuitos

resonantes para que el aparato capte la señal deseada. (3) En los transmisores, ajuste de los circuitos resonantes de modo que el equipo funcione con máximo rendimiento a la frecuencia de emisión asignada | sintonía. Acción de regular un circuito con el objeto de obtener el máximo o el mínimo de una magnitud especificada (corriente, tensión, impedancia, reactancia, etc.) ligada a oscilaciones forzadas [forced oscillations], cuando la frecuencia de la excitación exterior corresponde aproximadamente a una frecuencia propia [natural frequency] del sistema. EJEMPLOS: *sintonización por capacidad* [capacitive tuning]: sintonización obtenida haciendo variar una capacidad; *sintonización por inductancia* [inductive tuning]: sintonización obtenida haciendo variar una inductancia (CEI/70 60–12–010). CF. **permeability tuning, tracking, trimming** ‖ *(Mús)* afinación ‖ *(Motores)* afinación, reglaje, puesta a punto ∭ *adj:* sintonizante, sintonizador, de sintonización, de sintonía, de acuerdo.

tuning band   *(Radio)* banda de sintonización [de sintonía].

tuning board   *(Pianos)* clavijero de acorde.

tuning capacitor   *(Radio)* condensador de sintonización [de sintonía], condensador variable (de sintonía). En el caso de los receptores es común llamarle sencillamente *condensador variable*. En España se usa también el sinónimo *condensador (variable) de acuerdo.* SIN. **tuning condenser.**

tuning cavity   cavidad sintonizadora [de sintonización].

tuning circuit   circuito sintonizador [de sintonía]; circuito sintonizable. SIN. **tuned circuit** | circuito oscilante [resonante]. SIN. **tank circuit.**

tuning coil   bobina de sintonía [de sintonización]. Bobina de inductancia variable utilizada para sintonizar.

tuning component   componente de sintonía [de sintonización], elemento sintonizante.

tuning condenser   *(Radio)* v. **tuning capacitor.**

tuning constant   constante de sintonía.

tuning control   control [mando] de sintonía.

tuning-control dial   cuadrante de sintonía.

tuning core   núcleo de sintonía [de sintonización]. Núcleo de ferrita cuyo ajuste de penetración en una bobina o transformador sirve para variar la inductancia.

tuning creep   *(Osc)* deslizamiento por ciclado de sintonía, variación (de una característica) por ciclado repetido del elemento de sintonía.

tuning drawer   *(Tr)* gaveta de sintonía.

tuning drive ratio   razón de mando del cuadrante de sintonía. La razón es 1:1 cuando el mando es directo [direct drive].

tuning eye   *(Rec)* indicador catódico de sintonía, ojo mágico de sintonía. SIN. **cathode-ray tuning indicator.**

tuning fork   diapasón.

tuning-fork clock   reloj de diapasón. Reloj regulado por un diapasón cuyas oscilaciones son entretenidas eléctricamente (CEI/58 35–35–040).

tuning-fork drive   *(Osc)* regulación por diapasón.

tuning-fork gyrotron   giroscopio vibrador [de diapasón]. v. **gyrotron.**

tuning-fork interrupter   interruptor de diapasón.

tuning-fork oscillator   oscilador de diapasón. Oscilador regulado por diapasón. Oscilador perteneciente a la clase de los electromecánicos, que se utiliza para frecuencias de la gama musical y se caracteriza por su gran estabilidad y buena forma de onda.

tuning-fork-oscillator drive   oscilador (maestro) de diapasón. Oscilador maestro electromecánico que comprende un diapasón de entretenimiento eléctrico (CEI/70 60–42–195).

tuning-fork resonator   resonador de diapasón. Resonador constituido por un diapasón cuyas oscilaciones son entretenidas eléctricamente.

tuning frequency   frecuencia de sintonía [de sintonización, de acuerdo].

tuning gang   tándem de sintonía. Conjunto de dos o más condensadores variables mandados por un mismo eje, y destinado a la sintonización de un receptor. Si es de dos secciones (dos condensadores variables), una sintoniza el oscilador local y la otra el circuito de entrada del mezclador; si es de tres secciones, la tercera sintoniza una etapa de RF o forma parte de un circuito resonante de RF anterior al mezclador y destinado a aumentar la selectividad del aparato. La sección del oscilador local se identifica en la generalidad de los casos por tener recortadas las placas móviles; así se logra que la frecuencia del oscilador local [local oscillator] sea siempre más alta que la de la señal de RF recibida, y tal que la diferencia entre ambas frecuencias sea igual a la frecuencia intermedia [intermediate frequency] del receptor.

tuning house   *(Ant)* caseta de acoplamiento. SIN. **doghouse, tuner house** (véase).

tuning-in (of a station)   sintonización (de una estación).

tuning indicator   indicador de sintonía [de sintonización]. Dispositivo que indica cuando el receptor de que forma parte ha quedado exactamente sintonizado. v. **cathode-ray tuning indicator, tuning-indicator tube, tuning meter.**

tuning-indicator eye   *(Rec)* indicador catódico de sintonía, ojo indicador [ojo mágico] de sintonía. SIN. **magic eye, tuning eye, tuning-indicator tube.**

tuning-indicator tube   *(Rec)* tubo indicador de sintonía, indicador catódico de sintonía. Catoscopio (tubo de rayos catódicos) con un blanco o pantalla fluorescente mandado por la tensión de control automático de sensibilidad del receptor, de manera que las variaciones de dicha tensión hacen variar el área fluorescente; así se obtiene una indicación visual precisa del ajuste que pone al aparato en sintonía exacta con la estación deseada. SIN. **cathode-ray tuning indicator.**

tuning inductance   inductancia de sintonía [de sintonización]. Inductancia variable utilizada para sintonizar.

tuning inductor   inductor de sintonía [de sintonización]. Inductor variable utilizado para sintonizar. SIN. **tuning coil.**

tuning key   *(Mús)* (llave de) afinador.

tuning knob   botón de sintonía, perilla de sintonía [de sintonización].

tuning law   ley de sintonía.

tuning meter   instrumento indicador de sintonía [de sintonización], medidor (indicador) de sintonía. Instrumento de aguja y cuadrante utilizado como indicador de sintonía [tuning indicator].

tuning pin   *(Instr mus de cuerda)* clavija. SIN. **peg.**

tuning plunger   *(Microondas)* pistón de sintonización. CF. **miscellaneous matching and tuning devices.**

tuning probe   sonda de sintonía [de sintonización]. Organo esencialmente no disipativo de penetración ajustable en un resonador de cavidad o de guíaondas.

tuning range   margen de sintonía, gama [campo, intervalo] de sintonización. SIN. **tuning band | ten-to-one [10:1] tuning range:** gama de sintonía con límites en relación 10:1.

tuning rate   v. **tuning ratio.**

tuning ratio   reducción del mecanismo [sistema] de sintonía, desmultiplicación del cuadrante de sintonía. Se dice que la reducción o desmultiplicación es de p.ej. 60:1 si la perilla da sesenta vueltas por cada vuelta del cuadrante, suponiendo éste circular.

tuning resolution   resolución de (la) sintonía.

tuning screw   *(Microondas)* tornillo de sintonía [de sintonización]. Tornillo de penetración ajustable en un resonador de cavidad o de guíaondas y que sirve para sintonizar o adaptar impedancias. CF. **tuning plunger.**

tuning sensitivity   sensibilidad de sintonía. Rapidez de variación de una frecuencia de resonancia o de oscilación respecto al cambio de posición del elemento de mando o la variación de un parámetro de control eléctrico.

tuning sharpness   agudeza de (la) sintonía.

tuning shop   taller de sintonización (de equipos de radio).

tuning strip   regleta de sintonía ‖ *(Magnetrones)* lámina de sintonización ‖ *(Microondas)* cinta [banda] de sintonización.

tuning stub   *(Sist de RF)* adaptador ajustable, adaptador sintonizador, impedancia de equilibrio, línea auxiliar corta de sintonía, tocón adaptador de impedancias. (**1**) Uno de varios elementos de impedancia, generalmente ajustables, que se conectan a intervalos regulares a lo largo de una línea de transmisión con el fin de mejorar la distribución de tensiones. (**2**) Trozo de línea (usualmente en cortocircuito por su extremo libre) que se conecta a una línea de transmisión a los efectos de adaptar impedancias, y que puede ser coaxil o bifilar plana.

tuning susceptance   susceptancia de sintonía [de sintonización].

tuning time constant   constante de tiempo de sintonía.

tuning unit   sintonizador, bloque de sintonía, unidad de sintonización; dispositivo de sintonización.

tuning vernier   vernier de sintonía, nonio para ajuste fino de sintonía.

tuning wand   varita de sintonía. Varita de material aislante con una pieza de hierro pulverizado en una de sus extremidades y una de latón en la otra. Introduciendo la primera extremidad en una bobina, aumenta la inductancia, e introduciendo la segunda, disminuye la inductancia de la bobina. Así se modifica temporalmente, con fines de prueba, la sintonía del correspondiente circuito. CF. **loop stick, neutralizing tool, tuning probe.**

tunnel   túnel ⫻ *verbo:* perforar [excavar] un túnel.

tunnel action   *(Elecn)* efecto túnel, filtración cuántica. v. **tunnel effect.**

tunnel cathode   *(Elecn)* cátodo de (efecto) túnel.

tunnel current   *(Elecn)* corriente de efecto túnel.

tunnel diode   *(Elecn)* diodo de (efecto) túnel, diodo Esaki. Diodo semiconductor fundado en el efecto túnel [tunnel effect], caracterizado por presentar resistencia negativa en sentido directo en una porción de su margen de funcionamiento. Consiste en un diodo de unión PN muy abrupta entre regiones fuertemente impurificadas o "dopadas". Esto da por resultado una filtración cuántica [quantum-mechanical tunneling] a través de la unión, convirtiéndola en una impedancia de poco valor a tensión nula entre sus dos lados. Cuando el diodo se polariza en sentido directo y la tensión aumenta, aparece una región de resistencia negativa, pasada la cual el comportamiento es el de una unión PN normal. Cuando, mediante la polarización conveniente, el diodo de efecto túnel trabaja en la región de resistencia negativa [negative resistance], es capaz de producir ganancia a frecuencias superiores a los 40 GHz. NOTA: Este dispositivo fue ideado por el físico japonés Dr. Leo Esaki en 1957. SIN. **Esaki diode.**

tunnel disease   *(Medicina)* enfermedad caisson, embolia gaseosa, parálisis de los buzos. v. **bends.**

tunnel dryer   secador de túnel, túnel de secado. SIN. **drying tunnel.**

tunnel effect   *(Elecn)* efecto túnel, filtración cuántica. SIN. **quantum leakage, quantum-mechanical tunneling, tunnel action, tunneling effect |** efecto túnel. Cruce de una colina de potencial [potential hill] por una partícula, por debajo de la cresta, que sería imposible según la mecánica clásica [classical mechanics], pero cuya probabilidad no es nula según la mecánica ondulatoria [wave mechanics], si el espesor de la colina es suficientemente pequeño. La onda asociada a la partícula se refleja casi totalmente en la primera pendiente o ladera [slope], pero una pequeña fracción atraviesa la colina. NOTA: Este fenómeno es análogo a la formación de ondas evanescentes [evanescent waves], que atraviesan una hoja metálica [metal leaf] de poco espesor al mismo tiempo que hay reflexión total [total reflection] (CEI/ 56 07–16–015).

tunnel emission   *(Elecn)* emisión por efecto túnel.

tunnel furnace   horno de túnel [de galería]. Horno tubular o en forma de túnel.

tunnel kiln   horno de túnel.

tunnel oven   horno de túnel.

tunnel rectifier   *(Elecn)* rectificador de (efecto) túnel.

tunnel resistor   *(Elecn)* resistor de (efecto) túnel.

tunnel shaft   pozo de acceso a un túnel. Excavación en forma de tubo y de dirección vertical, ejecutada desde el nivel del terreno superior a un túnel, hasta el suelo de éste, creando un acceso directo hasta la excavación del túnel.

tunnel triode   triodo de (efecto) túnel. Dispositivo semejante a un transistor cuya unión emisor-base es igual a la de un diodo de efecto túnel (v. **tunnel diode**) y cuya unión colector-base es igual a la de un diodo normal.

tunneling   tunelización; acción de pasar como a través de un túnel; perforación; trabajo subterráneo; construcción de túneles ‖ (*Elecn*) (*i.e.* quantum-mechanical tunneling) efecto túnel, filtración cuántica. v. **tunnel efect.**

tunneling effect   (*Elecn*) efecto túnel, filtración cuántica. v. **tunnel effect.**

turbidimeter   turbidímetro. Instrumento que sirve para medir la turbiedad de un líquido o la proporción de materias sólidas que el mismo contiene en suspensión.

turbidimetric   *adj:* turbidimétrico.

turbidimetry   turbidimetría.

turbidity   turbiedad, turbidez, turbieza, calidad de turbio.

turbine   (*Mec*) turbina.

turbine blade   paleta [álabe] de turbina.

turbine-driven   *adj:* accionado [movido, propulsado] por turbina.

turbine-driven set   (*Elec*) (grupo) turbogenerador; grupo turbo-alternador. SIN. **turbogenerator set.**

turbine-electric propulsion   propulsión turboeléctrica. SIN. **turboelectric drive.**

turbine engine   (motor de) turbina.

turbine generator   (*Elec*) turbogenerador; turboalternador. SIN. **turbogenerator.**

turbine-generator unit   (*Elec*) grupo turbogenerador; grupo turboalternador. SIN. **turbogenerator set.**

turbine-powered   *adj:* accionado [movido, propulsado] por turbina.

turbine pump   turbobomba, bomba de turbina. SIN. **turbo-pump.**

turbo-   turbo-. Prefijo que indica *turbina; relativo a una turbina; impulsado, movido o propulsado por turbina.*

turboaerator   turboaereador.

turboalternator   (*Elec*) turboalternador.

turboblower   turbosoplador, turbosoplante, turboventilador.

turbocharger   turbina alimentadora; turboalimentador.

turbocompressor   turbocompresor.

turbodriven supercharger   turbosobrealimentador, turbocompresor. SIN. **turbosupercharger, turbocompressor.**

turboelectric drive   propulsión turboeléctrica. (**1**) Sistema de propulsión que utiliza la energía eléctrica producida por un grupo turbogenerador de vapor, conducido por el vehículo (CEI/38 35-15-025). (**2**) Sistema de propulsión que utiliza la energía eléctrica producida por un grupo turbogenerador conducido por un buque o un vehículo (CEI/58 35-10-015).

turboexciter   (*Elec*) turboexcitador.

turboexhauster   turboeductor, turboaspirador.

turboextractor   turboextractor.

turbofan   turboventilador ‖ (*Avia*) turborreactor con soplante, "turbofan".

turbogenerator   (*Elec*) turbodinamo | turbogenerador. Grupo generador cuyo motor es una turbina de vapor, de gas, o hidráulica (CEI/38 10-05-020) | turboalternador. Alternador de rotor liso habitualmente destinado a ser arrastrado por una turbina de gran velocidad angular (CEI/56 10-10-015).

turbogenerator set   (*Elec*) grupo turbogenerador; grupo turboalternador | turbogenerador. Grupo generador [generating set] cuyo motor es una turbina de gran velocidad angular. SIN. **turbine-driven set** (CEI/56 10-05-015).

turbojet   turborreactor; turbina de reacción. SIN. **jet turbine.**

turbojet aircraft   avión de turborreactor.

turbojet engine   turborreactor.

turbomixer   turbomezclador.

turbomotor   turbomotor.

turboprop   (grupo) turbohélice.

turbopropeller   (grupo) turbohélice.

turbopump   turbobomba.

turboramjet   (*Avia*) turboautorreactor, turboestatorreactor.

turbosupercharger   turbosobrealimentador, turbocompresor.

turbosupercharger regulator   regulador del turbocompresor.

turbulence   turbulencia; remolino.

turbulence chamber   (*Motores diesel*) cámara de turbulencia.

turbulence in cloud   (*Meteor*) turbulencia dentro de nubes.

turbulence in wind tunnel   turbulencia en túnel aerodinámico.

turbulence ring   (*Tecn espacial*) anillo de turbulencia.

turbulent   *adj:* turbulento; tumultuoso.

turbulent air   aire turbulento.

turbulent airflow   flujo [paso] turbulento de aire; régimen turbulento de aire.

turbulent boundary layer   (*Mec de los fluidos*) capa límite turbulenta.

turbulent condition   (*Meteor*) turbulencia (atmosférica).

turbulent convection   convección turbulenta.

turbulent flow   flujo turbulento, corriente turbulenta; régimen turbulento.

turbulent flow in a pipe   flujo turbulento en un tubo.

turbulent heating   (*Calentamiento de plasmas*) calentamiento turbulento.

turbulent inhomogeneities   inhomogeneidades debidas a fenómenos de turbulencia. Constituyen una de las causas de la dispersión o difusión de las ondas radioeléctricas en la atmósfera.

turbulent jet   chorro turbulento.

turbulent layer   (*Meteor*) capa turbulenta.

turbulent mixing   mezcla turbulenta [con turbulencia].

turbulent mixing chamber   cámara de mezcla con turbulencia.

turbulent plasma oscillation   oscilación turbulenta del plasma.

turbulent region   región turbulenta.

turbulent transfer coefficient   (*Fís*) coeficiente de transferencia turbulenta.

turf   césped; tepe; hipódromo ⫽ *verbo:* encespedar, cubrir de césped; entepesar, poner tepes.

turf strip   (*Avia*) pista de césped.

turn   vuelta, giro, rotación, revolución; revuelta; torcimiento, torcedura; turno; curso, dirección, marcha; recodo; rodeo ‖ (*Aviones, Vehículos*) viraje ‖ (*Elec*) espira, vuelta. v.TB. **turn (of a winding)** | **a single turn:** una sola espira | **a few turns (of wire):** varias espiras (de alambre) ‖ (*Mús*) grupetto. Floreo compuesto de tres o cuatro notitas ascendentes o descendentes ‖ (*Teatro*) pieza corta, acto corto ‖ (*Telecom*) v. **turn of a call** ⫽ *verbo:* (hacer) girar; rotar, dar vuelta(s); revolver; torcer ‖ (*Aviones*) virar ‖ (*Vehículos*) virar, doblar, torcer ‖ (*Máq herr*) tornear ‖ v. **turn fully clockwise, turn off, turn on.**

turn-and-bank indicator   (*Avia*) indicador de viraje y de inclinación lateral, giroclinómetro.

turn angle   (*Avia*) ángulo de viraje.

turn-around   v. **turnaround.**

turn factor   (*Bobinas*) v. **turns factor.**

turn fully clockwise   (hacer) girar hasta el tope hacia la derecha, (hacer) girar hasta el tope de la derecha.

turn indicator   (*Aviones, Autos*) indicador de viraje.

turn-key   v. **turnkey.**

turn loop   (*Ant*) cuadro de espiras.

turn of a call   (*Telecom*) turno de una llamada ‖ (*Telef*) turno de una petición de comunicación.

turn (of a winding)   (*Elec*) espira (de un devanado). Parte elemental de un devanado cuyas extremidades están en general muy próximas una de la otra (CEI/38 10-40-120, CEI/56 10-35-130).

turn off   *verbo:* apagar, interrumpir, desconectar (la alimentación); desactivar; detener el funcionamiento (de) ‖ (*Conmut elecn*) desactivar(se) ‖ (*Vál elecn*) desactivar, llevar al (estado de) corte, cortar la conducción, bloquear. CF. **turn on.**

turn-off   v. **turnoff.**

turn off a repeater   *(Telecom)* apagar un repetidor [un amplificador].

turn off the echo suppressors   *(Telecom)* apagar los supresores de eco.

turn on   encender, conectar (la alimentación), aplicar (la) corriente [(la) energía]; activar; poner a funcionar, poner en funcionamiento; echar a andar ‖ *(Conmut elecn)* activar(se), cerrar(se) ‖ *(Vál elecn)* activar; desbloquear, iniciar la conducción, llevar al estado de conducción; desbloquearse, pasar al estado de conducción.

turn-on   encendido, conexión (de la alimentación), aplicación de (la) energía; puesta en funcionamiento ‖ *(Conmut elecn)* activación, cierre ‖ *(Vál elecn)* activación; desbloqueo; comienzo de la conducción ‖ *(Aparatos)* **turn-on of the power switch:** encendido (del aparato).

turn on a repeater   *(Telecom)* encender un repetidor [un amplificador].

turn-on action   *(Tiristores)* (acción de) desbloqueo.

turn-on delay time   *(Dispositivos elecn)* retardo de activación. Intervalo entre el instante de aplicación a la entrada del flanco anterior de un impulso de frente escarpado y el instante en que la onda de salida alcanza el 10 por ciento de su amplitud en sentido positivo.

turn-on forward voltage drop   *(Tiristores)* (*i.e.* forward voltage drop during turn-on) caída de tensión directa durante el desbloqueo.

turn-on losses   *(Tiristores)* pérdidas de desbloqueo.

turn-on overshoot   *(Fuentes de alim)* sobretensión transitoria por encendido. Sobretensión transitoria que resulta de la aplicación de la energía primaria.

turn-on plasma   *(Tiristores)* plasma de desbloqueo.

turn-on receiver   *(Telemandos)* receptor de puesta en funcionamiento; receptor de telemando.

turn-on relay   *(Telemandos)* relé de puesta en funcionamiento; relé de telemando.

turn-on reversal   *(Fuentes de alim)* inversión de polaridad por encendido. Inversión transitoria de la polaridad de salida que resulta de la aplicación de la energía primaria.

turn on the echo suppressors   *(Telecom)* encender los supresores de eco.

turn-on time   *(Vál elecn)* tiempo de desbloqueo, tiempo [período, intervalo] de activación. (**1**) En los rectificadores controlados, tiempo necesario para el paso del estado de bloqueo al de conducción. (**2**) En los tiristores, suma de los tiempos de respuesta [delay time] y de subida [rise time]. CF. **turnoff time.**

turn-on voltage drop   *(Tiristores)* caída de tensión de desbloqueo.

turn out of wind   desviar respecto al viento.

turn over   *verbo:* pasar, transferir, trasladar; conmutar; volcar, invertir, volver; resolver; doblar ‖ *(Aviones, Autos)* capotar.

turn-over   v. **turnover.**

turn-picture control   *(Radar)* control [mando] de rotación de la imagen.

turn radius   *(Aviones, Autos)* radio de viraje.

turn ratio   v. **turns ratio.**

turn switch   *(Elecn)* conmutador [interruptor] giratorio.

turn up   *verbo:* levantar; voltear, volver; cavar (el suelo).

turn-up date   fecha de entrega final (de una obra).

turn up the volume control   *(Electroacús, Rec)* (hacer) avanzar el control de volumen, subir el volumen (de sonido).

turnable   *adj:* giratorio, rotatorio.

turnaround   cambio de posición; viaje redondo ‖ *(Aviones, Buques, Vehículos)* demora antes de emprender el regreso; período entre la llegada a un punto y la partida hacia otro ‖ *(Aeropuertos)* área de media vuelta, área de viraje en redondo ‖ *(Refinerías y otras instalaciones)* ciclo de parada, recorrida, reparación y vuelta al servicio.

turnaround area   *(Aeropuertos)* área de media vuelta.

turnaround time   *(Avia)* duración de (la) inmovilización en el suelo ‖ *(Talleres de reparación)* tiempo de reparación y devolución. Tiempo necesario para reparar y devolver un aparato defectuoso entregado al taller ‖ *(Telecom)* tiempo de inversión (del sentido de transmisión). Tiempo necesario para pasar de emisión a recepción, o viceversa, en un circuito explotado en alternativa.

turnbuckle   tensor, torniquete, templador, tarabilla; tensor de tornillo; tensor para viento ‖ *(Avia)* tensor ‖ *(Marina)* acollador.

turnbuckle insulator   *(Elec)* aislador tensor.

turnbuckle wrench   *(Avia)* llave de ajustar tensores.

turned-on current   *(Tiristores)* corriente de conducción.

turning   giro; viraje; torneado.

turning axis   eje de giro.

turning force   par motor, par de rotación. SIN. **torque.**

turning moment   par motor, par de rotación ‖ momento de un par, momento de rotación. Producto de una de las fuerzas de un par multiplicada por la distancia que separa las mismas.

turning plate   *(Ferroc)* placa giratoria. CF. **turntable.**

turning point   punto de viraje ‖ *(Mat)* punto de inflexión ‖ *(Topog)* punto de cambio; vértice de poligonal.

turning radius   radio de giro [de viraje].

turnkey   *(Cárceles)* alcaide, carcelero, llavero.

turnkey contract   contrato "llave en mano". Contrato para el estudio, la ejecución y la entrega de una obra completa en todas sus fases. V.TB. **turnkey project.**

turnkey job   obra (por contrato) "llave en mano".

turnkey project   proyecto "llave en mano". Proyecto de un sistema que ha de ser entregado completo y funcionando, con todas las edificaciones e instalaciones necesarias. En el caso de una estación de microondas, por ejemplo, incluiría los edificios, los caminos de acceso, los sistemas de alimentación y auxiliares, las torres de antena, etc. V.TB. **turnkey system.**

turnkey switch   *(Elec)* conmutador de llave rotativa.

turnkey system   sistema "llave en mano", sistema integral y completo. Sistema (p.ej. una instalación electrónica o una red de telecomunicaciones) que el contratista realiza en todas sus fases (estudio de viabilidad, proyecto, suministro de equipos y materiales, instalación, prueba y ajuste final) y entrega al comprador o entidad adquiriente listo para prestar servicio. CF. **turnkey contract.**

turnoff   apagado, interrupción (de la corriente), desconexión (de la alimentación); desactivación ‖ *(Vál elecn)* desactivación; bloqueo; corte de la conducción. CF. **turn-on.**

turnoff delay time   *(Dispositivos elecn)* retardo de desactivación. Intervalo de tiempo entre el instante en que aparece en la entrada el flanco posterior de un impulso de transición rápida, y el instante en que la onda de salida, variando en sentido negativo, alcanza el 90 por ciento de su amplitud inicial. CF. **turn-on delay.**

turnoff reversal   *(Fuentes de alim)* inversión de polaridad por apagado. Inversión transitoria de la polaridad de salida que resulta del corte de la energía primaria. CF. **turn-on reversal.**

turnoff time   *(Vál elecn)* tiempo de bloqueo, tiempo [período, intervalo] de desactivación. En el caso de un rectificador controlado, tiempo necesario para pasar del estado de conducción al de no conducción. CF. **turn-on time** ‖ *(Conmut elecn)* tiempo de desactivación [de apertura]. Tiempo que el conmutador necesita para cortar completamente el flujo de corriente en el circuito por él controlado.

turnover   vuelta; vuelco; inversión (de posición); rotación; ciclo de utilización ‖ *(Biol)* renovación (de constituyentes biológicos). SIN. **renewal** ‖ *(Comercio/Empresas)* volumen de comercio; cifra de los negocios [de las transacciones]; movimiento de mercancías; rotación de personal; cambio de personal ‖ *(Electroacús)* v. **turnover frequency** ‖ *(Ferroc)* rotación (de vagones) ‖ *(Transportes aéreos)* (of aircraft fleet) rotación (del material volante).

turnover bulkhead   *(Avia)* estructura de capotaje.

turnover cartridge   cápsula fonocaptora reversible, fonocaptor de doble aguja. SIN. **flipover (pickup) cartridge, turnover pickup.**

turnover frequency   *(Electroacús)* (a.c. turnover) frecuencia de transición, frecuencia crítica, frecuencia [punto] de inflexión. Frecuencia por debajo de la cual se acentúan o intensifican las notas graves durante la reproducción, para compensar la atenuación relativa a que fueron sometidas durante la grabación. Esta atenuación es necesaria para reducir la amplitud de oscilación del estilete registrador, que sería excesiva para los sonidos de baja frecuencia, con el resultado de que cabrían muy pocas vueltas del surco en la superficie del disco. SIN. **transition frequency.** CF. **equalization, rolloff.**

turnover pickup   cápsula fonocaptora reversible, fonocaptor de doble aguja. SIN. **dual pickup, flipover (pickup) cartridge, turnover cartridge.**

turnover rate   *(Biol)* rapidez de renovación.

turnover rate constant   *(Biol)* constante de renovación.

turnover time   *(Biol)* tiempo de renovación.

turnpike   autopista, carretera troncal; autopista de peaje | (= tollgate) barrera de peaje [de portazgo].

turnpike communication system   sistema de telecomunicación de autopista. Sirve para la vigilancia y control del tránsito y para coordinar el servicio de auxilio a los motoristas.

turns factor   *(Bobinas)* factor de vueltas. Cifra que indica el número de vueltas que ha de tener una bobina de forma y dimensiones dadas colocada sobre un núcleo en posición y condiciones estipuladas, para que la inductancia propia sea de 1 H.

turns of wire   espiras, vueltas.

turns ratio   *(Transf)* razón [relación] de espiras [de vueltas], razón [relación] de transformación. v. **transformation ratio.**

turns wound on a form   espiras arrolladas sobre un mandril.

turnstile   torniquete, molinete. (1) En las estaciones ferroviarias, aparato giratorio para permitir el paso individual. (2) Aparato giratorio que permite el paso de personas, pero no el de caballos o de ganado.

turnstile aerial   antena en torniquete. Antena constituida por una o varias etapas de dos dobletes horizontales cruzados en ángulo recto y alimentados en cuadratura (CEI/70 60–34–170). v.TB. **turnstile antenna.**

turnstile antenna   antena en torniquete [en molinete, en cruz]. Antena formada por uno o más pares de dipolos (antenas de media onda) normales entre sí y cuyos ejes se cortan por sus puntos medios. Cuando existen dos o más de estos pares de dipolos, los mismos van montados a diferentes alturas en un mástil, y se denominan entonces *pisos* o *capas.* Por lo general los dipolos de cada par son recorridos por corrientes iguales y en cuadratura de fase. Esta antena se utiliza principalmente para emisiones de televisión y se caracteriza por la simetría de su diagrama de radiación horizontal. SIN. **antena cruzada [de dipolos cruzados], antena mariposa, antena de campo giratorio.** v.TB. **turnstile aerial.** CF. **batwing antenna, superturnstile antenna.**

turnstile element   *(Ant)* elemento en torniquete [en molinete].

turnstile stacked antenna   antena de elementos en torniquete apilados, antena de dipolos cruzados superpuestos.

turntable   plataforma giratoria ‖ *(Electroacús) (Caso general)* plato (giradiscos). Plataforma circular giratoria sobre la que descansa el disco que se graba o se reproduce | *(Tocadiscos corrientes)* plato giratorio [rotativo, giradiscos, tornadiscos] | *(Equipos profesionales)* tornamesa, giradiscos, plato profesional, plato giradiscos (para transcripciones fonográficas), mesa giradiscos, fonochasis profesional, dispositivo motor-plato, motodisco *(p.us.).* Los términos *tornamesa* y *mesa giradiscos* se usan en particular cuando se trata de los equipos utilizados en las difusoras y en los estudios de grabación, y son montados en un mueble metálico o consola ‖ *(Constr)* tornamesa ‖ *(Ferroc)* mesa [placa] giratoria, tornamesa, tornavía. Puente giratorio destinado a dar vuelta a las locomotoras. v.TB. **turntable with...** ‖ *(Microscopios)* disco giratorio, revólver.

turntable mechanism   *(Electroacús)* mecanismo de tornamesa.

turntable platter   *(Electroacús)* mecanismo de tornamesa. SIN. **turntable mechanism.**

turntable preamplifier   preamplificador para giradiscos.

turntable rumble   *(Electroacús)* v. **rumble.**

turntable tracks   *(Ferroc)* vías radiales de acceso. Vías que convergen radialmente hacia el centro de una mesa giratoria.

turntable with multiple supports   *(Ferroc)* mesa giratoria con múltiples apoyos. Mesa giratoria con pivote central y ruedas de apoyo en los extremos y los puntos intermedios de las vigas principales.

turntable with three supports   *(Ferroc)* mesa giratoria con tres apoyos. Mesa giratoria con apoyo en el centro y en la periferia; o sea, con pivote central y una rueda de apoyo en cada extremo de las vigas principales.

turpentine   trementina, aguarrás.

turquoise   turquesa. Mineral de aluminio y cobre de color azul verdoso, estimado como piedra preciosa en su forma pulida azul | color turquesa; verde azuloso entre claro y brillante.

turret   *(Arq)* torrecilla ornamental; torre, torreón ‖ *(Milicia)* torre ‖ *(Aviones)* torreta (de fuego), torrecilla ‖ *(Buques)* torreta (acorazada), torre ‖ *(Artes mec)* cabrestante ‖ *(Tornos)* torre, torreta, torrecilla; portaherramienta revólver ‖ *(Cine/Tv)* portaobjetivos giratorio [rotativo]. v. **lens turret** ‖ *(Radio/Tv)* v. **turret tuner** ‖ *(Conmut rotativos)* rotor (de conmutación).

turret azimuth drive   *(Aviones)* mando de puntería en dirección de la torreta. CF. **turret elevation drive.**

turret elevation drive   *(Aviones)* mando de puntería en elevación de la torreta. CF. **turret azimuth drive.**

turret gun   *(Aviones)* cañón montado en torreta.

turret head   *(Cine/Tv)* cabeza de objetivos (de la cámara). CF. **lens turret.**

turret lathe   torno revólver [revolvedor, de torrecilla].

turret press   prensa revólver.

turret saddle   *(Tornos)* plataforma de la torreta.

turret slide   *(Tornos)* carro de la torreta.

turret socket   *(Elecn)* zócalo de torre ‖ *(Tornos)* portaherramienta revólver; portabroca revólver.

turret tuner   (a.c. turret) sintonizador [bloque de sintonía] rotativo, sintonizador giratorio, sintonizador (del tipo) de tambor (rotativo). Bloque o dispositivo de sintonía con un elemento que se hace girar para efectuar los cambios de canal (televisores) o de banda de sintonización (receptores multibanda). El elemento rotativo puede contener todos o algunos de los componentes de los circuitos resonantes presintonizados, o contener simplemente conexiones de conmutación.

TV   Abrev. de television. La misma abreviatura es de uso común en español.

TV Eye   "Ojo Televidente". Marca registrada (RCA) de un sistema de televisión por circuito cerrado, a base de una cámara con vidicón.

TV silencer   silenciador de televisor. Dispositivo que sirve para suprimir el sonido del receptor de televisión, por ejemplo, durante los anuncios comerciales cansones.

TVI   Abrev. de television interference.

TVOR   Abrev. de terminal VOR = terminal VHF omnirange = terminal VHF omnidirectional radio range.

TVOR station   *(Radionaveg)* estación TVOR.

TW   Abrev. de traveling wave.

TWEEN   *(Teleg)* Abrev. de between [entre].

tweet   gorjeo; piada ‖‖ *verbo:* gorjear; piar.

tweeter   *(Electroacús)* altavoz de agudos, altavoz para agudos [para notas agudas, para notas altas], altavoz para altas frecuencias [para frecuencias elevadas], altavoz reforzador de agudos [de altos]. Altavoz que responde con buen rendimiento y fidelidad a las notas altas o agudas del espectro musical. SIN. **high-frequency loudspeaker [unit].** CF. **woofer.**

tweeter loudspeaker   v. **tweeter.**

tweezers pinzas, tenacillas, tenazuelas ‖ (*Textiles*) despinzas, despinces, despinzadera, pinzas de desmotar el paño ‖ (*Tipog*) pinzas (para coger letras).

twelfth dozavo ‖ (*Mús*) duodécima; nasardo (uno de los registros del órgano) ⫽ *adj*: dozavo, duodécimo, doceno; doce (ordinal).

twelve doce ⫽ *adj*: doce.

twelve-angled *adj*: (*Geom*) dodecagonal.

twelve-channel group (*Telecom*) grupo de doce canales, grupo primario. Conjunto de doce canales telefónicos (vías telefónicas) de corrientes portadoras que ocupan bandas de frecuencias contiguas en el espectro y que son objeto de modulación o desmodulación simultáneas.

twelve-dB SINAD sensitivity sensibilidad SINAD de 12 dB. v. SINAD.

twelve-note music dodecafonía.

twelve-phase *adj*: dodecafásico.

twelve-phase rectifier (*Elec*) rectificador dodecafásico.

twelve-position selector selector de doce posiciones.

twentieth veintavo ⫽ *adj*: vigésimo, vicésimo, veintavo; veinte (ordinal).

twenty veinte; veintena ⫽ *adj*: veinte.

twenty-four-hour service (*Telecom*) servicio permanente.

twenty-one-type repeater (*Telef*) repetidor tipo "21". Repetidor bidireccional a dos hilos con un solo amplificador.

20T pulse response (*Elecn/Tv*) respuesta a los impulsos 20T.

twenty-two-type repeater (*Telef*) repetidor tipo "22". Repetidor bidireccional a dos hilos con dos amplificadores (uno para cada dirección).

twice *adv*: dos veces; al doble, al duplo.

twig ramita | **twigs**: leña menuda ‖ (*Grafos*) rama de árbol. SIN. tree branch.

twilight crepúsculo; zona de crepúsculo ⫽ *adj*: crepuscular.

twilight arch (*Geofís*) arco crepuscular.

twilight effect (*Radiocom*) efecto crepuscular.

twilight sleep sueño crepuscular.

twin gemelo, mellizo ‖ (*Cristalografía*) macla ‖ (*Tracción eléc*) línea de contacto doble. El término *twin* ha sido abandonado y reemplazado por *double-contact wire system* (CEI/57 30–10–060) ⫽ *adj*: gemelo, mellizo; dual; conjugado ‖ (*Bot*) dídimo, en pareja ‖ (*Cristalografía*) maclado ⫽ *verbo*: aparearse; nacer mellizo; parir mellizos; maclar(se).

twin aerials antenas gemelas.

twin antennas antenas gemelas.

twin-arc light (*Alumbrado*) lámpara de doble arco.

twin-arc welding soldadura con arcos gemelos [con dos electrodos].

twin-band telephony telefonía a dos bandas.

twin bolt (*Vías férreas*) bulón doble. Tipo de bulón doble usado con los durmientes de acero.

twin cable (*Elec*) cable doble | cable bipolar. Cable de dos conductores aislados (CEI/65 25–30–050). CF. **multicore cable** ‖ (*Telecom*) cable de pares [en pares] | cable de pares. Cable que contiene cierto número de pares retorcidos [twisted pairs] que no están asociados para formar cuadretes [quads] (CEI/70 55–30–025).

twin-cable system (*Telecom*) sistema de cables de pares.

twin-cable tramway (*Tracción eléc*) tranvía de dos cables.

twin cathode-ray beam doble haz de rayos catódicos, haz catódico doble. Se usa en ciertos tubos de televisión en colores.

twin check (*Comput*) prueba por duplicación, prueba de duplicación simultánea. Comprobación de las operaciones por duplicación de equipos y comparación automática de los resultados.

twin clip (*Radio/Elecn*) pinza de conexión doble.

twin concentric cable (*Elec*) cable bipolar concéntrico, cable con dos conductores concéntricos.

twin conductor (*Elec*) conductor duplex. Conductor en haz [bundle conductor, multiple conductor] que comprende dos hilos o cables distintos. SIN. **double conductor** (CEI/65 25–25–060).

CF. **triple conductor**.

twin contact (*Relés*) contacto doble. Contacto en el cual el elemento móvil se subdivide en dos ramas en su extremidad, de suerte que el contacto se establece en dos puntos, uno en cada rama (CEI/56 16–35–090).

twin contact elements contactos gemelos. Conjunto de dos elementos de contacto [contact elements] montados sobre una misma lámina [contact member]. SIN. **twin contacts** (CEI/70 55–25–285).

twin-contact hookswitch (*Telef*) gancho conmutador de doble contacto.

twin-contact relay-type limit switch interruptor limitador tipo relé de doble contacto.

twin contact wire (*Tracción eléc*) línea de contacto doble [gemela]. Línea compuesta por dos hilos de contacto [contact-wire aerials] próximos, mantenidos al mismo potencial (CEI/38 30–10–055). SIN. **double-contact-wire system**.

twin contacts contactos gemelos. v. **twin contact elements**.

twin-core cable (*Elec*) cable bipolar [bifilar, de dos conductores]. SIN. **twin cable**.

twin-core electrode electrodo de doble alma.

twin-coupled amplifier amplificador de doble acoplamiento [de acoplamiento gemelo].

twin crystal (*Cristalografía*) macla. Cristal resultante del desarrollo conjunto de dos cristales en forma simétrica. CF. **twinning**.

twin diode (*Elecn*) doble diodo, diodos gemelos. Dos diodos iguales bajo una misma ampolla (diodos termoelectrónicos) o bajo una misma cubierta (diodos semiconductores).

twin-down-lead flat-top antena en hoja con dos bajantes.

twin-engine *adj*: bimotor, de dos motores.

twin-engine aircraft bimotor, avión bimotor.

twin-engine jet aircraft birreactor.

twin-engine monoplane monoplano bimotor.

twin-engine plane bimotor, avión bimotor.

twin-engined *adj*: bimotor, de dos motores.

twin error doble error.

twin-eye nut tuerca de ojo para dos retenidas.

twin-float plane hidroavión de flotadores gemelos.

twin-ganged potentiometer doble potenciómetro en tándem. Dos potenciómetros acoplados a un mismo eje de mando.

twin-grid rectifier (*Elecn*) rectificador birrejilla.

twin-head nail clavo de doble cabeza.

twin-hulled flying boat hidroavión de doble canoa [de casco doble].

twin-ignition motor motor de doble encendido.

twin-input single-output gear engranaje para dos motores con un solo eje de salida.

twin jack (*Telecom*) conjuntores [jacks] gemelos.

twin-lead (cable) cinta bifilar, cable bifilar plano, línea bifilar plana, línea de dos conductores paralelos. v. **twin-line**.

twin-lead wire cinta bifilar, cable bifilar plano, línea bifilar plana, línea de dos conductores paralelos. v. **twin-line**.

twin-lens optical system (*Telecine*) sistema [conjunto] óptico de doble trayectoria.

twin-line cinta bifilar, cable bifilar plano, línea bifilar plana, línea de dos conductores paralelos. Línea de transmisión de dos conductores paralelos entre sí y colocados en un material aislante sólido. Esta línea, de forma generalmente plana, tiene una impedancia que depende del diámetro y espaciamiento de los conductores, y del material aislante empleado; valores típicos son los de 75, 150 y 300 ohmios, siendo el último el más común. Este tipo de línea se usa comúnmente para bajadas de antena de televisores y receptores de modulación de frecuencia (ondas métricas). SIN. **balanced transmission line, twin-lead, twin-lead cable, twin-lead wire**.

twin machineguns ametralladoras gemelas.

twin magazine (*Cine*) almacén doble. Almacén con dos compartimientos, uno para la película virgen y otro para la película ya expuesta.

twin-motor, twin-motored   *adj:* bimotor, de dos motores.

twin-panel picture tube   *(Tv)* cinescopio de vidrio de seguridad solidario con la ampolla. SIN. **laminated-panel picture tube.**

twin-path link   *(Telecom)* enlace bilateral, enlace de transmisión en los dos sentidos.

twin pentode   *(Elecn)* doble pentodo, pentodos gemelos. Dos pentodos iguales bajo una misma ampolla; tubo con dos secciones pentodo iguales.

twin-plate triode   *(Elecn)* triodo biplaca.

twin plug   *(Telecom)* clavija doble, clavijas gemelas.

twin primes   *(Mat)* (números) primos gemelos. Dos números primos que son enteros impares consecutivos, como p.ej. 11 y 13. SIN. **prime pair.**

twin-row radial engine   *(Avia)* motor radial de doble hilera, motor en estrella de dos planos de cilindros.

twin-screw   *adj:* *(Marina)* bihélice, de dos hélices.

twin-T bridge   *(Elec)* puente de doble T, puente de dos redes T en paralelo. SIN. **parallel-T bridge.**

twin-T filter   *(Elec)* filtro en doble T.

twin-T impedance-measuring set   medidor de impedancias con puente de doble T.

twint-T network   *(Elec)* red en doble T, red de doble T. SIN. **parallel-T network.**

twin-tailed aircraft   avión de doble cola.

twin-track recorder   *(Registro mag)* registrador de doble pista.

twin-track tape   *(Registro mag)* cinta de doble pista.

twin triode   *(Elecn)* doble triodo, triodos gemelos. Dos triodos iguales bajo una misma ampolla; tubo al vacío con dos secciones triódicas iguales.

twin-triode output   salida con doble triodo.

twin valves   válvulas gemelas.

twin wire   *(Elec)* cable bifilar, cable de conductores gemelos. Cable de dos conductores aislados paralelos bajo un forro común. CF. **twin cable, twin-line.**

twinax cable   cable "twinax", cable blindado de conductores gemelos. Cable de dos conductores aislados paralelos bajo una malla metálica de blindaje común.

twine   cáñamo, guita, cordel torzal, (hilo de) bramante; enroscadura; torsión ∭ *verbo:* torcer, retorcer; acordonar, enroscar; enroscarse; ensortijarse; caracolear.

twining machine   torcedora, cableadora. Máquina para torcer o hacer cables. SIN. **twisting machine.**

twinkling   centelleo; titilación; parpadeo; pestañeo. CF. **scintillation.**

twinning   aparejamiento, emparejamiento, emparejado, emparejadura ‖ *(Met)* maclación, maclaje, germinación, hemitropía ‖ *(Cristalografía)* maclado. Formación de maclas en un grupo de cristales; se denomina *macla* la combinación de dos o más cristales simples de la misma especie mineral. CF. **macle, twin crystal** ‖ hemitropía. (1) Macla o agrupación de cristales (o partes de cristales) en posiciones opuestas. (2) En el caso particular de los cristales de cuarzo, defecto resultante de un crecimiento anómalo en un cristal por lo demás perfecto. V. **electric twinning, optical twinning** ‖ *(Tv)* apareamiento, emparejamiento, emparejado. Defecto de entrelazado de las líneas de exploración, consistente en que las correspondientes a un campo se sobreponen en mayor o menor grado a las del otro campo. V. **pairing.**

twinning plane   *(Cristalografía/Met)* plano de maclación.

twinning system   sistema de maclaje.

twinplex   *(Radioteleg)* twinplex, duoplex, (sistema) diplex de cuatro frecuencias, telegrafía diplex de cuatro frecuencias. Sistema de telegrafía por desplazamiento de frecuencia que permite el funcionamiento simultáneo de dos canales telegráficos con el mismo emisor. SIN. **four-frequency diplex (telegraphy).** CF. **multiple frequency-shift keying** ‖ telegrafía duoplex de cuatro frecuencias. Telegrafía por desplazamiento de frecuencia [frequency-shift telegraphy] en la que cada una de cuatro combina-

ciones posibles de señales correspondientes a dos canales telegráficos, es representada por una frecuencia única. SIN. **four-frequency diplex telegraphy** (RR, Ginebra 1959) (CEI/70 60–50–005).

twist   torsión, torcedura; enroscadura; rotación, giro; contorsión; cambio brusco; par motor; esfuerzo de torsión; deformación por torsión; cordoncillo, trenza; hilo, torzal ‖ (=warping) alabeo ‖ *(Chapas, Superficies planas)* alabeo ‖ *(Maderas)* alabeo, abarquillamiento, reviro ‖ *(Torres de ant)* torsión ‖ *(Curvas mat)* inflexión, cambio de pendiente. Por ejemplo, cambio de pendiente de la curva característica de atenuación en función de la frecuencia de una línea de transmisión provocado por una variación en las condiciones atmosféricas o meteorológicas ‖ *(Fís)* torsión, transformación rotacional (de una línea de fuerza magnética). SIN. **rotational transform** ‖ *(Guíaondas)* guíaondas revirado, sección [guía de ondas] revirada, (sección en) hélice. Tramo de una guía en el que existe una rotación progresiva de la sección alrededor del eje longitudinal. SIN. **twisted section [waveguide]** ‖ hélice. Parte de una guía de ondas que presenta una rotación progresiva de la sección recta alrededor de la línea mediana [line of centers] (CEI/61 62–10–085). ∭ *verbo:* torcer(se), retorcer(se), enroscar(se); rotar, girar; contorsionarse; cambiar bruscamente; trenzar; caracolear; serpentear; entrelazar, entretejer; arrollar; alabearse; revirarse, abarquillarse; ensortijarse.

twist drill   *(Herr)* broca americana [salomónica, helicoidal], barrena salomónica [espiral, de caracol], mecha espiral; broca para metal.

twist effect   efecto de torsión.

twist joint   *(Elec/Telecom)* V. **twisted joint.**

twist-link chain   cadena de eslabones retorcidos.

twist-lock connector   *(Elec)* conector que traba con un movimiento de giro, conector (del tipo) que traba al darle vuelta.

twist moment   V. **twisting moment.**

twist prong   *(Elecn)* orejeta retorcible. Orejeta que se retuerce para asegurar un componente, como p.ej. un condensador electrolítico, en el agujero de montaje.

twist splice   *(Elec/Telecom)* V. **twisted joint.**

twist system   *(Telecom)* V. **twisting transpositions.**

twist together   *verbo:* torcer, retorcer (entre sí).

twist transposition system   *(Telecom)* V. **twisting transpositions.**

twisted   *adj:* torcido, retorcido; enroscado; trenzado; entrelazado, entretejido; arrollado; alabeado; combado; revirado, abarquillado; ensortijado; acaracolado.

twisted chain link   abrazadera de anclaje en forma de eslabón torcido. Abrazadera para anclaje de conductores (v. **strain-relief clasp**) que se fabrica con un trozo de alambre en forma de "S" con las vueltas o gazas bien cerradas. Después se tuerce esta "S" de manera que, en lugar de quedar en el mismo plano, las gazas queden en ángulo recto. Una de éstas sirve para fijar la abrazadera (al chasis u otra pieza) mediante tornillo, y la otra se utiliza para sujetar los conductores. Los conductores se hacen pasar por la gaza, y luego se le aplica presión con un par de aplicates o pinzas.

twisted-cotton-covered cord   *(Elec)* cordón forrado de algodón trenzado.

twisted curve   *(Mat)* curva alabeada. Curva cuyos puntos no están todos en un mismo plano.

twisted joint   *(Elec/Telecom)* (a.c. twist joint) empalme retorcido [por torsión, por torcedura]. Unión eléctrica y mecánica de dos conductores desnudos retorciéndolos apretadamente entre sí. SIN. **twist splice, unsoldered twisted joint.** CF. **twisted sleeve joint.**

twisted pair   *(Elec/Telecom)* par retorcido, par torcido, par trenzado, conductor doble retorcido. Cable formado por dos conductores aislados retorcidos entre sí, generalmente sin forro común. CF. **twin wire.**

twisted pair layup   *(Telecom)* cableado por pares.

twisted-pair transmission line   línea de transmisión de par retorcido.

twisted pairs splicing   *(Hilos cableados)* empalme por pares.

twisted section   *(Guíaondas)* sección revirada, (sección en) hélice.

v.TB. twist.

twisted sleeve joint *(Elec/Telecom)* empalme con manguito retorcido. Unión eléctrica y mecánica de dos conductores desnudos cuyos extremos se retuercen apretadamente entre sí junto con un manguito metálico en cuyo interior se han colocado previamente. CF. twisted joint.

twisted surface *(Mat)* superficie alabeada. Superficie que no puede ser extendida sobre un plano sin arrugarla.

twisted waveguide guíaondas revirado, guía de ondas revirada, (sección en) hélice. v.TB. twist.

twisted-wire conductor *(Elec)* conductor de hilos retorcidos. Conductor formado por múltiples hilos retorcidos.

twisted wires hilos retorcidos [trenzados].

twister torcedura; torcedor; cordelero; retorcedora, continua de retorcer ‖ *(Elec)* cristal piezoeléctrico activado por torsión. Cristal piezoeléctrico que genera una pequeña tensión eléctrica cuando se le somete a esfuerzo mecánico de torsión ‖ *(Meteor)* tornado; torbellino; ciclón.

twisting torsión, torsionamiento; retorcedura, retorcimiento; rotación, giro; contorsión; alabeo; trenzado; caracoleo; serpenteo; entrelazamiento, entretejedura; arrollamiento; ensortijamiento ‖ *(Maderas)* alabeo, abarquillamiento, reviro ‖ *(Telecom)* rotación. CF. continuous twisting, normal twisting, twisting transpositions.

twisting force fuerza de torsión.

twisting machine retorcedora, continua de retorcer ‖ *(Telecom)* torcedora, cableadora. Máquina de torcer o hacer cables. SIN. twining machine.

twisting moment *(Mec)* momento torsional [de torsión].

twisting transpositions *(Telecom)* transposiciones por rotación. SIN. twist (transposition) system. v. rotations.

twistor tuistor. Elemento biestable consistente en un trozo recto corto de alambre no magnético (usualmente cobre) aislado, sobre el que va arrollada bajo tensión mecánica una hélice de hilo magnético con las espiras en ángulo de 45° respecto al eje longitudinal, hélice sobre la cual va devanando un solenoide de hilo fino. La circulación simultánea de corrientes continuas por el alambre recto y el solenoide produce un flujo magnético paralelo al hilo de la hélice, cuyo sentido puede invertirse cambiando la polaridad de la corriente circulante por el solenoide. Se utiliza un número suficiente de estos elementos para constituir una memoria de computadora en la que la información binaria se inscribe dándole a cada uno de aquéllos la polaridad magnética conveniente. La lectura se efectúa enviando por una hilera de *tuistores* una corriente que los conmuta a todos, y observando cuáles de ellos emiten una señal. El material magnético de la hélice es de la clase con curva de histéresis rectangular [rectangular hysteresis loop]. CF. magnetic core.

twistor memory (device) memoria [dispositivo almacenador] de tuistores.

twitch sacudida repentina; tic, contracción nerviosa ‖ *(Electrobiol)* movimiento convulsivo (de un músculo). CF. tetanizing current ‖ *(Veterinaria)* acial ‖ *(Yacimientos minerales)* parte estrecha de un filón ∭ *verbo:* crisparse; temblar; tirar levemente de; arrancar de un tirón ‖ *(Explotación forestal)* arrastrar (troncos).

TWM Abrev. de traveling-wave maser.

two dos ∭ *adj:* dos; de dos.

two-address instruction *(Comput)* instrucción de dos direcciones. Instrucción que incluye una operación y la especificación de la dirección de dos registros. CF. three-address instruction.

two-address programing *(Comput)* programa de instrucciones de dos direcciones.

two-axis plotter trazador de curvas referidas a dos ejes (coordenados). Trazador de curvas que representan la relación entre dos variables. CF. X-Y plotter.

two-bladed propeller hélice de dos palas, hélice bipala.

two-bladed rotor *(Helicópteros)* rotor de dos palas, rotor bipala.

two-body collision *(Fís)* colisión de dos cuerpos.

two-body force *(Fís)* fuerza entre dos cuerpos. Interacción entre dos partículas que no es modificada por la presencia de otras partículas.

two-body problem *(Fís/Astr)* problema de los dos cuerpos. v. three-body problem.

two-busbar regulation *(Tracción eléc)* regulación de dos barras, regulación de una inductancia. v. single-coil regulation.

two-cavity klystron klistrón [clistrón] de dos cavidades.

two-channel *adj:* de dos canales, bicanal, bicanálico.

two-channel compensated servosystem servosistema compensado bicanal.

two-channel (loudspeaker) system sistema electroacústico [de altavoces] de dos canales. v.TB. two-way loudspeaker system.

two-channel operation *(Telecom)* explotación a dos canales.

two-channel receiver receptor bicanal [de dos canales].

two-channel Yagi antenna antena Yagi para dos canales.

two-coil relay relé de dos arrollamientos. SIN. double-wound relay.

two-color *adj:* de dos colores; a dos colores; bicolor, bicromático, dicromático.

two-color cathode-ray tube tubo catódico [de rayos catódicos] bicolor.

two-color picture *(Artes gráficas)* bicromía, dicromía.

two-color print *(Artes gráficas)* bicromía, dicromía.

two-color printing impresión a dos colores; bicromía, impresión en dos colores.

two-color ribbon *(Máq de escribir, Teleimpr)* cinta de dos colores.

two-color system *(Tv)* sistema bicolor.

two-component alloy *(Met)* aleación binaria.

two-component equation of the neutrino *(Fís)* ecuación de dos componentes del neutrino.

two-condition cable code *(Teleg)* código bivalente para cable. Código telegráfico según el cual los puntos, las rayas y los espacios entre los caracteres son de igual longitud y se forman por las combinaciones de dos elementos, cada uno de los cuales corresponde a una de dos variedades, por ejemplo, corriente positiva o corriente negativa. SIN. double-current cable code *(término desaconsejado)* (CEI/70 55–65–055). CF. three-condition cable code.

two-condition code *(Teleg)* código bivalente. v. two-condition telegraph code.

two-condition frequency-shift system *(Teleg)* sistema bivalente de desplazamiento de frecuencia.

two-condition modulation *(Teleg)* modulación bivalente. SIN. binary modulation.

two-condition telegraph code código telegráfico bivalente. Código telegráfico que emplea dos estados significativos distintos [distinctive signaling conditions] (CEI/70 55–65–035).

two-conductor cable cable bifilar [de dos conductores].

two-conductor plug *(Elec)* clavija [conector macho] de dos conductores.

two-control-point method *(Radiocom)* método de los dos puntos de control. Método empírico de estimación de la máxima frecuencia utilizable en la transmisión entre dos puntos por medio de una capa ionosférica dada, basado en las propiedades de la ionosfera en dos puntos de control [control points]; este método se aplica en la propagación ionosférica a distancias suficientemente grandes para que la curvatura de la Tierra excluya la transmisión por un solo salto [one-hop transmission] (CEI/70 60–24–265).

two-core cable *(Elec)* cable bipolar [bifilar, de dos conductores].

two-course radio range *(Radionaveg)* radiofaro bidireccional, radioguía de dos rumbos. Radiofaro que emite señales "En ruta" [on-course signals] en dos sentidos opuestos. CF. four-course radio range.

two-cycle engine motor de dos tiempos.

two-cylinder engine motor de dos cilindros.

two-digit integer *(Arit)* entero de dos dígitos.

two-dimensional *adj:* bidimensional, de dos dimensiones; plano.

two-dimensional circuit   circuito bidimensional. Refiérese a una de las técnicas de miniaturización y microminiaturización de dispositivos electrónicos. CF. **microminiaturization, component density.**

two-dimensional gas   (*Fís*) gas bidimensional.

two-dimensional memory   (*Comput*) memoria bidimensional. Memoria o dispositivo almacenador de información en el que todos los bitios de una palabra se encuentran en un mismo plano.

two-dimensional radar   radar bidimensional [de dos dimensiones].

two-dimensional vector   (*Mat*) vector bidimensional.

two-direction   *adj:* bidireccional, de dos direcciones; bilateral.

two-direction classification   (*Ferroc*) clasificación discontinua. Operación realizada con movimientos de retroceso de los vagones que se clasifican.

two-direction voltmeter   voltímetro de desviación bilateral, voltímetro de cero central. Voltímetro con el cero en el centro de la escala y que indica el valor y la polaridad de la tensión medida por desviación de la aguja en uno u otro sentido a partir del cero. SIN. **zero-center voltmeter.**

two-electrode tube   (*Elecn*) diodo, tubo de dos electrodos.

two-electrode vacuum tube   (*Elecn*) diodo, tubo al vacío de dos electrodos.

two-element aerial   antena de dos elementos.

two-element antenna   antena de dos elementos.

two-figure code   código de dos cifras.

two-figure decimal code   código decimal de dos cifras.

two-fluid cell   (*Electroquím*) (*i.e.* cell having different electrolytes at the two electrodes) pila de dos líquidos. Pila en la que el anólito y el católito son diferentes (CEI/60 50–15–085). CF. **one-fluid cell.**

two/four-wire conversion circuit   (*Telecom*) circuito de conversión de 2/4 hilos.

two-frequency   *adj:* de dos frecuencias, de doble frecuencia, bifrecuencia.

two-frequency call   (*Telecom*) llamada con dos frecuencias.

two-frequency call channel   canal de llamada con dos frecuencias.

two-frequency dialing   (*Telef*) selección con dos frecuencias.

two-frequency duplex   (*Sist de onda portadora*) dúplex de dos frecuencias.

two-frequency glide-path system   (*Radionaveg*) sistema de trayectoria de planeo de doble frecuencia.

two-frequency localizer system   (*Radionaveg*) sistema localizador de doble frecuencia.

two-frequency operation   (*Radiocom*) explotación en dos frecuencias. Modo de explotación de un servicio radioeléctrico en el que la frecuencia portadora utilizada es diferente para los dos sentidos de transmisión (CEI/70 60–00–070). CF. **single-frequency operation, reversed-frequency operation, talk-through facility.**

two-frequency radio compass   radiocompás bifrecuencia.

two-frequency signaling   (*Telef*) señalización con dos frecuencias. Sistema de señalización que utiliza señales de frecuencia vocal, y cuyas frecuencias, en número de dos, están comprendidas en la banda de frecuencias telefónicas (CEI/70 55–115–150). CF. **single-frequency signaling.**

two-gang assembly   tándem de dos unidades, conjunto de dos unidades en tándem.

two-gang outlet box   (*Elec*) caja de salida doble.

two-gang switch   (*Elec*) conmutador bipolar.

two-gap head   (*Informática*) cabeza doble.

two-group model   (*Nucl*) modelo de dos grupos.

two-group theory   (*Nucl*) teoría de dos grupos.

two-group two-dimensional code   código bidimensional de dos grupos.

two-hole directional coupler   (*Sist de RF*) acoplador direccional de dos orificios. Consiste en dos tramos de cable coaxil paralelos y en contacto, con orificios o ranuras de transferencia de energía separados por una distancia igual a un cuarto de la longitud de onda.

two-hole tape reader   lector de cinta de dos perforaciones.

two-image photogrammetry   fotogrametría por imágenes dobles, estereofotogrametría.

two-indication block   (*Ferroc*) bloqueo de dos indicaciones.

two-input gear   engranaje de dos entradas [de dos ejes de entrada]. CF. **twin-input single-output gear.**

two-lamp projector   (*Cine*) proyector de doble lámpara.

two-lane highway   carretera de dos carriles [de dos trochas], carretera bivial [biviaria].

two-layer   *adj:* de dos capas; de dos estratos, biestratificado.

two-layer rhombic antenna   antena rómbica de dos capas [de dos pisos].

two-level   *adj:* de dos niveles, a dos niveles.

two-level action   (*Automática*) acción a dos niveles. Acción que impone a la señal de salida uno de dos valores determinados (CEI/66 37–20–050). CF. **type of action.**

two-level laser   laser de dos niveles (energéticos). Laser que sólo utiliza dos niveles de energía de los electrones. Los electrones que se encuentran en el estado fundamental [ground state] son bombeados al estado de excitación [excited state], cediendo entonces su energía por emisión estimulada, para retornar al estado fundamental.

two-level maser   maser de dos niveles (energéticos), maser pulsado. Maser de estado sólido que necesariamente funciona en forma pulsante, por ser todas las moléculas excitadas simultáneamente. Ello significa que a cada intervalo de oscilación o de amplificación sigue un intervalo de excitación. SIN. **pulsed maser.**

two-level system   sistema de dos niveles (energéticos). v. **two-level laser, two-level maser.**

two-link international call   (*Telef*) comunicación internacional de tránsito sencillo [de tránsito de una conexión]. CF. **three-link international call.**

two-motion selector   (*Telecom*) selector de dos movimientos. v. **Strowger selector.**

two-motor   *adj:* bimotor, de dos motores.

two-out-of-five code   (*Informática*) código de dos en cinco. Código en el que cada dígito decimal está representado por cinco dígitos binarios, de los cuales dos son *unos* y tres son *ceros,* o a la inversa.

two-part tariff   (*Elec*) tarifa binomia [mixta] | tarifa binomia. Sistema de tarifa en el cual se establece un pago fijo basado sobre los gastos de instalación o sobre las otras características del servicio, y un pago adicional proporcional a la energía consumida por el abonado (CEI/38 25–05–045).

two-party line   (*Telef*) línea para dos abonados, línea compartida por dos abonados. v. **party line.**

two-pass condenser   condensador de doble flujo [de flujo doble], condensador de dos pasos [de dos pasadas].

two-pass core   (*Nucl*) cuerpo con dos pasos.

two-pass weld(ing)   soldadura de dos cordones.

two-pen X-Y recorder   registrador gráfico X-Y de dos plumas [dos estiletes].

two-phase   *adj:* bifásico, difásico, de dos fases.

two-phase alternator   (*Elec*) alternador bifásico.

two-phase clock   (*Comput*) reloj bifásico. Reloj que en cada período produce dos impulsos sucesivos.

two-phase current   (*Elec*) corriente bifásica. Corriente suministrada por dos pares de hilos o por un sistema de tres hilos que forman dos circuitos, con una diferencia de fase de un cuarto de período (90°) entre las componentes que circulan por uno y otro circuito. SIN. **quarter-phase current.** CF. **two-phase four-wire system, two-phase three-wire system.**

two-phase five-wire system   (*Elec*) sistema bifásico de cinco hilos. SIN. **two-phase system with five wires** (véase).

two-phase four-wire system   sistema bifásico de cuatro hilos.

Sistema de distribución de corriente alterna constituido por cuatro conductores que forman dos circuitos distintos recorridos por corrientes que difieren en fase en un cuarto de período (CEI/38 25–15–030).

two-phase induction motor   motor bifásico de inducción. Motor de inducción con un estator de dos devanados [two-winding stator] y un rotor en cortocircuito [short-circuited rotor]. El devanado llamado *de referencia* es alimentado a tensión constante, y el denominado *de mando* recibe una tensión en cuadratura con la anterior, según avance o por retraso, según el sentido del par deseado. La amplitud de la tensión de mando [control voltage] determina el valor del par [torque] (CEI/66· 37–05–095) | motor bifásico con fase de mando.

two-phase modulation   (*Telecom*) modulación bifásica.

two-phase motor   (*Elec*) motor bifásico.

two-phase running   (*Sist de corriente trifásica*) funcionamiento con dos fases.

two-phase servomotor   servomotor bifásico.

two-phase short circuit   cortocircuito bifásico.

two-phase stepdown transformer   (*Elec*) transformador reductor bifásico.

two-phase supercharger   (*Avia*) sobrealimentador de dos velocidades.

two-phase system   (*Elec*) sistema bifásico [difásico, de dos fases] | sistema (de magnitudes) bifásico. Sistema formado por dos magnitudes sinusoidales del mismo valor eficaz y desfasadas una respecto a la otra en $\pi/2$ (CEI/56 05–40–085).

two-phase system with five wires   sistema bifásico de cinco hilos. Sistema que resulta del sistema bifásico de cuatro hilos [two-phase four-wire system] por el agregado de un neutro común, ordinariamente conectado a tierra (CEI/38 25–15–035). SIN. **two-phase five-wire system.**

two-phase three-wire system   sistema bifásico de tres hilos. Sistema de distribución de corriente alterna constituido por tres conductores que forman dos circuitos, recorridos normalmente por dos corrientes que difieren en fase en un cuarto de período. Los receptores están generalmente conectados entre el conductor común y los otros dos conductores (CEI/38 25–15–025).

two-phase voltage   tensión bifásica.

two-phase winding   (*Elec*) devanado bifásico.

two-piece crankshaft   (*Mec*) cigüeñal de dos piezas.

two-pilot regulator   (*Telecom*) regulación de doble piloto. Regulación en la que se utilizan dos frecuencias piloto comprendidas en una banda de transmisión.

two-pin plug   (*Elec*) clavija bipolar [de dos espigas].

two-pin socket   (*Elec*) zócalo [toma] de dos espigas, enchufe bipolar.

two-place airplane   avión biplaza.

two-plate rectifier   (*Elecn*) rectificador biplaca.

two-point control   (*Automática*) control de dos puntos.

two-point emergency cell switch   (*Bat de acum*) reductor de doble polaridad.

two-point end cell   (*Bat de acum*) reductor de doble polaridad.

two-point form of the equation of a straight line   (*Mat*) forma de la ecuación de la recta definida por dos puntos, ecuación de la recta que pasa por dos puntos dados. Si los puntos dados son (x_1, y_1) y (x_2, y_2), la ecuación es

$$\frac{y - y_1}{y_2 - y_1} = \frac{x - x_1}{x_2 - x_1}$$

expresión que puede escribirse (y recordarse mejor) en forma de determinante:

$$\begin{vmatrix} x & y & 1 \\ x_1 & y_1 & 1 \\ x_2 & y_2 & 1 \end{vmatrix} = 0$$

two-point landing   (*Avia*) aterrizaje en dos puntos, aterrizaje de ruedas.

two-pole   dipolo /// *adj*: bipolar, de dos polos; de dos postes, de

dos mástiles.

two-pole cylindrical rotor   (*Elec*) rotor cilíndrico bipolar.

two-pole delta aerial   antena en delta de dos mástiles.

two-pole magnetic switch   (*Elec*) interruptor magnético bipolar.

two-pole single-phase repulsion motor   motor de repulsión monofásico bipolar.

two-pole switch   (*Elec*) conmutador bipolar [de dos polos].

two-pole three-phase rotor   (*Elec*) rotor [inducido] trifásico bipolar.

two-pole wound-rotor machine   (*Elec*) máquina de rotor bobinado bipolar.

two-port   (*i.e.* transducer with an in-port and an out-port) transductor de dos puertas, transductor con una puerta de entrada y una de salida | v. **two-port network.**

two-port active network   (*Elec*) cuadripolo activo, red activa de dos puertas.

two-port network   (*Elec*) (a.c. two-port) red de dos puertas [de dos accesos, de dos entradas, de dos pares de bornes, de cuatro bornes], cuadripolo. v. **port.**

two-port plug   (*Válvulas*) macho de dos orificios.

two-position action   (*Automática*) acción de dos posiciones. Acción que impone al órgano de control final [final controlling element] una de dos posiciones determinadas. CF. **two-level action, two-position differential gap action, two-position single-point action** | funcionamiento de dos posiciones.

two-position control   control de dos posiciones.

two-position controller   regulador de dos posiciones.

two-position differential-gap action   (*Automática*) acción de dos posiciones con intervalo diferencial. Acción de dos posiciones (v. **two-position action**) en la que el órgano de control final pasa de una posición a la otra, a un valor predeterminado de una variable controlada [controlled variable], y sólo puede retornar a la primera posición después de que la variable controlada alcance un segundo valor predeterminado.

two-position propeller   (*Avia*) hélice de dos pasos.

two-position selector   selector de dos posiciones.

two-position selector valve   válvula selectora de dos posiciones.

two-position signal   (*Ferroc*) señal de dos posiciones. Semáforo cuyo brazo puede ocupar dos posiciones.

two-position single-point action   (*Automática*) acción de dos posiciones de punto único. Acción de dos posiciones (v. **two-position action**) en la que el paso del órgano de control final de una posición a la otra ocurre a un valor único de una variable controlada. CF. **two-position differential-gap action.**

two-position switch   (*Elec*) conmutador de dos posiciones.

two-position winding   (*Elec*) (*i.e.* winding with two coil or section sides in one slot) devanado de dos pisos. (1) Devanado con colector [commutator winding] que comprende dos lados de bobina [coil sides] en una ranura. (2) Devanado distribuido sin colector [distributed winding without commutator] que comprende de dos lados de sección [section sides] o de bobina elemental [coil sides] en una ranura. CF. **one-position winding.**

two-prong plug   (*Elec*) clavija de contacto doble, clavija bipolar.

two-pulse canceler   (*Indicadores radáricos de blanco móvil*) cancelador por comparación de las variaciones de fase de dos impulsos sucesivos.

two-quadrant multiplier   (*Computadoras analógicas*) multiplicador bicuadrante. Multiplicador cuya operación está circunscrita a un signo único de una variable de entrada.

two-range instrument   instrumento (de medida) de dos escalas [de dos alcances].

two-rate meter   (*Elec*) contador de doble tarifa. CF. **two-part tariff.**

two-receiver radiometer   radiómetro de dos receptores. Radiómetro con dos canales receptores independientes cuyas salidas de frecuencia intermedia son multiplicadas entre sí. La señal producto se hace pasar por un filtro pasabajos que suaviza sus variaciones, obteniéndose finalmente una buena relación señal a ruido que permite la detección de señales sumamente débiles.

two-seat *adj: (Aviones)* biplaza, de dos plazas.

two-seater biplaza. Vehículo, avión o helicóptero de dos plazas ||| *adj:* biplaza, de dos plazas.

two-section filter *(Elecn/Telecom)* filtro de dos secciones [de dos células].

two-shot *(Cine/Tv) (i.e.* medium close shot covering two actors) (toma) americana, plano americano. Plano que toma dos personajes de medio cuerpo, o sea, de la cintura para arriba. CF. **medium closeup.**

two-shot cutout *(Elec)* cortacircuito de doble acción.

two-sided *adj:* bilateral, de dos lados; bifacial, de dos caras.

two-sided board *(Circ impresos)* tablero bifacial [de dos caras].

two-sided switch *(Vías férreas)* cambio de curva bilateral.

two-signal selectivity *(Radio)* selectividad por el método de dos señales.

two-slots-per-pole winding *(Elec)* devanado de dos ranuras por polo.

two-source frequency keying *(Teleg)* modulación por mutación de frecuencias, manipulación por conmutación entre dos fuentes de frecuencia independientes. CF. **frequency-shift keying.**

two-speed motor *(Elec)* motor de dos velocidades [con devanado para dos velocidades].

two-speed supercharger *(Avia)* sobrealimentador de dos velocidades.

two-stage *adj:* bietapa, bietápico, de dos etapas; de dos pasos; bigradual, de dos grados; biescalonado, de dos escalones || *(Radio/Elecn)* de dos etapas, de dos pasos.

two-stage amplifier amplificador de dos etapas.

two-stage control control bietapa [de dos etapas].

two-stage regulator regulador bietapa [de dos etapas].

two-stage repeater *(Telecom)* repetidor de dos etapas.

two-stage supercharger *(Avia)* sobrealimentador de dos pasos.

two-stage valve válvula de dos etapas.

two-state process *(Elecn)* proceso [procedimiento] de dos etapas.

two-state system sistema de dos estados; sistema biestable.

two-step action *(Automática)* acción de dos posiciones. SIN. **two-position action.**

two-step-action controller regulador de dos posiciones. SIN. **two-position controller.**

two-step developing *(Fotog)* revelado en dos etapas [en dos baños].

two-step relay *(Elec)* relé de dos posiciones. Relé de medida [measuring relay] con dos grupos de contactos, uno de los cuales conmuta a un cierto valor de la magnitud de influencia [actuating quantity] y el otro a un nuevo valor de esa magnitud (CEI/56 16–15–040) || *(Telecom)* relé de tiempo [de acción escalonada]; relé de dos pasos | relé de dos tiempos. Relé provisto de dos grupos de resortes portacontacto [contact springs], tales que uno de ellos es accionado por un flujo magnético de valor determinado, y ambos son accionados por un flujo magnético de mayor valor. Al primer grupo se le llama "grupo de contactos X" ["X-operated group"] (CEI/70 55–25–170). V.TB. **X operation.**

two-stream instability *(Plasmas)* inestabilidad de doble haz. Inestabilidad que se presenta cuando se entrecruzan dos haces de partículas cargadas, o cuando un plasma frío es atravesado por un haz de electrones de gran energía.

two-stroke cycle *(Mot)* ciclo de dos tiempos.

two-stroke-cycle engine motor de dos tiempos.

two-stroke engine motor de dos tiempos.

two-switch connection *(Telef) (i.e.* connection using three international circuits) comunicación de doble tránsito.

two-switch international connection *(Telef)* comunicación de doble tránsito. Comunicación de tránsito establecida por medio de tres circuitos internacionales. SIN. **three-link international call** *(GB).*

2T pulse *(Elecn/Telecom)* impulso 2T, impulso de duración 2T (a media altura).

two-terminal *adj: (Elec)* de dos terminales, de dos bornes, de dos bornas; bipolar.

two-terminal capacitor condensador de dos terminales [dos bornes]. Condensador variable con un terminal unido al estator, y otro unido a la armazón (masa), con la cual hace contacto eléctrico el rotor. CF. **three-terminal capacitor.**

two-terminal coupling network circuito de acoplamiento de dos bornes.

two-terminal device dispositivo de dos bornes, elemento bipolar.

two-terminal network red de dos bornes | dipolo, red de dos terminales. Red que posee dos bornes accesibles (CEI/70 55–20–045) | dipolo. Agrupamiento cualquiera de impedancias, que puede contener fuentes de fuerza electromotriz, y que no se comunica eléctricamente con el exterior más que por dos bornes (CEI/56 05–45–080).

two-terminal pair V. **two-terminal-pair network.**

two-terminal-pair network (a.c. two-terminal-pair) cuadripolo, red con dos pares de terminales [de bornes]. SIN. **four-terminal network, two-port network** | cuadripolo, red de dos pares de terminales. Tetrapolo que posee dos pares de bornes distintos (CEI/70 55–20–060).

two-terminal potentiometer Término que, incorrectamente, se usa a veces en lugar de *rheostat.*

two-thirds power *(Mat)* potencia dos tercios.

2 854 K tungsten sensitivity *(Dispositivos fotoeléc)* sensibilidad referida al tungsteno a 2 854 K (de un tubo fotoelectrónico o de una célula fotoeléctrica). Cociente de la corriente anódica [anode current] por el flujo luminoso incidente emitido por una fuente incandescente no filtrada cuya temperatura de color [color temperature] es de 2 854 K (CEI/56 07–23–095).

two-throw switch *(Elec)* conmutador de doble tiro, conmutador de dos direcciones || *(Vías férreas)* cambio de dos tiros.

two-tide tidal project *(Fuentes de energía)* proyecto de aprovechamiento de las mareas en sus dos sentidos.

two-tier *adj: (Buques, Vehículos, Vagones)* de dos pisos.

two-tiered rhombic aerial antena rómbica de dos etapas.

two-to-one slope *(Obras de tierra)* talud al 2 por 1. Talud de dos unidades de base por una unidad de altura.

two-tone *adj:* bitono, bitonal, de dos tonos; de dos tonos, de dos colores, bicolor.

two-tone detector *(Radioteleg)* discriminador telegráfico. Discriminador empleado en telegrafía y destinado a transformar las señales de una transmisión telegráfica de desplazamiento de frecuencia en señales de transmisión telegráfica por doble corriente (CEI/70 60–50–040).

two-tone diversity [TTD] *(Teleg)* (sistema de) diversidad bitono. Sistema de diversidad para radiotelegrafía por ondas cortas, de protección contra el desvanecimiento selectivo. Para la *señal de trabajo* se emiten simultáneamente dos tonos de frecuencias distintas, y para la *de reposo* otros dos tonos de diferentes frecuencias, o sea, que se utilizan cuatro frecuencias en total.

two-tone keying *(Teleg)* manipulación de dos tonos. (**1**) Forma de manipulación telegráfica en la que la portadora es modulada con una frecuencia para representar el estado *trabajo* [marking] y con otra distinta para el estado *reposo* [spacing]. SIN. **telegrafía de dos frecuencias moduladoras.** (**2**) Sistema de manipulación telegráfica consistente en la emisión alternada de dos frecuencias vocales, una correspondiente a la señal de trabajo y la otra representativa de la señal de reposo. Por un mismo circuito telefónico o radiotelefónico pueden emitirse varios pares de frecuencias, correspondientes a otros tantos canales de manipulación | V. **two-tone telegraph system.**

two-tone modulation *(Teleg)* modulación de dos tonos. Forma de modulación telegráfica en la que se utilizan dos portadoras distintas, una para el estado *trabajo* y otra para el estado *reposo* (v. **significant conditions**). SIN. **telegrafía de dos frecuencias portadoras.**

two-tone selective signaling *(Telecom)* señalización selectiva por

doble tono; llamada selectiva de dos tonos.

two-tone signal   señal bitono, señal de dos tonos.

two-tone signaling   señalización por doble tono; llamada de dos tonos.

two-tone system   *(Teleg)* sistema de dos tonos. v.TB. **two-tone telegraph system**.

two-tone telegraph system   (sistema de) telegrafía de dos tonos, telegrafía de dos frecuencias moduladoras. SIN. **two-tone keying** | (sistema de) telegrafía de dos tonos, telegrafía de dos frecuencias portadoras. Sistema multicanal que utiliza dos canales de transmisión de frecuencias portadoras de igual sentido: uno para la transmisión de los *elementos de trabajo* [mark elements] de una modulación bivalente [binary modulation], y el otro para la transmisión de los *elementos de reposo* [space elements] de la misma modulación. SIN. **two-tone keying, two-tone modulation**. CF. **significant conditions**.

two-tone telegraphy   telegrafía de dos tonos [de dos frecuencias moduladoras]; telegrafía de dos tonos [de dos frecuencias portadoras]. v.TB. **two-tone telegraph system**.

two-track recording   *(Registro mag)* registro de dos pistas. SIN. **double-track (tape) recording**.

two-tube coaxial cable   cable de dos pares coaxiles.

two-tube toggle circuit   *(Elecn)* circuito basculante de dos tubos, basculador (electrónico) de tubos.

two-unit design   construcción biunitaria.

two-value   *adj:* bivalente, de dos valores.

two-value capacitor motor   *(Elec)* motor de condensador de dos valores. Motor de condensador que utiliza dos valores de capacitancia diferentes: uno para el arranque y el otro para la marcha.

"two-voice" frequency signaling   *(Telef)* señalización con dos frecuencias. v. **two-frequency signaling**.

two-wattmeter method   *(Elec)* método de los dos vatímetros. Método para determinar la potencia total en un sistema trifásico (equilibrado o desequilibrado) por suma de las lecturas de dos vatímetros, cada uno de los cuales tiene su bobina de intensidad [current coil] en serie con una de las fases y su bobina de tensión en derivación entre la misma fase y la tercera fase.

two-wave stopper   *(Radio)* circuito tapón [antirresonante] bionda.

two-way   *adj:* de doble vía, de dos vías; bidireccional, de dos direcciones, bilateral, de doble sentido, en los dos sentidos; de dos corrientes, de dos accesos; de doble entrada.

two-way amplifier   *(Telecom)* amplificador bilateral [bidireccional]. CF. **twenty-one-type repeater** || *(Electroacús)* amplificador diplex. Amplificador contrafásico (v. **push-pull amplifier**) utilizado para amplificar simultáneamente dos señales (por ejemplo, las correspondientes a los canales de izquierda y de derecha de un sistema estereofónico). Una de las señales se aplica normalmente a la entrada, y la segunda se aplica a las dos rejillas en paralelo (en vez de en contrafase); a la salida las señales son separadas mediante dos transformadores que forman parte de un circuito matricial [matrixing circuit].

two-way break-before-make contact   *(Relés)* contacto de dos direcciones sin solapa. Contacto de dos direcciones [two-way contact] en el cual el elemento móvil [moving contact member] no puede tocar simultáneamente los dos elementos fijos [fixed contact members] (CEI/56 16–35–070). CF. **two-way make-before-break contact**.

two-way channel   *(Telecom)* canal bilateral [de dos vías]. Canal que permite la transmisión en ambos sentidos. Cuando no hay lugar a confusión se le llama simplemente *canal*.

two-way circuit   *(Telecom)* circuito explotado en los dos sentidos. SIN. **both-way circuit**.

two-way communication   *(Telecom)* comunicación bilateral [de doble sentido, de doble vía], comunicación en ambos sentidos [en los dos sentidos], enlace bilateral. Comunicación entre estaciones provistas ambas de equipos transmisor y receptor.

two-way conduction   *(Elec)* conducción bidireccional.

two-way connection   *(Telecom)* enlace [comunicación] bilateral.

two-way contact   *(Relés)* contacto de dos direcciones. Contacto compuesto de un elemento móvil y de dos elementos fijos situados a uno y otro lado del elemento móvil. SIN. **double-throw contact** (CEI/56 16–35–055). CF. **two-way break-before-make contact, two-way make-before-break contact**.

two-way contact with neutral position   *(Relés)* contacto de dos direcciones con posición neutra. Contacto de dos direcciones con una tercera posición estable en la cual el elemento móvil no hace contacto con ninguno de los elementos fijos. SIN. **double-throw contact with neutral position** (CEI/56 16–35–060).

two-way correction   *(Informática)* corrección bilateral (en un registro).

two-way cycle   ciclo de doble efecto.

two-way FM equipment   *(Radiocom)* equipo de MF para comunicaciones bilaterales [bidireccionales]; radioteléfono de modulación por frecuencia.

two-way link   *(Telecom)* enlace bilateral [de comunicación en ambos sentidos], conexión bidireccional. SIN. **two-way connection**.

two-way loudspeaker system   sistema altoparlante de dos vías, sistema electroacústico [de altavoces] de dos canales. SIN. **two-channel (loudspeaker) system**. CF. **three-way loudspeaker system**.

two-way make-before-break contact   *(Relés)* contacto de dos direcciones con solapa. Contacto de dos direcciones [two-way contact] en el cual el elemento móvil puede tocar simultáneamente los dos elementos fijos (CEI/56 16–35–065). CF. **two-way break-before-make contact**.

two-way manual circuit   *(Telecom)* circuito manual bidireccional.

two-way microwave (radio) link   (radio)enlace bilateral [bidireccional] por microondas.

two-way mobile system   *(Radiocom)* sistema de servicio móvil bidireccional, red de enlaces móviles bidireccionales. v. **mobile system**.

two-way preamplifier   preamplificador de dos vías. CF. **two-way amplifier**.

two-way radio   *(Radiocom)* transmisor-receptor, equipo emisor y receptor, emisor-receptor para tráfico bilateral; radioteléfono, equipo radiotelefónico, emisor-receptor radiotelefónico; radioteléfono (de servicio) móvil; radiotelefonía (móvil).

two-way radio channel   canal de radio bilateral, canal radioeléctrico de ida y retorno.

two-way radio equipment   equipo emisor y receptor; equipo de radiocomunicación bilateral [bidireccional]; equipo radiotelefónico; radioteléfono (de servicio) móvil.

two-way radio link   enlace radioeléctrico bilateral.

two-way receiver   receptor de dos corrientes, receptor de alimentación mixta. Receptor capaz de funcionar con dos fuentes de energía; por ejemplo, con pilas secas o conectado a la red industrial de alterna.

two-way repeater   *(Telef)* repetidor bilateral [bidireccional]. Repetidor que amplifica las señales de uno y otro sentido de transmisión || *(Radioenlaces)* repetidora bilateral.

two-way repeater station   *(Radioenlaces)* estación repetidora bilateral.

two-way road   carretera de doble sentido. Carretera en la cual se permite el tránsito en dos sentidos opuestos.

two-way shunting   *(Ferroc)* maniobra de lanzadera [de vaivén]. Maniobra ordinaria con locomotoras (de avance y retroceso) para clasificar los vagones.

two-way simplex   *(Teleg)* simplex de dos canales, simplex por canales conjugados.

two-way simplex connection   *(Teleg)* comunicación en simplex de dos canales, comunicación por canales conjugados. v. **two-way simplex system**.

two-way simplex system   *(Teleg)* sistema simplex de dos canales.

Sistema que comprende la utilización de dos canales entre dos puestos, agrupados para servir una misma comunicación, uno para la transmisión en un sentido, y el otro para la transmisión en el otro sentido. Tal agrupación de canales permite la explotación dúplex [duplex operation] (CEI/70 55–55–165) | explotación por canales conjugados.

two-way single-pole switch *(Elec)* conmutador unipolar de dos direcciones, conmutador de simple polo doble tiro. SIN. **two-throw single-pole switch.**

two-way station *(Telecom)* estación emisora-receptora.

two-way street calle de doble sentido. Calle en la cual se permite el tránsito en dos sentidos opuestos simultáneamente.

two-way submarine cable *(Telecom)* cable submarino de dos sentidos de transmisión.

two-way switch *(Elec)* conmutador de dos direcciones, conmutador de doble tiro. SIN. **two-throw switch.**

two-way system *(Electroacús)* sistema de dos vías [de dos canales]. V.TB. two-way **loudspeaker system** ‖ *(Telecom)* sistema de comunicación en los dos sentidos; enlace bilateral.

two-way telegraph channel canal telegráfico bilateral.

two-way teletypewriter call comunicación bilateral por teleimpresor, comunicación teletipográfica en ambos sentidos.

two-way terminal *(Telecom)* terminal bidireccional [de transmisión y recepción].

two-way trunk *(Telef)* enlace de dos sentidos | línea de enlace utilizada en los dos sentidos. SIN. **both-way junction.**

two-way valve válvula de dos vías; válvula de dos pasos, válvula de doble paso.

two-wheel landing *(Avia)* aterrizaje de ruedas [sobre dos ruedas]. SIN. two-point landing.

two-wheeled trailer remolque de dos ruedas.

two-winding transformer *(Elec)* transformador de dos devanados.

two-wing shutter *(Cine)* obturador de dos palas [de dos aspas].

two-wire *adj:* bifilar, de dos hilos, de dos conductores.

two-wire aerial antena bifilar.

two-wire antenna antena bifilar.

two-wire cable cable bifilar [de dos conductores].

two-wire channel *(Telecom)* canal asimilado a un circuito bifilar. V. two-wire circuit.

two-wire circuit *(Telecom)* circuito bifilar [a dos hilos, de dos hilos]. (**1**) Circuito formado por dos hilos o conductores aislados entre sí. (**2**) Vía de telecomunicación establecida por medio de un par de hilos (o grupos de hilos en paralelo) aislados el uno del otro. (**3**) Circuito de telecomunicación formado por dos conductores aislados entre sí, y destinado a la transmisión en ambos sentidos | circuito a dos hilos. Circuito que consiste en una sola línea de transmisión utilizada en los dos sentidos (CEI/38 55–25–005) | circuito bifilar. Circuito formado por dos conductores (o, en el caso de un circuito fantasma [phantom circuit], dos grupos de conductores) aislados el uno del otro, y que proporcionan en la misma banda de frecuencias una vía de transmisión en cada sentido (CEI/70 55–30–075). CF. **two-wire-type circuit** | CF. **four-wire circuit.**

two-wire earthed system *(Elec)* sistema bifilar [de dos hilos] con un hilo puesto a tierra.

two-wire insulated system *(Elec)* sistema bifilar [de dos hilos] aislado (de tierra).

two-wire junction *(Telef)* línea auxiliar [de enlace] a dos hilos.

two-wire line *(Elec)* línea bipolar [de dos conductores]. Línea de transmisión eléctrica formada por dos conductores aislados el uno del otro ‖ *(Telecom)* línea bifilar [a dos hilos].

two-wire outlet *(Elec)* tomacorriente de dos contactos [de línea bifilar].

two-wire repeater *(Telecom)* repetidor para circuito bifilar [para circuito a dos hilos]. Repetidor que permite la transmisión en ambos sentidos por un circuito bifilar, y que en el caso de los sistemas de portadora se funda habitualmente en el principio de la

separación de frecuencias para mantener la independencia de los dos sentidos de transmisión | repetidor para circuito de dos hilos. Amplificador telefónico que permite la transmisión en los dos sentidos por un circuito bifilar [two-wire circuit] o un circuito asimilado al bifilar [two-wire-type circuit] (CEI/70 55–100–010).

two-wire route *(Telecom)* línea bifilar [a dos hilos]. SIN. **two-wire line.**

two-wire selector stage *(Telef)* etapa selectora bifilar.

two-wire side circuit *(Telecom)* circuito real bifilar [de dos hilos].

two-wire system *(Elec)* sistema de dos hilos; distribución bifilar.

two-wire system with alternating current *(Elec)* sistema de corriente alterna de dos hilos. Sistema de distribución de corriente alterna compuesto de dos conductores solamente (CEI/38 25–15–010).

two-wire system with direct current *(Elec)* sistema de corriente continua de dos hilos. Sistema de distribución de corriente continua compuesto de dos conductores solamente (CEI/38 25–15–010).

two-wire termination *(Telecom)* terminación bifilar [a dos hilos]. Terminación de audiofrecuencia de un canal en un solo par utilizado para la transmisión y la recepción.

two-wire transformer *(Elec)* transformador bifilar.

two-wire transmission line *(Elec)* línea de transmisión bipolar [de dos conductores] ‖ *(Telecom)* línea de transmisión bifilar [a dos hilos].

two-wire trunk *(Telef)* línea auxiliar [de enlace] de dos hilos.

two-wire-type circuit *(Telecom)* circuito asimilado al bifilar. Circuito que funciona a la manera de un circuito bifilar [two-wire circuit], pero cuya constitución no está limitada a dos conductores o grupos de conductores (CEI/70 55–30–080). CF. **two-wire channel.**

two-wire winding *(Elec)* devanado bifilar. Arrollamiento constituido por dos hilos aislados y yuxtapuestos, atravesados por la corriente en sentidos opuestos (CEI/38 05–40–045).

twofold *adj:* doble; duplicado; binario, de dos clases, de dos aspectos ‖‖ *adv:* dos veces; duplicadamente, al doble.

twos complement *(Comput)* complemento 2. El complemento 2 de un número binario se forma intercambiando todos los *unos* y *ceros* del número dado y añadiento 1 al resultado. V.TB. **complement.**

TWR Abrev. de tower ‖ *(Avia)* Abrev. de aerodrome control tower.

TWT Abrev. de traveling-wave tube.

TWX *(Telecom)* TWX, servicio de teleimpresores con conmutación. La abreviatura viene de "*tele*type*w*riter e*x*change service", que es el nombre dado en los EE.UU. al servicio télex nacional.

TWX customer abonado [usuario] del TWX.

TWX machine (=teletypewriter) teleimpresor.

TWX message mensaje TWX.

Twystron Twystron. Tubo de microondas híbrido entre el tubo de ondas progresivas y el klistrón. El nombre viene de "*t*raveling-*w*ave kl*ystron*".

TX *(Telecom)* Abrev. de transmitter.

TXT *(Teleg)* Abrev. de text.

tympan *(Tipog)* tímpano, pliego(s) de cubrir. Parte exterior del revestimiento de una prensa; papel o tela colocada sobre el cuadro o platina [platen] de una prensa para darle apoyo al papel que se imprime; pliego colocado entre el cilindro impresor y el papel ‖ *(Arq)* v. **tympanum.**

tympanic *adj:* timpánico.

tympanic cavity *(Anat)* caja timpánica [del tímpano]. Parte del oído que se encuentra inmediatamente detrás del tímpano [tympanum, eardrum].

tympanic membrane *(Anat/Zool)* tímpano. Membrana delgada semitransparente, de contorno ovalado, que separa el oído medio [middle ear] del oído externo [external ear]. SIN. **eardrum, tympanum.**

tympanum *(Anat)* (*also* timpanum) tímpano. SIN. **eardrum,**

tympanic membrane | (=middle ear) oído medio ‖ *(Bot)* diafragma ‖ *(Zool)* (*also* timpanum) tímpano. Estructura membranosa auditiva externa, como la de ciertos insectos ‖ *(Arq)* (*also* tympan) tímpano, témpano, faldón ‖ *(Electroacús)* (*i.e.* diaphragm of a telephone) diafragma (de teléfono). La voz inglesa es poco usada en esta acepción.

Tyndall cone   *(Opt)* cono de Tyndall. Cono visible producido por un haz de rayos luminosos en virtud del efecto Tyndall.

Tyndall effect   efecto Tyndall. Fenómeno por el cual la luz es difundida y polarizada por partículas muy finas en suspensión, aumentando la polarización de la luz difusa al disminuir el tamaño de las partículas. En este efecto se basa el funcionamiento de ciertos tipos de válvulas de luz. v. **suspension light valve**.

typamatic   *(Informática)* dispositivo para repetición automática.

typamatic key   tecla para repetición automática.

type   tipo ‖ *(Tipog)* tipo, carácter, letra de imprenta; tipos /// *verbo:* tipiar, escribir a máquina, dactilografiar, mecanografiar; teclear.

type-A display   *(Radar)* presentación tipo A. Indicador de amplitud y de distancia [range-amplitude display] con línea de base recta [straight-line time base] (CEI/70 60–72–300). cf. **type-B display**.

type-A facsimile   facsímile tipo A. Facsímile en el cual las imágenes están formadas por líneas o puntos de intensidad constante. cf. **type-B facsimile**.

type-A packaging   *(Nucl)* embalaje tipo A. Embalaje de transporte de materias radiactivas capaz de impedir toda fuga o dispersión del contenido y de conservar su función de pantalla contra las radiaciones en condiciones normales de transporte. cf. **type-B packaging**.

type-A transistor   transistor tipo A.

type-A wave   *(Radiocom)* onda tipo A. Onda continua o entretenida.

type-A0 wave   *(Radiocom)* onda tipo A0. v. **A0 emission**.

type-A1 wave   *(Radiocom)* onda tipo A1. v. **A1 emission**.

type-A2 wave   *(Radiocom)* onda tipo A2. v. **A2 emission**.

type-A3 wave   *(Radiocom)* onda tipo A3. v. **A3 emission**.

type-A4 wave   *(Radiocom)* onda tipo A4. v. **A4 emission**.

type-A5 wave   *(Radiocom)* onda tipo A5. v. **A5 emission**.

type-A9 wave   *(Radiocom)* onda tipo A9. v. **A9 emission**.

type-B display   *(Radar)* presentación tipo B; indicador de distancia y azimut. v. **range-bearing display**. cf. **type-A display**.

type-B facsimile   facsímile tipo B. Facsímile en el cual las imágenes están formadas por líneas o puntos de intensidad variable. cf. **type-A facsimile**.

type-B packaging   *(Nucl)* embalaje tipo B. Embalaje que mantiene los atributos de seguridad del embalaje tipo A [type-A packaging] aún en el caso de accidente grave durante el transporte.

type-B wave   *(Radiocom)* onda tipo B. Onda amortiguada [damped wave].

type-C carrier system   *(Telecom)* sistema de corrientes portadoras tipo C.

type clip   *(Informática)* "clip" portatipos.

type die   matriz de tipo.

type-J carrier system   *(Telecom)* sistema de corrientes portadoras tipo J.

type-K carrier system   *(Telecom)* sistema de corrientes portadoras tipo K.

type-L carrier system   *(Telecom)* sistema de corrientes portadoras tipo L.

type-N semiconductor   semiconductor tipo N.

type-N short-haul cable carrier system   *(Telecom)* sistema de corrientes portadoras tipo N para enlaces por cable de corta distancia.

type of action   *(Automática)* (of an element of a control system) tipo de acción (de un elemento de un sistema de control). Para un elemento de equipo de control, modo de comportamiento de la señal de salida [output variable] (CEI/66 37–20–005). cf. **intermittent action, on-off action, progressive action, multilevel action, two-level action, three-level action, positive-negative three-level action, proportional action, integral action, second-derivative action**.

type of aircraft   tipo de aeronave.

type of cloud   *(Meteor)* tipo de nube.

type of construction   tipo de construcción.

type of duty   *(Máq y aparatos eléc)* servicio tipo. Servicio convencional que incluye uno o más regímenes constantes [constant operating conditions] durante tiempos especificados (CEI/56 05–41–025) | clase de servicio. Servicio convencional que incluye uno o más regímenes constantes durante tiempos especificados. Las clases de servicio más corrientemente usadas son: el *servicio continuo* [continuous duty]; el *servicio intermitente periódico* [intermittent periodic duty]; y el *servicio temporal* [short-time duty] (CEI/56 10–05–340) | cf. **rated duty, continuously running duty, uninterrupted duty, one-hour duty, variable temporary duty, intermittent duty, variable intermittent duty, periodic duty, service conditions, rating**.

type of emission   *(Radiocom)* tipo de emisión. Tipo de emisión radioeléctrica según la clasificación establecida en los convenios internacionales que regulan las radiocomunicaciones. En esta clasificación la letra A simboliza las emisiones de modulación de amplitud (v. **A0 emission, A1 emission, A2 emission**, etc.); la B simboliza las emisiones de ondas amortiguadas [damped waves]; la F simboliza las emisiones de modulación de frecuencia o de fase (v. **F0 emission, F1 emission, F2 emission**, etc.); y la P simboliza las emisiones de modulación por impulsos (v. **P0 emission, P1 emission, P2 emission**, etc.).

type of loading   *(Telecom)* tipo de carga.

type of operation   tipo de operación; modo [modalidad] de funcionamiento.

type of organization   tipo de organización.

type of tensor   *(Mat)* tipo de tensor.

type-only entry   *(Informática)* entrada para máquina de escribir únicamente.

type-P rural carrier system   *(Telecom)* sistema rural de corrientes portadoras tipo P.

type-P semiconductor   semiconductor tipo P.

type page   *(Tipog)* superficie impresa de una página (excluidos los márgenes).

type pallet   *(Teleimpr)* (paleta de) tipo.

type printer   impresor; teleimpresor.

type-printing telegraph   telégrafo impresor. sin. **printing telegraph**.

type-printing telegraphy   telegrafía impresora [por aparatos impresores]. v. **printing telegraphy**.

type rating   *(Personal de aviación)* habilitación de tipo.

type scale   *(Tipog)* tipómetro. sin. **type gage**.

type shift   *(Informática/Teleimpr)* cambio de tipo [de caja]. Cambio de la posición de mayúsculas a la de minúsculas, o a la inversa. sin. **case shift**.

type stick   *(Informática)* barra de tipos octogonal.

type style   *(Informática)* estilo [clase] de tipo.

type test   prueba de tipo; prueba de prototipo [de homologación] ‖ *(Avia)* prueba de homologación de tipo ‖ *(Elec)* **type tests:** ensayos de tipo. Ensayos de la calidad [prototype tests] que se efectúan sobre un aparato o un número corto de aparatos del mismo tipo (CEI/56 05–41–100, CEI/56 10–40–345).

typebar   *(Máq de escribir, Teleimpr)* barra de tipos ‖ *(Tipog)* línea de linotipia.

typebar printing position   posición de impresión de la barra de tipos.

typebox   *(Teleimpr)* caja de tipos.

typebox carriage   carro de la caja de tipos.

typecase   *(Tipog)* caja tipográfica [de tipo, de imprenta].

typecast   *verbo: (Tipog)* fundir tipos ‖ *(Cine/Teatro)* asignarle a un actor o una actriz un papel afín a su personalidad; asignar (a un actor o una actriz) repetidamente la misma clase de papel.

typecaster   *(Tipog)* fundidora (de tipos), fundidora de tipos sueltos.

typecasting   *(Tipog)* fundición de tipos (de imprenta).

typecasting machine   *(Tipog)* máquina de componer; máquina fundidora de tipos sueltos.

typedesk   mesa para máquina de escribir. SIN. **typewriter desk.**

typeface   *(Tipog)* tipo, carácter (de letra), diseño. SIN. **type design.**

typefounder   *(Tipog)* fundidor de tipos (de imprenta).

typefoundry   *(Tipog)* fundición de tipos (de imprenta).

typehead   *(Informática)* cabezal de impresión.

typescript   escritura mecanográfica; texto mecanografiado; manuscrito [original] escrito a máquina.

typesetter   *(Tipog) (Refiriéndose a una persona)* tipógrafo, compositor; (tipógrafo) cajista, cajista liniero [de líneas], liniero, paquetero | máquina de componer, máquina para componer tipos.

typesetting   *(Tipog)* composición, composición tipográfica [de tipos]; tipografía.

typewheel   *(Informática/Teleimpr)* rueda de tipos.

typewheel drive   mando de la rueda de tipos.

typewheel drive assembly   conjunto de mando de la rueda de tipos.

typewheel rack   cremallera de la rueda de tipos.

typewheel shaft   eje de la rueda de tipos.

typewheel-shaft spur gear   rueda dentada del eje de la rueda de tipos.

typewrite   *verbo:* escribir a máquina, dactilografiar, mecanografiar. SIN. **type.**

typewriter   máquina de escribir ‖ *(Informática)* impresora de escritorio.

typewriter desk   mesa para máquina de escribir.

typewriter keyboard   teclado mecanográfico [de máquina de escribir] ‖ *(Teleg)* teclado.

typewriter tape punch   *(Informática)* máquina de escribir perforadora de cinta.

typewriting   escritura a máquina, dactilografía, mecanografía.

typhoon   *(Meteor)* tifón; baguío.

typical [typ.]   *adj:* típico.

typical operating conditions   condiciones típicas de funcionamiento [de trabajo]; régimen típico.

typical unit   unidad típica; elemento típico.

typing   escritura a máquina, dactilografía, mecanografía ‖ *(Teleg)* impresión.

typing perforator   *(Teleg)* perforadora-impresora.

typing paper-tape punch   *(Teleg)* perforadora-impresora de cinta (de papel).

typing position   posición de escritura.

typing reperforating unit   *(Teleg)* unidad reperforadora-impresora.

typing reperforator   *(Teleg)* reperforador-impresor, reperforador-inscriptor.

typing reperforator set   *(Teleg)* equipo reperforador-impresor.

typing reperforator unit   *(Teleg)* unidad reperforadora-impresora.

typing tape punch   *(Teleg)* perforador-impresor de cinta.

typing unit   *(Teleg)* unidad impresora; mecanismo impresor.

typing wheel   *(Teleimpr)* rueda de tipos.

typist   mecanógrafo, dactilógrafo, mecanógrafa, dactilógrafa.

typo.   v. **typographical error.**

typo., typog.   ·Abrev. de typographer; typography; typographical.

typographer   tipógrafo.

typographical   *adj:* tipográfico.

typographical error   (a.c. typo) error tipográfico; error mecanográfico; error de escritura.

typography   tipografía.

Typotron   Tipotrón. Marca registrada (Hughes Aircraft Co.) de un tubo de memoria inscriptor de caracteres [character-writing storage tube].

tyrite   tirita, tyrita.

tysonite   *(Miner)* tisonita, tysonita.

tyuyamunite   *(Miner)* tiuyamunita.

U

u Letra que a veces se usa erróneamente, en lugar de la letra griega μ, como símbolo del prefijo *micro* | Símbolo de *potential difference*.

U Símbolo de *potential difference* | Símbolo químico del uranio [uranium] || *(Teleg)* Abrev. de you [usted; tú] || *(Telef)* Abrev. de expected. EJEMPLO: "U half hour" [se espera en media hora].

U-235, U²³⁵ U²³⁵, ²³⁵U, uranio 235.

U bar barra en U, hierro en U.

U bend *(Tuberías)* curva en U.

U-boat submarino. SIN. **submarine.**

U bolt perno en U (con rosca en ambos extremos). Se utiliza p.ej. para fijar una antena a un mástil || *(Autos)* brida en U; estribo, brida de suspensión de (la) ballesta.

U branch *(Tuberías)* bifurcación en U.

U butt weld soldadura (a tope) en U.

U link *(Mec)* estribo || *(Telecom)* clavija en U; conexión en U, puente en U, conexión de puente en U.

U-link jack panel panel de jacks para clavijas en U.

U-link socket enchufe de clavija en U.

U-link spring resorte de clavija en U.

U plug *(Telecom)* clavija en U, clavija de puente.

U trap *(Tuberías)* sifón (en U).

U tube tubo en U | v. **U-tube manometer.**

U-tube leveling nivelación por tubos comunicantes.

U-tube manometer (a.c. U tube) manómetro de tubo en U.

U-type Adcock direction finder radiogoniómetro Adcock en U. Radiogoniómetro Adcock cuyas extremidades inferiores de los elementos de antena están conectadas por líneas blindadas [shielded transmission lines] enterradas o no (CEI/70 60-71-405).

UA *(Teleg)* Abrev. de (do) you agree? [¿está usted de acuerdo?].

UAX *(Telef)* Abrev. de unit automatic exchange.

ubitron ubitrón. Tubo de microondas en el que se utiliza un haz electrónico periódico que interactúa con un modo transversal de RF en un guíaondas uniforme sin carga.

UD *(Explotación telef)* Abrev. de expected, but we do not know when [se espera, pero no sabemos cuándo].

UDMH *(Quím)* Abrev. de *uns*-dimethylhydrazine=unsymmetrical dimethylhydrazine.

udometer udómetro, pluviómetro.

udomograph pluviógrafo, pluviómetro registrador.

udop udop. Dovap que funciona en la frecuencia de 440 MHz.

UER Abrev. de Union européenne de radiodiffusion [Unión Europea de Radiodifusión].

UF₆ Fórmula química del hexafluoruro de uranio [uranium hexafluoride].

UFO Abrev. de unidentified flying object.

UHF *(Radiocom)* Abrev. de ultrahigh frequency.

UHF/SHF radar GCA *(Radionaveg)* GCA con radar de UHF/SHF.

UHF/SHF radar ground-controlled approach *(Radionaveg)* aproximación dirigida desde tierra con radar de UHF/SHF.

UHF/SHF teleran *(Radionaveg)* telerán de UHF/SHF.

UHF/SHF television-radar air navigation navegación aérea por radar y televisión de UHF/SHF.

UIE Abrev. de Union internationale des éditeurs [Unión Internacional de Editores].

UIG Abrev. de Union internationale de gaz [Unión Internacional del Gas].

UIR Abrev. de Union internationale de radiodiffusion [Unión Internacional de Radiodifusión] || *(Avia)* Abrev. de upper flight information region.

UIT Abrev. de Union internationale des télécommunications [Unión Internacional de Telecomunicaciones]. v. **International Telecommunication Union.**

UJT *(Elecn)* Abrev. de unijunction transistor.

UK Abrev. de United Kingdom [Reino Unido].

ukelele, ukulele *(Mús)* ukelele, guitarra hawaiana. SIN. **Hawaiian guitar.**

UL Abrev. de Underwriters Laboratories.

Ulbricht sphere esfera de Ulbricht, esfera fotométrica. Parte de un integrador fotométrico [photometric integrator]: Esfera recubierta interiormente de una pintura difusora [diffusing paint] lo menos selectiva posible, y provista de una ventanilla de observación [observation window] donde se coloca un receptor físico [physical receptor] o un fotómetro visual. Una pantalla interior impide que dicha ventanilla reciba la radiación directa de la fuente. SIN. **photometric sphere** (CEI/58 45-30-090).

Ulloa's ring *(Meteor)* anillo de Ulloa.

ulrichite *(Miner)* ulrichita.

ultimate *adj:* último, final; definitivo; extremo; sumo; esencial, fundamental; primario.

ultimate analysis análisis último.

ultimate capacity *(Sist de telecom)* capacidad final [definitiva] (de canales, de tráfico).

ultimate decade *(Contadores)* última década.

ultimate elongation alargamiento de rotura, alargamiento al fallar.

ultimate factor of safety factor de seguridad final.

ultimate gust *(Aeron)* ráfaga última.

ultimate life duración total.

ultimate lines *(Fís)* v. **raies ultimes.**

ultimate load carga límite; carga de rotura | carga última. Carga límite [limit load] multiplicada por el coeficiente de seguridad [factor of safety] || *(Telecom)* carga definitiva. Carga de tráfico que en último término ha de tener p.ej. una central.

ultimate mechanical strength (of an insulation) *(Elec)* resistencia mecánica final (de un aislamiento).

ultimate range *(Aviones)* radio de acción máximo || *(Proyectiles balísticos)* alcance extremo. Alcance equivalente a algo más de la mitad de la distancia alrededor de la Tierra.

ultimate sensitivity *(Registradores gráficos)* umbral de sensibilidad. Cuantitativamente es igual a la mitad de la banda muerta [dead band]; cuando el aparato está equilibrado al centro de la banda muerta, denota el cambio mínimo de la magnitud observada necesario para que la pluma o estilete inscriptor registre una variación.

ultimate strength resistencia a la rotura, límite de rotura; fatiga de ruptura; carga de rotura. LOCALISMOS: resistencia final [al fallar].

ultimate stress *(Mec)* tensión de rotura.

ultimate tensile strength resistencia máxima a la tracción, carga de rotura (por tracción), resistencia a la rotura traccional. En el caso de las cintas de registro magnético, fuerza necesaria para romper un trozo de cinta a velocidad de arrastre constante. Se expresa en libras o kilogramos para anchura y espesor especificados, o en libras o kilogramos por unidad de área de sección.

ultimate trip current *(Disyuntores)* corriente mínima de disparo.

ultimate trip limits *(Disyuntores)* límites de disparo, valores máximo y mínimo de la corriente de disparo.

ultimate yield strength *(Mec)* límite elástico.

ultimately *adv:* últimamente, finalmente, al fin, por último; en último término, a la larga; en su esencia; en último análisis.

ultimately controlled variable *(Automática)* variable finalmente controlada, variable controlada final. Variable cuyo control es el objeto principal de una regulación. SIN. **final controlled variable.**

ultor *(TRC/Cinescopios)* acelerador final, electrodo final de alta tensión. Electrodo (o grupo de electrodos conectados entre sí) al cual se le aplica la mayor tensión continua de aceleración del haz, generalmente antes de la desviación. A veces se usa en español el término *ultor*. SIN. **final high-voltage electrode, second anode,**

ultor element.

ultor current   corriente del acelerador final.

ultor element   acelerador final. v.TB. **ultor**.

ultra-   Elemento de voces compuestas que significa *más allá de, más que; que sobrepasa un límite, un margen o un alcance determinados*. En español se funde invariablemente con el segundo elemento. La misma regla rige en inglés, excepto que si el segundo elemento empieza con letra mayúscula o con la letra *a,* el mismo es separado por un guión.

ultra-audible   *adj:* ultraaudible, ultrasónico. v. **ultrasonic**.

ultra-audion   (circuito) ultraaudión. v. **ultra-audion circuit** /// *adj:* ultraaudión.

ultra-audion circuit   circuito ultraaudión. Circuito detector regenerativo de válvula electrónica al vacío, que lleva conectado un circuito antirresonante [parallel-resonant circuit] entre la rejilla y el ánodo, y en el que la regeneración se regula mediante un condensador variable conectado entre el ánodo y el cátodo | v. **ultra-audion oscillator**.

ultra-audion oscillator   oscilador ultraaudión. Oscilador Colpitts (v. **Colpitts oscillator**) en el que los dos capacitores en serie están constituidos por las capacitancias ánodo-cátodo y rejilla-cátodo de la válvula.

ultra-audion oscillator circuit   circuito oscilador ultraaudión.

ultra-high   *adj:* v. **ultrahigh**.

ultra-X rays   rayos X ultrapenetrantes, rayos X de ondas ultracortas.

ultracentrifuge   ultracentrífuga. SIN. **high-speed centrifuge**.

ultradyne   *(Radio)* (receptor) ultradino /// *adj:* ultradino.

ultradyne reception   *(Radio)* recepción ultradina. Variante de la recepción superheterodina [superheterodyne reception], en la cual la señal de frecuencia intermedia se obtiene mediante la superposición de oscilaciones auxiliares en el circuito de ánodo de la primera etapa.

ultradyne receptor   *(Radio)* receptor ultradino.

ultrafast   *adj:* ultrarrápido.

ultrafast recovery diode   diodo de recuperación ultrarrápida.

ultrafast recovery time   recuperación ultrarrápida; tiempo de recuperación ultracorto.

Ultrafax   Ultrafax. Marca registrada (RCA Corporation) que distingue un sistema de telecomunicación para la transmisión ultrarrápida de información impresa, y en el cual se combinan técnicas de radio, facsímile, y televisión.

ultrafine   *adj:* ultrafino.

ultrafine-focus X-ray apparatus   aparato de rayos X de foco concentrado.

ultrahigh   *adj:* ultraalto, ultraelevado.

ultrahigh frequency [UHF]   *(Radiocom)* frecuencia ultraalta [ultraelevada]. Frecuencia comprendida en la gama de 300 a 3 000 MHz (ondas decimétricas). La abreviatura *UHF* es de uso internacional. CF. **microwave, nomenclature of frequency and wavelength bands**.

ultrahigh-frequency antenna   antena para frecuencias ultraaltas, antena de UHF.

ultrahigh-frequency band   banda de frecuencias ultraaltas, banda de UHF, banda 9.

ultrahigh-frequency converter   convertidor de UHF [de ondas decimétricas]. Dispositivo que transforma las señales de frecuencia ultraalta en señales correspondientes de frecuencia más baja. Se antepone a un radiorreceptor de ondas cortas o a un televisor de VHF (ondas métricas) para poder recibir emisiones de UHF. CF. **short-wave converter**.

ultrahigh-frequency generator   generador de frecuencias ultraaltas, oscilador de ultraaltas frecuencias.

ultrahigh-frequency link   *(Radiocom)* radioenlace de UHF, enlace radioeléctrico de ondas métricas.

ultrahigh-frequency loop   *(Radiocom)* (antena de) cuadro para ultraaltas frecuencias.

ultrahigh-frequency oscillator   oscilador de ultraaltas frecuen-

cias.

ultrahigh-frequency propagation   propagación de las ondas decimétricas.

ultrahigh-frequency radio-relay circuit   radioenlace de UHF, radioenlace decimétrico, circuito radioeléctrico por ondas decimétricas.

ultrahigh-frequency range   gama de frecuencias ultraaltas.

ultrahigh-frequency region   región de las frecuencias ultraaltas [de las ondas decimétricas].

ultrahigh-frequency spectrum   espectro de las frecuencias ultraaltas [de las ondas decimétricas].

ultrahigh-frequency television station   estación televisora de UHF, estación de televisión por ondas decimétricas.

ultrahigh-frequency time-sharing system   *(Telecom)* sistema de UHF por reparto de tiempos.

ultrahigh-frequency translator   *(Tv)* reemisor [retransmisor] de UHF, repetidor de ultraalta frecuencia. Reemisor o retransmisor que transmite por un canal de UHF (ondas decimétricas).

ultrahigh-frequency transmission   transmisión por ultraaltas frecuencias.

ultrahigh-frequency transmitter   transmisor de ultraaltas frecuencias, emisor de UHF.

ultrahigh-frequency tube   *(Elecn)* tubo para ultraaltas frecuencias.

ultrahigh speed   ultraalta velocidad.

ultrahigh-speed   *adj:* ultrarrápido, de ultraalta velocidad.

ultrahigh-speed particle   *(Fís)* partícula ultrarrápida.

ultrahigh-speed photography   fotografía ultrarrápida.

ultrahigh-speed switching   *(Elecn)* conmutación ultrarrápida.

ultrahigh temperature   temperatura ultraalta [ultraelevada].

ultrahigh vacuum   vacío ultraalto [ultraelevado], ultraalto vacío. Grado de vacío correspondiente a una presión inferior a 10^{-7} torr.

ultrahighs   *(Electroacús)* frecuencias ultraaltas, sonidos muy agudos.

ultrahorizon   *adj:* transhorizonte. Que está o va más allá del horizonte.

ultrahorizon propagation   *(Radio)* v. **over-the-horizon propagation**.

ultralinear amplifier   amplificador (con salida) "ultralineal". v. **ultralinear output stage**.

ultralinear circuit   circuito "ultralineal". v. **ultralinear output stage**.

ultralinear output stage   etapa de salida "ultralineal", etapa de salida con carga parcial de pantalla. Etapa de salida de audioamplificadores de potencia, generalmente simétrica, en la que se utilizan tetrodos al vacío cuya carga está distribuida entre el ánodo y la pantalla (o rejilla auxiliar). En este circuito hay realimentación negativa por pantalla. Cuando la realimentación es del 100 %, el tubo funciona como triodo, y cuando es cero, trabaja como tetrodo normal. Ajustando adecuadamente las condiciones de funcionamiento a determinado punto entre esos dos extremos, se logra un comportamiento "triódico-tetródico" más lineal y de menor distorsión que el que puede obtenerse con cualquiera de los dos tipos de tubo. La designación de *ultralinear* es poco acertada, puesto que si se la toma literalmente parece indicar que la característica de transferencia [transfer characteristic] del tubo ha sido enderezada "más allá de la recta", y, por lo tanto, sigue siendo curva.

ultralow   *adj:* ultrabajo.

ultralow temperature   temperatura ultrabaja.

ultralow-temperature refrigeration system   sistema de refrigeración para temperaturas ultrabajas.

ultramicrochemistry   ultramicroquímica.

ultramicrometer   ultramicrómetro.

ultramicrometry   ultramicrometría.

ultramicroscope   ultramicroscopio.

ultramicrowave   ultramicroonda. Onda de longitud entre 10^{-1} y 10^{-4} cm. CF. **microwave, ultrashort wave**.

ultraminiature   *adj:* ultraminiatura.

ultraprecision   ultraprecisión.

ultrapure   *adj:* ultrapuro, hiperpuro.

ultrapure semiconductor   semiconductor ultrapuro.

ultrapure silicon   silicio ultrapuro.

ultrarapid   *adj:* ultrarrápido, hiperrápido.

ultrared   *adj:* ultrarrojo, infrarrojo.

ultrared rays   rayos ultrarrojos [infrarrojos]. SIN. **infrared rays.**

ultrasensitive   *adj:* ultrasensible, hipersensible.

ultrasensitive measuring instrument   instrumento de medida ultrasensible.

ultrasensitive radio set   aparato radioeléctrico ultrasensible.

ultrasensitive relay   relé ultrasensible.

ultrasensitive tube   tubo (electrónico) ultrasensible.

ultrasharp line   raya (espectroscópica) ultrafina.

ultrashort   *adj:* ultracorto.

ultrashort flash   *(Fotog)* destello ultracorto, relámpago ultrabreve.

ultrashort wave   onda ultracorta. Onda radioeléctrica de longitud inferior a 10 metros (frecuencia superior a 30 MHz). CF. **microwave, ultramicrowave.**

ultrashort-wave antenna   antena para ondas ultracortas.

ultrashort-wave band   banda de ondas ultracortas.

ultrashort-wave broadcasting   (radio)difusión por ondas ultracortas.

ultrashort-wave link   (radio)enlace por ondas ultracortas.

ultrashort-wave propagation   propagación de ondas ultracortas.

ultrashort-wave relay   (radio)enlace por ondas ultracortas.

ultrashort-wave sound broadcasting   (radio)difusión sonora por ondas ultracortas.

ultrashort-wave station   estación de ondas ultracortas.

ultrashort-wave transmitter   transmisor de ondas ultracortas.

ultrasonic   *adj:* ultrasónico, ultrasonoro, ultraaudible, ultraacústico, supraaudible. (**1**) Que supera las frecuencias acústicas o sonoras [audio-frequencies]. (**2**) Relativo o perteneciente a los fenómenos y los aparatos en los cuales intervienen frecuencias inmediatamente superiores al límite de percepción del oído humano (aproximadamente 20 000 Hz). SIN. **superaudible, superaudio.** CF. **infrasonic | v. supersonic.**

ultrasonic amplifier   amplificador de frecuencia ultrasonora [ultraacústica].

ultrasonic bath   baño ultrasónico. Baño en un líquido sometido a agitación ultrasónica. V.TB. **ultrasonic cleaning tank.**

ultrasonic beam   haz ultrasónico, haz de ultrasonidos.

ultrasonic boiler descaler   desincrustador ultrasónico de calderas.

ultrasonic bond   unión por vibración ultrasónica. Unión de piezas metálicas por la acción limpiante y la transferencia de energía de un instrumento vibrante a frecuencia ultrasónica. En electrónica se usa p.ej. para unir hilos de conexión a las zonas terminales [pads] de un circuito impreso o integrado.

ultrasonic brazing   v. **ultrasonic soldering.**

ultrasonic cavitation   cavitación ultrasónica.

ultrasonic cleaner   aparato de limpieza ultrasónica.

ultrasonic cleaning   limpieza ultrasónica [por ultrasonidos]. Procedimiento para la limpieza de piezas menudas y mecanismos delicados con la ayuda de vibraciones de frecuencia ultrasónica que actúan por fragmentación y dispersión de la suciedad. v. **ultrasound.**

ultrasonic cleaning equipment   equipo de limpieza ultrasónica, aparato de limpieza por ultrasonidos.

ultrasonic cleaning system   sistema de limpieza ultrasónica; equipo de limpieza ultrasónica.

ultrasonic cleaning tank   cuba de limpieza ultrasónica. Cuba de paredes gruesas de acero inoxidable pulido, provista de transductores electromecánicos (generalmente piezoeléctricos o magnetostrictivos) que ponen en vibración ultrasónica la pared o el fondo del mismo, vibración que se transmite al líquido en el cual se sumergen los objetos que se quieren limpiar (baño ultrasónico).

ultrasonic coagulation   coagulación ultrasónica [por ondas ul-trasonoras]. Coagulación de un aerosol por la acción de ondas ultrasonoras que proyectan con fuerza las gotitas unas sobre otras hasta fundirlas en gotas grandes. v. **ultrasound.**

ultrasonic communication   comunicación ultrasónica [por ultrasonidos]. Comunicación entre buques o submarinos mediante ultrasonidos propagados a través del agua, generalmente por manipulación de la salida sónica de un sonar.

ultrasonic cross-grating   retículo ultrasónico, retícula [red de difracción] ultrasónica. Retículo espacial [space grating], bidimensional o tridimensional, que se obtiene mediante el cruce de haces de ondas ultrasonoras. SIN. **multiple grating.**

ultrasonic cutting   corte ultrasónico. CF. **ultrasonic machining.**

ultrasonic degreaser   desengrasador ultrasónico, aparato de desengrase ultrasónico.

ultrasonic degreasing   desengrase ultrasónico, desengrasado por ultrasonidos. Acción de desengrasar y, por extensión, de limpiar piezas metálicas o materias que han de ser sometidas a ciertas operaciones o manipulaciones, utilizando los efectos mecánicos de los ultrasonidos. CF. **ultrasonic cleaning.**

ultrasonic delay line   línea de retardo ultrasónica [de ondas ultrasonoras]. Línea de retardo (v. **delay line**) en la que se utilizan ondas ultrasonoras que se propagan por un medio sólido o líquido (titanato de bario, cuarzo fundido, mercurio, etc.). CF. **ultrasonic storage cell.**

ultrasonic delay-line store   *(Comput)* almacenador [memoria] de línea de retardo ultrasónica.

ultrasonic densitometer   densitómetro ultrasónico. Aparato para medir espesores o densidades por observación del tiempo que necesita un haz de ultrasonidos para atravesar o penetrar hasta determinada profundidad el objeto o el material que se estudia.

ultrasonic depth sounder   sonda ultrasónica, sondador ultrasonoro. Aparato para medir la profundidad del mar y detectar la presencia de cardúmenes o bancos de peces, submarinos, etc., mediante ultrasonidos. Se utiliza asimismo como auxiliar a la navegación marítima, por indicar en forma rápida y precisa la distancia que en cada instante separa la quilla del buque del fondo del mar. El procedimiento de sondeo consiste en lanzar verticalmente trenes de ondas acústicas del orden de los 35 ó 40 kHz, que al chocar contra el fondo del mar u otro obstáculo, se reflejan y retornan en forma de eco al barco que las emitió, después de recorrer el doble camino (ida y retorno) a la velocidad de 1 500 m/s. La instalación se compone esencialmente de: (a) un generador intermitente de oscilaciones eléctricas; (b) un transductor electroacústico; (c) un amplificador; y (d) el indicador, llamado también *indicador de fondo.* El transductor, colocado en el fondo del buque, actúa como *proyector* durante los intervalos de emisión, convirtiendo las oscilaciones eléctricas en vibraciones mecánicas que se comunican al agua. Durante los intervalos de recepción, el mismo transductor (ahora en reposo), funciona como *receptor* o *detector,* transformando las vibraciones de la onda de eco en débiles oscilaciones eléctricas que se llevan al amplificador. Al pasar por el amplificador estas oscilaciones ganan intensidad suficiente para hacer lucir una lámpara de neón o activar otro dispositivo indicador de la profundidad del fondo o del objeto detectado. CF. **fathometer, ultrasonic sounding.**

ultrasonic detector   detector ultrasónico [ultrasonoro, de ultrasonidos]. Dispositivo destinado a la detección o medida de ondas ultrasonoras.

ultrasonic diagnosis   *(Medicina)* diagnosis ultrasónica, diagnóstico por ultrasonidos. Diagnóstico por la observación de los tejidos internos mediante ondas ultrasonoras cuyos ecos se hacen visibles en una pantalla osciloscópica. CF. **ultrasonic scanner.**

ultrasonic diffraction   difracción ultrasónica. v. **ultrasonic cross-grating.**

ultrasonic disintegrator   desintegrador ultrasónico. Aparato utilizado para la ruptura de células o de macromoléculas por el efecto mecánico de las ondas ultrasonoras. v. **ultrasound.**

ultrasonic dispersion   dispersión ultrasónica [por ultrasonidos].

Dispersión de una substancia mediante el empleo de ondas ultrasonoras; se usa p.éj. para la obtención de suspensiones de una substancia en otra. v. **ultrasound.**

ultrasonic drill   taladro ultrasónico. Instrumento que por vibración mecánica a frecuencia ultraaudible permite hacer agujeros en materiales duros y frágiles. CF. **ultrasonic machining.**

ultrasonic elastogram   elastograma ultrasónico.

ultrasonic electric energy   energía eléctrica a frecuencia ultrasónica.

ultrasonic emulsification   emulsificación ultrasónica [por ultrasonidos]. v. **ultrasound.**

ultrasonic equipment   equipo ultrasónico [de frecuencias ultrasónicas], aparato ultrasónico [de frecuencias ultraacústicas].

ultrasonic flaw detection   detección ultrasónica de defectos, detección de defectos por ultrasonidos. Detección de defectos internos (grietas, fisuras, burbujas) en una pieza, mediante un proyector y un detector de ultrasonidos. Esta técnica, de principio semejante al del radar, permite determinar la distancia a cualquier defecto capaz de reflejar los ultrasonidos.

ultrasonic flaw detector   detector ultrasónico de defectos, detector de defectos por ultrasonidos.

ultrasonic frequency   frecuencia ultrasónica [ultrasonora, ultraaudible, ultraacústica, supraaudible]. Frecuencia superior a las frecuencias acústicas o sonoras; frecuencia del margen inmediatamente superior al límite de la audición humana (aproximadamente 20 kHz). V.TB. **superaudio frequency.**

ultrasonic frequency range   gama de frecuencias ultrasónicas [ultrasonoras].

ultrasonic generator   generador ultrasónico [ultrasonoro, ultraacústico], generador de ultrasonidos. Consiste esencialmente en un oscilador que excita un transductor electroacústico.

ultrasonic grating   retículo ultrasónico, retícula ultrasónica. v. **ultrasonic cross-grating.**

ultrasonic grating constant   constante de retículo ultrasónico, constante de difracción. Distancia entre los centros difractores de una onda acústica utilizada para obtener espectros de difracción óptica.

ultrasonic hydrolocation   hidrolocalización por ultrasonidos.

ultrasonic image converter   convertidor de imágenes ultrasónicas. Dispositivo que convierte los campos acústicos en imágenes visibles.

ultrasonic inspection   inspección ultrasónica. v. **ultrasonic flaw detection.**

ultrasonic interferometry   interferometría ultrasónica [ultrasonora, por ultrasonidos].

ultrasonic irradiation   irradiación ultrasónica.

ultrasonic level detector   detector ultrasónico de nivel. Dispositivo que avisa cuando un líquido (u otra substancia) alcanza cierto nivel en el recipiente que lo contiene, o que sirve para mantener el líquido a ese nivel. Consiste en un emisor-receptor de impulsos ultrasónicos montado en una pared interna del recipiente, apuntando hacia la pared opuesta. Cuando el líquido está por debajo del emisor-receptor, el impulso ultrasónico se refleja en la pared opuesta, y cuando el líquido llega a la altura del mismo, el impulso se refleja en el propio líquido. La diferencia de tiempo de ida y vuelta del impulso es lo que permite distinguir si el líquido está o no por debajo del nivel en que se encuentra el emisor-receptor.

ultrasonic light diffraction   difracción ultrasónica de la luz, difracción óptica [de la luz] por ondas ultrasonoras. Difracción de la luz que atraviesa un campo de ondas ultrasonoras, que puede observarse por la formación de espectros.

ultrasonic light modulator   modulador ultrasónico de luz. Dispositivo que contiene un fluido transparente que modula un haz de luz que lo atraviesa, por efecto de las ondas ultrasonoras que atraviesan el mismo líquido en dirección transversal a la del haz luminoso.

ultrasonic light valve   válvula ultrasónica de luz. Sirve para la proyección de imágenes de televisión en pantalla grande.

ultrasonic machining   maquinado por ultrasonidos [por vibraciones ultrasónicas]. Maquinado de piezas de material duro o quebradizo con la ayuda de instrumentos que actúan por vibración a frecuencia ultraaudible. CF. **ultrasonic drill.**

ultrasonic magnetostriction transducer   transductor magnetostrictivo ultrasonoro.

ultrasonic material dispersion   dispersión ultrasónica de substancias, dispersión de substancias por ondas ultrasonoras. Dispersión de substancias por el efecto mecánico de ondas ultrasonoras intensas; se usa p.ej. para la obtención de emulsiones y suspensiones de una substancia en otra. v. **ultrasound.**

ultrasonic nozzle   tobera atomizadora por ultrasonidos. Sirve p.ej. para pulverizar el aceite combustible de un calentador o una caldera. v. **ultrasound.**

ultrasonic piezoelectric transducer   transductor piezoeléctrico ultrasonoro.

ultrasonic primary phase standard   patrón primario de fase ultrasónico.

ultrasonic probe   sonda ultrasónica.

ultrasonic pulse   impulso ultrasónico [ultrasonoro], tren de ondas ultrasonoras.

ultrasonic receiver   receptor ultrasónico [de ultrasonidos]; detector ultrasónico [de ultrasonidos].

ultrasonic recording   registro ultrasónico.

ultrasonic scanner   analizador ultrasónico. En medicina, aparato para analizar determinadas partes del organismo por medio de ultrasonidos. CF. **ultrasonic diagnosis.**

ultrasonic sea location   localización por ultrasonidos en el mar, localización submarina por ultrasonidos. CF. **sonar.**

ultrasonic signal   señal ultrasónica [ultraaudible].

ultrasonic slicing tool   herramienta ultrasónica de corte.

ultrasonic soldering   soldadura por ultrasonidos. Soldadura de metales por medio de un soldador con punta que vibra a frecuencia ultrasonora, o bien haciendo vibrar las piezas, a frecuencia ultrasonora, en un baño de estaño fundido. v. **ultrasound.**

ultrasonic soldering iron   soldador con punta vibratoria a frecuencia ultrasónica.

ultrasonic sounding   sondeo ultrasónico. Procedimiento utilizado en geología, en oceanografía, en metalurgia, etc., para el sondeo de la materia por medio de ondas producidas por un generador eléctrico de ultrasonidos. SIN. **echo sounding** (CEI/58 35–15–075) | sondeo (submarino) por ondas ultraacústicas. v. **ultrasonic depth sounder.**

ultrasonic space grating   retículo espacial ultrasónico, retícula espacial ultrasonora. Variación periódica en el espacio del índice de refracción de un medio, debida a la presencia de ondas acústicas. SIN. **ultrasonic grating.**

ultrasonic storage cell   célula de almacenamiento [de memoria] ultrasónica. Línea de retardo ultrasónica (v. **ultrasonic delay line**) utilizada como célula de almacenamiento de información.

ultrasonic stroboscope   estroboscopio ultrasónico [ultrasonoro]. Interruptor periódico de la luz cuyo funcionamiento se funda en la modulación del haz luminoso por un campo ultrasonoro.

ultrasonic system   sistema ultrasónico [ultraacústico]. Como ejemplo, equipo utilizado para la limpieza industrial de piezas delicadas, cuyos elementos principales son el generador eléctrico de ultrasonidos, incluido el transductor (generalmente piezoeléctrico), y la cuba que contiene la solución limpiadora y en la cual se sumergen los objetos que se desea limpiar o desengrasar. V.TB. **ultrasonic bath, ultrasonic cleaning, ultrasonic cleaning tank, ultrasonic degreasing, ultrasound.**

ultrasonic testing   prueba ultrasónica, ensayo ultrasónico. CF. **ultrasonic flaw detection, ultrasonic inspection.**

ultrasonic therapeutic equipment   equipo de terapia ultrasónica; aparatos de terapia ultrasónica, aparatos de terapéutica ultrasónica [por ultrasonidos].

ultrasonic therapy   terapia ultrasónica, terapéutica por ultrasonidos. Empleo de las vibraciones ultrasónicas en el tratamiento de enfermedades. v. **ultrasound.**

ultrasonic thickness gage   galga ultrasónica para espesores, calibrador ultrasónico de espesores. Dispositivo para medir espesores en función del tiempo que tarda un haz de ultrasonidos en atravesar el objeto o el material de que se trate. CF. **ultrasonic densitometer.**

ultrasonic tool   herramienta ultrasónica. CF. **ultrasonic drill, ultrasonic machining, ultrasonic soldering iron.**

ultrasonic trainer   equipo de adiestramiento con ultrasonidos. Equipo de adiestramiento en el empleo del radar que utiliza ondas ultrasonoras dirigidas hacia un mapa en relieve sumergido en agua, para simular el comportamiento de las ondas de radar dirigidas desde un avión hacia la región del terreno representada por el mapa.

ultrasonic transducer   transductor ultrasónico [de frecuencia ultraacústica]. Transductor electromecánico capaz de funcionar a frecuencias superiores a 20 kHz, y que se utiliza para producir ultrasonidos o vibraciones mecánicas ultrasónicas. Casi siempre es del tipo piezoeléctrico o del tipo magnetostrictivo.

ultrasonic vibration   vibración ultrasónica. Vibración de frecuencia ultrasónica o ultrasonora. v. **ultrasonic frequency.**

ultrasonic wave   onda ultrasónica [ultrasonora]. Onda elástica de frecuencia ultrasónica o ultrasonora. v. **ultrasonic frequency.**

ultrasonic welding   soldadura por ultrasonidos. v. **ultrasonic soldering.**

ultrasonic wireless remote control   telemando inalámbrico por ondas ultrasónicas.

ultrasonically   adv: ultrasónicamente.

ultrasonically agitated bath   baño agitado ultrasónicamente, baño agitado por ultrasonidos, baño sometido a agitación ultrasónica. SIN. **ultrasonic bath.**

ultrasonically detected   detectado por ondas ultrasonoras.

ultrasonically tested   probado ultrasónicamente, probado mediante ultrasonidos. CF. **ultrasonic testing.**

ultrasonics   ultrasónica, ultraacústica; acústica de las frecuencias ultrasonoras; ciencia de los ultrasonidos. (**1**) Ciencia y técnica de las ondas y vibraciones de frecuencias superiores a las audibles. (**2**) Parte de la Física que estudia las ondas elásticas de frecuencias comprendidas en la gama de 20 a 100 kHz, y los fenómenos relativos a la mismas. CF. **ultrasound** /// adj: ultrasónico, ultrasonoro, ultraacústico. v.TB. **ultrasonic.**

ultrasonics engineering   técnica de los ultrasonidos.

ultrasonics technique   técnica de los ultrasonidos.

ultrasound   ultrasonido. Vibración acústica de frecuencia demasiado alta para producir una sensación auditiva (CEI/60 08–05–045). Entre las semiondas positivas y negativas de los ultrasonidos se producen rapidísimas variaciones de presión que pueden ejercer efectos mecánicos en la materia. Estos efectos encuentran numerosas aplicaciones, entre las cuales pueden citarse la homogeneización de disoluciones y emulsiones; la desgasificación de líquidos y metales fundidos; la coagulación de aerosoles; la disipación de la niebla; la activación de reacciones químicas; la aceleración de la electrólisis; la ruptura de células y macromoléculas; la limpieza y desengrase absoluto de piezas; la soldadura de piezas metálicas; aplicaciones terapéuticas; etc. v. **ultrasonic bond, ultrasonic cleaning, ultrasonic coagulation, ultrasonic degreasing, ultrasonic disintegrator, ultrasonic emulsification, ultrasonic (material) dispersion, ultrasonic nozzle.** CF. **infrasound, ultrasonics** /// adj: ultrasonoro, ultrasónico, ultraacústico. v.TB. **ultrasonic.**

ultrasound generator   generador de ultrasonidos. SIN. **ultrasonic generator.**

ultrasound image   imagen de ultrasonidos. SIN. **ultrasonic image.**

ultraspeed   ultravelocidad, velocidad muy grande /// adj: ultrarrápido, ultraveloz, hiperveloz.

ultraspeed transient   fenómeno transitorio hiperveloz.

ultraspeed welding   soldadura ultrarrápida.

ultrastability   ultraestabilidad.

ultrastable   adj: ultraestable.

ultrathin   adj: ultradelgado.

ultraudion   v. ultra-audion.

ultraviolet   ultravioleta, ultraviolado. v. **ultraviolet radiation** /// adj: ultravioleta, ultraviolado. OBSERVACION: La palabra *ultravioleta* es invariable en género y número: *rayo ultravioleta, rayos ultravioleta, radiación ultravioleta, radiaciones ultravioleta.*

ultraviolet altimeter   altímetro por ultravioleta.

ultraviolet color translation   traducción del ultravioleta en color visible.

ultraviolet component   componente ultravioleta.

ultraviolet crack detection   detección de grietas [fisuras] por (luz) ultravioleta.

ultraviolet-excited   adj: excitado por radiación [luz] ultravioleta.

ultraviolet-excited fluorescence   fluorescencia excitada por (radiación) ultravioleta.

ultraviolet-excited phosphor   luminófero excitado por (radiación) ultravioleta.

ultraviolet-induced   adj: inducido por radiación [luz] ultravioleta.

ultraviolet lamp   lámpara de rayos ultravioleta. Lámpara de radiación particularmente rica en rayos ultravioleta y cuyas cualidades luminosas no son de interés directo. NOTA: Este tipo de lámpara se utiliza para la excitación de fluorescencia, para decoración, y para fines médicos y germicidas (CEI/58 45–40–185).

ultraviolet light   luz [radiación] ultravioleta. v. **ultraviolet radiation.** SIN. **black light** (*término desaconsejado*).

ultraviolet microscope   microscopio de ultravioleta. Microscopio en el cual los objetos son iluminados con luz ultravioleta, quedando la imagen registrada fotográficamente. Para las lentes se utilizan materiales (como el cuarzo) transparentes a los rayos ultravioleta.

ultraviolet microscopy   microscopía de ultravioleta, microscopía por luz ultravioleta.

ultraviolet photodetector   fotodetector de ultravioleta.

ultraviolet photomicrography   fotomicrografía con (luz) ultravioleta.

ultraviolet photon   fotón ultravioleta.

ultraviolet polymer   polímero obtenido por radiación ultravioleta. En la fabricación de circuitos electrónicos integrados se obtienen películas dieléctricas exponiendo la superficie de un substrato a un gas hidrocarburado [hydrocarbon gas] y radiación ultravioleta, con lo cual el gas se polimeriza y adhiere a dicha superficie. Entre los polímeros obtenibles por este procedimiento están el polietileno, el polipropileno, y el polibutadieno.

ultraviolet radiation   radiación ultravioleta. (**1**) Radiación cuyas componentes monocromáticas están comprendidas en la gama de longitudes de onda de 10 a 380 nm, aproximadamente (CEI/58 45–05–030). (**2**) Radiación cuyas longitudes de onda de las componentes monocromáticas [monochromatic components] son inferiores a las de la radiación visible y superiores a un nanometro (1 nm), aproximadamente. NOTA: Los límites del dominio espectral de la radiación ultravioleta son imprecisos y pueden variar según los usuarios. Entre 100 y 400 nm, el Comité E-2.1.2. de la CIE distingue: UV-A: 315–400 nm; UV-B: 280–315 nm; UV-C: 100–280 nm (CEI/70 45–05–035). v.TB. **ultraviolet spectrum.**

ultraviolet radiation therapy   terapéutica por radiación ultravioleta.

ultraviolet range   gama del ultravioleta.

ultraviolet ray   rayo ultravioleta [ultraviolado], rayo de luz [radiación] ultravioleta. v. **ultraviolet radiation.**

ultraviolet-ray sterilizer   esterilizador de rayos ultravioleta, esterilizador por radiación ultravioleta.

ultraviolet region   región del ultravioleta.

ultraviolet sector   sector ultravioleta.

ultraviolet-sensitive photoelectric material   material fotoeléctrico sensible al ultravioleta.

ultraviolet spectroscopy   espectroscopía por luz ultravioleta.

ultraviolet spectrum   espectro ultravioleta [de los rayos ultravioleta]. Parte del espectro electromagnético que sigue al de la luz visible, con frecuencias superiores a la de la luz violeta (longitudes de onda inferiores a 400 nanometros). El *ultravioleta ordinario* está comprendido entre 400 y 340 nm; el *ultravioleta lejano* entre 340 y 315 nm; el *ultravioleta de utilidad terapéutica* entre 315 y 230 nm; el *ultravioleta de Schuman* entre 300 y 250 nm; el *ultravioleta de Lyman* entre 230 y 200 nm; el *ultravioleta extremo de Millikan* corresponde a la zona de longitudes de onda entre 200 y 1 nm. NOTA: El nanometro (nm) es igual a la milimicra (mμ). V.TB. **ultraviolet radiation.**

ultraviolet wave   longitud de onda ultravioleta. v. **ultraviolet radiation.**

ultrawhite   *adj:* ultrablanco.

ultrawhite region   *(Tv)* región del ultrablanco. CF. **whiter-than-white level.**

ultrawide   *adj:* ultraancho.

ultrawide-angle (photographic) camera   cámara (fotográfica) con campo angular de 120°.

umber   sombra; tierra de sombra; tierra de Nocera ||| *adj:* pardo obscuro; de color ocre obscuro.

umber gray   gris obscuro.

umbilical   *adj:* umbilical. Referente al ombligo.

umbilical cord   *(Anat)* cordón umbilical. Conjunto de vasos que unen la placenta al ombligo del feto || *(Cohetes)* cable de control en tierra. Cable de desconexión rápida, o que se corta rápidamente, y que sirve para probar el cohete hasta el momento de su lanzamiento; también puede utilizarse para comunicarle al cohete datos de último minuto respecto al objetivo. CF. **count-down circuit.**

umbra   *(Opt/Astr)* umbra. Región de completa obscuridad que se encuentra detrás de un objeto sobre el cual se proyecta un haz luminoso. Cuando una fuente de luz arroja la sombra de un objeto, cualquier recta que parta de esa región y pase por cualquier punto de la fuente, atraviesa el objeto. La sombra arrojada consiste generalmente de dos regiones: la interior, o *umbra,* que no recibe ninguna luz de la fuente, y la exterior, más clara, iluminada por una parte de la fuente, que se llama *penumbra* [penumbra].

umbrella   paraguas; sombrilla; parasol || *(Zool)* umbrela || *(Lenguaje militar)* (=air cover) sombrilla protectora. Empleo de aviones para la protección de operaciones en tierra; aviones así utilizados || *(Avia) (slang)* paracaídas abierto.

umbrella aerial   antena en paraguas. Antena constituida por conductores dispuestos según las generatrices de un cono de eje vertical y cuyas extremidades superiores, convergentes en el vértice del cono, están conectadas a una bajada de antena (CEI/70 60-34-160). SIN. **umbrella antenna.**

umbrella antenna   antena en paraguas. SIN. **umbrella aerial.**

umbrella cover   *(Lenguaje militar)* sombrilla protectora, protección aérea de operaciones [tropas] en tierra. SIN. **air cover.**

umbrella-like   *adj:* en forma de paraguas [de sombrilla, de parasol].

umbrella-shaped   *adj:* en forma de paraguas [de sombrilla, de parasol].

umbrella-shaped antenna   antena en (forma de) paraguas. v. **umbrella aerial.**

umbrella-type alternator   *(Elec)* alternador de eje vertical con rangua inferior.

umbrella-type generator   *(Elec)* generador de eje vertical con rangua inferior.

umbrella wing   *(Aeron)* ala en parasol.

Umklapp   *(Fís)* Voz alemana que en inglés se traduce por "flopover" y en castellano por *fustigación.*

Umklapp probability   *(Fís)* probabilidad de fustigación.

Umklapp process   *(Fís)* proceso de fustigación. Tipo de choque entre fonones (v. **phonon**) o entre fonones y electrones, en el cual no se conserva la cantidad de movimiento cristalina [crystal momentum], y que es de interés en el estudio de la resistencia térmica de los dieléctricos sólidos y de la conducción eléctrica en los metales.

umohoite   *(Miner)* umohoita.

UN   Abrev. de United Nations [Naciones Unidas] || *(Explot telef)* Abrev. de unknown; party unknown [desconocido; el interesado es desconocido].

unabsorbed   *adj:* no absorbido.

unabsorbed field intensity   *(Radiocom)* campo en ausencia de absorción, campo sin absorción. v. **unabsorbed field strength.**

unabsorbed field strength   *(Radiocom)* campo en ausencia de absorción. Campo producido en el lugar de recepción por un emisor radioeléctrico en ausencia de absorción (CEI/70 60-20-115) | campo sin absorción. SIN. **unabsorbed field intensity.**

unaccompanied   *adj:* no acompañado, sin compañía.

unaccompanied baggage   *(Avia)* equipaje no acompañado. Equipaje transportado en una aeronave otra que la que transporta el pasajero o el tripulante a quien el mismo pertenece.

unaccounted-for gas   gas no contabilizado, gas que se pierde en la red de distribución.

unalterable   *adj:* inalterable, invariable.

unaltered   *adj:* inalterado.

unarmored   *adj:* no armado, sin armadura; no blindado, sin blindaje.

unarmored cable   cable no armado, cable sin armadura.

unary   *adj:* unario, monario. En química, que se presenta como moléculas de una clase solamente.

unary relation   *(Mat)* relación monaria.

unassigned   *adj:* no asignado, sin asignación || *(Comercio)* no traspasado; no cedido.

unassisted   *adj:* sin ayuda, sin asistencia.

unassisted pilot   *(Avia)* piloto sin ayuda.

unattached   *adj:* suelto, despegado; libre || *(Comercio)* no embargado.

unattended   *adj:* inatendido, desatendido, sin atención.

unattended light   *(Balizas, Boyas)* luz de encendido automático (al obscurecer).

unattended location   *(Telecom)* emplazamiento inatendido, emplazamiento sin personal (de vigilancia).

unattended operation   *(Telecom)* funcionamiento inatendido, funcionamiento sin personal de guardia [de vigilancia], funcionamiento sin inspección [sin vigilancia]; funcionamiento televigilado [sin atención directa].

unattended remote operation   *(Telecom)* funcionamiento televigilado [sin atención directa]. Funcionamiento de un equipo o de una instalación que se vigila a distancia, sin la intervención directa de ningún ténico u operador.

unattended remotely controlled plant   *(Elec)* central sin personal telerregulada.

unattended repeater   *(Telecom)* repetidor inatendido.

unattended repeater station   *(Telecom)* estación repetidora inatendida, repetidora que funciona sin atención local.

unattended service   *(Telecom)* servicio inatendido.

unattended-service equipment   *(Telecom)* equipo de servicio inatendido.

unattended station   *(Telecom)* estación inatendida, estación no atendida, estación sin personal de guardia [sin personal permanente]. Estación de funcionamiento autónomo, sin atención directa y permanente de personal, aunque puede ser vigilada o regulada a distancia | (*i.e.* station which is normally not manned) estación desatendida. Estación sin personal en el propio emplazamiento ni en las proximidades inmediatas (CEI/70 60-60-075) || *(Telef)* estación televigilada. Estación de repetidores que normalmente no tiene personal de mantenimiento.

unattenuated   *adj:* no atenuado, sin atenuación.

unattenuated propagation (of a disturbance)   propagación sin atenuación (de una perturbación).

unattenuated radiated field   campo radiado en ausencia de atenuación, valor no atenuado del campo radiado. CF. **unabsorbed field strength.**

unaudible   *adj:* inaudible.

unaudited   *adj: (Contabilidad)* no verificado, sin verificación.

unauthorized   *adj:* inautorizado, sin autorización.

unavailability   indisponibilidad, falta.

unavailability of devices   *(Telef)* falta de órganos.

unavailable   *adj:* indisponible; inobtenible; inaprovechable, no aprovechable.

unbacked plate   *(Fotog)* placa sin tratamiento [enduido] antihalo.

unbalance   desequilibrio; asimetría, disimetría; desbalance; inestabilidad; trastorno ||| *verbo:* desequilibrar; desbalancear; trastornar.

unbalance factor   *(Elec)* factor de desequilibrio, grado de desequilibrio (de una corriente trifásica).

unbalance measuring set   *(Telecom)* (a.c. unbalance set) equilibrómetro, medidor de equilibrio.

unbalance of a circuit   asimetría [desequilibrio] de un circuito. v. **unbalanced circuit.**

unbalance set   *(Telecom)* v. **unbalance measuring set.**

unbalance voltage   *(Puentes de medida)* tensión (diferencial) de desequilibrio.

unbalanced   *adj:* desequilibrado; asimétrico, disimétrico; desbalanceado; inestable; trastornado.

unbalanced antenna   antena asimétrica [no equilibrada].

unbalanced antenna input   entrada de antena asimétrica [desequilibrada respecto a tierra]. SIN. **single-ended antenna input.**

unbalanced circuit   circuito asimétrico [desequilibrado]. Circuito de lados eléctricamente desiguales; circuito con un lado a tierra.

unbalanced coupling   acoplamiento no equilibrado.

unbalanced grade   *(Vías férreas)* pendiente nociva. Pendiente que recorrida en ambos sentidos origina mayores gastos de tracción que la horizontal recta.

unbalanced input   *(Radio/Elecn)* entrada asimétrica (respecto a masa o tierra). v. **unbalanced output.**

unbalanced line   línea asimétrica [desequilibrada]. Línea de transmisión (como p.ej. un cable coaxil) en la cual son desiguales las tensiones de los conductores respecto a tierra.

unbalanced loop   *(Ant)* cuadro disimétrico.

unbalanced multivibrator   v. **asymmetrical multivibrator.**

unbalanced network   *(Elec)* red desequilibrada.

unbalanced output   *(Radio/Elecn)* salida asimétrica (respecto a masa o tierra). Salida en la que uno de los terminales o bornes se encuentra al potencial de masa o tierra o próximo al mismo.

unbalanced phases   *(Elec)* fases desequilibradas.

unbalanced polyphase star circuit   *(Elec)* circuito polifásico en estrella desequilibrado.

unbalanced pressure   presión no equilibrada.

unbalanced regulation   regulación disimétrica.

unbalanced system   sistema desequilibrado.

unbalanced transmission line   línea de transmisión asimétrica [desequilibrada]. v. **unbalanced line.**

unbalanced two-terminal-pair network   *(Elec)* cuadripolo no equilibrado, red desequilibrada de dos pares de terminales.

unbalanced wire circuit   v. **unbalanced circuit.**

unbend   *verbo:* enderezar.

unbiased   *adj: (Lenguaje ordinario)* imparcial; sin prejuicio; sin error sistemático || *(Elec/Elecn)* impolarizado, no polarizado, sin polarización || *(Estadística)* insesgado, sin sesgo.

unbiased rectifier   *(Elec/Elecn)* rectificador no polarizado.

unblanking   *(TRC)* desbloqueo. Acción de suprimir una tensión de rejilla que mantiene cortado el haz electrónico del tubo (bloqueo). SIN. **gating.** CF. **unblock.**

unblanking generator   *(TRC)* generador de impulsos de desbloqueo.

unblanking pulse   *(TRC)* impulso de desbloqueo.

unblock   *verbo:* desbloquear. En electrónica, hacer o permitir que un tubo conduzca, reduciendo o suprimiendo la polarización negativa de rejilla que mantenía el tubo al corte. En el caso particular de un tubo de rayos catódicos, suprimir la tensión de rejilla que mantiene cortado el haz electrónico durante el intervalo de retorno del barrido [retrace interval].

unblocking   desbloqueo. (1) Acción y efecto de desbloquear (v. **unblock**). (2) En telefonía, operación por la cual un órgano (p.ej. un supresor de reacción) bloqueado, se pone de nuevo en estado de poder cumplir su función.

unbonded   *adj: (Elec/Elecn)* aislado de masa.

unbonded strain gage   deformímetro de hilos suspendidos. Se utiliza para medidas de presión y comprende hilos que forman parte de un puente Wheatstone de dos o de cuatro ramas activas; los hilos, cuya resistencia eléctrica varía por efecto de las deformaciones, están suspendidos en el aire y son activados por un mecanismo unido a un diafragma u otro elemento sensible a la presión.

unbound   *adj:* no ligado, no atado, libre, suelto.

unbound level   *(Nucl)* nivel no ligado.

unbounded   *adj:* indefinido; ilimitado, sin límite; sin restricción || *(Mat)* no acotado.

unbypassed cathode load   *(Elecn)* carga de cátodo sin desacoplo [sin derivación capacitiva].

unbypassed cathode resistor   *(Elecn)* resistor de cátodo sin desacoplo [sin derivación capacitiva], resistencia catódica sin condensador de desacoplo [de sobrepaso]. A veces se suprime el condensador de desacoplo de una etapa con el fin de introducir cierto grado de degeneración o contrarreacción, bien para aumentar la fidelidad, bien para reducir el efecto Miller.

uncage   *verbo:* desenjaular || *(Instr giroscópicos)* soltar, liberar, desfrenar, destrincar. Dejar el instrumento en libertad de movimiento; desconectar el circuito erector de un sistema giroscópico para la medida de desplazamientos angulares.

uncalibrated   *adj:* no calibrado, sin calibración; descalibrado.

uncertainty   incertidumbre; (lo) incierto; inseguridad, instabilidad; irresolución; condición de incertidumbre; factor de incertidumbre | (grado de) indeterminación. Grado o medida probable en que el valor observado o calculado de una magnitud puede apartarse del valor real.

uncertainty phase   *(Operaciones de busca y salvamento)* fase de incertidumbre.

uncertainty principle   *(Fís)* principio de incertidumbre [de indeterminación]. Postulado de la mecánica cuántica [quantum mechanics], debido a Heisenberg, según el cual es imposible determinar simultáneamente y con precisión la posición en el espacio y la cantidad de movimiento [momentum] de una partícula. SIN. **principio de Heisenberg —— Heisenberg uncertainty principle, indeterminancy principle.**

unchanging   *adj:* constante, invariable.

uncharged   *(Elec)* neutro, sin carga (eléctrica).

uncharged particle   partícula neutra.

unclassified   *adj:* inclasificable, no clasificado || *(Documentos)* sin clasificación de secreto.

unclinched rivet   remache virgen.

uncoil   *verbo:* desarrollar, desenrollar; desbobinar.

uncoiling   desarrollamiento, desenrollamiento.

uncoiling spool   *(Cine)* bobina [carrete] de desarrollamiento. SIN. **unwinding spool.**

uncollected   *adj: (Comercio)* sin cobrar, pendiente de cobro.

uncollectible   *(Comercio)* cuenta incobrable ||| *adj:* incobrable.

uncollided neutron   neutrón que no ha chocado.

uncombined   *adj: (Quím)* no combinado.

uncompensated   *adj:* no compensado, sin compensación.

uncompensated heat   calor no compensado.

uncompensated video amplifier   *(Tv)* videoamplificador no compensado, videoamplificador [amplificador de video] sin corrección de frecuencia. Amplificador de videofrecuencia sin corrección de respuesta. CF. **peaking**.

uncompensated volume control   control de volumen no compensado, control [regulador] de volumen sin compensación de respuesta. CF. **compensated volume control, loudness control**.

uncompleted call   *(Telef)* comunicación no efectuada [no establecida] | llamada ineficaz [perdida]. SIN. **lost call**.

uncompleted call due to busy condition   *(Telef)* comunicación no establecida por ocupación de la línea.

unconditional   *adj:* incondicional; absoluto; a discreción ‖ *(Comput)* incondicional. No sujeto a condiciones ajenas a la instrucción considerada ‖ *(Mat)* incondicional.

unconditional branch   *(Comput)* rama incondicional. Instrucción de fundamental importancia que da origen a un desvío de la secuencia de ejecución del programa cualesquiera que sean las condiciones existentes. SIN. **unconditional jump, unconditional transfer (of control)**.

unconditional inequality   *(Mat)* desigualdad incondicional [absoluta]. Desigualdad que contiene variables y que se cumple para todos los valores de las variables; de no ser así, la desigualdad se llama *condicional* [conditional inequality]. SIN. **absolute inequality**.

unconditional jump   *(Comput)* salto incondicional. Instrucción que interrumpe el proceso normal de obtención ordenada de instrucciones y especifica el local de la próxima instrucción a ser ejecutada. SIN. **unconditional branch**. CF. **conditional jump**.

unconditional transfer (of control)   *(Comput)* transferencia incondicional de control. Instrucción que invariablemente da origen a un salto [jump], o sea, un desvío o apartamiento de la secuencia normal de ejecución de las instrucciones. SIN. **unconditional branch**.

unconfined   *adj:* no confinado; ilimitado; abierto, no cerrado ‖ *(Mec de suelos)* libre, sin soporte lateral.

unconformable   *adj:* disconforme ‖ *(Geol)* discordante.

unconformity   disconformidad ‖ *(Geol)* discordancia.

unconnected   *adj:* no conectado, desconectado ‖ *(Mat)* inconexo.

uncontrolled   *adj:* no controlado, sin control; sin mando; ingobernado, no gobernado, sin gobierno.

uncontrolled mosaic   *(Aerocartografía/Fotogrametría)* mosaico sin control [sin punto de referencia].

uncontrolled nuclear transformation   *(Nucl)* transformación nuclear no controlada.

uncontrolled spin   *(Avia)* barrena ingobernable [sin mando], barrena accidental.

unconventional   *adj:* no clásico, no tradicional; no convencional, poco convencional; desusado, inusitado; original.

unconventional technique   técnica original [de concepción especial].

uncorrected   *adj:* no corregido, sin corrección.

uncountable   *adj:* *(Mat)* no contable, no numerable.

uncouple   *verbo:* desacoplar, desengranar, desembragar; desconectar, desenganchar, soltar; separar, desunir; desatraillar ‖ *(Radio)* desacoplar. SIN. **decouple**.

uncoupled   *adj:* desacoplado, desengranado, desembragado; desconectado, desenganchado, suelto; separado, desunido; desatraillado.

uncoupled axle   *(Locomotoras)* eje libre.

uncoupling   desacoplamiento, desengrane, desembrague; desconexión, desenganche; separación, desunión ‖ *(Microfísica)* desacoplamiento ‖ *(Espectrografía)* desdoblamiento.

uncoursed   *adj:* *(Albañilería)* sin hiladas.

undamped   *adj:* *(Ondas, Oscilaciones)* no amortiguado.

undamped natural frequency   frecuencia natural sin amortiguación. Frecuencia a la cual oscila un sistema con un solo grado de libertad, en ausencia de amortiguación, cuando se le aparta momentáneamente de su posición de reposo.

undamped oscillation   oscilación no amortiguada, oscilación entretenida. Oscilación eléctrica cuya fuente de energía compensa en forma continua las pérdidas impuestas por la carga o por radiación; su amplitud puede ser constante o variar de acuerdo con una modulación. Por lo general se caracteriza por ser sinusoidal y simétrica (crestas positivas y negativas de igual amplitud).

undamped wave   onda no amortiguada, onda entretenida. Onda electromagnética originada por una oscilación eléctrica entretenida o no amortiguada. V. **undamped oscillation**.

UNDASH   *(Teleg)* desguión. Palabra que se usa en las transmisiones telegráficas de prensa para representar el guión que cierra una frase entre guiones.

UNDEC   *(Explotación teleg)* Abrev. de (the) addressee is unable to decode [el destinatario no puede descifrar el texto].

undecagon   *(Geom)* endecágono, undecágono. Polígono de once ángulos y, por lo tanto, once lados.

undefined   *adj:* indefinido, no definido.

undefined term   *(Mat)* término primitivo [no definido]. Término postulado de un sistema matemático o una teoría deductiva, al que, a los efectos de una demostración, no se le atribuyen más propiedades que las establecidas en los axiomas o deducidas de éstos. SIN. **primitive term**.

undelivered   *adj:* no entregado, sin entregar.

UNDELIVERED   *(Explotación teleg)* Abrev. de (telegram) still undelivered [sin entregar; el telegrama no ha podido ser entregado].

under balance conditions   en estado [condiciones] de equilibrio.

under dynamic (operating) conditions   en régimen dinámico.

under load   en condiciones de carga; con carga aplicada; sin desconexión de la carga.

under normal conditions   en condiciones normales.

under normal operating conditions   en régimen normal, en condiciones normales de funcionamiento.

underbridge   *(Vías férreas)* paso inferior, paso por debajo. Cruce de la vía por debajo de otra vía, de un camino, o de un río.

underbunching   *(TMV)* subagrupamiento, agrupamiento inferior al óptimo. CF. **overbunching**.

undercar aerial   *(Autos)* V. **undercar antenna**.

undercar antenna   *(Autos)* antena montada [para montaje] bajo el bastidor. SIN. **undercar aerial**.

undercarriage   carro [carrito] inferior ‖ *(Autos, Locomotoras, Vagones)* bastidor. SIN. **underframe** ‖ *(Aviones)* (=landing gear) tren de aterrizaje. LOCALISMO: aterrizador. SIN. **undercart** ‖ *(Constr/Estr)* (i.e. supporting framework or structure) armazón de sustentación; bastidor inferior; infraestructura.

undercarriage fairing   *(Aviones)* carenado del tren de aterrizaje.

undercarriage (position) indicator   *(Aviones)* indicador (de posición) del tren de aterrizaje.

undercarriage retraction   *(Aviones)* retracción del tren de aterrizaje.

undercarriage strut   *(Aviones)* montante del tren de aterrizaje.

undercart   *(Aviones)* tren de aterrizaje. SIN. **undercarriage**.

undercast   *(Avia)* capa de nubes por debajo del avión ‖ *(Minas)* tiro inferior; conducto inferior de ventilación.

undercharge   cobro deficiente ‖ *(Telecom)* tasa insuficiente ⫫ *verbo:* cobrar de menos ‖ *(Contabilidad)* debitar de menos ‖ *(Telecom)* tasar de menos ‖ CF. **overcharge**.

underchassis view   *(Radio/Elecn)* vista por debajo del chasis.

undercoat   *(Pintura)* mano interior; aparejo.

undercommutation   V. **subcommutation**.

undercompensated   *adj:* subcompensado, insuficientemente compensado.

undercompound excitation (of a generator)   *(Elec)* excitación "hipocompound" (de una generatriz). Excitación compuesta sustractiva [differential compound excitation] cuyo devanado en serie [series winding] está ajustado de manera que la diferencia de potencial en los bornes de la máquina disminuya con la carga

(CEI/56 10–05–140). CF. **overcompound excitation (of a generator)**.

undercompounded dynamo   *(Elec)* dinamo con excitación "hipocompound".

undercompounded generator   *(Elec)* generatriz con excitación "hipocompound". Generatriz cuya tensión de salida disminuye cuando aumenta la carga. V.TB. **undercompound excitation**.

underconditioning   acondicionamiento insuficiente.

undercorrected   *adj:* subcorregido, con insuficiente corrección.

undercoupling   subacoplamiento, subacoplo. Acoplamiento inductivo entre dos circuitos de RF sintonizados a la misma frecuencia, y tal que el pico de respuesta es inferior al máximo. CF. **overcoupling**.

undercurrent   corriente submarina ‖ *(Elec)* subcorriente. Corriente menor que la de régimen; corriente de intensidad menor que la normal ‖ *(Minería)* conducto (ancho y de poca pendiente) para la separación del oro fino.

undercurrent protection   *(Elec)* dispositivo de protección de mínimo de corriente. Dispositivo de protección amperimétrico [current protection] que funciona cuando la corriente cae por debajo de un valor predeterminado (CEI/56 16–60–015). CF. **overcurrent protection**.

undercurrent relay   *(Elec)* relé de corriente mínima, relé de baja corriente, relé de hipocorriente. CF. **current relay** | relé de mínima, relé de mínimo de corriente. Relé de medida [measuring relay] que funciona cuando la corriente de influencia (v. **actuating quantity**) alcanza un valor inferior al de regulación [operating value]. SIN. **minimum current relay**. CF. **overcurrent relay**.

undercurrent release   *(Elec)* aparato de mínimo de corriente, aparato de intensidad mínima. Aparato que funciona automáticamente cuando la corriente que lo recorre desciende por debajo de un valor predeterminado (CEI/57 15–20–095) | escape de mínimo de corriente, escape de intensidad mínima. CF. **overcurrent release**.

undercut   corte sesgado ‖ *(Explotación forestal)* muesca de guía. Muesca hecha en un árbol que se corta para que caiga hacia determinado lado ‖ *(Minería)* socava, roza, regadura; derrubio ‖ *(Terrenos)* socavón, socavadura ‖ *(Soldadura)* socavación; indentación marginal, mordedura a lo largo del pie ‖ *(Fab de circuitos impresos)* socavación. Reducción de la sección de un conductor de hoja metálica [metal-foil conductor] por haber el agente de corrosión [etchant] sacado cierta cantidad de metal de debajo del borde de la capa protectora (v. **resist**). ‖ *verbo:* cortar al sesgo ‖ *(Explotación forestal)* hacer una muesca de guía; cortar muescas de guía; aserrar (un árbol) por debajo ‖ *(Minería)* socavar, rozar; derrubiar ‖ *(Terrenos, Ríos)* socavar ‖ *(Soldadura, Fab de circuitos impresos)* socavar ‖ *(Maquinado)* tornear a menor diámetro ‖ *(Comercio)* ofrecer precios menores [más bajos].

undercutter   *(Explotación forestal)* muescador; portasierra para corte inferior (de los árboles) ‖ *(Minería)* socavadora, rafadora ‖ *(Elec)* rebajadora (de micas).

undercutting   corte sesgado; corte poco profundo; rebajo, rebaje; rebajo interior parcial; socavación, socavamiento, descalzamiento ‖ *(Minería)* roza, descalce ‖ *(Ríos)* derrubio ‖ *(Soldadura)* socavación; indentación [mordedura] marginal ‖ *(Grabación fonog)* corte insuficiente. (1) Corte del surco con insuficiente profundidad. (2) Corte del surco con insuficiente amplitud de modulación. CF. **overcutting**.

underdamped   *adj:* subamortiguado, insuficientemente amortiguado, con amortiguación insuficiente; con amortiguamiento inferior al óptimo; con amortiguamiento periódico.

underdamping   subamortiguamiento, amortiguación insuficiente; amortiguamiento inferior al óptimo | amortiguamiento periódico. CO. v. **periodic damping** | CF. **overdamping**.

underdash installation   *(Autos)* instalación debajo del tablero (de instrumentos).

underdesign   *verbo:* subdiseñar, diseñar por defecto, calcular [proyectar] con insuficiente reserva en las características de comportamiento o de seguridad. CF. **overdesign**.

underdevelopment   subdesarrollo, insuficiente desarrollo ‖ *(Cine/Fotog)* falta [insuficiencia] de revelado, revelado insuficiente. CF. **overdevelopment**.

underdrive   *(Elecn)* subexcitación, excitación insuficiente. CF. **overdrive**.

underdriven   *adj: (Elecn)* subexcitado, con excitación insuficiente. CF. **overdriven**.

underestimate   subestimar; errar por defecto en un estimado; presupuestar demasiado bajo; estimar (a una persona o una cosa) en menos de lo que merece.

underexcitation   subexcitación, hipoexcitación. CF. **overexcitation**.

underexcited   *adj:* subexcitado, insuficientemente excitado.

underexcited amplifier   amplificador subexcitado. CF. **overdriven amplifier**.

underexposed   *adj: (Cine/Fotog)* subexpuesto, con insuficiente exposición. CF. **overexposed**.

underexposed film   *(Cine/Fotog)* película subexpuesta.

underexposure   *(Cine/Fotog)* subexposición, exposición insuficiente, falta [insuficiencia] de exposición. CF. **overexposure**.

underflow   *(Hidr)* corriente de fondo ‖ *(Ríos)* corriente subálvea ‖ *(Comput)* (generación de un) valor inferior al mínimo aceptable. (1) Generación de una cantidad menor que la mínima aceptable. (2) En una operación aritmética, generación de una cantidad demasiado pequeña para que pueda ser almacenada por el registrador o por la localidad destinada a recibir el resultado de la operación ‖ CF. **overflow**.

underfoot   *(Máq perforadoras de película cinematográfica)* lanzadera. SIN. **shuttle**.

underframe   *(Autos, Locomotoras, Vagones)* bastidor. SIN. **undercarriage** ‖ *(Constr/Estr)* armazón de sustentación; bastidor inferior; infraestructura. SIN. **undercarriage**.

underfrequency   *(Elec)* subfrecuencia. Frecuencia inferior a la normal o de régimen. CF. **overfrequency**.

underfrequency protection   *(Elec)* dispositivo de protección de mínimo de frecuencia. Dispositivo de protección frecuencimétrico [frequency protection] que funciona cuando la frecuencia cae por debajo de un valor predeterminado (CEI/56 16–60–055). CF. **overfrequency protection**.

underfused   *adj: (Elec)* subfusibleado. Dícese de un aparato con fusible de menor capacidad que la debida.

undergrade crossing   *(Vías férreas)* paso [cruce] inferior, paso por debajo.

underground   *(GB: a subway system)* ferrocarril subterráneo ‖ *adj:* subterráneo, soterrado, bajo tierra; soterrable.

underground burst   explosión subterránea (de una bomba nuclear).

underground cable   *(Elec/Telecom)* cable subterráneo, cable soterrado [tendido bajo tierra].

underground cable route   *(Telecom)* arteria de cable subterráneo.

underground cement duct   *(Elec)* ducto de hormigón subterráneo.

underground circuit   *(Telecom)* circuito subterráneo, línea subterránea.

underground contact rail   *(Tracción eléc)* carril de contacto de atarjea. Carril de contacto colocado en un conducto abierto, axial o lateral, situado por debajo de los carriles de rodadura (CEI/38 30–10–035). CF. **side contact rail**.

underground crossing   *(i.e.* road crossing underneath) paso inferior.

underground distribution chamber   *(Telecom)* cámara subterránea de distribución.

underground fuel tank   depósito soterrado para combustible; depósito soterrable para combustible.

underground hydroelectric (power) plant   *(Elec)* central hidroeléctrica en caverna.

underground line   *(Elec)* línea subterránea. (**1**) Línea eléctrica colocada dentro de la tierra (CEI/38 25‑20‑020). (**2**) Línea eléctrica colocada bajo el suelo (CEI/65 25‑20‑090). cf. **overhead line, submarine line** ‖ *(Vías férreas)* línea en túnel [en subterráneo]. Línea a bajo nivel y a cielo cerrado.

underground link box   *(Elec)* caja de seccionamiento subterránea. cf. **distribution pillar**.

underground mains   *(Elec)* canalización subterránea.

underground plant   canalización subterránea [enterrada].

underground power plant   v. **underground hydroelectric (power) plant**.

underground storage   almacenamiento subterráneo.

underground system of lines   red de canalizaciones subterráneas.

underground tunnel   *(Ferroc)* túnel subterráneo. Galería o túnel construido bajo el nivel del suelo, generalmente dentro de un perímetro urbano. sin. **subterranean tunnel, subway**.

underground water   aguas subterráneas; aguas freáticas; agua de pozo.

underground wire line   *(Telecom)* línea subterránea.

undergrowth   maleza, monte bajo.

underinflation   *(Neumáticos)* inflado insuficiente.

underlap   *(Facsímile)* falta de yuxtaposición ‖ carencia de yuxtaposición. Defecto de reproducción que ocurre cuando el ancho de la línea de exploración [scanning line] es inferior al paso de exploración [scanning pitch] (CEI/70 55‑80‑205). cf. **overlap**.

underlapping plate   chapa subsolapada. La inferior de las dos chapas de una junta solapada.

underlay   *(Galvanoplastia)* capa base, capa soporte ‖ *(Soldadura)* capa subyacente. Capa de metal blando debajo de la superficie de metal duro o debajo del recrecimiento con soldante ‖ *(Tipog)* calzo, realce (de la forma) ‖‖ *verbo: (Tipog)* calzar, realzar (para conseguir la altura conveniente para la impresión).

underlayment   *(Edif)* contrapiso, capa bituminosa debajo de un piso de madera.

underlip   *(Mús: Organos)* (of a flue pipe) labio inferior.

underload   *(Elec)* carga baja [reducida], baja carga.

underload circuit breaker   *(Elec)* disyuntor de baja carga, disyuntor de (carga) mínima, disyuntor de mínimo de carga.

underload relay   *(Elec)* relé de baja carga, relé de (carga) mínima, relé de mínimo de carga. Relé que funciona cuando la carga en un circuito eléctrico cae por debajo de cierto valor preestablecido.

underload switch   *(Elec)* interruptor de baja carga, interruptor de (carga) mínima.

underload tap changer   *(Transf)* selector de tomas de baja carga. Selector de tomas o derivaciones para variar la relación de transformación en caso de reducción de la carga.

underlying   *adj:* subyacente; fundamental.

undermanned   *adj:* escaso de personal; con dotación [tripulación] incompleta.

undermine   *verbo:* minar, socavar, zapar; descimentar, descalzar; debilitar.

undermining   socava, socavación, socavamiento, derrubio; descalce (de cimientos), descimentación.

undermoderated   *adj: (Nucl)* submoderado.

undermoderated lattice   *(Nucl)* celosía submoderada.

undermodulation   *(Radio)* submodulación, modulación insuficiente [incompleta] (de un transmisor) ‖ inframodulación. Regulación del nivel de la señal moduladora a un valor muy bajo y que entraña un mal aprovechamiento de las posibilidades de un emisor radioeléctrico (CEI/70 60‑62‑110). cf. **overmodulation**.

underneutralization   *(Radio)* subneutralización, neutralización incompleta [insuficiente].

underpass   *(i.e.* road crossing underneath) paso inferior, paso por debajo. Paso de una carretera por debajo de otra carretera o por debajo de una vía férrea. sin. **underground crossing**. cf. **overpass** ‖ *(Circ integrados)* aislador de cruce. Elemento semicon-

ductor que permite el cruce de dos conductores sin contacto eléctrico; se trata generalmente de un resistor de bajo valor cubierto por una capa de óxido de silicio que lo aisla del conductor superior, siendo ese resistor parte del conductor inferior.

underpin   *verbo: (Constr)* apuntalar, poner puntales ‖ recalzar, socalzar, sotomurar. localismos: apear, submurar.

underpinning   *(Constr)* apuntalamiento ‖ recalce, recalzo, sotomuración. localismo: apeo.

underpinning of a cut   *(Vías férreas)* revestimiento de una trinchera con obra de mampostería. Construcción de muros de sostenimiento de los taludes de una trinchera.

underplaster extension   *(Elec)* extensión embutida (en el yeso), extensión colocada dentro del revoque.

underpower protection   *(Elec)* dispositivo de protección de mínimo de potencia. Dispositivo de protección de potencia [power protection] que funciona cuando la potencia transmitida en un cierto sentido es inferior a un valor predeterminado (CEI/56 16‑60‑065). cf. **overpower protection**.

underpower relay   *(Elec)* relé de potencia baja, relé de mínima (potencia). Relé que funciona cuando la potencia en un circuito cae por debajo de un valor predeterminado ‖ relé de mínima, relé de mínimo de potencia. Relé de medida [measuring relay] que funciona cuando la potencia de influencia (v. **actuating quantity**) alcanza un valor inferior al de regulación [operating value]. sin. **minimum power relay**. cf. **overpower relay**.

underpressure   subpresión, presión insuficiente.

underpriming   cebado insuficiente; purgado insuficiente.

underpunching   *(Informática)* perforación inferior.

underriver   *adj:* subfluvial. Que pasa o da paso por debajo de un río.

underrun   cantidad de menos (en un lote de producción o en el despacho de un pedido) ‖‖ *adj: (Elec)* subalimentado, con tensión inferior a la normal.

underrunning third rail   *(Tracción eléc)* carril [riel] de contacto inferior. cf. **underground contact rail**.

underscan   *(Tv)* subdesviación (del haz explorador), subbarrido. cf. **overscan**.

undersea   *adj:* submarino ‖‖ *adv: (also* underseas) bajo la superficie del mar.

undersea cable   *(Telecom)* cable submarino. sin. **submarine cable**.

undersea plateau   *(Oceanografía)* meseta submarina.

underseas   *adv: (also* undersea) bajo la superficie del mar.

undershoot   *(Avia) (also* undershooting) entrada corta; aterrizaje corto ‖ *(Impulsos)* subimpulso, descenso de base, sobrecresta [sobreoscilación, hiperoscilación] negativa. Respuesta transitoria inicial a un impulso o cambio unidireccional aplicado a la entrada de un circuito o un dispositivo, y que precede, con sentido opuesto, a la transición principal. sin. **precursor**. cf. **overshoot** ‖‖ *verbo: (Avia)* aterrizar corto ‖ *(Artillería)* disparar corto ‖ cf. **overshoot**.

undershooting   *(Avia)* v. **undershoot** ‖ *(Artillería)* disparo corto.

underside   lado inferior; cara inferior.

underside of the chassis   *(Radio/Elecn)* lado inferior del chasis.

undersize   subtamaño ‖‖ *adj:* subdimensionado, escaso de medida, de menos tamaño que el normal; de tamaño bajo el límite. cf. **oversize**.

undersize variation   variación (dimensional) en menos.

underspeed   *(Máq, Mot)* velocidad insuficiente, insuficiencia de velocidad. cf. **overspeed**.

underswing   suboscilación, subvibración, subamplitud (de oscilación, de vibración); subelongación ‖ *(MF)* submodulación, inframodulación. v. **undermodulation**. cf. **overswing**.

underthrow distortion   *(Facsímile)* distorsión por subamplitud (de señal). Distorsión que ocurre cuando es insuficiente la amplitud máxima de la señal.

undertow   resaca; corriente de fondo; contracorriente.

undertravel   *(Mec)* carrera incompleta. cf. **overtravel**.

undertuned   *adj:* infrasintonizado, subsintonizado.

undertuned harmonic ringing   *(Telecom)* llamada armónica infrasintonizada.

undervoltage   baja tensión, bajo voltaje, subtensión, subvoltaje, tensión reducida, voltaje reducido; tensión [voltaje] insuficiente; tensión [voltaje] inferior al valor normal. CF. **overvoltage.**

undervoltage alarm   alarma de subtensión [de voltaje bajo].

undervoltage circuit breaker   disyuntor de mínima tensión [de voltaje bajo].

undervoltage operation   funcionamiento subvoltado [a subtensión]. v. **lamp operated at undervoltage.** CF. **overvoltage operation.**

undervoltage protection   protección contra bajo voltaje [contra reducción de tensión]. SIN. **low-voltage protection** | dispositivo de protección de mínimo de tensión. Dispositivo de protección voltimétrica [voltage protection] que funciona cuando la tensión cae por debajo de un valor predeterminado (CEI/56 16–60–040). CF. **overvoltage protection.**

undervoltage relay   relé de tensión mínima [de mínima tensión, de bajo voltaje] | relé de mínima, relé de mínimo de tensión. Relé de medida [measuring relay] que funciona cuando la tensión de influencia (v. **actuating quantity**) alcanza un valor inferior al de regulación [operating value]. SIN. **minimum-voltage relay.** CF. **overvoltage relay.**

undervoltage release   desconexión [desenganche] a tensión mínima | escape [desenganche] de tensión mínima. Dispositivo que efectúa la apertura de un circuito si la tensión o diferencia de potencial cae por debajo de un valor predeterminado | aparato de mínimo de tensión. Aparato que funciona automáticamente cuando la tensión que le es aplicada desciende por debajo de un valor predeterminado (CEI/57 15–20–095). CF. **overvoltage release.**

undervoltage test   prueba de tensión reducida. CF. **overvoltage test.**

undervoltage trip coil   *(Disyuntores)* bobina de disparo a mínimo de tensión.

undervoltage tripping   desconexión [desenganche] por bajo voltaje [por baja tensión] | disparo por falta de tensión. Método por el cual la tensión aplicada a la bobina de disparo a mínimo de tensión [undervoltage trip coil] del disyuntor [circuit breaker] es desconectada por el dispositivo de protección (CEI/56 15–55–080).

underwater   *adj:* subacuático; submarino; subácueo; sumergido; entre dos aguas; inundado.

underwater aerial   antena sumergida [submarina].

underwater ambient noise   ruido ambiente subacuático [submarino].

underwater amplifier   *(Telecom)* amplificador sumergido.

underwater antenna   antena sumergida [submarina].

underwater burst   explosión (nuclear) submarina.

underwater cinematography   cinematografía submarina.

underwater detection microphone   hidrófono, micrófono de detección submarina. SIN. **hydrophone.**

underwater echo-ranging   sondeo subacuático (por ecos), sondeo submarino. SIN. **underwater sounding.** v. **echo-location.**

underwater explosion   explosión submarina.

underwater handling   manejo bajo el agua.

underwater lighting   alumbrado submarino.

underwater link   *(Telecom)* enlace submarino.

underwater maintenance   conservación bajo el agua.

underwater mapping   cartografía submarina.

underwater mine   *(Artefactos de guerra)* mina submarina.

underwater-mine coil   bobina (detectora) de mina submarina.

underwater-mine depth compensator   compensador de profundidad de mina submarina.

underwater photography   fotografía submarina.

underwater radar   radar submarino.

underwater radiance   radiancia submarina.

underwater repeater   *(Telecom)* repetidor submarino.

underwater signal   señal (acústica) submarina.

underwater sound communication (set)   (equipo de) comunicación acústica submarina.

underwater sound projector   proyector acústico [sonoro] submarino, transductor electroacústico sumergido.

underwater sound source   fuente de sonido sumergida.

underwater sounding   sondeo subacuático [submarino] (por ecos). SIN. **underwater echo-ranging.** v. **echo-location.**

underwater speech communication   comunicación hablada subacuática [submarina].

underwater storage   almacenamiento bajo el agua.

underwater television   televisión submarina. Televisión utilizada para la observación bajo el agua, en aplicaciones tales como oceanografía, biología marina, operaciones de salvamento, construcción subacuática, etc.

underwater vehicle   vehículo submarino.

underwater welding   soldadura subacuática [bajo el agua].

underweight   falta de peso /// *adj:* falto de peso.

underwrite   *verbo: (Finanzas)* subscribir ‖ *(Seguros)* asegurar.

underwriter   *(Finanzas)* subscriptor (de valores) ‖ *(Seguros)* asegurador; empresa aseguradora; agente asesor; oficial que aprueba o desaprueba [acepta o rechaza] (las) solicitudes (de seguro).

Underwriter Laboratories [UL]   Asociación de aseguradores de los Estados Unidos que establece normas de seguridad para tipos de aparatos y componentes de aparatos.

underwriters approved   *adj:* aprobado por la asociación de aseguradores.

underwriters association   asociación de aseguradores.

underwriters standards   normas del consejo [de la asociación] de aseguradores.

undesired   *adj:* indeseado, no deseado; perjudicial.

undesired ground-wave signal   *(Radiocom)* señal indeseada de onda de tierra.

undesired response   *(Radio/Elecn)* respuesta indeseada [perjudicial].

undesired signal   *(Radio/Elecn)* señal indeseada; señal perturbadora; señal parásita.

undetermined   *adj:* indeterminado.

undetermined coefficient   *(Mat)* coeficiente indeterminado.

undevelopable   *adj:* no desarrollable.

undevelopable curvature   curvatura no desarrollable.

undeveloped   *adj:* no desarrollado.

undeveloped device   dispositivo sin perfeccionar.

undirected   *adj:* no dirigido.

undirected line   *(Mat)* recta no dirigida [no orientada].

undirected segment   *(Mat)* segmento no dirigido [no orientado, no ordenado].

undistorted   *adj:* no deformado, sin deformación; no distorsionado, sin distorsión.

undistorted grid modulation   modulación por rejilla sin distorsión.

undistorted output   *(Elecn)* (potencia de) salida sin distorsión.

undistorted power   *(Elecn)* potencia (de salida) sin distorsión.

undistorted power output   *(Elecn)* potencia de salida sin distorsión. Máxima potencia que puede suministrar a la salida un amplificador de audiofrecuencia sin que la distorsión exceda de cierto valor especificado, considerado despreciable.

undistorted wave   onda sin distorsión. Una onda periódica transmitida por un sistema está exenta de distorsión a la salida de éste si la atenuación y la velocidad de propagación han sido las mismas para todas las componentes sinusoidales de la onda, y si no existe a la salida ninguna componente que no esté también presente a la entrada.

undisturbed   *adj:* imperturbado, no perturbado, sin perturbación.

undisturbed-one output   *(Células de memoria mag)* salida "uno" de célula no perturbada. Salida "uno" de una célula a la que no se le ha aplicado ningún impulso de lectura parcial [partial-read pulse] después de que la misma fue seleccionada para inscripción la última vez.

undisturbed-zero output   *(Células de memoria mag)* salida "cero" de célula no perturbada. Salida "cero" de una célula a la que no se le ha aplicado ningún impulso de escritura parcial [partial-write pulse] desde que la misma fue seleccionada para lectura la última vez.

undivided   *adj:* indiviso, no dividido; entero, íntegro; no distribuido, no repartido; pro indiviso.

undivided highway   carretera de calzada única. Carretera de una sola calzada [traveled way] que no tiene separador direccional natural o artificial entre las dos corrientes de tránsito de sentidos opuestos.

undoped   *adj:* *(Semicond)* puro, sin impurezas.

undoped state   *(Semicond)* estado puro.

undulant   *adj:* ondulante, undulante.

undular   *adj:* ondular, undular.

undular surge wave   onda de cresta ondular.

undulate   *adj:* ondulado, undulado ||| *verbo:* ondular, undular, ondear.

undulating   *adj:* ondulante, undulante, ondulatorio.

undulating current   corriente ondulante [pulsatoria].

undulating ground   terreno ondulante. Terreno que presenta ondulaciones suaves de poca altura y extensa base, y que, al construir una vía, obliga a hacer pequeños terraplenes y desmontes.

undulating light   faro ondulatorio.

undulating quantity   magnitud ondulante [pulsatoria]. Magnitud que varía periódicamente sin cambiar de signo (CEI/38 05–05–135).

undulating voltage   tensión ondulante [pulsatoria].

undulating-voltage motor   motor de tensión ondulante.

undulation   ondulación, undulación.

undulator   *(Teleg)* ondulador. En los sistemas Morse, registrador de cinta [tape recorder] de alta velocidad, con un estilete que ocupa, según la variedad de la señal entrante, una u otra de dos posiciones estables, y que conduce la tinta a una cinta de papel de desplazamiento continuo, efectuándose así un registro legible (CEI/70 55–75–135). CF. **siphon recorder.**

undulator motor drive   *(Teleg)* tiracintas de ondulador.

undulatory   *adj:* ondulatorio, undulatorio.

undulatory current   corriente ondulatoria [pulsatoria].

undulatory discharge   descarga ondulatoria.

undulatory voltage   tensión ondulatoria [pulsatoria].

undulatory wear   *(Vías férreas)* desgaste ondulatorio (del carril).

unenclosed   *adj:* descubierto, sin cubierta; no encerrado.

unenclosed relay   relé sin cubierta.

unending   *adj:* inacabable, interminable.

unenergized relay   relé desexcitado [sin excitación].

unenriched   *adj:* *(Nucl)* no enriquecido.

unenriched uranium   uranio natural [no enriquecido].

unequal   *adj:* desigual.

unequal impulses   impulsos desiguales.

UNESCO   Abrev. de United Nations Educational, Scientific, and Cultural Organization [Organismo de las Naciones Unidas para la Educación, la Ciencia, y la Cultura].

unessential   *adj:* no esencial.

unessential note   *(Mús)* nota de adorno.

uneven   *adj:* irregular; no uniforme; desigual; desnivelado || *(Números)* impar. SIN. **odd** || *(Terrenos)* áspero, escabroso, quebrado, anfractuoso.

uneven number   número impar. SIN. **odd number.**

unfavorable   *adj:* desfavorable.

unfavorable conditions   condiciones desfavorables.

unfavorable weather   tiempo desfavorable.

unfavorable wind   *(Naveg)* viento desfavorable.

unfeather   *verbo:* *(Hélices)* sacar de paso bandera.

unfill   *(Fab de discos fonog)* (zona de) moldeado defectuoso; defecto (de moldeado) por falta de material en el surco.

unfilled groove   *(Fab de discos fonog)* surco mal moldeado. Surco defectuoso por no haber quedado completamente moldeado; la superficie del disco presenta un aspecto mate y áspero en las zonas de surcos mal moldeados.

unfilled order   pedido pendiente [no despachado], orden sin cumplir.

unfilled record   disco (fonográfico) mal moldeado. v. **unfilled groove.** CF. **unmolded record.**

unfilled section   *(Forjas)* sección defectuosa por falta de material.

unfiltered   *adj:* no filtrado, sin filtrar.

unfiltered incandescent source   *(Ilum)* fuente incandescente no filtrada.

unfinished   *adj:* inconcluso, sin acabar, sin terminar, no terminado; pendiente; sin acabar, no acabado, en (estado) bruto; semielaborado.

unfinished program   *(Comput)* programa inconcluso.

unfinished-program light   luz de programa inconcluso.

unfired tube   *(Elecn)* tubo desionizado [desexcitado]. Tubo ATR, tubo pre-TR, o tubo TR en ausencia de excitación y, por tanto, sin descarga luminiscente provocada por la RF ni en el intervalo resonante [resonant gap] ni en la ventana resonante [resonant window].

unflanged   *adj:* no embridado, sin brida.

unflanged fitting   adaptador no embridado.

UNFONE   *(Explot teleg)* Abrev. de unable to reach by telephone [imposible comunicarse por teléfono]. Se usa en los mensajes de servicio para informar que no es posible comunicarse por teléfono con el remitente o con el destinatario de un telegrama.

unforeseen   *adj:* imprevisto.

unforeseen breakdown   interrupción imprevista.

unfurl   *verbo:* desplegar.

unfurlable   *adj:* desplegable.

unfurlable antenna   antena desplegable.

ungear   *verbo:* desengranar; desembragar.

ungeared   *adj:* desengranado; desembragado; sin engranajes.

ungeared motor   motor de toma directa, motor acoplado directamente.

ungeared radial engine   motor radial de toma directa.

ungrounded   *adj:* *(Elec/Elecn)* desconectado [aislado] de tierra; sin conexión a tierra; sin conexión a masa.

ungrounded circuit   *(Elec)* circuito sin conexión a tierra.

ungrounded side   *(Elec)* lado vivo (de una línea de alimentación).

ungrounded system   *(Elec)* sistema aislado de tierra. Sistema sin ningún punto conectado directamente a tierra, excepto a través de dispositivos de muy alta impedancia | sistema con el neutro aislado (de tierra), sistema cuyo neutro no está puesto a tierra.

ungrounded tower   *(Radio)* torre aislada.

unguarded interval   *(Telef)* intervalo desprotegido. Intervalo de tiempo (generalmente una fracción de segundo) inherente al funcionamiento de un circuito, durante el cual éste está sin protección y puede, en consecuencia, ser captado o enganchado irregularmente (CEI/70 55–105–160) | intervalo no asegurado.

unguided   *adj:* no guiado, no dirigido, no gobernado.

unhang (the set)   *verbo:* *(Telef)* descolgar (el aparato).

unhinge   *verbo:* desgoznar, desengoznar; desbisagrar; desquiciar, sacar de quicio.

unhomogeneity   inhomogeneidad.

unhook   *verbo:* desenganchar, desganchar; descolgar || *(Telef)* descolgar (el aparato) | **calling subscriber unhooks:** el abonado que llama descuelga (su aparato). v. **hook.**

unhooking   desenganche, acción de desenganchar; acción de descolgar.

UNHR   *(Explot teleg)* Abrev. de United Nations Half Rate. La abreviatura se usa como prefijo para los telegramas de la ONU que disfrutan de concesión de media tasa.

uni-   uni-. Prefijo que indica la condición de ser sencillo (en oposición a múltiple) o de tener o consistir en uno solo.

uniaxial *adj:* uniaxil, uniaxial, uniáxico, monoaxil, monoaxial.

uniaxial crystal *(Opt)* cristal uniáxico.

uniaxial magnetic anisotropy anisotropía magnética uniaxil.

uniaxial microphone micrófono unidireccional. v. **unidirectional microphone**.

uniaxiality uniaxialidad, monoaxialidad.

uniaxially *adv:* uniaxilmente, uniaxialmente, monoaxilmente, monoaxialmente.

uniaxially oriented tungsten *(Emisores termoiónicos)* tungsteno de orientación uniaxil.

unicellular *adj:* unicelular.

UNICOM *(Telecom)* UNICOM. Abreviatura internacional de universal integrated communications system | UNICOM. Denominación de la frecuencia de 122,8 MHz asignada en los Estados Unidos a las radiocomunicaciones de los aviadores particulares. SIN. **private flyer's frequency**.

uniconductor *adj:* uniconductor, de un solo conductor.

uniconductor waveguide guíaondas uniconductor. Guíaondas constituida por una superficie metálica (cilíndrica o rectangular) que rodea un medio dieléctrico homogéneo.

unicursal *(Mat)* (= a rational curve) unicursal, curva racional ⫽ *adj:* unicursal.

unicursal curve *(Mat)* curva unicursal. Curva expresable en función racional de un solo parámetro.

unicursality unicursalidad.

unicursally *adv:* unicursalmente.

unidentified *adj:* no identificado, sin identificación.

unidentified flying object [UFO] objeto volante no identificado.

unidimensional *adj:* unidimensional, monodimensional, de una sola dimensión.

unidirected *adj:* unidireccional; de sentido único.

unidirected currents corrientes del mismo sentido.

unidirected flow flujo unidireccional.

unidirectional *adj:* unidireccional; de sentido único; unilateral.

unidirectional action acción unidireccional.

unidirectional aerial antena unidireccional.

unidirectional antenna antena unidireccional. Antena caracterizada por radiar o recibir la mayor parte de su energía en una sola dirección.

unidirectional bearing *(Radiogoniometría)* marcación de sentido único. CF. **sensing antenna**.

unidirectional circuit *(Telecom)* circuito para un solo sentido. SIN. **one-way circuit**.

unidirectional conductor *(Elec)* conductor asimétrico.

unidirectional coupler *(Sist de RF)* acoplador unidireccional.

unidirectional current *(Elec)* corriente unidireccional. Corriente que conserva siempre el mismo sentido (CEI/38 05–20–055, CEI/56 05–20–080). CF. **direct current**.

unidirectional hydrophone hidrófono unidireccional. v. **unidirectional microphone**.

unidirectional log-periodic antenna antena unidireccional de periodicidad logarítmica.

unidirectional microphone micrófono unidireccional. Micrófono direccional que responde predominantemente al sonido procedente de un ángulo sólido inferior a 2π estereorradianes (CEI/60 08–15–030).

unidirectional pattern diagrama unidireccional.

unidirectional pulse impulso unidireccional. Impulso cuyos valores instantáneos son todos superiores o inferiores al valor inicial y final común (CEI/70 55–35–025). SIN. **single-polarity pulse** *(término desaconsejado)*.

unidirectional pulse train tren unidireccional de impulsos. Serie de impulsos que suben todos en el mismo sentido.

unidirectional pulses impulsos unidireccionales; impulsos de subida en el mismo sentido.

unidirectional selector *(Telecom)* selector unidireccional. CF. **uniselector**.

unidirectional stepping motor motor paso a paso unidireccional, motor paso a paso de giro en un solo sentido. SIN. **single-rotation stepping motor**.

unidirectional submarine cable *(Telecom)* cable submarino de un solo sentido de transmisión.

unidirectional supply alimentación unidireccional.

unidirectional transducer transductor unidireccional. Transductor que sólo responde a las excitaciones en un sentido a partir de un punto de reposo o punto cero de referencia | v. **unilateral transducer**.

unidirectional transmission transmisión unidireccional.

unidirectional transmitter micrófono unidireccional. v. **unidirectional microphone**.

unidirectional voltage tensión unidireccional. Tensión que conserva siempre la misma polaridad. CF. **unidirectional current**.

unidirectionally *adv:* unidireccionalmente.

unidyne *adj:* *(Radio)* unidino.

unidyne receiver *(Radio)* receptor unidino. Receptor en el que se utiliza la misma batería para la alimentación de filamento y de ánodo.

unidyne reception *(Radio)* recepción unidina.

unified *adj:* unificado; consolidado.

unified atomic mass constant constante unificada de masa atómica. Es igual a 1/12 de la masa en reposo de un átomo de carbono 12. Símbolo: μ.

unified equation ecuación unificada.

unified field *(Fís)* campo unificado.

unified field theory *(Fís)* teoría del campo unificado. Teoría relativista de Einstein que abarca como casos particulares los campos electromagnéticos y los gravitacionales.

unified nuclear model modelo nuclear unificado.

unified standard norma unificada.

unifilar *adj:* unifilar, monofilar. Que solo tiene o utiliza un hilo, una fibra, o un alambre.

unifilar suspension *(Galvanómetros)* suspensión unifilar.

uniflow flujo unidireccional ⫽ *adj:* uniflujo, de flujo único; de flujo unidireccional; equicorriente; de corrientes paralelas.

uniform uniforme *(traje)* ⫽ *adj:* uniforme; constante, invariable; consistente; regular; semejante; armonioso.

uniform acceleration aceleración constante.

uniform beam (of neutrons) haz uniforme (de neutrones).

uniform-break impulse dial *(Telef)* disco de impulsos de interrupción uniforme.

uniform continuity *(Funciones matemáticas)* continuidad uniforme.

uniform convergence *(Series matemáticas)* convergencia uniforme.

uniform deposition deposición uniforme.

uniform diffuse reflection reflexión difusa uniforme. Reflexión difusa en la que la distribución espacial [spatial distribution] de la radiación reflejada es tal que la radiancia [radiance] o la luminancia [luminance] es la misma en todas las direcciones de la radiación reflejada (CEI/70 45–20–025).

uniform diffuse transmission transmisión difusa uniforme.

uniform diffuser difusor uniforme. Difusor cuya luminancia es independiente de la dirección, cualquiera que sea la dirección de la luz incidente (CEI/58 45–20–130).

uniform field campo uniforme. (1) Campo cuya intensidad en cada instante es la misma en todos los puntos (CEI/38 05–05–030). (2) Campo cuya intensidad y orientación son las mismas en todos los puntos del espacio considerado (CEI/56 05–01–050).

uniform flow flujo uniforme; corriente uniforme.

uniform function *(Mat)* función analítica. SIN. **analytic function**.

uniform illumination iluminación uniforme. CF. **tapered illumination**, **inverse-tapered illumination**.

uniform line línea (de transmisión) uniforme. La que tiene idénticas propiedades eléctricas en toda su longitud.

uniform load carga uniforme.

uniform magnetic field   campo magnético uniforme.

uniform motion   movimiento uniforme [constante].

uniform motion in a circle   movimiento uniforme circular.

uniform plane wave   onda plana uniforme. Onda plana caracterizada por vectores del campo eléctrico y del campo magnético que tienen magnitud constante sobre las superficies equifase [equiphase surfaces].

uniform point source   fuente puntual uniforme. Fuente puntual que emite uniformemente en todas las direcciones (CEI/70 45–05–110).

uniform precession   precesión uniforme. Dícese cuando los momentos magnéticos de todos los átomos de una muestra son paralelos y tienen un movimiento de precesión en fase alrededor del campo magnético.

uniform random noise   v. **uniform-spectrum random noise.**

uniform-spectrum random noise   ruido blanco, ruido de espectro continuo uniforme. Ruido errático cuya distribución espectral [spectral distribution] es tal que su potencia por banda de anchura unidad es independiente de la frecuencia. SIN. **flat random noise, white noise** (CEI/70 55–10–085).

uniform speed   velocidad uniforme [constante].

uniform transmission line   línea de transmisión uniforme, línea uniforme de transmisión. Línea de transmisión cuyas propiedades o características no varían en función de la distancia a lo largo de su eje, o sea, a lo largo de la dirección de propagación.

uniform vehicle code   reglamento de tránsito. Colección ordenada de reglas y disposiciones dictadas por autoridad competente a las que debe ajustarse el tránsito.

uniform velocity   velocidad uniforme [constante].

uniform waveguide   guíaondas [guía de ondas] uniforme. Guíaondas cuyas propiedades o características no varían con la distancia a lo largo de su eje.

uniformity   uniformidad; constancia, invariabilidad; consistencia; regularidad; semejanza; armonía ‖ *(Cintas de registro mag)* uniformidad, constancia (de la señal de salida).

uniformity error   error de uniformidad.

uniformity factor (of an illuminated surface)   factor de uniformidad (de una superficie iluminada). Relación entre la iluminación mínima y la iluminación máxima (CEI/38 45–35–030).

uniformity ratio   *(Ilum)* factor de uniformidad.

uniformity ratio of illuminance (on a given plane)   factor de uniformidad de iluminancia (sobre una superficie dada). Razón de la iluminancia mínima a la iluminancia media sobre la superficie. NOTA: También se utilizan (*a*) la razón de la iluminancia mínima a la iluminancia máxima, y (*b*) la inversa de una u otra de las dos razones anteriores (CEI/70 45–50–215).

uniformity ratio of illumination (on a given plane)   factor de uniformidad de iluminación (sobre una superficie dada). Razón de la iluminación mínima a la iluminación media sobre una superficie dada. A veces se usa la razón de la iluminación mínima a la iluminación máxima (CEI/58 45–50–100).

uniformization   uniformización.

uniformly   *adv:* uniformemente; constantemente, invariablemente; consistentemente; regularmente; semejantemente.

uniformly accelerated motion   movimiento uniformemente acelerado, movimiento de aceleración constante.

uniformly distributed   distribuido [repartido] uniformemente.

uniformly oriented   *adj:* uniformemente orientado, de orientación uniforme.

uniformly retarded motion   movimiento uniformemente retardado, movimiento de aceleración negativa constante.

unify   *verbo:* unificar; consolidar.

unifying   *adj:* unificante, unificador; consolidante.

ungrounded   *adj: (Elec)* de conexión simple a tierra.

unijunction   *adj: (Semicond)* uniunión, de unión única, de una sola unión.

unijunction photosensitive semiconductor device   dispositivo semiconductor fotosensible uniunión. Dispositivo electrónico con-

sistente en dos capas de material semiconductor, cada una de ellas con su propio electrodo, y en el cual la intensidad de corriente entre los electrodos depende de la energía luminosa incidente. SIN. **single-junction photosensitive semiconductor (device).**

unijunction transistor [UJT]   transistor uniunión [de unión única]. (**1**) Diodo semiconductor con dos conexiones a una de las partes del elemento semiconductor. (**2**) Barra de semiconductor tipo N con una región de aleación tipo P sobre uno de los lados. Las conexiones se hacen a contactos de base en uno y otro extremo de la barra, y a la región P. Este dispositivo posee características semejantes a las del tiratrón entre el terminal de la región P y el terminal negativo de la base. Para llevarlo a la condición activa se aplica una tensión entre los terminales de la base, o se cambia la tensión polarizadora aplicada a la región P; y se le devuelve a la condición de inactividad por reajuste de la mencionada polarización. (**3**) Dispositivo semiconductor caracterizado por presentar un umbral de tensión preciso que conduce a una característica de resistencia negativa de entrada. Las estructuras primeramente utilizadas fueron barras de semiconductor con una unión aleada, pero la evolución de la tecnología planar propició la utilización de diversas otras estructuras, algunas de ellas con varias uniones. SIN. **single-junction [filamentary] transistor, double-base (junction) diode.**

unilateral   *adj:* unilateral.

unilateral amplifier   amplificador unilateral [unidireccional]. Amplificador en el cual la transferencia de señal sólo puede ocurrir en un sentido.

unilateral-area track   *(Electroacús)* pista de área variable asimétrica. Pista sonora de película cinematográfica, del tipo de área variable (v. **variable-area track**), en la que se modula únicamente uno de los bordes de la zona opaca. No obstante, puede haber un segundo borde modulado por un dispositivo de reducción de ruido.

unilateral bearing   *(Radiogoniometría)* marcación de sentido único. Marcación sin ambigüedad de sentido y, en consecuencia, sin posibilidad de error de 180°. SIN. **unidirectional bearing.** CF. **sensing antenna.**

unilateral channel   *(Telecom)* canal unilateral, canal de transmisión en un solo sentido.

unilateral conductivity   *(Elec)* conductividad [conductibilidad] unilateral. Conductividad o conductibilidad en un solo sentido, como en el caso de un rectificador ideal. En un rectificador práctico la conductividad es siempre *asimétrica,* pero sólo es *unilateral* cuando es totalmente nula en uno de los dos sentidos.

unilateral device   dispositivo unilateral. Dispositivo en el cual la transmisión de la energía o de la señal, según el caso, sólo ocurre en un sentido.

unilateral direction finder   radiogoniómetro unidireccional. Radiogoniómetro que proporciona marcaciones de sentido único (v. **unilateral bearing**).

unilateral element   *(Elec/Elecn)* elemento unilateral.

unilateral four-terminal   tetrapolo unilateral, red unilateral de cuatro terminales. SIN. **acoplador direccional — directional coupler.**

unilateral gear   *(Tracción eléc)* engranaje unilateral. Engranaje cuyos órganos están dispuestos en uno solo de los árboles de los motores (CEI/57 30–15–530).

unilateral impedance   *(Elec)* impedancia unilateral.

unilateral limit   tolerancia unilateral.

unilateral network   red unilateral. (**1**) Red que proporciona acoplamiento unidireccional. (**2**) Red eléctrica tal que la aplicación de una excitación en un par de terminales produce una respuesta en un segundo par, pero no a la inversa. SIN. **acoplador direccional — directional coupler.**

unilateral radiocommunication service   servicio unilateral de radiocomunicaciones. SIN. **one-way radiocommunication service.**

unilateral relay   relé [relevador] unilateral.

unilateral transducer   transductor unilateral. Transductor en el que la aplicación de ondas o excitaciones a la(s) salida(s) no tiene ningún efecto sobre la(s) entrada(s) | v. **unidirectional transducer.**

unilateral transmission   *(Telecom)* transmisión unilateral [en un solo sentido] || *(Tracción eléc)* transmisión unilateral. Transmisión en la que cada motor transmite la potencia por una sola de las extremidades de su árbol (CEI/57 30–15–465).

unilaterality   unilateralidad.

unilateralization   unilateralización. (**1**) Transformación de una red bilateral [bilateral network] en unilateral [unilateral network]. (**2**) En un amplificador de transistor de alta frecuencia, empleo de un circuito de realimentación externo para impedir oscilaciones perjudiciales por neutralización de las variaciones reactivas y resistivas; cuando solamente se neutralizan las variaciones reactivas, el procedimiento se llama *neutralización* [neutralization].

unilaterally   *adv:* unilateralmente.

unilayer   monocapa; monoestrato. SIN. **monolayer** | *(i.e.* monomolecular layer) capa monomolecular | *(i.e.* monoatomic layer) capa monoatómica.

unilevel   *adj:* de nivel único; de nivel constante.

unimodal   *adj:* unimodal.

unimode   *adj:* unimodo, unimodal.

unimodular   *adj:* unimodular.

unimodular group   grupo unimodular.

unimodular matrix   *(Mat)* matriz unimodular.

unimpeded harmonic operation   *(Ampl mag)* funcionamiento con impedancia nula (en el circuito de control), funcionamiento con circulación libre de las corrientes armónicas (en el circuito de control). Modalidad de funcionamiento en la cual el circuito de control presenta una impedancia despreciable, por lo que permite la circulación prácticamente libre de las corrientes armónicas todas.

unimproved   *adj:* no mejorado, sin mejoría; sin mejorar || *(Terrenos)* baldío, yermo; sin urbanizar || *(Caminos y carreteras)* sin afirmar.

unimproved road   camino sin afirmar, camino de tierra.

uninhibited   *adj:* no inhibido, sin inhibición.

uninsulated   *adj:* inaislado, sin aislación, sin aislamiento, sin aislante.

uninsulated wire   *(Elec)* alambre sin aislamiento, hilo descubierto [desnudo].

unintelligible   *adj:* ininteligible; incomprensible.

unintelligible crosstalk   *(Telecom)* diafonía ininteligible [no inteligible]. CF. **uninverted crosstalk.**

unintelligible crosstalk component   componente de diafonía ininteligible.

unintelligible sound   sonido incomprensible.

uninterrupted   *adj:* ininterrumpido, sin interrupción.

uninterrupted duty   *(i.e.* duty with variable loads with no intervals of rest) servicio ininterrumpido. Servicio permanente en el que diversos regímenes se suceden unos a otros (CEI/56 05–41–035).

uninverted   *adj:* no invertido, sin inversión.

uninverted crosstalk   *(Telecom)* *(i.e.* crosstalk giving rise to intelligible sounds) diafonía inteligible. Diafonía que da lugar a sonidos comprensibles. SIN. **intelligible crosstalk.** CF. **unintelligible crosstalk.**

union   unión; asociación; concordia; junta, conexión; trabazón; conector, conectador; gremio (obrero), sindicato (obrero) || *(Tuberías)* unión || *(Mat)* unión. Si *A* y *B* son *subconjuntos* [subsets] del *universo* [universe], la *unión* de *A* y *B,* simbolizada por "A ∪ B", es el conjunto [set] de todos los elementos que pertenecen a *A* o a *B* o a ambos.

union coupling   *(Tuberías)* acoplador de unión.

union elbow   *(Tuberías)* codo de unión, unión en L.

union fittings   *(Tuberías)* accesorios de unión.

union nipple   *(Tuberías)* niple de unión.

union nut   tuerca de unión.

Union of International Engineering Organizations   Unión de Asociaciones Técnicas Internacionales.

union of sets   *(Mat)* unión [reunión] de conjuntos. De dos conjuntos, *A* y *B,* el conjunto más pequeño que contiene a los dos. Simbólicamente: A ∪ B. SIN. **sum of sets.**

uniparameter   *adj:* uniparámetro, uniparamétrico.

UNIPEDE   Abrev. de Union internationale des producteurs et distributeurs d'énergie électrique [Unión Internacional de Productores y Distribuidores de Energía Eléctrica].

uniperiodic   *adj:* uniperiódico.

uniplanar   *adj:* uniplanar.

uniplanar bending   flexión uniplanar.

uniplanar filament   filamento plano.

uniplex   *(Telecom)* *(i.e.* single-channel operation) uniplex, funcionamiento por canal único.

unipolar   *adj:* unipolar.

unipolar apparatus   *(Elec)* aparato unipolar. Aparato que comprende los elementos correspondientes a un solo polo, o conductor de línea o de fase (CEI/38 15–25–005).

unipolar arc   arco unipolar. Arco eléctrico formado entre una superficie metálica (electrodo) y un plasma próximo a ella, y en el que la energía térmica de los electrones hace innecesario otro electrodo.

unipolar electrode system   *(Electrobiol)* sistema unipolar de electrodos. Sistema de exploración o de estimulación consistente en un electrodo activo [active electrode] y un electrodo indiferente [indifferent electrode]. SIN. **monopolar electrode system** (CEI/59 70–25–020). v. **reference electrode.**

unipolar field-controlled transistor   v. **unipolar field-effect transistor.**

unipolar field-effect transistor   transistor unipolar de efecto de campo. Transistor en cuyo funcionamiento intervienen portadores de carga de una sola polaridad, y en el cual la señal de entrada modula un campo eléctrico que a su vez hace variar la sección efectiva de una minúscula barra de material semiconductor; estos cambios de sección efectiva resultan en variaciones correspondientes de la resistencia que controla la corriente de salida. Este dispositivo se caracteriza por poseer elevada impedancia de entrada y por funcionar mediante control en tensión, en virtud de lo cual sus aplicaciones como elemento de circuito se asemejan a las de las válvulas electrónicas al vacío, y difieren bastante de las correspondientes al transistor ordinario. El transistor unipolar de efecto de campo posee un *surtidor* (cátodo) [source], un *drenador* (ánodo) [drain], del que se toma la señal de salida, y una *compuerta* (electrodo modulador) [gate], a la que se le aplica la señal excitadora o de entrada. SIN. **field-effect transistor, fieldistor, transtrictor, unipolar (field-controlled) transistor.**

unipolar induction   inducción unipolar.

unipolar machine   *(Elec)* máquina unipolar [acíclica]. v. **homopolar machine.**

unipolar transistor   transistor unipolar. Transistor en el que todos los portadores de carga son de una misma polaridad. v. **unipolar field-effect transistor.**

unipolarity   unipolaridad.

unipole   unipolo. Célula de filtro pasatodo [all-pass filter section] con un polo y un cero | unipolo. Cuerpo que emite o recibe ondas igualmente bien en todas las direcciones del espacio. En acústica este concepto está representado por una esfera pulsante que emite ondas sonoras || *(Radiocom)* unipolo, antena isótropa [isotrópica]. Antena hipotética que radía o recibe uniformemente en todas las direcciones del espacio. Carece de posible existencia o representación física, pero es útil como elemento teórico de referencia para expresar las propiedades directivas de antenas reales. SIN. **antena esférica —— isotropic antenna.**

unipole aerial   antena monopolo. v. **monopole aerial.**

unipotential   *adj:* unipotencial, equipotencial.

unipotential cathode   *(Elecn)* cátodo equipotencial. SIN. **equipotential cathode, indirectly heated cathode** (véase).

unique *adj:* único (en su género), singular; excepcional, muy especial, especialísimo, extraordinario, original; que constituye una particularidad única; insólito, desacostumbrado, desusado, inusitado, no común ni ordinario, raro, señero; excelente ‖ *(Mat)* único, singular. Que tiene un solo valor; que sólo admite un valor para cada conjunto de valores de los argumentos; susceptible de realizarse de un solo modo (es *única* p.ej. la factorización de un número en sus factores primos); dícese del resultado que es uno y sólo uno.

unique factorization *(Mat)* factorización única.

unique factorization theorem teorema de factorización única. Un entero positivo sólo puede ser expresado de una manera (aparte del orden de los factores) como un producto de números primos. A este se le llama a menudo *el teorema fundamental de la Aritmética.*

uniquely defined *adj: (Mat)* unívocamente definido.

uniqueness condición de único, de singular, etc. v. **unique** ‖ *(Mat)* unicidad; univocidad; singularidad.

uniselector *(Telef)* conmutador giratorio [rotativo], selector rotativo [de movimiento único, de un solo movimiento]. SIN. **rotary switch** ‖ (*i.e.* electromechanical selector having only rotary motion) conmutador giratorio, selector de movimiento único. Selector electromecánico que no tiene más que un movimiento de rotación (CEI/70 55-95-145).

unison armonía, concordancia ‖ *(Mús)* unísono, unisón; unisonancia | **in unison (with):** al unísono (de) ⫽ *adj:* unísono.

unisymmetrical *adj:* unisimétrico.

unit unidad (de medida); unidad (el número 1) | unidad, elemento, dispositivo, aparato, equipo, conjunto; bloque (autónomo); conjunto de piezas; subconjunto, unidad de construcción; órgano. CF. **assembly, subassembly, element, device, set, component, part, apparatus** | grupo motor; máquina; instalación | equipo, cuerpo (p.ej. de investigadores). CF. **team** ‖ *(Fís, Mat, Informática)* unidad ‖ *(Climatiz)* (grupo) motocompresor ‖ *(Elecn/Telecom, Comput)* unidad. Parte funcional de un equipo. Conjunto de elementos o circuitos que desempeña determinada función en un equipo o un sistema. v. **arithmetic unit, channel unit, control unit, input unit, memory unit, output unit, plug-in unit, storage unit** ‖ *(Teleg)* unidad, elemento (de señal, de código), momento. Elemento de señal de los que intervienen en un código de momentos [equal-length multiunit code] y cuyas combinaciones sirven para formar las señales telegráficas. SIN. **code element.** CF. **five-unit code** ‖ v.TB. **unit of. . .** ⫽ *adj:* unidad; unitario; de construcción unitaria; monobloque; enterizo; unificado, normalizado.

unit air conditioner *(Climatiz)* (a.c. unit conditioner) climatizador individual, (aparato) acondicionador de aire individual; acondicionador unitario [monobloque].

unit amplifier amplificador unitario. v. **unit device.**

unit-and-a-half stop emission *(Telecom)* emisión de parada de unidad y media.

unit area área [superficie] unitaria, unidad de superficie.

unit-area acoustic impedance impedancia acústica intrínseca [específica], impedancia acústica por unidad de superficie. v. **specific acoustic impedance.**

unit-area acoustic reactance reactancia acústica intrínseca [específica], reactancia acústica por unidad de superficie. v. **specific acoustic reactance.**

unit-area acoustic resistance resistencia acústica intrínseca [específica], resistencia acústica por unidad de superficie. v. **specific acoustic resistance.**

unit-area capacitance *(Cond electrolíticos)* capacidad por superficie unitaria. Capacidad, a una frecuencia determinada, de una superficie unitaria de ánodo, después de la formación [formation] y a una tensión fija (CEI/60 50-60-020) | capacitancia por unidad de superficie.

unit-area impedance *(Acús)* v. **unit-area acoustic impedance.**

unit-area reactance *(Acús)* v. **unit-area acoustic reactance.**

unit-area resistance *(Acús)* v. **unit-area acoustic resistance.**

unit assembly subconjunto, unidad de construcción; grupo de mecanismos.

unit automatic exchange [UAX] central automática unitaria. Central automática ideada para prestar servicio a pequeñas comunidades (CEI/70 55-90-030) | central automática rural. Central de un sistema semiautomático [semiautomatic exchange] ideada para prestar servicio a pequeñas comunidades (CEI/70 55-90-035*). *NOTA: Esta definición no tiene término equivalente inglés en el VEI.

unit-automatic-exchange working, UAX working *(Telef)* comunicación automática rural. SIN. **community dial service.**

unit call *(Telef)* unidad de conversación. SIN. **initial period.**

unit capacity factor *(Centrales eléc)* factor de capacidad unitario. Razón entre la energía producida (en kWh) y la máxima capacidad de producción (también en kWh), durante el período considerado.

unit cell *(Estructuras cristalinas)* célula elemental [unitaria]. Volumen mínimo a partir del cual puede construirse un cristal mediante operaciones de traslación [translation operations] solamente | malla, paralelepípedo unitario.

unit charge *(Elec)* carga unidad. Carga de electricidad que al ser colocada en el vacío a un centímetro de distancia de otra carga igual y del mismo signo, ejerce una fuerza de repulsión igual a una dina, suponiendo cada carga concentrada en un punto ‖ *(Telef)* tasa unitaria, unidad de tasa. En una relación internacional determinada, tasa aplicable a una conversación ordinaria de una duración de tres minutos, sostenida durante el período de tráfico fuerte [period of heavy traffic].

unit circle *(Mat)* círculo unidad [unitario]. Círculo de radio 1.

unit coil bobina intercambiable. SIN. **plug-in coil.**

unit conditioner *(Climatiz)* v. **unit air conditioner.**

unit construction construcción por unidades [por secciones] | construcción por subconjuntos. SIN. **unitized construction.**

unit cooler *(Climatiz)* enfriador unitario.

unit cost costo unitario, costo por unidad.

unit counter *(Informática)* contador de unidades.

unit crystal *(Met)* cristal simple.

unit cube *(Estructuras cristalinas)* célula unitaria. CF. **unit cell.**

unit device dispositivo unitario. Dispositivo electrónico (p.ej. un amplificador) de funcionamiento autónomo y que pertenece a una serie de dispositivos mecánicamente compatibles y de dimensiones uniformes. CF. **module** *(Elecn).*

unit dielectric strength *(Elec)* rigidez dieléctrica específica.

unit distance distancia unidad, unidad de distancia.

unit-distance binary-decimal code *(Informática)* código de traducción de numeración binaria en decimal, de paso unitario.

unit duration (of a conversation) *(Telef)* unidad de duración (de una conversación). CF. **unit call, unit charge.**

unit duration of a signal *(Teleg)* unidad de duración de una emisión. CF. **unit element.**

unit electric charge carga eléctrica unidad. v. **unit charge.**

unit element *(Teleg)* elemento unitario. Elemento de señal alfabética [alphabetic signal element] de duración teóricamente igual a la del intervalo unitario [unit interval, signal interval] (CEI/70 55-70-135) ‖ elemento unidad.

unit escapement *(Informática)* unidad de escape.

unit fee tasa unitaria, tasa unidad, unidad de tasa. SIN. **unit charge.**

unit for special mounting unidad para montaje especial.

unit fraction *(Mat)* fracción unitaria. Fracción cuyo numerador es la unidad y cuyo denominador es un entero.

unit frequency unidad de frecuencia. v. **hertz.**

unit function response *(Elecn/Telecom)* respuesta a la señal unidad. Se usa para evaluar la respuesta en régimen transitorio. CF. **surge characteristic, transient response, unit step function.**

unit graph *(Mat)* grafo unitario.

unit heater calefactor [calentador] unitario, unidad de calefacción. LOCALISMO: aerotermo.

unit-index frequency modulation modulación de frecuencia con índice unitario.

unit interval *(Máq eléc)* intervalo ‖ *(Teleg)* intervalo unitario. v. **signal interval.**

unit interval at the commutator *(Máq eléc)* intervalo en el colector. Porción del colector comprendida entre los puntos correspondientes de dos delgas vecinas [consecutive segments] (CEI/38 10–05–070, CEI/56 10–35–200).

unit interval in a winding *(Máq eléc)* intervalo en un devanado. Espacio comprendido entre dos costados de espiras correspondientes de bobinas inmediatamente próximas [consecutive coils], en el esquema desarrollado de un devanado (CEI/38 10–05–065, CEI/56 10–35–195).

unit inventory *(Informática)* inventario unitario. Control de inventario en el cual se usa una tarjeta por cada unidad de despacho (en vez de una por cada número de artículo).

unit J *(Radiol)* unidad J. Unidad de dosis tal que una unidad J es igual a $1,58 \times 10^{12}$ pares de iones [ion pairs] por gramo de aire, y que corresponde aproximadamente a 88 ergios por gramo de aire (CEI/64 65–20–065).

unit-kilometer *(Tracción eléc)* kilómetro-unidad. Unidad de tráfico [traffic unit] correspondiente al desplazamiento de una unidad automotora [motor unit] sobre un espacio de un kilómetro (CEI/57 30–05–355).

unit length longitud unitaria [unidad], unidad de longitud ‖ *(Teleg)* intervalo unitario. SIN. **unit interval, signal interval** (véase).

unit load carga unitaria [específica]; carga por unidad de superficie; razón del peso al área de contacto sobre el terreno. SIN. **unit loading.**

unit loading *(Comercio)* embarque por unidades completas ‖ v. **unit load.**

unit magnetic mass in electromagnetic system unidad de masa magnética en el sistema electromagnético. Masa magnética que, concentrada en el vacío en un punto situado a un centímetro de una masa idéntica, la repele con una fuerza de una dina (CEI/56 05–35–040).

unit magnetic pole polo magnético unidad, polo magnético unitario. Unidad de medida de intensidad magnética. Polo magnético que al ser colocado a una distancia de un centímetro de otro polo igual y del mismo signo, estando ambos en el vacío, ejerce una fuerza de repulsión igual a una dina [dyne]. CF. **unit charge.**

unit matrix *(Mat)* matriz unidad. Matriz con la unidad en cada uno de los lugares de la diagonal principal y cero en cada uno de los demás lugares.

unit-mile *(Tracción eléc)* unidad-milla. v. **unit-kilometer.**

unit normal *(Mat)* normal unidad. Vector unitario en la dirección de la normal a una superficie.

unit of a fraction *(Mat)* unidad fraccionaria, unidad de una fracción. Inversa del denominador de la fracción. Por ejemplo, 1/5 es la *unidad fraccionaria* de la fracción 3/5. SIN. **fractional unit.** CF. **unit fraction.**

unit of capacitance *(Elec)* unidad de capacitancia [de capacidad]. v. **farad.**

unit of current *(Elec)* unidad de corriente [de intensidad]. v. **ampere.**

unit of electric capacity unidad de capacidad eléctrica. v. **farad.**

unit of electromotive force unidad de fuerza electromotriz. v. **volt.**

unit of error *(Instr)* error mínimo.

unit of force unidad de fuerza. v. **dyne.**

unit of heat unidad de calor. v. **calorie.**

unit of height unidad de altura.

unit of information unidad de información. v. **bit, character, field, file, hartley, item, key, record.**

unit of length unidad de longitud. v. **meter.**

unit of light unidad de luz.

unit of light flux unidad de flujo luminoso.

unit of light intensity unidad de intensidad luminosa.

unit of measurement unidad de medida.

unit of quantity unidad de cantidad.

unit of quantity of magnetism (in electromagnetic CGS system) unidad de cantidad de magnetismo (en el sistema electromagnético CGS). Cantidad de magnetismo que, concentrada en el vacío, a un centímetro de distancia de una cantidad igual, la rechaza con una fuerza igual a una dina (CEI/38 05–25–010). CF. **unit magnetic mass (in electromagnetic system), unit quantity of electricity (in electrostatic CGS system).**

unit of resistance *(Elec)* unidad de resistencia. v. **ohm.**

unit of time unidad de tiempo. v. **second.**

unit operation operación unitaria.

unit operations analysis análisis de operaciones unitarias.

unit operator *(Mat)* operador unidad. Operador que deja inalterado todo otro elemento de su dominio. SIN. **identity operator.** CF. **unitary operator.**

unit phase constant *(Telecom)* desfasaje lineal, constante de longitud de onda. SIN. **unit wavelength constant.**

unit plane *(Opt de Gauss)* plano principal. SIN. **principal plane.**

unit pole *(Mag)* polo unidad, polo unitario. v. **unit magnetic pole.**

unit price *(Comercio)* precio unitario [por unidad].

unit process procedimiento unitario.

unit pulse impulso unitario [unidad], impulso de Dirac. Función nula cualquiera que sea el tiempo, t, salvo para $t=0$, caso en que su valor es infinito, pero su integral tiene el valor unidad. SIN. **Dirac pulse** (CEI/70 55–35–170) ‖ *(Teleg)* impulso unitario. v. **baud.**

unit-pulse response respuesta a un impulso unitario. Respuesta observable a la salida de un transductor a cuya entrada es aplicado, en el instante cero, un impulso infinitamente breve, pero cuya integral respecto al tiempo es igual a la unidad (impulso unidad o impulso de Dirac). SIN. **Dirac-pulse response** (CEI/70 55–35–175).

unit quantity of electricity (in electrostatic CGS system) unidad de cantidad de electricidad (en el sistema electrostático CGS). Cantidad de electricidad positiva o negativa que, concentrada en el vacío a una distancia de un centímetro de una cantidad idéntica, la repele con una fuerza de una dina (CEI/38 05–15–020).

unit quantity of electricity in electrostatic system unidad de cantidad de electricidad en el sistema electrostático. Cantidad de electricidad positiva o negativa que, concentrada en el vacío en un punto situado a un centímetro de una carga idéntica, la repele con una fuerza de una dina (CEI/56 05–35–030).

unit quantum efficiency rendimiento cuántico unitario. v. **quantum efficiency.**

unit record *(Informática)* registro unitario. Registro semejante en forma y contenido a otros registros, pero físicamente separado; ejemplo: un registro en tarjeta perforada.

unit-record equipment *(Informática)* equipo que trabaja con registros unitarios, en particular tarjetas perforadas. v. **collator, tabulating machine.**

unit sequence starting relay *(Equipos multiunidad)* relé de arranque secuencial de unidades. Relé cuyo funcionamiento pone en servicio la unidad que sigue a una que se ha averiado o no está disponible por cualquier causa.

unit sequence switch *(Equipos multiunidad)* selector de secuencia de arranque de unidades.

unit skin dose *(Radiol)* unidad de dosis en la piel, HED (Seitz y Wintz). v. **HED (Seitz and Wintz).**

unit sphere *(Mat)* esfera unidad [unitaria]. Esfera de radio 1.

unit start-up arranque de la unidad.

unit step escalón unitario.

unit-step current escalón unitario de corriente, corriente en escalón unitario. Corriente que cambia instantáneamente de un valor constante a otro, y cuyo incremento es igual a la unidad en una escala determinada. CF. **step change.**

unit-step function   función escalón unitario. Función escalón (v. **step function**) en la que el valor constante finito [constant finite value] es la unidad en una escala determinada (CEI/70 55-35-185).

unit-step stimulus   excitación [estímulo] de escalón unitario.

unit-step voltage   escalón unitario de tensión, tensión en escalón unitario. Tensión que cambia instantáneamente de un valor constante a otro, y cuyo incremento es igual a la unidad en una escala determinada. CF. **step change.**

unit strain   (*Mec*) deformación unitaria.

unit stress   (*Mec*) esfuerzo unitario [por unidad]; fatiga específica.

unit substation   (*Elec*) subestación unitaria.

unit-substation transformer   transformador de subestación unitaria.

unit telegram   unidad-telegrama.

unit telex charge   tasa unitaria [unidad de tasa] del servicio télex. CF. **unit charge.**

unit torque gradient   (*Sincros*) gradiente de torsión unitario. Gradiente de torsión (v. **torque gradient**) de un sincro cuando el mismo está acoplado eléctricamente a otro sincro del mismo tamaño.

unit tube   (*i.e.* tube through which unit flux passes) tubo unidad. Tubo atravesado por un flujo igual a la unidad (CEI/56 05-01-095). CF. **tube of force.**

unit tube and line   tubo y línea unidad. En un campo solenoidal, tubo atravesado por un flujo igual a la unidad, y línea empleada para su representación (CEI/38 05-05-060).

unit vector   (*Mat*) vector unitario. En su definición general, vector de longitud unidad dibujado en sentido positivo y en dirección tangencial a una coordenada de un sistema que no tiene que ser ortogonal. En la práctica se usa comúnmente un sistema de coordenadas cartesianas rectangulares, y en ese caso los vectores unitarios sobre los ejes OX, OY, y OZ son simbolizados por $\vec{i}$, $\vec{j}$, y $\vec{k}$, respectivamente.

unit volume   volumen unitario, unidad de volumen.

unit wavelength constant   (*Telecom*) constante de longitud de onda, desfasaje lineal. SIN. **unit phase constant.**

unit weight   peso unitario; peso por unidad de volumen.

unitary   *adj:* unitario.

unitary code   código unitario. Código en el cual no se usa más que un dígito; el número de veces que éste se repite determina la cantidad representada.

unitary matrix   (*Mat*) (*i.e.* the complex analogue of an orthogonal matrix) matriz unitaria. Elemento análogo complejo de una matriz ortogonal. CF. **unit matrix.**

unitary operator   (*Mat*) operador unitario. Concepto relacionado con los vectores en el espacio de Hilbert, que no debe confundirse con el de *operador unidad* [unit operator].

unitary symmetry   (*Fís*) simetría unitaria.

United Nations [UN]   Naciones Unidas [NU].

United Nations Educational, Scientific and Cultural Organization [UNESCO]   Organismo de las Naciones Unidas para la Educación, la Ciencia y la Cultura [UNESCO].

United Nations Organization [UNO]   Organismo de las Naciones Unidas [ONU].

United States [US]   Estados Unidos [EE.UU.].

United States Health Service   Servicio de Salubridad de los Estados Unidos.

unitize   *verbo:* unificar; normalizar.

unitized   *adj:* unitario, de construcción en forma de unidad normalizada.

unitized construction   (*Dispositivos*) construcción unitaria [en forma de unidad normalizada] ‖ (*Equipos y sistemas*) construcción por subconjuntos. Integración constructiva de un equipo o un

sistema con subconjuntos fabricados, probados y ajustados individualmente. SIN. **unit construction.** CF. **modular construction.**

unitor   unitor. Circuito o dispositivo electrónico que ejecuta una función correspondiente a la operación booleana de *unión* [union]. V.TB. **OR circuit.**

units' place   (*Mat*) lugar de las unidades.

unitunnel   *adj:* unitúnel, de un solo túnel.

unitunnel diode   (*Elecn*) diodo Esaki [de efecto túnel] de característica especial de corriente inversa.

unity   unidad, unicidad, calidad de único; unidad, acuerdo, concordia; unificación; continuidad, constancia (en la acción, en la prosecución de un fin determinado) ‖ (*Mat*) (la) unidad, el número 1 | unidad, identidad. Elemento I de un grupoide, tal que $x \cdot I = x = I \cdot x$ para todo valor de x en el grupoide. Se llama *grupoide* [groupoid] a un conjunto de elementos tal que el producto de dos de los elementos pertenece también al conjunto. SIN. **identity.** CF. **unit operator** ‖ *adj:* unitario.

unity coupling   (*Elec*) acoplamiento unitario. Acoplamiento electromagnético perfecto entre dos devanados o bobinas. Existe cuando el devanado secundario [secondary winding] corta todo el flujo magnético producido por el devanado primario [primary winding].

unity gain   (*Ampl, Ant*) ganancia unitaria [unidad], ganancia igual a la unidad.

unity-gain amplifier   amplificador de ganancia unitaria. Amplificador cuyas magnitudes de salida y entrada están en la relación 1:1, correspondiente a la ganancia cero en decibelios.

unity-gain antenna   antena de ganancia unitaria. Antena cuya ganancia es igual a la del dipolo de referencia [reference dipole].

unity-gain (crossover) frequency   (*Ampl*) frecuencia de ganancia unitaria. Frecuencia a la cual la ganancia del amplificador es igual a la unidad. Frecuencia a la cual la curva de ganancia en tensión [voltage-gain curve] de un amplificador operacional [operational amplifier] con el bucle de realimentación abierto (o lo que es lo mismo, sin realimentación), cruza la ordenada correspondiente a la ganancia unitaria.

unity mark/space ratio   (*Teleg*) relación trabajo/reposo igual a la unidad. Relación que existe cuando son de igual duración los elementos de señal de trabajo y de reposo.

unity power factor   (*Elec*) factor de potencia unitario [unidad]. Factor de potencia igual a 1,00. Existe cuando están exactamente en fase la tensión y la corriente, como en el caso de un circuito puramente resistivo o en el de un circuito reactivo en resonancia.

unity ratio   razón [relación] unitaria, relación (por cociente) igual a la unidad.

unity-ratio arms   (*Puentes de medida*) ramas [brazos] en relación unitaria. Ramas o brazos cuyas impedancias están en la relación 1:1.

Univac   Univac. Marca registrada de una serie de computadoras o calculadoras electrónicas digitales, de aplicación general, fabricadas por Sperry Rand Corporation (EE.UU.).

Univac computer   computadora [calculadora electrónica] Univac.

univalence   (*Quím*) univalencia. Cualidad de univalente.

univalent   *adj:* (*Quím*) (*i.e.* having valence 1; having only one valence) univalente, monovalente. De valencia igual a uno; capaz de combinarse con un átomo de hidrógeno, o de substituir un átomo de hidrógeno. SIN. **monovalent** ‖ (*Genética*) monario. Dícese de los cromosomas no apareados [unpaired chromosomes].

univalve   *sust/adj:* (*Zool*) univalvo.

univariant   *adj:* univariante, monovariante.

univariant system   (*Fís*) sistema univariante, sistema con un solo grado de libertad.

universal   (*Lógica*) universal; proposición universal ‖ *adj:* universal; general; (de) tipo universal; de uso general, que sirve para varios usos.

universal antenna coupler   acoplador de antena universal.

universal bail   *(Teleimpr)* fiador universal.

universal-bail latch lever   palanca de retén del fiador universal.

universal bar   *(Informática)* barra universal.

universal bridge   *(Elec)* puente (de medida) universal.

universal carry hub   *(Informática)* boca de arrastre de contador universal.

universal clevis   *(Elec)* horquilla universal.

universal common-battery and magneto cord-circuit   *(Telef)* cordón universal. SIN. **universal cord-circuit.**

universal cord-circuit   *(Telef)* cordón universal. SIN. **full universal cord-circuit, toll universal cord-circuit, universal common-battery and magneto cord-circuit, universal toll cord-circuit | discordio universal. SIN. universal cord-pair.**

universal cord-pair   *(Telef)* dicordio universal. SIN. **universal cord-circuit.**

universal coupling   *(Mec)* acoplamiento universal. SIN. **universal joint.**

universal Fermi interaction   *(Fís)* interacción universal de Fermi.

universal function blade   *(Teleimpr)* cuchilla de función universal.

universal gas constant   *(Fís)* constante universal de los gases.

universal instability   *(Plasmas)* inestabilidad universal.

universal integrated communications system [UNICOM]   sistema UNICOM, sistema universal integrado de comunicaciones.

universal joint   *(Mec)* acoplamiento [articulación, junta, unión] universal, cardán, junta (de) Cardán, junta cardánica. Articulación o acoplamiento que permite transmitir la rotación de un eje o árbol a otro eje o árbol cuyo ángulo respecto al primero es variable. Dos de estas articulaciones o acoplamientos con un árbol intermedio forman un sistema llamado *junta homocinética.* SIN. **universal coupling.**

universal language   lengua [idioma] universal.

universal measuring bridge   *(Elec)* puente de medida universal.

universal meridian   meridiano universal. CF. **Greenwich meridian.**

universal motor   motor universal. (**1**) Motor eléctrico (generalmente del tipo de arrollamientos en serie) que funciona indistintamente con corriente alterna o corriente continua. (**2**) Motor de colector que puede funcionar aproximadamente en las mismas condiciones con corriente continua o con corriente alterna monofásica, en las mismas condiciones usuales de tensión y frecuencia (CEI/38 10-05-080). (**3**) Motor de colector [motor with a commutator] que puede ser alimentado con corriente continua o con corriente alterna de frecuencia industrial (CEI/56 10-15-095). CF. **series motor.**

universal mounting   montaje universal.

universal mounting bracket   ménsula de montaje universal.

universal multimeter   multímetro universal.

universal output transformer   *(Ampl)* transformador de salida universal. Transformador de audiofrecuencia con múltiples tomas o derivaciones, lo que permite utilizarlo para acoplar la etapa de salida al altavoz en una gran variedad de radiorreceptores, seleccionando en cada caso las tomas convenientes.

Universal Postal Union [UPU]   Unión Postal Universal [UPU].

universal receiver   receptor (de alimentación) universal, receptor para toda corriente. Receptor que puede ser alimentado indistintamente con corriente alterna o con corriente continua. SIN. **AC/DC receiver.**

universal replacement radio-frequency coil   *(Radio)* bobina de RF de reemplazo universal.

universal set   *(Mat)* conjunto universal, universo. SIN. **universe.**

universal shunt   *(Aparatos de medida)* shunt [derivador] universal, shunt [derivador, derivación] Ayrton. v. **Ayrton shunt | shunt universal.** Shunt múltiple [multiple shunt] formado por varias resistencias conectadas en serie de tal manera que todos sus alcances [ranges] tengan un punto común. Este shunt tiene la propiedad de que la razón de los poderes multiplicadores [multiplying powers] de dos alcances cualesquiera es independiente de la resistencia del aparato al cual esté conectado el shunt (CEI/58 20-35-095).

universal socket   casquillo universal.

universal tap wrench   *(Herr)* terraja universal.

universal time [UT]   hora universal [HU]. Hora del meridiano de Greenwich contada a partir de medianoche. SIN. **Greenwich mean time [GMT] | universal time UT-2:** hora universal UT-2. Se basa en el segundo solar medio [mean solar second], con aplicación de ciertas correcciones. Se relaciona por una constante con la hora media de Greenwich [Greenwich mean time].

universal toll cord-circuit   *(Telef)* cordón universal. SIN. **universal cord-circuit.**

universally   *adv:* universalmente.

universe   universo || *(Astr/Fís)* universo || *(Estadística)* universo. SIN. **population** || *(Teoría de los conjuntos)* universo, conjunto universal. SIN. **universal set** /// *adj:* universal.

univibrator   *(Elecn)* univibrador, multivibrador monoestable. v. **monostable multivibrator.**

unjointed   *adj:* desarticulado; desunido.

UNK, UNKWN   *(Esquemas)* Abrev. de unknown [incógnita] || *(Explotación teleg)* Abrev. de unknown [desconocido].

unkeyed emission   *(Radiocom)* emisión no manipulada.

unkeyed modulated emission   emisión modulada no manipulada.

unknown   incógnita, cosa desconocida, lo desconocido; elemento desconocido; cantidad [magnitud] desconocida, valor desconocido || *(Mat)* incógnita. En las expresiones algebraicas (en particular las ecuaciones), cantidad desconocida o sin determinar, representada por una letra u otro símbolo /// *adj:* desconocido; indeterminado.

unknown arm   *(Puentes de medida)* rama [brazo] del elemento desconocido.

unknown quantity   incógnita, cantidad desconocida.

unknown terminals   *(Aparatos de medida)* terminales [bornes] (de conexión) del elemento desconocido; bornes para la muestra desconocida; terminales de medición. SIN. **measurement terminals.**

UNKWN   v. UNK.

unlabeled   *adj:* sin etiqueta; no rotulado, sin rótulo, sin inscripción | sin aprobación del consejo [de la junta] de aseguradores, no aprobado por la asociación de aseguradores. CF. **underwriters approved.**

unlading   descarga. SIN. **unloading.**

unlatched   *adj:* desenganchado, destrabado, no retenido; destrincado; descerrojado.

unlatching   desenganche, destrabadura.

unlay   *verbo: (Cuerdas)* destorcer, descolchar, separar los torones.

UNLET   *(Explotación teleg)* Abrev. de undelivered; addressee left for... [sin entregar; el destinario salió para...]. Se usa en los mensajes de servicio explicando la causa de la falta de entrega de un telegrama.

unlicensed   *adj:* sin licencia; sin autorización, no autorizado; no titulado.

unlighted tube   *(Radio/Elecn)* tubo apagado, válvula apagada [que no enciende].

unlike charges   *(Elec)* cargas desiguales [de signo contrario, de polaridad opuesta]. CF. **like charges.**

unlike poles   *(Mag)* polos opuestos [de signo contrario, de nombre contrario].

unlike terms   *(Mat)* términos desemejantes [no semejantes], términos heterogéneos. Términos cuya parte literal no es la misma.

unlimited   *adj:* ilimitado; indefinido || *(Mat)* ilimitado, no acotado.

unlimited ceiling   *(Avia)* techo ilimitado.

unlimited-route concept   *(Avia)* concepto [principio] de selección ilimitada de rutas. Concepto o principio según el cual el explotador del espacio aéreo controlado tiene completa libertad para escoger la ruta para un vuelo entre puntos determinados, a condición de que dicha ruta esté debidamente definida en el plan de vuelo.

unlined paper   papel liso [sin rayar].

unlit   *adj:* apagado, no iluminado.

unload   *verbo:* descargar; desembarcar ‖ *(Comput)* retirar la cinta magnética (de una máquina); suprimir parte de la dirección (de una instrucción) | vaciar. v. **dump.**

unloaded   *adj:* no cargado, sin carga; sin consumo (de energía), sin carga, en vacío.

unloaded aerial   antena no cargada. v. **unloaded antenna.**

unloaded antenna   antena no cargada. Antena a la cual no se le ha añadido ningún elemento capacitivo o inductivo.

unloaded applicator impedance   *(Caldeo dieléctrico)* impedancia del aplicador sin carga. Impedancia en el punto de aplicación del caldeo, sin el material de carga en su lugar; dicha impedancia se mide como cantidad compleja a una frecuencia determinada.

unloaded balanced pair   *(Telecom)* par simétrico no cargado.

unloaded balanced-pair channel   *(Telecom)* canal de pares simétricos no cargados.

unloaded cable   *(Telecom)* cable no cargado.

unloaded pair   *(Telecom)* par no cargado.

unloaded Q (factor)   Q [factor Q, factor de calidad] sin carga, coeficiente de sobretensión en vacío. Calidad de un sistema resonante sin carga (sin acoplamiento externo) respecto a determinado modo de resonancia. SIN. **intrinsic Q.** CF. **loaded Q.**

unloader   descargador; aparato descargador | v. **unloader valve.**

unloader valve   (a.c. unloader) válvula descargadora ‖ *(Compresores de aire)* válvula de seguridad.

unloading   descarga, descargue. SIN. **unlading** ‖ *(Marina)* alijo, descarga (de un buque) ‖ *(Nucl)* descarga ⫽ *adj:* descargador, de descarga; alijador, de alijo ‖ *(Elecn)* que no impone carga. Dícese de un circuito o un dispositivo que toma una corriente de valor insignificante o despreciable del circuito al cual va conectado.

unloading amplifier   amplificador que no impone carga. Amplificador cuya impedancia de entrada es sumamente elevada, por lo que no toma sino una corriente debilísima, prácticamente nula, de la fuente de las señales. CF. **bridging amplifier.**

unloading circuit   *(Elecn)* circuito que no impone carga.

unloading face   *(Nucl)* cara de descarga.

unloading machine   máquina descargadora. En nucleónica, máquina que sirve para retirar el combustible de un reactor.

unloading platform   *(Transportes)* descargadero.

unlock   *verbo:* desenganchar, soltar; aflojar, desapretar; abrir (una cerradura) ‖ *(Imprenta)* desapretar (una forma) ‖ *(Marina)* destrincar ‖ *(Vías férreas)* desencerrojar (una aguja).

unlocking of start-stop apparatus   *(Teleg)* arranque de un aparato arrítmico.

unlocking of synchronization   desenganche de la sincronización.

unmanned   *adj:* sin tripulación, no tripulado; sin personal; inatendido.

unmanned balloon   globo sin piloto.

unmanned lightship   buque-faro sin tripulación.

unmanned plane   avión sin piloto.

unmanned rocket   cohete sin tripulación.

unmanned satellite   satélite (artificial) sin tripulación.

unmanned station   estación automática [inatendida]. SIN. **automatic station.**

unmanned vehicle   *(Tecnología espacial)* vehículo sin tripulación.

unmetered water   agua (suministrada) sin medir.

unmixed concrete   hormigón desmezclado.

unmoderated neutron   *(Nucl)* neutrón no moderado.

unmodified scatter(ing)   dispersión (de una radiación) sin modificación de la energía de los fotones.

unmodulated   *adj:* no modulado, sin modulación.

unmodulated carrier (wave)   (onda) portadora no modulada.

Onda portadora en ausencia de toda modulación.

unmodulated groove   *(Discos fonog)* surco no modulado, surco sin modulación. Surco cortado sin señal aplicada a la cabeza grabadora [recording head]. SIN. **blank [marginal, silent] groove.**

unmodulated keyed continuous wave   *(Radiocom)* onda entretenida no modulada manipulada. v. **A1 emission, F1 emission.**

unmodulated value   valor no modulado; valor en ausencia de modulación.

unmolded record   *(Fab de discos fonog)* disco de moldeado incompleto. Disco defectuoso por no haberse moldeado por completo hasta el borde.

unmute   *verbo:* desenmudecer. Normalizar un dispositivo (por ejemplo, un altavoz) que había sido enmudecido.

unnatural   *adj:* innatural, no natural; artificial; anómalo, anormal.

unnatural process   *(Fís)* proceso innatural. Proceso que aleja a un sistema termodinámico de su estado de equilibrio.

unnecessary   *adj:* innecesario; superfluo.

unnecessary operation   *(Dispositivos de protección)* funcionamiento intempestivo. Funcionamiento que se produce sin ser necesario (CEI/56 16–70–020). CF. **necessary operation.**

unneutralized   *adj:* no neutralizado, sin neutralización.

unneutralized power gain   *(Ampl)* ganancia de potencia sin neutralización.

UNO   Abrev. de United Nations Organization.

unoccupied   *adj:* desocupado, no ocupado; vacante, vacío.

unoccupied position   *(Telef)* posición no ocupada. SIN. **unstaffed position.**

unoccupied time   *(Telef)* tiempo de reposo (de la línea).

unoperated   *adj:* inactivo, en reposo; desexcitado; inexplotado, no explotado.

unoriented crystal structure   *(Met)* estructura cristalina no orientada.

unpack   *verbo:* desempacar, desembalar, desempaquetar; deshacer las maletas; vaciar ‖ *(Informática)* disgregar, desagrupar, descomponer. (1) Separar información en secuencia de elementos o palabras. (2) Separar unidades cortas de datos que han sido previamente agrupadas o *adensadas* (v. **pack**) ‖ *(Explot teleg)* (**a code address**) descifrar (una dirección telegráfica). Obtener el nombre y la dirección completa correspondiente a una dirección telegráfica.

UNPACK   *(Explot teleg)* Abrev. de find and furnish expansion for code address [Sírvase averiguar y suministrarnos los datos completos correspondientes a la dirección telegráfica].

unpacking of a code address   descifrado de una dirección telegráfica [registrada].

unpaid   *adj:* no pagado, sin pagar, sin cancelar, impago, insoluto.

unpaid charges   *(Telecom)* tasas no pagadas.

unpaired   *adj:* no apareado, no emparejado, sin emparejar.

unpaired electrons   electrones no emparejados, electrones sin emparejar.

unpaired nucleons   nucleones no emparejados [sin emparejar].

unpaved   *adj:* sin pavimentar.

unpitched sound   sonido complejo sin altura definida.

unplug   *verbo:* *(Elec/Telecom)* desenchufar, desconectar.

unpolarized   *adj:* no polarizado.

unpolarized light   luz no polarizada.

unpolarized radiation   radiación no polarizada.

unpredictable   *adj:* impredecible, imposible de predecir, impronosticable, imprevisible; errático, incierto, inconstante.

unprocessed   *adj:* no elaborado, sin elaborar, sin tratar.

unprocessed material   materia prima [bruta], primera materia. SIN. **raw material.**

unpropagated potential   *(Electrobiol)* (*i.e.* biological unpropagated potential) potencial (biológico) no propagado. Potencial localizado transitorio suscitado [evoked transient localized potential], no asociado necesariamente a un cambio de excitabilidad [excitability] (CEI/59 70–10–235). CF. **propagated potential.**

unprovable   *adj: (Mat)* indemostrable, no demostrable.

unproved   *adj: (Mat)* no demostrado, sin demostrar.

unquenched spark-gap   espinterómetro sin interruptor de chispa, explosor de chispa no interrumpida. Espinterómetro o explosor desprovisto de medios especiales de desionización. CF. **quenched spark-gap.**

unraveling   *(Cables)* deshilachamiento.

unreadable   *adj:* ilegible || *(Telecom)* ilegible, ininteligible.

unreadable message   mensaje ilegible. CF. **garbled [illegible] message, mutilated group.**

unrecorded tape   *(Registro mag)* cinta no registrada, cinta (magnética) sin registrar [sin grabar, sin impresionar, sin modular]. CF. **virgin tape.**

unrefined material   material sin refinar, material en bruto; materia prima [bruta], primera materia. SIN. **raw material.**

unreflected assembly   *(Nucl)* montaje sin reflector.

UNREG   *(Esquemas)* Abrev. de unregulated || *(Explot teleg)* Abrev. de addressee cable address unregistered at this office [la dirección telegráfica del destinatario no aparece registrada en esta oficina].

unregulated   *adj:* no regulado, sin regulación.

unregulated power supply   fuente de alimentación no regulada [no estabilizada].

unrelated (perceived) color   color independiente (percibido). Color percibido como perteneciente a una superficie vista sobre un fondo completamente obscuro. NOTA: El color aparece con luminosidad propia (CEI/70 45–25–155).

unreliability   desconfiabilidad, falta de confiabilidad.

unrestricted   *adj:* libre, sin restricciones, sin limitaciones.

unrestricted extension   *(Telef)* extensión con toma directa de la red | supletorio con toma directa de la red. Puesto de una instalación automática de abonado con puestos suplementarios a partir del cual es posible la interconexión, bien con todo otro puesto de la misma instalación, bien con la central telefónica de la red pública [public exchange], sin la intervención de una operadora (CEI/70 55–85–035). CF. **partially restricted extension.**

UNRFD   *(Explotación teleg)* Abrev. de unreferred [sin referencia].

unroll   *verbo:* desarrollar.

unroof   *verbo:* destechar. LOCALISMOS: desentechar, desmochar | destejar.

uns-dimethylhydrazine [UDMH]   *(Quím)* asim-dimetilhidracina. SIN. **unsymmetrical dimethylhydrazine.**

unsafe   *adj:* peligroso, inseguro, que no ofrece seguridad.

unsafe pile   *(Nucl)* pila peligrosa. SIN. **dangerous pile.**

unsafe temperature   temperatura peligrosa.

unsatisfied demand   *(Telef)* demanda contenida [no satisfecha]. CF. **overloaded circuit.**

unsaturable   *adj:* insaturable, no saturable.

unsaturable linear amplifier   amplificador lineal no saturable.

unsaturated   *adj:* insaturado, no saturado.

unsaturated solution   *(Quím)* solución no saturada.

unsaturated standard cell   pila patrón no saturada. Pila patrón en la cual el electrólito está constituido por una solución de sulfato de cadmio [cadmium sulfate] no saturada a las temperaturas corrientes (CEI/60 50–15–100).

unscrambler   *(Telecom)* descodificador, descifrador.

unscreened   *adj:* no cribado, sin cribar || *(Elec/Telecom)* no apantallado, no blindado; no protegido contra contactos accidentales.

unscrew   *verbo:* desatornillar, destornillar; desenroscar; desenganchar, separar.

unscripted discussion   *(Radio/Tv)* conversación improvisada, discusión espontánea.

unseal   *verbo: (Relés)* abrirse (los contactos), separarse los contactos.

unsealed source   fuente (de radiación) no hermética.

unshielded arc   *(Soldadura)* arco descubierto [no protegido].

unshift   *(Teleg)* retorno a letras, inversión de letras.

unshift-on-space   *(Teleg)* retorno automático a letras al recibirse la señal de espacio, espacio automático, "blanco de letras" automático | claro automático. Medio por el cual el mecanismo de traducción [translation mechanism] de un aparato telegráfico receptor produce, al recibirse la señal de espacio [space function signal], la inversión de letras [letters shift = shift from the figures to the letters case], mientras el papel avanza sin impresión sobre una longitud igual al paso de los caracteres [character pitch] (CEI/70 55–60–075).

unsigned   *adj: (Documentos)* sin firmar, sin firma || *(Mat)* sin signo.

unskilled   *adj:* inexperto, imperito, sin adiestramiento especial; sin conocimientos especiales.

unskilled labor   mano de obra no especializada; obreros sin especialización; braceros, peones.

unskilled personnel   personal sin especialización. CF. **nontechnical personnel.**

unsmoothed current   *(Elec)* corriente no filtrada.

unsmoothed output   *(Fuentes de alim)* salida (del rectificador) sin filtrar.

unsolder   *verbo:* desoldar.

unsolvable   *adj: (Mat)* insoluble, no soluble, irresoluble.

unsound   *adj:* defectuoso; imperfecto; deteriorado; poco firme; corrompido, podrido; malsano, insalubre; débil, falto de fuerza; enfermizo, falto de salud.

unsound business   negocio improductivo.

unsound cement   cemento de volumen variable.

unsound currency   moneda inestable.

unsound knot   *(Madera)* nudo vicioso.

unsound reasoning   razonamiento erróneo [falso].

unsound timber   madera defectuosa.

unspillable   *adj:* inderramable.

unspillable accumulator (GB)   acumulador de líquido inmovilizado. V. **unspillable storage battery.**

unspillable cell   *(Electroquím)* pila de líquido inmovilizado. Pila en la cual el electrólito está inmovilizado por una substancia apropiada (CEI/38 50–10–040).

unspillable storage battery   *(Electroquím)* acumulador de líquido inmovilizado. Acumulador cuyo electrólito está inmovilizado por una substancia apropiada. SIN. **unspillable accumulator** *(GB)* (CEI/38 50–15–020).

unspool   *verbo:* desarrollar, desenrollar.

unspooling   desarrollamiento, desenrollamiento, desenrollado (de un hilo, de una cinta).

unsprung   *adj:* sin muelles; sin resortes; no suspendido.

unstabilize   *verbo:* inestabilizar, desestabilizar.

unstabilized antenna   *(Naves)* antena no estabilizada, antena sin compensación de balanceo y cabeceo.

unstable   *adj:* inestable; alterable || *(Estr)* inestable, instable || *(Nucl, Quím)* inestable, lábil. (1) Susceptible de cambio espontáneo, como en el caso de un núclido radiactivo o de un sistema nuclear excitado. (2) Dícese de los compuestos químicos que se conservan mal o que se descomponen fácilmente. SIN. **labile** || *(Terrenos)* desmoronable, desmoronadizo, flojo, deleznable.

unstable air   *(Aeron)* aire inestable.

unstable element   *(Nucl)* elemento inestable.

unstable equilibrium   *(Fís)* equilibrio inestable. V. **neutral equilibrium.**

unstable isotope   *(Nucl)* isótopo inestable.

unstable nucleus   *(Nucl)* núcleo inestable.

unstable oscillation   oscilación inestable.

unstable perturbation   *(Nucl)* perturbación inestable.

unstable servo   servo inestable. Servo cuya variable de salida se aparta indefinidamente de la de entrada.

unstaffed position   *(Telef)* posición no ocupada. SIN. **unoccupied position.**

unstayed   *adj: (Estr)* sin atirantar, sin vientos.

unstayed mast   mástil sin vientos || *(Buques)* palo sin obencadura, palo sin obenques.

unsteadiness inestabilidad, inseguridad, poca firmeza; vacilación; irregularidad; inconstancia, variabilidad; impermanencia; temblor, vacilación (de una luz) ‖ *(Cine)* inestabilidad (de la imagen proyectada).

unsteady *adj:* inestable, inseguro, poco firme; vacilante; irregular; inconstante, variable; no permanente, no estacionario.

unsteady flow flujo irregular; flujo variado.

unsteady wind viento racheado.

unstick point *(Avia)* punto de despegue.

unstick speed *(Avia)* velocidad de despegue.

unstressed *adj:* *(Mec)* sin esfuerzo; no fatigado ‖ *(Células de Kerr)* desobturado, abierto.

unsuccessful call *(Telecom)* llamada sin resultado ‖ *(Telef)* comunicación fallida [sin terminar].

unsupercharged engine *(Avia)* motor sin sobrealimentación, motor no sobrealimentado.

unsupported *adj:* sin soporte, sin apoyo, sin sostén.

unsupported beam viga en voladizo, viga con un extremo libre.

unsupported length largo sin apoyo. LOCALISMO: largo de pandeo.

unsuppressed carrier *(Radiocom)* (frecuencia) portadora no suprimida.

unswitched *adj:* *(Elec)* sin interruptor.

unswitched outlet *(Elec)* tomacorriente sin interruptor.

unsymmetric(al) *adj:* asimétrico, disimétrico. SIN. asymmetric(al), dissymmetric(al).

unsymmetrical bending *(Vigas)* flexión asimétrica. Es siempre asimétrica la flexión alrededor de un eje no principal [nonprincipal axis].

unsymmetrical dimethylhydrazine [UDMH] *(Quím)* dimetilhidracina asimétrica.

unsymmetrical grading *(Telef)* interconexión progresiva asimétrica. Interconexión progresiva [grading, progressive interconnection] en cuya formación no todos los grupos son tratados de la misma manera; la asimetría consiste generalmente en asignarle un mayor número de enlaces individuales [individual trunks] a los grupos de mayor tráfico (CEI/70 55–110–240) ‖ múltiple parcial asimétrico. CF. grading group, symmetrical grading.

unsymmetrical load *(Aviones)* carga asimétrica, carga (alar) disimétrica.

unsymmetrical loading v. unsymmetrical load.

unsymmetrical plasma *(Fís)* plasma asimétrico. SIN. asymmetric plasma.

unsymmetrical wave onda asimétrica.

unsymmetry asimetría, disimetría. SIN. asymmetry, dissymmetry.

unsymmetry factor *(Elec)* coeficiente de disimetría; grado de desequilibrio (de una corriente trifásica). SIN. unbalance factor.

unterminated *adj:* *(Elecn/Telecom)* no terminado, sin terminación; sin carga terminal; sin adaptación (de impedancias) a la salida.

unterminated output voltage *(Micrófonos)* tensión de salida sin adaptación.

untested *adj:* no probado, no ensayado.

unthread *verbo:* deshilar; deshilachar; desenhebrar; desensartar.

untie *verbo:* desatar, soltar, zafar; aflojar; desligar; desprender; deshacer (un nudo).

untimed call *(Telef)* comunicación sin tasa de duración. Comunicación telefónica cuya tasación no depende de su duración (CEI/70 55–105–505). CF. timed call.

untin *verbo:* desestañar.

untinned *adj:* desestañado, sin estañar.

untinned wire alambre sin estañar.

untreated *adj:* no tratado, sin tratar.

untrue *adj:* falso, incierto; impreciso; inexacto; desalineado; desaplomado, desplomado; descentrado.

untune *verbo:* *(Radio)* desintonizar, sacar de sintonía. SIN. detune ‖ *(Mús)* desafinar (un instrumento).

untuned *adj:* asintónico, no sintonizado; aperiódico; no sintonizable; que no resuena a la frecuencia de interés ‖ *(Mús)* desafinado.

untuned aerial v. untuned antenna.

untuned amplifier amplificador aperiódico [no sintonizado]. Amplificador de RF que amplifica por igual todas las frecuencias de una amplia gama.

untuned antenna antena aperiódica [no sintonizada]. Antena que presenta una impedancia sensiblemente constante entre los límites de una amplia gama de frecuencias. SIN. aperiodic antenna, untuned aerial.

untuned circuit circuito no sintonizado.

untuned crystal detector detector de cristal sin sintonía.

untuned radio-frequency transformer transformador de RF no sintonizado.

untuned rope *(Radar)* *(slang)* tiras perturbadoras no resonantes.

untuned transmission line línea de transmisión aperiódica.

untuned voltage amplifier amplificador de tensión no sintonizado.

untuning desintonización ‖ *(Mús)* desafinación.

untwist *verbo:* destorcer(se); desenredar; desenrollar.

untwisting destorsión, acción de destorcer(se).

untwisting machine desenrolladora; máquina destorcedora.

unused power energía inútil [desaprovechada].

unwanted *adj:* indeseado, no deseado; accidental; inútil; perjudicial.

unwanted echo *(Radar)* eco parásito. Efecto indeseable producido en el indicador de radar por un objeto otro que el blanco o por un defecto de los aparatos (CEI/70 60–72–485) ‖ eco extraño. Eco parásito procedente de un objeto otro que el blanco (CEI/70 60–72–495*). *NOTA: Esta definición no tiene término equivalente inglés en el VEI. CF. parasitic echo.

unwanted emission *(Radiocom)* emisión indeseada [no deseada], emisión parásita [inútil, no esencial]. SIN. nonessential emission.

unwanted output power *(Radiocom)* potencia de salida parásita. Potencia media [mean power] suministrada a una carga especificada por un emisor radioeléctrico funcionando en condiciones especificadas, en una o más frecuencias situadas fuera de la banda necesaria, y cuyo nivel puede ser reducido sin afectar la transmisión de la información correspondiente (CEI/70 60–42–300) ‖ potencia de salida no esencial. CF. useful output power.

unwanted-sideband suppression *(Radiocom)* supresión de la banda lateral indeseada, atenuación de la banda lateral no deseada.

unwanted signal señal indeseada [no deseada]; señal inútil, señal que no interesa; señal perturbadora [perjudicial].

unwanted variations variaciones indeseadas; fluctuaciones accidentales.

unweighted *adj:* *(Mat)* no ponderado, sin ponderación ‖ *(Electroacús/Telecom)* no ponderado, sin ponderación, sin compensación (de frecuencia), sin filtro.

unweighted decibels decibelios sin filtro.

unweighted output signal señal de salida sin ponderación [sin compensación de frecuencia].

unweighted RMS value valor eficaz no ponderado.

unweighted signal-to-noise ratio relación señal a ruido sin ponderación [sin compensación].

unweighted voltage tensión no ponderada.

unwind *verbo:* desarrollar, desenrollar, desbobinar; deshacer un arrollamiento [un devanado] ‖ *(Comput)* codificar "in extenso". Codificar en forma explícita, completa y pormenorizada todas las operaciones de un ciclo, evitando así el tener que efectuar operaciones "burocráticas" [redtape operations] en la codificación final del problema.

unwinding desarrollo, desarrollamiento, desenrollamiento, desbobinado ‖ *(Proyectores cine)* desarrollo, desarrollamiento (de la película). SIN. uncoiling ‖ *(Comput)* codificación "in extenso".

unwinding spool *(Proyectores cine)* carrete de desarrollo, carrete [bobina] de desarrollamiento. SIN. **supply [uncoiling] spool.**

unwrapped construction   *(Pilas eléc)* montaje sin recubrimiento. v. **nonlined construction.**

up   *adj:* ascendente /// *verbo:* aumentar, incrementar /// *adv:* (hacia) arriba; en (lo) alto; en el aire; levantado *(de la cama);* expirado *(un plazo, un período);* salido *(el sol)* /// *interjección:* ¡arriba! /// *prep:* hacia arriba de; en lo alto de.

UP   Abrev. de United Press.

up-and-down   *adj:* de subida y bajada; ascendente y descendente; de vaivén vertical; variable, con altibajos; alternativo; de ida y vuelta.

up-and-down cam   *(Proyectores cine)* leva de subida y bajada. Parte del mecanismo intermitente. CF. **in-and-out cam.**

up-and-down cycle   ciclo alternativo.

up-and-down working   *(Teleg)* explotación [funcionamiento, transmisión] en alternativa. Transmisión de telegramas o de series de telegramas que se efectúa alternativamente en cada uno de los sentidos de una comunicación. SIN. **alternate operation.**

up-conversion   conversión ascendente, conversión elevadora (de frecuencia). **(1)** Conversión de frecuencia en la que la frecuencia (o banda de frecuencias) resultante queda en una parte más alta del espectro que la frecuencia (o banda de frecuencias) primitiva. **(2)** Traslado de una frecuencia (o una banda de frecuencias) a una parte más alta del espectro, usualmente por heterodinaje.

up-converter   convertidor (de frecuencia) ascendente, convertidor elevador (de frecuencia), elevador de frecuencia. Dispositivo cuya señal de salida es de frecuencia más elevada que la de entrada.

up-Doppler   subida Doppler. Lo contrario de bajada Doppler. v. **down-Doppler.**

up-line   *(Ferroc)* vía ascendente, vía izquierda, vía número 1. Vía que sigue el sentido de la progresiva kilométrica.

up-path   *(Comunicaciones por satélites) (i.e.* station-satellite path) trayecto de subida. CF. **down-path.**

up-ramp   rampa de subida.

up-spin neutron   neutrón de espín "hacia arriba".

up time   tiempo de funcionamiento normal. CF. **down time.**

up-to-date   *adj:* actualizado, al día.

up-to-date information   información actualizada.

UPA   Abrev. de United Press Associations.

upcurrent   corriente ascendente; ascendencia.

upcurrent soaring   *(Avia)* vuelo a vela por corrientes ascendentes.

update   *verbo:* actualizar, poner al día; modernizar || *(Informática)* actualizar. **(1)** Incorporar en un archivo maestro [master file] los cambios necesarios para dejar constancia de transacciones y otros eventos recientes. **(2)** Modificar una instrucción de tal manera que los números de dirección contenidos por ella avancen en una cantidad determinada a cada ejecución sucesiva de la instrucción.

updated inventory   inventario actualizado.

updating   actualización, acción de actualizar [de poner al día]; modernización.

updraft   corriente ascendente; tiro hacia arriba.

updraft carburetor   *(Mot)* carburador de aspiración [succión] ascendente, carburador de tiro hacia arriba.

upflow   flujo ascendente.

upflow filtration   filtración ascendente.

upgrade   cuesta (arriba), pendiente (en subida), declive en subida, rampa /// *adj:* ascendente /// *verbo:* mejorar, perfeccionar; ascender, subir; concentrar *(un mineral)* /// *adv:* hacia arriba; cuesta arriba, pendiente arriba.

upgrade a circuit   *(Telecom)* perfeccionar un circuito, mejorar (la calidad de) un circuito.

upgust   ráfaga ascendente.

upholding of the arch   *(Obras de fábrica)* puntales laterales de la bóveda. Piezas de madera colocadas para servir de sostén lateral al revestimiento de la bóveda durante la construcción.

upholster   *verbo:* tapizar, entapizar.

upholstered   *adj:* tapizado.

upholstered seat   asiento tapizado.

upholsterer   tapicero.

upholstery   tapicería.

upholstery fabric   tela para tapicería.

upholstery shop   *(Ferroc)* tapicería. Sección destinada a forrar (con tela, cuero, u otro material) muebles en general y paredes de los vehículos de pasajeros.

upkeep   manutención, sostenimiento; mantenimiento, conservación, entretenimiento. SIN. **maintenance** | gastos de mantenimiento [de conservación, de entretenimiento].

uplift   elevación || *(Geol)* levantamiento || *(Hidr)* subpresión; fuerza de levantamiento; solivio, sublevación.

upper   *adj:* superior.

upper air   *(Meteor)* atmósfera superior, alta atmósfera.

upper-air chart   *(Meteor)* carta de altura, carta de la alta atmósfera.

upper-air front   frente de la atmósfera superior.

upper-air measurement   medida en altura.

upper-air network   red de observación en altura.

upper-air observation   *(Meteor)* observación en altura, observación de la atmósfera superior [de las capas altas de la atmósfera].

upper-air synoptic station   *(Meteor)* estación sinóptica para la alta atmósfera.

upper-air temperature   *(Meteor)* temperatura en altura, temperatura de la atmósfera superior, temperatura en la alta atmósfera.

upper-air temperature report   mensaje de temperatura en altura, mensaje de sondeo de temperatura.

upper-air wind   viento de la atmósfera superior.

upper atmosphere   *(Meteor)* atmósfera superior, alta atmósfera. SIN. **upper air.**

upper-atmosphere research   investigación de la atmósfera superior.

upper audio range   gama alta [registro alto] de audiofrecuencia.

upper band   *(Radiocom)* banda superior.

upper basin   embalse superior.

upper bound   *(Mat)* cota superior. Un número que es igual o superior a cada uno de los números de un conjunto, es una *cota superior* de ese conjunto (un conjunto puede tener muchas cotas superiores).

upper boundary   límite superior.

upper brush   *(Informática)* escobilla superior.

upper camber   *(Aerodinos)* trasdós, curvatura superior [de la parte superior].

upper card-lever   *(Informática)* palanca superior de tarjetas.

upper case   *(Tipog)* caja alta, caja para (letras) mayúsculas || *(Teleimpr)* caja alta, posición "cifras", posición de caracteres superiores.

upper character   *(Teleimpr, Máq de escribir)* carácter superior. **(1)** En los teleimpresores, carácter correspondiente a la posición de "cifras" o de caja alta; puede ser un número, un signo de puntuación, o un símbolo especial. **(2)** En las máquinas de escribir, letra mayúscula o signo que se imprime en la posición de mayúsculas.

upper cloud   nube superior.

upper cold front   *(Meteor)* frente frío superior.

upper contacts   *(Telef)* contactos superiores.

upper control area   *(Avia)* región superior de control.

upper deck   *(Buques, Aviones)* cubierta superior.

upper flight information region [UIR]   *(Avia)* región superior de información de vuelo.

upper frequency   frecuencia superior.

upper frequency limit   límite superior de frecuencia, frecuencia límite superior. En el caso de los sistemas de RF coaxiles de precisión, se toma comúnmente como la frecuencia calculada a la cual el próximo modo superior por encima del modo TEM (TE_{11}) puede propagarse en la sección de dieléctrico de aire. CF. **cutoff frequency.**

upper hub   *(Informática)* boca superior.

upper limit   límite superior.

upper lip   labio superior ‖ *(Mús)* (in a flue pipe) labio superior.

upper mean   media superior, promedio superior.

upper operating temperature   *(Dispositivos)* límite superior de temperatura de funcionamiento ‖ *(Materiales)* límite superior de temperatura de utilización, máxima temperatura permisible.

upper partial   *(Acús/Mús)* sobretono. SIN. **overtone.**

upper pitch limit   *(Acús)* límite superior de tonalidad, máxima altura (de sonido) perceptible. CF. **limits of audition.**

upper register   *(Acús/Mús)* registro alto.

upper ribbon shield   *(Informática)* protector de la cinta superior.

upper roller   *(Teleimpr)* rodillo superior.

upper sideband   *(Telecom)* banda lateral superior. La más alta de las dos bandas de frecuencias (caso particular, dos frecuencias) resultantes de una modulación. CF. **lower sideband.**

upper-sideband component   componente de banda lateral superior.

upper-sideband converter   conversor de banda lateral superior.

upper-sideband parametric amplifier   amplificador paramétrico de banda lateral superior.

upper sprocket   *(Proyectores cine)* rodillo dentado superior, rodillo de alimentación. CF. **lower sprocket.**

upper stage   *(Cohetes espaciales)* última etapa, última fase.

upper surface   superficie [cara] superior ‖ *(Aeron)* extradós, trasdós. Cara superior del ala, de los alerones, del timón de profundidad, o del estabilizador horizontal de una aeronave. CF. **upper camber.**

upper-surface aileron   *(Aeron)* alerón de trasdós.

upper transit   *(Astr)* culminación superior.

upper turret   *(Aviones)* torreta superior.

upper warm front   *(Meteor)* frente cálido superior.

upper water level   nivel de aguas arriba | nivel en el caz. NOTA: Se llama *caz* al canal usado para tomar agua de un río.

upper wind   *(Meteor)* viento en altura.

upper-wind report   reporte de viento en altura, mensaje de sondeo del viento.

upper wing   *(Aeron)* ala superior.

upper-wing span   envergadura del ala superior.

upright   *(Ebanistería, Estr)* montante, paral, pie derecho, pierna. SIN. **vertical** | apoyo, soporte ‖ *(Máq)* montante; columna ⫴ *adj:* vertical, derecho, recto, erguido, erecto, enhiesto ⫴ *adv:* verticalmente.

upright channel   *(Telecom)* canal derecho. En los sistemas de banda lateral única [single-sideband systems], canal cuya frecuencia varía directamente en función de la frecuencia moduladora, y que constituye la banda lateral superior [upper sideband]. CF. **inverted channel.**

upright sideband   *(Telecom)* banda lateral directa. CF. **inverted sideband.**

upright-type switchboard   *(Telecom)* cuadro conmutador de consola.

upriver   *sust/adj/adv:* río arriba.

upscale   *(Instr)* parte superior de la escala.

upset   trastorno, contratiempo; vuelco; enfermedad, aflicción; disputa ‖ *(Maderas)* madera quebrantada; pandeo de las fibras por aplastamiento; separación de las fibras por compresión ‖ *(Mec)* recalcadura, engrosamiento ‖ *(Elecn)* redisposición, cambio de estado. Contrástense estos términos con *disposición* [set] y *reposición* [reset]. SIN. **status change** ‖ *(Dispositivos electromec)* redisposición, cambio de posición. Contrástense estos términos con *disposición* o *posicionamiento* [set] y *reposición* o *reposicionamiento* [reset] ⫴ *adj:* trastornado, perturbado; desarreglado, desordenado; volcado; indispuesto ⫴ *verbo:* trastornar, perturbar; desarreglar, desordenar; alterar; volcar(se); desajustar; indisponer, enfermar; turbar ‖ *(Mec)* recalcar, engrosar.

upset butt welding   (a.c. upset welding) soldadura a tope con recalcado.

upset card   *(Elecn)* tablilla (de circuitos) de cambio de estado.

upset circuit   *(Elecn)* circuito de cambio de estado.

upset-duplex system   *(Teleg)* sistema de transmisión por desequilibrio de dúplex. Sistema telegráfico de corriente continua en el que un puesto situado en un punto intermedio entre dos puestos dúplex, puede transmitir señales por cortes en la línea, cortes que perturban el equilibrio del montaje dúplex.

upset gate   *(Elecn)* impulso compuerta de cambio de estado.

upset reset   *(Elecn)* reposición de cambio de estado.

upset signal   *(Elecn)* señal de cambio de estado.

upset welding   v. **upset butt welding.**

upside-down loop   *(Acrobacias aéreas)* rizo invertido ruedas adentro.

upslide motion   *(Meteor)* deslizamiento ascensional.

upslope   pendiente [rampa] ascendente.

upslope fog   *(Meteor)* niebla que asciende por las vertientes; niebla que sube por una ladera.

upstairs   piso de arriba; pisos altos, pisos superiores ⫴ *adj:* de arriba ⫴ *adv:* arriba.

upstream   *adv:* aguas arriba, río arriba; corriente arriba; contra la corriente.

upstroke   *(Mot)* carrera ascendente [de ascenso] ‖ *(Informática)* recorrido ascendente (de las barras de tipos).

uptake   captación; incorporación; ingestión; asimilación; entrada; consumo.

uptake chamber   cámara de subida.

uptake of ions   absorción de iones.

uptake rate   *(Nucl)* velocidad de absorción.

uptake shaft   *(Túneles)* pozo de subida.

UPU   Abrev. de Universal Postal Union.

upward   *adj:* ascendente; ascensional ⫴ *adv:* hacia arriba.

upward bend   *(Curvas)* codo ascendente.

upward heterodyning   heterodinaje ascendente, heterodinaje elevador (de frecuencia). Mezcla heterodina destinada a elevar la frecuencia de la señal, tomando a la salida la frecuencia aditiva (frecuencia suma). CF. **downward heterodyning, sum frequency, up-conversion.**

upward stroke   *(Mot)* carrera ascendente [de ascenso]. SIN. **upstroke.**

upward system   *(Ventilación)* sistema de corriente ascendente.

upward thermal-shock test   ensayo de calentamiento brusco, ensayo de impacto térmico de temperatura ascendente. Este ensayo consiste en someter la muestra a un aumento brusco de temperatura, por ejemplo, por inmersión en un líquido caliente. CF. **downward thermal-shock test, thermal-shock test.**

upwind   *adv:* *(Meteor, Marina)* contra el viento; a barlovento.

upwind leg   *(Avia)* tramo contra el viento, trayectoria en contra del viento.

UQC   Abrev. de underwater sound communication.

UR   *(Explotación teleg)* Abrev. de your; you are [suyo (de usted); usted está].

uraconite   *(Miner)* uraconita.

uranide   *(Quím)* uránide. (**1**) Elemento de la última fila de la tabla de clasificación periódica de los elementos, en estado de oxidación $+6$. (**2**) Elemento de la misma fila, posterior al actinio, que posee un grupo de transiciones en el que el uranio es miembro prominente, y el mismo esquema de estados de oxidación. (**3**) Elemento con número atómico comprendido éntre 92 y 95, inclusive.

uraniferous   *adj:* uranífero, que contiene uranio.

uraninita   *(Miner)* uraninita, pecblenda, pechblenda. v. **pitchblende.**

uranium   *(Quím)* uranio. Elemento radiactivo de número atómico 92. Símbolo: U.

uranium acetate   acetato de uranio. SIN. **uranyl acetate.**

uranium age   *(Geol)* edad averiguada mediante datación por el uranio.

uranium assembly   *(Nucl)* conjunto del uranio.

uranium-bearing   *adj:* uranífero, que contiene uranio.

uranium-bearing coal   carbón uranífero.

uranium-bearing vein deposit   yacimiento de uranio en filones.

uranium carbide   carburo de uranio. Se utiliza como combustible nuclear.

uranium compound   compuesto de uranio.

uranium concentrate   concentrado de uranio, concentrado uranífero.

uranium content   contenido de uranio.

uranium enrichment   *(Nucl)* enriquecimiento del uranio.

uranium-enrichment plant   planta de enriquecimiento del uranio.

uranium fission   *(Nucl)* fisión del uranio. SIN. **uranium splitting.**

uranium furnace   *(Nucl)* horno de uranio.

uranium-graphite lattice   *(Nucl)* celosía espacial de uranio y grafito.

uranium-graphite pile   *(Nucl)* reactor de uranio y grafito.

uranium hexafluoride   hexafluoruro de uranio. Fórmula: UF_6.

uranium isotope separation   separación isotópica del uranio.

uranium metal   uranio metálico.

uranium-metal lattice   *(Nucl)* celosía espacial de uranio metálico.

uranium-metal rod   *(Nucl)* barra de uranio metálico.

uranium monocarbide   monocarburo de uranio.

uranium monophosphide   monofosfuro de uranio.

uranium nucleus   núcleo de uranio.

uranium ore   mineral de uranio.

uranium oxide   óxido de uranio.

uranium pile   *(Nucl)* pila [reactor] de uranio. SIN. **uranium reactor.**

uranium poisoning   *(Nucl)* envenenamiento por uranio.

uranium-radium series   familia [serie] del uranio-radio. v. **uranium series.**

uranium reactor   *(Nucl)* reactor de uranio. Reactor en el que se utiliza uranio como combustible principal.

uranium rod   *(Nucl)* barra de uranio.

uranium salt   sal de uranio.

uranium series   familia [serie] del uranio. Familia o serie radiactiva natural, constituida por los descendientes del uranio 238, y cuyo producto estable final es el plomo 206. SIN. **uranium-radium series.**

uranium slug   *(Nucl)* lingote [cartucho] de uranio.

uranium tetrafluoride   tetrafluoruro de uranio. Fórmula: UF_4. SIN. **green salt.**

uranium trioxide   trióxido de uranio. Fórmula: UO_3.

uranochalcite   uranocalcita.

uranocircite   uranocircita.

uranomolybdate   uranomolibdato.

uranophane   *(Miner)* uranofano, uranotilo. SIN. **uranotile.**

uranopilite   *(Miner)* uranopilita.

uranospathite   uranospatita.

uranosphaerite   uranosferita.

uranospinite   uranospinita.

uranothallite   uranotalita.

uranothorianite   uranotorianita.

uranothorite   *(Miner)* uranotorita. Torita rica en uranio.

uranotile   *(Miner)* uranotilo, uranofano. SIN. **uranophane.**

Uranus   *(Astr)* Urano. El tercero de los grandes planetas; el séptimo planeta a partir del Sol. Fue descubierto en 1781 por William Herschell.

uranyl   *(Quím)* uranilo.

uranyl acetate   acetato de uranilo. SIN. **uranium acetate.**

uranyl fluoride   fluoruro de uranilo. Fórmula: UO_2F_2.

uranyl nitrate   nitrato de uranilo.

uranyl phosphate   fosfato de uranilo.

uranyl sulfate   sulfato de uranilo. Fórmula: SO_4UO_2.

urban   *adj:* urbano. Perteneciente a la ciudad.

urban exchange   *(Telef)* central urbana. SIN. **local exchange.**

urban planning   planificación urbana.

urban satellite   *(Telef)* satélite urbano. SIN. **local satellite.**

urban station   *(Ferroc)* estación urbana. Estación ubicada dentro de los límites de una ciudad.

urban transportation   transporte urbano.

urbanize   *verbo:* urbanizar.

urea   *(Quím)* urea /// *adj:* ureico, de urea.

urea molding compound   compuesto de moldear ureico.

urea plastic   plástico de urea.

urea plastic material   material plástico [materia plástica] de urea.

urea resin   resina de urea. Resina termoestable que se obtiene calentando la urea juntamente con un aldehido.

urge   *verbo:* impeler, empujar; impulsar; forzar; apresurar, acelerar; incitar; apremiar, instar.

urgency   urgencia; premura; instancia, insistencia.

urgency communication   comunicación de urgencia.

urgency message   mensaje de urgencia.

urgency signal   *(Telecom)* señal de urgencia.

urgent   *adj:* urgente; apremiante; insistente.

URGENT   *(Radiocom)* URGENTE. Palabra usada para indicar una llamada de urgencia || *(Explotación teleg)* URGENTE. Indicación de servicio de los telegramas de clasificación "Urgente".

urgent call   *(Telecom)* llamada urgente || *(Telef)* comunicación urgente; conferencia [conversación] privada urgente.

urgent message   mensaje urgente.

urgent press call   *(Telef)* comunicación urgente de prensa.

urgent private call   *(Telef)* (*i.e.* call with priority over ordinary private calls) conferencia [conversación] privada urgente. Conferencia que tiene prioridad sobre las conferencias privadas ordinarias.

urgent private telegram   telegrama privado urgente.

urgent rate   *(Teleg)* tasa de urgente. Tasa aplicable a los telegramas de clasificación "Urgente"; es el doble de la tasa correspondiente a los telegramas ordinarios.

urgent repair   reparación urgente.

urgent telegram   telegrama urgente [de doble tasa].

URI   Abrev. de Université radiophonique internationale [Universidad Radiofónica Internacional].

URS   *(Explotación teleg)* Abrev. de yours [suyo (de usted)].

URSI   Abrev. de Union radio-scientifique internationale [Unión Radio-Científica Internacional]. NOTA: Esta abreviatura internacional (a la que corresponde el inglés *International Scientific Radio Union*) se usa también como distintivo de los mensajes contentivos de datos geofísicos, cósmicos, etc., y relacionados con las actividades de la Unión. CF. **AUR, KHL, MAG, RAD, SCIENC-SERV, SOL.**

Ursids   *(Astr)* Úrsidas. Corriente de meteoros que alcanza un máximo de intensidad alrededor del 22 de diciembre.

ursigram   (=URSI telegram) ursigrama.

ursigram service   servicio de ursigramas.

US   Abrev. de United States [Estados Unidos (EE.UU.)].

USA   Abrev. de United States of America [Estados Unidos de América (EE.UU. de A.)].

usability   disponibilidad; aprovechabilidad; grado de utilización.

usability factor   *(Avia)* coeficiente de utilización.

usable, useable   *adj:* útil; utilizable, aprovechable; usual, usadero.

usable accuracy   exactitud útil.

usable bandwidth   anchura de banda útil.

usable ceiling   *(Avia)* techo de emergencia.

usable distance   *(Aeródromos)* distancia utilizable.

usable frequency   frecuencia útil; frecuencia utilizable.

usable length of track   *(Estaciones ferroviarias)* longitud útil de vía. Longitud medida entre los límites de estacionamiento de vehículos.

usable peak power   potencia de cresta [de pico] utilizable.

usable range   margen útil; gama utilizable; sector útil (de una resistencia variable).

usable sensitivity   sensibilidad útil. v. **SINAD.**

USAF   Abrev. de United States Air Force [Fuerza Aérea de los Estados Unidos].

USAFR   Abrev. de United States Air Force Reserve [Reserva de la Fuerza Aérea de los Estados Unidos].

usage   uso, usanza; hábito, costumbre; uso, empleo, utilización; tratamiento, trato; consumo.

usage card   (*Informática*) tarjeta de consumo (para un período determinado).

usage load   carga de servicio.

USARD   Abrev. de Unión Suramericana de Radiodifusión [South American Radio Broadcasting Union].

USASI   Abrev. de United States of America Standards Institute [Instituto de Normas de los Estados Unidos de América]. Organismo sucesor de la "American Standards Association" [Asociación Americana de Normas].

USB   (*Telecom*) Abrev. de upper sideband.

USCG   Abrev. de United States Coast Guard [Servicio de Guardacostas de los Estados Unidos].

USCY   (*Teleg*) Abrev. de United States currency [moneda de los Estados Unidos].

USD   (*Teleg*) Abrev. de United States dollars [dólares de los Estados Unidos]. Esta abreviatura se usa en las transmisiones en lugar del signo Morse correspondiente.

USDLRS   (*Teleg*) Abrev. de United States dollars.

use   uso; empleo, utilización; uso, usanza, costumbre; ventaja, provecho; aprovechamiento; utilidad, servicio; aplicación; disfrute, goce /// *verbo:* usar, emplear, utilizar; gastar, consumir; hacer uso de; servirse [valerse] de; usar de; habituar, acostumbrar; soler.

use charge   tasa por uso.

use factor   (*Elec*) factor de capacidad. CF. **utilization factor**.

use lockout   (*Comput*) señal de bloqueo [de interdicción]. Señal que en una cinta magnética indica una zona prohibida. CF. **write lockout**.

useable   *adj:* v. **usable**.

useful   *adj:* útil; provechoso, beneficioso; aprovechable; disponible; eficaz, efectivo.

useful beam   haz útil. Parte de la radiación primaria [primary radiation], procedente de un tubo de rayos X o de otra fuente radiactiva cerrada [enclosed radioactive source], que sale de la fuente y de la cubierta por la abertura [aperture], el diafragma [diaphragm], o el cono [cone] (CEI/64 65–10–080).

useful capture   (*Nucl*) captura útil, captura (de un neutrón) que provoca fisión. CF. **useful neutron**.

useful field   (*Radiocom*) campo útil.

useful frequency   frecuencia útil.

useful frequency band   banda de frecuencias útiles.

useful head   (*Hidr*) desnivel útil, caída [salto] útil.

useful heat   calor aprovechable.

useful life   (*Dispositivos*) vida [duración] útil.

useful lift   (*Dirigibles*) fuerza ascensional útil.

useful line   (*Facsímile*) línea útil. v. **available line**.

useful load   (*Avia*) carga útil.

useful neutron   (*Nucl*) neutrón útil, neutrón cuya captura provoca una fisión. CF. **useful capture**.

useful output   (*Radio/Elecn*) salida útil.

useful output power   potencia de salida útil | potencia útil de salida. Potencia media [mean power] suministrada a una carga especificada en las frecuencias comprendidas en la banda necesaria, por un emisor radioeléctrico funcionando en condiciones especificadas (CEI/70 60–42–295). CF. **unwanted output power**.

useful power   potencia útil; energía útil.

useful radiation   radiación útil.

useful range   margen útil; alcance efectivo.

useful screen diameter   diámetro útil de pantalla.

useful signal   señal útil. CF. **unwanted signal**.

useful thermal power   (*Nucl*) potencia térmica útil. Potencia térmica aprovechable como fuente de energía.

useful ton-mile   tonelada-milla útil. v. **tonne-kilometer**.

useful tonne-kilometer   tonelada-kilómetro útil. v. **tonne-kilometer**.

user   usuario, usador, utilizador; consumidor || (*Telef/Teleg*) usuario.

user charge   tasa pagadera por el usuario; derecho impuesto al usuario.

user survey   encuesta realizada entre los usuarios (de un aparato o un servicio).

user-to-user switching   (*Telef/Teleg*) conmutación de usuario a usuario. CF. **circuit switching**.

USITA   Abrev. de United States Independent Telephone Association [Asociación de Compañías Telefónicas Independientes de los Estados Unidos]. NOTA: Refiérese a compañías que no pertenecen a la Bell.

USN   Abrev. de United States Navy [Marina de Guerra de los Estados Unidos].

USNR   Abrev. de United States Navy Reserve [Reserva de la Marina de Guerra de los Estados Unidos].

usual   calidad de usual, de ordinario; (lo) usual, (lo) común, (lo) acostumbrado /// *adj:* usual, común, ordinario; usual, acostumbrado, habitual.

usual practical units   (*Medidas*) unidades prácticas usuales. Unidades que no están incluidas directamente entre las unidades prácticas derivadas del sistema CGS [practical units derived from the CGS system], pero que son corrientemente empleadas (CEI/38 05–35–095, CEI/56 05–35–105). CF. **ampere-hour, ampere-turn, watt-hour, volt-ampere-hour**.

USWB   Abrev. de United States Weather Bureau [Buró Meteorológico de los Estados Unidos].

UT   Abrev. de universal time.

UT chart   (*Propagación radioeléctrica ionosférica*) carta ionosférica TU. Carta geográfica que muestra las curvas de igual valor de ciertas magnitudes ionosféricas para un instante dado, expresado en tiempo universal (TU) (CEI/70 60–24–270).

utilities   servicios públicos; servicios canalizados (agua, gas, electricidad, alcantarillado, etc.).

utility   utilidad; empresa de servicio público (agua, gas, electricidad, etc.); compañía de electricidad; compañía de teléfonos || . (*Economía*) utilidad. Función matemática que permite representar el comportamiento racional de un individuo en relación con situaciones aleatorias /// *adj:* de uso general, para uso general.

utility control   (*Informática*) control de dispositivos varios.

utility factor   (*Rectificadores*) factor de utilidad.

utility model   (petty patent covering a not very important invention) modelo de utilidad. Patente menor que ampara una invención de poca importancia. La expresión se ha tomado del francés "modèle d'utilité".

utility monitor   (*Tv*) monitor de uso general. Monitor de imagen no asignado a ninguna cámara o circuito en particular.

utility operating method   (*Telef*) método de escucha permanente. SIN. **continuous-attention method**.

utility outlet   (*Elec*) tomacorriente auxiliar [de uso general].

utility power   energía (eléctrica) para servicios auxiliares. En las estaciones de telecomunicación, energía para la alimentación de aparatos auxiliares, herramientas eléctricas, etc., a distinción de la energía de alimentación de los equipos esenciales para el servicio de telecomunicaciones.

utility routine   (*Comput*) rutina de uso general. Rutina normalizada (suministrada por la mayoría de los fabricantes de computadoras) que sirve para la ejecución de un proceso de necesidad frecuente.

utility table   (*Informática*) mesa de trabajo.

utility telephone line   línea telefónica de la red pública.

utilization   utilización; aprovechamiento || v. **utilization of electrical energy**.

utilization factor   (*Elec*) factor [coeficiente] de utilización. Razón entre el pico de carga instantáneo durante determinado período, o la carga media en un período de una hora o menos, y la capacidad de la central o el sistema considerados | factor de utilización. Razón entre la energía eléctrica producida, transportada o absorbida, y la potencia-horas [capacity hours] disponible (CEI/65 25–60–085) | factor de utilización de la potencia nominal [de la potencia máxima] [de la punta de carga]. Razón entre la duración de utilización de la potencia nominal [de la potencia máxima] [de la punta de carga] (v. **utilization period**) y la duración total del intervalo de tiempo considerado (CEI/65 25–60–080*). *NOTA: Esta definición no tiene término equivalente inglés en el VEI | CF. **load factor, plant load factor** || *(Alumbrado)* factor de utilización. Razón entre el flujo luminoso que alcanza un plano dado y el emitido por las lámparas. SIN. **coefficient of utilization** *(EU)* (CEI/58 45–50–095). CF. **luminaire efficiency, uniformity ratio of illumination.**

utilization level   grado de aprovechamiento.

utilization of electrical energy   utilización de energía eléctrica. Producción intencional, a partir de energía eléctrica, de otra forma de energía (CEI/65 25–05–030).

utilization period   período de utilización || *(Elec)* duración de utilización de la potencia nominal [de la potencia máxima] [de la punta de carga]. Cociente de la cantidad de energía absorbida o producida en un período determinado por la potencia nominal [la potencia máxima] [la punta de carga] (CEI/65 25–60–075*). *NOTA: Esta definición no tiene término equivalente inglés en el VEI.

utilization rate   factor de utilización; grado [régimen] de utilización.

utilization ratio   razón [relación] de utilización.

utilization time   tiempo de utilización. En electrobiología: (a) Duración mínima que ha de tener un estímulo de intensidad reobásica [stimulus of rheobasic strength] para ser apenas eficaz. (b) Período latente [latent period] más corto entre el estímulo y la reacción susceptible de ser obtenido por medio de estímulos muy fuertes. (c) Período latente que sigue a la aplicación de un choque de intensidad reobásica [shock of rheobasic intensity]. NOTA: La (b) y la (c) son definiciones desaconsejadas (CEI/59 70–10–270).

utilogic   utilógica. Nombre de una serie particular de circuitos lógicos integrados en los que se utilizan un elemento básico "Y" y otro "O".

UV   Abrev. de ultraviolet.

uvanite   *(Miner)* uvanita.

uvicon   uvicón. Tubo tomavistas de televisión semejante a un vidicón, pero provisto de un fotocátodo sensible al ultravioleta, una sección aceleradora de electrones, y un electrodo de blanco especial.

uviol lamp   lámpara uviol. Lámpara de vapor de mercurio con ampolla de vidrio especial muy transparente a los rayos ultravioleta.

UX   *(Explotación telef)* Abrev. de not expected [no se espera].

V

v   Abreviatura o símbolo de velocity; voltage.

V   Abreviatura o símbolo de volt; voltage; potential difference; voltmeter; vacuum tube; vertical | Número romano 5 ∥ *(Explotación teleg)* Abrev. de via [vía]. Generalmente se usa unida a la palabra que sigue.

V aerial   antena en V. Antena constituida por dos conductores rectilíneos que forman una "V" y unidos por el vértice de la "V" a una bajada de antena (CEI/70 60–34–140). SIN. **V antenna**.

V antenna   antena en V. SIN. **V aerial**.

V band   banda V. Banda de ondas milimétricas que va de los 46 a los 56 MHz (longitudes de onda de 6,52 a 5,38 mm), y que se subdivide en las siguientes subbandas: V_a, 46–48 MHz; V_b, 48–50 MHz; V_c, 50–52 MHz; V_d, 52–54 MHz; V_e, 54–56 MHz.

V-bank engine   motor en V, motor de cilindros convergentes.

V beam   *(Radar)* haz en V.

V-beam radar   radar de haz en V.

V-beam system   radar de haz en V. Radar en el que dos haces planos, uno vertical y el otro oblicuo, giran a la misma velocidad y se cortan según una línea en general horizontal y al nivel del suelo; este procedimiento se utiliza de ordinario para determinar el ángulo de elevación por medida del tiempo que separa la recepción de los dos ecos correspondientes a dichos haces (CEI/70 60–72–185).

V belt   correa trapezoidal, correa [banda] en V, correa en cuña.

V-belt drive   transmisión de correa trapezoidal [en V].

V-bucket conveyor   transportador de cazoletas en V.

V connection   *(Elec)* conexión en V.

V cut   *(Cabezas mag)* ranura en V ∥ *(Galerías/Túneles)* corte de cuña.

V engine   motor en V.

V groove   ranura en V.

V/in.   Abrev. de volts per inch [voltios por pulgada].

V motor   motor en V, motor de cilindros convergentes.

V notch   muesca [entalla] en V.

V point   *(Fotogrametría)* punto nadiral.

V potential   *(Electrobiol)* potencial V, centro de Wilson, centro de miembros. v. **limb-center**.

V reflector   reflector en V, reflector angular. Reflector constituido por dos superficies planas que se cortan, formando un diedro.

V RMS   Abrev. de volts root-mean-square value [voltios efectivos, V_{ef}].

V screen   pantalla en V.

V-screen antenna   antena con pantalla en V.

V-shaped   *adj:* en (forma de) V.

V-shaped depression   *(Meteor)* depresión en V.

V tail   *(Aviones)* cola en V.

V tool   cincel para ranuras triangulares.

V-type conveyor   transportador de cazoletas en V.

V-type engine   motor en V.

V-type telescopic antenna   *(Televisores)* antena telescópica en V.

VA   Abrev. de volt-ampere ∥ *(Explotación teleg)* En los mensajes de servicio redactados en francés, abreviatura de "votre A" [su mensaje de servicio].

VA/W   VA/W. Razón voltamperios (potencia aparente) a vatios (potencia real) [ratio of volt-amperes (apparent power) to watts (actual power)].

VAC   *(Explotación teleg)* Abrev. de via AAC [vía AAC].

VAC   Abrev. de volts alternating current [voltios de alterna, V CA].

vac.   Abrev. de vacuum.

vacancies   Plural de *vacancy*.

vacancy   vacío; vacuidad | vacante, vacancia, plaza vacante. Pues-

to o empleo sin ocupar ∥ *(Cristalografía)* laguna, vacante, hueco, agujero. Imperfección cristalina consistente en la falta de un átomo o un ion; defecto de un cristal consistente en estar desocupado un lugar o posición de la red cristalina. SIN. **laguna reticular, lugar vacante (de la red)**. CF. **hole**.

vacancy cluster   *(Cristalografía)* grupo de lagunas.

vacancy condensation   *(Cristalografía)* condensación de lagunas [de vacantes].

vacancy-interstitial annihilation   *(Cristalografía)* aniquilación laguna-intersticial, aniquilamiento hueco-intersticial.

vacancy-interstitial pair   *(Cristalografía)* par laguna-intersticial, par hueco-intersticial. SIN. **Frenkel defect**.

vacancy-vacancy interaction   *(Elecn)* interacción entre laguna y laguna [entre hueco y hueco].

vacant   *adj:* vacante, desocupado, vacío; libre.

vacant conductor   *(Cables)* conductor vacante.

vacant lattice position   *(Cristalografía)* posición vacante de la red. SIN. **vacancy** ∥ *(Nucl)* posición de la celosía sin barra, posición vacía de la celosía.

vacant lattice site   *(Cristalografía)* posición vacante de la red, punto (de la red cristalina) donde falta un átomo. SIN. **vacancy**.

vacant level   *(Telecom)* nivel muerto [inutilizado]. SIN. **spare level**.

vacant plot   solar vacío, terreno sin edificar; terreno baldío [sin cultivar]. LOCALISMO: solar yermo.

vacant terminal   *(Elec/Elecn/Telecom)* terminal libre [vacante] ∥ *(Telecom)* contacto libre. SIN. **spare contact**.

vacate   *verbo:* desocupar; evacuar, desalojar, dejar vacante, dejar vacío; vaciar; abandonar; marcharse ∥ *(Lenguaje legal)* anular, revocar, rescindir, dejar sin efecto | *(i.e.* release from attachment) desembargar.

vacua   Plural de *vacuum*.

vacuation   evacuación, vaciamiento.

vacuity   vacío; espacio vacío; ausencia total de materia; vacuidad, calidad de vacuo o vacío; hueco, laguna; inanidad; ociosidad.

vacuole   vacuola. Pequeña cavidad en el protoplasma de una célula.

vacuum   vacío, vacuo; depresión; atmósfera enrarecida; espacio vacío; ausencia de materia | v. **vacuum cleaner** ∥∥ *adj:* de vacío; al vacío ∥∥ *verbo:* hacer el vacío; enrarecer, rarificar; limpiar por aspiración, utilizar el aspirador (de polvo).

vacuum-actuated   *adj:* accionado por vacío [por aspiración].

vacuum arc   *(Elec)* arco en el vacío, arco en atmósfera enrarecida.

vacuum-arc lamp   *(Alumbrado)* lámpara de arco al vacío.

vacuum arrester   *(Elec)* descargador de vacío.

vacuum-assisted hydraulic brake   freno hidráulico ayudado por vacío.

vacuum bottle   termo, botella aislante. Botella en la que se ha hecho el vacío entre las paredes externa e interna, y que sirve para conservar la temperatura del contenido. SIN. **Dewar flask**.

vacuum brake   freno neumático, freno de vacío [al vacío]. Freno que produce el esfuerzo de frenaje mediante la acción de la presión atmosférica.

vacuum capacitor   capacitor [condensador] al vacío. Capacitor o condensador cuyas placas o armaduras se encuentran en una ampolla al vacío, y que se caracteriza por su reducidísima inductancia y su sumamente elevada tensión disruptiva [breakdown voltage].

vacuum capsule   cápsula de vacío.

vacuum cell   célula (fotoeléctrica) al vacío.

vacuum chamber   cámara de vacío.

vacuum chip system   sistema aspirador para la eliminación de virutas. Se usa al grabar discos fonográficos de superficie cubierta de cera. CF. **cutting head**.

vacuum cleaner   (a.c. vacuum) aspirador (de polvo), aspiradora. LOCALISMOS: limpiador de succión, barredora eléctrica | aspirador (de polvo). Aparato accionado por un motor eléctrico, y que sirve para recoger el polvo por aspiración (CEI/38 35–20–010, CEI/58

35–20–005).

vacuum coherer   cohesor al vacío.

vacuum column   columna de vacío.

vacuum-column tape drive   transportador de cinta del tipo de columna de vacío.

vacuum condenser   condensador al vacío. v. **vacuum capacitor**.

vacuum cup   ventosa.

vacuum deposition   deposición al vacío. SIN. **vacuum metalizing**.

vacuum desiccator   desecador por vacío.

vacuum diffusion pump   bomba difusora por vacío.

vacuum distillation   destilación al vacío.

vacuum drier   v. **vacuum dryer**.

vacuum drop   caída del vacío.

vacuum dryer   (*also* vacuum drier) desecador a vacío; estufa de vacío.

vacuum dust exhauster   extractor de polvo por aspiración; aspirador de polvo.

vacuum-encapsulated   *adj:* encapsulado al vacío.

vacuum enclosure   recinto al vacío; campana de vacío.

vacuum engineer   ingeniero especializado en vacío, técnico de vacío.

vacuum engineering   ingeniería [técnica] del vacío.

vacuum envelope   ampolla al vacío; cubierta evacuada.

vacuum-evaporated   *adj:* evaporado en (el) vacío.

vacuum evaporation   evaporación en (el) vacío. En la fabricación de circuitos integrados [integrated circuits], obtención de películas delgadas [thin films] por vaporización del material de la película en el vacío y depósito de las partículas del vapor sobre un substrato, a través de las aberturas de un estarcido [mask]. CF. **vacuum metalizing**.

vacuum fan   ventilador aspirante.

vacuum filter   filtro de vacío, filtro al vacío.

vacuum flash   (*Fotog*) lámpara de destello al vacío.

vacuum-fluorescent display device   dispositivo de visualización de fluorescencia en el vacío.

vacuum fore pump   bomba rotativa de alto vacío; bomba auxiliar preliminar, bomba de primera etapa (de evacuación). SIN. **fore pump**.

vacuum furnace   horno de vacío. Horno para el ensayo de materiales a alta temperatura en el vacío.

vacuum gage, vacuum gauge   vacuómetro, vacuímetro, indicador de vacío, manómetro de vacío. Instrumento para determinar la presión en un vacío parcial | vacuímetro, indicador del grado de vacío. Dispositivo que indica la presión del gas residual [residual gas] en una válvula de vacío (v. **vacuum valve**) (CEI/56 11–15–105) | CF. **hot-wire gage, McLeod gage**.

vacuum-gage testing machine   probador de vacuómetros.

vacuum head   (*Hidr*) carga de vacío.

vacuum-impregnated   *adj:* impregnado en vacío.

vacuum impregnation   impregnación en vacío. Impregnación (v. **impregnation**) que se efectúa en el vacío, para asegurar una penetración completa del compuesto aislante en los más pequeños intersticios del elemento: devanado, condensador multicapa, etc.

vacuum indicator   vacuómetro, indicador de vacío [del grado de vacío]. SIN. **vacuum gage**.

vacuum lamp   (*Alumbrado*) lámpara de filamento en el vacío. Lámpara cuyo filamento está colocado en el vacío (CEI/38 45–20–015) | lámpara de vacío. Lámpara incandescente cuyo filamento está colocado en el vacío (CEI/58 45–40–045).

vacuum leak   fuga [escape, pérdida] de vacío. Entrada de aire ambiente en un sistema de vacío.

vacuum-leak detector   detector de fugas [pérdidas] de vacío.

vacuum-leak locator   localizador de fugas [escapes] de vacío.

vacuum lightning arrester   pararrayos de vacío.

vacuum lightning protector   pararrayos de vacío.

vacuum metalizing   metalización en vacío [al vacío]. Deposición de una película metálica sobre una pieza u objeto de materia plástica o de otra clase por evaporación del metal en una cámara al vacío en cuyo interior se encuentra la pieza o el objeto. CF. **vacuum evaporation**.

vacuum-operated   *adj:* mandado por vacío, accionado por vacío [por aspiración]; de funcionamiento neumático.

vacuum-packed   *adj:* envasado en el vacío | envasado al vacío. Envasado en un recipiente del cual se ha extraído todo o casi todo el aire.

vacuum photocell   fotocélula al vacío. CF. **gas-filled photocell**.

vacuum phototube   fototubo de vacío, tubo fotoeléctrico de alto vacío. Tubo fotoeléctrico en atmósfera tan enrarecida, que sus características eléctricas están prácticamente exentas de los efectos de la ionización. CF. **gas phototube**.

vacuum-plated   *adj:* galvanoplastiado en atmósfera enrarecida.

vacuum power switch   (*Elec*) disyuntor de potencia al vacío.

vacuum-pressure impregnation   impregnación en vacío seguida de impregnación a presión.

vacuum-producing equipment   equipo para hacer [establecer] el vacío.

vacuum pump   bomba de vacío [al vacío]; bomba neumática | bomba de vacío. Bomba que sirve para establecer y mantener el grado de vacío deseado en una ampolla (CEI/56 11–15–085). CF. **high-pressure vacuum pump, low-pressure vacuum pump**.

vacuum range   margen de grados de vacío ‖ (*Radiocom*) alcance en el vacío. Alcance calculado para atenuación atmosférica nula.

vacuum rectifier   (*Elecn*) rectificador al vacío [de tubo al vacío], rectificador termoiónico. SIN. **vacuum-tube rectifier**. CF. **vacuum valve**.

vacuum regulator   regulador de vacío.

vacuum relay   relé [relevador] al vacío. Relé electromecánico que funciona bajo una cubierta en la que se ha hecho el vacío. Tiene la ventaja, sobre los del tipo ordinario, de que no se acumula polvo en las superficies de los contactos, lo cual permite que éstos trabajen a menor distancia; esto, a su vez, consiente mayor velocidad de movimiento y menor energía de excitación. También son menores las posibilidades de formación de arcos entre los contactos; algunos de estos relés son capaces de cortar tensiones de RF del orden de 20 kV sin formación de arcos. CF. **glass-enclosed vacuum relay, ceramic relay**.

vacuum seal   cierre hermético (de vacío), junta hermética [de vacío]; obturador de vacío. ANGLICISMO: sello de vacío | junta de vacío. Junta estanca al aire entre las diversas partes que constituyen una válvula [rectifier] (CEI/56 11–15–075). CF. **sealed rectifier**.

vacuum-sealed   *adj:* de cierre hermético (de vacío), provisto de junta de vacío, cerrado herméticamente al vacío.

vacuum sintering   sinterización en el vacío [en atmósfera enrarecida].

vacuum spectrograph   espectrógrafo de vacío. (1) Aparato destinado al estudio de los rayos blandos en el vacío (CEI/38 65–15–075). (2) Aparato que permite producir y analizar un espectro de rayos X, y medir las longitudes de onda y las intensidades de sus componentes (CEI/64 65–30–475).

vacuum still   alambique de vacío.

vacuum switch   (*Elec*) conmutador de vacío [al vacío]; interruptor de vacío. Conmutador o interruptor con sus contactos bajo una ampolla al vacío, para reducir la formación de chispas al romper el circuito. CF. **vacuum relay**.

vacuum system   sistema de vacío; instalación de vacío.

vacuum tank   cuba [tanque] de vacío, ampolla metálica de vacío. Cámara metálica al vacío en cuyo interior se encuentran los electrodos de un rectificador de vapor de mercurio. SIN. **bulb, tank**.

vacuum technique   técnica del vacío.

vacuum technology   tecnología del vacío.

vacuum-tested   *adj:* ensayado al vacío, probado en el vacío; probado contra fugas de vacío [contra entradas de aire].

vacuum testing furnace   horno para ensayos al vacío.

vacuum thermionic diode   diodo termoiónico de vacío.

vacuum thermocouple   termopar de vacío.

vacuum-tight   *adj:* v. **vacuumtight**.

vacuum tube   *(Elecn)* tubo (electrónico) de vacío, válvula (electrónica) de vacío, tubo [válvula] al vacío | tubo de vacío. Tubo electrónico [electronic valve, electronic tube] en el cual el vacío es lo suficientemente elevado para que sus propiedades eléctricas no sean esencialmente modificadas por la ionización del gas o del vapor residuales. SIN. vacuum valve (CEI/56 07–25–055) | tubo de vacío, válvula. Tubo o válvula electrónica [electronic valve, electronic tube] en el cual el vacío ha alcanzado tal grado que sus características eléctricas no son prácticamente afectadas por la ionización del gas residual. EJEMPLOS: tubo de rayos X [Roentgen tube]; kenotrón o válvula rectificadora [kenotron, valve tube]. SIN. vacuum valve (CEI/64 65–30–075) | SIN. **válvula termoelectrónica, válvula termoiónica (al vacío)**. CF. **glow tube, high-vacuum tube, mercury-vapor tube, gas tube, gas-filled tube, cathode-ray tube, X-ray tube**.

vacuum-tube amplifier   amplificador de tubos [válvulas] de vacío.

vacuum-tube bridge   puente para medir tubos al vacío, puente (de medida) para válvulas al vacío. Puente para la medida de los parámetros de tubos al vacío (válvulas termoelectrónicas).

vacuum-tube characteristic   característica de tubo al vacío. Curva que pone de manifiesto el comportamiento funcional de un tubo de vacío en determinadas condiciones eléctricas.

vacuum-tube detector   *(Radio)* detector de tubo de vacío, detector de válvula [lámpara] al vacío.

vacuum-tube electrometer   electrómetro de tubo [válvula] de vacío. Electrómetro en el cual se utiliza un triodo especial de vacío, con resistencia de entrada muy elevada (superior a 10 MΩ), para amplificar la corriente de ionización de una cámara de ionización [ionization chamber].

vacuum-tube keyer   *(Radioteleg)* manipulador de tubo de vacío. Circuito electrónico con un tubo de vacío polarizado al corte e intercalado en serie con el suministro de corriente de ánodo de la última etapa de un transmisor. Cuando se oprime el manipulador telegráfico, se suprime la tensión polarizadora de rejilla del tubo, permitiendo que fluya la corriente de ánodo de la última etapa. Por lo tanto, cada vez que se oprime el manipulador, de conformidad con el código telegráfico, se radía la señal de radiofrecuencia.

vacuum-tube keying   *(Radioteleg)* manipulación por tubo de vacío.

vacuum-tube modulator   *(Elecn)* modulador de tubos [válvulas] de vacío.

vacuum-tube noise   ruido (interno) del tubo de vacío ‖ *(Telecom)* ruido de los amplificadores de tubos de vacío.

vacuum-tube ohmmeter   ohmímetro de válvula al vacío.

vacuum-tube oscillator   oscilador de tubo de vacío, oscilador de válvula electrónica al vacío.

vacuum-tube Q-multiplier   *(Rec)* multiplicador de Q electrónico con tubo de vacío.

vacuum-tube rectifier   rectificador al vacío [de tubo de vacío], rectificador termoiónico. SIN. **vacuum rectifier**.

vacuum-tube rejuvenator   reactivador de tubos de vacío, "rejuvenecedor" ["reanimador"] de tubos electrónicos al vacío.

vacuum-tube series regulator   *(Fuentes de alim)* regulador serie de válvula al vacío. v. **series regulator**.

vacuum-tube transmitter   *(Radio)* transmisor de tubos de vacío.

vacuum-tube voltmeter [VTVM]   voltímetro de tubo [válvula] de vacío, voltímetro de tubo electrónico [de válvula termoiónica]. POCO USADO: voltímetro de lámpara. Voltímetro excitado por un amplificador con etapa de entrada de tubo electrónico, a la cual se le aplica la tensión que se quiere medir. Dicha etapa presenta al circuito bajo prueba una impedancia sumamente elevada, por lo cual no lo sobrecarga ni altera la tensión medida. Si el amplificador tiene más de una etapa, las que siguen a la primera pueden ser también de tubo al vacío o pueden ser transistorizadas. Los sinónimos *voltímetro electrónico* y *voltímetro valvular* pueden incluir el caso del *voltímetro transistorizado,* puesto que, como es sabido, el transistor es un dispositivo electrónico y puede incluso ser considerado un tipo de válvula electrónica. CF. **electronic voltmeter**.

vacuum valve   válvula de admisión de aire; ventosa al vacío ‖ *(Elecn)* válvula [tubo] de vacío. v. **vacuum tube** | válvula, tubo de vacío. v. **vacuum tube** | válvula electrónica. Válvula eléctrica [rectifier] constituida por un tubo electrónico (CEI/56 11–05–050*) | válvula de vacío. Válvula electrónica (según la def. 11–05–050) en la cual el grado de vacío es lo suficientemente elevado para que sean desdeñables los efectos de la ionización (CEI/56 11–05–055*) | *NOTA: Esta definición carece de término equivalente inglés en el VEI.

vacuumed   *adj:* limpiado por aspiración, limpiado con aspirador (de polvo).

vacuummeter   vacuómetro, vacuímetro. v. **vacuum gage**.

vacuumtight   *adj:* hermético (al vacío); estanco (al aire); con cierre [junta] de vacío. Dícese de los recipientes y los cierres o juntas que conservan el vacío, impidiendo la entrada del aire ambiente.

vacuumtight capsule   cápsula hermética.

vacuumtight window   *(Klistrones)* ventanilla estanca.

vacuumtightness   hermeticidad (al vacío); estanqueidad (al aire).

vagaries of propagation   *(Radiocom)* variaciones imprevisibles en la propagación.

valence, valency   valencia. Número representativo de la proporción en que un átomo es susceptible de combinarse con otros átomos; depende en general del número y la disposición de los electrones de la capa electrónica externa del átomo, llamada *capa de valencia* [valence shell] | (valency) valencia. (1) Número de átomos de hidrógeno o de otras substancias equivalentes que un átomo o un conjunto de átomos pueden reemplazar en una combinación química (CEI/38 05–10–040, CEI/38 50–05–040, CEI/56 05–10–035). (2) Carga de un ion expresada por el número de cargas elementales por él portadas y que toma parte en la reacción considerada (CEI/60 50–05–275).

valence band   banda de valencia. Gama de estados energéticos [energy states] en el espectro de un cristal sólido, en la que quedan comprendidas las energías de los electrones de valencia [valence electrons] que determinan la cohesión del cristal.

valence-band hole   laguna de la banda de valencia.

valence bond   *(Quím)* enlace de (electro)valencia, enlace químico. CF. **intrinsic temperature**.

valence-bond structure   estructura de enlace de valencia.

valence electron   electrón de valencia. SIN. **outer-shell electron, peripheral electron** (véase).

valence forces (in a polyatomic molecule)   fuerzas de valencia (en una molécula poliatómica). CF. **Van der Waals' forces**.

valence shell   capa de valencia. La más externa de las capas de electrones del átomo. SIN. **outer shell**.

valency   *(Quím/Electroquím)* valencia. v. **valence**.

valid   *adj:* válido.

validated   *adj:* validado, convalidado.

validation   validación, convalidación.

validity   validez. Corrección de un resultado; grado de aproximación al resultado exacto, de los resultados intermedios de un cálculo iterativo.

validity check   *(Informática)* prueba [comprobación, verificación] de validez; crítica de consistencia. Tipo de prueba basada en el conocimiento de límites razonables de los datos utilizados o de los resultados obtenidos.

valley   *(Topog)* valle, quebrada ‖ *(Arq)* lima hoya. LOCALISMO: combersa. Angulo diedro entrante formado por dos vertientes o faldones de un techo o tejado. Si el ángulo es *saliente,* se llama *lima* *tesa* [hip] ‖ *(Curvas características)* valle. Hondonada o sima entre dos picos ‖ *(Tolvas)* vértice.

valley breeze   *(Meteor)* brisa de los valles.

valley current   *(Diodos Esaki)* corriente de valle. Mínimo de la corriente para tensiones positivas; a partir de ese punto, la corriente aumenta con los aumentos de tensión.

valley point   *(Curvas características)* fondo de valle, mínimo.

valley-point current   *(Diodos Esaki)* corriente de fondo de valle, mínimo (de la corriente), punto de mínima corriente.

valley-point stabilization   *(Elecn)* estabilización del mínimo.

valley rafter   *(Arq)* lima hoya; cabio de lima hoya.

valley route   *(Vías férreas)* trazado [desarrollo] por valles [por quebradas laterales]. Trazado o desarrollo que lleva la línea contorneando valles y faldeando cerros para salvar desniveles.

valley-stabilized circuit   *(Elecn)* circuito de mínimo estabilizado.

valley voltage   tensión de valle, tensión de mínima corriente. v. **valley current.**

valuation   valuación, justiprecio, tasa, tasación; avaluación, avalúo, avalorización, valoración, apreciación, estimación.

value   valor, magnitud; valía, valor; valía, mérito; aprecio, estimación; valuación, precio, justiprecio; importancia, valor, entidad ‖ *(Elec)* (of a quantity corresponding to rating) valor nominal implícito. Valor numérico, a un régimen nominal, de una magnitud que no entra en la definición de ese régimen. EJEMPLOS: La corriente tiene un valor nominal en el caso de las generatrices y un valor correspondiente al régimen nominal [rating] en el caso de los motores. La velocidad de rotación tiene un valor nominal en el caso de las máquinas sincrónicas [synchronous machines] y un valor correspondiente al régimen nominal en el caso de las máquinas asincrónicas [asynchronous machines] (CEI/56 05–41–060) ‖ CF. **effective value of a periodic quantity, instantaneous value, mean value of a periodic quantity, peak value, peak-to-peak value** ⫶ *verbo:* valorar, apreciar, justipreciar, tasar.

valve   *(Elec/Elecn) (GB)* válvula (electrónica), tubo (electrónico); válvula termoiónica, tubo termoiónico; válvula [tubo] de vacío. SIN. **electron(ic) tube, electronic valve** *(GB)***, thermionic tube, thermionic valve** *(GB)***, vacuum tube, vacuum valve** *(GB)* ‖ válvula (eléctrica). Dispositivo que permite la circulación de la corriente en un solo sentido, como p.ej. un rectificador [rectifier] ‖ *(i.e.* ionic or electronic valve) válvula (iónica o electrónica). Aparato provisto de dos o más electrodos principales y, en su caso, de un dispositivo de mando, y que utiliza la conductibilidad unidireccional producida, sea por ionización de un gas o de un vapor, sea por emisión de electrones en un tubo de alto vacío (CEI/38 10–30–015) ‖ v. **electrolytic valve, electrochemical valve, valve with variable slope** ‖ *(Bot)* valva, ventalla ‖ *(Zool)* valva ‖ *(Hidr)* válvula. Dispositivo o sistema que sirve para regular, modular, desviar, o cortar un flujo o circulación; grifo, llave, robinete ‖ (= air nozzle) embocadura para la entrada de aire ‖ *(Mot)* válvula ‖ *(Máq de vapor)* distribuidor, corredera ‖ *(Instr mus de viento)* válvula, pistón ⫶ *verbo:* dotar de válvulas; regular por válvula; expulsar por la válvula; soltar (gas) por la válvula.

valve action   *(i.e.* electrochemical valve action) acción [efecto] de válvula (electroquímica). CF. **valve effect.**

valve-actuated   *adj:* accionado por válvula.

valve-actuated control   control [mando] accionado por válvula.

valve adapter *(GB)*   *(Elecn)* adaptador de válvula.

valve adjusting   ajuste [reglaje] de la válvula.

valve-adjusting screw   tornillo de reglaje de la válvula.

valve adjustment   ajuste [reglaje] de la válvula.

valve amplifier *(GB)*   amplificador de válvulas [lámparas]. SIN. **tube amplifier, vacuum-tube amplifier.**

valve base *(GB)*   base de válvula [de tubo electrónico], culote de lámpara. Parte de la válvula o tubo por donde salen los alfileres o patillas de conexión.

valve base adapter *(GB)*   *(Elecn)* adaptador de zócalo de válvula.

valve base gage *(GB)*   *(Elecn)* calibre para bases de válvula.

valve bonnet   sombrerete [casquete] de la válvula.

valve bouncing   rebote de la válvula.

valve box   caja [registro] de válvula; caja de válvulas ‖ *(Máq de vapor)* caja de distribución.

valve cap   tapa [tapita] de válvula.

valve characteristic *(GB)*   *(Elecn)* característica de válvula [de tubo electrónico]. SIN. **tube characteristic, vacuum-tube characteristic.**

valve circlip   anillo de fijación de la válvula.

valve clearance   holgura de la válvula.

valve-clearance gage   calibrador de holgura de las válvulas.

valve-controlled   *adj:* accionado por válvula.

valve cooling   enfriamiento [refrigeración] de la válvula.

valve detector *(GB)*   *(Radio)* detector de válvula [de lámpara], válvula detectora. SIN. **vacuum-tube detector.**

valve distribution   *(Máq de vapor)* distribución por válvulas. La que distribuye el vapor por medio de válvulas.

valve drive *(GB)*   *(Elecn)* excitación [impulsión] por válvula.

valve-driven *(GB)*   *adj: (Elecn)* excitado [impulsado] por válvula.

valve drop *(GB)*   *(Elecn)* v. **valve voltage drop.**

valve effect   *(Elec)* efecto de válvula. Fenómeno de conducción unidireccional de la corriente en ciertos materiales. CF. **valve action.**

valve element *(GB)*   *(Elecn)* elemento de válvula, elemento (interno) de tubo electrónico. SIN. **tube element.**

valve emission *(GB)*   *(Elecn)* emisión (electrónica) de la válvula [del tubo]. CF. **thermionic emission.**

valve engine   máquina (de vapor) con distribución por válvulas ‖ motor con válvulas. CF. **valveless engine.**

valve frequency meter *(GB)*   frecuencímetro valvular [de tubos].

valve gear   *(Máq de vapor)* mecanismo de distribución (por válvulas); mecanismo de mando del distribuidor; distribución (por válvulas).

valve grinder   esmerilador [rectificador, refrentador] de válvulas, amoladora de asientos de válvula.

valve grinding   esmerilado de válvulas. SIN. **valve refacing.**

valve-grinding tool   herramienta de esmerilar válvulas.

valve guide   guía de la válvula.

valve head   cabeza de válvula.

valve heater *(GB)*   *(Elecn)* calefactor de la válvula, filamento (calefactor) de la lámpara.

valve holder *(GB)*   *(Elecn)* portaválvula, portatubo, zócalo de válvula, soporte de válvula [de tubo, de lámpara]. SIN. **tube socket.**

valve hood   cubierta de las válvulas.

valve horn   *(Mús)* corneta de llaves, cornetín. GALICISMO: corneta pistón.

valve house   caseta [casa] de válvulas; casa de compuertas.

valve housing   alojamiento de válvula.

valve key   llave para válvula.

valve lag   retardo [retraso] de la válvula.

valve lead   avance de la válvula.

valve lift   alza [levantamiento] de la válvula ‖ carrera [corrimiento] de la válvula. SIN. **valve travel.**

valve lifter   levantaválvulas, empujaválvulas; desmontaválvulas ‖ *(Elecn)* levantaválvulas, levantatubos, extractor de válvulas [de tubos]. SIN. **tube lifter, tube puller.**

valve noise *(GB)*   *(Elecn/Telecom)* ruido de válvula [de lámpara, de tubo electrónico]; ruido de fondo de una válvula [una lámpara, un tubo electrónico]. Ruido originado en un tubo electrónico, y que puede tener diversos orígenes: contactos defectuosos, vibraciones de los elementos internos, cargas acumuladas en la ampolla o envuelta, etc. v.TB. **shot effect, shot noise, thermal-agitation noise.** SIN. **tube noise, vacuum-tube noise** ‖ *(Telecom)* ruido de los amplificadores de válvulas [de tubos al vacío].

valve opening   abertura de la válvula.

valve operating   maniobra de válvulas.

valve-operating device   dispositivo para maniobra de válvulas.

valve operation   funcionamiento de la válvula; maniobra de válvulas.

valve oscillator *(GB)*   *(Radio/Elec/Elecn)* oscilador de válvula [de tubo, de lámpara]. SIN. **tube oscillator, vacuum-tube oscillator.**

valve pin *(GB)*   *(Elecn)* alfiler [patilla] de válvula [de tubo], espiga de tubo electrónico [al vacío]. SIN. **tube pin.**

valve plate   plato [platillo] de válvula || *(Elecn — GB)* placa de válvula [de lámpara], ánodo de tubo [de lámpara].

valve plunger   empujaválvula.

valve port   lumbrera de válvula.

valve rack *(GB)*   estante [grada] de prueba de válvulas [tubos]. Se utiliza en las fábricas para comprobar las características de las válvulas o tubos electrónicos antes de empacarlos. SIN. **electron-tube rack.** CF. **ager.**

valve ratio   *(Elec/Elecn)* relación de válvula. Razón, superior a la unidad, de las impedancias de la válvula para los dos sentidos de circulación de la corriente (CEI/60 50–55–025).

valve reactor   *(Radio/Elecn)* tubo de reactancia; reactancia electrónica. v. **reactance valve.**

valve receiver *(GB)*   receptor de válvulas, receptor de tubos (electrónicos). SIN. **tube receiver.**

valve rectifier   rectificador de válvula electrónica. Rectificador que aprovecha la circulación unidireccional de la corriente en una válvula electrónica. SIN. **electronic tube rectifier** (CEI/70 55–25–315) | rectificador de tubo electrónico.

valve refacer   refrentador [rectificador] de válvulas. SIN. **valve grinder.**

valve refacing   refrentado [rectificación] de válvulas, repaso del asiento de las válvulas. SIN. **valve grinding.**

valve rejection test *(GB)*   prueba para selección de válvulas; prueba para rechazo de válvulas defectuosas, prueba para desechar los tubos electrónicos deficientes. Prueba de un grupo de válvulas o tubos electrónicos para seleccionar los que están en buen estado y desechar los defectuosos o gastados.

valve remover   extractor de válvulas.

valve reseater   rectificadora [amoladora] de asientos de válvula. SIN. **valve grinder.**

valve retainer   retén de válvula; copa de muelle de la válvula. CF. **valve circlip.**

valve rocker   balancín de la válvula.

valve rod   vástago de válvula || *(Máq de vapor)* vástago [varilla] del distribuidor.

valve seat   asiento de la válvula || *(Máq de vapor)* espejo del distribuidor.

valve-seat reconditioning   rectificación [repaso] del asiento de las válvulas. SIN. **valve refacing.**

valve sleeve   manguito de válvula.

valve socket *(GB)*   *(Elecn)* zócalo de válvula, soporte de válvula [de tubo electrónico]. SIN. **tube socket.**

valve spring   resorte [muelle] de válvula.

valve-spring compressor   compresor de resortes de válvula.

valve-spring remover   levantador de resorte [muelle] de válvula.

valve stem   vástago [varilla] de válvula || *(Máq de vapor)* barra de corredera, barra del distribuidor, varilla de distribución || *(Elecn)* pie, base de los elementos internos de la válvula. v. **stem.**

valve-stem guide   guía del vástago de la válvula.

valve-stem warping   deformación del vástago de la válvula.

valve tappet   botador [empujador] de válvula, levantaválvula.

valve-tappet adjustment   reglaje del botador de válvula.

valve-tappet guide   guía del botador de válvula.

valve-tappet roller   rodillo del botador de válvula.

valve timing   reglaje [regulación, sincronización, puesta a punto] de las válvulas.

valve timing marks   marcas de puesta a punto de las válvulas.

valve transconductance *(GB)*   *(Elecn)* transconductancia de la válvula; conductancia mutua de la válvula [de la lámpara].

valve travel   carrera [recorrido] de la válvula || *(Máq de vapor)*

carrera del distribuidor.

valve trimmings   guarniciones de (la) válvula.

valve trombone   *(Mús)* trombón de llaves [de pistones]. Trombón en el que las varas [slides] son reemplazadas por llaves o pistones.

valve tube   *(Elecn)* válvula electrónica, rectificador termoiónico. Válvula eléctrica constituida por un tubo al vacío [vacuum tube] con un ánodo y un cátodo en forma de filamento caliente. El término "valve tube" se usa mayormente en radiología. SIN. **thermionic rectifier** | rectificador, válvula rectificadora, kenotrón. SIN. **rectifier tube, kenotron** (véase).

valve-type echo suppressor   *(Telecom)* supresor de eco de acción continua. SIN. **rectifier-type echo suppressor** (véase). CF. **metal-rectifier echo suppressor, relay-type echo suppressor.**

valve voltage drop   *(Elecn)* caída de tensión (en un tubo electrónico). v. **tube voltage drop.**

valve voltmeter *(GB)*   voltímetro valvular [de válvula, de tubo (electrónico), de lámpara]. SIN. **tube voltmeter, vacuum-tube voltmeter [VTVM].**

valve with variable slope   *(Elecn)* válvula de pendiente variable, tubo de inclinación variable. SIN. **variable-mu tube** | tubo de inclinación variable. Tubo en el cual el coeficiente de amplificación depende, entre ciertos límites, de la tensión de polarización de la rejilla. SIN. **variable-μ valve** (CEI/38 60–25–160).

valve wrench   *(Herr)* llave para válvula.

valveless   *adj:* sin válvulas; avalvo || *(Elecn)* sin válvulas [lámparas] termoiónicas. SIN. **tubeless.**

valveless engine   motor sin válvulas.

valving   valvulaje, valvulería; mando de la válvula; expulsión por la válvula.

vamp   remiendo, emparche; cosa remendada o emparchada || *(Calzado)* pala; empella || *(Mús)* acompañamiento improvisado /// *verbo:* *(Mús)* improvisar.

van   *(Transportes)* camión, furgón; galera; furgón de equipajes; camioneta, furgoneta.

Van Allen   James Alfred Van Allen: físico norteamericano (nacido en 1914) que predijo la existencia de los *cinturones de radiación* que rodean la Tierra y que llevan su nombre.

Van Allen belt   v. **Van Allen (radiation) belt.**

Van Allen (radiation) belt   cinturón (de radiación) de Van Allen. Una de las zonas de radiaciones ionizantes que rodean la Tierra a diferentes alturas y que están constituidas por electrones y protones (procedentes principalmente del viento solar) atrapados por el campo magnético terrestre. Los cinturones tienen sus centros a las alturas aproximadas de 1 200, 6 200 y 12 400 km. SIN. **radiation belt.**

Van Atta array   *(Ant)* sistema Van Atta.

Van de Graaff   Robert Jemison Van de Graaff: físico norteamericano (1901–1967) que inventó el generador que lleva su nombre.

Van de Graaff accelerator   acelerador Van de Graaff. SIN. **Van de Graaff generator.**

Van de Graaff generator   generador Van de Graaff, estatitrón. Máquina electrostática en la cual las partículas eléctricamente cargadas son separadas por un transportador aislante (cinturón o correa aislante en movimiento sin fin) y descargadas en un electrodo esférico de gran tamaño, obteniéndose de ese modo potenciales elevadísimos, hasta de 9 000 kV. Esta máquina se utiliza mucho como acelerador de partículas nucleares. SIN. **Van de Graaff machine, statitron** | acelerador Van de Graaff, acelerador electrostático. Dispositivo de producción y aceleración de cargas eléctricas por inducción electrostática o por transporte físico de cargas eléctricas. SIN. **electrostatic accelerator** (CEI/64 65–30–135).

Van de Graaff machine   generador Van de Graaff. SIN. **Van de Graaff generator.**

Van de Graaff particle accelerator   acelerador de partículas Van de Graaff. SIN. **Van de Graaff generator.**

Van der Bijl equation   ecuación de Van der Bijl. Ecuación que da la corriente de ánodo (I_p) de un triodo al vacío, en función de la tensión de ánodo (V_p), la tensión de rejilla (V_g), y el factor de amplificación (μ), y que es la siguiente: $I_p = a(V_p + \mu V_g + c)$, donde *a* y *c* son constantes.

Van der Pol oscillator　oscilador Van der Pol. Tipo particular de oscilador de relajación con válvula pentodo.

Van der Waals' equation　*(Fís)* ecuación de Van der Waals. Forma de la *ecuación de estado* [equation of state] aplicable a un gas real diluido.

Van der Waals' forces　*(Fís)* fuerzas de Van der Waals. Fuerzas interatómicas e intermoleculares otras que las fuerzas de valencia [valence forces].

Van Stone flange　*(Tuberías)* brida Van Stone, brida de junta montada.

vanadate　*(Quím)* vanadato, vanadiato. Sal de un ácido vanádico.

vanadic　*adj:* *(Quím)* vanádico. Dícese del óxido y anhídrido V_2O_5, de los ácidos correspondientes, y de todos los compuestos del vanadio pentavalente [pentavalent vanadium].

vanadinite　*(Miner)* vanadinita.

vanadium　vanadio. Elemento químico de número atómico 23. Símbolo: V /// *adj:* vanádico; vanadioso; vanadífero.

vanadium-bearing　*adj:* vanadífero, que contiene vanadio.

vanadium ore　mineral de vanadio.

vanadium pentoxide　pentóxido de vanadio.

vanadium steel　acero al vanadio, acero vanadioso [de vanadio].

vandenbrandeite　*(Miner)* vandenbrandeita. SIN. **uranolepidite**.

vane　aleta; paleta; veleta; molinete; cataviento; orejeta ‖ *(Cond)* placa. SIN. **plate** ‖ *(Electrómetros de cuadrante)* sector ‖ *(Guíaondas)* aleta, lámina ‖ *(Molinos)* aspa ‖ *(Turbinas)* álabe, paleta ‖ *(Topog)* pínula (de alidada); tablilla (de mira), tablilla móvil ‖ *(Zool)* vánula.

vane anode　*(Magnetrones)* v. **vane-type anode**.

vane-anode magnetron　v. **vane magnetron**.

vane attenuator　*(Guíaondas)* atenuador de lámina; atenuador de tabique (longitudinal). SIN. **flap attenuator** | atenuador de tabique longitudinal. Atenuador de absorción [absorptive attenuator] en una guía de ondas rectangular, cuya pieza absorbente está constituida por una banda o lámina paralela al lado menor de la guía de ondas. Esta pieza puede ser desplazada en dirección perpendicular a su plano para obtener una variación de la atenuación (CEI/61 62–20–120).

vane-controlled fan　ventilador regulado por el ángulo de las paletas.

vane magnetron　(a.c. vane-anode magnetron, vane-type magnetron) magnetrón (con ánodo) de aletas. v. **vane-type anode**.

vane meter　*(Suministro de agua)* contador de paletas.

vane pump　bomba (rotativa) de paletas, bomba de álabes [de aletas].

vane tube　*(Topog)* tubo de pínula.

vane-type anode　*(Magnetrones)* ánodo de aletas. Anodo cilíndrico cuya cavidad interna está dividida en sectores iguales por aletas que arrancan del perímetro en dirección radial; es semejante al ánodo del *magnetrón de sol naciente* [rising-sun magnetron], con la diferencia de que todas las aletas son de igual tamaño y forma.

vane-type fuel pump　*(Mot)* bomba de combustible de álabes. v.TB. **vane pump**.

vane-type instrument　instrumento de medida de veleta. Instrumento de medida en el que el sistema indicador es accionado por repulsión entre dos veletas o aletas de hierro dulce, una móvil y la otra fija, o entre una veleta móvil y una bobina fija, magnetizadas por la corriente que excita el instrumento y que circula por una bobina mayor.

vane-type magnetron　v. **vane magnetron**.

vane-type relay　*(Elec)* relé de aleta.

vane wattmeter　*(Guíaondas)* watímetro de paleta. Watímetro cuyo principio está basado en las fuerzas electromecánicas que se ejercen sobre una placa metálica o dieléctrica colocada en un campo electromagnético (CEI/61 62–20–160) | vatímetro de lámi-

na.

vaneaxial fan　ventilador axil con aletas de guía.

vaned　*adj:* de paletas, con paletas; con álabes, con palas; etc. v. **vane**.

vaned disk　disco con álabes [con palas].

vaneless　*adj:* sin paletas; sin álabes, sin palas; etc. v. **vane**.

vanguard　*(Milicia)* vanguardia.

vanish　*verbo:* desaparecer, desvanecerse ‖ *(Mat)* anularse, hacerse igual a cero, tomar el valor cero. EJEMPLO: (**x − 5**) **vanishes when x equals 5**: $(x-5)$ se anula cuando *x* es igual a 5.

vanishing　desaparición, desvanecimiento; disipación ‖ *(Mat)* anulación, acción de hacerse igual a cero o de tomar el valor cero //// *adj:* desvanecedor; desvaneciente; que tiende a cero.

vanishing angle　ángulo de anulación, ángulo al que se anula una cantidad.

vanishing line　*(Dib)* línea de fuga.

vanishing point　punto de desaparición ‖ *(Dib)* punto de fuga, punto de la vista.

vanishing trace　*(Dib)* trazo de fuga.

vanoxite　*(Miner)* vanoxita.

van't Hoff　Jacobus Henricus van't Hoff: fisicoquímico holandés (1852–1911); estudió en particular la estereoquímica [stereochemistry] y la termodinámica [thermodynamics].

van't Hoff theorem　*(Quím)* teorema de van't Hoff. Teorema que expresa que si una reacción es exotérmica [exothermic reaction], un aumento de temperatura hace retroceder la posición de equilibrio de la reacción; en cambio, si la reacción es endotérmica [endothermic reaction], un incremento de temperatura hace avanzar el equilibrio.

vapography　vapografía. Procedimiento fotográfico de obtener una imagen revelable [developable image] dejando que una película o placa sensible permanezca en contacto con una substancia (por ejemplo, cinc o tinta tipográfica) que despida vapores o emanaciones capaces de afectarla sin intervención de la luz.

vapor, vapour　*(GB)* vapor; vapores; gases, humos, vahos; vapor acuoso; niebla, neblina, bruma; hálito; vaho; mezcla de vapor y aire /// *verbo:* evaporar(se); exhalar.

vapor barrier　*(Aisladores)* película hidrófuga. Película impermeable para evitar la absorción de humedad.

vapor condenser　condensador de vapor acuoso.

vapor containment　*(Nucl)* contención de vapores radiactivos. Procedimiento para contener los vapores radiactivos liberados como resultado de un accidente por un reactor refrigerado por agua, y que consiste en alojar la instalación completa del reactor en una carcasa grande, esférica o cilíndrica, y generalmente de acero.

vapor cooling　*(i.e. cooling by vapor)* refrigeración [enfriamiento] por vapor.

vapor degreaser　desengrasador de vapor.

vapor degreasing　desengrase por vapor.

vapor density　densidad de vapor.

vapor-deposited　*adj:* depositado en fase vapor, obtenido por condensación de un vapor.

vapor-deposited film　película obtenida por deposición en fase vapor.

vapor-deposited printed circuit　*(Elecn)* circuito impreso formado por deposición en fase vapor. Circuito impreso obtenido por condensación de un metal que previamente se ha llevado al estado de vapor, utilizando una técnica conveniente de metalización en vacío (v. **vacuum metalizing**) y estarcidos [masks] u otros medios de formación de las redes de conductores. v.TB. **vacuum deposition, vacuum evaporation**.

vapor depositing　v. **vapor deposition**.

vapor deposition　deposición en fase vapor. (**1**) Procedimiento de condensación de un material, a partir de su estado gaseoso, sobre una base aislante, para la formación de circuitos impresos. (**2**) Técnica utilizada para depositar una película metálica delgada por condensación del vapor del metal en fusión bajo un recinto al vacío.

vapor elimination   eliminación del vapor (p.ej. de las tuberías de combustible de un avión).

vapor-filled   *adj:* lleno de vapor.

vapor-filled thermionic diode   *(Elecn)* diodo termoiónico de vapor. CF. **mercury-vapor tube.**

vapor-filled tube   *(Elecn)* tubo de vapor | tubo blando. v. **soft tube.**

vapor-free   *adj:* exento [libre] de vapor.

vapor-free liquid   *(Climatiz/Refrig)* líquido exento de vapor.

vapor heating   calefacción por vapor a baja presión.

vapor jet   chorro de vapor.

vapor leak   escape [fuga, salidero] de vapor.

vapor line   tubería de vapor.

vapor lock   *(Bombas, Tuberías, Canalizaciones)* bolsa de vapor; tapón de vapor; obstrucción por vapores del líquido.

vapor phase   fase (de) vapor.

vapor-phase cooling   enfriamiento por fase vapor.

vapor-phase degreasing agent   (agente) desengrasante en fase vapor.

vapor plating   metalización por condensación de un metal en estado de vapor; formación de una película metálica por deposición de vapor de una sal metálica. CF. **vapor deposition.**

vapor pressure   presión de vapor ‖ *(Fís, Meteor)* tensión del vapor | **vapor pressure in ideal solutions, in perfect solutions:** tensión del vapor en soluciones ideales, en soluciones perfectas.

vapor-pressure equation   ecuación de la tensión del vapor.

vapor pump   bomba de vapor.

vapor-sealed   *adj:* estanco [hermético] a los vapores, cerrado [tapado] a prueba de vapores. SIN. **vaportight.**

vapor streamer   *(Aviones, Cohetes)* estela de condensación. SIN. **vapor trail.**

vapor suppression   supresión de vapor.

vapor system   sistema de vapor; canalización [red de distribución] de vapor.

vapor tension   *(Fís)* tensión del vapor.

vapor thermionic converter   convertidor termoiónico de vapor. SIN. **thermionic converter.**

vapor-to-liquid heat exchanger   termocambiador [intercambiador de calor] de vapor a líquido.

vapor trail   *(Aviones, Cohetes)* estela de condensación. SIN. **vapor streamer.**

vapor welding   soldadura por vaporización de metales.

vaporimeter   vaporímetro. En química, aparato que permite apreciar la volatilidad de los aceites calentándolos en una corriente de aire.

vaporization   vaporización, vaporación, evaporación, gasificación. Paso de un cuerpo del estado líquido al estado gaseoso | vaporización. Transformación de un líquido o un sólido en vapor ‖ *(Fotog)* vapografía. v. **vapography.**

vaporization cooling   refrigeración por vaporización, enfriamiento por evaporación.

vaporize   *verbo:* vaporizar(se); gasificar(se); nebulizar.

vaporizer   vaporizador.

vaporous   *adj:* vaporoso, gaseoso; nebuloso, brumoso.

vaporproof   *adj:* hermético a los gases y vapores, estanco a los vapores. SIN. **vaportight.**

vaporproof machine   *(Elec)* máquina estanca a (los) vapores.

vaportight   *adj:* hermético [estanco] a los vapores. SIN. **vapor-sealed, vaporproof.**

vapotron   vapotrón. Tubo electrónico de gran potencia, caracterizado por obtener su enfriamiento mediante la absorción de calor por el agua que hierve al aire libre en contacto con el ánodo, que es cilíndrico, no necesitando de circulación forzada de agua para la refrigeración. Los vapotrones se emplean en radiodifusoras, y generalmente tienen una capacidad de potencia superior a los 100 kW.

vapour *(GB)*   v. **vapor.**

var   *(Elec)* var. Unidad de potencia reactiva [reactive power]; voltamperio reactivo [reactive volt-ampere]. El nombre *var,* originalmente adoptado por la Comisión Electrotécnica Internacional (CEI) en 1930, designa la unidad de potencia reactiva en el Sistema Internacional de Unidades (SI). La forma plural es *vars,* tanto en inglés como en español.

VAr   *(Elec)* VAr. Abrev. de reactive volt-ampere.

VAR   *(Radionaveg)* Abrev. de visual-aural range; visual-aural radio range (station).

var.   Abrev. de variable; variant; variation; variety; various.

var-hour   *(Elec)* v. **varhour.**

var-hour meter   v. **varhour meter.**

var-meter   v. **varmeter.**

VARA   Abrev. de Vereniging van Arbeiders Radio Amateurs (Países Bajos).

varactor   varactor, varactancia, diodo (tipo) varactor, diodo de reactancia (variable), diodo de (variación de) capacidad. (**1**) Diodo semiconductor cuya capacidad o capacitancia, en el margen o zona de bloqueo, varía en función de la tensión. Es decir, que (aparte de la característica típica de corriente-tensión propia de los diodos en general) el dispositivo presenta en ese margen un valor de capacidad que depende de la magnitud de la tensión a que se le somete. (**2**) Diodo de unión PN que aprovecha las variaciones de capacitancia de la unión con la tensión polarizadora en sentido inverso [reverse bias]. (**3**) Dispositivo semiconductor caracterizado por poseer una capacitancia variable en función de la tensión aplicada al mismo, capacitancia que reside en la región de carga espacial de la superficie de un semiconductor limitado por una capa aislante. La capacidad varía con la tensión instantáneamente, es decir, sin fenómenos de inercia eléctrica de importancia práctica. El dispositivo encuentra muy diversas aplicaciones: control automático de frecuencia; sintonización eléctrica de receptores; reactancia controlada por tensión (alterna o continua); amplificación paramétrica; conmutación; etc. Actualmente se producen centenares de tipos comerciales de varactores, ofrecidos por decenas de distintos fabricantes de diferentes países, lo que ha dado lugar a una gran diversidad de nomenclatura, como se verá por la sinonimia dada aquí. NOTA: El término *varactor* viene de "*variable reactor*". SIN. (**diodo**) **varicap, varipico, semicap, voltacap, condensador de unión, reactancia [reactor] variable, capacitor variable por tensión** — **varicap, semicap, voltacap, varactor diode, silicon capacitor, voltage-variable capacitor, voltage-controlled capacitor.**

varactor diode   *(Elecn)* v. **varactor.**

varhour   *(Elec)* varhora. Un var (voltamperio reactivo) mantenido por una hora.

varhour meter   varhorímetro, contador de energía reactiva. (**1**) Contador de electricidad que mide y registra la integral, respecto al tiempo, de la energía reactiva [reactive power] del circuito al cual está conectado; esa integral se mide usualmente en kilovarhoras. SIN. **reactive voltampere-hour meter.** (**2**) Contador que sirve para medir una energía reactiva en voltamperios reactivos. SIN. **reactive-energy meter** (CEI/38 20–25–030). (**3**) Aparato integrador que mide la energía reactiva [reactive energy] en varhoras. SIN. **reactive-energy meter** (CEI/58 20–25–035).

variability   variabilidad, condición de variable.

variable   *(Mat)* variable, cantidad variable | variable. (**1**) Elemento de un conjunto de varios o muchos, que puede representar a uno cualquiera de ellos. (**2**) Símbolo usado para representar a uno cualquiera de un conjunto de números, puntos, u otros entes; el conjunto se denomina *campo* [range] de la variable, y los miembros o elementos del conjunto se llaman *valores* de la variable. Por contraste, una *constante* [constant] representa un valor fijo o un ente o cosa particular. Todo valor de una variable es una constante; una variable representa un conjunto de posibles constantes ‖ *(Automática)* variable, magnitud variable. Magnitud susceptible de ser medida, modificada, regulada o controlada:

presión, peso, temperatura, flujo, nivel de un líquido, humedad, composición química, color, etc. ||| *adj:* variable, que varía o puede ser variado; ajustable, modificable, alterable, regulable; mudable, inconstante || (*Mat*) variable.

variable address   dirección variable.

variable-address multiple-access assigned circuits   (*Telecom*) v. demand-assigned multiple-access satellite circuits.

variable angle   ángulo variable.

variable antenna coupling   acoplamiento variable de antena.

variable aperture   abertura variable.

variable-aperture shutter   (*Cine*) obturador de abertura variable.

variable area   área variable.

variable-area film recording   (*Cine*) v. variable-area recording.

variable-area recording   (*Registro fotog del sonido*) registro de área variable, registro de densidad fija. Registro del sonido en el cual la anchura o el área de la pista varía en consonancia con las variaciones de la señal de audiofrecuencia, permaneciendo constante la densidad u opacidad de la pista. v.TB. **variable-area track**. CF. **variable-density recording**.

variable-area sound track   (*Registro fotog del sonido*) pista sonora de área variable [de densidad fija]. v. **variable-area track**.

variable-area track   (*Registro fotog del sonido*) pista de área variable, pista de densidad fija | traza de amplitud variable. Traza acústica [sound track] dividida longitudinalmente en partes opacas y transparentes, separadas por una o varias líneas finas que forman el oscilograma [oscillographic trace] de la onda registrada (CEI/60 08–25–240). CF. **variable-density track**.

variable attenuating pad   (*Elecn/Radio/Telecom*) atenuador variable.

variable attenuator   atenuador variable. Atenuador que permite variar el grado de atenuación dentro de ciertos límites, sea en forma continua, sea por pasos. v.TB. **attenuator**. CF. **fixed attenuator, step attenuator**.

variable autotransformer   (*Elec*) autotransformador variable [regulable]. CF. **continuously adjustable autotransformer**.

variable B+ power supply   fuente de tensión +B variable. Fuente capaz de proporcionar una tensión de alimentación de ánodos variable a voluntad entre ciertos límites, p.ej. entre cero y unos 300 ó 400 V.

variable bandwidth   anchura de banda variable.

variable-bandwidth measuring device   dispositivo de medida de anchura de banda variable.

variable beta   (*Transistores*) beta variable.

variable-beta transistor   transistor de beta variable.

variable bias   (potencial de) polarización variable.

variable-bias control   control de polarización variable.

variable blade angle   (*Máq soplantes*) ángulo de las palas modificable.

variable camber   (*Aeron*) curvatura variable.

variable capacitance   capacitancia [capacidad] variable.

variable-capacitance cartridge   fonocaptor [cápsula fonocaptora] de capacitancia variable. Fonocaptor que consiste en un condensador con una placa inmóvil y la otra que es puesta en vibración en consonancia con la modulación del surco del disco fonográfico, por estar acoplada mecánicamente a la aguja reproductora. Las vibraciones de la placa acoplada a la aguja son causa de variaciones de la distancia entre las dos placas del condensador, que producen variaciones correspondientes en el valor de la capacitancia. A su vez, las variaciones de capacitancia provocan variaciones en la frecuencia de un oscilador al que se halla conectado el condensador, obteniéndose de ese modo una señal modulada en frecuencia. Esta se hace pasar por un detector apropiado para obtener finalmente una señal eléctrica de audiofrecuencia susceptible de amplificación y reproducción mediante audífonos o altoparlantes. Este fonocaptor pertenece a la clase de los reproductores de amplitud constante en función de la frecuencia; es decir, que la amplitud de la señal de audiofrecuencia

depende de la amplitud de las oscilaciones de la aguja, y no de la frecuencia de las mismas. SIN. **FM cartridge, FM pickup, variable-capacitance pickup**.

variable-capacitance diode [VCD]   diodo de capacitancia variable. Diodo semiconductor en el cual la capacitancia de la unión varía en función de la tensión aplicada. SIN. **varactor**.

variable-capacitance pickup   fonocaptor [cápsula fonocaptora] de capacitancia variable. v. **variable-capacitance cartridge**.

variable-capacitance transducer   transductor de capacitancia variable. Transductor cuya salida varía por efecto de variaciones de capacitancia producidas por la magnitud o el parámetro que se mide u observa.

variable capacitor   condensador [capacitor] variable. Capacitor cuya capacitancia puede ser variada a voluntad, sea modificando el área efectiva de las placas (como en los capacitores de rotor), sea cambiando la distancia entre las mismas (como en el caso de ciertos tipos de condensadores de ajuste) | condensador variable. Condensador cuya capacidad puede hacerse variar, por ejemplo, desplazando una de las armaduras respecto a la otra (CEI/56 05–45–030). SIN. **variable condenser**.

variable capacity   (*Elec*) capacidad [capacitancia] variable || (*Hidr*) caudal regulable.

variable-capacity tuning   sintonización por variación de capacidad.

variable carrier   (*Telecom*) (onda) portadora variable.

variable-carrier modulation   modulación de portadora variable [de portadora controlada]. v. **controlled-carrier modulation**.

variable carrier wave   (*Telecom*) onda portadora variable.

variable command   mando variable.

variable command control   (*Automática*) regulación variable. Procedimiento de regulación en el que el valor consignado [set value] puede variar rápidamente, frecuentemente, y de manera importante (CEI/66 37–05–070).

variable condenser   (*Elec*) condensador variable. Condensador en el que se hace variar la capacidad, por ejemplo, desplazando una de las armaduras con respecto a la otra (CEI/38 05–45–035). SIN. **variable capacitor**.

variable connector   (*Informática*) conector variable. (1) En un diagrama o gráfico de operaciones [flow chart], símbolo representativo de una conexión de secuencia que no es fija, sino que puede ser modificada por el propio proceso o secuencia de operaciones representado. (2) Dispositivo que introduce en un programa las instrucciones correspondientes a las selecciones de caminos representadas en el diagrama de operaciones respectivo. (3) Instrucción de computadora que determina el camino, entre varios posibles, que ha de tomar una cadena de pasos lógicos.

variable coupling   acoplamiento variable. Acoplamiento inductivo entre dos circuitos, que puede ser variado por desplazamiento relativo entre dos o más bobinas o devanados. CF. **variocoupler**.

variable cutoff attenuator   (*Electromag, Guíaondas*) atenuador de corte variable.

variable-cycle operation   (*Comput*) funcionamiento de ciclo variable. Funcionamiento en el que el ciclo de operaciones puede variar en cuanto a su duración, como en el caso de las computadoras asíncronas [asynchronous computers].

variable-D microphone   micrófono para distancia variable. Micrófono con más de una abertura por la parte posterior del diafragma, con el fin de reducir la sobreacentuación de bajos [bass overemphasis] cuando se habla con el micrófono cerca de la boca ["close-mike" conditions].

variable damping   (*Ampl*) amortiguación variable.

variable damping control   control de amortiguación variable.

variable delay   (*Elecn/Telecom*) retardo variable.

variable delay equalizer   (*Telecom*) igualador [compensador] de retardo variable. v. **delay equalizer**.

variable delay line   (*Elecn*) línea de retardo variable.

variable delivery   (*Hidr*) caudal regulable.

variable density   densidad variable; densidad regulable.

variable-density recording   *(Registro fotog del sonido)* registro de densidad variable. Registro del sonido en el cual la pista sonora [sound track] es de anchura uniforme, pero varía en densidad óptica conforme a las variaciones de la señal de audiofrecuencia. v.TB. **variable-density track**. CF. **variable-area recording**.

variable-density sound track   *(Registro fotog del sonido)* pista sonora de densidad variable. v. **variable-density track**.

variable-density track   *(Registro fotog del sonido)* pista de densidad variable | traza de densidad variable. Traza acústica [sound track] cuya densidad óptica varía en función de la intensidad de la señal registrada, mientras conserva constante su anchura a todo lo largo de la pista de registro (CEI/60 08–25–250). CF. **variable-area track**.

variable-density wind tunnel   túnel aerodinámico de densidad variable.

variable depth   profundidad variable.

variable-depth sonar [VDS]   sonar con transductores a profundidad variable. Sonar cuyos transductores de emisión y recepción de ondas acústicas van montados en una especie de cápsula hermética que se deja bajar en el agua hasta la profundidad óptima en cuanto a minimizar los efectos térmicos que perturban la detección submarina.

variable-direction radio beacon   *(Radionaveg)* (*i.e.* radio beacon with variable direction) radiofaro direccional variable.

variable discharge   *(Bombas)* caudal regulable.

variable-discharge pump   bomba de caudal regulable.

variable drive   accionamiento regulable, mando variable | v. **variable-ratio drive, variable-speed drive**.

variable duty   impuesto variable; derechos de aduana variables ‖ *(Bombas)* caudal regulable ‖ *(Elec)* servicio variable. v. **variable intermittent duty, variable temporary duty**.

variable efficiency   rendimiento variable.

variable-efficiency modulation   *(Radio)* modulación de rendimiento variable.

variable erase   *(Registro mag)* borrado variable.

variable-erase recording   registro por borrado variable. Registro en una cinta u otro medio magnético, por borrado selectivo de una señal grabada previamente.

variable field   campo variable. Campo en el cual la magnitud escalar [scalar quantity] en cualquier punto varía en función del tiempo.

variable focal length   *(Lentes)* distancia focal variable.

variable-focal-length lens   *(Cine/Tv)* lente de distancia focal variable. Sistema de lentes de cámara tomavistas cuya distancia focal puede modificarse en forma continua mientras se mantiene un enfoque preciso y una abertura constante; el efecto es igual al de acercar o alejar la cámara del objeto captado. CF. **zoom lens, Zoomar**.

variable frequency   frecuencia variable.

variable-frequency exciter   *(Radio)* excitador de frecuencia variable.

variable-frequency oscillator [VFO]   oscilador de frecuencia variable [OFV]. SIN. **variable oscillator**.

variable-frequency wave   onda de frecuencia variable.

variable gain   ganancia variable. Ganancia modificable, sea por ajuste manual, sea por regulación automática.

variable-gain amplifier   amplificador de ganancia variable. CF. **AGC program amplifier**.

variable-gain control   control [mando] de ganancia variable.

variable-gain multiplier   multiplicador (aritmético) por variación de ganancia. Amplificador a cuya entrada se aplica una onda proporcional a una variable y cuya ganancia es regulada por otra onda proporcional a una segunda variable; la salida del amplificador es, por lo tanto, proporcional al producto de las dos variables.

variable-gain stage   *(Elecn)* etapa de ganancia variable. Etapa amplificadora cuya ganancia puede ser modificada, sea manual o automáticamente. En una versión, incluye uno o más tubos de mu variable [variable-mu tubes]. v.TB. **AGC program amplifier**.

variable gear   engranaje de multiplicación [desmultiplicación] regulable. SIN. **variable-ratio gear**.

variable geometry   *(Aeron)* geometría variable, forma modificable.

variable impedance   *(Elec)* impedancia variable.

variable-impedance tube   *(Elecn)* tubo de impedancia variable. v. **reactance tube**.

variable inductance   inductancia variable. Bobina o combinación de bobinas cuya inductancia puede modificarse por algún medio. EJEMPLOS: bobina con varias derivaciones seleccionables mediante un conmutador, para intercalar en el circuito un número variable de espiras; bobina con un núcleo de hierro en polvo de penetración ajustable; bobina dividida en dos secciones conectadas en serie, y cuya posición o distancia relativas puede cambiarse a voluntad; bobina con un anillo de hierro giratorio en su interior. SIN. **variable inductor**. CF. **variometer**.

variable-inductance pickup   fonocaptor de inductancia variable. Fonocaptor o lector fonográfico cuyo funcionamiento se basa en la variación de inductancia producida en él por los movimientos que le transmite la aguja reproductora.

variable-inductance transducer   transductor de inductancia variable. Transductor cuya señal eléctrica de salida es función de las variaciones de inductancia producidas en él por la magnitud medida u observada.

variable-inductance tuning   sintonización por variación de (la) inductancia.

variable inductor   inductor [inductancia] variable, bobina de inductancia variable. v. **variable inductance**.

variable input   entrada variable.

variable-input modulation   modulación de potencia de entrada variable.

variable intensity   intensidad variable.

variable-intensity illumination   iluminación de intensidad regulable. CF. **light-dimming control**.

variable intermittent duty   *(Elec)* servicio intermitente variable. Serie de períodos de funcionamiento a régimen variable [sequence of periods of working at variable load] separados por intervalos de reposo, siendo los tiempos de funcionamiento y los tiempos de reposo insuficientes para alcanzar el equilibrio térmico, así durante los períodos de calentamiento como durante los períodos de enfriamiento. En este servicio se entiende por "reposo" la supresión completa de todo movimiento y de toda alimentación eléctrica o impulsión mecánica (CEI/56 10–05–375). CF. **intermittent duty, variable temporary duty**.

variable iris   *(Guíaondas)* iris variable.

variable-iris waveguide coupler   *(Klistrones)* acoplador de guíaondas de iris variable. Componente utilizado para acoplar un guíaondas a la cavidad externa de entrada o de salida del tubo, y que permite efectuar ajustes sencillos de adaptación de impedancia en una amplia gama de sintonía sin necesidad de elementos auxiliares de adaptación.

variable length   longitud variable.

variable-length binary encoding   codificación binaria de longitud variable.

variable-length record   *(Comput)* registro de longitud variable. Registro que puede contener un número variable de bitios, caracteres, palabras, o campos. En muchos casos, aunque el equipo permitiría utilizar registros de longitud variable, se trabaja con registros de longitud fija [fixed-length records] para facilitar la programación y el tratamiento de datos.

variable-length sorting   *(Informática)* clasificación de longitud variable.

variable-lift device   *(Aeron)* dispositivo hipersustentador.

variable line spacer   *(Informática)* espaciador variable de renglones; botón liberador del rodillo.

variable losses   pérdidas variables ‖ *(Elec)* **(of a machine or apparatus)** pérdidas variables (de una máquina o de un aparato). Pérdidas que varían con la carga de la máquina o del aparato para una velocidad de rotación o una tensión dadas (CEI/56 10–40–270). CF. **constant losses.**

variable monoenergetic emission   emisión monoenergética variable [de magnitud variable].

variable monoenergetic radiation   radiación monoenergética variable [de magnitud variable].

variable-mu pentode   *(Elec)* pentodo de mu [pendiente] variable. v. **variable-mu tube.**

variable-mu pressure transducer   v. **variable-permeability pressure transducer.**

variable-mu RF pentode   *(Elecn)* pentodo de RF de mu variable, pentodo de radiofrecuencia de pendiente variable. v. **variable-mu tube.**

variable-mu tube   *(Elecn)* tubo (electrónico) de mu variable, válvula (electrónica) de mu variable, lámpara de inclinación [pendiente] variable, lámpara de coeficiente de amplificación variable. Tubo electrónico cuyo factor o coeficiente de amplificación y conductancia mutua varían en función de la polarización de rejilla de control. SIN. válvula de corte alejado [de supercontrol, de transconductancia variable, de conductancia mutua variable] —— supercontrol tube, remote-cutoff tube [valve *(GB)*], variable-transconductance tube, variable-mu valve *(GB)*, variable-mutual-conductance tube [valve *(GB)*] | tubo de pendiente variable. Tubo al vacío [vacuum valve or tube] cuya pendiente [mutual conductance] varía de una manera predeterminada en función de la tensión de rejilla de control [control-grid voltage]. SIN. remote-cutoff tube [valve], variable-mu valve, variable-mutual-conductance tube [valve] (CEI/56 07–25–085).

variable-mu valve, variable-μ valve   *(Elecn)* v. **valve with variable slope, variable-mu tube.**

variable-mutual-conductance tube   *(Elecn)* v. **variable-mu tube.**

variable-mutual-conductance valve   *(Elecn)* v. **variable-mu tube.**

variable opening   abertura variable.

variable oscillator   oscilador variable [de frecuencia variable]. SIN. **variable-frequency oscillator.**

variable output   salida variable || *(Bombas)* caudal regulable.

variable-parameter amplifier   amplificador paramétrico. v. **parametric amplifier.**

variable-permeability [variable-mu] pressure transducer   transductor de presión de permeabilidad [mu] variable. Transductor de presión cuya señal de salida eléctrica es proporcional a la variación de permeabilidad de un circuito magnético producida por la presión medida u observada. CF. **Villari effect.**

variable pitch   *(Hélices, Turbinas, &)* paso variable [modificable, regulable].

variable-pitch blade   pala de paso variable.

variable-pitch propeller   hélice de paso variable. Hélice cuyo paso puede ser modificado mientras está girando.

variable-pitch recording   grabación (fonográfica) de paso variable. Técnica tendiente a mejorar la economía en el uso de la superficie activa del disco fonográfico, sin sacrificio de la dinámica (gama de amplitudes), haciendo el paso (distancia radial entre las vueltas consecutivas del surco) proporcional a la amplitud de modulación del surco. Cuando se graba un pasaje delicado, el paso es muy corto, y lo contrario cuando se registra un pasaje de gran intensidad sonora. Cuando el paso es fijo, tiene que ser suficiente para que no haya entrecruces de modulación de surco a surco durante los pasajes de mayor intensidad de sonido, y entonces se desperdicia espacio en el disco durante los intervalos de sonidos débiles.

variable potentiometer   *(Elec)* potenciómetro variable.

variable pressure   presión variable.

variable-pressure water tunnel   túnel hidrodinámico de presión variable [regulable].

variable queue   *(Telef)* cola variable. En una explotación con sistema de espera [call queuing system], cola en la cual puede hacerse variar el número de posiciones utilizables para el almacenamiento de llamadas (CEI/70 55–105–415). v. **queuing system.**

variable radio frequency   radiofrecuencia variable.

variable radio-frequency radiosonde   radiosonda de frecuencia variable, radiometeorógrafo modulado en frecuencia.

variable ratio   razón variable, relación variable [regulable, ajustable].

variable-ratio drive   mando de relación variable [regulable].

variable-ratio gear   engranaje de relación variable [ajustable].

variable-ratio modulation transformer   *(Radio)* transformador de modulación de relación variable.

variable reactance   *(Elec)* reactancia variable.

variable-reactance amplifier   amplificador de reactancia variable. SIN. **parametric amplifier.**

variable reactor   *(Elec)* reactor [reactancia] variable || *(Elecn)* v. **varactor.**

variable reluctance   *(Mag)* reluctancia variable.

variable-reluctance cartridge   fonocaptor [cápsula fonocaptora] de reluctancia variable. Tipo particular de fonocaptor magnético [magnetic cartridge]. SIN. **variable-reluctance pickup.**

variable-reluctance microphone   micrófono de reluctancia variable, micrófono electromagnético [de hierro móvil]. v. **moving-iron microphone.**

variable-reluctance pickup   fonocaptor de reluctancia variable. Pertenece a la categoría de los fonocaptores magnéticos [magnetic pickups]. SIN. **variable-reluctance cartridge.**

variable-reluctance stepper motor   motor paso a paso de reluctancia variable.

variable-reluctance transducer   transductor de reluctancia variable. Transductor cuyo principio de funcionamiento se basa en las variaciones de reluctancia de un circuito magnético producidas por la magnitud observada o medida (desplazamiento, presión, etc.).

variable resistance   *(Elec)* resistencia variable | v. **variable resistor.**

variable-resistance pickup   fonocaptor de resistencia variable. Fonocaptor cuyo principio de funcionamiento se basa en las variaciones de resistencia de un circuito eléctrico.

variable-resistance transducer   transductor de resistencia variable. Transductor cuya señal de salida eléctrica es función de las variaciones de resistencia eléctrica producidas por la magnitud observada o medida.

variable resistor   resistor [resistencia] variable. Resistor o resistencia cuyo valor puede modificarse a voluntad. v.TB. **potentiometer, rheostat.**

variable response   respuesta variable; reacción variable.

variable-response AGC   CAG con tiempo de reacción variable.

variable selectivity   selectividad variable.

variable-selectivity (crystal) filter   *(Rec)* filtro (de cristal) de selectividad variable.

variable series condenser   *(Radio/Elecn)* condensador serie variable.

variable sign   signo variable.

variable slope   pendiente [inclinación] variable.

variable-slope filter   filtro de pendiente variable. Filtro cuya curva de atenuación (en función de la frecuencia) puede variarse en cuanto a pendiente o inclinación. Si la pendiente es pronunciada, se dice que el filtro es *de corte rápido* [sharp-cutoff filter]. La pendiente se expresa normalmente en decibelios (de atenuación) por octava.

variable-slope pulse   impulso de pendiente variable.

variable-slope pulse modulation   modulación por variación de la pendiente de los impulsos.

variable-slope valve   *(Elecn)* v. **valve with variable slope, variable-mu tube.**

variable speed   velocidad variable [regulable].

variable-speed axle-driven generator   *(Tracción eléc)* generatriz de eje a velocidad variable. Generatriz de eje cuya velocidad varía proporcionalmente a la del vehículo (CEI/38 30–20–155).

variable-speed device   dispositivo de velocidad variable; variador de velocidad.

variable-speed drive   mando de velocidad variable; accionamiento de velocidad regulable.

variable-speed drive mechanism   mecanismo (de mando) de velocidad variable. Se utiliza (en lugar de los juegos de engranajes de velocidad fija) en ciertos aparatos teleimpresores de recepción solamente, en los que permite seleccionar la velocidad de trabajo mediante una palanca de accionamiento manual. Las velocidades seleccionables son típicamente las de 60, 75 y 100 palabras por minuto [PPM].

variable-speed gear mechanism   mecanismo de engranajes de velocidad variable.

variable-speed motor   *(Elec)* motor de velocidad variable | motor de velocidad regulable. (1) Motor cuya velocidad puede hacerse variar entre amplios límites (CEI/38 10–05–070). (2) Motor cuya velocidad puede hacerse variar, de manera progresiva, entre amplios límites. SIN. **adjustable-speed motor** (CEI/56 10–15–085). CF. **multispeed motor, multiple-speed motor.**

variable-speed scanning   *(TRC)* exploración [barrido] de velocidad variable. Exploración o barrido en el que es variable la velocidad de desviación del haz que lo efectúa.

variable-speed single-phase alternating-current motor   motor de corriente alterna monofásica de velocidad regulable.

variable-speed transmission   transmisión de velocidad regulable.

variable star   *(Astr)* estrella variable.

variable stroke   *(Bombas)* carrera regulable.

variable structure   *(Comput)* estructura variable.

variable sweep   *(TRC)* barrido [exploración] variable || *(Aeron)* flecha variable [modificable].

variable-sweep aircraft   avión con alas de flecha variable.

variable-sweep wings   alas de flecha variable.

variable temporary duty   *(Elec)* servicio temporal variable. Servicio a régimen variable [duty at a variable load] durante un tiempo determinado, seguido de un reposo suficiente para restablecer la igualdad de temperatura con el medio refrigerante [cooling medium] (CEI/56 10–05–365). CF. **variable intermittent duty.**

variable tension   tensión variable.

variable throw   *(Excéntricas)* carrera regulable.

variable time   tiempo variable; tiempo regulable.

variable-time contactor   *(Elec)* contactor de tiempo regulable.

variable-time fuse   espoleta de proximidad [de tiempo variable]. SIN. **proximity fuse.**

variable tone   tono variable.

variable-tone oscillator   oscilador de tono variable.

variable transformer   *(Elec)* transformador variable [regulable]. Transformador para frecuencias industriales que permite variar la tensión de salida, por variación de la relación de transformación, generalmente mediante un cursor que se desliza sobre las vueltas desnudas del devanado secundario. CF. **variable autotransformer, Variac.**

variable trigger delay   *(Elecn)* retardo de disparo variable.

variable trimmer capacitor   capacitor variable de corrección. SIN. **trimmer.**

variable tube   *(Elecn)* v. **variable-mu tube.**

variable tuning   sintonización variable.

variable twist   *(Rayado de cañones)* paso variable.

variable valve   válvula regulable || *(Elecn)* v. **variable-mu valve.**

variable velocity   velocidad variable; velocidad regulable.

variable voltage   tensión [voltaje] variable; tensión [voltaje] regulable.

variable-voltage control   control de tensión variable || *(Tracción eléc)* regulación por variación de tensión. Procedimiento de regulación de la velocidad de los motores, en el cual se hace variar la tensión aplicada por medio de una generatriz o de un transformador de tensión variable (CEI/57 30–15–360) || CF. **multivoltage control.**

variable-voltage generator   generatriz de tensión variable; generador de voltaje regulable.

variable-voltage grid-controlled rectifier   rectificador de control [mando] por rejilla de voltaje regulable.

variable-voltage regulated power supply   (fuente de) alimentación regulada [estabilizada] de tensión variable; fuente de alimentación regulada [estabilizada] ajustable.

variable-voltage regulator   regulador por variación de tensión | regulador de tensión. Aparato interpuesto entre un circuito de tensión constante [constant-voltage circuit] y un circuito de utilización [receptor circuit] con objeto de hacer variar de manera progresiva la tensión suministrada al receptor (CEI/57 15–50–080). CF. **voltage stabilizer.**

variable-voltage stabilizer   estabilizador de tensión ajustable [de voltaje regulable].

variable-voltage transformer   transformador de tensión variable. SIN. **variable transformer.**

variable volume   volumen variable || *(Bombas)* caudal regulable.

variable width   anchura [ancho] variable || *(Impulsos)* duración [anchura] variable. SIN. **variable duration.**

variable-width pulse   impulso de duración variable.

variable-width recording   *(Registro fotog del sonido)* registro de anchura variable [de densidad constante]. V. **variable-area recording.**

variable-width rectangular pulse   impulso rectangular de duración variable.

variable wind   *(Meteor)* viento variable.

variable word-length   *(Comput)* largo variable de palabra, longitud de palabra variable. Palabra de máquina u operando que puede consistir en un número variable de bitios o de caracteres. CF. **fixed word-length, variable-length record.**

variably   *adv:* variablemente, variadamente.

variably damped   *adj:* *(Ampl, Servos)* de amortiguamiento variable, con amortiguamiento regulable.

Variac   Variac. Marca registrada (General Radio Co.) de un renglón comercial de autotransformadores variables o ajustables [adjustable autotransformers]. Estos dispositivos permiten variar la tensión alterna de salida, generalmente entre cero y 117 por ciento de la tensión de entrada, y regular de ese modo intensidades de iluminación, velocidad de motores eléctricos, temperatura de hornos eléctricos, etc. Consisten estos autotransformadores en un devanado de una sola capa sobre un núcleo toroidal de acero al silicio [toroidal silicon-steel core]. Cuando se hace girar la perilla de mando, una escobilla grafítica [graphitic brush] se desliza sobre el devanado, tomando una fracción de la tensión total entre los extremos del devanado. La escobilla se mantiene en contacto ininterrumpido con el devanado, cubriendo en todo momento más de una vuelta, y la tensión entre vueltas contiguas es siempre inferior a un voltio; por lo tanto, la tensión de salida varía gradualmente y sin solución de continuidad. V.TB. **variable transformer.**

Variac adjustable autotransformer   autotransformador ajustable Variac.

variance   variación; variabilidad, condición de variable; cambio, mudanza; diferencia; diferencia entre lo esperado y lo ocurrido; diferencia de opinión, disensión, desavenencia, desacuerdo, discordia, disputa; discrepancia, desacuerdo (entre dos documentos o dos testimonios) || *(Mat)* variancia, varianza, variación, fluctuación. (1) Cuadrado (segunda potencia) de la *desviación normal o tipo* (v. **standard deviation**). (2) De una población estadística, *segundo momento* [second moment] alrededor de la media. (3) Media de los cuadrados de las variaciones respecto a la media en una *distribución de frecuencia* [frequency distribution]. CF. **deviation** || *(Fís/Mec/Quím)* variancia. Grados de libertad [degrees of freedom] de un sistema; número de esos grados || *(Quím)* variancia. (1) Número de variables termodinámicas [thermodynamic variables] necesarias para especificar un estado de equilibrio de un sistema, dado por la *regla* o *ley de las fases* [phase rule]. (**2**) Número de factores de equilibrio sobre los cuales es posible obrar sin destruir una de las fases de una mezcla.

variant   *sust/adj:* variante.

variate   variable; cantidad variable (en una variación); variante ‖ (*Estadística*) variable aleatoria. Variable aleatoria con un valor numérico definido en un espacio de muestra dado. SIN. **random variable** ⫿⫿ *adj:* variado; variante.

variate difference method   (*Mat*) método de las diferencias de las variables.

variation   variación; variante ‖ declinación magnética. SIN. **magnetic declination** ‖ (*Aparatos de medida*) (with limiting quantity) variación. Diferencia entre los valores medidos de una magnitud, cuando una magnitud de influencia [limiting quantity] toma sucesivamente dos valores especificados (CEI/58 20–40– 130) ‖ (*Mat*) variación ‖ CF. **cyclic variation** ‖ V.TB. **variation from...**, **variation in...**, **variation of...** ⫿⫿ *adj:* variacional, de variación.

variation from average   variación del promedio, variación respecto a la media.

variation in space   variación en el espacio.

variation in time   variación en el tiempo.

variation of attenuation   (*Elec/Elecn/Telecom*) variación de atenuación.

variation of attenuation with amplitude   variación de atenuación en función de la amplitud. Incremento de la atenuación compuesta [composite loss] de un cuadripolo, observado cuando la potencia de una onda sinusoidal de frecuencia dada, aplicada a la entrada, varía a partir de un valor muy pequeño hasta un valor especificado.

variation of attenuation with frequency   variación de atenuación en función de la frecuencia.

variation principle   (*Mec ondulatoria*) principio variacional. SIN. **minimum-energy principle.**

variational   *adj:* variacional, de variación; variable.

variational method   (*Mat*) método (de cálculo) de variaciones.

variational principle for nonequilibrium stationary states (*Termodinámica*) principio de variaciones para estados permanentes de desequilibrio.

variational quantity   cantidad variable.

variations   (*Mús*) variaciones.

variator   variador ‖ (*i.e.* speed variator) variador de velocidad; dispositivo de velocidad regulable ‖ (*Elec*) empalme compensador de variaciones de longitud por cambios de temperatura.

varicap   (*Elecn*) varicap, condensador de capacidad variable con la tensión. Dispositivo semiconductor de unión de silicio que funciona como un condensador de capacidad (o capacitancia) variable en función de la tensión aplicada. NOTA: El término *varicap* proviene de "voltage-variable capacitor". V.TB. **varactor.**

variety   variedad.

variety artist   (*Cine/Tv*) artista de variedades.

variety orchestra   orquesta de variedades.

variety program   (*Tv*) programa de variedades.

variety show   (*Teatro/Tv*) espectáculo de variedades.

variety studio   (*Cine/Tv*) estudio de variedades.

varifocal lens   (*Cine/Tv*) v. **variable-focal-length lens.**

Varignon   Pierre Varignon: físico francés (1564–1722) a quien se debe la *regla del paralelogramo de fuerzas* (v. **parallelogram of forces**).

Varignon theorem   teorema de Varignon. Teorema que expresa que la suma algebraica de los momentos de dos fuerzas concurrentes coplanarias respecto a un punto en su plano, es igual al momento de la resultante respecto al mismo punto.

varindor   (*Elec*) varindor, inductor de inductancia variable con la corriente. Inductor cuya inductancia varía rápidamente en función de la corriente que recorre su devanado. El término inglés viene de "variable inductor". CF. **swinging choke.**

variocoupler   (*Radio*) acoplador variable. LOCALISMOS: variocoplador, variocúpler. Transformador de radiofrecuencia en el que puede variarse el acoplamiento entre los devanados primario y secundario, usualmente por desplazamiento de uno de ellos en el interior del otro. CF. **variometer.**

variolosser   atenuador variable ‖ atenuador automático. Atenuador (v. **attenuator**) cuya pérdida varía según la intensidad de la corriente continua circulante por él.

variometer   (*Radio*) variómetro. (**1**) Inductor variable formado por el conjunto de dos bobinas conectadas en serie y dispuestas en forma que una de ellas puede girar en el interior de la otra. (**2**) Inductancia variable formada por un conjunto de bobinas cuya posición relativa puede modificarse (CEI/38 20–30–040). CF. **variocoupler** ‖ (*Aeron*) indicador de la rapidez de ascenso [de la velocidad de subida] ‖ (*Geofís*) variómetro. Inductor variable utilizado para medir las variaciones del magnetismo terrestre [terrestrial magnetism].

varioplex   varioplex. Dispositivo utilizado con un sistema de telegrafía multiplex por reparto de tiempo [time-division multiplex system], que permite repartir automáticamente entre los usuarios las vías de transmisión de ese multiplex, de manera variable en función del número de usuarios que transmiten tráfico en el momento considerado (CEI/70 55–55–150).

varioptic   (*Tv*) objetivo (de cámara) de distancia focal variable. SIN. **variable-focal-length lens.**

various   *adj:* vario, diverso, diferente, distinto, desemejante, disímil ⫿⫿ *adj plural:* varios, algunos, unos cuantos.

varistor   varistor, varistancia, resistencia (de característica) alineal [no lineal]. Dispositivo semiconductor de variada composición (germanio, selenio, silicio, óxido de cobre, carburo de silicio, etc.), de dos electrodos, que posee una resistencia alineal dependiente de la tensión aplicada (la resistencia disminuye cuando se aumenta la tensión entre los electrodos). La resistencia varía también, de manera conocida, en función de la temperatura. La resistencia se dice *alineal* porque existe alinealidad [nonlinearity] entre la tensión aplicada y la corriente resultante de esa tensión. NOTA: El término viene de "*vari*able re*sistor*". CF. **thermistor.**

Varley loop test   prueba por el método del bucle de Varley. Prueba con ayuda de un puente de Wheatstone, que permite determinar la distancia entre el punto donde se efectúa la prueba y el punto en que existe una avería en una línea telefónica o telegráfica.

varmeter   (*Elec*) varmetro. Aparato que sirve para medir, directa o indirectamente, una potencia reactiva [reactive power] en vars (CEI/58 20–15–145). SIN. **reactive voltampere meter.**

varnish   barniz; charol (barniz brillante y adherente) ⫿⫿ *verbo:* barnizar, embarnizar; charolar ‖ (*Alfarería*) vidriar.

varnish brush   brocha para barniz.

varnish paint   pintura al barniz.

varnish remover   quitabarniz.

varnish thinner   diluyente para barniz.

varnished   *adj:* barnizado; charolado; vidriado.

varnished cable   (*Elec*) cable barnizado.

varnished calico   calicó barnizado, tela de algodón barnizada.

varnished-calico tape   (*Elec*) cinta de algodón barnizada.

varnished cambric   cambray barnizado, batista barnizada. Tejido de algodón o de lino cocido en el horno después de impregnado en un barniz o un aceite aislante, y que se usa en radio y electricidad para fines de aislamiento.

varnished-cambric insulation   aislamiento con cambray barnizado [batista barnizada].

varnished tape   (*Elec*) cinta barnizada.

varnished-taped cable   (*Elec*) cable forrado con cinta barnizada, cable encintado con calicó barnizado.

varnisher   barnizador.

vars   Plural de *var.*

vary   *verbo:* variar, cambiar; desviar(se) ‖ (*Mat*) variar.

vary cyclically   variar cíclicamente.

vary periodically   variar periódicamente.

vary randomly   variar aleatoriamente [al azar]; variar estadísticamente.

varying   *adj:* variable, que varía o puede variar; variante, cambiante, que varía o cambia. SIN. **variable.**

varying amplitude   amplitud variable.

varying duty   *(Elec)* servicio [demanda] variable. Servicio en el cual varían o pueden variar entre amplios límites los períodos de carga y la intensidad de carga. SIN. **variable duty.**

varying electric field   campo eléctrico variable.

varying field   *(Fís)* campo variable.

varying-potential transformer   *(Elec)* transformador de tensión variable [de voltaje regulable]. SIN. **variable transformer, variable-voltage transformer.**

varying speed   velocidad variable; velocidad regulable.

varying-speed motor   *(Elec)* motor de velocidad variable. Motor cuya velocidad varía con la carga; es decir, que disminuye su velocidad cuando aumenta la carga | v. **variable-speed motor.**

varying-speed polyphase motor   *(Elec)* motor polifásico de velocidad variable.

varying-voltage control   *(Mot)* control por voltaje variable, regulación por variación de tensión | v. **variable-voltage control.**

vaseline   vaselina. Producto pastoso blanquecino que se obtiene descolorando el petrolato [petrolatum]. Se emplea como lubricante y también como excipiente para pomadas y cosméticos. La que se conserva líquida a las temperaturas ordinarias se llama *vaselina líquida* o *aceite de vaselina.*

vat   cuba, tina, artesa; tanque; tinaco (tina pequeña); barril, tonel; cisterna | noque, pequeño estanque en el que se ponen a curtir pieles. Del árabe *naca,* estanque.

¹**vault**   bóveda, alcuba; esquifada; bóveda de seguridad; depósito a prueba de incendio; cripta; paso abovedado; sótano (abovedado) || *(Cine)* depósito /// *verbo:* abovedar.

²**vault**   salto; voltereta /// *verbo:* saltar; dar una voltereta; remontarse.

vault original   *(Discografía)* grabación de valor inestimable. Dícese refiriéndose p.ej. a una grabación original antigua que por su gran valor artístico o histórico se conserva o merece conservarse en una bóveda de seguridad.

vault transformer   *(Elec)* transformador para bóveda. Transformador a prueba de agua apropiado para su instalación en una bóveda.

VAW meter   *(Elec)* multímetro; medidor de voltaje, amperaje y vataje. Instrumento que sirve para medir tensiones (V), corrientes (A), y potencias (W).

VC   *(Elec)* Abrev. de volt-coulomb || *(Altavoces)* Abrev. de voice coil.

VCD   Abrev. de variable-capacitance diode.

VCHR   *(Explotación teleg)* Abrev. de voucher [cupón].

VCO   Abrev. de voltage-controlled oscillator.

vdB   v. **velocity level.**

VDC   Abrev. de volts direct current [voltios continuos, voltios de continua, V CC].

VDF   Abrev. de VHF DF = very-high-frequency direction-finder.

VDR   Abrev. de voltage-dependent resistor.

VDS   Abrev. de variable-depth sonar.

vectograph   *(Artes gráficas)* vectógrafo.

vector   fuerza, influencia || *(Aeron)* dirección, rumbo (de una aeronave) || *(Patología)* vector, portador. Organismo (persona, animal, insecto) que transporta el germen de una enfermedad. SIN. **carrier** || *(Mat)* vector. (**1**) Cantidad que posee magnitud, dirección y sentido. (**2**) Cantidad completamente especificada por una magnitud y una orientación. (**3**) Segmento de recta que tiene un punto de origen y un punto de terminación y que representa la magnitud, dirección y sentido de una cantidad caracterizada por esos atributos | vector, magnitud vectorial. Magnitud que posee una orientación, además de su valor numérico. SIN. **vector quantity** (CEI/56 05–01–010) || *(Naveg)* (*i.e.* wind vector) vector

(del viento) /// *adj:* vectorial /// *verbo:* *(Aeron)* guiar, dirigir, vectar. Dirigir a una aeronave de un punto a otro, dentro de un intervalo de tiempo dado, por medio de una dirección comunicada al piloto o al navegante.

vector addition   suma vectorial, adición vectorial [geométrica, de vectores]. SIN. **geometrical addition.**

vector admittance   *(Elec)* admitancia vectorial.

vector algebra   álgebra vectorial. Estudio de las magnitudes vectoriales y escalares, y de las aplicaciones de las mismas.

vector analysis   análisis vectorial. Parte de la matemática que trata del álgebra vectorial [vector algebra] y estudia la rapidez de variación respecto al espacio o al tiempo de las funciones de punto escalares [scalar point functions] y de los campos vectoriales [vector fields].

vector analyzer   analizador de vector.

vector area   (= area vector) vector área. De una figura plana, vector cuya magnitud es el área de la figura, y cuya dirección es la de una perpendicular al plano de la figura.

vector boson   *(Fís)* bosón vectorial.

vector cardiogram   v. **vectorcardiogram.**

vector cardiograph   cardiógrafo vectorial. Cardiógrafo en el que pueden visualizarse las señales del corazón en referencia a tres ejes coordenados.

vector current   *(Elec)* corriente vectorial; corriente sinusoidal compleja.

vector derivative   derivada vectorial [del vector], derivada geométrica. La derivada de un vector es otro vector llamado *vector derivada.*

vector diagram   diagrama vectorial. Diagrama en el cual se representan por vectores distintas magnitudes, como, por ejemplo, la tensión, la corriente y la impedancia en un circuito de corriente alterna. SIN. **vector plot.**

vector difference   *(Mat)* diferencia vectorial.

vector differential identity   *(Mat)* identidad diferencial vectorial.

vector electrocardiogram   *(Electrobiol)* (electro)cardiograma vectorial. Representación bidimensional o tridimensional de la actividad eléctrica cardiaca [cardiac electrical activity] resultante de la puesta en juego de pares de hilos [lead pairs] unos respecto a otros, en vez de respecto al tiempo. Más exactamente, esta es una forma de bucle [loop pattern] formado con la ayuda de hilos colocados ortogonalmente. SIN. **vectorcardiogram** (CEI/59 70–10–130).

vector field   campo vectorial. Campo cuyo estado en cada punto está caracterizado por un vector (CEI/56 05–01–045). SIN. **vectorial field.**

vector flux   flujo de un vector. El *flujo elemental* es el producto de un elemento de área por la proyección del vector sobre la normal a ese elemento. El *flujo total* a través del área considerada es el límite de la suma de todos los flujos elementales. La significación física del flujo de un vector depende de la magnitud representada por el vector. SIN. **flux of a vector.**

vector function   función vectorial. Función definida por un vector cuyas componentes son funciones de un parámetro escalar.

vector group of a transformer   *(Elec)* acoplamiento de un transformador. Conjunto de los modos de conexión de los devanados que determina, teniendo en cuenta el sentido relativo de bobinado, el desfase de la baja tensión respecto a la alta tensión, para bornes homólogos [related terminals] (CEI/56 10–25–120).

vector-group symbol of a transformer   *(Elec)* símbolo de acoplamiento de un transformador. Notación convencional que indica los modos de conexión respectivos de los devanados de alta y de baja tensión y del desfase de las tensiones entre bornes homólogos del transformador. En el sistema generalmente empleado actualmente, un símbolo de acoplamiento está formado por dos letras que designan, la primera (mayúscula) el modo de conexión del devanado de alta tensión [high-voltage winding], y la segunda (minúscula) el del devanado de baja tensión [low-voltage winding], según el *índice de acoplamiento de esfera horaria* [clock-hour figure of the vector group]. EJEMPLO: Un transformador de devanado conectado en triángulo por el lado de alta tensión [delta-connected high-voltage winding], y en estrella por el lado de baja tensión [star-connected low-voltage winding], y cuyo índice de acoplamiento de esfera horaria es 5, tiene por símbolo de acoplamiento *Dy 5*. NOTA: Grupo de acoplamientos trifásicos de transformadores: Conjunto de acoplamientos caracterizados por sus índices numéricos, de transformadores que pueden, sin cruzamiento de fases, ser conectados en paralelo (en lo que concierne a la concordancia de fases). En la notación de índice de esfera horaria [clock-hour notation], se distinguen cuatro grupos: *Grupo I*—acoplamientos de índices 0–4–8; *Grupo II*—acoplamientos de índices 2–6–10; *Grupo III*—acoplamientos de índices 1–5; *Grupo IV*—acoplamientos de índices 7–10 (CEI/56 10–25–135).

vector impedance   *(Elec)* impedancia vectorial.

vector line   línea vectorial.

vector loop display   *(Electromedicina)* presentación de bucles vectoriales. CF. **vector electrocardiogram.**

vector meson   *(Fís)* mesón vectorial.

vector method   método vectorial.

vector multiplication   multiplicación vectorial.

vector operator   *(Mat)* operador vectorial.

vector plot   diagrama vectorial. v. **vector diagram.**

vector potential   vector potencial, potencial vectorial.

vector potential field   campo de potencial vectorial.

vector potential of a given vector   vector potencial de un vector dado. Vector cuyo rotacional es igual al vector dado (CEI/38 05–05–105).

vector potential of a solenoidal vector   vector potencial de un vector solenoidal. Vector cuyo rotacional [curl] es igual al vector dado (CEI/56 05–01–140) | potencial vectorial de un vector solenoidal.

vector power   *(Elec)* potencia vectorial. (**1**) Vector representativo de la potencia compleja [complex power] (CEI/56 05–41–165). (**2**) Vector cuya magnitud es igual a la raíz cuadrada de la suma de los cuadrados de la potencia activa [active power] y la potencia reactiva [reactive power], y cuya unidad de medida es el voltamperio vectorial [vector volt-ampere].

vector power factor   factor de potencia vectorial. Razón de la potencia activa [active power] a la potencia vectorial. Coincide con el *factor de potencia* [power factor] en el caso particular común de las magnitudes sinusoidales.

vector product   producto vectorial. Vector perpendicular a dos vectores dados, cuyo módulo [modulus] es el producto de sus módulos por el seno del ángulo comprendido entre ellos, y cuyo sentido es aquel en el cual es necesario mirar a fin de ver al primer vector girar un ángulo menor de 180°, hacia la derecha, antes de superponerse al segundo. SIN. **cross product** (CEI/38 05–05–125, CEI/56 05–01–035) | producto vectorial [exterior, geométrico]. SIN. **cross product, outer product.**

vector quantity   magnitud vectorial [geométrica], cantidad vectorial | magnitud vectorial. Magnitud que posee, fuera de su valor numérico, una dirección y un sentido. A veces se caracteriza por su valor numérico, que se llama *módulo,* y por un segmento de longitud igual a la unidad de su misma dirección y sentido, que se llama *vector unidad* [unit vector] (CEI/38 05–05–010) | magnitud vectorial, vector. Magnitud que posee, fuera de su valor numérico, una orientación. SIN. **vector** (CEI/56 05–01–010).

vector representation   representación vectorial.

vector space   *(Mat)* espacio vectorial.

vector subtraction   *(Mat)* substracción vectorial.

vector sum   suma vectorial [de vectores], suma geométrica. El resultado de una suma de vectores es un vector llamado *vector suma.*

vector triangle   triángulo vectorial || *(Aeron)* triángulo de velocidades.

vector value   valor vectorial.

vector volt-ampere   voltamperio [voltio-amperio] vectorial. v.

vector power.

vectorcardiogram   *(Electrobiol)* (electro)cardiograma vectorial. v. **vector electrocardiogram.**

vectorial   *adj:* vectorial.

vectorial atom   *(Microfís)* átomo de Bohr. SIN. **planetary atom.**

vectorial display   representación vectorial.

vectorial field   campo vectorial. Región del espacio cuyo estado en cada punto está caracterizado por un vector (CEI/38 05–05–015). SIN. **vector field.**

vectorial recorder   registrador vectorial.

vectorscope   vectorscopio, vectorescopio. Osciloscopio de rayos catódicos que representa simultáneamente la amplitud de una señal y la fase de la misma señal respecto a una señal de referencia.

vectorscope display   oscilograma [diagrama] vectorial.

vectorscope unit   v. **vectorscope.**

vee   Nombre de la letra *V* ||| *adj:* Véanse, además de los artículos que siguen, los artículos que comienzan con *V.*

vee antenna   antena en V. Véase **V aerial.**

vee belt   Véase **V belt.**

vee filament   filamento en V.

vee formation   *(Avia)* formación en V.

vee tail   *(Avia)* cola en V.

vee-threaded screw   tornillo de rosca triangular.

veering   *(Meteor)* rolada a la derecha, rolada dextrógira del viento, viento dextrógiro; cambio de viento hacia la derecha || *(Marina)* viraje por redondo.

vegetable   vegetal; legumbre, verdura, hortaliza ||| *adj:* vegetal.

vegetable fat   grasa vegetal.

vegetable glue   cola vegetal.

vegetable oil   aceite vegetal.

vegetal   *adj:* vegetal.

vehicle   *(Transportes)* vehículo, medio de transporte | vehículo. Término general que sirve para designar todo elemento de material rodante [rolling-stock component unit], sea motor o remolcado. Cuando ha de hacerse la distinción, el término *vehículo* es seguido de uno de los calificativos *motor* o *remolcado,* según el caso (CEI/57 30–15–005) | SIN. **coche, carruaje, carro, carricoche, rodado** *(localismo),* **vagón, tranvía, automóvil, camión, avión, barco, nave, aeronave, dirigible** || vehículo, medio || *(Farmacia, Perfumería)* vehículo, excipiente || *(Pintura)* vehículo ||| *adj:* vehicular.

vehicle gage   *(Tracción eléc)* gálibo para vehículos. Contorno que abarca las secciones transversales de todo el material rodante [rolling stock] de una misma administración en ciertas condiciones explícitas en los reglamentos interiores de esa administración (CEI/57 30–05–530).

vehicle-guidance system   sistema de guía vehicular.

vehicle-kilometer   vehículo-kilómetro. Unidad de tránsito o unidad de medida de uso de un camino y que es igual al de un vehículo que recorre un kilómetro. Equivalencia: 1 vehículo-kilómetro = 0,621 382 vehículo-milla.

vehicle-mile   vehículo-milla. Unidad de tránsito o unidad de medida de uso de un camino y que es igual al de un vehículo que recorre una milla. Equivalencia: 1 vehículo-milla = 1,609 315 vehículo-kilómetro.

vehicle-mounted   *adj:* montado en un vehículo.

vehicle noise   ruido de vehículos, ruido del tránsito rodado.

vehicle tractive ability   aptitud de tracción de un vehículo.

vehicular   *adj:* vehicular, de vehículo(s), para vehículo(s).

vehicular antenna   antena vehicular [para vehículos].

vehicular communication system   *(Radiocom)* red de servicio [radiocomunicación] vehicular. Red destinada a un servicio de radiocomunicación móvil terrestre; red de radiocomunicaciones móviles con vehículos.

vehicular communications   (radio)comunicaciones móviles, (radio)comunicaciones de servicio móvil. SIN. **mobile communications.**

vehicular electrical system   sistema eléctrico vehicular.

vehicular ramp   rampa para vehículos.

vehicular repeater   *(Radiocom)* repetidora móvil. SIN. **mobile repeater station.**

vehicular service   *(Radiocom)* servicio vehicular, servicio móvil terrestre.

vehicular station   *(Radiocom)* estación móvil [rodada].

vehicular traffic   tránsito (de vehículos), tráfico rodado, circulación.

veil   velo ‖ *(Fotog, Textiles)* velo ⫽ *verbo:* velar.

veil cloud   *(Meteor)* cirroestrato.

veiled   *adj:* velado.

veiling   velación, acción de velar; velo; linón, velillo; género [tela] para velos.

vein   *(Anat)* vena. Vaso sanguíneo por el cual regresa la sangre al corazón ‖ *(Bot, Zool)* vena; nervio ‖ *(Geol/Miner)* vena, veta, venero, criadero. SIN. **lode** ‖ *(Madera)* veta, hebra, trepa ‖ *(Vidrios ópticos)* defecto ⫽ *verbo:* vetear; jaspear.

veined   *adj:* veteado; jaspeado.

veinstone   *(Miner)* ganga, materia filoniana. SIN. **gangue.**

Veitch diagram   diagrama de Veitch. Diagrama utilizado para analizar los aspectos lógicos del proyecto de circuitos contadores.

Vela   *(Astr)* Vela. Constelación del Hemisferio Austral [Southern Hemisphere], en la Vía Láctea [Milky Way].

Vela Hotel   Vela Hotel. Satélite artificial de la Tierra destinado a detectar explosiones nucleares a gran altura.

velocimeter   velocímetro. (1) Dispositivo que indica la velocidad de un vehículo (automóvil, avión, etc.). (2) Dispositivo que indica la velocidad radial de un móvil, y cuyo principio de funcionamiento se basa en el *corrimiento* o *desplazamiento Doppler* (v. **Doppler shift**) de una onda continua emitida en la dirección del blanco y reflejada por el mismo. CF. **velometer.**

velocity   velocidad. (1) En el caso de un movimiento uniforme (móvil que recorre sobre una línea espacios iguales en tiempos iguales), espacio recorrido en la unidad de tiempo. Esta es una constante y es lo que se llama *velocidad del movimiento.* (2) Si el movimiento no es uniforme, la razón de los incrementos correspondientes del espacio y del tiempo ya no es constante, sino que depende del instante que se considere; está dada por la derivada del espacio respecto al tiempo y es lo que se llama *velocidad instantánea.* (3) Vector que denota la rapidez, dirección y sentido de un movimiento lineal. (4) Vector que denota el sentido de rotación y la velocidad angular [angular speed] en el caso de un movimiento giratorio. OBSERVACION: La *rapidez* o *celeridad* [speed] es un concepto más restringido, en el que no entra la noción de dirección y sentido, y corresponde al *módulo* o *tamaño* [modulus] del vector que representa la velocidad ‖ v.TB. **velocity of. . .**

velocity antiresonance   antirresonancia de velocidad. Existe *antirresonancia de velocidad* entre un cuerpo o un sistema y una fuerza de variación sinusoidal, si una pequeña modificación de la frecuencia de la fuerza produce un incremento de velocidad en el punto de aplicación de la fuerza [driving point], o si la frecuencia de la fuerza aplicada es tal que el valor absoluto de la impedancia en el punto de aplicación [driving-point impedance] es un máximo. CF. **velocity resonance.**

velocity bed   *(Geofís)* capa de velocidad.

velocity channel   *(Hidr)* canal regulador de velocidad.

velocity component   componente de la velocidad.

velocity correction   corrección de (la) velocidad. CF. **velocity error.**

velocity distribution   *(Fís)* distribución [repartición] de velocidades.

velocity-distribution law   ley de distribución de velocidades.

velocity duration   duración de la velocidad.

velocity-duration curve   curva de duración de las velocidades.

velocity error   error de velocidad. En el caso particular de los servomecanismos, desplazamiento angular relativo de los ejes de entrada y de salida cuando ambos giran a la misma velocidad.

velocity factor   factor de velocidad, razón de velocidades. (1) Razón de la velocidad de propagación en un medio dado, a la velocidad de propagación en el vacío. Por ejemplo, la velocidad de una corriente de radiofrecuencia es ligeramente menor en un conductor que lo que sería en el espacio libre, siendo en este caso el factor de velocidad inferior a la unidad. (2) Factor que multiplicado por la longitud eléctrica [electric length] de una antena, da el largo físico exacto de esta última. SIN. **velocity ratio.**

velocity feedback   *(Automática, Servos)* reacción de velocidad ‖ reacción taquimétrica. SIN. **rate feedback.**

velocity filter   *(Radar)* filtro de velocidad. Dispositivo de tubo acumulador que suprime todos los blancos que no se desplazan más de un elemento de resolución en el intervalo de un número predeterminado de barridos de la antena.

velocity fluctuation   fluctuación de velocidad.

velocity-fluctuation noise   *(Elecn)* ruido de fluctuación de velocidad. En un tubo de ondas progresivas o en un fotodetector de señal débil, componente de ruido con origen en la amplia distribución térmica de la velocidad de los electrones del haz.

velocity-focusing mass spectrograph   espectrógrafo de masas de enfoque de velocidad. SIN. **velocity spectrograph.**

velocity-frequency curve   curva de frecuencia de las velocidades, curva de la frecuencia de ocurrencia en función de la velocidad.

velocity gage   indicador de velocidad.

velocity gradient   *(Mec de los fluidos)* gradiente de velocidad.

velocity head   *(Ventilación)* presión dinámica, presión de velocidad. Presión necesaria para producir la velocidad deseada del aire por el interior de un conducto de distribución ‖ *(Hidr)* altura cinética [dinámica], altura debida a la velocidad.

velocity hydrophone   hidrófono de velocidad. Micrófono de velocidad (v. **velocity microphone**) destinado a captar ondas acústicas propagadas por el agua.

velocity jet   *(Ventilación)* vena dinámica (de aire).

velocity lag   *(Automática)* retardo de velocidad ‖ *(i.e.* distance/velocity lag) retardo por propagación. Parte del tiempo muerto [dead time] que procede únicamente del hecho de que la velocidad de propagación de la señal tiene un valor finito (CEI/66 37–40–045).

velocity-lag error   *(Automática)* error de retardo de velocidad. Error de retardo entre la entrada y la salida de un dispositivo, que es proporcional a la rapidez de variación de la magnitud de entrada.

velocity level [vdB]   nivel de velocidad. Velocidad expresada en decibelios (dB) respecto a un valor de velocidad de referencia: $vdB = 20 \log_{10}(v/v_{ref})$.

velocity limiting   limitación de velocidad.

velocity-limiting   *adj:* limitador de velocidad, de limitación de velocidad.

velocity-limiting servo(mechanism)   servo(mecanismo) limitado por velocidad. Servomecanismo cuya velocidad máxima es el factor principal entre los que limitan su comportamiento.

velocity microphone   micrófono de velocidad. Micrófono cuyas tensiones de salida son proporcionales a la velocidad instantánea de las partículas de la onda acústica incidente sobre el diafragma. Son ejemplos de micrófonos de velocidad el *de cinta* [ribbon microphone] y el *térmico* [hot-wire microphone].

velocity misalignment coefficient   *(Automática)* coeficiente de desalineación por velocidad.

velocity-modulated   *adj:* *(Elecn)* modulado en velocidad, de modulación de velocidad.

velocity-modulated amplifier   amplificador de modulación de velocidad.

velocity-modulated electron beam   haz electrónico modulado en velocidad.

velocity-modulated oscillator   oscilador de modulación de velocidad. Tubo electrónico en el cual se varía la velocidad de un flujo de electrones al pasar por una cavidad resonante llamada *resonador de entrada* [buncher, input resonator]. Se extrae energía del flujo de electrones agrupados a un nivel de energía superior, al pasar éste por una segunda cavidad resonante, llamada *resonador de salida* [catcher, output resonator]. Las oscilaciones se mantienen por el retorno de energía del resonador de salida al de entrada. SIN. **klystron oscillator.**

velocity-modulated tube   (*Elecn*) tubo de modulación de velocidad | tubo con modulación de velocidad. Tubo de haz electrónico [electron-beam tube] en el que el flujo de electrones está sometido a variaciones periódicas de velocidad cuyo período es comparable con el tiempo total de tránsito [total transit time] (CEI/56 07-30-340). CF. **klystron.**

velocity modulation   (*Elecn*) modulación de velocidad.

velocity-modulation amplifier   amplificador de modulación de velocidad.

velocity-modulation generator   generador (de oscilaciones) de modulación de velocidad. v. **velocity-modulated oscillator.**

velocity modulation (of an electron beam)   modulación de velocidad (de un haz electrónico). Variación alternativa de la velocidad instantánea impuesta a los electrones de un haz electrónico en un punto dado, y que se superpone al valor medio de la velocidad de los electrones (CEI/56 07-30-385).

velocity-modulation oscillator   oscilador de modulación de velocidad. v. **velocity-modulated oscillator.**

velocity of a periodic wave   velocidad de una onda periódica. Cociente de la longitud de onda por la duración de un período (CEI/38 05-05-275).

velocity of a wave   velocidad de propagación de una onda. Cociente de la distancia a la que se propaga la onda en un tiempo elemental por este intervalo de tiempo (CEI/38 05-05-270, CEI/56 05-03-040).

velocity of an ion   velocidad de transporte de un ion. Velocidad alcanzada por un ion bajo la acción de un campo eléctrico (CEI/38 50-05-100) | velocidad de un ion. Velocidad alcanzada por un ion bajo la acción de un campo eléctrico (CEI/60 50-05-365). CF. **migration speed of an ion.**

velocity of approach   (*Hidr*) velocidad de aproximación [de aflujo, de llegada, de acceso]. CF. **velocity of retreat.**

velocity of contraction (of a plasma)   velocidad de contracción (de un plasma).

velocity of energy transmission   velocidad de transporte de la energía. Cociente del flujo de energía por unidad de área [energy flux per unit area] por la densidad de energía [energy density] (CEI/56 05-03-060).

velocity of light   velocidad de la luz. Velocidad de propagación de la luz en el vacío: $2,99773 \times 10^8$ m/s. Símbolo: c (CEI/64 65-15-015). V.TB. **speed of light.**

velocity of propagation   velocidad de propagación. Velocidad a la cual se propaga una onda o una perturbación en un medio.

velocity of propagation of a wavefront   velocidad de propagación de un frente de onda.

velocity of recession   (*Hidr*) v. **velocity of retreat.**

velocity of retreat   (*Hidr*) velocidad de alejamiento [de salida]. SIN. **velocity of recession.** CF. **velocity of approach.**

velocity of sound   velocidad del sonido. v. **speed of sound.**

velocity potential   (*Mec de los fluidos*) potencial de velocidad.

velocity potential of a fluid   potencial de velocidad de un fluido.

velocity potential of sound   potencial de velocidad del sonido. Función de punto escalar [scalar point function] cuyo gradiente da la velocidad de las partículas en cualquier punto.

velocity pressure   (*Mec*) presión dinámica [de velocidad].

velocity profile   (*Ferroc*) perfil de velocidad ‖ (*Fís*) perfil de velocidad. Perfil que se obtiene cuando se representa gráficamente la velocidad en función de la distancia a través de una corriente fluida.

velocity range   gama de velocidades.

velocity-range curve   (*Nucl*) curva de velocidad-alcance.

velocity rate   v. **velocity ratio.**

velocity ratio   razón [relación] de velocidades | factor de velocidad, razón de velocidades. v. **velocity factor.**

velocity resonance   (*Fís*) resonancia de velocidad [de fase]. SIN. **phase resonance.**

velocity-responsive pickup   fonocaptor sensible a la velocidad. Es de esta clase p.ej. el fonocaptor de bobina móvil [moving-coil pickup].

velocity selector   (*Nucl*) selector de velocidad. Dispositivo giratorio que para cada velocidad de rotación deja pasar solamente los neutrones que poseen velocidades comprendidas en una estrecha gama.

velocity sorting   selección de velocidad. Selección o separación de electrones o de partículas según sus velocidades.

velocity spectrograph   espectrógrafo de velocidad, espectrógrafo de masas de enfoque de velocidad. Dispositivo que deja pasar solamente los iones positivos que poseen cierta velocidad, separándolos luego mediante un campo magnético que los desvía en proporción a su carga específica [charge/mass ratio]. SIN. **velocity-focusing mass spectrograph.**

velocity spectrum   espectro de velocidades.

velocity stage   (*Turbinas*) grado [etapa] de velocidad; expansión de impulsión.

velocity staging   (*Turbinas*) graduación de velocidad; expansión de impulsión.

velocity step   variación de velocidad.

velocity transducer   transductor de velocidad. Transductor cuya señal de salida es proporcional a la velocidad. CF. **velocity-responsive pickup.**

velocity transformer   transformador de velocidad.

velocity triangle   (*Aeron*) triángulo de velocidades.

velocity trip mechanism   (*Fonog*) mecanismo disparador del tipo de velocidad.

velocity variation   variación de velocidad.

velocity-variation amplifier   (*Elecn*) v. **velocity-modulation amplifier.**

velocity-variation oscillator   (*Elecn*) v. **velocity-modulation oscillator.**

velocity vector   vector velocidad, velocidad vectorial.

velometer   velómetro. Aparato que sirve para medir la velocidad del aire o de un gas en tuberías. Se emplea p.ej. en la comprobación y el ajuste de sistemas de climatización y ventilación, para determinar la velocidad del aire en los conductos de distribución y a la salida de los registros o difusores de aire.

VEN   (*Explotación teleg*) Abrev. de Venezuela.

vena contracta   (*Hidr*) vena contracta; contracción de la vena líquida. LOCALISMOS: vena contraída, chorro contraído [contracto]. Fenómeno por el cual un chorro líquido no turbulento que emerge por un orificio o una boquilla hacia una región de presión constante, disminuye su sección hasta hacerse menor que la del orificio o boquilla, volviendo a aumentar después. La región o sección contraída de la vena se llama *vena contracta.*

vending machine   máquina vendedora, máquina expendedora automática. Máquina tragamonedas para el expendio automático de cigarrillos, confituras, sellos de correos, etc.

vendor   vendedor; proveedor.

veneer   chapa (de madera), hoja de madera, hoja para chapear ‖ (*Albañilería*) revestimiento (de enladrillado); chapa de piedra ‖ (*Carreteras*) capa (superficial) de desgaste ⫽ *verbo:* chapear, enchapar; revestir.

veneering   chapeado, enchapado; revestimiento; material para chapas.

Venetian blind   persiana, celosía.

Venetian-blind antenna   antena de persiana. Antena de microondas constituida por un conjunto de superficies de cilindro parabólico inclinables y dispuestas en forma que semeja una persiana.

Venetian-blind effect   (*Tv*) efecto de persiana. SIN. **skewing.**

Venetian-blind shutter   (*Fotog*) obturador de persiana.

Venetian turpentine   aguarrás [trementina] de Venecia. Variedad comercial de aguarrás o trementina.

Venn   John Venn: lógico inglés que ideó el diagrama que lleva su nombre. v. **Venn diagram.**

Venn diagram   diagrama de Venn. Diagrama en el cual se usan círculos y elipses para representar gráficamente relaciones lógicas fundamentales.

vent   respiradero, sopladero, resolladero, desventador; respiro, venteo, desfogue; orificio [agujero] de ventilación; tubo de ventilación; agujero de aire; purga de aire; ventosa; abertura; tronera; paso, salida; desahogo ‖ *(Cond electrolíticos)* punto de desahogo de presión. Pequeña zona de la cubierta de un condensador electrolítico de aluminio en la que se produce un agujero de escape si la presión interior pasa de cierto valor, por causa de un cortocircuito interno o por la circulación de una corriente muy fuerte, como la que provoca un error de polaridad al conectar el condensador ⫽ *verbo:* desahogar, desfogar, desventar, purgar; abrir respiraderos; ventear, ventilar; dar salida, dar paso.

vent area   *(Cajas acústicas)* área de escape de bajos.

vent-hole   v. **venthole.**

vent line   tubo [tubería] de ventilación.

vent opening   ventosa, respiradero; orificio [agujero] de ventilación; agujero de aire. CF. **ventilation opening.**

vent pipe   tubo [tubería] de ventilación, tubo de alivio, caño ventilador.

vent plug   tapón con orificio de ventilación.

vent port   orificio de ventilación.

vented   *adj:* ventilado; agujereado; con salida; con respiradero.

vented baffle   *(Electroacús)* caja acústica con escape de bajos, difusor [bafle] con respiradero, mueble (de altavoz) con abertura de escape de bajos. SIN. **reflex baffle.**

vented enclosure   *(Electroacús)* caja (acústica) con escape de bajos. SIN. **vented baffle.**

vented pressure transducer   transductor de presión con respiradero. El respiradero restablece la presión de referencia cada vez que se va a utilizar el transductor.

venthole   orificio [agujero] de ventilación; ventosa, respiradero; orificio de escape; agujero de aire; reja [rejilla] de ventilación. CF. **ventilation hole.**

ventilate   *verbo:* ventilar, ventear, airear, aerear.

ventilated   *adj:* ventilado.

ventilated (commutator) riser motor   *(Elec)* motor con conexiones radiales de colector ventiladas. Motor en el cual el aire pasa en su totalidad o en parte entre las conexiones radiales de colector [commutator riser connections] (CEI/57 30–15–440).

ventilated door   puerta con aberturas [ranuras] de ventilación, puerta con ventilas.

ventilated dripproof (electric) motor   motor (eléctrico) resguardado ventilado. v. **dripproof machine.**

ventilated electric motor   motor eléctrico ventilado.

ventilated frame   *(Elec)* armazón ventilado, armazón ventilada. NOTA: La voz *armazón* admite los dos géneros.

ventilated-frame machine   *(Elec)* máquina de armazón ventilado. Máquina cerrada [totally enclosed machine], sin canales de ventilación [ventilating ducts], en la que la superficie exterior del armazón es refrigerada por un ventilador que forma cuerpo con la máquina (CEI/56 10–05–270).

ventilated motor   *(Elec)* motor ventilado. Motor refrigerado por aire tomado del exterior del motor (CEI/57 30–15–400). CF. **forced-ventilated motor, motor with combined ventilation, self-ventilated motor.**

ventilated-radiator machine   *(Elec)* máquina de radiadores ventilados. Máquina cerrada [totally enclosed machine], sin canales de ventilación, en la que el armazón es portador de uno o varios radiadores recorridos por el aire interior [internal air] y refrigerados por el aire exterior [external air] mediante un ventilador que forma cuerpo con la máquina (CEI/56 10–05–285).

ventilated ribbed-surface machine   *(Elec)* máquina de nervaduras ventiladas. Máquina de armazón ventilado en la que el armazón está provisto de nervaduras [ribs] destinadas a aumentar

su superficie de contacto con el aire de refrigeración [cooling air] puesto en movimiento por el ventilador exterior (CEI/56 10–05–280).

ventilated riser motor   *(Elec)* motor con conexiones radiales ventiladas. v. **ventilated (commutator) riser motor.**

ventilated totally enclosed motor   *(Elec)* motor ventilado totalmente cerrado. Motor construido de tal suerte que el aire de ventilación que lo atraviesa no entra en contacto ni con los devanados ni con el colector o los anillos (CEI/57 30–15–405).

ventilated wall   *(Máq, Toberas)* pared ventilada.

ventilating cover   tapa con ventilación; tapón [tapa] con rejilla de ventilación.

ventilating duct   canal [conducto] de ventilación; canal de aireación. SIN. **ventilation duct** ‖ **ventilating ducts:** canales de ventilación. Espacios provistos en el interior de un núcleo para facilitar la ventilación. SIN. **cooling ducts** (CEI/38 10–40–090, CEI/56 10–30–150).

ventilating fan   ventilador, soplador de ventilación.

ventilating system   sistema de ventilación.

ventilation   ventilación.

ventilation by aspiration   ventilación por aspiración.

ventilation duct   v. **ventilating duct.**

ventilation hole   orificio de ventilación. CF. **venthole.**

ventilation opening   abertura de ventilación. CF. **vent opening.**

ventilation rate   velocidad de ventilación.

ventilator   ventilador ‖ *(Ventanas metálicas)* sección movible.

venting   ventilación; respiro, venteo, desfogue; salida de gases; formación de respiraderos.

ventose   *(also* ventouse) *(Medicina)* ventosa. SIN. **cupping glass** ⫽ *adj:* *(Medicina)* ventoso, flatulento.

ventral   *adj:* ventral, abdominal. Referente al vientre o abdomen.

ventricle   *(Anat)* ventrículo, cavidad pequeña.

ventricular   *adj:* ventricular. Relativo a un ventrículo.

ventricular fibrillation   fibrilación ventricular. Movimientos fibrilares finos y rápidos del músculo ventricular, que substituyen a la contracción normal y producen rápidamente la muerte.

ventricular tachycardia   taquicardia ventricular. Frecuencia excesiva de las contracciones del músculo ventricular.

ventriloquism   ventriloquia.

ventriloquist   ventrílocuo.

ventriloquy   ventriloquia.

venturi, venturi tube   venturi, tubo Venturi. Tubo cuya sección varía en forma continua y en el cual la velocidad de un fluido es inversamente proporcional a la sección ‖ *(Ventiladores)* carcasa Venturi.

Venturi   G. B. Venturi: físico italiano (1746–1822) cuyos estudios inspiraron la invención del *tubo Venturi.*

venturi block   *(Ventiladores)* bloque Venturi.

venturi-controlled   regulado por tubo Venturi.

venturi-governed   regulado por tubo Venturi.

venturi meter   medidor de flujo Venturi. Medidor de flujo para líquidos o gases basado en el principio del tubo Venturi.

venturi nozzle   tobera de Venturi.

Venturi-Pitot tube   tubo Venturi-Pitot.

venturi tube, Venturi tube   tubo Venturi ‖ *(Aviones)* tubo [trompa] Venturi.

venturi-tube diffuser   *(Aviones)* difusor del tubo Venturi.

Venus   *(Astr)* Venus. Segundo planeta en orden de distancias a partir del Sol.

Venus probe   sonda de Venus. Sonda destinada a efectuar exploraciones de las condiciones en las proximidades de Venus.

veranda, verandah   *(Arq)* galería, mirador, pórtico. Especie de porche, balcón, o piso plataforma elevado, generalmente techado y a veces parcialmente cerrado, que se extiende a lo largo de una pared, por el exterior de un edificio, sostenido por columnas o arcadas, y que da vista a un patio interior u otra parte. SIN. **gallery, piazza.**

verascope   *(Fotog)* veráscopo. Pequeña cámara estereoscópica.

verb   *(Gram)* verbo /// *adj:* verbal.

verbal   *(Gram)* verbal, substantivo verbal /// *adj:* verbal; oral; literal ‖ *(Gram)* verbal.

verbal announcement   anuncio [aviso] verbal. En telecomunicaciones puede referirse a una indicación audible dada por una máquina parlante.

verbal order   orden verbal.

Verdan system   *(Teleg)* (*i.e.* Verdan system of automatic repetition) sistema Verdan (de repetición automática) **| automatic repetition (Verdan system):** repetición automática (sistema Verdan). Sistema en el que la nueva emisión de cada señal se produce automáticamente y separada de la emisión precedente de esa señal por un retardo constante (CEI/70 55–70–115).

Verdet constant   *(Fís)* constante de Verdet. Constante de proporcionalidad en una ecuación del efecto Faraday. Esta constante determina el ángulo de rotación del plano de polarización de la luz. v. **Faraday effect.**

verdigris   *(Quím)* cardenillo, verdete, verdín.

¹verge   borde, margen; límite; perímetro; espacio circunscrito; esfera, alcance; jurisdicción; vara, varita, varilla, o báculo que se lleva como símbolo de autoridad ‖ *(Arq)* visera (de tejado), arista (de alero) ‖ *(Relojería)* eje de áncora, eje del volante ‖ *(Zool)* verga, órgano masculino de un invertebrado /// *verbo:* acercarse al borde, aproximarse al límite; limitar, constituir el límite.

²verge   *verbo:* inclinarse; estar a punto de transformarse.

verge of compression   umbral de compresión | codo de compresión. Parte de una curva de representación gráfica que corresponde al umbral de compresión [threshold of compression]. v. **AGC program amplifier, compression.**

verge of oscillation   borde [límite, punto crítico] de oscilación | **on the verge of oscillation:** a punto de entrar en oscilación, a punto de romper a oscilar. CF. **fringe howl, singing** *(Telecom).*

vergeboard   *(Arq/Carp)* tabica.

verification   verificación, comprobación, constatación ‖ *(Mat)* verificación ‖ *(Informática)* verificación (automática). Cotejo automático de una transcripción de datos contra otra transcripción de los mismos datos, para descubrir posibles errores.

verification of signature   *(Teleg)* legalización de la firma. Procedimiento por el cual el destinatario de un telegrama es notificado de la autenticidad de la firma.

verified reproducing   *(Informática)* reproducción verificada.

verifier   *(Informática)* verificadora, comprobadora. (**1**) Máquina que sirve para comprobar la exactitud de las perforaciones de las tarjetas o cartulinas, repitiendo las maniobras ejecutadas con las punzonadoras o perforadoras; esta máquina descubre los errores y rechaza las tarjetas perforadas defectuosamente. (**2**) Máquina de accionamiento manual que trabaja con tarjetas perforadas y que sirve para indicar mediante señales si no se han efectuado las perforaciones o si se han efectuado en lugares incorrectos. (**3**) Dispositivo auxiliar en el que una transcripción manual previa de datos puede ser verificada cotejándola carácter por carácter con una transcripción manual efectuada durante el proceso en desarrollo.

verify   *verbo:* verificar, comprobar, constatar; probar; examinar; cerciorarse (de algo) ‖ *(Mat)* verificar ‖ *(Informática)* verificar. (**1**) Cotejar datos transferidos o transcritos, con el fin de evitar o reducir al mínimo los errores humanos. (**2**) Asegurarse de que es correcta la información que se prepara para la computadora.

VERIFY   *(Explotación radiotelef)* Verifique. Expresión por medio de la cual se pide al corresponsal que compruebe la codificación y el texto con el expedidor de un mensaje y transmita una versión corregida del mismo.

verify whether a line is engaged   *(Telecom)* comprobar el estado de una línea.

vernal   *adj:* vernal, primaveral, de primavera.

vernal equinox   *(Astr)* equinoccio vernal [de primavera].

vernier   vernier, nonio. (**1**) Pequeña escala graduada auxiliar dispuesta paralelamente a una escala graduada principal y calibrada de modo que indique partes fraccionarias de las subdivisiones de la escala principal; se usa en ciertos instrumentos de precisión para aumentar la exactitud de las medidas. (**2**) Escala auxiliar pequeña que, empleada conjuntamente con una escala indicadora principal, permite efectuar ajustes micrométricos o medir distancias con gran precisión. SIN. **vernier scale** | vernier. Dispositivo auxiliar utilizado para efectuar ajustes muy finos o medidas de gran resolución y exactitud.

Vernier   Pierre Vernier: matemático francés (1580–1673); ideó la escala que lleva su nombre.

vernier adjustment   ajuste fino [micrométrico]; sintonización precisa.

vernier caliper   (a.c. caliper) calibre de nonio [de vernier].

vernier capacitor   condensador vernier. Pequeño condensador variable conectado en derivación con uno mayor y que sirve para efectuar ajustes finos de la frecuencia de resonancia de un circuito, después de haber ajustado el condensador mayor a aproximadamente la frecuencia deseada. V.TB. **bandspreading tuning control.**

vernier coupling   acoplamiento vernier.

vernier dial   cuadrante [dial] vernier, cuadrante [dial] reductor. Cuadrante de sintonía en el que una vuelta completa de la perilla de mando no produce más que una fracción de vuelta del eje principal, lo que permite efectuar ajustes de sintonización finos y exactos.

vernier drive   mando con reducción; arrastre vernier.

vernier engine   *(Tecnología espacial)* motor (cohético) de ajuste fino. v. **vernier rocket.**

vernier gear   engranaje vernier [micrométrico].

vernier knob   perilla [botón] micrométrico.

vernier last count   apreciación del vernier [del nonio].

vernier level   nivel de nonio.

vernier plate   disco del nonio.

vernier rocket   motor (cohético) de ajuste fino. Pequeño motor cohético [rocket engine] utilizado principalmente para efectuar ajustes finos de la velocidad y la trayectoria de un vehículo espacial. SIN. **vernier engine.**

vernier scale   escala vernier, nonio.

vernitel   *(Telecom)* vernitel. Dispositivo que permite la transmisión de datos con elevado grado de exactitud por enlaces de telemedida de doble modulación de frecuencia [FM/FM telemetering links].

versatile   *adj:* *(Aparatos, Materiales, &)* adaptable, apropiado para numerosas aplicaciones, de gran diversidad [multiplicidad] de aplicaciones, de gran pluralidad de funciones, de muchos usos, adaptable a fines diversos, que tiene (muy) variadas aplicaciones, que tiene un amplio campo de aplicaciones, que se adapta a diversas circunstancias [condiciones] de utilización, de gran flexibilidad de utilización. OBSERVACION: En esta acepción general (relativa a aparatos, dispositivos, instrumentos, máquinas, materiales, substancias) es anglicismo el uso de la voz *versátil* ‖ *(Cine/Teatro/Tv)* versátil. Dícese del actor o la actriz capaz de representar papeles diversos o de actuar competentemente en circunstancias variables.

versatility   adaptabilidad (de aplicaciones), diversidad [variedad] de aplicaciones, variedad de empleos, multiplicidad [flexibilidad] de utilización; campo de aplicaciones ‖ *(Actores)* versatilidad.

versed cosine   *(Mat)* coseno verso. Diferencia entre la unidad y el seno de un arco.

versed sine   *(Mat)* seno verso. Diferencia entre la unidad y el coseno de un arco. SIN. **versine.**

versiera   *(Mat)* versiera, curva de Agnesi, cúbica de Agnesi. Curva, también conocida por *la Bruja de Agnesi* ["Witch of Agnesi"], atribuida a la matemática italiana María Gaetana Agnesi (1718–1799).

versine   *(Mat)* seno verso. SIN. **versed sine.**

version   versión; variante, modelo (de un tipo básico de dispositivo).

verso   dorso, reverso (de una moneda o una medalla) ‖ *(Imprenta)* verso, vuelto; página par, página de la izquierda (de un libro); reverso (de una hoja).

versor   versor, vector unitario. SIN. **unit vector.**

versus [vs, vs.]   *prep:* contra; como alternativa de; comparado con, en comparación con, en contraste con | en función de, en términos de. El término *versus* se usa (casi siempre abreviado) en muchas expresiones técnicas para indicar la dependencia entre dos variables. EJEMPLO: **curve of amplitude vs frequency:** curva de la amplitud en función de la frecuencia.

vert.   Abrev. de vertical.

vertebrate   *sust/adj:* vertebrado.

vertebrate waveguide   guíaondas articulado, guía de ondas articulada.

vertex   vértice, cúspide, cima, cumbre || *(Anat)* vértice || *(Bot)* ápice || *(Zool)* vertex || *(Arq)* clave (de un arco) || *(Astr)* cenit, zenit; apex || *(Mat)* vértice. En un ángulo, el punto de intersección de sus lados | ápice. SIN. **apex** | *(i.e.* end-point of an edge) vértice, nodo, punto. Extremo de una arista, entendiéndose por *arista* dos puntos determinados y el segmento de recta que los une. SIN. **node, O cell, point** || *(Redes eléc)* nodo. SIN. **node** (véase).

vertex degree   *(Mat)* grado del vértice. El grado de un vértice o nodo es el número de aristas que inciden sobre el mismo.

vertex feed   *(Ant de microondas)* alimentación en el vértice. Alimentación transversal [rear feed] por medio de una línea o una guía axil (CEI/70 60–35–045) | alimentación axil | alimentación por el vértice. Alimentación transversal de un reflector paraboloidal [paraboloidal reflector] en la que la línea o la guía de alimentación atraviesa el reflector por el vértice.

vertex plate   *(Ant de microondas)* placa del vértice. Pantalla colocada entre una fuente primaria [primary radiator] y el vértice de un espejo [mirror] para impedir una reflexión indeseable en la dirección de la fuente primaria (CEI/70 60–36–010).

vertex power (of a lens)   aumento de vértice (de una lente). Es la inversa de la distancia focal posterior [back focal length].

vertical [vert.]   vertical. Recta vertical; perpendicular al plano del horizonte | plano vertical; círculo u otra figura plana vertical | posición vertical || *(Constr/Estr, Máq)* montante, paral, pie derecho. SIN. **upright** || *(Radiocom)* v. **vertical effect** /// *adj:* vertical. En ángulos rectos con el horizonte | normal, perpendicular. Que se extiende perpendicularmente desde un plano o una superficie | vertical, derecho, recto, erecto. SIN. **upright** || *(TRC/Tv)* vertical. Relacionado con el barrido o la desviación vertical, o con las señales correspondientes || *(Astr)* cenital. Relativo al cenit.

vertical advance   *(Grabadoras de tv)* avance vertical.

vertical aerial   antena vertical. v. **vertical antenna.**

vertical aerial photograph   fotograma vertical, aerofotografía [fotografía aérea] vertical.

vertical air current   corriente de aire vertical.

vertical amplification   *(Osciloscopios)* amplificación (de desviación) vertical.

vertical amplifier   *(Osciloscopios)* amplificador (de desviación) vertical, amplificador de deflexión vertical.

vertical amplitude   *(Tv)* amplitud vertical, altura (de la imagen). SIN. **height, vertical size.** CF. **horizontal amplitude.**

vertical-amplitude control   *(Tv)* control de amplitud vertical, control de altura (de la imagen). SIN. **height control** (véase), **picture-height control** | control de tensión parabólica, control de amplitud vertical. Uno de tres controles utilizados en los televisores a color del tipo de convergencia magnética, y que tienen por finalidad ajustar la amplitud de las tensiones parabólicas aplicadas, a la frecuencia de exploración vertical, a las bobinas del bloque de convergencia. SIN. **parabola control.**

vertical angle   ángulo vertical. Ángulo medido sobre un círculo vertical; se llama *ángulo de elevación* [angle of elevation] cuando se mide de la horizontal hacia arriba, y *ángulo de depresión* [angle of depression] cuando se mide de la horizontal hacia abajo | v. **vertical angles.**

vertical angles   ángulos opuestos por el vértice. Dos rectas AB y CD que se cortan en el punto O forman cuatro ángulos en el plano: AOC, BOD, AOD y BOC. Los dos primeros son *opuestos por el vértice* y lo mismo se dice de los dos últimos. Se tiene un caso análogo cuando se cortan dos planos | v. **vertical angle.**

vertical antenna   antena vertical. Antena constituida por un conductor vertical, que puede ser un mástil, una varilla o un alambre. SIN. **vertical aerial, vertical radiator.**

vertical axis   eje vertical || *(Mat)* eje de ordenadas.

vertical-axis rotor   rotor de eje vertical.

vertical bar   barra vertical.

vertical-bar pattern   *(Tv)* imagen patrón de franjas verticales, mira de franjas [barras] verticales.

vertical beam   haz vertical, haz emitido en el plano vertical.

vertical beamwidth   abertura angular vertical del haz.

vertical blanking   *(Tv)* borrado vertical, supresión vertical (del haz). Supresión del haz del cinescopio o tubo de imagen durante el retorno vertical del punto explorador. SIN. **borrado de cuadro.** CF. **horizontal blanking.**

vertical-blanking pulse   *(Tv)* impulso de borrado [supresión] vertical. Impulso que se transmite al final de cada campo de exploración para suprimir el haz catódico del cinescopio mientras el mismo retorna a la parte superior del cuadro para comenzar el próximo campo.

vertical blocking oscillator transformer   transformador del oscilador de bloqueo vertical.

vertical boiler   caldera vertical.

vertical brace   *(Telecom)* herraje de acoplamiento.

vertical cattle-guard   *(Líneas telef/teleg)* protección contra ganado.

vertical center plate   *(Buques)* sobrequilla central. SIN. **vertical keel.**

vertical centering   *(TRC/Tv)* centrado [encuadre] vertical. Ajuste de la posición de la imagen en dirección vertical, respecto a la pantalla del tubo de rayos catódicos o del tubo de imagen (cinescopio), según el caso. CF. **horizontal centering.**

vertical-centering control   *(TRC/Tv)* control de centrado [encuadre] vertical. Control o mando que permite desplazar la imagen verticalmente, en uno u otro sentido, para centrarla en relación con la pantalla del tubo. SIN. **potenciómetro de encuadre vertical —— vertical-position control, frame-shift control** *(GB).*

vertical channel   *(Osciloscopios)* canal vertical. Canal de las señales que producen la desviación vertical del punto luminoso. CF. **horizontal channel.**

vertical circle   círculo vertical || *(Astr)* círculo cuyo plano pasa por el cenit y el nadir || *(Teodolitos)* limbo vertical.

vertical-circle vernier   nonio del limbo vertical.

vertical clearance   altura libre, franqueo superior; altura de seguridad || *(Avia)* franqueo vertical, margen de altura (sobre un obstáculo); distancia vertical (de una aeronave) respecto a tierra || *(Calderas)* espacio de aire || *(Líneas aéreas)* altura libre bajo los hilos, altura de los hilos || *(Radioenlaces)* altura libre, margen de altura, franqueo vertical. v. **path clearance.**

vertical climb   *(Avia)* subida [toma de altura] vertical.

vertical comb   *(Telecom)* peine vertical.

vertical compliance   *(Fonocaptores)* docilidad vertical. Aptitud de la aguja de moverse libremente en dirección vertical siguiendo los altibajos del surco modulado del disco en rotación. v.TB. **compliance.**

vertical component   componente vertical. De un vector, su proyección sobre el eje vertical de referencia; es igual a la magnitud o módulo del vector multiplicado por el coseno del ángulo que su dirección forma con dicho eje. CF. **horizontal component.**

vertical convergence   *(Tvc)* convergencia vertical. CF. **horizontal convergence.**

vertical-convergence amplifier   amplificador de convergencia vertical.

vertical-convergence control   control de convergencia vertical. Control o mando que sirve para ajustar la magnitud de la tensión de convergencia dinámica vertical [vertical dynamic convergence voltage]. v. **dynamic convergence.**

vertical-convergence shape control   control de forma de convergencia vertical. Control que sirve para ajustar la forma de la tensión de convergencia dinámica vertical, y que en su versión clásica consiste en una resistencia variable intercalada en el amplificador de convergencia; se emplea en los televisores a colores con tubo de imagen de tres cañones [three-gun picture tube].

vertical coverage   *(Radiocom)* cobertura vertical. Intersección del volumen de cobertura [volume coverage] de un dispositivo de radiolocalización [radiolocation] y de un plano vertical (CEI/70 60–70–055) | zona de cobertura vertical. En un plano vertical dado, zona sobre la cual una instalación radioeléctrica de ayuda a la navegación proporciona una señal útil.

vertical coverage pattern   diagrama de cobertura vertical; diagrama de distancias en el plano vertical.

vertical cross-wire   *(Retículos)* trazo vertical; hilo vertical. cf. **horizontal cross-wire.**

vertical curve   *(Carreteras, Vías férreas)* curva vertical, curva de identificación. (**1**) Alineación que tiene proyección curva sobre el plano vertical y que empalma pendientes de la calzada. (**2**) Curva intercalada en la rasante para suavizar el paso de una inclinación a otra.

vertical definition   *(Facsímile, Tv)* definición vertical. v. **vertical resolution.**

vertical deflecting electrodes   *(TRC/Tv)* v. **vertical deflection electrodes.**

vertical deflection   *(TRC/Tv)* desviación [deflexión] vertical; base de tiempos de imágenes. cf. **horizontal deflection.**

vertical deflection amplifier   amplificador de desviación vertical.

vertical deflection coil   *(TRC/Tv)* bobina de desviación [deflexión] vertical.

vertical deflection electrodes   electrodos de desviación [deflexión] vertical. En los cinescopios y los tubos de rayos catódicos de desviación electrostática [electrostatic deflection], par de electrodos que sirven para mover el punto explorador en dirección vertical sobre la pantalla fluorescente. sin. **vertical deflection plates.**

vertical deflection generator   *(Tv)* generador de desviación vertical. sin. **vertical sweep generator.**

vertical deflection oscillator   *(Tv)* oscilador de desviación [deflexión] vertical. Oscilador que produce la onda de tensión en diente de sierra [sawtooth voltage waveform] que, después de suficientemente amplificada, se aplica a los electrodos o a las bobinas de desviación vertical del cinescopio de un receptor. La frecuencia de este oscilador es regulada por las señales de sincronismo vertical [vertical synchronizing signals]. sin. **vertical oscillator, frame oscillator** *(GB).*

vertical deflection plates   *(TRC/Tv)* placas [electrodos] de desviación vertical. sin. **vertical deflection electrodes.**

vertical dive   *(Avia)* picado vertical.

vertical drive   *(Mec)* transmisión vertical ‖ *(Cám de tv)* cronización (del barrido) vertical ‖ *(TRC)* desviación [deflexión] vertical; (tensión de) barrido vertical.

vertical drive control   *(TRC)* control de desviación [deflexión] vertical. Control o mando que sirve para regular la amplitud de la desviación vertical.

vertical drive pulse   *(Cám de tv)* impulso de cronización (del barrido) vertical ‖ *(TRC)* impulso de desviación vertical.

vertical drive signal   *(Cám de tv)* señal de cronización (del barrido) vertical ‖ *(TRC)* señal de desviación vertical.

vertical-drive speed reducer   reductor de velocidad de eje vertical.

vertical drop   caída vertical.

vertical dynamic convergence   *(Tvc)* convergencia dinámica

vertical. Se obtiene mediante tensiones superpuestas a las de convergencia estática [static convergence], y tiene el efecto de mantener la convergencia (v. **convergence,** def. 4) durante la desviación vertical. cf. **horizontal dynamic convergence.**

vertical dynamic focus   *(Tv)* enfoque dinámico vertical. Sistema de enfoque en el que se añade una onda de tensión al circuito de control de foco para mantener el enfoque del punto luminoso [spot] durante la desviación vertical. cf. **horizontal dynamic focus.**

vertical effect   *(Radiocom)* efecto de antena. Efecto indeseable equivalente al producido por el agregado de un pequeño elemento de antena vertical y debido a una asimetría del equilibrio de la antena de un radiogoniómetro o de la impedancia conectada a sus bornes; este defecto puede hacer aparecer un desenfoque azimutal y un error instrumental sistemático. sin. **vertical, antenna effect.** nota: El término inglés recomendado es "antenna effect" (CEI/70 60–71–290).

vertical electrode   *(Soldadura eléc)* electrodo con punta normal a su eje.

vertical engine   máquina vertical; motor vertical; motor de cilindros verticales.

vertical field-strength diagram   *(Ant)* diagrama de intensidad de campo en un plano vertical.

vertical figure eight   *(Acrobacias aéreas)* ocho vertical.

vertical fin   *(Aeron)* estabilizador [plano fijo] vertical, plano de deriva.

vertical flight   *(Helicópteros)* vuelo vertical.

vertical flow   flujo vertical.

vertical-flow boiler   caldera de tubos verticales.

vertical-flow tank   *(Disposición de aguas negras)* tanque de flujo hacia arriba.

vertical flyback   *(Tv)* retorno vertical. Retorno del haz explorador del extremo inferior al superior del cuadro o trama. sin. **vertical retrace.** cf. **horizontal flyback.**

vertical frequency   *(Tv)* frecuencia de barrido [exploración] vertical. Número de barridos verticales por segundo. sin. **frecuencia de campo [de cuadro] —— field frequency, frame frequency** *(GB).* cf. **horizontal frequency.**

vertical-frequency oscillator   oscilador de frecuencia de barrido [exploración] vertical. sin. **vertical deflection oscillator, frame oscillator** *(GB).*

vertical frequency response   *(Osciloscopios)* respuesta de frecuencia del canal vertical. v. **frequency response, vertical channel.**

vertical half-wave antenna   antena vertical de media onda.

vertical hold   *(Tv)* estabilidad [sostén, retención] vertical, sincronismo [sincronización] vertical. Sincronismo de la exploración o barrido vertical. La expresión inglesa viene del hecho de que cuando el circuito de barrido está fuera de exacto sincronismo, la imagen se desplaza hacia arriba o hacia abajo, y cuando se corrige el sincronismo la imagen se estabiliza, *sosteniéndose* en su lugar | v. **vertical hold control.**

vertical hold control   *(Tv)* (a.c. vertical hold) control de estabilización [sostén, retención] vertical, mando de sincronismo [sincronización] vertical, corrector de la frecuencia de barrido vertical. Control o mando que sirve para ajustar el período de oscilación libre del oscilador de desviación vertical [vertical deflection oscillator], y estabilizar la imagen en dirección vertical. sin. **control [mando] de la frecuencia de cuadro.** cf. **horizontal hold control.**

vertical hunting   *(Tv)* inestabilidad vertical, desplazamiento vertical lento de la imagen. Inestabilidad de la imagen debido a haberse perdido el sincronismo vertical, aunque el oscilador correspondiente puede estar funcionando a frecuencias muy próximas al valor correcto exacto. sin. **bouncing, jumping, vertical instability.**

vertical in-line digital readout   indicación digital con los dígitos en columna.

vertical incidence   *(Propagación radioeléc)* incidencia vertical. cf.

oblique incidence.

vertical-incidence ionospheric recorder   registrador de datos ionosféricos mediante señales de incidencia vertical | ionosonda, sonda (ionosférica) vertical. Sonda ionosférica [ionospheric recorder] utilizado para efectuar sondeos ionosféricos verticales [vertical-incidence ionospheric soundings], con la ayuda de los cuales se determina generalmente la altura virtual [virtual height] en función del tiempo y de la frecuencia. SIN. **ionosonde** (CEI/70 60–24–300). CF. **oblique-incidence ionospheric recorder.**

vertical-incidence ionospheric sounding   exploración de la ionósfera mediante señales de incidencia vertical | sondeo ionosférico vertical. Sondeo ionosférico [ionospheric sounding] con la ayuda de señales emitidas verticalmente hacia arriba (CEI/70 60–24–280). CF. **oblique-incidence ionospheric sounding.**

vertical-incidence sounder   ionosonda, sonda (ionosférica) vertical, sonda de incidencia vertical. SIN. **ionosonde, vertical-incidence ionospheric recorder.**

vertical-incidence transmission   transmisión de incidencia vertical. Emisión radioeléctrica dirigida verticalmente hacia arriba, para efectuar sondeos ionosféricos.

vertical input   *(Osciloscopios)* entrada (de desviación) vertical, entrada del canal vertical. V. **vertical channel.** CF. **horizontal input.**

vertical instability   *(Tv)* inestabilidad vertical (de la imagen). SIN. **vertical hunting.** CF. **horizontal instability.**

vertical interlace   *(Tv)* entrelazamiento vertical.

vertical interrupter   *(Telecom— Selectores paso a paso)* interruptor de elevación.

vertical interrupter contact   *(Telecom)* contacto del interruptor de elevación; contacto de reposo del electroimán de elevación.

vertical interval   intervalo vertical || *(Mapas, Curvas de nivel)* equidistancia.

vertical-interval color Genlock [VICG]   *(Tv)* fijador de sincronismo cromático en el intervalo de borrado vertical; enganche de sincronización cromática en el intervalo de supresión de trama. V. **Genlock.**

vertical-interval reference signal [VIR signal]   *(Tv)* señal de referencia de intervalo de supresión vertical. Señal que agregada a la del programa en un *punto de certificación* [point of certification], aprovechando los intervalos de supresión vertical (borrado de trama), sirve de referencia para obtener en otros puntos del sistema los ajustes apropiados de nivel y de fase de las señales de luminancia y de crominancia, y restablecer así las características originales del programa que se transmite.

vertical-interval switching   *(Tv)* conmutación durante el intervalo de supresión [extinción] vertical.

vertical-interval video switcher   *(Tv)* conmutador de distribución de video de transición [interrupción] durante el intervalo de supresión [borrado] vertical.

vertical ionospheric sounding   V. **vertical-incidence ionospheric sounding.**

vertical keel   *(Buques)* sobrequilla central. SIN. **vertical center plate.**

vertical laminar flow   *(Fís)* flujo laminar vertical.

vertical landing   *(Aeron)* aterrizaje vertical.

vertical-lateral recording   *(Fonog)* grabación vertical-lateral. Grabación estereofónica en la que un canal modula el surco lateralmente (como en los discos monofónicos), y el otro lo modula verticalmente (variaciones de profundidad). Este sistema se transformó en el "45/45" (V. **"45/45" system**) rotando en 45 grados ambas direcciones de modulación.

vertical level   nivel de plomada [de albañil]. Nivel constituido por un bastidor en forma de triángulo isósceles con una plomada suspendida del vértice del ángulo recto. El hilo de la plomada pasa por una raya o marca hecha en el punto medio de la base del triángulo, cuando el instrumento descansa sobre una superficie horizontal.

vertical lift   elevación vertical.

vertical-lift bridge   puente levadizo (de ascensión) vertical.

vertical-lift door   puerta levadiza.

vertical line   recta vertical; normal, perpendicular.

vertical linearity   *(Tv)* linealidad vertical. CF. **horizontal linearity.**

vertical linearity adjustment   *(Tv)* ajuste de linealidad vertical.

vertical linearity control   control [mando] de linealidad vertical. Control o mando que permite variar la altura de la imagen en la mitad superior de la pantalla con el fin de corregir la linealidad de la desviación vertical del receptor. Cuando el ajuste está bien hecho, los objetos circulares aparecen en la pantalla en su forma verdadera (suponiendo también correctamente ajustada la linealidad horizontal).

vertical magnet   *(Telecom)* electroimán de elevación.

vertical member   *(Estr)* miembro vertical; montante, paral, pie derecho. SIN. **upright, vertical.**

vertical member of strutted pole   *(Líneas telef/teleg)* pie derecho.

vertical mirror wipe   *(Multiplexores ópticos de telecine)* transición por movimiento vertical del espejo.

vertical motion   movimiento vertical || *(Telecom— Selectores paso a paso)* ascensión.

vertical movement   movimiento vertical || *(Ferroc)* trepidación, movimiento de traslación vertical.

vertical off-normal contacts   *(Telecom)* contactos de un eje en el movimiento vertical.

vertical offset   descentramiento vertical.

vertical oscillator   *(Tv)* oscilador vertical, oscilador de desviación [barrido] vertical. SIN. **oscilador de cuadro [de imagen]** —— **vertical-deflection oscillator, frame oscillator** *(GB)*. CF. **horizontal oscillator.**

vertical output transformer   *(Tv)* transformador de salida vertical [de salida de cuadro]. CF. **horizontal output transformer.**

vertical output tube   *(Tv)* tubo de salida vertical, tubo de salida del barrido vertical, válvula final de cuadro [de imagen]. CF. **horizontal output tube.**

vertical overhead contact system   *(Tracción eléc)* línea catenaria vertical [poligonal]. V. **polygonal overhead contact system.**

vertical passband   *(Osciloscopios)* banda pasante del canal vertical. CF. **vertical channel.**

vertical pattern   *(Ant)* diagrama de radiación vertical.

vertical photograph   *(Aerofotog)* fotograma vertical, fotografía vertical.

vertical plane   plano vertical.

vertical-plane directional pattern   *(Ant)* diagrama de radiación vertical.

vertical-plane directivity   *(Ant)* directividad en el plano vertical.

vertical planer ·   *(Herr)* cepilladora vertical.

vertical plates   *(TRC/Tv)* placas de desviación vertical. SIN. **vertical-deflection electrodes.**

vertical point   *(Aerofotog)* punto nadiral, punto V.

vertical polarization   polarización vertical. En radioelectricidad, polarización de las ondas de modo que las líneas de fuerza eléctrica son verticales, lo que equivale a decir que el plano de polarización eléctrica es vertical y el de polarización magnética es horizontal. Las ondas se emiten con polarización vertical cuando la antena emisora o sus elementos activos tienen posición vertical, y en ese caso la antena receptora o sus elementos activos deben estar asimismo en posición vertical. CF. **horizontal polarization.**

vertical pulling technique   técnica de extracción vertical. Técnica para la obtención de cristales semiconductores, en la que para el cristal cultivado se extrae gradualmente en dirección vertical de una masa derretida en la que se ha colocado un *cristal simiente* o *germen cristalino* [crystal seed]. CF. **crystal pulling.**

vertical pulse   *(Tv)* impulso de sincronización [sincronismo] vertical. SIN. **vertical synchronizing pulse.**

vertical quarter-wave stub   *(Microondas)* sección [línea] vertical en cuarto de onda, adaptador vertical de cuarto de onda | antena vertical de cuarto de onda. Antena con un elemento vertical cuya longitud eléctrica es de un cuarto de onda, y que por lo común trabaja contra un plano de tierra en su base.

vertical radar   radar vertical.

vertical radiation   *(Ant)* radiación vertical.

vertical radiation pattern   *(Ant)* diagrama de radiación vertical.

vertical radiator   *(Ant)* radiador vertical. SIN. **vertical antenna**.

vertical range   alcance vertical.

vertical recording   *(Fonog)* registro [grabación] vertical, registro [grabación] en profundidad, grabación de modulación vertical. Grabación fonográfica en la que la aguja tiene movimientos verticales al seguir las ondulaciones en profundidad de la modulación del surco. V.TB. **hill-and-dale recording**.

vertical redundance   *(Comput)* redundancia vertical. Se llama así a la condición de error que existe cuando un carácter no pasa la prueba de paridad.

vertical relative aperture   *(Aceleradores)* abertura relativa vertical. Razón entre la altura libre mínima para el paso de las partículas en la cámara de aceleración, y el radio orbital de una partícula.

vertical resolution   *(Facsímile, Tv)* resolución [definición] vertical. Número de líneas de exploración útiles que forman una imagen; número de líneas distintas, alternadamente blancas y negras, que pueden ser observadas en la imagen reproducida de una mira o imagen patrón, y que depende básicamente del número de líneas horizontales utilizadas en la exploración. SIN. **vertical definition**. CF. **horizontal resolution**.

vertical retrace   *(Tv)* retorno vertical. Retorno del haz electrónico de exploración al extremo superior del cuadro al final de cada barrido vertical, o sea, al final de cada campo de exploración; parte inactiva del ciclo de exploración vertical. SIN. **vertical flyback**. CF. **horizontal retrace** | trazo de retorno vertical.

vertical retrace suppression circuit   circuito de supresión del trazo de retorno vertical. V. **retrace suppression circuit**.

vertical retrace time   tiempo [intervalo] de retorno vertical.

vertical reversement   *(Avia)* renversement. Maniobra acrobática en la que el avión, efectuando un tonel rápido [snaproll], pasa de una inclinación lateral pronunciada [steep bank] en una dirección, a una inclinación lateral pronunciada en la otra dirección, con lo cual invierte su dirección original de vuelo. SIN. **cartwheel**.

vertical rudder   *(Aviones, Sumergibles)* timón de dirección.

vertical rumble   *(Fonog)* vibraciones verticales parásitas; ruido de baja frecuencia por vibraciones mecánicas en sentido vertical. V.TB. **rumble**.

vertical sand drains   drenes verticales, drenajes verticales de arena. Conjunto de perforaciones verticales a través de un terreno, que se llenan con arena o grava, y que facilitan la evacuación del agua y aceleran su consolidación.

vertical scale   *(Osciloscopios)* escala vertical. CF. **horizontal scale**.

vertical scan   *(Radar, Tv)* barrido [exploración] vertical.

vertical scanning   *(Radar, Tv)* barrido [exploración] vertical.

vertical scanning frequency   *(Tv)* frecuencia de barrido [exploración] vertical. SIN. **field frequency**. CF. **horizontal scanning frequency**.

vertical scanning generator   *(Tv)* generador de barrido [exploración] vertical. SIN. **vertical sweep generator**.

vertical scanning oscillator   *(Tv)* oscilador de barrido [exploración] vertical. SIN. **vertical sweep oscillator**.

vertical-scanning synchronizing pulse   *(Tv)* impulso de sincronismo de exploración vertical. V. **vertical synchronizing pulse**.

vertical schematic diagram   esquema vertical.

vertical section   sección [corte] vertical || *(Ant)* sección vertical.

vertical sensitivity   *(Osciloscopios)* sensibilidad vertical. Sensibilidad de la desviación vertical del haz electrónico. Se indica, por ejemplo, en milivoltios por centímetro.

vertical separation   separación vertical. En aviación, diferencia de altura entre aeronaves en vuelo.

vertical shaft   árbol vertical, eje (de transmisión) vertical; pozo vertical.

vertical shear   *(Mec)* esfuerzo cortante vertical.

vertical shift   *(Geol)* componente vertical del desplazamiento relativo.

vertical signal   *(Fonog)* señal de modulación vertical. (**1**) En la grabación vertical-lateral [vertical-lateral recording], señal correspondiente al canal de modulación vertical. (**2**) En la grabación por el sistema "45/45" (v. **"45/45" system**), señal que se produce cuando un sonido llega a los dos micrófonos simultáneamente y con diferencia de fase de 180°, con lo cual el estilete grabador se mueve verticalmente.

vertical size   *(Tv)* altura (de la imagen), altura del cuadro, amplitud vertical (de la exploración) | v. **vertical size control**.

vertical size control   *(Tv)* (a.c. vertical size) control de altura (de la imagen), control de altura del cuadro, mando de amplitud vertical (de la exploración). SIN. **height control, frame amplitude control** *(GB)*. CF. **horizontal size control**.

vertical sliding door   puerta corrediza verticalmente.

vertical sorter   *(Informática)* clasificadora vertical.

vertical speed   velocidad vertical; componente vertical de la velocidad | régimen ascensional. SIN. **rate of climb**.

vertical speed indicator   indicador de velocidad vertical || *(Avia)* indicador de régimen ascensional.

vertical speed transducer   *(Aviones, Cohetes)* transductor de velocidad vertical.

vertical spindle   eje vertical; husillo vertical.

vertical stabilizer   *(Aeron)* estabilizador [plano fijo] vertical, plano de deriva.

vertical stacking   *(Ant)* apilamiento, escalonamiento vertical (de elementos).

vertical step   *(Telecom — Selectores paso a paso)* paso vertical.

vertical structure   estructura vertical.

vertical structure of the wind   *(Meteor)* estructura vertical del viento.

vertical stylus force   *(Fonog)* fuerza de apoyo, fuerza vertical de la aguja. v. **stylus force**.

vertical suspension   suspensión vertical.

vertical sweep   *(Tv)* barrido vertical, barrido de cuadro [de imagen]. Movimiento hacia abajo del haz electrónico de exploración. CF. **horizontal sweep**.

vertical sweep circuit   circuito de barrido vertical.

vertical sweep generator   generador de barrido vertical. SIN. generador de desviación [exploración] vertical, generador vertical, generador de base de tiempos de cuadro —— **vertical deflection [vertical scanning] generator, vertical time base**.

vertical sweep oscillator   oscilador de barrido vertical. SIN. **vertical deflection [vertical scanning] oscillator, vertical oscillator**.

vertical sweep transformer   transformador de barrido vertical.

vertical sweep voltage   tensión de barrido [desviación, deflexión] vertical.

vertical switchboard   cuadro vertical. Cuadro de conmutación constituido por paneles o tableros verticales.

vertical sync   v. **vertical synchronism, vertical synchronization, vertical synchronizing**.

vertical synchronism   *(Tv)* (a.c. vertical sync) sincronismo vertical [de cuadro].

vertical synchronism serrations   (a.c. vertical sync serrations) serraciones de sincronismo vertical.

vertical synchronization   *(Tv)* (a.c. vertical sync) sincronización vertical [de cuadro].

vertical synchronizing   *(Tv)* (a.c. vertical sync) sincronización vertical [de cuadro].

vertical synchronizing pulse   (a.c. vertical pulse, vertical sync pulse) impulso de sincronismo [sincronización] vertical. La emisora de televisión transmite un tren de seis de estos impulsos al final de cada campo de exploración, para mantener el sincronismo de cuadro entre la emisora y el receptor. SIN. **picture synchronizing pulse, frame synchronizing pulse** *(GB)*.

vertical synchronizing pulse interval   intervalo de impulso de sincronismo vertical.

vertical synchronizing signal   señal de sincronismo [sincronización] vertical.

vertical tabulator   *(Teleimpr)* tabulador vertical. Dispositivo que avanza el formulario de los despachos a cualquier posición predeterminada del mismo, en dirección vertical. cf. **horizontal tabulator** ‖ *(Informática)* tabuladora vertical.

vertical tail   *(Aeron)* (conjunto de) planos verticales de cola.

vertical tail area   *(Aeron)* área de los planos verticales de cola.

vertical tail plane   *(Aeron)* plano vertical de cola, empenaje vertical.

vertical takeoff   *(Avia)* despegue vertical.

vertical takeoff and landing aircraft [VTOL aircraft]   aeronave de despegue y aterrizaje verticales, aeronave "VTOL".

vertical temperature gradient   *(Fís)* gradiente vertical de temperatura.

vertical time base   *(Tv)* base de tiempos de cuadro, base de tiempos de exploración vertical. SIN. **vertical sweep generator.**

vertical tracing angle   *(Fonocaptores estereofónicos)* ángulo de seguimiento vertical.

vertical transcription   *(Fonog)* transcripción vertical. SIN. **vertical [hill-and-dale] recording.**

vertical turn   *(Avia)* viraje en la vertical, viraje a la vertical.

vertical unipole   unipolo vertical.

vertical unipole aerial   antena monopolo vertical.

vertical unipole antenna   antena monopolo vertical.

vertical velocity   velocidad vertical; componente vertical de la velocidad | régimen ascensional. SIN. **rate of climb.**

vertical-velocity curve   *(Hidr)* curva de velocidades en la vertical.

vertical viewfinder   *(Aerofotog)* buscador vertical.

vertical visibility   *(Aeron)* visibilidad vertical.

vertical wind shear   *(Meteor)* cortante vertical del viento, gradiente anemométrico vertical.

vertical wind tunnel   túnel aerodinámico vertical.

verticality   verticalidad; perpendicularidad.

verticality error   error de verticalidad.

vertically   *adv:* verticalmente; perpendicularmente, normalmente.

vertically directive antenna   antena directiva en el plano vertical.

vertically polarized   *adj:* de polarización vertical. v. **vertical polarization.**

vertically polarized antenna   antena de polarización vertical.

vertically polarized ground wave   onda de tierra de polarización vertical.

vertically polarized transmission   emisión de polarización vertical.

vertically polarized wave   onda de polarización vertical. Onda de polarización eléctrica lineal en un plano normal a la superficie de la tierra; onda de polarización lineal cuyo campo magnético está caracterizado por un vector horizontal. v.TB. **vertical polarization.**

very-high-energy radiation   radiación de muy alta energía, radiación superenergética.

very high frequency [VHF]   *(Radiocom)* frecuencia muy alta [muy elevada], muy alta frecuencia. Frecuencia comprendida en la gama de 30 a 300 MHz (ondas métricas). La abreviatura *VHF* es de uso internacional. cf. **nomenclature of frequency and wavelength bands.** Véanse los artículos que comienzan con *VHF*.

very high sea   *(Meteor)* mar muy gruesa.

very high tension   *(Elec)* muy alta tensión.

"Very" light   *(Naveg)* bengala luminosa "Very".

very long radio link   radioenlace [enlace hertziano] de muy largo alcance.

very long range   muy largo alcance.

very-long-range radar   radar de muy largo alcance. Radar cuyo alcance en línea recta, para un objeto que presente una superficie de un metro cuadrado perpendicular al eje del haz radioeléctrico, es superior a 800 millas (1 287 km).

very-long-range search aircraft   aeronave de búsqueda de radio

de acción muy grande.

very low frequency [VLF]   *(Radiocom)* frecuencia muy baja, muy baja frecuencia. Frecuencia comprendida en la gama de 3 a 30 kHz (ondas miriamétricas). La abreviatura *VLF* es de uso internacional. cf. **nomenclature of frequency and wavelength bands.**

"Very" pistol   *(Naveg)* pistola "Very". cf. **"Very" light.**

very rough sea   *(Meteor)* mar muy picada.

very short range   muy corto alcance; zona de acción inmediata.

very-short-range radar   radar de muy corto alcance. Radar cuyo alcance máximo en línea recta, para un objeto que presente una superficie de un metro cuadrado perpendicular al eje del haz radioeléctrico, es inferior a 50 millas (aproximadamente 80 km).

very short wave   onda muy corta.

very-short-wave radio beacon   radiofaro de ondas muy cortas.

vesicant   *(i.e. blistering agent)* vesicante. Agente que produce ampollas o vejigas en la piel ‖ *adj:* vesicante.

vesicant gas   gas vesicante.

vesicate   *verbo:* vesicar, ampollar, avejigar, producir ampollas o vejigas en la piel.

vesication   vesicación, formación de ampollas o vejigas en la piel.

vesicatory   *sust/adj:* vejigatorio. Lo mismo que *vesicant.*

vesicle   *(Anat, Geol)* vesícula.

vesicular   *adj: (Anat, Geol)* vesicular.

vessel   vaso, recipiente, vasija ‖ *(Anat)* vaso ‖ *(Marina)* barco, buque, embarcación, vajel.

vestibule   *(Anat)* vestíbulo (del oído) ‖ *(Edif)* vestíbulo, portal, zaguán ‖ *(Ferroc)* vestíbulo.

vestige   vestigio, huella, señal, traza, indicio; reliquia ‖ *(Biol)* vestigio, rudimento, parte rudimentaria.

vestigial   *adj:* vestigial, residual, relativo a un vestigio o residuo ‖ *(Biol)* vestigial, rudimentario, atrofiado, degenerado.

vestigial band   *(Telecom)* banda residual.

vestigial sideband   *(Telecom)* banda lateral residual. (**1**) En las transmisiones de modulación de amplitud y de una sola banda lateral (v. **single-sideband modulation**), residuo transmitido de la banda lateral suprimida. (**2**) Banda lateral que solamente contiene las componentes correspondientes a las frecuencias bajas de la señal moduladora [modulating signal]. (**3**) Banda lateral en la que una parte de las componentes espectrales [spectral components], en general las correspondientes a las más altas frecuencias de la señal moduladora, han sido fuertemente atenuadas (CEI/70 55-05-425, CEI/70 60-06-070).

vestigial-sideband amplitude modulation   modulación de amplitud con banda lateral residual [con bandas laterales asimétricas].

vestigial-sideband filter [VSBF]   filtro supresor [atenuador] de banda lateral, filtro de banda lateral (residual), filtro de bandas laterales asimétricas. Filtro que tiene por objeto suprimir o atenuar fuertemente una de las bandas laterales de una emisión; la banda lateral residual es lo que queda de la banda lateral suprimida o atenuada.

vestigial-sideband modulation   modulación con banda lateral residual [con bandas laterales asimétricas]. A VECES: modulación asimétrica.

vestigial-sideband transmission   transmisión de [con] banda lateral residual. Modo de transmisión en el que una de las bandas laterales es modificada y la otra se reduce a un residuo, mediante filtraje. La conformación del espectro de frecuencias puede efectuarse en la transmisión o en la recepción, o a la vez en uno y otro extremo del enlace | transmisión de banda lateral residual. Método de utilización de una vía según el cual se transmite una de las bandas laterales y la banda residual complementaria [complementary vestigial sideband] (CEI/70 55-15-025) | emisión con banda lateral residual. Emisión modulada en amplitud de dos bandas laterales, una completa y la otra residual (CEI/70 60-06-075).

vestigial-sideband transmitter   transmisor [emisor] de banda lateral residual.

veterinary   *sust/adj:* veterinario.

veterinary medicine   medicina veterinaria.

veterinary science   veterinaria, albeitería.

veterinary surgeon   veterinario, albéitar.

VF   Abrev. de video frequency; visual frequency; voice frequency; viewfinder; visual field.

VF receiver   *(Telecom)* v. **voice-frequency receiver.**

VFB   Abrev. de voltage feedback.

VFCT   *(Telecom)* Abrev. de voice-frequency carrier telegraph(y).

VFO   Abrev. de variable-frequency oscillator.

VFO transmitter   *(Radiocom)* transmisor [emisor] con oscilador de frecuencia variable.

VFR   *(Aeron)* Abrev. de visual flight rules [reglas de vuelo visual]. La abreviatura *VFR* es de uso internacional.

VFR aircraft   aeronave sujeta a las reglas de vuelo visual.

VFR airport   aeropuerto sujeto a las reglas de vuelo visual.

VFR conditions   condiciones VFR. Condiciones meteorológicas lo suficientemente buenas para el vuelo sujeto a las reglas de vuelo visual.

VFR flight   vuelo VFR. Vuelo que se realiza conforme a las reglas de vuelo visual.

VFR flying conditions   condiciones de vuelo VFR.

VFR landing   aterrizaje VFR. Aterrizaje que se efectúa conforme a las reglas de vuelo visual.

VFR takeoff   despegue VFR.

VFR traffic   tráfico VFR. Aviones o aeronaves volando únicamente de conformidad con las reglas de vuelo visual.

VFR weather conditions   condiciones meteorológicas VFR. v. **VFR conditions.**

VFT   *(Telecom)* Abrev. de voice-frequency telegraph(y).

VFT reserve circuit   circuito de reserva (para telegrafía armónica). v. **fallback circuit.**

VFT system   v. **voice-frequency telegraph system.**

VFTG   *(Telecom)* Abrev. de voice-frequency telegraph(y).

VFY   *(Explotación teleg)* Abrev. de verify [verificar, comprobar; verifique, compruebe, sírvase verificar o comprobar].

VHF   Abrev. de very high frequency. En español se usa la abreviatura MAF [muy alta frecuencia], pero mucho más común es la abreviatura internacional *VHF.*

VHF aerial   antena de VHF.

VHF antenna   antena de VHF.

VHF band   banda de VHF [de frecuencias muy altas, de ondas métricas], banda 8.

VHF broadcasting   radiodifusión por VHF [por ondas métricas].

VHF channel   canal de VHF.

VHF channel tuner   sintonizador para canales de VHF.

VHF communicator   puesto de comunicación por VHF.

VHF coverage   cobertura [alcance] por muy altas frecuencias [por ondas métricas].

VHF DF   Abrev. de VHF direction finder; VHF direction finding.

VHF DF set   Abrev. de VHF direction-finding set.

VHF direction finder   radiogoniómetro de VHF [de ondas métricas].

VHF direction-finding set   radiogoniómetro de VHF [de ondas métricas].

VHF directional range   *(Radionaveg)* radiofaro direccional de VHF.

VHF FM broadcasting   radiodifusión de modulación de frecuencia por VHF.

VHF four-course VAR   Abrev. de VHF four-course visual-aural (radio) range.

VHF four-course visual-aural (radio) range   *(Radionaveg)* radiofaro direccional audiovisual de VHF de cuatro ejes, radiofaro tetradireccional audiovisual de VHF.

VHF ground station   *(Radionaveg)* estación terrestre de VHF [de ondas métricas].

VHF ground-station antenna   antena para estación terrestre de VHF.

VHF homing adapter   *(Radionaveg)* adaptador de recalada de VHF.

VHF link   *(Radiocom)* enlace de VHF, (radio)enlace por ondas métricas.

VHF multicarrier radiotelephone system   sistema radiotelefónico multiportadora de VHF.

VHF omnidirectional beacon [VOR]   radiofaro omnidireccional de VHF. v.tb. **VHF omnirange.**

VHF omnidirectional radio range [VOR]   radiofaro omnidireccional de VHF. v.tb. **VHF omnirange.**

VHF omnidirectional range [VOR]   radiofaro omnidireccional de VHF. v.tb. **VHF omnirange.**

VHF omnirange [VOR]   *(Radionaveg)* radiofaro omnidireccional de VHF [de onda métrica], radiofaro omnidireccional de MAF [muy alta frecuencia], radiofaro omnidireccional de FME [frecuencia muy elevada]. Radiofaro utilizado en navegación aérea y que funciona en la banda de 112 a 118 MHz. Emite en todas las direcciones del plano horizontal una onda con dos modulaciones, una de referencia y la otra que varía en función de la rotación. El equipo receptor que lleva la aeronave interpreta la combinación de las dos modulaciones en función de la marcación [bearing] respecto al emplazamiento del radiofaro. SIN. omni, **VHF omnidirectional beacon, VHF omnidirectional (radio) range, VHF omnirange system.**

VHF omnirange system [VOR]   (sistema de) radiofaro omnidireccional de VHF. v.tb. **VHF omnirange.**

VHF point-contact transistor   transistor de contacto puntual para muy altas frecuencias.

VHF radar   radar de VHF, radar métrico [de onda métrica], radar de frecuencia muy alta.

VHF radio beacon   *(Radionaveg)* radiofaro de VHF.

VHF radio circuit   enlace radioeléctrico de onda métrica.

VHF radio direction-finding station   estación radiogoniométrica de VHF [de ondas métricas].

VHF radio link   enlace hertziano por ondas métricas.

VHF radio-relay circuit   radioenlace métrico, circuito radioeléctrico por ondas métricas.

VHF radio wave   onda radioeléctrica de muy alta frecuencia, onda (de radio) métrica.

VHF radiotelephone   radioteléfono de VHF.

VHF radiotelephone equipment   equipo radiotelefónico de VHF, aparato de radiotelefonía por ondas métricas.

VHF radiotelephone taxiing instructions   *(Aeropuertos)* instrucciones de rodaje por fonía en VHF.

VHF radiotelephony   radiotelefonía por VHF [por muy altas frecuencias].

VHF receiver   receptor de VHF [de ondas métricas].

VHF relay equipment   equipo de (radio)enlace por VHF, equipo de enlace hertziano [radioeléctrico] por ondas métricas.

VHF RT   Abrev. de VHF radiotelephone; VHF radiotelephony.

VHF transmitter   transmisor de VHF, emisor de ondas métricas.

VHF tube   *(Elecn)* tubo para muy altas frecuencias, tubo para VHF.

VHF two-course radio beacon   *(Radionaveg)* radiofaro direccional de VHF de dos ejes [de dos haces], radiofaro bidireccional de VHF.

VHF/UHF direction finder   radiogoniómetro de VHF/UHF, radiogoniómetro de ondas métricas y decimétricas.

VHF/UHF tube   *(Elecn)* tubo para VHF y UHF, tubo para muy altas y ultraaltas frecuencias.

via   vía ⫽ *adj: (Telecom)* de tránsito, de escala ⫽ *prep:* por, vía, por (la) vía de; por medio de.

via administration   *(Telecom)* administración de tránsito. SIN. transit administration.

via airmail   por correo aéreo.

via boat mail   por correo marítimo.

via center   *(Telef)* centro de tránsito.

via circuit *(Telecom)* circuito de tránsito.

via condition *(Telef)* condición de tránsito. Se dice que una línea de enlace está *en condición de tránsito* cuando está en tándem con otras líneas de enlace para establecer una comunicación de larga distancia por conmutación.

via net loss [VNL] *(Telef)* equivalente de un enlace de tránsito, equivalente de una línea de enlace en condición de tránsito, equivalente de una línea de enlace intermedia.

via office *(Telecom)* estación de tránsito.

via traffic *(Telecom)* tráfico de escala. SIN. **through traffic**.

viability viabilidad.

viable *adj:* viable.

viaduct viaducto. Puente de varios tramos, sobre pilas o pilares, con el cual se cruza un valle, una hondonada, un terreno pantanoso, etc.

viaduct pier *(i.e.* pier of a viaduct) pila de viaducto. Pila de las que sirven de apoyo a los tramos de un viaducto.

viagram viagrama. Diagrama obtenido con la ayuda de un viágrafo [viagraph].

viagraph viágrafo. Aparato sobre ruedas que sirve para determinar la aspereza relativa de las superficies pavimentadas. SIN. **vialog, roughmeter**.

vial *(Lab)* frasco, pomo, frasquito, botellita; redoma, limeta, botella, frasco; ampolleta, fiala, ampolla. SIN. **phial** ‖ *(Niveles)* tubo.

vialog viágrafo. v. **viagraph**.

viameter *(Topog)* viámetro, odómetro, rueda de medir. Aparato que consiste en una rueda con un mango largo, y que sirve para medir distancias sobre un camino o un trayecto cualquiera. La rueda se hace rodar sobre el trayecto que se desea medir, y un contador de vueltas convenientemente calibrado permite leer directamente la distancia recorrida. Si, por ejemplo, la rueda tiene una circunferencia de un metro, cada vuelta registrada por el contador corresponde a un metro de camino recorrido. SIN. **odometer, perambulator**.

viand vianda; (artículo) comestible ‖ **viands**: provisiones, alimentos, víveres, comida, vitualla(s).

viatic, viatical *adj:* de viaje, de viático.

viaticum viático. Provisiones para un viaje.

vibe Forma contracta de *vibraphone*.

vibes *(Mús)* vibráfono. SIN. **vibraphone**.

vibraharp *(Mús)* vibráfono. SIN. **vibraphone**.

vibraphone *(Mús)* vibráfono. Instrumento de percusión parecido a la marimba, pero provisto de un motor actuante continuamente sobre unos resonadores que sostienen el tono y producen un efecto de vibrato. SIN. **vibes, vibraharp**.

vibrate *verbo:* vibrar; oscilar; trepidar.

vibrating *adj:* vibrante, vibratorio, vibrátil; oscilante, oscilatorio; trepidante.

vibrating-armature buzzer *(Elec, Telecom)* zumbador de armadura vibrátil.

vibrating bell timbre, campanilla de vibrador. Campanilla con un mecanismo accionado eléctricamente que la golpea continuamente mientras esté aplicada la corriente. SIN. **trembler bell**.

vibrating breaker *(Elec)* interruptor de lámina vibrante.

vibrating capacitor condensador [capacitor] vibrante, condensador vibratorio [de lámina vibrante] ‖ condensador vibrante. Condensador cuya capacidad varía periódicamente de manera de producir una fuerza electromotriz alterna proporcional a la carga del electrodo aislado. Este dispositivo se utiliza en un tipo de electrómetro (CEI/68 66–15–255). SIN. **vibrating condenser**. CF. **vibrating-reed electrometer**.

vibrating-capacitor electrometer electrómetro de condensador vibrante, electrómetro de vibración. v. **vibration-reed electrometer**.

vibrating coil bobina vibrátil ‖ *(Altavoces)* bobina móvil. SIN. **voice coil** ‖ CF. **moving coil**.

vibrating condenser condensador vibrante [vibratorio]. v. **vibrating capacitor**.

vibrating contact *(Elec)* contacto vibrante.

vibrating contactor *(Elec)* contactor vibrante; vibrador-contactor.

vibrating converter *(Elec)* v. **vibrator-type converter**.

vibrating conveyor transportador de plano vibratorio, cinta transportadora vibrante.

vibrating diaphragm diafragma vibratorio.

vibrating feeder v. **vibratory feeder**.

vibrating member *(Acús, &)* miembro vibrante [vibrátil, vibratorio].

vibrating reed lengüeta [lámina] vibrante, lengüeta [lámina] vibrátil.

vibrating-reed electrometer electrómetro de lengüeta [lámina] vibrante ‖ electrómetro de vibración. Aparato de medida de consumo despreciable y que sirve para medir una tensión unidireccional [unidirectional voltage] transformándola, por medio de un condensador vibrante [vibrating capacitor], en una tensión alterna que es posteriormente amplificada (CEI/58 20–15–120).

vibrating-reed frequency meter frecuencímetro de lengüetas [de láminas vibrantes]. Frecuencímetro para frecuencias industriales que comprende una hilera de lengüetas de acero, cada una de las cuales tiene una frecuencia natural de oscilación diferente, y todas las cuales son excitadas por un electroimán alimentado por la corriente alterna cuya frecuencia se quiere determinar. La lengüeta cuya frecuencia natural coincide con la frecuencia de la corriente, o se aproxima más a ella, entra en vibración, y produce la correspondiente indicación en la escala del aparato. SIN. **vibrating-reed instrument [meter], reed frequency meter**.

vibrating-reed galvanometer galvanómetro de láminas vibrantes.

vibrating-reed instrument *(Elec)* instrumento (de medida) de lengüetas [de láminas vibrantes] ‖ v. **vibrating-reed electrometer, vibrating-reed frequency meter, vibrating-reed galvanometer, vibrating-reed magnetometer**.

vibrating-reed magnetometer magnetómetro de lengüetas [de láminas vibrantes]. Instrumento destinado a medir campos magnéticos y cuyo principio de funcionamiento tiene por base el efecto que el campo observado ejerce sobre las vibraciones de un grupo de lengüetas excitadas por un campo magnético alterno.

vibrating-reed meter instrumento de medida de lengüetas [de láminas vibrantes] ‖ v. **vibrating-reed electrometer, vibrating-reed frequency meter, vibrating-reed galvanometer, vibrating-reed magnetometer**.

vibrating-reed rectifier *(Elec)* rectificador de lámina vibrante. Dispositivo para la rectificación de corriente constituido por un contacto montado en una lámina o lengüeta de material magnético puesta en vibración por el campo alterno de una bobina excitada por la corriente que se desea rectificar, y que pasa alternativamente de uno a otro de dos contactos fijos, en sincronismo con la corriente. El circuito está dispuesto de manera que cada vez que la corriente alterna cambia de sentido, los contactos invierten las conexiones de la carga, con el resultado de que la corriente circula por ésta siempre en el mismo sentido (corriente rectificada). CF. **vibrator-type inverter**.

vibrating-reed relay relé de lámina vibrante. Relé electromagnético cuya armadura, en forma de lámina o lengüeta, se mantiene en vibración cuando el dispositivo es excitado por una corriente alterna o por una corriente continua periódicamente interrumpida mediante una disposición apropiada de contactos. Viene a ser lo mismo que el llamado *zumbador* o *chicharra* [buzzer]. CF. **vibrating relay**.

vibrating relay *(Telecom)* relé de resonancia ‖ *(Teleg)* relé vibrador. Relé provisto de un devanado especial que mantiene, en ausencia del gobierno normal y gracias a una disposición apropiada, una oscilación regular de la armadura entre sus topes (CEI/38 55–15–165). V.TB. **telegraph vibrating relay** ‖ CF.

vibrating-reed relay.

vibrating-sample magnetometer   magnetómetro de muestra vibrante. Instrumento que sirve para determinar las propiedades magnéticas de un material. La muestra se pone en vibración en un campo magnético y se miden las tensiones inducidas en unas bobinas exploradoras convenientemente dispuestas cerca de la muestra.

vibrating screen   criba [zaranda] vibratoria, criba de sacudidas, cedazo vibrante, reja sacudidora. SIN. **vibratory sieve.**

vibrating sifter   cernedor [cernidor] vibrante.

vibrating system   sistema vibrante.

vibrating tuning fork   diapasón en vibración.

vibrating-wire strain gage   deformímetro de hilo vibrante; extensímetro de hilo vibrante.

vibrating-wire transducer   transductor de hilo vibrante.

vibration   vibración; oscilación. v. **oscillation** | vibración, trepidación, sacudimiento /// *adj:* vibracional, de vibraciones; vibratorio; antivibratorio.

vibration absorber   amortiguador de vibraciones.

vibration-absorbing   *adj:* amortiguador [absorbente] de vibraciones.

vibration-absorbing material   material absorbente de vibraciones. Material elástico que, interpuesto entre dos piezas, sirve para atenuar la transmisión de vibraciones que ocurriría si estuvieran en contacto directo o si mediara entre ellas un material o una pieza rígidos.

vibration amplifier   amplificador de vibraciones.

vibration analyzer   analizador de vibraciones.

vibration-attenuating support   soporte atenuador [amortiguador] de vibraciones, apoyo antivibratorio.

vibration attenuation   atenuación [amortiguación] de vibraciones.

vibration calibrator   calibrador de vibraciones. Dispositivo destinado a medir la amplitud de las vibraciones mecánicas, sean sinusoidales o de otra forma de onda, así como a calibrar acelerómetros y vibrocaptores (detectores o captores de vibraciones). Puede dar indicaciones directas de amplitud (desplazamientos vibratorios) mediante un instrumento calibrado en milímetros o en milésimas de pulgada, y también suministrar el equivalente eléctrico de la vibración, para estudiar su forma de onda mediante un osciloscopio. Se utiliza este dispositivo en talleres de mecánica automotriz, fábricas, laboratorios de ensayos e investigaciones, etc.

vibration control   supresión [eliminación] de (las) vibraciones, reducción de (las) vibraciones.

vibration dampener   v. **vibration damper.**

vibration damper   amortiguador de vibraciones.

vibration diagnosis   *(Máq, Estr)* diagnóstico [análisis] de vibraciones.

vibration fatigue   *(Mec, Materiales)* fatiga por vibración.

vibration frequency meter   frecuencímetro de lengüetas. v. **vibrating-reed frequency meter.**

vibration galvanometer   *(Elec)* galvanómetro de vibración [de resonancia]. Galvanómetro en el cual se regula el período de oscilación propia del órgano móvil, de manera que dicho período sea igual al de la corriente que se trata de medir o revelar (CEI/38 20–15–060, CEI/58 20–15–065).

vibration generator   generador de vibraciones. Dispositivo que suministra fuerzas vibratorias mediante las cuales pueden simularse condiciones de vibración particulares para estudiar sus efectos sobre dispositivos, materiales y estructuras.

vibration indicator   indicador de vibración.

vibration isolation   amortiguamiento de vibraciones; aislamiento antivibratorio.

vibration isolator   amortiguador [aislador] de vibración [de vibraciones].

vibration-measuring system   sistema de medición de vibraciones, equipo de medida de vibraciones.

vibration meter   vibrómetro, medidor de vibración [de vibraciones]. Aparato que sirve para medir las vibraciones de máquinas y estructuras. Aparato que permite medir el desplazamiento, la velocidad, o la aceleración de un cuerpo vibrante. En una de sus versiones consiste en un vibrocaptor piezoeléctrico [piezoelectric vibration pickup] cuya salida eléctrica excita un amplificador que a su vez alimenta un instrumento indicador convenientemente calibrado. Si, en vez de este último, se utiliza un dispositivo de registro gráfico, el mismo aparato se llama también *vibrógrafo* | vibrómetro. Aparato que permite medir el desplazamiento, la velocidad o la aceleración vibratorios de un cuerpo (CEI/60 08–30–070).

vibration mode   modo de vibración. CF. **oscillation mode.**

vibration mount   montaje antivibratorio, montaje contra las vibraciones.

vibration muffing   amortiguación de vibraciones.

vibration-muffing mounting   montaje antivibratorio.

vibration pad   *(Máq/Mot)* calzo antivibratorio.

vibration phenomenon   fenómeno vibracional.

vibration pickup   vibrocaptor, captor [captador] de vibraciones, transductor [detector] de vibraciones. Dispositivo electromagnético, piezoeléctrico, o de otra clase, que traduce vibraciones mecánicas en señales eléctricas correspondientes (ondulaciones de una tensión o una corriente).

vibration-pickup amplifier   amplificador de vibrocaptor, amplificador para captador de vibraciones.

vibration pickup system   sistema vibrocaptor, sistema captador de vibraciones.

vibration quantity   magnitud vibratoria. Magnitud relacionada con un cuerpo vibrante: desplazamiento, velocidad, aceleración.

vibration recorder   vibrógrafo, (aparato) registrador de vibraciones. CF. **vibration meter.**

vibration recording apparatus   vibrógrafo, aparato registrador de vibraciones. SIN. **vibration recorder.**

vibration-resistant   *adj:* resistente a las vibraciones.

vibration sensitivity   sensibilidad a la vibración. De un aparato o instrumento, variación de su señal de salida por efecto de las vibraciones mecánicas.

vibration-service incandescent lamp   lámpara incandescente reforzada. v. **rough-service lamp.**

vibration shake   sacudida vibratoria.

vibration shaker   generador de vibraciones para ensayos de sacudidas vibratorias [para ensayo de trepidación]. CF. **vibration generator.**

vibration survey   estudio vibracional || *(Transductores)* determinación del período de oscilación propia. Se lleva a cabo observando la onda de salida en un osciloscopio mientras se golpea o sacude el transductor de modo que el mismo comience a oscilar.

vibration table   *(Ensayos)* mesa sacudidora [trepidadora]. SIN. **vibrator table.**

vibration test   prueba de vibración, ensayo de vibración [de vibraciones].

vibration tester   aparato para ensayos de vibración.

vibration tolerability   tolerabilidad de vibración, tolerancia a la vibración.

vibration tolerance   tolerancia de vibración; tolerancia a la vibración.

vibrational   *adj:* vibracional, vibratorio, de vibración.

vibrational amplitude   amplitud vibracional [de vibración].

vibrational behavior   comportamiento vibratorio; comportamiento en presencia de vibración.

vibrational energy   energía vibracional [de vibración].

vibrational energy level   nivel de energía de vibración.

vibrational partition function   *(Fís)* función de partición de vibración. Parte de la función de partición de las moléculas atribuible a su energía de vibración.

vibrational resonance   resonancia vibratoria, vibración resonante. En las cajas acústicas de altavoz, resonancia indeseable causada por vibración de una pared o un panel o tablero.

vibrational spectrum   espectro de vibración.

vibrational stress   esfuerzo vibracional.

vibrational sum rule (for electronic transitions)   *(Moléculas diatómicas)* regla de la suma vibracional (para transiciones electrónicas).

vibrato   *(Mús)* vibrato. (1) Fluctuación rápida y regular de la altura y/o la intensidad del sonido. Suele confundirse con el *trémolo* (v. **tremolo**), que es una fluctuación de *intensidad* solamente; por ejemplo, el llamado *registro tremulante* del órgano da realmente un vibrato y no un trémolo. (2) v. **musical tone**.

vibraton, vibratron   *(Elecn)* vibratón, vibratrón. Tipo particular de resonador de cavidad | v. **vibrotron**.

vibrator   vibrador. Dispositivo electromagnético, especie de relé, que trabaja en forma parecida a la de un zumbador o chicharra [buzzer] y que sirve para transformar una corriente continua en otra pulsatoria o con inversiones periódicas, la que, aplicada al primario de un transformador, permite tomar del secundario una corriente alterna. En su aplicación típica consiste esencialmente en un electroimán y una armadura vibrante provista de contactos que a cada vibración invierten el sentido de la corriente continua circulante por el primario de un transformador, de modo que el secundario de éste suministra una corriente alterna. El transformador es generalmente del tipo elevador de tensión, y tiene su secundario acoplado a un rectificador. Así se obtiene al final una tensión continua elevada (utilizable p.ej. para la alimentación de ánodos de un aparato electrónico) a partir de una tensión continua baja, suministrada por una pila o un acumulador | vibrador. Dispositivo mecánico que emplea un elemento vibrante [vibrating element] para la producción de una corriente alterna por interrupciones o inversiones periódicas de una corriente procedente de una fuente de corriente continua (CEI/70 55–120–015) | oscilador; interruptor periódico. CF. **chopper, inverter, vibrating-reed relay** || *(Bobinas de inducción)* temblador || *(Imprentas)* cilindro oscilante || *(Medicina)* vibrador. Aparato con el cual se transmiten vibraciones al cuerpo. CF. **vibromassage machine**.

vibrator coil   *(Sist de encendido de motor)* bobina vibratoria, bobina con temblador.

vibrator converter   v. **vibrator-type converter**.

vibrator conveyor   v. **vibrating conveyor**.

vibrator hash   soplido [ruido] de vibrador. Ruido eléctrico característico causado por funcionamiento defectuoso del vibrador en las fuentes de alimentación que lo llevan, y que se utilizan p.ej. en los receptores de automóvil. SIN. **hash, vibrator hash interference**.

vibrator hash interference   v. **vibrator hash**.

vibrator power pack   bloque de alimentación [de potencia] con vibrador. v. **vibrator power supply**.

vibrator power supply   fuente de alimentación con vibrador. Fuente de alimentación que utiliza un vibrador para transformar una corriente continua de bajo voltaje, en una de alto voltaje. V.TB. **vibrator**.

vibrator table   mesa vibrante, mesa sacudidora [trepidadora]. SIN. **shaking table, vibration table**.

vibrator transformer   *(Elec)* transformador de vibrador.

vibrator tube   tubo de vibrador.

vibrator-type converter   *(Elec)* convertidor (de potencia) tipo vibrador. Convertidor de corriente en el que se utiliza un vibrador.

vibrator-type inverter   *(Elec)* inversor (de potencia) tipo vibrador. Inversor de corriente en el que se utiliza un vibrador.

vibratory   *adj:* vibratorio, vibrante, vibrátil. Relativo o perteneciente a la vibración; que vibra o es capaz de vibrar.

vibratory acceleration   aceleración vibratoria, aceleración de un cuerpo vibrante.

vibratory displacement   desplazamiento vibratorio, desplazamiento de un cuerpo vibrante.

vibratory feeder   alimentador vibratorio [vibrante]. En la industria de fabricación electrónica, mecanismo o dispositivo transpor-

tador que suministra, automáticamente y con regularidad, pequeños componentes (resistores, capacitores, remaches, etc.) a una máquina o un tren de ensamblado o construcción. Los componentes se desplazan por una plataforma inclinada vibrante, de modo que los mismos vibran individualmente, sin que uno de ellos tenga que empujar a los que le preceden.

vibratory force   fuerza vibratoria.

vibratory gyroscope   giróscopo vibratorio, giroscopio de vibración. Giróscopo o giroscopio en el que se utiliza, en lugar de un volante, un diapasón o una varilla vibrátil.

vibratory hopper   tolva vibratoria.

vibratory-hopper feeder   alimentador de tolva vibratoria.

vibratory mode   modo de vibración.

vibratory sieve   criba [cedazo, tamiz] vibrante. SIN. **vibrating screen**.

vibratory velocity   velocidad vibratoria, velocidad de un cuerpo vibrante.

vibratron   v. **vibraton**.

vibrocardiograph   *(Medicina)* vibrocardiógrafo. Aparato que registra gráficamente la aceleración de la pared del tórax durante el ciclo cardiaco.

vibrocardiography   *(Medicina)* vibrocardiografía. Empleo del vibrocardiógrafo e interpretación de las gráficas con él obtenidas.

vibrogram   vibrograma. Diagrama obtenido con el vibrógrafo [vibrograph].

vibrograph   vibrógrafo, aparato registrador de vibraciones | vibrógrafo. Aparato que inscribe sobre un diagrama curvas que permiten observar la forma, la amplitud, y la frecuencia de las vibraciones de un cuerpo (CEI/58 20–20–055). SIN. **vibration recorder, vibration recording apparatus**. CF. **vibration meter**.

vibromassage   *(Medicina)* vibromasaje, masaje vibratorio.

vibromassage machine   máquina eléctrica de masaje. Aparato movido eléctricamente que sirve para dar masaje (CEI/58 35–20–030).

vibrometer   vibrómetro. v. **vibration meter** || *(Medicina)* vibrómetro. Aparato empleado para el tratamiento de ciertos tipos de sordera.

vibromotive   *adj:* vibromotor, vibromotriz.

vibroscope   vibroscopio. Aparato de física que utilizó Lissajous en el estudio del movimiento armónico [harmonic motion] y que consiste esencialmente en diapasones vibrando en ángulos rectos entre sí.

vibrotherapeutics   *(Medicina)* vibroterapia, vibroterapéutica. Empleo terapéutico de las vibraciones. CF. **vibrator**.

vibrotron   *(Elecn)* vibrotrón, triodo de ánodo móvil. Tubo electrónico triodo cuyo ánodo puede moverse o ponerse en vibración desde el exterior. Los movimientos del ánodo lo acercan y alejan alternativamente de la rejilla y el cátodo, produciendo variaciones correspondientes en la corriente de ánodo.

viburnic acid   ácido vibúrnico.

viburnin   viburnina, extracto del viburno.

Viburnum   viburno, mundillo. Género de arbustos.

vicarious   *adj:* vicario, delegado; indirecto; experimentado o sufrido por otro || *(Fisiología)* vicario, substitutivo || *(Nucl)* substitutivo.

vicarious element   *(Nucl)* elemento substitutivo [de substitución].

VICG   *(Tv)* Abrev. de vertical interval color Genlock.

vicinage   vecindad.

vicinal   *adj:* vecinal, vecino; adyacente || *(Quím)* vecino, vicinal, inmediato.

vicinity   vecindad, cercanía, proximidad, entorno, contornos, alrededores, inmediaciones.

victual   vitualla, alimento | **victuals:** vituallas, alimentos, víveres ||| *verbo:* avituallar(se), abastecer(se).

victualer, victualler   abastecedor, proveedor; hostelero || *(Milicia)* comisario.

vid.   Abrev. de vide.

vide   *verbo:* ver. Se usa para remitir al lector a otra parte; por ejemplo, *vide page 16*=véase la página 16.

video video. Palabra de origen latino que significa "veo", y que se usa con varios significados: (**1**) Parte visual de una emisión o un programa de televisión, en oposición a *audio* (parte auditiva de la emisión o el programa). (**2**) Señales de imagen, en contraste con las del sonido en un aparato o sistema de televisión. (**3**) Señales de un receptor de televisión aplicadas al cinescopio o tubo de imagen. (**4**) Señales de un receptor de radar aplicadas al tubo de rayos catódicos | televisión, difusión de imágenes. Usase en oposición a la difusión de sonidos (emisión radiofónica) /// *adj:* de video; de visión, de imagen; de videofrecuencia. (**1**) Relativo o perteneciente a la televisión, en particular la emisión de imágenes. (**2**) Relativo a las señales de imagen, y a los dispositivos y circuitos en que intervienen las mismas. (**3**) Relativo a la anchura de banda y la posición en el espectro de las señales resultantes de la exploración televisiva de imágenes o la exploración radárica; en el uso corriente se entiende que el espectro de esas señales se extiende desde la frecuencia cero hasta cinco, diez, o más megahertzios. NOTA: También se usa *video* como prefijo unido a la palabra que modifica.

video amplification videoamplificación, amplificación de video.

video amplifier videoamplificador, amplificador de video [de videofrecuencia]; amplificador de imagen. CF. **head amplifier**.

video attenuator atenuador de video.

video-audio (signal) attenuator atenuador (de señales) de audio y video.

video band banda de video [de videofrecuencias]; banda de frecuencias de imagen.

video bandwidth ancho de banda de video, anchura de banda de videofrecuencias.

video cable cable de video.

video carrier portadora de video [de imagen]. Portadora que se modula con las señales de imagen, de sincronismo, y de borrado. SIN. **picture carrier**.

video channel canal de video(frecuencia), videocanal; canal de imagen [de visión].

video chrominance component v. **chrominance component**.

video circuit circuito de video(frecuencia).

video connection enlace de video.

video control control de video.

video converter convertidor de video. Dispositivo constituido por un tubo tomavistas de televisión acoplado ópticamente a un tubo de rayos catódicos. Entre los dos tubos puede intercalarse una hoja de material transparente con una imagen cualquiera, que es iluminada por la exploración (radial) del tubo de rayos catódicos, y captada por el tubo tomavistas. Las señales de video de este último se usan para superponerlas a una presentación panorámica o para otros fines en una instalación de radar.

video correction device dispositivo de corrección de video.

video correlator correlacionador de video. Correlacionador (v. **correlator**, def. 2) aplicado al radar, cuyo funcionamiento mejora en cuanto a la detección automática de blancos y la susceptibilidad al ruido y las perturbaciones. También suministra datos para la presentación digital de blancos.

video data digital processing procesamiento digital de información de video (para la transmisión de imágenes por un enlace de televisión).

video data terminal *(Comput)* terminal de visualización de datos.

video delay line línea de retardo para señales de video.

video detection detección de video.

video detector videodetector, detector [desmodulador] de video, detector de imagen. En un receptor de televisión, circuito desmodulador que extrae la información de imagen o video de la portadora modulada de frecuencia intermedia.

video-detector filter filtro del videodetector [del detector de video].

video discrimination *(Radar)* discriminación de video.

video discriminator *(Radar)* discriminador de video. Circuito

que reduce la anchura de banda del videoamplificador en que se utilice.

video distribution amplifier videoamplificador de distribución, amplificador de distribución de video.

video engineer ingeniero especializado en las técnicas de videofrecuencia || *(Estudios de tv)* videista, técnico de control de la imagen.

video filter filtro de video, filtro para videofrecuencias; filtro de imagen.

video frequency [VF] videofrecuencia; frecuencia de imagen [de visión]. (**1**) Frecuencia correspondiente a la transmisión de la imagen en televisión. (**2**) Frecuencia de las existentes a la salida de una cámara televisora cuando se explora una imagen. (**3**) Frecuencia de las que se aplican al cinescopio para reproducir la imagen recibida. Puede estar comprendida entre casi cero y varios megahertzios, según las normas empleadas (en las normas NTSC el límite superior es de algo más de 4 MHz). SIN. **vision [visual] frequency**. CF. **video frequency band**, **vision frequency**.

video-frequency amplification amplificación de videofrecuencia, amplificación en videofrecuencia.

video-frequency amplifier amplificador de videofrecuencia, videoamplificador. SIN. **video amplifier**.

video-frequency amplifying stage etapa amplificadora de videofrecuencia.

video frequency band banda de videofrecuencias | banda de videofrecuencia. Banda de frecuencias que se extiende desde las frecuencias muy bajas hasta las muy altas, por ejemplo, de varios megahertzios; en particular, frecuencias de las componentes espectrales de la señal de imagen [picture signal] (CEI/70 60–64–195).

video-frequency component componente de videofrecuencia; componente espectral de la señal de imagen.

video-frequency output salida de videofrecuencia.

video-frequency signal señal de videofrecuencia.

video-frequency voltage tensión de videofrecuencia.

video gain ganancia de video. Ganancia de un amplificador de videofrecuencia.

video-gain control control de ganancia de video.

video headwheel *(Grabadoras de tv)* v. **headwheel**.

video IF amplifier amplificador de FI de la imagen. SIN. **picture IF amplifier**.

video input entrada de video; señal de video a la entrada.

video integration integración de video. Método por el cual se aprovecha la redundancia de una videoseñal repetitiva para mejorar la razón señal a ruido, y que consiste en sumar las amplitudes de las señales sucesivas.

video integrator integrador de video.

video line amplifier videoamplificador de línea.

video link videoenlace, enlace para la transmisión de videoseñales.

video magnetic head *(Grabadoras de tv)* cabeza videomagnética, cabeza de registro magnético de videoseñales. CF. **headwheel**.

video mapping superposición de video. Superposición electrónica del mapa de una zona sobre una presentación de radar. CF. **video converter**.

video masking *(Radar)* enmascaramiento de videoseñales extrañas. Procedimiento mediante el cual se excluyen de la presentación visual las señales de ecos extraños más o menos extensas, como los reflejos de cintas metálicas antirradar.

video mixer mezclador de video; mezclador de señales de imagen.

video modulation modulación de video.

video modulator modulador de video.

video monitor monitor de video.

video-monitor switcher conmutador de monitores de video.

video multimarker multimarcador de video(frecuencia). (**1**) Dispositivo de prueba que, intercalado en el circuito de un generador de videofrecuencia con barrido [video sweep generator], suministra señales marcadoras de frecuencia en un osciloscopio. (2) Dispositivo que genera cierto número de marcas (señales calibradoras o de referencia) simultáneamente en la gama de videofrecuencias; se utiliza en combinación con un osciloscopio para observar curvas de respuesta de televisores, receptores de modulación de frecuencia, y otros aparatos. CF. **marker calibrator.**

video noise   ruido de video.

video noise level   nivel de ruido de video.

video oscillator   oscilador de video(frecuencia).

video oscilloscope   osciloscopio para videofrecuencias.

video output   salida de video; señal de video a la salida; potencia de salida de señal de imagen.

video output amplifier   videoamplificador de salida, amplificador de salida de video.

video passband   banda pasante de video, banda de paso de videofrecuencia.

video patch cord   cordón de clavijero de video, cordón de conmutación de video.

video patch panel   clavijero de video, panel de conmutación de video mediante cordones.

video patch plug   clavija de clavijero de video.

video pentode   pentodo para video(frecuencias).

video performance (of a transmission system)   comportamiento en videofrecuencia (de un sistema de transmisión).

video pickup   videocaptación, toma de vistas.

video pickup tube   tubo tomavistas (de televisión), tubo de cámara (televisora).

video player (system)   (sistema) reproductor de video.

video power   potencia de video; potencia de señal de imagen.

video preamplifier   preamplificador de video, videoamplificador previo [preliminar]. CF. **head amplifier.**

video preemphasis   preacentuación de video.

video pulse   *(Radar)* impulso de video.

video pulse train   *(Radar)* tren de impulsos de video.

video receiver   receptor de video, videorreceptor, televisor.

video reception   recepción de video, videorrecepción.

video recorder   registrador [grabadora] de video. Aparato para el registro magnético de videoseñales.

video recording   registro [grabación] de video. Registro en cinta magnética de señales de video.

video response   respuesta de video.

video screen   pantalla de visualización (de señales); pantalla de televisión.

video signal   videoseñal, señal de video. En un sistema de televisión, señal que contiene toda la información necesaria para la reproducción de las imágenes: la señal de imagen [picture signal], la señal de sincronismo [synchronizing signal], y la señal de supresión del haz [blanking signal] | señal de video. La señal que comprende todas las señales elementales necesarias para la síntesis de una imagen, como son: la señal de luminancia, las señales de supresión, las señales de sincronismo, etc. (CEI/70 60–64–200). CF. **composite signal, vision signal.**

video (signal) attenuator   atenuador (de señales) de video.

video signal component   componente de la señal de video.

video signal monitor   monitor de la señal de video.

video spectrum   espectro de video [de la señal de video].

video stage   etapa de video.

video star   estrella de la televisión.

video stretching   *(Radar, Sist de radionaveg)* alargamiento de impulso de video, aumento de la duración de un impulso de video.

video studio   estudio de video [de televisión]. CF. **recording studio, sound studio.**

video sweep generator   generador explorador de videofrecuencia; generador de videofrecuencia con barrido.

video switcher   *(Tv)* conmutador de distribución de video, botonera de video; conmutador-mezclador de video, conmutador-desvanecedor de video.

video switching   *(Tv)* conmutación de video. La señal de video puede conmutarse por sí sola [split-audio switching] o conjuntamente con la de audio [audio-follow-video switching].

video tape   cinta magnética de video, cinta magnética para televisión. Cinta magnética para el registro o grabación de señales de imagen de televisión, generalmente junto con las señales de la parte sonora del programa; las señales así registradas se reproducen posteriormente en el lugar y momento deseados. A veces se usa el sinónimo *cinta videofónica.*

video tape machine   (máquina) videograbadora, grabadora de televisión, videógrafo, magnetoscopio. Equipo para el registro de señales de televisión (imagen y sonido) en cinta magnética. SIN. **video tape recorder.**

video tape recorder   videograbadora, grabadora de televisión, videógrafo, magnetoscopio. SIN. **video tape machine.**

video tape recording   registro en cinta magnética de video, registro de señales de televisión en cinta magnética. CF. **magnetic recording.**

video tape replayer   repetidor de video de cinta sin fin. Aparato registrador y reproductor de cinta magnética de video en forma de bucle cerrado, y que se utiliza para repetir una jugada deportiva a los pocos segundos de haberse producido la acción original. SIN. **isolated camera.**

video-taped   *adj:* grabado en cinta magnética de video, registrado en cinta magnética para televisión.

video-taped program   programa (de televisión) grabado en cinta (magnética).

video taping   grabación [registro] (de programas televisivos) en cinta magnética, registro magnético de programas de televisión.

video terminal   terminal de video [de visualización].

video time base   base de tiempos de imagen.

video track   *(Grabadoras de tv)* pista de video.

video transmitter   (=television transmitter) transmisor de televisión. A VECES: transmisor televisivo | transmisor de imagen, videoemisor, videotransmisor. SIN. **picture [visual] transmitter.** CF. **aural [sound] transmitter.**

video transmitter output   potencia de salida de video, potencia de salida del emisor [transmisor] de imagen. SIN. **visual transmitter power.**

video tube   *(Elecn)* tubo para videofrecuencias.

video waveform   forma de onda de video. Forma de onda de la señal de imagen (televisión), excluyendo la señal de sincronismo.

video waveform corrector   corrector de forma de onda de video.

videocast   emisión televisiva, transmisión de televisión; difusión de un programa de televisión /// *verbo:* televisar, transmitir por televisión; difundir un programa de televisión.

videogenic   *adj:* videogénico, telegénico. SIN. **telegenic** (véase).

Videograph   Videógrafo. Marca registrada (A.B. Dick Co.) de un dispositivo para la inscripción a alta velocidad de direcciones en etiquetas para el envío postal de revistas y magazines. Las direcciones se archivan en forma binaria en cintas magnéticas, con la ayuda de una computadora. Al leer las cintas se obtienen señales que controlan un generador de caracteres del tipo catódico, el cual forma imágenes electrostáticas de las letras, números y signos de puntuación, sobre una banda de papel cubierto de una película dieléctrica. Esas imágenes *latentes* se hacen visibles mediante un polvo que se adhiere por atracción electrostática.

videometric   *adj:* videométrico.

videometric curve   curva videométrica.

videonics   videónica. Conjunto de los procedimientos mediante los cuales se hacen visibles en una pantalla imágenes fijas o animadas, por medios ópticos, fotográficos, cinematográficos, o electrónicos (televisión). AFINES: diapositiva, dianegativa, transparencia, epidiáscopo, proyector, televisor.

videophone   videófono. Sistema de telecomunicación en el que se combina la televisión con el teléfono, de tal manera que los interlocutores pueden verse mientras hablan.

videotape   v. **video tape**.

videotron   videotrón, monoscopio. SIN. **monoscope**.

vidicon   vidicón. Tubo tomavistas o de cámara en el que se utiliza una superficie fotoconductora sobre la cual se forma una imagen electrostática (cargas eléctricas de densidad variable) de la escena captada por el sistema óptico. Esa imagen es entonces explorada por un haz electrónico (usualmente de electrones a poca velocidad) para obtener la señal de imagen. AFINES: objetivo, capa conductora transparente, pantalla fotoconductora, pantalla fluorescente fotoconductiva, placa transparente de señales, cañón, bobina de alineación, bobina de enfoque, bobinas de desviación vertical y horizontal, blanco.

vidicon camera   cámara vidicón, cámara con vidicón.

vidicon film (camera) chain   cadena de cámara vidicón para telecine, equipo de telecine con cámara vidicón.

vidicon for film camera   vidicón para cámara de telecine.

vidicon scanner   analizador tipo vidicón.

vidicon system   sistema vidicón.

vidicon telecine chain   v. **vidicon film (camera) chain**.

vidicon telecine channel   canal de telecine con cámara vidicón.

vidicon tube   vidicón.

vietinghofite   (*Miner*) vietingofita.

view   vista; panorama; paisaje; inspección; opinión, parecer ⫽ *verbo:* ver, mirar, observar; considerar, pesar, sopesar; inspeccionar, examinar.

view-finder   v. **viewfinder**.

view-holder   v. **viewholder**.

viewer   espectador; inspector; visor | (*i.e.* film viewer) espectador (de cine) | (*i.e.* television viewer; a.c. televiewer) espectador (de televisión), telespectador, televidente | proyector de transparencias, visor [mirador] para transparencias.

viewer density   densidad de telespectadores, densidad del público televidente.

viewfinder [VF]   (*Cine/Fotog*) (a.c. finder) visor. Dispositivo auxiliar óptico de la cámara, que permite ver el sujeto o la escena captada por el objetivo, para encuadrarlo según convenga ‖ (*Tv*) visor. Dispositivo óptico igual al descrito arriba | visor (electrónico); monitor de camarógrafo. Dispositivo auxiliar electrónico que permite al camarógrafo ver la escena tal como la capta la cámara, en la pantalla de un cinescopio miniatura montado en la propia cámara.

viewfinder shade   (*Cine/Fotog/Tv*) visera del visor.

viewfinder tube   (*Tv*) tubo del visor. Pequeño cinescopio o tubo de imagen que forma parte de un visor electrónico.

viewholder   (*Aerofotog*) portavista.

viewing   visión; observación | visualización. Presentación de una señal sobre la pantalla de un tubo de rayos catódicos | CF. **direct viewing**.

viewing angle   ángulo de visión.

viewing area   (*Tv/TRC*) superficie de visión; área de pantalla útil.

viewing audience   (*Tv*) telespectadores, público televidente.

viewing chamber   (*Microscopios elecn*) cámara de observación, cámara con ventanillas de observación.

viewing distance   distancia de visión; distancia de observación.

viewing hood   (*Osciloscopios*) visera, viserilla.

viewing lens   lente de observación ‖ (*Cine/Fotog/Tv*) lente visora. Lente empleada únicamente para observar el campo visual de la cámara.

viewing mirror   espejo de visión. En ciertos aparatos de televisión, espejo en el cual se refleja, a un ángulo cómodo para la visión, la imagen formada en la pantalla del cinescopio.

viewing oscilloscope   osciloscopio de observación; pantalla de visualización [de presentación visual].

viewing room   (*Estudios de cine*) sala de proyección ‖ (*Tv*) sala de monitores, sala de comprobación de las emisiones.

viewing scope   v. **viewing oscilloscope**.

viewing screen   (*Tv/TRC*) pantalla (de observación), pantalla reproductora. v. **screen** ‖ (*Cine/Tv*) pantalla de proyección. Pan-

talla o superficie sobre la cual se proyecta ópticamente la imagen de un proyector cinematográfico o de transparencias, o la de un receptor de televisión del tipo de proyección. SIN. **projection screen** ‖ (*Radioscopía*) pantalla de observación. Pantalla en la cual son observadas las imágenes dadas por los rayos; éstas se forman por fluorescencia de una capa de platinocianuro de bario o de tungsteno ‖ (*Informática/Radar*) pantalla de visualización [de presentación visual].

viewing storage tube   tubo de imagen del tipo acumulador, tubo de presentación visual del tipo acumulador.

viewing time   tiempo de observación ‖ (*Tubos acumuladores*) tiempo de visión. Intervalo durante el cual el tubo presenta a la observación visual la información almacenada.

viewing window   ventanilla de observación; mirilla.

vigilance   vigilancia.

vigilance device   (*Ferroc*) (dispositivo de) vigilancia. Dispositivo puesto en acción por el maquinista [engine driver] al llegar a la vista de ciertas señales, y que registra esa acción sobre el dispositivo de repetición [repeater mechanism] con el objeto de verificar ulteriormente las cualidades de atención del maquinista (CEI/59 31–05–415).

vignette   (*Arq*) ramaje ‖ (*Cine/Fotog, Grabados*) viñeta. (**1**) Retrato de bordes indefinidos que se confunden gradualmente con el color de fondo. (**2**) Efecto consistente en hacer la imagen indistinta en los márgenes, dejando sin afectar la parte central de interés ‖ (*Impr/Libros*) viñeta, marmosete. Pequeño dibujo ornamental puesto al principio y fin de un libro o de un capítulo; dibujo puesto como orla ‖ (*Literatura*) bosquejo literario delicado ⫽ *verbo:* hacer un retrato en viñeta; aviñetar, adornar con viñetas.

vignetted   *adj:* aviñeteado, viñeteado; adornado con viñetas.

vignetting   viñeteado; reducción de la iluminación en los bordes de una placa fotográfica.

village   aldea, poblado, pueblo, caserío, población [villa] pequeña ⫽ *adj:* aldeano.

Villari effect   efecto Villari. Fenómeno por el cual se produce una inducción magnética cuando un cuerpo magnetostrictivo es sometido a esfuerzo mecánico.

vincula   Plural de *vinculum*.

vinculum   (=bond, tie) vínculo, lazo ‖ (*Anat*) vínculo, ligamento que limita el movimiento de un órgano o parte de él ‖ (*Mat*) vínculo, barra. Barra o raya trazada horizontalmente sobre una expresión algebraica para indicar que todo lo que hay debajo está afectado por el signo que le precede. Raya horizontal que se coloca sobre dos o más términos algebraicos para indicar la intención de tratarlos como uno solo. El vínculo es un *signo de agrupación*, como lo son también los paréntesis y los corchetes. El plural de *vinculum* es *vincula*.

vine   (*Bot*) enredadera; vid, parra.

vinyl   vinilo ⫽ *adj:* de vinilo, vinílico.

vinyl anticorrosive primer   imprimador anticorrosivo vinílico, pintura de imprimación anticorrosiva vinílica.

vinyl-backed tape   cinta con soporte de vinilo.

vinyl-coated   *adj:* con revestimiento vinílico.

vinyl-coated wire   alambre con revestimiento vinílico, hilo revestido de vinilo.

vinyl plastic (material)   (material) plástico vinílico, materia plástica vinílica.

vinyl resin   resina vinílica [de vinilo]. Materia plástica blanda que entra en la composición de la pasta utilizada para la fabricación de discos fonográficos.

vinylidene   vinilideno ⫽ *adj:* vinilidénico.

vinylidene chloride   cloruro de vinilideno.

vinylidene copolymer   copolímero vinilidénico.

vinylidene resin   resina vinilidénica.

vinylite   vinilita. Plástico translúcido con base de resina vinílica [vinyl resin]; se usa como material para el prensaje de discos fonográficos, a los que generalmente se les da un tinte azul, verde, rojo, etc.

Vinylite   Vinilita. Marca registrada (Bakelite Corporation) de ciertos plástcos de resina vinílica.

viol   (*Marina*) virador ‖ (*Mús*) viola, violón.

viola   (*Mús*) viola, alto.

violet   color violado ‖ (*Bot*) violeta ‖ (*Fís*) violeta (*la radiación o el color*) ⫴ *adj:* violeta, violado, violáceo, del color de la violeta | violeta, violado. Dícese del color o de la radiación de menor longitud de onda del espectro visible. NOTA: Como adjetivo *violeta* es invariable en género y muchas veces en número. CF. **ultraviolet.**

violet-degraded band   (*Espectroscopía*) banda (de rayas) degradada hacia el violeta.

violet radiation   (*Fís*) radiación violeta.

violet rays   (*Fís*) rayos violeta, rayos violados.

violin   (*Mús*) violín; violinista.

violinist   (*Mús*) violinista. Persona que toca el violín.

violist   (*Mús*) violista. Persona que toca la viola.

violoncellist   (*Mús*) violoncelista. Persona que toca el violoncelo o violonchelo.

violoncello   (*Mús*) violoncelo, violonchelo. SIN. **cello.**

virga   (*Meteor*) virga. Pequeñas ráfagas de precipitación (lluvia o nieve) que salen de una nube y se evaporan antes de tocar tierra.

virgin   virgen, doncella; religiosa que ha hecho voto de virginidad; virgen, persona que no ha experimentado coito ⫴ *adj:* virgen, virginal; en su estado primitivo o prístino; sin transformación o modificación; que no ha funcionado; que no se ha usado.

virgin birth   (*Biol*) partenogénesis. SIN. **parthenogenesis** ‖ (*Teología*) parto virginal de María; virginidad de María.

virgin fission neutron   (*Nucl*) neutrón de fisión virgen [primario]. v. **virgin neutron.**

virgin flux   (*Nucl*) flujo virgen.

virgin forest   selva virgen.

virgin groove   (*Fonog*) surco sin modulación [sin modular], surco no modulado. SIN. **blank [unmodulated] groove.**

virgin metal   metal nativo.

virgin neutron   (*Nucl*) neutrón virgen [primario]. Neutrón que no ha tenido ninguna colisión desde su nacimiento, y que, por tanto, conserva toda su energía.

virgin neutron flux   flujo neutrónico virgen, flujo de neutrones vírgenes.

virgin reactor   (*Nucl*) reactor que no ha funcionado.

virgin rubber   caucho nuevo.

virgin soil   tierra virgen.

virgin stock   (*Fab de papel*) pasta virgen.

virgin sulfur, virgin sulphur   azufre virgen [vivo].

virgin tape   cinta virgen. Cinta magnética nueva, sin grabar o impresionar. SIN. **raw tape.**

virgin timber   madera virgen.

virginal   (*Mús*) virginal. Instrumento de teclado, del tipo de clave; especie de clavicordio o espineta ⫴ *adj:* virgen, virginal, virgíneo.

virginium   (*Quím*) v. **francium.**

virial   (*Fís*) virial. (**1**) Dado un sistema de dos partículas en el espacio, mitad del producto del esfuerzo debido a la atracción o la repulsión entre las partículas, por la distancia entre ellas. (**2**) En el caso de un sistema de más de dos partículas, semisuma de tales productos tomando dos a dos todas las partículas del sistema. El término *virial* fue introducido por el físico y matemático alemán Rudolf Julius Emmanuel Clausius (1822–1888) en una exposición de la teoría cinética de los gases [kinetic theory of gases] ⫴ *adj:* virial.

virial coefficients   coeficientes viriales. Coeficientes de la ecuación virial de estado.

virial development   desarrollo del virial.

virial equation of state   ecuación virial de estado.

virial of a system (of particles)   virial de un sistema (de partículas).

virial tensor   tensor virial.

virial theorem   teorema del virial. Teorema según el cual el virial

de un sistema de partículas es igual a la energía cinética media del sistema.

virology   (*Medicina*) virología. El estudio de los virus y de las enfermedades causadas por los mismos.

virtual   *adj:* virtual; efectivo; aparente; irreal. Que existe en esencia o en sus efectos, aunque no en forma real y verdadera.

virtual address   (*Comput*) dirección inmediata, dirección en tiempo real | dirección virtual. Dirección en una instrucción de máquina [machine instruction] que se refiere a una página particular que puede estar situada en cualquier región del almacenador interno de la computadora. Cada vez que la instrucción es ejecutada, la dirección virtual ha de ser traducida en la dirección absoluta [absolute address] apropiada, habitualmente mediante el empleo de una memoria asociativa [associative memory] o un directorio de páginas [page directory]. Las direcciones virtuales se usan en muchos sistemas de computadora con repartición de tiempo [time-sharing computer systems].

virtual amperes   (*Elec*) amperaje efectivo [activo], intensidad efectiva.

virtual anode   ánodo virtual. CF. **virtual cathode.**

virtual axis   (*Mec*) eje instantáneo de rotación.

virtual carrier   (*Telecom*) (frecuencia) portadora virtual.

virtual carrier frequency   frecuencia portadora virtual.

virtual cathode   (*Elecn*) (*i.e.* potential-minimum surface) cátodo virtual. Región de la carga de espacio [space charge] donde se encuentra un mínimo de potencial, y que, a causa de la gran densidad de la carga de espacio, se comporta como una fuente de electrones (CEI/56 07–26–110).

virtual coefficient   (*Vías férreas*) coeficiente virtual. Coeficiente o factor de reducción a la horizontal recta.

virtual current   (*Elec*) corriente [intensidad] efectiva, intensidad eficaz (de la corriente).

virtual displacement   (*Mec*) desplazamiento [desalojamiento] virtual.

virtual energy   energía potencial.

virtual grade   pendiente virtual.

virtual height   (*Radioelec*) altura virtual (de reflexión) | altura virtual. Altura de la superficie horizontal sobre la cual ha de reflejarse una onda radioeléctrica de frecuencia dada que se propaga en el vacío entre un emisor y un receptor, para que la duración del recorrido sea la misma que la del recorrido real que comprenda una reflexión en la ionósfera (CEI/70 60–24–140). SIN. **effective [equivalent] height.**

virtual image   (*Opt*) imagen virtual. Contraparte óptica de un objeto, formada en focos imaginarios por prolongaciones de los rayos luminosos; imagen a través de la cual no pasan en realidad los rayos luminosos. Es virtual la imagen que parece encontrarse detrás de un espejo plano ordinario.

virtual inertia   inercia aparente.

virtual length   (*Vías férreas*) longitud virtual. Longitud de una línea recta y horizontal que es equivalente en determinado aspecto a la longitud real.

virtual level   (*Nucl*) nivel [estado] virtual. Nivel o estado energético cuasiestacionario de un núcleo compuesto, caracterizado por un tiempo de vida largo en comparación con los tiempos de tránsito de los nucleones a través de dimensiones nucleares a energías correspondientes a la excitación considerada. Por lo tanto, se trata muchas veces de un *nivel de resonancia* [resonance level]. SIN. **virtual state.**

virtual mass   (*Mec*) masa virtual, masa adicional aparente. SIN. **apparent additional mass.**

virtual memory   (*Comput*) memoria virtual. Técnica de programación que permite al programador trabajar como si la memoria principal [main memory] y la de masa [mass memory] estuvieran disponibles simultáneamente.

virtual modulus of elasticity   módulo aparente de elasticidad.

virtual particle   (*Fís*) partícula virtual.

virtual PPI (reflectoscope)   (*Radar*) reflectoscopio. SIN. **reflecto-**

scope, reflection plotter (véase).

virtual process *(Fís)* proceso virtual.

virtual profile *(Vías férreas)* perfil clasificado. Rasante ficticia de una línea real cuyas inclinaciones clasificadas por orden de valores crecientes o decrecientes son colocadas una a continuación de otra.

virtual quantum *(Fís)* cuanto virtual. Cuanto o fotón no observable directamente, y emitido o absorbido como resultado de una transición entre dos estados, de los cuales al menos uno es un estado intermedio. Cuanto o fotón en un estado intermedio en el cual no hay conservación de energía.

virtual reactor *(Nucl)* reactor virtual. v. **image reactor.**

virtual resistance resistencia virtual ‖ *(Elec)* resistencia efectiva; impedancia.

virtual state *(Fís)* estado virtual. (**1**) Estado intermedio en un proceso cuántico, que solo interviene en los cálculos. (**2**) Estado intermedio hipotético por el que pasa un sistema cuantificado [quantized system] en su transición de un estado inicial a uno final ‖ *(Nucl)* estado [nivel] virtual. v. **virtual level.**

virtual temperature *(Fís)* temperatura virtual. Temperatura del aire necesaria para mantener su densidad constante, si al mismo se le extrae su contenido de vapor de agua.

virtual uplift *(Hidr)* subpresión virtual.

virtual value valor eficaz.

virtual velocity velocidad virtual.

virtual voltage voltaje efectivo, tensión efectiva.

virtual volts voltaje efectivo, tensión efectiva.

virus *(Medicina)* virus. Secreción virulenta de una enfermedad infecciosa | linfa vacunal; virulencia.

virus diagnostic diagnóstico virológico.

vis *(Latín)* fuerza.

vis inertiae *(Latín)* fuerza de inercia.

visa *(Pasaportes)* visa, visado, refrendo, refrendación ‖‖‖ *verbo:* visar, refrendar.

viscid *adj:* viscoso, pegajoso. Dícese de un líquido espeso y adhesivo; dícese de un objeto cubierto con una capa húmeda adhesiva. CF. **viscose, viscous.**

viscidity viscosidad, pegajosidad.

viscoelastic *adj:* viscoelástico.

viscoelastic flow flujo viscoelástico.

viscoelastic model *(Fís)* modelo viscoelástico.

viscoelastic operator *(Fís)* operador viscoelástico.

viscoelastic stress esfuerzo viscoelástico.

viscoelastic wave onda viscoelástica.

viscoelasticity viscoelasticidad.

viscometer, viscosimeter viscosímetro, medidor [indicador] de viscosidad. Dispositivo o instrumento que sirve para medir la viscosidad. v. **viscosity.**

viscometry, viscosimetry viscosimetría.

viscoplastic *adj:* viscoplástico.

viscoplasticity viscoplasticidad.

viscose viscosa. Solución espesa y viscosa de xantato de celulosa [cellulose xanthate], que se emplea en la fabricación de rayón y celofán | (=viscose rayon) rayón de viscosa ‖‖‖ *adj:* de viscosa | (=viscose) viscoso.

viscose rayon rayón de viscosa.

viscosimeter v. **viscometer.**

viscosimetry v. **viscometry.**

viscosity viscosidad, pegajosidad. Condición o propiedad de ser viscoso o pegajoso ‖ *(Fís)* viscosidad. (**1**) Grado o medida en que un cuerpo líquido se opone a los cambios de forma. (**2**) Grado en que un fluido resiste el flujo bajo la acción de una fuerza aplicada. (**3**) Fenómeno de la aparición de esfuerzos en un fluido por la distorsión o deformación de elementos del mismo por el flujo; dichos esfuerzos se oponen a la distorsión y disipan energía. CF. **dielectric viscosity, magnetic viscosity** ‖‖‖ *adj:* viscoso.

viscosity-adjusting agent *(Quím)* agente para variar la viscosidad.

viscosity breaking *(Petr)* fraccionamiento de viscosidad.

viscosity comparator comparador de viscosidad.

viscosity index índice de viscosidad.

viscosity number número de viscosidad.

viscosity of oil viscosidad del aceite.

viscous *adj:* (=viscose) viscoso; pegajoso. CF. **viscid.**

viscous creep fluencia viscosa.

viscous-damped *adj:* con amortiguamiento (de líquido) viscoso.

viscous-damped arm *(Fonog)* brazo con amortiguamiento viscoso. Brazo fonocaptor cuyos movimientos están amortiguados por una masa líquida viscosa como p.ej. aceite. La viscosidad del líquido proporciona un elevado grado de amortiguamiento, que impide los efectos de resonancia del brazo. Este tipo de brazo tiene además la ventaja de evitar daños a la aguja y a la superficie de los discos, pues si, por error de maniobra, se suelta el brazo, el mismo no cae abruptamente contra el disco, sino que baja lentamente.

viscous damper amortiguador de líquido viscoso, dispositivo con amortiguamiento (de líquido) viscoso.

viscous damping amortiguamiento (de líquido) viscoso. CF. **magnetic damping.**

viscous drag retardo viscoso.

viscous elastic fluid fluido elástico viscoso, fluido viscoelástico.

viscous filter *(Climatiz)* filtro viscoso. Filtro que consiste en una batería de cuerpos permeables al aire, de gran superficie, cubierta de una capa de substancia viscosa. La substancia viscosa es generalmente aceite mineral, y su soporte material suele ser trozos de tubos, torneaduras metálicas, fibra de vidrio, etc. El objeto es el de obligar al aire a cambiar varias veces de dirección a medida que atraviesa el filtro, de suerte que el polvo que contenga, al chocar contra las superficies viscosas o pegajosas, quede adherido a ellas.

viscous flow flujo laminar, flujo viscoso.

viscous fluid fluido viscoso. Fluido en el cual los movimientos deformantes producen esfuerzos internos. Se supone generalmente que éstos son proporcionales a la rapidez de las deformaciones. V.TB. **viscosity.**

viscous hysteresis *(Mag)* viscosidad magnética, histéresis viscosa. SIN. **magnetic viscosity** (véase) | arrastre magnético. SIN. **magnetic creeping.**

vise, vice *(Carp, Mec, Metalistería)* cárcel, morsa, tornillo [torno] de banco, prensa de banco [de tornillo]; tornillo de carpintero. LOCALISMO: sargento.

vise chuck prensa sujetadora, cárcel.

visibility visibilidad. CF. **flight visibility, ground visibility.**

visibility chart gráfica de visibilidad ‖ *(Artillería)* plano de zonas visibles e invisibles (del terreno).

visibility curve curva de visibilidad. Curva que pone de manifiesto la respuesta del ojo normal [average eye] en función de la longitud de onda de la luz. Son invisibles al ojo humano las ondas de menos de 380 nm o de más de 780 nm, correspondientes respectivamente a los límites del violeta y del rojo. La sensibilidad máxima del ojo corresponde a los colores verde y amarillo (alrededor de 560 nanometros). CF. **visible radiation.**

visibility distance distancia de visibilidad, alcance de la vista. CF. **line-of-sight distance, visibility range.**

visibility factor factor de visibilidad. Razón entre (*a*) la mínima potencia de la señal de entrada a un receptor radioeléctrico detectable por un instrumento ideal conectado a la salida del receptor, y (*b*) la mínima potencia de esa señal detectable visualmente por un observador con la ayuda de un dispositivo de visualización (osciloscopio o tubo de rayos catódicos) conectado a la salida del mismo receptor. SIN. **display loss.**

visibility index *(Meteor)* índice de visibilidad.

visibility meter *(Ilum)* medidor de visibilidad.

visibility minimum mínimo de visibilidad.

visibility range (alcance de) visibilidad. Distancia en dirección horizontal a la cual apenas se alcanza a distinguir un objeto obscuro de grandes dimensiones contra el cielo del horizonte a plena luz del día. Depende de la claridad de la atmósfera y puede variar entre unos 280 km (atmósfera excepcionalmente clara o transparente) y 1 km o menos (niebla densa). cf. **visibility distance.**

visibility threshold   umbral de visibilidad.

visible   *adj:* visible.

visible alarm   alarma visible [óptica].

visible arc   *(Electrosoldadura)* arco visible.

visible card index system   fichero [tarjetero] con índice visible.

visible coherent light   luz coherente visible.

visible horizon   *(Astr)* horizonte visible [sensible].

visible light   luz visible, radiación visible.

visible pass   *(Satélites artificiales)* pasada visible.

visible radiation   radiación visible. Radiación susceptible de producir directamente una sensación visual [visual sensation]. Sus longitudes de onda están comprendidas prácticamente entre 380 y 780 nm. sin. **light** (CEI/58 45–05–020) | radiación visible, luz. Radiación susceptible de producir directamente una sensación visual. nota: Los límites del dominio espectral de la radiación visible son imprecisos y pueden variar según los usuarios o utilizadores. El límite inferior se toma generalmente entre 380 y 400 nm, y el superior entre 760 y 780 nm [1 nm (nanometro) $=10^{-9}$ m]. sin. **light** (CEI/70 45–05–025). cf. **visibility curve.**

visible region (of radiation)   región visible, dominio espectral de la radiación visible.

visible signal   *(Telecom)* (*e.g.* lamp indicator) señal visible [óptica] | (*e.g.* of an indicator) indicador visible.

visible spectrum boundary   límite del espectro visible.

visible spectrum (of radiation)   espectro visible, espectro de luz (visible). Dominio espectral de radiación electromagnética con longitudes de onda comprendidas entre los límites de 380 y 780 nanometros (nm), y que comprende los siete colores del arco iris: violado, azul turquí, azul, verde, amarillo, anaranjado y rojo. cf. **visible radiation.**

visible speech   palabra visible, lenguaje visible. Nombre que se le suele dar a la visualización del lenguaje hablado con la ayuda de un tubo de rayos catódicos u otro dispositivo.

vision   visión, vista. Acto de ver; facultad de ver | visión. sin. **aparición, fantasía, fantasma, alucinación, espejismo** | (=visual perception) visión, percepción visual. Distinción de diferencias en el mundo exterior por las impresiones sensoriales [sensory impressions] debidas a la radiación que el ojo recibe (CEI/70 45–25–050) /// *adj:* visual /// *verbo:* ver (como) en visión; aparecer en una visión.

vision aerial   *(Tv)* antena de emisión de imagen.

vision and sound control desk   *(Tv)* pupitre de control de imagen y sonido, pupitre de control de audio y video.

vision automatic gain control, vision AGC   control automático de ganancia de imagen, CAG de imagen.

vision bandwidth   *(Tv)* anchura de banda de imagen.

vision broadcasting   radiodifusión visual [de imágenes], difusión televisual [televisiva].

vision broadcasting receiver   receptor de radiodifusión visual, televisor.

vision carrier   *(Tv)* (frecuencia) portadora de imagen. sin. **picture [video] carrier.**

vision carrier frequency   *(Tv)* frecuencia de (la) portadora de imagen. sin. **picture carrier frequency** | frecuencia portadora de imagen. Frecuencia portadora de un emisor de imágenes de televisión. sin. **vision frequency** (CEI/70 60–64–345). cf. **sound carrier frequency.**

vision circuit   circuito de imagen [de video]. sin. **video circuit.**

vision control supervisor   *(Estudios de tv)* videista, técnico de control de la imagen. sin. **video engineer.**

vision crystal unit   *(Tv)* cristal (piezoeléctrico) de la portadora [del emisor] de imagen.

vision frequency   frecuencia de visión, frecuencia de (la) imagen. sin. **video [visual] frequency** | frecuencia portadora de imagen. v. **vision carrier frequency** | cf. **picture frequency.**

vision input   *(Tv)* entrada de imagen [de video]. sin. **video**

input.

vision mixer   *(Tv)* mezclador de (señales de) imagen; mezclador de video. sin. **picture mixer, video mixer.**

vision mixing   mezcla de (señales de) imagen; mezcla de video. sin. **picture mixing, video mixing.**

vision modulation   *(Tv)* modulación de imagen [de video]. sin. **picture [video] modulation.**

vision modulation amplifier   amplificador de modulación de imagen.

vision monitor   *(Tv)* monitor de imagen. v. **picture monitor.**

vision on sound   *(Tv)* perturbación de la imagen sobre el sonido, perturbación de video sobre audio. En un televisor, perturbación del sonido por las señales correspondientes a la imagen.

vision pickup   *(Tv)* captación de imágenes, toma de vistas. sin. **video pickup** | cámara tomavistas [televisora, de televisión].

vision power   *(Tv)* potencia de la señal de imagen; potencia del emisor de imagen. sin. **video power.**

vision receiver   receptor de imagen, televisor, videorreceptor.

vision screening   examen de la vista a que se somete un grupo de personas.

vision signal   *(Tv)* señal de imagen | señal de imagen en radiofrecuencia. Señal de radiofrecuencia resultante de la modulación de una portadora por una señal de imagen [picture signal] (CEI/70 60–64–340). cf. **video signal.**

vision slit   mirilla.

vision switching   *(Tv)* conmutación de video. v. **video switching.**

vision switching center   centro de conmutación de video.

vision transmitter   *(Tv)* emisor de imagen. v. **picture transmitter.**

vision tuner   *(Tv)* sintonizador de la señal de imagen.

visor, vizor   visera (de gorra) || *(Autos)* visera (contra el deslumbramiento o resplandor) || *(Armaduras)* celada || *(Industria)* gafas de seguridad || (=means of concealment or disguise; mask) disfraz; máscara /// *verbo:* poner visera; cubrir [proteger] con (una) visera.

vista   vista distante enmarcada por una abertura; escena; perspectiva; panorámica; vista, campo visual (de una lente); abertura que enmarca una vista distante; avenida; panorama mental (de acontecimientos recordados, presentes, o previstos).

vista shot   *(Cine/Tv)* plano distante [lejano], toma a distancia; toma de la escena completa. sin. **long shot.**

visual   *adj:* visual, visivo; óptico.

visual acuity   agudeza visual. (a) Cualitativamente, capacidad de percepción distinta de objetos que aparecen muy próximos unos a otros. (b) Cuantitativamente, inversa del valor en minutos (sexagesimales) del menor ángulo bajo el cual el ojo puede todavía percibir separados dos objetos (puntos o líneas) que aparecen muy próximos uno a otro (CEI/58 45–25–090).

visual aid   aparato de imagen. Aparato de imagen: proyector óptico o cinematográfico, televisor, etc. cf. **audio-visual aid** || *(Avia)* ayuda visual.

visual alarm   alarma visual [óptica].

visual alarm signal   señal visual de alarma.

visual angle   *(Opt)* ángulo visual.

visual approach   *(Avia)* aproximación visual. Aproximación·que se realiza por referencia visual respecto al terreno.

visual-approach chart   *(Avia)* carta de aproximación visual.

visual approach-slope indicator   *(Avia)* indicador visual de pendiente de aproximación.

visual approach-slope indicator system [VASIS]   indicador visual de pendiente de aproximación.

visual arc   *(Electrosoldadura)* arco visible.

visual-audio signaling   *(Telecom)* señalización audiovisual. Señalización con indicación visual y acústica.

visual-aural (radio) range [VAR]   *(Radionaveg)* radiofaro direccional audiovisual, radiofaro direccional de indicación visual y acústica. Radiofaro direccional de cuatro haces o ejes, de los cuales la estación móvil identifica un par por indicaciones visuales y el otro por indicaciones auditivas.

visual-aural (radio) range station   estación de radiofaro direccional audiovisual [de indicación visual y acústica].

visual-aural range [VAR]   v. **visual-aural (radio) range.**

visual-aural signal tracer   *(Radio/Elecn)* analizador de señal con indicación visual y auditiva. v. **signal tracer.**

visual-aural VHF (radio) range [VOR]   *(Radionaveg)* radiofaro direccional de VHF de indicación audiovisual.

visual binary   *(Astr)* (estrella) binaria visual.

visual broadcast service   servicio de radiodifusión visual. Servicio de diseminación de información visual o imágenes, sea por televisión, sea por facsímile.

visual broadcasting   radiodifusión visual [de imágenes].

visual busy lamp   *(Telef)* lámpara de ocupado; lámpara de prueba de ocupado.

visual busy signal   *(Telef)* señal visual de ocupado | v. **visual engaged test.**

visual cab signaling   *(Ferroc)* señalización óptica en la cabina (de la locomotora).

visual carrier   *(Tv)* portadora de imagen [de la señal de imagen]. SIN. **picture [video, vision] carrier.**

visual carrier frequency   frecuencia portadora de imagen. SIN. **picture carrier frequency, vision carrier frequency** (véase).

visual circling   *(Avia)* circuito visual. SIN. **visual orbiting.**

visual command   *(Proyectiles guiados)* mando visual.

visual communication   comunicación visual | comunicación óptica [por medios ópticos]. Comunicación a distancia mediante señales ópticas, tales como luces, banderas, etc. CF. **optical communication, optical telegraphy, semaphore** | transmisión óptica.

visual cone   *(Perspectiva)* cono de visión. Cono formado por rectas que unen los puntos del campo de visión [field of vision] con el punto de vista [point of sight].

visual cutoff   *(TRC)* extinción del haz, supresión del punto luminoso.

visual defect   defecto visual || *(Discos fonog)* defecto visible. v. **phonograph record.**

visual display   presentación visual, visualización. SIN. **imagen, oscilograma, presentación osciloscópica.**

visual distress signal   señal visual de peligro.

visual Doppler indicator   *(Radar)* indicador visual Doppler.

visual effects   *(Tv)* efectos visuales. Transformaciones y combinaciones de imágenes usadas para dar animación y variedad a las emisiones. Entre ellas pueden citarse el *esfumado,* la *disolución encadenada* de imágenes sucesivas, la *división de la imagen* en partes independientes captadas por distintas cámaras, la *superposición* e *intercalado de imágenes,* etc. v. **fade, fade down, fade in, fade out, fade over, fade up, fadeout, lap dissolve, split-screen technique, wipe.** SIN. **optical effects, opticals.**

visual engaged lamp   *(Telef)* lámpara de ocupado | lámpara de prueba de ocupación. SIN. **visual busy lamp.**

visual engaged signal   *(Telef)* lámpara de ocupación, lámpara indicadora de ocupado. SIN. **busy lamp.**

visual engaged test   *(Telef)* prueba de ocupación con señal luminosa.

visual engaged test with key control   *(Telef)* prueba de ocupación con botón y señal luminosa.

visual field   *(Opt)* campo visual. SIN. **field of view.**

visual fix   *(Naveg)* marcación visual.

visual flight   *(Avia)* vuelo visual.

visual flight rules [VFR]   *(Avia)* reglas de vuelo visual. Reglamento o conjunto de reglas que rigen el vuelo de aeronaves cuando la visibilidad y las condiciones atmosféricas son lo suficientemente buenas hasta una altura especificada. En estas condiciones se dirige la nave en forma no muy diferente a la que se emplea para conducir un automóvil: observando atentamente las incidencias de la ruta, la posible aproximación de otras aeronaves, etc. CF. **instrument flight rules.**

visual frequency [VF]   *(Tv)* videofrecuencia; frecuencia de imagen [de visión]. v. **video frequency** | frecuencia portadora de imagen. v. **vision carrier frequency.**

visual gage, visual gauge   calibrador visual.

visual glide-path indicator   *(Avia)* indicador visual de trayectoria de planeo.

visual ground aid   *(Avia)* ayuda visual terrestre.

visual indication   indicación visual; visualización.

visual indicator   indicador visual.

visual-indicator tube   tubo indicador visual.

visual inertia   inercia visual. SIN. **persistence of vision** (véase).

visual information   información visual [visiva].

visual inspection   inspección visual.

visual light   luz visible.

visual link   enlace visual | v. **video link.**

visual meteorological conditions [VMC]   *(Avia)* condiciones meteorológicas de vuelo visual.

visual modulation   *(Tv)* modulación de imagen. SIN. **picture [vision] modulation.**

visual monitoring   comprobación [monitoreo] visual. Comprobación o monitoreo que se efectúa mediante lámparas indicadoras, tubos catódicos, u otros dispositivos de indicación visual || *(Tv)* comprobación de (señal de) imagen.

visual monitoring unit   dispositivo de comprobación visual || *(Tv)* monitor de imagen [de la señal de imagen]. SIN. **picture monitor.**

visual observation   observación visual.

visual orbiting   *(Avia)* circuito visual. SIN. **visual circling.**

visual oscillator   *(Tv)* oscilador de la portadora de imagen. Oscilador que genera la frecuencia portadora del emisor de imagen.

visual output power   *(Tv)* potencia de salida del emisor de imagen. Potencia de radiofrecuencia a la salida del emisor de imagen. SIN. **visual transmitter power.**

visual perception   visión, percepción visual. v. **vision.**

visual photography   fotografía con luz visible.

visual photometer   fotómetro visual. Fotómetro que utiliza para la medición fenómenos físicos cuya sensibilidad a las diferentes radiaciones sea comparable a la del ojo normal (CEI/38 45–15–010) | fotómetro visual [subjetivo]. v. **subjective photometer.**

visual photometry   fotometría visual [subjetiva] | fotometría visual. Procedimientos de fotometría en los que se utiliza el ojo para hacer comparaciones (CEI/58 45–30–050).

visual point   *(Opt)* punto de vista. Punto en el cual concurren los rayos ópticos; posición del ojo; centro óptico del ojo del observador.

visual radio range [VRR]   *(Radionaveg)* radiofaro visual, radiofaro direccional de indicación [identificación] visual.

visual range   *(Meteor)* alcance visual. CF. **visibility range** || *(Nucl)* alcance [recorrido] (de partículas beta) determinado visualmente || *(Radiocom)* alcance óptico. SIN. **optical [line-of-sight] range** || *(Radionaveg)* v. **visual radio range.**

visual ranging   *(Artillería)* cálculo de distancias por medios ópticos [por aparato de óptica].

visual-reading instrument   instrumento de lectura visual.

visual readout   lectura visual; toma de lecturas por observación visual.

visual receptor   *(Opt)* receptor visual, fotorreceptor del ojo.

visual reconnaissance   reconocimiento visual.

visual reference   referencia visual.

visual ringing signal   *(Telef)* señal luminosa de llamada.

visual scanner   explorador [analizador] óptico. Aparato que genera una señal eléctrica, analógica o digital, por exploración óptica de una imagen o de un documento escrito o impreso. CF. **optical scanner.**

visual signal   señal visual [óptica]; señal luminosa || *(Tv)* señal de imagen. SIN. **picture [vision] signal.** CF. **aural signal.**

visual signaling   señalización visual; señalización luminosa; telegrafía óptica. CF. **visual communication.**

visual staff-locator system   sistema óptico de busca de personal, sistema visual de localización de empleados. Instalación que desde un punto central de control permite la repetición de señales luminosas de llamada en un número más o menos grande de sitios escogidos dentro de un edificio o un grupo de ellos. Esas llamadas están codificadas y van dirigidas a empleados que momentáneamente están ausentes de sus respectivos puestos de trabajo. CF. **paging system.**

visual telephony   transmisión de imágenes [información visual] por líneas telefónicas. CF. **videophone.**

visual test film   *(Cine)* película para ensayos de proyección. Trozo de película cinematográfica especialmente ideada para la comprobación y el ajuste de los elementos que intervienen en la proyección óptica: lentes, obturador, pantalla, etc.

visual threshold   umbral visual [de la percepción visual].

visual threshold of illumination   umbral visual de iluminación.

visual transmitter   *(Tv)* emisor [transmisor] de imagen. SIN. **picture [video, vision] transmitter.** CF. **aural [sound] transmitter.**

visual transmitter power   *(Tv)* potencia (de salida) del emisor [transmisor] de imagen. SIN. **video transmitter output, visual output power.**

visual transmitting power   *(Tv)* potencia de emisión de imagen. Potencia de radiofrecuencia a la salida del emisor de imagen.

visual tuning   sintonización visual [óptica]. Sintonización que se efectúa con la ayuda de un indicador óptico o visual, en oposición a la que se realiza guiándose por una indicación auditiva, como p.ej. la intensidad del sonido en el caso de un radiorreceptor.

visual tuning indicator   indicador visual [óptico] de sintonización, control visual de sintonía.

visualize   *verbo:* visualizar; imaginar, formarse una imagen mental.

visualizer   visualizador.

visually   *adv:* visualmente; ópticamente.

visuoauditory   *adj:* visuauditivo. Relativo a la visión y el oído.

visuomotor   *adj:* visuomotor.

visuosensory   *adj:* visuosensorial. Relativo a la percepción visual o las sensaciones visuales.

vita rays   rayos ultravioleta biológicos. Nombre a veces aplicado a la gama de rayos ultravioleta de máximo efecto fisiológico (de 2 900 a 3 200 Å).

vital   *adj:* vital. Relativo a la vida; necesario para la vida | esencial, indispensable.

vitality   vitalidad, energía vital.

vitalize   *adj:* vitalizar, vivificar, comunicar [dar] energía vital.

vitamin   *(Bioquím)* vitamina.

vitamin complex   complejo vitamínico.

vitamin deficiency   avitaminosis, carencia de vitaminas.

vitaminic   *adj:* vitamínico. Relativo a una vitamina o a las vitaminas.

vitaminize   *verbo:* vitaminizar.

vitaminized   *adj:* vitaminizado.

vitaminology   vitaminología. Estudio de las vitaminas.

vitascope   vitascopio. (**1**) Aparato utilizado para el examen de los movimientos animales. (**2**) Primitivo aparato de proyección cinematográfica.

vitascopic   *adj:* vitascópico. Referente o relativo al vitascopio [vitascope].

vitellary   *adj:* vitelar. Relativo al vitelo [vitellus].

vitellicle   vitelícula. Saco del vitelo [vitellus].

vitellin   vitelina. Proteína que se encuentra en la yema del huevo.

vitelline   *adj:* vitelino. Perteneciente al vitelo [vitellus].

vitellus   vitelo, yema del huevo.

vitiate   *verbo:* viciar; corromper; inficionar, infectar || *(Lenguaje forense)* viciar, invalidar.

vitiated air   aire viciado, aire impuro.

vitreoplastic   *adj:* vitreoplástico.

vitreoplasticity   vitreoplasticidad.

vitreous   *adj:* vítreo; vidrioso. Que posee las propiedades del vidrio o participa de su naturaleza.

vitreous body   *(Anat)* humor vítreo (del ojo).

vitreous china   *(Cerámica)* porcelana china. Porcelana de cuerpo denso o vítreo.

vitreous copper   torbenita, cobre vítreo. SIN. **torbenite.**

vitreous electricity   electricidad vítrea. Electricidad adquirida por el vidrio cuando se le frota con la seda, en oposición a la *electricidad resinosa* [resinous electricity], adquirida por el ámbar. Esta terminología fue adoptada por el francés Du Fay; posteriormente el norteamericano Benjamín Franklin introdujo el nombre de *positiva* (+) para la electricidad vítrea, y el de *negativa* (−) para la resinosa. SIN. **positive electricity.**

vitreous enamel   esmalte vítreo.

vitreous-enamel-coated resistor   resistor recubierto de esmalte vítreo.

vitreous-enamel-dielectric capacitor   condensador con dieléctrico de esmalte vítreo.

vitreous-enamel resistor   resistor recubierto de esmalte vítreo.

vitreous-enameled   *adj:* con esmalte vítreo, (re)cubierto de esmalte vítreo.

vitreous fusion   fusión gradual. La que ocurre gradualmente, sin punto de fusión bien definido.

vitreous humor   *(Anat)* humor vítreo. Parte del ojo.

vitreous selenium   *(Quím)* selenio vítreo.

vitreous silver   *(Miner)* argentita, plata vítrea. SIN. **argentite.**

vitreous sponge   (=glass sponge) esponja vítrea [de vidrio].

vitrescibility   (=vitrifiability) vitrificabilidad. Calidad de vitrificable.

vitrescible   *adj:* (=vitrifiable) vitrificable. Que puede ser vitrificado.

vitreum   *(Anat)* (=vitreous humor) humor vítreo.

vitrial   *adj:* (=vitreous) vítreo.

vitric   *adj:* vítreo; vidrioso.

vitrification   vitrificación.

vitrified   *adj:* vitrificado.

vitrified aluminum oxide   alúmina vitrificada.

vitrified clay   arcilla vitrificada, barro vitrificado.

vitrified pipe   tubería vitrificada.

vitrified tile   loseta vitrificada.

vitrify   *verbo:* vitrificar(se).

vitrifying   *adj:* vitrificante.

vitrifying resin   resina vitrificante.

vitriol   *(Quím)* vitriolo; ácido sulfúrico.

vitriolate   *verbo: (Quím)* convertir [transformar] en sulfato; vitriolar, convertir en vitriolo.

vitrite   vitrita. Substancia aislante.

Vixen file   *(Herr)* lima Vixen, lima de diente curvo, lima plana de picadura curva.

vizor   v. **visor.**

Vlasov equation   ecuación de Vlasov. Ecuación que tiene aplicación en el estudio de los plasmas.

VLF   Abrev. de very-low frequency.

VLF band   banda de VLF [de muy bajas frecuencias, de ondas miriamétricas], banda 4. CF. **nomenclature of frequency and wavelength bands.**

VLF wave   onda de VLF, onda miriamétrica.

VMC   *(Avia)* Abrev. de visual meteorological conditions.

VNL   *(Telecom)* Abrev. de via net loss.

VOA   Abrev. de Voice of America [La Voz de las Américas]. Servicio de radiodifusión de la Agencia de Información de los Estados Unidos [United States Information Agency] || *(Elec)* Símbolo de *volt-ohm-ammeter.*

vocab.   Abrev. de vocabulary.

vocabulary [vocab.]   vocabulario, léxico, glosario || *(Comput)* vocabulario. Repertorio de instrucciones o claves operacionales de que se dispone para escribir un programa para la solución de un problema dado en una computadora particular.

vocal   música vocal. Pieza popular de música para cantante, casi siempre con acompañamiento instrumental ‖ *(Fonética)* vocal, sonido de vocal ⫴ *adj:* vocal; oral; sonoro; voceador, vocinglero, que vocea mucho; expresivo; franco; presto a opinar o criticar; de hablar resonante ‖ *(Fonética)* (= vocalic) vocálico | (= voiced) sonoro.

vocal bands   *(Anat)* v. **vocal chords.**

vocal chink   *(Anat)* glotis.

vocal chords   *(Anat)* cuerdas vocales. SIN. **vocal bands, vocal lips.**

vocal frequency [VF]   frecuencia vocal. v. **voice frequency.**

vocal jazz   *(Mús)* jazz vocal, jazz con voces humanas.

vocal lips   *(Anat)* v. **vocal chords.**

vocal music   música vocal [para cantante]; canto.

vocal tract   *(Anat)* aparato vocal.

vocation   vocación; profesión; carrera; oficio.

vocational   *adj:* vocacional; profesional; práctico; vocacional, de artes y oficios.

vocational counseling   orientación profesional, asesoramiento para elegir carrera; asesoramiento para escoger oficio. SIN. **vocational guidance.**

vocational guidance   Lo mismo que *vocational counseling.*

vocational mathematics   matemática práctica; matemática para talleres.

vocational school   escuela vocacional [de artes y oficios]; escuela de aprendizaje [de aprendices].

vocational training   capacitación [formación] profesional; capacitación [adiestramiento] vocacional; enseñanza de artes y oficios.

vocative   *sust/adj: (Gram)* vocativo.

vocoder   vocoder. (1) Dispositivo generador de palabras sintéticas. (2) Aparato analizador y codificador de la palabra. NOTA: El término viene de *"voice coder".*

vodas   *(Telef)* vodas, supresor de reacción [dispositivo supresor de canto] accionado por la voz. Dispositivo de conmutación automática, accionado por la voz de los interlocutores, que se emplea en los circuitos radiotelefónicos para suprimir el canto [singing] y los ecos, y que funciona de la siguiente manera: Cuando un interlocutor comienza a hablar, el dispositivo conecta su línea con el transmisor, desconectándola simultáneamente del receptor; cuando hace pausa para escuchar, ocurre la conmutación inversa (conexión de la línea al receptor y desconexión del transmisor). Con este sistema se obtiene una comunicación bilateral utilizando una sola frecuencia de radiocomunicación (invirtiéndose rápidamente el sentido de la transmisión cuando los corresponsales alternan entre el habla y la escucha) sin que se produzca canto o silbido. El término *vodas* viene de *"voice-operated device antisinging".* CF. **voice keying, voice-operated keyer.**

voder   voder. Dispositivo electrónico de mando por teclado, que produce sonidos vocales artificiales. El término viene de *"voice operation demonstrator".* CF. **vocoder.**

vogad   *(Telef)* vogad, regulador vocal, dispositivo regulador de ganancia mandado por la voz, dispositivo de ajuste de la ganancia accionado por la voz. Dispositivo mandado por las corrientes vocales, utilizado para obtener un volumen sensiblemente constante a su salida, para un amplio margen de variación del volumen a la entrada. El término *vogad* viene de la expresión *"voice-operated gain-adjusting device".*

voglianite   *(Quím, Nucl)* voglianita.

voglite   *(Miner, Nucl)* voglita.

voice   voz; habla, palabra; sonidos vocales [articulados] | corrientes vocales [microfónicas]; comunicación hablada, telefonía; fonía, radiotelefonía ⫴ *adj:* vocal; hablado; de voz; de viva voz; telefónico; radiotelefónico; de conversación; microfónico ⫴ *verbo: (Fonética)* vocalizar, hacer sonoro ‖ *(Acús/Mús)* armonizar; dar el tono; acordar, templar (un instrumento); escribir la parte vocal (de una pieza).

voice actor   *(Cine)* locutor de doblaje. SIN. **dubber.**

voice-actuated   *adj:* accionado [movido] por la voz.

voice-actuated diaphragm   diafragma movido por la voz.

voice-actuated modulator   modulador accionado por la voz.

voice-actuated telephone   v. **sound-powered telephone.**

voice amplifier   amplificador de voz. Refiérese con frecuencia al amplificador que precede al modulador de un emisor radiotelefónico. SIN. **speech amplifier** (véase).

voice-assist system   *(Electroacús)* sistema de refuerzo acústico [sonoro], sistema de sonido para refuerzo de la voz. CF. **sound-reinforcing system.**

voice babble   murmullo de voces.

voice broadcast(ing)   emisión (radio)telefónica, emisión en fonía; emisión hablada.

voice call   *(Telecom)* llamada de viva voz.

voice channel   *(Telecom)* canal de voz, canal (de banda) vocal. Canal telefónico destinado a la transmisión de la palabra, y que puede ser inadecuado para la transmisión de la música | canal telefónico, vía telefónica, canal [vía] de conversación. Dícese p.ej. a distinción de un canal telegráfico o de un canal de señalización. SIN. **telephone channel** | canal microfónico. En los sistemas de onda portadora, canal obtenido aplicando la señal del micrófono directamente a la línea, en lugar de modular una de las portadoras. CF. **voice-frequency telephony.**

voice-channel frequency characteristic   característica de frecuencia del canal de voz.

voice-channel idle noise   ruido del canal de voz sin señal.

voice channeling equipment   *(Telecom)* equipo canalizador de voz.

voice circuit   *(Telecom)* circuito de voz, circuito vocal; circuito telefónico [de conversación].

voice coder   codificador vocal. Dispositivo que traduce las señales de la voz a forma digital. La señal digital se utiliza en un sistema de cifrado que asegura el secreto de las comunicaciones habladas. El mismo dispositivo puede servir para la descodificación, o sea, para el proceso inverso aplicado a la recepción | dispositivo de análisis y codificación de la palabra | v. **vocoder.**

voice coding   codificación vocal; análisis y codificación de la palabra.

voice coil   *(Altavoces)* bobina móvil. En los altavoces dinámicos [dynamic loudspeakers], bobina recorrida por las corrientes de audiofrecuencia suministradas por el amplificador. La bobina es solidaria del cono o diafragma del altavoz, y se mueve en el entrehierro del sistema magnético, entre las piezas polares. El movimiento de oscilación de la bobina se produce por reacción entre el campo magnético fijo de dicho sistema, y el campo magnético variable que genera la bobina móvil en virtud de las corrientes que la recorren. SIN. **(loud)speaker voice coil, speech coil** *(GB).*

voice communication   *(Telecom)* comunicación hablada, comunicación telefónica; comunicación en (tele)fonía | **voice communications:** comunicaciones habladas [telefónicas]; tráfico telefónico [en fonía].

voice-controlled-carrier transmitter   *(Radiotelef)* transmisor con gobierno vocal de la portadora. Transmisor utilizado para un servicio radiotelefónico símplex en el que el conmutador o botón de micrófono [push-to-talk button] queda substituido por un dispositivo que cuando se habla ante el micrófono, pone automáticamente la portadora "en el aire". V.TB. **voice-operated transmission.**

voice current   corriente vocal [de la señal vocal], corriente microfónica. Corriente eléctrica generada o modulada por la excitación acústica de un micrófono ‖ *(Altavoces)* corriente de la bobina móvil. v. **voice coil.**

voice/data system   *(Telecom)* sistema para voz y datos. Sistema que permite la transmisión de la voz (telefonía) y la de datos en forma de señales digitales, sea simultáneamente, sea en alternativa.

voice dialing   *(Telecom)* v. **voice-frequency dialing.**

voice-ear measurement   *(Telef)* medida telefonométrica.

voice-ear test   *(Telef)* prueba telefonométrica. SIN. **volume comparison test.**

voice filter   *(Electroacús)* filtro de voz. Circuito antirresonante que se intercala en una línea de alimentación de altavoces con el propósito de suprimir el efecto de "sonido entubado" [tubiness] que a veces tienen las voces masculinas. La frecuencia de antirresonancia se ajusta entre los límites de 125 y 300 Hz.

voice frequency [VF]   *(Telecom)* frecuencia vocal [telefónica], frecuencia de voz [FV]. Frecuencia comprendida en la banda de frecuencias acústicas esenciales para la transmisión de la palabra con calidad "comercial", o sea, la banda de 300 a 3 400 Hz. SIN. **telephone frequency** | frecuencia vocal [telefónica]. Frecuencia acústica comprendida en la banda de frecuencias efectivamente transmitidas por un canal telefónico [telephone channel] dado, sin tomar en cuenta ningún cambio de frecuencia. SIN. **telephone frequency** (CEI/70 55–05–035) ‖ *(Teleg)* frecuencia vocal, frecuencia armónica.

voice-frequency amplifier   amplificador de frecuencias vocales.

voice-frequency band   banda de frecuencias vocales [telefónicas].

voice-frequency carrier telegraphy   telegrafía por (corriente) portadora de frecuencia vocal, telegrafía por onda portadora de frecuencia telefónica, telegrafía armónica.

voice-frequency channel   *(Telecom)* canal de frecuencia vocal, vía de frecuencia telefónica ‖ *(Teleg)* canal armónico, canal de frecuencia vocal [armónica].

voice-frequency dialing   *(Telef)* selección (a distancia) por frecuencia vocal, teleselección por frecuencia vocal, selección a distancia con impulsos de corriente de frecuencia vocal. CF. **voice-frequency key sending.**

voice-frequency drop   *(Telecom)* bajada [circuito] de frecuencia de voz.

voice-frequency electric wave   onda eléctrica de frecuencia vocal.

voice-frequency generator   generador de frecuencias vocales.

voice-frequency key sending   *(Telef)* emisión por teclado de señales de frecuencia vocal. Método según el cual se emiten impulsos de corriente alterna de frecuencia vocal por medio de botones pulsadores; esos impulsos consisten generalmente en una mezcla de dos o más corrientes de frecuencia vocal y representan una información numérica codificada (CEI/70 55–105–320). CF. **voice-frequency dialing.**

voice-frequency multichannel (telegraph) system   sistema multicanal de telegrafía armónica, sistema telegráfico multicanal de frecuencia vocal. Conjunto de canales de telegrafía armónica [voice-frequency telegraphy] constituidos sobre un mismo circuito telefónico.

voice-frequency multichannel telegraphy   telegrafía armónica multicanal, telegrafía multicanal de frecuencia vocal | telegrafía armónica [de frecuencias vocales]. Telegrafía múltiplex por reparto de frecuencias en la cual las frecuencias de las corrientes portadoras están comprendidas en la gama de las frecuencias vocales y forman una progresión aritmética (CEI/70 55–70–010).

voice-frequency order wire   *(Telecom)* circuito telefónico de órdenes.

voice-frequency output   *(Telecom)* salida en frecuencias vocales.

voice-frequency passband   banda pasante de frecuencias vocales.

voice-frequency range   gama de (las) frecuencias vocales; espectro de frecuencias de los sonidos articulados.

voice-frequency recording equipment   magnetófono para frecuencias vocales ‖ *(Telef)* equipo de registro por frecuencia vocal.

voice-frequency relay   relé de frecuencia vocal.

voice-frequency repeater   *(Telecom)* repetidor de frecuencia vocal.

voice-frequency ringer   *(Telef)* señalador [generador de llamada] de frecuencia vocal.

voice-frequency ringing   *(Telef)* llamada de frecuencia vocal; llamada en frecuencia audible.

voice-frequency ringing current   *(Telef)* corriente de llamada de frecuencia vocal.

voice-frequency selecting system   *(Telecom)* sistema de teleselección por corrientes de frecuencia vocal, instalación de selección a distancia por medio de corrientes de frecuencia vocal. SIN. **voice-frequency selective signaling system.**

voice-frequency selective signaling system   *(Telecom)* v. **voice-frequency selecting system.**

voice-frequency sending   *(Telef)* selección (a distancia) por frecuencia vocal, teleselección por frecuencia vocal. SIN. **voice-frequency dialing** | emisión de señales de frecuencia vocal. CF. **voice-frequency key sending.**

voice-frequency signaling   *(Telef)* señalización por frecuencia vocal. SIN. **in-band signaling** | señalización en frecuencia vocal; llamada en frecuencia audible.

voice-frequency signaling current   *(Telef)* corriente de llamada [de señalización] de frecuencia vocal.

voice-frequency signaling on built-up [indirect] connections   *(Telef)* señalización en frecuencia vocal en comunicaciones de tránsito.

voice-frequency signaling (relay) set   *(Telef)* señalador [equipo de llamada] de frecuencia vocal; equipo de relés para señalización en frecuencia vocal. Dispositivo que permite la emisión y la recepción de corrientes de señalización de frecuencia vocal.

voice-frequency signaling set   v. **voice-frequency signaling (relay) set.**

voice-frequency signaling tests   *(Telef)* pruebas de señalización en frecuencia vocal | medida de la corriente de llamada de frecuencia vocal.

voice-frequency system   *(Teleg)* sistema armónico [de frecuencia vocal]. V.TB. **voice-frequency telegraph system.**

voice-frequency telegraph channel   canal telegráfico de frecuencia vocal [armónica], canal (telegráfico) armónico, canal [vía] de telegrafía armónica.

voice-frequency telegraph modulation   modulación telegráfica en frecuencias vocales [de voz].

voice-frequency telegraph multiplex (equipment)   (equipo) múltiplex de telegrafía por frecuencias vocales [por tonos de voz].

voice-frequency telegraph receiver   receptor de telegrafía armónica.

voice-frequency telegraph system   sistema de telegrafía armónica, sistema telegráfico de frecuencia vocal, sistema (telegráfico) armónico.

voice-frequency telegraph terminal equipment   equipo terminal de telegrafía armónica.

voice-frequency telegraph transmitter   transmisor de telegrafía armónica.

voice-frequency telegraphy   telegrafía armónica [por frecuencias armónicas], telegrafía de [en] frecuencia vocal, telegrafía por frecuencia de voz, telegrafía por corrientes [tonos] de frecuencia vocal. Telegrafía por modulación de ondas portadoras de frecuencia vocal o telefónica | telegrafía armónica. Telegrafía por modulación de corrientes portadoras cuyas frecuencias son las de los sonidos audibles (CEI/38 55–15–195). SIN. **telegrafía por frecuencias acústicas** —— **harmonic telegraphy.**

voice-frequency telephony   telefonía por frecuencias vocales [microfónicas]. Telefonía en la que la señal del micrófono va a la línea sin cambio de frecuencia. SIN. **audio-frequency telephony.**

voice-grade channel   *(Telecom)* canal de calidad telefónica. Canal o vía de telecomunicación cuya calidad de transmisión es suficiente para el servicio telefónico. Un canal de esta clase puede utilizarse también para comunicaciones telegráficas, incluso de facsímile, y para la transmisión de datos. CF. **voice/data system.**

voice-grade circuit   *(Telecom)* circuito de calidad telefónica, circuito apto para telefonía, circuito telefónico. Circuito de calidad suficiente para la transmisión de la voz, o sea, para la comunicación telefónica. Circuito cuya calidad de transmisión lo hace apto para el servicio telefónico. Su banda de transmisión debe ser, como mínimo, de 300 a 3 000 ó 3 400 Hz. CF. **telegraph-grade circuit.**

voice keying *(Radiotelef)* control vocal, mando por la voz. En explotación símplex, conmutación automática accionada por la voz, para alternar entre la emisión y la recepción sin necesidad de conmutación manual. SIN. **voice-operated keying.**

voice level nivel vocal; nivel fónico.

voice line *(Telecom)* línea de voz, línea telefónica [de conversación]. SIN. **voice wire.**

voice logging registro de comunicaciones [conversaciones] telefónicas. En las jefaturas de policía, por ejemplo, registro en cinta magnética de las llamadas de llegada hasta su terminación. SIN. **recording.**

voice message mensaje hablado; comunicación hablada.

voice-message transmission transmisión de mensajes hablados.

voice-modulated *adj:* modulado por la voz.

voice-modulated transmitter transmisor para modulación vocal. Transmisor radiotelefónico apto para comunicaciones habladas.

voice modulation modulación vocal.

voice multiplex múltiplex de canales de voz; telefonía múltiplex.

voice multiplex equipment equipo múltiplex de canales de voz.

voice multiplex terminal terminal múltiplex de canales de voz.

voice-operated device [VOD] *(Telef/Radiotelef)* dispositivo accionado [mandado] por la voz, dispositivo de accionamiento [mando] vocal. CF. **vodas, vogad, voice-controlled carrier transmitter, voice-operated keyer [relay].**

voice-operated device antisinging *(Telef)* dispositivo supresor de canto accionado por la voz. v. **vodas.**

voice-operated gain-adjusting device *(dispositivo)* regulador de ganancia mandado por la voz [por corrientes vocales]. v. **vogad.**

voice-operated keyer [VOK, VOX] *(Radiotelef)* conmutador accionado por la voz, relé accionado [actuado] por la voz, conmutador vocal, dispositivo vocal (para la comunicación en alternativa), conmutador de habla/escucha automático accionado por la voz. SIN. **voice-operated keying unit, voice-operated (keying) relay.**

voice-operated keying *(Radiotelef)* control vocal, mando por la voz, cambio accionado por la voz, conmutación accionada [activada] por la voz. SIN. **voice keying, voice-operated switching.**

voice-operated keying relay *(Radiotelef)* relé de conmutación accionado por la voz. SIN. **voice-operated keyer.**

voice-operated keying unit [VOX] *(Radiotelef)* dispositivo vocal (para la comunicación en alternativa), conmutador emisión/recepción accionado por la voz. SIN. **voice-operated keyer.** CF. **voice keying.**

voice-operated loss control *(Telef)* dispositivo de conmutación de pérdida accionado por la voz. Dispositivo que, mandado por la voz del abonado que habla, suprime un elemento atenuador de la rama de transmisión y lo intercala en la de recepción. Cuando el abonado cesa de hablar, para escuchar a su interlocutor, se efectúa la conmutación inversa.

voice-operated relay [VOR, VOX] *(Radiotelef)* relé accionado [actuado] por la voz, relevador mandado por (las) corrientes vocales. SIN. **voice-operated keyer.**

voice-operated switching [VOX] *(Radiotelef)* cambio accionado por la voz, conmutación activada por la voz. SIN. **voice-operated keying.**

voice-operated telephone v. **sound-powered telephone.**

voice-operated transmission [VOX] *(Radiotelef)* transmisión de control vocal [de mando por la voz]. Procedimiento de explotación radiotelefónica en el que la portadora es radiada únicamente cuando se habla ante el micrófono y, por tanto, existen corrientes vocales que exciten el dispositivo de control correspondiente. v.TB. **voice-controlled-carrier transmitter.**

voice operation demonstrator demostrador de sonidos vocales. v. **voder.**

voice over *verbo: (Cine/Tv)* superponer una narración o explicación (a una película o un programa).

voice-over *(Cine/Tv)* superposición de una narración o explicación (a una película o un programa).

voice paging busca [llamada] de personas por altavoces. Sistema utilizado para atraer la atención de determinada persona a quien se le quiere comunicar algún aviso o noticia, y que comprende un micrófono, un amplificador de audiofrecuencia, y una red de distribución de sonido por altavoces. Se emplea en hoteles, estaciones ferroviarias, aeropuertos, y otros lugares públicos. v.TB. **paging system.** CF. **sound system.**

voice-paging system sistema de llamadas [de busca de personas] por altavoces. CF. **visual staff-locator system.**

voice privacy coder codificador de conversaciones telefónicas. CF. **privacy code, speech inverter.**

voice recorder registrador de voz, registrador de la palabra; magnetófono para frecuencias vocales.

voice recording registro [impresión] de la voz, registro de la palabra ‖ *(Cine)* registro [grabación] del diálogo ‖ *(Telecom)* registro de las conversaciones telefónicas [de las comunicaciones habladas].

voice-recording equipment *(Telecom)* dispositivo de registro de las conversaciones telefónicas, equipo de registro de las comunicaciones habladas.

voice repeater *(Telecom)* repetidor telefónico.

voice-security equipment equipo de comunicación telefónica secreta.

voice signal señal vocal [de voz]; señal de corrientes [frecuencias] vocales; señal telefónica [de comunicación hablada].

voice sound sonido vocal, sonido articulado; sonido humano.

voice spectrum espectro vocal [de la voz].

voice-switched circuit *(Telef)* circuito de conmutación por la voz. CF. **vodas.**

voice synchronizing *(Cine)* sincronización de la voz. Sincronización de la palabra (diálogo) con la acción en una película cinematográfica. CF. **lip sync.**

voice telephony v. **voice-frequency telephony.**

voice terminal (equipment) (equipo) terminal de frecuencias vocales.

voice test *(Cine/Tv)* examen de la voz. Examen o ensayo que hace el técnico de sonido de la voz de un actor o una actriz. SIN. **prueba fonogénica** ‖ *(Telef)* ensayo de la voz; prueba telefónica.

voice test result *(Telef)* resultado de ensayo de la voz.

voice tone tono vocal, tono de frecuencia vocal. Tono cuya frecuencia está comprendida en la gama de frecuencias de la voz humana. v. **voice frequency.**

voice tube tubo acústico. Tubo que sirve para hablar o para transmitir señales sonoras entre dos lugares alejados, como p.ej. entre el puente de un barco y la sala de máquinas. SIN. **acoustic tube.**

voice unit *(Telecom)* v. **voice-channel unit.**

voice wave onda vocal.

voice wire *(Telecom)* línea de voz, línea telefónica [de conversación]. SIN. **voice line.** CF. **voice-frequency order wire.**

voiced *adj: (Fonética)* sonoro, sonorizado. SIN. **vocal.**

voiced sound *(Fonética)* sonido sonoro. Sonido producido con vibración de las cuerdas vocales. CF. **voiceless sound.**

voiceless *adj:* sin voz, áfono, afónico; mudo ‖ *(Fonética)* sordo, no sonoro.

voiceless fricative consonant *(Fonética)* consonante fricativa sorda.

voiceless sound *(Fonética)* sonido sordo. Sonido que se produce sin vibración de las cuerdas vocales. CF. **voiced sound.**

voiceprint espectrograma de la voz. Registro gráfico de la voz. Típicamente se toma el eje horizontal como eje de los tiempos, y el vertical como eje de la frecuencia, estando la amplitud representada por una serie de líneas de contorno cuya configuración es característica de la articulación de determinada palabra por una persona en particular.

voicer *(Organos)* entonador. El encargado de la entonación [voicing].

voiceway *(Telecom)* vía telefónica, vía [canal] de comunicación vocal.

voicewriter registrador de (la) voz [de la palabra]; dictáfono, aparato de dictar; registrador de conversaciones.

voicing *(Acús/Mús)* armonización ‖ *(Fonética)* fonema; sonorización ‖ *(Organos)* entonación.

void vacío, hueco, oquedad, intersticio; laguna, claro | v.TB. **voids** ⫽ *adj:* vacío, vacuo; desocupado, vacante; hueco | **void of:** desprovisto, falto, privado de ‖ *(Lenguaje forense)* nulo, inválido, írrito ‖ *(Mat)* vacío, nulo ⫽ *verbo:* vaciar(se), evacuar(se); desocupar ‖ *(Lenguaje forense)* anular, invalidar, irritar, dejar sin efecto ni fuerza.

void coefficient *(Nucl)* coeficiente cavitario [de cavitación], coeficiente de burbujas [de huecos, de vacíos].

void content *(Nucl)* cavitación, volumen total de burbujas (de vapor), volumen total de huecos.

void fraction *(Nucl)* vacío relativo, fracción de burbujas (de vapor), fracción de huecos.

void ratio índice de vacíos, relación de huecos. Relación existente entre el volumen de los vacíos y del material sólido, en una cantidad determinada de suelo o de agregado.

void set *(Mat)* conjunto vacío [nulo]. Conjunto que no tiene miembros. Símbolos: ϕ, ⎨ ⎬.

voids *(Materiales granulados)* vacíos, huecos, intersticios, oquedades. Espacios que quedan vacíos entre las partículas de la arena, la gravilla, u otro material semejante utilizado p.ej. para un hormigón o mortero ‖ *(Hormigón)* **voids in a batch:** contenido de aire, vacíos del hormigón. Diferencia entre el volumen de hormigón recién colocado y el resultante de la suma de los volúmenes sólidos de sus componentes, más el del agua incorporada. SIN. **air content in a batch** ‖ v. **void.**

Voight material *(Mec)* material de Voight. Material que presenta únicamente elasticidad respecto a cambios lentos [delayed elasticity]. SIN. **Kelvin material.**

Voight model *(Mec)* modelo de Voight. Modelo gráfico del material de Voight. SIN. **Kelvin model.**

VOK *(Radiotelef)* Abrev. de voice-operated keyer.

VOL *(Esquemas)* Abrev. de volume.

volatile *adj:* volátil; evaporable, vaporable; disipable; sutil; fugaz, transitorio, pasajero ‖ *(Quím)* volátil, volatizable ‖ *(Comput)* de contenido volátil. Dícese de los dispositivos almacenadores de información que sólo retienen ésta mientras se le suministre energía de alimentación; si falta la energía de alimentación, aunque sea momentáneamente, desaparece el registro de la información. Son de esta clase p.ej. las memorias a base de líneas de retardo acústicas, y los dispositivos acumuladores por cargas electrostáticas.

volatile matter materia volatizable.

volatile memory *(Comput)* memoria de contenido volátil.

volatile oil aceite volátil [esencial].

volatile storage *(Comput)* almacenador (de información) de contenido volátil. SIN. **volatile store** | almacenamiento volátil. CF. **nonvolatile storage.**

volatile store *(Comput)* almacenador (de información) de contenido volátil.

volatileless *adj:* involátil, involatilizable, no volátil, no volatizable.

volatileness v. **volatility.**

volatility, volatileness volatilidad, calidad de volátil; fugacidad, calidad de fugaz.

volatilization volatilización.

volatilize *verbo:* volatilizar(se); vaporizar(se); gasificar(se).

volcanic *adj:* volcánico.

volcanic glass *(Miner)* obsidiana, vidrio volcánico.

volcanic power energía de origen volcánico; energía obtenida del vapor volcánico.

volcanic rock roca volcánica [eruptiva]. La que debe su formación al volcanismo [volcanism].

volcanic sound ruido volcánico.

volcanic tuff tufa, toba volcánica, tufo volcánico.

volcanicity volcanicidad. Carácter propio de las rocas volcánicas o eruptivas [volcanic rocks].

volcanism volcanismo. Conjunto de fenómenos relacionados con la actividad volcánica | vulcanismo, plutonismo.

volcanization volcanización.

volcanize *verbo:* volcanizar(se).

volcano volcán ⫽ *adj:* volcánico.

volcanology volcanología, vulcanología. Parte de la geofísica que trata de los volcanes y de los fenómenos con ellos relacionados.

volcanoseismic *adj:* volcanosísmico.

volcanotectonic *adj:* volcanotectónico.

volley descarga; salva; voleo (de la pelota) ‖ *(Minería, Barrenos)* disparo, voladura; pega.

VOLMET *(Avia)* Abrev. de meteorological information for aircraft in flight [información meteorológica para aeronaves en vuelo]. Esta abreviatura es de uso internacional.

VOLMET broadcast radiodifusión VOLMET.

VOLSCAN VOLSCAN. Sistema complejo de ayuda para el aterrizaje en aeropuertos de mucho tráfico. Comprende (*a*) un radar que detecta los aviones que se dirigen al aeropuerto; (*b*) una consola donde un operador observa el indicador osciloscópico y, por medio de una pistola electrónica que apunta a la señal luminosa que en la pantalla representa al avión, pasa la información de situación a un equipo que sigue la trayectoria del avión; (*c*) una computadora que continuamente calcula el rumbo y la velocidad relativa de la aeronave en base a los datos que le llegan del equipo anterior; y (*d*) un grupo de pupitres desde los cuales, con la información de la computadora, un grupo de operadores radiotelefonistas dirigen los movimientos de las aeronaves hasta que cada una de ellas está a punto de aterrizar. El término viene de "*volume scanning*".

VOLSCAN system sistema (de aterrizaje) VOLSCAN.

volt *(Elec)* voltio, volt. Unidad práctica de tensión, de fuerza electromotriz, y de diferencia de potencial. Símbolo: V | volt. Diferencia de potencial que, aplicada a las extremidades de un conductor que posee la resistencia de un ohm internacional, produce la corriente de un ampere internacional (CEI/38 05–35–090) | volt (**unit of potential difference and electromotive force**): volt (unidad de diferencia de potencial y de fuerza electromotriz). Diferencia de potencial eléctrico que existe entre dos puntos de un hilo conductor que transporta una corriente constante de 1 ampere, cuando la potencia disipada entre esos puntos es igual a 1 watt (CEI/56 05–35–100). NOTA: *Volt* es el nombre de la unidad en la nomenclatura internacional; *voltio* es la forma españolizada del mismo.

volt-ammeter voltamperímetro, voltiamperímetro, voltímetro-amperímetro. SIN. **voltammeter, voltmeter-ammeter.**

volt-ampere voltamperio, voltampere, voltio-amperio, volt-ampere. Unidad de potencia aparente. Símbolo: VA. Se llama *potencia aparente* [apparent power], en los circuitos con reactancia recorridos por una corriente alterna, al producto de la tensión eficaz (voltios) por la corriente eficaz (amperios), sin tomar en cuenta el ángulo de fase entre una y otra. En corriente continua, y en los circuitos puramente resistivos (sin reactancia), el voltamperio es idéntico al vatio [watt]. CF. **effective value, power factor, wattless power.**

volt-ampere-hour voltamperiohora, voltamperehora, voltamperio-hora, voltampere-hora, voltio-amperio-hora, volt-ampere-hora | voltamperehora, volt-ampere-hora. Unidad de energía aparente [apparent energy] en el sistema práctico, igual a 1 watt (CEI/56 05–35–105).

volt-ampere-hour meter voltamperihorímetro, contador de energía aparente. Aparato integrador [integrating instrument] que mide la energía aparente en voltamperehoras. SIN. **apparent-**

energy meter (CEI/58 20–25–040) | televoltamperímetro. Contador de energía aparente que registra la energía en un totalizador situado a cierta distancia del contador (CEI/58 20–25–045*). *NOTA: Esta definición no existe en inglés ni tiene término equivalente inglés en el VEI.

volt-ampere-hour reactive voltamperiohora [voltamperehora] reactivo, voltamperio-hora [voltampere-hora] reactivo, voltio-amperio-hora reactivo. Unidad de energía aparente en un circuito de corriente alterna con reactancia; es igual a 1 voltamperio durante una hora. SIN. **reactive volt-ampere-hour.**

volt-ampere loss pérdida de potencia aparente. (1) En el caso de los voltímetros, producto de la tensión nominal de fin de escala [nominal end-scale voltage] y la corriente resultante. (2) En el caso de los amperímetros, producto de la corriente nominal de fin de escala [nominal end-scale current] y la tensión resultante. (3) En el caso de los vatímetros y otros instrumentos, se expresa para un valor especificado de tensión o de corriente. SIN. **apparent power loss.**

volt-ampere meter voltamperímetro. Aparato que sirve para medir, directa o indirectamente, una potencia aparente [apparent power] en voltamperes (CEI/58 20–15–150).

volt-ampere reactive voltamperio [voltampere] reactivo. Unidad de potencia reactiva [reactive power]. SIN. **var, reactive volt-ampere.**

volt box divisor de tensión de medida. v. **measurement voltage divider.**

volt drop v. **voltage drop.**

volt efficiency (Acum) rendimiento en tensión. Razón entre la tensión media durante la descarga y la tensión media durante la carga en condiciones determinadas de temperatura, de régimen [rate of discharge], y de tensión final (CEI/60 50–20–300). CF. **voltage efficiency, watt-hour efficiency.**

volt-electron Nombre anticuado del electrón-voltio. v. **electron-volt.**

volt-hour voltiohora, voltio-hora, volt-hora.

volt-hour meter volthorímetro.

volt-microammeter voltmicroamperímetro, voltímetro-microamperímetro.

volt-milliammeter voltmiliamperímetro, voltímetro-miliamperímetro.

volt-ohm-ammeter [VOA] voltohmamperímetro, voltiohmímetro-amperímetro, multímetro (para voltios, ohmios y amperios).

volt-ohm-meter v. **volt-ohmmeter.**

volt-ohm-milliammeter [VOM] voltohmmiliamperímetro, voltohmímetro-miliamperímetro, multímetro (para voltios, ohmios y miliamperios), comprobador universal. Aparato para la medida de tensiones en voltios, resistencias en ohmios, y corrientes en miliamperios, y que es utilizado por los técnicos de radio, televisión y electrónica como instrumento de comprobación general de circuitos y componentes. SIN. **multimeter, multiple-purpose tester.**

volt-ohm-milliampere meter v. **volt-ohm-milliammeter.**

volt-ohmmeter voltohmímetro, voltiohmetro, voltímetro-ohmímetro.

volt range v. **voltage range.**

volt ratio box (Aparatos de medida) v. **voltage-ratio box.**

volt-reading meter voltímetro, instrumento indicador de tensión (en voltios). SIN. **voltmeter.**

volt rise v. **voltage rise.**

volt-second voltio-segundo, volt-segundo. SIN. **weber.**

Volta Alejandro conde de Volta: físico italiano (1745–1827), autor de fundamentales trabajos sobre la Electricidad, e inventor de la pila eléctrica que lleva su nombre (v. **voltaic cell**). De su nombre se deriva el de la unidad de fuerza electromotriz o diferencia de potencial (v. **volt**).

Volta effect efecto Volta. (1) Diferencia de potencial debida al contacto de metales diferentes. (2) Producción de fuerzas electromotrices debida al contacto de cuerpos de naturaleza distinta que poseen la misma temperatura (CEI/38 05–20–150, CEI/56 05–20–190). SIN. **potencial de contacto —— contact potential.**

voltage tensión, voltaje. Presión eléctrica entre dos puntos capaz de producir un flujo de electrones, o sea, la circulación de una corriente eléctrica, al establecerse un circuito cerrado entre esos puntos. SIN. **electromotive force, potential, (electric) potential difference, voltage drop** | **electric voltage:** tensión eléctrica. Sinónimo de *diferencia de potencial eléctrico* en un campo irrotacional (CEI/38 05–20–020) | (=potential difference) tensión eléctrica, diferencia de potencial. Integral de línea [line integral] de un punto a otro de un campo eléctrico, tomada a lo largo de un camino dado (CEI/56 05–20–025) | CF. **decomposition voltage, disruptive voltage, electrolytic excess voltage, equivalent disturbing voltage (of an electric line), grid voltage, grid polarization voltage, overvoltage, plate [anode] voltage, psophometric voltage, rated voltage, recovery voltage, voltage between lines of a polyphase system, voltage to neutral, voltages due to nervous action.**

voltage-actuated *adj:* mandado [accionado] por tensión.

voltage-actuated device dispositivo mandado por tensión (eléctrica).

voltage adjuster regulador de (la) tensión.

voltage adjustment regulación de (la) tensión (eléctrica), regulación [ajuste] de(l) voltaje.

voltage amplification amplificación de tensión [en tensión]. Razón entre la tensión alterna en los bornes de salida y la tensión alterna en los bornes de entrada de un transductor (amplificador, válvula electrónica, etc.); como caso particular, razón o cociente entre las tensiones alternas de ánodo y de rejilla de un tubo electrónico al vacío. SIN. **amplificación de voltaje, ganancia de tensión, razón de tensiones —— voltage ratio [gain].** CF. **current amplification, power amplification** || (Transductores mag) razón de las tensiones, factor de amplificación en la tensión. Razón de una variación elemental de la tensión de salida por la variación correspondiente de la tensión de mando, en régimen estable [steady-state conditions] y para condiciones de funcionamiento determinadas. SIN. **voltage ratio** (CEI/55 12–10–030). CF. **current amplification.**

voltage amplifier amplificador de tensión. Amplificador cuya función consiste principalmente en aumentar la amplitud de tensión de las señales que se le apliquen a la entrada, sin suministrar potencia apreciable. SIN. **amplificador de voltaje.** CF. **current amplifier, power amplifier.**

voltage-amplifier tube (Elecn) tubo amplificador de tensión, válvula (electrónica) amplificadora de tensión.

voltage-amplifying action efecto amplificador de tensión.

voltage-amplifying tube v. **voltage-amplifier tube.**

voltage analog representación analógica en forma de tensión.

voltage- and power-directional relay relé direccional en tensión y potencia. Relé que permite o que efectúa la conexión de dos circuitos eléctricos cuando la tensión entre ellos, en un sentido determinado, supera cierto valor, y que efectúa la desconexión de los mismos circuitos cuando la potencia que fluye entre ellos, en determinado sentido, supera cierto valor. CF. **voltage-directional relay.**

voltage antinode antinodo [vientre] de tensión. v. **voltage loop.**

voltage attenuation atenuación de tensión [en tensión]. De un transductor, razón entre la tensión aplicada a la entrada y la tensión que el dispositivo suministra a una impedancia de carga especificada. Frecuentemente se expresa en decibelios tomando

$$20 \log_{10} \frac{(\text{tensión de entrada})}{(\text{tensión de salida})}$$

CF. **voltage gain.**

voltage balance equilibrio de tensiones.

voltage-balance relay relé accionado por desequilibrio de tensiones. Relé que funciona cuando la diferencia entre las tensiones de dos circuitos alcanza determinado valor.

voltage between lines of a polyphase system   tensión entre conductores de un sistema polifásico | tensión compuesta en un sistema polifásico. Tensión entre dos conductores de fases diferentes de un sistema polifásico. Cuando el número de fases es superior a tres, existen múltiples tensiones compuestas en el sistema (CEI/56 05–40–125).

voltage bias   polarización de tensión; tensión de polarización. CF. **current bias.**

voltage booster   elevador de tensión [de voltaje].

voltage breakdown   *(Aislamientos y dieléctricos)* descarga disruptiva; falla [ruptura, perforación] debida a la tensión | formación de arcos. Forma en que ocurre la descarga disruptiva [disruptive discharge] cuando el aislamiento o dieléctrico es el aire o un gas. SIN. **arcing** | v. **breakdown voltage** | CF. **corona, electric breakdown.**

voltage-breakdown test   prueba de descarga disruptiva. Aplicación de una tensión de valor especificado entre dos puntos de un dispositivo para comprobar que no se produce descarga disruptiva [disruptive discharge] a ese valor de tensión.

voltage calibration   calibración de tensión [en tensión].

voltage calibrator   calibrador de tensión [de voltaje]. (1) Fuente de tensiones calibradas. (2) Fuente de tensiones alternas sinusoidales de valor exactamente conocido, que se utilizan para determinar, por comparación, la amplitud de otras ondas observadas en un osciloscopio.

voltage changer switch   selector de tensiones, conmutador de voltajes.

voltage chart   cuadro de tensiones. Cuadro en el que aparecen las tensiones nominales o normales de un aparato en condiciones especificadas, y contra las cuales se comparan las tensiones medidas en puntos determinados de los circuitos, como p.ej. los contactos de un zócalo de válvulas electrónicas. CF. **test chart.**

voltage circuit   circuito derivado [en derivación, en shunt], circuito de tensión || *(Aparatos de medida)* circuito de tensión, circuito en derivación. v. **shunt circuit.**

voltage coefficient of capacitance   coeficiente de tensión de la capacitancia. Está dado por el cociente de la derivada, respecto a la tensión, en un punto dado, de la función de la capacitancia, por la capacitancia en ese mismo punto.

voltage coefficient of resistance   coeficiente de tensión de la resistencia.

voltage coil   *(Vatímetros)* bobina de tensión, bobina en derivación. CF. **current coil.**

voltage comparator   comparador de tensiones. Aparato o circuito que sirve para determinar si dos tensiones son iguales o si una de ellas es mayor que la otra. Puede consistir p.ej. en un amplificador con entrada diferencial, que invierte la polaridad de la salida cuando una de las tensiones de entrada sobrepasa a la otra en valor. Un amplificador operacional [operational amplifier] sin realimentación ni compensación de fase, es de funcionamiento rápido y exacto en este tipo de aplicación. En otra versión, el comparador de tensiones emite un impulso lógico cuando la tensión observada es idéntica en valor a una tensión de referencia, y un impulso lógico distinto cuando una de las tensiones excede de la otra.

voltage control   control [regulación] de tensión.

voltage-control transformer   transformador de control de voltaje, transformador de regulación de tensión.

voltage-controlled   *adj:* controlado [mandado] por tensión.

voltage-controlled blocking oscillator   oscilador de bloqueo controlado por tensión.

voltage-controlled capacitor   condensador variable por tensión, condensador de capacidad variable con la tensión, condensador de capacidad controlada por tensión. Condensador cuya capacitancia varía cuando se hace variar una tensión polarizadora externa. CF. **varactor, varicap.**

voltage-controlled crystal oscillator   oscilador de cristal controlado [regulado] por tensión. Oscilador estabilizado por cristal piezoeléctrico, cuya frecuencia puede ser variada por aplicación de una tensión exactamente controlada que introduce un desplazamiento de fase [phase shift] en el circuito oscilante. CF. **voltage-controlled oscillator.**

voltage-controlled logarithmic attenuator   atenuador logarítmico controlado por tensión.

voltage-controlled magnetic amplifier   amplificador magnético controlado [mandado] por tensión. En este dispositivo la variación de flujo durante el intervalo de reposición (v. **resetting interval**) está ligada a la tensión de la señal de entrada y es esencialmente independiente de la corriente del circuito de mando o control.

voltage-controlled oscillator [VCO]   oscilador controlado [regulado] por tensión, oscilador de regulación (de frecuencia) por tensión. Oscilador cuya frecuencia puede modificarse por variación de una tensión aplicada (tensión de control). Esta tensión puede aplicarse, por ejemplo, a un diodo de capacitancia variable incorporado en el circuito resonante del oscilador. CF. **voltage-controlled crystal oscillator.**

voltage-controlled overcurrent relay   relé de sobrecorriente [de máxima] controlado por tensión.

voltage converter   convertidor de tensión.

voltage corrector   corrector de tensión [de voltaje]. Fuente de tensión estabilizada intercalada en serie con la salida de una fuente no estabilizada, y que automáticamente varía su tensión de salida de modo de compensar las variaciones de la segunda fuente, manteniendo constante la tensión de salida total.

voltage/counting-rate curve   *(Contadores de radiaciones)* curva de velocidad de recuento en función de la tensión. v. **counting-rate curve.**

voltage-current characteristic   característica de corriente en función de la tensión, característica corriente-tensión.

voltage/current crossover   *(Fuentes de alim)* transición de modo de regulación. Característica de ciertas fuentes en las que la regulación pasa automáticamente del modo de tensión constante al de corriente constante, de acuerdo con límites preestablecidos.

voltage cutoff   *(Elecn)* tensión de corte. v. **cutoff voltage.**

voltage-dependent   *adj:* dependiente de la tensión, que varía en función de la tensión.

voltage-dependent resistor [VDR]   resistencia dependiente de la tensión. v. **varistor.**

voltage detector   detector [indicador] de tensión. Aparato que permite determinar si un conductor está bajo tensión eléctrica. SIN. **voltage indicator** (CEI/58 20–10–065).

voltage-difference detector   detector [indicador] de diferencia de tensión.

voltage dip   caída de tensión [de voltaje]. Disminución momentánea de la tensión en un circuito. CF. **voltage overshoot.**

voltage-directional relay   relé polarizado. Relé que funciona de conformidad con la polaridad de una tensión aplicada. SIN. **polarized relay** | relé direccional en tensión. Relé que funciona cuando la tensión entre los contactos abiertos de un disyuntor o de un contactor pasa de cierto valor en determinado sentido. CF. **voltage- and power-directional relay.**

voltage discharge gap   *(Telecom)* pararrayos, saltachispas; limitador de tensión [de voltaje]. SIN. **carbon-block protector.**

voltage discriminator   discriminador de tensión.

voltage divider   divisor de tensión [de voltaje], divisor de potencial; reductor de voltaje. Resistencia entre cuyos extremos se aplica una tensión, para tomar una fracción de ella entre uno de esos extremos y una toma intermedia, o entre dos tomas intermedias. Las tomas pueden ser fijas, semifijas o variables (contacto deslizante). También puede el divisor estar constituido por una serie de resistores individuales conectados en serie, y en ese caso cada punto de unión de dos resistores puede usarse como toma intermedia. Un potenciómetro puede emplearse como divisor de potencial o tensión, conectando sus extremos a una fuente de tensión y tomando una fracción variable de la tensión de la fuente entre uno de los extremos del elemento de resistencia y el cursor o contacto deslizante. El divisor puede formarse también con elementos de impedancia o de reactancia (en lugar de elementos de resistencia), en el caso de tensiones alternas. SIN. **potential divider** ‖ *(Aparatos de medida)* divisor [reductor] de tensión. Dispositivo constituido por resistencias, por capacidades, o por inductancias, y que permite obtener entre dos puntos una tensión proporcional a la tensión que se desea medir (CEI/58 20–30–160). SIN. **potential divider.**

voltage-divider circuit   circuito divisor de tensión [de voltaje, de potencial]; circuito reductor de tensión [de voltaje].

voltage division   división de tensión [de voltaje].

voltage doubler   (a.c. doubler) doblador de tensión [de voltaje]. Circuito rectificador cuya tensión de salida es el duplo de la tensión de entrada | duplicador de tensión. Circuito que comprende dos rectificadores de media onda [half-wave rectifiers] y condensadores alimentados alternativamente a partir de la misma fuente de corriente alterna, y cuyas salidas están conectadas en serie (CEI/70 55–25–320). V.TB. **voltage multiplier.**

voltage-doubler rectifier   rectificador doblador de tensión.

voltage-doubling circuit   circuito doblador de tensión.

voltage drop   caída de tensión [de voltaje], caída [diferencia] de potencial. (1) Tensión que se desarrolla entre los terminales de una resistencia o un elemento de circuito recorridos por una corriente. (2) Disminución de potencial que ocurre a lo largo de un conductor, una resistencia, u otro elemento, al ser recorrido por una corriente. SIN. **resistance drop, potential difference** | caída de tensión. En una fuente de tensión (p.ej. una pila), diferencia entre la tensión en vacío (sin carga), igual a la fuerza electromotriz de la fuente, y la tensión entre bornes con determinada carga; la diferencia se debe a la resistencia interna de la fuente. SIN. **IR drop** | caída de tensión. (a) En una máquina, diferencia entre las tensiones en las bornas con marcha en vacío y con la carga considerada en determinadas condiciones. (b) En un transformador, diferencia entre las tensiones secundarias en vacío y con la carga considerada, para una misma frecuencia y tensión aplicada al primario (CEI/38 10–45–025) | (=potential drop) caída de potencial a lo largo de un conductor. Disminución del potencial a lo largo de un conductor o en un aparato recorrido por una corriente (CEI/56 05–20–030) ‖ *(Electroquím)* v. **IR drop.**

voltage drop on load   caída de tensión con carga.

voltage-dropping resistor   resistor de caída de tensión, resistencia reductora de tensión. Resistencia que se intercala en serie en un circuito para reducir la tensión suministrada por una fuente. CF. **filament dropping resistor, IR drop.**

voltage edge   borde de una onda [un impulso] de tensión.

voltage efficiency   rendimiento de tensión [de voltaje] ‖ *(Electroquím)* rendimiento electroquímico | relación de tensión. Razón entre la tensión de equilibrio de una reacción electroquímica [equilibrium reaction potential] y la tensión de baño [bath voltage]. NOTA: Se recomienda evitar el uso de este término (CEI/60 50–05–405) ‖ *(Acum)* v. **volt efficiency.**

voltage endurance   resistencia a largo plazo a las altas tensiones, resistencia a la ionización [al efecto corona]. Período de tiempo durante el cual un aislamiento puede soportar una ionización de intensidad especificada que no cause su ruptura o falla inmediata y completa. SIN. **corona [ionization] resistance.**

voltage equalization   compensación de tensión [de voltaje].

voltage factor   *(Elecn)* factor [coeficiente] de amplificación | factor de amplificación relativo a dos electrodos. Razón en valores absolutos de la variación de tensión de un electrodo a la variación de tensión de otro electrodo, permaneciendo invariables cierta corriente especificada, así como las tensiones de todos los otros electrodos (CEI/56 07–28–070). CF. **amplification factor, mu factor.**

voltage-fed   *adj: (Sist de RF)* alimentado [excitado] en tensión.

voltage-fed antenna   antena alimentada [excitada] en tensión.

voltage feed   alimentación de tensión [en tensión], excitación de tensión [de voltaje]. Excitación de una antena de transmisión

aplicándoie tensión de RF en un antinodo de tensión [voltage antinode], o sea, un punto de máximo potencial. CF. **current feed.**

voltage feedback [VFB]   realimentación [reacción] de tensión, realimentación de voltaje. Realimentación o reacción en la que se aplica en serie con el circuito de entrada la diferencia de potencial que se desarrolla entre dos puntos de la impedancia conectada a la salida; o sea, que parte de la impedancia de carga actúa en serie con la tensión de la señal de entrada. CF. **current feedback.**

voltage feedback factor   factor de realimentación [reacción] de tensión, factor de realimentación de voltaje.

voltage feedback integrator   integrador de realimentación [reacción] de tensión.

voltage flare   *(Lámparas de exposición)* voltaje de relumbre.

voltage flicker   fluctuación de tensión.

voltage-frequency curve   curva de tensión en función de la frecuencia, curva tensión-frecuencia.

voltage gain   ganancia de tensión [en tensión]. (1) Razón de la tensión alterna de salida a la tensión alterna de entrada de un amplificador. La ganancia de tensión de una etapa es igual al *factor de amplificación* [amplification factor] del tubo o del transistor, según el caso, únicamente cuando la carga está perfectamente adaptada. En el caso del tubo, por ejemplo, la ganancia de tensión es igual al factor de amplificación multiplicado por una fracción cuyo numerador es la impedancia anódica externa (impedancia de carga) y cuyo denominador es la impedancia anódica total (impedancia de carga sumada a la impedancia interna del tubo); a medida que la impedancia externa aumenta en relación con la interna, la ganancia de tensión se aproxima al factor de amplificación del tubo. (2) Razón del incremento de la tensión de salida al incremento correspondiente de la tensión de entrada de un dispositivo o sistema. La ganancia de tensión puede expresarse en decibelios tomando $20 \log_{10}$ (razón de tensiones). SIN. **ganancia de voltaje, amplificación de tensión —— voltage amplification.** CF. **voltage attenuation.**

voltage gain–bandwidth product   producto de (la) ganancia de tensión por (la) anchura de banda.

voltage generator   generador de tensión. En la teoría de redes, elemento de circuito de dos terminales cuya tensión entre terminales es independiente del valor de la corriente que lo recorra.

voltage gradient   gradiente de tensión. Tensión por unidad de longitud a lo largo de un camino conductor; por ejemplo, a lo largo de un hilo de resistencia.

voltage grading   reparto de potencial.

voltage-grading electrode   *(Convertidores de vapor de mercurio)* electrodo de reparto de potencial. Electrodo auxiliar [auxiliary electrode] que sirve para fijar el gradiente de potencial [potential gradient] entre un ánodo y un cátodo (CEI/56 11–15–050).

voltage indicator   indicador [detector] de tensión. v. **voltage detector.**

voltage integrator   integrador de tensión.

voltage inverter   inversor de tensión. Circuito cuya señal de salida es igual o proporcional a la de entrada, pero de signo opuesto.

voltage jump   *(Tubos de descarga luminosa)* salto de tensión [de voltaje]. Cambio brusco o discontinuidad en la caída de tensión del tubo mientras se encuentra en funcionamiento.

voltage level   nivel de tensión. Razón, expresada normalmente en decibelios, entre la tensión en un punto considerado de un sistema, y una tensión de referencia. v. **voltage level referred to 0.775 volt.**

voltage level difference   diferencia de nivel de tensión. Expresión en unidades de transmisión [transmission units] de la razón de la tensión en un punto considerado de un sistema, a la tensión que se manifiesta en otro punto del sistema, elegido como punto de referencia [reference point]. Los valores de tensión pueden ser valores eficaces, valores medios, valores pico a pico, u otros valores característicos de la onda de que se trate. CF. **voltage level.**

voltage level referred to 0.775 V   nivel de tensión referido a 0,775 voltio, nivel absoluto de tensión. Expresión en unidades de transmisión de la razón V/V_r, donde V representa el valor eficaz de la tensión en el punto considerado, y V_r el valor de referencia, tomado igual a 0,775 voltio, de tal manera que cuando se aplica entre los extremos de una resistencia pura de 600 ohmios, la disipación de potencia en esa resistencia es igual a 1 milivatio. v. **voltage level**.

voltage limit   límite de tensión [de voltaje].

voltage limiter   limitador de tensión [de voltaje] | limitador de tensión. Aparato destinado a impedir que la diferencia de potencial entre dos conductores sobrepase un valor determinado (CEI/57 15–55–005*). *NOTA: Esta definición no tiene término equivalente inglés en el VEI.

voltage-limiting device   dispositivo limitador de tensión. CF. **current-limiting device**.

voltage-limiting tube   tubo (electrónico) limitador de tensión.

voltage loop   vientre [antinodo] de tensión. En un sistema de ondas estacionarias, punto donde existe un máximo de tensión; por ejemplo, son vientres o antinodos de tensión los extremos de una antena de media onda. SIN. **voltage antinode**. CF. **current loop, voltage node**.

voltage loss   pérdida de tensión. (**1**) En el caso de los amperímetros, tensión entre los terminales cuando la corriente circulante por el instrumento tiene un valor igual al valor nominal de desviación hasta el fin de la escala. (**2**) En el caso de otros instrumentos de medida, tensión entre los terminales a la corriente especificada. CF. **volt-ampere loss, voltage drop, voltage attenuation**.

voltage measurement   medida de tensión [de voltaje].

voltage-measuring equipment   equipo de medida de tensiones, equipo medidor de tensión, voltímetro.

voltage meter   medidor de tensión, voltímetro. SIN. **voltmeter**. CF. **current meter**.

voltage metering   medida de tensiones [voltajes].

voltage-metering amplifier   amplificador para medida de tensiones [voltajes], amplificador voltimétrico.

voltage multiplier   multiplicador de tensión [de voltaje]. (**1**) Circuito rectificador cuya tensión de salida es un múltiplo de la tensión de entrada. (**2**) Cadena de condensadores en serie que son cargados en sucesión por medio de un sistema de conmutación rápida, y que proporciona una tensión continua elevada, igual en valor a la tensión de la fuente de corriente de carga multiplicada por el número de condensadores. CF. **voltage doubler, voltage tripler, voltage quadrupler** || (*Voltímetros*) multiplicador (de tensión), resistencia multiplicadora (de alcance), resistencia adicional. v. **instrument multiplier, series resistor** (sinónimos).

voltage-multiplier circuit   circuito multiplicador de tensión [de voltaje].

voltage-multiplying circuit   circuito multiplicador de tensión [de voltaje].

voltage negative feedback   realimentación [reacción] negativa de tensión, contrarreacción de tensión.

voltage node   nodo de tensión. En un sistema de ondas estacionarias (por ejemplo, una antena o una línea de transmisión de RF), punto donde la tensión es nula; es un nodo de tensión, por ejemplo, el punto central de una antena de media onda. CF. **current node, voltage loop**.

voltage of filament battery   (*Elecn*) tensión de encendido, tensión de la batería de filamento.

voltage-operated   *adj*: accionado [mandado] por tensión [por voltaje].

voltage overload   sobrecarga de tensión.

voltage overshoot   sobretensión momentánea. Valor excesivo que, por defecto de estabilización, alcanza momentáneamente la tensión de salida de una fuente de alimentación.

voltage peak   pico [cresta] de tensión, máximo instantáneo de tensión.

voltage probe   sonda de tensión.

voltage protection   dispositivo de protección voltimétrico. Dispositivo de protección cuya magnitud de influencia [actuating quantity] es la tensión del circuito protegido en el punto de conexión (CEI/56 16–60–030). CF. **overvoltage protection, undervoltage protection**.

voltage pulse   impulso de tensión. CF. **current pulse**.

voltage quadrupler   cuadruplicador de tensión [de voltaje]. v. **voltage multiplier**.

voltage range   gama de tensiones [de voltajes]; límites de variación de la tensión [del voltaje] || (*Aparatos de medida*) (a.c. volt range) escala [margen] de tensión, escala voltimétrica | alcance en tensión. v. **series resistor, voltage multiplier**. CF. **current range**.

voltage-range multiplier   (*Voltímetros*) multiplicador de alcance de tensión, resistencia multiplicadora de alcance, resistencia adicional. v. **instrument multiplier, series resistor** (sinónimos).

voltage rating   tensión [voltaje] nominal, tensión de régimen [de servicio], tensión límite nominal, límite nominal de tensión, régimen de tensión. Máxima tensión que se le puede aplicar a un dispositivo sin riesgo de que ocurra descarga disruptiva [disruptive discharge] en el mismo. Por ejemplo, tensión máxima sostenida que se le puede aplicar a un condensador sin peligro de ruptura o perforación del dieléctrico. SIN. **working voltage**. CF. **electric breakdown**.

voltage ratio   razón [relación] de tensiones || (*Transf*) relación de transformación. Razón de las tensiones de los devanados de alta y de baja tensión, o razón de las corrientes de los devanados de baja y de alta tensión de un transformador en condiciones determinadas. SIN. **current ratio** (CEI/56 10–25–105) || (*Transductores mag*) razón de las tensiones, factor de amplificación en la tensión. v. **voltage amplification** || (*Telecom*) v. **relative level**.

voltage ratio box   (*Aparatos de medida*) (a.c. volt box, volt ratio box) divisor de tensión de medida, caja de relaciones de tensión. v. **measurement voltage divider**.

voltage reading   lectura [indicación] voltimétrica.

voltage recorder   voltímetro registrador.

voltage recovery (time)   (tiempo de) recuperación de tensión. Tiempo necesario para que la tensión de salida de una fuente de poder retorne a un valor dentro de la especificación de regulación (estabilización) después de un cambio en escalón [step change] en la carga o en la tensión de entrada.

voltage reducer   reductor de tensión [de voltaje].

voltage reference   referencia de tensión | tensión de referencia. Tensión de valor conocido y sumamente estable que se utiliza como patrón para medidas de precisión. También puede servir p.ej. para comparar continuamente contra ella el voltaje de salida de una fuente de alimentación, a los fines de regular (estabilizar) el mismo. CF. **voltage standard**.

voltage-reference diode   diodo de tensión de referencia, diodo de fijación de tensión [voltaje].

voltage-reference tube   tubo de tensión de referencia. (**1**) Tubo estabilizador de tensión [voltage-stabilizing tube] utilizado como patrón de tensión para efectuar medidas de precisión. (**2**) Tubo de gas cuya caída de tensión es sensiblemente constante dentro de los límites de corriente de servicio, caracterizándose además por ser relativamente estable en el tiempo cuando se mantienen fijas la intensidad de corriente y la temperatura.

voltage reflection coefficient   coeficiente de reflexión de tensión. Para una frecuencia, un punto y un modo de transmisión dados, razón de la intensidad de campo eléctrico (cantidad compleja) de una onda reflejada, a la de la onda incidente. v.TB. **reflection factor**.

voltage-regulating transformer   transformador regulador de voltaje, transformador estabilizador de tensión. Transformador de fuerza [power transformer] calculado de tal manera que suministre una tensión secundaria esencialmente constante, aunque la tensión primaria varíe dentro de ciertos límites | v. **regulating**

transformer.

voltage regulation regulación de tensión [de voltaje]. (1) En general, aptitud de una fuente de alimentación de mantener constante la tensión de salida frente a variaciones en la carga. (2) Expresión en tanto por ciento de la razón entre (a) la diferencia de tensión de salida sin carga y a plena carga y (b) la tensión a plena carga. (3) En un electrogenerador, aumento en tanto por ciento de la tensión o voltaje de salida cuando se desconecta la carga con que esté funcionando el generador, manteniendo constantes la excitación del campo y la velocidad de rotación de la máquina; la carga desconectada es la carga plena con determinado factor de potencia, y el tanto por ciento de regulación se refiere a la tensión nominal de trabajo del generador. CF. **current regulation, frequency regulation.**

voltage-regulation relay relé de regulación de tensión, relevador de regulación de voltaje.

voltage regulator [VR] regulador de tensión [de voltaje], estabilizador de tensión. (1) Dispositivo que tiene por función mantener dentro de ciertos límites la tensión de salida de una fuente de alimentación o de un electrogenerador, frente a variaciones en la tensión de entrada o en la corriente de carga. (2) Circuito que, alimentado por una tensión variable, es capaz de suministrar una tensión constante a una carga de consumo variable. SIN. **automatic voltage regulator.** CF. **variable-voltage regulator.**

voltage-regulator diode diodo regulador de tensión [de voltaje].

voltage-regulator tube [VR tube] tubo regulador de tensión [de voltaje]. Tubo de descarga luminiscente [glow-discharge tube] en el cual la caída de tensión es sensiblemente constante para corrientes dentro de los límites de servicio, y que se utiliza para estabilizar la tensión continua de una fuente de alimentación, frente a variaciones de la tensión de entrada o de la corriente de carga. SIN. **glow-discharge voltage regulator.** CF. **current-regulator tube, voltage-reference tube, voltage-stabilizing tube.**

voltage relay relé de tensión. (1) Relé o relevador que es excitado por una diferencia de tensión aplicada entre los extremos de su arrollamiento. (2) Relé que funciona a un valor predeterminado de tensión. (3) Relé cuya magnitud de influencia [actuating quantity] es una tensión (CEI/56 16–30–015). CF. **current relay, power relay.**

voltage restricter limitador de tensión [de voltaje]. CF. **voltage limiter.**

voltage rise subida de tensión [de voltaje]; sobretensión. CF. **voltage overshoot.**

voltage saturation saturación por tensión. Para determinada tensión de ánodo de un diodo termoiónico, limitación de la corriente anódica por efecto de la carga espacial. Alcanzado este punto de saturación, la corriente anódica no aumenta aunque se siga aumentando la temperatura del cátodo. La corriente de saturación es más alta si se aumenta la tensión de ánodo | saturación anódica [de ánodo, de placa]. v. **anode saturation.**

voltage selector selector de tensión [de tensiones].

voltage selector switch selector de tensión [de tensiones], conmutador de voltaje.

voltage sensing detección de tensión ‖ (*Rect regulados*) lectura de tensión. Aptitud del rectificador de medir la tensión de salida para la regulación (estabilización) de la misma. CF. **current sensing.**

voltage-sensing circuit circuito detector de tensión; circuito sensible a las variaciones de tensión.

voltage-sensing relay relé detector de tensión [de voltaje]. Relé que tiene por función activar un dispositivo avisador (p.ej. una lámpara) cuando la tensión vigilada excede de cierto límite superior o cae por debajo de cierto límite inferior.

voltage-sensitive resistor resistencia sensible a la tensión. Elemento de resistencia cuyo valor óhmico varía en elevada proporción con la tensión aplicada, al menos dentro de ciertos límites de ésta. CF. **voltage-dependent resistor.**

voltage sensitivity sensibilidad de tensión [en tensión]. (1) Propiedad de un elemento de responder a la presencia o a las variaciones de una tensión eléctrica; expresión cuantitativa de esa propiedad. (2) En el caso particular de un galvanómetro, tensión que produce la desviación de norma cuando se aplica al circuito formado por la bobina del aparato y una resistencia externa del valor necesario para obtener el amortiguamiento crítico [critical damping]; es igual al producto de la sensibilidad de corriente [current sensitivity] por la resistencia total del circuito mencionado. CF. **voltmeter sensitivity.**

voltage soaking aplicación sostenida de tensión. Aplicación de una tensión de valor controlado por largos períodos de tiempo, para el ensayo de ciertos elementos tales como condensadores. CF. **voltage endurance, voltage test.**

voltage source fuente de tensión. SIN. **voltage supply.**

voltage source for bridge measurements fuente de tensión para la excitación de puentes de medida.

voltage spectrum tensión espectral. Tensión por banda unitaria de frecuencias. Es igual a la raíz cuadrada de la intensidad espectral [spectral intensity].

voltage stabilization estabilización de (la) tensión, estabilización de voltaje.

voltage stabilizer estabilizador de tensión [de voltaje]. v. **voltage regulator** | estabilizador de tensión. Aparato alimentado por una red de tensión variable y destinado a mantener constante la tensión de un circuito. SIN. **constant-voltage regulator** (CEI/57 15–50–085). CF. **variable-voltage regulator.**

voltage-stabilizer *adj:* estabilizador de tensión [de voltaje].

voltage-stabilizing *adj:* estabilizador de tensión [de voltaje].

voltage-stabilizing circuit circuito estabilizador de tensión. Circuito que mantiene una tensión sensiblemente constante entre sus bornes de salida, aunque ocurran variaciones de la tensión de alimentación y de la carga (CEI/70 55–25–330).

voltage-stabilizing tube tubo estabilizador de tensión. Tubo de gas [gas-filled tube] que funciona en descarga luminiscente normal [normal glow discharge] en la región de la característica donde la tensión es prácticamente independiente de la corriente (CEI/56 07–40–045). CF. **voltage-regulator tube.**

voltage standard patrón de tensión. Fuente de tensión estable y de valor conocido con alto grado de exactitud, como p.ej. una pila patrón [standard cell].

voltage standing-wave ratio [VSWR] relación de ondas estacionarias de tensión [ROET], relación de tensiones [de amplitudes de tensión] de ondas estacionarias, relación de tensión [de amplitud] de ondas estacionarias. v. **standing-wave ratio** | (of a mode in a waveguide) razón de ondas estacionarias. Cociente de las amplitudes del campo eléctrico transversal en un plano de amplitud máxima y en el punto correspondiente del plano adyacente de campo mínimo. Esta razón es igual a $(1+\rho)/(1-\rho)$, donde ρ designa el factor de reflexión complejo [complex reflection coefficient]. NOTA: En el Reino Unido y en Alemania se utiliza de preferencia la inversa de esta razón (CEI/61 62–05–090*). *NOTA: Esta definición es también aplicable en el caso de una línea de transmisión.

voltage standing-wave ratio meter [VSWR meter] medidor de la relación de ondas estacionarias de tensión.

voltage step variación de tensión [cambio de voltaje] en escalón, escalón [variación rectangular] de tensión; variación discreta de tensión. CF. **step change.**

voltage step-up subida de tensión [de voltaje]; amplificación de tensión.

voltage stepdown bajada de tensión [de voltaje], reducción de tensión.

voltage stress esfuerzo eléctrico [dieléctrico] (por diferencia de potencial).

voltage stressing test ensayo de esfuerzo eléctrico [dieléctrico], ensayo de sobretensión [de sobrevoltaje]. SIN. **voltage test.**

voltage supply fuente de tensión; tensión de alimentación.

voltage surge sobretensión, sobrevoltaje; onda de sobretensión, onda transitoria de tensión [de voltaje]; sobretensión inicial de encendido. CF. **current surge, voltage overshoot.**

voltage-surge suppressor   supresor de sobretensiones; limitador de sobretensión transitoria, limitador de sobretensión inicial de encendido. CF. **surge resistor.**

voltage swing   oscilación de tensión; excursión [variación total] de tensión; amplitud de variación de la tensión. V. TB. **swing.**

voltage tap(ping)   toma de tensión; derivación (de un devanado) para variación de tensión.

voltage telephone influence factor [voltage TIF]   (*Telef*) factor de forma de la tensión, factor "TIF" de tensión. V. **telephone influence factor.**

voltage test   ensayo de tensión. Ensayo consistente en la aplicación de una tensión elevada, según las especificaciones correspondientes, para observar si se producen fallas de aislamiento, arcos, efecto corona, etc. CF. **arcing, breakdown voltage, corona, electric breakdown, current test, voltage-breakdown test, voltage endurance, voltage soaking, voltage stressing test** | prueba de tensión de alimentación, comprobación de los voltajes de alimentación. CF. **voltage chart.**

voltage tester   equipo para ensayos de tensión; probador de tensión; voltímetro.

voltage threshold   tensión de umbral.

voltage TIF   V. **voltage telephone influence factor.**

voltage to earth   tensión [voltaje] a tierra | tensión respecto a tierra. Tensión entre una parte de una instalación eléctrica unida a una instalación de puesta a tierra [earthing system] y puntos del suelo suficientemente alejados (en teoría infinitamente alejados) de las tomas de tierra [earth electrodes] (CEI/65 25-35-055). SIN. **voltage to ground.**

voltage to ground   tensión [voltaje] a tierra, tensión respecto a tierra. Tensión o voltaje entre un conductor eléctrico y la tierra. V. TB. **voltage to earth.**

voltage to neutral   tensión [voltaje] entre fase y neutro | tensión en estrella. Tensión entre un conductor de fase [line conductor] de un sistema polifásico [polyphase system] y un punto neutro real o artificial (CEI/56 05-40-120). CF. **voltage between lines of a polyphase system.**

voltage-to-time converter   convertidor de tensión en tiempo.

voltage-transfer characteristic   (*Elecn*) característica de transferencia de tensión. SIN. **transconductance.**

voltage transformer   transformador de tensión [de potencial]. Transformador de medida en el cual la tensión secundaria es, en las condiciones de uso, prácticamente proporcional a la tensión primaria y está casi en fase con ésta cuando las conexiones se efectúan en sentido apropiado (CEI/38 20-30-060) | transformador de tensión. Transformador de medida en el cual la tensión secundaria es, en las condiciones normales de empleo, prácticamente proporcional a la tensión primaria, y está desfasada respecto a ésta en un ángulo próximo a cero cuando las conexiones se efectúan en sentido apropiado (CEI/58 20-45-015). SIN. **potential transformer.** CF. **current transformer.**

voltage transmission loss   (*Filtros*) pérdida de transmisión en tensión. CF. **insertion loss, voltage attenuation.**

voltage trebler   triplicador de tensión [de voltaje]. V. **voltage multiplier.**

voltage-trebling circuit   circuito triplicador de tensión [de voltaje].

voltage-trimable   *adj:* de ajuste fino por tensión.

voltage-trimable solistron   solistrón de ajuste fino (de frecuencia) por variación de tensión.

voltage tripler   triplicador de tensión [de voltaje]. V. **voltage multiplier.**

voltage-tripler circuit   circuito triplicador de tensión [de voltaje].

voltage-tunable   *adj:* sintonizable por (variación de) tensión, de sintonía por tensión, de sintonía eléctrica (por tensión).

voltage-tunable magnetron [VTM]   magnetrón sintonizable por tensión. Magnetrón que puede ser sintonizado por variación de la tensión de alimentación de ánodo.

voltage-tunable oscillator [VTO]   oscilador sintonizable por tensión. SIN. **voltage-controlled oscillator.**

voltage-tunable solistron   solistrón sintonizable por tensión, solistrón de sintonía eléctrica (por tensión). CF. **mechanically tunable solistron.**

voltage-tunable tube   tubo sintonizable por tensión. Tubo electrónico oscilador cuya frecuencia puede ser variada por modificación de la tensión de trabajo de uno o más electrodos; pertenece a esta clase el magnetrón de ondas retrógradas.

voltage-type telemeter   telémetro del tipo de tensión.

voltage-type telemetering system   sistema de telemedida del tipo de tensión. Sistema de telemedida en el cual se emplea como medio de traducción el valor de una tensión.

voltage unbalance   desequilibrio de tensión; componente homopolar de la tensión.

voltage-variable   *adj:* variable con la tensión, dependiente de la tensión, que varía en función de la tensión. SIN. **voltage-dependent.**

voltage-variable capacitance diode   diodo de capacitancia variable por la tensión. Diodo cuya capacitancia puede variarse modificando el valor de la tensión aplicada. SIN. **varactor** (véase).

voltage-variable capacitor   condensador variable con la tensión. SIN. **varactor, varicap** (véase).

voltage variation   variación de (la) tensión, variación de(l) voltaje.

voltage variation with speed (of a generator)   variación cinética de tensión (de un generador). Razón de la variación relativa de la tensión en los bornes, a la variación relativa de velocidad de rotación que la determina (CEI/56 10-40-225). CF. **relative speed variation.**

voltage vector   vector tensión. Vector que en un diagrama vectorial [vector diagram] representa la tensión. CF. **current vector.**

voltage velocity limit   (*Ampl*) pendiente máxima de tensión, pendiente máxima de la tensión de salida. V. **slew** (def. 2 y 3).

voltage wave   onda de tensión.

voltage waveform   forma de onda de tensión.

voltages due to nervous action   (*Electrobiol*) tensiones de acción nerviosa. Tensiones eléctricas que aparecen en las diversas partes del sistema nervioso (CEI/38 70-10-035).

voltaic   *adj:* voltaico. Que denota o pertenece a la electricidad o la corriente eléctrica producida por acción química; que produce electricidad por acción química. SIN. **galvánico —— galvanic.**

voltaic battery   batería voltaica. Batería constituida por una agrupación de pilas voltaicas [voltaic cells] o, como caso particular, una sola de ellas.

voltaic cell   pila voltaica, elemento voltaico. Pila primaria [primary cell] constituida por dos electrodos de metales diferentes sumergidos en una disolución (el electrólito) que actúa químicamente sobre uno o ambos de ellos, dando origen a la producción de una fuerza electromotriz | pila voltaica, par voltaico. Fuente de fuerza electromotriz capaz de transformar directamente la energía química de una reacción dada en energía eléctrica. SIN. **voltaic couple** (CEI/38 50-10-005).

voltaic couple   par voltaico. Dos conductores diferentes en contacto o en la misma solución electrolítica [electrolytic solution], y entre los cuales se produce una diferencia de potencial. SIN. **par galvánico —— galvanic pair** | par voltaico, pila voltaica. V. **voltaic cell.**

voltaic electricity   electricidad voltaica.

voltaic pile   pila voltaica, pila de Volta. Dispositivo ideado por Volta, consistente en una serie de discos alternados de dos metales diferentes (cobre y cinc) con interposición de rodajas de paño empapadas en una solución acuosa de ácido sulfúrico, y que fue la primera batería de pilas en serie. Precisamente de este dispositivo surgió el nombre de *pila*. En la pila de Volta el polo positivo es el cobre y el negativo es el cinc, de modo que por el circuito externo la corriente pasa del primero al segundo.

voltaism voltaísmo, galvanismo. Corriente continua, en particular la producida químicamente. SIN. **galvanism**.

voltaization FR galvanismo, galvanización. Utilización de una corriente galvánica [galvanic current] por sus efectos biológicos o médicos. SIN. **galvanism, galvanization** (CEI/59 70–15–055).

voltameter voltámetro. Aparato que sirve para medir una cantidad de electricidad según la cantidad de un cuerpo liberado electrolíticamente en un electrodo (CEI/38 50–05–125) | voltámetro, culombímetro. Aparato que sirve para medir una cantidad de electricidad según la cantidad de un cuerpo liberado electroquímicamente en un electrodo. SIN. **coulometer** (CEI/58 20–25–005, CEI/60 50–05–470). CF. **titration voltameter, volume voltameter, weight voltameter** /// *adj:* voltamétrico.

voltametric *adj:* voltamétrico.

voltametric titration valoración voltamétrica.

voltammeter (= wattmeter) vatímetro | (= voltmeter-ammeter) voltímetro-amperímetro. Instrumento que puede utilizarse indistintamente como voltímetro o como amperímetro.

voltampere v. **volt-ampere**.

Volta's law ley de Volta. Cuando dos metales diferentes a la misma temperatura se ponen en contacto, cada uno tiene en general un potencial diferente, de modo que aparece una *diferencia de potencial de contacto* [contact-potential difference], fenómeno que se denomina *efecto Volta*. La *ley de Volta* expresa que cuando se tiene una serie de conductores metálicos en contacto, la diferencia de potencial entre el primero y el último es independiente de los conductores intermedios e igual al valor que resulta si se ponen en contacto directo. Esta ley tiene dos consecuencias importantes: si el primero y el último de los metales son iguales, su diferencia de potencial es nula; en una serie cerrada de metales en contacto no se produce ninguna corriente. La ley de Volta no se cumple cuando uno de los conductores es un electrólito; por tanto, si se tiene una serie cerrada y uno de los miembros es un electrólito, es posible que se produzca una corriente eléctrica. Este es el fundamento de las *pilas hidroeléctricas* o *generadores electroquímicos*.

Volterra equation *(Mat)* ecuación de Volterra.

voltinism *(Sericultura)* voltinismo. Ritmo o frecuencia de cría; número de crías por año.

voltinity *(Sericultura)* voltinidad.

voltmeter voltímetro. (1) Instrumento destinado a la medida de tensiones eléctricas. (2) Aparato que sirve para medir, directa o indirectamente, una diferencia de potencial en volts (CEI/38 20–15–080, CEI/58 20–15–095). LOCALISMO: vóltmetro. CF. **crest voltmeter, peak voltmeter, electronic voltmeter, electrostatic voltmeter, tube [valve] voltmeter, vacuum-tube voltmeter, microvoltmeter, millivoltmeter, kilovoltmeter, electrometer, battery tester** /// *adj:* voltimétrico.

voltmeter-ammeter voltímetro-amperímetro. Instrumento que se utiliza como voltímetro o como amperímetro, y que normalmente está provisto de terminales independientes para las dos clases de medidas.

voltmeter circuit circuito voltimétrico.

voltmeter compensator compensador voltimétrico.

voltmeter detector detector voltimétrico.

voltmeter for direct current voltímetro para continua, voltímetro de corriente continua.

voltmeter indicator indicador voltimétrico.

voltmeter measurement medida de tensión [de diferencia de potencial].

voltmeter method método voltimétrico.

voltmeter-millivoltmeter voltímetro-milivoltímetro.

voltmeter multiplier multiplicador (de tensión) para voltímetro, resistencia multiplicadora (de alcance) para voltímetro, resistencia adicional en serie. SIN. **instrument [voltage] multiplier, series resistor** (véase).

voltmeter rectifier rectificador para voltímetro. Se usa en los voltímetros del tipo rectificador [rectifier voltmeters], en los que la tensión medida es rectificada antes de aplicársela a un miliampe-

rímetro de continua calibrado en voltios.

voltmeter sensitivity sensibilidad del voltímetro. Expresión en *ohmios por voltio* del cociente de la resistencia total del instrumento (ohmios) por el valor de tensión correspondiente al fondo de la escala (voltios). CF. **voltage sensitivity**.

voltmeter system sistema voltimétrico.

voltmeter triode triodo para voltímetro electrónico.

voltohmmeter v. **volt-ohmmeter**.

VoltOhmyst VoltOhmyst. Marca registrada (RCA Corporation) de una serie de voltímetros electrónicos.

volume [vol.] volumen, bulto, cubaje; contenido; capacidad (de un recipiente); masa (de un cuerpo u objeto); caudal (de un río o una corriente); importe, suma; gran cantidad; volumen, tomo, libro, obra | (roll of parchment; scroll) rollo de vitela || *(Mat)* volumen. Magnitud de un cuerpo; tamaño o extensión de un objeto tridimensional o de una región del espacio; capacidad de una región tal || *(Mot térmicos)* embolada, cilindrada || *(Mús)* volumen || *(Acús/Electroacús, Radiodif, Telefonometría)* volumen. (1) Magnitud de una corriente de audiofrecuencia de onda compleja medida en *unidades de volumen* [volume units], o sea, con la ayuda de un *indicador de volumen* [volume indicator]. (2) Nivel de potencia de una señal acústica o de un ruido (CEI/70 60–62–020). (3) Magnitud eléctrica que es función de la *potencia vocal* [speech power] y que se mide por medio de un aparato especificado (por ejemplo, un indicador de volumen) en un punto determinado. NOTA: Se hace variar la sensibilidad del aparato con un cuadrante graduado en decibelios. Con las corrientes vocales [speech currents], las lecturas del indicador no son estables, y la lectura tomada en consideración para la medida de la potencia es la desviación máxima de la aguja tal que ocurra ordinariamente una vez cada tres segundos, aproximadamente. La lectura en decibelios del cuadrante da entonces, en *volumen de referencia* [reference telephonic power], una medida de *volumen relativo* [relative volume] en el punto considerado (CEI/70 55–40–005) | volumen acústico. En un circuito eléctrico, magnitud de la onda eléctrica compleja correspondiente a sonidos audibles y medida por medio de un aparato especificado (indicador de volumen) (CEI/60 08–05–155). SIN. **volumen sonoro, potencia de audiofrecuencia** | (= sound intensity) intensidad acústica [sonora, del sonido], potencia acústica [sonora, del sonido] | (= loudness) sonoridad | (= power level) nivel de potencia | (= speech power, talker's vocal level, loudness of speaking) potencia vocal [de los sonidos vocales] | (= loudness of sounds heard) potencia de audición /// *adj:* volúmico, de volumen; volumétrico; cúbico, tridimensional.

volume array of point radiators sistema tridimensional de radiadores puntuales.

volume blower ventilador volumétrico.

volume change cambio volumétrico [de volumen].

volume charge *(Cond)* carga volumétrica.

volume-charge capacitor condensador [capacitor] de carga volumétrica.

volume comparison *(Telef)* prueba telefonométrica. SIN. **voice-ear test**.

volume compensator compensador de volumen.

volume compression compresión (automática) de volumen. Limitación intencional de la dinámica [volume range] de una señal de audiofrecuencia. Se aplica en los transmisores de radiodifusión para aumentar el grado medio de modulación [average amount of modulation] sin riesgo de sobremodulación, y en la grabación de discos fonográficos para reducir el paso de los surcos sin que éstos se toquen por sobremodulación o sobrecorte [overcutting]. SIN. **automatic volume compression**.

volume compressor compresor (automático) de volumen. Circuito o dispositivo que efectúa la compresión automática de volumen (v. **volume compression**). SIN. **automatic volume compressor**.

volume conductivity conductibilidad, conductividad. Conductancia que a determinada temperatura existe entre caras opuestas de un cubo de determinada substancia cuyas aristas tienen la unidad de longitud. SIN. **conductivity**. CF. **volume resistivity**.

volume control   (*Refiriéndose a la acción*) control [mando] de volumen; regulación de volumen [de intensidad sonora]; atenuación del sonido | (*Refiriéndose al dispositivo*) control [mando] de volumen; regulador de volumen. Dispositivo que permite variar a voluntad el volumen o amplitud de la señal en un sistema de audiofrecuencia, o la potencia de audiofrecuencia suministrada a un altavoz o un sistema de altavoces. Consiste comúnmente en un potenciómetro con el cual se varía la excitación de entrada de un audioamplificador. SIN. **potenciómetro (regulador) de volumen, potenciómetro de variación del volumen, atenuador [dispositivo de atenuación] del sonido, control de ganancia de audio —— sound control, sound fading device, audio gain control** | regulación de volumen. Dispositivo que tiene por objeto mantener constantes ciertos elementos de la recepción no obstante las variaciones de la potencia recibida (CEI/38 60–20–060). SIN. **automatic volume control** ‖ (*Climatiz/Ventilación*) control del volumen (de aire), regulación del caudal de aire.

volume control switch   selector de volumen, regulador de volumen (sonoro) ajustable por pasos.

volume coverage   cobertura volúmica ‖ (*Radiolocalización*) cobertura. Porción del espacio en la cual han de estar situados los objetivos para que un dispositivo de radiolocalización pueda suministrar información útil sobre los mismos. SIN. **coverage, volumetric coverage** (CEI/70 60–70–045). SIN. **volumen de cobertura**. CF. **vertical coverage**.

volume damper   (*Climatiz/Ventilación*) regulador [compuerta] de tiro.

volume dose   (*Radiol*) dosis por volumen. Producto de la dosis por el volumen. OBSERVACION: Este término se usa a menudo, incorrectamente, como sinónimo de *dosis integral* [integral dose] (CEI/64 65–10–660) | v. **integral absorbed dose**.

volume effect   (*Nucl*) efecto de volumen. Efecto isotópico para los átomos pesados que excede del efecto del movimiento mutuo.

volume efficiency   v. **volumetric efficiency**.

volume elasticity   elasticidad de volumen.

volume energy   (*Nucl*) energía volumétrica [de volumen]. Energía proporcional al número de nucleones del núcleo.

volume equivalent   (*Telecom*) equivalente de referencia. v. **reference equivalent**.

volume expander   expansor (automático) de volumen, acentuador (automático) de contrastes (de sonoridad). Circuito o dispositivo con el cual se efectúa la expansión automática de volumen (v. **volume expansion**). SIN. **automatic volume expander**.

volume expansion   expansión (automática) de volumen. Aumento intencional de la dinámica [volume range] de una señal de audiofrecuencia; es la acción inversa de la compresión automática de volumen [volume compression]. V.TB. **automatic volume expansion**.

volume figure   cifra de volumen (de negocios, de ventas, de producción).

volume flow   flujo volumétrico, volumen de un fluido desplazado en un sistema; gasto, cantidad de un fluido desplazado por unidad de tiempo.

volume force   fuerza actuante sobre la totalidad de un cuerpo.

volume fractions (of a binary mixture)   (*Quím*) fracciones volumétricas (de una mezcla binaria).

volume implant   (*Radiol*) (*i.e.* implant in tissue in three dimensions) estereoinjerto, injerto tridimensional. Injerto de fuentes radiactivas en el interior de los tejidos, en las tres dimensiones (CEI/64 65–25–085) | injerto en volumen. CF. **planar implant**.

volume indicator   indicador de volumen, vúmetro. Instrumento que indica en *unidades de volumen* [volume units] la magnitud de una onda de audiofrecuencia compleja, tal como la correspondiente a los sonidos vocales o musicales. El número indicado de unidades de volumen es igual al de decibelios por encima del nivel de referencia (0 dB). La sensibilidad del instrumento se ajusta de tal

manera que la aguja señale el cero de la escala de unidades de volumen (0 VU) cuando el instrumento está conectado en derivación con una resistencia pura de 600 ohmios en la que se disipa 1 mW a 1 000 Hz. SIN. **decibelímetro, volúmetro —— decibelmeter, volume meter, VU meter** | indicador de volumen, vúmetro. Aparato de medida del nivel de la señal de modulación de un programa sonoro, que posee constantes de tiempo normalizadas sensiblemente iguales y relativamente largas en la desviación y el retorno. SIN. **VU meter** (CEI/70 60–62–105) | indicador de volumen. Voltímetro utilizado para la medida del volumen de los sonidos vocales y que cumple especificaciones respecto a sus características eléctricas y mecánicas y el método por el cual se toman las lecturas. SIN. **electrical speech level meter, volume meter** (CEI/70 55–45–005).

volume indicator meter   (instrumento) indicador de volumen.

volume ion density   densidad cúbica de iones. Número de iones de una misma especie existentes por unidad de volumen (CEI/68 66–10–030). CF. **linear ion density, surface ion density**.

volume ionization   ionización cúbica, densidad media de ionización en un volumen dado. v. **ionization density**.

volume ionization density   densidad cúbica de ionización. Densidad media de ionización por unidad de volumen independientemente de la ionización específica [specific ionization] de las partículas ionizantes (CEI/64 65–10–550).

volume Joule-heat dissipation   disipación volumétrica del calor de Joule.

volume level   nivel sonoro.

volume lifetime   (*Semicond*) vida media volúmica, vida media de los portadores minoritarios. Intervalo de tiempo medio entre los instantes de generación y recombinación de los portadores de carga minoritarios en la masa de un semiconductor homogéneo. SIN. **bulk lifetime**.

volume limiter   limitador de volumen. Circuito o dispositivo que automáticamente limita el volumen de salida de tal manera que no supere un valor máximo previamente establecido. CF. **volume compressor**.

volume limiting   limitación de volumen.

volume-limiting amplifier   amplificador limitador de volumen, amplificador con limitación (automática) de volumen. Amplificador de ganancia lineal o normal mientras el volumen de salida esté por debajo de un cierto valor previamente establecido, pero que para mayores amplitudes de excitación reduce su ganancia de tal manera que dicho volumen se mantenga sensiblemente constante. CF. **AGC program amplifier, automatic gain-adjusting amplifier**.

volume loss   pérdida de volumen.

volume loss per unit length   (*Telef*) equivalente unitario de pérdida.

volume magnetostriction   magnetostricción volúmica. Variación del volumen de un cuerpo bajo la influencia de un campo magnético.

volume mass   (*Fís*) masa volúmica [específica].

volume meter   indicador de volumen, volúmetro. v. **volume indicator** ‖ (*Hidr*) contador de volumen.

volume of fire   (*Artillería*) volumen [densidad] de fuego.

volume of flow   caudal, gasto.

volume percentage   porcentaje [tanto por ciento] en volumen.

volume porosity   porosidad volúmica; porosidad aparente.

volume production   producción en masa [en grandes cantidades], producción en serie.

volume range   dinámica, margen dinámico, margen de volumen, margen de potencias sonoras. (**1**) De una onda de audiofrecuencia compleja, diferencia (expresada en decibelios) entre los volúmenes máximo y mínimo que ocurren en un período de tiempo especificado. (**2**) De un transductor electroacústico, gama de energías acústicas puestas en juego. (**3**) De un sistema de transmisión, diferencia (expresada en decibelios) entre los volúmenes máximo y mínimo que constituyen los límites de funcionamiento satisfactorio o aceptable del sistema. SIN. **dynamic range.**

volume range control   control de la dinámica. Control manual del margen dinámico [dynamic range] de las señales de modulación, efectuado con el objeto de mantener su nivel entre valores límites determinados para, por una parte, evitar la sobremodulación, y, por otra, asegurar una razón de señal a ruido conveniente (CEI/70 60–62–030).

volume range regulator   regulador de la dinámica.

volume recombination   recombinación volúmica [de volumen]. (**1**) En una cámara de ionización, recombinación de iones positivos y negativos a bajos valores de energía en todo el interior de la cámara. (**2**) Recombinación de huecos y electrones libres en la masa de un semiconductor.

volume recombination rate   velocidad de recombinación volúmica [de volumen]. Número de huecos o lagunas y electrones libres que se recombinan por unidad de tiempo en el volumen de un semiconductor.

volume resistance   resistencia volúmica [de volumen]. Razón de la tensión continua aplicada entre dos electrodos en contacto con la muestra, o incorporados en ella, a la fracción de la corriente entre los mismos que se distribuye en el volumen de la muestra.

volume resistivity   resistencia cúbica [de volumen]. (**1**) Razón entre el gradiente de potencial paralelo a la corriente en la muestra, y la densidad de corriente en la misma. (**2**) Resistencia eléctrica entre caras opuestas de un cubo de material aislante con aristas de 1 cm, normalmente expresada en ohmio-centímetros. SIN. **resistividad, resistencia específica (de aislación)** —— resistivity, specific (insulation) resistance. CF. **surface resistance, volume conductivity.**

volume reverberation   reverberación volúmica.

volume-to-surface ratio   razón volumen/superficie, relación de volumen a superficie.

volume unit [VU]   unidad de volumen [UV]. (**1**) Unidad usada para expresar potencias de audiofrecuencia (voz y música) en decibelios referidos a un milivatio (dBm). El número de unidades de volumen es igual a la potencia en decibelios respecto a un milivatio; así, por ejemplo, una potencia de 5 UV = 5 dBm. (**2**) Unidad que sirve para expresar la magnitud de una onda eléctrica compleja, como la que corresponde a la palabra o a la música. El número de unidades de volumen es igual al número de decibeles en que la onda considerada difiere del nivel de referencia de 1 mW (llamado a veces *volumen de referencia americano*). SIN. **unidad americana de volumen.** CF. **volume indicator.**

volume-unit indicator [VU indicator]   indicador de unidades de volumen, indicador de volumen, vúmetro. SIN. **volume indicator, VU meter.**

volume-unit meter [VU meter]   medidor de unidades de volumen, indicador de volumen, vúmetro. SIN. **volume indicator.** V. **VU meter.**

volume velocity   *(Acús)* velocidad volumétrica [de volumen], flujo de velocidad. Velocidad de circulación del medio por una superficie especificada debida a una onda acústica | (**across a surface element**) flujo de velocidad acústica (a través de un elemento de superficie). Producto del área de ese elemento por la componente de la velocidad acústica instantánea normal a ese elemento (CEI/60 08–05–120).

volume voltameter   voltámetro de volumen. (**1**) Voltámetro en el cual la medición se efectúa determinando el volumen de gas desprendido en un electrodo (CEI/38 50–05–135). (**2**) Voltámetro en el cual la medida de la cantidad de electricidad se efectúa por la determinación del volumen de gas desprendido (CEI/58 20–25–015).

volume weight   *(Fís)* peso volúmico [específico].

volumeter   volúmetro. Instrumento para la medida del volumen de sólidos, líquidos, o gases. SIN. **balanza volumétrica.**

volumetric   *adj:* volumétrico. Relativo o perteneciente a la medida de volúmenes.

volumetric analysis   *(Quím)* análisis volumétrico. (**1**) Análisis cuantitativo [quantitative analysis] utilizando volúmenes exactamente medidos y especialmente titulados [titrated] de soluciones químicas tipo [standard chemical solutions]. (**2**) Análisis de un gas por volúmenes.

volumetric calibration   calibración volumétrica.

volumetric coverage   *(Radiolocalización)* cobertura, volumen de cobertura. V. **volume coverage.**

volumetric displacement   desplazamiento volumétrico. En el caso de un transductor de presión, variación de volumen necesaria para que el dispositivo pase de su posición de reposo a una posición correspondiente a la aplicación de la excitación máxima nominal.

volumetric early warning   *(Radar)* alerta de avanzada volumétrico.

volumetric efficiency   rendimiento volumétrico. (**1**) De un dispositivo electrónico, razón del volumen suma de las piezas que lo componen, por el volumen total ocupado por el primero; en el caso particular de los módulos, se excluyen casi siempre del volumen suma de las piezas, los conductores y otros elementos de interconexión, los aisladores, los sumideros térmicos, etc. (**2**) En el caso de un condensador, razón de la capacitancia por el volumen del elemento. SIN. **packing factor.** CF. **packaging density.**

volumetric glassware   *(Lab de química)* cristalería graduada.

volumetric modulus of elasticity   módulo de elasticidad volumétrico.

volumetric radar   radar volumétrico [tridimensional]. Radar capaz de suministrar información de posición en tres dimensiones relativa a múltiples objetivos. SIN. **three-dimensional radar.**

volumetric scanning   *(Radar)* barrido volumétrico [tridimensional].

volumetric shrinkage   contracción volumétrica.

volumetric solution   *(Quím)* solución volumétrica [valorada], solución normal [tipo]. SIN. **standard solution.**

volumetric specific heat   *(Fís)* calor específico volumétrico.

volumetric strain   deformación volumétrica.

volumetrically   *adj:* volumétricamente.

volumetry   volumetría.

voluminal   *adj:* volúmico. Relativo o perteneciente al volumen.

voluminosity   voluminosidad. Condición o estado de voluminoso.

voluminous   *adj:* voluminoso. (**1**) De gran volumen, tamaño, o numerosidad. (**2**) Que llena o es capaz de llenar volúmenes; prolífico en el habla o la escritura.

voluminously   *adv:* voluminosamente.

volute   *(Arq)* voluta || *(Zool)* voluta *(molusco)* ||| *adj:* enrollado, arrollado, espiral, en espiral.

volute compass   compás de espirales [para trazar espirales].

volute spring   *(Mec)* resorte de espiral [espira] cónica, resorte cónico en espiral, resorte espiral cónico, muelle de hélice cónica.

volution   espiral; espiral o vuelta alrededor de un centro.

VOM   *(Elecn)* multímetro, polímetro, "tester" | Abrev. de volt-ohm-milliammeter; volt-ohm-meter; volt-ohmmeter.

von Hippel breakdown theory   teoría de la ruptura de von Hippel. Teoría según la cual la ruptura ocurre a intensidades de campo a las cuales la rapidez de recombinación de los electrones y los huecos o lagunas es menor que la rapidez de ionización colisional [collisional ionization]. SIN. **low-energy criterion.**

voorslag   *(Relojes de torre con campana)* V. **fore-strike.**

VOR   *(Radionaveg)* VOR. Abreviatura internacional de VHF omnirange [radiofaro omnidireccional de VHF, radiofaro omnidireccional de onda métrica] || *(Radiotelef)* Abrev. de voice-operated relay.

VOR aerodrome check point   punto de verificación del VOR en el aeródromo.

VOR aggregate error   error VOR compuesto. Error total que afecta la información presentada al piloto de una aeronave, y que incluye los errores de la estación VOR terrestre, el error del receptor de a bordo y sus instrumentos, y el error atribuible a la trayectoria de propagación.

VOR airborne equipment error   error del equipo VOR de a bordo.

VOR antenna   antena VOR.

VOR beacon   v. **VHF omnirange.**

VOR/DME   *(Radionaveg)* Abrev. de VHF omnirange/distance-measuring equipment.

VOR/DME network   red VOR/DME.

VOR/DME system   sistema VOR/DME.

VOR package   conjunto VOR, equipo VOR.

VOR pilotage element   elemento VOR de pilotaje. Error de navegación VOR imputable a la imprecisión del piloto en mantener la aeronave sobre el centro del radial que se le indica.

VOR radial   radial VOR, eje VOR.

VOR radial displacement error   error de desplazamiento del radial VOR. Parte del error de la señal del radial VOR que permanece estable durante largos períodos de tiempo, y que, por tanto, se considera como fija.

VOR radial signal error   error de la señal del radial VOR. Error relacionado únicamente con la estación terrestre, y que es igual a la diferencia entre el rumbo magnético nominal [nominal magnetic bearing] hasta un punto de medida respecto a la estación VOR terrestre, y la marcación dada por la señal VOR en el mismo punto.

VOR radial variability error   error de variabilidad del radial VOR. Parte variable del error de la señal del radial VOR.

VOR radiation pattern   diagrama de radiación del VOR.

VOR reading   indicación VOR, indicación del VOR.

VOR receiver   receptor VOR. Receptor de a bordo que recibe las señales del VOR y, por medio de sus instrumentos, da al piloto la marcación.

VOR test signal [VOT]   señal de verificación del VOR. Señal radiada desde tierra que permite al piloto comprobar el funcionamiento del receptor VOR. Esta señal difiere de la señal VOR normal en que no es direccional, y da a bordo la misma marcación, cualquiera que sea la marcación relativa respecto a la estación VOR terrestre.

VOR transmitter   emisor [transmisor] VOR.

VOR transmitting station   estación emisora [transmisora] VOR, estación VOR terrestre.

VORAC   Abrev. de high-accuracy VOR [VOR de gran exactitud].

VORDAC   *(Radionaveg)* VORDAC. Sistema de alta precisión para rutas aéreas de gran densidad de tráfico, en el que se combinan un equipo telemétrico normal y un VOR de gran exactitud. El término viene de "*VOR* and *d*istance-measuring equipment for *a*rea *c*overage".

VORLOC   *(Radionaveg)* VORLOC. Aparato portátil de ayuda para el aterrizaje automático de aeronaves, que funciona en la gama de las ondas métricas (VHF). El término viene de "*VOR localizer*".

VORTAC   *(Radionaveg)* VORTAC. Sistema en el que se combinan el VOR [VHF omnirange] y el TACAN [tactical air navigation], y que, por tanto, da la marcación y la distancia de la aeronave en vuelo respecto a la estación terrestre. Da la misma información que el sistema VOR/DME, aunque por un procedimiento diferente. v.TB. **TACAN, VHF omnirange.**

VORTAC ground station   estación VORTAC terrestre.

vortex   vórtice, torbellino, remolino. SIN. **eddy** | turbonada; vorágine ‖ *(Anat)* vórtex ⫻ *adj:* vorticial, vortical, turbillonario, torbellinal. SIN. **vortical, vorticose, vortiginous.**

vortex axis   eje del torbellino.

vortex field   campo del torbellino.

vortex line   línea de vórtice; línea de turbonada.

vortex negative side   lado negativo del torbellino.

vortex positive side   lado positivo del torbellino.

vortex ring   vórtice anular. SIN. **whirl ring.**

vortex theory   teoría de los torbellinos.

vortex tube   vórtice tubular.

vortex-type flow   circulación turbillonaria.

vortex whistle   *(Acús)* silbato vorticial.

vortical   *adj:* vortiginoso, voraginoso.

vortices   Plural de *vortex.*

vorticity   vorticidad; régimen turbillonario; torbellino, remolino, perturbación turbillonaria.

vorticose   *adj:* vortiginoso, voraginoso.

vorticose cleaner   *(Climatiz)* limpiador vortiginoso.

vortiginous   *adj:* vortiginoso, voraginoso.

VOSIM   *(Telecom)* VOSIM. Dispositivo que simula la modulación media de una comunicación hablada. El término viene de "*voice simulator*".

Vostok   Vostok. Nombre de una serie de satélites artificiales tripulados de la Unión Soviética.

VOT   Abrev. de VOR test signal.

voting logic   *(Elecn)* lógica de votación. SIN. **threshold logic.**

voucher   comprobante, vale, resguardo; documento justificativo [probatorio]; recibo | *(Persona)* fiador, garante; testigo.

voucher check   cheque con talón comprobante.

voucher register   registro de comprobantes.

voucher writing   escritura de comprobantes [de vales].

voussoir   *(Arq)* dovela; ladrillo de arco. Pieza ahusada o en cuña de las que componen un arco: la del punto medio se denomina *clave* o *llave de arco* [keystone].

voussoir arch   arco de dovelas.

vowel   vocal *(sonido o letra)* ⫻ *adj:* vocal, vocálico.

vowel articulation   *(Telef)* articulación de vocales (en el punto de emisión) | inteligibilidad de vocales (en el punto de recepción). Tanto por ciento de vocales bien entendidas; generalmente van combinadas con consonantes formando sílabas sin sentido. CF. **consonant articulation.**

vowel sound   sonido vocálico.

VOX   *(Radiotelef)* Abrev. de voice-operated keyer; voice-operated keying; voice-operated relay; voice-operated switching; voice-operated transmission.

vox angelica   *(Mús)* voz angélica *(registro del órgano).*

vox celesta   *(Mús)* voz celeste *(registro del órgano).*

vox humana   *(Mús)* voz humana *(registro del órgano).*

VOX unit   *(Radiotelef)* unidad "VOX". v. **VOX.**

voyage   viaje (particularmente por mar, por aire, o por el espacio); viaje por mar, travesía; viaje redondo (de un buque) ⫻ *verbo:* viajar, hacer viajes; viajar por mar, navegar; viajar por aire; viajar por el espacio; atravesar, viajar por.

Voyager   Voyager. Nombre de una serie de naves espaciales de los Estados Unidos destinadas a circular en órbita alrededor de Martes y Venus y a dejar caer instrumentos de observación científica en esos planetas.

VP   Abrev. de variable pitch; vice-president.

VPRO   Abrev. de Vrijzinnig Protestantse Radio Omroep (Holanda).

VR   Abrev. de voltage regulator.

VR tube   v. **voltage-regulator tube.**

VRCA   *(Explotación teleg)* Abrev. de via RCA.

Vreeland oscillator   oscilador Vreeland. Generador de corrientes sinusoidales mediante un arco de vapor de mercurio en un campo de variación periódica.

VRR   *(Radionaveg)* Abrev. de visual radio range.

vs, vs.   Abrev. de versus.

VS   *(Radionaveg)* Abrev. de VOR signal.

VSB   Abrev. de vestigial sideband.

VSBF   Abrev. de vestigial-sideband filter.

VSW   Abrev. de very-short wave.

VSWR   Abrev. de voltage standing-wave ratio. Las abreviaturas correspondientes en español son *ROET* [razón o relación de ondas estacionarias de tensión] y (menos usada) *ROEV* [razón o relación de ondas estacionarias de voltaje].

VSWR bridge   puente medidor de ROET, puente medidor de ondas estacionarias.

VSWR meter   medidor de ROET, medidor de ondas estacionarias.

VT   Abrev. de variable time; vacuum tube.

VT fuse   v. variable-time fuse.

VT voltmeter   v. vacuum-tube voltmeter.

VTL   Abrev. de variable-threshold logic.

VTM   Abrev. de voltage-tunable magnetron.

VTO   Abrev. de voltage-tunable oscillator.

VTOL   Abrev. de vertical takeoff and landing.

VTOL aircraft   aeronave "VTOL", avión "VTOL".

VTR   Abrev. de video tape recorder; video tape recording.

VTR operating mode   modo de funcionamiento de la grabadora de televisión.

VTR servo mode   modo de funcionamiento del servo de la grabadora de televisión. v. tonewheel lock, Switchlock, Pixlock, Linelock.

VTVM   Abrev. de vacuum-tube voltmeter.

VTVM multimeter   multímetro de tubo al vacío.

VU, vu   Abrev. de volume unit.

VU indicator   v. volume-unit indicator.

VU meter   vúmetro, indicador [medidor] de volumen, indicador de UV, indicador [medidor] de unidades de volumen. Decibelímetro indicador de unidades de volumen. Instrumento de medida que indica el nivel relativo de la señal de audiofrecuencia correspondiente a la palabra o a un programa sonoro, y que se utiliza en estaciones difusoras, estudios de grabación sonora, magnetófonos, etc. Consiste en un voltímetro calibrado en unidades de volumen (decibelios referidos a un milivatio medido sobre una impedancia de 600 ohmios). SIN. indicador de nivel sonoro —— sound-level indicator, sound meter, volume indicator (véase), volume-unit indicator [meter].

vug, vugg, vugh   *(Geol)* vug, drusa, geoda (pequeña), bolsa, góngora, laque, soyote, cavidad (de un filón) ‖ *(Piezas fundidas)* cavidad, rechupe.

Vulcan   *(Astr)* Vulcano. Planeta hipotético cuya existencia se supuso entre el Sol y Mercurio para explicar ciertos movimientos del perihelio de Mercurio que posteriormente fueron explicados por la teoría de la gravitación de Einstein. SIN. planeta intramer-

curial —— intramercurial planet.

vulcanism   v. volcanism.

vulcanite   vulcanita. Caucho muy vulcanizado en cuya fabricación entra una proporción relativamente elevada de azufre, siendo la ebonita [ebonite, hard rubber] una de sus formas ‖ *(Geol)* **vulcanites:** vulcanitas (rocas ígneas de grano fino).

vulcanite pavement   pavimento de hormigón asfáltico.

vulcanizability   vulcanizabilidad.

vulcanizable   *adj:* vulcanizable.

vulcanizate   (artículo) vulcanizado.

vulcanization   vulcanización.

vulcanization of rubber   vulcanización del caucho. Tratamiento del caucho con azufre o sus compuestos, para darle ciertas propiedades físicas.

vulcanize   *verbo:* vulcanizar.

vulcanized   *adj:* vulcanizado.

vulcanized fiber   fibra vulcanizada.

vulcanized-India-rubber cable [VIR cable]   *(Telecom)* cable aislado con caucho vulcanizado.

vulcanized-India-rubber wire [VIR wire]   *(Telecom)* hilo aislado con caucho vulcanizado.

vulcanized rubber   caucho vulcanizado.

vulcanized-rubber-insulated cable   cable aislado con caucho vulcanizado.

vulcanized silicone rubber   caucho de silicona vulcanizado.

vulcanizer   vulcanizador.

vulcanizing   vulcanización /// *adj:* vulcanizante, vulcanizador, de vulcanizar, de vulcanización.

vulcanizing boiler   caldera vulcanizadora.

vulcanizing press   prensa de vulcanizar.

vulgar fraction   *(Arit)* (= common fraction) fracción ordinaria. Dícese en oposición a las *fracciones decimales* [decimal fractions].

vulnerability   vulnerabilidad.

vulnerable   *adj:* vulnerable.

Vulture   Vulture. Tipo particular de radar centimétrico utilizado a bordo de aeronaves para la dirección de tiro contra objetivos en tierra o sobre el agua, y que sólo da información de distancia.

VY   *(Explotación teleg)* Abrev. de very [muy].

W

w   Abrev. de week; width; wide; with.

W   Abrev. de Wednesday; west; western ‖ *(Elec/Fís)* Símbolo de watt; power in watts; work; energy ‖ *(Quím)* Símbolo del tungsteno [tungsten] ‖ *(Radiocom)* Primera letra de una serie de indicativos de llamada asignados a estaciones radioeléctricas pertenecientes a los Estados Unidos ‖ *(Explotación teleg)* Abrev. de west; with; word.

W/E   *(Explotación teleg)* Abrev. de weekend [fin de semana, sábado y domingo].

W engine   motor en W.

W/F   *(Explotación teleg)* Abrev. de will follow [sigue a continuación, se transmitirá a continuación]. Se usa esta abreviatura cuando por alguna razón se ha saltado un número en la transmisión de una serie de telegramas, para que la estación corresponsal quede avisada de que el despacho correspondiente a ese número será cursado pronto.

W-hr   Abrev. de watt-hour. La abreviatura normalizada es *Wh*.

W/m²   Abrev. de watt per square meter.

W/O   *(Explotación teleg)* Abrev. de without [sin].

W/OP   *(Teleg)* Abrev. de wireless operator.

W/P   Abrev. de without prejudice. Se usa en telegramas comerciales; es expresión relativa a seguros.

W signal   *(Tvc)* señal W. v. **Y signal.**

W/sr   Abrev. de watt per steradian.

W/sr·m²   Abrev. de watt per steradian square meter.

W/T   *(Explotación teleg)* Abrev. de wireless telegraphy.

W-type engine   motor en W.

W/W   *(Explotación teleg)* Abrev. de warehouse warrant. Se usa en el texto de telegramas comerciales.

WA   *(Explotación teleg)* Abrev. de Washington | Abrev. de word after [la palabra después de . . .]. Se usa en los telegramas de servicio relativos a aclaraciones de despachos ya cursados.

Wac Corporal   Wac Corporal. Tipo particular de cohete sonda portador de instrumentos de observación científica a grandes alturas.

wacke   *(Geol)* vacia, vacka, waca; roca parda terrosa; roca parda arenisca y basáltica.

wad   acolchado; borra; algodón en rama; fajo, lío, rollo (de papel, de estopa, de paja); fajo, rollo (de billetes) ‖ *(Armas de fuego)* taco ‖ *(Muebles)* pelote para rehenchir ‖ *(Cajas de altavoces)* guata, huata (para revestimiento interior) ‖ *(Geol)* ocre negro; wad /// *verbo:* acolchar; enguatar, enhuatar; rehenchir; revestir (con guata, con fieltro, etc.).

WADC   Siglas de Wright Air Development Center (EE. UU.) ‖ *(Explotación teleg)* Abrev. de Washington, D.C.

wadding   guata, huata; enguatado, enhuatado; acolchado ‖ *(Armas de fuego)* material [fieltro, trapo, papel] para tacos ‖ *(Cajas de altavoces)* revestimiento interior (de guata, de fieltro).

WADS   *(Teleg)* WADS. En los Estados Unidos, servicio de comunicaciones automáticas por teleimpresor utilizando líneas arrendadas de la AT&T. El término es siglas de "Wide-Area Data Service".

wafer   plaquita, plaqueta; oblea; pastilla; barquillo; hostia ‖ *(Cartuchos)* fulminante ‖ *(Met)* galleta, disco ‖ *(Llaves conmutadoras)* galleta, oblea, disco, piso, sección. SIN. **deck.** CF. **section** ‖ *(Fab de dispositivos semicond)* rodaja, plaquita. (**1**) Rodaja delgada y pulida de silicio monocristalino, con diámetro entre (aproximadamente) 25 y 50 mm, sobre la cual se fabrican circuitos integrados monolíticos. (**2**) Rebanada delgada de semiconductor sobre la cual se fabrican matrices de microcircuitos, o que se corta en cuadraditos con cada uno de los cuales se fabrica luego un transistor o un diodo semiconductor.

wafer coil   bobina (en forma) de disco.

wafer lever switch   conmutador de galletas [de sectores] de accionamiento por palanca.

wafer loudspeaker   altavoz [altoparlante] plano, altavoz [altoparlante] extraplano. Altavoz o altoparlante de poco fondo en relación con la superficie del cono o diafragma. SIN. **flat [pancake] loudspeaker, wafer-type loudspeaker.**

wafer slab   losa delgada.

wafer socket   *(Radio/Elecn)* zócalo tipo galleta, zócalo (del tipo) de oblea, zócalo de discos, portatubo [portaválvula] extraplano, portaválvula de chapas. Zócalo para tubo electrónico formado por una o dos galletas de un material aislante (plástico laminado, esteatita moldeada, etc.) con agujeros en los cuales van montados los contactos de resorte en que encajan las espigas del tubo. Este tipo de zócalo se monta mediante tornillos o remaches en el chasis del aparato en que se usen, quedando prácticamente a ras con la superficie superior del chasis.

wafer switch   conmutador (del tipo) de galletas, conmutador de sectores.

wafering   acción de cortar en láminas delgadas ‖ *(Fab de dispositivos semicond)* acción de cortar en rodajas o plaquitas.

waffle   *(Repostería)* barquillo (plano).

waffle baker   v. **waffle iron.**

waffle iron   barquillera, barquilla, molde para hacer barquillos. SIN. **waffle baker.**

waffle-iron filter   filtro en forma de barquillera.

waffle-iron store   *(Comput)* almacenador [memoria] en forma de barquillera. Dispositivo de memoria de película magnética delgada en el cual los conductores de excitación y de salida están colocados en acanaladuras hechas en una placa de ferrita, la que presenta el aspecto de un molde para hacer barquillos.

Wagner compensation system   sistema [dispositivo] de compensación de Wagner.

Wagner earth   *(Puentes de medida)* tierra de Wagner. v. **Wagner ground.**

Wagner ground   *(Puentes de medida)* tierra de Wagner. Disposición utilizada con un puente de medida de impedancias para reducir al mínimo los errores debidos a las capacitancias parásitas, y que consiste esencialmente en un potenciómetro con los extremos conectados en derivación con la fuente de corriente de excitación del puente, y la toma central móvil conectada a tierra.

Wagner radiation balance meter   balancímetro de radiación de Wagner.

wagon   carro, carreta, carretón; galera (carro grande de cuatro ruedas); coche ‖ *(Artillería)* armón ‖ *(Ferroc)* vagón ‖ *(Minería)* vagoneta.

wagon deposit siding   *(Ferroc)* vía de depósito. Vía destinada al depósito de vehículos, y que en las estaciones de clasificación no debe utilizarse para maniobras.

wagon friction resistance   *(Ferroc)* resistencia propia del vehículo. Resistencia producida por el frotamiento de cojinetes y muñones del vehículo. SIN. **car friction resistance.**

wagon marshaling   *(Ferroc)* clasificación de vagones.

wagon shed   *(Ferroc)* depósito de vagones.

wagon shifter   *(Ferroc)* obrero para maniobra de vagones.

wagon shunter   *(Ferroc)* máquina para maniobra de vagones.

wagon train   caravana de carros.

wagon wheel   rueda de vagón [de coche, etc.].

"wagon wheel" wiring method   método de conexiones radiales, red radial. Método de interconexión de un sistema de intercomunicación (telefonía interior), en el que las líneas procedentes de todas las estaciones concurren en una caja central de conexiones.

Waidner-Burgess standard   patrón de Waidner-Burgess. Patrón de intensidad luminosa definido por la intensidad luminosa de un centímetro cuadrado de un cuerpo negro (radiador integral) a la temperatura de fusión del platino.

waist   cintura; talle; parte central (de un buque, de una aeronave) ‖ *(Campanas)* cintura; lados, costados, flancos.

waist gun   *(Aviones de guerra)* ametralladora lateral.

waist gunner   *(Aviones de guerra)* ametrallador lateral.

waist-level finder   *(Fotog)* visor de pecho; visor indirecto. Visor que se utiliza para visar a niveles otros que el de los ojos.

waist rail   baranda, barandilla; travesaño.

waisted   *adj: (Mec)* entallado.

waiting call   *(Telef)* llamada en espera.

waiting line   cola, línea de espera.

waiting list   lista de espera.

waiting room   sala de espera. Local de las estaciones destinado al descanso de las personas que esperan.

waiting time   tiempo de espera ‖ *(Elecn)* intervalo de espera (antes de aplicar la tensión de ánodo). Ciertos tubos electrónicos (como p.ej. los tiratrones) sufren daño si se les aplica la tensión de ánodo al mismo tiempo que se enciende el filamento o antes de que éste haya alcanzado su temperatura normal de funcionamiento. CF. **warmup time** ‖ *(Informática)* tiempo de espera. Intervalo de tiempo transcurrido entre el instante en que se pide un dato a un dispositivo de almacenamiento, y el instante en que el dato es suministrado por éste. SIN. **access time, read time** ‖ *(Telef)* tiempo de espera; demora de la respuesta a una llamada; demora del tráfico en espera.

wake   *(Aviones)* estela; perturbación aerodinámica. SIN. **trail** ‖ *(Buques)* estela. Señal que deja en el agua un barco o buque que navega.

wale   *(Constr)* *(also* waler*)* carrera, cepo, cinta, larguero; tabla [tablón] de encepado; viga longitudinal ‖ *(Constr naval)* traca; cinta ‖ *(Tejidos)* relieve; columna ‖ *(Medicina)* cardenal, roncha.

waler   *(Contr)* v. **wale**.

walk-in refrigerator   *(Refrigeración comercial)* cámara frigorífica, refrigerador de acceso total. Refrigerador en cuyo interior se puede circular. CF. **reach-in refrigerator**.

walk-through   *(Tv)* ensayo sin las cámaras.

walker-on   *(Cine/Teatro/Tv)* figurante.

walkie-lookie   *(Tv)* videoemisor ambulante, transmisor portátil de televisión, conjunto portátil de cámara y emisor. Pequeña emisora de televisión (cámara y transmisor) transportada por un solo hombre y que se utiliza para tomas fuera de los estudios (actos políticos, eventos deportivos, desfiles, etc.). Las señales son captadas por un receptor convenientemente situado en un punto de control local, desde el cual se retransmiten las señales al estudio, bien por cable coaxil, bien mediante un radioenlace de microondas. Con este equipo se elimina la necesidad del cable de cámara, y se le da al camarógrafo completa libertad de movimientos. SIN. **creepie-peepie, walkie-peepie, portable television transmitter**.

walkie-talkie   radioteléfono ambulante [portátil], transceptor portátil. Aparato (combinación de emisor y receptor) capaz de ser transportado por una persona (llevándolo en la mano o cargándolo en forma de mochila) y que provee comunicación radiotelefónica bilateral con una estación fija o con otros aparatos portátiles. CF. **transceiver**.

walking beam   *(Mec/Mot)* balancín ‖ *(Sondeos)* balancín; viga balancín, balancín de perforación.

walking-beam pump   *(Petr)* bomba de balancín.

walking crane   grúa móvil, grúa sobre carril de traslación.

walking dragline   excavadora andadora, excavadora ambulante (de cable de arrastre), excavadora autopropulsada de cuchara de arrastre.

walking strobe pulse   *(Radar)* impulso estroboscópico móvil. Impulso estroboscópico que se produce en un instante automáticamente variable del período de repetición de los impulsos recibidos (CEI/70 60-72-610).

walking way   v. **walkway**.

walkway   pasillo, pasadera, pasaje. LOCALISMO: sardinel. SIN. **walking way** | pasarela ‖ *(Dirigibles)* pasadizo ‖ *(Estaciones ferroviarias)* andén, acera a lo largo de la vía.

walkway girder   *(Dirigibles)* viga del pasadizo.

wall   pared ‖ *(Constr)* pared, muro, tabique (divisorio); pirca; tapia; muralla ‖ *(Geol)* banco de roca natural ‖ *(Fallas)* pared, labio ‖ *(Filones)* respaldo, salbanda (capa que separa el filón de la roca estéril) ‖ *(Discos fonog)* **(of groove)** pared [lado] del surco ‖‖ *adj:* mural, parietal ‖‖‖ *verbo:* emparedar, aparedar, murar, tabicar; amurallar; cercar ‖ *(Minas)* revestir de mampostería (un pozo).

wall absorption   *(Fuentes de rayos gamma o beta)* absorción parietal, disminución de la emisión debida a absorción en el propio material radiactivo.

wall baffle   *(Altavoces)* difusor acústico de pared, pantalla acústica de pared. SIN. **wall housing**.

wall box   *(Edif)* caja embutida para viga ‖ *(Elec)* caja de embutir. Caja metálica que se embute en la pared y en la que van montados fusibles, interruptores, etc. | caja de empalme mural.

wall bracket   apoyo empotrado; ménsula mural [de muro]; brazo de pared; consola mural.

wall cabinet   *(Altavoces)* caja acústica de montaje mural. SIN. **wall baffle, wall housing**.

wall cable frame   *(Telecom)* repartidor mural de cable.

wall chart   cuadro mural.

wall dial telephone   teléfono automático de pared, teléfono con disco selector para montaje mural.

wall effect   *(Radiaciones ionizantes)* efecto de pared. (**1**) En una cámara de ionización, efecto que sobre la ionización tienen los electrones liberados en las paredes. (**2**) Efecto que caracteriza la influencia de la presencia, la naturaleza, y el espesor de la pared de un detector de radiación sobre la medida efectuada (CEI/68 66-10-100).

wall energy   energía de pared. Energía por unidad de área de la superficie límite entre dos dominios ferromagnéticos de orientaciones opuestas.

wall feedthrough (for antenna feeder)   pasamuros (para alimentador de antena).

wall fitting   *(Alumbrado)* accesorio mural; aplique.

wall hanger   estribo de pared.

wall housing   *(Altavoces)* caja acústica de pared [de montaje mural], difusor acústico de pared, caja mural [de pared] para altavoz. SIN. **wall baffle, wall cabinet**.

wall insulator tube   aislador mural [pasamuros], aislador tubular; pipa (pasamuros). SIN. **wall tube insulator**.

wall-less   *adj:* sin pared, sin paredes.

wall-less counter   contador (de radiaciones) sin pared.

wall-less ionization chamber   cámara de ionización sin pared.

wall loudspeaker cabinet   caja mural [de pared] para altavoz, caja acústica de montaje mural. SIN. **wall baffle**.

wall-mount bracket   *(Ant)* soporte de montaje mural.

wall-mount station   *(Radiocom)* (equipo de) estación de montaje mural.

wall-mounted   *adj:* montado en la pared.

wall outlet   *(Elec)* tomacorriente mural [de pared], conector [enchufe] mural. Dispositivo fijo a la pared, o embutido en ella, y conectado en forma permanente a la línea de distribución de energía eléctrica. Sirve para conectar a la línea cualquier aparato eléctrico (receptor de radio o de televisión, lámpara, soldador, aspiradora, etc.) mediante una clavija de dos contactos (o de tres contactos si la conexión es trifilar) y un cordón flexible. A veces se traduce simplemente por *tomacorriente* o *enchufe*. SIN. **(convenience) receptacle, power outlet**. CF. **wall box**.

wall-pattern switchboard   *(Telecom)* cuadro mural [de pared].

wall plaster   yeso (duro) para enlucir.

wall-plate   v. **wallplate**.

wall projection   proyección mural, proyección (luminosa) sobre una pared.

wall radiator   *(Calefacción)* radiador de pared, calorífero mural.

wall receptacle   *(Elec)* receptáculo mural [de pared], tomacorriente mural. Enchufe adosado o montado en la pared y destinado a la toma de corriente. V.TB. **wall outlet** ‖ *(Radio/Tv)* receptáculo mural [de pared]. Conector hembra adosado o montado en la pared y destinado a la conexión de micrófonos, etc.

wall recombination   *(Elecn, Tubos contadores)* recombinación de pared.

wall rock   *(Geol/Minas)* roca de respaldo; roca estéril.

wall set   *(Telef)* aparato mural, teléfono de pared.

wall socket   *(Elec)* enchufe mural [de pared]. SIN. **wall outlet, wall receptacle** | v. **wall box.**

wall support   soporte mural, elemento de soporte fijo a la pared. CF. **wall bracket, wall-mount bracket.**

wall switch   *(Elec)* conmutador [interruptor, llave] de pared.

wall telephone   v. **wall telephone set.**

wall telephone set   (a.c. **wall set, wall telephone**) aparato (telefónico) mural [de pared], teléfono de pared; aparato (telefónico) de micrófono fijo.

wall terminal box   *(Elec)* caja terminal (del tipo) mural.

wall treatment   *(Tv)* simulación de superficies de pared. Procedimiento utilizado para simular sobre las paredes de los escenarios diversos tipos de superficie o clases de pared: estuco, ladrillos, mampostería, empapelado, etc.

wall tube insulator   *(Elec)* aislador mural [pasamuros], aislador tubular; pipa (pasamuros). SIN. **wall insulator tube.**

wall turbulence   turbulencia parietal [de pared].

wall-type   *adj:* tipo mural, del tipo de pared.

Wallaston wire   alambre [hilo] Wallaston. Alambre o hilo que se caracteriza porque su resistencia eléctrica varía en forma notable con la temperatura.

wallboard   (hojas de) fibra prensada; madera laminada [laminar] para paredes | cartón de yeso. LOCALISMO: cartón tabla.

walling   cepo (para unir pilotes) || *(Edif)* mampostería, emparedado; albañilería; muros, paredes, muraje, conjunto de muros o paredes || *(Entibaciones)* tablado [tablas] de forro || *(Pozos)* revestimiento de fábrica || *(Vías férreas)* larguero, longrina. SIN. **runner.**

walling board   plancha de entibar. SIN. **wood piling.**

Wallis   John Wallis: matemático inglés (1616–1703).

Wallis formula   *(Mat)* fórmula de Wallis.

Wallis product   *(Mat)* producto de Wallis.

Wallman amplifier   *(Elecn)* amplificador de Wallman. SIN. **cascode amplifier.**

Walmsley antenna   antena Walmsley. Está constituida por un conjunto de cuadros verticales de altura igual a la longitud de onda y espaciamientos de media onda, dispuestos en planos paralelos y alimentados en serie.

walnut   nogal *(el árbol o la madera)*; nuez de nogal.

walnut color   nogalina.

walnut-colored   *adj:* noguerado.

walnut-finished   *adj:* *(Ebanistería)* acabado en nogal.

walnut stain   nogalina.

walnut tree   nogal, noguera.

walnut wood   nogal.

wallplate   *(Constr/Estr)* placa de asiento; plancha de fijación || *(Carp)* carrera (de pared), solera; placa de apoyo (de cercha) || *(Tuberías)* brida para pared || *(Minas/Túneles)* larguero, carrera | **wallplates:** marco || *(Elec)* chapa de pared, placa mural.

walpurgite   *(Miner)* walpurgita.

wamoscope   wamoscopio. Tubo osciloscópico de rayos catódicos que contiene los elementos necesarios para la detección, la amplificación, y la visualización de las señales de radar; por lo tanto, viene a ser un receptor completo de radar. El término viene de "*wave-modulated oscilloscope*".

wander   *(Giroscopios)* desviación angular [de dirección] del eje || *(Radar)* centelleo. v. **scintillation** || *(Registradores gráficos)* error de desplazamiento (de la carta). CF. **tracking error** /// *verbo:* deambular; errar, vagar; perderse, extraviarse.

wander plug   *(Elec/Telecom)* clavija variable; clavija de conmutación.

wandering conductor   *(Elec)* conductor suelto.

wanted signal   *(Radiocom)* señal deseada, señal útil.

wanted/unwanted signal ratio   *(Radiocom)* razón de señal deseada a señal indeseada, razón de señal útil a señal perjudicial.

war emergency radio service [WERS]   servicio de radiocomunicaciones de emergencia en caso de guerra.

war surplus   sobrante de guerra.

warble   gorjeo, trino; ululato, ululación; aullido, alarido /// *verbo:* gorjear, trinar; ulular; aullar.

warble generator   v. **warble-tone generator.**

warble tone   (a.c. **warbled tone**) sonido ululado, tono ululante. Tono o señal acústica cuya frecuencia varía continuamente entre límites fijos. SIN. **tono de frecuencia variable, tonalidad modulada, sonido modulado en frecuencia** | sonido ululado. Sonido cuya frecuencia varía periódicamente alrededor de un valor medio (CEI/60 08–05–035).

warble-tone generator   (a.c. **warble generator**) generador de sonido ululado [de tono ululante]. (**1**) Dispositivo que genera una onda de audiofrecuencia cuya frecuencia varía periódicamente alrededor de un valor medio. (**2**) En una versión particular consiste en un generador que suministra una señal de onda cuadrada integrada que cubre aproximadamente 1,5 octava. Una lámpara de neón funciona en el circuito como temporizador, obteniéndose con él dos oscilaciones completas del tono por segundo. Esta lámpara excita un amplificador electrónico que, a su vez, excita un multivibrador. El conjunto, provisto de control de volumen de salida, suministra el tono que se utiliza en los submarinos como señal de emergencia. CF. **heterodyne warbler oscillator, tone generator** | generador de sonidos [tonalidades] musicales.

warble-tone track   *(Cine)* pisa de sonido ululado, pista de frecuencias ululadas.

warbled tone   v. **warble tone.**

warbler   gorjeador; cantor; ululador; vibrador de frecuencia || *(Ornitología)* pájaro cantor; candelita; curruca.

warbling   gorjeo, trino; canto; ululación.

ward   custodia, guarda, protección; pupilaje, tutela; pupilo, menor en tutela; barrio, barriada, cuartel [distrito] de una ciudad || *(Cerraduras)* guarda, rastrillo. LOCALISMOS: cacheta, gacheta, morro || *(Llaves)* guarda, rastrillo. LOCALISMO: rodaplancha || *(Hospitales)* sala; pabellón; división, cuadra; crujía /// *verbo:* guardar, custodiar, vigilar.

Ward-Leonard control   *(Electromotores)* regulación Ward-Leonard.

Ward-Leonard system   sistema Ward-Leonard. (**1**) Sistema de regulación de la velocidad y sentido de rotación de un motor de corriente continua, que consiste en alimentar su inducido por medio de una generatriz especial en la que se puede hacer variar o invertir la corriente de excitación (CEI/38 35–15–005). (**2**) Modo de mando de la velocidad y el sentido de rotación de un motor de corriente continua, que consiste en alimentar su inducido a tensión variable por medio de una generatriz de excitación separada, cuya corriente de excitación puede modificarse o invertirse, y que forma parte de un grupo motor-generador [motor-generator set] (CEI/58 35–15–005). CF. **Ilgner system.**

ward lighting   *(Hospitales)* alumbrado de salas.

warehouse   almacén, depósito, bodega. LOCALISMOS: barraca, hangar /// *verbo:* almacenar, embodegar.

warehouse receipt   recibo [conocimiento] de almacén, guía de depósito.

warehouse rent   alquiler de almacén; almacenaje, gastos de almacén [de depósito].

warehouse space   espacio de almacén; espacio ocupado en depósito.

warehouse stocks   existencias en almacén.

warehouse truck   carretilla (de mano) para almacenes; carretilla almacenadora; carretilla [zorra] para depósitos. SIN. **warehouser.** CF. **lifting truck.**

warehouser   v. **warehouse truck.**

warehousing   almacenaje, almacenamiento, bodegaje; (gastos de) almacenaje.

warhead   *(Bombas, Torpedos, Cohetes bélicos)* cabeza de combate [de guerra], punta de combate. Parte del ingenio que contiene la carga explosiva o de ataque químico o de otra clase.

WARLA *(Radiocom)* WARLA. Siglas de "wide-aperture radio-location array", con las que se conoce una red de antenas direccional en la que se utilizan elementos de periodicidad logarítmica independientes de la frecuencia. Se emplea para transmisiones de larga distancia por ondas cortas (gama de 2 a 32 MHz), y se caracteriza por tener un haz de abertura angular ajustable en un margen de 30°.

warm *adj:* caliente, cálido, caluroso, caloroso; acalorado, ardiente; reciente, fresco ‖ *(Pintura)* caliente. Dícese del color que tira a rojo o amarillo ‖ *(Radiactividad)* *(as opposed to* hot) de débil radiactividad.

warm air   aire caliente ‖ *(Meteor)* aire cálido.

warm-air current   *(Meteor)* corriente de aire cálido.

warm-air dryer   secador por aire caliente.

warm-air heating   calefacción por aire.

warm-air mass   *(Meteor)* masa de aire cálido.

warm blast   *(Hornos)* viento caliente.

warm braw (wind)   *(Meteor)* *(Nueva Guinea)* viento foehn. SIN. foehn wind.

warm catabatic wind   *(Meteor)* viento catabático cálido. SIN. viento foehn —— foehn wind.

warm front   *(Meteor)* frente caliente [cálido].

warm-front occlusion   *(Meteor)* oclusión de un frente caliente.

warm sector   *(Meteor)* sector cálido.

warm tone   *(Alumbrado)* tonalidad que contiene rojo.

warm up   *verbo:* calentar; calentar gradualmente.

warm-up   V. warmup.

warm weather   *(Meteor)* tiempo caluroso.

warming hood   *(Avia)* cubierta para calentar el motor.

warming up   calentamiento.

warming-up allowance   *(Calefacción)* carga de arranque en frío.

warming-up area   *(Avia)* zona de calentamiento de motores.

warming-up period   período de calentamiento. (1) Período entre el momento de arranque y el momento en que un motor alcanza su temperatura de régimen. (2) Período entre el momento en que se enciende un aparato electrónico (aplicación de la alimentación) y el momento en que el mismo alcanza su equilibrio térmico. Durante el período de calentamiento pueden presentarse ciertas irregularidades de funcionamiento, como p.ej. inestabilidad de frecuencia en el caso de un oscilador. SIN. warmup interval [period].

warmup   *(Mot)* calentamiento, calentado ‖ *(Elecn)* calentamiento ‖ *(i.e.* warming-up period) período de calentamiento. Período necesario para que un aparato alcance su temperatura normal de funcionamiento o alcance su equilibrio térmico. SIN. tiempo de encendido ‖ after one hour of warmup: después de una hora de encendido [de calentamiento].

warmup apron   *(Avia)* plataforma [rampa, pista] para calentar motores.

warmup characteristic   *(Elecn)* característica de variación durante el calentamiento; característica de comportamiento durante el período de calentamiento.

warmup drift   *(Elecn)* variación [inestabilidad] por calentamiento inicial ‖ *(Fuentes de alim)* variación (de tensión) por calentamiento inicial ‖ *(Osc)* deriva de calentamiento, corrimiento (de frecuencia) durante el período de calentamiento.

warmup drift characteristic   *(Osc)* característica de deriva de calentamiento ‖ V. warmup characteristic.

warmup interval   *(Elecn)* intervalo de calentamiento (inicial). Tiempo necesario para que un aparato alcance su equilibrio térmico. SIN. warmup [warming-up] period.

warmup period   *(Elecn)* período de calentamiento. Tiempo necesario para que un aparato se estabilice a su temperatura normal de funcionamiento, a partir del momento en que se le conecta la alimentación. V.TB. warming-up period, warmup interval.

warmup time   tiempo de calentamiento, intervalo [período] de calentamiento. V. preheating time, warming-up [warmup] period, warmup interval.

warmup time delay   período de espera de calentamiento. Tiempo transcurrido hasta que un aparato alcanza su temperatura normal de funcionamiento.

warning   aviso, advertencia, caución, prevención; alarma ‖ *(Ferroc)* aviso. Operación por la cual se informa a un puesto de la aproximación de un tren, en general ejecutada por el puesto de la sección anterior (CEI/38 30–30–060) ‖ *(Radiocom)* alerta, mensaje de alerta.

warning bell   timbre de alarma, campanilla eléctrica de aviso [de advertencia]. SIN. avisador acústico.

warning circuit   *(Ferroc)* circuito de aviso. Circuito utilizado para dar aviso (CEI/38 30–30–165).

warning device   dispositivo de aviso, dispositivo advertidor [de alarma].

warning horn   bocina de aviso [de alarma]. SIN. avisador acústico.

warning indicator   indicador de aviso [de alarma], dispositivo de aviso [de alarma].

warning lamp   lámpara de aviso, lámpara [lamparilla] avisadora, lámpara testigo.

warning light   luz de aviso, luz de alerta, luz avisadora, luz testigo. SIN. telltale light ‖ V. warning lamp ‖ *(Torres y mástiles de antena)* luz de balizamiento.

warning message   mensaje de aviso [de advertencia, de alerta].

warning net(work)   red de alarma.

warning notice   mensaje de aviso [de prevención].

warning plate   placa de advertencia; placa de instrucciones.

warning radar   radar de alerta [de avistamiento].

warning shot   disparo de advertencia.

warning sign   *(Caminos)* señal de advertencia.

warning signal   señal de aviso [de alarma].

warning tag   rótulo de advertencia.

warp   alabeo; comba, combadura; curvatura; torcedura, torcimiento ‖ *(Tejidos)* urdimbre ⫽ *verbo:* alabear(se); encorvar; combar(se), acombar; abarquillarse, abombarse, bornearse, ladearse; torcer(se); desviar(se); curvarse; deformarse ‖ *(Marina)* espiar(se), halar; remolcar ‖ *(Tejidos)* urdir.

warpage   alabeo, alabeamiento; bombeo, abombamiento; comba, combadura; curvatura; torcedura, torcimiento; abarquillamiento, abarquilladura; deformación, distorsión ‖ *(Defecto de un disco fonog)* alabeo, combadura. CF. dish warpage, pinch warpage, saddle warpage. V.TB. warping.

warped   *adj:* alabeado; encorvado; combado; abarquillado, abombado; torcido; oblicuo; curvado; deformado, distorsionado.

warped record   disco alabeado. Disco fonográfico que no tiene la forma plana normal; disco curvado, doblado o torcido. V.TB. warping.

warped surface   superficie alabeada.

warped vane   *(Bombas)* paleta alabeada.

warping   alabeo, alabeamiento; etc. v. warpage ‖ Acción y efecto de alabear(se), de encorvar, etc. v. warp ‖ *(Discos fonog)* alabeo, combadura. Deformación del disco que no tiene la forma plana normal, sea por defecto de fabricación, sea por haberse guardado en malas condiciones. Para evitar esta deformación los discos deben guardarse verticalmente, lejos de toda fuente de calor; se pueden guardar horizontalmente si descansan sobre una superficie perfectamente plana. SIN. warpage.

warping stress   esfuerzo debido al alabeo [al alabeamiento].

warplane   avión de guerra [de combate].

warranty   *(Comercio, Derecho)* garantía ‖ *(Seguros)* condición de seguro.

warranty credit memo   *(Comercio)* *(i.e.* credit memo issued under the terms of a warranty on a product sold to the beneficiary) nota de crédito por garantía.

WASAP   *(Explotación teleg)* Abrev. de will answer (as) soon as possible [contestaremos tan pronto como sea posible]; will advise (as) soon as possible [informaremos tan pronto como sea posible].

wash   lavado, lavadura, lavación; baño; colada; ropa lavada; productos lavados; lavatorio; chapaleo; baño, capa delgada || *(Albañilería/Constr)* retallo de derrame; vierteaguas; revoque || *(Aeron)* estela, perturbación aerodinámica, conmoción del aire || *(Minería)* baño, capa; socavón (galería o mina subterránea) || *(Geol)* limo de avenidas; aluvión, depósito; cono aluvial || *(Geog/Topog)* lecho de río intermitente || *(Marina)* batiente del mar; remolinos de estela; pala de remo || *(Moldes de fundición)* arrastre de arena || *(Dib)* lavado; dibujo al lavado /// *verbo:* lavar; bañar; fregar; regar, bañar; dar un baño [una capa] de metal; dar una mano [una capa] de color; baldear; socavar; lavarse; no desteñir, no perder el color al lavarse; gastarse por la acción del agua || *(Albañilería)* deslavar || *(Minería)* lavar | **to wash coal:** lavar carbón | **to wash ore:** lavar mineral || *(Marina)* baldear; mecerse (las olas) | barrer (las olas) la playa [la cubierta del buque].

WASH   *(Explotación teleg)* Abrev. de Washington.

wash-in   *(Aeron)* alabeo positivo; incremento del ángulo de incidencia (hacia el borde del ala). CF. **washout.**

wash-in wing   *(Aeron)* ala con alabeo positivo.

wash out   *verbo:* arrastrar, deslavar; hacer desaparecer.

wash-out   v. **washout.**

washable   *adj:* lavable.

washable fabric   tela lavable.

washboard   tabla de lavar || *(Buques)* falca || *(Carreteras)* ondulaciones || *(Paredes)* (=baseboard) rodapié || *(Vidrio)* ondulaciones.

WASHDC   *(Explotación teleg)* Abrev. de Washington, D.C.

washdown   *(Buques)* baldeo (de la cubierta).

washed air   aire lavado.

washed-out picture   *(Tv)* imagen "lavada", imagen esfumada [desvanecida].

washer   *(Persona)* lavador, lavandero, lavandera || *(Máquina)* lavadora, máquina de lavar || *(Arena)* lavadero, lavadora || *(Mec)* arandela. CON MENOS FRECUENCIA: rondela, roldana, golilla, platillo, vilorta, volandera, zapatilla *(cuando es de cuero)*. Algunos tipos particulares: *arandela de cierre* [lock washer]; *arandela de fibra* [fiber washer]; *arandela de plomo* [lead washer]; *arandela de presión* [spring washer] | planchuela de perno || *(Vías férreas)* arandela. Anillo metálico que se coloca debajo de la tuerca para evitar el roce con la pieza que aprieta y uniformar la presión.

washer-head screw   tornillo con cabeza de arandela.

washer plate   arandela de placa.

washery   *(Minería)* lavadero (de minerales), taller de lavado.

washing   lavado, lavadura, lavaje; baldeo; ropa lavada o por lavar; erosión (del terreno por las aguas al correr) || *(Ríos)* abrasión, derrubio || *(Fotog)* lavado.

washing bottle   frasco lavador.

washing machine   lavadora, máquina de lavar, lavadora mecánica; lavarropas, lavadora (de ropa).

washing machinery   maquinaria para lavar.

washing plant   instalación de lavado; lavandería.

washing process   procedimiento de lavado.

washing tower   torre de lavado (de gases).

WASHN   *(Explotación teleg)* Abrev. de Washington.

WASHNDC   *(Explotación teleg)* Abrev. de Washington, D.C.

washout   expulsión; arrastre; socavación; derrumbe, derrumbamiento (por socavón); hundimiento (por la acción del agua) || *(Aeron)* alabeo negativo; decremento del ángulo de incidencia (hacia el borde del ala) || *(Petr, Tuberías)* escape, fuga || *(Registro mag)* cancelación (del registro).

washout wing   *(Aeron)* ala con alabeo negativo.

washtub   lavadero; cuba [tina] de lavar; cuba de colada; artesa, gamella.

washtub weeper   *(Radio/Tv)* *(slang)* novela por episodios, serie melodramática; radionovela. SIN. **radio daytime serial, soap opera, suds opera.**

waste   desperdicio, derroche, despilfarro, gasto inútil; disipación; destrozo, estrago, devastación, ruina; desgaste; consunción, decadencia (física); desperdicio, merma, pérdida; desperdicios, despo-

jos, desechos | estopa, borra [hilacha] de algodón, desperdicios de algodón. LOCALISMO: huaipe | efluentes; aguas residuales | v. **wasteland** || *(Lab de cine)* descarte, merma, pérdida || *(Geol)* erosión || *(Madera)* desperdicios || *(Minería)* desechos, escombros, estériles; escombrera || *(Reactores nucl)* desechos /// *adj:* desechado, inútil, sobrante, superfluo, residual; arruinado; desolado, desierto; baldío, inculto, yermo /// *verbo:* desperdiciar, derrochar, despilfarrar, malgastar, gastar inútilmente; malbaratar; disipar; desgastar(se); gastar, consumir; destrozar, desolar, arruinar; destruir; echar a perder; agotar, mermar || *(Excavaciones)* arrojar, tirar, botar.

waste bank   escombrera, terrero, vaciadero.

waste channel   zanja de desagüe.

waste container   envase para desperdicios || *(Nucl)* envase para desechos (radiactivos).

waste containment   *(Nucl)* contención de desechos (radiactivos).

waste disposal   eliminación de basuras; eliminación [evacuación] de residuos; tratamiento de (los) efluentes || *(Nucl)* eliminación de desechos.

waste gas   gas de desecho.

waste gate   *(Hidr)* compuerta de descarga [de desagüe].

waste-gate valve   *(Mot)* válvula de presión del sobrealimentador.

waste heap   *(Minas)* escombrera. Sitio donde se vacían los escombros.

waste heat   calor desperdiciado, calor de desecho, calor residual [de escape].

waste-heat boiler   caldera de recuperación, caldera de calor de desecho [de calor residual].

waste instruction   *(Comput)* instrucción en blanco, instrucción inoperacional. Instrucción que no determina la ejecución de ninguna operación; simplemente dispone que la computadora pase a la siguiente instrucción. SIN. **blank [no-operation] instruction.**

waste pipe   *(Fontanería)* tubo de evacuación [de desagüe], caño de reboso, tubo del rebosadero || tubo de escape.

waste product   desperdicio; producto de desecho.

waste recovery   *(Nucl)* recuperación de (los) desechos.

waste shaft   *(Minas)* pozo de relleno. Pozo para la atibación o relleno de galerías ya beneficiadas.

waste traffic   *(Telef)* tráfico desaprovechado. Tráfico que se presenta cuando un dispositivo es tomado u ocupado en cierta etapa del establecimiento de una comunicación y queda posteriormente libre sin haber contribuido efectivamente al establecimiento de la comunicación (CEI/70 55-110-165). CF. **test traffic.**

waste vegetation   residuos vegetales.

waste water   aguas residuales; agua de descarga; agua del sobrante; agua de condensación.

waste weir   *(Hidr)* aliviadero, vertedero (de crecidas), rebosadero, vertedor de reboso.

wasted   *adj:* desperdiciado, desaprovechado, inútil; malgastado; desolado, arruinado; ruinoso.

wasted light output   *(Alumbrado)* potencia lumínica perdida [desaprovechada, no aprovechada]. Potencia lumínica que no se aprovecha debido a suciedad de la lámpara.

wasteful resistance   *(Elec)* resistencia de pérdidas.

wasteful service   servicio no rentable.

wasteland   desierto, erial, tierra sin cultivar, tierra yerma; tierras desoladas.

wasteless zinc   *(Elec)* cinc no gastable.

watch   reloj (de muñeca, de bolsillo); cuidado, vigilancia, vigilia; velación; atalaya; guardia; vigía; guarda, vigilante, centinela; sereno || *(Radiocom)* escucha, vigilancia. SIN. **monitoring** | guardia. v. **radio watch** /// *verbo:* cuidar, vigilar, velar, guardar; estar alerta; observar; atisbar, acechar, espiar || *(Radiocom)* escuchar, vigilar, estar a la escucha.

watch frequency   *(Radiocom)* frecuencia de escucha. SIN. **watchkeeping frequency.**

watch hours   *(Radiocom)* horas de escucha.

watch on the distress frequency   *verbo: (Radiocom)* escuchar en la frecuencia de socorro.

watch period   *(Radiocom)* período de escucha.

watch receiver   *(Telef)* receptor con reloj. SIN. watchcase receiver.

watch service   *(Radiocom)* servicio de guardia. v. radio watch.

watch wave   *(Radiocom)* onda de escucha. SIN. watchkeeping wave.

watchcase   caja de reloj, relojera.

watchcase receiver   *(Telef)* receptor con reloj. SIN. watch receiver | teléfono con auricular simple.

watchkeeping   guardia || *(Radiocom)* escucha; horas de escucha | guardia. v. radio watch.

watchkeeping frequency   *(Radiocom)* v. watch frequency.

watchkeeping wave   *(Radiocom)* v. watch wave.

watchman   guarda, guardián, centinela, vigilante; sereno, vigilante nocturno.

watchman clock   reloj de sereno.

watchman's round time recorder   (= time recorder for a watchman's round) comprobador eléctrico de ronda. Conjunto de aparatos que permiten registrar a distancia, por intermedio de un circuito eléctrico, la hora del paso de un guardián o sereno en diferentes puntos de su recorrido de ronda (CEI/58 35–35–060).

water   agua | (=rain) lluvia | (=body of water) mar; lago; río; corriente fluvial | (=liquid passed out of the body) orina, orines; sudor; lágrimas | (= amniotic fluid) líquido amniótico | (= aqueous solution) solución acuosa | (= wavy finish or sheen of a fabric) viso || *(Finanzas)* acciones emitidas sin el correspondiente aumento de capital; acciones emitidas en exceso del capital pagado o desembolsado; valuación de los bienes de una firma comercial por encima de su valor real /// *adj:* de agua; acuoso; acuífero; hidráulico; fluvial; freático /// *verbo:* aguar; humedecer; mojar; regar; chorrear agua; bañar; abrevar; tomar agua, hacer aguada; echar agua a, diluir con agua || *(Locomotoras)* tomar agua. CF. water column || *(Quím)* diluir. Agregar líquido a una disolución para disminuir su grado o concentración. SIN. dilute.

water-absorbing   *adj:* que absorbe el agua; higroscópico.

water absorption   absorción de agua.

water-activated battery   batería activada por agua. Batería primaria que para ponerla en condiciones de servicio necesita que se le añada agua o que se la sumerja en agua.

water aerodrome   *(Avia)* hidroaeródromo, aeródromo acuático. CF. land aerodrome.

water airfield   *(Avia)* zona de amaraje.

water airport   *(Avia)* hidroaeropuerto, aeropuerto acuático.

water atomizer   atomizador [pulverizador, nebulizador] de agua.

water ballast   *(Buques)* lastre de agua.

water bath   baño (de) María.

water-bearing   *adj:* acuífero, que tiene agua.

water bias error   *(Radar)* error debido al movimiento transversal de las aguas.

water boiler   hervidor de agua || *(Nucl)* v. water-boiler reactor.

water-boiler reactor   *(Nucl)* (a.c. water boiler) reactor de ebullición, reactor hervidor de agua. (1) Reactor homogéneo cuyo combustible es sulfato de uranilo [uranyl sulfate] disuelto en agua, y que utiliza agua común como moderador. (2) Reactor cuya zona activa consiste en un recipiente esférico lleno de combustible uranio en una solución acuosa. SIN. boiling reactor.

water-borne   *adj:* v. waterborne.

water-bound   *adj:* v. waterbound.

water calorimeter   calorímetro de agua. Calorímetro utilizado para medir potencias de radiofrecuencia por el aumento de temperatura registrado en una masa de agua que absorbe la energía de radiofrecuencia.

water cement   cemento hidráulico.

water/cement ratio   razón [relación] agua/cemento. Razón entre el peso total de agua en el hormigón (excluyendo el agua absorbida por los áridos [aggregate] en condiciones de saturados a superficie seca) y el peso de cemento.

water channel   *(Nucl)* canal de agua.

water chiller   refrigerador de agua.

water circulation   circulación de agua.

water circulator   circulador de agua.

water closet [w.c.]   inodoro, excusado, letrina, retrete. LOCALISMOS: cuarto excusado, servicio, sanitario, servicio sanitario, casilla.

water color   acuarela. Pintura con colores diluidos en agua.

water column   columna de agua || *(Ferroc)* grúa [columna, toma] de agua, grúa hidráulica [hidrante], grúa alimentadora de agua. (1) Aparato para cargar agua en las locomotoras. (2) Columna de fundición hueca que lleva en su parte superior un brazo horizontal giratorio terminado en un tubo flexible, y que sirve para alimentar de agua el ténder o tanque de las locomotoras. SIN. brazo de toma de agua —— water crane, water hydrant.

water conditioner   acondicionador de [para] agua; suavizador de agua.

water conduit   conducto de agua; acueducto.

water conservationist   especialista en mantener la pureza de las corrientes fluviales, técnico especializado en combatir la polución de las aguas fluviales.

water consumption   consumo de agua; gasto de agua.

water containing impurities   agua con impurezas; agua cargada de impurezas.

water content   contenido de agua.

water-content meter   medidor del contenido de agua.

water coolant   agua de refrigeración. Agua utilizada como fluido refrigerante.

water-cooled   *adj:* enfriado [refrigerado] por agua, de enfriamiento por agua; refrigerado por circulación de agua.

water-cooled condenser   *(Climatiz)* condensador enfriado por agua. CF. evaporative condenser.

water-cooled engine   motor enfriado [refrigerado] por agua.

water-cooled-engine-driven generating set   grupo generador de motor enfriado por agua.

water-cooled heat trap   *(Proy cine)* cámara [cubeta] de agua (para enfriar la película).

water-cooled klystron   klistrón [clistrón] de enfriamiento por agua. CF. water-cooled tube.

water-cooled lattice   *(Nucl)* celosía refrigerada por [con] agua.

water-cooled machine   máquina enfriada por agua || *(Elec)* máquina con refrigerante. Máquina cerrada sin canalización de aire de enfriamiento separado, provista de uno o más refrigerantes [coolers] recorridos por el aire interior y enfriados por una circulación de agua (CEI/56 10–05–290). CF. air-cooled machine.

water-cooled reactor   *(Nucl)* reactor refrigerado por agua.

water-cooled tube   tubo refrigerado por agua, válvula refrigerada [de enfriamiento] por agua. Tubo electrónico para altas potencias cuyo ánodo, que sobresale a través de la ampolla, es refrigerado por agua.

water cooling   enfriamiento [refrigeración] por agua; enfriamiento [refrigeración] de agua.

water-cooling   *adj:* de enfriamiento [refrigeración] por agua; enfriado [refrigerado] por agua.

water-cooling jacket   camisa de enfriamiento por agua, camisa de agua de enfriamiento. Se emplea p.ej. para refrigerar algunos tubos electrónicos de alta potencia. SIN. water jacket.

water-cooling system   sistema de refrigeración por agua; sistema de enfriamiento del agua.

water-cooling tower   torre de enfriamiento [de refrigeración] del agua.

water course   corriente de agua.

water crane   *(Ferroc)* v. water column.

water current   corriente de agua.

water-current meter   medidor de corriente de agua; molinete hidráulico.

water demineralizer   desmineralizador de agua.

water desalter   desalinador de agua (de mar).
water desalting   desalinación de agua (de mar).
water drainage   desagüe; drenaje, avenamiento; encañizado.
water duct   conducto [caño] de agua.
water gage, water gauge   *(Calderas)* indicador de nivel del agua ‖ *(Hidr)* vara de aforar.
water-gage column   tubo de nivel; tubo indicador de nivel de agua.
water-gage glass   tubo de vidrio del indicador de nivel del agua.
water-gage glass tube   *(Calderas)* nivel de agua, tubo indicador de nivel del agua.
water gas   *(Combustible)* gas de agua.
water-gas plant   instalación de gas de agua; gasógeno, generador de gas pobre.
water hammer   ariete hidráulico ‖ *(Tuberías)* turbión; arietazo, choque de ariete [de agua], golpes de ariete.
water hardness   dureza del agua. Contenido del agua en magnesia y sales calizas.
water head   carga hidrostática.
water heating   calentamiento de agua.
water horsepower   *(Bombas)* potencia útil.
water hydrant   boca de riego ‖ *(Ferroc)* v. water column.
water injection   inyección de agua.
water-injection system   sistema de inyección de agua.
water-insoluble   *adj:* insoluble en agua.
water intake   toma de agua.
water jacket   camisa [chaqueta, envuelta] de agua, camisa de enfriamiento. Estructura hueca que sirve para la conducción de agua de enfriamiento, y que rodea al dispositivo donde se genera el calor. En el caso de los tubos electrónicos enfriados por agua (v. **water-cooled tube**) puede servir también para soporte del tubo.
water jet   chorro de agua; inyección de agua.
water-jet heater   caldera de chorro de agua. Caldera de electrodos [electrode heater] en la que el agua es proyectada por electrodos en forma de tuberías contra electrodos receptores [receiving electrodes], de tal suerte que el calor es engendrado en su mayor parte en los chorros de agua (CEI/60 40–10–195).
water joint   junta hidráulica.
water level   nivel del agua ‖ *(Instr)* nivel de agua.
water-level alarm   alarma [avisador] de nivel del agua.
water-level gage   indicador de nivel del agua.
water-level recorder   *(Calderas)* registrador de nivel del agua ‖ *(Hidr)* limnígrafo, registrador de niveles (del agua). Instrumento que registra las variaciones de la altura del agua en un lago o un río. SIN. **limnímetro, limnómetro**.
water leveling   nivelación respecto a la superficie en reposo de una masa de agua.
water line [WL]   *(Calderas, Pilotaje)* nivel del agua ‖ *(Hidr)* nivel [altura] del agua ‖ *(Buques)* línea de flotación ‖ *(Papel)* línea de agua, línea de filigrana ‖ *(Distribución de agua)* tubería de agua ‖ **water lines:** red de distribución de agua.
water load   *(Náutica)* carga debida al agua, carga hidrodinámica ‖ *(Radioelec)* carga de agua ‖ carga líquida. Terminación adaptada [matched termination] en la que la energía electromagnética de las ondas es absorbida en una cuba o una corriente de agua, con el objeto de medir la potencia media por un método calorimétrico [calorimetric method] (CEI/61 62–20–150). CF. **water calorimeter.**
water mains   tubería maestra, tubería [cañería] principal del agua, cañería matriz [de acueducto].
water-mark   v. **watermark.**
water meter   contador [medidor] de agua. LOCALISMO: reloj de agua. Instrumento que sirve para medir los caudales de agua que escurren por una cañería.
water-moderated reactor   *(Nucl)* reactor moderado por [con] agua.
water monitor   *(Nucl)* monitor (de la radiactividad) del agua. Aparato de control y prevención que detecta y mide la radiactivi-

dad llevada por el agua.
water motor   hidromotor, motor hidráulico [de agua].
water of absorption   *(Riego)* agua de imbibición.
water of condensation   agua de condensación.
water of constitution   *(Quím)* agua de constitución.
water of crystallization   *(Quím)* agua de cristalización.
water of hydration   *(Geol, Quím)* agua de hidratación.
water of imbibition   *(Riego)* agua de imbibición. SIN. **water of absorption.**
water-packed   *adj:* con cierre hidráulico, con junta hidráulica.
water phantom   *(Radiol)* fantasma de agua. Volumen de agua que reemplaza al cuerpo humano y en el cual puede desplazarse un explorador dosimétrico (CEI/38 65–25–095).
water pillar   *(Ferroc)* toma de agua. SIN. **water column.**
water pipe   tubería [conducto, caño, cañería] de agua ‖ *(Calderas)* tubo de toma de agua.
water power   fuerza hidráulica [de agua], energía hidráulica, hulla blanca, potencia hidráulica; salto de agua; energía hidroeléctrica.
water-power plant   central [planta] hidroeléctrica, central hidráulica [de fuerza de agua]. LOCALISMO: usina hidráulica. SIN. **water-power station.**
water-power station   v. **water-power plant.**
water press   prensa hidráulica.
water pressure   presión del agua, presión [carga] de agua, presión hidráulica.
water processing   tratamiento del agua.
water-proof   *adj:* v. **waterproof.**
water pump   bomba de agua.
water pumping   bombeo de agua.
water-pumping plant   estación de bombeo de agua.
water purification   purificación [depuración] del agua; clarificación del agua.
water quality   calidad del agua.
water-quench   *verbo:* enfriar en agua; templar en agua.
water ram   ariete hidráulico. SIN. **water hammer** ‖ *(Tuberías)* v. **water hammer.**
water recirculation   recirculación del agua.
water reclaiming   recuperación de agua.
water recovery   recuperación de agua.
water-recovery condenser   condensador de recuperación de agua.
water-repellent   *adj:* repelente al agua, hidrófugo. Que no se moja; que resiste la penetración del agua, aunque puede no ser completamente impermeable.
water resistance   resistencia hidrodinámica ‖ *(Elec)* resistencia líquida; reóstato de agua.
water-resistant   *adj:* resistente al agua.
water route   ruta acuática; vía navegable.
water rudder   *(Hidroaviones)* timón de agua.
water saver   economizador de agua. Dispositivo utilizado con ciertos elementos refrigerados por agua (p.ej. una antena ficticia para prueba de transmisores de radio) con el fin de reducir el gasto de agua, cuando ésta circula en circuito no cerrado. Consiste esencialmente en una válvula accionada por electroimán con interruptores térmicos, que sólo permite la circulación de agua cuando es necesario su efecto enfriador.
water seal   cierre hidráulico, junta hidráulica. SIN. **water joint.**
water segregator   separador de agua. SIN. **water separator.**
water separator   separador de agua. Dispositivo que en las tuberías de vapor o de aire comprimido sirve para separar el agua arrastrada por el vapor o el aire.
water service   servicio de agua [de aguas corrientes]. Conjunto de instalaciones para el aprovisionamiento de agua ‖ acometida [derivación] de agua, toma de agua particular. LOCALISMO: pluma. Toma o empalme de una instalación particular de agua con la cañería principal [water mains].
water shield   *(Nucl)* blindaje de agua.

water shutter   *(Nucl)* obturador de agua.

water slurry   suspensión acuosa.

water softener   ablandador [suavizador] de agua; generador de agua dulce.

water softening   ablandamiento [suavización, endulzamiento, adelgazamiento] de agua. LOCALISMO: edulcoración de agua. Tratamiento del agua para disminuir su dureza (v. **water hardness**).

water-soluble   *adj:* soluble en agua.

water solution   solución acuosa. SIN. **aqueous solution.**

water-solution reactor   *(Nucl)* reactor de ebullición, reactor hervidor de agua. v. **water-boiler reactor.**

water space   volumen ocupado por el agua || *(Calderas)* cámara de agua. Parte de la caldera que debe estar permanentemente provista de agua.

water sprayer   pulverizador [nebulizador] de agua. SIN. **water atomizer.**

water supply   suministro [abastecimiento, aprovisionamiento] de agua, provisión [proveimiento] de agua, abasto de agua (potable).

water system   sistema [red] de distribución de agua, red de aguas corrientes, canalización de agua, acueducto; sistema fluvial.

water table   *(Arq)* alero de desagüe; botaguas, retallo de derrame || *(Calderas)* placa de agua || *(Geol)* capa [napa] freática, capa de aguas freáticas; nivel freático [hidrostático], nivel superior de las aguas subterráneas; lámina acuífera. LOCALISMOS: mesa [tabla] de agua || *(Vías férreas)* cuneta. Zanja a lo largo de la línea que recibe aguas superficiales. SIN. **catch drain.**

water tank   tanque [depósito] de agua, tanque para agua, depósito destinado al almacenamiento de agua; estanque || *(Buques, Locomotoras)* caja de agua.

water-taxi   *verbo:* *(Hidroaviones)* moverse sobre el agua mediante los motores.

water temperature   temperatura del agua.

water-temperature gage   termómetro del agua. En los motores, termómetro que sirve para vigilar la temperatura del agua de enfriamiento.

water tower   torre de agua(s), aguatorre, depósito elevado.

water tube   *(Calderas)* tubo de agua, tubo hervidor.

water-tube boiler   caldera acuotubular, caldera con tubos de agua, caldera de tubos hervidores.

water tunnel   túnel hidrodinámico. CF. **wind tunnel.**

water turbine   turbina hidráulica.

water turboalternator   turboalternador hidráulico.

water utility   servicio público de abastecimiento [suministro] de agua, acueducto público, red pública de distribución de agua.

water vapor   vapor de agua, vapor acuoso; humedad atmosférica.

water-wall   v. **waterwall.**

water wheel   rueda hidráulica [de agua]; turbina Pelton.

waterborne   *adj:* llevado [arrastrado] por las aguas; flotante, a flote; transportado por agua || *(Enfermedades)* propagado por aguas contaminadas.

waterborne train   convoy de vehículos acuáticos; convoy [tren] de barcazas remolcadas.

waterborne vehicle   vehículo acuático.

waterbound macadam   macadam hidráulico [al agua]. Macadam cuyo ligante es el agua. Se llama *macadam* (forma incorrecta, *macadán*) a un pavimento para carreteras que se hace con piedra machacada y agregado [aggregate] (por ejemplo, arena), aglomerando y compactando ambos materiales con cilindros o apisonadoras y un ligante. CF. **portland-cement-bound macadam.**

waterfall   caída [salto] de agua, cascada, catarata.

watering trough   abrevadero, bebedero, sitio para dar de beber al ganado. LOCALISMOS: canoa, aguaje.

waterline   v. **water line.**

watermark   *(Papel)* filigrana, marca de agua; corondel, filigrana de líneas paralelas || *(Buques)* **watermarks:** escala de calados || v. **water line.**

watermeter   v. **water meter.**

watermill   molino de agua.

waterplane   hidroavión. SIN. **hydroplane.**

waterproof   *adj:* a prueba de agua; a prueba de inmersión; estanco; impermeable, impenetrable al agua; hidrófugo || *(Elec)* estanco. Se dice de una máquina o de un aparato cerrado en el cual todas las juntas han sido estudiadas en forma de evitar la penetración del agua en el interior, en condiciones especificadas (CEI/38 10–35–080) ||| *verbo:* hacer a prueba de agua, a prueba de inmersión, etc.; impermeabilizar.

waterproof apparatus   *(Elec)* aparato estanco.

waterproof loudspeaker   altavoz [altoparlante] a prueba de inmersión. Altavoz o altoparlante capaz de funcionar debajo del agua, y que se utiliza en lugares muy húmedos.

waterproof machine   *(Elec)* máquina estanca. CF. **impervious machine, submersible machine, watertight machine.**

waterproof membrane   *(Carreteras)* (*i.e.* membrane impervious to water) membrana impermeable. Capa de papel impermeable, material plástico o asfalto, colocada inmediatamente debajo de una losa de hormigón o de una capa de suelo estabilizado para impedir la pérdida de humedad, la adherencia, o la ascensión del agua capilar [capillary water].

waterproof motor   *(Elec)* motor estanco.

waterproof paper   papel impermeable.

waterproofer   impermeabilizador.

waterproofing   impermeabilización; acción y efecto de hacer a prueba de agua, a prueba de inmersión, etc. v. **waterproof** ||| *adj:* impermeabilizante, impermeabilizador.

waterproofing compound   compuesto [producto] impermeabilizador, material impermeabilizante [hidrófugo].

waterproofing test   prueba de impermeabilidad; prueba de estanqueidad.

watershed   *(Arq)* botaguas, vierteaguas; canal de lima hoya || *(Geol/Topog)* cuenca; cuenca colectora; cuenca hidrográfica, hoya hidrográfica [hidrológica], hoya tributaria; vertiente.

waterspout   *(Meteor)* tromba marina, tromba de agua.

watertight   *adj:* hermético (al agua), impermeable (al agua), impenetrable al agua, a prueba de inmersión, estanco.

watertight compartment   compartimiento estanco.

watertight machine   *(Elec)* máquina protegida contra los chorros de agua. Máquina construida de tal manera que el agua proyectada con una manguera en condiciones especificadas no pueda penetrar en cantidad suficiente para impedir o entorpecer el funcionamiento. SIN. **hoseproof machine** *(GB)* (CEI/56 10–05–195). CF. **waterproof machine.**

watertightness   hermeticidad (al agua), impermeabilidad (al agua), impenetrabilidad (al agua), estanqueidad.

waterwall   pantalla de agua || *(Nucl)* muro de agua || *(Calderas)* pantalla [pared] de tubos de agua.

waterway   cauce, canal; canalón; conducto de agua; ruta acuática, vía acuática [de agua]; vía fluvial; vía marítima; canal [río] navegable || *(Buques)* cuneta, trancanil, canalón de trancanil || *(Puentes)* sección de desagüe || *(Vál)* sección de paso de agua.

waterworks   instalación de agua(s) corriente(s), instalación de abastecimiento de agua, planta de agua (potable), acueducto, obras de agua.

WATS   WATS. Siglas de "Wide Area Telephone Service", que designan un servicio telefónico especial en los Estados Unidos. El abonado a este servicio paga una cuota mensual fija que le da derecho a hacer llamadas de larga distancia por discado directo, sin limitación en el número de ellas. La única restricción reside en el número de zonas a las cuales pueden hacerse las llamadas (entre las seis en que se ha dividido el país), siendo ese número el que determina el monto de la cuota mensual. El abono cubre también las comunicaciones que el abonado reciba en un número telefónico determinado en calidad de llamadas a cobrar en el destino [collect calls].

watt   vatio, watt. Unidad de potencia equivalente a un julio por segundo o a 10 megaergios por segundo. En un circuito eléctrico de corriente continua, la potencia en vatios es igual al producto de la corriente en amperios por la tensión en voltios. En un circuito de corriente alterna, la potencia verdadera está dada por el producto de la corriente eficaz en amperios, la tensión eficaz en voltios, y el factor de potencia del circuito. NOTA: *Watt* es el nombre de la unidad en la nomenclatura internacional, y *vatio* es su forma españolizada. Otras variantes del nombre son *wat* (poco usada) y *watio* (usada principalmente en España). Símbolo: W.

Watt   James Watt: ingeniero e inventor escocés (1736–1819). Inventó la moderna máquina de vapor con condensación [condensing steam engine] y el regulador de bolas [centrifugal flyball governor]. Su nombre designa la unidad de potencia (v. **watt**).

watt consumption   consumo en vatios. SIN. **wattage**.

watt current   *(Elec)* corriente vatada [energética, activa]. En un circuito de alterna, componente de la corriente que está en fase con la fuerza electromotriz. SIN. **active current**. CF. **reactive current**.

Watt governor   *(Máq de vapor)* regulador de Watt, regulador de péndulo cónico.

watt-hour   v. **watthour**.

watt loss   *(Instr de medida)* pérdida de potencia. (1) En el caso de un amperímetro o un voltímetro, potencia activa en los terminales correspondiente a la indicación nominal de plena escala. (2) En el caso de otros instrumentos, potencia activa en los terminales correspondiente a un valor especificado de corriente o de tensión. SIN. **power loss**.

watt per square meter   vatio por metro cuadrado [W/m²].

watt per steradian   vatio por esterradián [W/sr].

watt per steradian square meter   vatio por esterradián metro cuadrado [W/sr·m²].

watt rating   v. **wattage rating**.

watt-second   watt-segundo, vatiosegundo. Cantidad de energía correspondiente a un vatio actuando durante un segundo. Es equivalente a un julio [joule]. Símbolo: Ws.

watt-second constant   *(Contadores eléc)* constante de energía (Ws). Registro del contador, en vatiosegundos, correspondiente a una revolución del rotor. CF. **watthour constant**.

Watt spectrum   *(Fís)* espectro (de fisión) de Watt.

wattage   vataje, viataje, wataje. (1) Potencia en vatios. (2) Capacidad de disipación en vatios. (3) Consumo en vatios. SIN. **potencia, capacidad, consumo**.

wattage rating   (a.c. watt rating) vataje [viataje, wataje] nominal; potencia nominal (en vatios); capacidad nominal de disipación (en vatios); consumo nominal (en vatios); clasificación de potencia; potencia nominal de utilización.

watthour   vatihora, vatio-hora, watthora, watt-hora. Unidad de energía eléctrica igual a la potencia de un vatio absorbida continuamente durante una hora. Símbolo: Wh | watthora. Energía eléctrica desarrollada durante una hora por la potencia de un watt (3 600 joules) (CEI/38 05–35–095) | watthora, watt-hora. Energía puesta en juego durante una hora por una potencia de un watt, y equivalente a 3 600 joules (CEI/56 05–35–105).

watthour capacity   capacidad en vatihoras [vatio-horas] ‖ *(Acum)* capacidad en energía. Energía que un acumulador puede suministrar en condiciones dadas de temperatura, de régimen, y de tensión final (CEI/60 50–20–215). CF. **ampere-hour capacity, specific capacity**.

watthour constant   *(Contadores eléc)* constante de energía (Wh). Registro del contador, en vatihoras, correspondiente a una revolución del rotor. CF. **watt-second constant**.

watthour efficiency   rendimiento en vatihoras [vatio-horas] ‖ *(Acum)* rendimiento en energía. Razón entre la energía suministrada y la energía necesaria para la recarga en condiciones determinadas de temperatura, de régimen, y de tensión final (CEI/60 50–20–305). CF. **volt efficiency**.

watthour energy   energía en vatihoras [vatio-horas].

watthour meter   vatihorímetro, watthorímetro, vatihorámetro, contador [medidor] de vatihoras, contador de vatio-horas, medidor de watt-horas, contador de energía (eléctrica), contador de

energía activa | watthorímetro, contador de energía. Aparato integrador que mide la energía eléctrica en watthoras. SIN. **energy meter** (CEI/38 20–25–025) | vatihorímetro, contador de energía activa. Aparato integrador que mide la energía eléctrica en watthoras. SIN. **active-energy meter** (CEI/58 20–25–030). CF. **varhour meter**.

watthourmeter   v. **watthour meter**.

wattle   zarzo; sebe; barba de pez; barba de gallo [de pavo] ‖/ *verbo:* enzarzar, entrelazar, tejer, entretejer.

wattless   *adj: (Elec)* desvatado, desvatiado, deswatado, reactivo, sin energía. (1) Dícese de una corriente alterna, o de una componente de corriente, cuando su fase difiere en 90° de la fase de la fuerza electromotriz que la produce. (2) Recíprocamente, se dice de una fuerza electromotriz alterna, o de una componente de la misma, cuando su fase difiere en 90° de la fase de la corriente que ella produce. (3) Dícese de la componente de la potencia aparente [apparent power] presente en un circuito de corriente alterna que se transmite al circuito durante parte del ciclo, pero que retorna a la fuente durante otra parte del ciclo.

wattless component   componente desvatada [desvatiada, reactiva]. SIN. **reactive component**.

wattless current   corriente desvatada [desvatiada, reactiva]. SIN. **reactive current** (véase).

wattless electromotive force   fuerza electromotriz desvatada [desvatiada, reactiva].

wattless power   potencia desvatada [desvatiada, reactiva]. SIN. **reactive power** (véase), **reactive volt-amperes**. CF. **var**.

wattmeter   vatímetro. TB. vatiómetro, watímetro, wattímetro, wattmetro. Instrumento destinado a medir la potencia eléctrica consumida por un dispositivo o aparato, y cuya escala está graduada en vatios (o en kilovatios) | vatímetro. Aparato destinado a medir, directa o indirectamente, la potencia eléctrica en watts (CEI/38 20–15–100, CEI/58 20–15–140). CF. **varmeter, volt-ampere meter** ‖/ *adj:* vatimétrico.

wattmeter bridge   puente vatimétrico.

wattmeter connection   conexión de vatímetro.

wave   onda, ondulación; ola; además, señal o movimiento que se hace con la mano ‖ *(Joyas, Tejidos)* aguas, visos ‖ *(Fís)* onda. (1) Modificación del estado físico de un medio, que se propaga a través del mismo a raíz de una perturbación inicial; cuando esta perturbación tiene una duración muy breve, se denomina *impulso* (CEI/38 05–05–260). (2) Modificación del estado físico de un medio, que se propaga a consecuencia de una perturbación local (CEI/56 05–03–005). (3) En un movimiento ondulatorio, estado en que se encuentra cada una de las porciones del medio limitada por dos superficies consecutivas en las que la perturbación es simultáneamente nula y varía en el mismo sentido; por extensión, toda perturbación que es función del tiempo, del espacio, o de ambos. (4) Perturbación que se propaga por el espacio (onda electromagnética) o por un medio elástico (onda acústica). (5) Ciclo único de una perturbación periódica que se propaga por el espacio o por un medio cualquiera ‖ onda, representación gráfica de una variación periódica ‖ CF. **answering wave, calling wave, carrier wave, signal wave, working wave, spacing wave, acoustic wave, electromagnetic wave, plane wave, plane sinusoidal wave, progressive wave, moving wave, traveling wave, traveling plane wave, stationary wave, longitudinal wave, transverse wave, continuous waves, damped waves, interrupted waves, wave train** ‖/ *adj:* ondulatorio, ondulante, ondulado.

wave action   oleaje. SIN. **flujo, reflujo, marejada, resaca**.

wave adapter   *(Radio)* adaptador de onda.

wave aerial   antena Beverage. Antena unifilar horizontal de onda progresiva, cuya longitud es en principio grande respecto a la longitud de onda, conectada a un receptor en uno de sus extremos y conectada a la tierra en el otro extremo por intermedio de una impedancia igual a la impedancia característica. SIN. **Beverage aerial** (CEI/70 60–34–220). SIN. **Beverage [wave] antenna**.

wave amplitude   amplitud de onda. (**1**) Magnitud de la variación máxima de una característica (tensión, corriente, presión, etc.) de la onda, respecto a cero. (**2**) Perturbación máxima producida en un punto por una fuente de ondas, respecto al estado de reposo o equilibrio del medio en ese punto. V.TB. **amplitude**.

wave analysis   análisis de ondas.

wave analyzer   analizador de ondas. (**1**) Aparato destinado a determinar experimentalmente las ondas simples que componen una onda compleja. (**2**) Aparato destinado a medir selectivamente las diversas componentes espectrales de una onda o señal. SIN. **analizador de armónicas** | analizador de ondas, distorsiómetro. Aparato destinado a medir la distorsión o deformación de una onda compleja suprimiendo la onda fundamental correspondiente | (=selective amplifier) amplificador selectivo | (=frequency-selective voltmeter) voltímetro selectivo.

wave-analyzer recording   registro de análisis espectral, espectrograma.

wave angle   (*Radiocom*) ángulo de la trayectoria de la onda. Ángulo con que la onda parte de la antena emisora (*ángulo de radiación*) o llega a la antena receptora (*ángulo de arribada*). V.TB. **angle of arrival, angle of departure**.

wave antenna   antena Beverage. SIN. **Beverage aerial [antenna], wave aerial**.

wave attenuation   atenuación de onda. Disminución de amplitud de una onda.

wave band   banda de ondas. SIN. **gama de ondas, banda de frecuencias** —— **wave range, frequency band**.

wave-band switch   conmutador [selector] de banda. Conmutador que en un receptor o un transmisor de radio sirve para cambiar la banda de sintonización. CF. **wave-changing switch**.

wave bundle   haz de ondas. SIN. **wave group**.

wave changer   v. **wave-changing switch**.

wave-changing switch   (a.c. wave changer) conmutador de onda.

wave clutter   (*Radar*) reflejos [reflexión] del mar, ecos (parásitos) del mar. Ecos parásitos producidos por reflexión en las olas del mar. V.TB. **sea clutter**.

wave collector   colector [captador] de ondas. CF. **wave radiator**.

wave constant   constante de onda. CF. **wave number, wave parameter**.

wave converter   (*Guíaondas*) conversor [convertidor] de onda, conversor [transformador] de modo. SIN. **mode changer**.

wave correlator   correlacionador de onda.

wave crest   cresta de onda. En una onda progresiva, punto de máxima perturbación en sentido positivo. CF. **wave trough**.

wave current   corriente ondulatoria.

wave detector   detector de ondas.

wave distortion   distorsión [deformación] de la onda.

wave duct   guíaondas, guía de ondas. v. **waveguide** | conducto (guíaondas) atmosférico. v. **atmospheric duct**.

wave equation   ecuación de onda. Ecuación que describe un movimiento ondulatorio particular.

wave field   campo ondulatorio.

wave filter   filtro de onda. Transductor que separa unas ondas de otras, bien por sus diferentes frecuencias [frequency filter], bien por sus distintos modos de propagación [mode filter]. CF. **mode of propagation**.

wave-form   v. **waveform**.

wave-front   v. **wavefront**.

wave function   función de onda. (**1**) Conjunto de soluciones de las ecuaciones de Maxwell relativas a la propagación de las ondas en un medio o una región homogéneo e isótropo. (**2**) En mecánica cuántica, función de las variables dinámicas de una partícula o un sistema de partículas, que describe el estado de la partícula o el sistema. CF. **wave equation**.

wave generator   generador [fuente] de ondas.

wave group   grupo [haz] de ondas. Conjunto de trenes de ondas de diferentes longitudes que recorren una misma trayectoria. SIN. **wave bundle**. CF. **wave packet**.

wave-guide   v. **waveguide**.

wave heating   calentamiento por (la) onda. Aumento de la temperatura de un cuerpo por absorción de energía de una onda electromagnética progresiva.

wave impedance   impedancia de onda. A una frecuencia dada: Cociente del número complejo que representa el campo eléctrico transversal [transverse electric field] en un punto, por el número complejo que representa el campo magnético en ese punto. El signo de este cociente se elige de manera que la parte real [real part] sea positiva (CEI/61 62–05–095). CF. **characteristic impedance, characteristic wave impedance, guide wave impedance**.

wave interference   interferencia (de ondas). Fenómeno resultante de la superposición de dos o más ondas, y que se manifiesta por una variación de la amplitud en función de la distancia o del tiempo. En su uso común, el término se refiere al caso de ondas de idéntica o casi idéntica frecuencia.

wave-interference error   (*Radiogoniometría*) error de interferencia. Error de propagación [propagation error] debido a la recepción simultánea de dos o más ondas que siguen trayectorias diferentes entre la estación o el objeto localizado y el radiogoniómetro. SIN. **Heiligtag effect** (*término desaconsejado*) (CEI/70 60–71–195). SIN. **error de trayectorias múltiples**.

wave-interference microphone   micrófono de interferencia (de ondas). Micrófono de característica direccional muy pronunciada que capta el campo acústico incidente en una superficie y que responde a la suma de las presiones sobre esa superficie. Pertenecen a esta clase el *micrófono de hilera* [line microphone] y el *micrófono de reflector parabólico* [parabolic-reflector microphone].

wave-length   v. **wavelength**.

wave-mechanical   *adj:* de (la) mecánica ondulatoria.

wave-mechanical calculation   cálculo fundado en la mecánica ondulatoria.

wave mechanics   mecánica ondulatoria. Rama de la física (iniciada por E. Schrödinger en 1926) que asigna características de onda a los componentes de la estructura atómica e interpreta los fenómenos con ellos relacionados en función de formas de onda hipotéticas. CF. **quantum mechanics**.

wave-meter   v. **wavemeter**.

wave-modulated oscilloscope   osciloscopio modulado por la onda. v. **wamoscope**.

wave motion   movimiento ondulatorio. (**1**) Perturbación regular que se propaga por un medio, haciendo que sus partículas ejecuten movimientos de vaivén. (**2**) Transmisión de una perturbación en un medio elástico. Las partículas directamente afectadas por la perturbación ejecutan una oscilación que se transmite a las contiguas con una velocidad que es característica del medio. Si la perturbación es rítmica, las partículas oscilan con el mismo ritmo.

wave normal   normal a la onda. (**1**) Normal al frente de onda tomada en la dirección de la propagación. (**2**) Con mayor precisión, vector unitario normal a una superficie equifase, cuya dirección y sentido positivo en el mismo lado de la superficie se toma como dirección y sentido de la propagación. Si la onda se propaga en un medio isótropo, la normal a la onda coincide con la dirección de propagación. SIN. **dirección de propagación**.

wave number   número de onda. Inversa de la longitud de una onda armónica, o sea, $1/\lambda$. Algunos autores dan el mismo nombre al cociente $2\pi/\lambda$, que más comúnmente se denomina *parámetro de onda* [wave parameter].

wave packet   paquete de ondas. Función de onda [wave function] que describe una partícula cuya posición se conoce con bastante precisión. CF. **wave group**.

wave parameter   parámetro de onda. Nombre que se le da al cociente $k=2\pi/\lambda$, donde λ simboliza la longitud de onda. CF. **wave number**.

wave period   período de onda. De una onda armónica, intervalo de tiempo entre los instantes en que la perturbación alcanza máximos sucesivos en el mismo punto. Símbolo: T. El período es la inversa de la frecuencia, o sea, que $T = 1/f$.

wave phase   fase de onda. Argumento de la función de onda [wave function].

wave phenomenon   fenómeno ondulatorio.

wave polarization   polarización de la onda. Dirección del campo eléctrico de una onda electromagnética.

wave propagation   propagación de (las) ondas. Movimiento progresivo de las ondas en un medio. v.tb. propagation.

wave radiator   radiador de ondas. cf. wave collector.

wave range   gama de ondas. sin. wave band.

wave receiver   receptor de ondas.

wave reception   recepción de ondas.

wave (series) winding   v. wave winding.

wave-shape   v. waveshape.

wave shaping   conformación [modelado] de onda. Acción de darle a una onda la forma deseada.

wave-shaping circuit   circuito conformador [modelador] de onda.

wave-shaping network   red conformadora [modeladora] de onda. cf. forming network.

wave soldering   soldadura por ola. v. flow soldering.

wave spring washer   arandela elástica [de presión] ondulada.

wave tail   (Elec) (i.e. falling part of an impulse wave) cola de una onda de choque. Parte decreciente de una onda de choque u onda impulsiva (CEI/65 25–50–025) ‖ cola de onda. Parte final de la envolvente de una onda [wave envelope], a partir de la cresta.

wave theory   (Fís) teoría ondulatoria. Teoría que explica la naturaleza de la luz considerándola un *movimiento ondulatorio* [wave motion]. La *teoría ondulatoria longitudinal* (de Huygens) postulaba que la luz es un movimiento ondulatorio longitudinal del *éter*, y la *teoría ondulatoria transversal* (de Fresnel) suponía que la luz es un movimiento ondulatorio transversal del éter. Estas teorías tenían el grave inconveniente de que exigían asignarle propiedades contradictorias a esa substancia imaginaria una vez el éter. Maxwell eliminó la hipótesis del éter al desarrollar la *teoría electromagnética,* según la cual la luz es una onda transversal electromagnética que puede propagarse en el vacío; esta es la teoría aceptada actualmente. A la ondulatoria se opone la *teoría corpuscular* [corpuscular theory] de la luz.

wave tilt   (Propagación de ondas radioeléc) inclinación de la onda de tierra. (1) Inclinación de una onda radioeléctrica que llega a un punto propagándose a lo largo de la superficie de la Tierra, y cuyo valor depende de las constantes eléctricas del terreno. (2) Angulo que forma el eje mayor de la elipse de polarización de una onda de tierra [ground wave], con la normal a la superficie del suelo (CEI/70 60–22–035).

wave train   (=train of waves) tren de ondas. (1) Serie de ciclos o períodos ondulatorios producidos por una misma perturbación. (2) Serie de ondas emanadas de una misma fuente. (3) Grupo de ondas sucesivas que se repiten de una manera similar (CEI/38 05–05–305). (4) Grupo de ondas sucesivas (CEI/56 05–03–080).

wave trap   atrapaondas, trampa [atrapador] de onda(s), filtro atrapador de onda(s), circuito trampa, filtro antiinterferencia, filtro eliminador de interferencia. Circuito resonante conectado al sistema de antena de un radiorreceptor con el fin de suprimir las señales de determinada frecuencia, como p.ej. las de una estación local que interfiere las señales de otras estaciones. Puede consistir en un *circuito resonante paralelo* [parallel resonant circuit] intercalado en serie con la bajada de antena, o en un *circuito resonante serie* [series resonant circuit] puesto en derivación con los terminales de entrada (antena y tierra) del receptor; el primero actúa presentando una elevada impedancia a la frecuencia interferente, y el segundo presentándole a esa frecuencia un camino de baja impedancia a tierra ‖ atrapaondas. Filtro utilizado para reducir la interferencia debilitando ciertas señales a la entrada de un receptor radioeléctrico (CEI/70 60–44–185). v.tb. trap (Radio).

wave trough   seno de ola ‖ seno [valle] de onda. En una onda progresiva [progressive wave], punto de mínima perturbación en sentido negativo. cf. wave crest.

wave-type microphone   micrófono de interferencia (de ondas). v. wave-interference microphone.

wave vector   (Fís) vector de onda. Vector cuya dirección es la de propagación de fase de una onda en cada punto del espacio, y cuya magnitud se toma algunas veces como igual a $2\pi/\lambda$, y otras como igual a $1/\lambda$, cantidades donde π es la constante 3,14159... y λ simboliza la longitud de onda.

wave-vector space   (Fís del estado sólido) espacio de vectores de onda. Espacio de vectores de onda de las funciones de estado [state functions] de un cierto sistema, aplicable p.ej. al caso de funciones de onda de electrón [electron wave functions] de un cristal y al de vibraciones térmicas de una red.

wave velocity   velocidad de onda [de propagación]. (1) Velocidad con que se propaga el perfil de desplazamiento [displacement profile] de una onda sinusoidal progresiva. (2) Velocidad de propagación de una onda electromagnética (prácticamente igual a 300 000 km/s en el vacío). En el caso de una guía de ondas, la celeridad de transferencia de la energía (menor que la velocidad de onda) recibe el nombre de *velocidad de grupo* [group velocity], y la velocidad eléctrica (que puede ser mayor que la velocidad de onda) se denomina *velocidad de fase* [phase velocity].

wave winding   (Máq eléc) devanado ondulado. Devanado de un inducido en tambor [drum armature] cuyos pasos parciales tienen el mismo sentido; adoptado en general para los devanados serie [series winding] o serie-paralelo [series-parallel winding] (CEI/38 10–05–130, CEI/56 10–35–265). sin. arrollamiento ondulado. cf. lap winding.

waved   adj: ondulado.

waveform   forma de onda. (1) Representación gráfica de una característica de la onda (por ejemplo, la amplitud) en función del tiempo. (2) Forma del gráfico que representa los valores sucesivos de una cantidad variable (en general una tensión, una intensidad o una potencia) en función de otra variable, en general el tiempo, y generalmente en una sistema de coordenadas rectangulares (CEI/70 55–35–075). sin. perfil [configuración] de onda —— waveshape.

waveform-amplitude distortion   distorsión de amplitud (de onda) (en función de la frecuencia). v. frequency distortion.

waveform analysis   análisis de ondas [de formas de onda].

waveform analyzer   analizador de ondas [de formas de onda]. Voltímetro selectivo [frequency-selective voltmeter] destinado a determinar la frecuencia y medir la amplitud de las componentes de una onda compleja. sin. wave analyzer.

waveform converter   convertidor de forma de onda, transformador de perfil de onda. Dispositivo eléctrico o electrónico que recibe a la entrada una onda de determinada forma (por ejemplo, sinusoidal) y suministra a la salida una onda de forma diferente (por ejemplo, rectangular).

waveform corrector   corrector de forma de onda. Transductor destinado a reducir o a eliminar la distorsión de la forma de onda [waveform distortion] (CEI/70 55–35–250).

waveform degradation   distorsión, deformación de (la) onda. Variación perjudicial o indeseada de la forma de onda. sin. waveform distortion.

waveform distortion   (a.c. distortion) distorsión (de onda) ‖ distorsión. Deformación de una onda en el curso de su transmisión, desfavorable para su utilización. nota: Puede ser deseable que a la salida de un sistema de transmisión: (a) las ondas tengan la misma forma que en el origen; (b) las ondas tengan una forma determinada, diferente de la de las ondas emitidas. Si las condiciones deseadas no se cumplen, hay distorsión. sin. distortion (CEI/70 55–35–200).

waveform fall time   tiempo de caída de la (forma de) onda.

waveform generation   generación de formas de onda.

waveform generator   generador de formas de onda ‖ (Comput) v. timing-pulse distributor.

waveform influence   influencia de la forma de onda. En el caso de los instrumentos de medida de tensiones o de corrientes eléctricas, cambio de la indicación producido por un cambio en la forma de onda de la tensión o la corriente aplicada, respecto a una forma de onda especificada.

waveform monitor   monitor de forma de onda. (1) Osciloscopio que sirve para comprobar la forma de onda de una señal eléctrica. (2) Osciloscopio que sirve para el control de la calidad técnica de una videoseñal (CEI/70 60–64–800).

waveform purity   pureza de la forma de onda.

waveform recorder   registrador de formas de ondas.

waveform response   respuesta, forma de onda de respuesta. Forma de onda de una magnitud especificada a la salida de un transductor cuando a la entrada del mismo se aplica una acción determinada (CEI/70 55–35–160).

waveform rise time   tiempo de subida de la (forma de) onda. CF. waveform fall time.

waveform separation   separación por formas de onda, separación de ondas por su forma. CF. wave filter.

waveform shaping   conformación [modelado] de ondas. SIN. wave shaping.

waveform synthesizer   sintetizador de forma de onda. Generador de señales cuya forma de onda de salida puede modelarse por variación de la frecuencia, la fase, el contenido de armónicas, y la amplitud de éstas.

waveform thermocouple   termopar de forma de onda.

wavefront   frente de onda. (1) Superficie continua que define la parte inicial de una onda (acústica, electromagnética) que se propaga por el espacio. En el caso de una onda emanada de un radiador isótropo [isotropic radiator], el frente de onda sería una superficie esférica de radio igual a la distancia recorrida por la onda en el instante considerado. (2) Parte anterior de la onda vista del lado hacia el cual tiene lugar la propagación (CEI/38 05–05–300, CEI/56 05–03–075) | frente de onda (de una señal). Parte de la envolvente de la onda de señal comprendida (en el tiempo o en el espacio) entre el punto inicial de la envolvente [envelope] y el punto en que ésta alcanza su cresta [crest]; el resto de la envolvente se llama *cola de onda* [wave tail] || (*Elec*) (*i.e.* rising part of an impulse wave) frente de una onda de choque. Parte creciente de una onda de choque (onda impulsiva) (CEI/65 25–50–020).

wavefront aberration   *(Opt)* aberración del frente de onda. Concepto de la teoría ondulatoria de aberración [wave theory of aberration].

wavefront gradient   gradiente del frente de onda.

wavefront tilt   inclinación del frente de onda.

waveguide   guíaondas, guía de ondas. (1) Conducto metálico de sección circular, rectangular o elíptica, destinado a guiar o transmitir por su interior ondas electromagnéticas de frecuencias ultraelevadas (microondas). (2) Como caso más general, sistema de cuerpos conductores y/o cuerpos dieléctricos destinado al mismo fin. SIN. guide, plumbing *(slang)*, wave duct *(poco usado)*. NOTA: Cuando el contexto no da lugar a confusión o ambigüedad, se usa *guía* como forma abreviada del término castellano | guía de ondas. Sistema que sirve para transmitir una energía electromagnética, salvo en modo TEM, por ejemplo por un tubo de metal, una varilla o un tubo dieléctrico, o un simple hilo (CEI/51 62–10–005). *Nota "62-05-000"*: El Grupo 62 del VEI lleva el siguiente "*Preámbulo* — Cuando una definición se refiere a un sistema emisor [transmitting system], se entenderá que la misma se aplica, por extensión, a un sistema receptor [receiving system]. Las definiciones (o partes de definiciones) donde se usan las palabras *guía de ondas* y donde las palabras *línea de transmisión* están, en general, igualmente implícitas, están marcadas (GL). Las definiciones (o partes de definiciones) donde las palabras *guía de ondas* se usan en el sentido dado en 62–10–005 y donde las palabras *línea de transmisión* no están, en general, igualmente implícitas, están marcadas (G)".

waveguide accelerator   acelerador de guíaondas.

waveguide attenuator   atenuador de guíaondas [de guía de ondas].

waveguide bench stand   banco de guíaondas.

waveguide bend   codo [curvado] de guíaondas, codo de guía de ondas. v. bend. SIN. waveguide elbow. CF. waveguide corner.

waveguide bolometer mount   montura bolométrica para guíaondas.

waveguide cable   cable guíaondas. CF. elliptical waveguide.

waveguide component   componente [elemento] de guíaondas [de guía de ondas].

waveguide connector   conector de guíaondas [de guía de ondas]. Elemento para unir mecánica y eléctricamente dos segmentos de un sistema guíaondas. v.TB. connector. SIN. waveguide coupling.

waveguide converter   convertidor (de modo) de guía de ondas. SIN. mode changer, wave converter.

waveguide corner   codo en ángulo [curvatura brusca] de guíaondas.

waveguide coupling   acoplador [acoplamiento, unión] de guíaondas, acoplamiento de guía de ondas. v. coupling. SIN. waveguide connector.

waveguide critical dimension   dimensión crítica de guíaondas. v. critical dimension.

waveguide crystal mount   montura de cristal para guíaondas.

waveguide cutoff frequency   frecuencia de corte de guíaondas. v. cutoff frequency.

waveguide cutoff wavelength   longitud de onda de corte de guíaondas. v. cutoff wavelength.

waveguide directional coupler   acoplador direccional de guíaondas. v. directional coupler.

waveguide dummy load   carga ficticia de guíaondas. v. dummy load.

waveguide elbow   codo [curvado] de guíaondas, codo de guía de ondas. v. elbow. SIN. waveguide bend.

waveguide filter   filtro de guíaondas. Dispositivo empleado para modificar la característica de respuesta en función de la frecuencia de un sistema guíaondas. v.TB. filter.

waveguide flange   brida de guíaondas; acoplador [adaptador] de guíaondas. v. flange.

waveguide gasket   junta [empaquetadura] de guíaondas, junta de guía de ondas | junta de estanqueidad. Empaquetadura blanda insertada entre las dos bridas de una conexión, de manera de aislar el interior de la guía respecto al medio exterior (CEI/61 62–15–055).

waveguide hybrid ring   toro de unión diferencial de guíaondas, unión diferencial del tipo de toro para guíaondas, acoplador diferencial en anillo para guía de ondas, transformador diferencial del tipo anular para guíaondas. v. hybrid ring.

waveguide impedance   impedancia de guía de ondas.

waveguide iris   iris de guía de ondas, diafragma de guíaondas. v. iris.

waveguide isolator   aislador [desacoplador, separador] de guíaondas, elemento [atenuador] unidireccional de guía de ondas, guíaondas unidireccional. v. isolator.

waveguide junction   unión [acoplador] de guíaondas. v. junction.

waveguide junction circulator   circulador de unión de guíaondas, circulador para sistema de guíaondas.

waveguide lens   lente de guíaondas [de guía de ondas]. v. lens.

waveguide loss chart   ábaco de pérdidas en guías de ondas.

waveguide mode   modo de guíaondas. v. mode, mode of oscillation, mode of propagation.

waveguide mode suppressor   supresor de modo de guíaondas. Filtro mediante el cual se suprimen determinados modos de propagación en una guía de ondas.

waveguide-mounted   *adj:* montado en (una) guía de ondas, montado en guíaondas. CF. waveguide bolometer mount, waveguide crystal mount, waveguide thermistor mount.

waveguide-mounted gas-discharge tube   tubo de descarga montado en guíaondas.

waveguide packet   paquete de guíaondas.

waveguide phase   fase (de la señal) en un guíaondas.

waveguide phase changer   desfasador de guíaondas. v. **phase changer**. SIN. **waveguide phase shifter**.

waveguide phase shifter   desfasador de guíaondas [de guía de ondas]. v. **phase shifter**. SIN. **waveguide phase changer**.

waveguide plunger   pistón [émbolo, pasador] de guíaondas, pistón de cortocircuito de guíaondas, cortocircuito móvil de guíaondas. v. **plunger**.

waveguide post   espiga [varilla, clavija] de guíaondas. Varilla cilíndrica colocada en un plano transversal de una guía de ondas y que funciona esencialmente como una susceptancia en derivación. CF. **miscellaneous matching and tuning devices**.

waveguide pressure window   ventanilla de presión de guíaondas, ventana de presión de guía de ondas.

waveguide probe   sonda (de acoplamiento) de guíaondas, sonda de varilla de guíaondas. v. **probe**.

waveguide propagation   propagación por guíaondas [por guía de ondas], propagación guiada. v. **guided wave** ‖ (*Radioelec*) propagación guiada, propagación por conducto atmosférico [troposférico]. SIN. **guided propagation, trapping**. v. **trapped mode**.

waveguide radiator   radiador de guíaondas. Guía de ondas con un extremo abierto (generalmente abocinado) por el cual se radía energía electromagnética al espacio directamente, o contra un reflector que a su vez radía al espacio. CF. **horn radiator**.

waveguide reflector   reflector de guíaondas [de guía de ondas].

waveguide resonator   resonador de guíaondas [de guía de ondas], sección resonante de guía de ondas. v. **cavity resonator**.

waveguide seal   cierre [ventana estanca] de guíaondas. v. **seal**.

waveguide section   sección [segmento] de guíaondas, elemento de guíaondas.

waveguide shim   frisa [junta de acoplamiento] de guíaondas. v. **shim** ‖ junta de acoplamiento. Lámina delgada de un metal de gran elasticidad insertada entre los elementos de guía de ondas para asegurar la continuidad eléctrica (CEI/61 62–15– 050). CF. **waveguide gasket**.

waveguide shutter   obturador de guíaondas [de guía de ondas]. Elemento de guíaondas que comprende una barrera ajustable que puede disponerse de manera de desviar o de bloquear el paso de la energía electromagnética. CF. **waveguide switch**.

waveguide slide-screw tuner   sintonizador de guíaondas de tornillo deslizante, guíaondas con tornillo sintonizador. v. **slide-screw tuner**.

waveguide slotted section   guíaondas ranurado, guía (de ondas) ranurada, guía ranurada de medida. v. **slotted line**.

waveguide slug tuner   sintonizador de guíaondas de manguito (de adaptación). Manguito dieléctrico (v. **slug**) de un cuarto de onda que se proyecta en el interior de un elemento de guía de ondas y que sirve para la sintonización; por lo general es ajustable tanto en posición como en profundidad de penetración.

waveguide spark-gap   saltachispas de guíaondas. Dispositivo constituido por dos hemisferios de radio igual a un cuarto de la altura del guíaondas en que se encuentra montado, y que permite regular con precisión la potencia de un dispositivo de microondas.

waveguide standing-wave detector   detector de ondas estacionarias en guías de ondas.

waveguide stub   (tetón) adaptador de guía de ondas, adaptador de guíaondas, sección [chimenea] adaptadora de guíaondas. Sección auxiliar de guía de ondas, con terminación esencialmente no disipativa, que se une formando un ángulo con la guía principal. CF. **stub**.

waveguide switch   conmutador de guíaondas [de guía de ondas] ‖ conmutador (de guía de ondas). Dispositivo que permite detener o desviar las ondas de alta frecuencia (CEI/61 62–15– 180). CF. **ring switch, waveguide shutter**.

waveguide T   unión de guíaondas en T. v. **T junction**.

waveguide taper   adaptador de guíaondas en embudo [en pirámide]; ahusado de guíaondas; estrechamiento de guíaondas (a lo largo del eje longitudinal); transición gradual de guíaondas (para transformar una sección rectangular en circular, o viceversa) ‖ (*i.e.* section of tapered waveguide) guíaondas fusiforme [afilado, ahusado], sección agudizada de guíaondas, guía de ondas fusiforme. v. **taper**.

waveguide tee   unión de guíaondas en T. v. **T junction**.

waveguide termination   terminación de guía de ondas. Elemento que se dispone en la extremidad de una guía de ondas de forma que absorba toda la energía electromagnética incidente.

waveguide thermistor mount   montura de termistor para guíaondas.

waveguide-to-coax adapter   adaptador guía-coaxil, adaptador de guíaondas a cable coaxil.

waveguide transformer   transformador de guíaondas [de guía de ondas]. Dispositivo que en una guía de ondas sirve para efectuar una transformación de impedancia.

waveguide tuner   sintonizador de guíaondas [de guía de ondas]. Sintonizador ajustable que en un sistema guíaondas sirve para efectuar una transformación de impedancia.

waveguide twist   guíaondas revirado, sección [guía de ondas] revirada, (sección en) hélice. v. **twist**.

waveguide wavelength   longitud de onda en un guíaondas. Dada una guía de ondas uniforme por la que se propaga una onda de frecuencia y modo determinados, distancia entre puntos semejantes a lo largo de la guía tales que la fase de una componente de la onda difiere en 2π radianes entre ellos.

waveguide Y circulator   circulador de guíaondas en Y.

wavelength   longitud de onda. (**1**) En una onda periódica, distancia entre puntos de igual fase pertenecientes a dos ciclos consecutivos; es igual a la distancia recorrida por la onda durante un ciclo. (**2**) Distancia entre crestas sucesivas de la misma polaridad en una onda. La longitud de onda (λ) está ligada a la velocidad de fase [phase velocity] (ν) y a la frecuencia (f), por $\lambda = \nu/f$. (**3**) Distancia entre dos puntos sucesivos de una onda periódica, en la dirección de la propagación, en los cuales la oscilación tiene la misma fase (CEI/38 05–05–265, CEI/56 05–03–030). (**4**) Distancia, en la dirección de la propagación de una onda periódica, entre dos puntos sucesivos en los que la oscilación tiene la misma fase. La longitud de onda de una radiación monocromática depende del índice de refracción [refractive index]. Salvo indicación en contrario, se trata de la longitud de onda en el aire (CEI/58 45–05–095). (**5**) En el registro magnético en cinta, distancia que ocupa a lo largo de la cinta un ciclo de la señal registrada. Es directamente proporcional a la velocidad de la cinta (V) e inversamente proporcional a la frecuencia en hertzios (ciclos por segundo); o sea, $\lambda = V/f$. Si la velocidad de la cinta se mide en metros por segundo, la longitud de onda se expresa en metros. CF. **dominant wavelength, effective wavelength, maximum wavelength, minimum wavelength**.

wavelength band   banda de longitudes de onda. CF. **frequency band**.

wavelength calibration   calibración de longitud de onda.

wavelength constant   constante de longitud de onda; desfase lineal, desfasaje lineal [lineico]; desfasaje característico; constante de fase [de desfasaje]; coeficiente de variación de fase. SIN. **phase-change coefficient, phase constant**.

wavelength constant per section   (*Telecom*) desfase [desfasaje] iterativo.

wavelength cutoff   longitud de onda de corte. v. **cutoff wavelength**.

wavelength range   gama [intervalo] de longitudes de onda. CF. **frequency range**.

wavelength scale   escala de longitudes de onda.

wavelength sensitizer   sensibilizador espectral.

wavelength shifter   modificador de longitudes de onda. Substancia fotofluorescente que se le añade a un centelleador [scintillator] para alargar las longitudes de onda de los fotones ópticos, y mejorar por ese medio el rendimiento del fototubo o la fotocélula, según el caso.

wavelength slot   ranura de una longitud de onda.

wavelength unit   unidad de longitud de onda. Unidad usada para expresar la longitud de una onda electromagnética.

wavemeter   ondámetro. A VECES: ondímetro, medidor de ondas. Aparato destinado a medir longitudes de onda | ondámetro. Aparato destinado a medir la longitud de onda de las ondas electromagnéticas. SIN. **cimómetro** (CEI/38 20–15–155) | ondámetro. Aparato destinado a medir la longitud de onda de las ondas electromagnéticas (CEI/58 20–15–240) | ondámetro, frecuencímetro. Instrumento que permite realizar la medición de frecuencias comprendidas entre límites determinados. SIN. **frequency meter** (CEI/38 60–05–120).

wavemeter dial   cuadrante de ondámetro, cuadrante graduado en longitudes de onda.

waves   ondas, ondulaciones || *(Fís)* ondas. v. **wave** || *(Meteor)* olas || *(Tv)* ondulaciones, rayas ondulantes. Perturbación de la imagen recibida caracterizada por la aparición de rayas ondulantes en la pantalla || v. **continuous waves, damped waves, interrupted waves, wave train.**

waveshape   forma de onda. v. **waveform.**

waveshape analysis   análisis de ondas [de formas de onda]; análisis armónico de la forma de onda. SIN. **waveform analysis, harmonic analysis.**

waveshape display   presentación (visual) de las formas de onda, visualización [indicación visual] de las formas de onda, oscilograma.

waveshape multiplexing   *(Telecom)* multiplexión [transmisión múltiplex] por forma de onda.

wavetrap   v. **wave trap.**

waviness   ondulación.

waving   *adj:* v. **wavy.**

wavy, waving   *adj:* ondulado, ondeado, ondeante, ondulante, undoso, undante *(poética);* sinuoso.

wax   cera; parafina || *(Registros fonog mecánicos)* cera. Mezcla de ceras con jabones metálicos /// *adj:* céreo, ceroso; parafinoso, parafinado, parafínico /// *verbo:* encerar; parafinar.

wax-coated   *adj:* recubierto de cera.

wax-coated capacitor   condensador recubierto de cera.

wax distillate   destilado parafinoso.

wax electret   electreto de cera.

wax-impregnated   *adj:* impregnado en cera.

wax-laden   *adj: (Quím/Petr)* parafínico.

wax master   *(Grabaciones fonog)* matriz en cera. v. **wax original.**

wax original   *(Grabaciones fonog)* original en cera, grabación [registro] en cera. Registro original hecho en una superficie cubierta de cera y que sirve para hacer un negativo o galvano [master]. SIN. **wax master** *(término desaconsejado),* **wax recording.**

wax paper   papel parafinado. Papel impregnado de parafina o de cera.

wax recording   *(Grabaciones fonog)* grabación [registro] en cera.

wax replica   réplica en cera.

wax spot   *(Papel)* mancha transparente producida por la parafina.

wax stripper   *(Petr)* desparafinador, separador de la parafina.

wax-treated   *adj:* encerado, tratado con cera; parafinado, tratado con parafina.

waxed   *adj:* encerado; parafinado.

waxed-cotton-covered wire   *(Elec/Telecom)* hilo aislado con algodón encerado, alambre revestido de algodón parafinado.

waxer   encerador; parafinador.

waxing   encerado; parafinación, parafinaje; tratamiento con cera; tratamiento con parafina || *(Películas cine)* capa de cera lubricante.

waxy   *adj:* ceroso, céreo; de cera; ceráceo; encerado; parafinoso, parafinado, parafínico; plástico.

waxy consistency   consistencia cerosa.

waxy luster   brillo ceroso.

way   vía; camino, carretera; senda, derrota; paso, pasaje; canal; conducto; distancia recorrida; espacio recorrido; curso, dirección, rumbo; avance, adelanto, adelantamiento, progreso; modo, manera; comportamiento, conducta, modo de obrar; costumbre, hábito, uso; estilo, sistema, forma, método, procedimiento || *(Marina)* derrota, ruta, rota; andar, marcha, velocidad (de un buque); arrancada (de un buque) || *(Minas)* galería || *(Telecom)* vía, ruta || *(Ferroc)* vía || *(Astilleros)* **ways:** imadas, anguilas; zapatas, anguilas fijas de grada.

way circuit   *(Teleg)* sistema de puestos en conexión permanente. Sistema según el cual cierto número de puestos quedan conectados en serie de manera permanente, y tal que las señales emitidas por uno cualquiera de ellos son recibidas por todos los demás. SIN. **omnibus (telegraph) system.**

way point   *(Radionaveg)* punto de ruta [de verificación, de referencia]. Punto seleccionado a lo largo de una línea de rumbo por tener significación particular. SIN. **check point.**

way rod   *(Máq de escribir, Teleimpr)* carril de carro.

way station   *(Redes de microondas)* estación intermedia | estación secundaria. Estación que se aparta de la ruta principal de la red || *(Teleg)* puesto, estación (de una red).

way train   *(Ferroc)* tren local, tren de escalas.

waybill   *(Transportes)* hoja de ruta; guía de carga; conocimiento (de embarque); factura. LOCALISMOS: carta de porte, guía de campaña.

wayleave   derecho [servidumbre] de paso; camino de acceso. CF. **right of way.**

wayleave charges   *(Líneas telef/teleg)* derechos de uso.

wayside   *(Carreteras, Vías férreas)* margen lateral, arcén; orilla [borde] del camino.

wayside signal   señal de vía.

wayside station   *(Ferroc)* estación de pequeña importancia [de tercer orden]. v. **small station.**

Wb   Símbolo de *weber.*

WB   Abrev. de wideband || Siglas de Weather Bureau || *(Explotación teleg)* Abrev. de word before [la palabra antes de]. Se usa en mensajes de servicio para hacer aclaraciones del texto de telegramas ya transmitidos.

WCEMA   Siglas de West Coast Electronics Manufacturers Association.

WCUK   *(Explotación teleg)* Abrev. de West Coast United Kingdom.

WD   *(Explotación teleg)* Abrev. de word; would.

WDS   *(Explotación teleg)* Abrev. de words.

WE transmission   *(Teleg)* transmisión de A hacia B. v. **EW transmission.**

weak   *adj:* débil; flojo; frágil; inseguro; impotente; ineficaz; escaso || *(Elec)* débil || *(Estr)* poco resistente || *(Máq)* poco fuerte || *(Tubos elecn)* débil, desgastado, gastado, escaso de emisión || *(Comercio)* flojo *(mercado, precio)* || *(Gram)* débil *(verbo, vocal)* || *(Met)* quebrazido || *(Disoluciones)* diluido || *(Sonidos)* débil, tenue || *(Radiaciones)* débil, de poca intensidad, de poca penetración.

weak absorber   *(Nucl)* absorbente débil.

weak axis   *(Vigas)* eje débil.

weak beta emitter   emisor de partículas beta de poca penetración.

weak cell   *(Elec)* pila gastada.

weak coupling   acoplamiento flojo [débil]. v. **loose coupling.**

weak electrolyte   *(Electroquím)* electrólito débil. v. **strong electrolyte.**

weak field   campo débil [de poca intensidad] || *(Máq eléc)* excitación débil.

weak interaction   *(Fís)* interacción débil.

weak local commutativity   *(Mat)* conmutatividad local débil.

weak sewage   aguas negras con poca materia orgánica.

weak shock wave   onda de choque de poca energía.

weak signal   señal débil [de poca intensidad].

weak-signal detector   detector para señales débiles.

weak spring   muelle [resorte] blando, muelle de poca tensión.

weaken   *verbo:* debilitar(se); atenuar; desgastar || *(Fotog)* rebajar ‖ *(Disoluciones)* diluir.

weakener   *(Fotog)* rebajador.

weakening   debilitamiento; atenuación; desgaste ‖ *(Fís)* atenuación. Disminución progresiva en el espacio, de ciertas magnitudes características de un fenómeno. SIN. **attenuation** (CEI/38 05–05–335). CF. **damping** ‖ *(Fotog)* rebajado. Disminución de la intensidad de la imagen, para obtener el gamma deseado. SIN. **fade** ⫽ *adj:* debilitante; atenuante, atenuador; desgastador ‖ *(Fotog)* rebajador.

weakening ratio   *(Elec)* (*i.e.* field weakening ratio) proporción de shuntado. ABREVIADAMENTE: shuntado. En los motores serie [series motors], razón de los amperio-vueltas de los polos principales restantes después del shuntado, al número máximo de amperio-vueltas para una misma corriente en el inducido (CEI/57 30–15–340).

weakly   *adj:* débil; enfermizo, achacoso ⫽ *adv:* débilmente.

weakly acidic   débilmente ácido.

weakly basic   *(Quím)* débilmente básico.

weakly ionized   débilmente ionizado.

weakly ionized plasma   plasma débilmente ionizado.

weakly magnetic   débilmente magnético.

weakly magnetic material   material débilmente magnético, substancia poco susceptible de atracción magnética.

weapon   arma | **weapons:** armas, armamento.

weapon debris   residuos de arma atómica [de ingenio nuclear].

weapon residue   residuos de arma atómica [de ingenio nuclear].

weaponry   armamento.

weapons system   sistema de armamento.

wear   uso; desgaste; deterioro ⫽ *verbo:* usar; gastar(se), desgastar(se); deteriorar; consumir(se); durar; usar, llevar puesto (prenda de vestir).

wear and tear   uso y desgaste; desgaste por el uso, desgaste normal.

wear away   *verbo:* gastar(se), desgastar(se).

wear of the bearings   desgaste de los cojinetes.

wear out   *verbo:* gastar(se), desgastar(se).

wear products   *(Registro mag)* residuos del desgaste (de la cinta). Partículas desprendidas de la superficie y de los bordes de la cinta al circular por el aparato registrador y que se acumulan en el mecanismo de éste.

wear resistance   resistencia al desgaste.

wear-resistant   *adj:* resistente al desgaste.

wear-resisting   *adj:* resistente al desgaste.

wearability   desgastabilidad; durabilidad ‖ *(Registro mag)* durabilidad, índice de durabilidad. Cifra de mérito aplicable a las cintas magnéticas, que indica el número probable de veces que la cinta puede pasarse por el aparato registrador, o la duración relativa estimada de la cinta, antes de que empiecen a producirse caídas de señal o exclusiones (v. **dropout**) intolerables en la reproducción del registro. El índice de durabilidad (usado principalmente en relación con las cintas para registro de datos) se especifica generalmente con referencia a una cinta de cualidades conocidas. SIN. **durability index.**

wearing   uso; desgaste; deterioro ⫽ *adj:* de uso; desgastador.

wearing course   *(Carreteras, Aeródromos)* capa de rodadura, capa de desgaste [de defensa].

wearing depth   profundidad de desgaste ‖ *(Elec)* desgaste radial admisible (de un colector).

wearing part   pieza desgastable [sujeta a desgaste], pieza que puede gastarse.

wearing plate   placa [plancha] de desgaste [de defensa, de frotamiento].

wearing strip   listón de defensa ‖ *(Tracción eléc)* **wearing strips:** platinas [bandas] de frotamiento. Parte reemplazable de la *mesilla* [pantograph pan] que sirve para captar la corriente. SIN. **contact strips** (CEI/57 30–15–900).

wearing surface   *(Carreteras)* capa [carpeta] de desgaste, capa de rodadura ‖ *(Neumáticos)* superficie de rodamiento.

wearout   desgaste (completo), fin de la vida útil de un elemento de equipo.

wearout failure   falla por desgaste.

weather   tiempo, estado atmosférico [del tiempo], condiciones atmosféricas [meteorológicas] ⫽⫽ *adj:* del tiempo, relativo al tiempo, atmosférico, meteorológico ‖ *(Marina)* de barlovento, del lado del viento ⫽⫽ *verbo:* alterarse [desgastarse, curtirse] a la intemperie; intemperizarse; airear, poner al aire; secar al aire ‖ *(Geol)* meteorizarse ‖ *(Minería)* orear (minerales) ‖ *(Marina)* ganar (el barlovento), pasar a barlovento; doblar [montar, remontar] (un cabo); navegar a barlovento.

weather airplane   avión de servicio meteorológico, avión para observaciones meteorológicas. CF. **weather flight.**

weather analysis   análisis del tiempo.

weather-avoidance (airborne) radar   radar meteorológico, radar (de avión) para detectar las zonas de mal tiempo. Radar de a bordo de aeronave que permite al piloto descubrir las perturbaciones atmosféricas a tiempo para rodearlas o evadirlas. SIN. **weather detection radar.**

weather broadcast   radiodifusión meteorológica.

weather broadcasting station   estación radiodifusora meteorológica.

Weather Bureau [WB]   Oficina Meteorológica, Servicio Meteorológico.

weather change   cambio atmosférico.

weather chart   carta meteorológica [del tiempo], mapa meteorológico. SIN. **weather map.**

weather cocking   *(Electrogeneradores eólicos)* orientación respecto al viento.

weather code   código meteorológico.

weather conditions   condiciones atmosféricas [meteorológicas], estado atmosférico [del tiempo].

weather contact   *(Elec)* contacto por humedad.

weather deck   *(Buques)* cubierta (abierta) superior.

weather detection radar   radar de detección meteorológica, radar meteorológico | radar meteorológico, radar (de avión) para detectar las zonas de mal tiempo. SIN. **weather-avoidance (airborne) radar.**

weather facsimile   facsímile de servicio meteorológico.

weather facsimile service   servicio meteorológico de transmisión por facsímile.

weather facsimile system   sistema de facsímile para servicio meteorológico.

weather flight   vuelo meteorológico [de observación meteorológica]. CF. **weather airplane.**

weather forecast   (=weather forecasting) previsión [pronóstico, predicción] del tiempo, pronóstico meteorológico, predicción meteorológica | mensaje de previsión meteorológica. CF. **weather message.**

weather forecaster   pronosticador del tiempo, persona que predice el estado del tiempo. SIN. **weatherman.**

weather forecasting   v. **weather forecast.**

weather front   frente meteorológico. Superficie de discontinuidad o separación entre dos masas de aire en condiciones diferentes. Cuando se encuentran dos masas de aire a diferentes temperaturas, surge entre ellas una zona de transición más o menos pronunciada, o sea, un *frente.* En una discontinuidad de esta clase, la masa de aire más fría y pesada tiende a meterse por debajo de la más cálida y liviana. El límite frontal de una masa migratoria de aire helado se llama *frente frío,* y el de una masa migratoria de aire caliente se denomina *frente cálido.*

weather hazard   peligro que encierra el tiempo, peligro debido al estado del tiempo.

weather head   *(Elec)* acometida; cabezal exterior del conducto de servicio. SIN. **service head.**

weather information   información meteorológica, información sobre el tiempo, datos [informes] meteorológicos.

weather joint   burlete, junta (de puerta o ventana) para impedir la entrada del aire frío ‖ *(Albañilería)* junta biselada (para escurrimiento del aguallluvia); llaga rehundida (de un muro de ladrillos).

weather map   mapa meteorológico, carta meteorológica [de las condiciones atmosféricas]. SIN. **weather chart.**

weather mapping   *(Radar)* observación meteorológica.

weather message   parte [mensaje, boletín] meteorológico. SIN. **weather report.**

weather minimums   *(Avia)* mínimos meteorológicos, condiciones atmosféricas mínimas.

weather observer   observador meteorológico.

weather-observing radar   radar de observación meteorológica, radar meteorológico.

weather off-course   *(Avia)* condiciones meteorológicas fuera de la ruta.

weather officer   *(Milicia)* oficial meteorológico.

weather phenomenon   fenómeno meteorológico, meteoro.

weather plotter   trazador de isobaras.

weather prophet   v. **weather forecaster.**

weather-protected   *adj:* protegido contra la intemperie [contra los agentes atmosféricos]. CF. **weatherproof.**

weather-protected motor   *(Elec)* motor protegido contra la intemperie. Motor abierto (v. **open-type machine**) cuyos canales de ventilación [ventilating ducts, ventilating passages] han sido ideados de manera de reducir al mínimo la entrada a las partes eléctricas, de la lluvia, la nieve, o las partículas suspendidas en el aire o arrastradas por el viento.

weather protection   protección contra la intemperie.

weather radar   radar meteorológico. CF. **weather detection radar, weather-observing radar** ‖ *(i.e.* airborne weather radar) radar meteorológico [de aviso]. Radiodetector panorámico de a bordo destinado a señalar la presencia de objetos peligrosos, tales como nubes, relieves del terreno, y otras aeronaves. SIN. **cloud and collision warning system** (CEI/70 60-74-345). V.TB. **airborne weather radar, weather-avoidance (airborne) radar.**

weather radar display   presentación radar meteorológica.

weather radar observation   observación radar meteorológica.

weather report   boletín [parte] meteorológico. SIN. **weather message.** CF. **weather forecast.**

weather reporting system   sistema de transmisión de partes meteorológicos.

weather research   investigación meteorológica, estudio meteorológico.

weather resistance   resistencia a la intemperie.

weather-resistant   *adj:* resistente a la intemperie.

weather-resistant enclosure   cubierta resistente a la intemperie.

weather-resisting   *adj:* resistente a la intemperie; resistente al mal tiempo. CF. **weatherproof.**

weather satellite   satélite (artificial) de observación meteorológica.

weather search   investigación meteorológica.

weather search radar   radar de investigación meteorológica.

weather sequence   sucesión de condiciones atmosféricas.

Weather Service   Servicio Meteorológico.

weather sheet   *(Marina)* escota de barlovento.

weather ship   buque de observación meteorológica.

weather side   lado expuesto a la intemperie [a los agentes atmosféricos] ‖ *(Marina)* costado [lado] de barlovento, lado del viento.

weather signal   señal (p.ej. una bandera) para indicar las variaciones del tiempo.

weather strip(ping)   burlete, gualdrín. SIN. **weather joint.**

weather symbols   símbolos meteorológicos.

weather telegram   telegrama meteorológico. SIN. **weather message.**

weather tide   marea contraria al viento.

weather transmitting set   equipo de transmisión meteorológica. Equipo de captación y transmisión automáticas de datos meteorológicos.

weather vane   veleta. Dispositivo orientado por el viento, que indica la dirección del mismo. En los edificios, cuando se halla constituido por una estatuilla, se llama *giralda* o *giraldilla.* En marina tiene los sinónimos de *catavientos* y *grímpola.* Las *mangas de aire* o *de viento* [windsocks] utilizadas en los aeródromos son una variante de la veleta. SIN. **weathercock, wind vane.**

weather wear   desgaste [deterioro] por la intemperie.

weather-worn   *adj:* gastado [deteriorado] por la intemperie, deteriorado por los agentes atmosféricos.

weatherability   intemperización, alterabilidad a la intemperie.

weatherboard   *(Carp)* tabla solapada ‖ *(Marina)* falca; lado del viento.

weatherboarding   *(Carp)* solapadura de tablas; tablas solapadas, tablas de chilla [de chillado]; tablazón para techado; tablas puestas en tingladillo; revestimiento (de muros exteriores) con tablas solapadas ‖ *(Marina)* falcas.

weathercock   *(Meteor)* veleta. SIN. **giralda, giraldilla; catavientos, grímpola.** v. **weather vane.**

weathercock instability   *(Aeron)* inestabilidad de veleta.

weathercock oscillation   *(Cohetes balísticos)* oscilación de veleta.

weathered   *adj:* alterado por la intemperie [por los agentes atmosféricos]; curtido a la intemperie; intemperizado ‖ *(Geol)* meteorizado.

Weatherfax   Weatherfax. Nombre de un sistema de facsímile para la transmisión de mapas meteorológicos.

Weatherfax system   sistema Weatherfax.

weatherfront   v. **weather front.**

weatherglass   instrumento indicador del tiempo. EJEMPLO: barómetro.

weathering   alteración por exposición a la intemperie; deterioro [desgaste] debido a los agentes atmosféricos; intemperización ‖ *(Agric)* tempero ‖ *(Arq)* botaguas, escurridero, vertedero; declive [inclinación] de derrame, declive de escurrir el agua ‖ *(Geol)* intemperismo; meteorización ‖ *(Minería)* oreo (de minerales).

weathering resistance   resistencia a la intemperie [a los elementos, a los agentes atmosféricos]. SIN. **weather resistance.**

weathering test   prueba de intemperización.

weatherized   *adj:* protegido contra la intemperie [contra los agentes atmosféricos). SIN. **weather-protected.**

weatherman   meteorologista; pronosticador del tiempo ‖ observador en un vuelo meteorológico. CF. **weather flight.**

weatherproof   *adj:* a prueba de intemperie; inatacable por los agentes atmosféricos; resistente a la intemperie; contra intemperie; protegido contra la intemperie; estanco, hermético. SIN. **weather-protected, weather-resistant, weather-resisting, weathertight** ‖ protegido contra el mal tiempo. CF. **weather joint, weather strip(ping).**

weatherproof container   *(Aparatos)* cubierta contra intemperie.

weatherproof housing   *(Aparatos)* cubierta contra intemperie.

weathertight   *adj:* estanco, hermético. CF. **watertight.**

weathertightness   estanqueidad, hermeticidad.

weave   tejido; textura; dibujo (de un tejido) ‖ *(Tejeduría)* ligamento del hilo ‖ *(Cine/Tv)* v. **weaving** ⫶⫶ *verbo:* tejer, tramar; trabajar en el telar; trenzar; entretejer, entrelazar; urdir.

weaving   tejido, tejedura, tejeduría; textura; tisaje *(galicismo),* fabricación de tejidos; fabricación (a mano) de una red de pescar ‖ *(Aviones, Barcos)* rumbo sinuoso, rumbo en zigzag ‖ *(Carreteras)* entrecruzamiento (de corrientes de circulación), mezcla del tránsito (en un cruce o encrucijada) ‖ *(Cine/Tv)* (a.c. weave) serpenteo. Forma de inestabilidad de la imagen consistente en un movimiento lateral lento. En el caso de la televisión se debe a error de sincronización ‖ *(Soldadura)* oscilación (del electrodo), movimiento semicircular [pendular] (del electrodo); soldadura de vaivén [de tejido].

weaving mill   tejeduría, fábrica de tejidos.

weaving section   *(Carreteras)* longitud de entrecruzamiento. Longitud de calzada donde se efectúa un entrecruzamiento de corrientes de circulación. Tramo de carretera de sentido único [one-way roadway], destinado a la mezcla del tránsito procedente de dos calzadas que confluyen en un extremo del tramo y se separan en el otro.

web   red (telefónica, de radioemisoras, etc.); hoja (p.ej. de sierra); rollo de papel continuo ‖ *(Aeron)* **(of a spar)** alma (de un larguero) ‖ *(Mec, Vigas)* alma ‖ *(Estr, Piezas metálicas)* nervadura, nervio ‖ *(Rieles)* alma. Parte delgada que une la cabeza con el patín del riel o carril ‖ *(Ruedas)* plato ‖ *(Taladros)* ánima, alma ‖ *(Armaduras)* tejido, trabazón ‖ *(Llaves)* paletón ‖ *(Bóvedas)* recuadro ‖ *(Manivelas)* brazo ‖ *(Opt)* retículo ‖ *(Tejidos)* tela; trama.

web-calendered   *adj: (Papel)* calandrado en cinta.

web material   material en forma de cinta [de hoja].

web member   *(Armaduras/Estr)* elemento intermedio de viga armada; miembro del alma, pieza de enrejado [de armadura], barra de celosía [del tejido].

web paper   bobina de papel (de imprimir) continuo.

web plate   *(Vigas)* (plancha de) alma. Chapa vertical continua que vincula las alas o cordones de las vigas.

web plate joint   *(Vigas)* junta del alma.

web stiffener   *(Vigas)* rigidizador [refuerzo] del alma.

webbed eyepiece   *(Opt)* ocular con retículo.

weber   weberio, weber. Unidad de flujo magnético. Símbolo: Wb | (unit of magnetic flux) weber. Unidad de flujo de inducción magnética: Flujo de inducción magnética que, atravesando un circuito de una sola espira, produce una fuerza electromotriz de 1 volt si se le lleva a cero en un segundo por decrecimiento uniforme (CEI/56 05–35–100). SIN. **voltio-segundo** ——— **volt-second.**

Weber   Wilhelm Eduard Weber: físico alemán (1804–1891) que realizó estudios importantes sobre la electricidad, el magnetismo, y las ondas en los líquidos y en el aire; con el matemático Gauss estableció la teoría del magnetismo terrestre.

weber per ampere   weberio por amperio, weber por ampere. Símbolo: Wb/A.

Weber's theory   teoría de Weber. Teoría que explica los fenómenos magnéticos en forma sencilla. En ella se supone que los átomos o moléculas de las substancias paramagnéticas y ferromagnéticas son pequeños imanes o dipolos permanentes, pero que en su estado natural están orientados arbitrariamente, o sea, al azar. Al aplicar un campo magnético estos dipolos tienden a disponerse paralelamente al campo, aunque su ordenación no es completa, por oponerse a ella la agitación térmica de los átomos y moléculas y la fricción interna de la substancia. SIN. **teoría molecular del magnetismo, teoría de los dipolos permanentes de Weber** —— **molecular theory of magnetism.**

Weddle rule (for numerical quadrature)   *(Mat)* regla de Weddle (para la cuadratura numérica).

wedge   cuña; cuña, calzo, calce, calza; alzaprima ‖ *(Arq)* (of arch) dovela. SIN. **voussoir** (véase) ‖ *(Opt, Fotog, Fotometría)* cuña | (*i.e.* optical wedge) cuña (óptica) | (*i.e.* filter wedge) (filtro de) cuña | (*i.e.* photometer wedge, photometric wedge) cuña (fotométrica) ‖ *(Geom)* prisma triangular | cuña. Sólido de cinco caras: una base rectangular, dos caras rectangulares o trapeciales que se encuentran en una arista paralela a una arista de la base, y dos caras laterales triangulares ‖ *(Guías de ondas)* cuña, terminación en cuña. Dispositivo terminal que comprende un elemento afilado de materia absorbente, tal como carbón, agua o madera, introducido en la guía. SIN. **wedge termination** (CEI/61 62–20–145) ‖ *(Mec)* cuña. *Máquina simple* [simple machine] en forma de prisma rectangular (equivalente a un doble plano inclinado), cuya *ventaja mecánica* [mechanical advantage] teórica es igual a la razón del largo por la base | chaveta. Clavija cónica o prismática que se inserta entre dos piezas, utilizando ranuras apropiadas hechas en las mismas (*chaveteros*), y que sirve para fijarlas y permitir el arrastre de una de ellas por la otra ‖ *(Vías férreas)* chaveta. Clavija o pasador que sirve para sujetar una barra ‖ *(Tornos)* palo de entallado ‖ *(Meteor)* cuña de alta presión. Zona de alta presión barométrica en forma de cuña ‖ *(Mús)* cuña. En el órgano, soporte

en forma de cuña que fija la posición de la lengüeta en un cañón de lengüeta [reed pipe] ‖ *(Tv)* cuña (de definición). Parte de una imagen de prueba o mira [test pattern] que contiene un haz de líneas rectas blancas y negras convergentes, coincidiendo generalmente el punto de convergencia con el centro de la imagen. La cuña sirve para evaluar la definición [definition] de la imagen recibida ⫽⫽⫽ *adj:* cuneiforme, esfenoideo, en forma de cuña; diedro; triangular; trapecial, en trapecio ⫽⫽⫽ *verbo:* acuñar, encuñar, cuñar, recuñar; calar (con cuña); cortar [hender, separar] con cuña; calzar; enchavetar, fijar con chaveta; apretar, requintar; agarrotarse, trabarse.

wedge bond(ing)   *(Circ integrados)* unión [conexión] en cuña. Unión de un hilo con una zona terminal [bonding pad], formada con una herramienta en forma de cuña. La unión propiamente dicha puede ser una soldadura a presión en frío [cold weld], una unión por termocompresión [thermocompression bonding], o una unión por vibración ultrasónica [ultrasonic bond].

wedge filter   *(Fotog)* filtro de cuña, filtro en cuña ‖ *(Radiol)* filtro en cuña. Filtro destinado a atenuar diferentemente las diversas partes de un haz de radiación [radiation beam] (CEI/64 65–30–185).

wedge formation   *(Avia)* formación en cuña.

wedge gage, wedge gauge   calibre de cuña.

wedge gap   *(Cohesores al vacío)* cavidad cuneiforme.

wedge gear   mecanismo de cuña.

wedge gearing   engranaje cónico.

wedge groove   *(Poleas)* canal trapezoidal.

wedge key   *(Mec)* chaveta (de apriete), cuña de apriete.

wedge lock   cuña de traba.

wedge-lock bail retainer   *(Teleimpr)* retén de las cuñas de traba.

wedge-lock coupling   acoplamiento de traba por cuña.

wedge-lock mechanism   *(Teleimpr)* mecanismo de las cuñas de traba.

wedge piece   *(Arq)* (of arch) dovela. SIN. **voussoir** (véase).

wedge section   sección cuneiforme [afilada], sección con variación gradual de anchura [de espesor].

wedge-shaped   *adj:* cuneiforme, esfenoideo, en cuña, en forma de cuña; diedro; triangular; trapecial, en trapecio; en forma de sector circular ‖ *(Anat)* esfenoidal.

wedge spectrograph   espectrógrafo de cuña. Espectrógrafo en el cual se gradúa la densidad de la radiación que pasa por la rendija de entrada [entrance slit], ajustando la posición de una cuña óptica [optical wedge].

wedge termination   *(Guías de ondas)* cuña, terminación en cuña. v. **wedge.**

wedge-type junction station   *(Ferroc)* estación en forma de cuña. Estación que por abarcar una población entre las vías generales, permite el acceso directo a la misma.

wedge-type transistor   *(i.e.* transistor with wedge-shaped crystal) transistor (de cristal) en cuña.

wedging   acuñamiento, acuñadura, calce, recalce, calzadura; corte [hendidura, separación] con cuña; enchavetado, fijación con chaveta; apriete, requintado; agarrotamiento, trabadura; arranque (de mineral) con cuña.

weed   maleza, cardo, mala(s) hierba(s) ⫽⫽⫽ *verbo:* desmalezar, desherbar, desyerbar, extirpar malezas [malas hierbas].

weed burner   quemador de malezas. LOCALISMO: quemador de pasto. Aparato lanzallamas para quemar malezas.

weed eradication   extirpación de malezas. LOCALISMO: extirpación de pasto. Procedimientos para eliminar las malas hierbas.

weed eradicator   extirpador de malezas, arrancador de malezas [de yerbajos].

weed-killer   v. **weedkiller.**

weed-spraying equipment   *(Ferroc)* equipo pulverizador de malezas. Equipo para pulverizar soluciones químicas que destruyen las malezas o malas hierbas de la vía.

weed-spraying train   *(Ferroc)* tren pulverizador de malezas, tren para rociar herbicidas sobre la vía.

weeder   *(Herr)* escardillo, intrumento que sirve para escardar.

weedkiller   herbicida, destructor de malezas.

weekend   fin de semana, sábado y domingo.

Weems plotter   transportador "Weems".

Wehnelt   *(TRC)* Wehnelt, electrodo de Wehnelt. v. **Wehnelt cylinder.**

Wehnelt cathode   *(Elecn)* cátodo de Wehnelt, cátodo con depósito de óxidos. SIN. **oxide-coated cathode** (véase).

Wehnelt cylinder   *(TRC)* cilindro de Wehnelt. Cilindro o tubo metálico que rodea al cátodo y que sirve para concentrar en una dirección los electrones emitidos por aquél en todas direcciones. SIN. **electrodo [rejilla, tubo] de** Wehnelt —— **Wehnelt grid [tube].**

Wehnelt grid   *(TRC)* rejilla de Wehnelt. v. **Wehnelt cylinder.**

Wehnelt interrupter   interruptor de Wehnelt. Dispositivo en el cual la corriente que circula entre un hilo fino y un electrólito es interrumpida a intervalos regulares por la formación y desaparición de pequeñas burbujas de vapor.

Wehnelt tube   *(TRC)* tubo de Wehnelt. v. **Wehnelt cylinder.**

Wehnelt voltage   *(TRC)* tensión de Wehnelt.

Weibull model   modelo de Weibull. Modelo que relaciona la frecuencia de fallas de circuitos electrónicos con el tiempo de funcionamiento.

Weierstrass   Karl Wilhelm Theodor Weierstrass: matemático alemán (1815–1897).

Weierstrass approximation theorem   *(Mat)* teorema de aproximación de Weierstrass.

Weierstrass function   *(Mat)* función de Weierstrass.

Weierstrass M-test (for uniform convergence)   *(Mat)* criterio M de Weierstrass (para convergencia uniforme).

Weierstrass zeta function   *(Mat)* función zeta de Weierstrass.

weigh   *verbo:* pesar, medir el peso de un cuerpo u objeto; romanear, pesar con la romana; pesar, tener peso; sopesar, considerar; ser de importancia, ser digno de aprecio ‖ *(Marina)* levar anclas; hacerse a la vela.

weigh in   *verbo: (Avia)* pesar (pasajeros, equipajes) antes del vuelo ‖ *(Boxeo)* pesar (los contrincantes) antes de un encuentro.

weigh rail   carril de báscula.

weighbridge   báscula (automática), puente-báscula, báscula-puente. Aparato para medir pesos, generalmente grandes.

weigher   *(Persona)* pesador ‖ *(Máquina)* autopesadora registradora.

weighhouse   caseta de balanza.

weighing   pesaje, pesada; ponderación; gastos de pesaje /// *adj:* de pesar, para pesar.

weighing machine   báscula; balanza; pesadora, máquina de pesar.

weight   peso, pesantez; pesa; ponderación; carga; gravamen; lastre ‖ *(Fís)* peso. Resultante de las fuerzas que la gravedad ejerce sobre todos los puntos de un cuerpo; es una fuerza vertical cuya intensidad es igual al producto de la masa del cuerpo por la aceleración de la gravedad ‖ *(Mat)* peso (de una medida, de una observación, de un término de un polinomio) | peso, parte escalar de un cuaternio | peso, significación. En una representación posicional, factor por el cual hay que multiplicar un dígito para obtener su aporte aditivo al valor del número representado, y que está determinado por la posición del dígito. SIN. **significance** ‖ *(Teleg)* v. **keying weight** ‖ *(Tipog)* (grado de) negrura (de una letra impresa) ‖ CF. **atomic weight, molecular weight** /// *adj:* ponderal /// *verbo:* ponderar, poner peso, dar peso; cargar; gravar; lastrar.

weight and balance   *(Avia)* carga y equilibrio; distribución equilibrada de la carga.

weight-and-balance clearance   *(Avia)* márgenes de carga y equilibrio.

weight bias   *(Estadística)* sesgo de ponderación.

weight calibration   tarado de pesas.

weight coefficient   *(Gen termoeléc)* coeficiente ponderal. Cociente

de la potencia eléctrica de salida por el peso del dispositivo.

weight curve   curva ponderal.

weight distribution   *(Avia)* distribución del peso [de la carga].

weight empty   *(Avia)* peso en vacío ‖ *(Vehículos)* peso en vacío, tara. SIN. **tare.**

weight-free index   índice no ponderado.

weight in working order (of a motor vehicle)   peso en orden de marcha (de un vehículo motor). Total de la tara [tare] y de los pesos correspondientes al personal de conducción [driving staff] y los diversos elementos necesarios en servicio normal (arena, aparejos, herramientas, carburante, aceite de lubricación, etc.) (CEI/57 30–05–250).

weight indicator   indicador de pesos.

weight load factor   *(Avia)* coeficiente de carga del peso.

weight motor   motor de pesas.

weight per axle   *(Tracción eléc)* peso [carga] por eje. v. **load per axle.**

weight per foot run between outer axles   *(Tracción eléc)* peso por pie lineal entre ejes extremos. v. **weight per meter run between outer axles.**

weight per foot run over buffers   *(Tracción eléc)* peso por pie lineal entre topes. v. **weight per meter run over buffers.**

weight per horsepower   *(Mot)* peso por HP, peso por caballo de vapor inglés.

weight per HP   *(Mot)* peso por HP.

weight per length   peso lineico, peso por longitud unitaria.

weight per meter run between outer axles   *(Tracción eléc)* peso por metro lineal entre ejes extremos. Cociente del peso en orden de marcha [weight in working order] de un vehículo por la distancia horizontal entre ejes (centros) de sus ejes extremos (CEI/57 30–05–285).

weight per meter run over buffers   *(Tracción eléc)* peso por metro lineal entre topes. Cociente del peso en orden de marcha [weight in working order] de un vehículo por su longitud total entre topes (CEI/57 30–05–280).

weight per unit area   peso surfácico, peso por superficie unitaria, peso por unidad de superficie.

weight per unit length   peso lineico, peso por longitud unitaria, peso por unidad de longitud.

weight/power ratio   *(Mot)* razón peso/potencia, relación de peso a potencia.

weight stability   estabilidad de pesos.

weight transducer   transductor para medidas de peso.

weight transfer   transferencia de pesos [de cargas] ‖ *(Tracción eléc)* reducción de la carga de un eje. Disminución de la carga estática [dead load] de un eje sobre los carriles, debida a la aplicación del esfuerzo de tracción [tractive effort] o de frenaje [braking effort]. Se expresa en valor absoluto o en valor relativo (CEI/57 30–05–520).

weight voltameter   voltámetro de peso. (**1**) Voltámetro en el cual la medida se efectúa pesando el cuerpo depositado en un electrodo (CEI/38 50–05–130). (**2**) Voltámetro en el cual la medida de la cantidad de electricidad se efectúa pesando el metal depositado (CEI/58 20–25–010) | voltámetro de masa. Voltámetro en el cual la medida de la cantidad de electricidad se efectúa por la determinación del volumen de gas desprendido (CEI/38 20–25–010).

weightage   *(Telecom)* (coeficiente de) ponderación.

weighted   *adj:* ponderado, con ponderación; compensado, con compensación; pesado, cargado; contrapesado, con contrapeso; lastrado, con lastre ‖ *(Mat)* ponderado.

weighted aerial   antena lastrada.

weighted amplifier   amplificador compensado.

weighted average   *(Mat)* media ponderada, promedio ponderado [compensado, pesado]. SIN. **weighted mean.**

weighted bellows   fuelle pesado.

weighted code   código ponderado.

weighted current   corriente ponderada.

weighted current value   *(Telecom)* *(i.e.* weighted value of a current) valor ponderado de una corriente. Dada una corriente compleja de origen cualquiera observable en una línea o una instalación eléctrica, o en una línea o una instalación de telecomunicaciones, se llama *valor ponderado* de esa corriente a la expresión

$$\frac{1}{p_{800}} \sqrt{\sum (p_f I_f)^2}$$

en la que I_f es la componente de frecuencia f de esa corriente, y p_f es el peso atribuido a esa frecuencia en la tabla de pesos que forma parte de la especificación del sofómetro; p_{800} es el peso atribuido a la frecuencia de 800 Hz en la mencionada tabla. CF. **weighted voltage value.**

weighted distortion factor   factor de distorsión ponderado. Factor de distorsión en el que se le dan a las armónicas pesos proporcionales a sus relaciones con la fundamental.

weighted float   flotador lastrado.

weighted index   índice ponderado.

weighted level   *(Acús/Telecom)* nivel ponderado.

weighted-level reading   lectura de nivel ponderado.

weighted mean   *(Mat)* media ponderada. SIN. **weighted average.**

weighted noise   *(Acús/Telecom)* ruido ponderado. CF. **flat noise.**

weighted noise figure   cifra de ruido ponderado [con ponderación]. Cifra de ruido con compensación o corrección para tomar en cuenta la curva de audibilidad.

weighted noise level   nivel de ruido ponderado. Nivel de ruido compensado de acuerdo con la curva de igual sensación sonora [equal-loudness contour] correspondiente a 70 dB, y expresado en decibelios referidos a un milivatio (dBm).

weighted noise measurement   medida de ruido ponderado; medida de la tensión sofométrica ponderada.

weighted polynomial approximation   *(Mat)* aproximación polinomial ponderada.

weighted pulse-code modulation   modulación por codificación de impulsos ponderada.

weighted random process   proceso estadístico ponderado.

weighted resistor decoder   descodificador de resistencias ponderadas.

weighted safety valve   válvula de seguridad contrapesada.

weighted tensor   *(Mat)* tensor ponderado, tensor relativo.

weighted turntable   *(Fonog)* plato (giradiscos) contrapesado.

weighted value   valor ponderado.

weighted value of a current   *(Telecom)* valor ponderado de una corriente. v. **weighted current value.**

weighted value of a voltage   *(Telecom)* valor ponderado de una tensión. v. **weighted voltage value.**

weighted voltage   tensión ponderada.

weighted voltage value   *(Telecom)* *(i.e.* weighted value of a voltage) valor ponderado de una tensión. Dada una tensión compleja de origen cualquiera observable entre dos puntos de una línea o una instalación eléctrica o de una línea o una instalación de telecomunicaciones, se llama *valor ponderado* de esa tensión a la expresión

$$\frac{1}{p_{800}} \sqrt{\sum (p_f V_f)^2}$$

en la que V_f es la componente de frecuencia f de esa tensión, y p_f es el peso atribuido a esa frecuencia en la tabla de pesos que forma parte de la especificación del sofómetro; p_{800} es el peso atribuido a la frecuencia de 800 Hz en la mencionada tabla. CF. **weighted current value.**

weighting   ponderación, compensación, valoración. (**1**) Ajuste artificial de ciertas medidas con el objeto de tomar en cuenta factores que intervienen en el empleo normal del dispositivo de que se trate, pero que normalmente no están presentes en las condiciones de las medidas. (**2**) Como caso particular, en una

medida del ruido de fondo, ajuste mediante la aplicación de factores apropiados o mediante la intercalación en el circuito de medida de una red que reduzca los valores medidos en proporción inversa a sus efectos perturbadores. (**3**) En telefonía, evaluación de los efectos perturbadores relativos de las diversas frecuencias de la gama vocal en comparación con el efecto de la de referencia (800 ó 1 000 Hz). (**4**) Cuando se efectúa una serie de determinaciones de una magnitud física con distintos grados de incertidumbre, y se quiere determinar el valor más probable, se le dan a las diversas determinaciones *pesos* inversamente proporcionales a sus grados de incertidumbre. Si los n valores individuales son q_1, q_2, q_3, . . . , q_n, el valor más probable está dado por la expresión

$$q = \frac{w_1 q_1 + w_2 q_2 + w_3 q_3 \cdots + w_n q_n}{w_1 + w_2 + w_3 \cdots + w_n}$$

en la que w_1, w_2, w_3, . . . , w_n son los *factores de ponderación* [weighting factors]. (**5**) En mecánica estadística se considera que diferentes estados tienen probabilidades *a priori* también diferentes, y, por tanto, ha de dárseles distintos pesos proporcionales a sus probabilidades cuando se calculan valores medios; el cálculo se efectúa por aplicación de la fórmula dada en la definición precedente. CF. **statistical weight** ⫽ *adj:* ponderal, ponderador, ponderante, ponderatriz, de ponderación, compensador, compensatorio, de compensación, de valoración.

weighting characteristic   característica de ponderación | *(i.e.* frequency weighting characteristic) característica de ponderación [compensación] de frecuencia.

weighting curve   curva ponderal [de ponderación]; curva de ponderación [compensación] de frecuencia.

weighting factor   factor de ponderación.

weighting factor of a voltage   factor [razón] de ponderación de una tensión. Razón del valor ponderado de la tensión (v. **weighted voltage value**) por su valor eficaz [RMS value].

weighting function   función ponderal [ponderatriz, de ponderación]. Función matemática utilizada en nucleónica para expresar el efecto que en la reactividad de un reactor tienen cambios localizados de las propiedades nucleares; un ejemplo de cambio localizado sería el resultante de la introducción en un punto de una muestra absorbente.

weighting function of a system   función ponderal [ponderatriz] de un sistema. Función del tiempo definida como la *respuesta normal* [normal response] del sistema a una entrada en forma de *función de impulso unidad* [unit impulse function] de primer orden en el instante cero $(t = 0)$.

weighting index   índice ponderal.

weighting network   *(Electroacús/Telecom)* red ponderatriz [ponderadora, de ponderación, de compensación, de filtraje ponderado], red filtrante [filtradora], circuito compensador [de ponderación], filtro; circuito de medida ponderada. Red o circuito que atenúa las diversas frecuencias de la misma manera que lo haría el oído humano medio con el aparato de escucha a que se refiere la ponderación o compensación | red ponderatriz. Red cuya atenuación varía con la frecuencia de una manera preestablecida (CEI/70 55-20-265).

weighting resistor   *(Contadores)* resistor de ponderación.

weighting switch   selector de ponderación.

weighting table   *(Sofómetros)* tabla de pesos.

weighting tube   *(Lab de química)* tubo de pesadas.

weightless   *adj:* ingrávido, sin peso, sin pesantez; imponderable.

weightlessness   ingravidez, ausencia de gravedad [de pesantez], estado de ingravidez; imponderabilidad. Condición de un sistema en el cual un observador que se encuentra en él no puede descubrir la presencia de ninguna aceleración, ni de la gravedad ni de ninguna otra fuerza. Existe el estado de ingravidez p.ej. para los tripulantes de un satélite artificial no sujeto a aceleración en su órbita alrededor de la Tierra, aunque su órbita es afectada por la gravedad terrestre.

weightlessness switch   interruptor de gravedad nula. v. **zero-**

gravity switch.

weightometer   registrador de peso, báscula registradora [impresora]. Báscula que inscribe automáticamente el peso medido en una ficha o boleta.

Weiller mirror drum   rueda de espejos de Weiller.

Weingarten formulas   *(Mat)* fórmulas de Weingarten.

weir   rebosadero, paraje por donde rebosa un líquido || *(Hidr)* embalse, presa; esclusa; aliviadero; vertedero, vertedor, presa sumergible, azud, azuda; parada, presa de un río; dique vertedor || *(Playas)* corral para pescar.

weir meter   contador vertedor.

Weiss theory of ferromagnetism   teoría del ferromagnetismo de Weiss. Tiene por fundamento un conjunto de imanes moleculares independientes sujetos a la influencia orientadora de una fuerza magnetizante y al efecto desorientador de la agitación térmica.

Weissenberg effect   *(Fís)* efecto Weissenberg. Fenómeno por el cual un líquido viscoelástico [viscoelastic liquid] sube por una varilla agitadora; el mismo nombre se aplica a fenómenos análogos relacionados con el esfuerzo normal o con los llamados *efectos cruzados* [cross effects].

Weissenberg method   *(Radiol)* método de Weissenberg. Método radiocristalográfico (v. **radiocrystallography**) según el cual el cristal se hace girar en el haz de rayos X y la película se desplaza en dirección paralela al eje de rotación del cristal. El cristal está rodeado por un manguito con una rendija que deja pasar un haz de rayos X en forma de una línea, con lo cual se obtiene una identificación cierta de cada punto o línea del diagrama. CF. **rotating-crystal method.**

Weiss's equation   ecuación de Weiss.

weld   soldadura, unión soldada. Procedimiento y resultado de consolidar metales. v.TB. **welding** || *(Botánica, Tintorería)* gualda /// *adj:* gualdo, amarillo, de color de gualda /// *verbo:* soldar(se); caldear; unir; unificar; ser soldable.

weld approval   aceptación de soldaduras.

weld bead   cordón de soldadura.

weld control   control [inspección] de soldaduras.

weld deposition rate   velocidad de deposición de soldadura.

weld gate pulse   impulso de control de la corriente de soldadura.

weld interface surface   superficie interfacial de la soldadura.

weld interval   intervalo de soldadura. Al efectuar una soldadura por resistencia por múltiples impulsos, suma de los tiempos de caldeo y de enfriamiento. CF. **weld time.**

weld-interval timer   temporizador de intervalo de soldadura.

weld junction   unión soldada. Unión formada por calor o por la fusión metalúrgica de metales || *(Elec)* junta soldada, empalme soldado.

weld macrograph   macrografía de la soldadura.

weld metal   *(Soldadura)* metal de aporte, metal depositado; metal soldador.

weld nugget   pepita de soldadura.

weld-on surface-temperature resistor   termómetro de resistencia de platino para temperaturas de superficie con elemento sensible soldado a la superficie cuya temperatura se mide.

weld overlay   recrecimiento con soldadura. Procedimiento para restaurar piezas desgastadas. SIN. **weld surfacing.**

weld polarity   polaridad de la soldadura. Ciertas combinaciones de metales presentan resistencias eléctricas diferentes a la corriente de soldadura, según el sentido de ésta; por ello, se da el caso de una soldadura con corriente continua que no puede efectuarse eficazmente más que con determinado sentido de circulación de la corriente.

weld pool   baño de soldadura en fusión.

weld quality   calidad de la soldadura.

weld radiography   radiografía de la soldadura.

weld recorder   registrador de soldadura.

weld root   raíz de la soldadura.

weld-sealed joint   junta hermética soldada.

weld sequence   secuencia de la soldadura.

weld soundness   sanidad de la soldadura.

weld-surface   *verbo:* recrecer con soldadura, restaurar (piezas desgastadas) con soldadura.

weld surfacing   recrecimiento con soldadura, restauración (de piezas desgastadas) con soldadura. SIN. **weld overlay.**

weld time   tiempo de soldadura. Tiempo durante el cual circula la corriente de soldadura. CF. **weld interval.**

weld timer   *(Soldadoras)* temporizador [cronómetro] de soldadura; sincronizador de ciclos de soldadura.

weld travel   avance de la soldadura.

weldability   soldabilidad.

weldable   *adj:* soldable.

welded   *adj:* soldado, unido con soldadura.

welded adapter   adaptador soldado; conectador soldado.

welded bond   conexión soldada. Conexión eléctrica cuyas dos extremidades son soldadas sobre las puntas de los carriles de una junta (CEI/57 30–10–365). CF. **rail bond.**

welded chain   cadena de eslabones soldados.

welded connection   conexión soldada.

welded contact   contacto soldado.

welded-contact crystal   cristal (semiconductor) de contacto soldado.

welded-contact rectifier   rectificador (de contacto) por punta soldada. Rectificador de contacto [contact rectifier] por punta en el que el contacto se obtiene en forma permanente por soldadura de la punta al semiconductor (CEI/56 07–50–080). CF. **point-contact rectifier, surface-contact rectifier.**

welded electric connection   conexión eléctrica soldada; conexión eléctrica soldada por fusión.

welded firebox   *(Calderas)* caja de fuegos soldada.

welded fitting   *(Tuberías)* accesorio soldado. CF. **welding fitting.**

welded flange   *(Tuberías)* brida soldada.

welded frame   armazón soldada; bastidor soldado || *(Marina)* cuaderna soldada.

welded joint   unión soldada. Unión de dos o más piezas mediante soldadura || *(Elec)* junta soldada, empalme soldado.

welded-on flange   *(Tuberías)* brida soldada.

welded pipe   tubo soldado.

welded pipeline   tubería [cañería] soldada.

welded plate   chapa soldada.

welded seam   costura soldada.

welded steel fabric   malla [tejido] de alambres soldados.

welded tubing   tubería [cañería] soldada.

welded wire fabric   malla [tela metálica] de alambres soldados.

welder   *(Persona)* soldador, obrero [operario] soldador || *(Máquinas)* soldadora, máquina de soldar.

welder current   corriente de soldadura. v. **welding current.**

welder current regulation   regulación de la corriente de soldadura.

welder-diver   buzo soldador.

welding   *(Procedimiento)* soldadura. ESPAÑA: soldeo | *(Resultado)* soldadura; unión soldada; estructura formada [fabricada] por soldadura | *(Procedimiento y resultado)* soldadura autógena. Se usa este término para distinguir esta soldadura de la que en inglés reciben los nombres de *soldering* y *brazing* (véanse estos términos) | soldadura autógena. Operación consistente en reunir, utilizando o no un producto de aporte cuya temperatura de fusión es del mismo orden de magnitud que la del material de base, dos o más piezas constitutivas de un conjunto, asegurando la continuidad entre las partes que se unen, mediante caldeo, mediante presión, o mediante caldeo y presión. La continuidad referida es la de la naturaleza de los materiales reunidos: metales o aleaciones, materias plásticas, vidrio, etc. (CEI/60 40–15–010). CF. **arc welding, atomic-hydrogen welding, autogenous welding, autogenous welding by fusion, autogenous welding by pressure, butt welding, continuous welding, electric welding, electromagnetic percussion welding, electrostatic percussion welding, fusion welding, fusion welding with pressure,**

inert-gas welding, joint welding, metal-arc welding, percussion welding, pressure welding, resistance welding, solid-phase welding, spark welding, spot welding, submerged arc welding, welding by sparks, welding with pressure; welding, brazing, and soldering; welding, brazing or soldering by induction /// *adj:* soldante, soldador, de soldadura, de soldar, para soldadura, para soldar.

welding alternator   alternador para soldar | alternador para soldadura por arco. Alternador destinado, por su construcción, a la alimentación de uno o varios arcos de soldadura (CEI/60 40–15–115). CF. **self-regulating DC welding generator, motor-generator for welding.**

welding arc voltage   voltaje de arco de soldadura, tensión de soldadura por arco | tensión de soldadura. Tensión medida durante la operación de soldadura por arco entre dos portaelectrodos [electrode holders] o entre un portaelectrodo y un punto del metal de base cerca de la soldadura (CEI/60 40–25–135).

welding bell   *(Tuberías)* campana de soldar.

welding blowpipe   soplete de soldar.

welding, brazing, and soldering   soldadura. Operación consistente en reunir dos o más piezas de un conjunto, asegurando la continuidad las partes reunidas, sea por caldeo, por presión, o por caldeo y presión, con o sin el empleo de un producto de aporte cuya temperatura de fusión es la conveniente al modo particular de soldadura utilizado. La continuidad referida es la de los materiales reunidos: metales o aleaciones, materias plásticas, vidrio, etc. (CEI/60 40–15–005). CF. **welding.**

welding, brazing or soldering by induction   soldadura directa o indirecta por inducción. Modo de soldadura en el que las corrientes de caldeo son creadas por inducción electromagnética [electromagnetic induction] (CEI/60 40–15–220). CF. **welding.**

welding burner   soplete de soldar.

welding by sparks   soldadura por chispas. Soldadura por aproximación en la cual el calor es producido por las chispas que se originan en el contacto de las piezas que se sueldan (CEI/38 40–20–035).

welding cable   cable de soldadura.

welding cable connector   conector [conectador] de cable de soldadura.

welding cap   *(Tuberías)* tapa para soldar.

welding compound   soldante [soldadura] fundente, fundente soldador.

welding control   control [regulación] de la soldadura.

welding control circuit   circuito de control [regulación] de la soldadura.

welding converter   convertidor para soldadura.

welding current   corriente de soldadura. Corriente que se hace pasar por la unión de las piezas que se sueldan para generar el calor necesario para la soldadura.

welding current density   densidad de la corriente de soldadura.

welding current set   grupo electrógeno de soldadura.

welding cycle   ciclo de soldadura. Serie completa de las manipulaciones y eventos que intervienen en la operación de efectuar una soldadura.

welding die   troquel para soldadura (por resistencia).

welding distortion   deformación por la soldadura.

welding elbow   *(Tuberías)* codo para conexiones soldadas.

welding electrode   electrodo para soldar | electrodo de soldadura. Electrodo que conduce la corriente a las piezas que se sueldan, y que generalmente proporciona el material de soldar (CEI/38 40–20–080).

welding electrode holder   portaelectrodo para soldar | portaelectrodo de soldadura. Dispositivo que sostiene mecánicamente el electrodo de soldadura y le suministra la corriente (CEI/60 40–15–155).

welding engineering   técnica de la soldadura.

welding fitting   accesorio soldable, accesorio para conexiones soldadas (en tuberías).

welding fixture   posicionador para soldar, plantilla (sujetadora) para soldar.

welding flame   soplete para soldar.

welding flux   fundente para soldar.

welding generator   (electro)generador para soldadura, generador para soldar.

welding gun   pistola de soldar (por puntos).

welding head   cabezal soldador [de soldadura].

welding jig   posicionador para soldar, plantilla (sujetadora) de soldador.

welding lens   vidrio filtrante, vidrio de soldador.

welding locator   posicionador para soldar.

welding machine   soldadora, máquina de soldar. SIN. **welder.**

welding operator   soldador, operario soldador. SIN. **welder.**

welding point   punto de soldadura; toma de corriente para soldar.

welding position   posición para soldar, puesto de soldador.

welding positioner   posicionador para soldar.

welding power   energía para soldar; soldabilidad.

welding power supply   fuente de energía para soldar; fuente de corriente para soldadura.

welding pressure   presión de soldadura. CF. **pressure welding.**

welding quality   calidad de la soldadura.

welding radiographic control   control radiográfico de (la calidad de) las soldaduras.

welding radiography   radiografía de la soldadura.

welding rate   velocidad de soldadura.

welding rod   varilla soldadora [para soldar]. LOCALISMO: barreta de soldadura | varilla de aporte [de metal de aportación].

welding set   grupo electrógeno de soldadura | aparato alimentador para soldadura por arco. Conjunto de órganos que transforman una clase determinada de energía mecánica o eléctrica, en energía eléctrica, y cuyas características permiten asegurar el cebado y el entretenimiento de un arco para soldadura eléctrica (CEI/60 40–15–085).

welding stress   esfuerzo (interno) producido por la soldadura.

welding T   *(Tuberías)* T para conexiones soldadas.

welding timer   temporizador [cronómetro] de soldadura; sincronizador de ciclos de soldadura.

welding tip   boquilla de soplete de soldar; pico de soldador.

welding torch   soplete soldador [de soldar], antorcha soldadora.

welding transformer   transformador de soldadura. Transformador de fuerza capaz de suministrar grandes corrientes a bajo voltaje, y que se utiliza para efectuar soldaduras eléctricas.

welding union   *(Tuberías)* unión para soldar.

welding voltage   tensión [voltaje] de soldadura. CF. **welding current.**

welding wheel   roldana para soldar, electrodo de soldadura circular.

welding wire   alambre soldador [de soldadura]; alambre fundente.

welding with pressure   soldadura con presión | soldadura por presión. Soldadura en la que interviene una presión estática [static pressure] o dinámica [dynamic pressure], con fusión o sin ella (CEI/60 40–15–020). CF. **welding.**

weldless   *adj:* sin soldar; sin soldadura.

weldment   estructura soldada, conjunto de piezas [partes] soldadas, ensambladura de elementos soldados.

well   pozo (de agua, de petróleo, de gas, de sal) | pozo (de agua). LOCALISMO: noria. Excavación o perforación hecha en la tierra hasta hallar agua | cavidad, receptáculo, espacio [recinto] cerrado; vaso [copa] de tintero || *(Arq)* caja, pozo (de escalera, de ascensor) || *(Marina)* pozo; sentina; vivero, vivar, pozo (de barco pesquero) /// *verbo:* brotar, manar, fluir; verter, derramar; vaciar.

well casing   entubado de pozo; tubería de revestimiento.

well counter   contador de pozo [de blindaje cilíndrico]. Contador de radiaciones en el que el detector de radiación y la muestra radiactiva van colocadas en el interior de un blindaje tubular grueso cerrado por un extremo, que sirve para reducir el efecto de la radiación de fondo. SIN. **well-type counter.**

well-ordered   *adj:* bien ordenado.

well parameter   *(Nucl)* parámetro del pozo.

well-strobe marker   *(Radar)* marcador en almena. Marcador estroboscópico [strobe marker] consistente en una desviación rectangular instantánea de la base de tiempos (CEI/70 60–72–635).

well-type counter   v. **well counter.**

well-type ionization chamber   cámara de ionización de pocillo. Cámara de ionización destinada esencialmente a la medida de fuentes emisoras de radiación gamma, y que comprende un pocillo central cilíndrico en el que se colocan dichas fuentes. Este tipo de cámara es particularmente útil para la medida de fuentes de volumen apreciable (CEI/68 66–15–105).

well water   agua de pozo.

wellhole   *(Alcantarillado)* pozo de caída ‖ *(Pozos de agua)* boca ‖ *(Arq)* hueco, ojo (de escalera, de ascensor).

WERS   Abrev. de War Emergency Radio Service.

Wertheim effect   efecto Wertheim. Fenómeno por el cual cambia el estado magnético de un alambre o una varilla ferromagnéticos cuando se le somete a torsión.

WESCON   Abrev. de Western Electronics Show and Convention.

west   oeste ‖ *(Telecom)* oeste, banda 2 ⫶ *adj:* occidental, del oeste ⫶ *adv:* al oeste.

West Coast Electronics Manufacturers Association [WCEMA]   Asociación de Fabricantes de Material Electrónico de la Costa Oeste (EE.UU.).

West terminal   *(Telecom)* terminal Oeste. v. **East terminal.**

Westcott cross-section   *(Nucl)* sección eficaz de Westcott, sección eficaz térmica efectiva. Sección eficaz ficticia [fictitious cross-section] relativa a una interacción determinada que, multiplicada por el flujo convencional [conventional flux density], da la velocidad de reacción [reaction rate] exacta. NOTA: El uso de este término se reserva habitualmente para la captura y la fisión en sistemas bien moderados [well-moderated systems]. SIN. **effective thermal cross-section** (CEI/68 26–05–645).

westerlies   *(Meteor)* Plural de *westerly.*

westerly   *(Meteor)* viento del oeste; tormenta del oeste ⫶ *adj:* occidental, del oeste; situado hacia el oeste ‖ *(Vientos)* del oeste, que viene del oeste.

western   *(also* Western*)* novela del oeste [de vaqueros]; película del oeste, película de vaqueros [de "cowboys"] ⫶ *adj:* occidental, del oeste; situado en el oeste o hacia el oeste, que mira hacia el oeste ‖ *(Vientos)* del oeste, que viene del oeste.

Western Electronics Show and Convention [WESCON]   Exposición y Convención de Electrónica del Oeste (EE.UU.).

Western Union [WU]   Forma abreviada del nombre Western Union International, Inc.

Western Union International, Inc. [WUI]   Empresa norteamericana de telecomunicaciones nacionales e internacionales.

Western Union joint   empalme [junta] Western Union. Tipo de empalme utilizado en las líneas telefónicas y telegráficas, y que se forma cruzando las puntas bien limpias de dos conductores y arrollando entonces la punta de cada conductor sobre el otro conductor, y cubriendo luego de soldadura el conjunto. Este empalme o unión se caracteriza por su gran resistencia mecánica y su excelente conductividad eléctrica.

westing   *(Topog)* desviación hacia el oeste.

Westminster chime   carillón [toque] Westminster.

Weston cell   *(Electroquím)* pila Weston. Pila en la que el electrodo negativo es de amalgama de cadmio, el electrodo positivo es de mercurio recubierto de una pasta de sulfato mercurioso [mercurous sulfate], y el electrólito es una solución saturada o de concentración determinada de sulfato de cadmio [cadmium sulfate] (CEI/38 50–10–025).

Weston normal cell   pila patrón Weston. Pila patrón de cadmio cuyo electrólito está constituido por una solución saturada de

sulfato de cadmio (CEI/60 50–15–095).

Weston standard cell   pila patrón Weston. Pila en la que el electrodo negativo es de cadmio y el positivo de mercurio, y cuyo electrólito es una solución saturada de sulfato de cadmio. Esta pila suministra una tensión de 1,018 636 V a la temperatura de 20° C.

Westrex system   *(Electroacús)* sistema Westrex. Sistema de grabación estereofónica en discos. v. **"45/45" system, single-groove record.**

wet   humedad; agua; lluvia ⫶ *adj:* húmedo; mojado; lluvioso ⫶ *verbo:* humedecer, humectar, humidificar; mojar, remojar.

wet adiabatic   *(Meteor)* adiabática húmeda.

wet adiabatic lapse rate   *(Meteor)* gradiente adiabático en aire húmedo.

wet arcing distance   *(Aisladores eléc)* distancia disruptiva en húmedo. CF. **wet flashover.**

wet assay   *(Met, Minería)* ensayo [análisis] por vía húmeda.

wet bulb   ampolleta húmeda; ampolleta humedecida (del sicrómetro); termómetro húmedo.

wet-bulb depression   diferencia entre las temperaturas de ampolleta seca y ampolleta húmeda.

wet-bulb temperature   *(Meteor)* temperatura de termómetro húmedo.

wet-bulb thermometer   termómetro húmedo [de ampolleta húmeda, de bola húmeda, de depósito húmedo]; sicrómetro, psicrómetro.

wet cell   *(Electroquím)* pila húmeda [hidroeléctrica, líquida, de líquido]. Pila cuyo electrólito está en forma de líquido; puede ser recargable, caso en que viene a ser un pequeño acumulador (pila secundaria) ‖ *(i.e.* cell in which the electrolyte is in liquid form) pila líquida. Pila cuyo electrólito está en estado líquido (CEI/60 50–15–015). CF. **dry cell.**

wet-charged stand   *(Pilas secundarias húmedas)* tiempo máximo de almacenaje en húmedo con carga. Período máximo de tiempo que la pila puede estar cargada en húmedo antes de perder una pequeña fracción especificada de su capacidad. CF. **wet shelf life.**

wet connection   *(Tuberías)* injerto, conexión [férula] de toma; conexión bajo presión.

wet contact   *(Relés)* contacto húmedo. Contacto por el que circula corriente; dícese a distinción del contacto que corta o establece una tensión con circulación de corriente prácticamente nula. V.TB. **wet down a contact** ‖ contacto con mercurio. v. **wet-reed relay.**

wet corrosion   corrosión húmeda.

wet criticality   *(Nucl)* criticalidad húmeda. La alcanzada por un reactor con agentes de refrigeración. Se opone a la *criticalidad seca* [dry criticality], que es el estado crítico del reactor alcanzado sin el empleo de elementos refrigerantes.

wet developer   *(Cine/Fotog)* máquina de revelado por vía húmeda.

wet development   *(Cine/Fotog)* revelado por vía húmeda.

wet down a contact   *(Relés)* humedecer un contacto. Conectar una combinación serie de batería y resistencia en derivación con un par de contactos para que al abrirse se produzca entre ellos una pequeña chispa. Esto se hace cuando en su función normal los contactos rompen un circuito de corriente tan sumamente débil que no se produce chispa. Una pequeña chispa tiene el efecto benéfico de quemar las pequeñas partículas de suciedad que se depositan en las superficies de contacto. V.TB. **dry circuit, dry contacts, wet contact.**

wet-dry sandpaper   papel de lija al agua.

wet electrolytic capacitor   condensador [capacitor] electrolítico húmedo. Condensador o capacitor electrolítico cuyo electrólito está en forma líquida. CF. **dry electrolytic capacitor.**

wet flashover   *(Aisladores eléc)* disrupción en húmedo, disrupción por efecto de la humedad, disrupción bajo (la) lluvia. CF. **wet arcing distance.**

wet flashover voltage   *(Aisladores)* tensión disruptiva en húmedo, tensión [voltaje] de salto de arco con aislador húmedo, tensión [voltaje] de contorneamiento en húmedo. Tensión a la cual se produce una descarga disruptiva a través del aire que rodea la campana de un aislador limpio húmedo colocado entre dos electrodos. SIN. **wet sparkover voltage.** CF. **dry flashover voltage.**

wet fog   niebla húmeda.

wet galvanizing   galvanización por inmersión.

wet joint   junta recién encolada. Junta en la que la cola o el adhesivo está todavía sin endurecerse.

wet lattice   (*Nucl*) celosía húmeda.

wet magnetic separator   separador magnético por vía húmeda.

wet motor   (*Bombas*) motor [electromotor] refrigerado por agua || (*Buques*) motor [electromotor] submarino, motor eléctrico que trabaja bajo el agua.

wet paint   pintura fresca, pintura todavía sin secarse | **Wet paint!**: ¡Cuidado que pinta!, ¡Cuidado con la pintura!

wet power   (*Avia*) potencia con inyección de agua.

wet process   (*Quím, Operaciones industriales*) procedimiento húmedo, vía húmeda; de fabricación húmeda.

wet-process insulator   aislador de fabricación húmeda.

wet-reed relay   relé de láminas con mercurio en los contactos. El mercurio tiene el efecto de reducir la formación de arcos y el rebote de los contactos.

wet separator   separador por vía húmeda.

wet shelf life   (*Pilas secundarias húmedas*) tiempo máximo de almacenaje en húmedo sin carga. Período máximo de tiempo que la pila puede estar descargada en húmedo sin dañarse al punto de no poder ya ser cargada. CF. **wet-charged stand.**

wet sparkover voltage   (*Aisladores*) v. **wet flashover voltage.**

wet steam   vapor húmedo. Vapor de agua saturado [saturated steam] con partículas de agua en suspensión.

wet-steam turbine   turbina de vapor húmedo.

wet storage   (*Pilas y baterías*) almacenaje [bodegaje] en húmedo.

wet strength   (*Papel*) resistencia en (estado) húmedo, resistencia empapado en agua.

wet sump   (*Mot*) colector de aceite [de lubricante] en el cárter.

wet surface   superficie húmeda [mojada].

wet suspension   suspensión húmeda.

wet takeoff power   (*Avia*) potencia en el despegue con inyección de agua.

wet tantalum capacitor   condensador de tántalo húmedo. Condensador electrolítico de tántalo, del tipo polarizado, cuyo cátodo es un electrólito líquido consistente en una solución salina o ácida muy ionizada. Sus características salientes son: muy elevada capacitancia en relación con el volumen; baja impedancia; reducidísima fuga de CC; y larga duración en almacén.

wet weather   tiempo húmedo.

wet well   pozo sumidero [de aspiración] || (*Buques pesqueros*) vivero (de pescado) || (*Nucl*) pozo húmedo. El segundo de los dos pozos que rodean a un reactor nuclear enfriado por agua provisto de sistema de contención de la presión.

wetness   humedad.

wetness loss   (*Turbinas de vapor*) pérdida por humedad del vapor. CF. **wet steam.**

wettability   humectabilidad, mojabilidad || (*Cojinetes*) afinidad con el lubricante || (*Polvos indisolubles*) mezclabilidad con agua.

wettable   adj: humectable, mojable || (*Polvos indisolubles*) mezclable con agua.

wetted   adj: húmedo, humedecido; mojado, remojado; anegado.

wetted area   (*Buques, Hidroaviones*) superficie bañada [mojada]. SIN. **wetted surface.**

wetted surface   (*Buques, Hidroaviones*) superficie bañada [mojada]. SIN. **wetted area** || (*Soldadura*) superficie bañada (por el soldante). Superficie sobre la cual fluye uniformemente el soldante en fusión, formando una película adherente continua y lisa.

wetting   mojada, mojadura; calada; remojo; humectación, humidificación || (*Contactos eléc*) humedecimiento. v. **wet contact** | humedecimiento (con mercurio). Recubrimiento de la superficie del contacto con una película adherente de mercurio. V.TB.

wet-reed relay || (*Soldadura*) baño. Formación sobre un metal de base, de una película adherente continua y uniforme de soldante en fusión. V.TB. **wetted surface** /// adj: humectante, humectador, humidificador; mojador, remojador, mojante, remojante.

wetting agent   agente humectante [humidificador, humector, mojante] || (*Electroquím*) agente humector, agente tensoactivo. v. **surface-active agent.**

Weyl equation   (*Mat*) ecuación de Weyl.

WF   (*Entre aficionados radioteleg*) Abrev. de wife [esposa].

WGII   Abrev. de Working Group for Internal Instrumentation.

WGTC   Abrev. de Working Group for Tracking and Computation.

Wh   (*Elec*) Símbolo de watt-hour.

WH   (*Explotación telef*) Abrev. de "We have (ready to talk)" [Listo para hablar].

whale   ballena.

whale finder   buscador de ballenas, aparato ultrasónico para localizar ballenas.

wharf   muelle, atracadero, embarcadero, desembarcadero.

wharf dues   muellaje, amarraje, derechos de muelle. SIN. **wharfage.**

wharfage   muellaje, atraque, amarraje | muellaje, amarraje, derechos de muelle. SIN. **wharf dues.**

wheat   trigo.

wheat germ   germen de trigo.

wheatfield   trigal, campo de trigo.

Wheatstone automatic system   (*Teleg*) sistema automático Wheatstone, sistema Wheatstone (de transmisión automática) | sistema Wheatstone. Sistema de telegrafía Morse en el que las señales son emitidas automáticamente con la ayuda de una cinta previamente perforada, y registradas automáticamente, sea en forma de cinta perforada para impresión automática, sea en forma de una cinta cuyas señales inscritas a tinta son a continuación traducidas por un operador (CEI/70 55–55–070).

Wheatstone automatic telegraphy   telegrafía automática Wheatstone. v. **Wheatstone automatic system.**

Wheatstone bridge   (*Elec*) puente de Wheatstone. (1) Puente para la medida de resistencias cuyas cuatro ramas son resistivas. (2) CEI/38 20–30–035, CEI/58 20–30–060).

Wheatstone bridge method   método del puente de Wheatstone.

Wheatstone duplex   (*Teleg*) dúplex de Wheatstone.

Wheatstone instrument   instrumento [aparato] Wheatstone.

Wheatstone principle   principio (del puente) de Wheatstone.

Wheatstone system   (*Teleg*) sistema Wheatstone. Sistema de telegrafía consistente en la transmisión automática de señales Morse y su recepción en forma convencional (CEI/38 55–15–135) | v. **Wheatstone automatic system.**

wheel   rueda; rodete, roldana; polea; muela abrasiva; muela de rectificar || (*Autos*) (*i.e.* steering wheel) volante, rueda del timón || (*Máq*) volante || (*Molinos*) muela || (*Turbinas*) rodete, corona móvil /// verbo: girar, hacer girar; rodar, hacer rodar; dar vueltas; acarrear, transportar (sobre ruedas); poner ruedas; pedalear, ir en bicicleta.

wheel and axle   cabria; torno.

wheel-and-column control   (*Avia*) palanca de mando de volante.

wheel-and-track antenna   antena de carril circular. En las estaciones terrenas de comunicación por satélites, antena que se orienta girando sobre un carril circular fijo sobre el terreno.

wheel antenna   antena circular plana.

wheel arrangement   (*Ferroc*) rodado, rodamiento, conjunto de ejes y ruedas.

wheel-barrow   v. **wheelbarrow.**

wheel-base   v. **wheelbase.**

wheel brake   (*Avia*) freno de rueda.

wheel chock   (*Avia*) calzo para rueda.

wheel crank   manivela de plato.

wheel fairing   *(Avia)* carenado de las ruedas.

wheel flange   pestaña de rueda.

wheel fork   *(Avia)* horquilla de rueda.

wheel gage   *(Ferroc)* distancia entre ruedas. Se mide entre las superficies interiores de las pestañas de las ruedas.

wheel landing   *(Avia)* aterrizaje de ruedas; aterrizaje en dos puntos.

wheel load   carga por rueda, carga sobre una rueda; carga sobre la rueda.

wheel loading   carga sobre la rueda; ensuciamiento de la muela.

wheel-mounted   *adj:* montado sobre ruedas.

wheel pants   *(Avia)* carenado de las ruedas.

wheel pivot   muñón de (la) rueda.

wheel printer   *(Informática)* impresora de rueda de tipos. Impresora ultrarrápida en la que los tipos de los caracteres (letras, números, signos de puntuación, símbolos) están en la periferia de una rueda.

wheel reconditioning   reacondicionamiento de las ruedas ‖ *(Ferroc)* retorneado de las ruedas.

wheel resistance   *(Ferroc)* resistencia de las ruedas.

wheel rim   llanta de rueda.

wheel-rim tractive effort   *(Locomotoras)* esfuerzo de tracción en las llantas.

wheel-set   *(Ferroc)* bogie, juego de ruedas; rodado, rodamiento, conjunto de eje con sus dos ruedas.

wheel shelling   *(Ferroc)* exfoliación de la rueda.

wheel slip   *(Locomotoras)* v. **wheel slippage.**

wheel slippage   *(Locomotoras)* (a.c. wheel slip) patinaje de las ruedas. Deslizamiento de las ruedas sobre los carriles, debido a que el esfuerzo motor supera a la adherencia.

wheel spindle   muñón de (la) rueda ‖ *(Autos)* mangueta.

wheel static   *(Receptores de automóvil)* parásitos debidos al frotamiento de las ruedas. Perturbaciones en la recepción debidas a la electricidad estática desarrollada por el frotamiento entre los neumáticos y el pavimento. CF. **drag chain.**

wheel track   *(Caminos)* rodada, carrilada ‖ *(Avia)* vía (del tren de aterrizaje).

wheel tractor   tractor de ruedas. Se distingue del tractor de orugas o de carriles [caterpillar tractor].

wheel well   *(Avia)* cavidad para las ruedas, alojamiento de las ruedas.

wheelbarrow   carretilla. Pequeño carro de mano, de una sola rueda, para el transporte de materiales.

wheelbase   *(Autos, Ferroc)* batalla, distancia entre ejes, base de ruedas. LOCALISMOS: intereje, base de rodado ‖ *(Avia)* batalla, base de ruedas (del tren de aterrizaje) ‖ *(Locomotoras)* distancia entre ejes acoplados.

wheeled   *adj:* rodado; sobre ruedas, de ruedas, con ruedas.

wheeled cable drum (carriage)   *(Telecom)* carro devanador [portacables], carro para cable, devanadera sobre ruedas. SIN. **cable reel trailer.**

wheelhouse   *(Autos)* paso para la rueda ‖ *(Buques)* timonera, caseta (de la rueda) del timón, caseta de gobierno.

wheels-up landing   *(Avia)* aterrizaje con el tren replegado [con las ruedas dentro del fuselaje]. SIN. **belly landing.**

whiffletree   *(Carruajería)* *(also* whippletree) balancín, volea. SIN. **swingletree.**

whiffletree switch   *(Elecn)* conmutador (electrónico) multiposición. Se compone de tubos compuerta y básculas electrónicas, y debe su nombre en inglés a la forma típica de su diagrama de circuito.

whip   látigo, fuete *(galicismo);* fusta; conexión flexible (para manguera de aire); socollón, sacudida violenta; socollada; socollazo, latigazo ‖ *(Cine/Tv)* panorámica ultrarrápida. Panorámica muy rápida que se usa para crear suspenso o para destacar un objeto o una persona ‖ *(Radio)* v. **whip antenna** ⫻ *verbo:* fustigar, azotar, flagelar; dar socollazos, dar latigazos (un cable); abotonar; aforrar; hilvanar, ribetear; batir (crema, leche).

whip aerial   antena de látigo. Antena constituida por una varilla conductora flexible sostenida por un extremo (CEI/70 60–34–185). V.TB. **whip antenna.**

whip antenna   antena de látigo, antena del tipo de látigo [de fusta, de fuete], antena flexible, antena de varilla [mástil] flexible. v. **whip aerial** ‖ antena telescópica [de varilla extensible, de varilla telescópica], antena telescópica flexible. SIN. **telescoping whip antenna.**

whip current collector   *(Elec)* tomacorriente de pértiga.

whip-stall   *(Avia)* v. **whipstall.**

whip-type aerial   v. **whip aerial.**

whip-type antenna   v. **whip antenna.**

Whippany effect   *(Elecn)* efecto Whippany. Fenómeno que se presenta a veces en un tubo electrónico del tipo de recepción, y que se manifiesta por el hecho de que la rejilla no toma corriente en forma normal, y, por consiguiente, no desarrolla la tensión polarizadora de rejilla necesaria en ciertos tipos de circuitos. El grado en que el efecto Whippany modifica el funcionamiento del circuito depende de los valores de resistencia y de capacitancia de los elementos utilizados en el circuito de rejilla de la etapa en que el tubo es empleado.

whipping   barbeta ‖ *(Cables)* socollazo, latigazo, vapuleo ‖ *(Mástiles)* vibración.

whippletree   *(Carruajería)* v. **whiffletree.**

whipsaw   *(Carp)* sierra cabrilla, serrucho largo de dos mangos.

whipstall   *(Avia)* pérdida brusca de velocidad, entrada en pérdida brusca.

whirl   giro, rotación, vuelta; remolino, torbellino ‖ *(Hidr)* remolino.

whirling   giro, rotación; centrifugación; pintura por inmersión y centrifugación inmediata ‖ *(Ejes en rotación)* vibración (lateral o torsional) ⫻ *adj:* giratorio, rotativo.

whirling hygrometer   *(Meteor)* higrómetro de honda.

whirling psychrometer   *(Meteor)* sicrómetro [psicrómetro] giratorio.

whirling spiral disk   *(Cine/Tv)* disco de espiral giratoria. v. **transitor.**

whirlpool   remolino, torbellino, vórtice, vorágine. SIN. **vortex.**

whirlwind   remolino (de viento), torbellino, viento vorticoso. SIN. **vortex.**

whirlybird   *(slang)* helicóptero.

whisker   pelo de la barba. V.TB. **whiskers** ‖ fibra fina, microfibra ‖ *(Cristalografía, Metalurgia)* triquita. Materia cristalina que presenta la forma de cabellos arrollados o torcidos, o de masas filamentosas ‖ filamento cristalino, cristalito filamentario, cristal microscópico filiforme; pelo de óxido metálico; monocristal sin deformaciones ni dislocaciones ‖ filamento monocristalino delgadísimo de un metal o de un compuesto inorgánico, obtenido por diferentes procedimientos; posee la particularidad de tener mayor elasticidad y resistencia a la tracción que las correspondientes al metal en volumen normal. También se forma espontáneamente en ambientes húmedos y cálidos, dando lugar a la formación de cortocircuitos en aparatos electrónicos ‖ V.TB. **whiskers** ‖ *(Radio)* (=catwhisker) buscador, bigote de gato ‖ *(Dispositivos semicond)* contacto puntual, hilo [punta] de contacto, contacto por punta. En ciertos diodos y transistores, electrodo fino aguzado que se pone en contacto forzado con el material semiconductor. SIN. **contact wire, point contact** ‖ V.TB. **whiskers.**

whisker-type transistor   transistor de contacto puntual [por punta]. SIN. **point-contact transistor.**

whiskers   pelos de la barba; patillas; bigotes (del gato, etc.) ‖ *(Electroacús)* fluctuaciones [variaciones] de alta frecuencia ‖ *(Marina)* arbotantes del bauprés; arbotantes de serviola ‖ *(Cristalografía, Metalurgia)* triquita(s); bigotes (defecto superficial de un metal); hilos finos que crecen espontáneamente en una pieza estañada; crecimientos metálicos filamentosos; pelos de óxido metálico; metal en filamentos finos ‖ filamentos cristalinos. Ciertos cristales muy pequeños poseedores de elevada resistencia al esfuerzo cortante [shear strength]. Esta resistencia, que en ciertos casos se aproxima al límite clásico [classical limit], se debe a la ausencia de dislocaciones en la estructura cristalina. v.TB. **whisker**.

whispering cuchicheo, susurro /// *adj*: susurrante, susurrador.

whispering dome v. **whispering gallery**.

whispering gallery galería [cúpula] susurrante. Galería o cúpula de tal forma que los sonidos originados en ciertas partes son concentrados por reflexión en las paredes, con el resultado de que los sonidos débiles, como el de una persona que cuchichea, son audibles a distancia extraordinaria. SIN. **whispering dome**.

whispering-gallery effect (*Radioelec*) efecto de galería susurrante. Fenómeno de la propagación de las ondas de radio a grandes distancias a través de conductos ionosféricos que actúan como guías de ondas.

whistle silbato, pito, chiflo, chifla; silbido; silba, chifla, rechifla /// *verbo*: silbar, chiflar; pitar, tocar un pito; piar (un ave); silbar (una canción); llamar con un silbido; volar o pasar con un sonido silbante.

whistle board (*Ferroc*) tablero "Silbe". Tablero de color blanco que lleva la letra "S", que indica al conductor la necesidad de silbar.

whistle modulation modulación por silbido. Modulación de un transmisor radiotelefónico silbando ante el micrófono, generalmente con el fin de hacer pruebas o medidas en condiciones de máxima potencia de salida.

whistle sign (*Ferroc*) indicador para silbato.

whistle signal señal de silbato, silbido [pitazo] de señal.

whistle-stop (*Ferroc*) apeadero. Pequeña estación en la que los trenes sólo se detienen si hay pasajeros que dejar, o si se les hace una señal || caserío, aldea, villorio.

whistler silbador, persona que silba; cosa que produce un sonido como de silbido || (*Ornitología*) clángula; pájaro que produce un sonido como de silbido con las alas al volar || (*Veterinaria*) caballo con silbido por obstrucción en el aparato respiratorio || (*Zool*) (*i.e.* large mountain marmot) marmota norteamericana || (*Radioelec*) silbido (atmosférico), perturbación atmosférica musical, perturbación silbante. (**1**) Sonido musical procedente de la atomósfera, que puede escucharse en un radiorreceptor sintonizado a muy bajas frecuencias, y que a veces es también captado por un audioamplificador de elevada ganancia; se produce por la dispersión de frecuencia de perturbaciones eléctricas que cubren todo el espectro radioeléctrico. (**2**) Señal radioeléctrica de muy baja frecuencia que se origina por la descarga de un rayo en un hemisferio y se propaga hasta el hemisferio opuesto a lo largo de las líneas de fuerza geomagnéticas; como el modo de propagación es dispersivo, la señal se escucha en un radiorreceptor en forma de un tono de altura decreciente [tone of descending pitch] que dura uno o dos segundos, lo cual explica el antiguo término de "musical atmospherics" dado por Eckersley a este fenómeno. SIN. **whistling atmospheric**. v.TB. **whistler-mode propagation**.

whistler mode (*Radioelec*) modo (de propagación) de los silbidos atmosféricos.

whistler-mode propagation propagación en modo de silbidos atmosféricos. Propagación de ondas radioeléctricas entre puntos conjugados respecto al ecuador geomagnético, por la que parece ser una canalización de las ondas a lo largo de las líneas de flujo del campo geomagnético. Se dicen conjugados los puntos de latitudes geomagnéticas opuestas y longitudes geomagnéticas iguales.

whistler-mode signal señal propagada en modo de silbidos atmosféricos, señal transmitida según el modo de propagación de los silbidos atmosféricos.

whistler station estación de silbidos atmosféricos. Estación radioeléctrica en la que se observan los silbidos atmosféricos u ondas silbantes.

whistler wave (*Radioelec*) onda silbante, onda de silbido atmosférico.

whistling silbido, silbo, chiflido || (*Telecom*) silbido. v. **singing** /// *adj*: silbante; sibilante.

whistling atmospheric (*Radioelec*) silbido atmosférico, perturbación silbante, parásito atmosférico de silbido. v. **whistler**.

whistling buoy (*Marina*) boya silbante [de silbato, de pito, de sirena]. Boya acústica que emite un sonido de silbato intermitente.

whistling light buoy (*Marina*) boya silbante y luminosa.

white (color) blanco; clara (del huevo); blanco del ojo, esclerótica; blanco, individuo de la raza blanca; vestido blanco || (*Juegos de damas y de ajedrez*) (las piezas) blancas || (*Facsímile/Tv*) blanco; blanco de una imagen; nivel del blanco. v. **picture white** /// *adj*: blanco; cano; incoloro, transparente; pálido.

white adjustment (*Tv*) ajuste del blanco.

White Alice (a.c. Alice) Red de comunicaciones radioeléctricas (utilizando en general enlaces transhorizonte) empleada para la transmisión de las señales de los radares de alarma avanzada. El nombre *Alice* viene de *Alaska Integrated Communications Exchange* [Red Integral de Telecomunicaciones de Alaska], no obstante ser el nombre oficial *Integrated Communications Systems Alaska [ICSAL]*.

white antimony (*Quím*) antimonio blanco.

white arsenic (*Quím*) arsénico blanco; trióxido de arsénico.

white blood count (*Medicina*) fórmula leucocitaria.

white brass latón blanco. Latón con cinc en proporción superior al 49 %.

white bronze bronce blanco. Bronce con gran contenido de estaño.

White cathode follower (*Elecn*) seguidor catódico de White. v. **White circuit**.

White circuit (*Elecn*) circuito de White. Seguidor catódico en el que la resistencia de cátodo es substituida por un segundo tubo electrónico que es excitado fuera de fase respecto a la señal original; se caracteriza por presentar un valor pequeño de impedancia y dar paso a una amplia banda de frecuencias. SIN. **White cathode follower**.

white clipping (*Tv*) recorte de los picos del blanco.

white coal (=water power) hulla blanca.

white compression (*Tv*) compresión del blanco. En un sistema de señal de imagen, reducción de ganancia a los niveles correspondientes a las zonas de valores altos de iluminación de la imagen, respecto a la ganancia a niveles medios de iluminación, con el efecto de quedar reducido el contraste en las partes más brillantes de la imagen. SIN. **white saturation**.

white dot punto blanco.

white-dot generator (*Tv*) generador de puntos blancos. v. **dot generator**.

white-dot pattern (*Tv*) mira [imagen patrón] de puntos blancos. Red de pequeños puntos luminosos producidos en la pantalla de un cinescopio cromático por la señal de un generador de puntos. v.TB. **dot generator**.

white dwarf (*Astr*) enana blanca. Estrella pequeña pero enormemente densa (entre cien mil y un millón de veces más densa que el agua), que consiste en *materia degenerada* [degenerate matter].

white fir abeto blanco.

white gasoline gasolina blanca.

white heat calor blanco.

white-hot *adj*: incandescente, calentado al blanco.

white iron fundición blanca; hojalata || (*Miner*) marcasita, pirita (de hierro) blanca.

white iron pyrites (*Miner*) marcasita, pirita (de hierro) blanca.

white leader (*Magnetófonos*) tira blanca (para colas de cinta).

white level (*Facsímile/Tv*) nivel del blanco. (**1**) Nivel de la señal de portadora correspondiente al brillo máximo de imagen. (**2**) Nivel máximo admisible de una señal de imagen [picture signal] o de una señal de video [video signal] (CEI/70 60–64–255). CF. **peak white, picture white**.

white light luz blanca. Luz que contiene todas las radiaciones del espectro visible en la misma proporción que la luz media del día (CEI/38 45–05–020). CF. **reference white** || (*Estudios de cine*) luz blanca. Luz de color blanco que se usa como señal de que puede comenzar la actuación.

white limit *(Facsímile)* límite para el blanco.

white metal metal blanco.

white-metal bearing cojinete de metal blanco.

white mica mica blanca. SIN. **moscovita, mica potásica, vidrio de Moscovia.**

white mineral oil aceite mineral blanco; petrolato. CF. **white oil.**

white noise *(Elecn/Telecom)* ruido blanco. **(1)** Ruido cuyo espectro de frecuencias es uniforme en la banda de frecuencias considerada. **(2)** Ruido eléctrico aleatorio cuya energía por unidad de ancho de banda es constante e independiente de la frecuencia central de la banda considerada | ruido blanco, ruido de espectro continuo uniforme. Ruido errático cuya distribución espectral es tal que su potencia por banda de anchura unidad es independiente de la frecuencia. SIN. **flat random noise, uniform-spectrum random noise** (CEI/70 55–10–085) ‖ *(Electroacús)* ruido blanco. Sonido complejo cuyo espectro es continuo y uniforme en función de la frecuencia, en una banda de frecuencias suficientemente ancha, cuando se la analiza con un analizador de anchura de banda constante (CEI/60 08–05–030) ‖ CF. **pink noise.**

white-noise record *(Electroacús)* disco (fonográfico) de ruido blanco. Disco fonográfico que se utiliza para comprobar la respuesta de frecuencia de los sistemas de reproducción audiomusical. El disco contiene un registro de ruido blanco que al comienzo abarca toda la gama de las audiofrecuencias, para reducirse luego por pasos la anchura de banda bajando el límite superior de ésta. Cada reducción de la banda es anunciada por voz grabada en el propio disco. CF. **test record.**

white-noise test set comprobador de ruido blanco.

white oak roble blanco [albar], encino blanco.

white-oak bark corteza de roble blanco [albar].

white object objeto blanco. Objeto que refleja y difunde igualmente bien todas las longitudes de onda de la luz visible. Por consiguiente, cuando es bañado por luz blanca refleja y difunde luz blanca [white light] y aparece blanco a la vista. Cuando un objeto no es blanco, sino que tiene algún matiz, absorbe la luz de la gran mayoría de las longitudes de onda y refleja solamente la luz correspondiente a sus colores característicos.

white oil aceite blanco. Nombre que se da a la gasolina, la parafina, y los productos ligeros del petróleo. CF. **white mineral oil.**

white paper papel blanco; papel en blanco, papel sin imprimir.

white pattern gráfica blanca sobre fondo negro.

white peak *(Tv)* pico [cresta] del blanco. Excursión máxima de la señal de imagen en el sentido del blanco. SIN. **peak white.**

white phosphor "fósforo" blanco, substancia luminiscente blanca.

white pine pino blanco [albar].

white-pine bark corteza de pino blanco.

white print fotocopia blanca; fotocalco blanco; reproducción cianográfica blanca; copia heliográfica blanca.

white pyrites *(Miner)* marcasita, pirita blanca.

white radiation radiación blanca. Radiación electromagnética de espectro continuo de frecuencias con igual valor de energía dentro de la banda considerada. CF. **white light.**

white raster *(Tv)* formato blanco. Formato según aparece en la pantalla de un receptor que funciona en las mismas condiciones que existirían si se recibiera una transmisión en colores estando la cámara tomando una escena completamente blanca. SIN. **chroma-clear raster.**

white recording *(Facsímile)* registro blanco. Modalidad de registro en la que la densidad mínima del medio de registro se corresponde con la potencia recibida máxima o con la frecuencia recibida mínima, según que la modulación empleada sea de amplitud o de frecuencia, respectivamente. CF. **white transmission.**

white reference card *(Tv)* tarjeta de blanco de referencia.

Tarjeta del color blanco de referencia (CF. **reference white**) sobre la cual se enfoca la cámara para fijar el nivel del negro.

white region región blanca ‖ *(Tv)* región [zona] del blanco.

white room sala blanca, cuarto blanco. Sala en la que se mantienen condiciones ambiente reguladas, particularmente un riguroso estado de limpieza en el aire, los aparatos e instrumentos utilizados, y en las ropas del personal. Estas son blancas y por lo general predomina el blanco en el mobiliario, y de ahí proviene el nombre. SIN. **sala limpia, sala sin polvo —— clean room.**

white saturation *(Tv)* saturación de blanco. V. **white compression.**

white signal *(Facsímile)* señal del blanco. Señal producida en un punto cualquiera del sistema por la exploración de una zona de mínima densidad del original | frecuencia del blanco. En un sistema de modulación de frecuencia, frecuencia correspondiente a la señal del blanco. Este término se usa generalmente cuando se trata de una transmisión radioeléctrica de facsímile por modulación de frecuencia de una subportadora [subcarrier frequency modulation].

white sound *(Electroacús)* sonido blanco, ruido blanco. V. **white noise.**

white space *(Impresos)* espacio en blanco; blanco (entre líneas).

white stretch adjustment *(Tv)* (ajuste de) corrección de la compresión del blanco. V. **white compression.**

white-to-black amplitude range gama [margen] de amplitudes del blanco al negro; razón de amplitudes blanco/negro. En un punto determinado de un sistema de facsímile por modulación de amplitud positiva, razón de la amplitud de señal del blanco por la amplitud de la señal del negro, generalmente expresada en decibelios. Si el sistema es de modulación de amplitud *negativa,* se toma la razón inversa. CF. **positive amplitude modulation, negative amplitude modulation.**

white-to-black frequency swing excursión [oscilación] de frecuencia del blanco al negro. En un punto determinado de un sistema de facsímile por modulación de frecuencia, diferencia entre las frecuencias de señal correspondientes al blanco y al negro del original. SIN. **desplazamiento total de frecuencia.**

white transmission *(Facsímile)* transmisión blanca. Modalidad de transmisión en la que la densidad mínima del original se corresponde con la potencia transmitida máxima o con la frecuencia transmitida mínima, según que la modulación sea de amplitud o de frecuencia, respectivamente. CF. **white recording.**

white vitriol *(Quím)* vitriolo blanco, sulfato de cinc.

white walnut nogal blanco.

white water agua blanca. Aguas residuales de una fábrica de pulpa y papel; estas aguas contienen el exceso de fibras y rellenos.

whiteness blancura; albura, albor; aspecto blanco; palidez.

whiter-than-white *(Tv)* ultrablanco. Aumento de la luminosidad del blanco debido a sobreamplitud de una señal de imagen, como p.ej. durante una sobreoscilación [ringing] (CEI/70 60–64–475). CF. **blacker-than-black.**

whiter-than-white level *(Tv)* nivel de ultrablanco. SIN. **ultra-white level.**

whiter-than-white region *(Tv)* región [zona] del ultrablanco.

whitewash lechada (de cal), pintura de cal, encalado; blanqueo, blanqueado, enlucido, jalbegue /// *verbo:* dar lechada, encalar; blanquear, emblanquear, jalbegar, enjalbegar.

¹**whiting** blanco de España. Tiza muy pura y blanca finamente dividida y lavada, que se usa en pinturas, tintas, y masillas de aceite. SIN. **blanco de yeso, blanco de París, blanco de doradores, carbonato cálcico.**

²**whiting** merlán *(pez comestible);* nombre de varios peces marinos de las aguas costeras norteamericanas.

Whittaker differential equation *(Mat)* ecuación diferencial de Whittaker. Ecuación de segundo orden [second-order equation] cuyas soluciones, llamadas a veces *funciones de Whittaker,* son casos particulares de la *serie hipergeométrica confluente* [confluent hypergeometric series].

Whittaker functions   *(Mat)* funciones de Whittaker.

"Who are you" signal (function)   *(Teleg)* señal "¿Quién es usted?". Combinación de código que, al ser recibida por un teleimpresador llamado, pone en marcha un emisor automático que envía su indicativo al teleimpresor que llama. SIN. **WRU signal** (CEI/70 55–60–085). CF. **answer-back code.**

whole   (el) todo, total, totalidad, conjunto ||| *adj:* todo; total, entero, completo; intacto; íntegro; enterizo, continuo; integral; ileso; sano.

whole body [WB]   *(Radiol)* cuerpo entero.

whole-body counter   *(Radiol)* contador de cuerpo entero, contador total del cuerpo. Contador de radiación que sirve para identificar y medir la radiactividad del cuerpo entero de una persona o un animal.

whole-body exposure   *(Radiol)* irradiación total [global]. Irradiación del conjunto del organismo, o sea, del cuerpo entero, por una fuente externa al mismo.

whole-body irradiation   *(Radiol)* irradiación total. Técnica de radioterapia en la que es irradiado el cuerpo entero. SIN. **spray radiation treatment, total body radiation** (CEI/64 65–25–050).

whole-body monitor   *(Radiol)* monitor de cuerpo entero.

whole-body radiation meter   *(Radiol)* medidor de radiación de cuerpo entero. Aparato destinado a la medida de la radiación gamma global emitida por el cuerpo humano.

whole note   *(Mús)* semibreve, redonda.

whole number   *(Arit)* entero, número entero. Cuando se lo considera como expresión de cuántos miembros existen en una colección de objetos, se llama *número cardinal* [cardinal number] o *número cardinal finito* [finite cardinal number]. Si sólo interesa el lugar que ocupa en la sucesión de los números enteros, se le denomina *número ordinal* [ordinal number]. SIN. **integer.**

whole population   *(Radioprotección)* población total.

whole step   intervalo completo || *(Mús)* tono entero. Dos semitonos; intervalo de *do* al adyacente *re,* divisible en dos semitonos. SIN. **whole tone.**

whole telegraph channel   *(Teleg)* canal telegráfico completo.

whole tone   *(Acús/Mús)* tono entero. Intervalo entre dos sonidos cuya razón de frecuencias fundamentales es aproximadamente igual a $\sqrt[6]{2}$. SIN. **whole step.**

whole wheat   trigo integral [entero].

whole-wheat bread   pan de trigo integral, pan (moreno) de trigo entero.

wholesale   venta [comercio] al por mayor | **by wholesale:** al por mayor ||| *adj/adv:* al por mayor ||| *verbo:* vender al por mayor.

wholesaler   comerciante al por mayor, mayorista.

wholesaling   venta(s) al por mayor.

Whr   Símbolo o abreviatura de *watt-hour.*

WI   *(Explotación teleg)* Abrev. de (the) West Indies [(las) Antillas].

wick   mecha (trenzada); pabilo; torcida, mecha de lámpara [de velón] || *(Marina)* estoperol. Especie de mecha o torcida hecha de filástica vieja || *(Teleimpr)* (part of cam lubricator) mecha. CF. **wick lubrication.**

Wick-Chandrasekhar method   *(Teoría del transporte de neutrones)* método de Wick-Chandrasekhar. Método de análisis de la ecuación de transporte según el cual el término integral que describe la dispersión es reemplazado por una fórmula de integración numérica. SIN. **método de las ordenadas discretas —— method of discrete ordinates.**

wick lubrication   engrase [lubricación] por mecha.

Wick method   *(Fís)* método de Wick. En la teoría de la moderación de neutrones a grandes distancias de la fuente, método analítico basado en el hecho de que en esas condiciones la distribución angular de los neutrones de energía dada es esencialmente una función delta con pico en la dirección de partida.

wick-supplied reservoir   *(Lubricación de cojinetes)* depósito alimentado por mecha.

wicker   mimbre ||| *adj:* mimbroso, (tejido) de mimbre.

wickerwork   cestería; artículos de mimbre.

wicket   portillo, postigo; portezuela; mirilla; ventanilla || *(Juego de cricket)* meta.

wicket dam   presa de tableros; presa de alzas móviles; presa de abatimiento.

wicket gate   *(Hidr)* compuerta de mariposa || *(Turbinas)* álabe director, paleta directriz, álabe giratorio [del distribuidor], aleta distribuidora, paleta de regulación; compuerta de postigo.

wicking   mechas; material para mechas; material fibroso trenzado [torcido] | efecto de mecha. (**1**) Acción de correr un líquido por una tela o un hilo, como p.ej. la subida del aceite por la mecha de una lámpara de aceite [oil lamp]. (**2**) Corrimiento del soldante en fusión hacia arriba por debajo del forro de un conductor eléctrico cuando se hace una soldadura | empaquetadura de algodón.

wide   *adj:* ancho, anchuroso; espacioso, vasto, dilatado, extenso, amplio; holgado; apartado, alejado, remoto; muy abierto; comprensivo ||| *adv:* anchamente, anchurosamente; extensamente, ampliamente; holgadamente; lejos, a gran distancia; descaminadamente.

wide angle   ángulo grande, gran ángulo.

wide-angle   *adj:* granangular, de ángulo grande, de gran ángulo; de abertura grande, de gran abertura (angular).

wide-angle camera   *(Fotog)* cámara granangular.

wide-angle diffusion   difusión de distribución extensa.

wide-angle horizon sensor   *(Tecnología espacial)* sensor del horizonte. v. **horizon sensor.**

wide-angle horn   *(Electroacús)* bocina (de difusión) granangular, bocina de mucha abertura.

wide-angle kinescope   *(Tv)* cinescopio de ángulo grande [de gran ángulo]. Cinescopio cuyo haz explorador forma un ángulo grande entre sus límites de barrido. Modernamente se fabrican cinescopios muy cortos (que permiten la construcción de receptores de poco fondo) con ángulos de barrido hasta de 110° y aún mayores. Como se comprende fácilmente, para un tamaño dado de pantalla, el ángulo de barrido es tanto mayor cuanto más corto el tubo.

wide-angle lens   *(Opt, Cine/Fotog/Tv)* objetivo granangular [panorámico], objetivo de gran ángulo, lente de abertura grande. Lente óptica de distancia focal [focal length] menor que la normal, y ángulo de vista o de campo [angle of view, angle of field] entre 75 y 120°. Los objetivos granangulares se utilizan en cine y televisión para captar escenas de gran anchura a corta distancia.

wide-angle lighting fixture   *(Alumbrado)* luminaria de distribución extensa | aparato de luz extensivo. Aparato de luz o luminario [luminaire] que distribuye la luz en un haz ancho (CEI/58 45–55–015). CF. **narrow-angle lighting fixture.**

wide-angle microwave radiator   radiador de microondas de gran ángulo.

wide-angle viewfinder   visor de gran ángulo.

wide aperture   gran abertura || *(Telas metálicas)* malla ancha.

wide-aperture direction finder   radiogoniómetro de gran abertura. Radiogoniómetro cuya mayor dimensión de antena es del orden de por lo menos una longitud de onda (CEI/70 60–71–455).

wide-aperture radiolocation array   red de antenas de radiolocalización de gran abertura | v. **WARLA.**

wide-aperture shutter   obturador de gran abertura.

wide band   banda ancha.

wide-band   *adj:* v. **wideband.**

wide base   base ancha, base amplia.

wide beam   haz ancho; haz de gran abertura angular.

wide-beam antenna   antena de haz ancho.

wide bore   *(Tubos)* diámetro interior grande.

wide channel   *(Telecom)* canal ancho. En el servicio radiotelefónico móvil, canal con separación de 40 kHz respecto a los canales adyacentes. CF. **split channel.**

wide door   puerta ancha.

wide eave   alero muy saliente.

wide film   *(Cine)* película ancha. Película de anchura mayor de 35 mm.

wide flange   *(Mec)* brida ancha; pestaña ancha ‖ *(Vigas)* ala ancha.

wide frequency band   banda de frecuencias ancha.

wide frequency coverage   cobertura [alcance] de frecuencias grande.

wide frequency range   gama de frecuencias grande, gama de frecuencias de amplios límites.

wide gage, wide gauge   *(Ferroc)* trocha [vía] ancha. SIN. **broad gage.**

wide gap   espacio [intervalo] grande ‖ *(Mag)* entrehierro grande ‖ *(Juntas soldadas)* bordes separados.

wide-limit tolerance   tolerancia amplia [de amplios límites].

wide mesh   *(Telas metálicas)* malla ancha.

wide-mesh grid   malla (metálica) dilatada.

wide open   abierto de par en par ‖ *(Controles)* al máximo, avanzado hasta el tope ‖ *(Mot)* a toda velocidad; a toda potencia.

wide-open   *adj: (Radio)* aperiódico, no resonante, no sintonizado, no selectivo. Dícese de un circuito que responde por igual a todas las frecuencias de una gama muy amplia. CF. **aperiodic, untuned.**

wide-open receiver   receptor no sintonizado, receptor sin circuitos resonantes. Receptor de radio en el que no se utilizan circuitos sintonizados o resonantes, y capaz de recibir simultáneamente todas las frecuencias comprendidas en una banda o gama muy amplia.

wide-open RF stage   etapa de RF aperiódica [no sintonizada].

wide passband   banda pasante ancha, banda de paso amplia.

wide-passband amplifier   amplificador de banda pasante ancha, amplificador de banda ancha. SIN. **wideband amplifier.**

wide range   gama ancha [amplia]; escala amplia; variación amplia, gran variación.

wide-range   *adj:* de gama ancha, de amplia gama, de gran alcance.

wide-range frequency calibrator   generador de calibración de amplia gama de frecuencias.

wide-range governor   regulador de amplia variación.

wide-range oscillator   oscilador de gama ancha, oscilador de amplia gama de frecuencias.

wide-range response   respuesta de gama ancha. En el caso de un magnetófono, por ejemplo, respuesta de frecuencia que es sensiblemente plana en todo el registro musical.

wide-ranging aircraft   aeronave [avión] de gran radio de acción.

wide-scatter spectrograph   espectrógrafo de gran dispersión.

wide temperature range   amplia gama de temperaturas.

wide tolerance   tolerancia amplia.

wide-view scale   escala amplia [extensa].

wide-view window   ventana panorámica [de amplio campo visual].

wideband   *adj:* de banda ancha. SIN. **broadband.**

wideband aerial   antena de banda ancha.

wideband amplifier   amplificador de banda ancha. Amplificador que da paso a una amplia banda de frecuencias con ganancia sensiblemente uniforme.

wideband antenna   antena de banda ancha.

wideband axis   *(Tv)* eje de banda ancha. Dirección del fasor [phasor] que representa el primario de crominancia fina, o sea, la componente de crominancia con la más amplia banda de transmisión (señal I en el sistema NTSC).

wideband cable   cable de banda ancha. Cable capaz de transmitir una amplia banda de frecuencias.

wideband carrier system   *(Telecom)* sistema de (corrientes) portadoras de banda ancha, sistema de (onda) portadora de banda ancha.

wideband chain amplifier   amplificador en cadena de banda ancha.

wideband channel   *(Telecom)* canal de banda ancha. Canal cuya anchura de banda es mayor que la de un canal de calidad telefónica [voice-grade channel] ‖ vía de transmisión de banda

ancha. Término relativo que no se presta a una definición precisa. Cuando el significado no se deduzca claramente del contexto, el término debe ser calificado según el caso, mencionando la anchura de banda. SIN. **broadband channel** (CEI/70 55–05–110).

wideband coaxial-cable carrier system   sistema de (corrientes) portadoras de banda ancha para transmisión por cable coaxil, sistema de onda portadora para transmisión en banda ancha por cable coaxil.

wideband communications system   sistema de (tele)comunicaciones de banda ancha. Sistema de telecomunicaciones con pasabanda muy amplio, y, de consiguiente, capaz de portar un gran número de canales telefónicos.

wideband dipole   dipolo de banda ancha. Dipolo de mucho diámetro en relación con el largo, caracterizado por ser capaz de resonar a las frecuencias de una banda relativamente amplia.

wideband improvement   mejora de banda ancha, mejora por anchura de banda. Cociente de la razón señal/ruido del sistema considerado, por la razón señal/ruido del sistema de referencia.

wideband lens   lente acromática [de banda ancha]. SIN. **achromatic lens.**

wideband multichannel system   *(Telecom)* sistema multicanal de banda ancha.

wideband multisection transformer   transformador de banda ancha de múltiples secciones.

wideband noise   ruido de banda ancha. CF. **white noise.**

wideband noise signal   señal de ruido de banda ancha.

wideband oscilloscope   osciloscopio de banda ancha.

wideband power tube   *(Elecn)* tubo de potencia de banda ancha.

wideband quarter-wave transformer   transformador cuarto de onda de banda ancha.

wideband radio channel   canal radioeléctrico de banda ancha, vía de radiocomunicación de banda ancha.

wideband radio-relay system   sistema de radioenlace de banda ancha ‖ cable herciano de banda ancha. Vía de radiocomunicación constituida por múltiples secciones enlazadas por estaciones de enlace herciano [radio-relay stations] con una anchura de banda suficiente para la transmisión de múltiples grupos primarios o secundarios de canales telefónicos, o de uno o varios canales de televisión, o un conjunto de canales telefónicos y de televisión o de otras clases, que ocupe un ancho de banda del mismo orden (CEI/70 60–00–055).

wideband random thermal noise   ruido térmico aleatorio de banda ancha, ruido blanco. Ruido errático de origen térmico que contiene todas las frecuencias dentro de una amplia gama. La expresión de *ruido blanco* tiene su analogía en la de *luz blanca* (luz que contiene todos los colores, o sea, todas las frecuencias del espectro visible). SIN. **white noise.**

wideband ratio   relación de banda ancha, razón de anchuras de banda. En un sistema multicanal, razón de la anchura de banda ocupada por la transmisión, a la anchura de banda necesaria para la información transmitida.

wideband repeater   *(Telecom)* repetidor de banda ancha.

wideband signal   señal de banda ancha.

wideband switching   conmutación de circuitos de banda ancha.

wideband transmission   transmisión de banda ancha.

wideband transmitter   *(Radiocom)* transmisor [emisor] de banda ancha.

widely   *adv:* extensamente, extensivamente; anchamente, holgadamente; muy, mucho; lejos, a gran distancia.

widely spaced   *adj:* muy espaciado; espaciado a grandes intervalos.

widely spaced lattice   *(Nucl)* celosía con gran separación.

widely used   *adj:* muy empleado, muy utilizado, de uso general(izado), corrientemente empleado.

widely varying results   resultados muy variables; resultados que difieren mucho.

widen   *verbo:* extender(se), dilatar(se); ensanchar(se) ‖ alegrar. (1) Ensanchar un orificio o un taladro. NOTA: En esta acepción la voz *alegrar* es típica de la marina. (**2**) Ensanchar una grieta existente en un muro o un pavimento, para que penetre mejor en ella la argamasa con que se la tapa ‖ *(Tubos)* abocardar, mandrilar.

widener   ensanchador; dilatador.

wideness   anchura; extensión, amplitud.

widening   extensión, dilatación; ensanche, ensanchado, ensanchamiento; abocardado, mandrilado.

widespread   *adj:* extendido *(alas, brazos, etc.)*; extenso, dilatado; difundido; corriente, común y corriente.

widespread suspended dust   *(Meteor)* polvo en suspensión extendido.

width   ancho, anchura; extensión; longitud (de pulsación) ‖ *(Impulsos)* duración, anchura. SIN. **duration** ‖ *(Tv)* anchura (de imagen), amplitud horizontal (de la imagen). Dimensión horizontal de la imagen, determinada por la amplitud del barrido horizontal y el tamaño de la pantalla. SIN. **horizontal amplitude [size], picture width.** CF. **width control.**

width cable   *(Gen de impulsos rectangulares)* cable de anchura [de duración] (de impulsos). Línea de retardo en forma de cable utilizada para determinar la duración (gráficamente *anchura*) de los impulsos. La duración del impulso depende del tiempo que tarda en recorrer el cable un impulso de excitación. CF. **pulse duration.**

width coding   *(Radar/Radionaveg)* codificación en anchura, codificación por duración de impulsos. Modificación de la duración de los impulsos emitidos por un respondedor [transponder], según un código preestablecido, con el fin de facilitar su reconocimiento o identificación en la pantalla del receptor ‖ codificación por anchura de impulsos. Codificación en la que los impulsos emitidos por un cotransceptor de identificación [transponder] tienen una duración determinada por un código, al objeto de asegurar la identificación. SIN. **duration coding** (CEI/70 60–72–075). CF. **gap coding.**

width coil   *(Tv)* bobina de anchura [de ancho] (de la imagen).

width control   control de anchura (de la imagen), ajuste [regulador] de anchura (de la imagen). Control o mando que permite ajustar la dimensión horizontal de la imagen en un cinescopio (televisor) o un tubo de rayos catódicos (osciloscopio). SIN. **horizontal amplitude [size] control, picture width control** ‖ *(Impulsos)* control de duración [de anchura].

width-modulated pulse   impulso modulado en duración [en anchura].

width of a line   *(Facsímile)* anchura de una línea.

width of the sweep   *(TRC/Tv)* anchura [amplitud horizontal] del barrido, amplitud del barrido horizontal ‖ *(Osc de frec de barrido)* intervalo de barrido.

width of transition   *(Impulsos)* anchura de la transición, pendiente (del flanco) (del impulso). La pendiente es inversamente proporcional a la anchura (duración) de la transición. SIN. **steepness.**

width potentiometer   *(TRC/Tv)* potenciómetro (de control) de anchura (de la imagen).

width-to-height ratio   *(Cine/Tv/Facsímile)* razón ancho/alto, razón anchura/altura, formato (de la imagen). SIN. **aspect ratio.**

width-to-thickness ratio   razón anchura/espesor, relación de la anchura al espesor.

Wiedemann effect   efecto Wiedemann. (**1**) *Efecto Wiedemann directo:* Fenómeno (llamado también *magnetostricción torsional*) por el cual un hilo ferromagnético colocado en un campo magnético longitudinal recibe un movimiento de torsión al ser recorrido por una corriente; débese éste a que el material del hilo se dilata (o contrae) paralelamente a las líneas de fuerza helicoidales resultantes del campo longitudinal y el campo generado por el hilo. (**2**) *Efecto Wiedemann inverso:* Fenómeno recíproco del anterior (denominado también *efecto Wertheim*) por el cual se produce la magnetización axial de un hilo ferromagnético recorrido por una corriente, al ser sometido a una acción de torsión.

Wiedemann-Franz law   ley de Wiedemann-Franz. Ley según la cual, en todo metal la razón de la conductividad térmica por la conductividad eléctrica es proporcional a la temperatura absoluta del metal.

Wien bridge   *(Elec)* puente de Wien. Puente de corriente alterna que sirve para medir inductancias o capacitancias en función de la resistencia y la frecuencia, y cuyo equilibrio depende de esta última. CF. **Wien capacitance bridge, Wien inductance bridge.**

Wien-bridge distortion meter   distorsiómetro [medidor de distorsión] de puente de Wien.

Wien-bridge oscillator   oscilador de puente de Wien. Oscilador cuya frecuencia es determinada por un puente de Wien.

Wien-bridge-type oscillator   oscilador del tipo de puente de Wien.

Wien capacitance bridge   puente de Wien para capacitancias.

Wien circuit   circuito de Wien.

Wien inductance bridge   puente de Wien para inductancias.

Wien oscillator   oscilador de Wien.

Wien's displacement law   *(Fís)* ley del desplazamiento de Wien, ley del desplazamiento, ley de Wien. Ley según la cual la longitud de onda de la radiación pico de un cuerpo negro o radiador integral [blackbody, full radiator] es inversamente proporcional a la temperatura absoluta del mismo; al aumentar ésta, el pico de la curva de distribución espectral de la energía se desplaza en el espectro en el sentido decreciente de las longitudes de onda.

Wien's law (of radiation)   ley (de la radiación) de Wien. Forma aproximada de la ley de Planck [Planck's law], obtenida despreciando en la fórmula de esta ley el término 1 en paréntesis. Esta aproximación es válida cuando λT es suficientemente pequeño:

$$M_{e,\lambda}(\lambda, T) = c_1 \lambda^{-5} c^{-(c_2/\lambda T)}$$

NOTA: La aproximación es válida en una parte por mil, o es aún mejor, cuando λT es menor que 0,002 m·K (por ejemplo, en luz roja para T inferior a 3 500 K) (CEI/70 45–05–220).

Wien's laws   *(Fís)* leyes de Wien.

Wien's radiation law   *(Fís)* ley del desplazamiento de Wien, ley del desplazamiento, ley de Wien. v. **Wien's displacement law** ‖ ley (de la radiación) de Wien. v. **Wien's law (of radiation).**

wiggle   ondulación; meneo; culebreo ⫽ *verbo:* ondular; menear(se) con rapidez; culebrear.

Wightman functions   *(Fís)* funciones de Wightman.

Wigner coefficient   *(Fís)* coeficiente de Wigner. Coeficiente que se presenta en la teoría cuántica de la cantidad de movimiento angular (impulsión angular).

Wigner effect   *(Nucl)* efecto Wigner, efecto de expulsión. SIN. **discomposition effect** ‖ efecto Wigner. En el funcionamiento de un reactor, variación de las propiedades físicas del grafito [graphite] debidas al desplazamiento de átomos de la red por neutrones de energía elevada y otras partículas energéticas [energetic particles] (CEI/68 26–05–275). CF. **disordering.**

Wigner energy   energía de Wigner. Energía acumulada en una substancia por el efecto Wigner.

Wigner force   *(Fís)* fuerza de Wigner. Fuerza central [central force] entre dos nucleones derivable de un potencial determinado enteramente por la distancia entre aquéllos. Dicha fuerza es una atracción o una repulsión no electromagnética que se ejerce en la dirección de la recta que pasa por las dos partículas, y pertenece a las llamadas *fuerzas nucleares,* que no incluyen las fuerzas electrostáticas ni las magnéticas.

Wigner gap   espacio de Wigner. Espacio que se deja entre los bloques de grafito de un reactor nuclear para dar lugar a la dilatación de Wigner [Wigner growth].

Wigner growth   dilatación [expansión, crecimiento] de Wigner. Aumento de las dimensiones del grafito de un reactor nuclear debido al efecto Wigner; representa una complicación considerable en los reactores moderados por grafito que trabajan a temperaturas poco elevadas.

Wigner nuclides   núclidos de Wigner. Núclidos especulares [mirror nuclides] que comprenden pares de isobaros (v. **isobar**) con número de masa impar para los cuales el número atómico y el número de neutrones [neutron number] difieren en una unidad.

Wigner release *(Nucl)* liberación de la energía de Wigner. Operacín de recocido que se lleva a cabo en un reactor con el objeto de extraer del grafito la energía almacenada o acumulada en él por efecto Wigner [Wigner effect].

Wigner theorem teorema de Wigner. Teorema según el cual, en toda reacción nuclear que involucre una transferencia de energía, se conserva la impulsión (cantidad de movimiento) angular del espín del electrón.

Wigner-Wilkins model *(Fís)* modelo de Wigner-Wilkins. Modelo usado en el estudio de la termalización neutrónica [neutron thermalization].

wigwag comunicación por señales (de banderas) ⫽ *verbo:* comunicarse por señales (de banderas); (hacer) ondear; menear(se); mover(se) rápidamente de un lado al otro.

wigwag signal señal con banderas [con banderolas]; señal oscilante ‖ *(Ferroc)* señal de disco oscilatorio.

wiikite *(Miner)* wiikita.

WILCO *(Explotación radiotelef)* Frase que significa "Recibido y atendido".

Wilcoxon's test prueba de Wilcoxon. En estadística, prueba de distribución libre de la homogeneidad de dos muestras.

Wilkins model *(Fís)* modelo de Wilkins. v. **Wigner-Wilkins model.**

Wilks criterion *(Mat)* criterio de Wilks. Criterio que se aplica en el análisis de múltiples variancias.

willemite *(Miner)* willemita. Mineral fluorescente en su estado natural, constituido mayormente por ortosilicato de cinc [zinc orthosilicate]. Se emplea p.ej. en la fabricación de pantallas de tubos de rayos catódicos.

Williams tube tubo de Williams. Tubo de rayos catódicos del tipo acumulador, en el que la información es retenida en forma de cargas eléctricas sobre una pantalla. Las operaciones de escritura, lectura, mantenimiento, y borrado de la información, se efectúan todas mediante un haz electrónico explorador convenientemente controlado. Este tubo, ideado por F. C. Williams, de la Universidad de Manchester (Inglaterra), se utiliza en máquinas computadoras electrónicas como dispositivo de almacenamiento de datos.

Williams-tube storage (dispositivo de) almacenamiento (de información) con tubo Williams.

Williamson amplifier amplificador Williamson. Amplificador de audiofrecuencia desarrollado por el experimentador inglés D. T. N. Williamson, en el que se utilizan en la etapa de salida tetrodos al vacío conectados como triodos. En la etapa de entrada, en la inversora de fase, y en las de amplificación de tensión, se emplean triodos comunes. Aunque ha perdido importancia con el advenimiento de los amplificadores transistorizados, este circuito se hizo merecedor del aprecio de los audiófilos por sus características de reducidísima distorsión y amplia gama de respuesta de frecuencia.

Williot diagram *(Mec)* diagrama de Williot.

Williot-Mohr diagram *(Mec)* diagrama de Williot-Mohr.

willow *(Bot)* sauce, salce, mimbrera, mimbre, bardaguera ‖ *(Textilería)* diablo, diabla, lobo, abridora. Máquina que sirve para abrir y limpiar masas compactas de fibras en bruto (algodón, lana) y que convierte así el vellón en guata. SIN. **abrebalas, rompebalas, abridora de balas, abridora de tolva [de eje horizontal]** *(tipo particular)*.

Wilson Charles Thomson Rees Wilson: físico inglés (1869–1959); ideó la cámara de niebla [cloud chamber].

Wilson center *(Electrobiol)* centro de Wilson, centro de miembros, potencial V. v. **limb-center.**

Wilson chamber *(Radiol)* cámara de Wilson, cámara de niebla [de expansión]. SIN. **cloud chamber, Wilson cloud chamber.**

Wilson cloud chamber *(Radiol)* cámara de niebla de Wilson ‖ cámara de Wilson, cámara de niebla [de expansión]. Instrumento en el que los iones producidos por la radiación son los puntos de formación de gotitas de vapor condensado que son

visibles y pueden ser fotografiadas. La condensación de gotitas sobre los iones se produce en vapor sobresaturado [supersaturated vapor] exento de polvo, producido por el aumento de volumen (disminución de presión) de aire, o de otro gas saturado de un vapor, generalmente vapor de agua. SIN. **cloud [expansion] chamber** (CEI/64 65–30–310) ‖ cámara de Wilson. Cámara de niebla en la que la sobresaturación del vapor es producida durante un corto intervalo de tiempo gracias a una expansión rápida. SIN. **expansion cloud chamber** (CEI/68 66–15–225).

wimble *(Herr)* berbiquí; barrena (de gusano).

Wimshurst James Wimshurst: ingeniero inglés (1832–1903). Inventor de la máquina electrostática que lleva su nombre.

Wimshurst machine *(Elec)* máquina de Wimshurst. Máquina electrostática que reproduce continuamente el proceso que en el electróforo [electrophorus] hay que realizar mediante aplicaciones sucesivas del disco metálico. Consiste en dos discos aisladores (generalmente de vidrio) que pueden girar a la misma velocidad en sentidos contrarios, y sobre cada uno de los cuales se han dispuesto radialmente una serie de láminas metálicas (usualmente de estaño). La disposición de las láminas respecto a una varilla conductora y unos *peines colectores* [collecting combs], es tal que se produce electricidad estática que carga unos condensadores que casi siempre son botellas de Leyden [Leyden jars]. Cuando la diferencia de potencial entre dos electrodos que comunican con los condensadores alcanza el valor adecuado, se produce una intensa descarga eléctrica, descargándose también los condensadores. Si se suprimen los condensadores, las descargas son más frecuentes pero menos intensas; ello se debe a que como los condensadores aumentan la capacidad del sistema, es necesario acumular una carga mayor en los electrodos para lograr el potencial de descarga. CF. **Van de Graaff generator.**

winch cabrestante, cabria, malacate, montacargas, guinche, huinche, winche; torno (de levantar pesos) ‖ cabrestante. Mecanismo de transmisión de potencia, accionado a mano o aplicable a máquinas motrices, generalmente tractores. Se compone de uno o más tambores de arrollamiento de cables, con elementos de acople y manejo, y es utilizado principalmente para accionar diversas máquinas y aditamentos, como ser traíllas [scrapers], topadoras rectas [bulldozers], topadoras angulares [angledozers], etc. ‖ chigre, maquinilla. Torno accionado por motor o por máquina de vapor ‖ *(Marina)* chigre, maquinilla, molinete. Cabrestante de eje horizontal movido por motor; suele estar provisto de tambores propios para virar cabos, así como de barbotines en los que engranan las cadenas ‖ *(Aviones)* (*i.e.* antenna winch) torno de antena. v. **antenna reel** ‖ manivela, manubrio.

winch barrel tambor de torno; tambor [capirón] de chigre.

winch launching *(Avia)* lanzamiento por torno.

¹wind viento. (1) Aire en movimiento; en particular, movimiento natural y perceptible de aire en dirección paralela a la superficie del terreno o rozando con ella. (2) Corriente o chorro de aire producido por un ventilador, un fuelle, u otro artificio mecánico ‖ v. **electric wind** ‖ *(Naveg)* viento. (1) Punto cardinal [cardinal point] de donde puede soplar el viento. (2) Cada uno de los 32 rumbos de la aguja | **the four winds:** los cuatro vientos | dirección de donde sopla el viento ‖ *(Fisiología)* aliento, respiración, resuello; flatulencia, flato, ventosidad ‖ *(Mús)* **winds:** instrumentos de viento; músicos que tocan los instrumentos de viento ‖ *(Minería)* izada, carreta de subida (de un motor de extracción) ⫽ *adj:* de viento, del viento, eólico ⫽ *verbo:* airear, orear, ventear, ventilar, secar al aire; olfatear, husmear, ventear; seguir el rastro por olor; quedarse sin aliento; dejar sin aliento; dejar coger aliento; echar aire, soplar; resoplar.

²wind *verbo:* soplar (un instrumento de viento); hacer sonar soplando; tocar un instrumento de viento.

³wind curva, vuelta, torcedura, torsión; enrollado, arrollamiento ‖ *(Carp, Constr, Estr)* alabeo, comba, torcedura, abarquillamiento ‖ *(Registr mag)* enrollado (de la cinta); rollo (de cinta) | método de arrollamiento (de la cinta). v. **A wind, B**

wind /// *verbo:* arrollar(se), enrollar(se); devanar, bobinar; torcer, retorcer; encanillar, ovillar; tejer; arrollar, plegar (telas); alabearse, combarse, torcerse, abarquillarse (una pieza, la madera); envolver; rodear; izar con torno; dar cuerda (a un reloj u otro mecanismo de cuerda); dar vueltas, hacer girar (con manubrio o manivela); serpentear, dar vueltas (un camino); describir una curva, moverse en curva; moverse en círculo [en espiral]; tener una trayectoria circular [espiral]; virar en redondo (un buque); dar la vuelta (a un buque atracado).

wind angle *(Hélices)* ángulo del viento.

wind attack embestida del viento. Dícese p.ej. en relación con las estructuras de antena.

wind behavior régimen de los vientos.

wind-borne *adj:* v. windborne.

wind-bound *adj:* v. windbound.

wind charger cargador (de baterías) eólico, generador de viento (para carga de baterías), electrogenerador movido por el viento para carga de baterías. Se usa en lugares apartados para cargar baterías de acumuladores, para alumbrado y otros usos. SIN. wind-driven battery charger.

wind chart *(Naveg)* carta [rosa] de los vientos.

wind component componente del viento.

wind cone *(Aeródromos)* manga, manga-veleta, manga indicadora del viento, cono indicador del viento, cono de viento. SIN. windsock.

wind correction *(Naveg)* corrección de deriva.

wind-correction angle ángulo de corrección de deriva.

wind deflection *(Artillería)* desvío a causa del viento.

wind direction dirección del viento.

wind direction and velocity dirección y velocidad del viento.

wind-direction indicator indicador de la dirección del viento.

wind drift *(Fonolocalización)* desvío a causa del viento || *(Naveg)* deriva.

wind-drift angle ángulo de deriva.

wind-driven *adj:* accionado [movido] por el viento, anemotor, anemotriz, eólico.

wind-driven battery charger cargador de baterías eólico, cargador de baterías movido por el viento. V.TB. wind charger.

wind-driven generator aerogenerador, (electro)generador eólico [accionado por el viento], dinamo eólica [accionada por el viento]. Electrogenerador accionado por una hélice unida a su eje, que es a su vez impulsada por el viento.

wind-driven machine máquina eólica [impulsada por el viento].

wind-driven plant aeromotor; planta eléctrica eólica.

wind electric plant planta eléctrica eólica, central electrógena eólica. SIN. wind power plant.

wind energy energía eólica.

wind-energy meter contador de energía eólica.

wind engine aeromotor. SIN. wind machine, wind motor.

wind equations ecuaciones del viento.

wind erosion erosión eólica. SIN. windblasting.

wind-excited oscillation oscilación inducida por el viento.

wind field campo del viento.

wind-flow pattern diagrama de los vientos reinantes [de los vientos predominantes].

wind force fuerza del viento.

wind-force scale escala anemométrica | v. wind scale.

wind gage, wind gauge *(Meteor)* anemómetro || *(Altos hornos)* indicador de la presión del viento || *(Artillería)* escala de corrección del viento.

wind-generated electricity electricidad eólica.

wind gradient gradiente del viento.

wind indicator indicador de la dirección del viento. SINONIMO CIENTIFICO: anemoscopio | anemómetro. SIN. wind gage.

wind-induced flight load *(Avia)* carga en vuelo debida al viento.

wind instrument *(Mús)* instrumento de viento.

wind load *(Estr)* carga debida al viento; empuje del viento. En el caso de las torres de antena, fuerzas y momentos torsionales

máximos producidos por determinada presión unitaria debida al viento que actúa en dirección horizontal sobre la torre, los conjuntos de antena, los reflectores, y otros elementos soportados por aquélla. Los constructores norteamericanos rara vez calculan las torres para cargas inferiores a 30/20 lb/pie². Esto significa que los miembros de la torre están calculados para resistir presiones en dirección horizontal de 30 libras por pie cuadrado de área proyectada en todas las superficies planas y de 20 libras por pie cuadrado en las superficies redondeadas, y es equivalente a una velocidad del viento de 85 millas (137 km) por hora. También es necesario tomar en cuenta las cargas adicionales debidas al peso de las antenas, las escalerillas, las líneas de transmisión de RF, las líneas de energía eléctrica para el balizamiento, etc., cargas que deben aplicarse al área proyectada en dirección horizontal. La carga total calculada debe aplicarse en la dirección que cause el esfuerzo máximo en los diversos miembros de la estructura. En zonas de mucho viento o de gran acumulación de hielo sobre la estructura, la carga especificada a menudo es de 50/30 lb/pie².

wind machine aeromotor, motor eólico. SIN. wind motor | aerogenerador, generador eólico. V.TB. wind-driven generator || *(Cine)* máquina de viento, ventilador potente para producir viento artificial.

wind measurement medida del viento; régimen de los vientos.

wind-measuring instrument anemómetro, instrumento para medir el viento. SIN. wind meter.

wind meter anemómetro, medidor del viento.

wind motor aeromotor, motor eólico [de viento]. SINONIMO CIENTIFICO: anemotropo.

wind noise *(Micrófonos)* ruido de viento, ruido causado por el viento. Ruido captado por un micrófono que se utiliza al aire libre. CF. windscreen.

wind off *verbo:* desenrollar, desarrollar; devanar; desenvolver.

wind on *verbo:* enrollar, arrollar; devanar; envolver.

wind-on speed *(Cine, Magnetófonos)* velocidad de rebobinado.

wind power energía eólica.

wind-power generator aerogenerador, generador eólico. V.TB. wind-driven generator.

wind power plant planta eléctrica eólica, central energética eólica, central anemoeléctrica [anemotriz, eólica]. SIN. wind power station.

wind power station central anemotriz [eólica]. Central que produce energía eléctrica a partir de la energía del viento (CEI/65 25–10–050). SIN. wind power plant.

wind pressure presión del viento.

wind pump aerobomba, bomba de aeromotor.

wind rate caudal del viento | v. wind speed.

wind resistance resistencia (a la marcha) por el viento, resistencia del viento (al avance) || *(Estr)* resistencia aerodinámica, resistencia al viento.

wind rose *(Meteor, Naveg)* rosa de los vientos; diagrama de los vientos reinantes.

wind scale escala de (los) vientos. Escala de clasificación de los vientos según su intensidad, como sigue:
1) *brisa ligera* [gentle wind, light wind];
2) *brisa moderada* [fresh wind, moderate wind];
3) *brisote* [strong wind];
4) *galerna, ventarrón, viento fuerte* [gale],
5) *tempestad* [whole gale];
6) *huracán* [hurricane].

wind-screen v. windscreen.

wind sensor detector del viento, anemodetector.

wind shear cortante del viento, gradiente anemométrico; gradiente transversal de la velocidad del viento.

wind shift cambio del viento.

wind-sock v. windsock.

wind speed velocidad del viento.

wind star *(Aeron)* triángulo de velocidades. SIN. wind triangle.

wind-stop v. windstop.

wind stress   esfuerzo debido al viento. CF. **wind load.**

wind structure   estructura del viento.

wind survey   estudio sobre los vientos.

wind T, wind tee   *(Aeródromos)* veleta en T, indicador de viento, T indicadora de viento; T de aterrizaje. CF. **wind indicator.**

wind tee   v. **wind T.**

wind tetrahedron   *(Aeródromos)* tetraedro indicador de viento.

wind tide   marea de origen eólico.

wind tower   torre de enfriamiento (atmosférico).

wind triangle   *(Aeron)* triángulo de velocidades, triángulo de viento. SIN. **wind star.**

wind tunnel   túnel aerodinámico.

wind-tunnel balance   balanza aerodinámica [de túnel aerodinámico].

wind-tunnel honeycomb   panal de túnel aerodinámico.

wind-tunnel model   modelo para prueba en el túnel aerodinámico.

wind-tunnel test   prueba en el túnel aerodinámico.

wind turbine   aeroturbina, turbina eólica.

wind-type generating plant   instalación generadora eólica, electrogenerador eólico [movido por el viento], equipo anemoeléctrico, equipo electrógeno accionado por molino de viento. SIN. **wind-driven generator, wind power plant, wind power station.**

wind up   *verbo:* enrollar, arrollar; etc. v. ³**wind** ‖ *(Relojes)* dar cuerda ‖ *(Comercio)* liquidar (una empresa, un negocio).

wind valve   *(Mús)* ventila. Mecanismo que da paso al aire hacia los tubos de un órgano.

wind vane   *(Meteor)* veleta. SIN. **weather vane, weathercock.**

wind variability   variabilidad del viento.

wind variation   variación del viento.

wind variation speed   velocidad de variación del viento.

wind vector   vector (del) viento.

wind velocity   velocidad [intensidad] del viento. CF. **wind scale.**

wind wheel   rueda eólica; aerogenerador de hélice.

windability   arrollabilidad, enrollabilidad.

windable   *adj:* arrollable, enrollable.

windage   efecto del viento ‖ *(Artillería)* corrección por el viento, corrección del desvío a causa del viento ‖ *(Estr)* resistencia al viento, resistencia aerodinámica. SIN. **wind resistance** ‖ *(Máq)* fricción del aire; pérdida por rozamiento con el aire, pérdida de energía por efecto del viento ‖ *(Vehículos)* resistencia (a la marcha) por el viento, resistencia del viento (al avance). SIN. **wind resistance.**

windage area   *(Buques, Estr)* superficie (expuesta) al viento.

windage loss   *(Aeron)* pérdida por resistencia aerodinámica ‖ *(Máq)* (a.c. windage) pérdida por rozamiento con el aire, pérdida de energía por efecto del viento.

windage noise   *(Máq eléc)* ruido de ventilación ‖ *(Ventiladores)* ruido del viento.

windage resistance   *(Estr)* resistencia al viento, resistencia aerodinámica. SIN. **wind resistance** ‖ *(Máq)* resistencia del aire en circulación ‖ *(Vehículos)* resistencia (a la marcha) por el viento, resistencia del viento (al avance). SIN. **resistance.**

windblasting   erosión eólica, erosión por el viento. SIN. **wind erosion.**

windborne   *adj:* arrastrado [llevado] por el viento.

windborne deposit   *(Geol)* depósito eólico.

windborne sediment   *(Geol)* sedimento eólico.

windbound   *adj:* *(Marina)* detenido por viento contrario.

windbrace   *verbo:* *(Estr)* contraventear.

windbracing   *(Estr)* contraventeamiento, contraventeo, arriostramiento contraviento, contravientos.

windbreak   cortavientos, rompevientos, abrigo; plantación cortavientos. LOCALISMO: guardabrisa.

winder   arrollador, enrollador, bobinador; devanadora, argadillo, canilla; bobinadora; arrolladora (de telas); carretel, argadillo, canilla; llave para dar cuerda ‖ *(Escaleras)* escalón de caracol [de abanico, de vuelta]; peldaño radial; escalón triangular [de

compensación] ‖ *(Bot)* enredadera ‖ *(Teleg)* arrollador (de cinta).

winder full alarm lamp   *(Teleg)* lámpara indicadora de arrollador lleno, lámpara de alarma de desbordamiento del arrollador de cinta.

winding   curva; recodo; tortuosidad; rodeo, vuelta, revuelta; arrollado, enrollado, arrollamiento, enrollamiento ‖ *(Hilos)* devanado, bobinado ‖ *(Madera, &)* alabeo, comba, abarquillamiento, reviro, torcedura ‖ *(Cine)* enrollamiento (de la película) ‖ *(Elec)* devanado, arrollamiento, arrollado, enrollado, enrollamiento, bobinado, bobinaje, bobina, carrete ‖ devanado, arrollamiento. Conjunto de espiras conductoras que forman parte de un mismo circuito en un aparato o una máquina eléctrica (CEI/38 10–05–050) ‖ devanado. Conjunto de conductores que forman un mismo circuito eléctrico en un aparato o una máquina eléctrica (CEI/56 10–35–005) ‖ *(i.e. relay winding)* devanado (de relé). Conjunto de espiras que constituyen un mismo circuito (CEI/70 55–25–225) ‖ CF. **compensating winding, drum winding, lap winding, multiple parallel winding, primary winding, ring winding, secondary winding, series winding, series-parallel winding, simple winding, tertiary winding, two-wire winding, wave winding** ‖‖ *adj:* sinuoso, tortuoso; serpentino; en espiral; de caracol.

winding arc   *(Máq eléc)* arco de devanado. Se expresa en grados.

winding drum   tambor de enrollar [de enrollamiento]; rodillo arrollador.

winding factor   *(Elec)* factor de bobinado. Factor que interviene en las fórmulas de la fuerza electromotriz y de la fuerza magnetomotriz y que tiene en cuenta la influencia de la distribución de los conductores de un devanado a lo largo del entrehierro (CEI/56 10–35–325).

winding factory   fábrica de devanados (de máquinas y transformadores eléctricos).

winding former   *(Elec)* forma de bobinar; gálibo [plantilla] para devanados.

winding frame   bobinador(a).

winding group   *(Máq eléc)* bobina elemental.

winding key   (a.c. winder) llave de dar cuerda, llave para dar cuerda ‖ *(Fotog)* v. **winding knob.**

winding knob   *(Fotog)* perilla arrolladora, botón de carga (de la película). SIN. **winding key.**

winding machine   devanadora, bobinadora, máquina de bobinar.

winding mandrel   *(Reostatos y potenciómetros)* mandril [soporte] de arrollamiento.

winding motion   movimiento de arrollado [de arrollamiento].

winding operation   *(Elec)* devanado. Conjunto de las operaciones necesarias para efectuar un devanado o arrollamiento (CEI/56 10–35–015) ‖ bobinado.

winding pitch   *(Elec)* paso del devanado [del arrollamiento] ‖ paso resultante de un devanado en tambor. Número de intervalos en el esquema de un devanado en tambor [drum winding scheme], comprendido entre los lados correspondientes de dos secciones conectadas a una misma delga del colector [commutator segment] (CEI/56 10–35–220).

winding ratio   *(Transf)* razón [relación] de transformación. SIN. **turns ratio.**

winding self-capacitance   autocapacitancia del devanado [del arrollamiento].

winding shaft   *(Mecanismos de cuerda)* eje para dar cuerda.

winding shop   *(Elec)* taller de devanado [de bobinado].

winding wire   *(Elec)* alambre [hilo] para devanados. SIN. **magnet wire.**

windjammer   *(Marina — Lenguaje familiar)* buque de vela; marinero de buque de vela.

windlass   *(Mec)* torno (para elevar pesos), cabria, árgana, argüe, cabrestante, torno [guinche] de mano ‖ cigüeña, manivela. Manubrio con que se acciona un torno u otro aparato ‖ *(Marina)* molinete ‖ *(Minería)* malacate, baritel.

windlass jack   gato de manivela.

windload   v. **wind load**.

windmill   molino [motor] de viento, aeromotor. Aparato motor que utiliza la energía del viento ‖ *(Avia)* molinete ⎮ *(slang)* hélice; helicóptero ⫼ *verbo:* *(Avia)* girar (la hélice) por la acción del viento.

windmill design   diseño [proyecto] de molinos de viento.

windmill torque   *(Avia)* par en régimen de molinete, par en autorrotación.

windmilling   *(Avia)* molinete, autorrotación (de la hélice).

windmilling drag   *(Avia)* resistencia por molinete [por rotación libre de la hélice].

windmilling propeller   *(Avia)* hélice en (régimen de) molinete, hélice loca.

Windom aerial   antena Windom. v. **Windom antenna**.

Windom antenna   antena Windom. Antena de transmisión multibanda, empleada principalmente por radioaficionados. Se caracteriza por funcionar satisfactoriamente en las armónicas pares de su frecuencia fundamental, lo cual permite utilizarla para varias bandas del servicio de radioaficionados. En su forma original consiste en un conductor con longitud de media onda, alimentado por una línea monofilar conectada a una distancia del centro igual al 14 % de dicha longitud; en su versión moderna utiliza una línea de conductores gemelos [twin line feeder], de 300 ohmios, conectada a una distancia del centro igual al 35 % (aproximadamente) de la longitud de la antena. El nombre es el de un radioaficionado norteamericano que publicó un artículo muy completo sobre esta antena.

window   ventana; ventanal; ventanilla; vidriera, escaparate ‖ *(Autos, Aviones, &)* ventanilla ‖ *(Elecn)* circuito desbloqueador [de desbloqueo] periódico. SIN. **double limiter, gate** ⎮ onda de desbloqueo periódico. Onda rectangular que activa y desactiva periódicamente un circuito electrónico, usualmente por aplicación al electrodo de control de un tubo o de un transistor ⎮ ventana (de salida). En un tubo de microondas o de otra clase, material con propiedades mínimas de absorción y reflexión para la energía radiante de que se trate, que se coloca en una zona de la pared de la ampolla del tubo (conservando la hermeticidad de ésta), y que da paso a la energía hacia el dispositivo de salida o de utilización; el material empleado depende de la radiación del caso (microondas, luz infrarroja, etc.) ‖ *(Tubos Geiger-Mueller)* ventana (de entrada). Ventanilla por la que pasan los rayos beta hacia el interior del tubo ‖ *(Nucl)* ventana (de paso). Abertura que da paso a una radiación o a partículas elementales ⎮ zona de energía transparente. Gama energética de transparencia relativamente grande en la sección eficaz total para los neutrones en un material ‖ *(Microondas)* diafragma; filtro ⎮ ventanilla (de acoplamiento). Abertura hecha en el tabique entre dos cavidades resonantes, entre dos guías de ondas, o entre una cavidad y una guía, y que sirve para el acoplamiento entre una y otra ‖ *(Telecom)* ventana de prueba [de ruido]. En una banda base [baseband], banda de frecuencias equivalente en anchura a un canal telefónico, que se utiliza para efectuar medidas de ruido. SIN. **test [noise] window** ‖ *(Radiocom)* ventana (de penetración), gama de penetración (de las ondas). Gama de frecuencias en la que las ondas radioeléctricas penetran fácilmente en la atmósfera ‖ *(Radar)* cintas reflectoras, tiras antirradáricas, reflectores de perturbación. Elementos reflectores, generalmente cintas o tiras de papel metalizado, que se lanzan desde aviones o mediante cohetes con el fin de confundir los radares del adversario ⎮ cintas perturbatrices. Delgadas cintas conductoras que pueden ser lanzadas desde una aeronave o desde un cohete, para producir ecos de radar (CEI/70 60–72–155). CF. **radar camouflage** ‖ *(Sonar)* ventanilla de transmisión. v. **sonar window** ‖ *(Tv)* ventana (de prueba). Imagen de prueba consistente en un rectángulo blanco (usualmente el blanco de referencia) sobre fondo negro ‖ *(Plásticos)* zona transparente incolora ‖ CF. **transparent window**.

window area   *(Transf)* abertura del núcleo.

window cloud   *(Radar)* nube de cintas reflectoras [de cintas

metalizadas, de tiras antirradáricas, de reflectores de perturbación, de cintas perturbatrices]. SIN. **chaff cloud**.

window corridor   *(Radar)* zona antirradárica. Zona en la que se han soltado cintas reflectoras o perturbatrices.

window counter   *(Radiaciones ionizantes)* contador de ventana. v. **window counter tube**.

window counter tube   *(Radiaciones ionizantes)* tubo contador de ventana. Tubo contador en el que una parte de la ampolla es poco absorbente, para permitir la absorción de radiaciones de poco poder de penetración [penetrating power] (CEI/68 66–15–160). SIN. **thin-wall counter tube**.

window dropping   *(Radar)* lanzamiento de cintas reflectoras [perturbatrices], lanzamiento de tiras antirradar. SIN. **chaff dropping**.

window function   *(Mat)* función de ventana. CF. **windowing**.

window generator   *(Tv)* generador de ventana. Aparato de prueba que genera una onda rectangular a las frecuencias de exploración horizontal y vertical. Esta señal aparece en la pantalla de un monitor de imagen en forma de un rectángulo blanco (la *ventana*) sobre fondo negro. Los dos niveles normales de la señal son el negro de referencia y el blanco de pico o cresta. Generalmente el tamaño y la posición del rectángulo son ajustables, tanto en dirección horizontal como vertical. SIN. **window-signal generator**.

window glass   vidrio de ventana; vidrio común [ordinario].

window jamming   *(Radar)* perturbación con cintas reflectoras [con tiras antirradáricas].

window-loaded rocket   cohete cargado con cintas reflectoras [perturbatrices], cohete portador de tiras antirradar.

window-pattern signal   *(Tv)* señal de ventana. v. **window signal**.

window rocket   *(Radar)* cohete antirradárico. Cohete utilizado para soltar cintas reflectoras o perturbatrices.

window screen   alambrera, tela metálica de ventana; mosquitero de ventana.

window shutter   contraventana, persiana, puerta-ventana, cerrador.

window signal   *(Tv)* señal de ventana. Señal de prueba que produce en la pantalla de un televisor o de un monitor de imagen, un rectángulo blanco sobre fondo negro. SIN. **window-pattern signal**. V.TB. **window generator**.

window-signal generator   *(Tv)* generador de señal de ventana. v. **window generator**.

window sill   antepecho [batiente, repisa, umbral] de ventana; marco de la ventana; solera del marco.

window-sill antenna   antena para montaje en el marco de una ventana.

window streamer   cartel para vidrieras, gallardete para vidrieras y escaparates. Cartel, generalmente de forma alargada, que se fija con fines de propaganda comercial en vidrieras, espejos, y escaparates, en los establecimientos de venta o en las salas de exhibición.

window-type current transformer   *(Transf de medida)* transformador de intensidad sin primario. Transformador de intensidad que comprende un circuito magnético, un devanado secundario, y una parte aislante que permite la utilización de un conductor primario no aislado (CEI/58 20–45–055).

windowing   selección de ventana. Selección de un registro de datos de longitud finita a partir de una función de correlación que teóricamente es de longitud infinita.

windowless counter   *(Radiaciones)* contador sin ventana.

windowless photomultiplier   fotomultiplicador sin ventana. Fotomultiplicador en el que no hay ningún material interpuesto entre la fuente de fotones y el blanco que sirve de fotocátodo. Se utiliza en particular para la detección de radiaciones ultravioleta de corta longitud de onda (CEI/68 66–15–195).

windowpane   cristal (de ventana), vidrio de ventana, hoja de vidrio.

windproof　　*adj:* a prueba de viento; protegido contra el viento.

windproof microphone　　micrófono protegido contra el viento. CF. windscreen.

winds aloft　　vientos superiores [de altura].

winds-aloft observation　　observación de vientos de altura, observación de vientos en la alta atmósfera.

windscreen　　mampara; mosquitero; parabrisas ‖ *(Micrófonos)* pantalla contra el viento. Se emplea cuando se utiliza el micrófono al aire libre. CF. **microphone blanket, microphone shield, silk cloth screen,** wind noise.

windshield　　*(Autos, Aviones, &)* parabrisa(s). LOCALISMOS: guardaviento, cortaviento, guardabrisa, brisera, brisero ‖ *(Proyectiles)* falsa ojiva ‖ *(Radar de aeronave)* radomo aerodinámico. Radomo [radome] que por su forma presenta mínima resistencia al avance de la nave.

windshield anti-icer　　dispositivo anticongelante del parabrisas.

windshield defroster　　desescarchador del parabrisas.

windshield deicer　　eliminador de hielo del parabrisas.

windshield wiper　　limpiaparabrisa(s), limpiador del parabrisa(s). LOCALISMOS: desempañador, limpiavidrio.

windshield-wiper effect　　*(Tv)* efecto de limpiaparabrisas. Defecto que se manifiesta por una franja vertical obscura que se desplaza de un lado a otro de la imagen, de izquierda a derecha.

windsock　　*(Aeródromos)* manga-veleta, manga de aire, manga indicadora del viento, cono de viento. Manga cónica utilizada como veleta indicadora de la dirección del viento. SIN. wind cone. CF. wind vane.

windstop　　burlete.

windstream　　flujo del viento; flujo [corriente] de aire.

windtight　　*adj:* impenetrable (al viento).

windward　　barlovento. Parte de donde viene el viento; dirección de donde sopla el viento, opuesta al *sotavento* [leeward] ⫽ *adj:* de barlovento ⫽ *adv:* a barlovento.

windway　　*(Minas)* galería de ventilación ‖ *(Organos)* hendidura [ranura] de fondo.

windy　　*adj:* ventoso.

wing　　ala; lado, costado ‖ *(Aeron)* ala ‖ *(Bot, Zool)* ala ‖ *(Edif)* ala ‖ *(Aviación militar)* escuadra [brigada] aérea; costado (de una formación); formación de flanco ‖ *(Teatro)* v. **wings** ‖ *(Tuercas)* oreja, orejeta ‖ *(Presas)* ala, alero ‖ *(Molinos de viento)* aspa ‖ *(Ventiladores)* aleta, pala ‖ *(Vigas)* ala ‖ *(Bastidores)* v. **wings** ⫽ *adj:* alar, de ala, del ala; lateral.

wing antenna　　*(Aviones)* antena de ala.

wing area　　*(Aeron)* superficie del ala; área de las alas; superficie sustentadora.

wing axis　　*(Aeron)* eje alar, eje del ala. Lugar geométrico de los centros aerodinámicos de todas las secciones transversales del ala.

wing bar　　*(Avia)* barra de ala. Forma parte del indicador visual de pendiente de aproximación [visual approach-slope indicator system (VASIS)].

wing beam　　*(Aeron)* larguero de ala.

wing-bolt　　v. wingbolt.

wing chord　　*(Aeron)* cuerda del ala.

wing-chord plane　　plano de la cuerda del ala.

wing clearance light　　*(Aeron)* luz de guarda del ala.

wing contour　　*(Aeron)* perfil alar, contorno del ala.

wing covering　　*(Aeron)* recubrimiento alar, revestimiento del ala.

wing deicing equipment　　equipo antihielo alar, equipo eliminador de hielo del ala.

wing dihedral angle　　*(Aeron)* diedro del ala.

wing drag　　*(Aeron)* resistencia al avance de las alas.

wing fittings　　*(Aeron)* herrajes de las alas.

wing flap　　*(Aeron)* flap, (dispositivo) hipersustentador; flap, freno aerodinámico.

wing float　　*(Hidroaviones)* flotador de ala.

wing flutter　　*(Aeron)* vibración [flameo] de las alas; vibración aeroelástica alar.

wing fuel tank　　depósito de combustible del ala, depósito de combustible en el ala.

wing gun　　*(Aviones de guerra)* ametralladora de ala; cañón en el ala.

wing-heavy　　*adj:* *(Aeron)* pesado de ala.

wing lift　　*(Aeron)* sustentación del ala.

wing light　　luz de navegación [de situación] del ala. CF. **wing clearance light.**

wing-light　　*adj:* *(Aeron)* liviano de ala.

wing loading　　*(Aeron)* carga alar [del ala]. Carga por unidad de superficie del ala.

wing machinegun　　*(Aviones de guerra)* ametralladora de ala.

wing midchord　　*(Aeron)* cuerda media del ala.

wing motor　　motor de ala, motor lateral.

wing-mounted engine [motor]　　motor montado en el ala.

wing-nut　　v. wingnut.

wing of constant chord and thickness　　*(Aeron)* ala normal, ala de perfil constante.

wing outline　　*(Aeron)* perfil alar, contorno del ala.

wing-over　　*(Vuelos acrobáticos)* vuelta sobre el ala.

wing overhang　　*(Aeron)* proyección lateral del ala.

wing panel　　*(Aeron)* panel [sección] del ala, panel alar.

wing picture　　*(Aerofotog)* fotografía lateral.

wing plan　　*(Aeron)* plano del ala.

wing profile　　perfil alar [de ala].

wing radiator　　*(Aeron)* radiador de ala.

wing rib　　*(Aeron)* costilla de ala.

wing root　　*(Aeron)* raíz del ala, arranque del ala. Unión o encuentro del ala con el fuselaje.

wing-root air intake　　toma de aire en el arranque del ala.

wing-root fairing　　carenado de la raíz del ala.

wing screw　　tornillo de mariposa [de orejetas] ‖ *(Aviones, Buques)* hélice lateral.

wing section　　corte [perfil] del ala, perfil aerodinámico.

wing shape　　*(Aeron)* forma del ala.

wing shell　　*(Aeron)* revestimiento del ala.

wing skid　　*(Aeron)* patín del ala, salvaplanos.

wing skin　　*(Aeron)* revestimiento [forro] del ala.

wing slip　　*(Aeron)* resbalamiento de ala.

wing slot　　*(Aeron)* ranura de ala.

wing-span　　*(Aeron)* v. wingspan.

wing spar　　*(Aeron)* larguero de ala.

wing spot generator　　*(Radar)* generador de "alas". Dispositivo electrónico que hace aparecer en un indicador visual tipo G, señales en forma de alas cuyo tamaño es inversamente proporcional a la distancia del objeto observado.

wing strut　　*(Aeron)* montante del ala.

wing tank　　*(Aeron)* depósito del ala, depósito en el ala.

wing-tip　　*(Aeron)* v. wingtip.

wing walkway　　*(Aeron)* pasadizo del ala.

wing-wall　　v. wingwall.

wing warping　　*(Aeron)* alabeo del ala [de las alas].

wingbolt　　perno de orejas, tornillo de orejas.

wingnut　　tuerca de mariposa, tuerca de orejetas [de orejas, de aletas, de alas], (tuerca de) palomilla.

wings　　*(Bastidores)* piezas adaptadoras laterales. Piezas que se usan para montar un aparato en un bastidor [rack] de mayor ancho que él. Las piezas se fijan a uno y otro lado del aparato para extender su panel al mismo ancho del bastidor ‖ *(Cine/Teatro/Tv)* bastidores. Lados del estudio o del escenario, según el caso, fuera de la vista del público ‖ v. **wing.**

wingspan　　*(Aeron)* envergadura.

wingspread　　*(Aeron)* envergadura.

wingtip　　*(Aeron)* extremo [extremidad, punta] del ala.

wingtip aileron　　alerón de extremo de ala.

wingtip flare　　bengala del extremo del ala.

wingtip float　　*(Hidroaviones)* flotador de extremo de ala.

wingtip stall(ing)　　*(Aeron)* pérdida de sustentación en el extremo del ala.

wingtip vortex　　torbellino de extremo de ala [del extremo del ala].

wingtip vortices   Plural de *wingtip vortex*.

wingwall   *(Edif, Puentes)* muro alero [de ala, de aleta], muro de defensa [de acompañamiento]. LOCALISMOS: muro en ala, guardatierra.

Winkler-Bach formula   fórmula de Winkler-Bach. Fórmula aplicable en relación con los esfuerzos producidos por la flexión de una viga inicialmente curva.

winter   invierno ⫽ *adj:* invernal, hiemal, hibernal, de invierno; hibernante ⫽ *verbo:* (hacer) invernar; guardar durante el invierno; pasar el invierno.

winter solstice   *(Astr)* solsticio hiemal [de invierno].

wipe   limpión, limpiadura ‖ *(Mec)* leva ‖ *(Plomería)* soldadura ‖ *(Telef)* escobilla, frotador ‖ *(Cine/Tv)* (mutación por) agrandamiento gradual (de la imagen). Transición cinemática en la que la nueva imagen comienza muy pequeña y aumenta gradualmente de tamaño hasta llenar la pantalla | cortina; esfumado, aparición o desaparición gradual de una imagen ‖ *(Tv)* conmutación por cortinillas. Reemplazo de una imagen por otra por desplazamiento sobre la pantalla de la línea de separación de las dos imágenes (CEI/70 60-64-040) ⫽ *verbo:* enjugar, secar; limpiar frotando (con un paño); frotar, restregar ‖ *(Plomería)* soldar; aplicar soldadura ‖ *(Registro mag)* borrar. SIN. **erase** ‖ *(Buques)* desimanar por barrido.

wipe dry   *verbo:* secar (con un paño).

wipe joint, wiped joint   junta [unión] soldada, soldadura.

wipe test   prueba de frotamiento. Prueba destinada a estimar la contaminación radiactiva superficial de un cuerpo u objeto, y que consiste en frotarlo con un material apropiado y examinar éste después respecto a la contaminación adquirida por el mismo.

wiped joint   v. **wipe joint**.

wiped-stamper stain   *(Discos fonog)* mancha de matriz frotada. Mancha ocasionada por la limpieza, por frotación, de la matriz. CF. **stain**.

wipeout   *(Radiocom)* bloqueo total de las señales, interferencia sumamente intensa.

wiper   limpiador; desempañador; frotador; enjugador; trapo, paño, toalla; limpión, paño de limpiar; trapo para limpiar una máquina | *(i.e.* windshield wiper, windscreen wiper) limpiaparabrisas ‖ *(Elec)* escobilla, contacto deslizante, rozador ‖ *(Potenciómetros)* contacto deslizante [móvil] ‖ *(Telecom)* escobilla (de contacto), frotador. Parte móvil de un selector u otro dispositivo análogo que establece contacto con los contactos de una hilera de ellos. SIN. **brush, wipe** | *(En los selectores o uniselectores)* escobilla, brazo. Brazo conductor que gira sobre una hilera de contactos y se detiene sobre un contacto de salida | escobilla. En conmutación automática, parte móvil de un selector o de un dispositivo análogo que establece contacto con los contactos de un banco (de contactos) (CEI/70 55-95-190) ‖ *(Buques)* ayudante de máquinas ‖ *(Controladores)* leva, manecilla ‖ *(Mec)* leva, excéntrica; álabe ‖ *(Trefilerías)* escurridor ‖ *(Textilerías)* excéntrica.

wiper carriage   *(Elec/Telecom)* carro de escobillas.

wiper motor   *(Autos)* motor de limpiaparabrisas.

wiper shaft   *(Mec)* eje de levas, eje de excéntricas ‖ *(Telecom)* portaescobillas, árbol [eje] portaescobillas. SIN. **brush rod**.

wiper-switching relay   *(Telecom)* relé conmutador de escobillas.

wipes   *(Cine)* cortinas. V. TB. **wipe**.

wiping   acción de enjugar, de secar, etc. v. **wipe** ‖ *(Buques)* barrido de desimanación ‖ *(Plomería)* aplicación de soldadura ‖ *(Registro mag)* borrado. SIN. **erasing** ⫽ *adj:* limpiador, para limpieza; enjugador; deslizante; frotante.

wiping action   *(Conmutadores y relés)* acción frotante [de frotamiento] (de los contactos). Acción deseable que tiende a mantener limpias las superficies de los contactos. V. TB. **wiping contact**.

wiping cloth   trapo, paño, toalla; limpión, paño de limpiar ‖ *(Plomería)* paño de soldar.

wiping contact   *(Conmutadores y relés)* contacto frotante, contacto (con acción) de frotamiento. Contacto móvil que al hacer presión contra un contacto fijo, o al separarse de él, lo hace con un cierto

desplazamiento lateral de frotamiento, que ayuda a mantener limpias las superficies de contacto. SIN. **self-cleaning [self-wiping, sliding] contact**.

wiping-contact switch   conmutador [interruptor] de contacto de frotamiento.

wiping contacts   contactos frotantes [de frotamiento]. v. **wiping contact**.

wiping demagnetization   *(Buques)* desimanación [desmagnetización] por barrido.

wiping sleeve   *(Elec)* manguito de soldar.

wire   alambre, hilo metálico; alambrón, varilla delgada; cable; tirante ‖ *(Elec/Elecn/Telecom)* alambre, hilo, conductor; cable. CF. **earth wire, guard wires, lead-in wire, meter wire, pilot wire, positive wire, release wire, ring wire, sleeve wire, tip wire, transverse wire** ‖ *(Telecom)* (= telegram) telegrama | (= telegraph service) servicio telegráfico, telégrafo | (= open telephone connection) comunicación telefónica permanente ‖ *(Registro mag)* hilo (magnético) ‖ *(Ant)* hilo, alambre ⫽ *verbo:* alambrar, atar con alambre [con hilo metálico] ‖ *(Elec/Elecn/Telecom)* alambrar, cablear (un aparato); conectar, efectuar conexiones; interconectar; instalar conductores, tender cables ‖ *(Telecom)* telegrafiar, comunicar por telégrafo; enviar [poner] un telegrama ⫽ *adj:* alámbrico. CF. **wireless**.

wire ammeter   *(Elec)* v. **hot-wire ammeter**.

wire-and-sleeve clamp   *(Elec)* empalmadora.

wire antenna   antena de hilos [alambres]. Antena cuyos conductores están constituidos por hilos metálicos.

wire-armored   *adj:* *(Cables eléc)* armado con (trenza de) alambre, con armadura (helicoidal) de alambre ‖ *(Mangueras)* armado con espiral de alambre.

wire armoring   *(Telecom)* armadura de alambre; armadura de hierro perfilado.

wire bond   *(Elecn)* fijación de hilos de conexión. Fijación de hilos conductores a componentes semiconductores para su interconexión con otros componentes o con los terminales de un conjunto de que formen parte.

wire bonding   *(Empalmes de cables)* conductor de unión provisional de las cubiertas protectoras. Conductor bajo plomo que se conecta entre las cubiertas protectoras de dos tramos de cable empalmados, y que se retira cuando el empalme queda cerrado permanentemente.

wire bracing   arriostramiento por alambres [por cables].

wire braid   trenza de alambre.

wire broadcasting   teledifusión, radiodistribución, hilodifusión, filodifusión, difusión por hilo, difusión por conducción herciana. Distribución de programas de tipo radiofónico (programas hablados y musicales) por líneas telefónicas que unen los abonados con la central. Por lo general se envían varios programas distintos, pudiendo cada abonado seleccionar el que más le interese en cada momento. Este sistema tiene la ventaja de una recepción pura, exenta de parásitos. La transmisión se efectúa mediante corrientes de radiofrecuencia moduladas. SIN. **line broadcasting, radiodiffusion, wire program distribution, wired radio, wired wireless**.

wire-broadcasting license holder   abonado a la teledifusión [a la hilodifusión].

wire-broadcasting system   sistema de teledifusión [de difusión por hilo].

wire-broadcasting-system subscriber   abonado a la teledifusión [a la radiodistribución].

wire brush   cepillo [brocha, escobilla] de alambre, cepillo metálico [de acero] ‖ *(Elec/Telecom)* escobilla de alambre (tejido), escobilla de alambres [de hilos metálicos].

wire-brush   *verbo:* limpiar con cepillo de alambre.

wire cable   cable [cordón] de alambre.

wire chief   jefe de instalaciones eléctricas.

wire chief's desk   *(Telef)* mesa de pruebas, cuadro de pruebas y medidas. SIN. **test board, test desk**.

wire circuit *(Telecom)* circuito por hilo, enlace metálico [por línea física].

wire coil bobina de alambre; rollo de alambre; hélice de alambre, alambre arrollado en hélice.

wire communication comunicación alámbrica [por hilos]. Telecomunicación en la que el medio de transmisión está constituido por hilos conductores.

wire-connected program *(Informática)* programa conectado por conductores. CF. **wired-program computer**.

wire-connected program control control de programa conectado por conductores.

wire connection *(Telecom)* enlace alámbrico [por hilo].

wire core *(Telecom)* núcleo dividido. CF. **laminated core**.

wire customer *(Telecom)* usuario de circuito.

wire-cutter *(Herr)* v. **wirecutter**.

wire dispenser *(Telecom)* repartidor de hilo, ovillo de tendido de cable.

wire-drawing v. **wiredrawing**.

wire dress *(Elec/Elecn/Telecom)* colocación conveniente de los conductores; disposición ordenada del conexionado [del cableado].

wire edge *(Fab de discos fonog)* falso reborde. Reborde defectuoso formado por acumulación de pasta en el perímetro externo de la superficie grabada del disco. CF. **bad edge**.

wire explosion explosión de un hilo metálico.

wire fabric tela metálica, tejido [malla] de alambre.

wire facility *(Telecom)* instalación alámbrica [de comunicación por hilos].

wire fence alambrado, cerca alambrada, cerco de alambre. Cerco de alambres sujetos al suelo mediante postes.

wire fuse *(Elec)* fusible de alambre; alambre fusible.

wire gage, wire gauge calibre (de alambres), escala de diámetros. Sistema de designaciones numéricas de diámetros de alambres. En la escala norteamericana "AWG" *(American Wire Gage),* que antes se denominaba "B&S" *(Brown and Sharpe Gage),* los números mayores corresponden a los diámetros menores. Comienza con 0000 para el mayor diámetro y continúa con 000, 00, 0, 1, 2, 3, y así sucesivamente hasta 40 y más, para los hilos más finos. El No. 40 corresponde a un diámetro de aproximadamente 3 milésimas de pulgada (0,0762 mm); el No. 18 a un diámetro de aproximadamente 40 milésimos de pulgada (1,0160 mm). El área de la sección se dobla a intervalos de tres números de calibre; el diámetro se duplica a intervalos de seis números | calibrador (de alambres), calibre para alambres, galga de alambres ‖ v. **hot-wire gage**.

wire grating *(Guías de ondas)* filtro de rejilla. Medio de dar paso a una o más ondas, y bloquear el paso de todas las demás.

wire grid rejilla de alambre.

wire-grid lens *(Radiocom)* lente de rejilla (de alambre), lente reticular [de hilos metálicos].

wire-grid lens antenna antena de lente de rejilla. Antena para ondas cortas (gama de 3 a 30 MHz) constituida por dos rejillas metálicas circulares suspendidas una sobre la otra, y rodeadas por una bocina de hilos radiales. Pueden disponerse en la lente hasta un máximo de 36 acopladores, para recepción en otras tantas direcciones; también pueden combinarse las salidas para obtener un haz orientable eléctricamente.

wire grip *(Telecom)* entenalla(s), perrillo tensor de mano. Dispositivo de agarre que sirve para tirar de los alambres cuando se tienden los mismos. CF. **cable grip**.

wire grouping agrupación de conductores.

wire-grouping ring *(Telecom)* anillo de agrupación de conductores.

wire guidance guiado alámbrico, guiado [dirección] por hilos. Teleguiado o teledirección de un móvil (p.ej. un proyectil antitanque) en el que las señales de mando o control se transmiten por medio de hilos conductores.

wire guidance link enlace alámbrico de guiado, enlace de guía

por hilos.

wire-guided *adj:* guiado [dirigido] por hilos, teleguiado [teledirigido] mediante conductores eléctricos.

wire-guided antitank missile proyectil antitanque guiado por hilos.

wire harness v. **wiring harness**.

wire kilometer *(Telecom)* kilómetro de conductor [de línea].

wire lead *(Elec/Elecn)* hilo terminal [de conexión]; extremidad del hilo.

wire-lead termination *(Elec/Elecn)* terminación por hilos de conexión; fijación de hilos terminales.

wire line cable metálico de poco diámetro ‖ *(Petr/Sondeos)* cable de acero; cable de perforación ‖ *(Telecom)* línea alámbrica [de conductores], línea metálica [física]. Se dice en oposición a los enlaces radioeléctricos o a los canales de corriente portadora. SIN. **physical line** | circuito por hilo. SIN. **wire-line circuit**.

wire-line circuit *(Telecom)* circuito por hilo.

wire link *(Telecom)* enlace alámbrico [por hilo].

wire-link telemetry telemedida por hilo [por línea física]. SIN. **hard-wire telemetry**.

wire mesh tela metálica [de alambre]; malla [reticulado] de alambre; esterilla de alambre; rejilla de hilo metálico.

wire-mesh screen pantalla de malla de alambre, pantalla reticular.

wire mile *(Telecom)* milla de conductor [de línea].

wire nail punta de París, clavo francés, clavo [punta] de alambre. LOCALISMOS: puntilla, alfiler de París.

wire netting tela metálica; alambrera, alambre tejido, enrejado [red] de alambre, enrejado de hilo de hierro.

wire network *(Telecom)* red por hilos, red de líneas físicas.

wire nut *(Elec)* tuerca para alambre. Conector usado para empalmar alambres eléctricos sin soldadura. Para usarlo se pelan los alambres que se quieren unir, se retuercen juntos, y se "atornilla" el conector sobre los extremos retorcidos. SIN. **solderless wire connector**.

wire pair *(Telecom)* par de hilos, par de conductores.

wire phototelegraph service servicio fototelegráfico por hilo.

wire plant *(Telecom)* instalación alámbrica [de comunicación por hilos]. SIN. **wire facility**.

wire plate hilera. Pieza de metal muy duro o de diamante provista de orificios por los cuales se hace pasar un alambre para estirarlo y reducir su diámetro. CF. **wiredrawing**.

wire printer *(Informática)* (a.c. matrix printer) impresora de matriz de hilos. Impresora rápida que imprime configuraciones de puntos mediante la selección de puntas de hilo de una "matriz" (de hilos).

wire program distribution *(Telecom)* teledifusión, radiodistribución, hilodifusión. SIN. **wire broadcasting**.

wire recorder grabador(a) de hilo, grabador [registrador, magnetófono] de alambre, grabador sobre alambre, grabador [magnetófono] de hilo, registrador de hilo magnético, registrador magnetofónico de hilo [de alambre]. Aparato de registro magnético (v. **magnetic recording**) en el que el medio o vehículo de registro es un hilo o alambre flexible de acero (v. **magnetic wire**). CF. **tape recorder**.

wire recording registro en hilo [sobre hilo], registro en hilo magnetofónico, registro magnetofónico en hilo.

wire reel bobina, devanadera (de alambre).

wire-reinforced *adj:* reforzado con alambre; reforzado con alambrón; reforzado con tela metálica.

wire relay *(Telecom)* teledifusión, radiodistribución, hilodifusión. SIN. **wire broadcasting**.

wire resistance *(Elec)* resistencia de alambre.

wire resistor *(Elec)* resistencia [resistor] de alambre. CF. **wire-wound resistor**.

wire ribbon guide *(Informática)* guía de alambre para cinta.

wire rod alambrón, varilla delgada ‖ *(Fab de alambre)* hilo de máquina; varilla redonda para estirar alambre.

wire rope   cable metálico [de alambre, de acero]. LOCALISMO: guaya.

wire route   *(Telecom)* circuito por hilo, circuito aéreo [por línea aérea].

wire service   *(Telecom)* servicio telegráfico, telégrafo; servicio de información [de noticias]; servicio de líneas.

wire shears   tijeras para alambre.

wire skinner   *(Herr)* pelacables, pelahilos, pelador de alambre, sacaforros. SIN. **wire stripper.**

wire solder   alambre de soldadura, soldante en forma de alambre.

wire speed   *(Registro mag)* velocidad del hilo (magnético).

wire splice   empalme de conductores.

wire spooling   enrollado de alambre.

wire-spooling machine   máquina de enrollar alambre.

wire spring   muelle de alambre [de hilo], resorte filar.

wire-spring relay   relé de muelle de alambre, relevador de muelle de hilo.

wire stay   riostra flexible, tensor. SIN. **guy.**

wire strain gage   galga de deformación de hilo, extensímetro [dilatómetro] de hilo.

wire strand   cordón [torón] de alambre. cordón [torón] metálico.

wire-strand core   núcleo de cordón metálico.

wire-strengthened   *adj:* reforzado con alambre ‖ *(Mangueras)* reforzado con espiral de alambre. CF. **wire-armored.**

wire stretcher   estirador de alambre, tensaalambre, carraca [perrillo] tensaalambre ‖ *(Elec)* tensor. Aparato o medio utilizado para regular la tensión mecánica de una línea aérea de contacto, de un cable sustentador longitudinal, o de uno transversal (CEI/38 30–40–030).

wire-stretching grip   agarre para estirar [tensar] alambre, rana tensaalambre. CF. **wire grip.**

wire string   *(Mús)* cuerda de alambre.

wire stripper   *(Herr)* pelacables, pelahilos, pelador de alambre, sacaforros. Util que sirve para quitarle el forro aislante a un conductor eléctrico. SIN. **wire skinner.**

wire-stripping tool   herramienta pelacables [pelahilos], herramienta de pelar alambre; pinzas de pelar aislamiento.

wire system   *(Telecom)* sistema alámbrico; red por hilos, red de líneas físicas.

wire tantalum capacitor   condensador de alambre de tantalio.

wire-tap   v. **wiretap.**

wire telecommunications network   red de telecomunicaciones por hilos [por líneas físicas].

wire telegram   telegrama por vía alámbrica. CF. **wireless telegram.**

wire telegraph circuit   circuito telegráfico alámbrico [por hilo].

wire telegraphy   telegrafía alámbrica [por hilo]. CF. **wireless telegraphy.**

wire telemetry   telemedida por hilo [por línea física], telemedida de transmisión por hilo. SIN. **wire-link telemetry.**

wire telephony   telefonía alámbrica [por hilos]. Telefonía en la que el medio de transmisión está constituido por conductores eléctricos. CF. **wireless telephony.**

wire teletype link   enlace de teleimpresor por hilo.

wire tension   *(Líneas telef/teleg)* tensión del hilo.

wire-tension table   cuadro de tensiones de los hilos.

wire thimble   guardacabos.

wire-transmitting meteorograph   meteorógrafo de transmisión alámbrica. SIN. **wiresonde.**

wire transport system   *(Registro mag)* sistema de transporte [arrastre] del hilo. CF. **tape-transport system.**

wire trench   *(Elec/Telecom)* lecho de cables. v. **cable trench.**

wire voice-frequency telegraphy   telegrafía armónica por hilo.

wire wave communication   comunicación por ondas [corrientes] portadoras transmitidas por hilo. SIN. **line radio.**

wire winder   devanadora de alambre. SIN. **wire reel.** CF. **wire dispenser.**

wire-wound adjustable resistor   resistencia bobinada semifija,

resistencia bobinada con anillo cursor [con brida variable]. Se usa p.ej. en redes divisoras de tensión alimentadora, como resistencia reductora ajustable, etc. CF. **adjustable resistor.**

wire-wound delay line   línea de retardo de hilo bobinado [devanado].

wire-wound potentiometer   potenciómetro bobinado [de alambre bobinado, de alambre devanado].

wire-wound resistor   resistencia bobinada [devanada, de hilo bobinado, de alambre devanado], resistor de hilo arrollado. Elemento de circuito constituido por un hilo de resistencia devanado sobre un soporte aislador. El hilo es usualmente de Nichrome, de sección circular o en forma de cinta. El conjunto puede ir cubierto con una capa aislante de materia cerámica; el soporte es casi siempre cilíndrico, pero puede ser en forma de tablilla; los terminales pueden ser de orejeta o de hilos axiles o radiales. Se usan los sinónimos *resistencia* o *resistor de alambre,* que pueden resultar ambiguos en ciertos contextos, pues existen resistencias de alambre en que el alambre o hilo está dispuesto en zigzag o en línea recta, y no arrollado o bobinado.

wire-wound rheostat   reostato de alambre [hilo] bobinado. SIN. **reostato de alambre.**

wire-wound trimmer   potenciómetro de ajuste de hilo bobinado [de alambre devanado].

wire-wrap   v. **wire-wrap connection.**

wire-wrap connection   (a.c. wire-wrap) conexión arrollada Conexión eléctrica sin soldadura en la que el alambre se arrolla fuertemente a un terminal de sección rectangular de esquinas agudas, utilizando una herramienta que puede ser neumática o eléctrica. SIN. **solderless (wrapped) connection, wire-wrapping.**

wire-wrap pin   terminal [alfiler] de conexión arrollada, terminal de conexión por arrollamiento [por vuelta de alambre]. SIN. **wire-wrap terminal.**

wire-wrap terminal   terminal de conexión arrollada [de conexión por arrollamiento]. Terminal rectangular de esquinas agudas al que puede conectarse un alambre conductor arrollándolo bajo tensión con una herramienta especial para ese propósito.

wire-wrapping   conexión arrollada, conexión por arrollamiento apretado del hilo al terminal. SIN. **wire-wrap connection.**

wireborne   *adj: (Telecom)* por hilo, transmitido por hilo [por línea alámbrica].

wireborne telephone circuit   circuito telefónico por hilo.

wirecutter   *(Herr)* cortaalambre, tenazas, pinza de corte.

wired   *adj:* alambrado, con alambre; de red metálica ‖ *(Elec/Elecn/Telecom)* alambrado, cableado ‖ (as opposed to *in kit form*) alambrado, cableado (en fábrica), armado en fábrica.

wired AND   *(Elecn)* función Y por conexionado. Función Y [AND function] que se obtiene por el conexionado externo de circuitos de función lógica separados. SIN. **dot AND, implied AND.**

wired broadcasting   teledifusión, radiodistribución, hilodifusión. SIN. **wire broadcasting** (véase).

wired-broadcasting receiver   receptor de teledifusión [de radiodistribución].

wired communication   comunicación alámbrica [por hilos]. CF. **wireless communication.**

wired communication system   sistema de comunicación alámbrica [por hilos].

wired distribution   teledifusión, radiodistribución, hilodifusión. SIN. **wire broadcasting** (véase).

wired hose   manguera [tubo flexible] con espiral de alambre, manguera armada con espiral de alambre, manguera reforzada con alambre. SIN. **wire-armored hose.**

wired house   casa [vivienda] con instalación eléctrica.

wired-memory translator   *(Telef)* traductor con circuito de memoria.

wired music system   sistema de hilodifusión musical.

wired OR   *(Elecn)* función O por conexionado. Función O [OR function] que se obtiene por el conexionado externo de circuitos de función lógica separados. SIN. **dot OR, implied OR.**

wired panel   panel alambrado, tablero cableado ‖ (*Comput*) panel de conexiones.

wired program   (*Comput*) programa por conexionado, programa en tableros de conexiones (por hilos).

wired-program computer   computadora de programa por conexionado, computadora programada por tableros de conexiones. Computadora cuyas instrucciones están casi todas determinadas por la colocación de hilos de interconexión en tableros intercambiables; la substitución de un tablero por otro permite modificar fácilmente el proceso operacional de la máquina. V.TB. **patchboard.**

wired radio   radio por hilos, comunicación alámbrica por portadoras de alta frecuencia. Comunicación por medio de corrientes portadoras de alta frecuencia que después de moduladas son transmitidas por hilos conductores tendidos para ese fin, o por líneas ya existentes. CF. **wire broadcasting.**

wired wireless   teledifusión, radiodistribución, hilodifusión, difusión alámbrica [por hilo, por línea]. Difusión de programas sonoros mediante portadoras de alta frecuencia que (en vez de ser radiadas) se transmiten por línea a los abonados a ese servicio. V.TB. **wire broadcasting.**

wiredrawing   trefilado, estirado [estiramiento] (de alambre). Alargamiento y reducción del diámetro de un alambre o una varilla haciéndolo pasar por *matrices de trefilar* o *hileras de estirar* [wiredrawing dies].

wiredrawing die   matriz de trefilar, hilera de estirar.

wiredrawing machine   trefiladora, máquina [hilera] de estirar (alambre), banco de estirado.

wiredrawing works   trefilería, taller de estirado.

wireholder   (*Elec*) aprietahilos, portahilo, portacable.

wireless   radiocomunicación, comunicación inalámbrica. SIN. **radiotelefonía, telefonía inalámbrica [sin hilos]; radiotelegrafía, telegrafía inalámbrica [sin hilos]** ‖ radioelectricidad ⫽ *adj:* inalámbrico, sin hilos; por radio; radiotelefónico; radiotelegráfico; radioeléctrico, de radio.

wireless beacon   radiofaro. V. **radio beacon.**

wireless broadcaster   radioemisora en miniatura. Emisor de radio de reducidísima potencia capaz de ser captado mediante receptores situados a muy corta distancia (dentro de la misma casa o habitación). Se utiliza más bien como juguete o, a veces, para reproducir discos fonográficos por un receptor sin necesidad de hacer conexiones a éste. Se trata en esencia de un oscilador de RF en la banda de radiodifusión que es modulado mediante un micrófono o mediante un fonocaptor, según el caso. CF. **wireless microphone, wireless record-player.**

wireless code transmitter   transmisor radiotelegráfico, emisor de telegrafía inalámbrica.

wireless communication   comunicación inalámbrica [sin hilos], telecomunicación sin conductores, radiocomunicación. SIN. **radiocommunication.** CF. **wire communication.**

wireless compass   radiocompás. V.TB. **radio compass.**

wireless concert   radioconcierto, concierto radiofónico. SIN. **radio concert.**

wireless-controlled   *adj:* radiocontrolado, radioguiado, radiomandado, radiodirigido, radiogobernado, controlado [guiado, mandado, dirigido, gobernado] por radio, de control inalámbrico. SIN. **radio-controlled.**

wireless device   dispositivo inalámbrico, aparato de control sin hilos.

wireless enthusiast   radioaficionado, entusiasta de la radiocomunicación.

wireless laboratory   laboratorio de radioelectricidad, laboratorio radioeléctrico [de radio]. SIN. **radio laboratory.**

wireless license   licencia de radio; licencia de radiodifusión. SIN. **radio license.**

wireless message   mensaje inalámbrico [por radio]; radiotelegrama, radiograma, telegrama por radio. SIN. **radio message.**

wireless microphone   radiomicrófono, micrófono inalámbrico [sin hilos de conexión]. SIN. **radio microphone.** CF. **wireless broadcaster.**

wireless picture telegraphy   fototelegrafía sin hilos, radiofototelegrafía. SIN. **radiophoto.** CF. **wirephoto.**

wireless record-player   tocadiscos inalámbrico. V. **wireless broadcaster.**

wireless-relay system   (*Telecom*) V. **radio-relay system.**

wireless remote control   radiotelemando, telemando inalámbrico [por radio], radiomando a distancia, radiocontrol. SIN. **radio remote control.**

wireless route   (*Telecom*) vía analámbrica.

wireless search   radioexploración, exploración sin hilos. SIN. **radio search.**

wireless set   V. **radio set.**

wireless subscriber   abonado a la radio(difusión).

wireless telegram   radiotelegrama, radiograma, telegrama por radio. SIN. **wireless message.** CF. **wire telegram.**

wireless telegraph service   servicio radiotelegráfico, servicio de telegrafía sin hilos.

wireless telegraphy [W/T]   radiotelegrafía, telegrafía sin hilos. V. **radiotelegraphy.** CF. **wire telegraphy.**

wireless-telegraphy broadcast   emisión radiotelegráfica, radioemisión en grafía.

wireless-telegraphy operator   (operador) radiotelegrafista, operador de telegrafía sin hilos. SIN. **radio operator, radiotelegraph operator.**

wireless telephone service   servicio radiotelefónico, servicio de telefonía sin hilos.

wireless telephony   radiotelefonía, telefonía sin hilos. SIN. **radiotelephony.** CF. **wire telephony.**

wireless voice transmitter   transmisor radiotelefónico, emisor de telefonía sin hilos.

wireless wave   onda radioeléctrica [de radio], onda herciana [hertziana]. SIN. **radio wave.**

wireman   (*Elec*) instalador; electricista (de obras); guardalíneas ‖ (*slang*) especialista en espionaje telefónico, perito en la interceptación clandestina [subrepticia] de comunicaciones telefónicas. CF. **wiretapping.**

wirephoto   fototelegrafía [facsímile] por línea, facsímile por hilos. Transmisión por línea de fotografías y otras imágenes fijas para su recepción en forma permanente. V.TB. **facsimile.** SIN. **wireless picture telegraphy.** CF. **radiophoto** ‖ telefoto por hilos, fotografía transmitida por línea.

wirephoto network   red fototelegráfica, red de fototelegrafía por línea [por hilos].

wirer   (*Elec*/*Elecn*/*Telecom*) alambrador, cableador, técnico encargado del conexionado [del cableado] ‖ (*Comput*) especialista en programación por conexionado. V. **wired-program computer.**

wiresonde   sonda cautiva, sonda (meteorológica) de transmisión alámbrica. Sistema consistente en aparatos sensibles y emisores montados en un globo cautivo, que envían las señales correspondientes a los diversos datos captados (temperatura, humedad, presión, etc.) por hilos conductores conectados en tierra a aparatos registradores. SIN. **wire-transmitting meteorograph.** CF. **radiosonde.**

wiretap   (*Elec*) derivación ‖ (conexión para) interceptación [captación] clandestina de comunicaciones telefónicas; artificio de espionaje telefónico.

wiretapping   (*Elec*) derivación ‖ interceptación [captación] clandestina de comunicaciones telefónicas, registro magnético subrepticio de conversaciones telefónicas; espionaje telefónico. CF. **wireman.**

wireway   (*Elec*) conducto (superficial) de alambres, canal de alambres.

wirework   tela metálica, malla [enrejado] de alambre.

wireworks   trefilería, taller de estirado. SIN. **wiredrawing works.**

wirewound   V. **wire-wound.**

wiring *(Elec/Elecn/Telecom)* alambrado, alambraje, cableado, cableaje, conexionado, conexiones (eléctricas); canalización [distribución, instalación] eléctrica; tendido eléctrico; colocación de alambres, instalación de conductores, tendido de cables | cableado. Conjunto de conductores aislados de pequeña sección de un equipo eléctrico (CEI/57 15–60–070) ‖ *(Comput)* preparación de paneles de conexiones; armado [conexionado] de paneles de control. CF. **wired program, wirer.**

wiring accessory accesorio de alambrado.

wiring board panel [tablero] de conexiones; panel de control. SIN. **patch-board, plugboard.**

wiring capacity *(Elec/Elecn)* capacidad del cableado, capacidad [capacitancia] debida a las conexiones. SIN. **stray capacitance.**

wiring changes cambios de alambrado [de conexiones], modificación del cableado.

wiring clip *(Elec)* sujetahilo. CF. **wireholder.**

wiring connector *(Elec)* conector de alambres. Accesorio que sirve para unir entre sí dos o más conductores eléctricos.

wiring diagram *(Elec/Elecn/Telecom)* diagrama [esquema] de conexiones, diagrama de cableado, esquema eléctrico [del circuito], dibujo de alambrado. Esquema o dibujo en el que se muestran las conexiones internas de un dispositivo, un equipo, o un sistema, o las interconexiones entre los diversos elementos que constituyen un sistema o un equipo. SIN. **esquema de interconexiones** — **wiring schematic, wiring scheme.** CF. **schematic diagram.**

wiring gutter *(Elec)* lecho de cables, canal para conductores. SIN. **wire trench.**

wiring harness *(Elec/Elecn/Telecom)* (a.c. harness) cableado [conexionado] preformado, cables preformados. LOCALISMO: momia. (1) Conjunto de conductores o hilos de conexión cortados a la medida y atados en forma de mazo. Puede tener ramificaciones consistentes en agrupaciones de hilos cortados a distintos largos y doblados en distintas direcciones, para establecer interconexiones entre distintas secciones de un equipo, un bastidor, un chasis, etc. (2) Hilos y cables convenientemente conformados y atados entre sí, de manera que puedan instalarse o retirarse como un todo; haz de conductores dispuesto para su instalación. SIN. **cabling, wire harness.**

wiring in diagonal pairs *(Telecom)* armado en diagonal.

wiring pattern *(Circ impresos)* red conductora. v. **conductor pattern.**

wiring regulations reglamento para las instalaciones eléctricas. SIN. **electrical code.**

wiring room espacio para el cableado; espacio para las instalaciones eléctricas.

wiring schematic esquema de conexiones [de cableado], esquema eléctrico [del circuito]; esquema de interconexiones. SIN. **wiring diagram.**

wiring scheme *(Telecom)* esquema de cableado. SIN. **wiring diagram.**

wiring sundries accesorios de alambrado; accesorios para el tendido de cables (eléctricos). SIN. **wiring accessories.**

wiring switch *(Elec)* interruptor (subsidiario) interior, interruptor [llave] de alambrado.

wiring table tabla de conexionado; mesa de cableado.

wiring trough *(Elec)* canaleta de alambrado, canaleta para conductores. CF. **wireway.**

Wishart distribution *(Análisis de múltiples variancias)* distribución de Wishart. Distribución de variancias y covariancias en muestras de una población normal [normal population].

WITC Abrev. de West Indies Telephone Company.

witch of Agnesi *(Mat)* curva [cúbica] de Agnesi, versiera.

withdraw a plug *(Telecom)* sacar [retirar, quitar, desconectar] una clavija.

withdrawal retirada; extracción; separación; evacuación; retroceso; retracción; repliegue (de tropas) ‖ *(Almacenes)* salida (de mercadería); retirada (de mercancía) ‖ *(Bancos)* extracción [retirada] (de fondos).

within range *(Radiocom)* dentro del radio de alcance [de acción].

withstand voltage *(Aislación)* tensión no disruptiva, voltaje no disruptivo. CF. **dielectric withstanding.**

WK *(Explotación teleg)* Abrev. de week [semana]; work [trabajo; trabajar].

WKD *(Explotación teleg)* Abrev. de worked [trabajado].

WKG *(Explotación teleg)* Abrev. de working [trabajando; trabajo].

WL *(Explotación teleg)* Abrev. de will.

WLD *(Explotación teleg)* Abrev. de would.

WMI Abrev. de world meteorological intervals.

WMO Abrev. de World Meteorological Organization.

WNDC *(Explotación teleg)* Abrev. de Washington, D.C.

wobble *(also* wabble) bamboleo, tambaleo; tono [sonido] tremulante ‖ *(Mec)* bamboleo, balanceo, oscilación; movimiento inestable o irregular; giro excéntrico; rotación en un plano irregular o variable ‖ *(Ampl)* fluctuación, ruido. SIN. **flicker, jitter** ‖ *(Tv)* vibración [oscilación lateral] (del punto explorador). Defecto de la exploración que produce ensanchamiento y borrosidad de la línea de exploración. /// *verbo:* bambolear(se), tambalear(se), balancear(se); hacer tambalearse; girar irregularmente o inestablemente; desplazarse con oscilaciones irregulares.

wobble bond unión con oscilación. Unión multicontacto por termocompresión en la que se hace oscilar el cabezal formador de la unión sobre los conductores tipo "viga" [beam leads] de ciertos dispositivos electrónicos de semiconductor.

wobble frequency *(Tv)* frecuencia de vibración [oscilación lateral] (del punto explorador).

wobble joint *(Guías de ondas)* acoplador oscilante. Acoplador entre un emisor de radar y la antena correspondiente, constituido por dos secciones separadas: una fija conectada al emisor, y la otra móvil respecto a la primera, y conectada a la antena. El movimiento relativo de las dos secciones se obtiene por medio de un segmento de guía flexible, o de otro modo, sin introducir desadaptaciones de impedancia.

wobble modulation vobulación. Modulación de frecuencia de una portadora por una oscilación cuya frecuencia fundamental es muy baja respecto a las frecuencias de la señal que posteriormente module en amplitud la misma portadora (CEI/70 60–42–155).

wobble pump *(Mot)* bomba auxiliar del combustible; bomba de mano para el combustible.

wobble saw *(Herr)* sierra excéntrica, sierra circular oscilante; sierra elíptica.

wobble stick *(Elec)* varilla oscilante. Varilla que sobresale de un puesto colgante [pendant station] y que al ser empujada en cualquier dirección acciona los contactos de parada.

wobbling bamboleo, tambaleo; etc. v. **wobble** /// *adj:* bamboleante, tambaleante; oscilante; fluctuante; inestable, instable.

wobbulated frequency frecuencia vobulada. v. **wobble modulation.**

wobbulated generator generador panorámico [vobulado, con barrido periódico de frecuencia]. v. **wobbulator.**

wobbulated receiver receptor vobulado [panorámico], receptor con barrido periódico de frecuencia.

wobbulated signal señal vobulada, señal con modulación periódica de frecuencia.

wobbulation vobulación. v. **wobble modulation.**

wobbulator vobulador, generador panorámico [vobulado], generador con barrido periódico (de frecuencia). Generador de señales cuya frecuencia varía periódica y automáticamente entre dos límites conocidos, y que es utilizado para observar simultáneamente, en la pantalla de un osciloscopio, las respuestas a las diferentes frecuencias de un amplificador u otro dispositivo o una red. En su forma típica se obtiene la oscilación de frecuencia haciendo girar un condensador variable mediante un pequeño motor eléctrico acoplado a su eje de mando. SIN. **trazador de curvas** — **sweep generator.**

wobbuloscope vobuloscopio, conjunto de generador panorámico y osciloscopio.

Wolf-Rayet star *(Astr)* estrella Wolf-Rayet. Designación de ciertas estrellas muy calientes.

Wolf trap captador de Wolf. Detector automático de la presencia de vida empleado en sondas de exploración espacial no tripuladas; fue ideado por Wolf Vishniac, de la Universidad de Rochester (EE.UU.).

wolfram *(Quím)* tungsteno, volframio, wolfram. Elemento de número atómico 40. Símbolo: W. En los Estados Unidos se usa casi exclusivamente el sinónimo *tungsten* ⫽ *adj:* túngstico, volfrámico.

wolframite *(Miner)* *(i.e.* tungsten ore) volframita, wolframita, tungstita.

Wolf's number *(Radioelec)* número de Wolf. Símbolo: R. SIN. Zurich's number.

Wollaston wire hilo de Wollaston. Hilo sumamente fino que se obtiene plateando un hilo de platino (u otro metal), o insertándolo en un tubillo de plata, estirando el conjunto para reducir su diámetro (v. **wiredrawing**), y, finalmente, disolviendo la plata.

womp *(Cine/Tv)* mancha hiperluminosa, zona deslumbrante [superluminosa]. Zona de mucha luminosidad que aparece en una imagen proyectada ópticamente, y que generalmente se debe a reflexiones internas en el sistema de lentes. SIN. **flare spot, hot spot** ⫽ *(Tv)* sobreluminosidad [sobreintensidad luminosa] repentina. Aumento repentino de la luminosidad o brillo de la pantalla del cinescopio, debido casi siempre a un incremento brusco de la intensidad de la señal. SIN. **flare**.

wood madera; madero; leña; leño | *(Generalmente en la forma plural, woods)* bosque, monte, selva.

wood alcohol *(Quím)* alcohol [espíritu] de madera, alcohol metílico, metanol. Se obtiene atacando la viruta de madera y destilando el líquido que rezuma de ella por efecto del calor. SIN. **methyl alcohol, wood spirit**.

wood cement cemento para madera.

wood fastener sujetador para madera. EJEMPLOS: tornillo, clavo, tachuela, grapa.

wood float *(Albañilería)* llana [paleta] de madera.

wood-flour v. **woodflour**.

wood fretwork grille *(Ebanistería)* rejilla de madera calada. Se usa en algunas cajas acústicas para altavoces.

wood glue cola para madera.

wood ground-contact plug tarugo de contacto a tierra. Pieza de madera aguzada que se clava en la tierra, después de impregnarla de una solución de sulfato de cobre [copper sulfate], y que forma uno de los electrodos para efectuar comprobaciones de protección catódica [cathodic protection].

wood paper v. **wood-pulp paper**.

wood piling *(Telecom)* tabla para revestimiento de trinchera | plancha de entibar. SIN. **walling board** | tablas para el revestimiento de una trinchera. SIN. **poling boards, wood shoring**.

wood pulp pulpa de madera; pasta de madera, pasta papelera.

wood-pulp paper papel de pulpa de madera.

wood rasp *(Herr)* raspa [escofina] para madera.

wood rheology reología de la madera.

wood saw *(Herr)* sierra para madera.

wood screw tornillo para madera, tirafondo.

wood shoring *(Telecom)* plancha de entibar. SIN. **wood piling** | tablas para el revestimiento de una trinchera. SIN. **poling boards, wood piling**.

wood spirit *(Quím)* alcohol [espíritu] de madera, alcohol metílico, metanol. SIN. **methyl [wood] alcohol**.

wood strip listón.

wood tool herramienta para madera, herramienta de carpintería.

wood veneer chapa de madera.

wood waste desechos de madera.

wood wool lana de madera, virutilla, virutas finas.

wooden *adj:* de madera.

wooden block *(Telecom)* falso protector.

wooden bridge puente de madera. Puente construido con vigas y pilares de madera.

wooden cabinet *(Aparatos)* mueble [caja] de madera, ebanistería. En los muebles o cajas de radios, fonógrafos, y otros aparatos semejantes, la madera se usa al natural, en hojas prensadas, o en pasta celulósica.

wooden float *(Hidroaviones)* flotador de madera.

wooden framework armazón de madera ⫽ *(Líneas telef/teleg)* (for stacking poles) caballete.

wooden fuselage *(Avia)* fuselaje de madera.

wooden propeller *(Avia)* hélice de madera.

wooden raceway *(Elec)* moldura (para conductores); cajetín de madera. SIN. **molding** | moldura. Material para canalizaciones eléctricas constituido por un listón aislante provisto de ranuras para los conductores y de una cubierta también aislante. SIN. **moulding** *(GB)* (CEI/57 15–65–085).

wooden rib *(Avia)* costilla de madera.

wooden spar *(Avia)* larguero de madera.

wooden tailpole cola de madera.

woodflour serrín, aserrín ⫽ *(Voladuras, Medicina)* polvo de madera. Polvo de madera muy fino que se utiliza en la preparación de explosivos, en vendajes de cirugía, etc.

Woodruff key *(Mec)* chaveta Woodruff, chaveta de media luna.

Wood's lamp lámpara de Wood. Lámpara de vapor de mercurio a alta presión, o a baja presión (con substancia fluorescente), construida de manera que emita radiación UV-A [UV-A radiation], con muy poca o ninguna radiación visible. SIN. **black-light lamp** (CEI/70 45–40–295). SIN. **lámpara de luz negra**.

woodwinds *(Mús)* maderas, instrumentos de madera.

woodwork maderamen, maderaje enmaderado: carpintería; obra de carpintería.

woodworker carpintero; sierra mecánica portátil (con accesorios).

woodworking carpintería; elaboración de maderas.

woody *adj:* de madera; leñoso; arbolado, selvoso ⫽ *(Papel)* que contiene pulpa [pasta] de madera.

woof *(Tejidos)* trama; textura ⫽ *(Tv)* *(slang)* Expresión que los técnicos usan por teléfono con el significado de "Okay and good-bye" [Está bien y adiós].

woofer *(Electroacús)* altavoz para graves [para sonidos graves, para bajas frecuencias], altavoz [altoparlante] de graves [de bajos]. Altavoz que por las dimensiones de su cono o diafragma, y otras características, es capaz de reproducir con buen rendimiento los sonidos graves del espectro musical. SIN. **bass loudspeaker, low-frequency loudspeaker [unit]**. CF. **tweeter**.

woofer-tweeter combination combinación [conjunto] de altavoz para graves y altavoz para agudos. V.TB. **woofer, tweeter**.

wool lana, vellón ⫽ *adj:* lanar, de lana; para lana; lanero; relativo o perteneciente a la lana.

wool felt fieltro de lana.

wool packing empaquetadura [junta] de lana.

woolpack paca de lana ⫽ v. **woolpack cloud**.

woolpack cloud *(Meteor)* (a.c. woolpack) cúmulo.

word palabra; voz, vocablo; habla ⫽ *(Informática)* palabra. (**1**) Grupo de dígitos binarios que constituye una cantidad aritmética o una instrucción. (**2**) Conjunto de dígitos o bitios considerado una entidad. (**3**) Conjunto ordenado de caracteres o de bitios que es tratado, almacenado, y transportado como una unidad por los circuitos de una computadora, y cuya longitud puede ser fija o variable, según la modalidad de la máquina (CF. **word length**). Dentro de una palabra, se llama *lugar* a cada una de las posiciones susceptibles de ser ocupadas por un carácter o un bitio.

word-address format *(Informática)* formato de dirección de palabra. Designación de la dirección de cada palabra de un bloque de información mediante uno o varios caracteres que identifican el significado de la palabra. CF. **word format.**

word articulation   (*Electroacús/Telef*) nitidez [inteligibilidad] de palabra, articulación de palabras. Exprésase por el tanto por ciento de palabras sin ilación [random words] recibidas correctamente por un sistema de transmisión o de reproducción. SIN. **discrete-word intelligibility, word intelligibility.**

word-carrying capacity   (*Teleg*) capacidad de transmisión de palabras. Capacidad de un sistema (por ejemplo, un cable) expresada por el número de palabras que el mismo puede transmitir por unidad de tiempo.

word code   (*Telecom*) palabra clave. Palabra de significado convenido; palabra, del lenguaje ordinario a la que se le ha asignado un significado diferente del que normalmente tiene en el idioma a que pertenece.

word count   (*Teleg*) cómputo de palabras. Número de palabras que contiene un telegrama, contadas de acuerdo con las reglas vigentes. SIN. **check, wordage.**

word counting   (*Teleg*) v. **word count.**

word flag   (*Informática*) bandera, marca de palabra. En las computadoras que emplean palabras de largo variable, señal que marca el comienzo o el fin de una palabra. SIN. **word mark.**

word format   (*Informática*) formato de palabra. Disposición de los caracteres de una palabra, en la que cada lugar o grupo de lugares de ésta contiene cierta información especificada.

word frequency   frecuencia de palabras.

word generator   (*Informática*) generador de palabras. Dispositivo que genera una serie indefinida de unos y ceros binarios, bajo el control del operador en cuanto a posición y frecuencia de los bitios, etc., y que puede ser considerado como una memoria de lectura solamente [read-only memory]. Se emplea en lugar de un lector de cinta perforada [paper-tape reader] para probar, por ejemplo, una línea de transmisión de datos. También puede utilizarse como generador programable de impulsos, como dispositivo programador, y como simulador de la salida de una computadora.

word indexing   indización por palabras.

word intelligibility   (*Electroacús/Telef*) v. **word articulation.**

word length   (*Informática*) longitud [largo] de palabra. Número de bitios contenidos en una palabra. SIN. **word size.**

word mark   (*Informática*) marca de palabra. En una computadora de longitud de palabra variable, símbolo (por ejemplo, un bitio o un carácter especial) usado para indicar el comienzo o el fin de una palabra o de un ítem. SIN. **word flag.**

word pattern   (*Analizadores de voz*) fonetograma de una palabra, oscilograma característico de una palabra ‖ (*Informática*) unidad de lenguaje. La más corta combinación de sílabas o de palabras que encierra un significado y que es reconocida por la máquina.

word rate   (*Informática, Teleg*) velocidad de transmisión (de palabras). Número de palabras transmitidas por unidad de tiempo (minuto o segundo). V.TB. **words per minute** ‖ (*Informática*) frecuencia de palabras. Inversa del período de las palabras, o sea, el intervalo entre el comienzo de la transmisión de una palabra y el comienzo de la transmisión de la palabra inmediatamente siguiente, expresada en palabras por unidad de tiempo ‖ (*Teleg*) tasa por palabra.

word recognizer   identificador de palabras. CF. **word pattern.**

word size   (*Informática*) dimensión de palabra. Número de dígitos binarios o decimales contenidos en una palabra. SIN. **word length.**

word-size emitter   emisor de dimensión de palabra.

word-spelling alphabet   alfabeto fonético, alfabeto para deletrear. SIN. **spelling alphabet.**

word time   (*Informática*) tiempo de palabra. (1) Tiempo necesario para la lectura de una palabra. (2) Intervalo de tiempo necesario para trasladar una palabra de un dispositivo almacenador a otro. (3) En un dispositivo almacenador de acceso secuencial a los locales de almacenamiento, intervalo de tiempo entre la aparición de partes correspondientes de palabras consecutivas | ciclo menor [secundario]. v. **minor cycle.**

word transit share   (*Explotación teleg*) tasa de tránsito por palabra.

wordage   palabras consideradas colectivamente; palabras, número de palabras (en una novela u otra obra) | (= verbiage) palabrería, verbosidad, exceso de palabras | (= wording) redacción, fraseología ‖ (*Teleg*) cómputo [número] de palabras. SIN. **check, word count** | (número de) palabras transmitidas.

wordbook   (*Mús*) libro, libreto (de ópera).

wording   redacción, fraseología; estilo de expresión.

wording of a telegram   redacción de un telegrama.

words per minute [WPM]   (*Teleg*) palabras por minuto. (1) Expresión usada para denotar la *velocidad de transmisión telegráfica,* considerando que la palabra media está compuesta de cinco letras (v. **telegraph word**). En telegrafía Morse, las palabras, aunque tengan el mismo número de letras, no tienen una longitud uniforme; por esa razón se usa con frecuencia *PARIS* como palabra tipo. (2) Unidad ligada a la *rapidez de modulación* [modulation rate], usada para expresar la capacidad de tráfico. Para los sistemas telegráficos con *velocidad de señalización* [signaling speed] de 50 baudios, el número máximo de palabras telegráficas por minuto es el siguiente: (a) sistema arrítmico de cinco momentos (con señal de parada de $1\frac{1}{2}$ elemento unitario): $66\frac{2}{3}$ palabras por minuto; (b) sistema síncrono: 100 palabras por minuto (CEI/70 55–60–120). CF. **baud, telegraph speed, word rate.**

WORDS TWICE   (*Explotación radiotelef*) Cada palabra dos veces. Frase que se usa, como pedido, con el significado de "La recepción es difícil; sírvase transmitir cada palabra (o frase) dos veces"; y, como anuncio, con el de "Como la comunicación es difícil, transmitiremos dos veces cada palabra (o frase) del siguiente mensaje".

work   trabajo; labor; faena, tarea; empresa; empleo, ocupación; obra, acción; obra (de construcción); obra (*libro, producción*); obra (*cosa en que se trabaja*); pieza, trabajo (*pieza o material sometido a un procedimiento fabril o de otra clase*) ‖ (*Costura*) bordado; costura, labor ‖ (*Mec*) trabajo (de una fuerza). (1) Producto de la intensidad de la fuerza por la distancia recorrida en su dirección. (2) Entidad física que tiene por medida la integral de línea [line integral] de la fuerza a lo largo del camino recorrido por el punto de aplicación [point of application] de la misma fuerza (CEI/56 05–04–020) ‖ (*Hornos, Aparatos de caldeo dieléctrico o por inducción*) carga. v. **load** ‖ V.TB. **works** /// *verbo:* trabajar; laborar; trabajar, beneficiar, explotar (una mina); explotar (una patente); labrar, trabajar; tallar (una piedra); elaborar, fabricar, manufacturar; rendir labor útil; preparar, producir; elaborar (un material); formar, componer; obrar (sobre algo), influir (en algo); excitar, impeler, inducir; resolver, aclarar (un problema); hacer trabajar (a una persona o a una bestia); causar, efectuar; producir, surtir (un efecto); pagar (algo) con trabajo [en trabajo]; trabajar, estar ocupado, estar empleado; obrar, ser eficaz, tener buen efecto; tener buen resultado [buen éxito]; ser práctico; funcionar, ir (bien o mal); (hacer) fermentar ‖ (*Aparatos, Máq*) manejar, manipular, maniobrar, operar; echar a andar, hacer andar [mover]; poner en marcha [en movimiento], hacer funcionar; actuar, impulsar; funcionar, marchar ‖ (*Marina*) maniobrar ‖ (*Mec*) efectuar trabajo ‖ (*Telecom*) (**a circuit**) utilizar (un circuito) ‖ (*Radiocom*) (**with a ship**) comunicar (con un buque) ‖ (*Aparatos elecn*) (**into a load**) trabajar (sobre una carga); suministrar potencia (a una carga).

work area   zona de trabajo. En informática, parte del dispositivo almacenador de información de una computadora donde pueden tratarse o almacenarse temporalmente datos, o donde se retienen los resultados intermedios de un cálculo, en particular los que no aparecerán directamente en el dispositivo de salida de la máquina.

work assignment   tarea.

work-bench   v. **workbench.**

work calendar   calendario de trabajo; calendario de obras. SIN. **work schedule.**

work camp   campamento de trabajo, frente de trabajo. Campamento cerca del lugar donde se realiza una obra tal como la construcción de un puente, un ferrocarril, una presa, una red de telecomunicaciones, etc. A menudo se necesitan medios de telecomunicación (alámbrica o inalámbrica) entre el campamento y una oficina administrativa o un centro de control situado en la ciudad más próxima. SIN. **lugar de la obra [de los trabajos, de las instalaciones]** —— construction site.

work coefficient   coeficiente de trabajo.

work coil   *(Calentamiento por inducción)* bobina de trabajo. v. **load coil**.

work electrodes   electrodos de trabajo. En un equipo de calentamiento por histéresis dieléctrica [dielectric heating equipment], piezas conductoras destinadas a crear el campo eléctrico alterno [alternating electric field] (CEI/60 40–10–245).

work function   trabajo de extracción [de salida]. A VECES: función trabajo. Energía mínima necesaria (normalmente expresada en electrón-voltios) para llevar a un electrón al infinito separándolo del nivel de Fermi de un metal | trabajo de extracción [de salida]. Energía mínima que es preciso comunicar a un electrón para que pueda sobrepasar la barrera de potencial [potential barrier]. En un metal, dicho trabajo equivale a la separación energética [energy gap] entre la cresta de la barrera de potencial y el nivel característico de Fermi [Fermi characteristic energy level]. SIN. **electron affinity** (CEI/56 07–16–050).

work hardening   *(Met)* temple de trabajo. Endurecimiento y aumento de la resistencia producidos cuando se trabaja un metal | endurecimiento de trabajo; endurecimiento por medios mecánicos; endurecimiento por deformación plástica; endurecimiento por acritud.

work-head   *(Máq herr, Soldadura)* cabezal portapieza.

work-head transformer   *(Hornos y otros aparatos de caldeo eléc)* transformador de adaptación. Transformador conectado muy cerca del inductor de calentamiento [heating inductor] con el objeto de adaptar la impedancia de éste a la del generador (CEI/60 40–10–225).

work-holder   v. **workholder**.

work–kinetic energy theorem   *(Fís)* teorema del trabajo y la energía cinética. Teorema según el cual el trabajo efectuado por la fuerza resultante sobre una partícula durante un desplazamiento determinado es igual al cambio de energía cinética experimentado por la partícula durante el desplazamiento. El teorema es también válido en el caso de un cuerpo rígido y en el de un fluido incompresible.

¹**work lead**   *(Soldadura por arco)* conductor conectado a la pieza. Conductor eléctrico conectado entre la fuente de corriente y la pieza objeto de la soldadura.

²**work lead**   *(Met)* plomo de obra, plomo impuro obtenido en alto horno.

work-load   v. **workload**.

work-piece   v. **workpiece**.

work plate   *(Máq herr)* mesa portapieza.

work platform   plataforma de trabajo. En las torres de antena, plataforma desde la cual hay acceso a las antenas, para fines de ajuste y conservación.

work power   *(Fís)* potencia de trabajo.

work register   *(Informática)* registro de trabajo.

work schedule   programa [plan] (cronológico) de trabajo, calendario de trabajo.

work-sheet   v. **worksheet**.

work signal   *(Telecom)* señal de trabajo.

work statement   *(Proyectos)* formulación de la obra propuesta.

work station   *(Fábricas)* puesto de trabajo.

work stoppage   paro (obrero); huelga.

work study   estudio del trabajo || *(Fábricas)* estudio de tiempos (de trabajo), estudio de racionalización del trabajo.

work-table   v. **worktable**.

workability   viabilidad, factibilidad, practicabilidad; trabajabilidad, manejabilidad, laborabilidad, obrabilidad, formabilidad; explotabilidad; aplicabilidad || *(Aceros, Hormigón)* trabajabilidad,

laborabilidad, manejabilidad, manuabilidad, facilidad de trabajo.

workability of interconnection   *(Telecom)* funcionabilidad de interconexión.

workable   *adj:* viable, factible, práctico, practicable; trabajable; manejable, laborable, obrable, formable; explotable; aplicable.

workbench   banco [mesa] de trabajo, banco de taller; banco de ajustador.

workboard   *(Elecn)* tablero de montaje. Tablero en el que se montan las piezas de un circuito experimental.

workday   jornada de trabajo, jornada laboral.

workholder   portapieza, portatrabajo, soporte de la pieza [del trabajo].

working   funcionamiento, operación; actuación; maniobra; faena; obra, trabajo; efecto; régimen; labra (de piedras); circulación (de trenes); marcha (de un horno) || *(Buques)* deformaciones por mar agitado || *(Maderas)* hinchazón y contracción alternativas por variación de la humedad del aire || *(Marina)* laboreo; maniobra || *(Minas)* labor, laboreo, beneficio, explotación || *(Patentes de invención)* explotación || *(Electrólisis de electrólitos fundidos)* trabajo. Agitación del electrólito en el momento de la adición de electrólito sólido o de constituyentes, con el fin de hacerlo homogéneo (CEI/60 50–65–050) || *(Telecom)* explotación, utilización (de un circuito); trabajo, curso de tráfico /// *adj:* de trabajo, de servicio; activo; en servicio, en marcha; en funcionamiento; de maniobra; fundamental; normativo.

working aperture   *(Cine/Fotog)* abertura útil; abertura de diafragma.

working area   zona de trabajo; espacio de trabajo; superficie útil.

working arrangement   disposición de trabajo; método de trabajo.

working band   *(Radiocom)* banda de trabajo.

working blade   *(Proyectores cine)* pala obturadora. SIN. **cutting [master] blade**.

working capacity   capacidad de trabajo; capacidad de funcionamiento [de servicio].

working channel   *(Nucl)* canal de trabajo (de un reactor) || *(Telecom)* canal de trabajo, canal activo [en servicio]. Se distingue del *canal de protección* [protection channel] o *de reserva* [standby channel].

working characteristic   característica de trabajo [de funcionamiento, de servicio].

working characteristic data   *(Automática)* característica de regulación. Para un sistema de control automático [automatic control system], documentación (fórmulas, gráficas, etc.) que indica los valores de la variable controlada [controlled variable] en función de los de una variable de influencia [influencing variable] (CEI/66 37–05–060). CF. **inherent characteristic data**.

working circuit   *(Telecom)* circuito de trabajo. CF. **working channel**.

working coil   bobina de trabajo.

working conditions   condiciones de trabajo [de funcionamiento, de servicio] || *(Elec)* régimen. Conjunto de condiciones que caracterizan el funcionamiento de una máquina, un aparato o una red en un instante dado (CEI/38 05–40–150) || *(Máq)* régimen de marcha.

working contact   *(Relés)* contacto de trabajo [de cierre]. SIN. **front contact**.

working current   *(Elec)* corriente activa; corriente de trabajo [de régimen].

working curve   curva de trabajo; curva de funcionamiento || *(Contadores de radiación)* curva característica.

working day   día laborable [de trabajo], día hábil [útil].

working diagram   *(Elecn)* diagrama funcional; diagrama sinóptico | circuito-diagrama para demostraciones dinámicas. SIN. **dynamic demonstrator**.

working distance   distancia de trabajo; distancia útil || *(Cine/Fotog)* distancia de toma. Distancia entre el objeto y la superficie del objetivo de la cámara.

working drawing   dibujo de trabajo, plano de construcción [de ejecución] ‖ *(Arq)* montea. Dibujo de tamaño natural de una parte de una obra para labrar las piedras que la componen.

working face   *(Minas)* frente de tajo [de arranque, de ataque], faz de laboreo, frente de la labor de explotación ‖ *(Túneles)* fondo de laboreo.

working-face locomotive   locomotora para frente de tajo. Locomotora que tiene por función recoger los vagones (o zorras) en las inmediaciones del frente de tajo para formar los trenes (CEI/38 30–15–045) | locomotora para reunir vagones clasificados. Locomotora de mina [mining locomotive] especializada para recoger vagones o zorras en las inmediaciones del frente de tajo y formar los trenes (CEI/57 30–15–100).

working fall   *(Hidr)* caída [salto] útil, salto efectivo [disponible]. SIN. **working head.**

working fluid   *(Mec)* fluido motor [operante, energético, de trabajo]; líquido impulsor.

working frequency   *(Radiocom)* frecuencia de trabajo, frecuencia de comunicación [de tráfico]. SIN. **traffic frequency** | frecuencia de trabajo [de emisión]. SIN. **operating [transmitting] frequency.**

working gain   *(Radio/Elecn)* ganancia en servicio normal.

working gas   *(Nucl)* gas de trabajo. SIN. **process gas.**

working group [WG]   grupo de trabajo.

working group for internal instrumentation [WGII]   *(Tecnología espacial)* grupo de instrumentación interna.

working group for tracking and computation [WGTC]   *(Tecnología espacial)* grupo de cálculo y construcción de la trayectoria.

working group of a study group   grupo de trabajo de una comisión de estudios.

working head   *(Hidr)* salto efectivo [útil, disponible], caída útil. SIN. **working fall.**

working length   longitud útil.

working life   vida de trabajo; período de actividad; vida útil.

working line   *(Estr)* eje de la pieza. Generalmente coincide con el eje de los remaches ‖ *(Marina)* amarra, cabo de amarre ‖ *(Tubos elecn)* recta [línea] de carga. Está definida por la sucesión de puntos de trabajo [working points] durante un ciclo de la señal de entrada.

working load   carga de trabajo [de régimen, de servicio]; carga admisible.

working memory   *(Informática)* memoria de trabajo. Parte de la memoria interna de una computadora reservada para los datos objeto de las operaciones. SIN. **working storage.**

working method   método de trabajo ‖ *(Minería)* método de explotación.

working model   modelo operante, modelo que funciona.

working parameter   parámetro de trabajo.

working part   parte activa (de un dispositivo); órgano activo, parte móvil (de una máquina).

working party   grupo de trabajo; comisión de trabajo.

working photometric standard   patrón fotométrico de trabajo. Fuente luminosa cuya intensidad, flujo luminoso o brillo se conocen con exactitud suficiente para servir de patrón en la práctica industrial (CEI/38 45–05–145). CF. **primary luminous standard, secondary photometric standard.**

working plan   plan de trabajo; plan de labores; plano de construcción.

working plane   *(Alumbrado)* plano útil. Plano en el cual se efectúan las observaciones. Salvo indicación contraria, este plano se supone, por convención, horizontal y situado a 0,85 metro del suelo (CEI/38 45–35–020) | plano de trabajo. Plano, ficticio o materializado, en el cual se efectúa normalmente un trabajo y sobre el cual se precisa y mide la iluminación. Salvo indicación contraria, este plano se supone, por convención, horizontal y situado a 0,85 metro del suelo. NOTA: En ciertos países se usan otras alturas (CEI/58 45–50–090).

working point   punto de trabajo ‖ *(Mec)* punto de aplicación (de una fuerza o una carga); centro de esfuerzo ‖ *(Tubos elecn)* punto de funcionamiento [de trabajo]. SIN. **operating point** | punto de funcionamiento. Punto de una curva característica correspondiente a la tensión media de electrodo (CEI/56 07–28–165) ‖ *(Tracción eléc)* **working points:** cranes de marcha. Posiciones sucesivas y mecánicamente determinadas en un combinador o un reostato (CEI/38 35–05–045).

working position   posición [puesto] de trabajo; posición de trabajo [de marcha].

working power density   densidad de la energía de trabajo.

working pressure   presión de trabajo [de funcionamiento, de servicio, de régimen]; presión efectiva.

working program   programa de trabajo.

working range   *(Nucl)* intervalo de trabajo ‖ *(Radiocom)* alcance útil.

working reference system   *(Telef)* sistema patrón (de trabajo). SIN. **working standard.**

working regulations   reglamento de explotación.

working rule   regla práctica.

working schedule   plan de trabajo [de operación].

working sheet   hoja de cálculo; balance sinóptico.

working standard   *(Medidas)* patrón de trabajo ‖ *(Fotometría, Colorimetría)* patrón fotométrico de trabajo | lámpara patrón de trabajo. Fuente luminosa destinada al empleo fotométrico corriente y contrastada de tiempo en tiempo por comparación con una lámpara patrón secundario [secondary standard source] (CEI/58 45–30–015) ‖ *(Telef)* sistema patrón (de trabajo). Combinación especificada de un sistema emisor y de un sistema receptor, de líneas de abonado y de circuitos de alimentación (o de sistemas equivalentes), unidos por intermedio de un atenuador variable sin distorsión, y empleada en condiciones especificadas para determinar por comparación la calidad de transmisión [transmission quality] de otros sistemas telefónicos o partes de sistema. SIN. **working reference system.**

working standard pyrheliometer   *(Meteor)* patrón pirheliométrico.

working storage   *(Informática)* almacenador de trabajo, sección de almacenamiento operacional [de proceso]. (1) Parte del almacenador interno de una computadora reservada para los datos sometidos a operaciones, incluso resultados parciales o intermedios. (2) Sección de almacenamiento reservada por el programador para su utilización en el procesamiento de los datos, así como para almacenar constantes, retener temporalmente resultados que se necesitarán en una etapa posterior del programa, etc. SIN. **working memory.**

working stress   *(Mec)* esfuerzo de trabajo. Máximo esfuerzo producido en un cuerpo elástico a la carga de trabajo [working load] | tensión de trabajo; fatiga de trabajo ‖ *(Cálculos)* esfuerzo permisible.

working surface   superficie de trabajo; superficie útil ‖ *(Electroquím)* superficie activa [útil] (de un electrodo). Porción de la superficie de contacto de un electrodo y un electrólito sobre la cual se produce una reacción de electrodo [electrode reaction]. SIN. **active surface (of an electrode)** (CEI/60 50–05–035).

working system   sistema de trabajo; sistema funcional.

working team   equipo [grupo] de trabajo. SIN. **working group.**

working temperature   temperatura de trabajo.

working test   prueba de funcionamiento.

working track   *(Informática)* banda de procesamiento.

working voltage [WV]   tensión de trabajo [de funcionamiento, de servicio], voltaje de servicio [de régimen]. (1) Tensión máxima a que puede estar sometido un elemento mientras se encuentra en funcionamiento. (2) En particular, tensión que un condensador puede soportar con seguridad por períodos largos. SIN. **voltage rating.** CF. **peak voltage** ‖ *(Pilas y bat) (EU)* tensión de funcionamiento, tensión a circuito cerrado. Diferencia de potencial existente entre los órganos de conexión [terminals] de un elemento o de una batería cuando suministra corriente. SIN. **closed-circuit**

voltage, on-load voltage *(GB)* (CEI/60 50–10–040). CF. initial voltage, open-circuit voltage.

working volts [WV]   tensión de trabajo [de funcionamiento].

working-volts rating   tensión de trabajo [de funcionamiento].

working wave   *(Radiocom)* onda de trabajo [de tráfico]. SIN. **traffic wave** | onda de trabajo. SIN. **marking wave.**

working with closed circuit   v. **closed-circuit working.**

working with double current   v. **double-current working.**

working with open circuit   v. **open-circuit working.**

working with single current   v. **single-current working.**

workload   carga de trabajo; cantidad [cuota] de trabajo ‖ *(Máq)* rendimiento, cantidad de trabajo ejecutada por unidad de tiempo.

workman   trabajador, obrero; operario; artífice; bracero, obrador; jornalero.

workmanship   mano de obra, hechura; pericia | (as opposed to planning) ejecución.

workmanship standards   normas de calidad de la mano de obra.

workpiece   pieza de trabajo [de elaboración], pieza que se trabaja; pieza a ser soldada; pieza a máquina.

works   trabajos; explotación; obra; fábrica, taller, establecimiento fabril; mecanismo; maquinaria; engranaje, rodaje ‖ *(Relojería)* movimiento, tren de ruedas ‖ V.TB. **work.**

worksheet   hoja de cálculos [de computaciones].

workshop   taller, obrador, obraje ⫽ *adj:* de taller.

workshop practice   práctica de taller; técnica de taller.

workstand   mesa [banco] de trabajo.

worktable   mesa de trabajo; mesa (con gaveta) para labor; mesita-costurero ‖ *(Máq herr)* mesa portapieza, mesa de sujeción; plato portapieza.

workwoman   trabajadora, obrera; operaria; artífice.

world   mundo ⫽ *adj:* mundial, universal.

world aeronautical chart   carta aeronáutica mundial.

world geographical reference system [georef]   sistema mundial de referencia geográfica.

world meteorological intervals [WMI]   intervalos meteorológicos mundiales.

World Meteorological Organization [WMO]   Organización Meteorológica Mundial [OMM].

world planning chart   *(Aeron)* carta mundial para planear vuelos.

world timetable   carta horaria mundial, mapa de husos horarios.

world-wide   *adj:* v. **worldwide.**

worldwide   *adj:* mundial, global, universal. De alcance mundial; que se extiende por todo el mundo.

worldwide fallout   *(Explosiones atómicas)* precipitación mundial.

worldwide short-wave band   *(Radiodif)* banda de onda corta internacional.

worldwide telephone numbering plan   plan mundial de numeración telefónica.

worldwide telephone routing plan   plan mundial de encaminamiento telefónico.

worldwide telex numbering plan   plan mundial de numeración télex.

worm   *(Zool)* gusano; lombriz; oruga; gorgojo; carcoma, polilla ‖ *(Mec)* tornillo sin fin. LOCALISMO: gusano | engranaje sin fin; rueda y tornillo sin fin; rosca (de tornillo) ‖ *(Quím, Tuberías)* serpentín ⫽ *verbo:* roscar; rellenar (un cable); entrañar (un cabo).

worm drive   *(Mec)* transmisión de [por] tornillo sin fin, mando por sinfín; engranaje sin fin.

worm-driven   *adj:* mandado [movido, accionado] por tornillo sin fin.

worm-driven capacitor   condensador (variable) movido por tornillo sin fin.

worm gear   *(Mec)* rueda para tornillo sin fin, rueda dentada de tornillo sin fin, engranaje helicoidal [de tornillo sin fin]; engranaje de tornillo tangente; tornillo sin fin; mecanismo de tornillo sin fin y rueda helicoidal.

worm-gear drive box   caja de engranajes de tornillo sin fin.

worm-gear jack   gato de tornillo sin fin.

worm-gear speed reducer   reductor de velocidad de tornillo sin fin.

worm gearing   *(Mec)* transmisión [mando] por tornillo sin fin.

worm-shaft   v. **wormshaft.**

worm thread   *(Mec)* rosca [filete] de tornillo sin fin. LOCALISMO: rosca de gusano.

worm wheel   *(Mec)* rueda (dentada) helicoidal, rueda de tornillo sin fin, rueda para engranaje (de tornillo) sin fin; engranaje helicoidal.

worm's eye view   *(Cine/Tv)* toma angular desde tierra, toma angular hacia arriba. Toma a cierto ángulo desde el piso o la superficie del terreno, según el caso. SIN. **ground angle shot.**

wormshaft   *(Mec)* eje de tornillo sin fin.

worst case   (el) peor caso, (el) caso más desfavorable.

worst-case circuit analysis   análisis de circuito para el caso más desfavorable. Análisis de un circuito que tiene por objeto determinar el peor efecto posible que en sus parámetros de salida pueden tener las posibles variaciones de los valores eléctricos de los elementos del circuito..

worst-case conditions   condiciones del caso más desfavorable.

worst-case design   diseño para el caso más desfavorable. Diseño de un circuito o aparato con tales márgenes y de tal forma, que quede asegurado el funcionamiento satisfactorio del mismo aunque varíen simultáneamente, y en la forma más adversa posible, los valores eléctricos de todos sus elementos componentes; las variaciones consideradas incluyen las debidas a las tolerancias iniciales, las debidas a envejecimiento, etc.

worst-case logical path   *(Centros teleg computadorizados)* camino lógico del peor de los casos.

worst-case noise pattern   ruido de la configuración más desfavorable. En el caso de una memoria de núcleos magnéticos, ruido máximo que se produce cuando la mitad de los núcleos seleccionados está en el estado "1" y la otra mitad en el estado "0". SIN. **checkerboard [double-checkerboard] pattern.**

worst slot   *(Telecom)* intervalo (de frecuencia) más desfavorable, el peor de los canales.

¹**wound**   herida, lesión; injuria, ofensa ⫽ *verbo:* herir, lesionar; injuriar, ofender, herir los sentimientos.

²**wound**   (1) Pasado y participio pasado de ²*wind*, que también tiene la forma alternativa *winded*. (2) Pasado y participio pasado de ³*wind*.

wound capacitor   capacitor [condensador] arrollado. Capacitor o condensador construido arrollando juntas hojas de papel metálico y de material dieléctrico.

wound helically   bobinado [arrollado] en hélice.

wound magnetic core   núcleo magnético arrollado [devanado].

wound resistor   *(Elec)* resistencia bobinada. v. **wire-wound resistor.**

wound rotor   *(Máq eléc)* rotor devanado [bobinado].

wound-rotor induction motor   motor de inducción de rotor devanado. Motor de inducción cuyo circuito secundario (por lo general en el inducido rotativo) consiste en devanados o bobinas que son puestos en cortocircuito entre sus terminales mediante escobillas u otros medios.

wound-rotor motor   *(Elec)* motor de rotor devanado.

woven glass   vidrio tejido.

woven memory   *(Informática)* memoria de malla. v. **woven-screen storage.**

woven-memory matrix   *(Informática)* matriz de memoria de malla.

woven resistors   *(Aplicaciones electrotérmicas)* trenzado [tejido] calefactor. Tejido compuesto de conductores delgados y de hilos aislantes incombustibles entrecruzados (CEI/60 45–25–095).

woven-screen matrix   *(Informática)* matriz de malla. v. **woven-screen storage.**

woven-screen storage   almacenador [memoria] de malla. Plano de memoria o almacenamiento de información digital formado por un tejido de hilos conductores cubiertos de una delgada capa magnética, y en el que los puntos o localidades de almacenamiento son los de intersección de los hilos. La lectura o la escritura se efectúan enviando corrientes simultáneas por los hilos que se cruzan en el punto seleccionado.

wow   *(Electroacús)* gimoteo, lloriqueo, lloro, efecto de lloro. (**1**) Alteración del sonido grabado o reproducido causada por una variación periódica de la velocidad de arrastre de la cinta (magnetófonos) o la de giro del disco (tocadiscos). (**2**) Variación de la velocidad del plato giradiscos que se produce una vez por cada revolución y que da origen a una alteración correspondiente del tono del sonido reproducido. (**3**) En la reproducción fonográfica, variación cíclica de la intensidad y la altura del sonido (notable sobre todo durante las notas largas y sostenidas), causada por estar descentrada la espiral del surco modulado del disco SIN. **variación cíclica de velocidad** | gimoteo. Efecto parásito, de frecuencia generalmente comprendida entre 0,1 y 10 Hz, introducido en una señal registrada, por variaciones de la velocidad de movimiento del medio de registro [recording medium] durante el registro o la lectura (CEI/60 08–25–065). CF. **drift, flutter, speed variation.**

wow-and-flutter meter   *(Electroacús)* medidor de gimoteo y centelleo, medidor de lloro y tremolación, medidor de variaciones de velocidad.

wow factor   *(Electroacús)* factor de regularidad de velocidad.

wow meter   *(Electroacús)* medidor de gimoteo [de lloro].

wpc   Abrev. no normalizada de watts per candle. La abreviatura normalizada es *W/c*.

WPM, wpm   Abrev. de words per minute [palabras por minuto, PPM, pal/min].

WR   *(Explotación teleg)* Abrev. de we read [leemos]. Se usa en las notas y telegramas de servicio, en relación con aclaraciones o confirmaciones de despachos ya cursados.

wrap   arrollamiento; envoltura || *(Cables)* vuelta || *(Elec)* devanado de cinta ferromagnética || *(Registro mag)* vuelta de contacto (con la cabeza). Segmento de la cinta de registro en contacto con la cabeza magnética; a veces se mide por los ángulos de llegada y de partida de la cinta respecto a la cabeza. CF. **wrap-around.**

wrap a joint   *(Elec/Telecom)* revestir una junta [un empalme].

wrap-and-fill encasement   *(Condensadores)* protección por envuelta de cinta plástica y sellado de los extremos con resina epoxi.

wrap-around   *(Registro mag)* curvatura de la cinta (sobre la cabeza). Curvatura adoptada por la cinta de registro al pasar sobre las piezas polares de la cabeza magnética. CF. **wrap.**

wrap-around heat sink   *(Elecn)* disipador térmico que rodea al chasis.

wrap-around magnetic shield   blindaje magnético de papel metálico; papel metálico para blindaje magnético.

Wraplock   Nombre comercial (Andrew Corporation) de un tipo de fleje para amarrar cables de alimentación de antena.

wrapped connection   *(Elec/Elecn)* conexión arrollada. v. **wire-wrap connection.**

wrapped electrode   electrodo recubierto.

wrapped tap joint   *(Elec)* derivación enrollada de alambre.

wrapped-up line   *(TOP)* hélice.

wrapper   envolvedor; cubierta, carpeta; envoltura, cobertura, funda, envoltorio, capa; envoltura de papel, papel de envoltura, papel envolvente; papel de envolver; bufanda; cubrejunta || *(Bot)* volva || *(Elec)* envoltura aislante (de bobina) || *(Libros)* faja; cubretapa || *(Periódicos)* faja || *(Puros)* capa (de tabaco), hoja (de tabaco) para envolver.

wrapping   cubierta; envoltura; enrollamiento || *(Elec)* encintado aislante. Aislamiento de un conductor mediante una cinta aislante arrollada al mismo.

wrapping machine   *(Tuberías)* máquina de envolver.

wrapping material   material de envolver [de envoltura]; material de embalaje.

Wratten filter   *(Fotog)* filtro Wratten. Filtro de gelatina o de vidrio que puede tener diversos colores y densidades, elegidos de modo

de obtener las características deseadas de transmisión de la luz.

wreck   destrucción; ruina, destrozo; naufragio; buque naufragado; restos de un naufragio ||| *verbo:* destruir accidentalmente, como por choque; arruinar; sufrir destrucción; naufragar, zozobrar || *(Edif)* (= tear down, dismantle) demoler, desmantelar, derribar, arrasar.

wreck buoy   boya colocada para señalar un barco hundido.

wreckage   escombros; chatarra; cascotes; pecio, pedazo de nave naufragada arrojado por el mar a la costa; restos de naufragio que el mar arroja a la costa; restos de aeronave (a raíz de un accidente).

wrecker   *(Edif)* demoledor, derribador, desmantelador || *(Carreteras)* camión de auxilio. Camión-grúa para recoger o auxiliar automóviles accidentados o averiados || *(Vías férreas)* tren de auxilio; carro de grúa, vagón-grúa || *(Marina)* salvador de buques, buque de salvamento; el que salva mercancías de un barco naufragado; ladrón de buques naufragados; el que con estratagemas provoca la destrucción de un buque (por ejemplo, contra un litoral rocoso) para saquearlo.

wrench   *(Herr)* llave (de tuercas), llave (inglesa) para tuercas.

wrench spanner   *(Herr)* llave de arco.

wring   *verbo:* torcer, retorcer; exprimir, escurrir, estrujar; forzar; arrancar.

wringbolt   perno de atraca, argolla, clavija de apretar || *(Carp)* cárcel.

wringer   torcedor, torcedora; exprimidor (de ropa); rodillo escurridor; máquina de exprimir [escurrir] ropa mojada.

wringer washer   lavadora (con exprimidor) de rodillos, máquina de lavar (ropa) con exprimidor de rodillos.

wrinkle   arruga, pliegue; surco ||| *verbo:* arrugar(se).

wrinkle finish   acabado rugoso [de pintura rugosa]. Acabado de ciertos aparatos que se obtiene por aplicación de una laca o un barniz que se arruga y pliega al secarse, dándole al aparato un aspecto atractivo.

wrinkling   arrugamiento; corrugación.

wrist   *(Anat)* muñeca, carpo || *(Mec)* muñón || *(Mot de combustión interna)* v. **wristpin** || *(Máq de vapor)* pasador de la cruceta.

wrist-pin   v. **wristpin.**

wristpin   *(Mec)* muñequilla (de cigüeñal) || *(Mot de combustión interna)* (a.c. wrist) eje [muñón, pasador] de pie de biela; eje de émbolo, pasador de pistón.

write   *verbo:* escribir; describir || *(Informática)* escribir, inscribir, registrar (información), introducir información (en un órgano de almacenamiento) | imprimir.

write-error routine   *(Informática)* rutina para corregir error de escritura.

write head   *(Informática)* cabeza de escritura.

write lockout   *(Informática)* señal de inalterabilidad. Señal demarcadora de una zona de un órgano de almacenamiento cuyo contenido no debe ser modificado. CF. **use lockout.**

write off   *verbo:* *(Comercio)* amortizar; cancelar, saldar.

write-off period   *(Comercio)* período de amortización.

write pulse   *(Informática)* impulso de escritura [de inscripción]. Impulso eléctrico que produce la introducción de información en una o más células magnéticas [magnetic cells], usualmente poniéndolas en el estado "1".

write time   *(Informática)* tiempo de escritura. Intervalo entre el instante en que un elemento de información está listo para ser almacenado y el instante en que queda almacenado. SIN. **access time.**

writer   escritor; autor; literato, hombre de letras; redactor; pendolista, pendolario, persona que escribe con letra gallarda.

writing   escritura; escrito; descripción; letra, modo de escribir; (el) arte de escribir || *(Informática)* escritura, inscripción, registro. Introducción de información en un dispositivo almacenador: tubo de almacenamiento por cargas [charge-storage tube], memoria magnética, etc. | impresión.

writing amplifier   *(Informática)* amplificador de escritura.

writing bar　　(*Facsímile*) barra [cuchillo] de impresión. SIN. **chopper bar, writing blade [edge]** | barra de impresión. En los registradores continuos [continuous recorders], barra conductora que forma el segundo electrodo asociado a una hélice, o barra que sirve para proyectar el papel de registro [recording paper] contra la hélice (CEI/70 55-80-095).

writing blade　　(*Facsímile*) barra [cuchillo] de impresión. v. **writing bar.**

writing current　　(*Informática*) corriente de escritura.

writing doubtful　　(*Explotación teleg*) escritura dudosa.

writing edge　　(*Facsímile*) barra [cuchillo] de impresión. v. **writing bar.**

writing gun　　(*TRC*) cañón inscriptor, proyector de inscripción. Cañón electrónico que registra la imagen observada en la pantalla. v. **direct-view storage tube.**

writing head　　(*Informática*) cabeza de escritura. Cabeza de registro magnético de información.

writing-in　　(*Dispositivos de memoria*) escritura; instrucción.

writing platen　　tablero de escritura.

writing rate　　(*TRC*) máxima velocidad de exploración. Máxima velocidad a la que puede desplazarse del punto explorador y producir todavía una imagen útil || v. **writing speed.**

writing speed　　(*Informática*) velocidad de escritura [de inscripción, de registro]. Velocidad con que se introduce información en los sucesivos elementos de almacenamiento de un dispositivo de memoria como p.ej. un tubo de memoria por cargas [charge-storage tube] || (*Aparatos registradores*) velocidad de registro [de inscripción]. CF. **cross-chart speed** || (*Facsímile*) velocidad de exploración (en el receptor) | velocidad de impresión. Velocidad lineal [linear speed] del punto explorador en su desplazamiento sobre el medio material de registro [recording material] en el receptor (CEI/70 55-80-100) || v. **writing rate.**

writing system　　(*Aparatos registradores*) sistema inscriptor.

writing table　　escritorio.

writing telegraph system　　telegrafía en la que el aparato receptor imprime el mensaje en caracteres parecidos a los de la escritura a mano. CF. **teleautograph.**

written by　　escrito por; redactado por; preparado por.

written character　　carácter de escritura.

written conversation　　conversación escrita, conversación por teleimpresor.

written-conversation service　　servicio de conversaciones escritas.

written matter　　material escrito; escrito(s).

written notice　　notificación escrita, aviso por escrito.

wrong connection　　(*Telef*) llamada equivocada, comunicación falsa, número equivocado. SIN. **wrong number, wrong-number call** | **to give a wrong connection:** conectar mal.

wrong label　　etiqueta equivocada [errónea]. En un disco fonográfico, etiqueta que no corresponde a la selección que aparece en la matriz correspondiente. CF. **bad label.**

wrong line　　(*Ferroc*) vía contraria. SIN. **wrong road.**

wrong number　　(*Telef*) número equivocado.

wrong-number call　　(*Telef*) llamada equivocada [falsa], comunicación falsa, falsa llamada. SIN. **false ring(ing), wrong connection.**

wrong reading　　(*Medidas*) falsa lectura.

wrong road　　(*Ferroc*) vía contraria. SIN. **wrong line [way].**

wrong-road signal　　(*Ferroc*) señal de vía contraria. Señal que autoriza a circular por vía contraria.

wrong side　　lado malo, cara mala || (*Telas*) envés, revés.

wrong way　　(*Ferroc*) vía contraria. SIN. **wrong road.**

wrong-way alarm　　(*Ferroc*) alarma de vía contraria.

Wronskian　　(*Mat*) wronskiano. Determinante cuyos elementos son funciones de una misma variable.

wrought　　*adj:* forjado, trabajado, labrado; fraguado.

wrought iron　　hierro forjado [fraguado]; hierro pudelado; hierro dulce [maleable], acero suave.

WRU　　(*Explotación teleg*) Abrev. de who are you? [¿quién es usted?].

WRU signal　　(*Teleg*) v. "**Who are you**" **signal (function).**

WS　　Abrev. de wireless set.

wt.　　Abrev. de weight.

WT　　(*Explotación teleg*) Abrev. de weight; wait; what; watt || (*Explotación telef*) Abrev. de will talk [hablará]; wait [sírvase esperar] || Abrev. de wireless telephony; wireless telegraphy.

WU　　Abrev. de Western Union.

WUD　　(*Explotación teleg*) Abrev. de would.

Wullenweber antenna　　antena Wullenweber. Sistema de antena constituido por dos hileras circulares concéntricas de mástiles conectados de modo que el haz pueda ser orientado eléctricamente.

WUTCO　　Abrev. de Western Union Telegraph Company.

WUX　　Abrev. de Western Union Telegraph Company.

WV　　Abrev. de working voltage.

WVDC　　Abrev. de working voltage direct current = direct-current working voltage.

WW　　(*Esquemas*) Símbolo de wire-wound; wire-wound resistor.

WWA　　Abrev. de World Warning Agency [Agencia Mundial de Aviso].

WWV　　Indicativo de llamada de una estación radioemisora de la Oficina Nacional de Normas de los Estados Unidos [National Bureau of Standards], situada en Washington, D.C., que presta diversos servicios de emisiones para fines técnicos: señales horarias [time signals], frecuencias patrón [standard frequencies], y avisos sobre perturbaciones de la propagación radioeléctrica [radio-propagation disturbance warnings]. Las audiofrecuencias patrón (utilizadas para modular las radiofrecuencias patrón) son las de 400 y 600 Hz. Las radiofrecuencias patrón son las de 2,5, 5, 10, 15, 20, 25, 30 y 35 MHz. Los avisos sobre las condiciones de propagación radioeléctrica se transmiten en código Morse internacional, según la siguiente clave:

Letra	Señal Morse	Significado
W		"Warning" (poor conditions) [malas condiciones]
U		"Unstable" [condiciones inestables]
N		"Normal" [condiciones normales]

WWV standard-frequency transmission　　emisión de frecuencia patrón por la WWV.

WWV time-signal transmission　　emisión de señal horaria por la WWV.

WWVH　　Indicativo de llamada de una estación emisora de la Oficina Nacional de Normas de los EE.UU., situada en Maui, Hawaii. Presta servicios iguales a los de la WWV, pero sólo emite en las frecuencias de 5, 10 y 15 MHz.

WX　　Abrev. de weather.

WX radar　　v. **weather radar.**

wye　　la letra Y; horquilla en Y; soporte en Y || (*Elec*) montaje en estrella || (*Tuberías*) bifurcación en Y; injerto en Y /// *adj:* en Y, en forma de Y || (*Elec*) en estrella.

wye branch　　(*Tuberías*) bifurcación [ramal] en Y.

wye configuration　　(*Elec*) configuración en estrella.

wye connection　　(*Elec*) conexión en estrella. v. **star connection.**

wye-delta connection　　(*Elec*) conexión estrella-triángulo, conexión Y-Δ. SIN. **star-delta connection.**

wye-delta transformer　　(*Elec*) transformador estrella-triángulo, transformador Y-Δ.

wye junction　　(*Guías de ondas*) unión en Y. Unión de dos guías cuyos ejes longitudinales forman una "Y".

wye member　　(*Estr*) miembro en Y, estructura en Y.

wye network　　(*Elec*) red en estrella. v. **star network.**

wye pipe　　tubo de bifurcación en Y; bifurcación [ramal] en Y.

wye voltage　　v. **star voltage.**

WYL　　(*Aficionados radioteleg*) Abrev. de wife [esposa].

X

X Número romano igual a 10 ‖ *(Elec)* Símbolo que designa la *reactancia* [reactance] en las expresiones matemáticas ‖ *(Telecom)* Abreviatura (poco usada) de transmitter. v. **X off, X on** ‖ *(Radiocom)* Abrev. de atmospheric interference, atmospherics ‖ *(Radar)* Abrev. de grass, hash ‖ *(Textos teleg)* Abrev. de STOP [punto] ‖ *(Textos mecanografiados)* Letra usada en substitución del signo de multiplicación (×) ‖ Letra que en muchas abreviaturas inglesas substituye un grupo de letras de la palabra abreviada. EJEMPLOS: Tx (=transmitter); Rx (=receiver); XTAL (=crystal) ‖ *(Informática)* v. **X punch.**

X_C *(Elec)* Símbolo de la *reactancia capacitiva* [capacitive reactance].

X_L *(Elec)* Símbolo de la *reactancia inductiva* [inductive reactance].

X amplifier *(Osciloscopios)* amplificador X, amplificador horizontal. CF. **Y amplifier.**

X-and-Z demodulation *(Tvc)* desmodulación X y Z. Desmodulación en la que las dos señales de subportadora de 3,58 MHz reinsertadas en el receptor difieren en 60° (aproximadamente) en vez de 90° (como en el sistema corriente).

X-and-zero punching *(Informática)* perforaciones de X y cero.

X axis, x axis *(Mat)* eje X, eje x, eje de las x, eje de (las) abscisas. Eje de coordenadas que normalmente es el horizontal ‖ *(TRC)* eje X, eje horizontal, eje de tiempos ‖ *(Cristales de cuarzo)* eje X, eje eléctrico. Recta que une dos aristas opuestas, y que se encuentra en un plano perpendicular al eje Z del cristal ‖ *(Aeron)* eje X, eje longitudinal ‖ CF. **Y axis.**

X band banda X, margen X. Banda de frecuencias radioeléctricas que se extiende entre los límites de 5 200 MHz (λ=5,77 cm) y 10 900 MHz (λ=2,75 cm). Se subdivide en las subbandas siguientes:

Designación	Límites en MHz	Designación	Límites en MHz
X_a	5 200–5 500	X_c	7 000– 8 500
X_q	5 500–5 750	X_l	8 500– 9 000
X_y	5 750–6 200	X_s	9 000– 9 600
X_d	6 200–6 250	X_x	9 600–10 000
X_b	6 250–6 900	X_f	10 000–10 250
X_r	6 900–7 000	X_k	10 250–10 900

CF. **K band, L band, Q band, S band.**

X-band oscillator oscilador de banda X.

X-band radar radar en banda X.

X-band test set aparato de prueba de banda X.

X bar barra X. Barra rectangular de cristal de cuarzo, por lo común cortada a partir de una sección Z, con su dimensión de largo paralela al eje X, y con sus aristas paralelas a los ejes X, Y, y Z.

x-bar *(Telef)* Abrev. de crossbar.

X brush *(Informática)* escobilla de X.

X card *(Informática)* tarjeta con (perforación) X.

X-card list *(Informática)* lista de tarjetas con X, listado de tarjetas con perforación X.

X control *(Informática)* control de X.

x coordinate *(Mat)* coordenada x, abscisa. SIN. **abscissa.** CF. **y coordinate.**

X cut *(Cristales de cuarzo)* corte X, tallado X. Corte o tallado de tal modo que el eje X es perpendicular a las caras de la laja resultante (v. **slab**). SIN. **tallado de Curie, tallado normal** —— **Curie cut, normal cut.** CF. **Y cut.**

X-cut crystal cristal de corte [tallado] X. Cristal de cuarzo cortado de manera que sus superficies principales son normales a un eje X (eje eléctrico) del cristal primitivo.

X deflection *(TRC)* desviación horizontal. CF. **Y deflection.**

X-deflection plate *(TRC)* placa de desviación horizontal. v. **X plate.**

X demodulation *(Tvc)* desmodulación X.

X demodulator *(Tvc)* desmodulador X.

X distributor *(Informática)* distribuidor de X.

X eject *(Informática)* expulsión de X.

X elimination *(Informática)* eliminación de X.

X-elimination circuit circuito de eliminación de X.

X eliminator *(Informática)* eliminador de X.

X-eliminator commutator conmutador para eliminación de X.

X guide guía (de sección) en X. Línea de transmisión por onda de superficie, constituida por una estructura dieléctrica de sección en X.

X-H antenna array red de antena X-H.

x intercept *(Mat)* intersección con el eje x. En la representación gráfica de una ecuación, punto en que la curva corta el eje x o eje de las abscisas. CF. **y intercept.**

x-line final selector *(Telef)* selector final de x contactos.

X off Abrev. de transmitter off [transmisor apagado].

X on Abrev. de transmitter on [transmisor encendido].

X operation *(Telecom)* funcionamiento X. Funcionamiento de uno entre varios grupos de contactos de un relé, adelantado respecto a todos los demás. Puede obtenerse por una primera excitación del relé, como en un relé de dos tiempos [two-step relay], o resultar de una disposición conveniente de los diversos grupos de contactos (CEI/70 55–25–270). CF. **Y operation.**

X-or-Y operation of relay springs *(Telecom)* contactos escalonados. SIN. **sequence contacts.**

x-outlet group selector *(Telef)* selector de grupo de x contactos.

X particle partícula X. Nombre desusado de una partícula elemental con carga negativa igual a la del electrón, pero con masa intermedia entre la de éste y la del protón. SIN. **baritrón, dinatrón, electrón pesado, mesotrón, penetrón** —— **barytron, dynatron, heavy electron, mesotron, penetron.**

X pickup *(Informática)* captador de X, "pickup" de X.

X plate *(TRC)* placa de desviación horizontal, placa X. Una del par de placas (electrodos) que producen la desviación en dirección horizontal del haz electrónico de un tubo de desviación electrostática. CF. **Y plate.**

X plug *(Informática)* conexión de X.

X position *(Informática)* posición de X.

X punch *(Informática)* perforación de X. Perforación en la fila X (o fila 11) de una tarjeta de 80 columnas; perforación en la posición 11 de una columna. La perforación de X se utiliza para fines de control o de selección, o para indicar un número negativo, como si fuera un signo menos (−). CF. **Y punch.**

X-punch relay *(Informática)* relé de perforar X.

X-punch relay setup circuit circuito de preparación del relé de perforar X.

X punching *(Informática)* perforación de X.

X-punching plug hub boca de perforación de X.

X radiation radiación X. Radiación electromagnética penetrante [electromagnetic penetrating radiation] con longitudes de onda mucho más cortas que las de la luz visible [visible light]. En relación con las reacciones nucleares es costumbre llamar *rayos gamma* [gamma rays] a los fotones con origen en el núcleo, y *rayos X* [X rays] a los que tienen su origen en la parte extranuclear del átomo (CEI/68 26–05–150).

X-radiation regulator regulador de radiaciones X.

X-raser raser X. Dispositivo que genera rayos X monocromáticos y coherentes, de gran intensidad y buena colimación.

X ray rayo X, rayo de Roentgen. v. **Roentgen rays, X rays** ‖ *(i.e.* X-ray photograph) radiografía ‖ *(Cine/Tv)* *(slang)* (gran) primer plano. SIN. **closeup** ‖‖ *verbo: (i.e.* to photograph with X rays) radiografiar.

X-ray analysis análisis con rayos X. Determinación de la estructura interna de un sólido cristalino mediante el diagrama de difracción obtenido cuando aquél es atravesado por un haz de rayos X. CF. **X-ray diffraction.**

X-ray apparatus   aparato de rayos X. Tubo de rayos X con todos los elementos eléctricos y mecánicos necesarios para su funcionamiento y utilización. SIN. **X-ray machine**.

X-ray back-reflection photograph   radiografía por retrorreflexión.

X-ray camera   cámara de radiografías, cámara para tomar radiografías.

X-ray-colored crystal   cristal coloreado por rayos X.

X-ray counter   contador de rayos X.

X-ray coverage   zona [campo] de radiación, región alcanzada por una emisión de rayos X.

X-ray crystallography   radiocristalografía, cristalografía por rayos X. v. **radiocrystallography**.

X-ray dermatitis   radiodermitis, radiodermatitis, dermatitis de rayos X. v. **radiodermatitis**.

X-ray detecting device   dispositivo detector por rayos X | detector de discontinuidades mediante rayos X. Aparato que sirve para descubrir discontinuidades surfácicas y volúmicas presentes en un sólido, por medio de rayos X.

X-ray determination   determinación roentgenográfica [por rayos X].

X-ray diffraction   difracción de rayos X. Difracción de un haz de rayos X al atravesar un cuerpo cristalino. Cada cuerpo cristalino produce un diagrama de difracción [diffraction pattern] que le es característico. CF. **X-ray analysis**.

X-ray diffraction apparatus   aparato de difracción de rayos X.

X-ray diffraction camera   cámara de difracción de rayos X. Aparato con el cual se obtienen diagramas de difracción de rayos X [X-ray diffraction patterns].

X-ray diffraction pattern   diagrama de difracción de rayos X. Figuras que se hacen visibles en una película fotográfica expuesta en una cámara de difracción de rayos X, y que consisten en arcos de círculo con diversos espaciamientos que dependen de la naturaleza del cuerpo analizado.

X-ray diffraction spectrometer ring   anillo espectrométrico de difracción de rayos X.

X-ray diffractometer   difractómetro de rayos X. Aparato con el cual se miden las intensidades de los rayos X refractados a diversos ángulos.

X-ray diffractometry   difractometría de rayos X.

X-ray dosimeter   dosímetro radiológico [de rayos X], radiodosímetro.

X-ray examination   examen [inspección] por rayos X.

X-ray excitation   excitación por rayos X.

X-ray-excitation fluorimeter   fluorímetro de excitación por rayos X. Fluorímetro que sirve para determinar el contenido de diversos elementos de una muestra por medida de la fluorescencia excitada en ella por rayos X.

X-ray facility   instalación de rayos X.

X-ray film   película de rayos X, película sensible a los rayos X.

X-ray fluorescence   fluorescencia de rayos X, fluorescencia por excitación de rayos X.

X-ray fluorescent absorptiometer   absorciómetro de fluorescencia de rayos X. Aparato utilizado para medir el espesor de enchapados con la ayuda de rayos X. Si se tiene, por ejemplo, una placa de acero enchapada en latón, el haz primario de rayos X emitido por el aparato produce en el acero una fluorescencia (radiación secundaria) que es absorbida por el latón en función de su espesor. Por consiguiente, la intensidad de la radiación secundaria que llega al detector del aparato da una medida del espesor del enchape.

X-ray focal spot   (*Tubos de rayos X*) foco [punto focal, mancha focal] de rayos X. v. **focal spot**.

X-ray goniometer   goniómetro de rayos X. Instrumento que sirve para determinar las posiciones de los ejes eléctricos de un cristal de cuarzo [quartz crystal] observando la reflexión de los rayos X en los planos atómicos del cristal.

X-ray grazing incidence   incidencia rasante de rayos X.

X-ray grazing-incidence reflection   reflexión de rayos X de incidencia rasante.

X-ray hardness   dureza [poder de penetración] de los rayos X. Es función inversa de la longitud de onda.

X-ray machine   aparato [equipo] de rayos X. Conjunto formado por un tubo de rayos X y todos los elementos necesarios para su funcionamiento y empleo. SIN. **X-ray apparatus**.

X-ray metallography   radiometalografía, roentgenometalografía. v. **radiometallography**.

X-ray microbeam   microhaz de rayos X [de rayos Roentgen].

X-ray microscope   microscopio de rayos X. Versión especial del microscopio electrónico en la que se emplea un cañón electrónico o un tubo de rayos X de foco hiperfino para obtener un haz que se enfoca para formar una imagen pequeñísima sobre un blanco de rayos X del tipo de transmisión que al propio tiempo sirve de junta de vacío. Con esta disposición pueden estar en el aire tanto la muestra como la película fotográfica que registra la imagen aumentada. AFINES: haz electrónico, electrones primarios, electrones retrodifundidos, lente condensadora, ocular, objetivo, portamuestras, espejo, pantalla fluorescente.

X-ray movies   películas cinematográficas tomadas con rayos X | cinematografía de rayos X, radiocinematografía, cinerradiografía. v. **Roentgen cinematography**.

X-ray output   (*Tubos de rayos X*) rendimiento de rayos X, cantidad de rayos X emitidos.

X-ray photograph   radiografía, radiograma, roentgenograma, fotografía por rayos X. SIN. **radiograph, radiogram, roentgenogram**.

X-ray print   radiografía, radiograma.

X-ray proportional meter   contador proporcional de rayos X.

X-ray rotating-anode tube   tubo de rayos X de ánodo giratorio.

X-ray sector   sector de rayos X.

X-ray-sensitive camera tube   tubo tomavistas sensible a los rayos X. CF. **X-ray television**.

X-ray spectrogoniometer   espectrogoniómetro de rayos X.

X-ray spectrogram   espectrograma de rayos X. Registro de un espectro o diagrama de difracción de rayos X [X-ray diffraction pattern].

X-ray spectrograph   espectrógrafo [espectrómetro registrador] de rayos X. Espectrómetro de rayos X [X-ray spectrometer] provisto de medios de registro fotográfico o de otra clase; aparato con el cual se obtienen espectrogramas de rayos X [X-ray spectrograms].

X-ray spectrometer   espectrómetro de rayos X. Aparato con el cual se obtiene el espectro de rayos X [X-ray spectrum] de un cuerpo y se miden las longitudes de onda de sus componentes | espectrógrafo de rayos X. Instrumento que permite producir y analizar un espectro de rayos X y medir las longitudes de onda y las intensidades de sus componentes (CEI/64 65-30-480).

X-ray spectrum   espectro de (los) rayos X, espectro de (los) rayos Roentgen | espectro de los rayos X. Distribución de las intensidades relativas de las diferentes componentes de una radiación X compleja, en función de sus longitudes de onda (CEI/38 65-25-005).

X-ray structure   estructura (atómica) determinada por rayos X. Estructura atómica de un cuerpo determinada por diagramas de difracción de rayos X.

X-ray technician   técnico en rayos X. v. **Roentgen-ray technician**.

X-ray television   televisión por rayos X. Televisión por circuito cerrado cuyo tubo tomavistas es sensible a los rayos X (en vez de serlo a la luz visible), y que se emplea en la industria para la inspección de piezas y soldaduras.

X-ray testing of materials   ensayo de materiales por rayos X. SIN. **industrial radiography**.

X-ray therapy   terapia por rayos X, roentgenoterapia. v. **Roentgen therapy**.

X-ray thickness gage   calibrador de espesores por rayos X, galga para determinación de espesores por rayos X. Aparato utilizado en establecimientos industriales para medir el espesor de chapas metálicas en movimiento, sin hacer contacto con ellas, mediante un haz de rayos X que es absorbido en proporción al espesor de la chapa y el número atómico del metal de que se trate.

X-ray timer　　cronometrador para rayos X.

X-ray tube　　tubo de rayos X. Tubo de alto grado de vacío, de cátodo caliente, en el que se producen rayos X cuando la corriente electrónica, acelerada por una alta tensión de ánodo, incide sobre el anticátodo [target]. CF. **clamp, cover, diaphragm.**

X-ray tube target　　anticátodo del tubo de rayos X. V. **target.**

X-ray unit　　unidad X. V. **X unit** | aparato de rayos X. V. **X-ray apparatus.**

X-ray vacuum　　vacío de rayos X. Vacío de grado comparable con el necesario para la producción de rayos X.

X-rayed　　*adj:* radiografiado, roentgengrafiado; tratado con rayos X.

X rays　　rayos X, rayos de Roentgen. Ondas electromagnéticas de longitud mucho más corta que las de la luz, generalmente obtenidas mediante un rayo catódico que incide sobre un cuerpo metálico. V.TB. **Roentgen rays.** CF. **X radiation.**

X selection　　*(Informática)* selección de X.

X skip　　*(Informática)* salto de X.

X-skip bar　　*(Informática)* barra de salto de X.

X stopper　　*(Radiocom)* supresor [eliminador] de estáticos, eliminador de parásitos atmosféricos.

X-type engine　　motor en X.

X unit [Xu]　　unidad X. Unidad que se usa para expresar longitudes de onda de rayos X y rayos gamma. Equivalencia aproximada: $1\ Xu = 10^{-11}\ cm = 10^{-3}$ ansgstrom. Equivalencia exacta: $1\ Xu = (1{,}002\ 02 \pm 0{,}000\ 03) \times 10^{-3}$ angstrom | **X unit (Siegbahn):** unidad X (Siegbahn). Unidad de medida de longitud de onda de radiaciones. $X = 1{,}002\ 02 \times 10^{-13}$ m. Es término desaconsejado (CEI/64 65–15–010).

X wave　　onda extraordinaria, componente de onda extraordinaria. V. **extraordinary-wave component.**

X winds　　vientos cruzados.

x-y chart, x-y plotter, etc.　　V. **XY chart, XY plotter, etc.**

X-Y chart, X-Y plotter, etc.　　V. **XY chart, XY plotter, etc.**

xanthate　　*(Quím)* xantato. Sal de ácido xántico.

xanthic　　*adj: (Quím)* xántico.

xanthic acid　　ácido xántico.

xenomorphic　　*adj:* xenomorfo, xenomórfico.

xenomorphous　　*adj:* xenomorfo.

xenon　　xenón. Elemento químico de número atómico 54. Es uno de los gases raros [rare gases]. Se utiliza en algunos tiratrones y en ciertos otros tubos de descarga gaseosa. Símbolo químico: Xe /// *adj:* xenónico.

xenon buildup after shutdown　　*(Nucl)* acumulación de xenón tras parada, sobreenvenenamiento con xenón. Incremento temporal del envenamiento con xenón [xenon poisoning] durante las horas inmediatamente posteriores a la parada de un reactor térmico. CF. **xenon effect.**

xenon effect　　*(Nucl)* efecto xenón. Fenómeno que se produce en los reactores térmicos [thermal reactors], y que se debe a la acumulación de xenón, que constituye un veneno nuclear [nuclear poison] importante (CEI/68 26–15–335).

xenon-filled thyratron　　tiratrón (en atmósfera) de xenón.

xenon flash lamp　　lámpara de destellos de xenón.

xenon flash tube　　tubo de destellos de xenón. Tubo de destellos en atmósfera de xenón, caracterizado por producir una ráfaga intensa de luz blanca (pico de energía radiante a la longitud de onda de 566 nanometros); las ráfagas se producen por aplicación de impulsos de alta tensión continua entre electrodos colocados en extremos opuestos del tubo.

xenon gas　　gas xenón.

xenon-gas-filled thyratron　　V. **xenon-filled thyratron.**

xenon override　　*(Nucl)* neutralización del xenón, compensación

del efecto xenón. Reactividad suplementaria que se introduce para compensar el efecto xenón [xenon effect].

xenon poisoning　　*(Nucl)* envenenamiento por xenón. Acumulación en un reactor de xenón 135, formado por desintegración beta de yodo 135.

xenon-poisoning predictor　　*(Nucl)* predictor de envenenamiento por xenón. Computadora destinada a estudiar la evolución del envenenamiento por xenón y su efecto probable en la reactividad del reactor.

xenon rectifier　　*(Elecn)* rectificador de xenón.

xenotime, xenotimite　　*(Miner)* xenótimo.

xerographic　　*adj:* xerográfico.

xerographic copying machine　　máquina copiadora xerográfica. Máquina cuyo funcionamiento se basa en la xerografía y que utiliza un tambor con recubrimiento de selenio para producir copias en papel. V. **xerography.**

xerographic data printer　　impresor xerográfico de datos.

xerographic printer　　impresor xerográfico. Aparato para imprimir imágenes en papel. Las zonas claras y obscuras de la imagen óptica se traducen en zonas electrostáticamente cargadas y neutras en la superficie del papel. En la siguiente etapa éste es cubierto por una fina capa de tinta en polvo que se adhiere a las zonas cargadas, y es luego derretida y fijada en el papel por la aplicación de calor.

xerographic printing　　impresión xerográfica.

xerographic recording　　registro xerográfico.

xerography　　xerografía. Modalidad original de la electrofotografía, en la que se utiliza, en vez de placa fotográfica, una superficie fotosensible (fotoconductora) de selenio, sobre la que se forma una imagen de cargas electrostáticas (imagen latente) cuando se la expone a la luz (imagen óptica). Después de la exposición se esparce sobre dicha superficie un polvo resinoso fino negro o coloreado (pigmento), que es atraído y retenido por las zonas cargadas electrostáticamente. La imagen de cargas se transfiere entonces al papel, al cual se fija permanentemente por una aplicación de calor que funde el polvo. Este procedimiento de reproducción gráfica por registro electroóptico fue inventado (1937) por Chester F. Carlson; posteriormente (1944) el Instituto Battelle se hizo cargo de su perfeccionamiento y más tarde (1947) la empresa Xerox Corporation adquirió todos los derechos de explotación comercial /// *adj:* xerográfico.

xeroprinting　　xeroimpresión, impresión xerográfica. Procedimiento electrostático de formación de imágenes en el cual la plancha de impresión está constituida por un substrato metálico con una imagen o dibujo de material aislante. La plancha se desplaza por debajo de un grupo de hilos de carga por efecto corona, con el resultado de que las partes que forman la imagen (partes aislantes) retienen una carga estática, mientras que las demás partes (partes conductoras) disipan la carga adquirida. Las partes cargadas atraen y retienen el pigmento (v. **toner**), el cual es luego transferido al papel por un segundo procedimiento de carga por efecto corona. Una vez transferida al papel, la imagen se fija mediante una aplicación de calor que funde el pigmento.

xeroradiographic　　*adj:* xerorradiográfico.

xeroradiography　　xerorradiografía. Procedimiento electrofotográfico en el cual se utilizan rayos X o rayos gamma para formar una imagen de cargas electrostáticas sobre un medio aislante pero fotoconductor. El procedimiento de transferencia de la imagen al papel y su fijación en éste, es el mismo explicado con relación con la xerografía [xerography] /// *adj:* xerorradiográfico.

XFMR　　*(Esquemas)* Abrev. de transformer.

XFR　　*(Explotación teleg)* Abrev. de transfer [transferencia; transferir; sírvase transferir].

XFRD　　*(Explotación teleg)* Abrev. de transferred [transferido].

xi　　xi. Nombre de la decimocuarta letra del alfabeto griego, que corresponde a la *equis* del alfabeto español. La mayúscula es Ξ, y la minúscula ξ. La primera se usa como símbolo de la *densidad del flujo de propagación* [propagation flux density], y la segunda como símbolo de la *componente de desplazamiento de una partícula portadora de sonido* [displacement component of a sound-bearing particle].

xi-zero   *(Fís)* xi cero. Una de las 34 partículas elementales de la materia, descubierta en 1959.

xistor   Abrev. de transistor.

Xmas   Abrev. de Christmas [Navidad, Pascuas].

XMIT   *(Explotación teleg)* Abrev. de transmit.

XMITTER   *(Esquemas, Explotación teleg)* Abrev. de transmitter.

XMSN   *(Explotación teleg)* Abrev. de transmission.

XMTD   *(Explotación teleg)* Abrev. de transmitted.

XMTR   *(Esquemas, Explotación teleg)* Abrev. de transmitter.

XQ   *(Explotación teleg)* XQ. Prefijo internacional que identifica una nota o mensaje de servicio sin número de orden (individualizado simplemente por la fecha y la hora), normalmente relativo a asuntos técnicos o la operación de los circuitos de comunicación.

X's   *(Radiocom)* (=atmospherics, lightning noises) atmosféricos, estáticos, parásitos, estática, perturbaciones de origen atmosférico.

XS   *(Explotación teleg)* Lo mismo que *X's*.

XTAL   *(Esquemas)* Abrev. de crystal.

XTR   *(Esquemas, Explotación teleg)* Abrev. de transmitter.

Xu   Abrev. de X unit.

XV   *(Explotación teleg)* Indicativo que se incluye en el preámbulo con el significado de "Government telegram with priority requested" [Telegrama de Estado con petición de prioridad].

XY chart   gráfica XY. Gráfica de ejes coordenados rectangulares.

XY-cut crystal   cristal de corte [tallado] XY. Cristal de cuarzo cortado de manera que sus características piezoeléctricas son intermedidas entre las correspondientes a los cortes o tallados X e Y.

XY plotter   trazador de curvas [gráficas] XY, trazador de curvas en coordenadas rectangulares, trazador de curvas respecto a dos ejes coordenados, trazador de dos coordenadas, registrador de gráficas en el plano XY. SIN. **XY recorder.**

XY plotting   trazado de curvas en coordenadas rectangulares, registro simultáneo sobre dos ejes de coordenadas, trazado de curvas referidas a dos ejes coordenados, representación gráfica de funciones de dos variables, trazado de curvas y=f(x). SIN. **XY recording.**

XY recorder   registrador de XY [de coordenadas rectangulares], registrador de curvas XY, registrador para el trazado de curvas en coordenadas rectangulares, registrador gráfico [aparato de registro gráfico] en coordenadas cartesianas. Aparato registrador con el cual se traza en una carta una curva que representa la relación entre dos variables, ninguna de las cuales es el tiempo. No obstante, a veces la carta o papel de registro es desplazado en proporción al tiempo, y una de las variables es controlada de manera que aumente proporcionalmente al tiempo. Lo que se obtiene en todo caso es una gráfica en coordenadas cartesianas, que es el medio más expedito y claro de visualizar la interdependencia de dos variables. Los registradores de XY modernos aceleran la interpretación de datos, pues permiten obtener dichas gráficas rápidamente, trazando los valores sucesivos de una variable en función de otra variable, ambas representadas por señales eléctricas analógicas. Si el aparato está provisto de un *seguidor de curvas* [curve follower], puede *leer* una gráfica trazada previamente, y suministrar un par de señales analógicas. SIN. **XY plotter.**

XY recording   registro en coordenadas rectangulares [cartesianas], registro (gráfico) de curvas XY, registro de dos variables, registro (gráfico) en el plano XY. SIN. **XY plotting.**

XY switch   *(Telecom)* conmutador [selector] XY. Conmutador de escobillas y bancos de contactos [bank-and-wiper switch] en el cual las escobillas tienen dos movimientos perpendiculares en un plano horizontal.

XY system   *(Telecom)* sistema XY. Nombre comercial de un sistema paso a paso [step-by-step system] en el que se utilizan conmutadores que se mueven en un plano horizontal; primero, de izquierda a derecha para seleccionar un nivel o banco de contactos, y después del frente hacia atrás, en el mismo plano, para seleccionar un terminal o contacto determinado. El primer movimiento es en la dirección del eje X, y el segundo en la del eje Y de un sistema de coordenadas rectangulares, de donde viene el nombre de *sistema XY.*

xylene   *(Quím)* xileno.

xylometer   *(Selvicultura)* xilómetro. Aparato que sirve para medir las densidades de la madera.

xylophone   *(Mús)* xilófono. Instrumento de percusión compuesto de una serie de tablillas de longitud diferente que se tocan con dos macillos de madera.

XYZ chromaticity diagram   diagrama de cromaticidad XYZ, gráfico de cromaticidad en coordenadas X, Y, Z. CF. **RGB chromaticity diagram.**

Y

Y *(Elec)* Símbolo que designa la *admitancia* [admittance] en las expresiones matemáticas ‖ *(Quím)* Símbolo del *itrio* [yttrium] ‖ *(Tuberías)* Y, ramal [bifurcación] en Y, injerto oblicuo ‖ *(Explotación teleg)* Abrev. de your [su (de usted)]. Generalmente se usa unida a la palabra siguiente, que por lo común está también abreviada; por ejemplo, YMSG = *your message* [su mensaje] ‖‖ *adj:* en Y, en forma de Y ‖ *(Elec)* en estrella.

Y amplifier *(Osciloscopios)* amplificador Y, amplificador vertical. CF. **X amplifier.**

Y antenna antena de conexión en Y, antena (con transformador) de adaptación en delta. SIN. **delta-matched antenna.** V. **delta antenna-matching transformer, Y match.**

Y axis, y axis *(Mat)* eje Y, eje y, eje de las y, eje de (las) ordenadas. Eje de coordenadas que normalmente es el vertical ‖ *(TRC)* eje Y, eje vertical, eje de amplitudes ‖ *(Cristales de cuarzo)* eje Y. Recta perpendicular a las caras paralelas del cristal ‖ *(Aeron)* eje Y, eje lateral ‖ CF. **X axis.**

Y-axis deflection *(TRC)* desviación [deflexión] según el eje Y, desviación vertical (del punto luminoso).

Y bar barra Y. Barra de cristal de cuarzo cortada en secciones Z, con su dimensión de largo paralela al eje Y.

Y box *(Canalizaciones)* caja bifurcada.

Y branch *(Tuberías)* bifurcación [ramal] en Y, injerto oblicuo, ramal de 45°. SIN. **wye branch.**

Y channel *(Tvc)* canal Y, canal de luminancia. V. **luminance channel.**

Y circulator *(Microondas)* circulador en estrella. Circulador constituido por tres segmentos de guía de ondas rectangular idénticos que se unen en configuración simétrica, con una varilla o una cuña de ferrita colocada en el centro. Como en todo circulador, la energía que entra por una de las ramas sale únicamente por una determinada de las ramas adyacentes.

Y component *(Tvc)* componente Y, componente de luminancia.

Y-connected circuit *(Elec)* circuito conectado en estrella. SIN. **star-connected (three-phase) circuit.**

Y connection *(Elec)* conexión [montaje] en estrella. V. **star connection.**

y coordinate *(Mat)* coordenada y, ordenada. SIN. **ordinate.** CF. **x coordinate.**

Y current *(Elec)* corriente de una fase de la estrella. SIN. **star current.**

Y cut *(Cristales de cuarzo)* corte [tallado] Y. Corte tal que el eje Y (v. **Y axis**) es perpendicular a las caras de la laja resultante (v. **slab**). CF. **X cut.**

Y deflection *(TRC)* desviación vertical.

Y-deflection plate *(TRC)* placa de desviación vertical. V. **Y plate.**

Y-Δ transformation *(Elec)* transformación Y-Δ, transformación estrella-delta. SIN. **star-delta transformation.**

Y detector *(Tvc)* detector Y.

Y fitting acoplador en Y, conector en Y. Acoplador o conector mediante el cual se bifurca una manguera o tubería, o mediante el cual convergen dos ramas tributarias. SIN. **acoplador [conector] de tres vías.**

y intercept *(Mat)* intersección con el eje y. En la representación gráfica de una función, punto en que la curva corta al eje y o eje de las ordenadas. CF. **x intercept.**

Y junction *(Guías de ondas)* unión en Y. V. **wye junction.**

Y match *(Ant)* adaptación en Y, transformador adaptador [de adaptación] en delta. Conexión adaptada de una línea de transmisión a un dipolo enterizo (no cortado), en la que los dos conductores de la línea se separan para unirse al dipolo en puntos (simétricos respecto al centro) donde la impedancia es igual a la de

la línea. SIN. **delta match(ing).** V.TB. **delta antenna-matching transformer.** CF. **Y antenna.**

Y network *(Elec)* red en estrella. V. **star network.**

Y operation *(Telecom)* funcionamiento en Y. Funcionamiento de uno entre varios grupos de contactos de un relé después que todos los demás (CEI/70 55–25–275). CF. **X operation.**

Y plate *(TRC)* placa de desviación vertical, placa Y. Una del par de placas (electrodos) que producen la desviación en dirección vertical del haz electrónico de un tubo del tipo de desviación electrostática. CF. **X plate.**

Y point *(Elec)* punto neutro. SIN. **star point.**

Y punch *(Informática)* perforación de Y. **(1)** Perforación en la fila Y (fila 12) de una tarjeta de 80 columnas. La perforación de Y se usa para fines de control o de selección, o para indicar un número positivo, como si fuera un signo más (+). **(2)** En una tarjeta Hollerith, perforación en la fila superior, dos filas por encima de la fila cero. CF. **X punch.**

Y ray rayo Y. Radiación electromagnética emitida por núcleos atómicos.

Y signal *(Tvc)* señal Y, señal de luminancia. **(1)** En el sistema NTSC, primario de transmisión de luminancia con banda de 1,5 a 4,2 MHz, equivalente a una señal monocroma, que en la reproducción en colores aporta los detalles finos de la información de luminancia. **(2)** Parte de la señal de transmisión en colores correspondiente a la luminancia (información monocroma). En el sistema NTSC la señal de video global se divide en dos señales de crominancia (señales I y Q) y una de luminancia (brillo), que es la *señal Y.* Esta última es equivalente a una señal monocroma completa, y es precisamente la que permite que una transmisión en colores se reproduzca en un receptor monocromo. La señal Y se compone de un 30 por ciento de la señal del rojo de la cámara, 59 por ciento de la señal del verde, y 11 por ciento de la señal del azul. Algunos autores recomiendan que se substituya el nombre de *señal Y* por el de *señal W,* en vista de que la letra *Y* se usa para designar un blanco de referencia de la CEI que es diferente del *Iluminante C* utilizado en el sistema NTSC. SIN. **luminance signal.**

Y switch *(Ferroc)* cambiavía en Y, cambio (de desvío) doble.

Y track *(Ferroc)* triángulo de inversión de marcha.

Y tube tubo en Y.

Y-type engine motor en Y.

Y voltage V. **star voltage.**

Y-Y connection *(Elec)* conexión estrella-estrella. SIN. **star-star connection.**

YA *(Explotación teleg)* Abrev. de your service [su servicio].

yacht yate.

YAG Abrev. de yttrium aluminum garnet.

YAG:Nd Abrev. de yttrium aluminum garnet doped with (active) neodymium ions [granate de aluminio e itrio impurificado con iones (activos) de neodimio].

Yagi Dr. Hidetsugu Yagi: hombre de ciencia japonés (1888–1976) que concibió la antena que lleva su nombre.

Yagi aerial antena Yagi. Antena de radiación longitudinal constituida por varios elementos paralelos y coplanarios que comprenden uno o varios elementos activos y varios elementos reflectores o directores (CEI/70 60–34–280). SIN. **Yagi antenna [array].**

Yagi antenna antena Yagi. V. **Yagi aerial.**

Yagi array antena Yagi. V. **Yagi aerial.**

Yang-Feldman formalism *(Mat)* formalismo de Yang-Feldman.

Yang theorem on angular distributions *(Fís)* teorema de Yang sobre las distribuciones angulares. Teorema (demostrado por C. M. Yang en 1948) según el cual si únicamente las ondas entrantes de momento angular orbital L contribuyen apreciablemente en una reacción, la distribución angular de las partículas salientes en el sistema de coordenadas del centro de masas, es un polinomio par de $\cos\theta$ con exponente máximo no mayor de $2L$, siendo θ el ángulo medido entre las partículas entrantes y salientes en dicho centro.

yank   *(Lenguaje familiar)* tirón, estirón /// verbo: *(Lenguaje familiar)* dar un tirón; sacar de un tirón; moverse a tirones.

¹yard   yarda. Unidad fundamental de medida de longitud en el sistema americano ("U.S. Customary System") y en el sistema inglés ("British Imperial System"), igual a 0,9144 metro. Abreviatura: yd || *(Ant, Buques)* verga.

²yard   patio; cercado; corral; parque; astillero; taller || *(Constr, Depósito de materiales)* patio, playa, corralón, cancha, plaza || *(Para semovientes)* corral || *(Explotación forestal)* embarcadero || *(Ferroc)* patio, playa; estación de clasificación /// verbo: acorralar, poner [meter] en corral, reunir en un corral || *(Explotación forestal)* arrastrar al embarcadero.

yard engine   *(Ferroc)* locomotora de maniobra [de patio].

yard locomotive   *(Ferroc)* locomotora de maniobra [de patio].

yard lumber   madera de barraca, madera corriente.

yard track   *(Ferroc)* vía de patio, vía de playa.

yardage   yardaje; longitud en yardas; superficie en yardas cuadradas; cubicación en yardas, volumen en yardas cúbicas; cantidad de algo medida en yardas; tela vendida por yardas || *(Cuerdas)* longitud en yardas por unidad de peso.

yardarm   *(Buques)* penol. Extremo y parte más delgada del botalón y de las vergas de cruz.

yarder   *(Textilería)* medidor.

yarding engine   *(Explotación forestal)* malacate de arrastre.

yardman   obrero.

yardmaster   *(Ferroc)* jefe [superintendente] de patios; jefe de estación de clasificación || *(Astilleros)* capataz [encargado] del transporte de materiales.

yarn   hilo; hilaza; hilado; filástica || *(Calafateado)* estopa, filástica. LOCALISMOS: pabilo, yute || *(Longitudes)* medida igual a 2,5 yardas (2,29 metros) /// verbo: calafatear con estopa.

yarn breakage   rotura del hilo.

yarn-breakage detector   detector de rotura del hilo.

yarn control cam   excéntrica regulahilos.

yarn snapping   rotura (brusca) del hilo.

yarn tension   tensión del hilo.

yarn-tension automatic regulation   regulación automática de la tensión del hilo.

yarn tester   dinamómetro para hilos.

Yates correction   *(Cálculo de probabilidades)* corrección de Yates.

yaw   oscilación || *(Hidr)* derivación || *(Aviones, Buques, Proyectiles)* guiñada, derrape, movimientos angulares alrededor de un eje vertical; ángulo de oblicuidad (del eje del proyectil), ángulo entre el eje del proyectil y la dirección de movimiento de su centro de gravedad. CF. **pitch, roll** /// verbo: *(Aviones, Buques, Proyectiles)* guiñar, dar guiñadas.

yaw acceleration   aceleración de guiñada.

yaw damping   amortiguación de guiñada.

yaw guy wire   *(Dirigibles)* cable de retención.

yaw line   *(Dirigibles)* cuerda de retención.

yawing   *(Aviones, Buques, Proyectiles)* guiñada, derrape, ladeo, oscilaciones rotatorias alrededor de un eje vertical que pasa por el centro de gravedad del móvil || *(Buques anclados)* balanceo.

yawing axis   eje de guiñada.

yawing couple   par de guiñada.

yawing moment   momento de guiñada.

yawing motion   guiñada.

yawing vane   veleta móvil.

yawmeter   indicador de guiñada.

Yb   Símbolo químico del iterbio [ytterbium].

YBQ   *(Explotación teleg)* Abrev. de your BQ [su BQ].

YC   *(Explotación teleg)* Abrev. de your copy [su copia].

yd   Abrev. de yard.

YDA   *(Explotación teleg)* Abrev. de yesterday [ayer].

year   año.

year to date   *(Contabilidad)* año hasta la fecha.

yearbook   anuario.

yeast   levadura, fermento.

yellow   amarillo *(el color)* /// adj: amarillo. SIN. **gualdo, de color de gualda** | rubio.

yellow arsenic   *(Quím)* arsénico amarillo, oropimente.

yellow arsenic sulfide   *(Quím)* sulfuro amarillo de arsénico.

yellow arsenous sulfide   *(Quím)* sulfuro arsenioso amarillo.

yellow brass   latón ordinario [corriente].

yellow copper   v. yellow copper ore.

yellow copper ore   *(Miner)* calcopirita, cobre piritoso.

yellow earth   *(Miner)* almagra, almagre, ocre rojo. SIN. **óxido rojo** | amarillo de montaña.

yellow fever   *(Medicina)* fiebre amarilla.

yellow lead   *(Quím)* albayalde calcinado.

yellow metal   oro; latón | metal Muntz. Aleación de cobre (aproximadamente 60 por 100) y cinc (aprox. 40 por 100).

yellow oak   roble amarillo.

yellow ore   *(Miner)* v. yellow copper ore.

yellow oxide   *(Quím)* óxido amarillo; uranato de sodio.

yellow oxide of mercury   óxido amarillo de mercurio.

yellow pine   pinotea, pino amarillo. LOCALISMO: pino colorado.

yellow precipitate   *(Quím)* precipitado amarillo.

yellowcake   *(Nucl)* torta amarilla.

YGA   *(Explotación teleg)* Abrev. de your "GA" [su señal de "adelante", su "GA"].

yield   rendimiento; producción; producto; cosecha; riqueza || *(Finanzas)* renta, rédito, producto, utilidad, interés || *(Mec)* deformación || *(Industria)* rendimiento (en unidades de calidad aceptable), rendimiento (cualitativo) de la producción. En la producción de dispositivos semiconductores, circuitos impresos, circuitos integrados, etc., cociente del número de unidades o componentes utilizables o de calidad aceptable al final del proceso de fabricación, por el número de los originalmente puestos en proceso || *(Piezas forjadas)* rendimiento (en peso). Cociente del peso neto por el peso bruto || *(Nucl)* rendimiento. Número de moléculas producidas o transformadas por cada 100 electrón-voltios de energía absorbida || *(Explosiones nucleares)* rendimiento energético, energía liberada. Energía efectiva total liberada en la explosión. SIN. **energy yield** || v.TB. **yield of...** /// verbo: rendir, producir; rentar; ceder, dar, dar de sí; condescender, consentir, conceder, otorgar; diferir; pasar por; blandear, flaquear; sucumbir; doblegarse, rendirse, someterse.

yield arm   *(Teleimpr)* brazo cedente.

yield-arm extension   prolongación del brazo cedente.

yield cross-section   *(Nucl)* sección eficaz de producción.

yield limit   rendimiento límite, límite de rendimiento || *(Mec)* límite aparente de elasticidad. Valor del esfuerzo al cual comienza el flujo plástico [plastic flow].

yield load   *(Mec)* carga de deformación.

yield map   *(Fab de microcircuitos)* mapa de rendimiento. Rodaja o plaquita [wafer] en la que se indican por medio de puntos los dispositivos que no satisfacen los criterios de prueba de la calidad.

yield-mass curve   *(Nucl)* curva de distribución-masa, curva de repartición-masa.

yield of neutrons per fission   *(Nucl)* neutrones producidos por cada fisión.

yield of radiation   *(Nucl)* rendimiento de radiación.

yield per ion-pair   *(Nucl)* rendimiento por par de iones. Número de moléculas transformadas por cada par de iones formado.

yield point   *(Mec)* punto cedente [de relajamiento, de deformación (plástica)], límite elástico (aparente), límite aparente de elasticidad, carga límite (de cedencia), límite de fluencia; límite de estiramiento [de estirado]; límite de estricción.

yield strength   *(Mec)* límite elástico, límite aparente de elasticidad, resistencia a punto cedente. En el caso particular de las cintas de registro magnético, fuerza mínima por unidad de área de la sección transversal, que provoca la deformación permanente de la base o soporte de la película magnética [base film]. SIN. **yield value**.

yield value   *(Petr)* valor de rendimiento, valor práctico || *(Mec)* límite elástico, límite de elasticidad. Valor mínimo del esfuerzo [stress] al cual un material sufre deformación plástica [plastic deformation]; por debajo de ese valor, el material conserva su elasticidad, y por encima de él se hace viscoso. SIN. **yield strength.**

yielding rendimiento, producción; cesión; consentimiento, concesión, otorgamiento ‖ (*Mec*) deformación (permanente); fluencia plástica, escurrimiento plástico; cedencia, relajamiento ⫽ *adj*: cedente; condescendiente; que cede con facilidad; elástico, flexible; reblandecido; inseguro, inestable, movedizo.

yielding connection conexión elástica.

yielding ground terreno movedizo ‖ (*Constr*) terreno movedizo [inseguro].

yielding point (*Mec*) v. **yield point.**

yielding strength (*Mec*) v. **yield strength.**

YIG Abrev. de yttrium iron garnet.

YIG device dispositivo de granate de hierro e itrio, dispositivo de GHI. Dispositivo (filtro, oscilador, amplificador paramétrico) en el que se utiliza un cristal de granate de hierro e itrio que funciona bajo la influencia de un campo magnético variable para obtener una sintonía de banda ancha en un circuito de microondas.

YIG filter filtro de granate de hierro e itrio, filtro de GHI. Filtro que comprende como elemento principal un cristal de granate de hierro e itrio en un campo magnético con una componente fija y otra variable. La componente fija la suministra un imán permanente y sirve para polarizar el dispositivo de modo que quede inicialmente sintonizado al centro de la banda de frecuencias de interés. La componente variable la suministra una bobina en hélice recorrida por una corriente continua de valor variable a voluntad, para sintonizar el filtro a la frecuencia deseada. El empleo del imán permanente reduce la cantidad de energía necesaria en la bobina para sintonizar el filtro entre amplios límites de frecuencia.

YIG-tuned *adj*: sintonizado por filtro de granate de hierro e itrio, sintonizado por filtro de GHI.

YIG-tuned parametric amplifier amplificador paramétrico sintonizado por filtro de granate de hierro e itrio [filtro de GHI].

YIG-tuned tunnel-diode oscillator oscilador de diodo Esaki sintonizado por filtro de granate de hierro e itrio [filtro de GHI].

YL (*Aficionados radioteleg*) Abrev. de young lady [joven, señorita].

ylem ylem, plasma primordial. Substancia primordial que se supone fue el origen de todos los elementos químicos.

YM (*Explotación teleg*) Abrev. de your message [su mensaje].

YMD (*Explotación teleg*) Abrev. de your message of this date [su mensaje de esta fecha].

YMSG (*Explotación teleg*) Abrev. de your message [su mensaje].

yodel garganteo tirolés, manera de cantar de los tiroleses ⫽ *verbo*: cantar a la manera de los tiroleses; cantar modulando la voz rápidamente desde el tono natural al falsete, y a la inversa.

yoke yugo; camella, horcajo; horquilla, guía; brida; estribo; balancín [pinga] (para llevar pesos) | yugo. Madero con que se uncen los bueyes | gamella. Arco del yugo en que entra la cabeza del buey | yunta (de bueyes); par de animales de tiro ‖ (*Arq*) tirante; estribo de soporte ‖ (*Aviones*) palanca de mando ‖ (*Balanzas*) horqueta ‖ (*Campanas*) yugo ‖ (*Costura*) canesú, hombrillo [pieza superior] de la camisa ‖ (*Marina*) yugo (del timón); barra (del timón) ‖ (*Ventanas*) cabecero ‖ (*Mec*) horquilla, horqueta, horcajo, araña, caballete, culata ‖ (*Máq*) culata ‖ (*Taladros*) garra de fijación ‖ (*Agujeros de hombre*) puente ‖ (*Cámaras de cine*) impulsor de excéntrica. Parte del mecanismo que alimenta la película. SIN. **cam follower** ‖ (*Elec*) culata. Pieza de substancia ferromagnética no rodeada de arrollamientos o devanados y destinada a unir los núcleos de un electroimán o de un transformador, o los polos de una máquina (CEI/38 05–30–040, CEI/56 05–30–045, CEI/56 10–30–070) ‖ (*Imanes, Relés*) culata ‖ (*TRC/Tv*) yugo, yugo [collar, unidad] de desviación, conjunto desviador, yugo deflector. Conjunto de las bobinas desviadoras o deflectoras del haz. V.TB. **deflection yoke** ⫽ *verbo*: uncir, acoplar, acoyundar, acollarar.

yoke centering ring (*TRC/Tv*) arillo centrador de yugo.

yoke coil (*TRC/Tv*) bobina del yugo.

yoke current (*TRC/Tv*) corriente de yugo.

yoke drive (*Locomotoras eléc*) impulsión a horquilla.

yoke leakage field (*Elec*) campo de dispersión de la culata

yoke piece (*Elec*) culata. v. **yoke.**

yoke plug (*TRC/Tv*) conector macho del yugo.

yoke winding (*TRC/Tv*) arrollamiento del yugo.

yolk vitelo, yema del huevo. SIN. **vitellus.**

Young Thomas Young: físico, médico y egiptólogo inglés (1773–1829). Estudió la luz y el color.

Young's interference experiment experimento de interferencia de Young. Experimento llevado a cabo por Thomas Young en 1801, con el que quedó sentada la naturaleza ondulatoria de la luz, y que consistió en demostrar la existencia de fenómenos de interferencia en la luz procedente de dos fuentes.

Young's module (*Mec*) módulo de Young. Cociente del incremento de la fuerza longitudinal o tensión aplicada a un cuerpo u objeto por unidad de superficie de la sección transversal, por el cambio resultante de longitud por unidad de longitud del cuerpo.

YR (*Explotación teleg*) Abrev. de your [su (de usted)].

YRA (*Explotación teleg*) Abrev. de your service [su servicio].

YRBQ (*Explotación teleg*) Abrev. de your BQ [su BQ].

yrneh (*Elec*) yrneh. Unidad de *inductancia recíproca* [reciprocal inductance] cuyo nombre se formó leyendo *henry* al revés.

YRQ (*Explotación teleg*) Abrev. de your RQ [su RQ].

YRXQ (*Explotación teleg*) Abrev. de your XQ [su XQ].

YS (*Explotación teleg*) Abrev. de your service [su servicio].

YSS (*Explotación teleg*) Abrev. de your service stopped [su servicio ha sido detenido]. Con esta expresión se indica a la estación corresponsal que el mensaje de servicio por ella transmitido no ha sido expedido o retransmitido.

YSTN (*Explotación teleg*) Abrev. de your station [su estación].

YSTNS (*Explotación teleg*) Abrev. de your stations [sus estaciones].

YSVC (*Explotación teleg*) Abrev. de your service [su servicio].

Yt Símbolo químico del itrio [yttrium].

YTFC (*Explotación teleg*) Abrev. de your traffic [su tráfico].

ytterbium (*Quím*) iterbio. Elemento metálico del grupo de las tierras raras, de número atómico 70. Símbolo: Yb.

yttria (*Quím*) itria, ytria, óxido de itrio.

yttrium (*Quím*) itrio, ytrio. Elemento metálico del grupo de las tierras raras, de número atómico 39. Símbolo: Y o Yt.

yttrium aluminum garnet [YAG] granate de itrio y aluminio. Se utiliza en ciertos tipos de laseres.

yttrium iron garnet [YIG] granate de hierro e itrio [GHI], granate de itrio e hierro. Granate artificial que contiene itrio e hierro. Se emplea en diversas clases de dispositivos: limitadores de potencia, líneas de retardo, laseres, separadores de microondas, filtros sintonizables, etc. v. **YIG device, YIG filter, YIG-tuned parametric amplifier, YIG-tuned tunnel-diode oscillator.**

yttrocrasite (*Miner*) itrocrasita.

yttroersite (hydrated form of yttrocrasite) itroersita.

yttrogummite (*Nucl*) itrogumita.

yttrotantalite (*Miner*) itrotantalita.

YUC (*Explotación teleg*) Abrev. de Yucatán.

Yukawa Hideki Yukawa: físico nuclear japonés (nacido en 1907); predijo la existencia del pion o mesón pi.

Yukawa force (*Física nuclear*) fuerza de Yukawa.

Yukawa kernel (*Nucl*) núcleo [nódulo] de Yukawa, núcleo de difusión. v. **diffusion kernel.**

Yukawa potential potencial de Yukawa. En la teoría mesónica de las fuerzas nucleares, potencial nuclear usado por Yukawa para especificar la interacción de dos nucleones.

Yvon method (*Fís*) método de Yvon. Método con el cual se obtiene una solución aproximada de la ecuación del transporte [transport equation].

YXQ (*Explotación teleg*) Abrev. de your XQ [su XQ].

Z

z   Abrev. de zero; zone.

Z   cosa en forma de Z; hierro en Z ‖ *(Elec)* Símbolo que designa la *impedancia* [impedance] en las expresiones matemáticas ‖ *(Fís)* Símbolo de *número atómico* [atomic number] ‖ *(Telecom, Naveg)* Indicativo de la *hora del meridiano de Greenwich* [Greenwich mean time] ‖ *(Teleg)* Letra que representa uno de los *estados significativos* en un esquema telegráfico. v. **significant conditions** ⫻ *adj:* en Z, en forma de Z.

Z_0   *(Elec)* Símbolo que en las expresiones matemáticas representa la *impedancia característica* [characteristic impedance] o una *impedancia de referencia* [reference impedance].

Z-angle meter   *(i.e.* impedance-and-angle meter) medidor de impedancias y ángulos de fase.

Z axis, z axis   *(Mat)* eje Z, eje z, eje de altura, eje vertical ‖ *(TRC)* eje Z, eje de intensidades. En los osciloscopios los ejes X e Y forman un sistema de coordenadas rectangulares o cartesianas al cual se refieren las posiciones del punto explorador en el plano de la pantalla: la coordenada *x* representa la *desviación horizontal* [horizontal deflection] y la *y* representa la *desviación vertical* [vertical deflection]. La coordenada *z* representa la *intensidad* del haz electrónico y, en consecuencia, la luminosidad o brillo del punto explorador. CF. **intensity modulation** ‖ *(Cristales de cuarzo)* eje Z, eje óptico. Recta perpendicular a los ejes X e Y ‖ *(Aeron)* eje Z, eje vertical ‖ CF. **X axis, Y axis.**

Z-axis input   *(TRC)* entrada de modulación de intensidad, entrada de modulación de haz.

Z-axis modulation   *(TRC)* modulación de intensidad [de haz]. SIN. **beam modulation, intensity modulation** (véase).

Z bar   barra [hierro] en Z, perfil Z, angular Z ‖ barra Z. Barra de cristal de cuarzo de sección rectangular, por lo común cortada de una sección X, cuya dimensión de largo es paralela al eje Z. CF. **X bar, Y bar.**

Z beam   viga en Z.

Z component   *(Propagación radioeléc)* componente Z. Componente magnetoiónica [magnetoionic component] que puede aparecer cuando la dirección de propagación es paralela al campo magnético (CEI/70 60–24–105).

z coordinate   *(Mat)* coordenada z, cota. CF. **x coordinate, y coordinate.**

Z cut   *(Cristales de cuarzo)* corte [tallado] Z.

Z-cut crystal   cristal de corte [tallado] Z. Cristal de cuarzo cortado de tal manera que el eje Z es perpendicular a las caras de la laja resultante (v. **slab**). CF. **X-cut crystal.**

Z demodulator   *(Tvc)* desmodulador Z.

Z factor   *(Materiales termoeléc)* factor Z, cifra de mérito [de calidad].

Z fishplate   *(Vías férreas)* eclisa de doble escuadra. La constituida por dos chapas de doble vuelta o doble escuadra.

Z fold   pliegue en Z.

Z-fold chart   *(Aparatos registradores)* carta plegada en Z. Carta continua perforada transversalmente a intervalos regulares y que se guarda plegándola repetidamente, en sentidos alternados, a lo largo de las líneas de perforaciones.

Z-folding recording   registro en carta plegada en Z.

Z iror   hierro en Z.

Z marker   *(Radionaveg)* radiobaliza Z, radiobaliza localizadora de estación, radiobaliza del cono de silencio, marcador de zona, marcador tipo Z. Emisor radioeléctrico situado en el emplazamiento de un radiofaro [radio range] y que da una indicación positiva de la localización del cono de silencio [cone of silence] por radiación de un haz coniforme vertical. SIN. **Z marker beacon, zone marker.** CF. **radio marker.**

Z marker beacon   *(Radionaveg)* radiobaliza Z, radiofaro Z,

radiofaro marcador (tipo) Z. Radiobaliza o radiofaro que irradia un haz en forma de cono vertical y que sirve para indicar la localización de una estación de radiofaro, o más precisamente, la del cono de silencio de ésta. SIN. **station location marker, cone-of-silence marker beacon, zone marker** ‖ radiofaro marcador tipo Z. Radiofaro que produce un haz cónico muy angosto en el eje vertical del cono de silencio de un radiofaro de alineación [track beacon] (CEI/70 60–74–330).

Z match   *(Ant)* adaptación Z. Tipo especial de acoplador de antena. CF. **Y match.**

Z-Matic control   control "Z-Matic". Nombre comercial de un circuito de control que automáticamente ajusta la impedancia de salida de un audioamplificador de potencia, para igualarla con la impedancia instantánea del altavoz alimentado por aquél. Como se sabe, la impedancia de la bobina móvil no es constante, sino que depende de la frecuencia de la señal.

Z meter   *(i.e.* impedance meter) impedancímetro, medidor de impedancias. CF. **Z-angle meter.**

Z-section beam   viga de sección en Z.

Z time   *(Telecom/Naveg)* hora Z, hora del meridiano de Greenwich. Hora media en el meridiano de referencia, que es el de Greenwich. SIN. **GMT, TMG, hora TU (tiempo universal)** — GMT, universal time, Zebra time. CF. **local time, standard time.**

Z-Y bridge   *(Elec)* puente de Z-Y, puente de medida de impedancias y admitancias.

Zamboni pile   pila Zamboni. Elemento electroquímico primario con ánodo de aluminio, cátodo de bióxido de manganeso [manganese dioxide], y electrólito de cloruro alumínico [aluminum chloride].

zap flap   *(Aeron)* flap tipo zap.

zapping   *(slang)* acción de quemarse; acción de fundirse (p.ej. un fusible).

ZEBRA   *(Fraseología radiotelef)* hora Z, hora del meridiano de Greenwich. v. **Z time.**

Zebra time   hora Z, hora del meridiano de Greenwich. v. **Z time.**

zed bar   barra [hierro] en Z. SIN. **Z bar.**

zee   barra [hierro] en Z. SIN. **Z bar.**

Zeeman   Pieter Zeeman: físico escocés (1865–1943).

Zeeman effect   efecto Zeeman. Fenómeno por el cual las rayas sencillas del espectro de una emisión se dividen en tres o más componentes polarizadas cuando la fuente de la radiación se encuentra en un campo magnético intenso.

Zeeman splitting constant   constante de partición [división] de Zeeman. Constante física igual a $4,668\ 58 \times 10^{-5}$ cm^{-1} gausio^{-1}.

Zener breakdown   disrupción de Zener. En los semiconductores, disrupción no destructiva que ocurre cuando la intensidad del campo eléctrico a través de la región de barrera es suficiente para provocar una forma de emisión por campo eléctrico que produce un aumento repentino del número de portadores de carga en esa región.

Zener breakdown field   campo disruptivo de Zener.

Zener current   corriente de Zener. En un semiconductor, corriente de electrones que, bajo la influencia de un intenso campo eléctrico, han pasado de la banda de valencia a la de conducción.

Zener diode   diodo Zener, diodo de avalancha. (1) Diodo que al ser polarizado en sentido inverso, muestra un brusco aumento de corriente *(avalancha de electrones)* para un valor determinado de la tensión *(tensión de Zener)*; para tensiones bajas tiene función equivalente a la de los tubos gaseosos estabilizadores de voltaje. (2) Diodo semiconductor de unión PN destinado a funcionar en su *región de disrupción en avalancha* [avalanche breakdown region]. Como la corriente aumenta rápidamente a la *tensión disruptiva* [breakdown voltage], el dispositivo se emplea para referencia de tensión, conmutación de nivel, etc. La verdadera *disrupción de Zener* [Zener breakdown] ocurre a tensiones inferiores a unos 6 voltios. (3) Diodo de silicio que se comporta como un rectificador hasta que la tensión aplicada alcanza un valor llamado *tensión disruptiva* o *tensión de Zener*. Alcanzado ese punto el diodo se hace conductor y mantiene entre sus terminales una caída de tensión esencialmente constante e independiente de la corriente, característica que le da amplia aplicación como limitador de tensión en diversas clases de circuitos, y como estabilizador de tensión en fuentes de poder. (**4**) Diodo de silicio que se utiliza en circuitos de control por su aptitud de mantener una tensión constante. Esta tensión *(tensión disruptiva de Zener)* es aquella, de polaridad contraria a la de conducción normal, a la cual desaparecen las propiedades aislantes del material del diodo, la tensión entre terminales permanece sensiblemente constante, y la corriente es limitada únicamente por el circuito éxterno. SIN. **avalanche diode.**

Zener-diode voltage regulation   regulación de voltaje [estabilización de tensión] por diodo Zener.

Zener effect   efecto Zener. Fenómeno por el cual ocurre la disrupción de Zener (v. **Zener breakdown**).

Zener impedance   impedancia de Zener. De un diodo semiconductor, impedancia respecto a las señales débiles para un valor determinado de corriente continua en la región de disrupción [breakdown region]. SIN. **avalanche [breakdown] impedance.**

Zener reference diode   diodo de referencia Zener.

Zener region   región de Zener.

Zener voltage   tensión de Zener, tensión disruptiva. En un diodo semiconductor, tensión medida a un valor determinado de corriente en la región de disrupción [breakdown region]. SIN. **breakdown voltage.** V.TB. **Zener diode.**

zenith   *(Astr)* cenit, zenit /// *adj:* cenital, zenital.

zenith angle   ángulo cenital [de elevación].

zenith cloud   nube en el cenit.

zenith distance   *(Astr)* distancia cenital.

zenith indicator   indicador de cenit.

zenith point   punto cenital.

zenith tube   tubo cenital; telescopio cenital.

zenithal   *adj:* cenital, zenital.

zenithal attraction   *(Astr)* atracción cenital. Elevación aparente de la altura de una estrella que tiene su origen en la refracción en la atmósfera terrestre.

zenithal optics   óptica cenital.

zenithal projection   proyección cenital.

zeolite   *(Geol/Miner)* ceolita, zeolita. Nombre de una familia de silicatos hidratados [hydrous silicates] (generalmente alumníferos) que llenan las cavidades o geodas [geodes] de las rocas amigdaloides [amygdaloids] /// *adj:* ceolítico, zeolítico.

zeolitic   *adj:* ceolítico, zeolítico.

zephyr   *(Lenguaje poético)* (=gentle breeze) céfiro, favonio, brisa suave || *(Meteor)* (=gentle breeze) céfiro, brisa suave | (=the west wind) viento del Oeste || *(Tejidos)* céfiro, tela ligera [diáfana], cierto lienzo fino; hilaza ligera para bordar; prenda de vestir de céfiro /// *adj:* blando, suave; sutil, vaporoso.

zepp   Abrev. de zeppelin.

zeppelin, Zeppelin   zepelín. Dirigible rígido de cuerpo cilíndrico largo soportado por celdas de gas interiores. Fue inventado por el conde alemán del mismo nombre.

Zeppelin   conde Ferdinand von Zeppelin (1838–1917). Destacado militar alemán que proyectó, fabricó, y piloteó dirigibles.

zeppelin antenna   antena zepelín. Antena constituida por un conductor horizontal de largo igual a un múltiplo de media longitud de onda, y que es alimentado por un extremo mediante uno de los conductores de una línea de transmisión bifilar cuyo largo es también un múltiplo de media longitud de onda.

zeppelin feeder   *(Ant)* alimentador zepelín.

zero   cero; valor nulo || *(Mat)* cero. Número que simboliza los conjuntos nulos o vacíos | cero. Límite al que tiende una variable cuyo valor absoluto disminuye indefinidamente | cero. Nombre del símbolo 0, que representa la ausencia de unidades de una especie. En la mayoría de las computadoras (calculadoras electrónicas) se usan representaciones válidas distintas para el cero positivo y el cero negativo. El primero está representado por la ausencia de dígitos o de impulsos en una palabra; el segundo puede

representarse, en una computadora que trabaje con complementos de 1, por la presencia de un impulso en todos y cada uno de los lugares o posiciones de una palabra. En una computadora que trabaje con dígitos decimales codificados binariamente, el cero decimal y el cero binario pueden no tener la misma representación /// *adj:* cero; nulo. A veces se usa la palabra *zero* delante de un substantivo para denotar en grado enfático lo que normalmente se indicaría con el adverbio de negación *no* /// *verbo:* ajustar a cero; llevar a cero, poner a cero [en cero].

zero-access memory   *(Comput)* v. **zero-access storage.**

zero-access storage   *(Comput)* memoria de acceso inmediato, memoria con tiempo de acceso nulo. (**1**) Memoria cuyo tiempo de latencia [latency time] es prácticamente nulo. (**2**) Memoria cuyo tiempo de espera [waiting time] es despreciable. (**3**) Memoria cuyo tiempo de acceso es desdeñable en comparación con los tiempos necesarios para otras operaciones. SIN. **zero-access memory.**

zero-address   *adj:* *(Comput)* sin dirección.

zero-address computer   computadora [calculadora electrónica] sin direcciones.

zero-address instruction   instrucción sin dirección. (**1**) Instrucción que no necesita de dirección explícita. (**2**) Instrucción que consiste sólo en la parte de operación, y que no necesita ninguna dirección por estar la localización de los operandos definida por el código de la computadora.

zero adjuster   ajustador a cero [del cero], mando de puesta a cero. Dispositivo que en un instrumento de medida sirve para hacer que la aguja o índice coincida exactamente con el cero de la escala cuando la magnitud medida es nula. SIN. **dispositivo de ajuste a cero, potenciómetro de cero, corrector óhmico de ajuste a cero.**

zero adjustment   *(Instr de medida)* ajuste a cero [de cero]. Ajuste destinado a llevar la aguja a coincidencia con el cero cuando la magnitud medida es nula. En los ohmímetros, por ejemplo, es necesario reducir gradualmente la resistencia en serie con el aparato a medida que la batería interna pierde tensión por envejecimiento.

zero-adjustment potentiometer   *(Instr de medida)* potenciómetro de (puesta a) cero, potenciómetro de ajuste a cero. V. **zero adjuster.** SIN. **potenciómetro de calibrado [de regulación].**

zero angle   *(Mat)* ángulo nulo.

zero axis   eje de cero. (**1**) Recta respecto a la cual se miden las amplitudes de una variable representadas en coordenadas cartesianas. (**2**) Recta que representa el valor medio de una onda o magnitud periódica.

zero-axis symmetry   simetría respecto al eje de cero. Simetría de una onda cuyas partes positivas (por encima del eje) y negativas (por debajo del eje) son idénticas, y que, por tanto, carece de componente continua.

zero balance   *(Contabilidad)* balance [saldo] a cero.

zero-based linearity   linealidad referida al cero. De un transductor de presión, desviación máxima de la curva de salida respecto a la recta de ajuste óptimo [best-fit straight line] que pasa por el punto de presión cero.

zero beat   batido cero [nulo], batimiento cero, punto de batimiento nulo, (punto de) pulsación cero, frecuencia de batido cero. (**1**) En las mezclas heterodinas, punto de coincidencia perfecta de las frecuencias mezcladas. (**2**) Condición en que la frecuencia de un circuito oscilante es exactamente igual a la de una señal entrante, por lo cual la frecuencia de pulsación es nula y, por tanto, inaudible. (**3**) Condición existente en un circuito de mezcla heterodina (batido) cuando las dos frecuencias son de idéntico valor. SIN. **punto de silencio [de nota inaudible], frecuencia heterodina cero.** CF. **beat frequency, beat note.**

zero-beat   *adj:* homodino, de batido cero [nulo], de batimiento cero [nulo], de pulsación cero /// *verbo:* homodinar. En una mezcla heterodina (v. **heterodyning**), variar una de las frecuencias hasta que la pulsación [beat] se reduzca a cero | **to zero-beat with the**

incoming signal: homodinar con la señal entrante.

zero-beat detection   (*Radiocom*) detección homodina. SIN. **homodyne detection.**

zero-beat indicator   indicador de homodinaje.

zero-beat indicator wavemeter   ondámetro homodino.

zero-beat method   método homodino [de batimiento a cero].

zero-beat receiver   (*Radiocom*) receptor homodino [por batimiento cero].

zero-beat reception   recepción homodina [por batido cero]. v. **homodyne reception.**

zero-beat signal   nota de batido cero.

zero bias   polarización cero [nula]. En el caso particular de los tubos electrónicos, ausencia de polarización de rejilla de control; condición existente cuando esa rejilla y el cátodo funcionan al mismo potencial ‖ (*Teleg*) polarización nula, ausencia de polarización. (**1**) Dícese cuando no existe ni *polarización de trabajo* [marking bias] ni *polarización de reposo* [spacing bias]. (**2**) Dícese cuando un circuito de señalización no produce alargamiento ni acortamiento de los elementos de señal, por lo que éstos se reciben con la misma longitud con que fueron emitidos.

zero-bias plate current   (*Tubos elecn*) corriente de placa sin polarización, corriente de ánodo en ausencia de polarización de rejilla (de control).

zero-bias tube   (*Elecn*) tubo [válvula] sin polarización ‖ tubo de polarización nula, tubo [válvula] para funcionamiento sin polarización. Tubo al vacío ideado para funcionar como amplificador en clase B, sin polarización (tensión negativa) en la rejilla de control.

zero blanking   (*Informática*) supresión de ceros. v. **zero suppression.**

zero buildup time   (*Impulsos*) tiempo de establecimiento nulo, establecimiento instantáneo.

zero bus   (*Informática*) boca común para perforación de ceros.

zero cancellation   (*Informática*) supresión de ceros. v. **zero suppression.**

zero capacitance   capacitancia nula ‖ (*Cond variables*) capacitancia residual. Capacitancia o capacidad que presenta el condensador en la posición en que teórica o idealmente aquélla debería ser cero.

zero carrier   (*Radiocom*) cero [amplitud nula] de la portadora, ausencia de portadora.

zero cathode   (*Tubos contadores*) cátodo inicial, cátodo del cero.

zero ceiling   (*Aeron*) techo cero.

zero-center ammeter   amperímetro de cero central, amperímetro con (escala de) cero en el centro. v. **zero-center scale.**

zero-center deflection   (*Registradores gráficos*) desviación con cero al centro (de escala).

zero-center indication   (*Instr de medida*) indicación simétrica [con cero al centro, con cero central, con cero en centro de escala]; indicación respecto del cero central. v. **zero-center scale.**

zero-center meter   medidor de cero central, medidor [instrumento de medida] con escala de cero al centro. v. **zero-center scale.**

zero-center microammeter   microamperímetro de cero central, microamperímetro con (escala de) cero en el centro, microamperímetro con escala de cero central. v. **zero-center scale.**

zero-center rule   regla con el cero en el centro. Regla con calibraciones idénticas a uno y otro lado de un punto medio o central que constituye el cero de ambas calibraciones.

zero-center scale   (*Instr de aguja y cuadrante*) escala con cero al centro [con cero central], escala de cero central, escala simétrica [bidireccional]. Escala con cero en el centro y calibraciones idénticas hacia uno y otro extremo; las desviaciones de la aguja hacia la derecha indican valores positivos, y las desviaciones hacia la izquierda representan valores negativos de la magnitud medida. Se usa este tipo de escala p.ej. en voltímetros para el ajuste de discriminadores de frecuencia. También se emplea en los amperímetros indicadores de carga y descarga de acumuladores: las indicaciones hacia la derecha corresponden al régimen (amperaje)

de carga, y las indicaciones hacia la izquierda del cero señalan el régimen de descarga.

zero-center voltmeter   voltímetro de cero central, voltímetro con (escala de) cero en el centro. v. **zero-center scale.**

zero charge   carga cero, carga nula.

zero check   (*Informática*) prueba [verificación] a cero ‖ (*Instr de medida*) comprobación del cero. Comprobación de que en condiciones de reposo la aguja del indicador queda exactamente sobre el cero de la escala. CF. **zero adjustment.**

zero-check control   (*Informática*) control de verificación a cero.

zero-check light   (*Informática*) luz de prueba a cero.

zero clearing   (*Radiogoniometría*) mejora del cero; mejora del mínimo. v. **minimum clearing.**

zero collar   (*Informática*) collar de cero.

zero-collar locking screw   tornillo de seguridad del collar de cero.

zero compensation   compensación a cero. En ciertos transductores, procedimiento por el cual se compensan (reduciéndolos al mínimo o manteniéndolos dentro de ciertos límites conocidos) los efectos de la temperatura en ausencia del mensurando.

zero compression   (*Informática*) compresión de ceros. Técnica empleada para suprimir de la memoria los ceros no significativos durante el tratamiento de datos en una computadora. SIN. **zero suppression.**

zero constancy   constancia del cero, regularidad del ajuste a cero. CF. **zero adjustment, zero stability.**

zero control   (*Puentes de medida*) control de cero.

zero crossing   (*Gráficas, Oscilogramas*) cruce del eje de cero, paso por cero; punto de cruce del eje de cero, punto de intersección con el eje de cero.

zero current   corriente nula.

zero-current indicator   indicador de corriente nula. SIN. **null indicator.**

zero-cut crystal   cristal cortado [tallado] para coeficiente de temperatura nulo. Cristal de cuarzo para estabilización de frecuencia, cortado de manera que sea prácticamente nulo su coeficiente de temperatura respecto a la frecuencia. SIN. **zero-temperature-coefficient crystal.**

zero-dB [0-dB] attenuator   atenuador de ajuste a 0 dB. Atenuador que permite llevar una tensión al nivel cero o de referencia. v. **zero level.**

zero defects   ausencia de defectos ‖ programa de control perfecto de la calidad. Programa de control de la calidad destinado a asegurar una ausencia absoluta de defectos en los elementos fabricados.

zero deflection   desviación [deflexión] nula ‖ (*Balística*) deriva cero.

zero-delay electric blasting cap   detonador [cebo] eléctrico instantáneo.

zero depression   (*Termómetros*) depresión del cero. Dícese cuando, por defecto del instrumento, la temperatura de cero grados indicada es menor que la verdadera.

zero detector   detector de cero. SIN. **null detector.**

zero determinant   (*Mat*) determinante nulo. Es nulo el determinante que tiene dos filas o dos columnas proporcionales; también es nulo el que tiene una línea igual a la suma de varias paralelas multiplicadas (cada una) por un número cualquiera.

zero dimension   (*Mat*) dimensión cero. Dimensión de un conjunto puntual finito.

zero-dimensional   *adj:* (*Mat*) cero dimensional, de dimensión cero.

zero dispersion   dispersión nula.

zero-dispersion spectrometer   espectrómetro de dispersión nula.

zero drift   deriva [corrimiento] del cero. SIN. **zero shift.** CF. **zero wander.**

zero-drift error   error por corrimiento [desplazamiento] del cero, error debido a la deriva del cero. SIN. **zero error.**

zero elimination   *(Informática)* supresión de ceros. v. **zero suppression.**

zero emitter current   *(Transistores)* corriente de emisor nula.

zero energy   energía nula, energía cero.

zero-energy reactor   *(Nucl)* reactor de energía nula. v. **zero-power reactor.**

zero-energy thermal apparatus [ZETA]   *(Nucl)* reactor de fusión de energía nula.

zero-energy thermonuclear apparatus [ZETA]   *(Nucl)* reactor de fusión de energía nula.

zero error   error nulo ‖ *(Instr de medida)* error por corrimiento [desplazamiento] del cero, (error por) desajuste del cero, desviación del cero. SIN. **zero-drift error** ‖ *(Radar)* error de cero, (error por) retardo interno. Retardo que ocurre en los circuitos del equipo (emisor y receptor) y que es causa de error en las medidas de distancia si no se efectúa la compensación necesaria al calibrar el indicador.

zero Fahrenheit   cero Farenheit (= −17,78° C).

zero field   campo nulo.

zero-field emission   emisión en campo uniforme. Emisión termoiónica [thermionic emission] en la que el emisor está rodeado por una región de potencial eléctrico uniforme.

zero frequency   frecuencia cero [nula]. Frecuencia de una magnitud (tensión, corriente) continua. Si una magnitud alterna disminuye de frecuencia indefinidamente, ésta llegará a ser de 1 c/s, y después de fracciones cada vez menores de 1 c/s, lo que equivale a decir que se necesitará un tiempo cada vez más largo para recorrer un ciclo de valores. En el límite, ese tiempo (*período*=T) se hace infinito (cese de toda variación) y la frecuencia (=1/T) se hace cero.

zero-frequency component   componente de frecuencia cero, componente continua (de una onda compleja). SIN. **componente de corriente continua, componente de tensión continua.**

zero g   Abrev. de zero gravity.

zero governor   *(Quemadores de gas)* regulador de reducción a la presión cero. Regulador que reduce la presión del gas de entrada a cero, o sea, que la hace igual a la presión atmosférica.

zero gradient   gradiente nulo.

zero-gradient synchrotron   sincrotrón de gradiente nulo.

zero gravity   gravedad nula [cero], ausencia de efectos gravitacionales.

zero-gravity switch   interruptor de gravedad nula. Interruptor, utilizado en vehículos espaciales, que se cierra cuando la gravedad se aproxima a cero. En una de sus formas consiste en una ampolla en cuyo interior se han dispuesto dos electrodos en línea vertical y una cantidad conveniente de mercurio que cubre parcial o totalmente el electrodo inferior, pero no el superior. Cuando desaparece la gravedad, la masa de mercurio adopta una forma esférica (en virtud de la tensión superficial) y su altura es entonces suficiente para rodear el electrodo superior, cerrando así el circuito exterior. Cuando reaparece la gravedad, el mercurio vuelve a depositarse en el fondo, volviendo su superficie a hacerse plana y horizontal, y se rompe la conducción entre los electrodos.

zero hardness   dureza nula. La del agua cuando no contiene magnesia ni sales alcalinas. La dureza se expresa en grados, cada uno de ellos equivalente a la presencia de un gramo de cal por cien litros de agua.

zero hour   hora cero; hora crítica, momento crítico ‖ *(Lenguaje militar)* hora de ataque.

zero impedance   impedancia nula.

zero-impedance generator   *(Elec)* generador de impedancia nula.

zero-impedance sinusoidal-voltage generator   generador de tensión sinusoidal de impedancia nula.

zero-input terminal   *(Basculadores elecn)* terminal de reposición [de puesta a cero]. Terminal que al ser excitado pone el basculador [flip-flop] en el estado "cero" o inicial; si el basculador está ya en ese estado, permanece en él. SIN. **reset terminal.**

zero isochrone   *(Radionaveg)* isócrona cero. Lugar de los puntos para los cuales la diferencia de los tiempos de recorrido de las señales radioeléctricas homólogas enviadas por dos estaciones de emisión de radionavegación sincronizadas, es nula (CEI/70 60–74–275).

zero isotopic spin   espín isotópico nulo.

zero layer   *(Oceanog)* capa cero. En el océano, nivel de referencia donde el movimiento horizontal alcanza un mínimo.

zero lead   *(Basculadores elecn)* hilo de reposición [de puesta a cero]. v. **zero-input terminal** ‖ *(Electrobiol)* hilo neutro, cero bioeléctrico. Potencial de una región de un tejido u otro punto del sistema que presenta una simetría eléctrica tal que su potencial respecto al infinito no cambia de manera apreciable durante la estimulación. Aquél puede o no ser la tierra. SIN. **bioelectric null** (CEI/59 70–25–060).

zero length   *(Aeron)* longitud cero. En relación con los lanzacohetes [rocket launchers], la expresión *longitud cero* indica que el lanzacohetes está proyectado y dimensionado para poner al cohete en posición de lanzamiento o disparo, pero no para guiarlo.

zero level   *(Electroacús/Telecom)* nivel cero. *Nivel de referencia* para la comparación de intensidades sonoras o potencias de señal. En los sistemas de audiofrecuencia el nivel cero se toma igual 6 mW. En medidas acústicas se toma igual al *umbral de audibilidad* [threshold of hearing]. En telefonía, se toma igual a 1 mW a la frecuencia de 1 000 Hz. El vúmetro indica cero unidades de volumen cuando está conectado en derivación con una resistencia de 600 Ω a la cual se le suministra la potencia de 1 mW a 1 000 Hz (norma americana). CF. **VU meter.**

zero-level input   entrada a nivel cero. En audiofrecuencia, entrada a un sistema (p.ej. un amplificador de potencia) que para excitación a pleno necesita una potencia de 0 dB, o sea, un milivatio sobre 600 (ó 500) ohmios.

zero-level output   salida a nivel cero. En un sistema de audiofrecuencia (p.ej. un preamplificador), salida cuya potencia es de 0 dB, o sea, un milivatio sobre 600 (ó 500) ohmios.

zero-level sensitivity   *(Telecom)* sensibilidad referida al nivel cero. SIN. **zero-relative-level sensitivity.**

zero lift   *(Aeron)* sustentación nula; resistencia nula.

zero-lift angle   *(Aeron)* ángulo de sustentación nula.

zero-lift cord   cuerda de sustentación nula.

zero-lift drag   resistencia a sustentación nula.

zero-lift line   línea de sustentación nula; eje neutro.

zero line   línea de cero; eje neutro.

zero line (of a band)   *(Fís)* línea cero (de una banda).

zero-line stability   *(Instr de medida)* estabilidad de la indicación de cero.

zero load   carga nula; consumo nulo.

zero load impedance   impedancia de carga nula.

zero-load meter   instrumento de medida de consumo nulo. Instrumento de medida que por su muy elevada impedancia impone una carga despreciable al circuito objeto de la medida.

zero-load test (of a truss)   *(Mec)* prueba de la carga nula (de una armadura).

zero-load voltmeter   voltímetro de carga nula. v. **no-load meter.**

zero loss   pérdida nula.

zero-loss circuit   circuito sin pérdidas.

zero luminance   luminancia nula.

zero mark   marca nula.

zero marker   *(Radionaveg)* v. **Z marker.**

zero marker beacon   *(Radionaveg)* v. **Z marker beacon.**

zero meridian   meridiano cero, meridiano de origen.

zero method   método de reducción a cero ‖ *(Medidas)* método de cero, método de ajuste a cero [de lectura cero, de indicación nula], método de compensación. v. **null method.**

zero misalignment   desalineamiento nulo; error cero.

zero modulation   modulación nula, ausencia de modulación.

zero-modulation noise   ruido sin modulación, ruido en ausencia de señal. Ruido presente al reproducir una cinta magnética borrada, estando las cabezas de borrado y de grabación excitadas como lo estarían en funcionamiento normal, pero en ausencia de señal de entrada.

zero of a function   (*Mat*) cero de una función. Valor del argumento, o variable independiente, para el cual el valor correspondiente de la función es cero. Por tanto, dada una función f (x), solución de la ecuación f (x) = 0.

zero-order reaction   (*Quím*) reacción de orden cero.

zero output   salida cero [nula] ‖ (*Informática*) salida de estado "cero". Respuesta de tensión (o de tensión integrada) de una célula magnética [magnetic cell] en el estado "cero" cuando es objeto de una operación de lectura o de reposición.

zero-output terminal   (*Basculadores elecn*) terminal de salida "cero". Terminal del cual se toma una señal de salida cuando el basculador está en el estado "cero". CF. **zero-input terminal**.

zero phase-sequence component   (*Elec*) componente homopolar.

zero phase-sequence protection   (*Elec*) protección homopolar. Protección cuya magnitud de influencia [actuating quantity] es la componente homopolar [zero phase-sequence component] de la corriente, la tensión, o la potencia del circuito (CEI/56 16–55–025).

zero phase-sequence relay   (*Elec*) relé homopolar. Relé excitado por la componente homopolar de la corriente, la tensión, o la potencia del circuito.

zero pivot screw   (*Instr de medida*) tornillo-eje de ajuste [corrección] del cero. V. **zero adjuster**.

zero point   punto de cero; punto de origen; punto [temperatura] cero; (temperatura del) cero absoluto ‖ (*Escalas*) cero, división cero ‖ (*Telecom*) punto cero, punto de nivel relativo cero. SIN. **zero-relative-level point**.

zero-point energy   (*Fís*) energía al cero absoluto [a la temperatura del cero absoluto]. Energía cinética presente en una substancia a la temperatura del cero absoluto | energía al cero absoluto. Energía total de un sistema de partículas al cero absoluto de temperatura. NOTA: En un sistema no cuantificado esta energía sería nula. En un sistema cuantificado, de conformidad con el principio de exclusión de Pauli-Fermi, es imposible que todas las partículas estén al nivel cero (CEI/56 07–16–045).

zero point of a scale   cero de una escala, división cero de un cuadrante.

zero pole   (*Líneas de postes*) poste "cero". Poste al que se le asigna el cero en una hilera de postes numerados, y que generalmente está en el extremo de una línea aérea.

zero position   posición cero.

zero potential   potencial cero [nulo]. En electricidad, potencial que se toma de referencia, y que usualmente es el de la tierra. SIN. **tensión nula**.

zero power   potencia cero [nula].

zero power factor   (*Elec*) factor de potencia cero [nulo].

zero-power-factor characteristic   (*Elec*) (**of a synchronous machine**) característica en corriente reactiva (de una máquina sincrónica). Curva que representa la tensión en bornes en función de la corriente de excitación [exciting current] cuando la máquina suministra una corriente constante con un factor de potencia próximo a cero (CEI/56 10–40–325).

zero-power fast reactor   (*Nucl*) reactor de neutrones rápidos de potencia nula.

zero-power range   (*Nucl*) margen de potencia nula (de un reactor).

zero-power reactor   (*Nucl*) reactor de potencia cero [nula]. Reactor experimental que se hace funcionar con un valor muy pequeño de flujo neutrónico y a un nivel de potencia tan bajo que es innecesario el enfriamiento forzado.

zero-power resistance   (*Termistores*) resistencia sin disipación (de energía). Resistencia eléctrica a una temperatura especificada cuando no se disipa ninguna energía eléctrica en el elemento.

zero-power resistance–temperature characteristic   (*Termistores*) característica de resistencia sin disipación en función de la temperatura del elemento.

zero-power temperature coefficient of resistance   (*Termistores*) coeficiente de temperatura respecto a la resistencia sin disipación.

zero print   (*Informática*) impresión de ceros.

zero-print control   control de impresión de ceros.

zero printing   (*Informática*) impresión de ceros.

zero reactance   (*Elec*) reactancia cero [nula].

zero-reactance point   punto de reactancia cero.

zero reading   indicación de cero; marcación cero; cota cero.

zero recentering   reposición a cero.

zero recovery time   tiempo de restablecimiento nulo, restablecimiento instantáneo.

zero relative level   (*Telecom*) nivel relativo cero.

zero-relative-level point   (*Telecom*) punto de nivel relativo cero, punto cero. SIN. **zero point**.

zero-relative-level sensitivity   (*Telecom*) sensibilidad referida al nivel cero. SIN. **zero-level sensitivity**.

zero reset   reposición [reajuste] a cero, puesta a cero.

zero-reset device   dispositivo de reposición [puesta] a cero.

zero-reset pulse   impulso de reposición a cero.

zero resetting   reposición [reajuste] a cero, puesta a cero.

zero rest mass   (*Fís*) masa en reposo nula.

zero rocker   (*Informática*) balancín del cero.

zero-rocker bail   varilla del balancín del cero.

zero-sequence component   (*Elec*) componente homopolar. Una de las magnitudes que constituyen la coordenada homopolar [zero-sequence coordinate]. SIN. **homopolar component** (CEI/56 05–42–040).

zero-sequence coordinate   (*Elec*) (**of a system of polyphase quantities**) coordenada homopolar [de orden cero] (de un sistema polifásico de magnitudes). Coordenada simétrica del sistema, formado por *n* componentes idénticas en magnitud y en fase. SIN. **homopolar coordinate** (CEI/56 05–42–035).

zero-sequence field impedance   (*Elec*) impedancia de campo homopolar. Cociente de la componente homopolar [zero-sequence component] de la tensión, supuesta sinusoidal, aplicada a una máquina sincrónica, por la componente homopolar de la misma frecuencia de la corriente. En la práctica, esta impedancia es determinada haciendo girar la máquina en sincronismo o casi en sincronismo (CEI/56 10–45–075). Véase la NOTA "10–45–000" en el artículo *synchronous machine*.

zero set   puesta a cero; desvío del cero.

zero-set control   control de cero, mando de puesta a cero.

zero setting   puesta a cero; ajuste a cero; punto de ajuste a cero.

zero-setting device   dispositivo de puesta a cero.

zero-setting error   (*Aeron*) error de (calaje a) cero.

zero-setting pulse   (*Contadores*) impulso de puesta a cero.

zero shift   (*Instr de medida*) desplazamiento [corrimiento] del cero. Valor en que la indicación mínima o de cero se aparta del punto de calibración, sea por envejecimiento, por influencias externas, o por cualquiera otra causa. SIN. **zero drift** ‖ (*Transductores de medida*) desplazamiento [desvío] del cero ‖ (*Ampl mag equilibrados*) desplazamiento del cero; salida sin señal de control. Salida del amplificador en ausencia de señal de control, debida a la deriva, o sea, variaciones con el tiempo, en los parámetros de funcionamiento. CF. **zero stability**.

zero signal   señal cero [nula], ausencia de señal.

zero-signal DC plate current   (*Tubos elecn*) corriente continua de placa [de ánodo] sin señal.

zero-signal method   método de señal cero. CF. **zero method** | método homodino. SIN. **zero-beat method**.

zero-signal output voltage   tensión de salida en ausencia de señal.

zero space charge   (*Elecn*) carga espacial nula.

zero spin   (*Fís*) espín cero [nulo].

zero split   *(Informática)* supresión de arrastre de ceros.

zero stability   *(Instr de medida)* estabilidad del cero [del ajuste a cero]. CF. **zero shift** ‖ *(Ampl mag equilibrados)* estabilidad del cero; salida máxima sin señal de control. Señal máxima presente a la salida en ausencia de señal de control, debida a variaciones ocurridas en los parámetros de funcionamiento durante un período de tiempo largo. CF. **zero shift.**

"zero" state   estado "cero". v. **"one" state.**

zero static error   *(Servomecanismos)* error estático nulo.

zero subcarrier   subportadora cero [nula], ausencia de subportadora.

zero-subcarrier chromaticity   *(Tvc)* cromaticidad de subportadora cero [nula]. Cromaticidad normalmente observable cuando la amplitud de la subportadora es igual a cero en el sistema.

zero suppression   *(Informática)* supresión de ceros. Supresión o eliminación de *ceros no significativos* [nonsignificant zeros] en un número; supresión de ceros a la izquierda, o sea, ceros que preceden al dígito significativo de más alto orden. La supresión se efectúa habitualmente durante una impresión de datos o con anterioridad a ésta. EJEMPLO: el número 0005403 aparecería, después de la supresión de ceros, en la forma 5403. SIN. **zero blanking** [**cancellation, compression, elimination**] ‖ *(Aparatos registradores)* supresión de la componente continua (de la señal). Operación que se efectúa mediante una tensión continua regulable que neutraliza la componente continua de la señal de entrada.

zero-suppression multirelay   *(Informática)* relé múltiple de supresión de ceros.

zero temperature   temperatura cero.

zero temperature absolute   cero absoluto de temperatura.

zero temperature coefficient   coeficiente de temperatura nulo.

zero-temperature-coefficient condenser   condensador de coeficiente de temperatura nulo.

zero-temperature-coefficient crystal   cristal (de cuarzo) de coeficiente de temperatura nulo. v. **zero-cut crystal.**

zero test   *(Informática)* prueba de cero.

zero-test device   dispositivo para prueba de cero.

zero tester   probador de cero.

zero thrust   tracción nula; empuje nulo.

zero-thrust pitch   *(Hélices)* paso de tracción nula.

zero time   tiempo cero, tiempo de referencia.

zero time reference   tiempo cero de referencia. Instante conocido al cual se refieren los eventos de un ciclo de funcionamiento de un radar.

zero-to-space device   *(Informática)* dispositivo conversor de cero a espacio.

zero toll-level point   *(Telecom)* punto cero del nivel de transmisión de larga distancia; punto de nivel relativo cero de transmisión a larga distancia. CF. **zero level, zero point.**

zero torque   par nulo.

zero-torque pitch   *(Hélices)* paso de par nulo.

zero transfer   *(Informática)* transferencia de ceros.

zero transmission-level point [0TLP]   *(Telecom)* punto de nivel de transmisión cero. Punto de un sistema en el que existe el nivel cero o de referencia, igual a 1 mW. SIN. **reference transmission-level point.**

zero transmission-level reference point   *(Telecom)* v. **reference transmission-level point, zero transmission-level point.**

zero variation   variación nula ‖ *(Aparatos de medida)* variación del cero. CF. **zero stability** ‖ desviación residual. Parte de la desviación o deflexión [deflection] de un aparato de par antagonista [restoring torque] que subsiste después que ha desaparecido la causa que la produce (CEI/58 20–40–135).

zero visibility   visibilidad cero.

zero voltage   tensión cero [nula].

zero voltage output   salida de tensión nula, tensión de salida nula.

zero-voltage switch   conmutador a tensión nula. Conmutador electrónico cuya transición ocurre en el instante en que la tensión alterna en el circuito es nula, o sea, cuando la tensión pasa por cero. Esta técnica reduce al mínimo las perturbaciones de radiofrecuencia generadas por el conmutador.

zero wander   *(Instr de medida)* oscilación del cero. CF. **zero shift.**

zero weather   *(Meteor)* tiempo de cero grados (de temperatura); temperatura de cero grados.

zero wind   viento nulo.

zero/X exit   *(Informática)* salida de X y ceros.

zero-zero   *(Aeron)* *(Expresión dialogal)* techo y visibilidad cero.

zeroed   *adj:* puesto a cero; ajustado a cero; reducido a cero.

zerograph   cerógrafo. Forma primitiva de aparato de telegrafía impresora del tipo arrítmico.

zeroing   puesta a cero; ajuste a cero; reducción a cero ‖ *(Sincros)* determinación del cero.

zeroize   *verbo:* poner en cero; ajustar a cero; reducir a cero.

zeroth   *adj:* ceroésimo, de orden cero.

zeroth law of thermodynamics   *(Fís)* ley cero de la termodinámica. Ley según la cual, si dos sistemas se encuentran en equilibrio termodinámico con un tercer sistema a través de una pared diatérmica [diathermal wall], los mismos se hallan en equilibrio el uno con el otro.

zeroth order   orden cero.

zeta   zeta, zeda. Sexta letra del alfabeto griego. Mayúscula: Z. Minúscula: ζ. Esta última se emplea en matemática como característica de la función de Riemann.

ZETA   Siglas de *zero-energy thermal apparatus* ‖ Siglas de *zero-energy thermonuclear apparatus,* con que se nombra el primer aparato en el que se consiguió controlar una reacción termonuclear y que se ha utilizado en investigaciones sobre la fusión atómica. Se construyó en Harwell (Inglaterra).

zeta potential   potencial zeta, potencial electrocinético. Grupo de cuatro potenciales eléctricos [electric potentials] o de velocidad [velocity potentials] que acompañan el movimiento relativo entre sólidos y líquidos. SIN. **electrokinetic potential, sedimentation potential, streaming potential** (CEI/59 70–10–025).

zeunerite   *(Miner)* zeunerita.

Ziehen effect   *(Radiocom)* efecto "Ziehen", arrastre.

zigzag   zigzag, ziszás ⫽ *adj:* en zigzag, serpentino ⫽ *verbo:* zigzaguear, hacer zigzags; ir en zigzag; pasar en zigzag.

zigzag-connected   *adj: (Elec)* conectado en zigzag.

zigzag-connected secondary   *(Transf)* secundario conectado en zigzag.

zigzag connection   *(Elec)* conexión en zigzag. Conexión en estrella [star connection] de los arrollamientos polifásicos en la cual cada rama está compuesta de arrollamientos de fases diferentes (CEI/38 05–40–070).

zigzag rectifier   *(Elec)* rectificador en zigzag.

zigzag reflections   *(Propagación radioeléc)* reflexiones múltiples. Reflexiones múltiples de orden superior que ocurren en una capa ionosférica.

zigzag winding   *(Elec)* devanado en zigzag.

zinc   cinc, zinc. Elemento metálico de color blanco azulado, de número atómico 30. Símbolo: Zn ‖ peltre. Liga de cinc, plomo y estaño ⫽ *adj:* cíncico, zíncico ⫽ *verbo:* cincar, zincar, galvanizar; cubrir (p.ej. un techo) con chapas de cinc; cubrir con peltre.

zinc-based   *adj:* a base de cinc.

zinc-based alloy   aleación a base de cinc.

zinc blende   *(Miner)* blenda (de cinc), esfalerita. SIN. **sphalerite.**

zinc bloom   flor(es) de cinc; cinconita, hidrocincita.

zinc borate   borato de cinc.

zinc bromate   bromato de cinc.

zinc bromide   bromuro de cinc.

zinc bromide solution   solución de bromuro de cinc.

zinc-cadmium sulfate   sulfato de cinc y cadmio.

zinc-cadmium sulfide   sulfuro de cinc y cadmio.

zinc carbonate   carbonato de cinc ‖ *(Miner)* esmitsonita, carbonato de cinc nativo. SIN. **smithsonite.**

zinc chloride   cloruro de cinc.

zinc chromate   cromato de cinc.

zinc chrome   cromo-cinc; pigmento de cromato de cinc.

zinc-coated   *adj:* cincado, zincado, galvanizado, bañado de cinc.

zinc-coated steel   acero galvanizado.

zinc dust   polvo de cinc; cinc en polvo.

zinc engraving   cincograbado, cincotipia, zincotipia.

zinc immersion plating bath   baño de cincado por inmersión.

zinc-manganese chloride   cloruro de cinc-manganeso.

zinc-manganese dioxide   bióxido de manganeso y cinc.

zinc-manganese dioxide primary cell   pila primaria de bióxido de manganeso y cinc. Tipo de pila primaria alcalina recargable, caracterizada por tener una duración en almacén [shelf life] de hasta dos años.

zinc orthosilicate   ortosilicato de cinc. cf. **willemite**.

zinc oxalate   oxalato de cinc.

zinc oxide   óxido de cinc ‖ *(Miner)* cincita, óxido de cinc nativo. SIN. **zincite**.

zinc phosphate   fosfato de cinc.

zinc pigment   *(Pinturas)* pigmento de cinc.

zinc-plate   *verbo:* cincar, zincar, galvanizar.

zinc plating   zincado, galvanizado; zincado electrolítico, electrocincado, electrogalvanizado.

zinc-silver chloride   cloruro de plata y cinc.

zinc-silver chloride primary cell   pila primaria de cloruro de cinc y plata. Pila primaria almacenable en estado inactivo (v. **reserve cell**) que se activa agregándole agua; se caracteriza por su elevada capacidad en relación con el peso (hasta 88 Wh/kg) y su larga vida después de activada.

zinc-silver oxide   óxido de cinc y plata.

zinc-silver oxide cell   elemento de óxido de cinc y plata. Elemento electrolítico alcalino utilizable como pila primaria o como pila secundaria.

zinc spar   *(Miner)* esmitsonita. SIN. **smithsonite**.

zinc sulfate   sulfato de cinc.

zinc sulfide   sulfuro de cinc.

zinc sulfide scintillator   centelleador de sulfuro de cinc.

zinc sulfite   sulfito de cinc.

zinc superoxide   superóxido de cinc.

zinc tallate   talato de cinc.

zinc telluride   telururo de cinc. Semiconductor con banda prohibida de 2,2 eV. Cuando se lo utiliza en un transistor, su temperatura de funcionamiento máxima admisible es de 780° C. Fórmula química: $ZnTe$.

zinc-tin amalgam   amalgama de cinc y estaño.

zinc vitriol   vitriolo de cinc.

zinc white   blanco de cinc. Se usa como pigmento en pinturas. SIN. **zinc oxide**.

zincate   compuesto de cinc. Nombre de varios compuestos químicos derivados de la reacción del cinc o el óxido de cinc con ciertas soluciones alcalinas.

zinciferous   *adj:* cincífero, zincífero.

zincification   cincado, zincado, galvanización.

zincify   *verbo:* cincar, zincar, galvanizar.

zincing   cincado, zincado, galvanización.

zincite   *(Miner)* cincita, óxido rojo de cinc. Mineral de color entre rojo y amarillo anaranjado, esencialmente óxido de cinc.

zincous   *adj:* cincoso, zincoso.

Zip Code, zip code, ZIP code   *(EE.UU.)* número de distrito [zona] postal.

zippeite   *(Miner)* zippeíta.

zipper   zíper, cierre relámpago [de cremallera]. TB. cierre automático [metálico], apretador [abrochador] de corredera, cremallera abrochadora, cierre cremallera.

zircaloy   zircaloy, aleación de circonio.

zircite, zirkite   *(Quím)* circita, zircita, zirkita.

zircon   circón, zircón. Mineral entre color café e incoloro, esencialmente un silicato natural de circonio ($ZrSiO_4$), que se corta, calienta y pule para obtener una piedra preciosa de color

blanco azulado brillante. También se usa este silicato para hacer piezas refractarias ‖ *adj:* circónico, zircónico, de circón, de zircón.

zircon ceramic insulator   aislador cerámico circónico.

zircon-iron powder-coated electrode   electrodo revestido de polvo de circón e hierro.

zircon porcelain   porcelana circónica [de circón].

zirconate   circonato, zirconato. Nombre de varios compuestos químicos formados calentando óxido de circonio [zirconium oxide] con un óxido o un carbonato metálico en presencia de un ácido.

zirconia   circonia, circona, zirconia. Fórmula: ZrO_2. Se presenta en estado natural como *baddelyita* y *zirkelita*. SIN. **óxido [dióxido, bióxido] de circonio, anhídrido circónico —— zirconium oxide**.

zirconia brick   ladrillo de circonia.

zirconic   *adj:* *(Quím)* circónico, zircónico.

zirconium   circonio, zirconio. Elemento metálico de número atómico 40. Posee buenas propiedades mecánicas a altas temperaturas. Por ello, y por tener, cuando es puro, una sección eficaz de absorción muy pequeña para los neutrones térmicos, se emplea como material estructural en reactores nucleares. Símbolo: Zr ‖ *adj:* circónico, zircónico.

zirconium anhydride   anhídrido de circonio.

zirconium arc lamp   lámpara de arco de circonio.

zirconium-clad   *adj:* chapado con circonio, revestido de circonio, circoniado, zirconiado.

zirconium dioxide   dióxido de circonio.

zirconium ferroalloy   aleación de circonio e hierro.

zirconium glucolate   glicolato de circonio.

zirconium hydride   hidruro de circonio.

zirconium hydroxide   hidróxido de circonio.

zirconium lamp   lámpara eléctrica con cátodo de óxido de circonio en atmósfera de argón. Se caracteriza por un foco luminoso concentrado (fuente puntual), elevada intensidad luminosa, y escasa emisión de luz de ondas largas.

zirconium-niobium scanner   *(Nucl)* explorador de circonio-niobio. Explorador de barra de combustible [fuel rod] constituido por un detector de cristal de yoduro sódico [sodium iodide], un fotomultiplicador, un amplificador, y un analizador multicanal.

zirconium nitrate   nitrato de circonio.

zirconium nitride   nitruro de circonio.

zirconium oxide   óxido de circonio.

zirconium oxychloride   oxicloruro de circonio.

zirconium phosphate   fosfato de circonio.

zirconium silicate   silicato de circonio.

zirconium sulfate   sulfato de circonio.

zirconium tetrachloride   tetracloruro de circonio.

zirconyl   *(Quím)* circonilo, zirconilo.

zirkelite   *(Miner)* zirkelita.

zirkite   *(Quím)* v. zircite.

zither   *(Mús)* cítara.

ZM   *(Radionaveg)* Abrev. de zero marker; zone marker.

Zn   Símbolo químico del cinc o zinc [zinc].

ZnTe   Fórmula química del telururo de cinc [zinc telluride].

zodiac   (=a complete circuit; circle) circuito (completo); círculo ‖ *(Astr/Astrología)* zodiaco, zodíaco ‖ *adj:* zodiacal.

zodiacal   *adj:* zodiacal.

zodiacal light   *(Geofís)* luz zodiacal.

zonal   *adj:* zonal.

zonal astigmatism   *(Opt)* astigmatismo zonal.

zonal communications system   red zonal de (tele)comunicaciones.

zonal time   hora del huso.

zone   zona; región; distrito, territorio, sección, división (política o urbana); banda circular, faja, cinturón, cinto ‖ *(Lenguaje poético)* cinturón, cíngulo ‖ *(Geom)* zona ‖ *(Informática)* zona. (1) Parte de una memoria interna reservada para una función determinada. (2) Cualquiera de las tres posiciones superiores 12, 11, y 0 de una tarjeta perforada de 80 columnas; en estas posiciones puede efectuarse una segunda perforación, de manera que con perforaciones en las posiciones restantes del 1 al 9, pueden obtenerse suficientes posiciones de dos perforaciones para representar los caracteres alfabéticos ‖ *(Radionaveg)* zona. Conjunto de un número de *pasillos* [lanes] adyacentes de una cadena de radionavegación Decca (CEI/70 60–74–295) ⫽ *adj:* zonal ⫽ *verbo:* dividir en zonas [en secciones].

zone-and-overtime registration *(Telef)* medidas por zona y duración. CF. **zone registration, zoning of rates.**

zone axis eje zonal, eje de zona. Eje que pasa por el centro de un cristal y es paralelo a la arista de una zona.

zone blanking *(Radar)* extinción de zona. Supresión del haz explorador del tubo de rayos catódicos durante una parte del barrido de la antena.

zone center centro zonal [de zona] ‖ *(Telecom)* centro principal de tránsito; centro nacional de tránsito ‖ *(Telef)* centro de zona, centro de tránsito (regional) | central de zona. Central que actúa como centro principal de conmutación [main switching center] para los centros de agrupamiento de una zona determinada. Cada central de tránsito tiene acceso, directa o indirectamente, a todas las otras centrales de tránsito [subzone centers]. Los circuitos entre centrales de tránsito, sean o no directos, son normalmente circuitos de pequeña pérdida de transmisión [low-loss circuits] CEI/70 55–90–065).

zone control control zonal [de zona].

zone-control system *(Climatiz)* sistema de control de zona.

zone crystallization *(Semicond)* cristalización por zonas.

zone elimination *(Informática)* eliminación de zona.

zone leveling *(Semicond)* nivelación por zonas, homogeneización por fusión de zona. (**1**) En la producción de semiconductores, desplazamiento de una o más zonas de fusión a lo largo del cuerpo semiconductor con el fin de obtener una distribución uniforme de las impurezas contenidas en él. (**2**) Técnica de uniformar el contenido de un elemento en una masa cristalina. La masa se hace pasar lentamente por el interior de un elemento calefactor eléctrico en forma de aro o anillo, el cual derrite una zona angosta del cristal; a medida que el cristal se desplaza, la zona derretida se va corriendo de un extremo al otro, pues la parte del cristal que va saliendo del calefactor se resolidifica. SIN. **arrastre horizontal.** CF. **zone purification, zone refining.**

zone-leveling technique *(Semicond)* técnica de nivelación por zonas [de arrastre horizontal, de homogeneización por fusión de zona].

zone magnet *(Informática)* electroimán de zona.

zone-magnet control control de los electroimanes de zona.

zone marker [ZM] *(Radionaveg)* marcador [radiobaliza] de zona, marcador tipo Z, radiofaro marcador (tipo) Z. v. **Z marker (beacon).**

zone melting *(Semicond)* fusión por zonas. Procedimiento utilizado para la obtención de cristales semiconductores para transistores, diodos, y otros dispositivos. SIN. **fusión fraccional.** V.TB. **zone leveling.**

zone metering *(Telef)* medida por zona; contaje por zonas. CF. **zone-and-overtime registration.**

zone of intersection zona de intersección.

zone of operations zona de operaciones.

zone of silence *(Radiocom)* zona de silencio. v. **silent zone, skip zone.**

zone of the interior zona del interior.

zone police station *(Radiocom)* estación policiaca zonal.

zone-position indicator *(Radar)* indicador de posición aproximada. Radar auxiliar que indica la posición aproximada de un objeto; éste es entonces localizado con precisión por un radar de campo más angosto.

zone punch *(Informática)* perforación de zona; sobreperforación. v. **overpunch.**

zone purification *(Semicond)* purificación por zonas. Técnicas de

correr una o más zonas en fusión a lo largo de un semiconductor con el fin de reducir la concentración de impurezas en una parte del mismo. SIN. **zone refining, zoning.**

zone refining *(Semicond)* refinamiento por zonas. (**1**) Refinamiento de un cristal mediante la técnica descrita respecto a la *nivelación por zonas* [zone leveling]. Haciendo pasar el cristal repetidas veces por el calefactor anular, las impurezas del cristal no sólo se distribuyen uniformemente, sino que se van desplazando y acumulando en el extremo, el cual se corta luego. (**2**) Procedimiento de purificación en el que se emplea una bobina calefactora de radiofrecuencia para fundir una zona o porción de un *tocho* [billet] de material semiconductor. La sección en fusión se corre a lo largo del tocho, con lo cual las impurezas se depositan en el extremo de éste. SIN. **zone purification, zoning.**

zone registration registro por zonas ‖ *(Telef)* medida por zona. CF. **zone-and-overtime registration.**

zone selection selección por zonas ‖ *(Informática)* selección de zona.

zone selector *(Telecom)* selector de zona.

zone suppression *(Informática)* supresión de zona.

zone time hora del uso. SIN. **hora normal —— standard time.**

zoned lens lente escalonada. Lente radioeléctrica constituida por dos elementos lenticulares yuxtapuestos cuyo espesor varía por escalones (CEI/70 60–35–120).

zoning disposición por zonas ‖ *(Urbanización, Climatiz, Calefacción, &)* zonificación. LOCALISMOS: zonación, zonización ‖ *(Lentes y reflectores radioeléc)* escalonamiento. Desplazamiento escalonado de diversas partes del elemento de manera que el frente de fase resultante en el campo próximo permanezca invariable. SIN. **stepping** ‖ *(Semicond)* purificación [refinamiento] por zonas. v. **zone purification, zone refining.**

zoning of rates *(Telef)* tasación por zona; tarifa por zona.

zoning plan plan de zonificación; plan de restricción de nuevas construcciones.

zoogloea *(Lab)* zoogloea, zooglea.

zoom zumbido ‖ *(Aeron)* tirón; encabritamiento, empinada ‖ *(Cine/Tv)* cambio rápido de plano, desplazamiento rápido de la cámara. Acercamiento o alejamiento rápidos de la cámara en relación con el objeto o la escena que se toma, o simulación de ese movimiento por medios ópticos o electrónicos. La expresión se usa con mayor frecuencia refiriéndose al *acercamiento* o el *efecto de acercamiento* de la cámara ‖ *(Tv)* ampliación rápida de una parte de la imagen, por medios ópticos o electrónicos ⫽ *verbo:* volar zumbando ‖ *(Aeron)* subir en ángulo abrupto ‖ *(Cine/Tv)* cambiar rápidamente de plano, desplazar rápidamente la cámara (acercándola o alejándola del objeto o la escena); ampliar rápidamente parte de la imagen.

zoom-away shot *(Cine/Tv)* toma con acercamiento de la cámara; toma con aumento de (la) distancia focal.

zoom-in shot *(Cine/Tv)* toma con alejamiento de la cámara; toma con disminución de (la) distancia focal.

zoom lens *(Cine/Tv/Fotog)* objetivo de distancia focal variable [ajustable, regulable], lente para cambio rápido de plano. Lente u objetivo con elementos movibles de tal manera que la distancia focal (o el ángulo de vista) pueda hacerse variar en forma continua sin perder el enfoque del objeto o la escena. En esas condiciones la imagen puede tomarse en distintos tamaños sin necesidad de acercar o alejar la cámara.

Zoomar Zoomar. Marca registrada (Television Zoomar Corporation) de un objetivo de distancia focal variable o regulable. v. **zoom lens.**

Zoomar lens objetivo [lente] Zoomar.

zoophysiology zoofisiología.

zooplankton zooplancton.

Zr Símbolo químico del circonio o zirconio [zirconium].

Zurich's number *(Radioelec)* número de Zurich. Símbolo: R. SIN. **Wolf's number.**

zwitterion *(Quím)* zwitterion, ion con carga positiva y negativa.

Ion portador de cargas de signos opuestos, y que viene a constituir una molécula eléctricamente neutra con un momento dipolar, y que presenta, por un extremo, el aspecto de un ion positivo, y, por el otro, el de un ion negativo. NOTA: *Zwitterion* es palabra alemana /// *adj:* zwitteriónico.

Zworykin   Vladimir Kosma Zworykin. Físico americano de origen ruso (nacido en 1889). Desarrolló la primera cámara práctica de televisión.

Zworykin iconoscope   *(Tv)* iconoscopio de Zworykin.

Zworykin multiplier   *(Elecn)* multiplicador de Zworykin.

Zworykin photomultiplier   fotomultiplicador de Zworykin.

zygote   *(Biol)* cigoto, cigota, zigoto, zigota.

zymase   *(Bioquím)* cimasa, zimasa.

zyme   *(Medicina)* cimo, zimo, fermento, virus.

zymosis   *(Medicina)* cimosis, zimosis, fermentación, enfermedad cimótica; proceso de infección; enfermedad infecciosa.

zymothermic   *adj:* cimotérmico, zimotérmico.

zymotic   *adj:* *(Medicina)* cimótico, zimótico, relativo a la fermentación; relativa a una enfermedad infecciosa.

zymurgy   *(Quím)* cimurgia, zimurgia. Rama de la química que se ocupa de la aplicación industrial de las fermentaciones.